自由人(十二)

自由人總目錄

動盪時代的印記——《自由人》三日刊始末

陳正茂（北台灣科學技術學院通識教育中心教授）

一、前言：《自由人》三日刊創刊之背景

民國三十八年是中國歷史上驚天動地的一年，隨著戡亂戰局的逆轉，中共席捲大陸，國府敗退遷台，真是國命如絲風雨飄搖的危急存亡之秋。處此動盪時代中，除大批軍民同胞隨政府播遷來台外；尚有一部分人士選擇避難香江，南下港九一隅，這些人當中，有不少是失意政客和知識份子。基本上，當年選擇避秦來港的知識份子，其心態上有兩種，一則對國、共兩黨均感不滿；再則係看上香港為自由民主之地，較能有揮灑發展的空間。此情勢考量，誠如雷嘯岑所言：「在一九四九－五〇年之間，因大陸淪陷，香港乃成了反共非共的中國人士望門投止的逋逃之藪」。

這些投奔港九的政治難民，以高級知識份子居多；兼以香港時為英屬自由之地，所以只要不違背港府法令，一般而言從事任何活動是百無禁忌，相當自由的。不僅可以高談政治問題，甚至於從事政治活動亦不加以限制。於是，「從大陸流亡到港九的高級知識份子群，乃相率呼朋引類，常舉行座談會，交換對國事意見，而美國國務院的巡迴大使吉塞普（Philip Jessup），斯時亦在香港鼓勵中國人組織『第三勢力』運動，目的以反共為主。」在此背景下，港九地區的自由民主人士，在美國幕後撐腰下，「各種座談會風起雲湧，熱鬧非凡；而諸多以反共為職志的大小刊物，更是應運而興，琳瑯滿目了。」所以，《自由人》三日刊，就是在此大時代氛圍下孕育而生的。

二、《自由人》三日刊誕生之經過

《自由人》三日刊醞釀誕生之經過，最早鼓吹者，一般而言，說法有二，一為由王雲五號召發起。據其《岫廬八十自述》書中提及：「自民國三十九年開始以來，由於中共匪幫建立偽政權，並先後獲得蘇俄、緬甸、印度、巴基斯坦及英國的承認，於是匪幫的勢力在香港突然大振，不少反共分子漸呈動搖態度。旅港有識之士深感囂風日長，漸使全港華人隨而動搖，乃相與集議挽救之道。我因在港主辦一個小規模出版事業（按：即華國出版社），尤以一貫堅持反共方針，遂由多數參加集議人士推任領導。由臨時的集會，變為固定的座談；其地點經常利用國民黨在銅鑼灣某街所租賃之四樓房屋一層。每次參

1 馬五，〈「自由人」之產生與夭折〉，見馬五（雷嘯岑）著，《政海人物面面觀》（香港：風屋書店出版，一九八六年十二月初版），頁二一二。又此種座談會多在週末舉行，也有人稱之為「週末座談會」或「星期六座談會」。見馬五先生著，《我的生活史》（台北：自由太平洋文化事業公司出版，民國五十四年三月一日初版），頁一六一。

加座談者，多至三十餘人，少亦一二十人，皆為文化界人士，或為舊日與政治有關係者，各政黨及無黨派人士皆有之。後來我以香港政府最忌政治性的集會，凡參加人數較多，尤易引起猜疑，動輒干涉。加以如此散漫的座談，亦未必能持久，因於某次座談中提議創辦一小型之定期刊物，每週或半週出版一次，既可藉此刊物益鞏固反共人士之維繫，且刊物一經向港政府註冊，則在刊物辦公處所舉行的座談，皆可諉稱編輯會議，可免港政府之干涉。此議一出，諸人咸表贊同，遂計劃如何組織與籌款。結果決辦三日刊，定名為自由人，其資金由參加坐談人士各自量力提供。我首先代表華國出版社提供港幣一千五百元，此外各發起人分別擔任，或一千，或五百不等；並經決定撰文者一律用真姓名，以明責任。其後，又決定委託香港時報代為印刷發行。因是，籌備進行益力，發起人等每星期至少集會一次，間或二次，一切進行甚為順利。」[2]

二為眾人集議，早有志於此，雷嘯岑即主此說。雷言：「這時候，即有原在大陸上服務新聞界的報人成舍我、陶百川、程滄波，協同青年黨人左舜生、民社黨人金侯成，以及國民黨人阮毅成、無黨無派的王雲五，外加香港時報社長許孝炎、新聞天地雜誌社社長卜少夫一千人等，於每週末午後在香港高士威道某號住宅中，舉行文化座談會。大家談來談去，得到一項結論，要辦一份刊物，以闡揚民主自由思想，在文化上進行反共鬥爭。……適韓戰爆發，預料東亞局勢將有變化，刊物必須及時問世，刊物取名「自由人」，由程滄波書寫報頭兼撰〈發刊詞〉，標題是〈我們要做自由人〉。」[3]

然由當事人之一的阮毅成事後追記，似乎《自由人》三日刊能草創成功，仍是由王雲五一手主導的。阮說：「民國三十九年十二月二十日，雲五先生在香港高士威道約大家茶敘，其中特別提及『今日我約諸位來，是想創辦一份反共的刊物，以正海外的視聽。間接幫助臺灣，說幾句公道話。我們讀書人，今日所能為國家效力的，也只有此途。』」[4]由阮之記載，合理推論，《自由人》三日刊能順利催生問世，王氏為登高呼籲之首倡者，可能性是很高的！

但就在王氏積極創辦《自由人》三日刊之際，突發一件暗殺事件，則頗值得一述；且對後來《自由人》三日刊的發展不無影響。事緣於三十九年十二月下旬，王氏在《自由人》三日刊諸人集會散會後，在香港寓所遭遇暗殺，幸子彈未命中，逃過一劫，這突如其來之舉，使王氏決定立即離港赴台定居。此事來台後，王氏曾將真相告訴繼我而來的成舍我。王氏謂：「到臺以後，除將此次提前來臺的秘密暗中告知兒女外，他人皆不使知。後來事過境遷，才漸漸透露給若干至好的朋友，首先是對於不久繼我而來的成舍我君；因為他覺得我向

[2] 王雲五，《岫廬八十自述》（台北：商務版，民國五十六年七月一日初版），頁一〇四～一〇五。

[3] 馬五，〈「自由人」之產生與夭折〉，同註一，頁二一二～二一三。又見馬之驌，《雷震與蔣介石》（台北：自立晚報社文化出版部出版，一九九三年十一月一版），頁八一。

[4] 阮毅成，〈王雲五先生與自由人三日刊〉，見蔣復璁等著，《王雲五先生與近代中國》（台北：商務版，民國七十六年六月初版），頁三〇～三一。有關《自由人》之發起，另有一說為萬麗鵑博士論文所言：「《自由人》為『自由中國協會』成員所辦之三日刊。」見萬麗鵑，〈一九五〇年代的中國第三勢力運動〉（台北：國立政治大學歷史研究所博士論文，民國九十年七月），頁一六四。但根據「自由人」社發起人之一的雷嘯岑回憶說：「自由中國協會」為當時在美國的胡適、蔣廷黻、曾琦等人所發起，胡、蔣、曾諸氏希望以『自由人』全體發起人為主幹，先在香港成立總會，台灣暨歐美各省都設立分會。嗣經提出座談會詳細研討，大家認為總會以設在台灣為妥，香港亦只設分會，庶合體制。結果不知如何，這個會沒有成立，終於流產了。」馬五，〈「自由人」之產生與夭折〉，同註一，頁二一四～二一六。故萬氏此說，恐不確。

來很少患病，在約定聯合宴客之日，我竟稱病缺席，舍我不免將信將疑。其後到我家探病，見我毫無病容，更不免懷疑。及我不別而赴臺，他懷疑益甚，所以在他來臺後，偶爾和我詳談及此，我也就不好意思對朋友有所隱瞞了。」[5]

上述言及之十二月下旬，實際上是民國三十九年十二月三十一日，除夕。阮氏說：是日「王雲五先生約在高士威道午餐，我應約前往，王臨時以腹瀉未到，由成舍我兄代作主人，謂『自由人』籌備事，大致已妥。」而四十年的元月三日，阮氏也說到是日，「應卜少夫、程滄波二兄之約，到高士威道二十二號四樓午膳。據滄波兄言，是日原應由王雲五先生作東，而王於當天上午，離港飛台，臨行前以電話托其代為主人。」[6]

王氏的不告而別倉促離港赴台，也使得後續有不少參與「自由人」社同仁跟進，紛紛來台，這對於原本人力吃緊資金短絀的《自由人》三日刊之發展，當然有不小的影響。至於《自由人》三日刊籌組的經過梗概，雖在王氏離港來台後，仍按部就班的進行。四十年元月十日下午，阮毅成與程滄波及左舜生又約至高士威道聚談。關於創辦刊物事，左舜生主張宜立即出版，卜少夫則以須現款收有相當數目，方能創刊。是月三十一日，雷震自台灣來，亦參加「自由人」社活動。會中大家一致決定《自由人》三日刊，於農曆年後出版。並在職務安排上初步有了規劃，即推程滄波撰〈發刊詞〉，以辦報經驗豐富的成舍我任總編輯，陶百川為副總編輯。又另推編輯委員十四人，分別是劉百閔、雷嘯岑、陶百川、彭昭賢、程滄波、陳石孚、許孝炎、張丕介、吳俊升、金侯城、成舍我、左舜生、王雲五、卜少夫。[7]

四十年二月九日，內定為總編輯的成舍我自香港致函王雲五，說到：「自由人半週刊已將登記手續辦妥，『館主』係由少夫出名，因渠後來未再提出不能兼任之困難，……編輯人經由弟以本名登記。股款雖交者仍不太多，但讀者則頗踴躍。……據弟觀察，維持六個月，在經濟上當可辦到。惟編輯方面，則危機太大，因主力軍如我兄及秋原兄均不在此，其他如滄波兄等不久亦將赴臺，（即弟本身亦恐將於三月間來臺）稿件來源，異常枯涸，然既已決定辦，弟亦只有勉力一試。」[8]尚未正式創刊，但資金人才捉襟見肘的窘境，已被成氏料中，這對好事多磨的《自由人》三日刊日後之發展，已埋下艱困之伏筆。

二月十四日，成舍我向雷震、洪蘭友等人報告，《自由人》三日刊已得港府核准登記，一俟台灣方面准予內銷，即行出版。二十八日，成舍我向「自由人」社同仁報告：台灣內銷事已辦好，《自由人》三日刊即將出版，並出示創刊號大樣。因與會者多係辦報老手，提供不少意見，而成舍我也很有風度，博採眾議，為慎重起見，同意改遲數日出版，以便從容改正，並呼籲社員踴躍撰稿以光篇幅。[9]可見在王氏離港後，《自由人》三日刊真正之台柱角色，已責無旁貸的落到成舍我肩上。

5 王壽南編，《王雲五先生年譜初稿》第二冊（台北：商務版，民國七十六年六月初版），頁七四三。

6 阮毅成，〈「自由人」參加記〉，《傳記文學》第四十三卷第六期（民國七十二年十二月），頁一四～一五。

7 見《自由人》創刊號（民國四十年三月七日）第一版的編輯委員會名單。《自由報二十年合集》（一）（香港：自由報社出版，民國六十年十月十日）。阮毅成說為十六人，疑有誤。見阮毅成，〈「自由人」參加記〉，同上註。

8 〈成舍我致王雲五函〉，同註五，頁七四六。

9 阮毅成，〈「自由人」參加記〉，同註六，頁一五。

三月七日，《自由人》三日刊正式創刊，社址位於香港德輔道中一四九號四樓。目前所知參與的發起人有王雲五、王新衡、王聿修、端木愷、程滄波、胡秋原、吳俊升、黃雪村、閻奉璋、樓桐孫、陳石孚、陳訓悆、陶百川、雷震、阮毅成、劉百閔、左舜生、雷嘯岑、徐道鄰、徐佛觀、陳克文、成舍我、金侯城、張丕界、彭昭賢、許孝炎、卜少夫、卜青茂、范爭波、陳方、張純鷗、張萬里、丁文淵等三十餘人。[10]

發刊後，一紙風行，各方咸予重視，發行之初，每期印八千份。為打開台灣銷路市場，內容安排方面，特別增加一些軟性文字，勿使論文過多，淪為說教。雷嘯岑即言：「『自由人』的作者確實很自由，各人所寫的文字題材雖相同，而見解不必一致，祇要不違背民主憲政與反共抗俄的大前提，儘可各抒己見，言人人殊，真有百家爭鳴，百花齊放的景象，……首任的『自由人』主編是成舍我兄，他包辦大陸通訊版，把大陸上的共報消息，參以陸續從國內逃到香港的難民所述情形，寫成有系統的通訊稿，可謂費苦心。」[11]

誠然如是，由於文章精彩，見解深入，內容多元，析論入理，所以出版後不久，南洋各地僑報即紛紛轉載《自由人》文章。故在香港一隅辦一刊物，無形中等於在數地辦了幾個刊物，影響所及，至為廣大。不僅如此，有關《自由人》所發揮的影響力，可以曾任該刊主編雷嘯岑之回憶為證，雷說：「自由人半週刊，頗受台灣以及海外；尤其是美國一般華僑的注意，原有的每週座談會照常舉行，參加的人亦陸續增多了，風聲所播，國際人士來到香港的，亦來參加我們的座談會，交換政治意見，如美聯社遠東特派員竇定，南韓內閣總理李範，日本工商與新聞界人士前來訪談者尤多，……唯有駐在香港鼓勵華人組織『第三勢力』的美國巡迴大使吉塞普，始終沒有接觸過，大概是他認為『自由人』半週刊這些人，多數係國民黨員，氣味不相投，我們亦以對『第三勢力』之說，不感興趣，因而絕交息游，毫無來往。」[12]

雷氏這段記載很重要，不只說明了《自由人》發刊後之影響力；也道出了《自由人》與「第三勢力」毫無瓜葛，這對坊間有不少人一直以為《自由人》是「第三勢力」刊物有澄清作用。《自由人》三日刊甫發行，負責盡職之成舍我隨即寫信給王雲五提到：「連日為自由人半週刊事，頭昏腦暈，尊函稽答，至為罪歉。現半週刊已於今日出版，附奉一份，即希鑒察。大著分兩期刊佈，並盼源源見賜。今後應如何改進之處，統希指示為荷。」[13]另針對其後外界對《自由人》諸多揣測，如與「自由中國協會」之關係等等，「自由人」社也在三月二十一日的高士威道聚會中也做出決議，大家皆一致表示，「自由人」應獨立組織，以別於其他團體，乃推定董事九人，以左舜生為董事長。監事三人，為金侯城、王雲五、雷儆寰。成舍我為社長兼總編輯，卜少夫為總經理。[14]

---

10 「自由人」社成員，據筆者統計為此三十餘人，且各會員加入時間先後不一，有關會員名單散見於雷嘯岑、阮毅成等人之回憶文章及《雷震日記》中。

11 馬五先生著，《我的生活史》，同註一，頁一六一。

12 馬五，〈「自由人」之產生與夭折〉，見其著，《政海人物面面觀》，同註一，頁二一三～二一四。另萬麗鵑博士論文也提到，為打擊「第三勢力」運動，「國民黨亦透過黨報如《香港時報》、新加坡《中興日報》、美國《美洲日報》，及其所資助的報刊如《自由人》報、《民主評論》等，展開對第三勢力的文宣戰，此即是《香港時報》社長許孝炎所說的以『輿論對輿論』的鬥爭。」萬麗鵑，〈一九五〇年代的中國第三勢力運動〉，同註四，頁一六四～一六五。又見〈許孝炎意見〉，《總裁批簽》，台（四一）央秘字第〇〇八五號（一九五二年二月二十二日），黨史會藏。

13 〈成舍我致王雲五函〉，同註五，頁七四七。

14 阮毅成，〈「自由人」參加記〉，同註六，頁一五。至於《自由人》與「自由中國協會」之關係，馬五在〈「自由人」之產生與夭折〉已言之甚為了稿源，三月二十二日總編輯成舍我又致函王雲五拉稿，其中說到：「自由人在香港銷路尚好，一般觀感亦不錯。惟共匪刊物正以全力抨擊，弟等亦一反過去自由派刊物置之不理的辦法，強烈反攻。臺灣發行未辦好，少夫兄不日來臺，或能有所改進。同人撰稿，此間仍不太踴躍，盼公能以日撰五千字之精神，多寫數篇，並乞即賜惠寄，無任感幸。又此間稿酬，公議千字港幣十元，前稿之款，已送託香港書局轉交。此數雖微細不足道，然吾輩合力創業，知識勞動之所獲，在道德標準上說，固遠勝於以吃人為業之共匪萬萬矣。盼尊稿如望歲，望即賜寄，以慰饑渴。」[15]除簡略報告社務外，重點仍是稿源問題，而此問題也是《自由人》三日刊以後長期揮之不去的夢魘。

三、《自由人》之命名與經費及發刊宗旨

華路藍縷，創業維艱，有關《自由人》之命名，似乎是由阮毅成所起。原本成舍我欲名為《自由中國》，因與台灣雷震負責的《自由中國》半月刊同名而不獲採納。故阮毅成認為可參考台灣趙君豪所辦之《自由談》，而稍改其為《自由人》，卒獲大家一致同意，名稱問題因此而敲定。[16]其實若從五〇年代的背景去觀察，刊物取名為《自由人》並不足為奇。蓋彼時海外正刮起一陣「自由中國反共運動」浪潮，其中尤以香港地區為最。為壯大「自由中國反共運動」，於是乎，海內外的一些知識份子刻意以「自由」二字為雜誌刊物名稱，以凸顯有別於大陸的獨裁極權。職係之故，各種以「自由」為名之刊物如《自由中國》、《自由陣線》、《自由談》、《自由世界》等雜誌，如雨後春筍般紛紛出籠，《自由人》三日刊之命名，應該是在此時代背景下而正名的，且的確有其時空的特殊意義存在。[17]

至於現實的經費來源問題，早在三十九年十二月二十日的聚會中，王雲五即定調說：「我要先與諸位約定，這是一份自由的刊物，所以，一不能接受外國的幫助，二不能接受政府的支援。同仁不但要寫稿，還要負擔經費。」[18]王氏之所以要如此約法三章，是要避免外界將《自由人》視為拿美國人錢所辦的「第三勢力」之刊物的疑慮或揣測；另外，不接受政府支援，也是想以獨立身分之姿，能在言論上暢所欲言，而不受政府掣肘，更不想貼上政府刊物之標籤。揆之《自由人》草創之初，因經費來源由各會員出資，確實能夠如此。例如在籌備階段，王雲五首捐港幣三千元，各會員至少認捐港幣一千元，所以誠如雷嘯岑言：「大家分途進行，未到一個月，即籌募到港幣一萬七千元了。」[19]

創刊經費有著落，但接下來長期的經費支出，恐怕就不是由會員認捐可解決。到最後仍不得不仰賴台灣國府的金錢支助，在《雷震日記》中即披露不少箇中內幕，茲舉日記一則為證。民國四十年五月二十五日：「雪公（按：指王世杰（字雪艇），時任總統府秘書長）

詳，同註一。

15 〈成舍我致王雲五函〉，同註五，頁七四七～七四八。為稿源及素質起見，成舍我亦曾寫信向阮毅成拉稿，信上提到：「在臺同人寫稿，原約每期供給八千字。希望以兄之熱忱毅力，催請同人，公誼私交，達此標準。」又說：「自由人聲譽，雖日有增進。惟經濟及稿件，均危機太大。現此間已只賸左（舜生）、許（孝炎）、雷（嘯岑）、及弟共四人，稿荒萬分。如濫用一般投稿，則水準即無法維持。」阮毅成，〈「自由人」參加記〉，同註六，頁一六。可見身為主編的成舍我，為稿源及《自由人》之內容水準，真是心力交瘁，煞費苦心。

16 同註六，頁一四。

17 馬之驌，《雷震與蔣介石》，同註三。

18 同註六，頁一四。

19 同註一二，頁二一三。

來電話，可助《自由人》三千港幣，但不可明言，因《新聞天地》一再要求援助而未允許也。……《自由人》因經費困難，而負責又無專人，致有停頓之可能，由予（雷震）約集雲五、滄波、孝炎、毅成、端木愷、少夫諸君會商，由予等籌款接濟，每月假定虧二千五百元，至年底約為一萬七千五百港元，改組組織，推定成舍我為社長，左舜生代理董事長，予負臺北催稿及催款之責，總統府之三千元，由予負責，予另外再籌五百元。」[20]由《雷震日記》可知，創刊才二月餘之《自由人》，經費已拮据如此，而不得不靠政府補貼，在此情況下，其日後之文章言論，就頗受台灣國府當局之制約影響了。

另有關《自由人》之創刊宗旨，其實早在刊物出版以前，對於未來言論與編輯方針，「自由人」社同仁即做了幾點規約：（一）、發揚民主自由主義；（二）、發起人按期撰寫頭條論文，且須署出真姓名；（三）、文責各人自負，但須不違背民主自由思想暨反共救國的大原則；同時將全體發起人的姓名亦在報頭下面，表示集體責任。[21]創刊後，首由程滄波撰發刊詞，題為〈我們要做自由人〉，擲地有聲的強調：「我們今天大膽向全世界人類提出一個問題：便是世界人類，現在與將來，要不要做人？如果想做人，從什麼地方去著手奮鬥？……今天世界人類只有兩個壁壘，一個是『人的社會』之壁壘，一個是「非人社會」之壁壘。這兩個社會的磨擦，今天已到了白熱化的程度。『人的社會』中每一個人，是有人性，有人格，根據人性與人格，發揮其個性，以增加社會之幸福與個人之生活水準，從而增進世界的和平與人類的文明。反觀『一個非人社會』中，人除了具備人的形態外，沒有思想與靈魂。『非人社會』中，人只是一群動物，既不許其有人性，亦不讓其有人格，他們是奴隸、是機器。」

程滄波言：很不幸的，今天的中國大陸，全大陸數萬萬同胞一年來，即陷入共匪的非人社會中。因此我們和全世界愛好和平民主的人們，要發動正義的呼聲，救自己，救同胞，救人類。我們要揹著自由的大纛，叫著「做人」的口號，開始「自由人」的運動。爭自由，爭人性，發動全人類自由人性的力量，去打倒與剷除共產帝國主義反人性的非人社會。不殘殺，不掠奪，在不流血革命的原則下，使人人有飯吃。本此目的，以建立新中國新世界。所以，「從今天起，根據以上主張，我們謹以此小刊物『自由人』，貢獻於全世界凡是不願做奴隸的人們，也就是我們這一群人，決心獻身於這一運動的開始。全世界和平民主的人士：我們要做人，我們要做自由人。每個人爭取了自由，世界才有民主和平，人類才有幸福與光明。」[22]我們要做人，我們要做自由人，起來，不願做奴隸的人們！程滄波這篇發刊詞，簡直是一篇慷慨激昂的宣示詞，代表全世界不願在「非人社會」生活下的自由人，向共產專制極權政權，發出堅決的怒吼。[23]

《自由人》三日刊，每星期出兩次，每次十六開一張。主編人規定由原先的「座談會」同仁輪流擔任，一年一換，為義務職，故內部人事組織極為簡單，只有一主編，一助理員和事務員，共三人而已。

20《雷震日記》（民國四十年五月二十五日），見傅正主編，《雷震全集》（三三）（台北：桂冠版，一九八九年八月初版），頁一〇〇～一〇一。

21同註一二，頁二一三。吳相湘，〈成舍我為新聞自由奮鬥〉，見其著，《民國百人傳》第四冊（台北：傳記文學出版社印行，民國六十年元月初版），頁二七五。

22程滄波，〈「自由人」發刊詞〉，見其著，《滄波文存》（台北：傳記文學出版社印行，民國七十二年三月十五日初版），頁一五七～一六〇。

23阮毅成也說到，這是一篇代表知識份子愛國反共心聲的大文章，義正辭嚴，擲地有聲。同註六，頁一五。

該刊內容，第一版分「專論」、「時局漫談」、「自由談」各欄；第二版刊大陸共區消息；三版則記述港、台的社會新聞；四版是「副刊」。「專論」亦由座談會同仁分別撰寫，或徵用外界志同道合人士之作品；唯「時局漫談」和「自由談」二專欄，係由左舜生與雷嘯岑二氏負責包辦。《自由人》三日刊，因撰寫團隊堅強，且作者大多具有清望，故在海隅香港頗有號召力，銷路亦不壞；又可以銷台灣，雖無廣告收入，仍可勉強維持下去，在五〇年代的香港，可謂雜誌期刊界之奇葩。[24]

四、《自由人》的艱苦經營

平情言，《自由人》三日刊從四十年三月七日發行，到四十八年九月十三日停刊，維持約八年餘。這八年多的歲月，可謂艱辛撐持，多災多難。

首先為組織渙散不健全，於是才有民國四十年下半年的重組之舉。此中最大原因為「自由人」社大多數同仁均已離港在台，分別有：王雲五、王新衡、端木愷、程滄波、胡秋原、吳俊升、黃雪村、閻奉樟、樓桐孫、陳石孚、陶百川、陳訓悆、雷震，及阮毅成，幾乎佔了一半以上；而在港的僅有左舜生、金侯城、許孝炎、成舍我、劉百閔、卜少夫、雷嘯岑等人。其後在台參加的，又增加徐道鄰，共二十二人。為連絡方便起見，在台同仁乃公推王雲五為董事長，但又因刊物在港出版，故推左舜生為在港之代理董事長，就近處理刊物，成舍我則為社長。[25]

然因「自由人」社未有組織章程，也未在台辦理社團登記，所以才有民國四十一年一月十日，在台同仁在王新衡家為此商議之事。時適值端木愷甫自香港返台，報告港方同仁最近決定取消社長制，亦推左舜生代董事長，成舍我為總經理，劉百閔為總編輯。此事，在台「自由人」社同仁有不同意見，在三月七日及十五日的兩次餐敘商討論中，均決定仍採社長制，並仍推成舍我兄任社長。只是一個三十餘人的「自由人」社，就為了區區的刊物人事組織問題，港、台同仁即不同調，其他之事就可想而知了。所幸意見儘管有異，但同仁感情尚佳，阮毅成即言：「自由人在香港創辦之初，同仁常有餐會，交換意見。在臺同仁，於民國四十年七月十二日起，舉行聚餐或茶會，由同仁輪流作東，平均每兩週一次。除談自由人社各事外，亦泛論時局，交換見聞。」[26]

民國四十一年二月九日，「自由人」社在台同仁餐敘時，有鑒於《自由人》三日刊創刊已近一年，但組織與人事及編輯立論之困擾問題仍在，因此大家有必要提出意見交換，以尋求解決之道。席間程滄波首次提出編輯態度問題，但遭雷震反對。程又謂：「劉百閔不宜任總編輯，上次，此間同仁推成舍我任社長，何以改變？此間皆未知悉。」雷震與陶百川又認為，台方不宜干涉港方人事，雙方爭論甚久。最後由阮毅成提出折衷解決方案為：（一）、自由人本係超黨派立場。只知民主、自由、反共，不知其他。此後仍須守定此項立場。（二）、港方報刊如對台灣中華民國政府，有惡意攻訐，或無理批評，自由人不可自守中立，須起而加以駁斥。（三）、人事問題，另函在港之許孝炎查詢，不作決議。

24 雷嘯岑：《憂患餘生之自述》（台北：傳記文學出版社印行，民國七十一年十月十五日初版），頁一七六。

25 同註二三，頁一六。

26 同上註，頁一七。

眾皆贊成阮毅成之方法，並請其起草一函，致在香港之左舜生、許孝炎、成舍我、劉百閔、雷嘯岑諸人。阮函送各人簽名後發出，信中報告：「弟等今午聚餐，談及自由人編輯態度。回溯創辦之初，原屬超於黨派之外。……兄等在港主持，辛勞至佩，自亦必贊同弟等態度也。邇後港方報刊如對於臺灣中華民國政府惡意攻訐，或無理批評，自由人似不便自居中立，宜即加以駁斥。如有中國之聲作者來稿，希勿予以刊登，以嚴立場。再則，此間對第三方面各事，多持私人消息。語多片斷，難窺全貌。斯後尚懇時將各方動態，擇要見示。既可為撰稿時之參考，亦為知彼知己之一道。自由人素以民主反共為宗旨。署名：王雲五、程滄波、黃雪村、王新衡、樓桐孫、吳俊升、陳石孚、陶百川、雷震、阮毅成。」[27]

民國四十一年三月十五日，《自由人》創刊已屆滿一年，留台「自由人」社舉行全體會議。會議主席推王雲五擔任，其中：

（一）報告事項：（甲）、經費小組許孝炎報告——擬募集港幣三萬元（其中成舍我、許孝炎約洪蘭友，被分配擬向各紗廠募台幣一萬元）。（乙）、編輯小組成舍我報告：1、組織擬仍採現制，並請加推一人為必要時接替編務工作之用。2、發行擬請先行籌集基金以期達到日後之自給自足。3、編輯方針方面：積極在倡導民主自由，消極在反共抗俄，至對於台灣態度應仍許有批評，但不可損及自由中國之根本。4、在台同人集體意見推定專人執筆寄港，決登載第一版，並不易一字，如係個人稿件，在編輯方面擬請仍保有斟酌之權。5、每期需要稿件二萬四千字，在港同人無多未能盡任，在台同人時惠稿件。

（二）討論事項：（甲）、《自由人》三日刊社是否仍採社長制案。決議：仍採社長制，成舍我擔任社長。（乙）、《自由人》三日刊社費應如何加募案。決議：1、經費小組在進行籌募之港幣三萬元，於兩個月內籌足，作為基金，備日後擴充發行之用。2、另由經費小組加募港幣一萬元，作為最近數月經常費不足之需，在未募起前由許孝炎、成舍我負責維持現狀。3、加推樓桐孫、程滄波參加經費小組，並以王董事長雲五兼經費小組召集人。（丙）、《自由人》立論態度應如何確定案。決議：1、除積極的主張民主自由，消極的反共抗俄外，並須維護現行憲法倡導議會政治。2、凡外界對台灣有惡意攻擊影響國本時，應予駁斥，立場務須堅定，態度務須明確。3、除專門問題研究外，宜多載通訊及趣味性文字，理論文字及新聞性宜各佔三分之一。[28]此次會議至關重要，它為已紛擾年餘的《自由人》定調，但此為台方同仁之共識，港方同仁只是被動告知，並不見得完全同意，所以日後港、台雙方仍存有歧見。

其次更嚴重的是經費短絀，入不敷出，以至於時有停刊之議。這棘手問題其實打從創刊起即已浮現，只是苦撐待變，能維持多久算多久，但情況並沒改善且持續惡化中。四十一年六月十四日，王雲五、阮毅成與程滄波等聚會，商議如何應付《自由人》三日刊之困難。王雲五謂得左舜生與成舍我二君信，信上，成舍我堅辭社長，又每月不足港幣二千元。如無法解決，則自本月十八日起停刊。劉百閔則說香

27 〈阮毅成致左舜生諸氏函〉，見王壽南編，《王雲五先生年譜初稿》第二冊，同註五，頁七六八。

28 同註五，頁七七〇～七七一。

港紙價日跌，印刷係由《香港時報》代辦，印費可以欠付。以往亦每月虧空，並不自今日始。

對此，王雲五建議是否能改為月刊，移台出版，但眾意覺得移台出版，則《自由人》功用全失，仍宜繼續在港發行。最後決定由王雲五函復，請成舍我維持至七月底止。[29]是年十二月二日，「自由人」社同仁又再行會商，由王雲五主持，會中卜少夫表示願接辦，至少可免招致停刊命運。然未幾（十二月六日），卜少夫以有人表示異議，乃謂其《新聞天地社》同仁不贊成其再兼辦另一刊物，打消原意。王雲五即席宣布仍在港出版，推成舍我兄回港主持，並改為有給職。[30]成謙辭未果，旋即表示接受。後當場推定王雲五、程滄波、樓桐孫、胡秋原、陶百川、黃雪村為在臺撰述委員，程為召集人。另推成舍我、程滄波、胡秋原三人起草言論方針。王雲五、端木愷、王新衡為財務委員。香港方面撰稿委員，由成到港後約定人員擔任。事後，當事者之一的阮毅成，對是晚之會的結果表示很滿意，還稱為是《自由人》中興之會，同仁莫不興奮。但其後，主要的重點之一，《自由人》未來的言論方針並未草成。[31]四十二年三月十四日下午，「自由人」社同仁聚集在成舍我處，參加茶會。會中，成舍我出示香港許孝炎來信，謂自由人又不能維持。因已積欠《香港時報》印刷費港幣六千元，稿費十一期。且人力亦明顯不足，雷嘯岑將來台灣，左舜生又將赴日本旅行，主持無人，不如停刊。經同仁交換意見，仍認為不能停辦，並催成舍我兄速赴港負責。

因茲事體大，三月二十一日，「自由人」社另一要角阮毅成，也在家中約集在台同仁茶敘。會上，成舍我表示其有困難不願赴港，而港方近日來函，支持為難。眾意乾脆移台編印，仍推成舍我主持。[32]二十五日下午阮氏親訪成舍我，成表示三點立場：（一）、決不去香港。（二）、《自由人》如移台出版，願意主持。（三）、未移台前，可先在台編輯，寄港印行。同月二十八日下午，以《自由人》問

---

29 同註五，頁七七四。《自由人》經費之窘困，自創刊伊始至結束均如此，阮毅成即言：「我只記得在創刊第一年中，就賠去了港幣參萬參仟元。時歷八年半，為數甚為可觀。這尚是距今三十多年前的幣值，如以現在幣值計算，則更為巨大。」阮毅成，〈王雲五先生與自由人三日刊〉，同註四，頁三四。到《自由人》停刊止，其經費仍入不敷出，茲舉結束前致王雲五等人之二信函為證。四十八年九月十一日許孝炎自港來信王雲五，報告「自由人」結束時經費情況。「雲五先生並轉鑄秋舍我儆寰滄波新衡秋原佩蘭少夫諸兄惠鑒：關於自由人停刊事，前經兄等決定函達克文。兄弟回港後，復經再三磋商，始於前日由在港各有關友人舉行特別會議議決定停刊，並於本月十三日起實行。茲將會議紀錄抄奉敬祈鑒察。」「預計自由人可能收入之款（連登記費在內）約為乙萬四千餘元，支出除舊欠稿費約乙萬三千元；及克文兄之欠薪近九千三百元暫不計入外，此外薪工紙張印刷房租，今年稿費應退報費及空運費等，共計約為二萬乙千餘元，不敷之數約為七千餘元。倘預計可能收入之款有一部分不能收入時則虧欠之數將必更多，如何籌還以資結束頗費周章。而有把握之登記費乙萬元則尚待少夫兄回港簽字後始能提出備用。」又十二日社長陳克文亦致函王雲五。「岫公賜鑒：茲奉上『自由人』在港同人特別會議紀錄一份，請　察閱。『自由人』經濟情形截至本年九月十二日止，共欠債務三萬餘元，除登記費一萬元外，尚可能收回之款二千餘元，結束用費約五百餘元，並此奉告，統請轉知在台各位同人為禱。」見王壽南編，《王雲五先生年譜初稿》第三冊（台北：商務版，民國七十六年六月初版），頁一〇五二～一〇五三。

30 同註五，頁七七九。《自由人》主編是不支薪的，可見其艱困於一般。同為主編的雷嘯岑曾說：「首任主編人成舍我兄苦幹了一年之後，因為準備移家台灣，不能繼續盡義務了——主編人不支新——大家公推下走承其乏，因係義務職，唯有接受而已。」馬五，〈「自由人」之產生與夭折〉，同註一，頁二一六。

31 同註五，頁七七九。

32 雷震日記當天即記載：「下午三時半至《自由人》座談會，阮毅成提議《自由人》表面在港，實際遷台，無一人反對。我內心不贊成，但不願表示，因《自由人》遷台完全失去效用。今日雲五未到，他們囑我報告。」《雷震日記》（民國四十二年三月二十一日），見傅正主編，《雷震全集》（三五）（台北：桂冠版，一九九〇年七月二十日初版），頁四八。

題緊迫，急待解決。「自由人」社同仁乃在端木愷家中餐敘。對《自由人》前途，共有四種主張：（一）、停刊。（二）、移台出版。（三）、在台編輯，寄港印行。（四）、推成舍我赴港主持。討論結果，決定用第四法，成亦首肯。然成謂：《自由人》除發行收入外，每月須虧四千元，此問題亟需解決。[33]

四月十八日，因港方同仁頻頻催促速做決定，眾議又思移台編印，王雲五亦同意移台出版，但謂須改為半月刊或月刊。三十日下午，成舍我與端木愷、阮毅成、王新衡、程滄波等人，又應王雲五約茶敘。時端木愷甫自港返，謂港方「自由人」社已無現款，勢不能繼續。因以由今日到會者商定：（一）、香港方面自五月十日起停刊。（二）、在台登記改為月刊，推王雲老為發行人，成舍我兄為總編輯。[34]然不久，港方同仁又變掛，五月十一日，阮毅成訪成舍我，成即謂卜少夫前日到台，攜有左舜生致王雲五函，主張《自由人》仍在港出版。

此事經緯，雷震在其日記亦提到：「見到雷嘯岑來函，對我們囑香港停刊，決議移臺辦月刊則大不以為然，來信措詞甚劣，決定去電並去函說明，以免誤會。」[35]雷嘯岑甚至為此來函欲辭去社長職務。

33 雷震日記載：「下午四時，在端木愷處討論《自由人》移台問題，王雲五、徐佛觀、端木愷及我均不贊成，程滄波、阮毅成、成舍我願移台，最後決定請成舍我至港辦至六月再說，因行政院之款發至六月底止，如停刊或移台亦須至六月底再說。」《雷震日記》（民國四十二年三月二十八日），見傅正主編，《雷震全集》（三五），同上註，頁五二。

34 這問題一直延伸至四十三年依舊如此。雷震日記：「《自由人》在港不易維持，決遷台辦週刊，由成舍我任社長，王雲五任發行人。」《雷震日記》（民國四十三年八月七日），見傅正主編，《雷震全集》（三五），同上註，頁三一四。

35 《雷震日記》（民國四十二年五月九日），見傅正主編，《雷震全集》（三五），同上註，頁七四。

《雷震日記》記載：「今日午間約來臺之《自由人》報有關各位來鄉午膳，除端木鑄秋、阮毅成、吳俊升、胡秋原外，到有十五人，即王新衡、樓桐孫、陶百川、張純鷗、陳訓悆、卜少夫、卜青茂、程滄波、范爭波、王雲五、成舍我、黃雪村、閻奉璋等及另約陳方。飯後討論雷嘯岑來函辭去社長職務一事，經決議慰留。」為此事，雷震感慨的說：「《自由人》發起人在臺者，不過十餘人，港方不過數人，兩方意見不合，終會扯垮。民主自由人士之不易合作，於此可見一班。」[36]

由於雷嘯岑堅決辭社長職務，八月一日，《自由人》在台同仁藉由茶敘機會，聽取甫自香港來台之劉百閔報告，劉謂：在港同仁意見為（一）、必須在港繼續出版。（二）、改推陳克文任社長。（三）、每月不足港幣八百元，在港有辦法可以籌得。王雲五說：「左舜生有信來，克文係其物色，本人絕對贊同。」眾亦皆表示贊成。但成舍我認為每月八百元之說，計算必有錯誤，至少每月亦需賠二千五百元，所以決定請王雲五再去函新社長，請重為估計。其實《自由人》經費之短絀，可由總其事的總編輯都不支薪一事更可看出，四十三年七月十日，左舜生自香港致函王雲五即說到：「弟意，自由人編輯者，原規定每月可支三百元，以舍我、百閔兩兄任編輯時，未支此款，後任編輯一年，亦即未支。」[37]如此窘境，要不是有台灣國府當局在幕後經費贊助，《自由人》三日刊能支撐八年餘，根本是不可能的。[38]

36 《雷震日記》（民國四十二年六月二日），見傅正主編，《雷震全集》（三五），同上註，頁八五。

37 〈左舜生致王雲五函〉，同註五，頁八二四。

38 雷震日記：「王雲五約『自由人』社在台同仁晚餐，以「自由人」在港經濟困難，重申移台出版，由成舍我任編輯之議。」《雷震日記》（民國最後為文章之尺度問題，除上述言及《自由人》三日刊甫創刊即面臨稿源不濟的困難外，更麻煩的為自從接受政府補助後，基本上，《自由人》的言論立場在相當程度上已受政府箝制。以至於在很多議題上，不僅不能秉公立論、暢所欲言；且須為政府妝抹門面，極力辯解。稍一不慎，隨即惹禍，遭致抗議。如民國四十一年六月一日，「自由人」社王新衡即訪阮毅成，談話重點就說到，《自由人》最近兩期，刊載左舜生〈論中國未來的政黨〉一文，有人表示不滿。[39]為避免誤會，乃一起同訪王雲五，請其以董事長身份，致函香港總編輯成舍我，請其勿再刊出此類文字。[40]

雖係如此，但言論自由乃是知識份子的普世價值觀，用強制力約束是沒用的。果然到民國四十四年又發生更嚴重的文字賈禍事件，差一點讓《自由人》無法在台銷售。事緣於是年三月二十三日，王雲五即接到司法行政部部長谷鳳翔來函，表示《自由人》三日刊，登載雷嘯岑文章，影響政府信譽，要求王雲五代向該社方面解釋。全函內容為：「頃閱本月二十三日自由人刊載『自由談』及『半週展望』雷嘯岑先生文內謂，揚子公司貪污案牽涉本部，曷勝駭異，此種無稽之詞，殊足影響政府信譽，茲特寄上函稿二份，送請　察閱，並祈賜檢一份轉致雷君查明更正，仍乞代向該報社方面照拂解釋為幸。」[41]

由於《自由人》所刊文章得罪當道，引起了國民黨中央黨部對《自由人》言論的不滿。三月二十六日，時任《中央日報》社長，亦是「自由人」社同仁的阮毅成至中央黨部參加宣傳政策指導小組會議時，即受到中央黨部秘書長張厲生的警告：「香港《自由人》三日刊，近日言論記載，愈益離奇，須採取停止進口處分。」幸阮毅成趕快緩頰，除報告《自由人》艱難創辦經過外，並謂：「現在台北各同仁，久未與聞港事。王雲老曾去函港方，請以後勿再刊載不妥文字。又以所載台省情形，與事實相距甚遠，曾通知港方，以後遇有記載台省情形稿件，先行寄台複閱。認為可用者，方予刊布，亦未承照辦。惟自由人參加者，多為各方知名之人。如忽予停止進口，恐反而使海外人士，對政府有所批評。不如一面先採取警告程序，依照出版法，由內政部為之。一面通知在台之董事長王雲五氏，促其改組。如再有違反政府法令之事發生，則採取停止進口處分。」[42]

為此，是晚十時，阮氏尚先訪成舍我，說明會議經過；再與成同訪王雲五，報告此事。王雲五似乎對此頗為不悅，乃決定於三月三十日下午五時，在端木愷家中，約集「自由人」社在台全體同仁會商。在三月三十日的決議中，提到《自由人》的現實問題，「本刊如不能銷台，勢必停刊。為避免使政府蒙受摧殘言論之嫌，希望政府妥慎處理，使其能繼續出版。在台同仁，願意退出。惟在港同仁意見如何，亦盼政府逕與洽商。」並推阮毅成與許孝炎二人將此項決議，轉達黃少谷，另函告在港同仁。[43]

四十三年七月十一日），見傅正主編，《雷震全集》（三五），同註三二，頁三〇二。有關國民黨高層提供《自由人》之經費支援，尚可參閱〈對港澳政治活動之指示〉，見中國國民黨中央改造委員會第一六五次會議紀錄（一九五一年七月四日——附件），黨史會藏。

39 左舜生〈中國未來的政黨〉（上）、〈中國未來的政黨〉（下）二文分別發表在《自由人》第一二九期（民國四十一年五月二十八日）、《自由人》第一三〇期（民國四十一年五月三十一日）。

40 同註五，頁七七三。

41 雷嘯岑，〈半週展望〉，《自由人》第四二三期（民國四十四年三月二十三日）。雷文所寫之論揚子公司案，因涉及上海時期之揚子公司，對孔祥熙有所批評，遂奉命查辦。又〈谷鳳翔致王雲五函〉，同註五，頁八四七。

42 同註五，頁八四七～八四八。

43 同上註，頁八四九。

換言之，針對當局對《自由人》的不滿，「自由人」社在台同仁採取了委曲求全的態度，一方面願意退出，此舉可能有兩層深意，一為逼香港「自由人」社同仁，小心謹慎，莫再刊登批評政府之文章，否則與渠無關，二為多少有向政府交心之意，明哲保身，不想惹禍上身；再方面亦有請政府介入之意，希望儘量保留能讓《自由人》繼續在台銷售。[44]果然如此，四月七日，王雲五即致函總統府秘書長張群，說明「自由人」之情形，並建議將「自由人」社改組，由政府指定負責主持言論之人實行接辦。信的內容為：「惟是該刊經費本奇絀，全恃內銷而維持，一旦停止內銷，勢必停止刊行，外間不察，或不免對政府妄加揣測，弟愛護政府，耿耿此心，竊認為消極制裁，不如積極輔導，將該刊改組，由政府指定負責主持言論之人實行接辦，可變無用為有用，弟當力勸原發起各人，本擁護政府之初衷，竭誠合作。」[45]

一週後，以國民黨並無接手之意，在恐不能銷台的情況下，成舍我與王雲五、陶百川、徐道鄰、陳訓悆、程滄波、胡秋原、吳俊升、端木愷、黃雪村、阮毅成等決議：「茲因環境困難，經濟無法支持，決議停刊，由主席（王雲五）根據本決議徵求在港同人意見。」其後，在台同仁復在成舍我宅聚餐，決定在台同仁既已必須退出，而中央黨部又規定不得再與《香港時報》，發生關聯，則無地可以印刷，亦無處可再欠印刷費。外界聞知中央處分，亦必不願再行認指，環境困難如此，只可宣布停刊。並請王雲五函詢港方同仁意見，如港方同仁堅持續辦，在台同仁自不能再行參加。[46]

由於文章得罪當局，以致有禁止銷台之聲，在港負責《自由人》編輯工作之陳克文旋致函阮毅成、王雲五等人，表示「咎衍實無可辭」，「自由人停止出版，唯覺可惜，形勢如此，亦復無可如何，文與左劉兩公對此均無成見，惟此間尚有其他股東，又年來出錢出力者，頗不乏人，此事似不宜由文等三人遽作決定，即為港方同人之全體意見，擬於最近邀集會議，提出報告，徵求多數意見，再作正式答覆。」[47]但不久，事情又有變化，四月二十九日，一向敢言的左舜生，終於自香港來函，明確表示反對《自由人》停刊，並謂在港「自由人」社同人決暫予維持。信中言：

> 「雲老賜鑒：四月七日阮毅成兄來信，並附有留台同人退出決議一紙，十八日奉　公手書，知同人復有集議，以經濟環境關係，主張停刊；均已誦悉。此間於當地環境，已洞悉無遺；對　公等所採態度，並無不能諒解之處。惟念同本刊宗旨，一面在『堅決反共』，一面在『爭取民主』，四年以來，奉此週旋，雖不無一、二開罪他人之處，但大體上並未

44 《自由人》三日刊，國民黨中央嘗指示「扶助」之，以批判中共，擁護政府並同情國民黨為原則。故該刊早期立場為中間偏右，後來對國民黨的批評言論日益激烈，台灣當局乃禁止其輸入，並停止所有經費資助。故《自由人》能否銷台，對該刊影響至鉅。萬麗鵑，〈一九五〇年代的中國第三勢力運動〉，同註四，頁一六四。

45 〈王雲五致總統府秘書長張群函〉，同註四三。

46 同註五，頁八五〇。有關王雲五在此問題之角色，阮毅成有相當持平之看法，阮說：「雲五先生名為董事長，出錢出力，卻不使範圍各黨及無黨人士，一定均作統一的宣傳，致反而完全成為俗套，失去向海外為政府說話的影響力。於是在發刊期中，常常發生選稿欠當的問題。每次有問題發生，雲五先生首當其衝，常為他人所不諒解，致生煩惱。臺港兩地同仁，為此書信往返，謀求各種補救辦法，效果均不甚彰。」阮毅成，〈王雲五先生與自由人三日刊〉，同註四，頁三六。

47 〈陳克文致王雲五、阮毅成信〉，同註五，頁八五一～八五二。

逾越範圍。今赤燄正復高張，而民主亦勢非實現不可；大約在二、三月內或有變化，前途殊未可知！故此間同人，經過再三考慮，仍決定暫予維持，並囑舜代為奉復，即乞轉達諸友為荷。公等即不得已而必須退出，仍望不遺在遠，隨時予以指導，除宗旨不能犧牲以外，同人無不樂於接受。海天遙望，曷勝悲憤憂念之至！」[48]

從此以後，《自由人》三日刊似乎終於渡過了這段風風雨雨的歲月，儘管港、台大多數「自由人」社同仁情誼依舊，但經費、稿源、立論尺度等問題仍在。《自由人》三日刊即帶此痼疾，跌跌撞撞的支撐八年餘，在民國四十八年九月十三日宣佈停刊。[49]

五、結論——從《自由人》到《自由報》

無論如何，在五〇年代那段風雨飄搖的歲月，《自由人》能以香江一隅之地，在內外環境相當險惡的情況下，擎起「我們要做自由人」的大旗，反抗共產極權，與中共做誓不兩立的言論鬥爭，其勇氣和決心仍另人刮目相看的。另一方面，《自由人》雖義無反顧的支持台灣國府當局，但在恨鐵不成鋼的期待心理下，對台灣當局若干錯誤的舉措，仍一本忠言逆耳之立場，毫不留情的提出批判或建言，即使在經費斷炊的威脅下，亦不為所動，這份苦心孤詣之意，也令吾人感佩。

而此即所以《自由人》在發行的八年餘中，雖屢有遷台之議，但大多數同仁始終仍以在香港立足為佳之看法，因其言論立場較客觀中立，雖稍偏向國府，但非無原則的一面倒，兼以香港為基地，較少政府、政黨色彩之觀感，且因對國、共雙方均有批評，是以其在香港作用較大之故也。當然《自由人》之悲劇，除上文已詳述之經費、稿源、言論立場受到制約等外緣因素外，尚有深一層內緣因素存在，此即中國傳統知識份子屬性使然。知識份子主性強的「書生本色」，誰也不服誰之個性，長落人「秀才造反，三年不成」之譏，因渠主觀意識強，所以容易堅持己見，是其所是，不大能夠為大局著想，且因自視太高，未能屈己就人，所以較乏團隊精神。

這情況在「自由人」社這批高級知識份子間亦是如此，雷嘯岑曾舉一事證明之，在《自由人》是否遷台之際，「王雲五以董事長資格，致函於我，囑將自由人報遷赴臺北發行，且將繳存港府的押金萬元一併匯去。旋由代董事長左舜生召集在港同仁會商，決議仍在香港出版，但在臺北的同仁，亦可刊行臺灣版，然王雲五很不高興，說我不以他為對象，悻悻然嘖有煩言，殊堪詫異。未幾，許孝炎由臺北回港，主張自由人停刊，他怕我不贊成，先囑我莫持異議，我表示無所謂，而自由人三日刊，即於一九五八年九月十二日宣告停刊了。現代中國高級知識份子之沒有團隊精神，於此又得一實驗的證明，曷勝慨嘆！」[50]所以當年左舜生在《自由人》創辦之初，樂觀的夸談「自由人」社同仁可以組織聯合政府，永遠合作無間之見解，雷嘯岑說，實係幼稚幻想。文人相輕，自古而然，《自由人》三日刊的緣起緣滅，依然落得一個「殺雞聚會，打狗散場」的結局，這也是中國現代高級知識份子的悲劇，想來仍不禁令人浩歎！[51]

48 〈左舜生致王雲五函〉，同上註。

49 雷嘯岑說為四十八年九月十二日停刊，恐有誤。雷嘯岑，《憂患餘生之自述》，同註二四，頁一八二。

50 同上註。

51 馬五，〈「自由人」之產生與夭折〉，同註一，頁二二〇。其實雷嘯岑自己亦如是，當《自由人》剛成立時，「大家的情感很融洽，精神上團結

《自由人》雖然走入歷史停刊了，但未及五個月，一份延續《自由人》餘波的《自由報》在民國四十九年二月十七日，另起爐灶又在香港創刊了。《自由報》社址位於香港銅鑼灣高士威道二十號四樓，也是採取半週刊（三日刊）的形式，於每個星期三、六發行。社長為雷嘯岑，督印人黃行奮，出版第一期有由以本社同人署名撰寫的〈我們的志願和立場〉為發刊詞。該文強調「我們是一群崇尚自由主義的文化工作者。對社會生活篤信『人是生而平等的』這項義理，珍重個人的人格尊嚴；對政治生活認定『政府是為人民而存在的』，要求基本人權之確立與保障。……我們膺受著共產極權主義的荼毒，深感國破家亡之痛苦，流落海隅，於茲十載，內心上大家不期然而然地具有強烈的愛國情操和政治理想，要從文化思想方面，努力培育民主自由精神，發揚其潛能，成為救國救民的偉大力量。職是之故，本報的言論方針是國家至上，民生第一，我們的立場是超黨派的。」[52]

簡言之，民主、自由、愛國、反共乃為《自由報》創刊之四大宗旨，嚴格而言，此宗旨仍是延續《自由人》三日刊的精神而來。阮毅成曾說：「後來，雷嘯岑兄在香港出版自由報，乃係另一新刊物，與原來的自由人，完全無關。」[53]此話恐有商榷之餘地。《自由報》在《自由人》的基礎上，發行至民國六十幾年才結束，期間刊布了《香港自由報二十年合集》、《自由報》合訂本、《自由報二十週年年鑑》，影響力不在《自由人》之下。

無間，對任何事體決無爾詐我虞，或以多數箝制少數的作風。我（雷嘯岑）當時曾聲言：假使憑這種精神組織『聯合政府』，擔當國家政務，國事沒有不振興的。」馬五先生著，《我的生活史》，同註一，頁一六一。

52 本社同人，〈我們的志願和立場〉，《自由報二十年合集》（一九）（香港：自由報社出版，民國六十年十月十日）。

53 阮毅成，〈「自由人」參加記〉，同註六，頁一八。

內僑警台報字第〇三一一號內銷證

自由報

THE FREE NEWS

第一九七期

中華民國僑務委員會頒發
台執新字第三二三號登記證
中華郵政台字第一二八二號執照
登記為第一類新聞紙類
（半週刊每星期三、六出版）
每份港幣壹角
台灣零售價新台幣弍元
社長：雷嘯岑
督印人：黃行寬
社址：香港銅鑼灣高士威道二十號四樓
20 CAUSEWAY RD 3RD FL
HONG KONG
TEL. 771726　電報掛號 7191
承印者：田風印刷廠
地址：香港灣仔高士打道二二一號
台灣分社
台北市西寧南路壹壹零號二樓
電話：三〇三四六
台郵撥儲金戶九二五二

恭賀
新禧
本報同人鞠躬

聯大否決中共闖入後感言

·謝扶雅·

編者按：謝扶雅先生自美國寄來此文，是他體察彼邦人士，以及聯合國一般會員國對我國代表權問題的意念而寫成的，愛國熱忱與憂國心情，躍然字裏行間，殊堪贊佩。他認爲我們祇有及早反攻大陸，才是唯一的生存大道，這和本報素來的看法相同，故樂爲刊佈於此。

上年十二月十五日下午在第十六屆聯合國大會會場裏，爲着中國代表權問題投票表決的一幕，是每一個中國人所極焦急緊張關切的一件大事。要是這次中共僞政權取代中華民國席位的案子眞能通過，則不但此間留美二十萬華僑將因中共派出代表團來到而直接受到威脅，也使得散處全球的每一炎黃子孫感到無限沮喪，而中國近代國際政治史將寫下最可怕最可恥的一頁！然而這個蘇俄蠻橫的提案，終以三十七對四十八（棄權十九），連過半數的贊成票亦不可得，不消說，美日等五國所提『任何變更現行中國席位應視爲重要的實質問題，需要出席會員三分二以上贊成才能通過』的案子，經於其前一刻獲得通過而有效。以所需三分二（大會現有會員一另四席）的七十票衡比這次贊成蘇俄提案的三十七票，差不多只到一半，表示正義尙在人心，中共想搶取這個最高國際席位，看樣子着實望塵莫及。不過稍一冷靜觀察分析形勢之後，我們便不能如此樂觀。倘若政府不採取自力更生，自強自主的方針，早日實行光復大陸，則遲早中共必將混入聯合國的大門，而中華民國的壽命亦將受到所謂「台灣獨立」的國際謠言攻勢，岌岌可危！

第一，我們不可諱言我國近年在聯合國內的聲價日落，由去年的落選社會經濟委員會委員，今年的委屈眼看外蒙傀儡入來同席，而竟至自身在聯合國內的整個代表權也成了爲大會所置啄，所疑難的「問題」，能不慚愧欲絕！中華民國非爲親自創建聯合國之一開國元勳乎？中華民國非爲以五強之一的地位而昂然充任聯國重心的安全理事會之一常任理事乎？然今日竟讓其它會員國來評論估計是否仍可保持聯合國內各種機構的席位，這不是一個絕頂的侮辱嗎？可是，我們亞聖孟子已敎訓了我們如此其聲闢：『人必自侮而後人侮之』。我們對國家地位之日落，是否一直在痛切反省？是否在力謀所以補救提高？政府退守台灣，已歷十有二載，眼見大陸赤燄薰天，蒼生塗炭，上焉者不能步武湯武之弔民伐罪，次焉者不能效法勾踐之嘗胆臥薪，我們唯見台灣社會風氣日偸，官吏貪污盛行，一國之經濟幾乎全賴外援而不能自立，更復特權階級橫行無忌，單看今年留學考試達六千餘人之多，而達官貴人的子女則不需中學畢業而可嗜度出洋；甚至對那自號「台灣國總統」的國賊廖文毅，坐視其在我們友邦日本境內公開活動，昌言顛覆中華民國。以視彼彈丸之地的阿爾巴尼亞，尚敢向赫魯曉夫巨魔還槍，我們眞應愧死，且不要說追及西德之十分一了。

第二，細看這次聯大對中國問題所爭辯的焦點，與其說是研討中共之可否加入聯國，毋寧說是辯論台灣之應否送給中共。蘇俄的提案是要逐出我方代表而讓中共政權取代之，同時痛斥美國強佔中國領土台灣。美國的辯護則是：一則曰，台灣一千一百萬的自由人民不容更任併入於竹幕之內；再則曰，假如聯大採納蘇俄此項提案，直等於聯國鼓勵中共併吞台灣。我們細檢十日來五十餘國代表的發言，大抵傾向於折衷妥協，意即是，中共不妨加入聯合國，但聯合國不應同時排出中華民國代表。固然有多數國家附和美國所主張承認中國代表權問題爲實質問題，但亦並不包含拒絕中共加入；例如英國便是如此立場。他們□反對者，乃反對過火，過嚴峻的「逐國迎共」的提案，然而贊成這提案的竟亦達三十七國之多，可知除蘇共產集團十國（新加古巴爲十一國）而外，還有許多中立國家，如印度，印尼，緬甸，錫蘭，高棉，尼泊爾，芬蘭，迦納，埃及，南斯拉夫等等，甚至與美國共屬北大同盟的自由國家如英國，瑞典，丹麥等；亦即可以覘測蘇俄若只是提議中共加入，而不說及台灣，則決不致招致四十八票的反對。至於這次棄權的十九票，更顯然抱有「兩個中國」同列聯合國的意見（如幾內亞等）。政府當局若能詳盡閱讀這十日間五十餘國代表的發言，便了然於國際間心理之並不有利於我，而知深自警惕了。

第三，美國近年來民間輿論，高級知識分子中曾在中國大陸傳過敎或經商的人士，大抵傾向所謂「兩個中國」的安排。「甘廼迪的智囊團即曾造爲「繼承國原則」一之說，但這次則迫於蘇俄的連續恐嚇勒索政策，不得不强硬對付，而將兩個中國的妥協方案暫時擱起，以聯大會場中，不少中立國代表頗譏美史蒂文生——美國首席代表——爲前後判若兩人。往日史蒂文生，曾主張美國應承認中共，今日之史蒂文生則又力拒中共入聯國。誠然，本屆聯大內美俄，在中國問題上的冷戰，美國表面上已一時贏得了勝利；可是，例如此間輿論界具有最大權威的紐約時報，即對此事於旬日內先後寫過兩篇社評，刊登過一篇華府特別報導，一篇讀者（前國務院遠東事務司主任文勝德）投書，其總結是：聯合國會員資格「普遍性」原則之聲浪日高，美國必須及早準備中共有加入聯國之一日，而謀如何妥當安置台灣。文勝德氏（John Vincent）更援引孔子正名順言之理，直率地說「台灣本是台灣，中國乃是中國。日本和約中亦只聲明放棄其昔所佔領之台灣，而不言歸誰屬。民族自決，台人治台，理至當，言至順也」。就目下情勢而言，美國當局正在處處針對蘇俄，加強冷戰，在任何問題上決不肯放鬆一步。但美國民間就常作推遠一步的觀察和評論。而朝野所一致關切的，則推在保持台灣本身，使勿落入中共之手，而爲達到此目的計，今日則自以支持，日政府在聯合國內的地位爲最有效。明日如何？國際政治行情瞬息萬變，我們怎能不特別注意而昧目結心呢！

準此情形，我國除以自力及早光復大陸，突破現實僵局而外，似不可能有任何光明的前途。但按照我當局屢次的文告，要等到大陸革命，一如辛亥武昌新軍之起義，而後揮師西指，裏應外合。惟照美國方面所得的大陸各種情報，一般民衆雖已普遍懷着不滿情緒，然中共對軍隊及其警惕均予特殊凌過，控制有方，操縱得法，因而還看不出有任何叛變倒戈的跡象。美國的一貫政策，是不欲出而支援我軍反攻大陸，以免有引起蘇俄干預，觸發世界大戰之虞，我們要想說服美國，改變其既定政策，殊不易易，而期待大陸上的共軍起義革命，亦有河清難俟之感。長此因循下去，人心即日趨苦悶而渙散消沉，馴致陷於麻木狀態。如是，外而國際形勢的壓力日增，內而人民對政府的向心力漸減。若欲挽救這種可能降臨的黯淡命運，我們必須痛切省悟「漢賊不兩立，王業不偏安」這兩句昔賢垂訓的警語，踔厲奮發，自強不息，切實團結海內外一切反共力量，以堅決果敢的行動，衝破現實的惡劣環境，而後可以開拓生機，創進中興氣象。否則長夜茫茫，將有欲求苟安一隅而不可者！心所謂危，雖安緘默，知我罪我，非所計也。

民國五十年十二月二十三日於美京

慶新年求進步發揚開國的光榮歷史完成復國的神聖使命

中華民國五十一年元旦　蔣中正

遵循
國父革命遺教發揚先烈開國精神爲履行光復大陸拯救同胞的神聖責任而奮鬥

中華民國五十一年元旦　陳誠

漫画天下　南施

混水摸魚年

但願逢凶化吉

一憂一喜・南北兩極
黃啓瑞判刑・周百鍊嫁女

（本報記者台北航訊）停職的台北市長黃啓瑞及其妻，因公車案舞弊被判刑這件事，顯然是出乎黃啓瑞之意料的。被判刑的當天傍晚，新聞記者見到他時，他表示不願意說什麼，他說：「我現在沒有什麼話要講的」。黃啓瑞講這話時，表情沉重，但態度倒還很是鎮定。

甚至當記者問到他是否上訴時，黃啓瑞亦不肯作肯定的答覆，他只表示要待他收到判決書，加以研究之後，才能說畢竟上訴不上訴。而其實，黃啓瑞早就一再表示過：「我自問清白」，為了顯示他之的確清白，雖然黃啓瑞未有肯定的表示，但可以斷言，他必然會上訴的。

黃啓瑞的辯護律師江一平，亦就說他相信黃啓瑞要上訴哩。

這一讓遲遲共同注意的公車案，係十二月二十七日下午四時宣判的，被告黃啓瑞夫婦等十一人都判刑了，黃係被判三年六個月徒刑，褫奪公權二年，黃妻被判徒刑一年六個月，褫奪公權一年；公車處長呂志超判徒刑二年，褫奪公權一年。另朋分之三百餘萬元賄款，判沒收，「如全部或一部不能沒收時，追繳其價額」。

公車案係警備總部遊動查緝組，於民國四十九年底偵查隨車基地修配廠購料舞弊案時發現，於五十年元月間，正式奉令偵破本案，並接受台北地檢處檢察官沈獄華的指揮的。警察在偵查過程中，亦會往警總遊查一組巡視。遊查組於三月間開始行動。迨公車處長呂志超被捕，其妻馬德貞羞憤自殺，以及黃啓瑞夫婦亦涉嫌在內的消息傳出，本案的高潮迭起。全案於四月二十九日及五月二十日兩次移送地檢處，檢察官於七月十五日偵查終結，提起公訴。台北地院刑庭推事萬滄才，於八月十四日起，先後三次開庭審理，又會連續召開三次辯論庭，至十二月二十日辯論終結，二十七日宣判。全案自奉令偵破至初審判決，為時約一年。

宣判的那天，前往旁聽的人，非常擁擠，法庭內外到處都是人，旁聽的除各被告的辯護律師、家屬及親友外，尚有不少市政府官員以及關心本案的市民。在押的被告呂志超等八人，亦被提堂聆訊，黃啓瑞夫婦則並未到庭。推事萬滄才在宣判前說：各被告如不服判決，可以上訴。繼即宣讀判決主文。各被告聆訊後均俯首不語，他們的辯護律師，則紛紛聲言決定上訴。

在公車案宣判的那天，適逢台北代市長周百鍊嫁女，廣州街一九一號周內科住宅喜氣洋溢，賀客盈門。周百鍊當日在中山堂光復廳設酒會招待親友，稱「一時之盛」。比之當天徐州路四十四號黃啓瑞家裏的黯淡風光，恰成南北極的對照。「但見新人笑，不聞舊人哭」。可說為此情而詠。

那天下午一則因為公車案宣判，再則因為周百鍊嫁女，兩處均吸引了不少市政府的官員，下午的市府各單位，人多走了，成了半休息狀態。下午以至晚間，市府官員到黃啓瑞家慰問的，固然有之，出現在周百鍊嫁女酒會上，揹著「招待」紅布條週旋於周家賓客叢中的市府高級人員，更是不少。

而最近在市議會中以失言丟官成了新聞人物的林衡道，還有賴春貴，都在酒會上忙得團團轉。遭罷免而不成的副議長周財源，也是酒會中的活躍人物之一。而同時已有傳說，公車案初審宣判後，市府不少單位主管，都顯得憂心忡忡於烏紗帽的不可保了。（穗）

刑求有無各說一套
疑假疑眞耐人尋味

（本報記者台北航訊）自從監委陳大榕檢討警備總部遊查組有刑求高雄港口陋規案被告後。警總發言人王超凡中將，曾鄭重申明警總素來嚴禁刑訊，「如果有人還不相信的話，非常歡迎到本部來調查。如果有人拿出具體事實向本部檢舉，本部一定澈底嚴辦。」至於「遊查二組偵辦高雄港口陋規案」，「如果這些被告確曾在遊查組受過刑訊逼供，他們隨時都可以提出控訴」。王超凡還希望「社會各界拿出公平正直的智慧來判斷是非，不可單拿一面之詞來論人論事。」王超凡的申明經此間各報刊載後，確收相當的效果，但同時也引起監察院的重視。

因此，監察院乃於十二月二十一日公佈「高雄基隆兩港走私問題」調查報告，其中除分析走私背景及組織外，並指出海關及保安機關檢查事權未能依照國際慣例辦理，致職權歷起糾紛，早為社會人士所詬病。還說：「據台南關職員吳學源、吳皖玉、瓦邦錚、劉瑞雪、趙佩秋、翟之橋、陳滋耀、周浩鎮、徐厚商、聶學成、邢擴翔等十一人書面報稱：略以在警備總部遊查組遭受刑求之情形，渠等寫之口供及自白書，均為遊查組人員預先繕好，強迫其蓋上指紋，根本並非本意，同時還威脅渠等不准把刑求情形洩露，否則將予報復等語」，所述各情，備極痛楚。關員如涉嫌勾結走私，自可依法偵辦，不得任意施之刑求。本院對刑求問題，以往一再提案糾正，經行政院答復已經三令五申禁止，而今警總遊查組仍我行我素，對府令顯屬陽奉陰違，似應再作進一步之處理。」所謂「進一步之處理」，想當然就是「證明確有刑求，應提糾舉案或彈劾案，對有關玩忽法令人員，加以懲處。」

就在監察院與警總為刑求問題各說一套的時候，台北市公車案與公路局舞弊案若干被告，在台北地院刑庭辯論時，又紛紛陳訴所謂「自白書」，係在刑求之下亂供的。尤其公車案被告莊議義的辯護人富伯平律師還指偵查本案的「警備總部遊查組並非司法警察」。他說：

「所謂司法警察官及司法警察亦應以刑事訴訟法第二〇八條（縣市長、警察廳長、警務處長及公安局長，憲兵隊長官），第二〇九條（警察官長，憲兵官長、軍士），調度司法警察條例第二條（縣市局長，警察廳長，警保處長，警察局長，警察大隊長以上長官，憲兵隊長以上長官），及司法行政部調查局組織條例第二十三條第一項第一款等條文所規定者為限，並非漫無限制。現在警備總部遊查組，對國家之治安，無論有如何偉大之貢獻，然其絕非司法警察，此就純法律之觀點觀之，實不待言者。」又說：「但遊查組在本案所採的方法，殊大有疑問」，因為台北地院「檢察處之訊問與遊查組之調查，大體上是循環行之。其尤可怪者，全案已於（五十年）四月二十九日由遊查組移送檢察處，但二十天以後，卽五月十九日，該遊查組尚在訊問。此種辦法，對於被告之心理，實是一種威脅」。他強調在「此種檢察處與遊查組循環偵訊下，所得之自白，其任意性之程度如何？實不能令人無疑。」

另外公路局購料舞弊案所有被告自行辯護時，一致說出他們係被刑訊造成此一「冤獄」。而被告陳鑄仁於十二月二十三日在台北地院刑庭辯論時，還當庭呈繳沾有血漬之衣服一件及手帕一條，以「證明」他在遊查組偵訊，被刑求過。另被告方成辯稱：「我在遊查組中因受不了刑訊才胡亂作證」。然則這究竟是被告脫罪之詞呢？還是警總部遊查組確有刑求之事呢？倒真的耐人尋味了。（本報駐台記者公治長）

民社黨第三次全代會
三月一日在台北舉行
蔣匀田希望屆時張君勱回來

（本報記者台北航訊）中國民主社會黨第三次全國代表大會，頃決定於民國五十一年三月一日在台北該黨總部舉行。這是該黨副主席蔣匀田於十二月二十一日在其寓所單獨接見本報記者時所透露的。

蔣匀田在接見本報記者時，曾提到該黨黨員高玉樹、李賜卿、李秋遠等，一度雖從事組織「中國民主黨」運動，但未脫離該黨。蔣氏也很希望高玉樹出席三次全代會，因為據蔣匀田說，高玉樹是本省地方上的人才。但他說全代會代表的產生，係省縣市黨部的事，中央無權過問的。對於外傳李緞開除高玉樹的黨籍之事，蔣匀田淡淡的一笑說：「他們都是在同一時期入黨的，李緞夠資格嗎」？

蔣匀田很感慨的說：民社黨是張君勱一手創造的，除非民社黨自己除「招牌」，否則，誰也不能說張君勱非民社黨的創黨人。幾年前，民社黨很願意「鳴金收兵」，但有人勸我們不必這樣做，也只好這樣做了。

蔣匀田表示對搞政治工作，頗為淡漠，他說他願意做一個老百姓。最近，該黨刊物——「民主中國」——發表一篇「青年黨為何發生內爭？」的文章，結果，給他帶來許多麻煩。據他說：這篇文章當然是抨擊他的老朋友陳啓天的，因此，陳啓天曾在前幾天先打電話給他，後又到他的寓所找他，糾纏不已。他說：沒奈何，只好答應這位老朋友的「來函更正」啊！他說他會對陳啓天說：「你的精力這好，興趣也濃厚，我倒打算退休了。」蔣匀田說他比陳啓天小十一歲，陳啓天今年已經六十九歲了，但身體反而比從前好，人也胖了不少。

記者曾詢問蔣匀田，張君勱先生是不是同國參加該黨第三次全代會？他說「我們希望張先生同來。不過，張先生的病剛剛好，所以這就很難說了」。他在答復記者有關三黨共同合作問題時說，因為陳副總統健康的關係，合作事沒有新的發展。他說他會找過總統府秘書長張岳軍先生，但張秘書長要他和唐縱秘書長談談。他說：「過去和陳副總統談別的問題，三言兩語就可以解決了。可是，這次三黨共同合作的問題，陳副總統卻說明要和黨內交換意見。也因此，可以說三黨共同合作的事目前已完全停止在「半路上」了。

蔣匀田對青年黨此次鬧的「家務」糾紛極為關注。他對中國民主政治前途，也表示不容樂觀；他以「國運如此」來說明他的看法。他認為黨禁不開放，將來搶「招牌」爭「正統」的事件，將永無止日！

蔣匀田否認前台中縣議會議長王地為該黨黨員，但他不否認現任台北市議員李賜卿係該黨黨員，還說李是台北市黨部的負責人兼省黨部財務委員。至於被宣布當選無效的省議員李秋遠，現任該黨台北縣黨部主任委員兼省黨部組織處處長。

這位民社黨首席副主席的蔣匀田，目前除了在世界新聞科學夜校教書而外，很少在政治圈露面。當然，他對國事還是非常關心的。（本報記者健生寄）

國代修憲之議
國人皆曰不可

（本報記者台北航訊）從十二月十八日至十五日，國代們會議頻仍，忙得不可交開，他們忙的中心在於修憲。此時而言修憲，就使得許多人都搖頭了。此間輿論界，亦紛有聲言「不同意」修憲的言論刊出。如徵信新聞評論就說：

「搞政治拆穿來說，就是爭權奪利，對國代們的這一行動又何大驚小怪之有。」又說：「一個民主國家可以有一個擁有無限權力的機構，這實在是很難想像之事。」「當然，國代們本身的權力，是國民所賦予。全體國民既賦予國代以制憲與修憲之權，他們要把憲法制定成怎麼個樣子，都不能謂為『非法』。但我們希望大家能夠瞭解：當人民投票選舉民意代表之時，其授權有一定限期，過了這個限期，授權就告失效。我們今日中央級的民意代表，任期事實上已經屆滿。把任期延長，祇是為事勢所迫而萬不得已。」准此，「今日中央級民意代表的代表性，至低限度也要大大的打一個折扣。」（十二月二十二日）

聯合報「黑白集」，則表示希望國大代表要「自重」，因為「近年來，國大代表易招詬病者，乃以其在待遇問題及福利問題的多所提出，以致沖淡其對國是的關切與貢獻。復有所謂『代表的代表』，以爭取待遇，爭取福利見長，雖對內頗孚同僚支持，但對外頗茲社會誤解。倘國代諸公以『比上不足，比下有餘』之心自重自律，當『知足不辱』矣」云云。

有人說，照若干國代這種搞法，你能怪台省議會議員鄭宋柳之不客氣的要求改選中央級民意代表嗎？（健）

罷免台籍監委
提案送省議會

（本報記者台中航訊）省議員鄭宋柳草擬之罷免台籍監察委員提案，經徵求得連署人後，二十七日已送達省議會，並經列入民政類議案。省議會現正休會中，俟元月八日復會後，該案將先由民政審查會審議，如成立，始提大會討論。（平）

三親王永珍會突擱淺
寮局陡緊爆炸堪虞
可以隨時發生任何事情
西方竟又壓迫寮國政府

（本報永珍通訊）定期十二月二十七日在此間舉行的三親王會議，突然發生了一百八十度的大變化，直到廿八日晚還未能實際舉行起來。畢竟三親王會還有無舉行的希望，到此刻亦還不能加以肯定，但西方國家正給予邦安政府壓力是不可忽視的。或許可以說，這會議也還很有終於開得起來的機會存在。

在永珍開三親王會議，是邦安總理的建議。但這乃是個多月前的事。當時，那位受命組織聯合政府的富馬，他「蟲」了一手，堅持要在共黨勢力控制下的川壙開會，富馬甚至提出威脅說：如其三親王的川壙會議因爲邦安的反對而開不成，則（一）他要辭職不組那個聯合政府了，（二）在那形勢下，戰爭就會重起了。但邦安不理會富馬的威脅，提出對案，主張要開會請到永珍來，川壙他是不去的。

邦安的這一「反蟲」生效了，富馬不但未因此辭職，而且答應到永珍來開會。但爲了安排到永珍開會事宜，卻又枝節橫生，其中包括富馬與蘇伐努馮帶若干名警衛的問題，鬧得無可協議。結果把邦安弄得光火了，宣稱他只顧與受命組閣的富馬會商，而無與蘇伐努馮見面的必要。邦安說：蘇伐努馮如其作爲富馬的隨員，他可以來永珍，然而就算蘇伐努馮以富馬隨員身份前來永珍，他本人亦不與之見面。

受命組織聯合政府的是富馬，富馬爲完成這一任務，他要與邦安總理商談，確實是必要的。但三親王會議，則其實確實不見得非要舉行不可——富馬與蘇伐努馮整天在一處，何事不可商量？爲什麼還要開什麼三親王會？邦安這話，實在在理固不必說，卻亦因此使得所謂三親王永珍會議者，因之而看看要胎死腹中，而形成了解不開的僵局。

但就在此僵局之下，十二月中，突然又有了一百八十度的大轉變，邦安突然之間到了川壙與富馬、蘇伐努馮會面了，而且原則決定了定期二十七日在永珍開三親王會。之後，三親王的助手更協議了永珍會議的詳細安排，包括警衛等等事宜。二十七日，富馬與蘇伐努馮亦連袂而來了，大家都認爲三親王會當然可以舉行了，而結果卻又出了岔子，形勢又突然有了一百八十度的大轉變。

岔子是出在蘇伐努馮於乘國際監察委員會的飛機到永珍之時，發表一項大罵美國及邦安政府的聲明。這聲明，加上先一天來到的共方人員携來的許多攻擊邦安政府的傳單，又使得邦安光火了——他通知富馬，拒絕與蘇伐努馮會面。後來，雖然邦安勉強接受了富馬與蘇伐努馮的「禮貌拜訪」，彼此談了三四十分鐘，但會後，邦安就正式宣佈：沒有再開三親王會的必要。邦安說：他要對富馬，對蘇伐努馮講的話，已經講完了，沒什麼要講的了。又說：富馬爲組織聯合政府，他可以無限期留在永珍；至於蘇伐努馮，邦安堅持不欲再和他見面。

關於聯合政府問題，邦安說：他的政府的意思，十六閣員中，反共的寮國現政府與寮共各佔四人，另八人中，富馬中立派佔其四，永珍的中立派亦佔其四。又說：在現在的局面下，由於富馬實在不夠中立，所以那個聯合政府的國防與內政兩部部長，必需由現政府人員充任。

如此一來，局面立刻顯得嚴重了。富馬又威脅說，三親王會議開不成，不但將是寮戰的重起，而且還將是國際戰爭。這話固是恫嚇之詞，但如果永珍三親王會就此開不起來，其後果，確實是什麼事情都可以發生的！——實際，今天的寮局，早就是什麼事情都可以發生的了。

情勢到廿八日晚還未完全絕望。二十八日，不但富馬與蘇伐努馮都見到了寮王，富馬還會見了邦安政府的許多閣員，包括「強人」諾沙旺將軍在內。尤其，西方國家儼然正給予邦安政府大壓力，情勢是隨時可以有很大很大的轉變的。三親王會，最低限度不能說已經絕對開不起來了。（桂）

香港與大陸

▲據最近由上海來港的某君說：京滬一帶的生活情形甚苦，米糧缺乏，小菜每斤賣到人民幣八角左右，猪油每斤人民幣二十五元左右，白糖每斤價人民幣五元五角，餅乾次級的每斤人民幣三元七角，上級的每斤人民幣五元七角。餅乾有似鐵一般硬，吃的時候，偶不小心，猛力一嚼，可能把牙齒都會嚼崩呢！這些東西，價錢這麼貴，普通人民是想都不敢想的，且往往有錢亦輪不到你買來吃，所以只有那些有錢又有勢的共幹們，才有資格去經常享受這些高貴食物。

▲一位剛由廣州返港的某君說：他是以僑胞資格返穗去探親的，在廣州住了有兩個禮拜左右，他去各街市逛過好幾次。一天，他走到一家國營商店去買東西，見各櫥櫃裏擺滿了各式各樣的罐頭，他想自己用僑胞的資格去買點東西拿回家去給家人吃一個飽；但當他向店員表示要購買時，店員的回答是沒有得賣。他說櫃裏不是放滿了的貨嗎？怎麼說沒有得賣呢？店員只得再回答說：那沒有貨。後來還是另外一位店員對他說：那些罐頭全部是空的，只是擺在那裏給外國人來參觀的。他也才把心頭的問題解開了。

青年大會破天荒
開創精神尤可貴
輿論寄望「決而能行」

（本報記者台北航訊）十二月二十五日在陽明山莊揭幕的「全國青年代表大會」，是破天荒之舉。這會議之尤其有深重意義之處，在於從策動到籌備到主持，完全是青年們自己在搞的，很有些開創精神的示範作用——台灣而今所最缺乏的，豈不就是這種敢作敢爲義無反顧的開創精神。

此一破天荒的全國性的青年代表大會，是救國團成立九年來，迭應全國青年的要求而召開的，出席與列席的代表凡二百五十餘，內包括海內外、大陸、邊疆及港澳青年代表在內。從大陸前來與會的青年代表，最爲受人注意。

這次大會，連預備會議在內，爲期共計四天。各代表所提出的議案，達九十七件，內容包括青年活動，文化教育，青年服務及公共關係等。這些提案，將先在分組會議進行討論，如被通過，再送大會討論。

除了這九十多件由出席會議的代表提出的議案外，會議籌備小組，則提出了三項大會中心議題，計爲：一、加強建立青年中心思想，確立新觀念。二、加強推行青年自強運動。三、團結全國青年，策進大陸反共革命運動。這三項中心議題，則逕提代表大會討論。

據籌備小組委員兼召集人台大學生潘秀江小姐報告召開這次全國青年代表大會的意義與籌備經過說：在國際局勢動盪不安的今天，大局的主要關鍵，係在亞洲，而亞洲問題的中心，則在於中國。我國的青年，無論爲拯救自己的國家，及爲維護全世界的和平，都義不容辭，亦責無旁貸的，必須奮起努力，獻身於此千載一時的神聖工作。又說：今天的戰爭，是思想的戰爭，故如何確立我們的中心思想，進而研討切實的方案，以實現三民主義，以支援大陸青年抗暴，乃是這次大會召開的主要目的。而這次大會擇定於民族復興節揭幕，當然有其深長的用意，即表示我們青年，能夠自動的響應蔣總統的「革新、動員、戰鬥」的號召，以謀求團結救國的具體行動。又說：這次大會，象徵中國青年的又一次大結合。

對於這次全國性的青年代表大會，此間各方均予重視，中華民國聯合國同志會，中華民國青年團體聯合會，全國大專學生聯誼會等，均致電祝賀。台北的各大報，亦均發表社論，寄予殷切而重大的期望。各報對於大會之由青年自己策動，自己籌備以及自己主持，尤其認爲最爲難能可貴，與最爲值得稱道。

各報除殷切寄望大會能夠集合大家的智慧，開得圓滿成功之外，尤表示希望大會的一切決定，在大會開過之後，能夠繼之以切實的行動，即不但能夠說，而且能夠行。有的報紙對於這次青年大會所表現的開創精神，特別津津樂道，強調如能從此成爲風氣，而舉國朝野戮力奮鬥，義無反顧者，則中共之亂，不足平矣！（青）

補足火災停頓日數
工展會延長兩週
本屆參觀者特別踴躍

（本報訊）第十九屆工展會于十二月五日開幕，七日下午四時發生意外失火，停頓展覽，十二月二十日重新恢復展覽。工展重開後，即向港府請求延長展覽日期，俾以便利各國遊客及本港人士參觀。

港府對于工展會延長展覽日期，予以贊同，並于（二十九）日正式批覆工展會：本屆工展會展覽延長兩週，至元月二十一晚止。工展會會長朱石麟，副會長董之英，王澤流，梁祖卿，對港督柏立基爵士雅意，極表感謝。

（本報訊）第十九屆工展會參觀者特別踴躍，計開幕之最初十二天中，購買門票或預售門票入場觀衆，共達四十萬五千九百九十三人。十八屆工展同期觀衆爲四十一萬四千四百八十二人。本屆工展購票入場觀衆人數較去屆工展購票入場觀衆人數超過七萬一千五百一十一人。

瘟君續夢

第三回：拒諫飾非，列鼎烹功狗　成王敗寇，作狀笑沐猴

毛澤東聽到人民傳說他是張獻忠轉世，大爲開心，就下令搜集張獻忠的史料，於是大小嘍囉一齊動手，把附近幾縣鬧得天翻地覆，先後找出張獻忠頂過的枷，挨過的板子，綁人的繩子，殺人的刀。最後又在膚施縣的檔案裏查出當時畫影圖形捉拿張獻忠的像，毛澤東展開一看，只見張獻忠生得身材高大，膀大腰圓，四方面孔，下頦暑尖，兩道濃眉配上一雙無神的眼珠，乍看之下，覺得好生面善。

毛澤東正看得出神，藍蘋突然一伸頭，奇怪問道：「誰給你畫的像，怎麼這樣舊了。」

毛澤東哈哈大笑起來，馬上下令在延安替張獻忠建立專祠，建成之日，毛澤東親題一塊「農民英雄」的橫匾，掛在專祠上面，並且寫了一首感懷詩，其中有兩句「三生石上心香在，畢竟今吾勝故吾。」這首詩當時在陝北也傳誦一時，後來不知是否受了柳亞子的勸告，忍痛刪去了，現在我們看到的「毛主席詩詞十九首」就沒有把這首詩收進去。

毛澤東雖然自詡是張獻忠轉世，可是，一生殺人太多，年紀大了也不免心虛，睡覺常發惡夢，夢見成千上萬的寃魂來索命，所以從在陝北開始，毛澤東不敢夜間睡覺，普通是早晨七時入睡，下午四點鐘起床，就是避免寃魂纏繞。同時也不願意再提起過去殺人的事跡，希逐漸把十幾萬條人命債忘掉。現在黃克誠一提起「升仙洞」，毛澤東安得不惱？

彭德懷眼見事情已無轉圜餘地，木然說道：「主席請把我的職務免去吧！國防部長我也不作了。」

毛澤東獰笑一聲：「你還想作國防部長，下一世吧！」這時田家英已進來，毛澤東擺手說道：「你去找楊奇淸來，把他們幾個先扣留起來。」

田家英一看要扣留這幾個人，也呆住了，站在那裏不知怎麼好。

毛澤東一拍桌子：「王八蛋！你聽到我的話沒有？」田家英如夢初醒，連聲應「是」，趕快垂手退出去。

滕代遠嘆口氣說道：「主席，看情形我們以後沒有機會再替你分憂了。不過，最後我還要勸你幾句話，人民公社的收成究竟如何，主席一定要自己抽空去看看，各級幹部呈報的數字萬不能信。到了主席自己調查之後，仍然認爲人民公社可以辦下去，我們幾個算死而無怨了。」

滕代遠的話說得十分婉轉，可是，毛澤東此時已經紅了眼，什麼話也聽不下去。眼看楊奇淸走進來，毛澤東擺手說道：「把這四個人帶去政治保衛局扣留起來，候我的命令處理！」

楊奇淸知道田家英挨罵的經過，那敢怠慢，當時向四人打個手勢，彭德懷還和毛澤東說句「再見」，其餘三個人就默默無言跟着楊奇淸一道走了。

毛澤東眼光光送走了四人背影，心裏覺得十分痛快，總算出了一口惡氣。可是，一連抽了幾口香烟之後，心情漸漸平復，又覺得不十分妥當，把這麼四個重要的人員任意扣起來，在政治局裏邊有人提出質問，將怎麼答覆？想來想去無計可施，只好叫田家英打電話去找活曹操。（六二一）

國劇藝術彙考

·齊如山·

不過他只分十二韻。至十三道轍，則多一韻；祗是他對於灰堆與一七兩轍，遵古韵而未分開而已，其他則可以說完全一致。這大概是因爲，他雖然是照北方土音編製，而灰堆與一七兩韵，自古就絕對沒有分過，所以他未肯改動。但北方土音，這兩韵，永遠不能合用，如大保國楊波，魚腸劍伍員等等，都有一七轍的唱詞可按，所以又增了一韵，改爲十三轍。

按十三道轍這個名詞，固然是不見經傳，而清朝嘉慶年間，文鐵珊所著的兒女英雄傳中，談爾音所唱的道情，共十二支曲子，連前邊之四句詩，共用了十三種韵。他自己特別提明，於十二攔中又特增一韵，他雖未說到轍字，但他的心目中確是十三轍的意思。專講十三道轍的書，還未見過；或在琉璃廠所有書舖，清宮中，內務府檔案等等地方，通通找過，迄未得見；只有兒女英雄傳中，隨帶着提過這麼幾句話。按文鐵珊最愛利用他人不大理會的新鮮事情，借以自炫，此層余另有談兒女英雄傳一文，曾畧談之。該文載於鄙人隨筆一書中，茲不多贅。此事也是如此。由此推之，十三轍大致是乾隆年間方始推行。按十三道轍，是由北方小調產生出來，所以各種小調押韵，仍是如此。而戲劇中之哈哈腔，崩崩戲，大鑼調等等雖是戲劇，然仍是小調性質，所以也用他。所謂大戲者，如弋腔，崑腔等，都絕對不用他。梆子腔流行於北方，故其詞句之韵，亦與他極相合。但從前都沒有十三道轍這個名詞，合算只有皮簧用之，而傳到北平之前，亦尙無此名。到北平之後，自乾嘉時代始用之，這大概是彼時因爲研究小調，剛剛規定出他來，而皮簧又是剛剛興盛，就用上他了。所以一直到民國，凡專唱崑弋之老脚，還都不承認他。我常與曹心泉，方秉忠諸位笛師，談及此事，他們便都不承認。皮簧雖用他，但在同治以前，可以說是只北平有此名詞。上海戲界雖有此名詞，也是同治前後，由北平傳去的，到現在各省的戲班尙無此名。

（八）

邛都憶往（四）

李仲侯

西昌瀘山靠近邛海邊緣，雖不若九江廬山的雄偉，而其秀麗則殆有過之。蓋匡廬多雨，常令遊人有難認眞面目之感，而瀘山，則無論風雨晦明，山均靑翠明朗，縱遇到大霧，山頭偶被雲封，但半山以下，常仍翠綠如滴，決不像廬山這樣常見雲海漫漫，一片汪洋，使人如墜五里霧中。春夏兩季，是遊廬山最佳季節，這個瀘山，則四時皆備具春和之氣，隨時可遊，無日不可遊。所可惜的，是很難遇到廬山的那種雪景。瀘山山腰，也有從天而瀉的垂空白練大瀑布，與杭州的白龍潭瀑布亦有點相像，雖沒有廬山大天池，文殊台，神龍宮，鐵船峯等處下臨懸崖萬仞的那些奇險，可是危崖峭削，不能攀登的處所亦不少。

瀘山共有十八重寺廟，一層一層的直達山頂，上山的道路，亦極紆廻曲折，大抵隨寺宇的建築而通行路。初上山時，兩傍古松，若張翠蓋，形狀古怪，株株皆饒畫意。上山第一寺名開元寺，繞寺萬竹參天，綠雲似海，梵宇巍峨宏敞，清幽絕塵。寺側有十人合抱的古松一株，惜樹身已枯萎，僅東面一枝獨秀，亭亭如蓋，有若虬龍曼衍，仍未失去拏雲拂日雄姿。這株枯了的古松，據說有近千年的壽命。又據相傳，此山在三百年前有一位容華絕代的比丘尼，不知何事在這株神松上吊畢命，此松即日見枯萎，漸在樹旁另抽新綠，即爲現存之枝幹云云。

山上風景最佳處，要算玉皇閣，閣中廊廡特多，可供百數遊客下榻。如遊山，最好在這玉皇宮盤桓一夕，尤能領畧到遊山之眞趣。閣中四壁，前賢留題甚多，美不勝收。當你午夜夢回，萬籟俱寂之中，惟聞山上瀑布水，横流亂石山澗間，漸近漸聽發出奔雷般的響聲，那時足下雷鳴，衣襟雲護，使人冷淸淸的有點再難入睡，披衣出戶，明月在地，照得眼前的邛海，如爛銀盤的晶瑩瀲亮，四周羣山，被夜色籠罩，愈顯出挺秀爭雄，若衆星之環拱，子孫之伏待，景色幽絕，奇麗無比。山頂有佛照寺，丹楹碧瓦，規模宏偉，古樹環繞，蔚是數百年物。異草奇花，芬芳滿山，登高一呼，氣息可通帝座。此山在西昌高原上，已算是一座很高的山，但在山巔向東南方望去，還有一座螺髻山，距西昌大約有百里之遙，只見其縹緲矗立於雲端，較諸此山似尙高出一半。四川歷來有句俗話：「峨眉開，羅髻閉」，據說這羅髻山較峨眉山尙要高出千丈以上，因山頂歷年積雪，苦寒特甚，從古少人攀臨。山中樹木，皆係數千年物，毒蛇猛獸尤多。根據西昌縣誌紀載，只有淸季某知府，衣錦還鄉，一時探險之興大發，曾率三十餘壯士，裹兩個月饑糧，刋山開道，曾登臨過絕頂一次。山巔有一大天池，池中多比目魚，水極淸冽，別無所見。這知府返家後，患病年餘始痊，後遂無有問津者。

陳獨秀的除夕歌

道南

國人很注意過年，古今文士年頭歲尾，而形諸吟詠者亦多，且亦美不勝收。四十年前，提倡文學革命的陳獨秀，他在「新青年」上，曾經寫過一首除夕歌，雖不算很好的新詩，到底亦還通俗，現實而感人。其歌曰：

除夕歌，歌除夕；
幾人嘻笑幾人泣！
富人樂洋洋，
吃肉穿綢不費力。
窮人晝夜忙，
屋漏被破無衣食。
長夜孤燈愁斷腸，
團圓恩愛甜如蜜。
滿地干戈血肉飛，
孤兒××無人恤。

獨秀遺作品，形式上還保存很濃厚的舊詩的氣味，但就內容來說，卻是「很進步」的了，頗有杜甫所謂「朱門酒肉臭，路有凍死骨」的嘆息。

陳獨秀是中國共產黨的開山祖，他是民國三十一年的五月二十七日，死在四川江津的。他死得很寂寞，僅有他的後妻張玉淸和幾個親友，在那兒送了他的終，草草地將他埋葬在他的姓鄧的朋友的後園裏。他死快就二十週年了，此人一生行藏，可說淸的都是悲劇，至他對於國家的功過及其影響如何，此地不打算談。

中共囊括大陸後，也就是陳獨秀死掉的第八年，即民國三十九年的春天，中共當時的「西南軍區」的政委鄧小平，奉到毛澤東的命令，率共幹數十人，衛隊一營，馳赴江津，於舉行「淸算陳獨秀大會」後，即用黃色炸藥將陳獨秀的墳炸燬，炸得屍骨無存，穢氣四溢，足見其怨毒之深。

據中共宣佈說：這幹法是「人民代表決定」的。當時不僅陳獨秀的墳炸掉，陳的後妻張玉淸，幼子陳存眞，也被拘送「軍區保衛部」監禁；以後他們的生死存亡，就一直沒有消息。中共對陳獨秀這種斬草除根的搞法，連陳的寡婦孤兒，亦不容其生存，亦足見其怨毒之深。

中共自然有其宣傳的一套，當時的重慶新華日報，還報導說陳獨秀是托派，並將所謂俄文托洛斯基的密令多件，製版刊出，以爲證據。但當其時也，托洛斯基在墨西哥被史達林的特殊人員暗殺已有十多年了，即在洛之生前，他是亡命國外的左派，他與世界各國的左派共黨，即便有函件往來，在共產黨人那末現實的情形下，誰還會和他密切聯絡，開罪史達林？他亦能對什麼人下「密令」？這都祗是常識而已，共產黨人對付異己，無論其爲生人或死人，從不[illegible]至於罪名也，「欲加之罪」[illegible]怕製造不出[illegible]了。其實，[illegible]些人，要搞[illegible]雖死亦不放[illegible]們的哲學看[illegible]了什麼，然[illegible]出什麼理由[illegible]多此一舉了[illegible]

今天的[illegible]於陳獨秀，[illegible]之對托洛[illegible]寃家[illegible]人都知道，[illegible]民國十九年[illegible]「反間計」[illegible]告密，因而[illegible]秀在浙江金[illegible]，中共是早[illegible]地了。這亦[illegible]毒之深。

海嘯樓談薈

南明亡國醜史（二）

諸葛文侯

崇禎帝太子「慈烺」，初陷李自成軍中，繼脫出賊營，與太監高起潛南行，途遇南朝鴻臚寺少卿高夢箕舍人穆虎高成，自述「我東宮也」，偕入東京高氏宅中，高未之信，甫相見，太子即謂：「我始冠，君不贊禮乎？」蓋高氏先爲北寺序班，遂伏地哭。旋懼禍及，密啓於馬士英以聞，時東宮舊閣李維周楊進朝在金陵，福王命二奄往覘之，覘太子面即抱足大慟，見衣薄，各解衣衣之。南都人士初聞太子來京，踴躍趨謁，文武百官投職名者，絡繹於道，馬士英急傳福王諭旨，嚴禁文武官私謁太子，並移太子入住禁城。

越日，御吏楊維垣向外宣言：駙馬王昺侄兒王之明相貌酷似太子，必係假冒無疑，主張集衆官會審眞僞。福王即召見中允劉正宗李景濂於武英殿，諭以「太子若眞，將何以處朕？卿等舊講官，宜細認的確。」既而百官奉命同讞太子，凡屬崇禎朝諸大吏，太子皆指認無訛，諸臣無可如何，仍以肩輿送太子入中城。再過兩日，第二次公審太子，且將因案下獄之先帝舊臣方拱乾邀來作證，刑部尙書高倬事先遣人告語方氏曰：「先生恭喜，此審不但可以釋罪，且可以不次超擢，全在先生一言耳。」太子嘗見方拱乾至，即謂「方先生尙在」，方不敢應，退入衆人後，亦不嘗眞僞。繼而衆官具疏奏稱太子實係假冒，請方拱乾列名，方亦辭却之。迨三次會鞫太子時，左都御史李沾喝呼「王之明」，太子不應，李詰以故，答曰「何不呼明之王耶？」當堂竟用刑訊，太子慘痛呼號，聲徹於大內，馬士英命釋之，改以好言安慰。有舊伴讀太監邱致中覲狀痛哭，福王聞之立下邱致中於鎮撫司獄，而高夢箕及其舍人穆虎，高成，皆交刑部嚴行拷訊，太子仍繫獄待究。（以上見顧亭林所撰「聖安本紀」卷五）

太子案轟傳遐邇，人心驚震，如是史可法，何騰蛟（川湖總督）袁繼咸（江湖總督）暨寧南侯左良玉，靖南侯黃得功，廣昌伯劉良佐等，紛紛上疏言太子事，而以左良玉最激切，其言有曰：「太子之來，吳三桂實有符驗，史可法明知之而不敢言，此豈大臣之道？滿朝諸臣但知逢君，不惜大體……明知窮究並無別情，必欲展轉誅求，遂使皇上忘屋烏之德，臣下絕委裘之義，普天同怨，而皇上獨與二三奸臣保守天下，無是理也。」福王一律不聽。左良玉乃舉兵東下，傳檄淸君側，指馬士英「屠滅皇宗，刑僇太子」，朝野大爲震驚。馬士英，阮大鋮等聲言「寧爲北兵所殺，毋爲左兵所辱」，乃盡撤江北勁兵還拒左軍，諸有原駐江北防禦淸兵南下之軍隊，亦假名討左，自由撤退到江南，而滿淸大軍乘虛分途掩至，勢如破竹，未及浹旬即佔領南京，且將逃往皖境太平之福王亦俘獲了！

冬虫夏草

漁翁

天地間的生物，憑着水土與氣候，往往發生變態，像冬虫夏草，簡稱「虫草」，由植物而變爲動物。據本草拾遺說：「虫草的功能，等於人參」，這是一種溫暖性的滋補食品。

此物產於四川雲南西藏等地，性熱，屬山草類，每逢春夏之交，即蓬勃生長於地面，苗長數寸，像細韭葉，雜生在衆草中。當地居民，以草含滋補性，家家戶戶，各放牛於野，任其飽食終日，待其肥而宰之，製成一團一團的所謂「酥油」，用以佐食，有豐富營養，較其他補品之功效爲尤大。

一到冬季，苗葉枯萎，根化爲虫，長三寸，有口，眼，色黃，像吐絲的老蠶，在嚴寒的霜雪中，還能生活。爲藥料之上品，也可以與鷄肉，猪肉配合蒸食，能保肺，補血，益腎，止血，化痰，治咳，能促進人體的新陳代謝。在四川雲南等地，不算稀奇，出省或出國，則聲價增添十百倍，且有時求之而不可得者。

在夏天發皇爲草，冬季收縮爲虫，乃氣候所致。我國其他各省，不見有此類生物產生，這又是水土使然。此物與種在南方則爲橘，移植北方化爲枳，同一樣的變態。書此，以供研究動植的科學家參攷。

山川風物

讀中山先生上李合肥書

夏日晴

禮賢篤學少安居，抗疏先裁相邸書；
爲問侯門垂簡拔，不知江介復何如？
急流勇退全民社，蓋代雄圖半毀譽；
應念白頭諸子弟，初衷豈望作扶餘。

內僑警台報字第〇三一號內銷證

自由報

THE FREE NEWS

第一九八期

中華民國僑務委員會領發
台教新字第三二三號登記證
中華郵政台字第一二八二號執照
登記為第一類新聞紙類
（半週刊每星期三、六出版）
每份港幣壹角
台灣零售價新台幣貳元
社長：雷嘯岑
督印人：黃行審
社址：香港銅鑼灣高士威道二十二號四樓
20 CAUSEWAY RD. 3RD FL.
HONG KONG
TEL. 771726　電報掛號．7191
承印者：田風印刷廠
地址：香港灣仔高士打道一二二號
台灣分社
台北市西寧南路壹壹壹號二樓
電話：三〇三四六
台郵撥儲金戶九二五二

論政治家與學人

徐道鄰

照中國傳統文化的想法，做學問和做政治彷彿是一件事。因爲「勞心者治人」，讀書人就是統治階級。而治人之道，祇要能「正其身」就行；所謂「其身正，不令而行」。而大學之道，也正是「正心誠意」。所以從這個邏輯的前提出發，當然可以「仕而優則學，學而優則仕」。而子路所說「何必讀書，然後爲學？」也正是這個邏輯的自然的推論。

可是在中國過去兩千年中，學而優則仕，雖是通例，仕而優則學者，却極少見，多半都是仕而「不」優則學。這中間固然出了不少有成就的學者和文人（或詩人），但是這點成就，却爲這些學人——和一般人——造成一種嚴重的錯覺，以爲學問和政治，眞的相通，他們在學問（或詩文）上的成就，就足以證明他們在政治上的才能，因而使他們一個個自嘆其「懷才不遇」，一天到晚的去「悲秋」「歎逝」，有的就硬是抑鬱以歿，說起來也眞是夠可憐的。

但是，學問和政治，眞的是相通的嗎？大不然也！其間相異之點既多且大，玆試論之如下。

第一，就「能力」（skill）言之，學者的本領，主要是在書本上的。——我這裏所談的學者，偏重文史方面的，不涉及科學家；科學家們沒有「半部論語足以治天下」的想法——政治家的本領，則在對事和對人上：他不但必須能夠處理事，尤其必須能夠處理人。處理人分兩點，一是知人，一是用人。知人並不太難，因爲難得的是人才。果有人才，正如鶴處鷄羣，不會辨認不出來的，而難的却在用人：因爲雖有人才見知，却知而不能用，或用而不能盡，或用而不得其賞，正同不知一樣。用人的條件最要緊的一個是「恢廓大度」magnanimity，也就是所謂「氣魄」。有大度的人，與人有「無所競」之心，因之才能夠使「人盡其才」，而人才也自然「甘爲我用」。這種性格，在另一方面表現的，是「度量」，度量就是能夠容忍無端敵視的能力tolerance of unjustified。在社會組織上，領導地位的本身就是被別人無端敵視的對象。地位愈高，無端敵視者愈衆，因之所需要的度量愈大。因爲這種敵視，祗有度量才能夠予以克服，而也必然的能夠予以克服。培養度量有方法，就是把自己看輕一點就行了。不過，這句話說起來不難，做起來却大爲不易。——而以上所說的「氣魄」「度量」，一個學者是不大用得着的。

第二，政治家必須有「品格」（操守）integrity。他必須具有一個高尚的理想，才能夠使他「有所不爲」，才能夠使他「不爲利誘，不爲威屈」。而這種品格，並不是一個讀書人平日做學問時所急切需要的條件。

第三，政治家需要「經驗」，要有處事的經驗，要有用人的經驗，要有深切體察社會各階層狀況的經驗。一個專在書本上下功夫的學者，是得不着這些經驗的，而事實上也不那樣的需要它們。

第四，政治家需要一番「磨練」，孟子講得最爲傳神，所謂「天將降大任於斯人也，必先苦其心志，勞其筋骨，餓其體膚，空乏其身，行拂亂其所爲，所以動心忍性，增益其所不能」。這裏面所說的「增益其所不能」，大約可以分幾方面來講。一，政治的對象是民間，民間的疾苦，惟有在民間生活，才能眞正領畧，而政治家在逆境中，才能夠眞正到民間來生活。二，政治是一個有統屬的組織，因之無法消除在下位者對其長官的逢迎。所以在政治上工作的人，在他的長官看來，幾乎無一不是好的，而從民間看，則誰好誰壞，好壞到什麼程度，又幾乎無一不是一目了然。久居高位者，惟有遭受貶降，才能夠有再多一次從民間看人的機會。而久居民間者，對人才的認識也更清楚得多，也才能夠充實他日後從政時的人才儲蓄。三，政治家遭受逆境，才體會到許多平生認爲不可能的事情之眞的可能，譬如「忠而被謗，信而見疑」，才知道種瓜竟可得豆！——譬如許多過去受過自己深恩大惠的人，竟可以一下子反面無情，而素昧平生的人，居然肯冒身家性命的危險，挺身而出，來幫忙渡危解難。凡此種種，都是在擴充一個政治家的人生經驗，也正是促成他在智慧上的更爲成熟。四，政治上的生活是十分忙碌的，惟有在逆境中，才能夠使他重新得到悠閒，使他能夠在精神的冷靜和寂寞mental solitude中，重新習練深刻的，透澈的思考。五，政治上的逆境，使他把權力利祿名位都看輕了。於是由澹泊（無得失之心）而寧靜（不切切於事功），自然而然地不再那樣看重自己。而這一種開拓的心胸，自然可以愛惜人才，信任人才，而達到用人的一種極高的境界。六，惟有從得失中過來的人，才能夠眞正打破得失的觀念，才眞是百鍊之鋼。惟有這種人，才能有眞正堅强的意志，才有眞正的毅力，也才能夠眞正有所担當。

逆境是上天對政治家的恩賜，因爲它是可遇不可求的。政治家之需要經過逆境，如同樹木之需要經過風霜，是他們成熟過程中絕對不可缺少的因素。對於在書本上作學問的人們，則並不是那樣的需要。

第五，「聲望」對於政治家是很重要的。同樣一句話，由沒有聲望的人說出來，就不免人微言輕；而出自有聲望者的口中，則「先聲」足以奪人，可以使人「望風景從」。這一點在作學問上就不那樣重要了。

第六，在學問和政治上，最不相同的一點，是「機會」的作用。政治上的成功——一個人之能否見用，政策之能否成功——不是一個人自己所能主宰的，而含有若干命運的成份在內。記得曾文正似乎說過，一個人的功名事業，風水和八字的作用大，學問和能力的作用小。但是做學問，則一分耕耘，一分收穫，絕少機會的成份在裏面。然而世上竟有不少有前途的學者，放棄了他們有把握的學問不做，而到沒有把握的政治裏去翻筋斗，眞是使人難解。

第七，但是二者却有一點相同，那就是「年紀」。藝術界裏每每有很早成名的天才，但是，學者和政治家，則都是年紀愈大，修養愈深，而造詣愈高——當然不是沒有限制的，到了思想僵化，和時代脫離，那就完了——。到那時「爐火純靑」，才眞算得是「得天獨厚」。他們這時一言一動，眞的可以移風易俗。古語說，「楚國無以爲寶，惟善以爲寶」。這樣的人物，才算得是一個國家和民族的眞正的寶貝。

坐不穩的三脚櫈

誰該是這孩子的媽媽？

自由談

迎虎年

中華民國五十一年（公元一九六二）太歲在寅，寅屬虎，俗言「虎虎有生氣」。矚觀世界形勢，正在多事之秋，無論美俄兩大集團對立爭霸的未來情況如何，但今年一定將有異乎尋常的新氣象出現，殆可預言。就中華民國現階段的處境着想，如果不能發憤自立自强，而依然採取以不變應萬變的作風，前途絕對是未可樂觀的。因此，區區不勝「虎尾春冰」之感，謹據述三點願望以迎接虎年之降臨。

一願在朝從事政治工作的袞袞諸公，不復以開會爲服務之本，請示爲負責之本，貪墨爲生活之本，整人爲快樂之本。大家拿出良心血性來，而以復興國家，拯救人民爲己任，表現着生龍活虎的精神與作爲，把舊有那種暮氣沉沉，但求苟安一隅的媮惰政風一掃而空，滌蕩瑕穢，與民更始。

二願在野留心國事，義不帝秦的各界人士，不復置念於個人的政治恩怨，以及鷄蟲得失之爭，大家互諒互信，精誠合作，示人以不可輕侮的國力，把中華民國當前所處的國際惡劣環境予以改變，才是自救之道。這項工夫，在朝當政者尤須大澈大悟，好自爲之，固不待言。

三願自由中國的新聞界同仁，少談反共八股，多作忠憤耿耿，正義公道的言論主張，而以朝野間的諍臣諍友自居，憑着一股初生之犢不畏虎的愛國熱情，知無不言，言無不盡，雖挨罵遭忌乃至於封筆關門，所弗惜也。

中華民國的國運，正由迍邅而趨於危急存亡的邊緣，大家如能躬行實踐這三大願望，不膚撓，不目逃，則貞下起元，國魂大振，隨着時序的更新而生機盎然，將見化乖氣爲祥和，奏中興之大業，詎不懿歟！不然的話，世界如其和平，我們的命運是俯仰由人，無從自主；萬一發生戰爭，而一切情形必告丕變，跟咱們今日所想像的迥不相侔，爲禍爲福，誰也不敢逆料啊！

馬五先生

徵稿小啓

有內容有意義之隨筆、散文、掌故、小說、雜感等類文字，本刊均所歡迎。請用有格稿紙繕寫，如需退還，請附信封及郵票。一千六百字左右的隨筆，比較容易刊出，過長則以篇幅所限，請特別留意。

台灣省五十年度全省財稅會報，在年尾連續舉行三天，財長嚴家淦不媿財神菩薩，他在閉幕致詞中說：目前對於娛樂捐，遺產稅，屠宰稅等，都不夠嚴密。例如娛樂捐中，妓女們的纏頭費，就是一網漏稅的項目。嚴財長鄭重的告訴全體財官稅吏說：「這值得研究。」「研究」的結果，現在還不曉得，但既加研究，相信總是開徵的多，此一「新稅」，就是大陸時代的所謂「花捐」是也。有人指出，開徵「花捐」，倒不是絕對不應該，問題是如果視之爲財源，會大失所望的。而眞正可作爲財源的其他稅收，逃漏者多，中飽著亦可能不少；爲何不動動腦筋呢？

立委嫁了外國人　還能保持機密否

此事無先例，確實費疑猜。

女立委嫁美國人：女立委黃節文，與美籍青年教授因雷式的結了婚，連日以來，會成立法院中立委員們談話的資料。部份立委對黃立委表示不滿；如某報新聞報導中，將黃立委寫成立法院外交委員會召集人，而立被外交委員會委員提出口頭抗議，似有「不屑」之意。傳立委們還準備「提請大法官解釋黃立委的國籍問題。立委認爲，國會議員應對其國家有保持最高機密的義務。黃立委既與美國人結婚，是否能保守國家高度機密，應提請大法官解釋。據各報所刋載黃立委的年齡，參差殊大，也有說她五十多的，也有說她祗有三十九的，又有說她四十幾的。而那位美國青年教授僅有三十七歲。爲了担心黃立委能否繼續保守國家機密，有的立委主張她不得參加立法院的「秘密會議」。再，這些意見，均出自男性立委，女立委們對此還未有表示，不知是何原因？而大法官如何解釋？亦要請讀者「且聽下回分解」了。

業經二讀通過的「少年事件處理法」，在院會舉行三讀之際，忽起波瀾，說因量刑輕重問題，未獲通過三關。結果是會期延長。有人說：過年了，延長會期二十五天，立委們可獲得二千元外快也。如果延長會期而不增加出席費，則三讀通過看來是無問題的。只要開會有錢可拿，誰不願意天天開會？更何況開雖然開會卻儘可以不出席呢？

台北縣永和鎮建堤計劃測量受阻：因一部居民被擱於堤外，而引起近二百人婦孺到總統府請願。十二月二十九日上午，總統府前有約二百名婦孺請願，在寒風凜冽中，她們由永和鎮步行到台北市總統府。請願事爲警備總部獲悉，乃出動大批憲警，使用兩輛大卡車，在總統廣場前，連勸帶拉，將一部份婦女拉上卡車，送到永和國校，其他婦女乃自行走散。請願婦女最後是未得要領，各自回家。（本報駐台記者匡謬）

黃啟瑞上訴不上訴　關係台北市長行情

一般相信他必然會上訴

（本報記者台北航訊）被停職的民選台北市長黃啟瑞，在台北市公共汽車購料舞弊案初審判決有罪之後，他是否上訴，許多人都在關心，尤其是現在的代理市長周百鍊，更是最關心。因爲，黃啟瑞的是否上訴，不但可決定他是否還能繼續代理，甚至關係到他下屆競選市長的命運。現在黃啟瑞雖然非正式的表示：他爲「洗刷淸白，決定上訴」，但是不能說他一定上訴，而且另一個牽涉他在內的市民住宅舞弊案，一星期內就要宣判，也恐怕要到那時才決定他眞正的態度。當然，大家都預測，黃啟瑞十九還是會上訴的。

熟悉台北政壇情形的人，無不知道，黃啟瑞與周百鍊是國民黨中問鼎台北市長的「政敵」。在第三屆第四屆市長競選的時候，他們都在爭取國民黨內的提名，最後省黨部勉強放棄支持周百鍊而同意了市黨部支持的黃啟瑞，結果黃啟瑞當選了。這在周百鍊說來，當然無時不想來台北做市長。這次黃啟瑞不幸因「公車」「市宅」兩案被停職，政府派周百鍊代理市長，周百鍊總算如願以償地登上了市長的「寶座」。黃啟瑞見「市長寶座」被周百鍊得去，據傳他很不甘心，所以才有在停職命令發表前夕，他以限時掛號信寄到台中省政府，自請「辭職」一幕；因爲根據法令規定，民選的市長辭職後，代理人只能有一個月的代理期限來辦理改選工作。黃啟瑞臨別秋波這一手，據許多人解釋，他分明是想把周百鍊趕下來，不讓他有兩年多的時間去從容佈置第五屆的市長競選。祗是省府不理會黃啟瑞的辭呈，而僅將他停職，派周百鍊代理市長。

黃啟瑞現在如果接受初審判決，不再上訴了的話，那麼剩下來兩年六個月的市長任期，依法必須重選，這當然對周百鍊是不利的。周百鍊這次代理台北市長，不但與議會的關係鬧得不好，就是與市黨部，也未能十分協調，而全靠省黨部給他撐腰。這種情形，從最近發生的幾件事情上也就可看出端倪來。比如：市議會總質詢前的協調座談會，是省黨部主持；市議會中有人要罷免替他「護航」的副議長周財源（黃啟瑞本屆市長競選事務所總幹事），也是省黨部出面替他協調。據說，周百鍊剛來代理市長之初，他已經担心市黨部不和他合作，而這次罷免周財源的簽署議員中，便有市黨部的委員及議會黨團小組的幹事秉副書記在內，也足見雙方關係的確不夠好，周百鍊的確需要有較長時間，來改善這些不夠好的關係，如果此時就立刻改選，顯然對他是太殆促點了。

然而，在黃啟瑞來說，接受初審判決，雖然不失爲趕走周百鍊的手法之一，但對他自己，太不上算。黃啟瑞是由二十萬選民投票捧出來的，他如認罪，將無法向選民交待，尚且勿說，而他自己的政治生命，豈不就此完了？黃啟瑞再笨些，他應該也不會爲了打倒周百鍊而竟然把自己的政治生命去作爲賭注。何況，他即使這樣自我犧牲，亦不見得一定就把周百鍊毀得了？也所以，黃啟瑞會上訴，乃是必然之事，無可懷疑。

在公車案提起公訴後，曾經有市議員計劃發起罷免黃啟瑞的運動。如果罷免成功，自亦可使市長改選，代理人不能長期代理下去，而同時，黃啟瑞亦可以安安心心打他的官司，「洗刷淸白」。但這一計劃，至今未見實施，亦尚未能證明這舉竟是出自黃啟瑞一派轟走周百鍊的策畧呢？或者僅是某些個人對黃案表示的態度？如果這是出於黃派的計劃，那也是冒着很大危險的，因爲罷免成功，固然可使代理人下台，但眞的黃啟瑞被成功的罷免了，也很容易造成被罷免人在市民心目中信任的喪失，被罷免人將來如果還想在政治上活動，則這一恢復選民信心的工作，做來談何容易？所以，這計劃如其是黃派的策畧，而又終於臨崖勒馬者，顯然就是有此顧慮所使然。至於如果這祗是一些人對黃啟瑞案的態度，那就值不得注意了。據幾位曾經準備進行此項罷免案的議員表示，而今的情形，較以前又稍有不同，他們不願在這個時候提出對黃啟瑞的罷免案。加以，市民住宅案即將宣判了，可能，是否提出罷免案，將視這個案子的判決情形而定吧？但黃啟瑞必然上訴，應該是可以肯定的。（吳越）

台灣工商向好實績

每月增加工廠廿五家　每月增加公司一百家

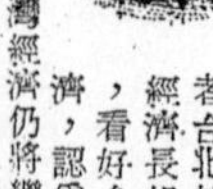

（本報記者台北航訊）經濟長楊繼會，看好台灣經濟，認爲五十一年度的台灣經濟仍將繼續有繁榮好景。外貿會主委尹仲容亦認爲五十一年度外滙運用情形將比過去的一年要更好。

楊繼會舉出兩事，以證明五十一年度經濟會繼續繁榮向好：（一）電力大增，總發電量達二十一萬五千瓩的深澳火力及谷關水力發電工程，均已建設完成，一下子增加如此大量電力，在中國歷史上是第一次。這些電力對於整個工業發展，將會發揮很大效能；過去每逢冬季枯水季節，常不免限制用電，工業生產每年因此損失達數億元之鉅，五十一年度起，當不致再有限制用電之事發生了。（二）五十年度食米增產，生產量超過二百萬噸，一方面農民收入增加，購買力提高，同時亦可使五十一年度不必向國外輸入食米了（去年因食米不敷消耗，進口米達一千萬美元），可以節省一大筆外滙。

楊繼會以爲，過去的一年，由於出口貨額增加，進口貨額亦比例增加了，這並沒有什麼大不妥之處，甚至可以說是值得滿意的。這因爲所進口的物資，大部份是生產性的機器設備及工業原料，爲要發展工業，這些物資的進口，必不可少。至於純粹的消費品進口額，雖亦有相當的增加，卻亦增加得並不多，不足爲慮；只要求生產而不允許消費，怎麼做得到？亦何必要做到？

過去的一年，台灣促進投資，加速工業發展的工作，亦有了顯著的發展：（一）在國內投資方面，台灣省建設廳在年內核准設立，資本額在新台幣十萬元以上的新工廠，平均每月有二十五家；舊廠增資擴充的更多。同時據省建設廳的統計，過去一年平均每月增加新公司達一百家！——在四拾九年九月投資條例公布之前，新公司的增加率爲平均每月五拾家。（二）在吸引華僑和外國人投資方面，截至拾二月拾六日的統計，經濟部已核准八十四件華僑投資，另十六件外國人投資。這些投資的金額，合計爲美金三千二百餘萬元。這是以往這許多年從來未有過的高紀錄。

據美援會秘書長兼投資小組召集人李國鼎的意見：台灣加速經濟發展，前途光明。他認爲，由於投資服務工作的積極展開，投資環境的改善，今後國內外投資，可望更加踴躍。而如其投資申請手續能夠進一步簡化，保稅，倉庫等制度能夠實現，將更有鼓勵作用，則收效會更加的好。

由於年關走私猖獗，美鈔需要量增，美鈔黑市價格被炒高了。據外貿會主委尹仲容的解釋：美鈔價其所以上漲，係由於有一個不正確的傳說，說是五十一年度政府將加强管制進口物資，則走私的機會更多，而走私多則美鈔需要亦更多，故美鈔必然上漲。他說這傳說沒本不可靠，政府五十一年度對進口外滙，不但不會加强管制，還會更加放鬆，所以他警告：那些以爲美鈔必漲而實行投機搜購美鈔的人，將被證明到頭來吃虧的將是他們自己。（穗）

冬令救濟看富人　要進天堂眞不易

（本報記者台北航訊）因爲爲期三個月的冬防開始了，而特別是因爲寒流到臨了，大家才發覺，台北市今年的冬令救濟捐款，成績大大的不如理想，搞得至今還下不得台。

冬令救濟捐款，每年例有一次，可說已成照例文章了。今年的捐款目標，訂得並不高———二百萬元，原以爲舉手之勞，頃刻可以湊夠數的，而卻大謬不然。而且，今年在募這一小筆捐款之時，先曾由市政府的社會局，向代市長周百鍊提供一份全市殷實商家的白紙黑字名單，周代市長因此心裏有數，滿肚密圈，他爲早見事功計，實行按圖索驥，以爲可以手到擒來，乃結果變成了「沿門托鉢」，所得居然大不理想。有的有錢之人，不但一毛不拔，甚至還向周百鍊提反要求，希望替他們多多介紹生意，使我們的代市長啼笑皆非，又還不敢得罪這些個財神菩薩。

據官方數字，直到十二月二十六日爲止，冬令救濟捐款，已認捐之數，僅一百五十萬元，而已經實際繳了錢的，更只得八十萬元而已。這距離二百萬元的目標，還差了一長截。亦因此，本來預定十一月底結束的勸募工作，至今不能結束，同時亦至今不知道什麼時候可以完成目標，實在大煞風景。

更煞風景的是冬防開始了，寒流到臨了，而就因爲募款成績不如理想，使得救濟無從展開。否則，雖然杯水車薪，如果能於這個時候拿將出去，倒亦不失爲雪裏之炭，多麼的可惜！

在台北，不但有錢之人多得很，就是那些自以爲還不能算做富翁的，在吃喝玩樂方面，有幾個不是一擲千金萬金而不惜？然而就是這等雪裏送炭的事情，最引不起他們的興趣。有錢人進天堂不容易，從此亦可看出來一些「消息」了。

有人說：不要急，二百萬湊得夠的。但，是不是要等到寒冬過去，春暖花開之日，我們才來辦冬令救濟呢？

（壹東）

七擒七縱才衹一半　洪月嬌三放四捕　監察院派員調查

（本報記者台北航訊）雲林縣議員蘇東啓涉嫌叛亂被捕案，現監察院司法委員會召集委員王冠吾，丁俊生，正進行調查。蘇東啓之妻洪月嬌，曾被警備總司令部三放四捕，引起社會人士惶惑，以爲人身自由如此毫無保障，捕人視同兒戲，殊不像話。監院之決加調查，此其一因。王冠吾，丁俊生二委員，即係被司法委員會推派前往調查該案者。王丁二委員經已前往調查，惟結果暫不透露。（燕）

越共源自寮而來
南越戰事益激烈
美援亦開始大量湧入

（本報西貢通訊）南越戰爭正愈演愈烈中，北越胡志明的正規共軍，居然繼續從寮國明火執仗的進入南越境內進行勁亂，而同時，美國對南越與廷琰政府的軍經援助，亦不聲不響的大爲增加了。上半月一次運到三十多架直昇飛機，以及隨之而來的軍事人員，至今成爲街談巷議的題目，很使越南人安了心。據此間較高階層的越南人的說法，這些加强的援助，還祗是剛剛開了頭，更多的美援，將會源源而來。

依據西貢外交界的了解，美國這次的加强支援南越與廷琰政府，可以說是盡全力而爲，其界線祗是不直接派遣美國兵到越南來打仗而已——按：已經到達的幾十架直昇飛機，都配有足夠的美國駕駛人員，這些飛機，大家都知道，是立刻要用之於戰場的，雖然據官方的說法，美方的駕駛員到越南來，是做教官的，他們並不身臨前線，當然不作戰；但爲了南越而今的戰事，主要仍是游擊戰，前線後方，往往分不開，假使在執行任務中的美軍訓練人員受到襲擊，要說他們不會還擊，顯屬不情，眞的在那情形下，美國人員還擊了，則他們就是實行打仗了。

在越共加强動亂南越的同時，越共自身爲爭權奪利而鬧內訌，甚至實行火併之事，亦時有所聞。前天此間越文廻聲報，就又有此種報導，據該項報導稱：

在安江秀磔順興社的巴打區螳螂地方的越共頭目張金勁，他手下約三個小頭目，就居然在鬼打鬼的進行火併。張金勁的手下的三個小頭目是阮文森（第一一七小團長），潘成劍（阮廳小團長）及阮鴻沼（第一一六小團長），三人一向割據自雄，分頭幹其殺人放火擄人勒贖的勾當，故還相安無事。但近日，爲了阮文森的部下「吃過界」，竟到達潘成劍的區域內做案，後者大爲不滿，懷恨在心，他乃故示無他，邀請阮文森到買生涌開會，說是有要事奉商。阮文森不虞其詐，但仍率領其衛兵多人赴會，不知此會竟是越南版的「鴻門宴」，阮文森剛到達約定會商之地，立刻被潘成劍部以機槍掃射而死，其所率領之衛隊，亦非死即被活捉。（模）

香港與大陸

▲據最近由皖北來港某君談：皖北自入冬以來，天氣酷寒，人民因衣食兩缺，吃不能飽，衣不能暖，在饑寒交廹中而致死者，不知凡幾。在這種生活情況之下，人們的生理方面也起了很大的變化。據他說：他們那裏的婦女們，身體原都是很高大健碩的，但是經過這些年營養過份缺乏，而又要整日勞動，所以生理方面眞的是退化了，過去隆隆的大乳房，現在也突然下縮而變成平坦了，每月來潮的經期，也很不自然地停止了，如此一來，生育顯然是成問題了，不節育而絕育了。

▲最近有一位二十來歲的青年由滬逃來香港，據他說：他是上海××紗廠的技工，因忍受不住共幹們精神威脅和過苦的生活所以他冒生死的危險逃抵澳門轉來香港。他說上海工廠內的工人們，大家都是以怠工的方式去對付共幹們，看見共幹來了，大都才勉强去工作一下，共幹走了，大家立刻像做不像做，所以工廠生產達不到指標和水準，以致廠方虧蝕甚巨，時時有倒閉可能呢！他又說：凡是上了二十歲以上的人，大家都痛恨共產黨，個個都期望着國軍早日反攻，把受罪的同胞們拯救出火坑。

工展服裝表演
首次五日舉行

光明電炮廠攤位旺盛

（本報訊）光明燈泡廠乃本港歷史悠久的有名電泡製造廠，其出品之各種各式，如聖誕樹燈，塑膠花，花籃等，因質佳耐用，故在國際市場上獲得好評，而在每屆工展會，更爲暢銷。現時值新年，該廠工展攤位（在十一街）益見旺盛。（白）

（本報訊）工展會第一次服裝表演大會，定五日下午六時，假座工展大禮堂隆重舉行，服裝表演大會目的在宣揚本港出品布料、綢緞料、呢絨料及精美縫級手工。

工展會宣傳部，爲使服裝表演圓滿起見，特於三日下午三時，假座廠商會聯誼廳，舉行閉門練步，由香港美容藝術學院院長阮有光、日本山野高等美容學夜、香港藝術美容學院教授段綺者，義服指導服裝表演員儀態，髮形，美容等事宜，直至下午五時許方結束。

（本報訊）第十九屆工展小姐選舉報名原定元月二日止截，工展會各部會長於二日中午舉行會議，對於工展小姐選舉問題，討論甚詳，並決議將工展小姐選舉報名展延至五日下午三時截止。

（本報訊）香港中華廠商聯合會歷屆舉辦工業出品展覽會，原爲宣揚本港工業出品，使本港與海外各地人士有所認識，引起採購的興趣，是以歷屆工展會當局，除邀請海外各地，中西工商團體蒞港參觀外，同時在展覽期中，特定日期，招待本港中西出入口商行蒞會觀展。現悉本屆工展會擇定元月三、十、十七等三天，爲招待出入口商行日期，由各該日上午十一時至中午十二時三十分爲止。

瘟君續夢

第三回：

拒諫飾非，列鼎烹功狗
成王敗寇，作狀笑沐猴

林伯渠不知有什麼事，以爲毛澤東又有新詩找他欣賞，十分輕鬆的走進來。見了面毛澤東把剛才的情況說了一遍，活曹操嚇的目瞪口呆，半晌說不出話。

停了一時，還是毛澤東先開口問道：「林老，你是不是以爲我這樣作太過份了？」

活曹操嘆口氣：「這個事件，實際上包括了幾個問題。首先是法理方面，彭德懷是政治局委員，黃克誠是書記處書記，滕代遠是中央委員，洪學智是候補中委，現在主席自行作主把他們扣押起來，將來在政治局會議上怎麼交待？不僅黨的方面如此，軍政也被糾纏在一起，四個人兩個是國務院的部長，兩個是軍方的要角，如此一來黨政軍三方面都會反對，主席怎麼解釋？其次再說到事實方面，四個人中間除去洪學智不計，其餘三人都是湖南的核心份子，都是對主席最忠誠的人，主席一舉手把他們整肅了，今後還靠誰來支持？最後再說到感情方面，彭德懷半生替主席出了多少力？現在落得這樣下場，豈不使所有的湖南人寒心？也替反對份子增加了挑撥的藉口？這些地方主席想到沒有？」

活曹操的話說得十分委婉，若在平時，毛澤東一定點頭稱許。可是，他今天鋼性發作，情感已無法控制，當時冷笑一聲：「林老，你不要再提湖南人了，這兩年來專門和我作對的盡是湖南人。劉少奇不必說了，現在彭德懷都帶頭反我，眞使人寒心！我現在明白了，什麼都是假的，權勢才是眞的。我把扶植湖南人的精神，放到外省人身上，他們必然更感激我。所以林老你不要再談湖南人，提起來我就光火，在我左右的湖南人，沒有一個好東西。」毛澤東說到憤慨處，還拍一下桌子。

活曹操一見毛澤東連他都罵下來，大出意外。幾十年來，只見毛澤東罵別人，不料今天罵到他的頭上，當時羞愧交加，一張白臉脹得通紅。

半晌，還是毛澤東問道：「林老，你還有什麼意見沒有？」

活曹操搖搖頭：「我沒有什麼話了，說多了又惹主席生氣，我也担待不了。」

毛澤東冷笑道：「那你就請回吧！」

活曹操一言不發，回到家中就病倒了。

毛澤東打發走了林伯渠，想想也覺得問題嚴重，再找湖南人商量，必然還是林伯渠這一套意見。毛澤東坐在圈椅上，閉目苦思了一個多鐘頭，茄力克燒了半廳，忽然想起解決辦法，按鈴叫田家英打電話找林彪來。

林彪自從升了副主席之後，對毛澤東感戴萬分，在政治局會議上，從來都是站在毛澤東一邊，即使遇到問題，實在無法同意，也只默不作聲，所以毛澤東很喜歡他。現在遇見困難，就想利用林彪。

林彪進來剛坐下，毛澤東劈頭就說：「林彪同志，我打算提名你當國防部長，你不反對吧！」

林彪聽到毛澤東要他當國防部長，不由得一怔，連忙問：「彭總呢？他升了什麼職務？」（六三）

國劇藝術彙考

·齊如山·

可是自同治以後，北平戲界，人人口中有十三道轍四個字。他所用的音韻，也確是十三道轍，不信請詳細審查，任何韻書都包括不住他。所以大詩詞家編的戲，常有不合轍的地方，就是因爲他們是用的詩韻。

尖團字

尖團字這個名詞，也可以說是不見經傳，鄉間亦無之，我到北平，才聽到這個名詞。查過許多書，也沒有見到，問過許多學界人及戲界人，也都不知道他的出處。這件事情，可以說是我發現的。這話自是一種笑談，然也不無理由。在光緒末年，偶爾在街攤上，買了一本小書，高不過五寸，寬不過三寸餘，共不過二三十頁，名曰元音正考，專是講尖團字之書。當時得此，樂不可支。可惜太簡單，只是載的尖團字，毫無注釋。於是研究他是何處出版？因他太簡陋，形式與坊間草版小唱本畧同，然坊間小唱本，都印有小唱本的商號，此則連出版的字號都沒有；遍問戲界許多位老輩，都說不但不知何處出版，且未見過此書，又持往打磨廠各印小唱本商號去問，亦皆不知。民國元年，在琉璃廠書攤上，又買到了幾本，我在報紙上發表過幾次，也毫無反應。其實到現在見過此書之人也少的很，所以眞明瞭他的人並不多。

例如民國二十幾年，北平有一種雜誌，名曰戲劇月刊，中有曹心泉君論尖團字的一篇文章，（也可以說是一本書），他所列的尖字，並沒什麼錯處，可是他把不是尖音之字，都列爲團音。張伯駒君與余叔岩君，也共同撰過一本書，曰「亂彈尖團輯要」，載在國劇學會民國二十四年十月出版之戲劇叢刊第四期中，也是同樣的毛病，這就叫作不知尖團爲何物。此語並無譏諷之意，這三位都是我極好的朋友：曹君心泉，是大崑曲家，念字向極講究；張君伯駒，乃詞章家，於皮簧也很有研究；余君叔岩，更是人人皆知。他們三位，何以有此錯誤呢？其實這錯誤，也不算什麼短處，因爲尖團這個名詞，發現極晚，且又算不得什麼高明的發現，故彼時眞知者尙少。（九）

邛都憶往（五）

李仲侯

我在前則所述的黑夷，其軀幹較漢人爲長大，身體正直不屈，四肢細長。但其性情，耽安逸，厭操作。其面橢圓，帶黑色。眼大，顴骨突出，鼻弓形而稍廣。口亦尋常，惟上唇稍薄，俗有拔鬚之風。齒牙潔白，又極整齊，雖年老不脫，遠望之與黑人牙膏所繪之廣告像無異，此爲黑夷所最誇耀於人者，推究其故，以不食熬肉，實無他術也。其人生綳紋甚早，其紋滿面且達於額頰，甚大而高，其髮橙黃色，總括爲一束，集於頭上，覆以棉布，狀如犀角，長及尺餘。其頭飾最爲尊重，如有侵犯，不惜與之決鬥至死。

統治夷人，惟一具有權威者爲土司，我曾去冕寧，越嶲一帶參觀過土司衙門。夷人稱，土司署所爲官寨，民居曰寨子，每一戶中必有一兩座碉樓，爲守望之所。頭人土司家的碉堡設備，最爲華贍壯麗，碉碉則如小城，上達山巔，俯臨谿澗，有高至三四十丈者，有數十層，每層四面，各有方孔，可施槍砲，造屋鑛用土盖，先砌石作牆，架巨木爲梁，以雜木橫搭之，蓋土於其上，築之令堅，雖傾盆雨亦不漏，惟霪雨連月，須加土再築。其砌樓及一切牆垣，俱砌亂石，遠望作冰裂狀，整齊如刀削，雖漢人工巧者不能及。其所用階梯，以獨木截成鋸形，凹處僅容半足，漢人登之，不能動寸步，夷人徒步負重上下，猱捷如飛。間有木板蓋屋，上置碎石壓之，衙署處處皆然，然陡發狂風，走沙飛板，從空擊下，劇足怖人。木板俗呼瓦板，以杉木爆乾，用斧劈之，自成片段，無事刀鋸，此夷人衙署及居室之大畧也。

夷俗尙武，咸工擊刺之術，雖婦女亦解談兵，聞令征調，踴躍向前，臨陣奮不顧身。男子喜佩刀，俗稱左插子，每外出，腰間必佩刀，長尺餘，外間鑲嵌不一，竟有值至數十百金者。膂力甚強，類能手挽強弓，弓小如箕，弦控牛筋，極粗笨不相稱，鏃利甚，卻無翎羽，是以射近能穿石，不能及百步之遠。又善用火槍，槍製亦與普通無異，近時則多改用新式武器。我三十八年曾去會理探勘一個蘇姓土司家，他竟擁有新式火箭砲十三尊，步槍近千桿，其強盛可以想見。

我亦參觀過夷人的渡水工具，蠻俗不知刳木之製，秋冬潦盡潭清，奔流凝碧，大江往來，獨恃皮船，與波馳逐，正如一葉隨風。這種皮船，工省用溥，其製尤巧，用極堅樹枝作骨，蒙以牛革，形圓如瓠甗，一人持槳，中可坐四五人，順流而下，疾如奔馬，頃刻達百里，雖懸泉峻灘，曾無觸礁。船中人咸相戒不得動，動則顛覆，百無一生。船不能行逆流，輒以肩負之而趨，輕若載笠，亦一奇也。

避諱談趣

燕謀

避諱，據傳始於秦始皇，因莊襄王名「楚」，改「楚」爲「荊」；己名「正」，改「正」月爲「一」月。漢因襲之，劉盈改「盈」曰「滿」，劉「徹」改「徹」曰「通」。此俗尤甚於六朝，而唐沿之。「荊人愛羊祜，戶曹改爲詞。一字不忍道，況秉姓名乎！」此爲白居易與元微之以陽城驛與陽道州同名，更爲避賢驛的一首詩。我國專制時代，歷二千餘年，爲人子臣者，當避君父之諱而改易姓名，所謂「愚者迷禮以爲孝，諂者獻佞以爲忠」，此皆不合理的事，避了二千多年，笑話確乎不少。茲稽其諸趣者爲書，以爲笑談。

避諱有「公諱」「私諱」之分：「公諱」者，「國諱」也；「私諱」者，「家諱」也。殷仲堪不肯稱「父」名於君前，曰：臣進退維谷。晉鄭侯名春，改「春秋」爲「陽秋」。王宏以日對千客，不犯一人之諱爲敏。此後父名晉，子不得舉進士，父名皋，子不得高姓主司門下登科，父名龜，子爲主司不點歸姓者。劉溫叟父名岳，終身不聽樂。

避諱更可笑者，蔡京當國時，小人諂媚，而君主倒爲臣子避諱，而改朝廷之官名。建隆初，慕容延釗、吳廷祚皆拜使相，延釗因父名章，廷祚父名璋，改「同中書門下平章事」爲「同二品」。紹興中，沈守約、「湯進之」二相，父皆名「舉」，遂改「提舉」爲「提領」，「書局」爲「提領」。「劇談錄」：「元徵之以明經擢第，執贄造門，顧李賀，賀覽刺，不答，後登要路，惴憤而退，因指賀父名晉，不合進士舉，賀遂至轗軻。」周書蕭登傳：「宗如周，南陽人，有才學。有訴者曰：某有屈，來訴汝州官。宗怒曰：爾敢呼我名。」

州！其人謝曰：祇言汝州官作汝州，不知汝官名如周。早知官名如周，不敢喚作汝州。」宗乃笑曰：命卿自責。宗見辱反深。

齊東野語：「五代有石昂者，讀書好學，不求仕進，節度使符習高其行，召爲臨淄令。習入朝，監軍楊彥朗知留後，昂以公事上謁。贊者以彥朗家諱「石」，遂更其姓曰「右昂」。昂趨於庭責之曰：內侍奈何以私害公？昂姓石，非右也。彥朗大怒，昂即辭官而去，語其子曰：吾本不欲仕亂世，果爲刑人所辱！」

貴東集：「趙文仲在楚州，有趙倡新至，文仲問其何來？答曰因求一碗飯到此。文仲怒其及己名，又及其父名，立斬之。蓋趙方兒趙苑也。」

齊東野語：「宋宣和中，徐申（幹臣）自諱其名，知常州，一邑宰白事，言已三狀申府，未施行。徐怒形於色曰：君爲縣宰，豈不知長吏名，乃作意相侮。宰邑乃好犯上者，即大聲曰：今此事申府不報，便當申監司，否則申戶部，申台，申省，申來申去，申到身死即休。語罷長揖而退。」又老學庵筆記云：田登作郡，自諱其名。舉州皆謂燈爲火。上元放燈，吏者揭榜於市曰：本州依例放火三日。後世諷之曰：只許州官放火，不許百姓點燈！亦此謂也。

兩般秋雨庵隨筆有云：宋宗室名宗漢，自惡人犯其名，謂漢子曰兵士，其妻齋羅漢，其子授漢書，官人傳語曰：今日夫人供十八阿羅兵士，太保請官點兵士書。」部下哄然，傳以爲笑。徐積父名石，生平不用石，遇石不踐，遇橋則令人負之而過。又有朝官（齊東野語）諂事蔡京，呼之爲父，全家不許犯京字，眷屬犯則斥，奴婢犯則鞭笞，賓客犯則罰酒，自犯手批其頰。此皆避諱之可哂，亦不近人情者也。始作俑者，其無後乎！

海嶠書談薈

南明亡國醜史（三）

諸葛文侯

擁有全國三分之二以上的領土與人民，挾着四鎭兵力佈防於大江南北，秉以拱衛京畿的宏光王朝，自崇禎甲申五月到次年五月，整整一年的時間，除卻派遣大員左懋第，陳洪範攜帶鉅萬金銀和數千疋錦緞，前往北京饋贈清軍以外，對於討賊救國，復仇雪恥的大計，一律置之度外，毫無所謂，滿朝文武官吏，唯孜孜汲汲於黨同伐異，構陷傾軋，寖且同室操戈，內鬨不已。迨清軍渡江而來，如入無人之境，未遇抵抗即佔取了南京，自宏光帝以次諸文武顯要，先期逃的逃，降的降，而以首輔馬士英的行爲最是可恥。據「聖安本紀」所述當時情況有云：「五月十一日黎明，錢謙益肩輿過士英寓，門庭寂然。良久士英出，箭衣小帽，向謙益拱手云『詫異詫異，我有老母，不能隨公殉國矣』！即上馬去，後隨婦女多人，皆馬上裝束，家丁百餘人擁出城，至孝陵，詭裝其母爲太后，守陵黔兵（士英係貴州人）衛之趨廣德，所過村落，劫掠一空，廣德閉門不納，士英怒，督兵攻破之，殺其知州趙景和。迂道至安吉，貽書知州黃翼聖，率士民肅迎道左，掃公署以停偽太后及士英家眷。浙撫張秉貞下檄安吉詢問眞僞，黃翼聖啓云：『閣部既眞，恐太后亦非僞』。秉貞遂備法駕迎入杭州，舍於公廨，士英屯兵於城南。時潞王（常芳）寓杭州，參謁偽太后，如常禮，偽太后辭之，既而王令妃具宴送入，偽太后復峻辭之，人始疑其偽。旋有人從南中來者，謂太后已乘驢隨宏光入天界寺，而後知其果偽也。』

這是何等醜穢不堪的事，吾人今日閱及此項紀錄，亦不禁髮指眦裂，而覘爲狗彘之不如也！再看兵部右侍郎阮大鋮，以號稱「知兵」而奉命出巡長江水師時，上疏宏光云：「臣白髮漸生，丹心未老，一飯之德，必不負人，何況君父再造之恩，踵頂難酬之遇，倘犬馬不伸其報，即豺狼豈食其餘！此臣受事之初，即以鞠躬盡瘁，死而後已八字，願與二三同志共濟之，且交勉而矢之天日者也」。一片忠貞壯烈之氣，得未曾有，迨清兵一來，他卻是投降最快者！

馬士英逃到杭州，聽說唐王（聿鍵）在福州受鄭芝龍擁戴稱帝，又秘密上疏告以清軍必南下，務望戒備，企圖藉此討好，爲他日入閩作官的張本。既而清兵進薄杭州，士英渡江潛伏天台寺中，黔兵逃散，其家丁縛獻清將，士英上唐王疏被清兵在途中搜得，馬士英乃數其罪惡誅之。阮大鋮隨清軍入閩，在仙霞嶺被清將嗾使騎兵自其身後衝撞踐踏而死。

華祖庵

南道

華陀的故事，是爲人所熟知的。他的故鄉，在今安徽省的亳縣，是渦河上遊的一個古老城市。華陀的家，是在城內抑城外，縣志上沒有說明，亦已無從查考，祇是現在的「華祖庵」，有人說就是他的故宅。

在柳林小巷深處的「華祖庵」，是在城內東北角，斗武營巷北首，與「曹操飲馬池」相距不遠。庵是坐北朝南，門樓上有三個褪色的大金字「華祖庵」。庵的地基很高，據說原是他的故宅，自華陀被殺後，華家隱姓埋名逃往他處了，後來鄉人爲了紀念這一代名醫，就在這裏給他修了一座庵。

庵中並列兩個院，西院立神位，東院住尼姑。華陀的塑像過去就在三間大殿裏，因年久有些損壞，後來被移在東院的一個龕裏。大殿內的東西山牆上還有兩幅描繪華陀的壁畫，仍能依稀看出這位「神醫」儀態奕奕的形象。

「華祖庵」何時所建，無可查考，從亳縣縣志上看，曾經重修過許多次。在西院內有兩塊重建「華祖庵」的石碑，一是清乾隆時所立，一是民國初年所立。碑文大意是說華陀是亳縣人，醫術高深，仁心仁術，要後人永久崇祀。

據說華陀是九月初九日生，往年每逢「重陽」，這庵內熱鬧異常，香火終日不絕，唱大戲一台接一台，一直要延續到來年二、三月。這種昇平景氣，在赤燄蕭天的今日，當然無法看到了。

山川風物

內僑警台報字第〇三一號內銷證

自由報

THE FREE NEWS

第一一九九期

每份港幣壹角

台灣零售每份新台幣貳元

社長：雷嘯岑

督印人：黃行[illegible]

社址：香港銅鑼灣高士威道二十二號四樓

20 CAUSEWAY RD 3RD FL HONG KONG

TEL. 771726　電報掛號．7191

承印者：田風印刷廠

地址：香港灣仔高士打道二二一號

台灣分社

台北市西寧南路[illegible]號二樓

電話：三〇三四六

台郵撥儲金戶九二五二

和平競賽就是失敗主義

雷嘯岑

民國三十一年（一九四二年）正是世界二次大戰方酣之際，被毛共誣指爲「托匪漢奸」的中國共產黨創立人陳獨秀，曾在重慶發表一篇檢討戰後世界大勢的文章，說是：「世界還有幾次大戰，我們固然不知道，所能知道的只是在戰爭的因未除去以前，戰爭的果是不能免的……我們切不可爲「永久和平」，「民族自決」，「民族平等」，「資本制度消滅」等等好聽的宣傳所眩惑，夢想戰後都會實現」；他認爲「此次大戰後，誰還要在資本制度世界標榜和平主義的幻想，在下次大戰中，誰就是失敗者……資本制度存在一天，由它所產生的帝國主義，當然不能自動的根本放棄，但統治的形式必然有所改變，即由民族化到國際化這一形式之改變；這一改變並非帝國主義之終結，而它反走向擴大與加強……戰爭的結果，眞正完全獨立不受他人支配者，只能有兩個領導國家之對立，其他國家民族，都不得不在同盟或全面合作等名義之下，分別隸屬於這兩個領導的集團圈之內。」（見華著「戰後世界大勢之輪廓」一文）

二次大戰結束到今日整整十五年，世界形勢跟陳氏所預料的可謂完全符合，華有所謂「不結盟」的中立國家，實際上是混水摸魚的僞裝面目，本質上還是脫離不了兩個對立的領導集團圈。如南斯拉夫的狄托政權，依然是共產制度，回頭來自保站在俄共集團的一邊；而印度，埃及，印尼以及中東和北非的一些新興國家，目前標榜中立，最後受着現實環境的支配，亦必然不歸於楊，即歸於墨，殆可斷言。中國智識分子有這種遠見卓識的世界大勢判斷，視維素，湯比之流高明多了，我們大可引爲驕傲吧！

問題不在兩個中對立集團的參戰份子之多寡，而在這兩大集團的領導國家孰爲優劣。換言之，即美俄兩國對立鬥爭前途的成敗得失如何，殊堪注視。

現在美俄均當政者都標榜和平主義，莫斯科高唱「和平共存」的調調兒，華盛頓亦大奏「和平競賽」的時代曲，大家要搶和平帽子。可是，世界的現實狀態卻去和平生活日遠，亞非地區遍響鋒鏑之聲，新舊帝國主義的[illegible]勢逐漸擴大加強，而俄帝常常居於主動地位，佔着上風，西方國家只有招架之功，並無還手之力。原因安在，按照上述陳獨秀所指出的輪廓，慎思而明辨之，即得之矣。

戰後史達林倡言和平通商，赫魯歇夫繼談和平共存，都是基於其「世界革命」利益的辯證法則而然，決非消極苟安的意義，和平是進行革命之一種手段。他們認定資本主義國家間內在的矛盾對立情況，隨着和平秩序而必然深刻激化，毫無例外，所以史達林確信資本主義國家間互相衝突火拼的行爲，必先於其對於社會主義國家的戰爭而發生。事實證明英法對於東南亞的越南和寮國問題，中東問題，北非的剛果問題，處處跟美國對立衝突，而以當年英法進兵蘇彝士運河之役尤爲尖銳化，殆與火拼的程度不相上下了！至於英美爲着商業貿易的利害關係，而對中共問題各行其是，使亞洲的動亂緊張形勢日甚一日，更助長世界共黨之事。俄帝又知道亞非地區久嘗西方殖民地生活的民族覺醒運動，戰後普遍發展，成爲資本制度陣營中的內傷症，祇要世界和平秩序能夠持續着，這種內傷症即日見嚴重。俄帝利用反殖民主義的民族獨立自主要求，以困擾西方列強，即可獲致不戰而屈人之兵」的奇效。綜此幾項因素，和平鬥爭對俄帝的世界革命策略，乃有百利而無一害，它當然要標榜和平主義，而忌諱沒有勝算的戰爭行爲，即可見俄帝當年既肯忍辱負重而不敢參預韓戰，則今日它更不願意爲着東南半島問題而隨便動武的。英美政治人物動輒說要避免蘇俄武力干預亞洲的反共鬥爭，以防觸發世界大戰云云，實係自我恐嚇的惰性觀念，也是一種失敗主義的思想表現，可哂之至。

美國強調「和平競賽」之說，用意不外兩點：一是相信西方國家的工業潛能與其生產力，始終可以凌駕俄共集團之上，人民生活和社會生計皆較共產世界爲優越，祇要保有不被突襲的軍事防禦實力，即可立於不敗之地，所以已故的馬爾歇將軍，在生時，即有冷戰五十年的豪語；二是相信在和平競賽之中，藉貿易通商與文化交流的機會，把資本主義社會的自由生活方式傳流於鐵幕世界，激發當地人民反抗共產暴政的革命運動，且可引起俄共集團之互相猜忌分裂，使西方列強得以坐享漁翁之利。至於英國，更有其自身的利害關係，醉心和平主義，英國經過兩次世界大戰的結果，但見海外殖民地紛紛獨立自主，別無所獲，而其國勢和國運亦漸告式微了。若再經過一次大戰，大英帝國頗有瓦解之虞。這就是哲學大師羅素一般人寧願向俄帝投降，而竭力反對軍備競爭的原因。即此可知英美的提倡和平主義乃是目的，實與俄帝藉和平共存爲達成世界革命計劃的手段，迥然有別。英美既以和平爲目的，又就心俄帝沒有和平誠意，如是採取所謂「憑實力談判」的策略，期待敵人就範。然俄帝一面玩弄和平手段，對於任何重要問題，皆以胡攪蠻纏爲能事，不讓談判有所成就，同時恣索敲賊，大力發展原子核子武器，以破英美的實力談判」之迷，它搶先放射一枚人造衛星進入太空，竟使西方列強口噤目呆，張皇失措，而英美平日津津樂道的「嚇阻政策」，乃變成了自我諷刺，赫魯歇夫且隨時以爆炸超級氫彈來恐嚇英美了！

俄帝藉和平共存之手段，煽揚亞非兩洲廣大地區的民族運動以困擾西方列強，而其第五縱隊遍佈於自由世界，成爲自由國家的附骨之疽，現在南美洲亦因古巴的共產政權出現，動盪不安了。英美以和平主義的目的，腐心於和平談判，談了十餘年的結果，除卻斷送若干自由土地和人民給俄共集團之外，試問有甚末收穫呢，英美沾沾自喜的和平競賽幻想曲，被俄帝搶先放射一枚人造衛星即成絕響了。鐵幕世界的一切人力，物力財力都集中在統治階級的手中，而且有集體運用的統一性，要怎樣便怎樣，暢所欲爲，決不怕由於跟資本主義國家從事和平競賽而招致任何困難或危險的。西方國家卻不然，人力的使用須有一定限度，財力的徵集不能超過法定範圍，否則民意代表便不答應，納稅人也要[illegible]，實行抗拒。不特此也，在和平競賽的過程中，資本主義國家的國際經濟[illegible]只有縮小，無法擴大，久而久之，本身的經濟機能更要擱於萎縮之境，美國如果不[illegible]外計劃而將過剩的生產品惟籌於若干友邦和中立國家（中立國家的市場並不穩定，國際經濟即將發生大問題，亦以此故，乃與西方列強之間猜忌衝突，影響自由世界的反共運動，此東南半島共禍之所以猖獗，而東南亞公約之有若廢紙也！憑藉這樣的和平主義，能有制勝俄帝的希望嗎。

西方列強有唯一[illegible]長處，就是科學技術優越，[illegible]美國擁有原子優勢的時候，[illegible]能以不怕戰爭的決心，從事「實力談判」，表現可戰可和的決心和行動，[illegible]即不致於搞成紙老虎的下塲，而東南半島的共禍更不致發作了。詎料棄長用短，惰性十足，幻想以和平競賽方法來[illegible]俄帝，寄望於鐵幕世界自相分裂，這就恰恰脗合了陳獨秀的預言「此次大戰後，誰還要在資本制度世界標榜和平主義的幻想，在下次大戰中，誰就是失敗者」。今日能領導自由世界的美國，再不改變其[illegible]長用短的作法，硬要跟俄帝搶和平帽子的話，即註定非失敗不可！

漫画天下　南施

尼赫魯作狀

看這傢伙的玩意

自由談

危殆的自由世界

日前，華盛頓美聯社電訊報導：白宮方面正考慮以停止對寮國的援助，爲促使寮王同意跟共黨組織聯合政府的手段。這是美國當局——特別是民主黨政府——的拿手傑作，毫不足怪，中國大陸亦就是這種方法斷送給共黨的！

當年杜魯門政府派遣特使馬歇爾到中國來調解國共之爭，堅決地執著政黨與中共組織聯合政府，說這樣才可以消弭內亂，建設統一、和平、民主的新國家。我政府不同意，美國即聲明「一筆勾消中國」，停止援華，連我國斥資在美方採購的軍用品亦禁止出口。同時更宣稱中共乃是社會改良主義者，與蘇俄無關哪！

現在白宮當局又要以當年對中國的那套辦法對待寮國，依樣畫葫蘆，毫無二致，能不令人驚駭嗎？寮王與[illegible]如其始終不接受聯合政府的建議，內戰必然續起，而美國停止援助，撤手靜觀，結果寮國很快地便要全部赤化；假使由於美國的高度壓力，不得不跟共黨組織聯合政府，寮國的赤化亦不過是多拖延一點時間而已。

美國對於所謂「落後地區」的領導方法，總不外三部曲：先之以軍經援助，繼之以實行美式民主政治，若發生共禍，即迫使受援國家跟共黨組織聯合政府，否則停止援助。許多自由地區，就在這三部曲的領導方法之下，淪於共黨手中了！

美國這種策略，原是基於他們的超級想像力，即認定任何一個發生共禍的自由國家，都沒有單獨抗拒共黨的本能——除非美國出兵干預，然這樣一來，馬上就會引起蘇俄介入，因而觸發美俄大戰。兩害相權取其輕，祇好以組織聯合政府，實行中立政策的美麗口號，作爲姑息[illegible]的烟幕，且自詡爲「維護和平」，振振有詞。如此美國對自由地區是「始亂終棄」，蘇俄卻坐收「人棄我取」之利，如是乎，自由世界危矣！

馬兒先生

好像流行性感冒那樣
「罷免」而今居然成風
這情形畢竟意味一些什麼　值得有關方面的深切研究

（本報台北記者航訊）自從台北市議會有的議員要罷免副議長周財源之後，繼之，更惹人注意的，是省議員也醞釀要罷免台省籍五位監察院委員。罷免周財源案終於被否決了，至於罷免台省籍監察委員之議，如何了結，尚不可知。但目前，罷免風波，已如流行性感冒，到處傳染，此罷免彼亦罷免，頗有擴大蔓延之勢，實在是一件大事。這種情形畢竟意味一些什麼，值得有關方面的深切研究。

宜蘭縣長林才添，因此，准宜蘭綜合運動場建設在宜蘭市郊礁溪鄉龍潭村，引起羅東方面人士的強烈反對，部份選民，甚至宣稱不惜以罷免縣長的手段，來達到阻止的目的。羅東方面選出的議長陳進東，對這位原籍宜蘭頭城的林縣長，亦頗表不滿，他說縣議會對此事事先毫無所聞，他個人對於林縣長此舉，亦至爲驚異。他認爲：龍潭村只有三甲土地的小地方，要建設現代化的綜合運動場，殊不適宜，而更重要的是那地方太偏僻了。羅東鎮民代表會，還指責林縣長的地域觀念太深，比如省方補助宜蘭縣風災後各校修建之款，羅東方面各國校，迄未分到補助費，說是像這樣的縣長，非罷免不可云云。

桃園鎮民代表會代表李寬永等十七人，簽署罷免現任鎮民代表會主席郭東漢案，而按照規定，該鎮民代表會共有二十六人，只要三分之一的九個人簽署，罷免案即可提出。罷免的理由：（一）景福宮舉辦祈安建醮之前，李寬永代表會提出順應多數鎮民的意見，建議當局迅速處理景福宮廟堤邊建一案，並要求召開臨時大會，予以討論，竟被鎮民代表會主席郭東漢擱置多日。（二）鎮民代表會組織專案小組到自來水廠，鎮公庫等處調查時，主席郭東漢竟然接受招待。（三）鎮民代表會七屆三次大會，僅安排日程兩天，顯係主席郭東漢意圖專斷權，故而出此。

但當罷免案傳出後，有關方面的「魯仲連」，即四出奔走，進行斡旋，並邀約鎮民會代表二十多人，集體北上，到台北「欣賞」日本東寶歌舞團，另又遊覽了許多「好」地方，結果罷免案急轉直下，胎死腹中。輿論於是以「東洋大腿另有妙用」，加以抨擊。

台北縣淡水鎮民代表會代表陳登輝等九人（該鎮民會代表共爲十八人）簽署罷免副主席鄭燿宗，理由爲：「淡水鎮民代表會副主席鄭燿宗，於十二月二十九日三次大會中討論議案時，推卸責任，半途逃避，對與會代表有失禮貌，影響大會議事進行，引起在場代表不滿，應予罷免。」但罷免申請書送達鎮公所未及四小時，即又突然撤銷了，據說，罷免案之所以得以撤銷，其功勞應歸於執政黨淡水地方黨部書記楊智輝的及時蒞斡旋和調處，有以致之。

南投鎮代表會七屆二次大會，在揭幕後不久，突然由代表廖樹林提案休會，並卒以十九票贊成通過，宣告休會。休會的理由，乃係因自來水廠長張良玉，控告該會的調查小組；鎮民代表會大爲不滿，要鎮長另任賢能者爲自來水廠長，並表示竊候此事獲得圓滿答復後，再行復會。又該鎮民代表會的代表們，以攘外必先安內爲理由，還醞釀罷免該會副主席張寶珠，因之惹甚有關方面的注意，正分頭進行制止這件事的發生。至於該會休會風波，彰化縣政府已下令立刻復會，但代表會雖遵令復會，終又因不足法定人數而流會。

南投鎮民代表會與鎮公所之間，平日相處倒頗爲融洽，如鎮民代表們購買書報費三萬多元的一筆賬，就是交給鎮公所報的銷。然則鎮公所與鎮民代表會間這次居然鬧到實行休會以養「逼宮」，其故畢竟安在？正爲各方面所注意。（本報記者健寄）

言猶未了警察打人
特大嬰兒出類拔萃

▲在台北舉行的第四屆亞洲棒球賽，中國隊與韓國隊的比賽，已經贏了却因爲一個球員的錯誤，反贏爲輸，使觀衆大洩其氣。四日，中國隊每下愈況，以十六A比一的絕大比數，慘敗給日本隊，不但使觀衆怒不可遏，痛予責罵，主持此次捧賽的當局，亦愁眉苦臉，搖頭歎息。因爲，據估計，中國隊失掉奪標的可能性後，觀衆興趣將必大減，收入至少要減五十萬元，不但不能有賺，將難免大虧了。

亞洲捧賽舉行之前，有的報紙滿肚密圈，强調中國隊此次「有備而戰」，「以逸待勞」，「得天時地利與人和」，以爲冠軍已在掌握，有如缸子裏捉烏龜，可以手到拿過錦標來，完全是戴錯眼鏡，變爲「牛皮」了。對日隊之戰慘敗下來，輿論羣起而攻，說「我方九員大將，個個失魂落魄」，中國隊隊長亦氣得當堂泣不成聲。

▲亞洲捧球賽失利聲中，台北縣三芝鄉警察分駐所有位警察葉某者，因其小舅子和人打架，被人毆傷，葉某懷疑此事乃洪姓青年所爲，乃將洪姓青年傳到分駐所，不問青紅皂白先用大木捧猛打一頓，使洪姓青年受了內傷。這件警察捧打民衆案出現於警政當局一再宣稱「警察不打人，打人非警察」之時，實在太不光彩，並亦使其長官的漂亮話，而變成笑話了。

▲元月三日下午，台北陸軍第一總醫院誕生了一個碩大無朋的寧馨兒，體重十五磅，這大塊頭男嬰在中國前無古人，還可能在全世界亦是第一項紀錄。一傳十，十傳百，好多人都到醫院去欣賞這位大孩子，且大家都同意這乃是自由中國開年來第一宗大喜事。這嬰兒的父母都是軍人，父親叫王奇，母親叫趙霜。而且他是他母親的第十一胎。他母親前此十胎，都夠大件，無一不是在十磅以上，但還是以這嬰兒出類拔萃，不同凡響。（穗寄自台北）

據謂由於派系鬥爭
各縣市鄉鎮農會
內部糾紛說不完

（本報記者台灣航訊）本省各縣市鄉鎮農會，據說在地方派系鬥爭下，糾紛時起，致業務陷於癱瘓者，竟比比皆是，農民利益因而大受其影響。

如彰化縣農會理事會，因總幹事少給了理監事們環島旅行的花費，致而發動罷免總幹事案，即屬引人注目之事。事緣該縣農會全體理監事認爲：彼等終年爲縣農會服務，卻全無報酬，因此，要求農會在新年期間，招待他們作環島旅行。但理監事們的這項要求，未能獲得總幹事陳萬福的完全同意，據說僅「勉强」撥給每一理監事六百元。部份理監事因此紛紛責難陳總幹事太「小兒科」了，顯然缺乏誠意，最後並有十四位理事簽名發動罷免陳總幹事。但爲了他們的事先「保防」工作做得不夠，被有關方面知悉，乃及時出而從中斡旋，卒使得該罷免案胎死腹中。

又宜蘭縣頭城鎮農會，辦理「波密拉」風災低利農貸時，竟從中抽取回扣，受害農民有苦無處訴，該鎮民代表會代表林朝木，乃公開招待記者，揭發其內幕，龜山島里長陳楊朝木，更向頭城鎮公所提出辭呈，以示抗議。

據林朝木代表說：頭城鎮農會此次辦理農貸，凡是申請農貸的災民，無論申請貸款多少，農會對每一件貸款案，均抽取三十元的「回扣」，實在豈有此理。他說：頭城鎮農會的「信用貸款」，每五千元，竟必須由農會抽取一百零五元，而按照規定，信用貸款五千元，所應繳的印花稅，則祇八十七元而已，他發問說：爲什麼頭城鎮農會竟多扣除十八元呢？

再，苗栗縣大湖鄉農會的職員，因涉嫌集體貪污，正由警方偵辦中。據該農會理事長徐福源說：該農會供銷部份；一、硫酸錏肥料短少五千九百五十七公斤。二、政府配下四十九年度應配給本鄉貧民平糶米，被總幹事謝逢保鬻斷，非法變賣，在結餘金七千三百七十五元九角四分之內貪污五千六百二十五元飽入私囊，其餘一千多元由有關人員不法花去等情。但據巳因此辭職之該農會總幹事謝逢保的解釋，則公然說：這次他「被迫」自動辭職之事，與地方派系鬥爭有關，他個人爲息事寧人，爲着農會前途，不得巳而提出辭職。他說：七年前，該農會發生問題倒閉了，乃由他接任，也才有今天這個農會的。又說：所謂結餘金被總幹事飽入私囊之事，係職員一時之錯誤，現巳次第歸賬。又說：至於肥料案，現在由警方偵查中，總有一個水落石出的云云。

還有桃園縣大園鄉農會，亦因派系之爭，而臨到要垮的邊緣。事緣該農會理事會通過決議：將總幹事鍾生森予以停職，但該鄉全體農民代表，因此要求召開臨時會員代表大會，聲稱將在大會中罷免「興風作浪」的八位理事。如此一來，新舊總幹事的交接日期，亦只好延展了。而且桃園縣政府輔導課對該農會理事會所通過的停總幹事鍾生森職案，不但不願簽註意見，且表示希望大事化小，小事化了。也因此，省政府乃下令對全案進行調查。現在，被停職的鍾生森不但未離職，還將理事會通過代理總幹事職務的游景榮，原任該農會總務股長的調爲供銷部主任，使風波越鬧越大了。

據說，該大園鄉地方有兩大派系：一個由前任鄉長李木秀所領導的「李派」；一個由前任該鄉農會總幹事游萬勇領導的「游派」。李木秀在鄉長任內，基於缺少政治資本——經濟，乃千方百計把游派從農會趕走，而由李派掌握之，鍾生森即屬李派人物。

其他如新竹縣關西鎮農會理事長蔡景秀，據說因其領導無方，農會部份組長在醞釀加以罷免。屏東縣九如鄉農會因派系分明，前總幹事古認冬控理事長林坤貴涉嫌背信案，與林坤貴控告古認冬侵占案，均巳被屏東地檢處提起公訴。台中縣神岡鄉與大里鄉兩個鄉農會，均因經營不善，而負債纍纍，結果由縣政府派員駐會加以輔導。台北縣瑞芳鎮農會總幹事至今難產，理由就是派系鬥爭甚爲烈激。（本報記者公治長）

·損失人命卅五條·
雲林空前海難
天災人禍俱全

（本報記者台北航訊）十二月三十日晚發生的雲林縣空前海難，直到元月四日晚，尚有廿七名漁民失蹤者未有發現下落，到那時，距海上失事巳達一百三十小時，還生存的希望，顯然渺茫得很。元月四日的搜索營救工作，會將範圍擴展到嘉義縣東石，布袋及台南縣將軍，北門海面，但至下午五時，仍無所獲。

到元月四日，巳經可以說完全弄清楚了，這次在雲林縣外傘頂洲海面二十二艘作業漁船遇難事件的發生，部分原因關於「天災」——當晚海上突然出狂風，浪高十幾公尺，另部份原因，則係由於「人禍」——三條崙漁港及箔子寮漁港的標識燈光失明，漁船上的救生設備與通訊設備均告缺乏。如果這兩條原因之一不存在，這次大海難，根本不會發生，即使發生了，其損失也絕不會像今天的嚴重。

關於漁港標識桿燈光失明之事，據三條崙漁港標識燈管理員吳在供說：該港標識燈失明，係由於當天下午四時斷電，五時二十分通知修理了，約八時通電，但九時後又斷電了，而吳在則沒有再通知電力公司修理了，致燈光通夜失明。又據箔子寮漁港標識燈管理員蔡諒供說：該港標識燈失明，係由於燈泡損壞。這兩個管理員都未能善盡職守，事極顯明。電力公司亦未嘗沒有責任，如斷電不加修理，不能卸責。

至於漁船上缺乏通訊設備與救生設備事，據劫後餘生的漁民丁港說：「如果二十二艘漁船中，有一艘有無線電設備，發出呼救訊號，可以及時獲得救助。而船上救生設備的缺乏，丁港說：這完全是出於船員的疏忽。他說：如其每艘船當時都備有足夠應用的救生衣及救生網，即使船被海浪打翻了，船員落海，無需與波浪搏鬥，終致精疲力竭，他們就會有生還的較大希望。

這次雲林縣台西及四湖兩鄉失事的漁船達十九艘，計台西鄉十二艘漁船，隨船出海漁民五十一人，生還者二十九人，失蹤者二十一人，死亡者一人。四湖鄉七艘漁船，隨船出海漁民三十四人，生還者二十一人，失蹤者六人，死亡者七人。這其中死亡者，係指巳撈獲屍體的；其餘的，因未撈獲屍首，都算是失蹤。但大家都認爲，遺失蹤的二十七人，除非有奇蹟出現，他們還能生還的希望，巳經並不存在了。

這次大海難的損失，除三十五條人命，其價值無可估計外，漁船及其他器材的損失，估計爲五百萬元。當然最嚴重的損失，還是在於這三十五位漁民的性命——三日那天，台西區漁會理事長丁拿，會隨該區五十餘漁民前往失事地點的外傘頂洲海面搜索，當他眼見被風波打得七零八落的失事漁船時，想念及遇難的漁民兄弟，觸景情傷，當堂痛哭不巳。據丁拿說這三十五位遇難兄弟，都正當盛年有爲之時，他們而且都是優秀的捕魚手，要培養一個成熟的漁人，最少需時三年，所以他認爲，這次海難是雲林縣空前未有的，對雲林縣的漁業發展前途，打擊更非常嚴重。

「天災」加上「人禍」的[illegible]前的大海難，五日仍繼續搜索，但有什麼成就，巳不可挽回了。[illegible]如何接受教訓，是重要的事。如何對於失事的漁船與遇難的漁民家屬，辦理善後，同樣是重要的事。善後問題如遇難家屬早些領得保險投，雲林縣當局表示義不容辭，當儘量爭取。另外那兩位漁港標識燈管理員，因不能善盡職守，勢必將送請法院依法處理。（啓）

（香港與大陸）

由於糧荒由於饑餓
大陸確有人吃人
偷搶成風遍地都是乞丐
一個饅頭要賣共幣十元

我們透過多方面的關係，獲得一位在青海省柴達木地區「勞改」三年多，最近刑滿釋放回廣東後，給他在海外親人寫的信。真是一字一淚，茲整理報導如下：

據說青海省內一冷湖油池，屬中共中央單位保管，所以，中共對該油池的保密工作，從未透露。冷湖盛產水鴨，在那裏工作的人可以捉到來吃。但在一九六〇年，這個油池被反共份子放火燒着，一片火海，照得邊疆通紅，當時中共出動一批飛機搶救，但無效果，並還有一架飛機跌落火海，做了「燈蛾」。冷湖油池被燒光後，中共計劃由西寧至冷湖的火車線，也告停止施工。

該信中又說：大陸偷搶成風，這實在是因爲饑餓所致。一九五九他們在馬海，那裏天氣變化莫測，故牧民很少。但中共在馬海設有一間化工廠，十一月間，馬海的糧食斷絕供應，只有一間「貿易公司」存在着少許麪粉，他們便去偷搶，發生過一塲大打鬥。他說：馬海是個不毛之地，那裏人吃人肉已經不奇，但連死人的肉都割來烹吃才奇。他親眼見到一個廣東合山籍人，名叫黃洪銓的，由於餓得很慘，故採摘「白刺果」的野生植物吃，以致大便不通，在地上打滾哀鳴一整天才死去。他又見一名叫朱炳初的，江蘇人，晚上準備出來偷些東西充饑，但被共軍哨兵發覺，開槍打中他，並用繩縛住，在夜裏冷死，有的人就割他的肉來煮吃。

後來，他和一部分難友調去德令哈，途中在大柴旦市裝米，不料有兩個小偷，神乎其技，入夜行車，兩人竟跳上車來，企圖偷米，但爲他們發覺，在同病相憐下，沒有毆打該兩小偷，只喝走草數。據說，德令哈較馬海地區爲好，中共在該處設有「德令哈貿易公司」，農業也很發達，但在中共控制下，物價飛漲，一個土饅頭（約十兩）需共幣十元，一斤土烟三十元才可買得到，因此該地人民對中共大表不滿，有「年年叫增產，歲歲減口糧」的流言。

該信中又說：他在柴達木盆地所見到的蒙古牧民和西藏牧民，他和他們交談，但想買些羊肉吃，但牧民不喜歡共幣，表示沒有價值，但如果你送給牧民一件衣服，他至少請你吃九頓羊肉。

信中又說：他從一九五九年初調往柴達木「勞改」，經過三年多的邊疆生活，他看到無數同伴不堪磨折死去，他自己也以爲九死一生，而今他幸運生還，他說「真是奇蹟」。並稱：他最近獲釋經過西寧市時，他看到該市很多人賣燒餅，豆子之類的東西，但一個燒餅共幣一元，最細吃的人也需吃七八個才飽。不過，他又很感到奇怪，做這些買賣的完全是小孩子，很少大人。西寧市的街上，他看到有些人把本市米票擺在那裏拍賣。車過鄭州時，有一批調往別處軍人上車，他說：這些軍人「不知爲了什麼？將自己衣服上的漂亮的電木鈕，一個個扯脫從窗口外扔去」！他說：從青海返回廣東，一路上他見到不少乞丐，和車站搶東西的事，如在眉縣，他的一位同伴剛拿出「人民幣」想買餅吃，但一下子被人搶走，追之不及，徒呼負負。如在許昌，那裏有兔肉、羊肉、西瓜、梨子等賣，因此便利了盜搶者，中共的警察已失去維持治安作用，他們一搶到東西，便送進嘴裏，邊吞邊跑。（自）

瘟君續夢

第三回：拒諫飾非，列鼎烹功狗　成王敗寇，作狀笑沐猴

毛澤東擺擺手：「不要再捉他，他和黃克誠合謀反黨，已被我扣留起來。」

林彪簡直不能相信自已的耳朵，只是瞪着一雙大眼看毛澤東，不敢插嘴。

毛澤東說道：「關於彭德懷幾個人的事，我將來再仔細告訴你。現在要研究的問題，我決意在政治局提名你任國防部長，只是總參謀長換誰呢：」

林彪陪笑道：「我不曉得主席爲什麼突然作一次驚人大調動，彭總即使有錯，也不干黃克誠的事，仍讓他留任不是更好嗎。」

毛澤東連連擺手道：「事情經過你不知道，最可惡的就是黃克誠，一定要換掉他，因爲他拿兵變嚇嚇我。」

林彪聽了，心裏暗叫不妙，軍隊越來越不穩，原是實在情況，過去沒有人敢向毛澤東說明，果然黃克誠終於因爲出言不愼闖了禍，換過自己也是難題。仔細考慮一下，忽然想出一個辦法來。

林彪當時向毛澤東說道：「部隊會不會出問題，本來政工同志應該有把握的。可是，過去的政工同志實在太不盡責，和官兵脫了節，現在即使攻組也來不及，唯一補救之道，只有對官兵加強控制，使他們不敢亂說亂動，禍患自然就消弭了。」

毛澤東點頭道：「你說的話我完全考慮到了，只是怎樣加強控制？用什麼力量來控制呢：」

林彪笑道：「主席怎麼忘記了公安部隊，只有打出這張王牌，才能鎮壓住暴動。」

毛澤東一拍腿道：「對呀！你一句話提醒了我，現在就派羅瑞卿任總參謀長好了，他統率着三十多個公安師，是可以發揮力量的。」

林彪站起來說道：「主席沒有別的吩咐，我就回去了。」

毛澤東說道：「別忙，羅瑞卿當了總參謀長，勢不能兼任公安部長，這個職位換誰呢？」

林彪笑道：「主席考慮一下，從幾個副部長裏面提升一個就是了。」

毛澤東忽然調轉話題說道：「林彪同志，你是我的心腹幹部，你講一句實話，各地人民公社呈報的大豐收情況，到底靠得住靠不住？」

林彪笑着搖搖頭：「主席既然問到我，我不能不說實話，我對那些大豐收的數字是從來不相信的。試想一畝地產三十萬斤番薯，怎麼產得出？就算挖三十萬斤坭土吧，要挖多麼深！」

一句話提醒了毛澤東，半晌無言，覺得對於黃克誠這些人處分未免過火些。不過，他從來是不肯認錯的，當時點頭說道：「你的話很有道理，我要讓他們切實調查研究一下。」

林彪走後，毛澤東打電話把李富春找來，要他趕緊下一個緊急命令，要省級幹部以下，分別到下級作實地調查研究，掌握確實生產數字，如若發現差別達到百份之五十，上級就要連坐。（六四）

反攻復國的主要問題

但衡今

編者按：但衡今先生即係會爲「自由人」暨本報撰寫筆記「彈心錄」之「阿公」，論事論人，獨具慧眼，且精通易經，久爲讀者所稱贊。他曩居台省宜蘭縣之礁溪，近致函本報社長，暢論反攻復國的主要問題不在軍事上，而以善後之策爲可憂，提出意見，亦頗新穎，值得公開研討的。

嘯岑吾兄先生惠鑒：

讀十二月二十日「把戰火帶到大陸去」社論，使人氣息爲之一壯。此間除蔣公外，大多被貪污、浪漫、奢侈、美化腐蝕心靈，而不復思蜀矣。竊以反攻登陸之後，只須兩三個回合，達成任務，餘可迎刃而解。自古歷史轉變，推移劇局，則軍事較易，項羽率八千子弟，西向覇秦，光武以突騎數千，破莽兵百萬；而近人乃津津較量軍事之多寡強弱，忽視天人之視聽向背，殊可慨也。故僕不以軍事爲慮，而以善後爲憂，舉凡農村復原，工商業復原，軍隊復原等等，尤以農村問題爲急切（以其史無前例），且經費之鉅，絕非勸募所能資其什一。此間輿論界從無人及此，誠非大刀濶斧，破釜沈舟，莫有能善其後者。至於標語口號，團結合作，無非廢話。故僕主張化國有產業爲民有，將大陸之粵漢、平漢、滬寧、津浦、北寧一帶之紡織等廠，此間之電台，台糖，及鋼鐵廠等等，發行股票，存儲國外銀行，專作農業善後之用，除此不得挪動分文，且禁止官達貴人參預其事。倘或中原從此陸沉，仍照原股併息發還，立信於人，庶幾有濟，未審高明以爲然否？

但衡今再拜
十二月二十六日

工展小姐選舉
九日開始投票
十七日舉行加冕禮

（本報訊）工展小姐選舉，定期在本月九日至十六日公開給觀衆投票選舉，是屆候選者有九位小姐正式表示一決高下，爭奪工展小姐榮銜。冠軍工姐將於本月十七日舉行隆重的加冕禮。

現在宣傳部已做一批投票箱，於九日那天在大門樓、出口門樓及候選工姐各攤位內均有她們的大相片及投票箱。凡購票入塲觀衆，都有權隨意投選工姐。一連投票八天，以得票最多者爲獲登「工展小姐」寶座。

（本報訊）第十九屆工展小姐之參加競選小姐，七日下午四時齊集工展會大禮堂與各報駐訪記者會晤，大會宣傳部，特備茶點招待。

此一「工展小姐」茶會，由宣傳部部長甄文亮親自主持，會董余沂卿，楊木盛等亦在塲，先由甄文亮將參選工姐個別介紹給各報記者認識，繼由各位工展小姐逐一起立，向記者發表參選談話。

計開參加競選之工展小姐有白桂油小姐吳安琪，德聯有限公司小姐韓曼斯，九龍書局小姐伍靜妮，白桂油小姐楊淑芬，香港機器鑽井公司小姐郭紫薇，振興糖果公司小姐盧桂珍，權記行食品廠小姐瑪麗沙，樂士實業有限公司小姐羅碧君，芬蘭可樂雪糕小姐陳美玲等。

（本報訊）工展會首創觀衆幸運日，極獲觀衆好評，本屆工展期間，曾於上月二十一日，二十七日，本月三日，舉辦三次觀衆幸運日，第四次觀衆幸運日，則於八日舉行。

國劇藝術彙考

·齊如山·

什麼叫作圓知呢？就是可以念尖，也可以念團之字，才能分尖團，如茲此斯，疾妻西等尖音也，知吃師，基期希等字團音也。紀之類，古人所謂牙音，舌音，都爲團音，齒音之字，都爲尖音。其餘或唇音，喉音等，如阿，巴，瓜，拉，爬，哈，燮等字，都無尖團之分。若把非尖音之字，都列爲團音，豈非外行呢。再者古無尖團這個名詞，有之，亦始自元音正考一書。既說尖團二字，則似應照他的標準來說。這才說到這本書的來歷，乃是後來才考查出來的。

一次我問及金萬昌之師父，偶忘其名，按金萬昌，劉寶泉，都是前邊所說票房之徒弟，由清初到光緒，傳了六七輩，他們是末一輩，以後就未再傳。他們每一輩之名子，都有排的準字，我都有紀錄，惜此地沒有。金萬昌之師父說，此書是他們機關印的。他這話我極相信。過了兩天，他又給送了一本來，他說這本書是他師父給他的，在櫃子裏頭，存了多年，早忘了他了，你一提起，我才找出來，不信請你問萬昌，寶泉，他們都沒有見過。他兩人接着說，不但沒有見過，就沒有聽見說過。這本書從此算是規定是該票房出版的了。此後就又接齊研究，他爲什麼要編這樣一本書呢？金萬昌之師父，也說不上來。據我的推想，是北平念字或說話，團字較多，而北方鄉間則尖字較多。前邊談過，凡軟尖音，北平都念成團音。主持研究大鼓小曲的人，多住在北京，而鄉間人前來唱曲，尖音字較多，許多地方與北平不合，便啓發了他們研究的心思，於是把鄉間所念的音，都紀錄出來，成了此書。

以上雖是我揣度之辭，但他所分的尖團，確與北方鄉間一樣，尤其與吾鄉一帶數百里的地方，可以說是完全一致。全國之尖團音，各處都有不同，惟吾鄉一帶，與此恰合。例如先生或西山二字，此書中所規定，先或西是尖音，生或山是團音；吾鄉與此正合，雖野老農夫，婦人孺子，都是這樣說法。北平則都念團音，上海則都念尖音。惟獨天津，則完全相反，先西念團音，生山念尖音。因爲各地念法之不一致，於是他就更必需有所規定，以便統一。（十）

邛都憶往（六）

李仲侯

夷人各部落，都有土司專管。土司之制，俱數百年父子專襲，未嘗有變更，其間亦有貪縱淫虐的，百姓至死不敢貳。夷俗上下之分極嚴，無論土司，即以頭人論，百姓莫不敬之如神明，無一言敢稍拂。居家妻不敢與抗禮，或自遠行歸，其婦必率家屬及百姓男女跪迎。土司中刑罰，最重竊盜，犯者輒綑縛其人，投諸大江中。殺人者，罰牛馬銀物、入土司贖罪。至姦淫一事，不足爲異，亦未見有告訐者，即或事敗，不過私自罰柴數百斤而巳。如有規避猺役，不遵土司飭遣號令者，刑最嚴酷，除籍其家外，並將其人並家屬，分賣各部落爲奴。夷俗多力役之征，一家中須更番出應土司號召，終歲幾無虛日。土司之制，較諸君主，尤爲專制。

在夷俗中，尙留有尊重女性之遺風。土司對夷人女子特別尊重，凡婦女皆有上級位置，故衆庶亦感尊敬之。外人欲遊歷其地者，非以女子爲安全之嚮導不可。女子著上衣、隨遊歷人前行；如途中遇災厄，女子脫上衣鋪地上，然後訴之酋長，酋長則立捕匪徒，爲之判決。若事無着落，決不收取其上衣。此時尊重上衣，正如公使館之國旗，不能觸犯。又婦女有臨戰地之權，凡女子出戰，手不持劍戟者，男子不許襲其不意。酋長襲職之次序，亦甚奇怪：酋長死後，由最少壯者代之；少壯者死，則又由最年長者代之。

普通夷人無姓氏，不知有族屬，遂至婚媾混亂。即居處亦殊可異，男臥碉上、女臥碉下，男女分類雜處，臥無定所，無牀枕衾褥，惟氈貼地而巳。雖新婚夫婦不同室，夜間鶴步下樓，暗中摸索，未聞有誤入桃源相識者。惟土司及頭人則漸循漢禮，夫婦居室之道，與吾人無殊。

至夷人逢歲時令節，雖各地風俗不同，我在越嶲一土司家談及，渠言大致亦有規定。正月初一日雞鳴先擊米箕、後擊鑼鼓、放銃、吹牛角。天明備酒肉糍茶各二盤、箸兩雙，拜天地。是日新郎送酒肉至岳家拜年，主人請親族聚飲，計客多寡、新郎出銀作封，每客送銀二分。越日各客請酒，用生肉二斤爲酌。元宵擊鑼、擋長鼓、跳躍作態。長鼓頭大中小、黃泥塗皮，以繩掛頸，或云係古制也。男女相雜，至山間唱歌。八月早禾初熟，請岳家嘗新，又發肉銀一錢或五分贈之。每隔三年或五年於九十月間，舉行最大的跳鍋會，先擇吉日，通知各屬，屆時宰豬殺羊，各處男女成羣結隊來會，載歌載舞，通宵達旦，纔得休止。

屠狗祭

丘峻

自古相傳：殺犬祭神，可以驅除不祥。莊子天運：『夫芻狗之未陳也，盛以篋衍，巾以文繡，尸祝齋戒以將之。』成玄英疏：『謂結草爲狗以解除也。』釋文引李云：『結草爲狗，巫祝用之。』此結草爲狗，以替眞犬，祭祀時用之，祭終則棄之。故古來被利用而又被棄置的人物，均謂之爲『芻狗』。老子所謂：『天地不仁，以萬物爲芻狗。聖人不仁，以百姓爲芻狗。』便是這個意思。可見『芻狗』的應用，早在戰國，春秋時代。

殺犬祭神，用祓不祥，是一種衰颯的事體，萬不得已時而用之。但我國地大人衆，各地各人的見解又不一。有等地方，在平時，有人殺狗以酬神願的，甚至在大年初一。有等地方也有人殺狗祭祖或祭其他神的。這又不單在消極的驅除不祥，而且還在積極的祝福了。另外還有人就根本認此事的本身爲不祥，若在大年初一，則更認爲大大的不幸。

大陸如此，台灣也差不多。台灣府志風俗篇：『士子以七月七日爲魁星誕，多於是夜爲魁星會，備酒肴，歡飲，村塾尤甚。』又赤崁筆談習俗篇：『重陽，是日，儒生殺犬，取其首，以祀魁星，餘肉生徒聚食，歡飲竟日。』如此社學雅會，由來已久。還有大樣椰西保瀾內庄鳳山廟，立神爲張元印，其祭日——三月十六日——牲儀，例亦宰一犬頭，未嘗或缺。於以知台灣人食狗肉的也不少。據說，日據時代，食的人更多；蓋日人亦不少嗜此異味哩。

乾隆九，十兩年巡視台灣御史六十七重陽詩：『朝來門苑集儒巾，屠狗吹簫共賽神。』其註云：『台俗七夕，中秋，重陽，俱祀魁星。是日，儒生殺犬而取其首以祀之者，殆與同時之鄭大樞之風物吟「屠狗祭魁成底事」之句，皆寓祈求文運之意。蓋從古代所行，「秦之德公始殺狗，磔於邑之四門，以禦虫害」——漢應邵撰風俗通義——而脫胎之故事遺風。』

此外，我國國術，有所謂『神打』或『寄打』這一套，深習此種功夫的人，據謂銃炮不入，刀槍不能傷。以故，歷來民間有所舉義，或土匪作亂，或地方械鬥，均有『殺狗祭旗』之舉，將狗血灑大旗，遍擦槍刀，以備擊破對方的『神陣』。相傳此種方法確有奇效。從前義和團，據說就有這一套『神打』，能禦槍刀銃炮；但卒經不起李鴻章的考驗。當時對外之所以失利，原因也就在此。其實，這種『神打』之是否銃炮不入，刀槍不傷，與夫『屠狗祭』之能否驅邪，原因關係，相當複雜，自非短文所能加以解釋。而『狗祭除邪』，其用意則一。

屠狗致祭，歷史甚古，在我國，雖不是怎樣普遍的事體，而且已逐漸少見；但還有許多地方至今仍流行着這種習俗。究其原始，雖不可確考；而從芻狗的記載推斷，則當還在戰國，春秋以前了。

海嶠舊談薈

南明亡國醜史（四）

諸葛文侯

清兵入據南京之日，統帥豫王多鐸出示曉諭官民云：「福王僭稱尊號，沉湎酒色，信任僉壬，民生日瘁，文武弄權。文臣只知作惡納賄，武臣惟思假威跋扈，上下離心，遠近咖恨。」時人以爲實錄。那位綜持南明戎政的國防大臣「忻城伯」趙之龍，急令百姓設香案，每家各貼黃紙，上書「大清國皇帝萬歲萬萬歲」以迎豫王。旋又喚戲十五班進滿軍營，開宴逐套點演，正飲酒間，諜報南明各鎮兵來攻，之龍即跪稟豫王，王不爲意，又點戲五曲，撤席後發兵三百，遣將將之即行，有頃，擒劉良佐至，良佐叩首，請以擒宏光贖罪，王許之。越五日而劉良佐果以宏光解到南京。這證明所謂四鎮兵也者，遇見清兵三百人即披靡潰散，毫無鬥志，祇有禆將黃得功不肯屈膝投降，卸甲胄，服冠帶，北向再拜自刎，表示其義不帝秦的軍人氣節，隨史可法殉國而已。

南京的宏光朝潰亡了，福州的隆武帝亦以受不過武人鄭芝龍的脅殆凌辱，流徙於閩浙邊境，不知所終。剩下桂王朱由榔在粵南肇慶稱帝以抗清兵，號爲永歷朝，展轉於兩粵與湖湘之間，而一般相從的明代舊官僚，依然不改故態，日唯植黨分派，爭奪權位，相互排擠傾軋，至死不悟。雖有瞿式耜在廣西砥柱中流，力圖復興，即永歷帝亦不似宏光之荒淫昏瞀，然大勢已去，終於流亡緬甸後，被吳三桂劫回昆明縊死。可是，永歷臨死時尙能表現一點令人稱贊的風度。他被挾持回至昆明之初，若干文武大吏都曾進見，他一一話舊如常，最後吳三桂入謁，伏地叩首，他卻故意詭問係何人？迨吳對答後，他慨然道：「予乃北京人，汝能送我至北國否？」三桂當時祇好答曰能。既而吳奉清帝命，用紅綾將永歷勒殺之，明祚乃告絕滅！

在我國歷史上，士大夫醉心作官，而又經常表現着極端寡廉鮮恥的言行者，殆以明代爲最甚。此無他，朱明的統治人物不學無術，罔知政運與治道，視讀書人如奴役牛馬，廷杖公行，折辱備至，而以天啓朝尤爲酷烈。所以到了明朝危亡之秋，一般士大夫乃相率臨難苟免，不知忠義氣節爲何物，於洪承疇、吳三桂、馬士英之流，何責焉。反觀滿清敗亡前後，尙有不少的漢人從事復辟運動，或以遺老終其身，不食民國之祿，即可見平日養士關係的重要了。

歷史是一面很好的鏡子，凡是在政治上據有統治地位的人，如果不熟讀歷史，體察到治亂興亡之所以然，知所效法，結果沒有不失敗的。因此，我認爲舊時帝主設置「經筵講官」，隨時聽取講官們摘述歷史上治國平天下的道理與掌故，實係一種良好制度，跟現代西方統治人物的智囊團差不離，這也就是我談南明亡國醜史的用意所在也。（完）

山川風物

碧雲寺

道南

北平西郊的碧雲寺著名全國，由於國父孫中山先生於民國十四年三月逝世於北平，在沒有奉安南京中山陵以前，他的遺體曾經停放在碧雲寺有一個時期，任人瞻仰，碧雲寺因而更出名了。

出了西郊，經過一段石板路，就可以到達碧雲寺的門前。這座名氣甚大的古刹，始建於一三六六年，滄桑屢易，雖劫重重，距今有近六百年的歷史。寺內的雕塑佛像，十分精美，寺的第四大殿，早已改爲中山紀念堂，堂的正中，矗立一座巨大的國父中山先生的雕塑。

紀念堂的後面，有一座莊嚴的石塔，塔高三十餘丈。當年中山先生的靈柩，就曾厝在石塔裏。靈柩奉安南京後，復將中山先生原來的衣帽，仍留葬塔中，故這石塔又是國父的衣冠塚。

塔上還有七座十級寶塔，是全部用漢白玉雕成的，塔座上的佛像圖案，都極其精緻玲瓏。站在石塔上，遠望北平城，眞是氣象萬千。昆明湖，石景山俱在望中。石塔附近，亦羣山環抱，松柏蒼翠，景色之佳難以形容。祇是今日北平城狐社鼠，不堪回首了！

新年三願

調寄「長命女」

知用學社元日雅集、蘇態瑞司徒超兩社友邀讌。

元日宴，濟濟羣賢春風面。再拜陳
三願：一祝主人福壽，二祝同仁康健，
三祝新年快樂，歲月長相見！
春光豔，白髮黃童無貴賤。杯酒爲
君勸：指望大家努力，好把河山再建；
他年重捲家園，大達能相見。
屠蘇酒，主賓情意恰相投。
從頭但願一杯在手，佳興四時收。
消災除害無愁，更願舉世咸休；

謝康未定草　五十一年元旦

自由報

內僑警台報字第〇三一號內銷證

THE FREE NEWS

第二〇〇期

中華民國僑務委員會[illegible]
台[illegible]新字第三二五號登記證
中華郵政台字第一二八二號執照
登記爲第一類新聞紙類
（本週刊每星期三、六出版）
每份港幣壹角
台灣零售價新台幣弍元
社長：雷嘯岑
督印人：黃行奮
社址：香港銅鑼灣高士威道二十號四樓
20 CAUSEWAY RD 3RD FL
HONG KONG
TEL. 771726　電報掛號 7191
承印者：四風印刷廠
地址：香港灣仔高士打道二二一號
台灣分社
台北市西寧南路壹壹零號二樓
電話：三〇三四六
台郵撥儲金戶九二五二

時間與人心

方南

新歲才開始了幾天，世局比前更糟，看大勢，察人心，算時間，眞有無限感慨！大陸淪陷十二年了，今年又怎樣？反攻義師會不會動？如仍不動，人心將又沉悶到怎樣的一個地步？便算眞的動了，步驟如何？一想便是一連串的難題。但此心未死，除了想這些，還該想什麼？

細讀蔣總統今年的元旦文告，求取「動」的跡兆於其心聲之中，頗有「雖不中，亦不遠」之感。但時人每強調大陸必即發生抗暴革命，將可裏外配合之說，我常就此以作深思，亦輒有感，覺得這將更需一個較長的時間。

近五六年來，大陸已不斷發生民變與士變，中共內部亦曾發生叛變，所差只是兵變尚未顯著爆發罷了！預料大陸飢饉仍將延續，許多同胞將因反飢餓而奪糧起義，但倘非勢如野火燎原，導致魚爛之局，或者兵變陸續發生，令到毛幫的軍事壓力顧此失彼，料仍未足以造成顛覆中共政權的威脅。而在出現此一形勢之前，起義飢民此起彼伏，前仆後繼，其犧牲必甚慘烈，歷時亦必不短，此譬如滙百川而成遠流，斷不可一蹴而就，依運而論，恐怕也不是今年所可達成的了。今年將仍是大陸同胞的飢餓年與死亡年，也只有漸變而未能達到突變，離不了「積小變以成大變」的規律。

再說到裏外配合，也有淺而易知的阻限。國軍不能由台灣跨海以應援大陸零星四起的抗暴運動，必須大陸發生了較大規模的民變與兵變，或者四面腐爛之局已呈，才可作有效的配合，這可依據常識而加以推斷，而地域之限，又使應援有便與不便之別。譬如西藏抗暴規模之大，世所共知，國軍不能隔遠赴援，乃屬事實。設使變動發生於沿海閩粵江浙諸省，當然易於接應。但如在西北或中原腹地則如何？恐怕也和西藏情形一樣，愛莫能助，只能坐觀義師艱苦掙扎，或竟不幸而慘歸淪滅罷了！大規模起義的地點既不能巧如我們所期，則裏外配合的希望便當大大打一折扣了。何況還有美國迄仍限制國軍隨便動手麼？

依此，台灣的說法該是：外攻裏合，則勢順而功亦易成；裏起外應，則必受時、地所限，雖成亦難，死亡必重。這也是淺顯易知，不容以「裏應外合」一句含糊的話，遽作輕率的樂觀的看法。至於如何打破美國的限制，則茲事體大，且勿深論了。

時至今日，我們確不能不動，但應該怎動才是？今年能大動麼？如不能，該怎樣由今年開始寫「積小動爲大動」的第一課？但，這也要解除美國的局限才成啊！

美國是壞在「懷與安」的因循心理，從前如此，至今亦然。我們是在追隨美國之後，同樣產生了「懷與安」的心理病態，這病態不能說全體皆有，但至少有大部份如此。老實說，目前的「人心」是不值得樂觀的。我們一般的心理與行動，都不不能適應大陸同胞悲憤而廹切的期求！大家應該承認這是事實。

十二年了，倜處海外以及台灣的老年人，曾經死亡了多少？試剪錄每年這類新聞，便當念諸葛亮「後出師表」而流涕。老者或逝，中年的亦漸變成老人了。那些自幼逃亡而在台灣成長的青年人，看模糊的大陸影子是越看越遠了。他們對大陸的依戀，每不及中年人與老年人，念出路而徬徨，心忽忽若有所失，這又是另一種悲哀了。

在台灣一隅的要求而言，人民生活豐裕，能作亞洲各國的示範，自有其可喜之處，但在整個國策的要求而言，卻是要臥薪嘗膽，明恥教戰才對。要使兩者並行而不相妨，做到民生康樂而十有哀心，中間決不能缺少屬於政治遠識產生出來的平衡力與推動力。

就我個人所見所及，屬於「人心」方面最可悲觀的事實，已有不少。例如；近年台灣各界打麻雀之風甚盛。安居台灣的人大都不信大陸同胞吃苦如此之慘，饑荒如此之重。我接觸到不少由台來港的親友，與談大陸實況，多有瞠目訝詫，疑爲言過其實者。至於貴家子弟，多半留美，父兄不惜委曲代謀，亦有青年男女，勤鑽門路，不恤出以「走私」方法。觀此人心，回想抗戰時期「共赴國難」一語，寧不當欷歔生感？「赴難」本是天職，「違難」已屬有愧，況已安於此，又顧而求安於彼，相競成風，盡隳鬥志，相率麻醉委靡於「懷與安」的「美國風」之下，牽裙附裾，自忘其份，試比今天世界各地猶太人紛紛投返以色列的國門，我們的臉皮還有一點血色麼？還有資格仰首伸眉，與世人論廻天轉地的大業麼？雖則「求學於世界」是一壯語，「海外儲材」亦是壯舉，但留學美國的青年有苟圖不歸，被彼邦官員白眼相加，笑爲稽詁的了。知識份子到外國做難民固不是醜事，青年人到外國求學更不是不應該的事，但要問在外國賺的錢，在外國學的東西，有多少準備用在復興國家民族的計劃上，而主要還在他們是一顆「心」仍否對國家民族有熱戀。如並此「心力」也無，對國事認爲「絕望」，苟爲外國之民以圖存，那就是「哀莫大於心死」了。我常細讀幾位學者由海外寄返本報發表的文章，每如見他們握拳攘臂疾呼之狀，心輒以喜；而每聞青年走私出國的消息，便自潸然流涕，不可自已。而我也常當自問：我這一顆心算是死了未？

時間拖得太長了，我們如不能明恥，便會變爲忘恥，我們如不能時時以義自勵，便會變成只圖私利的小人。私利之心一重，眞怕什麼壞事都會做得出來，爭權奪利，何足爲怪？互相傾軋，勢有固然，而這就是「心死」的人了。今日大患仍在人心，貧窮則疲累於求生之計，富貴則唯逸樂之是耽。豈有心死之人而可救大陸同胞於水火之中，負担得起復興民族的使命？

不錯，毛朝危機百出，反攻已有可乘之機，許多人每說：「以其時考之，則可矣」。但反看我們這一方面，亦有「時不我與」「人心不振」之慮，如不能即在此時重奮人心，再造氣勢，試問民族中興的機運怎可產生？

今後料仍是一個相持之局，中共如眞逐漸潰爛，國軍必須多方設法，促成大陸巨變。台灣應該有一條長臂暗中伸入大陸，把大陸可用的力量儘速提撥出來，而另一條長臂則伸向海外，攬結千萬華僑的心。如果人心不能振奮，兩臂或廢其一，徒恃外援，患得患失，開嬉逸樂之風不改，被人出賣的恐懼日滋，僑財與僑才不放心以台灣爲滙集的中心點，不大力培育科技人才於斯，不籌劃反攻復國大計於斯，而青年違難走私，奔赴外國者仍滔滔，不絕，忘其本源，失其所信，則空爲樂觀之說，徒事粉飾，也不外是諱疾忌醫之類，徒令疾病加深，良醫束手罷了。

回考大陸沉淪之禍，起於抗戰勝利以後，官規之破壞，人心的紊亂，其源則遠伏於抗戰後期，彼時曾有一些具有遠見的新聞同業，發爲讜論，指出人心欲敗靡爲可憂，前事如斯，足發今省。我這一篇拉雜之談，特標「時間與人心」爲題，也不外據事立論，並無高見，怕的是時間拖得愈久，人心愈爲渙弛，而大陸同胞待救命是愈急，那才是慘上加慘啊！

漫画天下

南施

「拆自己的台」的專家

危險的走繩

自由談

驅鬼的玩藝

馬五先生

聽朋友說笑話一則：一有秀才深宵在寺廟裏讀書，忽見一厲鬼施施從外進入書房來，秀才大駭，急唸文天祥正氣歌以鎮懾之，無效；再唸泰山金剛經，亦無效；秀才惶遽之餘，大呼「總理遺囑」一聲，厲鬼即轉身逃出戶外，且喃喃自語曰：哎喲，他們又要開會了！」這證明鬼亦害怕瞎開會這回事兒。

開會原不是壞事，旨在集思廣益，詢謀僉同，俾能得當以解決問題，處理重要事務，誰曰不宜？可是，行政機關如果將開會視爲脫卸責任，消磨時間的官樣文章，事無鉅細，一是皆以開會爲主，衆口嘵嘵，胡調瞎扯，結果會議繁多，然議而不決，決而不行，但求積累紀錄，作爲成績，又從而編纂工作報告書，圖表琳瑯滿目，文字天花亂墜，到處散發，自我宣傳，即認爲已畢職責之能事。至於實際應辦事項，卻一味彼此推諉，互不負責，到了實在沒法推拖之際，就拿出最後的法寶來——臨時向上峯請示！將來事情辦好了，當然引爲自己的功勞，大書不慚；搞壞了，即說這是上面的指示，並非己意。如此濫制的情形，開會乃成了自欺欺人，生心害政，培養腐敗官僚生活的玩藝，鬼魅見之，亦要驚詫竊避的。

構成以開會爲服務之本的主要原因，一爲機關林立，職權分割，任何一項事情，總有不少的「有關單位」，依法應該過問，例如一張海外的刊物申請內銷，便須取得六個機關的同意，自非集體會議不可。二爲決策機關與執行機關的權責混淆，莫衷一是，後者唯恐前者每事問，祇好藉開會的方法來肆應。因此之故，開會乃有如時疫流行，人神共畏了。

如要改革庶政，實行分層負責，不讓官僚作風發生的修明之治，祇有把若干駢枝機關儘量裁併，修正一切不合理的法令，決策機關亦不隨便干預執行機關的日常事務，而唯監督考核是尚，果若是，瞎開會的歪風惡習，我相信未有不戢者矣。

寶島之窗

瞎子領到駕駛執照 投考車掌也談紅包

▲瞎子竟然領到汽車駕駛執照，公路局有此怪事。省議員蔡李鶯在省議會交通詢問中，指責公路監理所弊端太多，只要有錢，什麼人都可以領到執照。她說：現行領執照的行情是：大卡車一萬元，小客車五千元，機器脚踏車四百元。她說領執照怪事不少，例如在屏東縣就有一個瞎子，以七百元領到駕駛執照。她認爲這是不可思議的事。

交通處長譚嶽泉表示他將調查。

▲基隆市公車處招考服務員，市議會指其全憑人事關係及「紅包」爲準。基市議員周烓源詢問車管處招考女車掌一批，錄取名單依憑什麼標準？市長林番王答覆時，表示取錄標準是憑學歷程度，但車管處長張民在答覆時則表示係按考試成績；兩人的答覆，互有矛盾，周議員幽默地說：請市長與處長最後協調一下再答覆。

女議員許金花起立補充說：據她所知，車管處這次取錄的標準，實際是全靠人事關係：市長介紹的列爲第一優先，其次順序是各單位主管，省議員和市議員。賴枝萬議員更進一步表示：除了人事關係外，聽說還有走「後門」，送「紅包」。但張處長第二次答覆時，對此極力否認。

▲地方派系交征利，桃園縣各級農會紛爭未已，縣府農會輔導課長表示幹不下去了。

台灣的漁、農會是地方派系爭奪最激烈的據點。桃園縣十三個鄉鎮，十二個設有農會，加上縣農會，乃湊成「十三」不祥之數。各級農會糾紛迭起，幾無寧日。年前觀音鄉農會「到困」後，緊接着是龜山農會倉庫失火焚茶葉漏稅，再就是大園農會「步留米」案，龜潭農會總幹事拒不移交案，楊梅農會酬勞金案，平鎮農會解聘總幹事糾紛案，一連串問題，使縣府農會輔導課長陳桂生焦頭爛額，備受各派系的指責。陳課長手中既無「尚方寶劍」，又缺少「快刀」，對此一堆「亂麻」似的農會，簡直無從下手。日前他表示要上報告，請求調一個職務算了。（編者按：關於各級農會派系紛爭，上期本報曾有專文報導，可參考也。）

▲省公路局購料舞弊案，元月六日下午四時由台北地院宣判，二十七名被告，除吳斌（公路局機料處儲備課主任課員）無罪，餘均以瀆職或僞造文書等罪，被分別判處徒刑，各被告所收受的賄賂款一百三十餘萬元，另美金二千五百元，則均判沒收。（本報記者吳越）

「交通阻隔」問題不再存在
立委「八仙過海」來台
——他們中有的已在台定居下來 有的則還需要在台港兩地跑——

（本報記者台北航訊）「八仙過海」這新聞在立法院中一直傳誦着。這八仙並不是古時的八仙，而是立法院中的今八仙。這八仙乃是八位立委，他們以往是因爲「交通阻隔」，被東結在香港，法力無效，一直被留在香港達十二年之久。因爲他們一直拿不到來台的入境證也。而今「八仙過海」了，其間確實頗費了幾番週折，好不容易在去年六月份他們拿到入境證，可以來了。他們中的大多數，亦眞的來了。立法院的一些委員對他們這八位同寅，的終於得以來台，說成是「八仙過海」！

這所謂「八仙」是尹述賢、周天賢、鍾巨旭、邵鏡人、甘家馨、王孟麟，涂公遂、任國榮。他們都是在大陸變色前就到了香港的。這八立委都曾經是很活躍的人物，他們的行藏，自然很引人注意。據說，在每次立法院集會之前，他們都得到通知，他們亦大概都會向台灣申請入境證，不過都沒有下文。依立法院的蕭肅條例，凡一會期不報到參加會議的，都可能被向政府報請註銷名籍。可是他們都算是例外，而免受該條例的約束，原因據說是政府不好意思認他們是應被註銷名籍的，因他們曾申請來台開會，只是未被發給入境證而已。也因此，立法院每一會期的紀律委員會集會的時候，都把他們未來的原因，解釋爲「交通阻隔」。這自然是拖的局面，然而竟能拖了十二年之久，眞亦算奇跡。過去，亦曾有立法委員提出質詢，說是香港至台灣交通極爲方便，任何人都來去自由，爲什麼他們八位立委卻「交通阻隔」起來？政府對這些質詢，在答覆上確不免感到困難，於是，每當紀律委員會集議前，有關方面人士都照例的「打打招呼」；」就這樣招呼下來，也就這樣一直拖了十二年了。

當他們這八位立委未能來台之際，華僑歸國觀光的人士卻如潮湧而來，有趣的是，在這些華僑人士中，首先被發現八仙之一的周天賢赫然在列，他以華僑回國觀光名義，先行「過海」而來了。他來到台灣之後，行藏無法不爲人們所知，他亦無意不爲人知。立院同寅對他的來台，自然感到意外，經他說穿了之後，立法院裏，又曾引起了一陣騷動。於是有人向政府再提出質詢，政府乃將他們八位立委來台的問題，透過從政的國民黨大員，向中常會提出研究，最後又把這問題交中央第六組負責解決。中央第六組經過一番研究後，證實這「八仙」都是國民黨忠貞之士，十二年來有的在香港生活雖極清苦，但志節不移，愛國愛黨之心十二年如一日。中央六組把此案研究結果以專案簽報，終於獲得批准，乃由中央六組負責與這八位立委連絡，並代爲辦理入境證，而完成了「八仙過海」。

現在這八位立委中，已有六位分別來過台灣，而且有的已經定在台灣定居下來。目前這八位立委的情況如下：

周天賢委員已將家眷接來台灣，他並且向遠東旅行社投資，做了該旅行社的董事長。邵鏡人委員來台後，除了寫寫文章，做做詩詞外，復被世界新聞學校聘去任教。王孟麟委員，亦已定居下來了。鍾巨旭委員則因在香港一些私人事務有待解決，今後還得台港兩地奔忙。尹述賢委員，也已決定要將家遷來台灣，但因他子女求學與就業問題，可能要在陰曆新年後始能再來台灣。甘家馨委員，亦因香港私務莊忙，來台向立院報到後，即行返港，他今後可能港台兩地奔忙。另有兩位委員，因職業關係，一時尚未來台，這兩位一是涂公遂委員，一是任國榮委員。當然，這兩「仙」已經是隨時可以過海來的了。（本報記者匡繆）

此之謂無巧不成新聞
四個同名同姓 均有幸有不幸

（本報記者台北航訊）被停職的前台北市長黃啓瑞，仕途不利，因涉嫌公車案收受紅包而被判刑三年半，而另一市住宅舞弊案如何宣判，尚不可知。正在此時，報上忽又見黃啓瑞犯掠奪罪被捕，許多人駭了一跳，經仔細閱讀，原來是另一位黃啓瑞。但奇怪的是，此一犯掠奪罪的黃啓瑞，卻與前台北市長黃啓瑞不僅同名同姓，而且又同爲街坊。二人均住台北市西昌街，眞是難得的巧合。

同名同姓，卻大有幸與不幸者，前有高雄地處檢察官吳朝成主控一名竊犯，也名叫吳朝成，一爲庭上檢察官，一爲階下囚，幸與不幸，有如此者！

台灣省新聞局長，姓王名道，有一某大學生犯竊盜者亦名王道，此同名同姓又一幸與不幸者。

中國小姐李秀英，此次爲國爭光，當選世姐亞后，名震中外，榮譽之至。可是在台北又另有一位李秀英小姐，在某工廠作工，因被機器損傷一隻手，去就醫而被該公司停職，迫向社會求援。而獲得各界人士的支援。當時國姐李秀英在英，聞得有與她同名同姓的李秀英的不幸遭遇後，十分同情，當即寄贈在台北這位不幸的李秀英一千元台幣。並說將來返國後她還要去拜訪她，須見一番。人生之幸與不幸，眞堪人尋味了。（本報記者燕謀）

李宗仁行踪訛傳 台北報紙亦刊出

（本報記者台北航訊）香港某報刊出的李宗仁到了香港的錯誤消息，九日的台北報紙，亦刊載了。台北報紙所刊通訊社此一消息，係根據香港某報而發者，結果香港某報的原始消息就錯了，通訊社轉發就跟着錯，台北報紙照登又跟着錯。（平）

民意代表們都昏浪了 妙計安排水費加價
東洋大腿兩建殊功

（本報記者台北航訊）「東洋大腿」又建奇功，新竹市自來水費加價獲議會順利通過。

新竹市自來水費加價，縣府曾經兩度提請議會通過，都遭擱置。第三次提出於五屆三次會議中，彭瑞鷺縣長使出一着妙計，計法把議程排在最後一次會的散會前幾分鐘同時，又出面送每一議員一張六十元的台北遠東戲院東寶歌舞團的戲票。當時，不少議員都因天黑肚餓，且又急於回家，摒擋行李去台北，無心戀戰，竹市自來水費加價案，很巧妙地，適於此時提出，因此，很快就被通過，從本年元旦日起實施。

第二天，新竹議員集體乘車到台北以「考察」自來水廠爲名，實際是去看「東洋大腿」。但六十元票只是四等座位，議員們認爲有失身份，要求看八十元的位子，又爲彭縣長拒絕，搞得很不愉快。最後，還是由議會津貼二十元，大家都看八十元的座位，問題才算解決。

加價消息傳出後，頗引來市民非議，也有少數議員提出覆議的，結果仍以附議人數不夠作罷。說新竹市民這次多花錢毛病出在「東洋大腿」也可。

▲繼台北市議會要罷免副議長之後，鄰境的桃園鎮鎮民代表會代表也在簽署罷免該會主席郭東漢，和事佬搬出「女人征服男人」法寶，簽署代表可能亦屈服「東洋大腿」之下，使罷免案胎死腹中。

斡旋桃園鎮罷免代表會主席風波，和事佬陳某妙計安天下，向客運公司租來大型遊覽車一輛，親自陪同代表一行二十餘人，浩浩蕩蕩開往台北。和事佬陳某利用車上麥克風表明北上之意，是請大家去欣賞日本東寶歌舞團大腿舞，大家聽後反應「良好」。車到台北，除開了一場歌舞外，並「遊覽」了「很多」「好」地方，直至午夜始興盡而返。

據一位自稱敬陪末座的代表稱：經過「各方」勸導後，已連署之代表意志業已動搖，如果和事佬保證郭東漢主席「知過能改」的話，大家希望就此算了。化「干戈」爲「玉帛」，看來十拿九穩。（編者按：此事件本報上期曾有較簡畧報導）。

▲社子島雖不是「蘆花蕩」，黃信介議員卻學「阮小七」，硬收「擺渡錢」。

陽明山管理局轄下的社子島，原來有橋通台北市，前因颱風損毀，現尚在修建。因兩地交通頻繁，乃由地方政府另出資臨時搭建一座便橋，以替代修建中的延平橋，便橋於元月四日由兵工署兵工搭建時，因承辦渡船業務的北市議員黃信介恐便橋架成後，影響其私人收入，於是從中阻梗，曾一度停工，而引起地方居民的氣憤。旋經陽明山局商請警備總部出面解決，該部認爲士林鎮公所顧及居民交通安全，搭建便橋，確屬必要，況且延平橋畔渡船曾發生過翻船事件，因此乃決定繼續由兵工署及社子島當地民工合作，經連夜趕工搭建，於五日晨四時完工通行。（越）

李聖×等要辦刊物
基金巳籌得·權責待分明

（本報特訊）避地在海隅香港的前汪記南京政權顯要份子李聖×顏家×等，近來靜極思動，擬在海疆創辦一種刊物，發抒政治抱負，曾赴日本東京籌措經費，由唐某的關係，取得前任日本「同盟社」駐上海特派員，現時主持「日美文化會館」事業的松本重治同情贊助，向日本外務省方面斡旋募集日金八百萬元（約爲美金兩萬元）作基金，先滙半數交由該國駐海隅某機關撥付，俾便及早出版。據聞李顏二人爲着處理這筆基金的權責問題，大起爭執，互不相下，因而某機關乃將滙款凍結，不予支付。刻下正由同道的友好樊某某等從中調解，希望達成協議云。

竟與共黨携手力施壓迫 寮人悲憤美國行動

謂美國一念怕打仗居然始亂終棄 認美國此舉爲自壞長城自掘墳墓

（本報永珍通訊）寮國政府正在戰場上受到共軍的壓迫，同時，又在政治上受到美國的壓迫。後者尤其使得寮國政府有難以從容應付的餘裕，而感到不勝其悲憤。

共軍在戰場上對寮國政府的壓迫方面，據永珍官方的公佈，共軍已在好幾處地方發動程度不同的攻勢（寮共消息說三地有戰事）。而這所謂共軍者，不但是寮共軍，亦不祗有越共軍，還有中共軍。但最令人難以索解的，寮國政府接連公佈的共軍活動，均幾乎立刻爲美國駐永珍「官員」所側面否認，並稱他們並沒有得到同樣的消息，或稱尙待進一步證實，致使永珍社會有無所適從之苦。

美國在政治上對寮國政府的壓迫，起於上月廿七日三親王永珍會議未正式開始即顯示必無好結果之時。當時，各方面均傳出由於寮共頭目蘇代努馮抵永珍時在機場發表聲明，大罵寮國現政府，同時亦大罵美國政府，使得寮總理邦安親王怒不可遏，在富馬、蘇代努馮到他官邸作「禮貌拜會」時，曾當面予以責問，並宣稱：在富馬的「中立」被證明更爲確實之時，在籌組的「聯合政府」中，國防與內部二部，須由寮國現政府提出部長人選，一也；「中立派」所佔八閣員中的四席，須由寮國現政府同意，二也。另並宣稱：富馬受命組「聯合政府」，彼本人願隨時與之會商，但無亦與蘇代努馮見面之必要。亦即三親王會議其實無有必要。但美國却另發消息，一再宣稱三親王會議前瞻樂觀。

美國所謂三親王會議前瞻樂觀云者，其實爲假的消息。此假消息，只說明一件事，即美國正着手壓迫寮國政府，使其讓步，而使得三親王永珍會議得以進行，尤其使得完全由寮共控制之「聯合政府」得以儘早成立。但結果美國的壓迫，居然未生效，三親王會議終於無法舉行。但美國却仍繼續的壓迫寮國政府。美國駐寮大使勃朗於與寮副總理兼國防部長睹沙旺將軍會面時，公開要求寮國政府放棄爭取國防及內政兩部長，被睹沙旺斷然拒絕了。勃朗於是轉而要求晉見寮王，他而且於一天後便見到了寮王。勃朗見寮王，不消說還是爲了壓迫寮國政府讓步。

就在此時，在寮共及其所掌握的富馬方面，除軍事上的威脅外，富馬有歐洲之行，他先到瑞士的蘇黎世，然後又到了巴黎。立刻，日內瓦會議呼籲寮國三親王到日內瓦集會的消息發表了。這說明，共產集團唯一面作軍事活動，另一面卻仍未放棄最廉價的由成立「聯合政府」的政治手段，去完成其攫取寮國政權之目的。寮國政府所受到的共軍壓力，相信並不在小。

然而但最嚴重的壓力，却是自美國而來。美國居然扣住經援支票不發出，還表示軍援如何正考慮中。因此，這兩天，永珍物價，由黃金帶頭，節節上揚了。永珍人士，早知道美國由於一念怕打仗，早決定要勾消寮國了。寮國上下充滿被「始亂終棄」的悲憤。據寮財長范納立斯表示，寮國絕不屈服，絕不以自由去換取金錢，也絕不忍受別人的政治出賣。其言甚壯。然而，永珍社會對於寮國政府能夠抵抗共黨與美國的聯合壓力多少時間，大感憂慮。永珍社會人士對於美國的此一不智行爲，亦與寮國政府一樣，同感悲憤，認美國的行動，是自壞長城，亦是自掘墳墓。（桂）

立院提案出雙包案 會期延長變相獎金（一）

（本報記者台北航訊）最近，立法院鬧了一個不大也不小的笑話，而這個笑話迄未被人發覺。

緣立法院在二十八會期二十七次院會中，二讀通過關於延環等二十委員提議「少年事件處理法」增訂第七十八條一案，決議對不良少年組織的領導份子，加重其刑。但委員周紹成等一百多人認爲，增訂之七十八條，於法於理均有未合，因而提出覆議。而在覆議案連署的委員中，竟發生雙包案：有兩個「石九齡」。此一錯誤，未爲該院糾正。這錯誤畢竟出在那裏呢？這當然是「小事」。但從小見大，是否立委們對提案之簽署有點「兒戲」呢？

在軍公教人員不發年終獎金的今天，獨有立法委員與立法院職員，每年卻有兩次「外快」，可似同變相的獎金。

緣立法院會期每年有兩次，第一次自二月至五月底，第二次自九月至十二月底。但事實上，近年來立法院會期，都要延長，第一次會期延長會期更比第二次會期延長得長，這因爲第一會期中間有三個月的空閒，而第二會期只有一個月的空閒，所以第一會期，延長時間往往在五十天以上，而第二會期如本會期延了二十五天。延長會期一天，每一委員可領得出席費每日八十元，每一職員也可以「援例」報加班費每日十五元。

行政院答覆立法委員李公權所質詢關於「雲林縣議員蘇東啓涉嫌叛亂案」時稱：本案正在偵查期間，依法未便公開；但本案在採取行動之前，即已獲有確實證據」云云。有人於是吹毛求疵，說是「依法」既然「偵查不公開」，行政院又何必說：「本案在採取行動之前，即已獲有確實證據」的廢話呢？況且既然「有確實證據」，還用得着偵查得如是其久，尙不結束偵查嗎？

又，中日文化經濟合作促進會，定本月九日在台北舉行會議，將由谷正綱主持。

據說日方委員協和公司負責人，擬向大會提議：關於協和與台北味全公司專利糾紛案，雖然經我國最高法院裁決日本協和敗訴，仍擬列入議程。此事爲味全公司當局所悉，乃派人向谷正綱探詢有無此事，並指出：假定中日合作促進會果眞接受日方委員提議，將已經司法程序確定的協和與味全專利糾紛案列入議程，無異自我否定我國司法獨立審判。（生）

香港與大陸

▲最近寒流南侵，粵北首當其衝，家畜及農作物均損失不貲。除凍死家畜外，農作物如已下種的大小麥，剛剛幼芽茁長，遭遇嚴霜，摧毀殆盡。其他冬季作物，亦莫不受到嚴重的威脅。中共乃即發動抗寒運動。

中共的抗寒設施，爲凡當風之處，均建築避風牆，以殺風勢。牆上亦有加蓋茅草，以資保護的。有的甚至入晚要加蓋席棚或稻草，到了白天，又將它收起。

其次是入晚以後，到處都燒起了一堆堆的野火，致煙火遍地，烟霧滿天。據說有了火的熱度，再加上烟霧冲天，可以改變氣溫，驅逐嚴霜。（介）

△中共於一九五九年動工的贛粵鐵路，係由江西樟樹鎮，經吉安、沿贛江而上，以達贛州，再由贛州直達廣東之韶關，以與粵漢路相接通，原定的計劃是一九六一年能完成通車的。但到現在，僅樟樹至贛州一段，零零星星的發現有若干路基，亦支離破碎，已進入無人過問的境地。至於南段由贛州經大庾以至韶關，連路基亦迄未動工。在一九六一年內，該路所有的隧道、橋樑、隧洞工程，均一律無形擱淺。

據說這是中共把修路的人力，調去做農業生產，藉以解除飢荒威脅去了。但去年江西仍水災旱災頻仍，農產收成很差。江西鄉村的人民現仍大量流入城市，唯一的原因爲鄉村的配給不如城市。（介）

▲某君最近接到其漢口家人來信稱：他們已收到他寄去的猪油、糖和其他食品，如獲至寶。又說：家裏的人已五年多沒有吃過肉類了，猪油在這五年多來，不但沒有吃過，且連想都不曾想過。又說：家鄉糧食缺乏，連山上的樹皮野草也被吃光了。幹部們曾說樹皮野草含有多種維他命和豐富的葉綠素，吃了有益健康，結果卻大家都害了水腫病。又說：家裏的人自從吃了猪油白糖後，水腫病漸漸好了，希望以後常寄些回來云云。（諭）

瘟君續夢

第三回：拒諫飾非，列鼎烹功狗　成王敗寇，作狀笑沐猴

命令下去之後，各省幹部嚇得魂不附體，馬上組成檢查團分別下鄉去作調查研究工作，一時又鬧得馬仰人翻。

北平城內中共大頭目聽說彭德懷被扣的事，如同中了原子彈一樣，都不知所措。彭眞和鄧小平就去找劉少奇商量。

見了面，彭眞先開口問道：「少奇同志，想必你已知道了彭總四人被扣的事。老歪這樣作法，越來越無法無天了，他隨便可以扣政治局委員書記處書記，我們若不反對，下一次你知道輪到誰？」

劉少奇未開口，吊起三稜眼看看鄧小平。

鄧小平接着說道：「少奇同志，今年四月間因爲朱老總出來和你爭主席，給老歪造了機會，現在他的氣焰比六中全會之前更高，看情形眞到了惡貫滿盈之時，我們應該全黨團結一起，把他趕下台，不然，大家恐怕眞沒有好日子過。」

劉少奇雙手抱着膝蓋，默默無言。

鄧小平接着說道：「只要你認爲可以，朱老總那邊，我去找劉瞎子商量，保險一談就成。推倒老歪之後，黨主席決沒有人同你爭的。」

劉少奇嘆口氣：「小平同志，事情那是這麼簡單！首先你們要知道，老歪的問題，決定不在北京，最後是要候莫斯科核准的。赫老現在的政策完全是用和平手腕，保持共產國際的團結，像波蘭的戈慕卡一上台就趕走了羅柯索夫斯基元帥，阿爾巴尼亞的霍查至今不肯廢除個人崇拜，明顯的違抗莫斯科的意旨，赫老也都容忍了。除非像納基匈牙利鬧出那樣的事，他才肯開殺戒。所以在現階段，他不會向老歪下手的。試想他不答應，我們作了算不算數？到時豈不變成進退兩難？」

彭眞緊着眉頭說道：「赫老不肯趕走老歪，主要還是鬧不清楚我們黨內情形，假若大家一致反對他，赫老又何必支持他？據我了解，赫老對老歪痛恨極了，只要你肯出頭，他沒有不答應的。」

劉少奇答道：「彭眞同志，你說的很對，可是你却忽略了一點，現在我就是不肯出頭，才讓老歪拖下去。」

彭眞，鄧小平兩人一齊問：「那是爲什麼？」

劉少奇笑道：「你們何以這樣看不開，今天的這盤殘棋，誰敢接手？明明不可收拾了，我們替老歪頂缸，未免太寃枉了。」

彭眞搖搖頭：「少奇同志，你的話我還是不懂，今天局勢固然一塌胡塗，可是，你不出頭收拾，一直讓他爛下去，最後大家不是要同歸於盡嗎？」

劉少奇搖搖頭：「局勢怎麼變，我也看不出，不過，我知道一點，到時候罪魁禍首必然是老歪一個人，只要他在，我們都沒有責任，若讓他溜了，誰作替死鬼？」

兩人想想，覺得劉少奇的話確有道理。

停了半晌，彭眞又問道：「撇開大的問題不談，現在我們是不是要設法營救彭德懷，黃克誠四位同志。」

劉少奇笑道：「那更不必，老歪不會殺他們的，頂多是關上一年半載，咱們理他幹什麼？」（六五）

國劇藝術彙考

·齊如山·

這是編製此書之所由來。以上雖是淺揣度之辭，但大致也差不多了。

此雖然規定出來，但也不過是爲本機關之恪守遵守，並未強迫通行，所以不但戲界未普遍，就是各地之小調，也仍然是各用各地之方言，沒有照他念的。例如天津之小調，其念字法，永遠是他本地方的音，戲劇中南北曲也絕對不管他；南北曲之尖團字，雖然分的很淸，但他名曰牙音，齒音等等，絕對不名曰尖團。梆子腔是尖字太多，尤其不知「元音正考」爲何物，所以梆子班中之演員，向來不說尖團二字。總之實行遵照他者，只有皮簧一種；但皮簧未到北平之前，也不用他，到了北平之後，凡遇尖團字，才照他來念。這也同十三道轍一樣，實因皮簧在北平剛發達之時，正是「元音正考」規定出來之後，於是就利用上了。但咸同以前，仍只北平有尖團字這個名詞，北平以外還聽不到。同治以後，上海始有之，後來大城池如漢口等處才有，小城或小埠，恐怕到現在還沒有。

這才談到念字。皮簧雖然遵從十三道轍，但他念字極亂，卻不一定在十三道轍範圍之內，所有的毛病，就是受崑腔的傳染太多。這也有原因，因爲在北平，自乾嘉以後，他永與崑腔同班同台合演來着，在戲館子中每日總是崑腔皮簧兩種都有，大致是道光咸豐以前，崑腔多於皮簧，例如每天演十齣戲，總是六七齣崑腔三四齣皮簧，同治以後，則皮簧多於崑腔。在彼時幾十年中，所有的演員，有些是兩種都會，這個名詞，就叫作「崑亂不擋」在彼時是特別得成班人歡迎的。因爲只會崑腔，則在皮簧戲中亦無用，只會皮簧在崑腔戲中亦無用，不及「崑亂不擋」者，任何戲都能勝任也。所以「崑亂不擋」這個名詞，一直傳到現在。其實這個名詞，目下是沒有多大用處了。到光緒中葉以前，每天還有一兩齣崑腔，如火判，山門，嫁妹，雅觀樓，蜈蚣嶺，夜奔，探莊，寧武關，金山寺，出塞，琴挑等等，還是常演的戲。（十一）

邛都憶往（七）

李仲侯

春秋佳日，我嘗好約二三知好，往訪百里以內各夷村，故嘗曉其風俗習慣。夷人終身不留髭鬚，間有留者，率蜷曲如佛頂螺髻。更有一種三撮鬚最爲奇觀，兩口角及下唇三處，各留少許，如初生榆莢大，雖于思長髯，僅存數莖，隨風飄颺，乍見令人捧腹。夷人生兒不洗浴，以手拭之，賤之地而任其裸體，不知襁褓繃裹，然亦未嘗感冒風寒。甚至初生之嬰，卽以冷水浴之，又以牛糞洗濯其頭，俗傳能長大小兒胆量，使之臨事不恐。土俗尊女卑男，若生女則一家歡悅，生男則淡漠視之。行旅往來，身攜裹糧，託宿長林豐草間，蒙以披氈，雖遇冰雪，坐臥其中，曾不致病，蓋垢膩既多，腠理自密，風寒不得而入，要亦從幼鍛鍊而成。

夷人衣服者爲無袖之上衣，或灰色或黑色毛布製之，而紐集於頸之周圍，長達於踵。富者多着美服，裳之緣，飾以種種棉織物。騎馬用之上衣，製法亦同，惟背後開岔，其開處以下衣之裾掩之，裾下垂及馬之腰臀，着之可以不受毒虫之害。夏季以棉布代毛布。其帽以竹爲之，上覆毛布，爲圓錐形，大者可以代傘。夷人女子皮膚較男子爲白，其髮編爲二條，束於頭的周圍，衣短衣，裝飾美麗，上衣前垂，裾長委於地，履線縚，頗美觀。少女徒跣不著履。其容色有若過漢人婦女者；尤以少艾多姿，窈窕者殊不少。

夷族同族之外，不通婚姻。結婚之法，互擇門第相等者，新郎贈以品物，訂約詞，諸否觀女家收物品與否，收者爲成約。婚姻之日，新郎於丘崗張祝宴，迎新婦，並饗其親族知好。宴畢，新婦伴其友共到夫家，然饗宴不及三回，不能親睦也。訂婚時有互贈物品之禮，惟其物品以新郎所贈者爲多。娶妻有定例，酋長三人，次長二人，平民一人。

夷俗亦有另一種結婚之法，至婚期，婿家遍招親族知友，行離別之式，俟親友畢至，侍婢，非歌一曲，大約爲哀別離之詞，女欷歔嗚咽，若不勝悲，之強放聲而和之，其詞半爲謝缺乏孝道，半敘生別之苦，句句長短，各隨其意。旣而新郎之兄弟親戚等，來迎新婦，新郎負新婦於背，使之乘馬，疾馳至家，最貴神速，蓋是日婦家侍婢親戚等，悉持棍棒，以拒迎娶者也。

另有一種簡單婚禮，男女率先私合，然後婚配。結婚時男家請一人前往，如媒妁禮，女家亦備一人壺漿以迎，酌之門，男家人長跪而後飲之，女家則端坐不動。飲畢擁其婦至夫家，笑言謔浪，相率跳鍋裝。自此往來不常，食宿無定所，迨生有子女，然後依棲夫家。

冬天

漁翁

冬爲四時之一，自立冬（陽曆十一月七日或八日）至立春（陽曆二月四日或五日）爲冬。我國習慣，以陰曆之十月，十一月，十二月爲冬，歐美各國習慣，則以陽曆之十二月，及一月，二月爲冬天。

由立冬而小雪，而大雪，而冬至，而小寒，而大寒，夜長晝短，冰凍雪飛，風蕭蕭，雨濛濛，已成氣溫低降之嚴寒季節。

古今註載：「漢文帝以立冬日，賜宮侍承恩者及百官披襖子。魏文詔百官，常以立冬日戴大帽子，謂之溫帽。」又淸異錄云：「唐制，立冬日進方平帽，以羅帛一餘層錦夾絡之」。襖子與帽，均係禦寒之品，立徵入冬後，氣候開始寒冷矣。

到了冬至後一月，爲小寒大寒，正是：「嚴冬風雪冷」，「丁香花落海棠殘。」際此蕭瑟景象，尤令人有「風景不殊，舉目有山河之異」！

冬來矣，有些動物，貯蓄脂肪於體內，潛伏地下或洞穴，防禦寒氣，絕飲食，止運動，惟營呼吸循環，殆如殭死，至來年始醒。如蛙、龜，蛇、蝙蝠等皆是，謂之冬眠。

可是人雖爲萬物之靈，而不能絕飲食，作長期之冬眠，必須事前有所準備，以防隆冬之需要，故王逢有：「韮貉防歲飢，蟋蟀隆冬儲」之載詠。書至此，有一故事，卽蟬與蟻，寫在下面：

蟻在炎夏中，猶成羣結隊，到處覓食物，而儲藏於穴內，以作隆冬之需。反之，蟬在夏秋之際，高歌於枝頭，洋洋然自鳴得意，而不作多藏之打算；一到霜雪交加，枝上不能容身，乃落在蟻穴之旁，向其乞食。蟻以辛苦所得之物，拒不援助，蟬遂餓死於蟻穴，而爲蟻所食。苟人不事生產，一遇冬饉，便不能活下去，與蟬何異？以物喻人，足資警惕！

古之讀書人，每屆嚴冬，以火乾物，藉火取暖，本詩「樵彼桑薪，卬烘於煁」之義，謂之曰「烘」。摭言：「鄭薰謂顏標是魯公後，以爲壯元，人嘲之曰：主司頭腦太冬烘，錯認顏標作魯公」。後之人誚村塾師爲冬烘先生，本此。

雖然，冬爲寒冷之季節，與夏季相反，而冬日可愛，夏日可畏，左傳：「趙衰，冬日之日也，趙盾，夏日之日也。」喻人慈惠與嚴厲之分。冬日朝出，皆大歡喜！認爲可減少寒氣，較圍爐暖氣設備來得自然也。

古之詩人詠冬景者，委實不少，如杜工部詩：「岸容待臘將舒柳，山意衝寒欲放梅。」劉克莊詩：「命僕安排新暖閣，呼童熨貼舊寒衣。」蘇東坡詩：「一年好景君須記，最是橙黃橘綠時。」把冬天的景緻，流露於字裏行間，尤以東坡記取其最佳者，是初冬橙已黃橘已綠之時也。

歲云暮矣，冬天將完全過去了，詩有之：「無衣無褐，何以卒歲？」現在大陸上，不但無衣無褐，且又無食，在此冰天雪地下，饑寒交廹，更何以卒歲？遙望鄉關，誠有不寒而慄之感！

近日天氣，巳降至華氏表四十多度，爲年來最冷時期，有感，作冬景詩兩首，以結吾文。

昨夜朔風入薄幃，今朝熨貼舊寒衣；樽杯莫笑無兼味，橙切香黃蟹正肥。

風滿寒窗霜滿枝，不知秋去幾多時？年年祗見南來雁，欲問歸期未有期！

海嘯雲談薈

翻筋斗的學人

諸葛文侯

吾友徐道鄰先生最近在本報撰寫「論政治家與學人」一文，認爲「世上竟有不少很有前途的學者，放棄了他們有把握的學問不做，而混沒有把握的政治界中去翻筋斗，眞是使人難解」。這是切中時弊的名言讜論，也就是中國科學落後的一大原因。我且舉出兩個眼前人物爲例證，以明徐先生的話確有至理存焉。

曾任行政院長的翁文灝，他原是一個地質學者，在民國十六年以前，他主持北京的地質研究所，頗著成績，蜚聲國際間，假使他專心致力於地質學，一定很有可觀的。然而他竟未能免俗，熱中仕宦，居然棄學從政，要作行政院秘書長，到任之初，對於公文如何畫行亦莫名其妙，更不必談內閣幕僚長應如何綜覈庶政，如何獻替可否的重要職責了。他閒得無聊，每天在秘書處瞎搞公文目錄和卡片，清類科員們的玩藝，鬧出了不少的笑話。繼而作經濟部長和資源委員會主任委員，亦碌碌無所建樹，對日抗戰時期他在甘肅玉門開採了油鑛，這還是地質學的本行事業，與政治不相干。他因此寫過「天助中華地出油」的詩句，登在報紙上，氣死了眞正的詩人；又曾在重慶珊瑚壩飛機場的高坡上，辱罵採訪新聞的記者爲「混帳」，丟盡了國家政務官的顏面，連學者的身份亦蹧蹋了！後來他的官癮有如吸食鴉片烟一樣，越過越大，竟然担任行政院長，弄得財政金融一榻糊塗，無以善後，這才極力求去，陳布雷先生就因爲奉命勸他莫要臨難苟免而不得結果，乃憂憤自戕的。他現時在共區的奴役生活中，專爲共黨勘測地質，再也沒法作官了。

其次是已故前任湖南大學校長胡庶華，他是留學德國習採鑛冶金的，回國來得任大學校長，地位崇高，很可以做些學問爲國家發展科學，而在科學界表現績業。可是，他不甘寂寞，醉心於政治生活，自貶身價，經常奔走達官顯宦之門，企圖乞取官位。對日抗戰時期，中樞創立三民主義青年團，他爲着要搞沒有把握的政治，不惜剃去其垂長盈尺的鬍鬚，自命爲「老青年」，降格相從，硬要擠入青年團，以爲藉此卽可走進作官之路。民國卅一年夏間，我被邀赴重慶佛圖關參觀青年團的業務活動，見胡氏足登草鞋，背負斗笠，跟着一般青年學生在操場上作跑步運動，渾身熱汗淋漓，氣喘不已，我心裏實在難過，曾以此情況告訴了在渝的幾位湖南大學畢業生。某夕，這些學生當着我與胡氏，懇勸胡校長不如專幹學問之爲愈，胡氏卻答道：「我若作校長，一輩子亦不會發達，你們更無出人頭地之日啊！」表示非搞政治不可的決心。結果是鑽破了頭皮亦無所獲，最後忿而投共，折磨以死！

像翁，胡這樣棄長用短，甘在政治上翻筋斗的學人，有的是，目前在台灣的還不少，這不是令人難解嗎？

山海關

道南

山川風物

山海關號稱天下第一關，言其形勢險要也。關爲萬里長城極東起點，位在河北省臨榆縣，故古又稱臨榆關。城牆爲青磚所建，城樓二層，四面有窗，俯眺關內外景物，極目所至，盡入眼底。

城樓大門處有兩列長青松柏樹，源遠流長。故老相傳，孟姜女尋夫至此，曾背靠一棵柏樹小憩，樹幹給他的汗淌濕，紫黑色樹皮變成焦黃，聞此樹至今猶存。

山海關三字的青石匾，在老門額上。城東有一座小山，傳爲孟姜女望夫地方。據說：孟姜女由山西省沿着長城尋夫直抵臨榆，仍不見丈夫踪跡，迷迷惘惘立在城東，呆望蜿蜒向西北的萬里長城，不進粒米而死。後人爲記念她，在山旁建一孟姜女廟，香火曾極盛。

妙絕之「天下第一關」五字巨匾，掛在城樓西面屋簷下，每字寬達二十呎，數里外卽可見。或云此五個字出於嚴嵩手筆。惟宋書法大家米友仁曾力讚此五字，見「蒼暘生補遺錄」，則嚴嵩所書云云，未必確實。

內僑警台報字第〇三一號內銷證
自由報
THE FREE NEWS
第二〇一期
中華民國僑務委員會頒發
台省新字第三二三號登記證
中華郵政台字第一二八二號執照
登記爲第一類新聞紙類
（半週刊每星期三、六出版）
每份港幣壹角
台灣零售價新台幣弍元
社長：雷嘯岑
督印人：黃行奮
社址：香港銅鑼灣高士威道二十號四樓
20 CAUSEWAY RD 3RD FL
HONG KONG
TEL. 771726　電報掛號 7191
承印者：四風印刷廠
地址：香港灣仔高士打道二二一號
台灣分社
台北市西寧南路壹叁壹號二樓
電話：三〇三四六
台郵撥儲金戶九二五二

從核子戰爭談日本整軍計劃（上）

・郭甄泰・

日本自第二次大戰後，十六年間，經美國之扶植，整軍經武，業已有一枝現代化之軍隊。美國太平洋艦隊司令官賽茲上將說：「勿論就經濟或軍事上來說，日本在亞洲已是擁有第一個國力的國家，過去是由美國單獨担當保衛亞洲地區的任務，但今後得請日本來代替負担防衛之責。」去年十一月二日美日經濟會議在箱根舉行時；美國會出動大閣僚級人員前往出席，開日本外交史上空前之前例，足見日本實力業已受到美國之重視，其程度並已遠較其他亞洲國家爲高。復次日本自本年起，將實行第二個整軍計劃，本年本月一日東京大學火箭科學家說：「日本正建立一個相當於美國卡納佛雷爾角的飛彈發射基地，這一個遠較在日本東北道川的第一個基地規模更大約第二個飛彈基地，將設在九洲鹿兒島的大隅半島，預料這個價值約五億日元的基地，將於兩年內完成，該基地將專供發射巨大火箭之用。」由此復可知日本武力正在逐步擴充，並向核子途中邁進。現在由核子戰爭觀點檢討日本之戰略地位與整軍計劃，以觀測日本將來在整軍上邀採取之方策，自不失爲一重要之問題。

一、日本在核子戰爭中之戰略地位

日本爲一島國，其地理上之戰略地位與英國相似，日本又爲一潛力頗大之國家，其兵力上之戰略地位復與德國相彷。赫魯雪夫說：「祇要有六顆氫彈就可以使不列顛一掃而光……」。英國如此，日本亦然，祇要有數枚氫彈，就可以使日本癱瘓，遭受陸沉之禍。其次德國有人口七千餘萬，日本川有人口九千五百九十四萬，僅次於中國，印度，蘇俄與美國四國，戰時亦可出兵五百萬與西德並駕齊驅。又就美國立場言，日本現已爲美國最前線基地，其重要性亦與英國相似。美國在英國設有飛彈基地，駐有空軍，在日本之立川，橫田，三澤，板付亦設有戰略以及戰術的空軍基地，在厚木，岩國並設有海軍陸戰隊的機場。此等基地與機場，在地形上很容易受到蘇俄由西北利亞或庫頁島飛來氫彈飛機的襲擊，或洲際飛彈中程飛彈的轟炸。美國既以這些地方爲基地，其目的當然不是爲等待，爲防禦而是爲攻擊，爲先發制人。其在日本存有原子彈，當爲毋容置疑，現在三澤與岩國正在建築巨大地下倉庫，即爲佐證。因此之故，就核子戰爭言，日本之地理地位爲英國相似，至爲危險，就美國之最前線基地言，則與英國相仿，極爲重要，而就動員之兵力言，則與西德相同，潛力極爲強大。美國十餘年來對於日本之整軍計劃，積極協助，不遺餘力，此殆係鑑於日本戰略地位之重要，固非有所好與於其間也。

二、日本整軍計劃之內容

依照日本憲法第九條明文規定，須放棄戰爭，不能保有陸、海、空軍和其他戰力，並承認無交戰權。一九五〇年六月韓戰爆發，駐日美軍，調赴韓國，日本國內不安情形，日漸增高，麥帥遂准日本創立五千名國家警察預備隊與增加八千名海上保安廳的員額。此項將警預備隊，後復改爲保安隊，現又改爲自衛隊，其實力如下：

（一）陸軍。日本陸上自衛隊之官兵員額爲十七萬人，分爲五個軍，四個師與六個混成旅，裝備有三千一百五十九門大炮，二萬四千三百九十二部車輛與二百三十七架飛機。第二次整軍計劃完成時，將有現役官兵十八萬人，預備役官兵三萬人。

（二）海軍。日本海上自衛隊有一支自衛艦隊，一支訓練艦隊，並有四百十七艘附隊船隻，總噸位爲十二萬八千三百八十八噸，另有二百零一架飛機與二千枚水雷。第二次整軍計劃完成時，日本將有艦艇十四萬三千六百六十九噸，包括三千噸的驅逐艦四艘和二千噸的驅逐艦七艘，一千六百噸的潛艇五艘在內。

（三）空軍。日本航空自衛隊現有T三四型練習機一三七架，T六型一五〇架，F三三型噴射練習機二五七架，F八六F型戰鬥機三八F二型機等，總共一一三五架。一九五八年又從瑞士購買有地對空飛彈「阿力康」。一九六五年整軍計劃完成時，並將有洛希克式噴射戰鬥機一百零四架的空軍部隊，地對空飛彈警四大隊，二隊爲勝利女神飛彈，二隊爲獵鷹飛彈。

以上所述第二個五年整軍計劃，係去年七月十八日經日本政府正式通過，其目的增加若干軍艦，地對空飛彈與增加相當多的「現代化戰爭能力」，特點如下：

（A）人員增加。根據第一期計劃，去年底共應有官兵十八萬名，但結果並未達到目標，現在日本號稱官兵十七萬一千五百人，實際祇有十五萬人。第二次整軍計劃，不但要充實定員，還要增加七千五百人，使總兵力成爲十八萬人。

（B）恢復戰前名稱。現在日本陸上自衛隊編制共包括十個單位，六個管區隊和四個混成團，管區隊人員爲一萬二千名，等於舊時陸軍一個師團，混成團爲六千名，等於舊時陸軍一個旅團，今後將一律正式改編爲師團，恢復戰前之「師團」，「團長」「師團司令部」等名稱。此外坦克隊由現在之名稱「特車」，改爲戰車，炮兵，工兵由現在之名稱「特科」，「施設隊」，改爲原名稱，海上自衛隊內練習隊在，亦改稱爲練習艦隊。所有自衛隊各兵種之名稱，一律恢復戰前國防軍舊觀。

（C）縮小編制。日本地形狹長，東西較寬，南北極狹，爲謀增加兵員移動的機動性，軍隊編制需要小型化。其次爲抑制敵人核子攻擊所造成的損傷範圍至最小限度，須採取分散隊形的方法，故日本之師團名稱雖擬恢復，但舊有師團一萬二千，混成團六千之人數，今後將改編爲甲種師團九千人，乙種師團七千人兩種。每師人數均將大爲縮減。

（D）增加火力。新師團編制人員雖少，但火力大爲增加。舊陸軍所用的爲三八式步槍，現在則改用輕便而易於操作的卡賓槍與自動步槍，此外還裝備反坦克火箭炮，反坦克導彈裝置等，並配備中型戰車二百二十輛，以代替美國目前所供應的陳舊品。總計火力較舊時軍隊大二十倍。

（E）增加機動力量。日本陸軍部隊的輸送，移動，以往完全依仗人力和畜力，現在全部改用裝甲車，卡車，吉普以及APC特殊搬運車，因此陸軍之移動速度，由舊時之最大限度時速四公里增加至二十公里，一躍而爲舊時之五倍。

（F）自製兵器。陸軍運輸之裝甲兵運輸車，大卡車，以及所用之通訊器材等，均完全自行製造。並預備自製機關槍一千挺，九九式步槍五萬枝，中型坦克二百二十輛，直昇機八十架，運輸機YS二型六架。爲確保戰時備儲，在一九六一年底預定儲存彈藥七萬九千噸。至一九六六年時，一切武器彈藥均將由日本自己補充。

（G）增加地面防空新裝備。日本現在已有二百餘名優秀自衛隊員在美國受地對空飛彈「尼克、阿傑克斯」的訓練，明秋畢業返日後將攜回發射台三十六具，飛彈一百枚，編爲二大隊，另組織獵鷹式飛彈兩大隊，共爲四大隊。

（H）增加海軍力量。海軍部隊的船艦增加至十四萬三千噸，計劃建造直昇飛機母艦一艘（一萬噸級），巡洋艦，佈雷艦三十九艘（四萬七千噸），驅逐艦四艘（三千噸級），二千噸驅逐艦七艘，大型潛艇（一千六百噸級）五艘，其他艦艇合共三十七艘。超齡艦艇約五萬噸，亦準備逐年補充新艦。

（I）增加空軍力量。日本航空自衛隊計劃增加洛歇F一零四J型飛機二百架，全部編爲七個飛行隊，直轄二十四個中隊，作戰飛機一千零三十六架。F八六F型，F八六D型並將裝備響尾蛇飛彈。

（J）充實基地設備。爲加強北日本防衛，預定於本年在北海道廣修適於噴射戰鬥機昇降的新型機場，中部習志野，木更津等機場亦將改建，以適應噴射機之使用。

他們不是鬧三角戀愛

前途？

自由談

由文章談到胡適

諸葛文侯

我不會寫文章．卻喜歡識別人的文章，自信也有些鑑別文章好壞的腦力（不敢說是智慧）。最近在台北出版的「文星雜誌」上，看到李敖先生所寫「播種者胡適」一文，迴環誦了好幾遍，認爲這是一篇好文章，因而我要談談個人的感想。

李氏這篇文章的好處，就在他以平實客觀的態度，把一個現代學人胡適的思想言行，扼要的叙述出來，褒貶意義都有，可算是縮影的「胡適評傳」，而其文字組織和語意構造方面，也表現了達、雅的工夫。

胡適是人，人的思想言行——尤其是學問之道，決不會沒有可資批評的地方；但批評必須從大處着眼，而且要抓着癢處，深中肯綮，才能夠教人折服。譬如近來有許多人批評胡氏在亞東區科學教育會議席上，講演「發展科學所需要的社會改革」這項學術性的問題，我就未見有可以駁倒他的言論，而多是斷章取義地加以斥責，實與學說辯難不相干。這話說來甚長，非短文所能盡，我只是盼望能有對於胡氏主張我們不再以「東方精神文明」孤芳自賞，而由衷地接受西方科學文明；使科學思想在東方文化裏生根的說法，提出強有力的論據來駁倒他，使我先覩爲快，光是罵他爲「水經注」與「紅樓夢」考據爲言行不符，那就難怪他要說 You Can't Beat Something With Nothing 了！

談到胡適的政治思想，他一貫地提倡民主自由生活，贊成一點一滴的創進，卻不主張採取過激的手段，這確如李敖先生所下的判詞：「說他叛道離經則可，說他洪水猛獸則未必」。無可否認的事實，胡氏現有的社會地位和聲望，乃是咱們朝野人士在近二十餘年間捧起來的，而以在朝者捧他的力量尤多。當此亘古未有的國難時期，他受政府徵辟，回國來主持「中央研究院」，依然彈彈民主自由的舊調，而不改其一點一滴創進的思想，似乎不必予以打擊——根本就不必要。我無意於捧胡適，他亦用不着我來捧，只覺得國家培養一個學人頗不容易，若要摧毀他，那就有如英語所說的「易過借火」，何必呢！

馮五先生

罷免台省籍監委案
省議會民政會審慎微妙安排
建議大會組織小組研究

（本報記者台北航訊）各方注視的台省議員鄭宋柳正式提出的罷免台省籍五位監察委員案，十日在省議會民政審查委員會中，經過激烈的討論後，作了一個審慎而微妙的安排：建議大會組織小組研究處理。

如其將來省議會大會，按受民政委員會的此一建議，則在各方面均"多一事不如少一事"的情況之下，有頗大的可能，在將來的小組研究之後，會根本把這提案加以取銷或者擱置。當然，要是在相當時期之內，發生某種足以惹是生非的事件，則省議會居然走極端，硬要爲出罷免台省籍監委之事，亦不是絕對不可能的。

那天省議會民政委會討論本案時，情緒相當緊張，省民廳主辦選務的科長江纖五，亦應邀列席備諮詢。最先發言的是李源棧議員，他力主慎重行事，他說：無論罷免或改選，都影響不在小。而罷免尤然。爲國家，不能不慎重考慮，未可說罷免就罷免。罷免亦得具充份的理由。何況在五位省籍監委中，亦並非個個不滿人意，丘委員念台就功在國家，是個大好人。

蘇振輝議員是召集人，他說監委任期問題，會經大法官解釋，可以延長。這就等於法律。故省議會如主張改選中央級民意代表，將行不通。故關於台省籍現任監委問題，要麼他們自動辭職，要麼罷免，此外無路可走。但蘇振輝並不明確的對本案發表意見。

謝清雲議員主張不要罷免，罷免太不好聽。他說如果台省籍監委未能克盡厥職，不妨加以糾正，不可以意氣用事的去寫罷免。蘇振輝於是建議邀請原提案人鄭宋柳到委員會再作說明。鄭宋柳說：他提出本案，是爲了省議會爭取公賣局預算審議時，監委金越光講話不客氣，罵省議員糊裏糊塗，不懂憲法，而台省籍五監委未予辯駁，有虧職守，故他主張加以罷免，另選賢能接代。許世賢女議員說今日官吏貪污風盛，監委未能擔憲法所賦予監察功能，亦其一因。據此，應予罷免。又監委任期早超過六年，選，乃是違憲的。許金生議員更說：罷免需採取行動，馬上簽署罷免案好了，何必提案，審查，討論？最後，民政委員會到底認識了本案關係重大，必須慎重從事，所以卻在畢竟要請大會討論與建議大會組織小組研究處理兩辦法中，亦討論良久，並最終選擇了後一辦法。（一東）

魚與熊掌真可得兼乎
嫁外國人的黃節文 說她仍可做其立委

（本報台北航訊）女立委黃節文下嫁美籍教授阿林米勒之事，社會上討論的興趣，迄今仍不減。討論多注意黃立委婚後仍能做立委否？

立院外交委員會某不願露名的委員表示：內政部主管中央民意代表的選舉事務，對此一問題，應予研究；立法院本身卻沒有對此類似問題的任務規定。——如果米勒教授歸化中國，取得中國國籍，則此一問題便不再存在。

米勒教授則認爲：他和黃立委的婚姻，純係私事。他說：「我仍是美國人，我太太仍是中國人。我是藝術家，對政治是不感興趣的；我也不理會我妻的工作問題。」

立委黃節文自己，則說：她無意放棄中國公民的資格，所以也就能享有中國公民所應享的權利。她也強調她的婚姻是私事，與她的工作無關，她說：「有四十八到四十九位立委娶的是外國妻子，他們的立委職位並不受影響，爲什麼我與外國人結婚便令人大驚小怪！」

她並且說：她在婚前會請教過內政部官員和大法官，據他們說，從法律上看，尚無法律可以限制她這樁婚姻，或因她的婚姻而影響她的立委地位。

她的婚姻確實是私事。黃立委也確實有與任何人結婚的自由。但有人指出：爲了她嫁的是外國人，她又要保持中國的立委的地位，怕就不是沒有問題的了。

中國男人娶外國太太，通常是會使太太歸化中國的。如此，這中國男人當然不發生問題。同樣中國女人嫁了外國丈夫，如其她使得丈夫歸化中國，這中國女人也不發生問題的。

但現在黃立委的丈夫卻宣稱他仍做美國人，雖黃立委宣稱她不因婚姻而放棄中國籍，但要保持立委地位（主要因爲立委地位特殊），就難免要有問題。

再，因爲黃立委的外國丈夫現在台灣，黃立委才能宣稱不放棄中國籍，則將來黃立委的丈夫回了美國，除非黃立委不跟去，否則她會立刻成爲美國人了——當然那時黃立委的中國立委地位也不會存在了。

這問題畢竟如何，確實是應該由大法官解釋一番，找出「定論」才好。（蘇）

矛盾重重・成長衝力減退
經濟前瞻不可樂觀
中央與地方財政均甚爲困難

（本報記者台北航訊）新年以來，爲各方面所關心者乃財經問題。此間政府官員、工商界與輿界，會就此一問題，檢討過去並展望將來，咸認爲今後無論中央與地方的財政，難免將面臨困難。

台灣銀行董事長尹仲容很直率的指出：雖過去「一年來經濟發展的狀況大致尚能令人滿意，不過我們確也感到經濟成長的衝力已在減退之中。」尹仲容認爲，台灣「經濟發展所面臨的困難主要因爲：（一）經過幾年來的積極發展，最顯明易見的投資機會多已利用，最簡單可用的生產技術多已採行，最確定可靠的國內外市場已近飽和，於是進一步的發展感到困難。（二）通貨膨脹壓力的停止或減輕，物價不斷上漲所引起的「貨幣幻覺」的消失，擴充的誘力受到挫折。這是民國五十年在經濟發展方面留給我們的主要難題。我們如果不能在未來的歲月中予以克服，台灣的經濟發展將日形困難，最後終將陷於經濟停滯的境地。

尹仲容強調：要想克服經濟停滯的困境，只有靠「我們自己的努力」。包括節省消費在內。他承認：「我們資本形成的主要部份依靠美援」和國外資金，「仰仗國外援助原非壞事」，但這種「仰仗是爲了建設自己的生產力，而決非是爲了建設或提高自己的消費力！美國友人已一再忠告我們，美國納稅人的錢不是用來提高我們本身力量所達不到的消費（至少目前是如此）。如果我們不深自警惕，則一旦外來援助停止或銳減，則我們非但生產能力未眞正建立起來，連原有的消費也將崩潰，到時將何以自處？」尹仲容這一段話，被許爲眞正觸及了問題的核心。

學人戴杜衡對去年的台灣經濟現象，認爲的確是充滿矛盾，並認爲未來的前瞻也不容樂觀。他說：「單將銀行存款之壅塞與利率水準之降落兩點來看，去年的投資似甚難謂爲活躍。去年經濟是不是蕭條？他認爲，經濟「景氣測候的主要標準，事實上不在於產量的絕對值，甚至也不在於現期產量與過去產量比較，而主要應看整個社會投資與消費的意願與能力，是否夠得上把現期所生產的資本財與消費財盡行吸收。如果說，總需求小於總供給，則即令目前尚無蕭條的事實，至少應承認已出現蕭條的『朕兆』。」因爲社會的消費力，「一部份的消費力是被糧食所吸收」，而被人口的增加所吃光，「另一部份的消費力則可能是被進口物資所吸收」；此外，「還有走私進來的物資，也照樣要我們爲之付出外匯，消耗民間的購買力。」

去年的本省經濟，的確是有許多矛盾的現象，使專家們也爲之愕然。如：

（一）去年貨幣供給量（去年十一月底的淨貨幣供給量爲六十九億六千多萬元）及通貨發行額之增加（按：去年十二月新台幣發行額包括外幣與硬幣共爲三十三億二千三百七十五萬六千元，創新台幣發行以來新紀錄），遠超過前年；而去年的物價卻是出人意外的穩定。

（二）許多重要的工業部門，其產品在國內均告滯銷；而它們的生產量卻還是能夠增加。

（三）照進口生產設備數額（按：去年進口物資以機器工具佔首位而達二千一百卅九萬多美元）來看，似乎投資活動未見衰退；但銀行卻有至少十億元以上來自民間儲蓄的資金找不到出路。

（四）一年前各民間產業普遍的感覺週轉不靈，但最近半年這現象卻突然間成爲過去，利率一再下跌而對資金的需求竟未見旺盛。

（五）去年對外貿易有相當巨額的入超，而當局卻宣佈外滙頭寸始終寬裕，且今年亦無須加強進口管制。

（六）稻穀生產突破二百萬噸大關，但去年輸入食米價值一千多萬美元（按：去年小麥進口佔第二位，價值一千五百七十一萬三千餘美元），較諸前年的輸入增加四倍。

因此，此間中央日報也承認我們的經濟在「去年一年的新困難與舊問題，並未因我們生產貿易的成就與穩定局面而有所解決。」徵信新聞報認爲「值得注意的是「財政支出增加」與「美援存款減少」。因爲「近十年來，我們每年平均有四、五十億元新台幣的美援，財政上的赤字，仍舊無法消弭，而且近來又在逐漸增加；現在美援已決定大量削減，用什麼方法來塡補這些支出？」如一要打開財政上的困局，惟有從開源和節流兩方面看眼。」

中央的財政固然困難，而地方的財政更加極度的困難。聯合報指出：「本省各縣市的地方財政，幾乎絕無例外都是處於極度困難之中，田賦調整雖可使各縣市增加歲入數百萬元或幾千萬元不等，不無小補，但距離問題之解決，仍然遙遠。」而「地方財政所面臨的最大困難，似莫過於與年俱增的教育經費的壓力。」所以該報也主張：「看看還有什麼財源可以開闢，還有什麼浪費可以節省」。（本報記者健生）

出國熱爲人師表
諷貪墨冥紙紅包

▲台灣省教育人員赴日考察團團員的申請，定元月廿日截止，名額爲六十人，也可算得上是陣容浩大的考察團了。然而申請赴日考察人員，卻有近六萬，都夠資格的中小學教職員，正式申請者雖尚無法正確統計，總之是這些日子來，教師們都在想盡方法爭取此一出國的機會。

由於名額的限制，而申請的人太多，各教育單位有設立資格審查委員會者，亦有實行投票推選者，有志出國的教育家，於是也搞出如競選議的買票、請客，送紅包的那一套醜惡作風來，且新竹縣的投票結果，尚遲遲不敢公佈。這個年頭「出國熱」，有機會誰亦不放鬆；所以這些爲人師表者，也就不甘後人了！

▲不久之前，有基隆海關職員，收到一件郵寄紅包，拆開一看，原來是一包冥幣。現又有某營造廠女老板以冥幣充紅包，送給鄉公所主計員，諷刺其刁難。原來因女老板承包工程費，向主計員領款，主計員故意刁難，她氣憤之下，以此想洩一口氣。這可以作一般人厭惡貪官污吏一種諷刺看，有人解釋：送冥紙者是爲貪官污吏着想，好讓他們留待死後到陰朝地府去用，未雨綢繆，免得做了鬼也還要貪污還要索紅包也。

▲有龔大炮之稱的老報人龔德柏，昔日在南京辦「救國日報」，名噪中外。這位新聞界的「老兵」息影多年，無聲無嗅，正與他以前的「大炮」判若兩人。最近，這位老報人第一次爲徵信報寫文章了，寫的是一篇題名爲「戲劇與歷史」的分段連載之文。龔大炮又應新聞天地主持人之請，撰寫他的自傳。這位年逾古稀的老報人，個性孤癖，平生多異想特行，所以他的自傳以「人人視我爲怪物」爲題，敘述了一些怪事。還說他所寫的東西，因牽涉的人與事太多，現時頗不便暢所欲言，聲明是「未定稿」，待以後補正。（本報記者匡繆）

人民豐衣足食不關心政治
日本不會走向共產
文教界與論界的左傾均假象耳
○極右翼的舊軍人亦已失號召力○

（本報東京通信）最近日本發生舊軍人密謀政變的事件，同時日本社會黨領袖鈴木茂三郎又率領一羣同志赴中國大陸訪問，向毛共表示親善之意，而東京輿論界亦多表現左傾的景色。究竟日本的未來動向如何，殊堪注意。記者特走訪衆議員淺原健三氏，叩詢他的意見。淺原是已故日本首相鳩山一郎的中堅幹部，但現在未參加任何黨派，他對日本政治的看法，是相當客觀的。

淺原認爲極右翼的舊軍人在社會上已無號召力，他們雖然搞風搞雨，很難博得民衆的同情共鳴，決不會成功的。社會黨完全採取共黨路線，亦爲大多數日本人所憎惡，要想依選舉方式取得政權，絕少可能性。至於一般報紙雜誌常常表現左傾態度，乃是爲着推廣銷路的生意經，以刺激羣衆心理爲手段，而以賺錢爲目的。那些記者和作家的內心裏，十九都反對共產主義，毫無問題。還有勞工界的「總評」，教育界的「全學連」等團體，經過去年拒絕美國總統艾森豪訪日的那塲騷亂以後，信譽大不理於人口，沒有甚末左右政局的能力了。淺原以堅定語意告訴記者，日本決不會走向俄共集團之路，大可放心。

記者再問：日本人民既崇尙民主自由生活，何以又讓那般左傾親共的團體和輿論，肆無忌憚地猖行我素呢？淺原對此指出了三大因素：一是保守黨太腐敗無能，沒有旋乾轉坤的本領，只顧作官混世而已。二是美國的對日政策與作風太糟糕，一面扶植日本復興，同時又不明瞭日本的實情，強使日本人實行美式的政治制度，這不啻是妨害乃至於斷喪日本的發展機能。三是一般日本人現在多過着豐衣足食的生活，對於煩擾多端的政治問題，大家漠不關心，毫無所謂。這就是日本構成現階段這種情形之所以然。

記者覺得淺原的見解頗正確，他所指述的日本現象，有許多地方跟我們喪失大陸前夕的情況很相似，但願日本不要蹈我們的覆轍，幸甚。（雲鶴一九六二年一月十日於東京）

蔣夢麟再呼籲節育
強調人口問題很嚴重
故示輕鬆不是好辦法

（本報台北航訊）農復會主任委員蔣夢麟博士，新近在立法院經濟委員會強調台灣人口問題的嚴重性，說：「目前台灣每年所增加的人口，須有六萬噸糧食始足應付。」他說石門水庫建造完成後，每年不過增加七萬噸糧食，要台灣省每年增加六萬噸以上的糧食，是件不容易的事。

蔣博士說：糧食生產問題是重要的，但要談糧食問題，就不能不把人口問題當一個問題。蔣博士在十幾年前，就會經寫文章說明人口增加的嚴重性，現在台灣的人口自然增加率是百分之三點五，實在是大問題。他認爲糧食問題和人口問題，都是重要的國家問題。對於人口問題，有人不願意去談他，因爲深恐談及節育問題會影響到反攻大陸的兵源問題。但蔣博士認爲，現在推行節育並不影響反攻大陸的兵源問題，因爲「現在節育的結果，其所能影響的是十八年以後或二十年以後的事，我們的反攻大陸，應該不是十八年或二十年以後的事」。

照現在的人口增殖率，世界人口二十五年增加一倍。糧食增產率卻不可能也做到二十五年增一倍，即使技術改良，優良品種選擇，肥料增加，仍難能達到增加預期的一倍效果。再一方面土地耕種面積也不可能二十五年會擴張到一倍的眞面積。

蔣博士認爲節制生育是「家庭計劃」，屬於社會問題，不能不注意的。比如因爲人口增加太快，使青年「受教」發生問題，社會上於是有太保太妹。我們能夠讓我們的社會充斥太保太妹？蔣博士說：他曾到農村中去考察，很多農村婦女在背上背了一個孩子，手中又牽了一個孩子，她們亦感到孩子太多，負担太重，表示願意想法不再增加孩子了。所以他說，在台灣實行家庭計劃可以收效，因爲國民知識水準較高。蔣博士又說：台灣土地不夠是事實，這不是學理上的問題。是事實我們就得加以重視，諱疾忌醫或故意小視這問題，不是負責的態度。

蔣博士呼籲各方重視人口增加的問題，他說，以現在的增加率，每年需增加六萬噸糧食，始能應付。要一年增產六萬噸糧食，談何容易。石門水庫總算一個大建設工程了，石門水庫建設完成之後，估計亦不過增產七萬噸糧食而已。蔣博士強調認爲節制生育是必需走的路。

社會人士的意見，人口問題其實已不是理論問題，節育亦其實是爲許多人所衷心贊同的，所以，這問題已經不應該停滯於講理的階段，而是到了應該如何加以切實推動的時候了。比如如何給予願意節育的人以有效的指導，才是最重要的。（海萍）

香港與大陸

▲據新自中山出來的某君稱：中共對申請出口的中山縣鄉民，已進一步的放寬，凡十四歲以下五十歲以上，被認爲缺乏生產能力的鄉民，不論男女，稍具申請出口理由的，更會獲得中共發給單行通行證，准予出境。

某君說：中共進一步放寬鄉民出口，主要係由於極度缺乏糧食，中山縣鄉區，今年起（一九六二）又減少了鄉民的配糧數額：成年人每月廿五市斤減爲廿市斤，未成年廿市斤減爲十五市斤；每人每月配售一兩植物油（黑色的），每一家（戶）配給一盒火柴。鄉民在新年元旦那天，輪候了半天，才算買到二兩肥豬肉，平日則已經年不嘗肉味了。

石岐鎮近來每天發生搶食事件，數以百宗計。數月前，石岐曾有一個鄉民，在石岐「人民戲院」門前搶別人一包餅食，慘被共幹打至半死，並捉去勞改，但後來因爲搶食物的太多了，理不勝理，共幹乃實行睜一隻眼閉一隻眼，能不理就不理。（介）

▲關外的錦州早已在冰天雪地中，但不僅是糧食缺乏，取暖所需的煤炭更無處可以配售。十二月卅一日（除夕）的這一天，中共特准每一人配購白麪粉一斤，肉二兩，生薑五錢，味素二錢，粉條一兩。孩子們因此喜歡得了不得，於是大家都一齊動手包餃子，迎接新年到來。（介）

▲江西修水縣，在新曆年底，開闢了自由市場，准許人民以物易物，或者用人民幣交易，祗是貴得駭人。修水原是產茶油的地方，每斤茶油人民幣廿元，菜油十八元，雞豬肉每斤八元，雞蛋每元一個。自由市場則定爲十日一墟（過去各地是逢「二五八」「一四七」「三六九」三日一墟的。（介）

工展小姐選舉昨日功德圓滿

（本報訊）第十九屆工展小姐選舉，已達揭曉階段，十六晚十時三十分止截投票。工展會宣傳部舉辦酬謝嘉賓觀衆週，原定十五日開始，但因籌備關係改由十六日開始。

攝影比賽廿一日頒獎

（本報訊）第十九屆工展會舉辦之攝影比賽，頗能引起一般攝友之興趣，應徵者達八百餘件，佳作甚多，琳瑯滿目，大會於昨（十四）日下午五時在李園椿大廈十四樓該會聯誼廳請由攝影專家陳澤恩，簡慶福，張汝釗，劉懷廣，胡雄德，馮元侃等六位評判委員即席會同評判，宣傳部長甄文亮，陳錫乾亦親自到塲照料一切，並於七時假日宮酒樓設筵招待各評判委員。查評判結果如下：

門樓組冠軍：程褚棋之「門樓夜色」，亞軍陳雲泰之「夜色光芒」，季軍朱茵潔之「工展之夜」，殿軍何洪光之「工業的大門」。優異獎：李健暉之「廠商之門」，吳聖修之「廠商之門」，劉康明之「工展之門」，雷鎮球之「工業之門」，關家慶之「門樓夜色」，陳雲泰之「觀衆行列」，何均培「華燈初上」，陳珍之「工展大門夜景」，廖鎣之「工展夜色」，朱茵潔之「光芒四射」。

攤位組：冠軍甘展之「一二三變」，亞軍關齊倫之「寶塔城」，季軍楊華傑之「一板之隔」，殿軍廖鎣之「皇牌攤位」。

人物組：冠軍何洪光之「工展樂園」，亞軍魯冰之「鱷魚與小姐」，季軍江保成之「窺」，殿軍何洪光之「是眞是假」。優異獎：陳雲泰之「觀衆如潮」，關曉倫之「一家歡」，吳聖修之「欣賞」，張一軍之「一新眼界」，李健暉之「拖男帶女」，麥強之「鱷魚小姐看遊歷」，陳木之「豐富的節目」，顏麗東之「玩具的引誘」，馬義之「盛況空前」，P．D．蔣之「細心研究」。

彩色組：冠軍梁寶棋「夜色輝煌」，亞軍魯冰之「彩傘」，季軍葉玲之「金碧輝煌」，殿軍麥強之「請投我一票」。

上項各人入選作品，將於工展會禮堂公開陳列，以供觀衆參觀，而各該獎次之獎品，俟由大會彙集各項比賽獎品後，統一分配，再行發表。至頒獎日期，已定於本月二十一日在會塲禮堂舉行。

瘟君續夢

第三回： 拒諫飾非，列鼎烹功狗　成王敗寇，作狀笑沐猴

劉少奇一旁採取傍觀的態度，周恩來卻着急了，因爲彭德懷和滕代遠都是「國務院」轄下的「部長」，一旦被扣，在開會時周恩來總要向「國務院」全體會議有個交待。可是他自己一向遇事不肯出頭，又把李先念和李富春找來商量。

二李已經知道彭德懷等人被扣，李富春感到寒心，李先念也覺得徬徨。見了面之後，李先念搶着說道：「總理同志，我想辭職了。」

周恩來大吃一驚，連忙問：「先念同志，你是說玩話還是眞的，怎麼會想到辭職。」

李先念嘆口氣：「我幼時隨師傅作木匠時，愛聽鼓兒詞，唱本上常常提到伴君如伴虎，三十年來我嘗透了伴虎的滋味。可是，到了這次彭總被扣，眞把我嚇壞了，恐怕下一個也許臨到我也不一定；我還是早點回家鄉吃口平安飯吧！」

周恩來擺擺手：「別發牢騷了，現在急於要研究這件事應該怎麼辦，黨軍兩方面我們都管不到，只有政的方面突然有兩位部長被扣，我們不能不理。」

李先念問道：「總理同志以爲應該怎麼辦呢？」

周恩來笑道：「我找你們來，就是商量這件事。我想派你們兩位去和毛主席見見面，詢問他對這件事的意見，到底打算怎樣處分彭德懷和滕代遠兩位同志。」

二李聽說周恩來要派他們去和毛澤東談判，不由得打了個寒噤，李先念苦笑道：「總理是不是覺得彭德懷一批人數太少，再添上我們兩個去熱鬧些。」

周恩來搖搖頭：「不要講笑話，我不是要你們去給彭德懷講情，我只是要你們去問問毛主席打算怎麼處理他們兩個，我們在國務院內也有所適從。」

李富春緊着眉頭問道：「既然這樣，總理同志爲什麼自己不去問，卻派我們。」

周恩來登時變了臉，指着李富春道：「這種芝蔴粒一點小事，也用得着我自己去，你們兩個是副總理，正應該負起責任。怎麼總是畏首畏尾。」

二李面面相覷，曉得周恩來的詭計是拿他們擋頭陣，可是又不敢再推辭，怕鬧出意外風波。只好硬着頭皮去一趟。兩人趕到「主席官邸」，迎面田家英笑着說道：「主席正叫我打電話找兩位副總理同志，你們來的太巧了。」

兩人又嚇了一跳，走進辦公室，只見毛澤東正在悠閒的噴烟圈，看見二李進來，眨眨眼笑道：「我找你們有兩件事，第一件籌備召開八中全會，你們回到書記處安排一下時間地點。」

兩人又是一怔，互相交換一下眼色，李富春啞着嗓子說道：「召開中全會要經政治局會議通過，書記處當不了家。」

毛澤東笑道：「這些程序我當然懂，我要你們安排好時間地點交給我，拿到政治局會議上通過一下就是了。」

李先念問道：「還有一件呢？」

毛澤東悠閒的噴個烟圈，笑道：「我已決意提名林彪任國防部長，羅瑞卿任總參謀長，剩下的公安部長一職，由誰担任合適，你們替我想個人。」（六六）

國劇藝術彙考

·齊如山·

所以光緒初年以前學戲的演員，還都是先學崑腔，如何桂山，錢桂枝，郭春山，李順亭，李壽峯，李壽山，譚鑫培，余紫雲，時小福，謝寶雲，錢金福，陳德林，陸杏林等等，都是崑腔學家，後來才學皮簧。總之是二百多年的時間，崑腔與皮簧，夾雜合演，總未分家。皮簧中之引子，點絳唇，粉蝶兒等牌子，都是吸收的崑腔，在皮簧中已很普遍了。再如挑滑車，金蔡天化等戲，以及各戲中之走邊，更都是乾脆唱崑腔。以這些情形來衡論，則他受崑曲影響，當然是少不了的。接受崑曲影響，自然不能說是壞處，但不合他自己的原則就是了。

按音韻說，庚青韻中的字，在舊韻書中，是與一東二冬有分別，與十一眞十二文等也不同，可是南方音，是庚青與人臣通，北方音庚青與中東合，如中與爭，東與燈，是上爲合口音，下爲開口音，就等於江陽轍中，光與剛，況與抗一樣。所以十二攝與十三道轍的規定，都是中東與庚青，合而爲一。

按此從前亦有之，如韓昌黎之「此日足可惜」一詩，便是將穿鼻聲七韻，合爲一部。皮簧既以十三道轍爲標準，則庚青應與中東合；但是他與人辰合的，這便是自亂其例。又因梆子腔多是偏重陝西山西之音，所以中東，庚青，人辰都相通。皮簧也染上了梆子的習慣，例如三堂會審中之王金龍，到洪洞，採花蜂，臉緋紅，難受刑，巧計生，化灰塵，數十根等等，便都是由梆子腔傳來。

灰堆與一七兩轍，自古不分；可是十二攝，十三道轍，以及北方土音，則分的極淸，絕不能混合。皮簧也是如此。但有幾個字，如張飛岳飛之飛字，則永遠念爲一七轍，大概是因爲他在五微韻中，與衣希幾等字同韻所致。然大可不必，因此亦是自己的亂例。

耶邪與懷來兩轍，古韻可以說是不分。如九佳韻中，有柴牌等字懷來轍也；又有街鞋等字，耶邪轍也。而「五方元音」及十三道轍，則分的很淸。皮簧中對於這類的字，遇到押韻，則分的很淸，平常念字，則往往相混，如街，鞋，階，界，介，玠等字本應念成耶邪轍，可是他都念成懷來轍。這種念法，固無不可，但按十三道轍的規定，則總應入耶邪轍，否則便是亂例。（十二）

邛都憶往（八）

李仲侯

夷人之言語完全與漢語不同，漢人非久居其地者，未易諳習一二。夷人寫字用竹籤，削尖醮墨汁，猶有古人漆書之遺意。

夷人亦有奕棋二種：一名板帶屑，二人對下，枰內二十四子，人各十二枚，子先盡者爲輸。一名孔屑，與漢人大馬趕將軍戲同，惟無象棋圍棋諸戲。

黑夷族不信佛教，有固有之宗教，若巫師然，受衆庶之敬愛，事無大小，皆依賴之，吉兇禍福，由伊判斷。師巫各爲團體，保護土人，亦有稍習漢族文學者。其占卜方法不一，有投木棒於空中，視其下落之方向而判斷者；有燒羊骨，視其灰燼之跡而知吉兇者；遇兇事者，以竹片插鳥翼，投至屋上；以卜兇事所至之方，則屠牛馬羊以代之。如遺失貴器什物，窮搜不得，師巫則馳使四方，召集土人，每人與黑米一握，限以一定時間，令置口中嚼碎吐出，米中現血點，即指爲行竊人。故不幸有血點時，遂容易無辜陷於不實之罪。

夷人之聰明才力，原本不亞於漢人，因其獷悍成性，固步自封，保守過甚，腦力無所用處，日久即漸趨愚昧。尤以其生活方式，過分簡單，更無須求上進，可以自樂其生。譬如夷人於飲食一道，夷區缺少谷米，日食所持者爲饅粑。炒靑稞磨粉，或用大麥小麥豌豆以爲之，入牛乳酪小許，以手攪和，捻成團子。食畢，舐手，及所用木缽，以舌代盥洗。手黑如鬼，終身不浣。無盤筋，亦鮮鹽醋諸物調劑。頭人多用鹽，然惜之如金。以其飲食生活如此簡陋，故易於求食，四體遂用不着去多所勤勞了。

如果認爲夷族中，絕無讀書明理之人，則又不盡然。我就看見有好幾位夷人，在軍校畢業後，曾任過上尉參謀軍官之類，國語亦說得很標準。我在冕寧遇着一個少年土司，他就是軍校第十一期畢業的，曾游歷過東北各省，及秦隴各地，他回家後，遂繼承他父親出任土司。其人最好客，我在他家住過五六天，飲食起居，殆與漢人無異。他還對我娓娓談土司這個職位的故實，他說土司之制，南方惟雲、貴、四川、西康、廣西有之，北方惟甘肅有之，大都爲明朝指揮使之後，封其地以爲世襲。嘗有轄地至千里者。狄道縣楊土司爲甘肅省最大者，其所轄人民漢番各半。趙土司次之，所轄皆漢人。漢與番皆種田，其荒冷之地則放牧。種田之法，先爲土司耕種，然後爲己種，不爲其民則去，不得取其財產。每歲代耕之外，又須交租若干。土司專制殊甚，禁其民讀書，恐知識大開，不利於彼也。他對我款款而談各地土司沿革歷史，對於土司的掌故，連我這老儈，也要讓他三分。這要算我居西昌三年，遇到了一位最開明的土司。他一表人才，氣宇軒昂，信爲夷人中之佼佼者。至今猶令我回憶其人之不置。

舊書攤

汶津

逛舊書攤是讀書人的一樂。但書攤老闆卻難免沾點兒銅臭。有時候好書不見面，倒白受那人一番嘴臉，眞個不值。可是第二次光顧的時候，也許早忘了以往種種。只怕再來一次歷史重演，那時書呆子脾氣就保不住不發了。

台北的舊書攤，雖然也不難找到，卻完全不能和舊貨鋪比美。前幾年出門逛街的時候，那些攤子上的書還能略爲滿足我的藏書癖和佔有慾，如今卻覺得有些可憐了。那裏多的是中外文的舊雜誌，許多出入電影街的仕女——包括光棍、學生、小姐，少爺及老頭，都不免湊上去翻翻裏面的畫頁，或品品評評那位影星，模特兒比較淸彩。除此以外，就是大批美國製的三、四流半黃色半恐怖小說，封面套色以紅、黃、綠三色最多，看時不是觸目驚心，就是讓人作三日嘔。這些「貨色」究竟以什麼理由，什麼方式大量湧入寶島，也就不得而知了。總不會是文化交流的一部分吧？還有一些殘缺不全或上下冊分家的教科書、參考書，五六年前出版的時勢分析、各地風光。最特別的是美國新聞處精印的叢書，往往成綑結夥的出現在書攤的顯著部位，而且至少保持着七成以上的新新。如果你無緣披閱這書的話，倒可以不費什麼功夫的在此獵獲。

「舊攤」二字，本是說順了嘴，實則現在台北街頭的舊書商，很少是名符其實的擺地攤的，他們多半都有一些高低不等的架子，利用地形地勢架設起來，而且不會讓一絲空間被浪費掉。只要可能，過不了多久他們便會設法擴充地盤。西門町一帶及牯嶺街南昌街等地，都比較常見他們的影踪。中華路本來也有一兩家，自從堂皇的中華商場建立起來後，似乎就滅跡了。到目前，游牧式的舊書攤已經少見了，自然而然的，有些不太愛挑剔的朋友就成了他們的老主顧。

舊書攤的貨色有三：一是雜亂，那些書商多半只分得那是貴的，那是賤的，那是中文書，那是洋裝書，如此而已。二是擁擠，尤其到了夜晚，更是顧客盈門——只差那地方未必有門罷了。[illegible]

海嶠瑣談

看香港名票義演

諸葛文侯

本月十一日夜間，香港東華三院爲籌募醫院與中學校舍建築費，邀請海隅擅長平劇的男女名票明星嚴夫人許頌輝，李麗華，葉劍秋，蕭北翹，張少泉，張伯倫，許可，唐廸，蔣光超，楊志卿，以及名藝人粉菊花和于占元的徒弟沈芝華，吳元庭等，義演皮簧劇四齣：開鑼戲是吳元庭的「鎖五龍」，次爲沈芝華的「白水灘」，再次爲葉，蕭二人的「霸王別姬」，最後是嚴夫人與李麗華等八位合演的「硃痕記」。

我於八時半入場，鎖五龍已近尾聲，只聽到飾單雄信的童伶吳元庭唱了幾句西皮原板，聲調宏亮，不像是個尙未成年的人所能有的本領，殊屬難得。沈芝華的白水灘，扮相英俊，可惜身段不夠自然，而道白頗似廣東朋友說官話，但她並非粵人。武打幾個回合，沈女士的腿上工夫固屬不錯，然身手之輕捷矯，武藝之純熟有致，卻以飾「青面虎」的那位職業伶工爲首選了。

「霸王別姬」這類梅派新劇，觀衆多是熟悉的，過去在國內看過楊小樓，梅蘭芳演出之後，無論誰再演，總覺得不夠味兒了。尤其是霸王一角，即令是金少山飾演，也就有不足觀矣的感想，自鄶以下，更不待言。是夕葉劍秋的虞姬，唱宗梅派準繩，差堪一聽，做則失之生硬，舞劍一場，不過聊備一格而已。自刎的動作尤其缺欠俐落的表演，走到上場門口才回轉身來以劍加頸，眞是廣東話所謂「做戲咁做」呢！蕭北翹的霸王，出場亮相就不像是個叱咤風雲的英雄模樣，而唱唸咬字亦沒有尖團音之別，例如「戰」唸成「站」音，「勝」說成「損」聲，「山」唱作「三」等等，不一而足。這原是南方人唱平劇的一般現象，所以在北平的教戲者，對於初學的人，必先教他唸唸「張三上山，李四辦事」這兩句話，聽他能否分別尖團音韻，才決定是否收爲門徒。

嚴夫人原沒有學習過「硃痕記」朱春登這角色的演藝，她是現炒現賣的，但她對此道饒有天才，演來決無「瘟」象，唱則本錢充足，韻味盎然，早已膾炙人口。她唱二簧搖板「叫中軍，備祭禮墳前祭奠」這句詞兒，蒼涼悲壯，石破天驚，有繞樑三日之概。哭靈時的大段反二簧，字正腔圓，配以程京蓀君的卓越胡琴，尤見精采，四座叫好，聲徹雲霄，道白字音淸晰，毫不含糊，「賢大嫂」確實了不起啊！明星李麗華女士對於平劇一道，家學淵源，本是有根兒的。她跟生母張少泉登台飾朱家婆媳，銖兩悉稱，舞台經驗亦豐富，不瘟不僵。麗華去趙錦棠，唱腔師程硯秋，嗓音結實，而以「我的父趙都堂官高爵顯」這句西皮慢板，都程派的韻味十足，殊堪欣賞。朱家婆婆在侯府門前乞討打爛飯盤，應該是驚悸中失手所致，然是夕張少泉卻以忿怒之狀，故意摔破它，這點值得研究。唐廸的宋氏，蔣光超的公差，張伯倫的中軍，都表演得很好。這樣整齊的票友演出，近十餘年來在香港乃是創舉，故樂爲之記。

五臺佛地

道南

五台山是著名佛教聖地，也是山西的風景名勝區。山西的廟宇，大都是建築宏偉，畫棟雕樑。單就五台山一地來說，那裏的著名叢林古剎，就有三百所之多。

五台山在山西五台縣東北，五峯聳立，高出雲表。因爲山上缺乏林木之蔭，牛山濯濯，有如疊土之台，故以五台爲名。所謂五台，是以中峯爲主，而四面分馳，中峯謂之中台，其餘四峯名爲東西南北台。

五台山以北台爲最高，海拔三千餘公尺。著名的佛寺，多在中台以下的山谷中。在五台山的全盛時代，共有寺院三百餘所，後來逐漸傾圮湮沒，中共佔領大陸前只剩下一百多所了。在這一百多所朝寺中，有和尚廟，喇嘛廟，還有道士觀，以往寄跡其間的僧道，在萬人以上。

昔人有謂：「道經以五台爲紫府山；內典以五台爲淸涼山。」「佛經」也說文殊菩薩在五台得道，這裏就是他的道場。北方的僧道，一定要到五台來，就和南方的佛教徒到普陀山去朝聖一樣。

山川風物

自由報
THE FREE NEWS
第二〇二期
每份港幣二角
社長：雷嘯岑
督印人：黃行寰
社址：香港銅鑼灣高士威道二十號三樓
20 CAUSEWAY RD 3RD FL HONG KONG
TEL. 771726　電報掛號 7191
承印者：田風印刷廠
地址：香港灣仔高士打道一二二號
台灣分社
台北市西寧南路[illegible]號二樓
電話：三〇三四六
台郵撥儲金戶九二五二

從核子戰爭談日本整軍計劃（下）

郭甄泰

三。日本整軍計劃之檢討

日本整軍計劃，概如上述，其目的不外三種：（一）保衛本土，鞏固前進基地及亞洲兵工廠之地位。（二）保衛海上交通，維持民食及工業原料與作戰物質之來源。（三）必要時分担保衛亞洲之使命。試觀其整軍計劃完成後之軍力，是否能以達成此項任務，倘屬不無問題。

日本爲一島國，保衛本土，一方面在天空，一方面則在海岸，保衛天空需要飛機與飛彈，保衛海岸則需要海軍。現在日本假想敵國爲蘇俄，其假想敵人爲蘇俄之遠東兵力。據日本防衛當局的情報：蘇俄配置在遠東的兵力爲陸軍三十五個師，人五十四萬人；海軍一百零六隻艦船，五十萬噸；空軍四千二百架。最近復有包括三艘新銳潛水艇，三艘驅逐艦在內的一支艦隊，從波羅的海經北極海，白令海峽，鄂霍次克海，宗谷海峽，而於去年十月七日開抵海參威。又據日本防衛廳發言人稱，該廳相信：「蘇俄在千島駐有一個步兵師及約四十架米格式戰鬥機。合衆國際社副總裁荷百里特亦謂：「蘇俄巳在庫頁島建好若干飛彈發射基地，至少有一處飛彈基地祇距離日本領土約一百英里」。去年六月可靠方面人士對荷百里特談稱：「若干基地能發射越洲彈道飛彈及中程彈道飛彈，其位置由庫頁島及堪察加半島伸展至阿那底灣」。以上所述飛彈，除越洲彈道飛彈係對美國外，餘均可直接威脅日本，其假想敵人自爲日本無疑。

日本整軍後之陸軍有現役官兵十八萬人，預備役官兵三萬人，共爲二十一萬人。依從來戰例，戰時部隊數之擴張率爲二倍，以三倍爲最大限度，人員之擴張率爲四倍，以六倍爲最大限度，日本現在雖爲募兵制，但戰時立可擴充至三十九個師團，兵員四五十萬人左右，以之防擊蘇俄遠東軍，自屬游刃有餘。況日本陸軍現在火力爲舊時之二十倍，移動速率爲舊時陸軍之五倍，在受威脅最大地點之北海道，設有北部方面隊司令部於其首府之札幌，而駐紮北部之第二，五，七，九，十一各師團又係甲種編制，裝備優良，機動力又較乙種編制（每師團七千人）爲强，蘇俄駐遠東兵力不過三十五個師，五十四萬人，日本陸上防禦，實屬固若磐石。至於空軍方面，日本航空部主力亦均部署於北部，在三澤市設置有北部航空方面隊司令部。自一九五九年四月，航空自衛隊接收美軍交回的千歲基地後，防衛廳即派第二航空團接防，該團係航空自衛隊中擁有F八六型F噴射戰鬥機最多的，分駐當別，根室網走，襟裳，稚內，奧尻六機塲，並特將原駐石川縣小松基地，F八六型全天候噴射戰鬥機一隊，調駐千歲基地，配合第二防空團，蓋北日本與蘇俄靄次克海一葦相隔，自必須隨時警戒，以備不虞也。顧日本雖有空軍；但並無原子彈或氫彈，當民國三十四年八月六日上午，廣島受原子彈轟炸時；日首相鈴木聽了報告後說：「如果美國聲明是可靠的話，沒有一個國家，可以繼續作戰，沒有原子彈的國家，不可能繼續同握有原子彈的國家進行戰爭」。日本現在縱巳積極設法增加空軍及防空飛彈，但如以日本空軍懼獨對蘇俄作防禦戰爭，則仍要螳臂當車，無濟於事。因之日本整軍計劃中之所謂增加空軍，增加地對空飛彈，改良並增强雷達網等等，均仍爲消極之防禦，而非爲積極之攻防，故日本之整軍計劃，就陸上兵力言，似巳敷用，就核子防禦言，則距離獲有實效之目標，尚爲時甚遠。

次就保衛海上交通言，保衛海上交通，主賴海軍。日本海軍僅有十萬餘噸，不僅不能與美俄兩國相比，即對英，法，義大利，西班牙，中共，荷蘭，瑞典，西德，亦屬望塵莫及。蘇俄在遠東駐有船艦五十萬噸，並有潛艇九十八艘，中共潛艇亦有二十四艘。日本爲一連串的火山島所組成，一且遭受海上封鎖，不但民食無以爲繼，重要的工業原料和作戰物資，亦將因之來源斷絕，無法維持。當第一次世界大戰時，德潛艇曾迫使英國陷於粮盡援絕的邊緣，但其所用潛艇不過爲克姆林宮現有潛艇五分之一，日本本土較英國更易受海上封鎖的打擊，以日本現有之海軍僅能對其九大港灣中之三分之二，從事掃海工作，至於護航亦僅能編成兩組護航艦隊，其護航線亦祇能達到五百公里左右。日本現有商船二千七百七十五艘，總噸數六百二十七萬噸，僅次於美，英及挪威三國，以現有日本海上自衛隊之實力，對於其中之一半，加以護航，巳屬甚難。設使日本三島的某一部份爲敵人佔領，如欲滙載一個戰鬥隊約千人實行反登陸，亦不可能。美國海軍當局曩昔曾指出：日本爲保衛國土沿岸及護航二千七百隻商船，易言之即日本由局部戰爭保衛國土，最低限度亦需要海軍艦艇二十萬噸，但日本第二次整軍計劃，僅規定五年後保有艦艇總量十四萬三千噸，這些力量，以之担當日本沿岸警邏任務，且虞不足，如以之對蘇俄之龐大而精銳之潛艇艦隊作戰，則更無可能。爲保護海上交通，日本如不配合美軍依賴美軍共同作戰，勢難達到目的。美國現在日本駐有長距離轟炸機，在遠東駐有第七艦隊，第七艦隊擁有戰艦一百二十五艘，包括有航空母艦四艘，配有遠距離飛彈內巡洋艦三艘，驅逐艦三十艘，潛水艇七艘，掃海艇等七十艘，總數達五十萬噸以上，另外配有轟炸機，戰鬥機，對潛哨戒機等約六百五十架，總兵員六萬人，威力强大，固可爲保衛遠東和平之武力，亦可稱爲保衛日本之武力。其基地爲橫須賀，佐世保，冲繩中城灣及菲律賓的斯比開灣四處。年前第七艦隊開有因日本政情離開橫須賀移往斯比開灣之說。日本對此必須竭力造成有利環境，不使實現。日本本質上爲保守資本主義之國家，不可能與共產主義妥協；決不可自壞長城，重蹈中國之覆轍也。

最後就保衛亞洲言，現在南越，寮國均在危急狀態之中，一旦有事，日本恐難袖手旁觀。日本某軍事評論家表示：「美國如果要請日本自衛隊派往越南，日本是無從拒絕的。」社會黨議員飛島田一雄說：「日本現在不僅是美軍裝備給養的補給站，日本的自衛隊也隨時爲了南越局勢而有出動的可能。」故分担保衛亞洲之任務，在最近之將來，亦極有可能。因此日本必須從速注意下列三事：

（一）修改日本憲法第九條。日本憲法規定不得保有陸、海、空軍和其他戰力，現在日本巳有陸海空自衛隊並有各種戰力，此項規定早巳等於具文，亟宜從速修正，以便正正堂堂組成國防軍，藉以充實現代化戰事能力。

（二）增加分配預算數額。日本自衛隊巳有十年歷史，在此十年中曾接受美國軍援十三億六千萬美元（四千八百九十七億日元）。日本現有軍事裝備約百分之八十均爲美國製造，二次五年整軍計劃日本政府亦希望美國每年給予五千萬美元。但日本在自衛方面的開支，民國四十八年共爲一千五百三十五億日元，佔同年該國總預算一兆四千四百四十三億日元的百分之一〇・八，佔國民所得估計總額九兆七千億元的百分之一・七一。同年美國的國防開支爲四百六十八億四千五百萬美元，佔該年美國總預算百分之五九・一，佔國民所得總額百分之十三。蘇俄自稱該國一九五八年國防經費佔國家總預算的百分之十五・三，佔國民所得總額的百分之二・一，同樣的兩種百分比，西德爲二九・七與六・三，而中共則約達十二・二與三・五。日本在自衛經費方面較其他各國之比例均少的很多。自應設法謀求預算分配數額的增加，以充實其軍力。日本內閣於去年十二月二十九日通過政府下年度總額二兆四千二百六十八億日元預算，其中國防費共爲一千九百九十四億日元（五億五千四百萬美元），陸軍七百九十四億，海軍四百七十二億，空軍六百六十二億，其他國防支出六十五億，預算國防費增加二百七十億日元，爲數甚微，如無美援，第二次五年整軍計劃，必難按照既定程序，完成預期。

（三）堅定政策。日本第二次整軍計劃，預定加强陸軍至十八萬人，海軍艦船，增至十四萬三千噸與空軍飛機增至一千架。此外並成立四個飛彈營，建立七個F一〇〇型噴射機中隊，建造共計六千噸的潛水艇和一艘三千噸的驅逐艦，所需經費頗鉅，每年所列美援約五千萬美元，近聞美國因節省美元外流，有予以削減之說，如果成爲事實，影響日本整軍計劃甚大。日本政府允宜排除萬難，貫徹親美反共政策，予以爭取。近據美國所舉行的「最可信賴的亞洲國家」一項調查中，日本名次竟在菲律賓，韓國之下，殆有鑑於去年艾克訪日，警職法案曾兩次屈伏於衆議院外左翼示威與院內社會黨勢力之下，以致美國人民遂懷疑其可以信賴之程度耳。今後日本對於西方民主國家必須採取鮮明態度，堅定政策，藉以補救。甘迺迪總統高瞻遠矚，對於亞洲問題，極爲關心，如日本立塲堅定，政策鮮明，則美國對日本，必當盡力援助，不致因美國節省外滙問題，減少對日軍援致使亞洲之軍事安定力量爲之觸礁也。

漫畫天下

又好氣又好笑

赫魯歇夫：「毛同志，我們還是好好合作吧！」

自由談

幼稚的宣傳

近旬日來，英美方面的「專家」，「權威人士」輩政府官員等，紛紛發表談話，宣稱鐵幕世界內部產生不尋常的歧見爭執，將有「意外大事」出現云云。他們所資爲論據的中心問題，不外是毛共支持阿爾巴尼亞當局反抗俄國赫魯歇夫的「和平共存」政策，以及俄共莫洛托夫未見重返維也納担任蘇俄代表職務這些事情。言外之意，認爲共產集團國家之間大亂在即，將有不打而自倒的可能了。這眞是十足的惰性觀念，不值一哂的。

如果說中俄共在世界革命策略的理論上發生一點歧見爭執，阿爾巴尼亞共黨政權跟克里姆林宮鬧一下別扭，便可釀成鐵幕世界自行崩潰的後果，那末，近十年來英美法對於反共政策各行其是，甚至公開互相詬誶的情形，比較俄共集團嚴重多了，而古巴的反美行動，更覺阿爾巴尼亞之反俄厲害十倍，何以自由世界又未垮台呢？按理：關於敵人內部不安的情報，越是有嚴重性的確實狀況，越就應該保密，以待事實發展，而自己暗中注視，預謀對策，才是積極鬥爭之道。見駱駝以爲馬背腫，嘵嘵譁咋，大事宣傳，豈非教敵人警惕防範乎？

英美政治人物未必沒有上述這種常識，只緣一貫惰性觀念深沉，總是期待敵人自行潰敗，坐享勝利果實，又怕自由世界人民揭破他們的瘡疤，指摘他們出賣友邦，實行姑息主義，因而滋生攜貳心情，乃不惜張大其詞，描述敵人內部險象環生，危在旦夕，藉以麻醉世人，掩飾其阿Q式的尷尬面目而已。自由世界讓這類二三流的政治家來領導，其不倒霉者幾希！

馬五先生

更正

上期本欄作者署名，被手民重植「諸葛文侯」，莫名其妙，特此更正。

人的社會·愛的故事

孝女鍾蓮英。征服全台灣。

（本報記者台北航訊）這是一個動人心魄賺人眼淚的故事。這故事剛發生三天，也就轟動台灣三天，許許多多人都給這故事感動了，也給這故事鼓舞着。這故事還在發展之中，全台灣省的人都捲進去了，動人心魄賺人眼淚的場面，還會不斷的出現。

故事的主角是一個女孩子，現年十五歲的台北市女中學生鍾蓮英。還有他的父親鍾海清，曾經是鐵路局職員，現在是三輪車夫的一個善良的中年人。另還有在市女中做藝術教員至今不願透露姓名的鍾蓮英的老師。

故事是起於一付近視眼鏡，是由鍾蓮英一篇作文中洩露出來的，她這篇作文題目為「回憶」，文曰：

「記得爸爸昨天晚上回家時很高興，說是拉小孩的新水領了四百元，還問我是否要買眼鏡，我說要，於是帶我和弟妹上街買被單、眼鏡，買完後，他顯得很疲倦，回到家倒頭便睡。今晨爸爸和經常有點不一樣，一直在睡，沒有起床，我也不便打擾他，拿着他的衣服想取錢去買肥皂，忽然從衣袋裏跌出一封信，封面寫着內詳，我起先心裏很緊張，以為又是媽寄來的，想不到一打開是紅十字會買「血」的通知單，希望爸爸不要逾期，日期恰好是買眼鏡的那一天，我看了要昏倒，眼前已模糊不清。

「原來我的眼鏡是爸爸的血換來的，天呀！我怎麼去報答他老人家呢？自從我初中三以來，眼睛便有些毛病，是很輕的近視眼，當時家中環境不好，我不願吵爸爸，便忍着，在學校教室裏位置是第一排，二個月以來度數增加，眼睛十分吃力，上代數，時常看不清楚，只好用聽，可是總不是一個好辦法，爸爸常問關於眼鏡的事情，我也不便多說了。現在入冬以來，天氣變冷常挨凍，因為棉被東一塊西一塊湊起來，爸爸常唉聲嘆氣，唉！天呀！為什麼老欺負我們窮苦人家，聽到爸爸唉一聲，心裏就有如刀割的痛苦，於是我拿錢去買豬肝，補血的食物煮成湯給他吃，他無言的落下淚來：：：。」

她這作文給她老師們看到：老師們都感動了，都要幫助她，卻苦於自己的收入亦少。結果一位教藝術的老師，願把他心愛的溥心畬的書畫各一幅拿出來義賣，得錢幫助她；就因為這樣，這故事被傳揚出來了。

報紙上刊載了「父慈女孝師仁」的這故事後，全台灣轟動，連廣播台廣播員廣播這新聞時，自己亦哭起來了。於是大家有的老遠去看她，有的寫信鼓勵她，送東西送錢的絡繹不絕，兩天中已共捐得六千五百五十八元。這三天來的台灣，可以說是鍾蓮英的天下，大家都談她，讚她，要幫助她。

這動人的故事還在發展之中，許多人都在「眼淚裏微笑」着！顯示台灣這社會太可愛了，共黨不足平也！（平。元月十六日）

解決師資荒校舍荒　「空中學校」新猷　據說刻不容緩

（本報記者台北航訊）代表我國出席「第一屆國際學校廣播及電視會議」甫返抵台北的劉家駿對本報記者說：「我國的電視及廣播教育，如何才能與學校教育配合，是一個亟待研究的問題」。

有消息說：劉家駿將在教育部即將開張的教育電視實驗台，多多負起實際的責任。劉家駿對本報記者發表上述意見時，國立教育廣播電台的台長宋乃翰亦在座，宋乃翰對劉家駿的意見亦有同感。

宋乃翰還特別提到一個迫切的教育問題，希望由於輿論的宣傳而引起大家的注意，這就是設立「空中學校」。他說：近年以來，台灣人口的急遽增加，使學校的數量，師資以及校舍，教具等，都使教育負責人深感困擾。而歐美若干國家，為解決此一問題，都早已用廣播作為施教的工具，以減輕辦理教育的困難。

宋乃翰說：面對今日的現實，我們要使各個社會的人羣以及各個社會組成的份子，都有接受教育的機會，則大衆性的「空中學校」之設立，實為今日之急務。宋乃翰還說他們電台曾接到許多聽衆的來信，都希望教育當局能將學校的範圍擴展到校門以外去。

至於「空中學校」的具體辦法，宋乃翰說：在我國尚屬創舉，無先例可循，但在其他國家，則早就有之了。比如美國的這種學校，自電視發明以後，益顯普遍。目前美國許多著名的大學，如密西根大學、荷士頓大學以及加利福尼亞大學等，經已辦有電視課程，都給予學分，積滿了一定的學分，是一樣的可以拿到學位的。當然我國如果照這樣做，便得先行修改現行學制，這是需要政府，立法機關和社會大家來做的事情。

又據劉家駿說，他這次出席會議，最大的收穫之一，是到得了許多頗為完善的有關電視和廣播的資料；在以前，根本就找不到這些資料。今後還可以同各國經常聯繫，互相交換資料。（越五一年九月一日）

明知搞不攏·只為顯顏色

罷免黃啟瑞醞釀益亟

口號為市民要有個自己挑選的市長

否則市議會將弄出不信任周百鍊案

（本報記者台北航訊）台北市停職市長黃啟瑞因公車購料回扣案初審判刑後，傳說中的有人要發動罷免他，其事雖未表面化，暗中的醞釀其實仍在進行，並有越趨越烈之勢。

罷免的醞釀開始已經很早，是在黃啟瑞剛停職後即已開始，當時是市議會中的黨外議員所發動，比如前次發動罷免台北市副議長周財源的張詩經，便是其中之一。在表面理由上，他們並無愛於黃啟瑞和周百鍊，他們說：黃啟瑞既受市民之付託而出任市長，現在因案停職了，市民當然要自己另外委託人來做，因此改選市長是應該的。否則由派來的人儘做下去，成什麼話？據一位對罷免案甚感興趣的議員表示：黃啟瑞在向省府辭職的時候，同時也有副本送到市議會，但是第二天又撤回去了。他說：現在我們希望他向議會送一個辭職副本，如果他還不送來，我們只有發動罷免他了。

依據法令規定，縣市長之罷免，應有公民百分之一以上之提議，百分之十九以上之連署，呈報選舉監督核定其罷免案成立，再依法進行對罷免案投票。據一位熱心於罷免的議員表示：台北市選民有四十幾萬，要找四、五千人來提議罷免是很容易辦到的，就拿這次簽署罷免副議長周財源的十二個黨外議員來說，每人去找四、五百人的簽名還不是輕易的事嗎？當然，他亦承認，要找到八、九萬人去連署罷免案，就不是一個容易做到的事了。

這一位議員考慮到有兩點為難之處：一個簽署的問題；公教人員和學生不太能簽，商人不願討這些麻煩，工人對這些興趣又不大。第二個問題是怕又會像前次罷免高雄市長的情形一樣，有人對簽署市民「勸解」，便又紛紛聲明撤回簽署，忙亂了一陣之餘，結果卻是「無疾而終」，就不好看了。

罷免案既有這些困難，那就不準備進行了嗎？這位議員卻堅決表示「不」。他認為，罷免案將來縱然不能成立，但至少亦可藉以表現民意。什麼民意呢？就是希望有一個自己選出來的市長，比如即使現在的周百鍊當選了，市民也是高興的。

然則，假如黃啟瑞的辭職副本不送到市議會，這些攬罷免的人，又認為什麼時候才是攬罷免的時機呢？據透露：他們將在黃啟瑞牽連在內的市民住宅案判決以後攬起來。

記者曾深一層向他們探詢，既然他們的目的祇在表示一下民意，而罷免工作又如此其艱苦而又並無把握，他們是不是曾經考慮過取另一簡而易行的表示民意的其他途徑呢？據他們表示：退一萬步說，如果不攬罷免的話，至少要在市議會通過一個對代理市長周百鍊的不信任案。他們以這次簽署罷免副議長周財源做例子，強調有自信心可以爭取到議會中三分之二議員的簽署。他們也知道議會無權對市長提不信任案，但都認為這不失為一個表示民意的方式。然而他們將來真的有可能走這條路子嗎？看來是確有其可能。

黃啟瑞本人，他對罷免醞釀的反應，至今沒有什麼表示。但他週圍的人，卻向這些攬罷免的議員表示一致的。有人解釋，因為果然黃啟瑞被罷免了，他就也可以安安心心去上訴去為他的名譽洗刷了。真到那時周百鍊就唯有經過一番選民的測驗，才能決定他坐不坐得穩市長的寶座了。

無論是罷免黃啟瑞也好，無論是不信任周百鍊也好，事情都是從市議會中出來的，故這至少表示周百鍊與市議會的關係，的確沒有攬得好。（吳越五一·一·十）

香港與大陸

▲自廣州返抵香港之港客某君說：最近廣州大沙頭車站，發生搶劫案，一羣饑民強劫火車上的糧包。駐守車站警員發覺後，曾開槍制止，與饑民發生打鬥，一時秩序大亂，結果有多人被拘走。

某君說：當時有一列由深圳開抵北站大沙頭火車，旅客正源源下車進入月台，大批糧包亦陸續由工人搬到露台側邊之時，突有一羣饑民湧入露台，瘋狂搶奪糧包，駐守在車站的警員發覺，即上前制止，曾一度與饑民發生打鬥，警員乃開槍制止。槍聲發出後，旅客與饑民紛紛走避，整個車站陷於混亂中。不久，一隊共軍趕到，將車站包圍，將多人拘捕。部份旅客曾被留車站遭共軍再四檢查。（介）

▲廣東陸豐縣農村貿易市場物價，貴得驚人，如雞蛋一枚，竟售人民幣二元，一担荒草人民幣十八元，一斤木薯人民幣三元，一斤生油人民幣二十四元。

中共當局曾一度下令嚴厲實行限價，但命令甫下，市場貨物即隨之絕跡，轉入地下作黑市交易，價格更貴，共幹被迫得無法可想，乃無形取銷命令，不予過問，市場才又恢復公開交易。

陸豐農民性向來強悍，共幹為圖防止人民暴亂，實行五人聯保連坐法，並實行五人共同宣誓。其表面理由，說為防止怠工，根絕消沉的意志，互相規勸，互相監督，用以完成生產任務，及遵守勞動紀律。規定如一人有偏差或有其他不軌行為，其他四人均負完全責任，或幫同達成任務，如有其他意外，必須事先告密。（介）

台灣雖然身家很小　卻愛享受大吃大喝

（本報記者台北航訊）正在台灣消費是否過多的爭執聲中，從省府幾項稅收所獲統計資料，顯示台灣的確好像一個身家雖不大，而卻就於生活享受的人，頗不吝於大吃大喝。

從車輛牌照稅所得資料，截至去年底，台省共有汽車五萬一千輛，平均每二一四人有汽車一輛。乙種車輛包括腳踏車，三輪車，共有一百八十萬輛，平均每五點七九人有乙種車輛一輛。

從房稅所得資料，台省已稅房屋共一百一十八萬棟，平均每一〇點〇七人有房屋一棟。

從屠宰稅所得資料，去年一年間，台省共屠宰猪隻二百二十萬頭，平均五點〇三人吃了一條猪，以每條猪九十公斤計，平均每人每年消耗猪肉二十公斤。（東）

來函照登

貴報於一月六日第二版刊載財政部嚴部長在台灣省五十年度全省財稅會議中致詞有「例如娼妓中妓女們的繳稅，就是一個漏稅的項目。」等語。查本部嚴部長致詞中，並無此語，有紀錄錄音可憑，即請查照更正為荷。此致

自由報

財政部秘書室啓

元月十一日

罷免成風氣　又有一新例

內政部長連震東　亦有人要罷免他

（本報記者台北航訊）台灣今年攬「罷免」確實已有成了風氣之勢，就連內政部長連震東，亦有人吵着要罷免他的國大代表了。但連震東表示他不怕。

連震東是代表了台南市漁會，鬧選舉糾紛，他以內政部長權力解釋法令，並押了一些人，所以吵着要罷免他的國大代表的。

新聞記者因此跑去看連震東問他的反應時，他說：對於國大代表之罷免，必須依照國大代表選舉罷免法。我本人沒有做過不盡職的事，別人怎能罷免？

連震東又說：我身為行政主管，對於法令的解釋，當然有根據的，我批示台南漁會平安分會會員代表資格，援往例辦理，是根據非常時期人民團體組織法第八條：「人民團體在同一區域內，除法令另有規定外，其性質同級者，以一個為限」的規定，並無曲解法令情事。

對於罷免好像已經作了風氣之事，連震東不願批評，他祇說他的國大代表因為沒有錯事，別人是罷免不了他的。

要人類得永久和平有其道
膺懲强暴者并從而感化之

顧翊羣函本報雷社長論當前幾項大問題

嘯岑社長先生道右：前奉去月十四日大示，敬悉一是。比因事冗，未即裁答爲歉。關於台灣經濟之研討，國際貨幣基金不久將遣派專門人員赴台，與我國財經當局作一年一度之商談。待其歸來後，當有詳盡之報告。執事如能商得主管部同意，請經濟專家將該報告擇要撰文交貴刊發表，必能洞見癥結。弟此次留台僅一月，雖赴各地參觀，但僅走馬看花，不夠深刻，未敢率爾操觚也。茲有以下各點，奉瀆清聽，請爲指正：

堅決主張限制人口

一，據地理學者班納德氏之最近研究，全世界之陸地面積約爲五千七百萬平方英里，就中二千九百萬平方英里爲不產糧食之寒冷地帶，乾旱區域，及高山地帶。此外又有將近一千萬平方英里爲較爲乾旱地區，分佈於寒溫及炎熱地帶。眞正能產糧食者僅約爲全部陸地三分之一而强。然一面水土不斷侵蝕，一面則人口不斷增加，全世界已有半數以上之人口營養不足。自由世界端恃美國加拿大阿根廷澳洲四國每歲增產糧食，以供應其他不足之國家。共產國家則蘇聯亦賴二次大戰後開發處女地帶（卡薩斯坦與西伯利亞南部等雨量不足之地區），而輸出小麥等以接濟其附庸國家。

據若干地理與氣候學者所言，二十世紀下半期將爲週期性的長期乾旱時代，每歷五百一十年全球即有一次。（參看亨廷頓所著之「文明之主要動源」一書。）蘇聯小麥生產量，自一九五九－－六○年之六千九百十萬公噸，減至一九六○－－六一年之六千三百七十萬公噸，一九六一－－六二年數字尚未發表。加拿大今歲因有旱災，其小麥生產量，自一九六○－－六一年之一千三百三十萬公噸，減至一九六一－－六二年之六百九十萬公噸。美國在同期間亦自三千六百八十萬公噸減爲三千四百三十萬公噸。（以上數字均取自聯合國糧農組織九月份月刊第十八頁。）近來非洲各地如埃及與肯亞等均苦於旱災，蘇聯年來處女地區之生產量不增而減，爲赫酋焦慮之重要原因。假定此後十年全球各地繼續不斷有荒旱現象，而美國加拿大等國積儲決經耗盡，則人類縱不打原子戰，而黃巢闖獻等事件之重演，恐難避免。弟故不憚煩的堅決主張限制人口，此需賴全世界民衆有道德的決心，自動的晚婚與節育，方可有濟。目前不僅日本印度等國已確定節制生育爲國策之一，瑞典與丹麥政府並已正式的向聯合國提議討論矣。

人與自然均衡關係之重要

二，我國古代陰陽太極五行生尅之說，主要的着力於人與自然（天與地）之和諧。此種宇宙觀人生觀影响數千年來中國人之生活，藝術，社會與經濟。在西方則生態學與水土保持學之受重視，僅爲近百年來之事，故我國人對資源之保存，以及環境與生命之關係，其了解程度較西方人遠爲深刻。一九四四年弟與鄒秉文君偕美國農業部水土保持專家勞德密爾博士考察美國東部各州農業時，勞博士屢次提及美國在農業技術改進上曾有向舊日中國農業借鏡之處，例如常平倉制度，係華萊士氏得自陳煥章氏所著之孔門經濟學，斜坡灣土之法係借鏡於中國之梯田，而保持水土最有效之作物Kudzu，美國人雖僅知其係來自日本，實際則應爲中國之葛藤，詩經中早經道及矣。近年中共急功好利，加速工業化，而破壞人與自然之均衡關係，例如捕殺麻雀，使害蟲繁增，組織公社，使野草蔓延，農作物減產等等；言之令人痛心。

共產主義產自西方文明

三，近三百年來，歐洲科學興起，工業與武力日益龐大，於是過去之宗教的宇宙觀人生觀，爲科學的宇宙觀，人生觀所代替。世俗主義抬頭，科學，技術，經濟增長等，變爲崇拜之對象，所謂人造之宗教是也。

第經濟發達之結果，爲人口加速上騰，資源加速消耗，而並未將天國引來地上。各國內部之間，且有階級（勞資）種族（黑白）與長幼（老少）之分裂，趨勢日益嚴重。在國際局面，則冷戰愈趨激烈，全人類有將遭全部燬滅之危險。

於是好學深思之士細心研究，發現西方人專門注重理智之分析，一面雖進步，一面則引致弊害，因其祗知爲我而勇猛向前，不注意自我約束，結果則引致彼此間之不斷衝突，共產與自由世界之鬥爭，爲其最明顯之例證，蓋共產主義乃西方文明所產生者，與我等東方世界無涉，特我等不幸而首遭其害耳。

現代文明違反人性過甚

四，人類由野蠻而進於文明，生活日益舒適，處境則日益艱鉅。中國古代之垂訓，謂「道高一尺魔高一丈」，印度奧義書謂「人之得救有如在刀鋒上行走」，斯皆經驗之談見道之言。英國有一學者謂，現代文明違反人性過甚，人類在下意識中起反感而表現爲種種爭鬥。輕氣原子彈乃人性對現代文明反抗之象徵，歌誦現代文明者應知所警惕。

宗教之功能，乃爲防止理智的拆散作用之自然反應，人類因有宗教信仰方可心安理得。又人類爲生物中唯一了解死亡乃不可免之事實者。宗教賦予人類信心，使其面對死亡而無畏。惟純正宗教始爲道德的倫理的，而與拜物拜金者之時時憂慮死亡者相異趣。進化論創始者之孫達爾文爵士，對現代大規模福利工作之足以引致反淘汰作用，感覺不安，而頌揚信仰之功效，謂其可以使優良精神傳統承襲不替。達氏謂改善人類狀況有政治的，教化的，與生物的三種方法，就中政治的方法作用最强，生物的方法需時極長；祗有教化的方法收效最宏。吾人觀於歷史而確認達氏所說之確當。

中國古代已有宗教，最初爲多神的，繼變爲一神的（昊天上帝），最後則爲崇拜不具人格性的上天。儒家以「人」配天地而爲三才，遂成爲祭天地拜祖先孝父母之人文主義者。此後學者雖不斷吸收外來思想，但精神傳統則始終一貫。中國人將佛教中國化，而成爲禪宗，天台，華嚴等宗，與純正儒家思想並無衝突，且將印度之種種迷信除外，故吾人不應指稱佛教來華爲中國之印度化，或謂爲印度思想所征服。基督教精義固應爲中國人所承受，但將來必有中國的基督教，與儒道等教並行不悖，而不能替代吾國固有之信仰。至於共產主義在中國可以替代孔孟教訓之說，更爲西方左派學者不經之談。

西方自二十世紀物理學興起後，科學的人生觀已爲「新現代心理」所替代，後者認人之心智有限度，對宇宙秘密所知甚有限，主張回復謙卑之態度。甚多大科學家與哲學家垂老時輒變爲神秘主義者，與孔老釋迦等相類似。

知識份子對社會之責任

五，過去中國儒家對社會大衆所盡之責任，與西方在近代以前之教士與智識分子相同。大衆人民多爲急功好利尋求實效的而傾向倫理相對主義。儒者則與大衆相反，伊等具遠大目光，並注重仁義而不急功好利，其所念念不忘者爲三綱五常四維八德之教訓，且以身作則，率先督行。故中國士人居四民之首，盡其匡扶之責。

西方近數十年來之知識分子，連同基督新教之若干領袖在內，則反過去之道而行之，專以迎合人民大衆之各種要求爲務，美國左派政客更主張博施濟衆，對全世界人民施惠。結果國力不支而走向通貨膨脹，同時人口暴增，資源消耗，使共產思想得以乘虛而入。待開發國家甚多亦受其影响而步趨其後塵。近年來西歐及美國保守思想抬頭，即爲對僞自由主義者之一種反感。

西方主和論者不切實際

六，昨夜弟收聽紐約某電台廣播美國左右派青年對國策之辯論，先後共五小時。左派青年認共產與中立國家之立場，對其本國人民有利，祗與美國國策相觝觸而已。目前既無法進行原子戰，爲美國計，祗得設法不斷與蘇聯商談，並大規模的協助全球各落後國之經濟建設，俾其可以走向民生而共存共榮。伊等贊揚羅素，並反對空防。右派青年則指稱：甚多中立國家偏袒共產國家，而危害自由世界。且對伊等協助之結果，爲伊等人口之增加與武力之濫用。美國十六年來先後援外與貸款將及一千萬萬元，結果則匯特國際情況日益惡劣化，且美國本身財政收支與對外收支亦年年不敷，美元信用頗受影響。伊等主張對蘇聯强硬，而主動的在蘇聯附庸國之願恢復自由者進行游擊戰，並力主在共產國家舉行公開的不記名的投票，俾其民衆得自由決定其政權方式。

按近十年來，西方主張對蘇聯妥協論者，所持主要論據，爲以下二點：（一）自原子彈與火箭等武器發明後，人類戰爭已無可能；（二）共產國家與自由世界雖政治經濟制度不同，但仍可共存而進行友誼式之競賽。弟撿諸歷史，人類自遠古已有戰爭，在現代尤爲激烈。進化論者大多認戰爭遺人性以俱來，有保種衛國之功能。以他種競賽替代戰爭，甚非易事。進化論中又有所謂「競爭不並存原則」，大意謂在同一環境中，兩種共存而競爭之生物，如不能隔離，則較劣者遲早將爲較優者所消滅。

吾人觀於國聯之失敗，聯合國阻止戰爭之無成效，以及東德之不得不建築高牆，以阻止其人民之逃往西德，而覺進化論者主張之合理。西方主和論者，直至今日尚無一人能在科學與哲學方面，建立其合理論證，故其主和之主張多不切實際。

吾人認人類與生物不同，具有向上之清神靈性，人類之有虔誠宗教信仰與抱道德觀念者，恒能將對內視愛對外抗爭之二重倫理變爲純愛而無爭之單一倫理，後者爲大同世界之哲理的與道德的依據，亦即孔老釋耶回猶等教創始者之企求。但化干戈爲玉帛，俾人類得永久和平，非政治與經濟的手段所能達到，而有賴於對强暴者予以膺懲，同時施以道德之感化，此爲中國儒學之精義，亦即宗教與進化原理之合一，非西方左派學者與僞善的宗教大師之「煦煦爲仁」者，所可幾及也。伊等求和平與大同之辦法，適如爲虎張翼，緣木求魚。世局如此，吾人祗有擲筆長歎而已耳。

手此，敬頌

著綏

弟顧翊羣拜上五十一年一月六日

再今日美報載有報導，云目前中國大陸正在熱烈的討論儒家思想，意者毛周等人或有悔禍之心乎？

瘟君續夢

第三回：拒諫飾非，列鼎烹功狗　成王敗寇，作狀笑沐猴

李先念聽說林彪繼任國防部長，心中放下一塊石頭，也笑着答道：「公安部屬國務院領導，主席要不要問周總理，看看他有沒有現成人選。」

毛澤東點點頭：「這個問題我考慮一下再說，另外還有湖南省委第一書記也出了缺，先念同志想一個人。」

聽說湖南省委第一書記出了缺，李富春急忙問道：「周小舟同志呢？他作什麼去了。」

毛澤東笑道：「我派他給彭德懷等作伴去了。咱們湖南人打麻將喜歡作夢，四個人不能作夢，添上周小舟才夠。」

李富春不敢開口，兩人回去商量一下，擬定於八月二日在江西廬山開會，呈上去毛澤東看了也同意了。李富春看見毛澤東的心情已經平靖，大胆問道：「八中全會的時間、地點都定了，重要議程是什麼？請主席指示下，以便着手編排。」

毛澤東想了一下，說道：「議程第一點是清算反黨份子。」李富春一聽不由打了一個冷戰。毛澤東又接着說道：「人民公社問題總要討論一下了。我想到的只有這兩點，其餘還有什麼問題，你可以問問劉少奇和周恩來。」

李富春陪笑道：「事情相當多，可不可以召開一次政治局會議，商量一下會議日程。」

毛澤東緺緺眉頭：「不用了，你發一個通知給政治局委員，確定八月二日開八中全會，要他們從現在起到鄉下展開調查研究，重點在於人民公社問題，留作大會參攷。」

李富春不敢再多嘴，回去擬一個通知，分致政治局委員，大家也都想到鄉下去看看眞實情況，接到通知紛紛整裝出發，北平城內只留下董必武和陳毅撐持局面。

八月二日八中全會正式開幕，到了中委七十五名，候補中委七十四名，本來中共中委是九十七人，死掉了黃敬和賴若愚，由楊獻珍、王恩茂補上；候補中委九十四人，除去坐飛機跌死的蔡樹藩，病死的張璽，還剩九十二人，兩類加在一起共有一百八十九人，這次會議出席了一百四十九人，缺席竟達四十人之多。這批人那裏去了，可以分作幾方面來說。

一部份是在八大二次會議時，被毛澤東指爲地方主義份子整肅了，其中有河南省委第一書記潘復生，山東省長趙健民，廣東省副省長古大存和馮白駒。一部份是新近被扣起來的彭德懷等五個人。一部份是早在軟禁中，不准出席的如陳紹禹，李立三。一部份是這次決定要加以清算，也不令出席的如鄧華，蕭克，徐海東，鄭位三，張聞天，王稼祥等。還有抱病不肯參加的林伯渠。加上在北平留守的董必武和陳毅，共缺席了四十人。

八中全會一開始，和六中全會情況完全相反，六中全會是清算毛澤東的會議，除去林伯渠及賀龍之外，眞眞是一面倒的形勢，終於迫使毛澤東聲明不競選政權主席。這次是毛澤東捲土重來的第一次會議，他佔了兩個有利的形勢，又恢復了舊有的權力。第一，大家都知道赫魯曉夫目前無意趕他下台，第二，他提出羅瑞卿任參謀總長，抓住了三十幾個公安師，目前和他碰非吃虧不可。（六七）

國劇藝術彙考

·齊如山·

一七與姑蘇兩轍，韻書都不分。如六魚韻中之魚，渠，徐等字，七虞中之于，須，區等字，都入一七轍。六魚中之書，諸，如等字，七虞中之儒，誅，符等字，都入姑蘇轍。十三道轍則分的很清。五方元音，也入十二地韻，七虎韻，不能混合。皮簧中關於押韻也算分的清楚，惟在念白時，則諸，如，誅等字，講究念成一七轍，而符，胡，除等等許多字，則又都念姑蘇轍。可是因爲這種情形，鬧的戲界自己爲難，凡押韻時，遇到初，諸，如，誅，儒等等的字，他便不敢用。按這些字在詩賦詞曲中，是常用的，例如韓退之進學解中，太史所錄，子雲相如，同工異曲等等，念着也沒什麼不叶韻。可是皮簧用着就有點不服帖。用爲姑蘇轍，他自己以爲出規矩，用爲一七轍，唱着又繞口，於是乾脆就不用他了。我編太眞外傳，儒海青的唱詞，就特別用上他，老腳們看見，都以爲不合式，我說這是小花臉的唱詞，他們便說那還成，蓋因小花臉念京白，且可以偶出規矩也。

十三道轍，乃由北方小調纂輯而成。北方小調之念法，完全是北方土音，所以十三道轍之定法，也是照北方土音組織而成。梆子腔則完全照北方的念法；而皮簧則有許多字，夾雜南音。例如國，德，黑，得，賊，北，黑，惑，助等字，梆子班中都念灰堆轍，北方音也；皮簧中則念梭撥轍，南方音也。（趙元任君告我，這算北方人念入聲的念法。）又如色，塞，宅，白，帛，柏，百，魄，拍等字，梆子都念懷來轍，皮簧則念梭撥轍。又如落，薄，藥，鶴，弱，約，脚，若等字，梆子則念麼條轍，皮簧亦念梭撥轍。以上這類的情形很多，不必盡舉，這都算自亂其例。因爲皮簧是遵從十三道轍，十三道轍的基本原則，是完全北方音，如今不念北方音，而雜南方音，豈非出了規矩？按念南方音，似乎沒什麼不可以，不過那就不是十三道轍了，因爲十三道轍，絕對包括不住南方音也。（十三）

邛都憶往（九）

李仲侯

我卅七年春由川省宜賓返湘，得到與在二十三年買山所種植的桃李千餘株，均已茂密成林，結實纍纍。自慚半生浪遊，半生無成，即想改業去習圃事，每日攜幼子稚孫，徜徉樹下，剖柑分飴，入夜則挑燈課諸兒勤讀，倒也自適其適。並在果園中新建一樓，題名「飛觴醉月之樓」，手書昔人之「屋於高處非忘世，志若終焉此讀書」兩句話作爲楹聯，每當佳晨月夕，約二三知己飲酒嘯傲其間，加有祖遺薄田數畝，溫飽粗足，決意不想再出問世矣。

是年冬間，四鄉土共蠢起，我的親家金某，與我望衡對宇，一夕之間，被數十匪共，明火執仗，洗劫一空。匪入室後，正值雪夜，首將我那位親家的衣服剝得一絲不掛，關入別室，匪去後全身僵硬，奄奄一息，未幾死去。我看到這光景，祇好踉蹌再走重慶。轉赴西昌行轅之豫約。

到卅八年四月，見到共匪藉口和談破裂，擴大叛亂，限期國軍撤離南京上海，已知國事不可爲矣。加以八月五日美國務院發表中美關係白皮書，不惜把多年並肩作戰的盟友，一腳踢開，袖手觀變，接濟中共僞政權於十月一日在北平成立。這一連串壞消息，使縈懷國事者，憂心如焚。十一月三十日大陸失去了西南重要據點重慶，成都陷入混戰，餂糠及米，西昌已震撼搖動。緣西昌在前清爲四川寧遠府，二十八年西康建省，才劃歸西康版圖，但因歷史地緣關係，所有政治，經濟，文化，交通自永遠不能脫離四川的，重慶既失，它的存亡，就祇有與成都共其命運了。

十二月六日，四川成渝公路的內江，正式揭開了成都大會戰的序幕，錦江線上十六日展開激戰，胡宗南所轄的第五兵團李文部除部份陷在眉山苦戰外，他本人親督所部在這條線上拼死抵抗，殺敵甚衆。防衛成都的第三軍並抽調部份到這條線上參戰，始將劉伯誠第三兵團的勁旅堵住，並粉碎其進攻新津的企圖。但劉仍未退卻，並分兵乘勢繞出邛州，大邑方面，攻擊國軍側背。彭德懷，賀龍所率十八，十九兵團從北路大巴山，瀘天嶺一帶進攻國軍第七兵團裴昌會部，十五日即突破平陽關，進陷廣元，裴部想向閬中南部轉移，因劍閣梓潼被中共截斷，致遭各個擊破。孫元良的十八兵團與防衛成都第三軍之一部，趕赴綿陽防堵，全被犧牲。共軍長驅抵德陽，進迫成都矣。同時洪雅，丹稜蒲江方面，突然閃出了林彪由貴州趕來的第十五兵團一枝大軍，截斷了國軍進入西昌的道路，至此成都被合圍之勢成，國軍完全陷入內線被動作戰。當局爲了轉移陣地，達成鞏固西昌的目的，決定以一部份兵力留置川東北通南巴區域和川西北松理茂一帶，建立游擊基地，主力則沿岷江東岸繞攻宜賓瀘州，脫離戰場，鐵隊轉移入康，以期實現政府原定在西昌設立大本營的計劃。

九九雜話

漁翁

諺云：「冬在月初，雖冷無多，冬在月中，行路披胸；冬在月尾，賣牛置被。」入冬而寒，故有冬至起九之說。事見荊楚歲時記：「由冬至次日起數，歷八十一日爲寒盡至」，即九九之所由來。蘇東坡詩：「算來九九無多日」，以其九盡寒盡也。

九九歌云：「冬至後一九，兩手藏袖口；二九一十八，口中似吃辣。三九二十七，見火親如蜜。四九三十六，關門把爐守。五九四十五，開門尋暖處。六九五十四，柳皮發細緞。七九六十三，行人把衣袒。八九七十二，柳絮長了翅。九九八十一，農人應早起。」此歌從冬至起九，一九二九，太陽射在南回歸線，氣候漸冷，不備手插袖裏，而口中爐噓，如吃辣椒然。三九四九，太陽過高，地而無熱力，天氣更冷，祇好杜門圍爐。五九六九，冷氣漸消，楊柳發枝，出門一呼暖氣。七九八九，氣候已溫，柳絮飛舞，路上行人，因熱把衣披開。九九寒盡，而春耕開始，農人將從事乎田疇矣。

但是，世人祇知有九九消寒，而不知有九九消暑，在一年中，有夏至，有冬至，冬至後有九九，夏至後，亦何嘗無九九？

據豹隱記談云：「夏至後，一九二九，扇子不離手。三九二十七，吃茶如蜜汁。四九三十六，爭向路頭宿。五九四十五，樹頭秋葉舞。六九五十四，乘涼不入寺。七九六十三，夜眠尋被單。八九七十二，被單添夾被。九九八十一，家家打炭墼。」

按此歌，從夏至起九，一九二九，天氣炎熱，手不離扇。三九四九，更入酷暑，口渴，見冷水甜如蜜，登向樹下睡着以乘涼。五九六九，入秋漸涼，不必去禪林，隨處可以消暑。七九八九，氣候已寒，夜間非用單被與夾被不可。到了九九，天氣更冷，家家戶戶，準備炭墼，以作禦寒之用。

到明代，有「九九消寒圖」之作，以素紙繪九格，格繪九圈，凡八十一圈，自冬至日起，日圖一圈，上陰下晴，左風右雨，雪在中間，圖盡則九九畢而春分至。又冬至畫素梅一枝，爲瓣八十一，日染一瓣，瓣盡而九九出，則春深矣。即所謂之「九九消寒圖」，按冬至後八十一日，皆屬寒令。故云。

這消寒圖，爲當時騷人墨客之韻事，即宮內仕女，亦藉作消寒吉趣。誰知「朱門酒肉臭，路有凍死骨」，接着就有民間一首怨聲載道的九九歌出現：

歌曰：「一九二九，相喚不出手。三九二十七，籬頭吹篳篥。四九三十六，夜眠如露宿。五九四十五，家家堆鹽虎。六九五十四，口中咽暖氣。七九六十三，布衲兩肩攤。八九七十二，貓狗尋陰地。九九八十一，貧窮受罪畢。」把貧人過冬的生活，躍然於紙上。詩曰：「無衣無褐，何以卒歲！」今日之大陸，不但無衣無褐，即求一簞食，一瓢飲，而不可得，較之前人怨訴之苦的九九歌，殆尤過之。撫今追昔，曷勝浩歎！

以上所謂，乃關於時令之稱，而在寬法上，亦離不了九九字眼。據呂氏春秋載：「東野有以九九見者，桓公使戲之曰：九九足以見乎？曰：九九薄能耳，而君猶禮之，況賢於九九者乎？」按今亦謂自一至九，每二數相乘之數曰九九，自乘之，則謂九九八十一也。「陳其九九，以爲數生，贊上群綱，乃綜乎名，八十一首，歲事成貞」。見「太玄經」。

在一至十的數字中，要以九爲最吉祥，詩有九個「如」字，今人本此作祝頌之詞。在書蒙古與滿洲贈獻之禮，以九數爲貴，至少爲一九：如九白之貢是也。至多爲九九，凡獻壽祝年，以及進貢之品，多用九九，以取吉祥之義，如九九倉，九九餑餑桌之類。尤其周易乾卦所謂「九五」，喻人君之象，爲更可貴也。

我與楊永泰（一）

諸葛文侯

粵人楊永泰（暢卿）是中華民國政壇上的顯赫人物，他被刺殞命於湖北省主席任內，迄今已歷廿五年了。當他在生之日，我曾經作過他的僚屬，他又對我另眼看待，因而許多從事黨政工作的人士，每號我以「政學系」的榮銜。實則我與楊氏的遇合很偶然而有趣，相處亦不久，從不知道有所謂「政學系」的組織。如今事過境遷，不妨談談，看在證明楊氏確係一個了不起的政治家，曠觀近三十年來的鐘鳴鼎食之輩，還未見有第二人呢！

民國廿一年首夏，我以內政部參事赴武漢公幹，一夕與老友范熙績（時任湖北保安處長）在漢口「民生公司」輪埸中憩息納涼，楊氏身穿綢衫，偕同「豫鄂皖三省剿匪總部」副官長陳希曾施施從外來，跟范氏打招呼，我不認識楊氏，范照例介紹，而以頑笑口吻對楊說：「這是我的老友某某，現任內政部首席參事，過去在湖南家鄉當過土豪劣紳哪！」（我未出國讀書時，曾在鄉里作過團總。）楊大笑道：「很好，我們現在要剿匪，湛末人都可以跟共匪妥協，唯有土豪劣紳與共匪不兩立。我們想利用地方土劣來協助剿匪，卻不可爲土劣所利用，究應如何進行才對，到要領教領教。」說罷，即在我身旁坐下，等候我發言。我亦肆無忌憚地大放厥詞，出乎意料之外，他竟大爲激賞，約我次晨到他寓所早餐，詳細談談。屆時我如約而往，只有剿匪總部參謀長老友曹浩森在座，楊氏提出民團組織方案來討論，我表示兩點意見：一是農村裏的公有財產（如祠堂產業與積谷等），縣府不可攫取；二是民有槍枝經官府烙印登記發還後，政府或軍隊切不可提繳。非如此，即不能談地方自治，更無法利用民力來協助剿匪，楊極表同意。越日，他就簽呈蔣委員長，電知內政部調我在武漢總部服務，不以告假論。

我在總部秘書處擔任秘書之職，與陳方，羅君強同事，保甲條例我亦參加起草工作。繼而德國顧問建議各省區劃分若干行政單位，實行行政三級制，俾便治理，蔣公以爲然，楊氏擬定名稱爲行政督察區，設專員兼保安司令，並兼專署所在地的縣長。追行政專員制實施之始，楊氏教我出任專員，仍保留內政部職位，他問我願意某省某區？我說：「請秘書長報告委員長，派我到匪患最深鉅的地方去，我卻不信邪，要跟共黨較量一下身手。」楊氏怡然道：「噢，你有這種勇氣，眞了不得！」他乃簽請任命我爲當時共匪賀龍巢穴所在地的湖北第七區行政專員，駐在地是江陵縣。但楊氏懷疑我誇大話，忽告誡曰：「委員長要你先到監利縣——即賀龍盤據之縣——去接事，如何？」我說：「當然可以，但請派一營紀律較好的軍隊隨行，聽我指揮。」等到我出發的前夕，楊對我笑說：「軍隊已派好了，但仍以到江陵接任爲是。前言是故意測驗你的膽量的。」又拍拍我的肩膊道：「你不錯！」嗣後他對我遇事維護，給以便利，又不時寫信勉勵我。

寒山寺

道南

蘇州楓橋鎮的寒山寺，爲六朝古刹之一，自唐朝張繼賦「楓橋夜泊」詩「姑蘇城外寒山寺，夜半鐘聲到客船」後，寺之勝跡，遂傳遐邇。張詩石刻，舊爲明代文衡山手書，太平軍之役，燬於兵燹，僅存四五字，亦尚模糊。其較爲完整的則爲程雪樓（德）所立，據傳爲俞曲園所書。

抗戰勝利時，好事者以黨國元老張溥泉先生，與張繼孫同姓同名，特請書石，藉留佳話。詎書後不久，張溥泉先生以心臟病逝世南京，此紙遂成絕筆。此付刻石，並豎寺中，前後三碑，後先輝映。

寺中多詩刻，近人有康有爲萬繩栻兩人所作，康詩爲：

「鐘聲已渡海雲東，冷盡寒山古寺風；莫使豐干又饒舌，化人再到不空空。」

萬詩爲七絕兩首：

「一掉首寒若巴陳，樺冠木屐去來頻；問他橋畔停船客，省得鐘叢又幾人？」

「古刹豐碑劫運銷，摩挲誰與認前朝；山僧不解興亡恨，祇閑譚偈拾隨熊。」

康詩所云一案，係指寒山寺古鐘，爲日人盜去。後雖經康在日本追鑄一個，那時日首相伊藤博文以複鐘無法尋得，只得鑄一個鐘賠償」。現在寒山寺大殿上懸掛的就是這個日本鐘。

山川風物

內僑警台報字第〇三一號內銷證

自由報

THE FREE NEWS

第二〇三期

中華民國僑務委員會登記

中華郵政台字第一二八二號執照

登記為第一類新聞紙類

（每星期三、六出版）

每份港幣壹角

台灣零售價新台幣貳元

社　長：雷嘯岑

督印人：黃行富

社址：香港銅鑼灣高士威道二十號四樓

20 CAUSEWAY RD 3RD FL HONG KONG

TEL. 771726　電報掛號．7191

承印者：田風印刷廠

地址：香港灣仔高士打道一二二號

台灣分社

台北市西寧南路壹壹零號二樓

電話：三〇三四六

台郵[illegible]九二五二

當前的文化問題，答客問（上）

·徐復觀

編者按：自從胡適博士在「亞東區科學教育會議」中，發表了一篇關於西方科學文明與東方精神文明的評判演說以來，引起海內外文化界的激劇爭論。茲承徐佛觀教授爲本報撰寫此文，亦係批判胡博士的言論，我們對於徐教授的若干觀點和語意，雖然有不同的見解，但以其爲本報近月來所收到反駁胡博士的文章中最有份量之作，故樂於分期刊佈，藉以增進學說辯難的氣氛，亦文壇盛事也。

我在民主評論十二卷二十四期發表了一篇「中國人的恥辱，東方的恥辱」的文章後，有的朋友贊成，有的朋友不贊成；茲將跟一位朋友的談話經過，紀錄下來，藉供關心此一問題者的參考。

客：你和胡博士也很熟，但你在這篇文章中對他的口氣未免太過份了一些吧！

主：是的，我也覺得如此。胡博士在東亞地區科學會議的講演，是去年十一月六日；我在七日看到報紙的記載，便提起筆來寫那一篇文章，寄到民主評論。過了幾天，我一想，現在打胡亂說的人多得很，從長久的時間看，都不過是過眼雲烟，隨即消散了，何必獨與胡博士計較。所以又寫信給民主評論的編輯先生，請不必發表。以後看到台灣的報紙雜誌，居然對此一篇講演，還有人在大捧而特捧；有位美國人也在恭維那是最高智慧的表現。我又想，文化上的是非，人情上的輕重，本來常是見仁見智，不足爲異。但胡博士以包小腳來代表中國文化；認爲中國文化及印度文化只有很少的靈性，乃至沒有靈性，這實際是說中國人，印度人不是人。因爲凡是人，即使是黑人，便有靈性；這是去年十一月在美國費城學士會館開的第十七屆人類學會所作的對犬種決議案，共同承認的。關於中印兩大民族過去是人不是人，這種是非問題，一般人應當能夠辨別。以五千年的歷史，拿來和胡博士一個人比較，這種人情上的輕重，在心理正常的情形之下，也應該是能辨別出來的。那篇演講詞裏面，名詞觀念的混亂，稍加分析，可以說是不知所云，這只要有大學三年級的程度，也應當可以辨得出來的。但今日有些中國人，把這種起碼的是非，置之不問。覺得一口氣把幾千年中的聖賢，文學家，藝術家，爲守其所信而流血的忠臣義士，加以誣蔑，抹煞，是理所當然，大快人意；但誰個沾到了胡博士，便覺得是大逆不道，群起而攻；我感到這一代的知識分子的顛倒情形，未免太可悲了。所以我又去信給民主評論的編輯先生，要求將拙文以本名發表。胡適可以用誣蔑的方式辱罵中國，東方的文化；我便可以說理說事實的方式來教訓他。純從私人說，我不僅很敬重他，並且也很愛護他。但把他和中國文化，東方文化的分量比較起來，那就太不成比例了。

客人笑道：你也說起假話來了，這樣罵他，還說什麼……

主：我常常想，社會之可貴，便在於它有許多不同的思想，也有許多不同的對文化的態度。一個人，只有在不斷地與不同的思想，態度發生交往，較量中，（主要是通過閱讀而在自己思想，精神中交往，較量）才能擴大自己，充實自己。我從民國十六年起，便突然激底反對線裝書，尤其反對我十幾歲時所學的桐城派古文和宋明理學。一直到民國三十六、七年，態度才慢慢轉回。我是一向對舊本有興趣的人；在中間這段很長的歲月中，自然讀了不少時下的東西，包括胡博士的著作也在內。在我的回憶中，他的文章，雖然從來沒有對我發生過甚末影響，這大概因爲其中絕大多數，缺乏思想性的內容的關係（追求思想，恐怕是比較聰明一點的青年人的自然傾向）；但也決沒有什麼反感。十多年以前，我曾站在政治的立場，認爲國民黨不能與自由主義者合作，是一最大的損失，而提出過呼號。以後，我自己也自然而然的走向「理想性的自由主義」，這是由中國文化本身所自然導出的結論；除非並不眞正了解中國文化。從自由主義這一大方向來說，我也應當尊重胡博士。所以在民國四十一年（？）胡博士返台時，有位朋友和我說：「你看胡博士到底有什麼學問？大家都捧他」。我當即答以「！」「你不要從純學問的立場去了解這種情形……」；那位朋友點頭笑，後來這位朋友非常捧胡博士，當不是因爲我的一句話。民國四十六年（或者是四十七年）他來東海大學，我和張佛泉先生首先發起大家共同誠請他。並且曾經很誠懇的寫過一封信對他，希望他以現在的年齡，地位，應當作文化的保姆，而不必再以鬥士的姿態出現。意思是說向團結方面去領導大家。這並非有求於他，都是爲了文化，爲了維護他。不過這番微意，現在沒有了。

客：是不是就是因爲這次的講演呢？

主：不是。並且不是出於瞧不起他的學問，中國敬老尊賢的傳統，不一定以學問來衡量的。因爲這幾年，我發現他對國家，社會，乃至自己本門的文化問題，沒有一點責任心；對於國家的困難，人類的危機，也沒有半分感觸；而只專心致志地如何維持自己的地位，如何維護在學問上毫無用工，而只拿著他的招牌吃飯的幾個人的地位。文化學術的地位，是要用文化學術的成就來維護的。他的科學方法標語，紅樓夢考證，杜威的蚌殼知識論，（只能以蚌殼作比喻的講），神會和尚，趙戴，對水經注的校注，是誰偷誰的問題，都一一拿出來過，大概內心總多少覺得還有點不夠；於是不斷的提出共產黨清算他的文章有幾百萬字，以證明共匪重要與權大。又公開說某某是聖人，以見專門捧自己的人是聖人，則被捧的自己，更聖得可知。這種心理狀態，對一般人來說，到可原諒。但他已經是七十歲的人了，早在中國的學術地盤中，居於統治者的地位，這一套對於他有什麼必要呢？大概他感到僅僅上面那樣做還不夠，所以便不如再進一步，把自己和中國文化，東方文化，徹底對立起來，再以徹底打倒中國文化，東方文化的英雄而出現。這樣，便自己覺得是西方的代表，而可再得到一些熱烈的掌聲。其實，眞正的學術工作者，是把一個個的問題在有關的資料中，小心謹愼加以處理。世界上，早發現不出要打倒那一整支文化系統的讀書人了——即使是把共產世界也包括在內。胡博士的心理狀態，有些像末年希特勒的心理狀態，這實際有失他自己的尊嚴；我對他的微意便自然消失了。

客：不過，你說他不懂文學，史學，哲學，那未免太過吧。

主：我希望你看看胡秋原先生在文星九卷三期的一封長信，標題是「超越傳統派西化派俄化派而前進」，裏面雖然有的地方我並不十分贊成，但他在一番無可奈何的心情之下，總算把問題攤開了。就我所知，秋原是一個決不願傷害胡博士的人。但他不僅讀書讀得比胡博士多，並且他比胡博士是肯留心於世事，文化的人。胡博士的一套，他心裏早已有數；這次卻傾吐一點出來了，不妨看看。

看誰倒下去

卡斯特羅：「共產主義沒有直路可走！」

自由談

冷眼看世局

尼赫魯指印度洋岸的果亞小島原係印度領土，幾百年前被葡萄牙侵佔去的。如是乎，用動陸海空軍，實行進攻果亞，揚言「收復失地」。繼之即有印尼的蘇卡諾效尤而起，說荷屬新幾內亞是印尼的土地，調兵遣將，從事武力侵奪。等由准此，伊拉克即聲言要收復科威特島這塊失地，自難怪非律賓亦認爲北婆羅洲是她的舊有領土了。

如果清算到五百年前的領土史事，東南半島地區大部分都是中國的藩屬，而東北亞的朝鮮半島在近百年前，還是受中國冊封保護的王國，中國更可以據爲己有了。至於西方各國間的領土糾纏——尤其歐洲方面，最近三百年來不知演變過多少。照例一開，大家追溯清算起來，那還得了嗎？美國立國尚不到兩百年，今日北美洲的若干土地，當初不是屬於英國，即係西班牙或葡萄牙所有，而現在的阿拉斯卡州亦係購自俄國的，這又怎末說法呢？

印度與印尼以武力進攻別國屬地的行爲，固係自揭其素所標榜的中立、和平、反戰的假面具，令人齒冷。然堂堂聯合國憲章所謂不以武力爲解決國際爭端的明文規定，亦就變成了廢話！可是，聯合國對印度與印尼的好戰動武，侈言調停，別無作爲，而對剛果的內部糾紛，竟不惜採用軍事干涉政策，不亦怪哉！

俄帝高唱「和平共存」俚曲，西方列強大彈其「和平競賽」濫調，整個世界形勢，仍然是強凌弱，衆暴寡的場面，不知正義公道爲何物，而負有維護世界和平職責的聯合國，目變質爲三數強權主義者營私作惡的工具。俄帝利用亞非各地區反殖民政策的民族思潮，唯恐天下不亂，對於印度印尼的黷武行爲，乃以黃鶴樓上看翻船的心情，盡力作喇叭隊，鼓掌助勢，使自由世界陷於混亂不安，矛盾衝突的狀態中，間接大有助於其世界革命計劃的進展，實爲計之得者。

目前中國的毛共祇是隨俄帝之後，表示支持印度印尼的武力政策，而尼赫魯又陳兵於喀什米爾邊境，躍躍欲試，萬一印度以武力奪取了該邦，東南亞公約即將由於巴基斯坦之退出而宣告瓦解。如是乎，毛共在東南亞更將肆無忌憚，爲所欲爲了。這與當年「國際聯盟」崩潰前夕的歷史舊劇，又有甚末兩樣呢？

如此的形勢，如此的作風，誰若相信「和平競賽」與「和平共存」之說，眞有那末回事，他不是癡人說夢，便係白晝見鬼，可謂不知死活也矣！

馬五先生

▲元月十一日是第十七屆司法節，司法界特擴大舉行慶祝會，並在台北，台中，台南舉辦各種展覽。慶祝會事先籌備出一張「特刊」，邀約司法界首長及立監兩院司法委員會召集人撰文宏揚有關司法的意義。監察院司法委員會召集人丁俊生委員，寫了一篇關於高地法院改隸問題的文章，送交「司法節特刊」刊載，但有人認爲：「特刊」而刊登該文，殊有失恕道，於是乃由高院院長李學燈出面，商之於丁俊生委員：可否將該文收回，改爲「題字」。據說丁俊生委員是在啼笑皆非的情形下「遵辦」了。

▲台中市私立新民商職，未經省社會處核准，即以「愛校」名義，向學生家長勸募捐款，事爲省教育廳所悉，乃下令台中市教育科澈查該校有無出售學籍之情事。

據台中市教育科調查：新民商職自民國四十七年起，每學年度第一學期均發起「愛校運動」，令學生家長捐款，計四十七年度捐得十五萬七千零二十四元六角，四十八年度捐得十二萬一千一百元三角，四十九年度捐得四萬七千三百元，五十年度捐得四萬七千七百元，合計四年來共捐得三十七萬三千一百二十四元九角。該校藉名「愛校運動」募捐，未經省社會處核准在先，確屬非法。不過似此情形，在私立學校中，是經常發生的，非只該校爲然。如曾經鬧得聲名狼藉的中國醫學院藉捐款而出賣學籍，即是一例。省方此次之所以令查新民商職有無出賣學籍情事，蓋即爲此。但關於此一問題，台中市教育科據說因資料不足，無法查證。

——採訪外記——

特刊要講恕道　慈協居然斂財

▲基隆市漁會，自新任理事長曹居仁就職後，此一人民團體的內部人事，安排頗爲困難。如該漁會總幹事一職，活動者有國民黨基隆市黨部委員葛子明，又有該會秘書李容富，另有漁管處組長陳邦豪又向曹居仁推薦該處秘書馬國材，畢竟總幹事一職屬之何人？尚未可知，曹居仁之爲此而感到難於安排，則已爲公開的秘密。

此外，由於選舉，還帶來了糾紛，此即該市漁市場主任王紹坤被檢舉虧空及挪用公款是也。據悉，謝石角在前漁會理事長任內，還有中一公司的負責人顧世昌，曾以支票向漁市場主任王紹坤調用現款，業經漁市場出納郭萬河供認不諱；另承銷商拖欠三十八萬九千多元，漁市場亦根本未追討。聞以省漁管處將追究責任。

▲早在數月前，由省議員許茂寬所主持的「省慈善協會」，業經省社會處飭令停止活動，並由省警務處依法查辦。可是事實上，據台南縣議會「慈善會及扶老育幼會調查小組」的報告，「省慈善協會」陽奉陰違，暗地裏仍在大肆活動。台南縣議會調查小組報告中曾說：「台南縣各假藉慈善社團組，設立會址以達斂財爲目的，愚弄平民，獲取不法之利益，雖經政府於數月前勒令停止活動，辦理結束，但事至如今，上項非法團體，仍然陽奉陰違，暗地裏繼續活動。同時還又藉詞停止活動，負責人避不見面，既不辦理結束，更不發還會員所交出的會費，故近來發現被害者越來越多，都是會費已付，欲退不能者，主管機關則乏有效制裁辦法。似此情形，勢必愈來愈糟。」云云。有人說，這乃是官僚政治的推拖不負責的結果。

因此，該縣議會主張：政府應於一月底查封該慈善協會的會員名冊，限期發還各會員已繳款項；如發現觸犯刑責者，即送司法機關依法辦理。（本報記者健生）

李宗仁旅美近況

生活寂寞・晚境淒涼

（本報特訊）最近因爲香港一家報紙開了李宗仁一個玩笑，說他秘密來到海隅，準備回去大陸投共，以致引起各方人士的驚異，旅居台灣的廣西同鄉白崇禧等數十人，聯電香港轉交「李德公」勸阻其勿入魔窟，而駐海隅的美國領事館亦曾急電本國政府查詢李氏是否離美？某報擺下這次「烏龍」，頗有「烽火戲諸侯」之概。記者日前偶遇一位剛從美國回來的朋友，也談到這項離奇消息，他在美國時，跟李氏間有過從，對於李氏的生活情況，頗爲熟悉。他說：過去李氏舊部罡某投共後，回到海隅來，曾以長函致李，替共黨作說客，希望李氏亦到大陸去看看，深證自由出入，李復書斥之爲「完全統戰口吻」，若說李氏今日忽然投共，似難置信的。談到「李德公」旅美的生活狀況，這位朋友用「寂寞」兩字形容之。據言：李氏在大陸時期積蓄約一些私財，都是交由留學美國的兒子經手存在該國銀行的，李氏到美後，初時尚有自已帶去的若干旅費可資使用，久之便須動用老本了，却非兒子簽字不能支取；然兒子以乃父素來寵信郭德潔夫人，而置其生母於不顧，如今又携郭氏來美，心裏不無芥蒂，對老父用錢，諸多支吾留難。繼而李氏卜居三藩市，郭德潔私人斥資開設酒菜館，頗有利潤，但對「德公」的日常用度，認爲既有兒子招呼，亦就不顧供應。因此，李氏旅美已逾十年，連衣服亦未曾新製過，身上的西裝陳舊不堪了，也祗好穿着見客應酬，其奢態可知矣。

李氏的兒子早已結婚，且有孫輩了。每逢週末或星期日，兒媳常帶同子女來看看老父，畧叙天倫之樂。小孫兒總歡喜跳蹦，頑皮的，有時候甚至毀損器物，致使郭德潔表示厭煩，而兒媳心中乃生反感，漸漸地亦與老父疏遠了。至於旅居三藩市的一般中國人，凡與李氏熟識的，大家忙於生計，很少能夠陪伴李氏消閒談天，即與李氏最親近的甘介侯，也爲着生活關係，各處一方了，其他的政治人物更少來往。李氏旅美已十餘年，英語仍不能開口，要想到外面遊逛，亦非有人隨同翻譯不可。職是之故，他每天祗好悶居在家中，度其踽踽涼涼的寂寞生活，無聊已極。去年秋初，有一李氏老友到美國游歷，某日曾在三藩市約李氏出來晤談，聚餐後，李以不能說英語，沒法在市街喚車回家，乃請主人替他用英文書寫住宅地址門牌，以便上車後交給司機，待車子駛到了指定衖道停住，李氏看看不是自己的家門口，不肯下車，司機問他怎樣？他不能答，祗顧擺手，司機再往前駛去一段，教李氏下車，却又走過了頭，他在街上亂竄了許久，才找到自己的住宅呢！

（記者又問這位朋友：當年「李德公」在美國以「代總統」名義爲本國的貪官汚吏毛邦初撐腰，大概是撈了一筆橫財吧？朋友說：這到不一定是事實，否則李氏的生活又何至如此窘困？據他觀察，李氏所以不顧份際的支持毛邦初，乃出於搗亂洩憤者意氣用事之故。記者再問：共諜潛入新大陸的不少，他們對「李德公」必然進行統戰游說的，未審有否？朋友說：這事雖然不能保證決無此事，但以美國情報局之周密，共諜若對李氏進行游說，沒有不被發覺者，而李氏若要離境，亦非經移民局許可不行。他對香港報紙說李氏忽然來港轉赴大陸的消息，認爲是不明瞭美方情形的外行話。最後朋友慨然道：政治是最現實的，李氏現時既無權位，又缺乏招賢納士之財力，流落異域，[illegible]，年事亦已衰老，他除着以寂寞生涯度其餘年之外，還有甚末作爲呢？（凌霄）

民意代表有大小

公職得兼不得兼

（本報台北航訊）兩三個月前曾經鬧得滿城風雨的「兩車三館四辦公」，現在又在省議會被提出來，而且省主席周至柔還正式的做了答覆。但周至柔的答覆，並不能使人滿意；因而這問題也就並不因爲周至柔做了答覆，就告烟消雲散。

這問題是由省議員陳愷兆把它提起的，他十七日在質詢時說：「兩車三館四辦公」，經本會同人提出，監察院進而糾正，總說周主席亦決心予以改革之後，情形却依然如故。請問這事情今後將聽其自然發展，還是別有良策對付之？

周至柔於是說：外傳省府廳處長一人有兩部車，並不正確。事實是一個廳處配用有兩部車，他們把一部放在台北，一部放在台中，作必需時的使用，如是而已。所謂「三館」，則是廳處長在未遷中部前，在台北配有房屋一棟。後來遷到台中，政府能夠不給他們房子住？

至於「四辦公」，周至柔堅決否認省府有任何人每星期只辦四天公的。他說，所謂辦公，非僅指坐辦公室而言，出席會議不能說不是辦公。他的名言是：「我們寧願各廳處首長多與各方協調，並不希望他們坐在辦公室中死守着公文」。他說：事實上，中央機構每星期天天都有會，省府非派人參加不可的，開會怎好說不是辦公？

周至柔的解釋固然不是說謊，但即如房子之事，沒有人說各首長遷中部後不應配予「公館」，但以前在台北配給的房子爲什麼不給收回來呢？

在同一天的質詢中，陳愷議員又提出省級以上民意代表不應例外的兼任公職問題，亦很引起各方面的重視。對於這問題的答覆，周至柔說，在省府職權範圍內，將予盡量改正。

陳愷說：民意代表不得兼任公職是對的，但當然應該所有民意代表都如此。他舉例說彰化縣北斗鎮有一個鎮民代表，兼任台灣省合會儲蓄公司股長，被民政廳一紙公文，勒令其辭職了。這是對的。可惜而今有很多省級以上民意代表，却正做着公營事業的董事長，董監事甚至總經理，這是怎麼一回事？

有人指出，在陳愷提此質詢之時，他的同寅中，就有不少在做着公營事業的董事長，董監事及總經理的，不知這些人亦會面紅耳赤否？更有人指出：那個被勒令辭卸股長的民意代表，其最高頂頭上司的該公司董事長，還正是最高立法機構的院長（黃國書）呢？其將何以爲情？（揚）

公教保險法良意美

虧損雖鉅不掩大醇

浪費應杜絕・醫療必認眞

（本報台北航訊）中央信託局五十年度公教人員保險處之虧損，結算爲四千四百六十七萬元。原列預算三千六百卅一萬元，計增加虧損八百卅五萬元；惟結算內有一千三百四十四萬元，應在四十九年度內給付，或預估列帳者，現經轉入五十年度內給付，如除去該項數額，則五十年度公保之虧損實際數額爲三千一百卅三萬元。該局五十年度盈餘九千二百二十四萬元，公保虧損即佔將近半數。此項虧損，實屬驚人，亟待改善，自不待言。

又台灣省各省立醫院院長及各縣市衛生院長於本（元）月十一日在中興新村省衛生處舉行會議，除檢討業務外，並商討如何交涉清理公務人員保險的醫療欠款問題。截至五十年十一月止，全省各省立醫院公保欠款共達六百萬元。由於辦理公保虧損頗巨，中信局正擬要求各省立醫院降低貴重藥品標準。即不用超過一元以上的片劑丸劑膠囊劑，五元以上之一瓶一次注射劑，二十元以上之一瓶多次注射劑。各省立醫院院長認此項要求無法接受，迫使醫師無用武之地，已在會中決議：函復中信局仍請維持原訂公保使用貴重藥品標準，以免延誤病人。但據中信局公保處負責人稱：「各省立醫院院長所稱各節，與事實畧有出入，截至去年十二月份止，所欠各省立醫院公保醫藥費約三百餘萬元，惟尚有各醫院使用公保規定以外之藥品，需待各醫院申請監理委員會複核。至於改訂公保貴重藥品標準事，祇在研擬階段，並未擬實施。」（元月廿四日中央日報）因此雙方所發表之統計數字，相差達三百萬元之巨者，即可能是尙待申請監理委員會複核之醫藥費。有消息說：中信局正擬修訂公保細則，頗引起大多數公教人員的關心。

公教人員保險之實施，乃政府爲保障公教人員生活，健全人事制度，提高工作效率，促進政治步入正軌。意良法美，值得稱讚。自辦理以來，公教人員獲益匪淺，其中以疾病保險最爲明顯。茲值公教人員待遇微薄之際，此保險制度之推行，實爲安定公教人員生活之唯一良方。

公教保險之所以虧損之原因，非制度不佳，乃人爲的原素至大。也就是說：「徒善不足以爲政，徒法不足以自行」了。有人認爲造成虧損是由於投保人濫索醫藥，住院病人賴着久住醫院，以及醫師濫開貴重藥品所致，固不無理由，但除此以外，一般以爲尙有下列數點：（一）藥品及各費收費過高；（二）醫師水準不無問題，致多浪費；（三）公保訂約未儘可能爭取折扣優待。

是以，改善公保醫療之道，應針對上述多點，力加糾正，以維護此法良意美之公保制度。中信局方面，應改以特約醫院爲特約醫師的辦法，對醫師報酬，而非對醫院，醫師待遇提高，對於病人認眞治療，自可減少浪費或延誤病人情事。另一方面，中信局亦應在各地分別創設醫院，就診輕微患者，以減少患者赴各保險醫院之機會，或將業務劃歸衛生當局主辦，亦不失爲一良方。如此，中信局可免辦保險虧損，何樂不爲？

至省立各醫院方面，亦應顧全大局，以服務重於一切，發揚良藥良醫精神，爲國家，爲公教人員，爲病人服務。優待收費，改善藥品採購，杜絕浪費，健全人事，認眞治療；俾維護國家良好制度。至於改訂用藥標準，限制患者就診，修訂保險細則，就並非要圖了。（德公）

天時地利人和三者俱備

新幾內亞目無印尼

荷蘭地亞充滿信心生活如常

議會醞釀建議澳荷加強合作

（本報雪梨通訊）據此間直接間接得自荷蘭地亞（西新幾內亞首府）的消息，該地的荷蘭人，華僑以及土著的巴布亞人，一向就並不認眞把印尼人所說將武力進攻的話，放在心裏。十五日荷蘭海軍擊沉印尼快艇後，該地的荷蘭人，華僑以及巴布亞人，更是目無印尼人了——不是完全不相信印尼進攻的可能，而是以爲，就算印尼人敢來，他們將亦絕無得逞的機會。

月前曾經有消息說，如其局勢更緊張，荷蘭人有可能會下令撤退西新幾內亞境內的荷人眷屬。而在半月之前，在荷蘭地亞的華僑，亦確有極少數把他們的家眷送到澳洲來暫時安頓，免得一朝戰事發生，無所措其手足。但現在，已不再聽說還有人把家眷送出來的了。而且，荷蘭地亞華僑所辦的育才小學，曾有想在澳洲出高薪水徵聘兩位教員之事，亦可說明該地華僑，對於該地局勢，完全沒有驚惶的心理。荷蘭人無憂無慮，華僑鎮定沉着，土著的巴布亞人，也就跟着若無其事了。此間完全相信，荷蘭地亞人而今確實是生活如常，悠哉游哉。

此間獲自荷蘭地亞的消息，目前在該地，唯一顯示有些不同於往常的，是噴射偵察機與戰鬥機，幾乎是不停歇的在天空巡邏之中。十五日的荷印海軍之役，首先發現印尼快艇前來偷襲（企圖偷運游擊部隊登陸）的，就是這些飛機。

印尼在這兩年來，偷運「搗亂份子」登陸，已經有過好幾次，據荷蘭地亞官方透露，兩年之中，從印尼而來的「搗亂份子」約有二百名光景，其中約有半數是本來住在新幾內亞的印尼人。但這二百名「搗亂份子」，至今無一漏網，他們中的大多數被俘獲了，少數不肯投降的，經陸續發現犧牲在荒無人跡的海岸附近。他們是給惡劣的自然環境殺死的。荷蘭地亞官方表示，除非得到「內應」，印尼的少數游擊隊即使在新幾內亞登陸成功，他們將全無生還的機會。西新幾內亞不大把印尼放在眼裏，這實在也是基本理由之一。

荷蘭在西新幾內亞的軍隊，包括陸海空三軍，估計爲四千人至五千人。這些部隊都訓練得不錯，士氣亦高，他們是眞正目無印尼人的，認爲在軍事上，印尼能夠倖而進攻得逞的機會，根本就不存在。

除此之外，土著巴布亞人的對印尼全無好感，也是增強荷蘭地亞各方信心的重大因素。西新幾內亞議會（共廿八席）就要開會了，該議會的副主席祖威爾及其他幾位議員，正打算提出一項建議，主張澳洲與荷蘭加強合作，以建設新幾內亞，使新幾內亞更積極走向自治之途。他們的意見，在澳荷積極合作之下，新幾內亞將可加速邁向自主自決。但據此間人士意見，該建議能否通過，不無問題。特別是澳洲，在荷印雙方爲西新幾內亞而爭得如此激烈之時，要澳洲正式介入其間，是未必做得到的。（明）

香港與大陸

▲甫自廣州返港之某君稱：年關歲暮之際，廣州的乞丐到處可見，這些乞丐，主要的向歸僑討一些食物，他們對於金錢不感興趣，原因是廣州市雖然有錢，但你不能買到所需要的東西。

中共雖一方面宣稱予海外僑胞返鄉過年的便利，但對港澳旅客調查特別嚴密，比平時查的次數多，亦更查得仔細。自新曆年起，廣州任何一家旅館，每晚都要進行兩次以上的戶口調查。

一月七日晚，中共就藉口搜查從大沙頭潛入的四名「破壞份子」，大搜旅店及民居，八日那天更展開嚴密偵查。彼本人於七日一天內，被調查及突擊檢就達十一次之多。

據廣州傳說，要搜查的四名「破壞份子」中，有兩名是中共反間諜人員，另兩名爲「國特」，但四人入境後即告失踪，故中共乃進行緊急調查云云。（介）

▲據最近從許昌來港的××稱：許昌鄉間糧食奇缺，每個人都吃不飽，每個人都餓得枯瘦如柴。以往餵牲畜的谷糠，現在已是大家搶着要吃的食物了。

又說：雖然如此，經過許昌的火車，倘經常有一列一列的把谷米往北方運去，究竟運去那裏，就不知道了。有一次，因路軌出了毛病，一列糧車停在站上：等待修復路軌；消息傳出，老百姓就聚集攏來，乘着風高月黑，爬上糧車，竊取糧食幾十包，因有人不小心，驚醒隨車共軍，他們曾開槍盲目射擊，但不敢出站。

老百姓把竊取來的糧食分開藏起來，所以第二天雖有共軍來查，但無結果，因爲參加偷糧的，有好幾個就是當地的共幹。（融）

▲在港每月按期寄糧包回大陸家鄉去接濟家人的某君，月前曾寄回兩件舊衣，是在九龍一家故衣店買的，共花了港幣十一元五角，他現在得信，知他家人是繳了人民幣三十五元（折港幣八十多元）的稅，才從郵局取出的。（越）

台北新村違建拆除問題

謝澄宇指警方處理不當

「是忍使一路哭而博一家歡」者也

（本報記者台北航訊）立法委員謝澄宇頃就台灣警務處副處長潘敦義（兼台北市府顧問及市違章建築整建委員會執行小組副主任委員）命令台北市南京東路極樂殯儀館後面十四、十五兩公園預定地點建爲立體商場，暨拆除現住房屋加以整建一事，提出質詢。

謝委員認爲，潘敦義副處長有越權違法之嫌，他質詢內政部長連震東，並要求迅予答覆。他說：整建市區房屋變更公園及道路預定地之使用等事宜，乃屬市政主要業務，究應由市政府主管？抑由警務處或由警備總部代管？都市計劃預定地之變更使用，應否由主管單位設計修正，送請市議會審議通過，呈請上級機關核准實施？抑或由治安機關逕行裁決施行？省警務處副處長潘敦義，依據何種法令，可以任意推翻省政府、市政府、市議會及都市計劃小組之命令，決議，及方案？台北新村房屋之整建暨中山區舊園林路及第十四號第十五號公園預定地變更使用，有無依據現實狀況，作合法合理之解決方案，以蘇民困？

謝澄宇委員並附市民陳保德等請願書作爲質詢。緣陳保德爲三十七、八年隨政府撤退來台之義民，於其時向台北市政府租用該土地，且領有建築執照，每年繳納戶稅房捐，其中有部份房屋已邀日產代管部通知承買，已繳納地價。該地居民約三千多戶，兩萬餘人。四十八年間，泰僑擬在第十四號公園預定地建築觀光旅社，嗣以糾紛叠起，致未實現。後又有張祥傳等申請蓋中央體育館，亦因故作罷。謝澄宇就此提出十點，指責警察當局：

一、警方初則宣布願與居民共同研討計劃，繼則宣布改建四座大樓，容納本區及別區違建被拆住戶，終以衆意不屈，又宣稱欲予拆還；似此警務人員主持市政計劃與執行，不啻使人民無所適從。

二、台北新村整齊劃一，非如別處違建參差不一，故不碍市容，而環境衛生又非不良，交通也不妨害，是以無整建必要。縱使該房屋爲違建，但依照最高法院判例：違建之原始所有人如經登記，即取得所有權。

三、若謂違建若，應不問公私違建，皆同一辦理。但植物園內之復興大樓、科學館、國立藝術館等，辯爲違建，新公園內（中國之友社），更比比皆是，他如各處軍政各方之違建，實不勝數，何不拆除？而法自上行，不能「只許州官放火，不准百姓點燈」。

四、園林路預定地，係日據時代備爲日太子遊覽之用，台省已光復，自無另闢道路，以供日太子遊覽之理，其應廢除，絕無疑問。

五、日據時代，台北市人口僅有二十餘萬人，故其舊都市計劃，以地廣人稀，故多公園預定地，今則人口過百萬，地狹人衆，情勢迴殊，自不能刻舟求劍，仍守故轍。如第九公園預定地改變用度，即是一例。

六、主張整建者，動輒以中華路爲例，殊不知中華路房屋，租自警民協會，故收回整建，尚有法理根據，而台北新村，均係住民依照規定自建，其情形與中華路相去天壤，不能以彼例此。況中華路自整建後，其分配樓下者固可維持，而分配二、三樓者則門可羅雀，叫苦不堪，現多改作住家，屎布與破衣齊飛，椅桌共門窗並列，乃於市容有碍。縱當時設計未料及此，但不容一誤再誤，仍令非市政專家，閉門造車而主持其事，致貽無窮後悔。況中華路之整建，未合建築法仍視爲違建，理法均難諧合。

七、主張拆建者以違建爲理由，可是如合江街公園預定地，臨沂街六十巷前段，金山街路旁各處，其環境衛生之不佳，車輛之不能通行，有目共睹，何以不予整建？是否住戶多屬顯要，即可置之不問？

八、都市計劃之應由專家主持，古今中外一也。若由外行主辦，則誠屬築室道謀，三年不成。台北新村土地鬆軟，不適於改建四、五層高樓。

九、人民權利之不容侵害，憲法與內政部之解釋可據。若一意孤行，則非該居民等所願。

十、若拆現有住宅，而顧全一、二人利益，是忍使一路哭而博一家歡，政令當不致顛倒至此。（本報記者公治長）

瘋君續夢

第三回：

拒諫飾非，列鼎烹功狗
成王敗寇，作狀笑沐猴

劉少奇一派俯首帖耳不敢說一句反對的話，周恩來又擺出常見的笑容，和毛澤東說話一定先掏出白手絹擦擦嘴，朱德只有咧着大嘴乾笑，獨眼龍連牙縫也不敢迸出一個字，會場聽不見一句反對聲音，毛澤東的威風又漲到頂點。

大會開始後，先討論「主席」交下的清算反黨份子一案，大家一看名單都嚇住了，不但彭德懷，黃克誠，滕代遠，洪學智及周小舟五人列入黑名單，還有鄧華，蕭克，李達，張聞天，王稼祥也都加進去。這一個議案提出之後，整個會場鴉雀無聲。劉少奇不肯講話，朱德不會講話，周恩來不敢講話，以下臨到鄧小平更不敢開口。過去遇到大問題還有一個林伯渠出來打圓場，現在活曹操又病倒了，沒有一個人敢出來勸一句，這項議案只有原案通過了。

就在這種無可奈何的情況之下，中共黨內五老之首的徐特立忽然打破慣例開了腔。徐特立是毛澤東的師範校長，當時受了一些左傾學生的蠱惑，四十七歲跑到法國去留學，又加入了共產黨，回國後在毛澤東手下當過中共中宣部副部長，現在已經八十三歲，什麼職務都不幹了，平時連會議也不參加，中共只是把他當個老廢物養着。

這次因爲是在廬山開會，徐特立羨慕廬山的風景，所以也趕着湊熱鬧，出席了八中全會。恰好遇上這樣一個尷尬的場面，當時就站起來發言。

徐特立說道：「看見主席交下的議案，彭德懷同志竟然犯了反黨的罪名，我不僅驚奇，也十分難過。德懷同志在井崗山時受到國民黨五次圍剿，危急萬狀之際未反黨，二萬五千里長征，前無去路，後有追兵的時候也未反黨。朝戰時，指揮百萬大兵，高崗反黨活動曾拉攏他，他也未反黨。到了今天論地位，他身爲政治局委員，元帥，副總理，國防部長，論環境，他有一個貌美如花的年輕愛人，兩個冰雪聰明的孩子，榮富尊榮，人生到此，還有何求？他居然在這時公開反黨，若不是他患了精神病，就是咱們的社會主義出了問題。」

徐特立這一段話說得精彩絕倫，許多人在底下暗暗鼓掌，毛澤東雖然不高興，無論如何對徐特立不能發脾氣，也只有靜聽下去。

徐特立繼續說道：「假若德懷同志僅是思想問題，主席應該念他幾十年的犬馬之勞，給他一個悔過的機會；不但他一個人，其他的幾位同志都是如此。老實講，要說他們篡奪領導地位而反黨，我老頭子是不能相信的，這批人的才具，抱負我都知道，現在就算主席拱手讓給他們，恐怕也沒有人敢挑這付担子呢！」

徐特立說到這裏，許多人忍不住大鼓其掌，毛澤東看見情形如此，也就不敢一意孤行，轉過臉向周恩來說道：「既然徐老出頭講情，就不能十分嚴辦，暫時饒了這批壞蛋，不給他們扣反黨帽子，你看有什麼輕些的罪名沒有？」

周恩來陪笑說道：「製造名詞，主席是第一天才，何必問我呢。」

毛澤東想了一下道：「暫時派他們爲右傾份子好了，黨內工作保留名義，行政職務免去，分別降級，學習，勞改。」（五八）

國劇藝術彙考

·齊如山·

有些字，在北方可以念硬音，也可以念軟音，如綱剛等字，有時念江，有時念鋼。更耕等字，有時念庚，有時念經。給有時念如個美切，有時念吉。這與洋文中之G字母是一例。崑腔中則都念軟音，皮簧也都受了他的傳染；如看衣更換，羅衣欲換更添香等等之更字，崑腔中都念成經或徑，本沒什麼不可以，但皮簧中如此念法，便不受聽。

偶有人講究把戰字念成轉（去聲），把滿字念成木碗切，總要念合口音，且頗得意。按這種念法，乃是崑腔的規矩，因為崑腔不講張嘴，許多許多的字，都要照反切的念法，例如「小春香一稱在人奴上」一句，小字要念細咬，春字要念成撤溫，香字要念成戲央，奴字要念成訥汙等等。他把這許多字，都照皮簧的念法，只幾個字照崑腔念法，不但外行，而且聽着刺耳。從前就有人教梅蘭芳這樣念法，經我與他講解，才改正過來的。

測，廁，側，冊，策，惻，澤，擇，謫，仄，摘，責，窄，債，瑟，色，澀，嗇，等字，本都是團音，而北平土音，則都念成尖音。皮簧中也念成尖音；這是皮簧中，惟一用北平土音之字。按皮簧的原則，是十三道轍，十三道轍的規定，應念北方音。茲就上邊所舉諸字來談談：極常用者，是窄，色，冊，等字，北方念法，都入懷來轍，如西廂中之彎弓鞋兒鳳頭窄，春至人間花弄色等等是也。就是平常說話，冊府元龜四字，冊字也念懷來轍。北方念入聲的念法，則入梭撥轍，而都是團音。南方則都念入聲。北平念此等字，也入梭撥轍，但都念尖音。皮簧中則特取這種念法，如桑園會中之房屋窄小，烏龍院中之顏色不對，教子中之受責等等，色，責等字，都念尖音。

按，阿，奧，祆，哀，遏，挨，我，恩，惡，等字，北方多念舌上音。北平則念喉音，皮簧劇則與北平念法相同，尤其是我，恩，惡等字，則念陝西音。

有許多字，南音北音互念者，情形更亂，如若，藥，着，賊，等字，按南音，都入梭撥轍，北音若藥，着，都入么條轍，賊字則入灰堆轍。（十四）

邛都憶往（十）

李仲侯

當時如果中樞在西昌設置大本營計劃，得以實現，或可稍戢盧漢的野心，雲南不致馬上叛變，西南亦不致立刻糜爛。不料十二月廿三夜，正開始行動時，十五兵團司令羅廣文，十六兵團司令鄧其昌，突然通電叛變，十八兵團司令李振，十七兵團裴昌會，同時倒戈，變生肘腋，叛變接踵，原計劃全被破壞，國軍祇得改變方針，向邛州蒲江一路進攻雅安，以與西昌聯繫。不料廿四日順利衝出了第一層包圍，廿五日抵達邛州蒲江之線，中共各路兵力源源湧到，國軍再臨重圍，疲憊之餘，共軍復施展人海戰術乘之，肉搏猛衝，就全線崩潰，不可支矣。二十餘天的成都大會戰，至此結束，西昌成立大本營的計劃亦歸幻滅。

這時李宗仁由港赴美，蔣總統亦由蓉飛台，行政院亦移台辦公，大陸全部陷落，我們留在西昌這死角上的一群，成了釜底游魂，那時夢一般的人生，眞像庭園開花樹上的蛛網，隨時有被暴風雨打斷的可能。幸而共軍自渡江後長驅直入，最後席捲了西南，因其一時所佔版圖太濶，一下消化不了，還忙着未在赤化中國的作戰地圖上，把西昌這塊土地插上那面小紅旗，「解放」西昌的任務，他原早交給劉文輝一手處理的，活該劉逆倒霉，偏遇着駐防西昌一三六師師長伍培英，是一個銀樣鑞槍頭，準備陣前起義的陣容還未擺開，就被西昌警備總司令賀國光一下將他打垮，逼着他棄甲曳兵，逃去富林，這幕戲劇性的經過，實在値得追述一番。

駐防西昌一三六師師長伍培英，是劉文輝的乘龍快壻，重慶未陷前，他在渝受乃岳鼓惑，令其回西昌策動，與之看齊，約在同一時期上演陣前起義的醜劇。伍的師部駐西昌城隍廟，與警備總部（前為西昌行轅）及總司令賀國光官邸望遠寺，都站在一條平行線上，十二月初，伍卿乃岳之命回西昌，即與腹心晝夜陰謀叛變，那時他唯一甚感苦煩的，是他歷來受着警備總部的節制，犯上作亂，未免帶有三分顧忌，加以該師一部份駐在富林，調動甚感困難，故遲至十二月十日，伍醞釀叛變，猶未成熟，是時知道雲南盧漢已繼川康之後，即宣佈降敵，益覺心驚膽熱，時機緊迫，再也不能延緩，就全不顧一切後果，乃於十二日下午，派遣心腹至警備總部向賀氏致最後通牒，要他受城下之盟，無條件投降。

在當日的情勢，大局惡化已極，賀氏勢單力孤，畫策者亦以為除投降外，別無善策，因那時總部掌握的實力，僅有貼身一個警備營，論彼此當時武力對比，誰也明白是無法抵抗的。自從這個炸彈消息傳開出去，警備總部上上下下，莫不惶恐萬分，看到伍培英的哀的美敦書，措詞又那樣嚴峻，不免緊張之中帶着無限的憤怒，山雨欲來風滿樓，這天我們上街逛逛，瞧見老百姓都顯露着驚惶的眼光，儼然明白快有事情發生了。

辯

汶津

「予豈好辯哉？予不得已也。」[illegible]

[illegible] 理學家吧。見了人面就想挑起舌戰的癮君子，[illegible] 裏也不聽了鼓舌如簧，多費唾液者易損口舌吧？又說：多說話必耗元氣，[illegible] 然的精神滿足，延年益壽之諺。左思右想，實在有無所適從之苦。還是讓愛辯的人多辯，不愛辯的人多沉默吧。

說相聲的那種辯，不說也罷。會場中的才智之士，往往不鳴則已，一鳴驚人。還辯之餘，繼之以罵。「不得已也」？不能已也。到頭來還有揮拳或舉槍以作殊死鬥爭的，那倒眞不如小人服「君子動口」的古訓，[illegible]

雄，不幸諸葛亮舌戰群儒，[illegible]「天有姓乎？」「姓劉。」「何以知之？」「因為天子姓劉。」[illegible]

人。百口以兇之，他不怨，百人以譽之，他不驕。相信眞理終久自明，一辯不能使之增多一分。在大地上，他們更像蔥鬱的高山大林，或者是雞羣中的立鶴。[illegible] 而久之，走到他們門前的時候，也不禁肅然起敬；甚至遠方的人們也慕名而來，他還只是沉默寡言，或予人一個微笑，一領首，人們卻覺得已從此中獲得無上的智慧，勝過千言百語。美國小說家霍桑筆下的「人面石」（A Stone Face）中的男主角，就是這一類的典型。

可是實際塵世中的凡人，才不會個個追慕前賢，時時三緘其口呢。他們的眼耳容量又窄，什麼事不對勁了，（或者使自己消化器官發生不良反應，或者呼吸緊張）起來，心臟也跳動得疾速，便必須提高嗓子，力辯一番。甚至抱着頭可斷，血可流，辯不可無的決心，[illegible] 一大夥看熱鬧的，[illegible] 食俱忘，隔岸觀火，到末了，才恍然大悟：「原來是一場海市蜃樓啊！」

不過話又說回來，[illegible] 件。

海嶠隻談

我與楊永泰（二）

諸葛文侯

鄂西重鎭沙市，是長江上游的咽喉之地，諸如四川的桐油，猪鬃，鴉片烟，鄂西各縣的棉花，大豆等等，都以沙市爲輸出總站，市廛相當繁榮，經常有軍隊駐紮着。有些流氓式的知識份子，夥同不肖軍人，隨時自由刊行大小不一的所謂報紙，專對富裕的工商業者造謠誹謗，作人身攻擊，勒索金錢，商民大感苦痛，以沙市係我駐在地江陵縣的一個市區，相率向我訴苦，要求嚴加取締。但我不能隨便封報館，抓記者，而且顧忌着駐軍出面干涉，難免引起糾紛，乃用私函將這些情形密告楊氏。纔由武漢的三省剿匪總部對我下了一道訓令，說是「據本部稽查員報告，該專員駐在地沙市，每有痞徒勾結不肖軍人，刊行報紙，敲詐商民。似此非法行爲，殊屬非是！限於令到三日內，着將未經合法登記備案之報社一律查封，並將本訓令先行公佈周知。」這是楊氏以蔣總司令名義替我負責解除困難，而又藉此增加地方官威信的政治技術。迨我將這道訓令抄貼在市面後，那些無聊的報紙馬上自動停刊，並不需要我費事，即爲商民剷除了一種災害。

當時沙市駐有「鄂西剿匪總司令部」，軍頭某某並不壞，對我亦相當尊重，但其部隊紀律十分窳敗，曾有穿着制服的士兵三人，白晝在江陵縣城內劫掠民財，我派保安隊將其捕獲，立即就地槍決，因此引起軍方的仇隙，隨時跟我爲難，干涉地方行政。我因公赴南昌行營時（蔣公已由武漢移節南昌），楊氏問我行政上有甚末困難否？我以上述軍方仇視經過情況具告。他又問當地尙有其他紀律較好的駐軍否？答以有獨立旅潘善齋（皖人）所部紀律很好。楊默然，只教我回到任所好好的幹，不必灰心。等我還返江陵後，卽聞駐軍方面消息，某軍頭近奉蔣委員長電令，指斥他的部隊干涉地方行政，違背軍紀，如不悛改，定予懲究不貸！旋獨立旅潘旅長來見我，進門卽立正敬禮甚恭，適異往常態度，我詫甚，遜謝不遑。潘說：「昨天奉到委員長電令，嘉獎我的部隊訓練有素，並頒給獎金五萬元。這一定是專員在南昌時向委座面前吹噓之力，所以特來道謝。以後你有甚末吩咐，善齋唯命是從，自當盡力圖報的。」我知道這又是楊秘書長維護我的政治技術，心裏無限興奮，但對潘旅長仍否認他的說法，表示並無其事。於是駐軍即不復干涉地方行政，連原來歸他們守衛的縣城門崗位，亦予以撤除，改由我派隊接替了。

像楊氏這種作風！——洞悉下情，整飭紀綱，處處爲屬員負責排除障礙，解決難題，一切是皆以求治利民爲主，決不對惡勢力有所敷衍。試問過去與現在的政治要人，有誰個具有這種智能和魄力的呢？

鼓嶺攬勝

道南

鼓嶺位於閩江東岸，距福州市三十華里，為福州市郊外的避暑勝地。出福州東門，乘汽車約二十餘分鐘即可抵嶺脚。循石級而登，歷三千餘級，達到避暑中心地的螃蟹嶺，則宛然一小型市區，建有小洋樓數百座，其情景宛有廬山的牯嶺。嶺高約二千餘尺，過去富有之家，多築室於此，作為避暑消夏之用。

鼓嶺的名勝有「白雲洞」，天生的奇岩，深丈餘，廣五丈，清晨薄暮，常有白雲彌漫洞中，咫尺莫辨。洞前有一泉，名曰「吼雷湫」，一潭名「印月潭」，潭上有一石名「金剛石」。

由白雲洞前行百步，有一坪，從此臨絕壁而下羊腸小徑，路極難行，忽見大石塞路，須傴僂穿過一穴，是為「一天門」。循小徑再下，是為「二天門」及「三天門」；途中的「龍谷道」，「鐵線橋」，「天梯」等處，均奇險，大有西嶽華山的情調。

鼓嶺「凡聖寺」，為一位居士淨養的新庵。從凡聖寺下來，再走三五里，便是「積翠庵」，庵下有一個名叫「布頭」的村子，千年榕樹，斜覆小橋流水，簡直是桃花源的意境了。

山川風物

自由報

內僑警台報字第〇三一號內銷證

THE FREE NEWS

第四〇二期

中華民國僑務委員會登記
台僑新字第三二三號登記證
中華郵政台字第一二八二號執照
登記為第一類新聞紙類
（每星期三、六出版）
每份港幣壹角
台灣零售價新台幣貳元
社長：雷嘯岑
督印人：黃行寬
社址：香港銅鑼灣高士威道二十號四樓
20 CAUSEWAY RD 3RD FL
HONG KONG
TEL. 771726　電報掛號 7191
承印者：田風印刷廠
地址：香港灣仔高士打道二二一號
台灣分社
台北市西寧南路壹叁壹號二樓
電話：三〇三四六
台郵劃撥金戶九二五二

當前的文化問題，答客問（中）

·徐復觀·

客：我大概翻了一下，因爲怕他的長文章，沒有細看。

主：不錯，前天我同另一位朋友談到時，那位朋友也是對他的長文章有些望而生長。但他的長文章中有不少的內容，尤其是這一篇。至於我對胡博士的了解，却是有一段經過的。大概是民國四十二年，我在台中省立農學院教國文，想在「胡適文存」中選一篇作國文教材；選來選去，選了一篇「論短篇小說」。等到油印出來再看，覺得有些不對勁了。再經過教室的講解，才恍然於他所說的許多話，都是對問題沾到一點邊，或者是似是而非的話；沒有一句說到問題裏面去。在四十三、四年，我因宋明理學而關涉到禪宗問題時，又發現他的考據態度的武斷，是足夠驚人的；更恍然於爲什麼有一個日本人稱他爲「主觀的考據家」。至於說到思想方面，因爲他只有聰明而沒有分析的能力，大概他很少讀過西方比較嚴肅性的有關著作，如果讀也讀不進，那更根本無法談起了。我在東海大學開中國哲學思想史，首先也參考到他的「中國古代哲學史」，其中除談到墨子一部份稍有可取之處以外，只有用幼稚兩字去形容。民國四十七年（或是四十六年）有位在美國教中國文學的北大出身的朋友到東大來，同我談到胡博士，說他對文學的看法，沒有一點是與胡博士相同的。我說，「你和他談過嗎」？他說，「談過，無從談起。因爲每一問題都有若干專著在後面作背景；而他都不曾讀過，他太缺少討論問題所必不可少的預備知識」。學問是要人不斷去追求的；光陰一幌眼便過去了，看些與學問無關的消閒小品，以滿足志氣低沉的趣味，這和看武俠小說一樣，學問不會從天上掉下來的。

客：然則他當年爲什麼一舉便成了大名呢？

主：這有它的道理。不過，話須說遠一點。中國的傳統學問，經過了八股，阮元集團，今文學派等的分工合作，實在講得固陋，荒誕得一無價值了。看了廖平的著作，誰能知道他說些什麼？章太炎負了當時的大名，並且以中國文化的傳承者自命；但稍有點頭腦的人，誰能在他的大著中，發現出中國文化尙有點什麼值得留戀的東西。所以他的得意學生，多成了打倒中國文化的健將。簡括的說一句，清末民初，講中國文化的人，從時代所需要的思想而言，實在應當倒下去。胡博士當時打着科學的招牌，與陳獨秀們登高一呼，自然有如摧枯拉朽，使人耳目一新。他本是一個聰明人，英文學得不壞，在哲學上拿出杜威，在文學上抬出易卜生，雖然都只是一點皮毛，但對於當時的腐朽多烘，已夠他們手足無措了；並且這也實在有其時代的意義。他當時成了大名，我認爲是應當的。但胡博士却不由此好好的努力下去，自西方學問的某一種部門深入，更不了解他們所打倒的是如上所述的——是假中國文化之名變戲法的腐朽勢力；並不是打倒了中國歷史中足以代表文化的許多主要思想；而這些思想，都是他所不會了解的。這也難怪他，當年年紀輕，便由此志得意滿起來，想以他的考據辨僞工作，完成他的打倒中國文化的大業。他因爲沒有思想訓練，沒有分析能力，接近不了歷史中眞正的文化問題，而只在外面繞圈子；圈子越繞越遠，在水經注的趙戴之爭上便繞了十多年。有位朋友在談天中談到這件事時說：「他最後拿筆，跡給我們研究；假定從筆跡判斷，他老先生的官司便敗訴了，只是大家不好掃他的興」。在美國住了這多年，西方思想家在兩次大戰後，爲人類前途，爲學問本身，所作的各方面的探索，他似乎都未注意；而只是背誦着自己三十多年前的大作。一個對學問有誠意，對文化有誠意的人，會這樣嗎？他的自由主義，實際是魏晉人的清談的性格；自己生活於富貴之中，却表示另有高情遠致。他的心情，實際與明末士人好玩小擺設的心情沒有兩樣。但却要高談濶論，講許多爲自己所不了解而實際只有一股虛矯之氣的門面話，以此來接受旁人對他的供奉，那實在是令人難過了。

客：你是不是因此便覺得他不配當中央研究院的院長呢？

主：不是。他只要自己眞正知道一點「三無主義」，憑着他的老招牌，保持住一點學術界的清潔，護大家能放胆做點學問，倒也是好的。但結果，他們的排斥異己，專橫壟斷，以文化上的既成權力來壓迫學術自由，其干擾性，決不在許多政治干擾之下。有一位很有學問，很有地位的先生，同我談了天後，感慨的說：「我這些話，假定公開的說出來，飯碗便成問題」。在他的勢力範圍之內，考古學沒有後來文化中可爭論的問題，所以可以免於他的干擾，而有卓越的成就。語言學因爲有人在美國吃香，因而得到鼓勵，也稍稍有點成就。除此之外，一般人很難作有知識系統性的研究工作，決不敢接觸到思想上的問題。今日談科學方法的，出來了多少長篇短論的研究著作；但他的門下，始終只敢說「大胆假設，小心求證」兩句話，這是如何的可笑。老實說，今日在精神上不突破胡博士的閉鎖王國，固然接觸不到中國傳統的學問，更接觸不到西方的學問。在他的黃金時代，清華大學的名教授金岳霖已公開說「西方名理之學，非其所長」；他實在與西方學問，過於緣遠了。不然，他便不會以這種橫蠻的態度來看待中國文化，東方文化的。

客：胡秋原先生的文章，提到他和你吵過架的事，是眞的嗎？

主：是眞的。我和秋原吵架，記憶中有三次。一次是在重慶南方印書館，爲了他反對軍人當封疆大吏，而我認爲軍人也可以當，兩人大吵特吵。事後想起來，我非常慚愧，這一次是他百分之二百的有理。第二次是在香港民主評論社，他覺得同樣的道理，中國也有，外國也有，便不必一定要談中國的。我覺得假使同樣的兩隻茶杯，一集是從街上花五毛錢買來的，一集是祖先遺留下來的，人性總覺得祖先遺傳下來的更可寶貴，所以應先從中國談起。其實，現在看起來，都可以同時認眞的談，只有時爲各人的學力所限。第三次是在他的家裏，吵得更兇，後來好像是他太太買西瓜解和；大概也是這類的問題，可是內容一點也記不得了。不過即使我和他吵到打破了頭，我也對他保持敬意，因爲我知道他是一個很刻苦讀書的人。

漫畫天下

南沁

賊公計

門外漢垂涎欲滴

自由談

可怕的幼稚病

馬五先生

天不怕，地不怕，最怕美國的專家和政客們評論俄共集團的話。他們幼稚淺薄，自以爲是，從不肯接受別人的意見，實在可哂而又可憐！

自從十年以前，他們發明中共是土地改良主義者，與蘇俄無關的論斷起，直到現在，還是妙論如珠，日有新聞。如所謂亞洲狄托主義也，如蘇俄將與美國聯合以對付中共也，如中俄共爲爭奪共產世界的領導權而實行分裂也，如中共在今年內卽可試爆原子彈也。這類思想混亂，語意矛盾之談，他們津津樂道，恬不爲怪。最妙是美國代表日前在討論寮國問題的十四國會議中，聲言美國決不受中共的挑撥，在寮境跟蘇俄作戰，而改變白宮的既定政策，當塲使俄國代表亦大爲驚駭，宣稱中俄共意見是一致的。

美國的專家政客們這種「高見」之所由來，亦非偶然，他們是抱有一種歐斯武里的畏戰心理。基此信念，他們乃一方面朝夕期望着俄共集團發生內亂，自行崩潰，一方面卽不願聽取別人的見解，那怕是友邦供給的正確情報，亦每以小人之心揣度，認爲別人有意「靠害」，想要拖美國捲入戰爭漩渦，而決不予以重視，理由是他們的「中央情報署」並無所聞呢！

任何一個國家的外交行爲，都是以本國的利害爲依歸，必不舍己以從人的。美國今日若不是居於自由世界的領導地位，而其成敗得失又影響到整個自由國家之安危禍福的話，他們這種思想與作法，固無所謂。可是，美國如果垮了，自由人類卽將陷於萬劫不復的悲慘命運中，我們聽着美國的專家政客們如此自說自話，勢必誤己誤人，實不勝其慄慄危懼之感。這些專家政客自命爲智慧過人，懂得共產主義，實則對於共產主義的本質，及其戰畧戰術等等，根本莫名其妙。他們十九都是些具有阿Q精神的壯年大人物，並不理解俄帝在二次大戰以前，爲何要拚命地反對英國，二次大戰以後，又何以跟英國表示妥協，而以美國爲死敵這項擒賊擒王的世界革命戰署。這是美國之不幸，亦是自由世界的極大危機也。

·徵稿小啓·

有內容有意義之隨筆、散文、掌故、小說、雜感等類文字，本刊均所歡迎。請用有格稿紙繕寫。如需退還，請附信封及郵票。一千五百字左右的隨筆，比較容易刊出，過長則以篇幅所限，請特別留意。

寶島之窗

▲形同「同業公會」的全省廿一縣市議長會議，又獲得兩項為議員本身利益的結論。在去年的議長會議中，會決定巧立一個「縣政研究費」的名義，為自己增加了待遇，現在則是要求再把待遇加以調整。

十六日在台中縣議會議事堂舉行之全省廿一縣市議長會議，業於當日下午五時結束。該項會議，係由台北市議長張祥傳主持，會中，各縣市議長們均未忘懷議員們的利益，其所得的兩項結論為：一、按現有各縣市之議員研究調查費，調整增加為四至六百元，俾資研究縣政，以提高議員們工作情緒。二、增加縣市議會臨時大會次數及日數：（一）每次定期大會後得召開兩次臨時大會（現行規定為一次）。（二）每次臨時大會日程，延長至十七天（現在規定的最高日數為七天）。

前者是提高待遇不必說，後者所請增加臨時大會的次數及日數，亦即是增加議員的會議費。這次議長「同業公會」還決議下次座談會地點，定在澎湖縣舉行。

豈僅形同「同業公會」
縣市議長會議爭取待遇

▲民意代表不能兼公職，理應人人平等，但卻頗有「例外」。省議會省政質詢中，陳愷議員向省主席質詢：民主法治之前，人人平等，但為何鄉鎮民「小代表」不能兼公職，而省級以上的「大代表」卻可兼公營事業董事長、總經理？並指出某鄉民代表因兼合會公司職，被民政廳勒令辭職，謂必需辭職後才發給當選證書。

陳愷議員的這一排炮，其實直接掃射到他的不少同寅身上了，省議會議長黃朝琴亦是其中之一，因為黃朝琴乃是第一銀行的董事長。大民意代表可兼公職，而小民意代表不能兼，的確不合理。

▲新竹稅吏勒索影劇院，公會理監事大訴苦經。

竹縣影劇公會理監事日前舉行聯席會議時，新任稅捐處長李烱先亦被邀請列席。會中理監事們紛紛訴苦，都指責稅吏的苛擾，理事長彰居財提出的指責說：（一）新竹市每家戲院每月都要送數十張招待券給稅捐處第三課的一位陳股長，但這位股長求之不厭，有時候戲院在申領招待券時，還要被扣留整本的招待券，說要拿去分配給各長官；有時候還直接向戲院要票不給錢，害得售票員自已賠錢。（二）陳股長會屬理事長轉知各會員，在年節時餽送現鈔做禮物。（三）董影院送請第三課發給片租證明時，經常被積壓到半個月以上，故影院跟片商間常發生糾紛。（四）領取戲票手續麻煩，在市區的戲院尚且要一個多月，鄉鎮戲院則必須往返兩次才能領到。（五）代征娛樂稅捐繳納期則追得很緊。

上列指責已由該會紀錄在卷。但稅捐處長李烱先表示雖會列席該會，但未聞及該會及該項如此公開指責云云，頗令人有莫測高深之感。（本報駐台記者昌）

台北市政府主任祕書
侯暢掛冠前前後後
「府會失和」是其關鍵事件
周百鍊一則以喜一則以憂

（本報記者台北航訊）據相當內幕人士向本報記者透露，對於台北代市長周百鍊而言，市政府主任秘書侯暢的請辭，他是一則以喜，一則以憂的。

侯暢請辭的呈文到達周百鍊的手裏，迄今已有四天，周百鍊卻至今無確切表示，正顯示他的難以取決。大家注意到周百鍊會去台中一次，但他決不會單爲侯暢的事去見周至柔的；他見到周至柔，會提到侯暢的事以及會問一聲應該怎麼辦，倒都勢所必至，但周百鍊心裏面會眞的一切聽周至柔的吩咐要周至柔替他做主嗎？不會的。

這卽是說，侯暢請辭之事，畢竟如何取決，應該說：絕對是周百鍊自己的事。他是完全可以自己做出決定。別的人，卽如省主席周至柔，雖然是他的頂頭上司，卻必然不會硬向他做決定性的指示的。周百鍊的所以至今還不曾有確切的表示者，據說，重要就因爲他對此是憂喜參半，一時之間，委實決定不下來。

侯暢是國民黨安排給黃啓瑞的人。論理，市府主任秘書這一幕僚長的位置，往往是隨市長的去留而去留的。儘管黃啓瑞祇是停職而已，但亦可以視爲去職的在黃啓瑞剛被停職之時，侯暢就已經請辭了。就算這只是禮貌的表示吧，侯暢總算有了表示。但周百鍊當時把他留下來了。而一經周百鍊慰留了侯暢，侯暢亦打銷辭意之後，應該說，侯暢與黃啓瑞的關係就不存在了，而是他與周百鍊間的關係了。卽是說：周百鍊當時可以不留他，否則就該和他推心置腹，才是對的。

然而周百鍊對此卻未做到。

周百鍊上台後帶一個「顧問」賴春貴去，使賴春貴又像是「太上皇」，又像是「副市長」，不但曾經使得制度混淆，當然曾經使得主任秘書侯暢不大開心。後來，儘管賴春貴屈就了秘書室主任，成了侯暢的下屬，而由於親疏之間的距離，畢竟周百鍊的幕僚長誰在「抓正印」，是說之不清的。侯暢現在的掛冠求去，無庸諱言，乃是對於周百鍊左右——或有稱之爲周百鍊智囊團者，不太滿意所使然。而「府會失和」更顯然是一個關鍵性的事件。

早有傳說：周百鍊的智囊團放出空氣，說侯暢在府會失和事件上，不但未曾負起責任，幫周百鍊之忙，反之他還在從中煽扇子，做「搗蛋工作」。這樣的話傳到侯暢的耳朵裏，他如何而能安於其位？

侯暢與不少市議員個人間，一向攪得不錯，是有目共睹的事實。當周百鍊與市議會間情感愈走愈遠之時，許多人都知道，侯暢曾經確實從中斡旋，大大的替周百鍊做了工夫，祇爲了議員們對周成見甚深，侯暢所做的工夫，祇收到了消極的緩和的效力而已。何況；侯暢一點一滴的努力，當然禁不起周百鍊自己及其左右不經意的大力破壞，卽如周百鍊的安全室主任林衡道的口不擇言事件，就可使侯暢功敗垂成了。

智囊團謠傳侯暢「搗蛋」，畢竟是出於誤會？抑或有心趕走侯暢？現時還不得而知。而今的情形，周百鍊禮貌上不能不挽留侯暢，事實上他也還需要有侯暢這樣的人給他幫忙，特別是在此府會失和之時爲然。然而，周百鍊又不能把侯暢視若腹心，說不定還不大相信對方，這就難了。

周百鍊恫嚇要拉人
救護車貴過計程車

▲周百鍊大驚小怪，小童嬉戲竟報請最高治安機關處理。

廿一日上午，台北市雙園堤防正在施工之際，附近幾個小童跑去工地嬉遊，施工的人要把他們驅走，小童們不聽，做工的人就半玩笑地輕打一下，小童回家哭訴父母，其家長及鄰居等認爲建堤施工土地，補償欵尙未發下，土地尙屬自己所有，自己孩子在自己私有土地上玩而被驅逐，殊不公平，所以去向做工的人理論。這本是小誤會，代市長周百鍊不知據誰報告，認爲茲事體大，立卽報告警備總部，說是有人搗亂建堤工作。警總聞報，立派大批治安人員趕往現場鎭壓，到現場卻根本不見有人搗亂，打聽之下，才知是那麼一回事，於是交市警十分局調查處理。

市警十分局找來該管里長之子及幾位里民代表去談話，周百鍊也率領高級智囊人物洪清秋，堤防建委會負責人王乃一等趕往，並以命令口吻交代鍾分局長：「凡是搗亂的人，你統統替我把他們抓來送去火燒島。」當時，洪清秋趕緊向市長建議，不要這樣說，傳出去又不大好。周百鍊又說：「我當市長不賺錢的；我如果要賺錢，我可以先買下土地來建築堤防。」

當周百鍊離開市警十分局時，他指着里長之子大聲說道：「你當里長的更不能搗亂。」里長之子卻站起來說：「我當里長是里民選出來的，自然有代表里民說話的權利。你代理市長，不能以這樣的態度說話」。此言一出，周百鍊氣得身體要炸，看看場面非常尷尬，結果還是由智囊運用智慧，將雙方拉開的。

▲基隆市衛生局救護車救人要收費，議員指衛生局爲計程汽車公司。

基隆市議會女議員黃林彩雲在議會說：基市衛生局救護車，日前到七堵郊區救人，結果要收汽油費四十元。她說：救護車收費已不應該，何況就是計程車到七堵，也僅須三十元，現在竟收四十元，這樣救護車且不成了計程車，衛生局成了計程汽車公司。

衛生局長郭建秋在議會承認救護車收費確有其事，但說那是因油料有限，實迫不得已。唐鴻鈞議員於是提議，通過今後救護車救人一律免費，其所需油費則由社會救濟金項下開支。

▲教員本身是「三國演義迷」，硬性向學生推介購買該書。

花蓮縣立吉安中學，有國文教員某，因爲本身是一個「三國演義迷」，硬性規定一年級義班學生，每人在寒假前要購買三國演義一部，在寒假期中研讀。他說：研讀此書，不但有助國文進步，同時對發展學生智慧亦很有裨益。由於該書每部要買二十七元，增加家長負担事小，一般家長鑒於「三國演義」非學校正式課本，也非補助教材，爲恐妨害子弟作業，所以希望縣府教育科迅速予以糾正。（本報駐台記者越寄）

李萬居萬言質詢
針鋒相對、特別精采
周至柔片語解答

（本報記者台中航訊）青年黨籍省議員李萬居，廿一日在省議會施政總質詢中，提出個長凡萬言的書面質詢，洋洋洒洒十四點，頗爲聳動。台省主席周至柔的答覆，則僅寥寥數語而已，然而言簡意賅，與萬言質詢針鋒相對，特別精彩。

周至柔的答覆說：李議員的質詢，似乎將台灣社會描寫得很不安全，毫無自由。我相信不但我不同意這種看法，全省民衆及在座的各位議員，也不會同意這種看法。又說，今天本省民衆的生活，事實上是自由的，大家的安全是有保障的。又說：我十分了解，反對黨的議員是要誇大政府的缺點。可是，我們固然不應把兩分好處說成十分，但也不宜把兩分壞處說成十分。如果各位所指的更眞實一黨，對分衆一定更有號召力。

李萬居的萬言書面質詢列舉十四項問題之多：（一）絕對禁止治安機關的刑求，以保障人權。（二）雲林縣議員蘇東啓之涉嫌叛亂罪被捕，他的太太亦以「知情不報」爲由被捕未釋放，太不合乎人性。（三）民意代表兼任公營事業機構職務，應予一律取消。（四）征收空地稅應建議中央考慮愼重辦理。（五）前公論報記者現任香港自由報記者自健生，於去年七月廿七日無端被捕。（六）對於美全分署署長郝樂遜對台灣經濟上之忠告，應決心從事改革。（七）假如美援減少，有沒有應付的辦法。（八）毛豬外銷不應專賣•（九）台灣經濟蕭條至極，應設法改善。（十）利息太重，工商業受累無法開展。（十一）台灣失業者衆多，對社會治安影響甚巨。（十二）人口壓力之解決，刻不容緩。（十三）兵工從事建設，影響民營營造廠商。（十四）台灣新聞報強迫各地營業處推銷書刊雜誌。（一東）

第三次陽明山會談以後
政府可能改組擴大基礎
會期三四月間・籌備工作進行中

（本報記者台北航訊）英文「中國日報」十八日報導：據政府某高級人員稱：第三次陽明山會談，將於三四月間舉行，會後政府可能同意改組，擴大基礎。又據指出：「這種政府基礎的擴大，仍須以共同反共抗俄綱領的擬定，爲其先決件條。」又說：政府及執政黨領袖，已開始在考慮陽明山第三次會談之後的措施。

另據一向可靠的消息靈通人士說：第三次陽明山會談之所以延至三四月間舉行，係由於副總統兼行政院長陳誠政躬違和，有以致之。據稱：第三次陽明山會談是政治性會談，也是最具決定性的一次會談。故會談之後，「勢將擴大全國反共陣容，主要爲擴大政府基礎，包括民青兩黨之參加政府在內」。又稱：由於陳副總統是主持陽明山第一、二次會談的人，第三次會談，自以等待他完全康復以後舉行，較爲有利。

此消息靈通人士稱：參加三次陽明山會談之各黨各派及無黨無派領袖，將包括民青兩黨領袖及無黨無派之胡適博士、現任行政院副院長王雲五，以及考試院長莫德惠等人。前任立法院長及行政院長孫科，亦將被邀參加。在以往，大家都認識民青兩黨內部的不和協爲第三次陽明山會談屢誤佳期的原因，可能並使此會談短期內難於舉行。現在據說，這已不足形成障礙了。此消息靈通人士，極力否認陽明山第三次會談無限期擱置的說法，而強調籌備工作正在順利進行中。（本報記者匡謬）

美迫永珍屈服 泰國疾首痛心

認美出爾反爾莫名其妙 指美自亂步驟自毀長城

（本報曼谷通訊）對於美國政府居然壓迫寮國政府答應與寮共合作，由在共黨掌握中的富馬領導成立「聯合政府」之事，泰國當局大大的不滿意，認為美國此舉不但出爾反爾，莫名其妙，並直指美國是自亂步驟，自毀長城。

泰國當局，自國務院長乃沙立元帥起以及其左右，一年多來，一直是寮國現政府的最有力的國際支持者。當去年三四月寮國局勢開始惡化之時，在東南亞公約中竭力主張採取強硬態度，包括必要時出兵寮國的，正就是泰國。現在，舉世滔滔，不但英國在夥同蘇俄，做好做歹的要寮國政府投入共黨集團所安排的「聯合政府」的陷阱，甚至美國還以扣發經援為手段，顯有永珍如不就範，援助立告斷絕之意。泰國當局就再亦忍耐不住，站出來替寮國講公道話了。

曾經正面的對美國此舉表示大不以為然的泰國要員，包括外交部長乃他納，內政部長乃巴博上將，副國務院長兼國防部長乃他儂上將，以及乃沙立元帥自己。乃沙立元帥曾經很不客氣的指責美國的舉措莫名其妙，缺少智慧，還說：必要之時，泰國將考慮給予寮國政府某種程度的必要的財政支持。乃沙立元帥說：依據泰國憲法，他做國務院長的，如其事情迫切，他有權不經議會通過，逕行動用等於五百萬美元的泰國錢，去支持寮國（乃沙立元帥說這話時，美國正扣留元月份對寮四百萬美元經援支票，不肯交給寮國政府）。

在泰國政府中地位是一人之下萬人之上的乃他儂上將，同樣毫不掩飾其對於美國對寮政策的疾首痛心。乃他儂上將根本就認為要寮國政府同意組織「聯合政府」，無異於使寮國分期赤化。而寮國政府欲於擬議中的「聯合政府」裏面掌握內政國防兩部，美國政府亦竟然要迫其放棄，尤使乃他儂上將大搖其頭。乃他儂上將說：以美國政府此種態度，寮國的前途，是悲觀的，幾幾乎是沒有希望的。

乃他儂上將乃巴博上將，均曾相當坦白的表示，泰國以前還祗是對東南亞公約失望而已，現在則對美國亦失望了。另又表示，對於寮局的發展，泰國一貫予以密切的注視，有朝一日為了國家的安全，泰國有可能不待東南亞公約的同意，甚至不待美國的同意，就要採取軍事行動。

包括國務院長乃沙立元帥在內的泰國當局，他們其所以竭力支持由邦安親王與諾沙旺將軍領導的寮國政府，主要是為了這政府是反共的，坦白言之是為了這反共的寮國政府之存在，對泰國的國防安全，是絕對必要的。從前年下年康立傘兵上尉在永珍攪出政變開始，在約一年半來，泰國最担心的，就是寮國的不幸而赤化。個多月前在泰國東北部（與寮國隔湄公河為鄰）破獲的泰共圖在那一帶建立蘇維埃政權的陰謀，亦證實了泰國當局的憂慮，確實有其理由。乃沙立元帥及其左右，實在想不透：美國為什麼竟要把由它自己扶起來的朋友推倒，並因而使得東南亞受共黨的宰割，使寮國岌岌可危。美國此舉，豈不是自撬墻根，自己搬石頭打自己的脚背？

也是泰國副總理的萬親王（曾任聯合國主席）就亦說：美國宣稱主張寮國「獨立而中立」，寮國果能「獨立而中立」，沒有人會反對，泰國當然亦不反對。但果如美國所贊同的由富馬領導的寮國聯合政府，因為富馬是控制在寮共手裏的，那裏還有「中立」的可能？「獨立」更談都不要談了。（復）

香港與大陸

▲據一位返回梅縣探親又由鄉間返回香港的某君說：他這次返鄉探親，帶了些食物和故衣，到深圳車站的海關時，共幹要我打稅，我那袋故衣，總共花二十餘元買來，他們就徵了我一百元人民幣的稅。另外我帶的那些猪油，砂糖，和飯焦，還有兩斤臘肉和兩斤鹹魚等，亦約值港幣二十餘元，則被徵了人民幣三十元的稅。計故衣是百分之一千的稅，猪油等是百分之一百二十元的稅。

我為了接濟家中，忍心地完了這多的稅，把這些東西帶回到家鄉，分贈親友們，他們都高興得了不得，他們說：我們所配的糧不夠半飽，每天還要去參加勞動，我們希望你每月寄點猪油、砂糖、飯焦等食物回來接濟我們，但千祈不要寄錢回來，因為拿到錢，根本就買不到東西。我見到他們個個都是枯瘦如柴，身上穿的是「百家爭艷」的衣服，內心萬分難過，本想多住兩日才回港的，但不忍分薄了他們的食糧，所以我很快地返回香港來了。（安）

▲據最近由江西萍鄉來港的××稱：我們家鄉產煤是聞名全國的。煤產既多而又好，但我們家鄉的老百姓，在此嚴冬季節，根本沒有煤生火暖身，唯有共幹可以盡量的享受那些煤，在他們的住所裏，熊熊的火爐日夜不停的燒着。又說，在大陸現在只有一件事情還很自由，任你去取食沒有人管你，是什麼呢？就是河裏的水，可以讓你盡量去取！（融）

▲一月十九日的清晨，香港新界沙頭角白宮坳山邊，有一名逃亡共軍，倒斃在地，後為鄉人發覺，報警召黑箱車將屍體舁往殮房。據悉，該共軍年約三十五歲，當時身穿卡其斜共軍服裝，死時雙脚浮腫，面目枯瘦，大抵因飢寒交迫，乃從大陸邊境進入新界，但因當日天氣暴寒，終因不支倒地而斃命。（介）

困難重重走投無路 中共可能冒險作戰

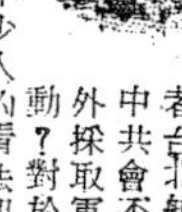

（本報記者台北航訊）中共會不會對外採取軍事行動？對於這問題，台北不少人的看法即使不是完全肯定的，也是接近於完全肯定的。

台北不少人認定，中共在大陸正遭遇到最嚴重的困難，中共的可能對外採取軍事行動，則希望藉此收到轉移人民視線，消弭內部矛盾，以及攫取現實利益等諸般幻想。台北不少人更認定，中共之對外採取軍事行動則已，否則它亦可以說是故意做給蘇聯看的；它是希望以此行動打破蘇聯而今的表面緩進政策，製造出危險的情勢，逼使蘇聯不能不對它安撫，給它經濟的技術的援助，以交換它的停止提早「闖禍」。而如果能夠因此打開它內外交迫難關重重的局面，就更是其死裏求生的如意算盤了。

中共不對外採取軍事行動則已，否則，台北不少人以為，東南亞是它的第一個目標區，理由之一為東南亞的動亂局面，正可供中共去混水摸魚。

寮國的聯合政府，也許終於可以組織起來；果其然也，中共對寮將暫以政治傾覆為重點，但當然亦決不會放棄武裝鬥爭。而如其寮國聯合政府竟然攪不起來，中共已經伸到寮國的血手，就將要染上更多的血了。寮國以外，南越當是中共最先要動手的地方。葉劍英那個「軍事代表團」上個月在河內，當然不是為了遊山玩水的，而葉季壯的「貿易代表團」，又分於本月十三、十六兩日先後和寮共、越共簽訂了經援協定；從此之後，中共的有事於寮越，它已是可以明來明去的了。

寮越之外的東南亞其他國家，比如泰國，比如柬埔寨，比如馬來亞、星加坡，中共亦不會放鬆的。就連一向親共媚共揚揚自得的柬埔寨元首施亞努，最近亦慘些些的叫嚷共產黨在暗中進行要推翻他了。泰國西北部個多月前揭發的進行組織「泰國蘇維埃」活動，表面上是受到寮共支持，實際則中共絕對脫不了關係。

中共另一軍事行動的目標區，就要數到台灣海峽了。中共不把台灣拿到手，它永遠睡不着的。前兩天的消息，在馬祖對岸，中共海空軍均已加強活動，另有消息說福州一帶增加了數約十萬的共軍，兩者都可以說是中共蠢蠢欲動的信號，自無庸論。

對於中共在台灣海峽的可能採取軍事行動，台北一貫認為這機會經常存在，故亦隨時都在戒備中。台北更有一種心理：不怕中共來，就怕中共不來！中共而今確實的色厲內荏，它來正是自己送死；而亦唯有中共敢動，台北也才有機會堂哉皇也的對大陸採取行動。（都）

泰國中華總商會 盡量謀僑胞福利

（本報曼谷通訊）泰國中華總商會第廿八屆執監委員舉行就職典禮後，該會新任主席黃作明將如何「施政」是衆所關心的大問題，據黃作明表示，今後會務的應興應革事宜，他確實不但已經考慮過，而且已經擬有計劃，但為了尚需先經執監委員會議通過，所以他在此時，還不能加以透露。

但據黃作明後來表示，儘管興革計劃必須成案始能發表，會務原則則不外：（一）加強與各同業公會的聯繫；（二）促進國與國間的商業聯繫；（三）協助泰國發展貿易與鞏固經濟地位；（四）僑務方面，則將依循故主席張蘭臣的遺志做去，儘量的為僑胞謀福利，為僑商謀利益。

黃作明為加強與曼谷各國商會聯繫，經定期拜訪美國商會、英國商會、日本商會、印度商會、荷蘭商會及泰國商會等。（湄）

瘟君續夢

第三回：拒諫飾非，列鼎烹功狗 成王敗寇，作狀笑沐猴

毛澤東定下原則，事情就簡單了。當時議決彭德懷、黃克誠，洪學智免職，滕代遠保留鐵道部長名義，部務由呂正操代理，鄧華免掉瀋陽軍區司令員職務，蕭克，李達免去訓練總監部正副部長職務，一律改任農墾部副部長，派去北大荒墾荒，張聞天和王稼祥黨內工作保留名義，外交部副部長撤職。周小舟撤職派去北大荒作黨支部書記。

這一次處分最慘的是蕭克和李達，毛澤東忘不了六中會議時蕭克要發動兵變的事，李達和蕭克關係太深，也受了池魚之殃。至於張聞天和王稼祥所以倒霉，其中另有文章。當中共政權成立時，蘇聯首先予以承認，並派出原任駐華大使羅申為駐中共大使，中共當然也要派出一個駐蘇「大使」。毛澤東却不知道派誰合適，只好向羅申請教，請羅申去電詢問蘇聯外交部，到底史達林大元帥喜歡誰去。不久，蘇聯外長維辛斯基回了一封電報，說是史達林表示希望派一名留俄學生去。毛澤東接到指示，十分不安，因為一批留俄學生，除去劉少奇之外，陳紹禹、李立三始終和他對立，秦邦憲坐飛機跌死了，張聞天雖然向毛澤東投降，仍未獲得信任，想來想去只有一個王稼祥合適，又去電得到蘇聯同意後，始行派出。王稼祥是和陳紹禹一道回來的二十七個布爾什維克之一，蘇聯對他並無不放心之處，只是覺得份量太輕，王稼祥在七屆大會上只當選候補中委，排名尚在廖承志之後，以後雖然補上中委，到底資望不夠，依照蘇聯與中共的關係，這個大使起碼要派一名政治局委員，所以王稼祥不久終於被趕回來，換了張聞天。

張聞天也是二十七個布爾什維克之一，原是陳紹禹，秦邦憲死黨，遵義會議時，張聞天看見陳紹禹大事已去，自動向毛澤東豎了白旗，毛澤東當時也利用他討好蘇聯，推他為中共總書記，雖是傀儡，地位却高到不能再高，直到延安才被解除總書記職務，七全大會又被選為政治局委員，不過，毛澤東也把他作踐苦了，中共政權成立後，一度派他去任遼東省委書記，以後又派任駐聯合國首席代表，硬拿他開玩笑。王稼祥回來後，史達林指明要張聞天去，毛澤東不敢違抗，只好發表王稼祥任外交部副部長，張聞天任「大使」。到了史達林死去，毛澤東終於把張聞天也調回任外交部副部長，改派心腹劉曉繼任。

張，王兩人都担任了外交部副部長，本來是坐冷板凳，原可相安無事。不料毛澤東下台之後，蘇聯和阿爾巴尼亞的關係突趨緊張，阿共第一書記霍查原是史達林主義份子，赫魯曉夫清算史達林之後，只有附庸國翕然聽命，只有阿爾巴尼亞不服，赫魯曉夫懷疑彈丸之地的阿爾巴尼亞何以敢和偉大的蘇聯對抗，其中一定有人在撐腰，最初懷疑是波蘭的戈慕卡，後來一調查不是，就懷疑到中共的毛澤東，着令駐北平大使契爾沃羊科注意偵察。

契爾沃羊科接到命令只好去拜訪劉少奇，劉少奇搖搖頭：「我也不知道，你去外交部找張聞天問一問，就告訴他，你說我叫你去的。」

契爾沃羊科找到張聞天，張聞天說道：這種機密文件是保存在書記處，我同你找王稼祥去。」（六九）

國劇藝術彙考

·齊如山·

探母的「芍藥開牡丹放」之芍藥二字，二進宮中，「你的心事某猜着」之猜字，都念成灰堆轍，別的地方，可多念梭撥轍。戰太平中「來了兩個賊」之賊字，則唱灰堆轍，好與下邊之誰字叶韻，而他戲則無此念法，小花臉除外，這也是很亂的地方。

上口的字，戲界人都常說這句話，或者說某字應該上口，再往粗淺裏說，便說某字應該咬。幾年來恒有友人問及此事，按在光緒年間，我就聽到過這話，在鄉間之梆子戲班等，則無此說法。最初是在北平聽到，他也都說不上來；不過某一字，應該上口，他卻知道，只是都不能作具體的答復。問的多了，問的日期久了，才算相當明瞭，他不祇是一種意義，很有幾種，茲畧舉如下：

最顯要者爲尖團字，凡尖字都名曰上口的字，念時必要咬。團字都不是上口的字，平常便說，此字不用咬。

古來一七，與灰堆，永遠合韻。五微韻中，有衣希譏等字，都入一七轍，又有飛字，於是戲中念此飛字，必須念成一七轍，這也叫作上口，也名曰咬。可是輝違微等字，他又不咬。

從前耶邪，懷來兩轍，是不分的，所以九佳韻中，有懷乖柴牌等字，又有諧階街鞋等字。皮簧中念懷柴等字，不算上口。階街鞋等字，在十三道轍中，都入耶邪轍，但皮簧中念時，都要念成懷來轍，這也叫作上口，也叫作咬。

一七與姑蘇兩轍，韻書都不分，如六魚韻中之魚，渠，徐，七虞中之于，須，區等字，在十三道轍中，都入一七。六魚中之書，諸，如，七虞中之儒，諸等字，都入姑蘇轍。可是皮簧於念白時，則把書，諸，如，儒，誅等字，都要念成一七轍，這也叫作上口，也名曰咬。

支時與齊微兩韻，自古不分。支時與一七，在十三道轍中，也都是一七轍。但平常說話，則大不相同。故皮簧中，念此等字，特別注意，如吃，知，遲，等字，都要特別念成一七轍，這也叫作上口，曰咬。（十五）

邛都憶往（十一）

李仲侯

這次暴風雨將來之前，似乎整個西昌城，都被陰霾悲慘的氣氛所籠罩了，記得那日是一個大晴天，日落黃昏，望遠室平日靜靜的會議廳裏，擠滿了人羣，正是賀氏爲應付驟然而來的禍變，緊急召集全部中上級幹部最秘密的在舉行最後一次的決策會議。他首先宣讀伍培英的逼降文書，將彼此兵員部署和戰力作了一個大畧對比，他並說：「今日譬如我們同處一葉扁舟，遇着了排山倒海的驚濤駭浪，單靠我這掌舵的沒有用處，必須船上的長年三老，篙工榜夫，一齊使力，才能渡過險境，達到彼岸」。他鼓勵大家要踴躍發言，貢獻意見，使他有所抉擇。跟着就有些站起來，激昂慷慨，侃侃陳詞，主張立起抗戰；有些主張走政治路線，馬上派員和他討價還價，萬一無效，再謀抵抗；也有些垂頭喪氣，呆在旁邊，一聲不響的。七嘴八舌，你爭我辯，會議由六時開到了九時，依然發言盈廷，莫衷一是。賀氏坐在主席台上，不斷抽着他歷來所吸的那種國產雪茄，有時很用心傾聽他人的發言，有時顯着欲聽不聽的神氣，有時看到他在拍紙簿上振筆疾書，不知寫些什麼；忽然闖進一員偵探，向賀氏附耳報告謂伍部都已接奉命令，決定在本晚三更造飯，五更出發，一切正作急行軍準備。賀氏馬上把這個探報公開了。

最後賀氏站起來，冷不防的大家聽到他用堅實的拳頭狠命的在案上猛擊了兩三下，一面表示他的決心，一面權作驚堂木，登時全場就鴉雀無聲的靜下來，又突然聽到他咆哮如雷的叫着：「我已是六十開外的人，決不能向任何暴力低頭」！說這句話時，看到他的拳頭有些顫抖，（我從未見他發過這大的脾氣」。繼又大聲的說：「擺在我們面前的祇有一條路，這也是大家唯一的生路，我們祇有竭盡使用現有一切的力量，發揮大無畏的精神，和敵人死拼到底」。隨着就展開他的拍紙簿，宣示他業已掌握可以使用的兵力，七拼八湊，連總統府警衛軍目前路過西昌留下來的約一營兵，（該營一色卡賓槍，此役出力最大），都併計在內，還不足一團人，然後宣布他的作戰計劃，兵力配備，大致是決定本晚分兩路出擊：以一路宜撲城隍廟師部，並懸賞二萬元活捉伍培英；另能將其擊斃者賞銀一萬元；一路分途包抄伍部駐紮西郊外的跑馬場部隊。爲爭取主動，決定將進攻時刻較原擬提早，改在晚間二時吃飯，三時進攻。賀氏把這些一一宣布後，再加重語氣喊着：「如果贊成這計劃的請舉手」！登時一聲喊：全場一齊如春筍般的舉起拳頭；「請放下」！賀氏又在喊着：「既無異議，請大家在這拍紙簿上簽名」。一一把名簽完了，他又說：「這就是各位無異立下了軍令狀，時間不容許我們再有猶豫，望各位立刻遵照我的命令去行動，如有違誤的，照軍法從事」。這時已是十點零五分了。

過年雜寫

漁翁

由地球三百六十五日又四分之一繞日一週爲一年，曆法用以紀歲，故陰曆陽曆，均以十二個月爲一歲，惟陽曆以太陽最卑點（摩螺宮十度）起算，陰曆則以近立春之月朔起算，稍有不同耳。

歐美用陽曆，我國在國際上，雖亦沿用之，但是，我以農業立國，一向以陰曆爲主，所有春耕，夏耘，秋收，冬藏，皆依四時二十四氣之節令行之，故對陽曆年節，除機關團體奉行外，民間不重視，一至陰曆年屆，家家戶戶均準備度歲之品，即貧如乞丐，亦殺雞作食，熱烈之狀，有不可以言語形容。

在大江以南地方，兒童們於十二月二十一日起，至三十日止，有一首俗歌，記得是：「二十一，做新衣，二十二，買物件，二十三，祭灶王，二十四，唱小戲，二十五，磨豆腐，二十六，宰猪肉，二十七，殺雞，二十八，春時粑，二十九，行行有，三十日，快樂吃。」這俗歌爲兒童們在過年前十天，所歡欣鼓舞的高唱着，以迎接年節之來臨，足表現民間一年一度的最快樂時節。

俗歌中，以「二十三，祭灶王」，爲有最攸長之歷史。灶爲五祀之一，古於夏祭之，至漢已有臘日祀灶之舉，今俗以陰曆十二月二十三日爲祭灶日。五代末，有呂蒙正者，家貧，值歲暮，向屠肆賒肉數兩以祭灶，適屠者外出，屠妻憐其貧，賒與之，及屠歸，知其事，向蒙正索回，而肉已入釜中，屠竟撈起而去。蒙正太息之下，因焚詩以祭之曰：「一炷清香一縷烟，灶君今日上青天，玉皇若問人間事，爲道文章不值錢」。

到一年最後之日「歲除」，入夜而爲「除夕」，謂除舊更新也。王安石詩：「爆竹聲中一歲除」。古時以火著竹，畢剝有聲，謂之爆竹，

[illegible]

清沿明制

[illegible]

我與楊永泰（三）

諸葛文侯

行政督察專員制與保甲條例同時頒佈實行的。楊氏最注重保甲法，希望各縣迅速編查完竣，以清匪源。我接任將近一年，才將所轄七縣的戶口調查清楚，逐次編組保甲具報。當我赴武漢述職時，楊氏曾以嚴肅詞色指爲辦理緩慢，說第一行政區的蔡專員，到任未及半載就辦好了。我答曰：「秘書長是要假的戶口調查呢？抑是要眞的？若要假的，兩個月亦可以辦好，否則一年工夫還算是快動作哪！」我再把匪區各種實情敘述之。他沉吟有頃，慢然道：「哦，我到想起一項事情了。第一區蔡專員到任逾年尚未見有人控告他。當茲亂離之秋，地方官如果實心任事，銳意興革，必然有人不滿意而向上峯控訴的，現在總部接到控告你的呈文就不少。可見蔡某只顧作官，他的戶口調查恐怕也就靠不住，我要派人去審查一下。」過了三個月，蔡專員明令免職了，原因是他所呈報的戶籍完全不符實際，經總司令部派員抽查發覺的。（第一區專署距武漢甚近）這證明楊氏的行政經驗豐富，不易朦蔽，而又能接受僚屬的盡言，不以爲忤，實屬可敬可愛。

民國廿四年初秋，我堅決要辭去行政專員之職，這時楊氏隨蔣委員長到了四川，他來電調我赴成都担任「四川縣政人員訓練所」的政治總教官，我拒卻，他又迭電催促，祇好勉強應命，到達成都之際，蔣公在黔督導剿匪事宜，共軍且進薄貴陽附近，而劉湘爲着四川善後，急須中央核准發行七千萬元地方善後公債，楊氏即以蔣公名義電達立法院，限一星期通過。當時我對楊說：「如此重大事項，何不等委員長回來決定辦理，以防別人將來藉此蜚語中傷呢？」他說：「四川財政困難已達極點，劉甫澄皇皇不可終日，非馬上發行公債不可。祇要居心無他，委員長不會見怪的。作幕僚長對於緊急問題，必須爲長官分勞才行。」他這樣勇於負責的精神，令我欽佩之至。

這時羅君強仍作祕書，很想楊氏提拔他外放，目的在省府廳長，羅氏託我向楊進言，楊答復我：「你這位貴同鄉自命不凡，他將來會要闖禍的，還是在我身旁多多磨練一下的好！」如是我乘機言道：「我願意在暢公身旁學習，何以又教我到四川縣政訓練所去呢？到處都有人才，何必一定需要我？」他乃慨然曰：「四川這地方很重要，將來國家更需要它。此時我想如下圍棋一樣，要擺下一枚散子，以備他日發生作用，默察朋儕中，我認定你是一枚有用的散子，所以先教你給劉甫澄幫幫忙，把人事關係攪熟悉。」後來據楊氏老友李爲綸（川省府教育廳長）告訴我，楊氏早已在劉湘面前爲我游揚備至，極力推薦，但楊決未對我透露過此項消息也。

我與楊氏萍水相逢，沒人介紹，他卻一見投洽，特加提携愛護，實使我深有知遇與知己之感，永矢弗諼，而他的才幹氣魄又冠絕當代，環顧政壇，其能免於「誰其嗣之」之嘆耶？

鼓山勝境

道南

山川風物

五代，閩王所創建的閩中第一古剎的湧泉寺，在福州東門外。以湧泉寺爲出發點遊鼓山，還有許多的勝境。

首先到達的是「靈源洞」。雖名爲洞，實則爲天然的石屋。平坦的底，周圍有五六丈方廣。洞北靠山處有一塊高大的岩石，上面刻着「喝水岩」三個大字。但奇怪，這「靈源洞」與「喝水岩」的前後左右一些高深的絕澗裏，竟一點水也沒有。

據「三山誌」載：「唐中和四年，龜見於山之靈源洞，從事嬰胄曰：神物所蟠，宜建寺以鎮之。後有僧靈嶠，誅茅爲台，誦華嚴經，泥不爲害，因號曰華嚴台。亦以名其寺。」這就是洞東邊華岩台及華岩寺的由來。

鼓山的最高峯，名「屴崱峯」，或名大頂峯，單頂峯，狀如覆釜，是看日出的最好地方。峯北下爲「溶風池」，據傳常有五色雀飲溶於此。[illegible]

[illegible]

內僑警台報字第〇三一號內銷證

自由報
THE FREE NEWS

第二〇五期

中華民國僑務委員會登記證
台教新字第三二三號登記證
中華郵政台字第一二八二號執照
登記爲第一類新聞紙類
（半週刊每星期三、六出版）
每份港幣壹角
台灣零售每份台幣弍元
社長　雷嘯岑
督印人：黃行靈
社址：香港銅鑼灣高士威道二十號四樓
20 CAUSEWAY RD 3RD FL
HONG KONG
TEL. 771726　電報掛號．7191
承印者：四風印刷廠
地址：香港灣仔高士打道二二一號
台灣分社
台北市西寧南路壹壹柒號二樓
電話：三〇三四六
台郵信箱二九二五

當前的文化問題，答客問（下）

徐復觀

客：那末，你是不是胡秋原先生所說的傳統派，復古派？

主：傳統派的名詞，可以成立。復古派的名詞，在學術思想上，是不能成立的。並且今日若從生活行爲的壞習氣這一方面來看，我們的朝野上下，每一個人都在復古，而且是集古今中外的大成。若從好的要求方面來看，則我們朝野上下，不僅沒有人復西洋之古，也沒有人復中國之古。譬如公私義利之辨的古，有誰去復它？再進一步說，所謂古，是指的歷史中的那一朝代？而在同一朝代中，又是復那一時期，那一方面呢？若就各個人來說，則應該把問題分三方面來看。第一，是屬於個人生活興趣範圍以內的事；只要不是傷風敗俗，只要不是把自己的興趣強加於他人身上，便都無得是非失之可言。長袍，西裝，中山裝，張大千先生的東坡帽；做舊詩，只讀而不做；做新詩，做超現實主義的詩；都是從人所好。我現在變成了不能用毛筆寫字的人了，但我又決不能橫行寫，這怎樣來判斷我的新舊得失呢？所以胡博士罵做舊詩的是下流，這是最不恕道，最缺乏民主修養的。第二，是屬於各人學問研究範圍的。到了今天，什麼東西都可以成爲學問上研究的題目。在許多研究題目中，「賢者識其大者」，「不賢者識其小者」。在這一方面，我們只應追究研究的結論是否正確？而所謂正確不正確，不是以適合於某些人的興趣爲準，而是對於被研究的對象所能作的解釋程度爲準。至於研究的題目，沒有爭論可言。不過研究每一題目，在整個學問中來說，自然有由其所發生的影響而有比重的不同。胡博士的閉鎖王國，在這一方面最可笑，最表現他們是繼承阮元這一派的情形是：視研究宋明理學心學的人爲大逆不道；除非得出的結論是合於誣衊古人的目的。試問：慈禧太后，軍閥，都可以成爲研究的對象，爲什麼影響中國千餘年歷史之久的宋明學不可成爲研究的對象？這是太無知無識了。第三，是對研究結論所作的價值判斷。這一點，若就歷史中的問題來說（可以說，決沒有不含有歷史性的文化問題），也可以分爲兩點，一是某種思想，制度，在當時價值如何？二是站在現在來看，對現在還有無價值？在歷史上有價值的，不必到現在還有價值。現在沒有價值的，不必在歷史上亦沒有價值。二者不可作混同的論斷。可是文化上眞正的爭論，都是從這裏發生的。我想一個做學問而又關心到國家民族，世界的現實問題的人，總會含有學以致用的目的。「思以其道『易』（治）天下」，這是中國古代的思想家的態度。「思以其道『易』（改變）天下」的，這是帶有宗教性的思想。若僅就一個關心世運的學人來講，則「思以其道『從』天下」，那總是應當的。而由此所發生的爭端，也並不是沒有一個起碼的標準；即是：看他所作的判斷，是否與歷史上的問題相對應。舉例說，胡博士寫了一篇神會和尚傳，以爲他把爲南禪打天下的大功臣發現出來了。殊不知神會（荷澤）這一宗，與南禪的青原，南嶽，在當時他們已各自分得清清楚楚，並且互相譏諷。荷澤宗大約是四傳而絕（圭峯宗密後改歸華嚴澄觀）；以後一千多年的南禪天下，都出自青原，南嶽系統，與神會毫無關係，所以他對神會的價值判斷，是與歷史事實不相對應的。至於他想由政治和尚神會的謊言，以否定禪宗，打倒佛教，這比由證明上帝七日不能造人之說，以圖打倒基督教更爲愚妄。今日的許多爭論，常常把上面所說的三方面的意義混淆在一起，所以越爭越糊塗了。稍稍嚴格一點說，應以第二項爲主。第三項的爭論，乃是一種主張的爭論。這種主張的爭論，就學術界講，應以第二項成就的正確性，範圍的大小性，作爲一個重大的（但不是唯一的）基準。在文化落後的階層中，最容易流行兩種情形：一種是偶像主義，另一種則是勢利主義；看風轉舵，向高帽子磕頭。在學問一無所得的人，只有崇拜偶像，但這只是阻碍前進，還不至於從根破壞文化。頂糟的是今日流行的偶像主義，除了培根所說的四種以外，最多的是「衣食偶像」，即俗語所謂「有奶便是娘」。再由此向下一步，便是勢利主義。拿現實的勢利眼光來談文化，這才是澈底破壞文化的大敵人。把這兩種因素合在一起，便是捧打主義，不捧便打；很少人在捧打兩方式之外，平心靜氣的來談是非；更不肯翻開書本來研究學術爭論上的是非。由勢利主義所產生的附帶品，便是一種栽誣戴帽子的作風。例如居浩然，虞君質，再三把義和團的帽子戴在我頭上，準備假手於洋大人來幹掉我，這又何必呢？

客：你說了半天，你在胡秋原先生所說的「三派」中，到底屬於那一派呢？

主：我都不夠格。這一年多以來，每當人家罵我沒有學問時，我從來不生氣。因爲面對學問的自身而言，我不僅沒有學問；並且我常想，中國只有有許多人比我有學問，這才有點希望。所不幸的是，這幾年寫文章罵我的人，他們的出發點常常不光明，而且比我的書讀得更少，更沒有思考的能力；結果，不是人身攻擊，便是栽誣到某一門學問的本身，這眞是一種可悲的現象。譬如有人罵我「不過是朱元晦的學問，不過是四朝學案的學問」；其實，我每天所從事的，既未嘗以此自限，更不敢以此自當。我非常推尊朱元晦，但在寫的有關文章中，很多地方都批評到朱元晦，然並不因此影響到我對他的尊敬。假定在我斷氣之前，自己反省，能眞正了解朱元晦，能眞正了解四朝學案，我便會很安然的閉上眼睛。

客：那你也是和胡秋原先生一樣，是想「超越傳統派，西化派，俄化派而前進」的吧。

主：就學問方面說，除了俄化派太危險，我不沾上它以外，我不僅希望有許多眞正的傳統派西化派的出現；並且我希望在兩大派中能眞正出現各種的專派。假使有人以一生之力，作了以某一家爲中心的研究，因而他的精神無形和被研究的某家同化了（雖然實際上不可能），那又有什麼不好呢？例如有人孔子化，孟子化；老子化，莊子化，程朱陸王化，李白化，杜甫化，柏拉圖化，亞里士多德化，康德化，杜威化，莎士比亞化，哥德化，只要他知道他所「化」的乃是「萬化」中的「一化」，而不要「思以道易（改變）天下」，那有什麼不可以呢？並且具有如此，則作爲一個大集體的國家，民族，才能自然而然的對文化作有內容的融化，而形成有獨立性，創造性的文化。我認爲能「化」才能創造；能創造，便自然超越了。否則一下子而言超越，便將無從下手，結果會落空的。今日的文化問題，若只就知識份子本身說（當然有知識份子以外的問題），問題是出在大家不好好的讀幾部有關的厚本書，自己除了「食色性也」以外，什麼也不化，卻又不知天高地厚的「思以『身』易天下」，這便眞是無法可推。至於我自己，已經說過，什麼也不夠格。但若就我追求的方向來說，我願作一個文化上的正統主義者。我常感到在一條滔滔不絕的大河中，不管它的河面有多寬，總能發現出一條中心的流線。在東西文化的大流中，似乎也有這樣一條中心線，有時浮出上面，有時潛在底下。只要不爲一時的激灘暴流所眩惑，肯細心的追溯，好像總是可以看得出來的。並且在東西文化的中心線上，實際是可以互證互益，而沒有什麼排斥性的。我願以餘年來追尋這條中心線。在這條線上安頓我的生命，不管能追得到多少。

元月十四日於東海大學

漫畫天下

南

危險的走繩

關門打架

自由談

談用錢問題

馮五先生

金錢是人人愛好的，所以牠有「萬能」與「萬惡」的作用，任何人物，任何事情，都離不了金錢的關係和影響，成敗得失的癥結，就在你是否具有善用錢，而不爲錢所用的本領。

尤其是攪政治的人物，稍有愛錢的心理，他的事業便不足觀，儘管他風雲際會，顯赫一時，到頭來終歸是不行的。雖不愛錢，如果不會用錢，那他的事業成就亦必然有限得很。這可說是顚撲不敗的唯物辯證法則，放諸四海而皆準，證之古今而無訛的。漢高祖劉邦與項羽爭天下，他若不是善於要錢，教陳平在政治上隨便使用阿堵物，當初的鴻門宴固然脫不了險，後來被匈奴冒頓圍困於塞外時，性命亦必卜難保的！現代人孫中山先生自己決不愛錢，而又會用錢，所以他能夠成爲中華民國的國父，非偶然也。我記得張溥泉（繼）先生說過一段故事：民國六七年間，孫先生在上海主持革命運動時，常有人向孫公說，某省某地有民軍若干，祇要給他以名義和款項，他馬上可以前去領導，發動革命。迨款項得到後，却躲在租界裏花天酒地，根本沒有那回事。張氏等曾報告孫公，希望不要受騙，而將辛苦籌得的金錢虛耗了。孫公答道：「有人騙我十次，只要他有一次不是詐騙，亦就夠本了。我們攪革命，如其連騙我的人亦沒有，那還有甚末前途呢？」這種用錢的氣魄，何等偉大！

世人每認爲一個英雄豪傑的成功，必須具備着兩大條件，即揮金如土與殺人如蔴是也。殺人如蔴固不足爲訓，國父孫公一生就很少殺人；然揮金如土的作用確屬重要，這一着做不到，他就休想有得志之日。

縱能用錢而不得其法，也是白費的。這所謂「法」，就是運用得當與否？說來話長，最忌諱臨時拿錢來收買別人的低能作風，情報可以直接收買，人的思想行爲却不能公然買賣的，因爲關係個人的人格和體面問題。如果願意被人用金錢公開收買的，其人品必低劣，而其本領亦即卑卑不足道也。

奉勸熱心政治生活的人，要想事業有大的成就，請先研究用錢問題ABC罷！

唐榮鐵工廠，顧問知多少？

監察院要分別查證

（本報記者台北航訊）監察院經濟委員會審查過對唐榮鐵工廠的專案調查報告。其中關於唐榮鐵工廠的顧問名單，在該廠被監理期間，是極高度機密文件之一，曾經主管當局一再下令追索，唐榮廠逼得只好在五十年十月開始將一份名單呈報經濟部，並由經濟部派員前往高雄該廠按原始表冊及支薪單據中逐一核對，查明屬實。唐榮廠呈報經濟部的名單，共有顧問五十三人，聽說該名單還是由該廠前顧問羅克典所作的權宜安排，並申明這五十三名顧問，均於去年九月三十日解聘。事實上，該名單是否眞確，仍很難說。

唐榮鐵工廠呈報的顧問名單及月支薪額，並經公開者爲：柯爾（外籍）月薪一萬二千元，施復昌五千元，徐道慶、林雨蒼、賴雅修、龍襲奮、均四千元，羅克典三千五百元，朱規蘭、陳玉波、孫士池、均三千元，林玉麟、林江海、均二千五百元，劉航琛、林繼庸、陳方、海饒強、余祥琴、王玉麟、家錫青、黃占岸，以上均二千元，唐毅、蕭一山，均一千五百元，黃和樸，一千三百元，林汝漢一千二百元，劉日華、王墨華、王振濤、王惟英、張麗珠、盧覺華、林耕宇、陳忠、黃子堅、謝有用，以上均一千元，許足知八百元，李柏年、陳正廳七百五十元，楊志岑七百元，戴佛，黃彥平，張哲秉，張鐘崧，王文光，以上均五百元，姚伯樑六百元，黃再德四百四十元，蔡洪仁、三百九十元，蔡如春、蔡中心、徐君、盧繼寶、蔡天鳳、王麗華、黃獨鰲，以上各三百元。

這份名單內，包括有卸任的部長，省議員，市議員，外籍專家及其少數的公務員，但監察院將要分別查證的顧問名單，應當不止上開名數的五十三人。

關於唐榮宗涉嫌刑事部份，據監察院調查指出：（一）開發空頭支票十六張，現尚在法院審理中。（二）涉有偽造文書罪嫌（三）發行公司債二千萬元，而不用於規定之事項，而轉於固定資產，違反公司法，應受刑罰。（四）歷年收受民間巨額存款，違反銀行法，有經營地下錢莊之嫌。（五）涉有應收增資，有矇騙政府主管機關之詐欺偽造文書之嫌。監察院一向是拍蒼蠅著稱，打老虎無此，此次拿出一點「權宜」的名來，應付一下監察委員，想「派斯」過去。此案能否過關，那要看監委們的又一次馬後炮了。（本報記者匡謬）

質詢表現太不像樣

有識之士引以爲憂搖頭太息　担心政風日益壞世道日益亂

議員唯恐不聳人聽聞　官員但以應付爲能事

（本報記者台北航訊）對於議會質詢權之使用的表現愈來愈不像樣，愈益形成了告朔餼羊，這一現象，已使不少的有識之士，引以爲憂，搖頭太息，認爲長此以往，必然是政風益見其壞，世道益見其亂。

省議會二屆四次大會以來，有關省政的質詢案中，較出鋒頭的質詢，計有蔡議員鴻文對教育廳長劉眞所作任用校長非送「紅包」不可的質詢，李議員萬居對省主席周至柔所作包括十四點的萬言質詢，以及陳議員愷，姚議員多聲對糧食局長李連春所作米糧輸日本收取佣金的質詢。這三件質詢，在議員方面有一項共同之點，爲講話惟恐其不聳人聽聞，在官員方面亦有一項共同之點，爲儘可能的故示輕鬆，若無其事然。兩者都是無法恭維的。有的人指出：他們都是在兒戲國事，莫名其妙。

質詢權是我們的各級議會中頗爲重要的權力之一；固然，議員在議會中，什麼話都可以說，說錯了亦並不負法律上的責任，然而，這並不是說，議員是可以不負良知上的或道德上的責任的。固然，政治就是那麼一回事，攪政治的人，都難免黨同伐異，踩低別人，墊高自己；爲討好選民，爲譁衆取寵，當其口沫四飛之時，眞的往往什麼話都說得出來的。然而，海闊天空，大而無當的高論，對國家有什麼好處？說到別人操守之事，雖然表面上吃虧的只是一二官吏，在議場中指摘一番，報紙登載一番，做議員的，確實亦可以藉此鋒頭一陣，覺得自己了不得。然而，這樣不負責任的質詢多了，就會使大家有不過如此之感了。這是必然的。

官員答覆質詢的不認眞態度，同樣不足爲訓。比如對「紅包」與「回佣」的質詢，官員的答覆，無非是「拿出證據來！有證據必定嚴辦」！之類的表面話。官員似乎把議員攻擊官員操守有問題當成是家常便飯了，或者可解釋爲以爲議員只是在胡調，根本可勿予留心。果眞如此，質詢權也者，豈非不值一文了？而且，叫議員拿證據之說，其實是多餘的，眞的議員有證據，他乾脆交給法院去提控好了，何必質詢？叫議員拿出證據，其意義等於要封住議員之口，叫他們不可以妄說。因爲證據豈是議員能夠輕易取得到的？而不把官員操守有問題的指摘當做嚴肅的嚴重的事，其所代表的意味，更是特別嚴重的！如此大家不把質詢當一回事，還說什麼民主政治？

所以，有識之士認爲，今後要想民主風氣培養得成功，一方面議員們要愼用質詢權，不可以出野風頭爲能事，不可以口不擇言，胡亂攻擊，眞的某某官員操守值得懷疑，應該在秘密會議中去糾正，不可以輕易的公開攻擊人家。另方面，官員們要重視議員的質詢，特別如前述「紅包」「回佣」的指摘，因爲這是有關官員操守的大事，有責任的主管，就得愼重的嚴密的加以調查，才是正經！照目前多數官員對質詢的裝聾作啞，不當一回事的作風，對於自己，其實也是一項侮辱，此風絕對不可以長的。（麒）

看他滿口仁義道德　議員慷慨質詢時

市民當場檢舉他

（本報記者台北航訊）正當省議員林澄增廿三日在省議會向周至柔主席大聲急呼「改革社會風氣，肅清貪污特權」的時候，一位高雄市的女市民，身披白布條，直闖進省議會議場請願，指正在發言質詢周主席的議員林澄增盜蓋她丈夫的印章，向高雄市漁會借欵二萬元，而使她的房屋遭到法院的查封。這位請願的女市民名陳保，她身披白布條寫道：「請黃議長，周主席主持正義」。這位林議員正在指責「糾正特權思想」和「食污風氣必須肅清」，卻萬萬沒有想到他自己被人在議場檢舉。

據陳保的顧陳情書中說：他的丈夫許順良，原在林澄增的漁船與益號任船長，有私章一枚置林處，林於四十九年一月十二日私蓋她丈夫的印章，向高雄市漁會借欵二萬元，直至同年六月高雄市漁會通知她丈夫還欵時才知道有這麼一回事。後經向漁會查詢，該會理事長蔡文玉（現任省議員）說明是經由林澄增議員經手所借，同時並於五十年九月六日出具，並由蔡文玉見證，認爲與許順良無關。但至本年一月九日，高雄市漁會忽然告到法院，並通知許順良還欵。據請願人出示由林澄增具名並由蔡文玉蓋章的證明書中說：「四十九年一月十二日以許順良名義向漁會借欵二萬元，爲興益號漁船出海資金，現許已退出興益號漁船股東，該欵由興益號代表負全責，與許順良無關」。又當她進入議場時，曾向黃朝琴議長下跪哭訴；後來有人把他架出議場經過林議員身邊時，她又會向林議員下跪。（本報記者謀）

省議會幾變演武廳

郭「大砲」出口傷人

（本報記者台北航訊）久矣不聞其發表高論的「大炮」議員郭國基，廿五日在省議會大會上，由於言詞不檢，激起衆怒，差一點使議會演出全武行來。

那天上午，省議會大會討論議員陳愷所提出的優待教師乘車的議案，議案強調教育是復國建國之基本事業，教育工作者，理應爲大衆所敬而重之，故建議政府，請比照優待軍警學生乘車辦法，給予各級學校教師以優待，藉以發揚尊師重道的精神。

這並說不上是一件重要的議案；這議案首先由教育審查委員會討論之時，其審查意見爲：「送請政府研究」——幾乎是接近於把議案擱置了。但廿五日那天在大會討論這議案時，有的議員以爲，目前的交通事業，由於軍警學生有優待，已有不勝負荷之勢，再加上教師亦優待，那還了得，所以主張把這議案保留。但同時亦有的議員以爲，優待教師的原則既有可取，「送請政府研究」亦當然並無非要如此辦不可的約束力，所以主張維持教育審查會的原議。

既然有兩種不同的意見，而且兩種意見都沒有自行打消之意，結果當然只好進行表決，以定取捨。表決的結果，是把這議案根本給否決了。

雖然議案遭受到否決的命運，但爲了首先這議案並不夠重要，再者爲了一切均係依照規矩辦理，故直到這議案被否決之時爲止，議場上風平浪靜，完全沒有一點火藥味。

然而就在這時，郭國基這位著名的「大炮」議員，忽然站起來講話，他說到高興處，口沫橫飛，說到激烈處，聲色俱厲。郭國基居然指責說：「提這種案的人，根本沒有常識……」

由於郭國基的口不擇言，不少議員都被激怒了。提案人陳愷當然受不了。但陳議員還未發作，卻一旁惱怒了張富議員，他不待郭國基把話說完，一怒而起，橫不說豎不說的直奔郭國基，準備直捲飽以老拳。這時，另外有幾位議員，也立刻掀袖擄臂，作勢欲打，要給出口傷人的「大炮」郭國基一些顏色看。這時會場空氣緊張極了！好在說時遲那時快，正在張富議員快要跑到郭國基面前之時，陳重光議員一躍而起，兩手將張富抱住；其餘議員亦趁此打圓場，大家拉拉扯扯，總算沒有眞正打得起來。

但打雖不會眞打，吵鬧卻特別激烈，而且是大家一齊吵，一齊鬧，會場秩序於是而大亂，叫罵之聲，此落彼起，已經完全是一個「魚市場」的格局了。郭國基這尊「大炮」，當然是吵鬧的中心人物。

而就在此時，原提案人陳愷說，剛才表決之時，不足法定人數，要求主席宣告無效，重付表決。山地議員潘福隆卻大不以爲然，於是陳，潘兩位又吵鬧起來。至此，可說整個會場更混亂得厲害了，大家不僅吵鬧，進一步的打起來是大有可能的。

那天的省議會大會，由於議長黃朝琴副議長謝東閔均因事缺席，由會衆公推黃運金議員主持會議。黃運金一看情形不對，就敲起「法槌」希望制止，卻敲了好久都不發生效力，最後這位臨時主席在無計可施的情形下，使出他的撒手鐧，他高聲叫說：「現在休會五分鐘！我先走了。你們要繼續開會也好，要繼續吵鬧也好，隨你們便」！說後黃議員果然走了。會場亦因爲他的這一走，吵鬧才慢慢平息下來。計吵吵鬧鬧的時間達半小時之久。

到會議再開之時，黃運金議員做什麼也不答應再幹主席了。大家只好另選郭石頭議員任臨時主席，但郭議員卻要預先約法一章：「不興吵鬧」。否則他就不幹主席。（一東）

廣州市一到天晚　無人敢單獨行街

否則會被人剝光衣服

香港與大陸

▲新自廣州回到香港的某君說：廣州市如今一到了天晚，就沒有人敢於單獨在街上走了；假如你一個人在街上走，特別是在比較僻靜的地方走的話，連你身上穿的那件衣服，都會被人剝光的。

某君又說：港幣在廣州，非常的吃香，大家搶着要；黑市變兌，港幣一百元可以兌人民幣一百元，有時竟兌到一百二十元。

某君又說：廣州市面經濟情形慘不堪言，拿起人民幣根本買不到東西。有些櫥窗裏雖然擺出有東西，但那是貨樣，並不賣的。你如果要買，可以訂購，方法是由你指定要那樣東西，先把貨欵及運費、關稅都交給一店裏，它們可替你到香港去採辦回來，如此一來，比如一斤臘肉，原價不過是值人民幣五塊錢的，但加上運費若干，關稅每斤是九元，總共就要值十七八元人民幣了。

▲據最近由上海出來的陳先生稱：在上海市各交通要點，比如火車站之類，到處可見到一些「指示」，內容是要人民有親朋在海外的，多寫信給他們，要他們多匯點錢回來接濟，如果外匯多的，會給予獎勵，可多配些食糧給他們。且說明多匯多配，少匯少配。

陳先生又說：近數年來，台灣常常有飛機飛到大陸各地空投糧食包，對岸信及安全證等等；在晚上，大家聽到飛機來了，就跑到郊外去檢投下來的物品及安全證等，悄悄的，分藏起來。每逢飛機去後，共幹部通知大家，不准檢投下來的食物，並說那些食物裏面有毒，吃了會死人的。但，共幹們檢到什麼，他們也是分藏起來的，尤其是對安全證，共幹特別視同至寶，密藏起來。（安）

讀者投書

對東西文化爭論的觀感

胡適之的言論，大純小疵，反對者的指摘，舍本逐末。

自由報編輯先生大鑒：近讀貴報刊出胡適之先生在「亞東區科學教育會議」的講演詞——「科學發展所需要的社會改革」——之後，又讀到東海大學教授徐佛觀先生駁斥胡博士的文章；同時從報紙的電訊和通信上，知道台灣方面亦有不少的人士，起來反駁胡博士的言論，甚至有立法委員於該院會議中提出洋洋二萬餘言的書面質詢，痛罵胡氏以後，還舉行記者招待會，宣傳他的反胡意見，且由立法院用公欵替他印發那二萬餘言的書面質詢原文。反胡空氣之緊張熱烈，得未曾有，若從學說研討辨難的意義設想，這原是好現象，可與卅九年前的科學與玄學之爭媲美爭輝，蔚成盛事。可是，我將胡博士去年內兩次被人圍攻的言論——一次是他在台北某雜誌寫文字紀念青年黨首領曾琦逝世十周年，提起他當年指曾氏過於強調中國固有文化和國家主義，恐有「義和團」思想復活的危險；一次就是上述這篇講演詞——以及各方面反駁他的大作，仔細拜讀一遍，卽發生兩種觀感：胡適之的言論大純小疵，反對者的見解舍本逐末。謹向先生披陳所懷，希望藉貴報寶貴篇幅，惠予刊佈。

提倡科學并非太逆不道

胡氏提醒曾琦不要太過於強調中國固有文化之說，用意仍是希望咱們中國人能夠吸收西方——也可說是世界進步的科學文化思想，而揚棄張之洞所謂「中學爲體，西學爲用」的陳腐觀念，以期追上時代，跟西方文明國家併駕齊驅。他並未完全否定中國的固有文化，只是勸大家不應拖殘守缺，認爲中國固有文化十全十美，不需要有所改進了。所謂義和團思想的中心宗旨是「扶清滅洋」，是「外夷狄而內中夏」的頑固自大主義，他以「義和團思想」作比喩，勸朋友改變對西方科學文明深閉固拒的心情。這在理論上並不算錯，在語意上亦沒有侮辱中國文化的作用，因爲義和團思想並不等於中國固有文化。這比較卅餘年前吳稚暉先生主張把線裝書拋入茅厠裏去的說法中和多了，也視卅餘年前陳果夫先生建議停辦全國大學裏的文法科，而專辦理工科的意見穩健多了。當年大家對於吳，陳二氏鄙棄整個文化存在價值的議論，恬不爲怪，未聞有人予以駁斥，且相率奉之爲黨國元老，尊敬不違。如今胡氏說了一句謹防有義和團思想復活之危險的比喩言詞，作其提倡科學思想的論據，便指爲大逆不道，羣起而攻，豈非見樹不見森林的觀點嗎？義和團思想與線裝書作用孰爲重大，與文法科價値又孰多，原是不待辯而自明的事實，這才眞是對中國文化的莫大侮辱呢！

理論一貫詞句有些過火

胡博士在亞東區科學教育會議中的講演詞，主要的意義是教本國人不要再以東方精神文明自傲，而認爲西方的科學文明是奇技淫巧，是在某些事物上不得不勉強學習贊賞的壞東西。他希望大家放棄成見，相信科學文明具有消除人類貧窮，疾病，愚昧之患的功用，由衷地竭誠接受，使它在文化思想上自然生根，國家才有富強之望。所以，他認爲一個坐在舢板上的人，卽沒有瞧着掠首飛過的噴射機而蔑視譏笑的理由。這亦跟吳稚老當年笑「玄學家」喜用科學產品的電燈，而不肯照舊點桐油燈，愛坐輪船火車而不願以木划或牛車代步的道路相同，似無語病可尋。他對於自己的說法，又聲明願意聽候大家詳細研究後，予以「駁倒」，並不「立一說以爲是，而禁天下人之言其非」，這種態度亦屬合理。

綜觀胡氏去年發出的兩次言論，目的都是爲要提倡科學，反對文化思想上的鎖國主義，前後理論一貫，並無矛盾混亂之處，所以我覺得大體上是純正的。但其中亦有小疵，無可諱飾。

首先是他的詞句有些太過火了。如說東方文化毫無是處，又說東方精神文明並無精神成份存在，實際還是唯物的。再則舉出中國婦女裹小脚爲例證，以說明中國固有文化的敗徵。誠然，婦女裹足亦是屬於文化現象之一端，但這是一時的病態現象，並非中國固有文化的本質，婦女裹足決不能代表中國文化的全部精神啊！胡氏爲着增強自己的論調與力量，乃以激動的心情，急不擇言，逞快一時，未免太欠考慮了。據說，胡博士素性卽有容易激動的毛病，他平生不信宗教，在社交應酬之中，誰如約他到敎會場所去，馬上就要動氣，堅拒不理，表現着無神論者的科學精神。實則大可不必，沒有宗教信仰的人，進入一下敎會場所，不見得就損害了自尊心，而一輩子誓死不踏進敎會之門，也未見得對於科學家就有多大的光榮吧？這種無關宏旨的細事末節，像胡博士這類人物，似乎沒有斤斤計校之必要。由於他的性情容易激動，在言論上，有時候乃過於「大胆假設」，而疏忽了「小心求證」的工夫，以致引起許多不必要的爭論。但他提倡科學思想，不贊成文化的鎖國主義這種大前提，總是未可厚非的。

反胡文章多未擊中要害

我讀過海外和台灣方面若干反駁「胡說」的文章後，失望得很，都是些舍本逐末之談，而且多半流於意氣用事的謾罵言詞，並未擊中要害。譬如胡博士勸曾琦不要強調中國固有文化，因而過份講究國家主義，以防有義和團思想復活的危險云云。反對他的人，就應該說明中國固有文化何以優於西方科學文明，國家主義何以必須講究的道理，藉以反證胡氏的見解沒有妥當性，才是深中肯綮的上乘作品。如不從大處落墨，只是斷章取義，拈出「義和團思想」這句話來作根據，指斥胡氏侮辱中國文化，申申而詈，怎能敎人折服呢？胡氏談科學發展所需要的社會改革那篇講演詞，重點亦是主張接受西方科學思想，承認現代的科學文明確實對人類有好處，並不是「壞東西」，而東方的精神文明，實際亦是唯物的。反對者就應該闡述東方精神文明比西的科學思想對人類更有好處，以及東方文化是否唯物的？中國固有文化是否需要吸收西方科學思想而有所改革？可是，大家對於這些重點存而不論，只是抓住胡氏所舉婦女裹小脚這項例子，大做其文章，說他侮辱了東方文化；又說他攪「水經注」和「紅樓夢」考據，是言行不符的「魔鬼的辯護士」，其意若曰：「你胡適亦是致力於中國文化工作的，却對人高談西方科學文明，便係言不由衷的僞君子，豈有此理！」這不是舍本逐末的無謂爭論嗎？

徐佛觀之文亦意氣太甚

此外還有題外生枝的反胡文章，把「五四運動」和「新文化運動」以及「打倒孔家店」這些責任，一古腦兒都推到胡適身上。不管這些事情是好或是壞的，我認爲都是過譽了胡氏，對他太恭維了。五四運動明明是全國學生們爲着日本帝國主義者霸佔我們山東的領土不肯交還，而當時北洋軍閥政府又有對日妥協的傾向，這才由北京的學生們帶頭，以直接行動打倒賣國賊的愛國運動，實與胡適毫不相關，動機亦很單純，更扯不上文化問題，當年許多參加此役的人士，今仍健在，不好當面造謠的。至於新文化運動的首倡者是陳獨秀，後來胡適隨聲附和，寫過一些提倡新文學的文章而已。「打倒孔家店」之說，創始於四川的斗方名士吳虞，他不但反對孔子學說，而且極力主張兒女不應該孝順父母，理由乖謬穢褻，不屑引述，免汚筆墨。胡適只在替吳虞的所謂著作中寫序言，說過一句「介紹這位打倒孔家店的英雄」罷了。他從來只有批評孔學的言論，並無打倒孔學的主張，難道孔子的學說就不能批評嗎？果若是，我們今日就應該家家戶戶豎起「天地君親師」的神位，作爲尊崇中國固有文化的象徵才對呢！徐佛觀教授指出胡博士談科學發展那篇演說中，名詞與觀念諸多混亂，確係事實，在許許多多駁斥胡氏見解的作品中，徐教授比較地搔着了一些癢處，但我覺得他還是意氣太甚，罵人多於說理，似非學說辯難的正軌吧？

希望讀到夠份量的文章

究竟中國固有文化應不應該有所改革？西方的科學思想我們有無吸收而融化它的必要？若要改革，怎樣着手，除却胡適的見解以外，還有甚末更妥當的方法呢？若說無需乎改革，只要將固有文化發揚而光大之，卽可以迅奏反共抗俄的膚功，也可以達成富國強兵的績業，其理由安在？內容又是如何的？我個人學識譾陋，不能作肯定的論斷，很希望當代學者有詳盡的研討，作系統的指示，却不願大家專作罵街式的爭論，使人莫適誰從。我現在忝爲人師，近來常有青年學生問起報章雜誌上攻擊胡適的文章，孰是孰非，我感覺難以答覆，因爲我尚未明瞭眞正的是非所在，不能憑自己主觀逆臆的說法以告訴學生，致構成誤人子弟的後果。這便是我要向貴報投書請敎的動機，敬希亮察爲幸。

劉錫光一九六二年於香港

廬君續夢

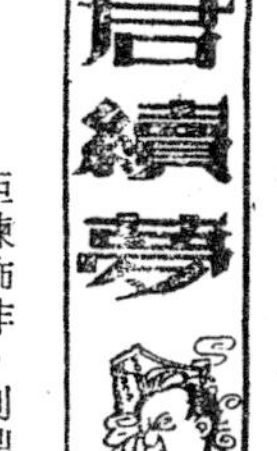

第三回：拒諫飾非，列鼎烹功狗　成王敗寇，作狀笑沐猴

中共中央書記處九名書記，各有專責，王稼祥是負責外交的，張聞天和契爾沃羊科找到他，談起阿爾巴尼亞的文件，王稼祥不敢隱瞞，取出來交給契爾沃羊科印了兩副本帶回去，以後赫魯曉夫就根據這個文件大整霍查，霍查埋怨毛澤東出賣他。毛澤東正想在共產陣營中取得第二把交椅的地位，接到霍查的抗議信，又驚又氣，就追查消息走漏經過，於是追到張聞天王稼祥身上，他兩個也給彭德懷陪了葬。

把這一批人淸除之後，還要找一批人遞補，毛澤東當時提名林彪爲國防部長，羅瑞卿爲國防部第一副部長兼總參謀長，鐵道部長名義上還是滕代遠，實際由呂正操代理，後勤總部部長，林彪提出邱會作，卻原案通過了。剩下羅瑞卿担任的國務院第一辦公室主任兼公安部部長的兼職時，一時却想不出合適人選。因爲這個部是特殊組織，外人不能介入，公安部原有的幾名副部長，都是半隱蔽份子，在中共黨內也不露面，所以他們儘管權力重，地位並不高，沒有一個中央委員，其中第一副部長楊奇清身兼政治保衞局局長，中共大員的生死都握在他的手心，權力大到極點，但是眞担任公安部長兼公安師司令員，還是不夠份量。毛澤東又想到中共政權初成立時，担任國務院情報署長的鄒大鵬，是一名老特務首領，可是在黨內也沒有地位，毛澤東思索一時，忽然想起一個「外人」，就是雲南省委第一書記謝富治，過去黃克誠說過雲南一部份共軍叛變，逃到邊境被謝富治用飛機追回來的，是個有用之材。當時毛澤東就告訴周恩來有機會調他進京作官，現在有了缺，不如把他補上。毛澤東想定了就和羅瑞卿一說，徵求羅的意見。羅瑞卿正恐怕換了一個「行家」，以後公安師不聽他指揮，現在聽說毛澤東要提名謝富治，喜歡的雙手一齊舉起來。

謝富治的新職確定之後，湖南，雲南兩省的省委第一書記都出了缺，午間休息時，毛澤東特別把王任重和李井泉叫進去，要他們各保一個人担任省委第一書記，李井泉提出四川省委書記閻紅彥補謝富治的缺，王任重也推出張平化接替周小舟，毛澤東也同意了。大的問題決定後，毛澤東又在會議上發言，要嚴查反黨份子，除去彭德懷一批首要之外，還有那些盲從份子。一句話又引起驚慌，出席人員你望我，我望你，不知道帽子又扣到誰的頭上。

劉少奇看準時機，知道這是收買人心的大好機會。起身陪着笑臉說道：「主席已經接納徐老的建議，對彭德懷等同志從輕處理，反黨兩個字似乎有點不妥，因爲反黨就要重辦的，德懷同志充其量只是犯了右傾思想，我看這次運動不如改爲『反右傾機會主義』，不知主席同意不同意。」

劉少奇說到這裏，毛澤東瞪着大眼，連點兩下頭，下面一齊鼓掌，就算通過了。毛澤東也就不再追究彭德懷的黨羽，大家都長吁一口氣，總算又過了一關。劉少奇這一手，不但一般中央委員感激，連劉伯承都暗暗佩服，覺得劉少奇眞不可及，朱德無論如何也鬥不過他。

第二天討論人民公社問題，又緊張起來。（七零）

國劇藝術彙考

·齊如山·

前邊舉的測，擇，色等字，都念尖音，也叫作上口，曰咬。

十三道轍中，又有小言前，小人臣等轍，向無名稱，有時呼爲小字轍，我管他叫作兒字韻，因其是每字下，加一兒字，才有這種音節也。然這兩個名詞，都不算妥當，故至今尙無一定的名詞。這種轍在皮簧；或各種正式戲曲中都不用，偶爾夾雜用之，也非正式戲詞，且仍極少見。惟北幾省各種小調，或地方小戲，最愛用他，因他每字下，加一兒字，所謂緊讀爲一，緩讀爲二，其聲極嫩，婦女們尤其愛聽，故小曲中多用之，民謠童謠，尤其愛用，且因爲韻寬，更是方便，例如。

小言前與小懷來，同轍。

小人臣，小一七，小灰堆，同轍。

小中東，小梭撥，同撥。

小江陽，小發花，同轍。

於是把十三道轍，又變成八道轍，韻當然就又寬多了。茲略舉兩種如下。

洋鬼子沒人味兒，二毛子小兩輩兒。

兩把兒頭，搭拉翅兒。

大個錢，改十字兒。

鬼子有點兒不得勁兒。

這一套是民謠，乃光緒庚子前，人民恨教匪所編，共有二十多句。所謂兩把兒頭搭拉翅者，彼時以前，旗人女子之兩把兒頭，是橫着直伸兩旁，因他有點像天主教之十字架，故把兩頭往下一垂，以避十字之形。大個錢改十字者，從前當十錢，都是用一橫一豎之十字，因避教會十字，改用大寫拾字。按旗頭垂翅，是否因像十字，尙不能斷定；大個錢改十字，則確是爲此，自是淸廷之無知。

兄妹二人下上一盤棋兒。手拿着旗子兒笑外又嘻嘻兒。瞪着眼，掙着眉兒。看看我，看看棋兒。哎喲動了奴的心兒。

以上是小曲，曲名就叫作下棋。又吾鄉一帶，有賣茶碗小販，都帶搖會，例如每一茶碗，賣十二個錢，可以每人出一個錢，共十二人，共同用三個骰子搖會，誰的點多，一碗就歸誰。這種小販，都有編成的唱詞，一面搖會一面唱，借廣招徠。（十六）

邛都憶往（十二）

李仲侯

伍培英這個人，原本是一花花公子，虎韜豹畧，少得可憐。也許伍逆平日懾於賀氏威名，一朝犯上叛變，雖有絕對把握，不免帶有幾分虛怯心理；又彼此這樣局促一隅，都擠在西門一條線上，刁斗相聞，如果兩下交綏起來，無異鼠鬥穴中，展布不易，勝負之數自難預定；況西昌各界爲免全城玉石俱焚，奔走和平，極爲賣力，輿論反對在城作戰，亦不能無所顧忌；有了這些因素，伍逆智囊所作的種種建議，都被其否決了，他總覺得投鼠忌器，能夠多方促成賀氏和平解放西昌，不爲戎首，是爲上策。直至十二日上午十時，最後一次高級幕僚會議，左右部曲，終於被伍逆說服了，才決定下了當見晚諸行動的這道最後命令。當時在伍的估計，認定城內是不宜作戰的，必須先將師部和西郊部隊，開向距城六十里之瀘沽集中，再調同富林之一部，然後併力反攻西昌，維時全國均被紅潮吞噬，西昌已成甕中之鱉，更不憂其不就範矣。伍的最後命令謂五更出發，實係指的向瀘沽開拔，並非向我方進攻，這就當時事實而論，似亦未可斷其全爲失策。

在我方居此劣勢，既有孤注一擲之決心，爲爭取主動，提早進攻時刻，自屬當然。該晚担任攻擊城廟伍師司令部的一路，半屬新募之衆，訓練猶未成熟，領隊的盡是幾個湖南人，初生之犢不畏虎，說時遲，那時快，他們一出發，便旋風般的跑向師部門前，並不知道用兵的什麼奇正分合，吶的一聲喊，就向師部大衛門來一個猛虎洗臉的姿勢直撲上去，即把所有的衛兵都繳械了；一部份已衝進師部內衛門。那時伍逆還在辦公室內不知和部下商量什麼，冷不妨看到來兵兇猛，一時無措，飛奔的向屋後跳牆走了。其餘士兵正在埋鍋炒飯，準備出發，一點都未提防，在廟中走廊上，已被我方士兵用刺刀搠倒了十來個，其餘有的繳械投誠，有些狂奔向後衛門倉皇逃命。同時跑馬場方面的伍部亦在準備開拔，不提防我方突然三路進兵，頓被殺得人仰馬翻。伍逆在西門城頭，望見跑馬場正在鏖戰，就飛也似的繞出了西門，一面傳令兩處人馬，仍依原頒命令火速向瀘沽退却。這樣一剎那間，兩處陣脚，全部崩潰，我方部隊精神百倍，無不一以當十，跟踪緊追。到達小廟黃土塲一帶，天色大明，該處居民，平日痛恨伍部抽收烟苗稅，橫征暴歛，銜之刺骨，知道伍師敗績，遂起參加我方陣營；農民手內的鋤頭，扁挑，都成了追擊敗兵的致命兵器，村婦兒童則鳴金鐵助威，數十里內，一片喊殺連天，伍部狼狽逃命，將所有槍械子彈及隨身攜帶的鴉片白銀，沿途拋棄，成了民衆爭獵的目標。迨伍逆化裝逃抵瀘沽，只剩親屬隨從十餘人，無法紮營，連夜繼續前奔，直趨富林，依附廖部，才有機會喘息，收集餘燼，再整旗鼓。

談祖傳

汶津

曾看到一種表格，上填着宗教信仰及其時間，若干填表人在前欄下填「佛教」，在後欄中則赫然填着「祖傳」二字。原來宗教亦可以世襲的，使我有頓開茅塞之感。

「祖傳秘方」大概是中國人的專用名詞，黃髯碧眼兒聽了一定會目瞪口呆，不知所云的。因爲宗族觀念濃厚，除了倫常道義，不免順帶的來點私利專享，所以不論是藥方是技藝，都要造成「只此一家」，才算心安理得，祖宗的重要性便也因此不致沒落，庶幾順利達成，承先啓後，相得益彰的使命。

但是祖傳的皇冠，還要附加祖傳的家法，滿淸的皇帝們人人都得承受起這雙重負担。他們雖然貴在萬人之上，却不得不受官臣家宰們的安排，譬如淩晨幾刻必須起身，某時必須作某事等，其實倒也不是閹豎們胆敢發號司令，這些原是「祖傳」的規矩啊。

俗語的「包袱」，現世中本是各式各樣，指不勝屈，唯有這「祖傳」的大包袱，最難擺脫，那是生根在血液裏的。臉上長了瘤，可以開刀割去；有了祖傳的負荷，除非你脫胎換骨，否則只有爲它服役終生。

當然，祖傳的錢財、權勢，也頗能撩人意欲。兒孫自有兒孫福，但有些額外「根基」到底不壞。就怕祖宗把烟槍和陋習一起傳下來，結局弄得一個坐吃山空，家破人亡，甚至以一張「傳票」了帳，那倒還不如只傳下一句遺言，或者一疊債單的好了。

有人爲祖傳的產業，奇珍而拼命，等於[illegible]一樣，這當然是孝道，不要說中國人如此，就連四海爲家的美國人，也還有些頑固的人物，不肯讓田納西計劃順利推行，年前有一張「狂流春醒」的影片，便是祖傳與進步之間的一場搏鬥。那麽祖傳眞代表了落伍，不長進嗎？且慢斷言！歷史有時還頗珍惜這一德呢。賽珍珠的「龍種」，不就在那兒用故事渲染咱們祖傳的潛力嗎？問題只在，祖父的烟癮，祖母的小腳是否也想爭先作主角；不然，有些寶貝還唯恐其傳之不久呢。研究人類史的學者常注意原始民族對火種的延續。一族的火，決不因遷徙或變故而任它中斷，那正象徵了整個族人的命脈。可見人類綿延不息的本能，也是上帝的一大恩賜了。這種心理，甚至擴充到連妻子都要父子相傳的可笑地步，我們眞也不敢非笑那些視祖傳爲生存必要條件的朋友了。

民族的傳統也可以列入這個範疇吧。讀報說以前與碧姬巴杜合作的某導演的近作「危險姦情」，由於色彩太黃，屢經法國當局檢查，好容易通過放映，却限制不得出竟。這段新聞眞是爽神之至。蓋對性的放任和開明態度，正是法國的一大祖傳[illegible]

我與楊永泰（四）

諸葛文侯

愚以碌碌無所短長的一介書生，又乏名公鉅卿作背景，涉足仕途，熱不因人，頗有如蒲留仙所謂「抱刺於懷，三年沒字，側身以望，四海無家」的景象。楊氏識我於萍水相逢之中，謬賞於牝牡驪黃之外，一見傾心，倍加信任，且在事業上不斷的予以曲全維護；更隨時寫私函勉勵我，指教我，會記得他有一封信批判我的個性，說是「兄對於世事觀察太易，自信過高，故不免粗枝大葉之病，若出以細針密縷之心情，將來必有大成也」。他這項箴言，使我一生服膺不忘。人總是有人性，有情感的，得着這樣的一個知己者，當然跟他親近，久要不渝，漫說世人指他是所謂「政學系」的首領，我固然無所顧忌，即令他是江洋大盜的黨魁，只要國家讓他在政治上據有職位，我也樂於替他做嘍囉。因此，別人扣我以「政學系」的帽子，我是滿不在乎的！

談到「政學系」，今日凡屬年在五十歲以下的人，敢說他們對於政學系的來歷，並不知道究竟是怎末回事。原來所謂政學系也者，即係民國初年政壇上的「政學會」，而其前身則爲黃克强先生在美國組織的「歐事討論會」。緣民國二年民黨討袁之役失敗後，國父孫公在日本改組國民黨爲中華革命黨，重新登記黨員，入黨者必須加蓋指摹於誓詞上，宣誓服從領袖的指揮。是時，克强先生與一般民黨的文武要員，皆亡命在日本，他對於加蓋指摹的手續頗不謂然，但不欲公然表示反對，乃遠赴美國游歷，以免引起內訌。繼而許多民黨同志亦陸續到了北美洲，自然跟黃氏昕夕過從。這時候歐戰方酣，黃氏即以討論歐洲戰事問題爲目的，組織「歐事討論會」作爲同志們經常座談之所。迨歐戰結束，討論會的對象消失了，才改名爲「政學會」。袁世凱死去，舊國會宣告恢復，流亡海外的民黨人士都相率回國了，有些曾在美洲參加過「歐事討論會」或「政學會」的人，就以政學會這名義，在國內從事政治活動，而以國會議員參加這小組織的爲多，楊永泰即是此時加入的，其中份子複雜，已非復純粹的民黨政團了。當年岑春煊與梁啓超等在粵南開府討袁時，國父孫公已率領兩院國會議員在廣州設立護法政府，然政學會份子多附和岑氏，終且排擠國父離粵，此政學系之所以爲世詬病也。

楊永泰受任國府軍事委員長行營秘書長時，是否仍有「政學會」之組織，不得而知，他們如果眞有小派系組織的話，一定會有人教我參加的，可是，始終沒有人對我談起過這類事情。我作過一次楊氏的僚屬，人們即誣我爲政學系，然則我也曾替那號稱爲十三太保之一的康澤在重慶所創辦的「西南日報」做過兩三年總主筆，豈非「復興系」的人物嗎？陳果夫立夫兄弟亦曾保荐我作重慶市教育局長，那我又算是C．C系了？實則我甚末也不是，只是一名門神式的國民黨員而已。亦以此故，在政治上我乃到處被視爲不忠貞份子。今日許多在過去認爲雙料忠貞之士的時代寵兒，皆已投降共黨，而我依然以不忠貞的立場，過着反共的流亡生活，思之啞然失笑！（完）

嘉義彌陀寺

南道

[illegible]

山川風物

[illegible]

內僑警台報字第〇三一號內銷證
自由報
THE FREE NEWS
第二〇六期
中華民國僑務委員會登記證
僑台報字第三二六號
中華郵政台字第一二八二號執照
登記爲第一類新聞紙類
（半週刊每星期三、六出版）
每份港幣壹角
台灣零售價新台幣貳元
社長：雷嘯岑
督印人：黃行寵
社址：香港銅鑼灣高士威道二十號四樓
20 CAUSEWAY RD 3RD FL HONG KONG
TEL. 771725　電報掛號 7191
承印者：田豐印刷廠
地址：香港灣仔高士打道一二二號
台灣分社
台北市西寧南路本社二樓
電話：三〇三四六
台郵掛號金戶九二五二

荒謬絕倫的警察與法官
——對台灣基隆市民郭順景的冤獄有感

雷嘯岑

報載：台灣基隆市警察機關拿獲了一名吸毒犯人，問他毒品是那兒來的，供出販毒的人名叫郭順景，警察即將郭某捕送地方法院，依法判處十二年有期徒刑。郭不服，提起上訴，經台北高等法院偵訊結果，吸毒的犯人與郭某並不相識，販毒的確不是這個被判重刑的郭順景，而係另一同名同姓者，法官當堂裁定他無罪，交保釋放了。這眞是天下奇聞，表示基隆警察機關之顢頇胡來，隨便蹂躪人權，地方法院檢察官之昏憒糊塗，瀆職殃民，竟至如此！我不知主管警務與司法事務的首長們，對此作何感想？

販賣毒品乃是一種嚴重的罪行，基隆警察機關拘捕犯人到案時，未必不加訊問，就向法院移送？果若是，即係有虧職責，行同兒戲。地方法院審理本案時，未必不將犯人質訊明確，就糊裏糊塗地妄事定讞？果若是，則平日曠棄職務，弁髦法令的黑暗情形，殆可想見矣！似此荒謬絕倫的行爲，出之於警察與法官身上，於情於理，令人難以置信的，而竟有其事，不亦怪哉！台北高等法院既已訊明郭順景無辜受屈，宣判無罪，可謂「明鏡高懸」，幹嗎還要採用「交保」的官樣手續，方予釋放呢？所謂「交保」的用意，原是案情尙待審判，爲防當事人有逃亡之虞，郭某既然宣告無罪了，便係享有自由人權的普通公民，再教他交保，所爲何來，徒然妨害人身自由而已。據聞我國已訂有「冤獄賠償法」，郭順景應該提起控訴，要求冤獄賠償，而以基隆的法院與警察機關爲被告。這種荒謬事件，若發生在英美那些民主憲政國家，那還得了！議會必然調查糾彈，輿論界更要譁然指摘，大事抗議的。我們經常侈言法治，號稱實行民主憲政，乃有這種在君主專制社會中亦所罕見的虐民案件發生，實係中華民國的莫大恥辱，如果不將那胡鬧的警察，昏憒的法官，査明責任，從嚴究處，未免太不成話了！

我們認爲這決不是一樁小事體，官吏可以隨便誣陷無辜的人民，濫加罪刑，還有甚末自由人權之可言嗎？不能尊重法定人權，即不配躋於現代國家之列。大陸淪陷的原因固多，但一般文武官吏之貪殘作惡，摧毀人權，以致政府與人民完全脫節，復且趨於對立地位，實爲主要因素。時至今日，這些高談反共抗俄，大呼復興中華民國的不肖官吏，依然猶吾大夫崔子，過去那套舊觀念與作風，原封未動，我行我素，眞是哀莫大於心死了！心死之人，無所謂是非羞惡的心理，更無所謂愛國愛民的情操，他們祗是呆在政治場中鬼混，乘機尋求儻來之物，郭順景大概缺乏「紅包」，所以被不肖官吏指鹿爲馬，身陷冤獄。稍有良心血性的人，目擊此情，寧忍默爾而息乎？

警察，法官，稅收吏這三種人物，都是經常跟民衆直接接觸的公務員，他們的一言一行，在在影響國家名譽與政府威信。所以，無論實施任何政體的國家，對於這三種公務人員，訓練特別嚴格，管理特別周到，進用尤其審慎，而待遇亦必然可以養廉，非如此，流弊即不堪設想。現時在台灣服務的警察，法官與稅收吏，他們的生活水準是否比在大陸時期爲優，不得而知，但據筆者在台灣民間訪察所得，一般人民提起這三種人，很少表示贊許的，這原因決非僅僅待遇的關係所致，根本是舊觀念與作風尙未改變。就警政來說，它原是屬於行政學範圍的業務，辦理警政的各級幹部人員，必須學過法政的人，才可望勝任愉快。然而二十年來，我們的警政皆由軍人主持，比較重要的職位，亦成爲軍人轉業之所，把軍事與警務的性能，混爲一談，冶於一爐，基礎就不健全了。

主持警政的既是門外漢，他們在日常注重的工作，就在使警察變成軍隊，其餘的業務，非不爲也，是不能也。

我們政府的組織法雖然規定警政屬於內政部主管，該部亦依法設置着「警政司」，像煞有介事地頒訂警政法規，擬定改進計劃，實際上對於警務機關的人事進退，以及管理，訓練，考核，奬懲等事宜，完全無從過問。因此之故，大都會的警察有若軍隊然，警士亦多來自軍旅之中；而其他小地方如各縣市的警察素質，即多見其爲無業游民或散兵游勇的託身處，以之維護社會秩序則不足，以之魚肉人民則有餘。這就是我國警政始終未能改進革新的樞紐所在。基隆市警察之濫捕良民，良有以也。

就法官來說，若千年來，我們常聞主管機關不斷地開設法官訓練所，然其訓練出來的人才，過去在大陸上盛傳着「有條有理，無法無天」的民間評語，現時在台灣又鬧出抓山塞水，妄處無辜人民以重刑的怪事，因而使我們懷疑到官府辦理訓練事業的效用如何了。第一是短期受訓人士的素質問題，他們是否曾經在專科學校以上的學校習過法律學呢？短期訓練的目的在技術而不在學理，更談不到品格與操守的修養關係。據我們所瞭解的事實，凡屬對於法律學有專長，而品格不低，能力相當夠水準的大學畢業生，多不屑接受官府的短期訓練，他們情願從事自由職業——教書或作律師。如去年因貪汚案轟動一時的台南高分院法官高嵩，就是沒有受過法律專科敎育的警官學校出身者。第二是短期訓練的結果，由於主持其事者盡係在位的達官顯宦，而又不止是一個人，無形之中，即產生小派系組織，在司法界講究人事關係，各顯神通，致令自愛有爲之士，不願直尺枉尋，而羞與爲伍，望望然去。我敢武斷的指出，今日在司法界眞正品學優良，能力高强的法官，十九都不是短期訓練所培養出來的。所以，這次基隆地方法院演出駭人聽聞的醜劇，唯一解釋即是法官的素質問題，而待遇關係不預焉。

談到稅收吏，似乎亦經過了短期訓練的。可是，這類人物的資格和知識，更是漫無標準，極盡「吏途麗雜」之大觀。幾個月或者幾個星期的訓練期滿後，派他們到民間去作催科索逋工作，而其待遇又少得可憐（我去秋在台北問過一位低級的征收人員每月薪給爲台幣四百元），這等於放出一羣饑貓到魚市場中，要它不偷食魚類，豈是可能的事？另一方面稅收機關所訂定的稅訓等第，每每超過商人的實際收入額，悉索敝賦，唯恐數量不多，迫使商民不得不造假賬，而有所謂眞假兩種帳簿的公開作弊情形出現。我在台北亦曾詰問過一位經商的朋友，爲甚末一定要造假帳？答謂如果老老實實報眞的，照章繳納稅欵後，店舖只好馬上關門，因爲連本錢也要繳去大半啊！不特此也，越是生意做得大的商業機構，越就夾有官僚資本在內，而許多中央民意代表之兼任工商業機構董事長或顧問，尤爲台灣今日普遍的現象。這些官商合流的公司行號和工廠，連那造假帳的稅欵亦有方法逃避拒納的。結果是一般稅收吏役祗有昕夕向着升斗的小商民催科追逋，凡在馬路上擺香烟攤賣燒餅油條的，只要夠得上納稅的程度，決無逃避之可能。這樣的稅收情形，一方面國庫收入數字與預算距離極大，一方面給稅收吏役以舞弊勒索的大好機會，而民怨深矣！蕞爾台灣地區十餘縣市的稅收事宜，竟不能切實整頓，做到涓滴歸公，官商守法不渝的淸明之治，將來如果回到大陸去，我不知袞袞當局諸公，有甚末智能可以把全國幾十省市的財政金融攪好呢？

我們若要發揮政治反共的效力，首先就得將警察，法官，稅收吏這三種「親民之官」澈底改造，使他們成爲民衆不怕而近的公僕。改造之道，貴在提高素質，培養專才，剷除私人派系惡習，變更舊有觀念與作風，然後調整其待遇，使他們過着起碼水準的安定生活。非如此，即不配談政治反共的話！

漫畫天下

各有前因

不知所從

自由談

談特務制度

「特務」這一名詞，一般人望而生畏，偶爾被別人視之爲「特務人員」，便要引起無限的羞惡之心，避之若浼。實則任何一個國家皆有特務制度，專司安全保密的職責，如英美各國的特工組織尤爲嚴密，這有甚末大驚小怪之必要呢？

共產黨就是一種超級的特工組織，他們每個黨員都負有監視偵查自己同志的使命，除却毛澤東個人以外，沒有一個共產黨員不是負有特工任務的，即劉少奇周恩來亦無例外。因此之故，他們對於一切的異己者——尤其是政敵方面的人士，動則扣以「國特」的帽子。許多人在內心裏原是反對共產黨的，爲着害怕沾上了「國特」的惡名，表面上竟作出「第三者」的言行，這恰恰中了共黨分化、離間敵人陣營的詭計。過去中共對國民黨人妄譖以「左派」「右派」等名稱，用意亦在分化敵人，有些糊塗虫即爲要避免「右派份子」之嫌，故作共形共狀，表示「左」得可愛的模樣，汪精衛即是其中的典型人物。他晚年痛感上當吃虧，又標榜反共而從事叛國，竟以悲劇終其生，追究本源，還不是由於當初那種不健全的一念之差所致的嗎？

不過，特務制度雖然很平常，特務工作却不是人人可以做得的。我常想：幹特務的人，必須具有高等的智慧，充分的良知與正義感，無量的勇氣與辣手，才算夠格。最忌諱好出鋒頭，恨不得臉上刻着「特工」字樣，深怕別人不知道他的身份。不幸在近卅年來，除卻戴雨農差堪贊許以外，我尙未看到過合乎上述條件的特務人員，多見其爲「賢者不爲，爲者不賢」的現象，利少而害多也。

對於知識份子羣中的特工活動，尤其需要特殊的人才，不能隨便胡來的，否則不特毫無效用，而且每每激起對方的反感，弄成幫倒忙的結果。特工人員犯點貪汚的毛病，我認爲無關宏旨，亦係無可避免的情形，最要緊還是在人員與工作配合問題。若教特務人員來公開主持文化工作，那就沒有不糟糕的！因爲他根本就給文化人瞧不起，絕無一點號召力，更不必談領導的話了。

特務工作不能反對，特務人員亦無可厚非，可怕的是材料不夠，專攬「除良安暴」「黨異伐同」的勾當，誤己誤國，爲害豈勝言哉！

馬五先生

黃啓瑞連續被判刑後

台北市長這隻位子 今後爭奪勢必更烈

執政黨內外感興趣的人不在少 罷免不信任院轄市均與此有關

（本報記者台北航訊）台北停職市長黃啓瑞織公車舞弊案初審判刑之後，南京東路市民住宅興建舞弊案，亦於日昨經台北地方法院初審判決徒刑三年，褫奪公權二年。此兩案宣判以後，台北市政行情，將有一番顯著變化。原有之各種醞釀，均須等待市宅案之結果而定，今結果既然如此，則一切可能變動，都將逐步出籠。

在黃啓瑞因兩案被提起公訴之初，他本人便是想用辭職的方式下台，不使周百鍊能代穩市長。這一算盤，並未行通，這便宜了周百鍊。市議會中的一般黨外議員，則認為黃啓瑞因案下台，當然是黨外人士競選上台的好機會，在選口號上，他們說是要實行民主政治，台北市應該有一個由人民選出的市長，所以極力主張台北市長的改選。這兩種理想的真正內容雖然不同，但在反對現任官派市長的作用上，卻是不謀而合，異與同工。

黃啓瑞的辭職既不被上級接受，因此一些人便想出罷免的一法。罷免了黃啓瑞，便可以重選。罷免是一種勞師動衆，費錢費力的方法，結果如何且頗難預期。簡便的辦法，據說是要黃啓瑞向市議會重提一個辭職副本，議會便可根據此一辭呈作成決議，請省府依法辦理改選。公車購料舞弊案判決後，市議會中的黨外議員張詩經等，便多方設法，勸黃氏提出辭職副本，結果都沒有做到。他們當時的決定是等市宅案宣判以後，看畢竟如何判法，再相機進行。

據黃氏左右的人傳出：黃啓瑞在公車案宣判之初，情緒非常憤激，曾經有不顧一切而豁出去的決心，並且由他的左右去找過一位律師商量，但那位律師的忠告卻是：「站在法律的立場，我當然可也替你們出庭。不過你這並不純然是法的問題，牽涉到你們自己內部意見，你們還是多考慮一下。」同時，有關方面在那幾天也對黃啓瑞極力進行疏導，黃啓瑞的情緒才逐漸冷靜平伏下來。因此，有人認為，那些要敦促黃氏提出辭呈的人士，錯過了那一個好機會，實在太可惜了；因為以後待黃氏把政治上的利害得失冷靜衡量之後，只怕辭呈就很難再提了。

準備發動罷免的人，大體上是預備在市宅案宣判後着手進行的，他們第一步仍是促黃啓瑞提出辭呈，在這一二天內他們便去進行勸服工作。此一進行如果順利，剩下來的便是運動在市議會中通過這一提案。如果勸服不了黃啓瑞，他們便將在春節後舉行一個座談會，邀請台北市各地區的所謂代表人士來商談；在此一座談會中，希望決定畢竟是進行罷免還是在市議會提出對周百鍊的不信任案。

如果能免黃啓瑞案子成立，誰是有興趣出來與周百鍊競選的人士？在黨外議員們的心目中，最被矚目的，還是高玉樹。據發起罷免的某議員表示：他們曾同高玉樹談過，高的答覆很含蓄，沒有正面拒絕，也沒有立刻首肯，而說：「這是兩年以後的事，現在怎麼說得定」。當然，罷免案還祇在醞釀中，能不能成為事實，根本不知道，在這時，誰願意表示明確的態度？

至於想維護現局，甚至想把台北市長永遠變為官派以免每次競選影響人心的一派之對策，則是醞釀着如何將台北市升格為院轄市。此說並不新鮮，每屆市長選舉之前都有一陣嚷嚷，不過這次嚷得特別大聲些、試探的空氣已經到處放出。這般人表面的理由是說：院轄市的條件是：首都或人口在一百萬以上及在政治經濟文化上居於重要地位的城市，台北市對這些條件都已符合，而且近年台北市人口激增，已經不合台北市的編制；同時，如果改為院轄市，每年稅收繳省的太多，就可將繳省的鉅款留充市建設。而其實，骨子裏的算盤，是改為院轄市後，市長可直接由官派，免去競選的麻煩。

反對台北改為院轄市的論者，則大致可分兩種人：一種人是主張維護地方自治的人士，認為實行民主政治，市長應民選，官派市長是退步的作法，違反民主政治，為不可。另一種人的意見，而着重在省的稅收上面，認為台北市是省稅的一大來源，如果將台北市劃出省轄範圍以外去，每年省稅便會損失很大一筆稅款，因此也反對台北市升格為院轄院。

在省議會中對此一問題也有所表示。省議會二屆四次大會在一月廿六日閉幕前，就一致通過李萬居，朴牛港，蕭洪財，李源棧，黃運金等聯名的提案，就反對擬議中將台北市改為院轄市，省議會大會並決議送請省府轉請中央重視省議會意見。該案於提出討論時，僅台北選出的議員陳愷表示異議。據說該案提案人雖為李萬居等議員所署名，但其幕後策動人，則為其會之某主要人士，其原因則與其將來退出議壇後之政治出路有關。

由此可見，台北市的市長寶座，實在是有志政壇的各方人士所矚目的，可以說台北市已變成「兵家必爭之地」，想攻的，想守的，都以此為目標，因此，許多政壇的風雨，都因此而起。現任代市長周百鍊，如要坐穩這一寶座，還需要多努力，多做一些與市民有利的事，就有了市民的支持，也就不怕任何的風浪了。（吳越 五一・一・廿七）

陳揆在南部靜養

元宵可銷假辦公

（本報記者台北航訊）約一星期前，又會一度盛傳副總統陳誠請辭行政院長兼職，認真有倦勤之意的說法。現在，據本報記者所獲確實消息：傳說的前半段是有根據的，後半段卻是傳會之談。

原來，在那時，陳揆因為他的健康還未復元，為恐就誤政事，他確曾經向蔣總統提出過辭呈，想辭卸行政院長。陳揆此舉，純然出於對國家的責任感，並非他自己有了消極的意思。蔣總統對於陳揆的辭呈，不但不予批准而已，反之還在那辭呈上很懇切的批示，要陳揆繼續勉任艱巨。另外，為希望陳揆能安心靜養俾得早日康復視事計，蔣總統還答應繼續給陳揆一個月病假，假滿即恢復到院辦公。

陳揆得到蔣總統此一慰勉有加的批示之後，乃決定到氣候較暖和的南部去澈底靜養，行前陳揆曾特在其官邸召開一次非正式的行政院會議，所有各部會首長及政務委員，幾全體出席。會中所主要商討的，是編列下年度預算事宜，陳揆曾叮囑必需儘可能的緊縮開支。

從去年十月初旬陳揆政躬違和以來，他先在官邸休養，後來進榮民總醫院，之後又回到官邸；在此期中，比較重大的政務，陳揆還是照樣過問的。現在到南部後，他算是真正靜養了。也所以，陳揆的健康，恢復得特別很快，預期再過半個月，在元宵節左右北返恢復視事，絕無問題。陳揆目前在興致好的時候，與訪客輒談話一二小時，滿不在乎。（施立）

議員質詢語出驚人

李連春大收回佣說

各方普遍重視寄望澈查

（本報記者台北航訊）省議員姚冬聲、陳愷分別提出的對於糧食局長李連春辦理台米輸日收受回佣的質詢；以其語出驚人，且儼然鑿鑿有據，已受到普遍的重視，輿論更指出有關方面對此一質詢，非予以澈底的澄清不可。

早在上個月，省議會中有食米出口商人所付佣金那裏去了的問題？當時省主席周至柔表示，糧食輸出與輸入，均係由中央信託局經辦者，官員無回佣可拿，諒係誤會之說。又稱：真有任何官員拿回佣的證據，政府必定嚴查嚴辦。

但現姚冬聲與陳愷兩議員的質詢，就均指李連春直接經手台米輸日，每噸收取回佣一元五角美金，合計已得四十多萬美元的回佣，要求周主席澈底調查。

這件質詢之所以被各方認為嚴重，係因兩議員的質詢，至少表面上並不是純粹的推測或者謠傳之詞，他們在質詢中，明明白白的指出，日本自戰前迄今，其糧價一直是一噸米台三噸肥料，而日商購買台米的佣金，為每噸美金二元，台米輸日，每次均係李連春親力親為，中央信託局只是生意講妥之後辦理事務性的事宜而已。中信局所取手續費為每噸日幣一八〇元（合美金五角）。乃有賬可稽者，則日商所付佣金之其餘的美金一元五角，那裏去了？他們說：這筆錢糧食局無賬可查，但日商賬上，相信可索即得，因此而要求周主席澈底調查。

在事情的真相未獲澄清之前，固然不能遽下判斷，說李連春已確有違法收取回佣之事，但同樣在事情的真相未獲澄清之前，亦不能一口咬定李連春絕對清白，無可懷疑。省府主席尤不可由為其部屬解說，而敷衍了事。李連春自己，為了他的名聲，亦非把是非黑白弄個清楚不可（編者按：李連春已簽呈周主席請依法澈查）否則如其以「事出有因，查無實據」的馬虎過關，在悠悠之口中，李連春是過不了關的。政府的威信，尤其必然會因此遭受到無可彌補的打擊。

要澄清這事情，只是舉手之勞而已，據兩議員指出。日商人提付佣金是公開的，他們的賬目上當不會為此特加掩飾，否則亦可查出。現在澄清之道，只需查查日購買台米的結匯證是日本政府厚生省糧食廳開出的？還是日本糧商開出的？按圖索驥，不難清楚。中信局在日機構，對日本商場規矩條件，自必瞭如指掌，除非官官相護，狼狽為奸，否則立刻可以水落石出。再不然，日本有若干聲望卓著的徵信機構，花點錢委託他們調查經手購買台米的糧商「兼松株式會社」，「江商株式會社」，「三井」，東京食品株式會社」等交易的實情，亦無不可（都）

白健生非本報記者

據台灣通訊稱：省議員李萬居元月廿一日提萬言書面質詢，其中列十四項目中之第五項：「前公論報記者現任香港自由報記者白健生，於去年七月廿七日無端被捕」。經查本報並無此一記者，特此聲明。

·株訪綫外·

議會桃色爭傳

師表大殺醫宮

▲桃園縣議會的「桃色事件」，尚未得到解決，省議會又傳出了「桃色新聞」，真是臭而不可聞也。

桃園縣議會的桃色事件，是已經證實了的事，問題只是規模大小，尚不曾鬧得清楚。但這事件，是該縣議會職員，若干人常到某酒家大吃大喝，甚至在吃喝完了之後，借口未帶錢，要酒女同往議會收取，到議會後，竟以強迫手段，逼酒女在議員休息室姦宿。此事的春光洩漏，係由於酒女與議會職員打架鬧出，被警察捉到。此事件揭露後，縣議會秘書主任已自承管理不週，致下令澈查。此事是否只有兩個職員牽涉，該兩位職員已引咎請辭了，或者有更多人，議會正由治安機關偵查中。

省議會的桃色新聞，則至今還欠缺官式的證實，然而卻已經傳聞在悠悠之口中了。某晚報，且已加以刊載。據說男主角居然是一位議員，女主角則是「酒女代表」，兩人正在公然「做愛」時，被同僚撞見，所以傳開來了。

且無論如何，這種應在議會中莊嚴神聖的民意機關，太醜而臭的玷辱了，該機關應該嚴查與嚴辦，絕不可少的。

▲立法院所通過的法律，被省議會認為不當，要求立法院重付審查，省議會通過決議，形成省議會代表另一級民意，引人重視之舉措。

▲立法院廿六日三讀通過行政院送請修正的筵席及娛樂稅法修正草案後，省議會提出異議，當天就通過臨時動議，請求立法院對該修正草案重行審查，規定今後戲劇按立法院的課稅，最高不得超過百分之十。草案規定，歌唱，舞蹈，音樂，戲劇等演奏之課稅，最高得超過百分之二十。其他如溜冰場，球房等，各省議會的意見，認為同屬有益的娛樂，而不應課稅，至少應一視同仁，公平而已。究竟立法院是否就事論事的獨立處理呢？許多人都在注視省議會此舉是否有效。

▲一口氣殺死七個人，殺傷三個人的台北縣私立勵行中學前任體育教員崔蔭，在被捕後，居然滿口「為人師表」的崔蔭說：「我是那一個熱心體育運動的人」，所以我在勵行中學將近五年的時間裏，把全部心血和金錢都花在那裏。但崔蔭同時卻又供稱：在他所殺死的七個人及殺傷的三個人中，只有該校校長韓克敬，韓郭春瀛，及該校職員源瑞昌是他決心置之死地的，餘均冤枉被殺被傷。（遼）

馬來西亞運動 尚有重重阻障

共產黨人正全力搗亂 本年八月未必能竣功

（本報吉隆坡通訊）馬來亞聯合邦總理東姑．阿都拉曼所倡導的大馬來西亞，自獲得英倫方面之支持後，東姑與高彩烈，滿肚密圈，宣稱在本年八月份，此一大馬來西亞聯邦，便可呱呱墜地，正式宣告誕生。

但眞要大馬來西亞在本年八月就實現，還很有其困難。北婆三邦畢竟如何想法，固然還多多少少是一個疑問號，就是星加坡，儘管行動黨政府對此，大實其力，李光耀與拉曼拍擋居然毫無保留，彼此都唯力是視的在向前走去，但據所知，星加坡方面就少有人像拉曼這麼樂觀的。

在馬來西亞運動剛發動之時，無論星加坡以及吉隆坡，都以爲對於英倫態度，必然要大費一番唇舌才有希望成功的，卻想不到，英國人居然的全無刁難，就滿口答應了。當然，據記者從高階層政治人物所獲透露，英國之所以滿口答應把北婆三邦交出，並非全無條件，如英國在那裏的既有的經濟利益，以及今後彼此合作開發等，都在此談判中，不但會經談過，且都有了原則上的協議。據這位高階層政治人物說：在大馬來西亞成立後，英國和大馬來西亞彼此在經濟建設開發上合作，對英國固然有好處，對大馬來西亞而言，亦同樣大有好處——約畧言之，英國人的資金，人才有了出路，可以在這裏大展鴻圖，麥克麥克；而大馬來西亞如今所應該致力的經濟開發，其所缺乏的，則正是足夠的資金與必需的人才，爲馬來西亞利益着想，如其英國人不肯來投資合作，馬來西亞還得設法爭取外來資金與人才。好像如今的馬來亞聯合邦，就亦一直在爭取外來資金與人才的合作開發。

這位高階層政治人物會很坦白的說出，英國人其所以對大馬來西亞運動給予超過吉隆坡，星加坡人士原來所敢於想像的支持，主要還是由於共產黨的潛在威脅所促成。英國人顯然明瞭：要繼續風平浪靜的統治北婆三邦，時代潮流所趨，是做不到的，則與其將來被追收拾行李，何如表現得大方些，留一個大人情？再者，眞的將來英國被追而離開北婆三邦的話，起而執政者，極有可能係極左的共黨，次之則亦當是有如今日星加坡人民行動黨之類的所謂社會黨。無論是何者，英國要想繼續保有若干經濟利益，都是做不到的，則又何如交給拉曼是？拉曼的但導大馬

香港與大陸

▲一位姓何的朋友最近接到新會家中來信，說是農曆年節，瞬即降臨，要他從速匯欵返家接濟，因爲據說「上級」已向他們宣佈：在過新年時每人將可配猪肉二兩，粉絲一兩，魚二兩，另外還有少許的酒和糖菓等等，假如沒有錢配購這些東西，就會把這個難得的機會失掉了。信內又說：他們家鄉現在盜風很盛，他媽媽僅有的外衣也給偷去了。

▲這裏是一個「前進」工友，因爲回鄉發現中共不符事實的宣傳而大澈大悟的故事。這工友姓關，還祇有二十歲，他在九龍××機器廠作工。據他說：「我過去思想確實很『前進』，這是因爲我從前接到家裏來信，都說家鄉如何進步的關係，使我信以爲眞了。我在工廠工作時，還常常對工友們大發『偉論』，說共產主義怎麼怎麼好，祖國現在如何如何進步，建設如何的了得，人人豐衣足食等。一般工友雖對我冷笑，我也不在乎。我還訂了一份×公報來讀呢。本月初，接到母親來信說，弟弟最近要結婚了，要我藉此機會返家一趟，同時要我順便多帶點吃的穿的東西回去。我於是向廠方告假一禮拜，買了一百多元（港幣）的食品，有臘肉，鹹肉，生油，砂糖和花生，麪餅等，挑着返回大陸。當我第一步踏入祖國的領土時，首先遭遇到的是海關，他們徵我百份之兩百的重稅。但我還是不在乎，因爲橫豎是繳給國家的啊。但等我回到家裏，看見家中的人大大小小都是黃皮寡瘦，枯瘦如柴，衣不蔽體，吃的更是一些雜糧和野生植物，而且還不夠半飽，一切都和他們寫信所說的完全兩樣，我這才明白了！我曾再三細問我母親，但她只是落眼淚，不做聲。但我明白了！所以我沒等到弟弟的婚期，便提前回到香港了。『共產黨成家伍，專門車大炮！』我並把訂的×公報也退了，我對一般工友說：我算是上過當了，你們千祈不要再去上當」。（安）

嘯岑社長先生道鑒：奉十九日　大示暨航郵下　貴刊，知拙函已荷披露，至感盛情。茲再陳三點如下，請爲指正：

一、拙函中第四段所述達爾文爵士主張改善人類狀況，政治之作用最強一句，「最強」二字弟原稿本爲「最弱」兩字，經手民將之誤排，謂予更正。達氏（進化論創始者之孫）與孔子同志，認政治作用之成果，遠遜於教化作用之成果，至於假手於生物遺傳之選擇以圖人性之改變，則需時極長（大約百萬年）且難以實行。達氏認人類農業生產，在過去固曾追隨人口上升之程度而增加，但際茲全球沃土可以利用者均經利用之後，糧食之增加事實上與肥料之增加爲正比，就中淡肥燐肥均屬重要。淡肥雖可自空氣中取用原素，弟所需動力滋巨，並非無代價者。至燐肥則逐漸消耗後，燐原素不易補充。總之此後趨勢，爲下田 Sub-marginal land 之不斷開發，代價高而收益少。達氏復研究自青草中提取蛋白質以及用海藻爲食物，其結論謂爲得不償失。伊本人與小赫胥黎昆仲均主張節制生育，但達氏謂全人類意見不同，手段各異，結果主張孝道之中國人，有占優勢之可能。以上各點具見伊所著（一九五三年出版）之「未來百萬年」書中。弟向來對自然主義持保留態度，但關於人口問題，弟被迫不得不與自然主義者進化論者取同一觀點。人類本有靈性，可自由運用其理性，以謀取福利，然濫生子女，無力予以教養，而賴社會或政府或他國出錢出力扶助者，已自覺的或不自覺的脫離道德秩序之範疇，而改受進化公律所支配，所謂社會達爾文主義之實現於人類，乃爲一悲慘之事實，弟故確認教化較政治作用遠爲重要也。

澄清目前混亂思想 始可堅定反共態度

——其道爲：西方人恢復基督教之人生觀中國人回到儒家之人生觀——

二，關於美蘇兩國糧食生產數字，弟加補充說明，蘇聯之小麥生產量，在五十年代初期，每年不過三千五百萬公噸左右。但史魔死後赫魯雪夫台大事開發處女地，（事實上乃爲下田。）種麥面積自四千二百萬公頃，驟增至六千萬公頃以上（本年度據報將爲六千三百萬公頃。）是以其小麥產量亦增。然此實與毛澤東之組織公社，同爲極大之投機，天時地利人和三者苟有一方面遭挫折，生產量即將減少。近二年雨量減少，農夫亦有怠耕現象，故赫毛兩人均忙於增加肥料生產，並不斷下鄉視察，不斷斥責辦事人員，而張皇焦急。此外其他農作物則美國年產遠在蘇聯之上。例如玉蜀黍美國去年生產一萬一千八百五十萬公噸，蘇俄者祇有一千八百五十萬公噸。米之產量美國者爲二百四十萬公噸，蘇俄者祇有二十萬公噸。大豆則美國年產量約一千五百萬公噸，蘇俄者祇有二十二萬公噸。各種糧食總生產量美國在一九六零年爲一萬九千四百萬公噸，蘇俄者祇有一萬三千三百萬公噸。美國從事農業工作者不過五百七十萬人，而蘇俄則爲三千一百七十萬人。最近死硬派對赫氏之攻擊，即以農業政策錯誤爲理由之一。

三，目前美國保守思想者，與自由主義者，均不主張對俄戰爭。但前者主張充實本身力量，試驗原子彈，建築防空工事，俾克有備無患，同時求貨幣安定，減少對中立國家之援助。後者則反對重行試驗原子彈，反對建築防空工事，大規模援助中立國家，同時伊等對愛國之軍人與政客則常時予以攻擊。我等所觀者對後者之主張實無法贊同。然推源溯始，則雙方人生觀之見解不同，爲此中主要關鍵。保守主義者承襲天主教或清教徒之傳統，重視道德秩序；而自由主義者則大多爲抱實效倫理相對主義者。弟愚以爲西方人如恢復基督教之人生觀，我國人如亦回到儒家之人生觀，則目前思想之混亂，可望澄清，對共產國家之態度，始可堅定。否則是非難辯，黑白不分，局面勢將逐漸惡化耳。手此敬上順頌

著綏。

弟顧翊群拜上　一月廿九日

宣君續夢

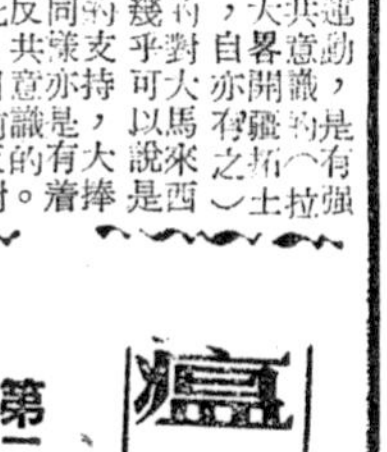

第三回：拒諫飾非，列鼎烹功狗　成王敗寇，作狀笑沐猴

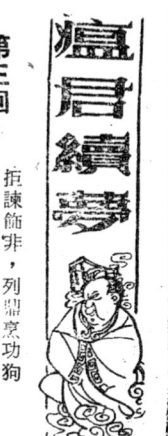

討論到人民公社，毛澤東問道：「上次我要你們分別到各省去『大興調查研究之風』，你們究竟調查了什麼？到底農村去年糧食收穫了多少？有具體數字報告沒有？」

這時譚震林站起來說道：「根據各省委書記處深入農村作實地調查之後，呈報上來的數字，去年糧食收穫量是五千億斤，比較『國家統計局』原公佈的數字，少了二千五百億斤。」

譚震林說過之後，全場愕然，大家雖然曉得各級幹部呈報數字靠不住，但是差別如此之大，卻非任何人始料所及。大家都不敢插口，都注視着毛澤東。

毛澤東用手敲茶在桌上算了幾分鐘，倏的站起來一拍桌子罵道：「只有五千億斤，少了二千五百億斤，豈不是三停少掉一停？這是怎麼統計的？誰負統計責任？把他叫來，我要問問他。」

周恩來使個眼色給李先念，李先念聳聳肩膀表示無能爲力。周恩來又向李富春擠擠眼，李富春無奈何，站起來囁囁吁吁說道：「國家統計局局長是薛暮橋，現在北京沒有來。」

毛澤東再拍一下桌子：「派飛機接他來，我要當面問他。」

李富春咳嗽幾聲，苦笑道：「主席何必看見他生氣？把他撤職不就算了？」

毛澤東氣得連連跺脚，罵道：「不用你們糊塗蟲管，我要殺他！」

李富春不敢再開口，只好看周恩來，希望他出來講話。周恩來卻低眉閉目裝看不見。

李富春只好又看劉少奇。劉少奇緩緩站起來說道：「主席既是要殺他，也等回到北京去殺，何必派飛機把他接來？豈不是太看重了他？」

毛澤東想到也有理，惡狠狠瞪了李富春一眼，坐下又燃着一根煙，李富春才敢坐下，已嚇了一身冷汗。

接着又討論到人民公社，毛澤東問道：「關於人民公社問題，那位同志有意見可以提出來。」毛澤東說過之後，全場頓時鴉雀無聲，連一根針掉在地下都可聽到。

毛澤東笑道：「各位同志不要多心，有意見只管提出來，只要正確，我會接受的。」

毛澤東連問幾句，還是沒有人開口，回頭向譚震林問道：「你是主管農村工作的，你有什麼意見沒有？」

譚震林說道：「上次奉到主席指示，找了幾位負責同志研究一下，決定人民公社是集體所有制，收益歸公社所有，恢復自留地，開放農村集市貿易，解散公共食堂。」

譚震林一邊說一邊看着毛澤東的臉色，果然毛澤東聽說解散公共食堂，不由得皺起眉頭。[illegible]「我這次是眞眞讓步了？」不過，鬆了一下再不能解除困難，我就又要緊了。」

八中會議開過後，彭德懷，黃克誠，洪學智，滕代遠，蕭克，李達，周小舟都去了北大荒，到那地方遇見了許多熟人，像董石，趙德尊，張秀山，張明遠，向明，馬烽，還有丁玲，蕭軍，尤其是丁玲遇見彭德懷，這一對老愛人見了面更是相對無言，正是流淚眼看流淚眼，斷腸人對斷腸人。（七一）（第三回完）

寫實小說。

壯志凌雲

——十八爺

上牀剛要朦朧入睡，忽聽剝，剝，剝的敲門聲。

「誰？」

「蘇英。」

我披衣起牀，扭開電燈，開門。

蘇英一跨進門，就笑嘻嘻對我說：「今天我已接到通知，定十七日入伍，接受預備丘訓練，特跑來告訴你老知道。」望他臉上，還泛着很得意的神情。

「很對不起，打攪了你老的睡眠。」他又補上一句。

我叫他坐，並說：「恭喜你，蘇英，這次總算達到你為國服務的目的了」。

他順手翻開我桌上擱着的一本錦綉河山，注視其中南京中山陵的一幅五彩照片。

「入伍還有四天，你何不搬來這兒住，不比較更方便嗎？」我帶着歡迎的口吻對他說。

「今晚正為此而來。我下午很快就和老板結了賬，門市部亦派有人接替，橫豎你老這兒等於是我的家，有些不應帶去的行李，都想擱在這裏，託你老保管哩。」他扭轉身來含笑的回答我。

第二天早晨，他的幾件簡單的行李，就搬到我的宿舍中來了。

蘇英中等身材，具有一副頗為英俊的儀表，他一生下地，就在人世的風塵中打滾：父親在他三歲時候，患病死去，不到十歲，隨母下堂，改嫁與漢陽兵工廠一個蘇姓工人，故跟着繼父改姓為蘇。他小小年紀，曾在漢陽門外煤滓堆上檢過煤屑，會家大院子裏扛過釘柴，漢陽街上當過報童，也去碼頭上替旅客們提過手提皮包。共軍渡江那年，物價指數直線上升，金元券幣值一瀉千里，自從他母親改嫁後又生下一男一女，繼父蘇南山，收入有限，肩上壓着這副重担，喘不過氣，再也無法養活隨母而來的他，他就投入軍營，在一員營長跟前，揹駁殼槍。三十八年底河山變色，隨着大時代的浪潮，轉進到了台灣。從這時起。母子就完全失去連繫。

不料部隊抵台、馬上接受編遣，使他頓刻成為失孤雁，在偌大一個島上，到處流浪。他會去私人公館；當過傭工，也為某太太看護過小孩，又去當過一許攤販，轉向街頭巷角叫賣過書報，還附帶賣愛國獎券這一行當，也攪過機器趕麪和碾米工人，後來繼來到基隆，闖進一間四川菜館充當一名廚司；他今年纔滿二十一歲，但七十二行，已被他幹過了十多行。

四十二年隆多一個嚴寒的晚上，我陪友人在靠海邊的醉月樓吃毛肚火鍋，看到一位年青厨夫，半身縛着一條犢鼻裙，兩臂衣袖掀得真高的，打着濁重的湘鄉土腔，和隔座一個顧客談話，無端勾動了我的鄉情，走去問起他的籍貫。他就是蘇英。（一）

元旦漫談

漁翁

元者，始也。凡數之始多曰「元」。一年一度之正月稱「元月」。正月朔日為「元日」。易云：「大哉乾元」；又云：「元者，善之長也」。禮曰：「孟春，天子乃以元日祈穀於上帝」。注：「謂以上辛郊祭天也。」「一元復始，萬象更新。」認為元旦，乃除舊佈新之最吉祥日子。蒙古人統治中國，改國號曰「元」，取「大哉乾元」之義。追明初嫌與元朝之元相混，故改作「原」。但後人以「原」不及「元」意義之深厚與吉祥，乃不因人廢言，而仍以「元」之字眼沿用之。

晉書：「顯帝以孟春正月為元，其時正朔旦立春。」後世之稱元旦，本此。元旦，又名「元辰。」庾闡賦：「歲惟元辰，陰陽代紀，履端歸除，三朝告始」。古以「一年之計在於春，一日之計在於辰」。而尤以元旦，為代表一年三百六十五日為最吉辰也。

在大陸上舊俗，有元旦出行之舉，根據曆書上開宗明義第一頁所賦：東，南，西，北，四去向出行，以何方出行為大吉？即朝向指定方向，往郊外而祭之。祭畢，向四季常青之樹上，各折一枝歸，插諸家朝神龕上，俗謂「拖財進屋」，希望今年財路亨通，寓「滿載而歸」之預兆。

元辰，小孩們向長輩叩賀，長輩除給以糖菓外，並用有眼錢，穿紅索上，掛於小孩子之頸項，名曰「掛錢」。今雖無此錢，而以紅包「利是」代之，即昔掛錢之變相也。

元旦見面，相互祝福，謂之「拜年」。古人往往不親去，用紅帖分送，答者亦然，名曰「飛帖子」。今人也有不親去拜訪而投之以片者，片上書：「禧賀新禧」四字，亦古叩節之遺風所流傳。元旦說吉祥語，到處皆然；反之，如言不留意，恐一年來，有不利處，所以家家壁上，遍書：「童幃之言，百無禁忌」等字，以失言者，泰半在婦人女子之口，故預先書破，以示大吉。書至此，有一故事，寫在下面：

湘桂交界處，多聚族而居，每村有數百人至千人不等。中有蔣張兩姓，相距不一里，兩姓人數相等。惟蔣家富庶，而張姓貧窮；致一家飽暖千家怨，張姓每由於妒嫉而欲中傷之；於某年除夜，紮一草人，頭上書「背時鬼」三字，夜半從至蔣家門口，使蔣家見此不祥物，必家道中落，而寓人財兩損之惡兆。

到翌日黎明，蔣家老幼，開門出行，見此惡作劇，領先之年長者，不即不離的道：「財神進屋！財神進屋！」便將此草人攜諸後庭而珍藏之。這一年，不特不衰退，而添丁增財，更倍於昔。張姓見之，大異！為何「背時鬼」而變為財神耶？

蔣家知此事，必為鄰居張姓所為，乃於年底除夕，將所收存之原草人，於夜半送至張姓門口，以牙還牙。追次日元旦，張姓老幼開門出行，一見草人，小孩們就大呼「背時鬼返來了！」年老人聞之，氣為之結。是年張姓之窮困，更倍於昔，乃嘆曰：「早知如此，悔不當初。」豈元辰一言一詩，足以覘禍福吉凶耶！此故事，迄今猶流傳於民間。

讀書人，手不釋卷，筆不停書，每於元旦，必有試筆之舉。王安石元旦詩「爆竹聲中一歲除，春風送暖入屠蘇，千門萬戶曈曈日，總把新桃換舊符」。按山家以除夕燒竹，蹋竹爆裂聲，即知其歲爆矣。屠蘇，美酒名。曈曈，日初出貌。桃符，以桃木刻符於門以樂鬼也。一歲之始，家家換桃符以賀新正。此詩乃安石自況，以初拜相，謂其能除舊布新也。

因此，後人有元旦試筆之作。茲値王寅開始，筆者賦詩一首云：「昨宵豬是說辛年，今早王寅隔一天。流手歡迎新歲月，和風吹送舊雲烟。人皆把筒題紅簡，我亦揮毫寫彩甕。看山看水無裏好，野花啼鳥也欣然」。

邛都憶往（十三）

李仲侯

那天我在望遠室散會後，已是饑腸轆轆，見賀氏結束會議後，即命全家老少搬進屋後防空洞，他的電話機和辦公桌，早在洞中布置妥貼，四周門衛亦增加了好幾重，一瞬間這防空洞就變成了他的司令台。我們這些紙上談兵的角色，臨到眞刀眞槍的場合，究竟派不出多大用場，我跟着一夥兒拖着疲倦的身軀，由望遠室出來，踱到小南門一個友人家，這主人雅而好客，主婦亦不俗，旨酒嘉餚，擺滿一桌，記得那晚喝的是本地高粱，味醇而且烈，這時各自懷着最沉重的心情，大家硬性的來了一個要約，今晚飲酒，務必盡醉，如有提議乾杯，不許推辭，大家好像要借這掃愁帚袚除人間一切不祥，各人心中都有個希望，全想喝得爛醉，好去華胥國中不聞不問，逃避這連天炮火的一剎那。人生臨到此際，死生禍福，本已無法自主，果然大家一邊喝酒，一面擺龍門陣，漸漸引起了酒興，有些豁拳猜令，有些狂飲乾杯，甚至有兩位老槍，賭勝捧着酒瓶作牛飲，弄得酩酊大醉，星移斗轉，夜靠闌珊，不知不覺都玉山頹倒，就在主人室內一榻橫陳，呼呼入睡矣。我一覺醒來，看見東方露出魚肚白色，疏落的槍聲，已離耳邊很遠，意識到危險時間似成過去，事態感覺並不十分嚴重，帶着朦朧醉眼，踱回宿舍，終獲悉了這一天大的勝利喜訊。再出門一看，大街上已熙熙攘攘，鬧成一片。隨着人潮，我還趕去城隍廟，對伍逆師部作了一次巡禮，最後看到他臥室內一隅嶄新的狐皮袍子，仍然掛在衣架上，抽屜中，擦得雪亮的銅烟盤內，躺着兩枝象牙槍，陪着三四隻最名貴的雲南烟斗；旁邊還有一桶頂好的白花烟膏，却只用去三分之一，可見其倉皇逃命的光景。那時我實衷心感激他，由於他的倉皇出奔，使我平安度過了這最危險的一晚。

解決伍培英的一幕，雖成過去，但那時大陸將全部變色，剩此殘山剩水的西昌一角，獨木難支大廈，誰也無法知道共匪的大軍何時來到，我們雖仍照常辦公，但好些人已無公可辦，每天圍着辦公室打轉轉，居則忽忽若有所忘，出則不知所宜往，這纔領略到昔人所云：「繞室旁皇，不知所措」的眞滋味！一入夜，大家無精打采，跑去電信局袁壽南處，圍聚於一架古老的收音機旁聽廣播，我們這邊盡是一些壞消息，扭開共匪的音波，那種氣燄萬丈，不可一世的勝利驕傲氣派，會令人心驚胆跳。

不過回想起，我們不久的一夕從噩夢中醒來，看到堂堂伍培英，像泥塑的菩薩一般，一擊就被粉碎，由於這件事的鼓勵，確也增加了我們不少的信心，認為天下事，猶有可為，就重新收召散失的靈魂，鼓起再去求生的勇氣，挺立在紅濤浩瀚，巨浸稽天，惟一獨存的孤島上，升起青天白日滿地紅的國旗，發出了誓死反抗共匪的號召，很快就在黑暗無邊的大海中建立起指示航路的燈塔，放射出萬丈光芒，照澈大地。

難忘的史事（一）

諸葛文侯

這是卅五個年頭以前的事情了。所有的關係人物如閻錫山，李烈鈞，孫岳，孔庚，田桐，李勉之，朱綬光先生等，俱已辭別人間，墓門宿草芊芊，徒供後死者咨嗟憑弔。然茲編所述史事，固與國家治亂攸關，不僅是個人的生活回憶錄而已。

民國十五年初春，馮玉祥的國民第一軍，孫岳（禹行）的國民第三軍，方振武（叔平）的國民第五軍，因受吳佩孚，張作霖聯合攻擊，不能制勝，乃相率由平津一帶撤退至居庸關外的張家口，只有國民第二軍胡景翼所部，仍在河南境內。這時候，馮玉祥已赴莫斯科，「西北邊防督辦公署」——設在張家口——暨西北軍總司令職務，皆由察哈爾都統張之江代理，而吳，張聯軍急向居庸關外進攻，且猛迫山西閻錫山一致行動，致晉軍從大同截斷京綏鐵路，直搗馮軍的心臟地帶，形勢甚危。馮軍主力置於南口方面，以鹿鍾麟任東路總司令，據險固守，暫保無虞。西路的防禦責任，由綏遠都統李鳴鐘負之，而以旅長韓復榘為先鋒，陳兵大同附近的孤山，注視晉軍動態。晉閻本來無意對馮軍攤牌，但懾於吳佩孚的壓力，又不能不敷衍，也就向雁門關外，佯作軍事佈署。所以，晉軍與馮軍僅止於對峙狀態，雙方並未實行火拼，而東路的南口戰事卻甚劇烈也。

李烈鈞上將自民國十四年國父逝世北京後，即受馮玉祥禮聘為西北陸軍總監，平津既撤守，李亦進駐張垣，為張之江策劃軍事，斯時我隨從李將軍司筆札之役。李與孫禹行，閻百川皆隸國民黨，又是日本士官學校同學，李、閻且係在士官學校時所組織的「丈夫團」核心份子，彼此情誼投洽，常通消息。馮軍決計以全力抗拒吳、張聯軍，不願兩面作戰，但不悉山西當局的真正意向如何，自須嚴加戒備，而兵力郎苦分散。如是，商由李協和與孫禹行二人出面，派我赴太原代表他們跟閻百川接洽，吉在達成互不侵犯的協議，探詢晉方有何條件，以便應付焉。

我於民十五年農曆三月初出發，乘京綏路火車到大同，再循晉北馳道前往太原。時大同鎮守使趙戴文未在防次，由鎮守署派騾車一輛到站接待我，我是南人，從未坐過這種鐵製雙輪的北方大車，登車後，乃不知跟車伕併坐於前面的車槓間，竟斜身仰倚在車箱最後端，如坐汽車然。車行先經越鐵路軌道若干條，顛播殊猛烈，轆在大同城內石子路上行進，亦跳躍震盪不已，忽覺後腦頗痛楚，不審何故，迨到鎮署下車時，背間西裝上血跡淋漓，後腦骨被擾穿了一個窟窿，鮮血仍流着，主人惶遽不明其所以然，翻經車伕說出原因，不覺失笑，馬上給我敷些藥，連說對不起。我自慚做了「老趕」，而年紀尚輕，亦只好硬着頭皮充英雄，答言「沒關係」，表示滿不在乎的樣子。

國劇藝術彙考

・齊如山・

這種歌大約都是小人臣轍，茲錄一段如下：

學生們搖了我的會兒。買好紙，買好墨兒。買好筆，寫好字兒。回家取個好媳婦兒：大大的眼，彎彎的眉兒；雪白的臉蛋沒有麻子兒；小金蓮兒剛三寸兒，好似荷花落了地兒；紅鞋幫，白木底，又嬌又俏，可愛死個人兒。

請看以上三段歌謠，都是把人臣，灰堆，一七三轍，歸在一起。且把婦字，也歸了小人臣兒。在北平有時把發花轍的字，如花，媽等字，也唱成小人臣，那就更寬了。

在高腔中，小花臉唱，偶亦用之，花子別妻一戲中有一段，乃花子之妻所唱。

稀流流的飯兒啦，酸溜溜的菜兒啦，羊尾巴根喇，猪尾巴尖喇，下上半斤乾雞麪兒啦，老太太們吃不了窩窩尖啦，老爺們吃不了的燒餅蓋兒啦。下略。

這是把小言前兒與小懷來兒，合在一起。（完）

自由報
內僑警台報字第〇三一號內銷證
THE FREE NEWS
第二〇七期
中華民國僑務委員會頒發
台教新字第三二三號登記證
中華郵政台字第一二八二號執照
登記為第一類新聞紙類
（半週刊每星期三、六出版）
每份港幣壹角
台灣零售價新台幣貳元
社長：雷嘯岑
督印人：黃行富
社址：香港銅鑼灣高士威道二十號四樓
20 CAUSEWAY RD 3RD FL
HONG KONG
TEL. 771726　電報掛號 7191
承印者：田尼印刷廠
地址：香港灣仔高士打道二二一號
台灣分社
台北市西寧南路壹壹本號二樓
電話：三〇三四六
台郵撥儲金戶九二五二

所謂「中立主義」究係何指？

——對當前這一國際迷惑現象作一客觀透視

·宋文明·

最近十數年來，「中立」一辭，猶如「冷戰」和「獨立」等術語一樣，已成了一個家喻戶曉的最普遍的字眼。隨着世界冷戰的擴大，與亞非地區殖民地的紛紛獨立，號稱中立的國家和勢力也不斷獲得增長。直至今日，不僅所謂亞非集團與中立集團幾已變成了不能分開的同義語，而且這種中立勢力也已由亞非兩洲發展到拉丁美洲等其他地區了。

可是，在另一方面，所謂中立究竟作何解釋，以及用何種尺度來決定一個國家是否屬於中立，在今天仍聚訟紛紜，未有獲得一個確定的界說。尤其去年九月中立國首長會議的舉行及其相關各項問題的發展，使一般人對中立一辭的含義，更增加了迷惑。

在一次大戰以前，就是現在仍還有這樣一部份人，認為中立是在爭執兩造之間不作任何偏袒之謂。根據這種解釋，所謂中立，便是在指一種軍事上，或更進一步在指外交上的中立而言。即不論爭執兩造如何相持不下，勢同水火，而保持中立的第三者，則始終不在軍事上和外交上偏袒其中一方，而壓抑另一方。所以對於這種中立，現在仍有時稱之為「不介入」，「不聯盟」，「不參加強國陣線」（Non—Alignmeu），以示不與共產及非共兩大集團發生特殊關係。可是這種解釋是否完全合乎事實？就中立國家中的大多數國家而言，這種解釋可以成立；可是對其中少數國家來說，這種解釋就有若干問題。如泰國，菲律賓，巴基斯坦，伊朗，土耳其等國，均屬東南亞公約或中央公約組織的會員國，馬來亞與賴比瑞亞兩國，亦與英美兩國分別簽有共同防衛條約，但這些國亦屬家亞非中立集團的一份子。他如古巴與巴西等國，今日仍為泛美公約會員之一，與美條約聯繫仍然存在，但古巴已成為最激烈的中立國家，巴西在某種程度內亦已發生這種中立傾向。所以以是否與大國聯盟這種標準來測量一個國家的中立與否；只有部份的準確性；而不是絕對的準確；只能作為測量中立的尺度之一，而不應作為其惟一的尺度。

另外，還有些人認為一個國家的是否屬於中立，就看這個國家對兩大集團的軍經援助採何態度而定。這一說法，明顯含有兩種意思。即一，凡與兩大集團中任何一方具有聯盟關係的國家，絕不能接受來自另一方的任何援助；二，中立國家只能接受來自兩大集團的經濟援助，而不能接受它們的軍事援助。換言之，若一個與大國聯盟的國家接受了來自於另一方的任何援助，或一個中立國家接受了兩大集團任何一方的軍事援助，都將損害其原有地位。這種說法正如上述「不介入」「不聯盟」的說法一樣，也祇能適用於其中大多數國家，而不能適用於全體。因就中立國家不能接受來自兩大集團的軍事援助來說，亞非地區大部中立國家確屬如此，但也有若干例外，如柬埔寨和迦納兩國，在今亞非地區號稱為積極中立的國家，但它們中一個接受美國的軍事援助，另一個則接受俄國的軍事援助。其他如依斯峨匹亞，約旦，摩洛哥，幾內亞等，也有這種類似情形。再就非中立國家不能接受來自對方的任何援助來看，同樣也有例外。如波蘭為共黨華沙公約一份子，可是它卻接受美國給它的經援；巴基斯坦，伊朗與土耳其，均屬中央公約一份子，同樣也接受來自俄國的經濟援助。那些中立國家並未因為已接受兩大集團之一的軍事援助，而喪失或準備放棄它們的中立；那些與大國聯盟各國也並未因已接受來自另一方的經濟援助，而喪失它們原來的地位。所以一個國家的是否屬於中立或大國集團一份子，對軍經援助的態度，並不是一個絕對的尺度。這種標準可以適用於多數中立國家，但不能以此作中立的解釋。

既然上述兩點與大國聯盟及對軍經援助的關係不能準確測定一個國家的是否屬於中立，那麼何種尺度才能對這種中立含義作一準確解釋？在我看來，要準確解釋中立的含義，先要從這種中立國家中找出一種共同的特點和趨向。這種共同的特點和趨向，可以適用於親西方的或親共的中立國家，也可適用於絕對不偏不倚的中立國家。實際上這種共同的特點和趨向，也正就是今日中立集團的一種共同的解釋和標準。因此現在所謂中立，絕不能單作理論或字面上的解釋，而應從實際表現中去發掘其新的含義，否則，將永不能把握這種國際關係中的新現象。

根據今日亞非各國在國際的各種各樣的表現，我們可以發現它們之間在若干問題上也具有完全一致的態度。這種完全一致的態度，主要見之於它們對殖民主義的反對與厭惡，以及由此而產生的它們對西方國家的習慣性戒備與懷疑。其次，這些中立國家雖在某種程度內主張國有化與集體主義的經濟開發，但它們對共產主義本身仍堅定抱持一種反對與恐懼的態度。由於這兩種基本因素的交互影響，所以這些中立國家不論對於西方集團或共產集團，絕不會予以百分之百的贊同，亦不會予以百分之百的反對。在某種場合或某種問題上，它們是與西方站在一起而反對共黨國家；可是在另一種場合或一種問題上，它們又與共黨國家站在一起而反對西方集團。這種一般外交趨勢上的左右搖擺而不固定，膠着於一點的現象，實際便是中立國家的一種共同表徵，而這一共同表徵的最常見的場合，便是聯合國大會內的集體投票傾向。所以要鑑別一個國家是否屬於中立，其最正確的標準，既不在於這一國家是否與西方大國具有同盟關係，亦不在於這一國家是否接受兩大集團的軍經援助，而是要看它的一般外交傾向，尤其要看通常它在聯合國大會的投票紀錄。祇有從這一角度和標準，我們才可瞭解某一國家是否眞正屬於中立集團。

基於這種分析，可知今日所謂中立，其含義並非僅指軍事上的中立，而且亦指思想上的中立。軍事上的中立，旨在不介入其他兩集團的爭執；而思想上的中立，卻又以介入其他兩集團間的爭執為能事，忽而贊同甲方去反對乙方，忽而又贊同乙方而去反對甲方。但不論它們贊同何方或反對何方，絕不會長期膠着於一個方面，而是根據它們自定的是非標準，隨時贊同它們所認為對的，反對它們所認為錯的。這種搖擺不定，依照它們自定是非標準而隨時作贊同與否的選擇的中立，便是現在所謂中立主義的中立。而今亞非各國所採行的中立，也就是這種新的中立。

由於亞非各國現時所採行的中立具有這種獨特性質，所以亞非國家的中立絕不同於歐洲的瑞典，瑞士及奧地利的那種傳統的中立。正由於此，所以去年在南斯拉夫所舉行的中立國首長會議，就根本沒有邀請這歐洲三國參加。也正由於此，彼一般人目為倡導中立最早最有力的印度總理尼赫魯，也便成了常管「他人瓦上霜」的干涉主義者。因此我們可以這樣說，傳統的歐洲國家的中立，是一種貨眞價實的中立；而今亞非國家的所謂中立主義的中立，祇是中立其名，而實際則以干涉兩大集團的爭執為能事，期以冲淡及調和兩大集團的衝突為目標。由於要從事兩造之間的干涉，企圖冲淡及調和兩大集團的衝突，所以這種中立便儘量擷取兩者之長，而壓抑兩者之短，結果遂致失掉了嚴格的道德與是非立場。

總之，目前亞非集團的這種中立風潮，一面與亞非國家的剛行獲得獨立有關，一面亦與聯合國組織密切不可分。若聯合國現時這種基本組織與大國對峙狀況不發生重大變化，這種中立主義也勢將繼續存在下去。

漫画天下

寮國之一

快要垮台了

自由談

政治的道理

大政治家的抱負與作風，是要以天下為己任，而與天下人共治之。所以，國父在生之日，給人們寫字時，總是寫的「天下為公」「博愛」這些字句，表示他的胸中抱負。小政客卻不然，滿懷「天下為私」的企圖，眼光狹小，氣魄毫無，隨時防範別人分佔了他的權力地位，融融拒人於千里之外，而以包辦國事為第一義。

大政治家既有「天下為公」的思想，即認為天下無不可用之人，他要使天下英雄盡入彀中，役人而不役於人，這樣就自然用不着攪小組織，玩私人派系了。國父孫公一生的革命過程中，全國智勇辯力之士，老的，少的，男的，女的，在他領導之下，從事革命救國工作者，不知其數，幾曾見有內部派系門爭的迹象呢？陳炯明稱兵作亂，悍然炮打總統府，孫公幾瀕於危，後來只要他寫一悔過書，則一切不究，依然重用，這是何等偉大的胸襟！有這種天下為公的領袖，誰不願意竭誠愛戴，為他效力呢？

今之小政客，開口中山信徒，閉口三民主義，然其對人處事的方法，無一不與孫公的作風背道而馳。除卻自己一小撮的私人派系份子外，視天下人皆為不可靠的異端之類，至少亦是不可信任的問題人物，且認為只有他那小派系所網羅的一羣嘍囉，才是唯一無二的奇才異能之士，平治天下，綽有餘裕，用不着別人幫忙了。充此一念，政治上乃形成頑固的包辦主義，事無巨細，非我不行。門戶之見甚深，而所謂「人事關係」之說，即公然盛行而不以為可怪可恥，圈子愈弄愈小，眼界越攪越窄，此神州陸沉之禍之所由來也！

反共救國之役，是一項亘古罕有的艱鉅任務，雖集中海內外所有的人才，尚不敢說即有必勝必成的把握，若再讓小政客之流繼續操縱，紊亂朝政，無知無識的專幹化友為敵，親痛仇快的勾當，而自詡為忠貞份子，包辦國事，那就完了！

馮玉先生

爭奪台北市長見諸行動

執政黨外人士出師不利

（本報記者台北航訊）執政黨外人士爲了爭奪台北市長這隻位子而醞釀多時的政治行動，終於元月廿八日開始付諸實施，但他們首次出師不利，勸說黃啓瑞「辭職」之舉未有行通，可能將來要走上「罷免」之途。

廿八日，現任台北市議員張詩經等八人，聯名致函因案停職的民選市長黃啓瑞，這封信是由張詩經等人親自帶到徐州路黃啓瑞家裏面交的，函長五百餘字，大意爲表示同情關切黃啓瑞的痛苦處境外，力勸黃氏再度提出辭職（黃啓瑞在被停職前，曾向省府辭職，並曾將辭呈副本致送市議會，但後來又撤回了），俾便另外選舉市長。在那封信上簽名的八位現任台北市議員，均係非執政黨議員，其名單爲李賜卿、張詩經、黃信介、何宗儀、宋霖康、謝世輝、王松琳，廖鐘脈。簽名者中前往黃啓瑞家裏當面進說辭的，有李賜卿、張詩經、黃信介、何宗儀、謝世輝等五人，另前任市議員李福春、陳益勝，及在台北縣當選省議員而結果被判當選無效的李秋遠，亦以台北市民的身份（李秋遠已遷居台北市）。連同五議員同往做其「說客」。

黃啓瑞那天適逢在家裏，他招待各位來客坐定後，李賜卿便開門見山的說明來意，然後把那封信交給黃啓瑞。黃啓瑞很仔細的讀那封信，讀完信後，他神情顯得很沉重的說：「現在我不願意多說話，對這件事情我可以用書面答覆」。說着，他拿起鋼筆，就在沙發椅上寫出一百多字的「書面答覆」，並慎重的當面唸了一遍，然後交給張詩經。黃啓瑞的書面答覆說：

「我是學法的，過去曾做過律師，參加過司法工作，我向來是相信法律，信賴法院的。目前我除以全副精神灌注在循法律途徑洗刷我的清白之身，每天發奮忘食，忙着閱讀書籍，尋求眞理，無暇顧及其他。承告辭職一節，不加考慮。前當一段時間爲定處安心：增慧消障之際，『一點虛中堪住脚，萬緣放下且修身』。除此之外，無可奉告。有勞會足，諸希見諒，毋任感禱。」

雖然如此，李福春、李賜卿、張詩經、李秋遠，陳益勝等人，當時還不肯放鬆，會相繼進說辭，力言民意如何如何，勸請黃氏辭職，也算是對選民有所交代云云。但「好好先生」的黃啓瑞最後還是說：「現在我是待罪之身，不便多言，更不願以我個人的事勵而再給社會引起風波。請各位諒解」。這些「說客」們辭出後，黃信介沉不住氣，曾連聲說「罷免罷免」。

中央信託局連出皮漏

過去一年內便有六宗

伸鐵公司案爲其著者

（本報記者台北航訊）「四行兩局」是國營機構，從業人員被一般人目爲捧「金飯碗」者。兩局中的「儲金匯業局」一直在復業聲中而並未復業，另一局的「中央信託局」，却得天獨厚，完整的自大陸遷台，並且營業範圍越來越大。該局一向由於制度完備，過去似乎很少傳出弊端。過去的一年則居然連出皮漏，伸鐵公司案更是駭人聽聞。茲將中信局過去一年的弊案羅列如次，亦「前事不忘，後事之師」之意而已。

中信局較早的一件作弊案是與唐榮鐵工廠的勾串。該局高雄辦事處主任趙雅虔及該處儲運課長陳萬武，與唐榮發生經濟上的勾串，將該處所存廢鐵，任由唐榮廠暗地挪用；此種情形，使唐榮廠可不用分文現鈔，獲得廢鐵原料，而趙雅虔等則從中獲取巨利，公家遭受數千萬元之重大損失。迄至唐榮廠發生問題，始將該案揭穿。趙雅虔及陳萬武都以涉嫌瀆職案，由司法辦理。

第二件是發生在九月份內，中信局易貨處副理謝滔，襄理兼第三科主任陸增元，辦事員潘懋源三人，因辦理外銷購料弊欵時，貸欵給福隆紡織公司美金二十萬元。局方因所收抵押品不足，備核准先提十萬美元，彼等竟擅自作主，私自將抵押棧單借出，並陪同廠東向交通銀行提去新台幣八百萬元（合美金二十萬元），交給福隆公司。福隆廠負責人，前經營大信貿易公司時，曾以西藥一批，向易貨處請求貸欵，迄今尚未償清，何以又接受其貸欵申請？且又予以額外便利？因而涉嫌與商人勾結舞弊。結果該局將謝滔，陸增元撤職，潘懋源停職，均移送司法偵辦。福隆廠總經理符逸冰亦被扣押。中信局除上述三人觸犯刑章外，尚有一名科長級的主管，因此案深受刺激而致精神失常。

第三件是徇情貸欵一百萬，中信局代商人賠累。此是該局原來台灣分局職員林楠，離職後開設一家專門製造外銷用竹製地板的中國竹化工業公司，利用局內故知舊識，向易貨處申請一百萬元的鉅額貸欵，在不到一個月的時間內，即蒙核准，由該局承兌，而由台灣銀行貸出。貸欵到期，竹化公司不還，祇好由中信局撥欵墊歸行。該公司負悄然去了香港。該局急派人去封廠，以期控制抵押品，但該廠僅用竹籬編成，簡陋到不值一文，氣得前往監駐封廠者不顧簽字驗收，於是封廠工作亦不了了之。依照規定，申請抵押貸欵，必需有十成抵押品，才能獲得六成貸欵，該廠當初如何獲准貸欵，實値得檢討。這件貸欵案，經辦職員梁振時，主理的是易貨處副理黃其鯤。據悉該局將此視同一筆爛賬，要移送法院和該廠打官司。但這一百萬元的公帑，將來能拿回幾許，殊爲可慮。

第四件是福利社職員侵吞公欵百餘萬元案。中信局福利社主任蔡慶棟，會計李亦亮二人，自四十四年起私將公欵一百萬元貸借與一[illegible]皮鞋公司，營[illegible]工廠[illegible]欵六十萬[illegible]某公司週轉，嗣又連續挪用一十餘萬元，均無法收回。至四十九年六月底止，蔡，李二人先後侵佔公欵達一百八十餘萬元，而虧空之公欵均虛列於借出欵項目內，以圖掩飾。至四十九年十一月二十八日，該局會計處人員查賬時，蔡，李二人自知無法掩飾，遂相偕前往台北地檢處自首，被地檢處依侵佔，僞造文書及公務員對於主管事務直接圖利的三項罪嫌提起公訴。

第五件是經辦儲蓄職員，連續利用職務上的便利，套取客戶存欵四十餘萬元案。該局信託處營業科副、主任高新民，主辦存欵業務，該處設有局內職員存欵專戶，其利息較高。詎料高新民對於局內同事存欵，並未登帳，而將其挪用。經發覺查對之下，發現盜用之數目頗多。高新民自知逃避不了，乃亦向法院投案。

第六件即台灣伸鐵公司挪用中信局廢鋼一萬餘噸案。伸鐵公司廠地內所存廢鋼，係中信局代理台灣銀行保管的貸欵押品，按規定應由中信局控制管理。伸鐵公司設法獲得中信局的默允，挪用了廢鋼一萬二千噸，約合新台幣三千餘萬元。去年七月該公司退票發生，九月間改組後，十一月底挪用中信局存鋼的事才爲外界所知。

以上六案都是中信局在過去一年內發生的，可見該局的制度還有疏漏的地方。至於「放欵無政策」，辦理抵押借欵沒有一定標準，貸欵經手人重人情不重法律」，已在立法委員質詢中被指出。監察委員在監院總檢討會中也有人指出「就是向銀行借欵也有特權份子，不管工廠的條件如何，有關係就可以借到錢，沒有關係就沒有辦法」。統是值得注意的。（本報記者吳越）

陽關一曲・淚隨聲下

中國人最吃這一套

東寶在台留去思

（本報記者台北航訊）在台北演出個多月的東寶歌舞團，着實很出了鋒頭，特別是元月廿九日該團最後演出的那一場，該團若干團員所表現的依依不捨，泣不成聲，不但當時就曾經贏得滿堂鼓掌之聲，即使該團第二天向台灣「撒約拉拉」，東飛回日以後，在台北市上，猶到處可聞對於該團的喝采之聲。

東寶「最後一曲」之夕所流露的惜別情懷，下列是幾個較爲突出的鏡頭：（一）被稱爲「三美合唱團」的三個女歌手，她們在台上還未唱到一半，就忍不住哭了起來。（二）該團最吃香的台柱之一的上條美佐保，在唱「中華民國頌」之時，一面唱，一面很激動的流淚。（三）在全體謝幕時，該團有好些個團員都是在眼淚汪汪中面露笑容，若不勝情者，那樣子，很有些像久依膝下嬌縱慣了的掌珠，突然被宣佈將有遠行而在大庭廣衆中向父母「道聲珍重」者然。

東寶是出來跑碼頭的。該團若干團員的凡此表情也可能有幾分是屬於表演。但即使純然是表演，也是恰到好處的表情，它仍然足以贏得台北人士的好感。中國人就最喜歡吃這一套。何況許多人的意見都認爲，那不可能全是表演。東寶這次確實給台北人士留了去思。

跑碼頭是商業性的，東寶在台北的個多月演出，亦的確很賺了幾文。東寶又表現得不至是江湖行當，一切祇爲洋錢。比如該團早幾天的向名流拜訪獻花，到醫院慰勞榮譽軍人等等，即使不說它有政治性，最低限度可以說它是一個民間友好訪問團。在以歌舞交朋友，廣結善緣，這一方面，東寶這次在台北的表現，實在是很不俗。

當然，單是東寶的歌與舞，它眞是「江湖賣藝」者，其藝亦就確實頗有足觀，台灣至今有口皆碑。「東寶大腿」就一直掛在許多人的嘴上。個多月來，因爲爭看東寶歌舞而發生在台灣省的美譚或美譚，也就無日無之，無地無之。（行）

空頭支票開到警察

議員慈善騙欵千萬

（採訪外綫）

▲在台灣，開空頭支票，是嚴重的行爲，犯者非但時常會立刻被取銷戶頭。且往往會被送交法院辦理。竟有人爲，居然把空頭支票開到警察頭上去。

開此空頭支票的是伸鐵公司。緣去年七月間，由台北市警局主辦的收購三輪車執行小組，收購來一批三輪車後，作爲廢鐵，以一萬三千餘元售予榮興鐵工廠，榮興廠又轉售伸鐵公司，由該公司總經理吳能輝開出一萬三千元支票一紙，交與榮興廠，榮興廠又轉交市警局。支票到期後，始發覺該支票係「拒絕來往戶」所開出，未能兌現。警局以伸鐵公司及榮興廠，皆犯欺詐罪嫌，經向台北地檢處提出告訴。

是否開空頭支票一定會吃官司？亦未必盡然。如大名鼎鼎的前唐榮鐵工廠總經理唐傳宗，即曾開了好幾張空頭支票，却至今平安無事，居然一派「特權階級」模樣。

▲兩被初審判刑之被停職台北市長黃啓瑞，最近婉拒辭職的「遊說」，使改選台北市長的運動初受挫折，輿論已有讚揚之者。

關於改選台北市長運動的醞釀，黃啓瑞立於關鍵性地位，他如果點頭，省政府派來的代市長周百鍊，馬上站不穩陣。而周百鍊固人所共知的黃啓瑞政治上的對手也。黃啓瑞於拒遊說時，曾引「一點虛中堪住脚，萬緣放下且修身」之句，輿論指出：目前黃氏雖有瀆職之嫌，而其修身之忱，是很可取的，「其事及其言，實不無警世的意義」。

台灣官場中人，多的是熱得發昏之上，要固其位的，要擠倒別人的，往往無所不用其極，許多醜事亦就緣此而來。至於黃啓瑞，雖然他目前正吃官司，但他不但是著名的「好好先生」，很多人並以爲他這綽號之捧得並非徒有其名。而他這次的拒絕遊說，就亦可以證實他確乎是「好好先生」。

▲以攬慈善爲名斂財自肥的，以往時有所聞，但其中最駭人聽聞者，恐當首推台南縣議員郭泰山。

據現已遍傳全台灣省的消息：郭泰山以籌組台南縣慈善會爲名，已向人騙取得的會員費及互助金，估計得一千多萬元，此君並已於元月廿四日離，便已失踪。據高雄方面消息，這位議員而又以慈善而孔行騙的郭泰山，還可能已經實行拐欵潛逃，偷渡出境了。高雄市警察局，於接到高雄警備分區指揮部的電話通知後，已通令高雄港警所及分局，嚴密防範，緝其歸案。（睿琳）

與中共發表聯合聲明結果 日社會黨已政治自殺

日人羞與為伍備受冷諷熱嘲・西尾罵之為中共的特務腿子

（本報東京通訊）與中共發表聯合聲明的日本社會黨，上迹象說明，它是走有了「政治自殺」之路。社會黨而今在日本，在政壇固然備受冷諷熱嘲，在社會上，人們更是羞與爲伍。有消息說，爲了此一儼然「賣身投靠」的聯合聲明，社會黨的左右兩派，已起了嚴重的鬥爭，說不定該黨又會就此分裂爲兩派，甚而就此黨不成黨，宣告解體。

日本社會黨與中共發表聯合聲明後，首先遭受到輿論的猛烈抨擊，其次在國會中，本來應該是作爲反對黨的社會黨宣傳自己，攻擊自民黨政府的大好機會，結果亦因爲這個「違背民意」的聯合聲明，一下子形勢倒轉了來，社會黨自己倒由「原告」變爲「被告」了，不但自由民主黨狠狠挖苦它，西尾末廣的民主社會黨尤其對它不留餘地的給予重擊，致自民黨議員在議會中，公開鼓勵西尾末廣「把社會黨弄垮」！

爲了日本社會黨居然與中共發表聯合聲明，在日本國會裏面，社會黨畢竟還有沒有獨立的人格，亦被人懷疑起來了，比如：

（一）民社黨領袖西尾末廣在總質詢時，於大駡社會黨此舉豈有此理之後，他還指着國會中社會黨人的座席說：「社會黨的外交，表面上標榜什麼極極中立，而實則掛羊頭賣狗肉，你們是在做着中共的特務腿子的工作」。

（二）自民黨議員田中角榮，對社會黨的乘機追擊，尤其做得有聲有色，他提出的三個問題中的第三個就說：社會黨與中共發表的聯合聲明，表示該黨將與中共合作，在國際陣線上攬反美鬥爭，要在日本製造一條新的「三八線」！

（三）日本首相池田勇人，在答覆同志會議員大竹平八郎的質詢時，曾以法的立場，分析該聯合聲明的效力與作用，池田說：根據日本憲法第七十三條第二項內閣外交權規定，日本外交權只限於政府才擁有，亦祇有政府才負有外交的責任，所以，凡違反政府政策與外國當局中某一部份人之間所做的聯合聲明，是並無任何效力與作用可言的。池田並曾好幾次的意味深長的表示：「社會黨此種行動，政府深以爲憾」！

（四）在國會中，可能亦由於這個聯合聲明，大家聽到自民黨人與民社黨人的「剷除那些抱有反議會思想的份子」的呼聲之時，是有着大不平常的感覺的。這裏所謂反議會思想份子，固然也指那些極端右派，但當然亦包括極端左派，如共黨及與中共發表聯合聲明的社會黨在內的。

社會黨爲了挽救它的頹勢，居然還向自民黨挑戰，要在全國七個地方，公開辯論外交政策。自民黨立刻接受了。自民黨並主張民社黨亦參加辯論，社會黨卻不答應。社會黨失利於輿論國會而企圖在所謂公開辯論中翻本，其實那裏做得到？行見社會黨而今已有如臭狗矢，越挑就會越臭而已。（嚴）

香港與大陸

△據一位姓陳的朋友稱：「我最近一連貫接到家中兩三封信，都是催匯款和寄食物回鄉接濟他們，他說中共要各地人民，凡有親朋及家人在海外的，速去信要他們購買肥料回來，因爲大陸各生產隊均缺乏肥料，凡能吸收一噸肥料回來的，可以派大米一百市斤供給他們。按最近香港的化學肥料每噸港幣三百元，三百元才換取一百市斤大米，折合司馬稱八十斤，照普通一般市價折算，不過是港幣四十元左右而已。

△一位來香港不久的林先生說：「我是曾經參加過韓戰及沿海防衛戰的戰鬥員，過去軍人的待遇不錯，每月每人配大米四十五斤，菜蔬每餐有魚和少許的肉類，尤其是在前線的更是吃得飽，穿得好，和一般人民來比較，那眞是天壤之別呢！近一兩年來，因爲天災不斷的發生，以至糧食減產，所以到處都是缺乏糧食，但是在這種情形下，還要把糧食運往北方去供給老大哥，去換取軍火，如是連素以軍人第一的軍糧也減配了，每人照配的量減少五斤，尤其是在後方的軍人更慘，每人僅配糧三十斤了，軍中士氣非常低落，每人都懷着恐懼的心理，希望台灣國軍早日反攻呢！」

△據剛由湖北武昌來港的某君說：「湖北湖南兩省，近兩年來因水災旱災不斷地發生，尤其是去年旱災更爲嚴重，有些地區根本沒有收成，家鄉的人多以野生雜糧爲主，以致每個人都患上了水腫病，面色蒼白，到醫院裏去醫治，醫生給你開一張藥方，但其中有十分之九沒有藥配，等於沒有去醫一樣。去年十月間，我的妹妹從香港寄回一些豬油，胡椒，和砂糖等，我們家中七年多沒有吃過這類東西了，我們收到這些東西，如獲生寶，吃了過後不到三天工夫，我們全家大小七八口人水腫病慢慢地好了，後來經醫證明，這種病是缺乏營養所致，你們現在吃了這些營養東西，自然會好的。醫生還說，「假設你們有多的話，請你分點給他家裏吃如何？我可以出高點的價錢給你們，因爲我也有好幾年沒有吃過豬油了呢！」」

煤氣公司自身難保

五日京兆還用私人

（本報記者台北航訊）自身即在搖搖難保的台北市煤氣公司，現在由於周百鍊代市長要安插一些私人進去換掉舊人，更是鬧得「烏氣滿天」。

台北市代理市長周百鍊，頃以「代董事長」的身份，下令撤換了三位董事。聘任他的主要智囊人員洪清秋，王乃一爲煤氣公司常務董事，聘市府安全室主任林衡道爲董事，將原常務董事駱水源辭職批准，原常務董事莊淙耀，改聘爲董事，原董事何柏林解職，目前董事兼總經理徐砥中的董事職務免除，僅聘爲經理，讓出三個職位由他的人担任。此事業已引起社會人士的議論，市議會本次會議，料也將對此事表示態度。

據一位在市議會担任審查煤氣公司小組的議員看法，他認爲煤氣公司有百分之八十的官股，按照公司法規定，官股董事當然可由官方指派，但董事必需是政府官員，而此次周百鍊新派的三位董事，除了林衡道是市府安全室主任外，洪清秋是開南商校的主任和王乃一，都不是政府官員，況且，常務董事應該是由董事會董事互選產生，當然，在煤氣公司的九個董事中官股董事佔了七個，市府所提的常務董事必然會獲得通過，但在形式上卻必須經過這一關，才算是合法。而此次周百鍊越過這一關，直接派了常務董事，很難使人諒解。

担任煤氣公司董事，每月有在四百元車馬費，常務董事每月六百元，兩個駐會常董每人的車馬費加上分紅，每月可高達四，五千元。據說：周百鍊目前把全付精力都貫注在雙園堤防上面，希望由建堤工作上做出一些政績，以爲下次競選的資本，而此一工作的執行秘書，便是由智囊團的王乃一担任，可惜建堤委員會是一臨時性的機構，並無甚麼待遇，所以才想出把他安插到煤氣公司去做駐會常董的辦法。至於林衡道，則因市文獻會主委辭職之後，當然也須要多一個名義，洪清秋是周百鍊的親信，在市府本身既不能安插適當位置，當然也是送到煤氣公司來。反正，動一個人是動，不如趁勢多動幾個也還不是一樣。台北市的煤氣公司，公共汽車管理處，水肥會，市宅會差不多也都成了人盡共知的市府主管酬庸人情的收容所。

莊淙耀的常董被免去之後，他連董事都不願做了。徐砥中現在只做一個由董事會聘請的總經理，將來連這個職位能保到那一天，都還難說。

至於煤氣公司本身，像現在這樣的局面，恐怕只有日漸萎縮而終於走上關門的一天。因爲現在煤氣公司的經營並不好，同時又面對着一個勁敵，那就是即將成立的中國煤氣公司。

現在設在台北近郊南港的啓業煤氣公司日產煤氣二十萬立方公尺，老早就想侵入台北市區。上月初旅日華僑山東籍的劉元禮，經申請經濟部核准設立中國煤氣公司，由該公司訂購啓業公司的煤氣來向台北傾銷，此一計劃，一年以後如果順利完成，台北煤氣公司使要遭受嚴重威脅。據煤氣公司爲適應生存，過去在四十八年會經有個和日本人合作還廠的計劃，市議會通過了，但市府列不出預算而作罷。去年一月間又和西德一家公司談妥由他們供應設備，分十年攤還的伏厚計劃，草約訂好了，地皮已買妥了，但經濟部認爲有了一個啓業公司就夠好了，因此不加批准，這一發展又告了吹。

據煤氣公司某負責人私下向記者表示：台北市有十個行政區，將來我們個人的計劃的主張同中國煤氣公司協商，由他們銷八個區，我們銷兩個區，而將我們在那幾區內的設備出售給他們。談到煤氣公司近年的營運情形，他說：前幾年是賺錢的，從去年七月起便虧本。經濟部所屬的肥料廠從今年一月起停購我們的焦煤，專買啓業公司的，現在此事近在煤調會的調解中，如果不得結果，我們的焦煤堆集場堆集不下，那便只好停工。同時他很感慨的說：在這各方面的交迫下，看來台北煤氣公司，將來難免關門之一途。（越）

瘟君續夢

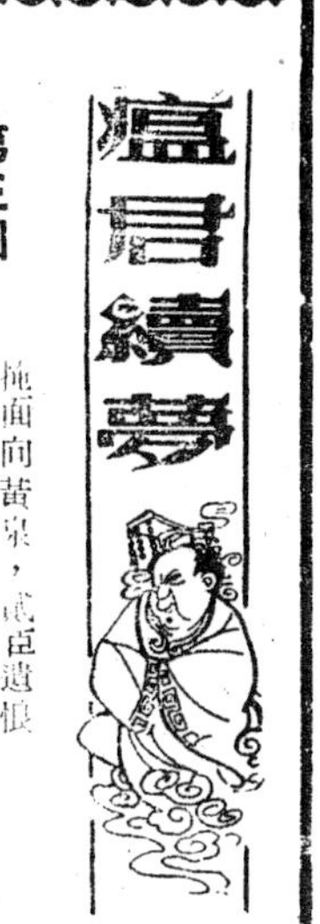

第三回：掩面向黃泉，武臣遺恨；低頭拜白虎，帝子驚魂

八中全會閉幕之後，毛澤東下令展開反右傾運動，凡是平時對人民公社，大躍進，總路線露出一絲不滿的，都被套上右傾份子的帽子，輕則開除黨籍，重則判處勞改，一時鬧得雞犬不寧，一千多萬共產黨員，人人自危。上級黨員爲了自身安全，一定要在下級黨員中找出幾個右傾份子作替死鬼，於是省級檢舉縣級，縣級就檢舉區鄉級，結果越是小嘍囉越吃虧，大家爲了性命，只有大力表示對「黨」的忠誠，奉行命令惟恐不力，至於人民公社的困難，沒有人敢再提起，毛澤東眼見這一套借頭立威的辦法，果然收效，心中十分得意。回到北平，過了幾日，忽然靈機一動，念頭又轉向「民主黨派」頭上。

毛澤東的脾氣是想到就作，馬上打個電話把李維漢找來，問道，「民主黨派最近有什麼活動沒有？」

李維漢一怔，答道，「自從春天開了一次座談會，最近沒有准他們作任何活動。」

毛澤東一瞪眼：「怎麼不找點事情他們作，每月兩千斤小米供他們白吃嗎？」

李維漢不敢回答，停一時毛澤東又說道：「這些老傢伙不能讓他們閒着，閒了就出了毛病，他們說不定去胡思亂想，日夜望國民黨回來了。」

李維漢陪笑道：「他們絕不敢這樣想。一九五七年他們作交心運動時，都發誓把心交給黨了。」

毛澤東大笑道：「你怎麼這樣蠢，那全是騙人的玩意，如何能當眞。你回去馬上通知各黨派負責人，要他們最短期間召開座談會，討論八中全會的公報，你同統戰部各副部長分別主持，從這裏留心觀察，就可以看出他們的眞意何在，究竟交了心沒有。」

李維漢連聲應是，回到統戰部馬上下了一道命令，限定各民主黨派在一個星期內，開座談會討論八中全會公報，由統戰部派員主持。

命令一下，各民主黨派頓時慌成一團，不過，誰也不敢就擱，都在接到命令的第二天，民盟、民建、民促農工民主黨，九三學社同日開會。單單少了一個民革。

這一羣民主黨派，論人數以民盟爲最多，鳴放前夕有五萬八千多人，民革的黨員，還不到一萬人，其他的黨派多的不過三兩千人，少的只有幾百人，按人數算自然是民盟坐第一把交椅，但因爲民革都是變節的國民黨員組成的，中共利用他們向眞正的國民黨員統戰，所以總是把民革放在第一位，中共政權成立時，六名副主席、民革，民盟各配給一名，民革的李濟琛排名第四，民盟的張瀾排第五，一九五四年以後，副主席不准他們當了，都改爲人代會副委員長，李濟琛排名還是在沈鈞儒的前面。

這次開座談會　本來毛澤東只是要民主黨派學習八中全會的公報，統戰部爲了邀功，又添上一項推行節約運動，命令下去，所有民主黨派成員都如同觸了電一樣，感到大禍臨頭，不可終日。（七二）

◦寫實小說◦
壯志凌雲
——第十八節——

原來他出生地離我故鄉老家不過十數來里路，隔天晚上他穿着一套半新不舊的西服，還打着紅裏透白一根新領帶，跑來宿舍訪我，臨別他唯一請求，就是要我幫忙爲他辦改姓歸宗的手續，他說：「他生父周永祥，是一位勤苦力學的教員，不幸早世，不能使他無後」。我爲他這件事跑過許多冤枉路，三反四復的申請，一直鬧到內政部，因取不出確切證據，至今猶未辦妥，他入伍時還認爲是一件莫大的恨事。

誰知他遇着這位川菜館老闆，全是一個拆爛污的傢伙，營業還不到半年，負債纍纍，關門大吉，蘇英又告失業。恰好台灣造船公司招考技工，我鼓勵他去投考，他報名後，像煞有介事的買進了許多參考書，似秀才準備趕舉考一般，三更燈火五更雞，熬上四五個通宵未睡，他初小還沒畢業，英算不能及格，無疑的要名落孫山。我介紹他去大東工廠做打鐵工人，呆了一段時期，聽說金銅鑛務局，是台灣一個淘金之所，那兒要添補礦工，我又很快介紹他到了金瓜石，幹下幾個月挖礦工人。廠方看見他年青活潑，手腳矯捷，指調去當放炮手，這是一個非帶危險的工作，石工將岩石鑿成丈多深的一個圓洞，滿填炸藥，中貫一根導火線，一端伸出外面，放炮的人把火線點燃，須立刻飛奔到五六丈地外，方可避免自身危險，然後聽到一聲巨響，登時石破天驚。始初他認爲這是等如過年小孩放大爆竹的玩意兒，是一項挺開心的工作。後來看到一位三十餘歲的同伴，慢走了一步，登時血肉橫飛，陳屍巖阿。他親此慘狀，纔感覺目怵心顫，再也不肯幹了。

他由友人介紹，跑去台北，在洛島行一學做皮鞋。這皮鞋店老闆很看重他，老闆有一位相當漂亮的大小姐，三十年華，文君新寡，恩再改醮，一下就看中了蘇英；老闆亦有心招他入贅，却被他婉拒了，理由是他父母都在大陸，未得父母同意，不敢議婚。他還生怕這位大姐時常來勾搭，復跑來基隆，在一家皮箱店學做皮箱。還未到一年，又得到這位老闆的歡心，由於這店在他處有一小工廠，須老闆自己照顧，看他誠實可靠，獨派他一人守店嘗週門市部，附帶做些皮箱零件，每月工價四百元，並供膳宿，年終該店結算，老板很高興，特別分給他一千元紅利。除夕團年，要店伙們向蘇英勸酒，弄得他酩酊大醉，老闆並答應他過年後，每月加給特別費一百元，可是元宵還未過完，正式徵集入營的命令已送抵他的手中。

邛都憶往（十四）
李仲侯

我們確信這世界沒有一種力量，可以阻擋人類去求生存和自由的慾望的，自從西昌解決伍培英得手後，所有成渝各地被共匪擊潰的數十萬國軍中，有好些忠勇不二的將士，成羣結隊，踏破千里窮荒，冒着雲癘瘴雨，出死入生，在酷寒風雪中，攀登萬丈的大相嶺，陸續奔來西昌，川中耆宿如尹昌衡，唐式遵，羊仁安輩，皆是七十以上的高齡，成渝淪陷後，他們有的化作算命先生，或癃老的乞丐，扶着拐杖，爬山越嶺，忍饑挨凍，行抵西昌。

伍逆之敗，確出人意表，中樞很快就發表賀國光氏兼西康省主席，他於卅九年元旦在西昌宣誓就職，還發表過一篇極爲動人的文告。那次省府組織，可說是一不折不扣的聯合政府，委員及各處室人選，都由國民黨民青兩黨及社會賢達平分秋色，青年黨人鄧凱南出任西昌縣長，我還是去他家促駕的一人，記得那日我們很忙，上午參加了省府典禮，下午去小廟機場歡迎胡宗南將軍，他是奉命由海南乘飛機來西昌，組編西南長官行署的。接着又去城外五里猴接警備副總司令王夢熊先生回西昌；王自雙十節隨居覺生先生去渝，大局時刻在變化，渝昌航線久斷，他只得跑去成都搭飛機，不知在新津機場等候了若干日，晝夜都在飛機翅膀下守着，至十一月十一日有九架飛機運兵飛西昌，他本可以成行了，突然間這批飛機要改飛昆明，他認爲到了昆明回西昌已不難，飛抵昆明時，見機場軍警林立，雲南主席盧漢派出大批汽車在機場歡迎由蓉抵昆的將官，同時正是張岳軍先生飛昆被叛兵扣留的那批飛機，王氏不知倖的未去搭盧漢的歡迎車，係附一商人的汽車進城住和城銀行，行裝甫卸，在經理室無意中扭開收音機，正聽到盧漢大聲疾呼宣布雲南解放，跟着余程萬李彌對部下說話，他纔知道已自投羅網，陷入虎阱，趕緊設法化裝，跟着趕馬幫的逃出昆明，晝行夜宿，走了上十天纔回到西昌，我們這羣人去歡迎，是爲着他獲慶生還而高興。

當時大陸整個淪陷，僅剩下西昌管轄八縣兩設治局這塊小小的乾淨土，實無異大海中一粒黑子着面。省府成立沒，唯一的急務，重在組織民衆，宣傳民衆，勛員民衆一切的力量來守土抗敵，我們當日決定，首先來個兩週以上的宣傳週，正好各方來赴國難的忠貞志士，大家對共匪蘊藏着滿腔憤恨，要求發洩，自從這如火如荼的宣傳運動在城郊很快展開後，到處發出了反共抗俄的怒吼，尤以不遠千里而來的那些老先生，都是口若懸河，聲如洪鐘，句句含着血淚，字字動人心弦，跟即把寧屬所轄各縣局，分成十六個警備區，無論漢夷，統通編組起來約有十萬人——好些沒有槍的，就用大刀梭標做武器，由於屹立西康高原的西昌，勇敢的吹起了抗共號角，馬上驚動了四週的人們，重復熾起中華兒女行將死去的希望，顯露出大地黑暗中的一線曙光，接着寧南大捷，康定光復，歡聲雷動，震撼山域，民心士氣的振奮，殆不可以言喻。

所爲何來
汶津

「你爲什麼不喜歡沙士比亞？」英語會話課本中頗不乏這種類似的例句。有人把六W擬作科學精神的基本公式之一。而「爲什麼」這一個W更是風頭人物。「人爲什麼活着？」這個問題人類追求了幾千年了！答案呢？在上帝手裏？還是根本子虛烏有？其實這種難題到了小學童耳裏，簡直比一加二等於三還容易解決。他會胸有成竹地說；「爲好吃東西」；「爲玩兒」；「爲抱洋娃娃」。再問他；「爲什麼要上學讀書？」「爲讓爸爸媽媽高興」。這時，你這位發問的主試官也許反而迷糊了！噢，世界豈不正是那麼簡單嗎？

戰爭；可是爲什麼要有來？你自己說不上，他再請教小朋友吧，他會一瞪眼乾脆來一句：「誰知道！那才不干我的事呢！」語氣裏充滿了不屑的意味，使你不敢再往下追究。他自己也許有向小貓挑起一場親暱的戰鬥，大人們的傻事他可瞧不上眼的。

但孩子們的一切還是握在成人手中。有些孩子是爲了大人「防老」的，有的是爲了候補上一代繼承當苦難的。古代斯巴達的淘汰育嬰法，更說明了那些軍國主義者的赤子是爲了戰鬥而被撫養着的。

問那些不可一世的青年人吧：你爲什麼而長大？他會昂首揚眉的說：「爲賺錢！」「爲出國！」「爲做大事（包括做大官）！」「爲……嘿，還能爲什麼？你看看報紙吧？這個……這個……多有辦法！難道我就只能挺着幾根助骨？」青年人大多精力旺盛，勇於應戰，又長於口才，因此答案特多，不勝枚舉。

採訪記者不縮小範圍，詢以：「諸君爲什麼讀書研究呢？」答案是：不外是「爲了探究高深學術，造福人羣。」這話能讓與論滿意——這難道不是國家撥出那麼多教育經費的初衷麼？不正和教育部頒訂的高等教育宗旨不謀而合麼？只怕這當中有點兒言不由衷吧，試回味回味他老弟說出這些大道理時是多麼的流利，多麼的不假思索！他們到底爲什麼？忠厚一點，不妨多留出些例外的百分比；其他的，不如讓傳統的老調來解答：「書中自有黃金屋，書中自有顏如玉」。至少嘛，飯碗不能不掙，家小不能不養，褲帶也不能常年緊束啊。學一句孔老夫子的調子：「歸與歸與！吾黨之小子現實！」至於狂狷云者，爲什麼不能把它們請進歷史博物館？

中年人？爲妻兒！夠了：發點牢騷也不過是爲了待遇太薄，物價太高。太太小姐們活着爲什麼？爲雀戰，爲找一黑騎板凳」。前方戰士們如果也有回答同樣的問題，反顯得是太大的異端了。

在軍中旁敲側擊的探詢那些老士官們爲何來，除了一個抽象的國家意念或領袖引力外，只是：盼着有一天能回大陸家裏去看看，希望自己的兒孫（如果幸而——原來也正是不幸——有妻的話）還能留下幾個，能夠親手撫摸一下他們的鬢髮，也就是了。他們知道：升官發財的事兒，根本輪不到他們，而且，太多的苦難已無形中使他們不相信什麼天降的奇蹟了。

海嶠叢談
難忘的史事（二）
諸葛文侯

由大同坐汽車前往太原，需兩日行程，巍峨雄偉的太行山常在眼前，深覺此身渺小極了。一走進雁門關，即見關內外的景色迥然兩樣，關外一片黃沙白草，情況蕭瑟，關內沃野平疇，滿目青苗綠樹，咫尺間的自然現象，竟有偌大差別，殆由於地緣與氣候關係所致。第一天宿崞縣，這個縣名我當時不知其音讀如何，頗爲稀罕，據聞胡適之先生當年到山西參加全國教育會議時，對於這個縣名亦會誤讀爲「惇」縣呢！我在縣城內的旅店中進餐，再三不肯吃饅頭，聲色俱厲地教店主東拿大米飯來！只聽店主輕聲笑語我的司機道；這位先生是「南米子」吧？「南米子」者，晉語南方蠻子之意也。實則晉北——也可說全山西都不產稻谷，何來大米飯可吃呢？我沒有風土的常識，而又昧於入境問俗之義，以致鬧出這些笑話，慚愧也矣！

到達太原時，督軍署派了一位姓龍的湖南人來接待我，下榻於「柳巷」（太原街道名）的督署招待所。次日赴督署拜謁閻督軍，纔覩大門上刻着「都督閻公之雅望」；「晉國天下莫強焉」的成語對聯，認爲妥切，但督署的建築不夠宏麗，又似乎不甚相偁。我先行叩見參謀長朱綬光（蘭生），他是湖北人，欵談甚爲歡洽，旋由他引入內廳與都督閻公晤面，這是禮貌上的訪問，沒有多談話。當晚，他在督署設宴招待，宴後約我在他的辦公室內懇談，我說明來意，並將李協和，孫禹行二公聯名的書札交給他，他接看完畢，侃侃然說道：「我無意於乘人之危，要對馮煥章過不去，因吳子玉堅決教我跟他合作，否則他便要派軍進駐娘子關，以防馮軍竄入晉境，我無力抗衡，山西亦就保不住，祗有在晉北一帶略作軍事佈署，但我軍只採守勢，並不出擊，因爲戰爭的中心是在南口方面。協和希望我跟馮煥章携手結盟，可藉馮軍實力作後盾，進而相機在北方實行革命，用意未嘗不好。可是，馮與共產黨親近，接受俄國援助，實在令人就心，至少我是不敢同意他這種作法的。現在吳子玉與張雨亭標榜討赤的旗號，北方人大家表示同情，而馮氏又在莫斯科，我若跟馮合作，山西馬上完了，這怎末成呢？」我插言曰：「李孫二公並非希望閻督軍公開跟馮督辦合作，只是先求默契諒解，心心相印，不要相殘而已。」閻謂：「我現在就是這樣的宗旨。你知道孔文掀（庚）田梓琴（桐）現居太原（按孔，田係在豫晉邊境與晉軍作戰失敗後，被俘來太原的。），吳子玉曾經迭電教我把他們押解到吳總部去，或由我將他們明正典刑具報，我都不幹。萬一吳軍開來太原，我準備送他們二位到五台山上隱藏着。我是國民黨人，決不殘害自己的同志，你改天也可以去看看他們，就是住在李參謀長勉之（雲南人）家裏，他們可以見客，却不好出街走動」。

台南昌黎廟
·道南·

韓文公與台灣無有淵源，但台灣南部有昌黎廟，這是有來歷的。

鄭成功以台灣金廈抵抗滿清的時候，有三位潮屬的先賢曾毀家以從事復國工作。一位是督師鄭之奇，一位是侍郎黃錦，另外一位是尚書辜朝薦。督師鄭之奇將揭陽縣的義民移來廈門、金門之後，就帶一部份義民投奔永曆帝駐守梧州，後奉命又到雷州督師，結果事敗奔越南，被誘執送滿清，殉難的時候曾留下一首七律：

「成仁取義憶前賢，異代同心幾自鞭。血比萇弘化新碧；魂依望帝久爲鵑。曾無尺寸酬高厚，惟有孤單照簡篇。萬卷詩書隨一炬，千秋霜管俟他年。」

侍郎黃錦曾勸說潮洲的總兵郝尙久脫離洪承疇舉義反清復明，並聯絡福建的義師盧若騰協助抗清，所屬饒平義民亦先後渡海到台從事開墾。尙書辜朝薦則直接做鄭成功的智囊，是當時聲望最著的「七公」之一，很受鄭成功的器重。

由於他們三位的中流砥柱，潮州屬義民，不願做滿清奴隸的，陸續渡海赴台從事開墾。來的時候，不過是一囊一鍋或一鋤一犂，但不久所住的地方即蔚然成村，阡陌相連，爲思念被滿清佔據去了的故鄉，乃以潮州爲地名，並且蓋了昌黎廟以爲紀念。

山川風物

內僑警台報字第〇三一號內銷證

自由報

THE FREE NEWS

第二〇八期

中華民國僑務委員會頒發
台教新字第三二三號登記證
中華郵政台字第一二八二號執照
登記爲第一類新聞紙類
（半週刊每星期三、六出版）
每份港幣壹角
台灣零售價折台幣弍元
社　長：雷嘯岑
督印人：黃行富
社址：香港銅鑼灣高士威道二十號四樓
20 CAUSEWAY RD 3RD FL.
HONG KONG
TEL. 771726　電報掛號．7191
承印者：田風印刷廠
地址：香港灣仔高士打道二二一號
台灣分社
台北市西寧南路壹壹零號二樓
電話：三〇三四六
台郵掛號金户九二五二

對當前經濟問題的常識之見

雷嘯岑

我不是研究財政經濟學的，對於台灣的現實財經情況亦不完全瞭解，但經濟常識總有點兒。憑着常識來觀察，卽認爲中華民國目前最嚴重的問題，殆莫過於經濟問題。最近看到行政院外貿會主持人尹仲容先生發表談話，促請工商界注意國外經濟情勢的改變，改善企業管理，減低生產成本，努力增加外銷，卽知我們今後的經濟情形，確係逾來逾艱難，再不能掉以輕心了。因此，試略述當前經濟問題的常識之見。

記得四五年前，香港大學經濟系主任教授葛璧兩次到台灣考查經濟情形後，我問他有何感想？希望只說壞的印象，不必說應酬話，俾資參考。他特別指出我們專靠美援過活是很危險的事，漫說美援必有限期，卽使永遠不斷，而本身的經濟上亦一定會發生大毛病的。所以，英國於接受「馬歇爾計劃」的經援不久，卽倡出「要貿易不要援助」（TRADE NO AID）之說。當年我將葛氏這番話在「自由人」半月刊上，曾經迭次據述，盼望政府當局知所警覺，積極改進經濟政策，力圖自立更生，以期減少外援的倚賴性。兩年前我旅行西德時，在該國首都波恩跟一位幹宣傳工作的幹部人員，談到西德經濟復興之迅速成功，請教他有何要訣？他說是「並無甚末奧妙方法，政府只以全力促進工商企業發展，處處給他們便利和協助，使其增加生產，爭取外銷，但產品必須合乎政府規定的標準，決不通融。工商業者要從國外購買原料機器回來，若缺乏資金，政府盡力貸款應濟，海關更予以進口的方便，而且絕對保證他們投資的安全及其合法利潤。民間富裕了，政府自然不愁窮困的。至於西德戰後頭幾年受得的美援，一概作爲國營公用[illegible]政府事業資金。」這些話我也在報上撰文披露過，可以覆稽。我們政府當局對於這類「他山之石」的言論主張，是否有所考慮，殊不可必。但最近半年來，由於美國決計改變援外政策，特別把過去那種贈予性的經援，改爲長期貸款，而美國國際開發總署駐華分署長郝樂遜，副署長詹姆斯，亦公開發表警告性的談話，一面指出我們在經濟上的若干毛病」如從事繁文縟節的浪費，如經濟措施之許多不合理情形，同時希望受援國家盡其在我，先求自助，實行各種改革，以防美援或有停止之日。如是，我們的朝野人士纔有些發慌了，旣切盼美援不要削減，又教工商界改善企業經營方法，增加生產，爭取外銷，美援削減與否，別人自有辦法，如何自助自立，纔是本身責無旁貸的當務之急呢！

尹仲容氏所指示的經濟改進要點，所敍述的美援改變原則，所剖析的國際市場上各種演變形勢，都是對的。問題就在能否坐言起行，行而能通，通而有效。對日抗戰末期，陳獨秀曾在重慶著文詰問我們戰後的經濟政策，究竟是採取資本主義路線呢？抑是社會主義路線？換言之，我們的經濟措施，是自由經濟政策？抑係統制經濟政策？這問題似乎今日尚未弄清楚。若說我們是行的自由經濟政策罷，然法令滋彰，管制重重，工商業者深感遍地荊棘，綑得孔多，人、貨、錢這三樣生產力的自由活動，皆有些行不得也[illegible]的苦。否則政府經常號召華僑回國投資，且規定給予種種便利，何以東南亞大量的華僑資金，一古腦兒湧進沒有生產潛能的香港一隅，卽裹足不前，而不向產業豐富，人口比香港多出幾倍的台灣去求發展呢？若說是行的統制經濟政策罷，然政府又陸續將國營或公營企業，轉讓給民間，且對生產與分配問題，採取放任主義。如去年外貿會主持人尹仲容氏，曾因台灣紡織業者對輸出產品不能一致合作，而實行個別殺價競銷的行爲，大加抨擊，卽其明證。不特此也，去歲十月間，經濟部長楊繼曾氏在立法院聲言台灣經濟界確有特權階級存在云云，有了特權階級存在於經濟界，談自由政策，固然是一堆廢話，談統制政策亦全係瞎扯淡，實際只是四不像的政策而已。憑着四不像的經濟政策，要想改善企業管理，減低生產成本，劃一生產品的國際標準，大量爭取外銷，這不是緣木求魚嗎？

所謂經濟上的特權階級，究竟是何內容，我們殊不明白，而主管機關旣然知道有這種妨害經建的不合理現象存在，亦不能依法整飭消除，唯有對着民意代表付之一嘆的表示，更使我們莫名其妙。尹仲容氏素有敢作敢爲的聲譽，對於這類爲害國計民生的經濟界特權階級，難道望而生畏，無可奈何不成？現任行政院陳兼院長乃是國家的副元首，地位崇高，而本人尤有處理任何艱難問題的魄力和方法，在他的指導之下，如其尚不能消除一種經濟上的特權階級，那我們對於國事前途，固不勝其失望之感，卽對於一般身居政府要津的大員，更不敢寄與任何信任了。

我國的外匯赤字，原在逐年遞增之中，去年已達到了一億五千萬美元之鉅，而今後美國對我們的經援，絕大部分又都改爲貸款性質，借貸期限雖長，利息卻須按年支付的。在這種情況之下，纔呼籲發展工商企業，爭取外銷，已不免臨渴掘井之嫌，卽知葛璧教授早就直言我們經濟本身會要發生大毛病的見解，是正確的。縱使臨渴掘井，如果沒有內在的障礙，亦未嘗不是辦法。然而經濟上的特權階級這個毒瘤若不割掉，則任何方法皆屬徒勞無益，可斷言也。發展工商業的基本條件，必須有安全的投資環境，有適當的投資對象，還需要有利的投資機會。特權階級不能剷除乾淨，這些條件壓根兒就無從談起，因爲產生特權階級的源泉不是經濟的，而是政治的，也就是說，發展經濟與改革政治，具有相輔相成的密切關係。譬如現任官吏營商走私—不論直接間接—的惡習不改，民意代表兼任工商業機構董事長或顧問的情形還存在的話，普通工商業者的投資環境就不會安全，投資對象亦沒法自由選擇，而有利的投資機會更輪不到他們了。商人將本求利，若吃盡辛苦而祗有蝕本的份兒，誰感興趣呢？去年尹仲容氏指斥紡織公司對輸出生產品不合作的內在因素，我認爲就是特權階級從中作祟，否則似此公然危害國家對外貿易的行爲，政府主管機關豈有坐視不問之理？

過去我們恃有美援調劑，對於財政上的貧血症，唯有採取增加發行，公營事業加價和增高間接稅稅率這三樣單方來補救，尚不致構成嚴重的病態現象。今後美援贈予性的滋補品沒有了，再要使用陳舊的單方，危險殊甚。拯救之策，除了發展工商業，增加輸出，開拓國際市場以外，整頓稅收亦爲刻不容緩之事。台灣現時稅收上不實不盡的毛病，大家皆能知之，亦能言之，卻不聞主管當局痛下決心，切加整頓，其中以所得稅的漏匿尤爲鉅大，據精確估計，國庫收入竟漏掉三分之二。去冬我在台北時，一位財經專家對我說過，現行所得稅稅率不必變更，只要整理得法，國庫收入卽可增加現有額一倍以上，而且對於三五萬元的小本經商者，一律可予豁徵呢！可是，特權階級如不革除，官僚資本如不消滅，雖有足智多能之士，亦將無計可施。談到節約問題，就民間的情形而論，實係利弊互見之事，其說固非短言所能盡。若要養成節約的風氣，我覺得應由政府人員以身作則，才有希望。假使一般中級以上的公務員的日常生活，卽儘量講求享受，一切生活必需品非洋貨不可，汽車、冰箱、冷氣機之外，還有所謂「三館兩車」的排場，而又勸人民節約，人民的眼睛是雪亮的，誰肯聽從這類謊言呢？至於民衆自動儲蓄，先決條件必須幣值穩定，物價不發生大的波動，才可以激起大家儲蓄心理，不從根本設想，光是號召人們儲蓄，那是不能獲致實效的。

經濟問題，經緯萬端，我這點常識之見，未審亦有當於萬一否？

天河言哉

自由談

實獲我心

馮五先生

接到台北的一位讀者郭君（他教我莫發表原信，因而不便寫出他的大名。）來函，對於最近台港兩地的文壇上發生東西文化問題爭論情形，深爲慨歎，原因不在筆戰孰是孰非，而在一般讀書人之互相惡罵。他深深地感到：「亂世文章不值錢，讀書人的地位也降低了。然而應有一種自尊心，如「不事王侯，高尚其志」；如「爲天地立心，爲生民立命」；儘管是空的，亦聊足自慰。現在讀書人互相惡罵，要把對方罵得一文不值，豈不令大家丟臉！」這眞是傷心人別有懷抱之言，實獲我心也。

我總認爲讀書人乃是古今來的人間俊秀之才，以其博識多知，允宜出類拔萃，領導羣倫的。然而，翻開歷史看看，讀書人常是屈居人下，替那些無知無識的所謂英雄豪傑們作啦啦隊，上焉者亦不過是一名「侍從之臣」，被人倡優畜之，馴致自認爲「百無一用是書生」，而其身價僅與乞丐相伯仲（九儒十丐）。此中因素固多，然讀書人慣於自相作踐蔑視，實係一種致命之傷。如學說思想的辯難質疑，那係文化向上發展的好現象，無論是非誰屬，都不失其爲讀書人的績業，自不必互相敵視醜詆，而以罵倒對方爲快，對方縱然罵倒了，丟臉的還不是讀書人嗎？兔死狐悲，物傷其類，讀書人僅可忍受一般不讀書的英雄豪傑的折辱侮謾，卻勇於同類相戕，是誠何心，吾爲此懼！

文人相輕如果是基於政治性的「打手」作用，那就又當別論。假使純係爲了學說思想的辯難，則眞理愈辯卽愈明，大家應該相重而評理，表現着君子之爭的風度，焉用謾罵爲哉？何況學問之道，義蘊湛深，誰也不能自封其說法爲永恆的眞理，再要露出罵街式的詞色，陋矣！

自尊心原是人性的本能，大家相同的，要保持自己的人格尊嚴，亦必須顧念到別人的同樣心情，這也就是儒家所謂「己所不欲，毋施於人」的道理，崇尚自由主義者尤其不能漠視這種軌範。郭君對於讀書人互相詈罵的現象，表示趨避之意，說是「害怕流彈中傷」；我倒希望吾輩中人不要採取消極態度，大家起來主持正義，糾正文壇上的偏差作風，使讀書人的地位莫再下降，而爲世所輕，庶不[illegible]致！

議員騙財花樣百出
成婚長壽都是題目
聚斂的多竟逾千萬

（本報記者台北航訊）台南縣出了四個「郎中議員」，一個以月老自居，組織「成婚互助會」爲孤男寡女解除曠怨之苦。有的辦個「扶老育幼會」，還有則設立「長壽慈善會」，詐取巨款，逃之夭夭。多數受害民衆到處尋找無着，討債無門，紛向治安機關及司法單位提出告發。這些民意代表的涉嫌詐財事件，震驚了南部各地。

「互助成婚會」名義上是翁金鐘主持，而翁僅是台南縣議員方開守所經營的吉芳玻璃工廠的普通工人，而縣府主管單位檔案內，並無是項「互助會」的申請登記，因爲近來政府勒令有關是類組織自動結束，各會員又紛紛前往索付，方開守即避不見面，突告「失踪」，害苦了光桿。

方開守身兼台南縣議員及商會理事長，過去被稱爲商界「鉅子」，經營着名目繁多的商號，在台南縣的商業圈中，是一個突出的人物。但其事業雖多，却由其三個妻妾分別經營。歷年負債甚大，因此於去年間策動由翁金鐘出面設立「互助會」，效其他所謂「慈善組織」，經營財團業務，打算藉此挽救危機。據說設立當時，至親好友力勸其不可以身試法，放棄是項計劃，但未爲他所接受。

「扶老育幼會」則是另兩位議員陳秀雲王石龍所設立，印製富傳單，僱用大批人員，招募會員，辦理類似合會票務，加入的會員達數百人，收到會費及互助金將近千萬元，最初死亡或生育者尚能獲得捐助金，以後則不免現。負責人陳秀雲，王石龍已避不見面，職員也互推責任，最後更是關門大吉，逃之夭夭，一切置之不理。會員多是清寒赤貧縣民婦孺，莫不叫苦連天，日前已向政府各機關發出請願書，請求主持正義，依法究辦。

在這些議員中，斂財最多，被害人最衆的是縣議員郭泰山所經營的「台南縣長壽慈善會」。據初步估計，到期拿不到錢的會員約有五、六萬人，受害地區的民衆廣達台南縣市高雄縣嘉義縣等各鄉鎮，詐騙得欵千餘萬元。

郭泰山善動腦筋，最初是以辦理慈善爲名而獲政府批准，並將會址設於縣議會內，藉以號召鄉民，實際上議會據說不知此事，一切工作都在台南市的連絡處進行。由於宣傳得法，利息優厚，許多體弱身衰的民衆都紛紛參加。他宣稱的辦法是將五百人編爲一組，會員費四十元，一人死亡，各繳捐助金二十元，扣除二千元辦理經費，死亡者可淨得九千元。但不發會員名單。假借殯儀館死亡名義，或假造死人名字，向各會員收取助金，不繳就要取消資格，以致會員繳錢越多，愈陷愈深，無法自拔。該會業務已擴展到一百組，計五萬人。最初少數人尚能獲得奠儀，以後就拖延不付，經人告發後，去年七月間曾遭省社會處勒令停止營業郭泰山並於十月間向台南縣警局具結，表示不再營業。但他口是心非，仍繼續進行斂財工作。最近因爲要錢者終日登門，郭泰山窮於應付，乾脆避不見面，自元月廿四日起舉家逃匿無踪。卅日從郭之原籍西港鄉傳出消息，說郭泰山已準備在嘉義布袋港偷渡出境，治安機關業已下令全省所屬防範查緝究辦中。

郭案中的被害人，少者二千元，多的有到三千元的。

陳秀雲的「扶老育幼會」，郭泰山的「長壽慈善會」，在全縣卅一個鄉鎮中，都設有連絡處及辦事處，均有負責人。自主持人逃避後，被害會員氣憤達於極點，他們無法應付會員的討債，有些會員且聲言武力對付，在這種「惡劣」情況下，渠等生命已遭受嚴重威脅，紛紛要求縣議會的「慈善會專案調查小組」伸手解圍。據悉調查小組已決定採取緊急措施，先要兩會各卅一個聯絡人中各推代表五人會商，研究解決方案，必要時專案小組將請求縣議會舉行臨時大會。

四個議員三個騙案，同時都出在台南縣，而且主扶「扶老育幼會」的女議員陳秀雲行踪飄忽，至今下落不明；主持「長壽慈善會」的郭泰山舉家不知去向，並盛傳要偷渡出境；幕後策動「互助成婚會」的方開守也是「神秘失踪」，都是假藉慈善之名而行詐財之實有關。這自然有待治安機關的合法處理，祇是當此歲暮天寒的時候，數萬被害人眞不知如何度歲哩！（吳越、一、卅一）

報紙加張計劃停頓
看來難有實現可能

（本報記者台北航訊）去年冬間即已紛傳台北各報紙加張問題，好像如箭在弦，勢在必行，滿以爲陽曆年元旦，便會見諸事實的。但迄今消息寂然，事情雖仍在醞釀中，由於各種因素，或許不易實現了。

加張的計劃，原係官報發動的，準備以加張不加價的競賽方法，使民營報紙陷入難以發展的困境，藉免影響官報的銷路。目前被視爲官報勁敵的日報，就是「聯合報」與「徵信新聞報」，這兩家民營報紙都是賺錢的，而以前者的銷數尤多，據說超過了中央日報，每月可賺到九十萬元台幣，後者亦有五十萬左右的盈餘。如果官報加出兩大張（即日出四大張）而不加價，反正是由公家開支，縱使每年賠累幾百萬元，亦無所謂，但民營報就一定吃不消。記者曾以此問題叩詢「聯合」、「徵信」負責人的意見，他們倒並不因此而感覺驚慌，理由是報紙的出路各有不同，也就是讀者的自由意志所在，決非物質條件所能限制的，換言之，民營報紙即令加張兼加價，銷路亦未見得就會低落到不能維持的地步，他們對此具有很大信心。

據記者仔細調查結果，台北報紙未實現加張的原因，不外數端：（一）政府多年來不許開放報禁的唯一理由，即是說紙張產量不敷，陽明山第二次會談時，新聞界提出開放報禁的要求，政府方面亦是以紙張產量問題來應付的。如果官報首先加張，政府即不能自圓其說，而如老報人成舍我再申請要在台北恢復「世界日報」，也就振振有詞，難以拒却了。（二）官報加張不加價的計劃一旦實行後，像中央日報和新生報，他們本身的收入和資材尚不非，可以賠累相當時期，然如中華日報現在即每月有虧無盈，若再加張，虧累更大，自不能不審愼考慮。（三）加張不加價的競爭趨勢，對於「聯合」與「徵信」的威脅，固不能說是沒有，但他們還有撐持奮鬥的相當能力，即「自立晚報」因有台灣財東吳三連作後台，亦不致馬上感到無法招架的。然其他許多的民營報紙，受着這種壓力，難免發生生存問題，他們即有理由向政府抗議，勢必構成輿論界的一場紛擾，今日我們內部總以安定爲主，似此不必要的文化門爭，自應避免的好。

有此幾項原因，官報加張不加價的競賽計劃，難免「官民交困」之處，故依然停頓在擬議階段中，是否有實現之可能，很難說了。（元月廿八日彌子寄自台北）

陽明山第三次會談的難題
如何折衷至當有待陳誠最後決策

（本報記者台北航訊）行政院陳兼院長的健康業已完全恢復了，農曆年後即可銷假視事，當務之急的事情，自係舉行陽明山第三次會談。這是各黨派人士集體交換國事意見，關係比較重要，而情形亦相當複雜。例如：

邀請的對象，按理是以在野黨派的領導人物爲主，但青年，民社兩黨內部迄在分裂狀態之中，政府不知應如何邀選才好，而且又恐因此招致「分化」、「離間」在野黨的批評與責難，乃決定政府只規定邀請的名額，聽由各黨派共同推出人選，藉免糾紛。可是，在野黨的人認爲這與一般請客的情形相同，主人願意請誰個，應該自己作主，不宜敎客人毛遂自薦的。各人站在自己的立場看問題，橫竪都有理由可說，只此一端，即不容易檢順擺平，其困難殆可想見。

還有所謂社會賢達，在這種政治性的會談中，似乎亦不可少。但社會一般人士心目中認爲夠格的社會賢達，如胡適、王雲五、莫德惠等等，如今都是身任政府要職，也就算是在朝的公卿之列，縱然賢達，却未便視之爲社會各階層的代表人物了。要想另外邀請若干眞心的社會賢達來出席，固然不愁沒有，但份量又頗成問題，這亦是政府當局煞費斟酌的事。

至於執政黨方面關於參加這項會談的方式，亦有兩種意見，有的認爲只須極少數人敬陪末座就行了，因爲這種會談的主要用意，是在聽取別人的說法，作爲施政參考，用不着派許多人參預的。有的却認爲非派出相當人數參加不可，以防在野人士不明瞭實際政務，隨便提出窒礙難行的主張，作出結論，而當場無人詳細解釋，將來又說政府沒有實行的誠意，豈非徒滋紛擾？

這類難題究應如何解決，以期折衷至當，就看陳兼院長的最後決策了。（凌雲）

歲尾年頭
好人好事

（本報記者台北航訊）繼「父慈女孝」的感人故事之後，在歲尾年頭，台灣又出現一宗「好人好事」，許多人至今猶津津樂道。

故事發生在元月卅一日，台北一個年僅十八歲的小學生，因爲母死父病，家中又還有三個小妹妹，實際陷入絕境了，他居然獨自跑到職業介紹去求職，他說「我會掃地，燒飯，也還照管孩子」，希望幫忙替我找工作。

他畢竟太年幼了，職業介紹所幫不上他的忙；但同情他的遭遇，於是轉而介紹他去社會救濟處想辦法。他去了，他的故事因此被報紙刊出而傳揚開來了。就在當天，讀到這故事的人，紛紛自動捐錢捐東西給這小學生，頃刻之間，得欵一萬多元，另還有許多衣物，這陷入絕境的小學生一家人，就這樣立刻得救了。（重）

年終獎金名亡實存
藥費何妨　做壓歲錢

（本報記者台北航訊）軍公敎人員年終獎金告絕望，後各機關各動各的腦筋，有的是自行借支，比如立法院是立委每人借五百元，職員借三百元。此外行政院「關心官瘼」，下令提前辦理中央級公敎人員二月份實物配給，計米二五．五公斤，油一公斤，鹽半公斤，燃料若干。[illegible]，報紙有將爲朝「清供」者，蓋和祭祖宗差不多，意思到了就行。

某省屬單位，想起了民國四十八年有一筆什麼錢沒有拿，於是就提出來分了。只要報銷上敷衍得過去，大家集中智慧想一個可行的題目，爲同仁弄一點壓歲錢。

至於省府機構的情形大致如下：

省府福利總社，發每職員六十元。

鐵路局發每人壓歲錢一百元。

省府各廳處皆以加班、出差，不休假等名目發一點錢，有業務收入的，在這方面比較容易玩花樣。據說財政廳最肥，人事處則在出賣表格規費上動腦筋。民政廳走投無路，於是中級職員拚命「出差」。據說「夠」出來的錢可能比年終獎金還多，該廳一位「權威官員」對記者歎息說：「這是不對的，但是沒有辦法呀！」

教育界也有它的辦法，住甲，[illegible]學生家長募[illegible]，她打[illegible]，就可[illegible]。

此外[illegible]某制服機關因[illegible]人們[illegible]有錢用的時候，就是什麼「拿錢去買藥吃」的忌諱都沒有了。（越）

機密費是個例子
公開機密　倒有好處
可不機密　何妨公開

（本報記者台北航訊）機密公開了。由於一家報紙評論的涉及，政府一位高級主計官員，將一向視爲高度機密的五院院長機密費數字公開了。從謠傳的一月二十萬元機密費，經說明其實一位院長每月亦不過一萬五千元，而其他四位院長不過各三千元。從此機密費，便不成爲機密費，而成爲「公開費」了。早知如此使人猜疑院長有數十萬元一月之機密費，那又何不及早公開，也免得使一般老百姓瞎猜？徒因「機密」二字，不知枉增了多少誤會，或不必要的謠諑。在這「甄士隱」之下，「賈語村」言，不脛而走，徒然錯害了多少人，冤枉了多少人而已。如此本可不機密的機密，大可儘量公開，早日公開，老百姓和政府的距離豈不拉攏了一大段！（匡颿）

胡適爐邊閒話過年
他並談到「五星聚奎」
孩子越多才越顯得熱鬧

（本報台北航訊）在台北市鬧區中最靜的一間小書室裏，記者陪着心情愉快的胡博士傍着爐邊閒話，胡博士穿着玫瑰睡袍，神采奕奕，他很高興地談了一些關於過舊曆年的事。

在中國，過年的氣氛舊曆年要比新曆年濃厚得多，這種情形各地都是一樣，胡先生說：這是由於中國人以前很少有休假的機會，所以，乘過年的時候，大家就不再輕易放過它了。

胡先生前幾天晚上聽到鄰近的爆竹聲，他想這一定是鄰居送灶上天。於是，他也回想起家鄉安徽績溪的過年情景。胡先生說：記得以前在家鄉，過年的時間很長，一直要到「十八鑑」（正月十八），才算過完了新年。後來到上海，看到做生意的人在初五接了「財神」，就恢復正常營業，這也是都市與鄉村的不同。

胡先生記得會有一度很熱烈地提倡過新曆年。當時他與夫人江冬秀女士住在上海極司非而路一條弄堂裏，這條弄堂有六七戶人家，胡先生住在第四家，蔡元培先生住在第一家。

胡先生說：那是一次舊曆過年，我兩夫婦在新年裏到弄堂口一位姓徐的朋友家裏拜年，回來途中準備到蔡元培先生家裏順便拜年，想一想蔡先生是國民黨元老，於是在蔡家門口停了一下，結果從玻璃窗外看到裏面點着兩根火紅蠟燭；才叩門進去。豈料蔡家比胡家熱鬧得多。

胡先生談中國人過舊曆年，從國內聊到海外。他說：在外國的中國人，過舊曆年也照樣熱鬧得很。

過年最高興的是孩子們，他們一個個穿着新衣蹦蹦跳跳，既有吃，又有玩，所以胡先生說：有孩子在一塊兒過年，顯得熱鬧，沒有孩子在傍過年，也就不過如此了。

從過舊曆年，胡先生提起春節五星相連的奇觀，是四百多年來的第一次，五顆明亮的行星，會整齊地排列成一行。博學的胡先生指出：這叫做「五星聚奎」，根據中國人的說法，這是一種祥瑞的現象。

與胡先生聊天，會更使人覺得他待人接物的和氣。但由於醫師叮囑他要少說話，多休息，所以胡先生聊天的機會減少了很多。

胡先生與在記者爐邊閒話的時間裏，臉上一直堆滿着笑容。他告訴記者：上星期的一個大晴天，他覺得天氣實在太好了，眞想到外面走走，結果跑了一趟南港，現在，他已準備春節過後，回到南港寓所。

春節後，胡先生與大家一樣，將開始新的一年。（秦人）

寮東北南塔城危急
泰國認事態嚴重
乃沙立宣佈中共軍已入寮
曼谷震動担心大禍快臨頭

（本報曼谷通訊）寮國戰火重燃，好多地方都有戰爭，南塔被圍，形勢尤其危急，永珍的寮國王室政府緊張起來了，泰國亦同時緊張起來了。

寮國國務院長乃沙立元帥，在六日晚間接見西德記者時，他說：中共軍與越共軍，均已開入寮國境內，並說中越共軍此一行動，已威脅到泰國的國防安全。乃沙立元帥這番話七日經曼谷電台廣播之後，泰人頗感震動，奔走相告，儼然有大禍快要臨頭的模樣。

寮國於一九五四年獨立之後，在寮國境內，一直就有北越共軍的活動。去年五月日內瓦寮國問題的會議開始之前，北越共軍之在寮國境內的，且曾一度越逾三萬之衆，是泰國人所熟知的。因此，乃沙立元帥說越共軍入寮，大家對它並不怎樣介意。大家應嚴重看待的，乃是中共軍亦已進入寮境這件事，由於中共軍入寮的消息是乃沙立元帥所宣佈的，大家認定其正確性無可懷疑，而寮泰僅一河之隔，脣亡齒寒，泰國人自然感到有非常的嚴重性。

乃沙立元帥未有說出進入寮境的中共軍的數目，甚至亦未明白指出入寮中共軍從何處來的？目前的活動如何？據一般的推斷，中共軍或許是假道北越而來，又或許是經雲南邊境進入寮國，兩均有其可能性。如爲後者，則目前進行中的南塔攻防戰，極其可能就有中共軍參加（寮國王室政府，早就說進攻南塔的，除寮共而外，有越共部隊及中共部隊）。南塔在寮國西北部，其他瀕臨湄公河，河的西面便是泰國，泰國自然感到威脅了。雖然乃沙立元帥並未明白表示泰國將採取何種預防性的行動，泰國人卻以爲，乃沙立元帥不會不有防患未然的行動做出來的。然則，泰國的行動將是什麼呢？

曼谷電台的廣播中，還有乃沙立所說「泰國是自由世界在東南亞的最後屏障，泰國如其陷入共黨手中，整個東南亞亦將被赤化」之言，更增加泰國人惴惴不安之感，認爲泰國採取行動的時間即使現在還不曾到來，亦已經接近到來了。泰國果眞被迫採取某種行動，局勢就更少有能夠控制得住的機會了。然則，畢竟將發生什麼事情呢？

曼谷人士目前已更加注意永珍方面的消息。據傳說，泰國駐永珍的大使館，本月初起，就與曼谷保持一天廿四小時的不斷通報。另據消息，泰國官方對於美國、英國及法國駐寮大使，竟夥同蘇俄駐寮境使壓迫寮國王室政府做出讓步，使得寮大各地戰爭能夠停止，以及它們還壓迫寮國王室政府做出讓步，俾使得所謂聯合政府能夠儘早成立，認爲那是徒然削弱寮國王室政府的有害的舉措。據說，泰國政府已經把它對寮局的看法，以及東南亞公約應立即採取的是何等行動的意見，通知了美英法等國政府。

記者按：對於寮國局勢，由於地理，歷史及種族等等因素，泰國一向就最爲敏感，並亦一向就偏重於嚴重的估斷。早在去年年初，泰國在東南亞公約會議中，就曾一力主張武裝干涉，認爲非如此就不能拯救寮國的被赤化。泰國的此一主張，當時曾經獲得菲律賓的全力支持，但以英國特別是法國的堅決反對，武裝干涉之議，卒被擱置。現在，乃沙立元帥既宣佈中共軍進入寮國，泰國國防安全受到威脅，則泰國將如何應付？包括是否單獨出兵寮國？確實值得注意。（理）

香港與大陸

▲據頃由深圳來港拜年的某君說：去年臘月中旬，深圳墟附近村莊裏有一位農民，因缺乏食糧，經常以雜糧爲主食，往往還吃野生植物，加以他已許久未聞肉味，以致患上水腫病，浮腫得全身成透明體狀。他到深圳墟某醫院求醫，經該醫院一位醫生診治，告訴他說：「這種病現在是大陸的通病，乃因缺乏營養所至，假如能多吃肉類和豬油、糖類，和其他的營養品，並不需要吃什麼藥品就會好的。同時醫院裏也很缺乏藥物，最好你有親戚在香港的話，要他們寄些豬油、砂糖、維他命丸等給你吃，保管你在十天內就會痊癒的。」這個農民他回到家中一想，有一個親戚在九龍打工，不妨就寫信去向他求救吧。他因爲自己不認識字，只好去請一位鄰居寫信，他把這段醫生所說的話全部告訴那鄰居，請他寫在信上，以便寄往香港去求援。殊不知這位鄰居是一個鄉間秘密警察，馬上把這情形報告上級，於是在當天晚上就派了幾個人到達某醫院裏去，不分皂白地，把這位爲人民服務的醫生，用繩子五花大綁的帶走，送到當地的人民法庭，首先用嚴刑苦打，打得這位醫生死去活來，迫他承認是受了「反動派」的誘惑，才說出那段話的。但這位醫生竟不肯照他們說的去說，只承認是憑在那病人身上用聽診器檢驗出來的。還說這是他自已二十多年來對病人診治的經驗，並不是憑空亂說，亦沒有受到任何人半點影響。在這醫生如此堅持之下，「人民法庭」卻不管他怎樣，即判他以「擾亂治安」之罪，處以嚴刑，後來聽說已經解往廣州某集中營，送他勞動解造去了。

某君又說：我們在鄉裏也養了幾隻雞，有的人還養了幾隻鴨，原本是想留作過陰曆年殺來一家人吃的，但是還沒有到過年，卻被當地的合作社派來幾個共幹，按戶把所有的雞鴨都搜購去了，每隻不分大小，一律給回你一塊錢「人民幣」，作爲收購的代價。人民在此情形下，不能反對，不但不敢言，連怒也不敢怒，只是兩眼汪汪地看着他們一担一担地把雞鴨挑着去了。聽說是運到香港去爭取外滙呢！」（安）

空言嚇不走荷蘭
印尼力竭聲嘶

（本報星加坡通訊）印尼要武力奪取西新畿內亞的硬話，喊了兩個多月，到現在有愈來愈力竭聲嘶的樣子，連硬話都說得不起勁了。

星加坡早就有人指出，蘇加諾政府四年前擴大掀起爭奪西新畿內亞運動，純然是一種政治手法，意在吸引印尼人的目光在對外上，藉免大家注意到蘇加諾政府在政治上與經濟上的一籌莫展，而尤以在經濟上的一團糟爲然。

但到尼赫魯打果阿，蘇加諾受到鼓勵，他是眞的亦想武力奪取西新畿內亞了。然而，印尼其實沒有力量去硬拿西新畿內亞的；蘇加諾是故意「不能而示之能」，企圖把荷蘭嚇走而已。

現在爲了荷蘭不怕嚇，蘇加諾黔驢技窮，空頭支票被戳穿，所以硬話亦說得有聲無氣了。（韓）

廬君續夢

第三回：
掩面向黃泉，貳臣遺恨
低頭拜白虎，帝子驚魂

民主黨派成員，生活都由中共包下來，每人每月支取小米六百斤至兩千斤，看名人身份而定，這戔戔數目，本來已不夠生活，再加上中共平時巧立名目，勒令作各種捐獻，經過十年時間，都已精窮，每日三餐，都難維持，現在又要節約，他們聽了如何不驚？不過，大家也不敢反對，在座談會上仍然循例舉手，高呼「我擁護黨的政策」！「我贊成減低待遇」！「我願捐出每月待遇百分之幾支援農業建設」等一類鬼話。其中只有民革未曾開會。

民革接到統戰部的命令之後，李濟琛就把民革中常委找來商量一下，大家一聽目瞪口呆，停了一時，民革的一位中常委侯鏡如說道：「任公，這件事我看你還是要同李維漢部長商量一下，我們今天的生活就靠這一點小米，實在不能再減了。就以我來說吧！我從香港回來時，原也携一批現款，回來後經過屢次捐獻及日常生活貼補，早就光了，現在還靠小兒教書資助一點才能過活，若再減削眞活不下去了。」

侯鏡如說過，大家一齊叫苦，李濟琛嘆口氣：「各位情況我知道，我的情形也是一樣。不過，我去和李維漢談判，他未必答應，攪不好還要挨一頓罵，何苦呢？」

李濟琛說過，大家一齊嘆息，這時民革副主席程潛說道：「任公，我看只要你肯去，李維漢不能不留點面子，我們的份量和『民建』，『民促』究竟不同，我們另有用場，多吃人民一點小米也是好應該的。」

程潛一力慫恿李濟琛去和李維漢交涉，實在沒把好心，原來這兩個人從民國十三年在廣州大本營就有心病，中間經過二十幾年，本來過去恩怨已消失了，不料，到了大陸陷落，兩人又碰了頭，再度變成對頭冤家。

本來李濟琛叛變比較早，在香港打起民革的招牌，也受到共產黨的承認。程潛卻在大局危急之秋，在湖南臨陣降敵，影響了整個大局，使大陸迅速變色。當時共產黨眞把程潛捧上天，任命他爲「湖南軍政委員會主席」，「湖南省政府主席」，程潛到北平時，朱德以下頭目全體出迎，當時中共政權還未成立，沒有名義安置程潛，破例任命程潛爲「革命軍事委員會副主席」，這是中共黨內組織，主席毛澤東，副主席是朱德、劉少奇、周恩來、鄧小平、彭德懷等，程潛竟然也能插進一脚，可見中共對程潛是何等優待。

程潛自仗「勞苦功高」，林伯渠的弟弟林祖烈又是他的女婿，一時得意忘形，到了中共政權正式開鑼前夕，程潛直接去拜訪李維漢要求担任民革主席，當時向李維漢說道：「我民國十年就担任大本營的軍政部長，那時李濟琛還未當師長哩！今天居然騎在我的頭上，如何能成。」

李維漢也討厭李濟琛，想乘機趕他下台，聽了程潛的話就去向毛澤東報告，建議撤換李濟琛由程潛任民革主席。假若李維漢只說程潛是湖南人，比較李濟琛這個廣西人要可靠些，毛澤東的意思也許就會活動，偏偏他就照程潛的說法，又提出在大本營任軍政部長的事，毛澤東一聽惱了。（七三）

寫實小說

壯志凌雲

——第十八節——

他對我說：「我不料最後這個老闆，對我有這麼好的信賴，當然是我畢生不應忘記的知己。不過我不能一輩子去做皮箱，也不願長久去管理那份店務。我生成一個苦命的孤兒，一下地就無家，現在我身體很結實，去年檢查結果，是甲上一級壯丁，此去入伍要受訓兩年，我想今後把軍營中眞正當作我的一個家，免得東飄西蕩，一事難成。我要決心去這個家裏成家立業，所以我這次覺得入伍很高興。如果分發去空軍，我希望當名飛機司，海軍則我想當炮手」。也許他腦海中就這樣的天眞充滿着許多幻想。他過去他在人生的旅途上所翻的觔斗太多了，所歷的坎坷太久了，由於世情的歷練，生活的折磨，鍛鍊使之成爲少年老成。他別無嗜好，惟約略講究着，每逢出門都西裝畢挺，皮鞋擦得發亮，在台別無親屬，最少在這三年來我要算他是唯一的親人。這幾年逢年過節，他總得來我宿舍住上三五天，恭而且敬，事我以父執之禮，聽其說話，亦很見分寸。在烽火亂離中，只剩下這樣一個伶仃身世，也從未見其發半點牢騷，也未見他對任何人有不滿的表示，他是一個極端的樂觀主義者。

基隆號爲世界第二雨港，本年入春以來，終日陰霾，同佈，浙浙瀝瀝，從未見放過晴。二月十七蘇英入伍的那天，正下着滂沱大雨，加以近日台灣氣候，異常寒冷，平均氣溫總在零點五六度以下，陽明大屯諸山，均罩上皚皚白雪。入伍那日，上午六時蘇英要到區公所去集合，七點我需趕抵火車站送他的行，雖然是這麼寒冷的天氣，大家縮瑟得在冷風中發抖，但送行的仍然異常踴躍；有些老的少的，也有全家都已出動，先兩天蘇英其他的同鄉送他鋼筆日記簿的，有的送上兩支牙刷和牙膏，我們湖南同鄉會還贈他一面錦旗，大約時間太早天氣大冷的緣故，都來不及趕到送行，由各區公所集合而來的入伍兵，一到車站，即在候車室排隊，由長官點名授旗訓話後，快要排隊上車時候，蘇英突然緊握着我的手，也許是他從未見到這樣偉大動人的送別行列，今天竟在他跟前送行的又唯祗我一個，根觸身世，使他興起一種莫名淒涼孤獨之感，說聲「再會！」他眼圈一紅，不禁簌簌落下了幾滴清淚。我的眼角亦有點潤濕了。

上車後，他是坐的特別快，火車如乳虎般的狂吼了兩聲，立刻就開出車站，蘇英雙手擎出同鄉會寫着「壯志凌雲」四個大字的那面朱紅錦旗，在車廂窗外，迎着寒風。不斷的揮舞。（完）

邛都憶往（十四）

李仲侯

可是好景難常，光陰似飛駛般過去，漸漸看到無限好的夕陽走向崎嶇的下坡路，那時外面信息，完全斷絕，台灣方面隔三數天總有一批飛機爲我送來東西，西南長官胡宗南先生，在城內城隍廟成立行轅，積極部署兵事，當李彌、余程萬在昆明被扣脫離了盧漢的魔掌後，還和顧祝同將軍於一月十三日在滇西重鎭的蒙自機場，聯袂起飛到西昌會商軍事，策劃保衛康滇的任務，不料林彪匪軍馬不停蹄從滇桂邊境如閃電般衝殺過來，雲南情勢更呈惡化，保衛蒙自機場國軍兵力單薄，只好一面抗拒，一面撤走，李彌將軍等在西昌聞到這一惡耗，急急飛返蒙自，飛機已不能降落，祗好轉飛台北。

自蒙自陷匪，失去了西昌飛台北中途的加油站，可以說又被共匪搶去了支援西昌最有力的一個外圍據點，更加深了西昌局勢的孤獨和黯淡。那時間蔣經國王叔銘諸先生還時常從台北飛來看看我們，爲我們打氣，尤難得的是已故司法院長居覺生先生，他在這圍城中住過半個月以上。此老雅興不淺，時常要我們陪他去遊覽名勝古蹟，他在瀘山玉皇宮下榻好幾宵，在粉白的寺壁上題下幾句絕句，擘窠大字，龍飛鳳舞，萬人傳誦，至今我還記得他：「不信南枝指向東，牛山湧現玉皇宮」這兩句詩，這要算坐在西昌爲我們打氣最認眞的一位開國元老。

這樣一個艱危局面，居然苦撐到了卅九年三月初間，共匪囊括整個大陸，此時已接近完全成功階段，對西南軍事部署，亦均就緒，惟獨蕞爾西昌，遠處窮徼，還在發號施令，大吹大擂，號召全國勤王，共匪認爲縱不是腹心大患，究不失爲肢體上未經割治的一個惡瘤，臥榻之側，豈容他人酣睡，故晚間聽收音機，漸漸爆出匪方要人勸促西昌方面投降的喊話，有時繁弦急管，像巫師喚魂一般，極盡威脅利誘的能事，展眼一看，四週的陰霾陣陣加重，已顯出風雨欲來之勢，寧南方面土共朱家壁，首先向我們開火了，我方守土將士和地方團隊連日正在浴血苦戰，康定光復，未久亦成了泡影，匪軍源源不斷開進西藏，那方面的抗暴勢力也漸漸被他的鐵腕壓平了，不過還可以支持我們一點信心的，就是我們歷來和夷人合作得很好，靖邊司令孫子孜（夷兵統領）事事與我們一條心，我們都認爲是極可靠的忠實同志（後來事實證明亦不盡然）萬一大股匪軍攻城，至失去抵抗力，又與台灣聯絡斷絕，就祗逼着我們上大小凉山夷區去打游擊爲唯一的出路了（後來證實這條路亦走不通），[illegible]以大家在萬分緊張之餘，一想到這點，還能略帶幾分寧靜。

談人日

漁翁

茫茫宇宙，載育萬物，萬物之中，惟人最靈，而人與人間，又有聖賢才智平庸愚劣之分，由於先天發育不一，後天培養各異，致智識才力，有所差異耳。

人類起原，其說大致有四：一、爲從無窮古時，常在而留傳；二、爲偶然生出者；三、爲神所造；四、爲進化說；又分三類：甲，人即猿之進化者，乙，人與猿同原而分進化者，丙，人與猿之間，尙有一種動物，優於猿，而劣於人，即謂之「人猿類」，若再經一時期，漸漸進化而變爲人。

歐美各國，奉行天主教和基督教，所謂天主造天地的次序：第一日造天地，第二日造山川，第三日造草木，第四日造日月，第四日造魚鳥，第六日造人類，經過六日之創造，而有第七天之安息日，即今舉世所通行之禮拜休息日也。

天主教和基督教，認爲人由神造，以亞當夏娃兩人，是人類的原祖。而我國一向注重進化說，以世界窮盡之後，已無人類，僅遺下猿猴，由猿進化而爲人，與神所造之說，似有出入，而其造人之時間，並無二致。

據荊楚歲時記：「陰歷正月七日，謂之人日。」古今注云：「一日雞，二日狗，三日猪，四日羊，五日牛，六日馬，七日爲人」。魏書自序傳，北齊書魏收傳，亦引之。天主第一日造天地，而我國亦以初一日爲雞，渾天家言，天地形如雞卵，故宜先有雞，爲歲之首日。初七日爲人，與天主六日造人，略異者，一日之距離而已。

又見一道書云：「天地先生雞，次狗，次猪，次羊，次牛，次馬，始生人；次穀，次粟，次麥也，故曰：一雞，二狗，三猪，四羊，五牛，六馬，七人，八穀，九粟，十麥。正月此十日晴明，十者豐順也。」此書所載，與古今注不同者，添上八穀，九粟，十麥三天，如從初一日至初十，天朗氣清，則這一年來，將寓五穀豐登，六畜平安，人類清泰之預兆。

元月初旬，爲一年開始的時間，有所忌禁，故荊楚歲時記：「一日不殺雞，二日不殺狗，三日不殺猪，四日不殺羊，五日不殺牛，六日不殺馬，七日不刑」。以正月初七，爲全人類大衆之生日，即有不法行爲，而在此日，不受刑罰之制裁，足徵人道精神，躍然紙上，

我國之有人日，由來已久，散見於載書者，不一而足，據事物紀原云：「東方朔始謂人日」，而號稱詩聖之杜工部，有「人日題詩寄草堂」句，爲最膾炙於人口，後之詠者，爲杜詩所掩而不得傳。

人爲萬物之靈，一年三百六十五日在塵網中，無日不與世緣相接觸，而發生情感。杜避難入蜀，築兩草堂於成都附近，一在萬里橋西，一在浣花溪北，以兩京未復，胡塵猶熾，對此茫茫，萬感交集，人日草堂之作所詠，爲憂國思家而作也。今日避難海隅而身世如斯者，不知凡幾？讀杜詩，亦莫不念念於家國也。

可是，世人對小我之生辰，異常重視，如小兒們有彌月之喜，週歲之宴，老年人有懸弧之慶，往往作壽，大費千萬元而不惜，對我們的人日，除少數文豪詩人以文字點綴外，其他不知有造人類，造萬物的日子，所以對人類的起原，茫然莫名其妙。

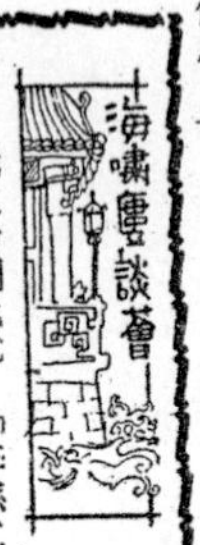

難忘的史事（二）

諸葛文侯

我又對閻氏說：「李孫二公涉想到南口戰事萬一不能支持時，馮軍只有兩條退路：一是向綏遠撤退，轉赴甘肅；一則全軍退到晉境，急出娘子關，入石家莊，抄襲吳子玉的後路，且可與豫境的胡景翼軍會合，不愁沒有立足之地，或許大有可爲呢！他二公希望閻督軍對此計劃有所指示。」閻氏提高聲音答道：「第二辨法怎末使得？即令我不反對，山西老百姓勢必淪於鋒鏑遍地的大難之中，我何顏以對三晉父老呢？況且在這種曠日持久的戰爭中，馮軍的補給問題就沒法解決，結果惟有全軍覆沒而已。現時劉蘭江（郁芬）據有甘肅（按劉氏代理馮玉祥的甘省督軍職務），第一項辨法最穩妥。將來馮軍若撤赴綏遠時，我保證決不截擊他們，讓他們利用鐵路線，從容北去。」這時已是晚上九句鐘了，我興辭告別，說改天再來領教。閻氏笑道：「別忙！我跟你談件小事。你的大名與宋朝的亡國之君相同（我原是單名一個「昺」字）似可改換掉，你若同意，招待所即有德國出產的上等名片，回去教招待員替你新印幾盒就是。」我說：「敬謝督軍的雅意，一定遵命辨理。」次日我在太原便把原名廢棄，新印名片，改以字行了。三年前，我在香港跟閻先生通信時，還提到這項故事哩！

過了兩天，請招待員龍君領我去見孔庚，田桐兩位本黨的前輩先生，龍氏初示猶豫，我說這是閻督軍當面吩咐過的。他即搖電話請示無訛，然後派車送我到李勉之家，李亦係國民黨人，在山西作事很久，資格甚老。我與孔，田二位係初次見面，但他們早知道我是李協和，孫禹行二公派來的，一見如故。初在客廳裏談話談談，他一手持着地圖，細聲向我指述，晉北沿路上，駐防的晉軍不到一師人，而且沒有戰鬥力。我問「先生怎末知道？」他說：「我在山西當過師長，又作過晉北鎭守使，晉軍的情形當然很熟悉。」他教我回去報告李孫二公暨張之江司令，馮軍在南口的兵力趕快撤些下來，暫行守住半月左右，另以大部分軍隊潛入晉北急馳太原，保證不到十天就可以打到娘子關，搗吳佩孚的後路，進而佔領河南，局勢立即改觀。吳氏一垮，張作霖自然無意單獨作戰，屆時可用政治方法來解決再說。」我答以閻督軍極不贊成此事，他驚詫道：「你已經跟他談過這問題嗎？糟了，與虎謀皮！我不料協和亦有此項主張，但你切莫對閻百川再提這類話，天下事尙可爲也。」

扎藏寺

·道南·

扎藏寺位於西寧寺西六十五公里處，是一座建築精美的古寺，據說這座古寺建於唐時，再經過歷代的修飾。關於這座古寺的傳說：唐時玄奘到西天取經，路過這裏，曾在寺裏歇脚住宿，所以後來就叫它「扎藏寺」。扎是住宿的意思，藏就是唐三藏了。

過湟源到扎藏寺，你會有耳目一新的感覺，兩道清流，自南分叉而下，四圍奇峯疊疊，青松蒼翠欲滴。從公路上看扎藏寺，只能看見一枝旗杆和一角寺檐，和寺前一座小橋；但轉過一座綠苔斑斑的小寺，扎藏寺就會豁然出現在你的眼前。

扎藏寺有前後兩大殿，建築精美雄偉，大殿壁上滿是精工繪製的壁畫，有神像，有神話故事，色彩十分鮮艷。扎藏寺週圍有百餘間禪房和住宅，是當初僧衆住宿之處。

這裏的四季風光都很美，如其是冬天來到這裏，可以看到銀裝世界的扎藏寺雪景。在春天可以飽覽新黃嫩綠，野花盛開的高原春色；而扎藏寺之夏，卻又別有一番景色。

山川風物

辛丑除夕簡懷舜生幼椿嘯岑諸老友

君左

爆竹聲中又歲除，才華渾讓少年初。
偶饒童稚貪餳餅，且喜山荊備肉魚。
天下全貧唯買富，人間豈有祗儲處。
凋零三數知心友，頭白投荒尙讀書。

內僑警台報字第〇三一一號內銷證

自由報

THE FREE NEWS

第二〇九期

中華民國僑務委員會頒發
台僑新字第三二三號登記證
中華郵政台字第一二八二號執照
登記為第一類新聞紙類
（半週刊每星期三、六出版）
每份港幣壹角
台灣零售價新台幣弍元
社長：雷嘯岑
督印人：黃行畬
社址：香港銅鑼灣高士威道二十號四樓
20 CAUSEWAY RD 3RD FL
HONG KONG
TEL. 771726　電報掛號：7191
承印者：田風印刷廠
地址：香港灣仔高士打道一二二號
台灣分社
台北市西寧南路壹壹叁號二樓
電話：三〇三四六
台郵撥儲金戶九二五二

屯工政策芻議

夏日晴

編者按：夏先生此議，可算是「大胆的假設」，我們雖不完全贊同，但以其憂國憂民之心甚切，亦樂於刊佈，藉供識者研討云爾。

美國甘迺迪總統國情咨文關於援外辦法，今年採取新的措施，其重點如下：一、減少軍援，增加經援；二、視各地情形，予以不同援助；三、取消贈與，改為長期貸款；四、受援國一定要有自動措施，從事各種改革。

最近美國前任副國務卿鮑爾斯說：「美國需要制定一項均衡而長期的對華政策，不僅限於反對中共進入聯合國，必需以更大的深度，對抗挑戰。」鮑氏現任總統顧問，他的言論，雖未必代表總統，但既參與密勿，當具決定作用，不論「均衡」的涵義為何，美國一貫的立場，自不易改變。根據上述白宮的國情咨文，今後美援之有無多寡，端視受援國家的經濟政治是否能夠自動改革，配合發展，以為貸放之準則，因他取自選民的美金，不能濫用於與國之毫無希望向上發展者。設使受援國家，因此而急起革除秕政，勵精圖治，他既無愧於選民，且能造福於盟邦，自然樂於援手。自由中國為受援國之一，故亦不能例外；此乃今年我國當軸之重要課題，固須痛切反省，致其良知，懍然於各項外鑠因素。

猶憶十年前蔣總統著反共抗俄基本論。詔示我們：「際此非常之時，必須有非常之建設，乃足以使人民之耳目一新，與國更始。」一言猶在耳，一瞬十年，人民生活之重担，逐年增加，而反觀政府上自中樞，下及鄉鎮，無論大小機關，文武官署，莫不汲汲然以營建房舍，裝修門面為首要之務，所謂建設即建築，「與國更始」，豈在斯乎？

筆者凛於匹夫之義，深感「時不我與」，爰於辛盤之側，草此「屯工」計劃，邦人君子，幸賜指正！

屯工政策概要

屯工，即寓兵於工之意，亦猶屯田之寓兵於農也。二十世紀已由農業社會進化為工業社會，台灣機器工業，近年來粗具規模，徒因資金融通困難，政府不暇扶植，遂於一片減產聲中搖搖欲墜。而政府方面因欲保持一枝強大軍隊，以備反攻與自衛，軍費支用浩大，行政部門及民意機關，又復一切浮濫，尤較大陸時期有過之而無不及，於是國庫收支，雖在美援之下，猶是襟肘畢露！對於發展工業所需龐大資金，又不敢增加發行，致蹈過去通貨膨漲之覆轍，勢將構成左支右絀之現象。為今之計，惟有實行寓兵於工之屯工政策，才可挽救萌芽的工業，才可永保三軍強大的優勢，才可增進人民的財富，才可解決失業的問題，才可振刷社會不良的風氣。

昔漢趙充國奏陳「屯田」十二便，為儲糧制敵之計，後世遂相沿於邊徼之區，使屯戍之卒，墾植田畝，並設官掌「屯田」政令，至清末始廢。今略仿「屯田」之意，使部份陸軍官兵投入工廠，而以節省之餉糈，扶殖工業發展。

凡在廠工人合乎兵役年齡者，一律按名編隊，隨時可以動員。在工作時間，服從工人規定，聽取廠方調度；工餘時間，服從長官指揮，接受軍事管訓。所謂「因工」一致餉，務須威德並行。蓋工資收入，必大於原職之薪餉，同時鼓勵其眷屬子女，亦進廠作工，俾能增加收入，提高生活水準，此在「屯工」方面，理應感恩懷惠而欣然樂從也。至政府方面，移屯工之餉糈，貸放於新興工廠，助長社會繁榮與進步，且資金生息，年有回籠，對於財政裨益甚大，故「屯工」政策，實為對症之方，當務之急。

惟工廠貸款，應以新設者為對象，用於廠基廠房以及機器設備為限，須分十年或二十年攤還，息金當扣。附帶條件：一、派員駐廠管理軍事組訓事宜；二、派員駐廠監督財政（但不得干涉工廠行政），及就廠徵收統稅；三、如上述特派員，苟與廠方主持人發生磨擦或勾結，應立即查明屬實，隨時遷調，以防干擾廠務。

「屯工」之初，宜按工廠需要情形，抽調陸軍人員，授以短期技術訓練，循序漸進，緊密配合，迨後工廠增加，所需「屯工」日多，然後抽調其他單位。「屯工」愈多，則所省之餉亦愈多，二者互為因果，循環向上發展，其與通貨膨漲，物價與通貨發行，循環上漲，同為一理，但前者有利而後者有害，涇渭分明，毋勞辭費。

營房之空閒者，亦可酌予標售，藉可易取大宗資金，以利「屯工」之推行。如已具規模之工廠，不能容納「屯工」，則拒絕其貸款之申請。自「屯工」政策施行後，外國廠商來台投資於本省已具規模之工廠，表面為技術合作，實質是變象之「傾銷」，亦應加以制止。

「屯工」政策之最大阻力，厥為產品外銷之無法推動，是故必須外貿會切實負責，統籌辦理外銷業務。苟能外銷擴展，工廠獲利，可使本省及華僑實業家提高興趣，紛紛籌組新廠，則「屯工」政策，自可順利推行，國家兵民盡蒙其利。

幾點緊急措施

本諸「與民同其好惡」之原則，下列三點亟須興革，以新耳目，而為「屯工」政策桴鼓之助。

（一）各縣市稅捐稽徵處，必須裁併，以示與民更始。

緣各縣市稅捐稽徵處，類皆組織龐大，良莠不齊——台北市一處，擁有職員竟逾千人，不知要吸收幾許民脂民膏？——其為怨府，蓋不自今日始，其貽憂之深重，筆者無法形容！若謂軍政各費，全恃各項稅捐供應，如何輕言裁併？殊不知為政當從大處落墨，如因姑息一種秕政，而致引起多數人之反感，豈非所得者小，而所失者大？何況實行「屯工」以後，財政收入之重點，移轉於駐廠徵收之貨物稅，在昔數十百人，猶虞不給之工作，今則祗須三五人為之，綽有餘裕，其他重徵苛雜各稅，可併者則併之，可廢者則廢之，下餘項目，轉飭市縣政府之財政科帶徵，酌加員額，所費無多，財政收入，相信必不致有太大的出入。

（二）廢止烟酒公賣制度，同時提高烟酒稅率，以維財政收入，而利升斗小民。

按本省煙酒公賣制度，原係因襲日本統治台灣之秕政，早應改革，第以財政支絀，利其挹注，故仍其舊。筆者對於煙酒，兩皆無緣，但覺煙酒公賣局特其專利之權，屢作變相之漲價，現在煙酒價格，實在貴得離奇。如開放民營，在公平原則之下，互作營業競爭，則其售價可能減低二分之一，同時生產總額，亦當增加，可以斷言，將其稅率合理的提高，定為輿情之所擁戴。至於售出之款，靈活運用於「屯工」，其利尤溥！

（三）開放私人銀錢登記，以利金融週轉。

筆者深信本省工商業欲求景氣，必賴金融業惠予調劑，乃政府遷台後，對於私人經營銀錢業，懸為厲禁，而聽任少數銀行，把持操縱；因而扼煞正當之工商業，不知凡幾，以致造成一般工商業者，普遍退票之畸形現象，是豈國家社會之福？獨不觀乎抗戰前後之上海，其銀錢業如何發達，遂使上海工商百業，不因國土的淪陷，依然十分繁榮。可知銀錢業之與工商界，實有「輔車相依」之勢，豈容偏廢？故望主持財經當局，迅予解禁，以利工商百業焉。

創設工礦銀團

屯工政策施行之初，首先遭到的問題，略舉數端：

（一）所有屯工，必待新廠籌備就緒，方能容納，新廠由誰督導成立？

（二）所有屯工，必受技術訓練，方能入廠工作，訓練工作，由誰主持？

（三）設廠貸款及訓練機構的經費，由誰負責？

（四）屯工節存之餉糈，由誰保管？

答曰：以上問題，均由工礦銀團負責辦理。

工礦銀團者，在國立四行兩局之外，一特殊金融制度也。吾人顧名思義，一望而知其於工廠，礦場兩大行業，並負調劑金融，督導業務，兼作屯工與礦廠之橋樑，故其責任異常重大。

屯工政策實施後，工礦銀團同時成立，担負保姆職責，主管業務包括：新增工廠、礦山之申請設立及其業務督導，貸款之調查准駁，擔保與收放，抵押貨品之估價與保管，屯工之訓練與保送，勞資糾紛之調處與預防，民間優利存款在萬元以上者之吸收等等。

工礦銀團之組織不取龐大，而以委員制為宜，其人選首重品格，必須慎擇操守廉明而勇於任事者，名額自十一人至十九人，由政府遴任之。另設辦事人員若干名，以專職厚俸為原則。

工礦銀團資本額，至少暫定新台幣二十億元，創辦之初，由四行各撥五億元，作五次分撥，分存台灣銀行，按照同業存放利率分別計算。此款將來或以發行股票折算抵還，或以節餘之餉糈，陸續歸墊，或以盟邦之長期貸款，作為冲算之資，總之須視今後屯工發展情形，再定行止。

酒可迷人

山人另有妙計

自由談

惡法必除

馮正先生

中華民國全國第四次教育會議，今天在台北開幕了。

民國肇建已歷五十一年，而全國性的教育會議才舉行第四次，這不能不說是一種隆重的教育工作。

參加這次會議的人，據說都是當代的學者專家，對於今後我國的教育政策和制度，必有詳縝而妥切的研討抉擇，以適應時代需要，而發揮復國與建國的潛能，真是「茲事體大」，深堪注視的。近來國際友人指說我們政治上常有不必要的財力浪費，像教育會議這類措施，結果如其只是集各方賢俊於一堂，談談玩玩，點綴場面，作些冠冕堂皇，無裨實際的決議和宣言，那就難免浪費之譏啊！因此，我要以濫竽教育界的門外漢，向預會諸公提示一項小小的意見，藉供參考。

現行教育法令規定，大專學校修業成績為學年學分制，凡屬所定學業成績二分之一以上不及格者，即勒令退學，不能補修其應有的學分。這是很不合理的方法，流弊滋大。例如民國四十九年夏間，私立中原理工學院水利系四年級學生張全權，於畢業考試中途抱病乞假，匆促不及檢附醫院證明書，學校當局拒絕補考，且援用法令，認為該生考試成績有二分之一不及格（事實上，該生已考的三門功課皆及格的。）勒令與其他若干真正不合格的學生一同退學，而四年級學生又依法不能轉學，即預備軍官訓練亦沒法參加。該生憂憤之餘，服毒自殺了。似此悲劇，能說不是法令失當所釀成的嗎？

我盼望這次全國教育會議中，對於這項學制能有合理的改革，以免許多青年有為的大專學生，枉遭無謂的犧牲，而給世人以惡法殺人的印象，曷勝企幸！

自由報

國民儲蓄少得驚人

習尚侈奢・幣值不穩
去年的情形畧有好轉

（本報記者台北航訊）截至去年十二月底爲止，台灣各銀行的定期儲蓄欵額，已超過新台幣一百億元。確實是前所未有的好現象。財經當局對此津津樂道，認係台灣幣值穩定，國民信心加强，因而提高了儲蓄興趣的明證。但其這充量只是台灣的國民儲蓄，已有開始增加之勢趨而已。如就此前兩年的情形言，國民儲蓄則確實是嫌太少了。少得大有背於中國人的傳統。

財政部、美援會、行政院主計處及台灣銀行等單位，會於去年聯合組成一個調查小組，對台灣的國民儲蓄情況，進行調查。該小組此項調查，係以民四十七年與四十八年這兩年爲研究的對象。調查的結果，民四十七年台灣的國民儲蓄爲新台幣四十三億七千六百萬元，四十八年爲五十一億一千三百萬元，各均僅佔當年國民所得的百分之十三光景，實在是太少了。而如以台灣目前急切需要的以自力支持經濟發展所需的投資來說，差得太遠了。

這個小組所調查的民四十七年與四十八年這兩年的國民儲蓄情形是：（一）一般政府儲蓄（包括中央及地方政府）：民四十七年爲新台幣二十一億七千萬元，民四十八年爲新台幣二十一億六千八百萬元。（二）企業儲蓄（包括公營企業及民營企業）：民四十七年爲新台幣八億六千四百萬元。民四十八年爲新台幣十三億五千四百萬元。（三）家庭儲蓄：民四十七年爲新台幣十三億四千二百萬元，民四十八年爲新台幣十五億九千一百萬元。

據這個小組所作分析，民四十七年與四十八年這兩年，台灣國民儲蓄其所以如是其少，有下列幾個原因：（一）社會習尙變遷，一般人已逐漸趨向於奢侈和享受。而我們中國人的傳統，則是有名的慣於省吃儉用的。（二）通貨膨脹的餘悸猶在，大家爲了担心貨幣貶值而吃大虧，於是「今朝有酒今朝醉」，都不願意把多餘的錢送到銀行儲蓄起來，而實行用光主義。（三）金融機構未能做到盡可能溝通儲蓄投資的責任，渾渾噩噩的過日子，完全不會有過如何輔導儲蓄走向投資的自覺的努力，甚至本身對於儲蓄這回事，亦就全不看重，（四）資本市場不健全，大家對投資無了解，沒有把握，自然也就缺乏儲蓄的興趣。去年各銀行定期儲蓄增加，希望是好的轉變之開始。籌備已久的證券交易所，又定期二月九日開業了，今後情形應逐漸更好才對。（律已）

新年到處洋溢歡樂聲中
知識份子衆醉獨醒
語重心長苟安不得

（本報記者台北航訊）新年在台灣，到處洋溢着歡樂。尤其今年過年這幾天，天朗氣清，日麗風和，不像往年總有的那種風雨凄其，地凍天寒，更着實的增加了大家歡樂過年的熱鬧氣氛。城內的娛樂場所，郊外的風景名勝區，無不滿坑滿谷，接踵比肩，是好一派國泰民安的景象。

但亦有不少人，在此一片歡樂過年的熱鬧聲中，雖亦未免俗，心頭却老是蘊結着一種淡淡的，然而深沉的哀愁，居然揮之不去，抹之不掉。具有這種情懷的，以從大陸退到台灣來的人爲多，而特別以那些憂時傷國的知識份子爲尤甚。

根據記者所了解，這些人，他們倒絕對不反對大家煞有介事的過陰曆年。反之，他們以爲，過陰曆年在中國已有幾千年的傳統，而且這傳統又實在不能算是壞的，則在新年中，即使大家悉索敝賦，大魚大肉，盡其可能的熱鬧一番，從裏面去尋求歡樂，亦不爲過，最低限度絕無可以加以反對的正當理由。

他們所感到遺憾的，亦就是他們的哀愁的根源，祗在於河山未復，家讎國恨耿耿於心。而尤其使他們不安的，是還看不見什麼時候才有可以「還我河山」的具體迹象。

他們深深以爲，年復一年的如此苟安下去，拖延下去，絕不是事，甚而前途還是大大的不得了。

一位在台灣大學做教授的朋友，年初二那天，在幾位知交的小聚會中，就首先發出了時不我予的慨歎。他說：「我們政府退据台灣十二年了，發時光無情，韶華易老，好像這十二年來，我們會見到許多昔日的英雄豪傑之士，以及所謂軍政大員，黨國元老者，不少都已年登耄耋，「老了英雄」，更有不少已經名登鬼籙，墓木拱矣。我們却還打不開局面。甚至，即如近三年，大陸人禍天災，交相並作，飢饉滿國，中，饑殍載道，中共的困難可說達於極點。我們却仍然未能利用時機，有所作爲。他問：「我們究竟要等到那一年呢？我們又能夠等到那一年呢」！

另有一位新聞界的前輩，在談到我們如今有六十萬訓練有素的雄師，却無所用之，經常只是每年檢閱幾次，又在洋人面前不時做一番實彈演習，是太可笑了。他發牢騷說，我們在國庫如此空虛之時，如其養這許多兵祇是拿來擺排場的，則何如乾脆裁減若干，以之移用於民生建設的好。但他强調，他並不眞正以爲國家不應養這許多兵，但期期以爲，如其但養兵而不用兵，就沒有什麼道理了。

談到用兵，有一位立法委員的意見，在我們給養、彈藥；交通工具在在都嫌不足和難乎爲繼的情形下，除非把友邦說服，要立刻大舉反攻大陸，確實做不到的，但他說：難道我們以較少部隊試行突擊，亦做不到？突擊固然未必能發生軍事上的大效用，但在振奮人心，提高國際聲譽上，却一定有用處的。尤其，在試行突擊中，亦未必沒有機會造成扭轉局面的機會出來的。然而我們却就是苟且偷安，無所作爲。（韶）

李連春賣米拿回佣
年前就有如此傳說
此案要查明白頗有困難

（本報記者台北航訊）省糧食局長李連春，在省議會質詢中被指辦理台米輸日收取鉅額回佣（據說已超過美金四十萬元）後，曾簽呈省主席周至柔，請求派員澈查事，前經報導。周至柔對李連春自請澈查的簽呈，經批交財政廳與主計處「秉公查報」。

據說，周至柔此舉，其用意有兩方面的：其一，如其查有實據，爲整肅官箴，他當然要不客氣的公事公辦；其二，如其澈查後並找不出李連春收取回佣的證據，他亦可以藉此替自己的僚屬洗刷名譽。僚屬的名譽不好，對整個政府及做長官的本身，亦是影響深鉅的。

省財政廳與主計處，接到周至柔的批示後，前者已派出第五科科長何炎，後者已派出第二科科長林鎧藩，會同負責調查。這已經是十天前的事，却直到現在，還未聞有「查」的行動。這畢竟是因爲歲尾年頭，實在是無暇及此呢？還是這其實是難題一樁，財政廳與主計處還拿不出「查」的實際辦法出來呢？

有消息說：財政廳與主計處奉到周至柔的命令後，有關人員，會經會商過一陣，也就發覺這公案頗爲棘手，很有些無所措手脚的樣子。很明顯，要查這件案子，在台灣是幾乎必然查不出一個所以然來的，然則就得到日本去查了。說到到日本去查，首先，要循外交途徑，要求日本政府協助，這倒不難；其次，要向經辦台米輸日的日本商家如秉松株式會社，江商株式會社，三井及東京食品株式會社去調查，這亦無有不可，祇是是否查得出個所以然來，就大大的值得懷疑。因爲：

（一）要日本政府辦照例公事，輕而易舉，但日本政府眞的會勒令日本商家，把未經改造的原始賬簿拿出來查嗎？

（二）即使日本政府肯這樣做，日本商家，在商言商，一切祇講生意經，它們又眞的會與調查人員充分合作嗎？

這兩者的答案，如果有一個是否定的，其結果都必然是徒勞往返而已。

然則是否提質詢的省議員姚多聲，還有陳愷，他們手裏是不是握有李連春收取回佣的憑據呢？有許多人對此表示懷疑。同時還有少數人認爲，即使他們手上有的是證據，他們會否與省府調查人員合作呢？也還是值得懷疑的。而後者更糟，因爲如其省府調查人員查不出個所以然之後，省議員再拿出證據來，豈不大大的丟臉？

省府主席既然下令澈查，青紅皂白，總應該攪得淸淸楚楚才對的。「事出有因，查無實據」，是繳不了票的，省議會固不會答應，李連春應該也不答應的。此其所以難也。

另外還有個言之鑿鑿的傳說，說是關於李連春收取回佣之事，一年前就會傳出來了，那時中央政府的某一機構，還曾經秘密的向日本政府與日本商家查詢過，但却未獲具體結果，而且，據說李連春知道之後很氣憤，認爲是對他的侮辱，他把事情報告中央政府，還是中央政府責備了某機構主管一陣之後，才平息了李連春之氣憤的云云。（證）

採訪綫外

丁點兒戰時氣氛
張學良花邊新聞

▲這次過年在台灣，祇有一件事情，可以多少顯出台灣還有一丁點兒戰時氣氛，那就是有好幾個勞軍團，在歲尾年頭，分別到了金門、馬祖及澎湖等地。這些勞軍團計有：

（一）全省第二屆商展勞軍團：到金門。
（二）華僑中學勞軍團：到馬祖。
（三）筱快樂正義劇團：到烏坵。
（四）埔光康樂隊勞軍團：到東引。
（五）大專學生馬祖勞軍團：到馬祖。
（六）大專學生金門勞軍團：到金門。
（七）中廣公司勞軍團：到金門。
（八）全國進出口商勞軍團及隨行魏巍、憲光、飛馬三個康樂隊，分別到金門、馬祖、澎湖。
（九）五十一年國軍充員戰士家屬代表金馬前線訪問團：分別到金門、馬祖。

▲由於拜年的人多，年初二（二月六日）替台灣鐵路局的客運創下了一個空前未有的紀錄，一天運輸旅客四十八萬人。鐵路局在年頭歲尾，自臘月廿九日（二月三日）至大年初三（二月七日）這五天中，一共運輸旅客一百九十二萬餘人。其實何祇鐵路局爲然。公共汽車、計程車、以及三輪車，在過年期中，誰又不是利市三倍，生意滔滔？它們祇是未有宣佈其載客紀錄而已。

▲這次新年，由於天氣良好，日麗風和，大家都承認是台灣光復十六年來所有新年中最好的天氣，因此，大家的走動亦最勤，到處熙來攘往，特別熱鬧。台北郊遊的人很多，市郊各名勝，比肩接踵，熱鬧非常。市內的各娛樂場所，同樣顧客如雲，電影院固然門前大擺長龍，酒家、歌場及舞廳，亦無不座無虛席。全台北九十萬市民，均以愉快的心情，歡渡新年。

▲張學良參觀工業新產品展覽，是此君近年第一次出現公共場所，因而成了各報的花邊新聞材料。張學良是大年初一（二月五日）晚上九時許到展覽會參觀的，同他一道的還有好幾個朋友，張學良邊看邊談話，厥狀至爲愉快。據該展覽會統計，開幕九天來，觀衆已接近二十三萬人。大年初一下午二時恢復開放時，觀衆有已經在場外守候二小時以上的。（曉）

學術文藝獎金
經費尚無出處
部長拍了胸口　僚屬縐起眉頭

（本報記者台北航訊）五十年度學術，文藝獎金，教育部長黃季陸雖硬着頭皮說是要辦了，但請獎的日期，却又遲遲未予公佈。這不是辦事效率的問題，而是這筆錢還沒有着落，很使教育部有關負責人傷腦筋。

教育部有這種獎金之設，始於張其昀任內的民四十四年，以後每年都辦一次。這種獎金一共有十個獎額，每個除獎章一座，有獎金二萬元，每年教育部都列有二十萬元的預算。但到四十九年梅貽琦的任內，這筆預算被行政院删掉了，但因早說過要辦，不能不辦，結果那年只頒了農科、文藝、美術三獎，在經常費中挪移將就過了關。五十年度教育部續列有二十萬元預算，却又被行政院删掉了。可能黃季陸本意是不聲不響的任其拖過去的，但因輿論提起此事，黃季陸一想亦殊無不辦下去的理由，乃硬着頭皮說要辦，然而至今經費無有出處，還在動腦筋之中。

畢竟五十年度這種獎金將來是怎樣辦的？是否畧獎一二項應景過關？以及今後這種獎金還辦下去否？都在未可知之數。（期）

馬共殘餘約五百名 游魂泰馬邊森林

內中有兩個是日本兵

馬政府大年夜散傳單招降

（本報吉隆坡通訊）對於仍然游魂泰馬邊境森林中的馬共殘餘，在辛丑年大除夕，馬來亞聯合邦政府，又做了一次招降工作，用飛機散發了九萬七千多份傳單，說之以理，動之以情，要它們迷途知返，浪子回頭，趕快走出森林，恢復「人的生活」。

游魂於馬泰邊境森林裏的馬共殘餘恐怖份子，據馬來亞聯合邦官方的估計，尙約有五百名光景，包括馬共頭目陳平在內。這五百名馬共殘餘，以華人居多，馬來人亦有少數，其中且還有兩個日本人。據馬來亞聯合邦邊境保安隊一位發言人說：

說這兩個日本人，現在馬共裏面，担任修理軍械的工作，屬於技術性人員，在馬共裏並不佔有重要的地位。這兩名日本人，是二次大戰中，日軍佔領馬來亞之時，駐紮在霹靂的兩名日軍，被馬共裹脅而去的。

那份招降傳單，係由馬泰邊境作戰執行委員會所散發，在傳單上簽名的，是馬來亞聯合邦總理東姑．阿都拉曼，傳單係中文的，長凡二千字，內中大談其中國人過新年的快樂，又大談其虎年（壬寅年）與牛年（辛丑年）大談其虎性與牛性，這是在動之以情。傳單的說理部份，主要是強調馬共的武裝鬥爭經過十多年，已證明完全失敗，除犧牲了一萬三千條性命之外，無成就之可言，前途更是完全絕望了，如今困處森林，日與禽獸為伍，有什麼道理？唯一的出路，應祇是跑出森林，脫離馬共上級的羈絆，實行投降，以求新生了。

陳平等馬共頭目，大概亦由於它們在森林中的給養已經更加成問題，在去年，據馬來亞聯合邦所獲情報，它們曾訂有一個所謂「新政策」者，是允許那些不願意繼續留在森林裏的馬共，脫離森林，自尋出路。吉隆坡官方對於馬共此一「新政策」的動機，畢竟何在！——或云此為馬共對於不願繼續留在森林裏的動搖份子的順水人情，橫順留不住，何妨大方些；又或云此為馬共有計劃的派一批人出來「詐降」，一則減輕森林裏的負担，再以相機滲透工作——仍然不做大弄得清楚，但馬來亞聯合邦是並無懼於馬共之詐降的。

在這二千言的招降傳單之後，還附有「安全通行證」，上面註明兩點：（一）「這張安全通行證，可以幫助你從森林中安全出來」。（二）「當你出來的時候，遇見任何人時，把這張安全通行證舉起向他揮動展示」。另在安全通行證上，還附有致公衆人士書，其中說：（一）「手持這張安全通行證的人，是打算脫離森林出來，投向當局這邊來的。」（二）「請你幫助持着此通行證的人，將其帶到最近的政府當局去。這樣做，你就可以得到賞金。」設想是頗為周到的。且拭目以待這招降傳單能否收到瓦解馬共殘餘武裝份子的功效。（政）

香港與大陸

▲來港不久姓何的朋友，前幾天在另外一朋友家中飲春酒，最後席上擺出一碟臘腸，他一看見，就打了一個寒慄，面色轉青，暈了過去。主人馬上用藥油替他塗擦，待他清醒過來，大家問他究竟是一回什麼事？他喝了一口熱茶才慢慢地說出下面這一段話，他說：「我是去年舊曆九月間來香港的。我家住在湖南湘西一個小縣裏，當共軍到達那裏時，我自以為一生是經商為業，與政治不相干，因此沒有離開家鄉。但不到三個月光景，卻被中共指我是一個地主，開始受到清算。後來三反五反，家裏所有的財產被全部沒收充公，把我弄到新疆去勞動改造。經過兩年多的勞改，受過不知道多少苦難磨折，總算還留到一條老命，被遣送回原藉，分派他到一家國營食品製造廠工作。我是被派到製臘味部門，專門劏割肉類製造臘味的，在這些肉類中，就夾雜着不少的人腿肉！我怕極了，但不敢不劏，就是將這些人腿肉劏下來切成肉粒，加配香料，灌製臘腸。這種臘味，據說是專運往海外吸取外滙的。」又說：「在大陸上，人吃人的事多得很。但以人肉做臘腸，是我親自經手做過的，沒有半點假。此所以，我雖然來到香港了，但一見到臘腸這類東西，就是怕得很」。

▲工廠女工珍姐和瓊姐並珍姐的嫂嫂三人，年初五剛由穗返港，他們各人挑了一大担的東西——生油、砂糖、膠鞋、日本拖鞋、大小人的舊衣服及其他食物等，由羅湖搭火車返港。剛步出火車站，就大罵共產黨「咸家慘」括粗龍。他們說：我們回鄉過年，順便帶了這些東西去接濟家人，那知在深圳海關那些檢查人員，把我們的東西翻得亂七八糟，說我們東西帶得太多，問我們帶了有港幣沒有？我們告訴他說有的一百五十元，有的二百元，有的一百七十元，檢查人員說，好，你們各人就把自己帶來有多少錢，除留二十元作旅費外，全部作為稅欵好了。後來看見瓊姐手指上還有一隻金戒子，檢查的人員指着瓊姐說，你的東西太多，二百元不夠稅欵，囑其將戒子脫下，她只有脫下給他。但最後那些檢查人員說：「你們帶的東西太多，稅完了還是不准運到廣州去，把這些東西寄存深圳站保管室，每人另交三元存倉費，各發一張收條給你們，你們回港時，憑這張條子把這些東西領出運返香港去吧」！她們三人白白的送了幾百元稅欵，而東西又不准運去廣州，氣得要命，向檢查人員求情，但是不行。他們只好忍氣吞聲，搭車去廣州，在廣州住了兩晚，才返回深圳，把這些東西領出又挑回來。（安）

港商在台生產毛猪 何得竟不許其輸港

監院糾正物資局八不當四失策

（本報記者台北航訊）年來物資局辦理毛猪輸港業務，以其措施往往未獲其當，為人詬病，省議會就曾經多次提出指摘。新近監察院復通過糾正案，洋洋洒洒六千餘言，指出其有八不當處，並列舉四項應予糾正改修。其中最為香港僑商喝采的，應數「留港商人在台投資生產毛猪，反而不准其出口，使投資人得不到利潤，顯與政府政策不合」。

監察院此一糾正案，係由監委曹啓文、余俊賢、李不韙三人提出，其內容分為兩大部份：一為業務方面的檢討，二為外銷政策方面的有待改進之處。茲摘要誌次：

甲、關於業務方面的檢討：（一）物資局收購毛猪價不愜民情：監委認為收購毛猪價格太低，有損農民利益，這是今後應加改進的。（二）過磅扣重漫無標準：毛猪銷港，在高雄港口扣三、五斤不等，且無法律根據，應予改進及糾正。（三）經辦裝運弊端重重：毛猪外銷有發生拿佣金回扣的情事，且有委託代購鋼筆衣料以牟利的情事；（四）飼料列賬有失翔實：毛猪從台運港的船上飼料，承運單位曾列飼以罐頭，沙丁魚等飼料，經查在船上僅飼以清水而已，顯有造假賬之嫌。（五）業務費用有失翔實：主辦毛猪銷港單位開支不當，每日有二、三千元不實開支，（六）主計出納權責不明：高雄辦事處主任兼主計主任梅占先，一人身兼數職，所有賬目均一人經手，顯有弊端；（七）毛猪輸港失重驚人：毛猪輸港沿途重量損失驚人，失重比數恆在百分十三以上，即每百公斤毛猪運港要損失十三公斤，由韓國及琉球輸港者損失不及此數。（八）外銷結匯涉嫌積壓：外銷毛猪所得外匯尙有四十餘萬元港幣未結匯，物資局以專戶存放上海商業銀行，物資局人員開支約六五〇〇元，至今外銷毛猪積壓四十餘萬元，顯有不當。

乙、關於外銷政策方面，被糾正者有：（一）台猪銷港業務應加强：台猪銷港並不完全在商業利益，實為對中共一種經濟作戰，為加强對經濟作戰，今後毛猪銷港應予加强。（二）僑資事業不宜扼殺：留港商人在台投資生產毛猪，反而不准其出口，使投資者得不到利潤，此與政策不合，應予糾正。（三）放寬輸出有利無害：毛猪輸港有利無害，應予放寬。（四）促進產銷應具彈性：對香港自由肉商應多予方便，使毛猪在產銷方面應具有伸縮的彈性。

此糾正案的結論指出：毛猪輸港政策，不妨以政府為主，民營為輔；而如民營能夠應付香港需要，更可改為民營為主，政府為輔。許多人的意見，則更進一步認為，台猪輸港最好全交民營，政府不必插脚進去。（東良）

印尼米價飛漲

蘇北省漲得最厲害

（本報星加坡通訊）蘇加諾政府在蘇聯集團支持下大力爭奪西新畿內亞聲中，印尼米糧正開嚴重匱乏，致糧價瘋狂上漲，蘇北省漲得尤其厲害。在蘇北，每公斤食米，原僅售十二盾左右者，一度高漲至四十盾，到二月八日仍售至三十盾光景。除食米外，麪粉、布疋、食油、肥皂、糖、茨粉等，亦因缺貨，價格普漲，且仍然常常買不到，如蘇北省的三百八十家麪包食品製造廠中，即已有一百四十家停閉，其餘亦在風雨飄搖狀態中。（談）

廬君續夢

第三回：掩面向黃泉，貳臣遺恨　低頭拜白虎，帝子驚魂

當時冷笑一聲：「這些老賬還提它作什麼？程頌雲當軍政部長時，我正同蕭瑜沿洞庭湖徒步旅行作叫化子哩！今天我的位子也該讓給他才好。」

一句話頂得李維漢不敢開口，李濟琛的民革主席位子才算保住。但是李維漢從此卻特別憎惡李濟琛，遇事專同他為難。李濟琛為人比較忠厚，還看不透風色，程潛慫恿他去找李維漢商量，他就眞的去了。

到了統戰部的警衛室，填了求見部長的申請表，警衛員拿進去，李維漢正和主持民主黨派座談會的幾位副部長邢西萍、許滌新、張執一，廖承志，汪鍔等在開會，檢討今天民主黨派開會情形。

邢西萍忽然問道：「民革今天為什麼沒開會？」

李維漢縐着眉頭說道：「實在有點奇怪，他們總不敢耍什樣手法吧」！

正說到這裏，警衛員拿着申請表進來，李維漢接過來冷笑一聲：「李濟琛這個時候來見我，說不定眞想出什麼鬼主意，叫他進來，待我教訓教訓這個老傢伙。」

廖承志一聽話音不善，他同李濟琛世交，何香凝又是民革副主席，自覺在這裏不方便，起身開門走了。許滌新、張執一、汪鍔也跟着走出去。只剩下李維漢、邢西萍兩人在等候。

李濟琛小心翼翼地進來，李維漢和邢西萍也都站起來打招呼。

李濟琛坐下呷了一口茶，陪笑說道：「部長，副部長兩位同志，我今天過來就是為了開會的事有所請示。」

邢西萍笑道：「你老不要客氣，我剛才正和部長在談論，不知道民革為什麼今天沒有開會，是不是出了什麼問題。」

李濟琛偷偷看看李維漢，又陪笑說道：「困難到有一點，就是關於節約問題，不知有什麼具體規定沒有？」

李維漢忍不住了，冷冷說道：「這是各民主黨派內部的事，我們如何能作具體規定，完全是看各人自願了。」

李濟琛縐着眉頭說道：「所以我要先向兩位部長備個案，我們那邊恐怕只能節約至少許。」

邢西萍笑道：「節約雖是自願，必要向別人看齊，其他黨派今天都自動節約了三分之一以上。你們那邊也不能太少，最好能比人家多一點才好看。」

李濟琛苦笑道：「這一點恐怕比不上其他黨派，我們確實有困難。」

李維漢一翻眼：「你們有什麼困難？」

李濟琛陪笑道：「部長明鑒，其他黨派成員，本身都有職業，民盟成員都是中小學教員，民促和九三學社都是大專學校教授，民建都是工商業者，有定息可拿，致公黨都是歸僑，也有外匯，只有我們毫無入息，全靠黨維持生活，如減去三分之一的供給，就等於三餐飯變成了兩餐，實在是有困難的。」

李維漢冷笑道：「別的黨派成員都有工作或固定收入，只有你們靠黨吃飯，你為什麼專門收容廢物。」（七四）

靜靜的灘岸

人木

夜的灘岸擁抱宇宙的沈默，出神於河水低微至不可聽聞的吟唱。雲隙有星，星是黯澹的，俯視在河裏顫動的影子，怪樣地峽着眼。

「停住！喂—」一柱探射燈的光截斷在河面上，挪動着。河面平靜，涯熟了的樣子。燈光挪動着，挪動着，上了對面靜靜的岸灘，照在沙和雜草上的光和影，給人浮動如夢的感覺。

「喂喂，停住！再跑就開槍！」

燈光追隨着一個狂奔的黑影。槍聲響了三次，黑影仆倒，燈光留連了一會，熄了。而今他嗅着一股草和沙的氣味，頭貼着地，隱約還枕着一絲白日的溫暖。他努力地用戰抖的手翻過身來，遂看見那些雲隙的遊星。她們掛得很低，又很模糊。

他的胸膛撕裂地熱痛着，他能感着自己的生命隨河水潺逝着。河的低吟變和他相隔的很遠，又異常地縈繞耳際，他閉上眼，而河水愈發嘹喨了，簡直變成一大堆精靈的鬧語。

奇怪，爲什麼此刻還不能想她？他迷忽地作一努力，而浮現他眼前的却是個女人豐滿一如桀果的胴體，乳峯顫幌，小肚的曲線既柔和又彈性：……那胴體燃燒着他，燒得他胸膛撕裂地痛。

對不起，他迷忽地想，我本想想你，但所得的是這燃燒我的胴體。他集中地想了又想，仍然想不起在那裏看見過這樣一個燃燒他的胴體，他喜歡這被燃燒的感覺，那麼灼熱，征服摧毀的剎那同時又被征服被摧毀，然後是無邊無際的空虛，空虛得一如生命。……

他不知昏迷了多久，睜眼，星掛得更低了，就像貼着他的額角。爲甚麼星會掛得這麼低，這樣低，低得貼着我的額角呢？……爲甚麼這麼冷？爲甚麼我會在這裏？……哦哦，是的，天比較低了，那幾響槍聲，撕裂的痛！……還有對地平線那邊遼濶的自由底嚮往。……

星爲什麼掛得這麼低呢；河水怎麼不再鬧了？這靜靜的灘岸，沒有碑石，沒有墓志銘，正好是我的去處。明天，來兩條野狗，或數變陌生人的手，抹去最後一點痕跡。那豐滿一如桀果的胴體又出現了，更爲顫幌，淩着奪目的光熱。要吞噬一切……沒有碑石，沒有墓志銘：……自由，哈嘿，自由?!……吞噬我罷，你這熊烈的黑燄，在被摧毀被征服剎那的摧毀征服，而後讓那無邊無際的空虛伴黑暗而來，空虛得一如我所活過的生命……。

靜靜的岸灘擁抱着宇宙的沈默。河低吟着，不知在歌唱還是哀咽。

邛都憶往（十六）

李仲侯

在緊張而又極度沉悶中，轉瞬又是三月中旬，一個晴明的下午，突然有兩架匪機，如鷂鷹般的在西昌城上盤旋着，並散落匪方許多傳單及招降文書，如此者三天都有飛機來窺，大家都意識到，今天還活着在這裏談笑的人，明天也許會躺在寂寞的墳場裏。老實說，那時我們等候一種殘暴的力量，來結束我們的生命，並不是一種幻想，不過我們曾參加過八年抗戰所獲的經驗確實太多了，雖然那時相信我們的生命並不是不能毀滅的，但我們活着一天，覺得還有一種無形的力量，在背後鞭策我們（或即所謂民族靈魂，也許可解釋爲個人對民族自然所具的良心）總覺得這生命未被毀滅前的一霎間，還應負起我們自己的責任纔對啊。

三月廿日據探報由滇桂邊土進入雲南的林彪部隊，前鋒已達西昌所轄的會理縣，人民皆逃避一空，同時劉伯誠由四川而來的大隊伍，已越過大渡河，我方防守富林的第五兵團司令胡長青將軍，所領不足一團人馬，已被劉伯誠的先鋒部隊擊潰，殘部西退海棠溪，估計兩路人馬約十餘萬衆，用鉗形攻勢，奪取西昌，同時已與我發生拉鋸戰二十餘天的寧南土共，突然兇燄大增，國軍與之苦戰彌旬，傷亡纍纍，業數次抽調防城之兵，前往增援，如再抽兵，則西昌防守空虛，勢將自潰，逼着我軍在寧南方面惟有退却移轉陣地，進入夷區作戰。這次匪軍進攻西昌，是用獅子搏兎的手法，東西夾攻，不惜出動上十個師之衆，企圖一舉而下西昌，在我們這方面，原由成都被匪擊敗下來的一些殘兵敗將，以及各地投奔而來的忠貞志士，一起整編起來正式可以作戰的頂多不過兩千人，衆寡懸絕，無異螳螂當轍，眞的交戰起來，勝負之數，無待蓍龜。

警備總部及省府職員，因經費困難，本在二月間已裁遣了好些人，凡被遣和在職人員的眷屬，准搭回程飛機疏散赴台。我是隻身在昌，曾一再請求早日飛台，無如長官堅留不放，每接閩同人抵台後的平安書信，眞是班生此行，無異登仙，常帶幾分羨慕。到了廿二三日，各路匪情探報，均似雪片飛來，我們面臨這種局勢，既無法插翼飛去，又無法遁土脫逃，簡直成了熱鍋上的螞蟻，行既不是，坐又不安，回頭一想，乾着急，有何用處？一到晚上就邀約二三友好來寓談天，坐到天明，聽聽各處的消息。至廿四日下午我去西大街看到商店十有九是關門的，僅有疏疏落落的幾個行人，看街頭還有賣雜物飲食的攤販，我買了一只手電筒，預備作夜行之用，回到寓處，想收拾幾件行李，心亂如麻，也就沒去料理了。

滿淸稗政實錄之一

黃寶實

以描寫清季稗政擅名小說有二部，一官場現形記，一即二十年目覩之怪現象。其叙述政治之腐敗貪污及官吏之無知無能，讀之未有不髮指噴飯者。惟正規散文之指斥時政，有類杜工部之石壕吏詩，詠役政之虐者，殊不多覯。有之，則高延第輓船記是已。茲錄于次：

某大吏過境，其舟容與中流，久而稍前，頗怪牽者多而行之緩也。及近而察之，則數百人中，僂者、眇者、跛者、脛大如股者、病而呻者，飢而啼者，號寒而無褌者十居其九；或行數步而仆；或疲不能步，以肘加纜，聽人曳之而後舉足；或脫輓絡，下隄而奔。伍伯二人執扑先後督之，惰者撻之，逃者追且呼之。于是唱者呼者呻者啼者，震沸于路，去官舟百步許，舟中人寂然若弗聞也！仆者跳者多，伍伯畏責，亦擲扑而逸。久之舟過，逃者自草間出，詰其狀。蠢聾言曰：「我曹皆飢民也，官吏過境，例有牽輓。視其官之大小，爲輓者之多寡。隸背驅我曹供役，人與錢五六十，粗給一日食。官錢例有費，層遞折扣，人率得數十錢，不足一飽。大吏僕從舟子，倚勢多竊百貨，冀免榷稅邀厚利，雖輕舟與重載無異。又所至徵求犒給，皆醉飽驕逸，不復以篙師爲事。以疲民而曳重載，加以飢寒，故舟不能進，往往不終事而逃也。幸達官貴人，坐不窺堂，守吏不暇左顧，遂得竄草間求活耳。」役者又言曰：「大吏取人于州縣，以供趨事也；守吏役人以應大吏之求，奉上也；出錢以當身傭之直，郵下也；皆非有意于厲民也。然疲百人之力而舟不加進，日費數緡而人不一飽，守士者終日張皇道路，而上下不見德；徒令我曹忍飢而供此無益之役，冤哉！何時得休乎？」語訖趨去。聞者皆歎息不已。

右文見劉錦藻撰淸朝續文獻通考卷二十八職役考二。原案「南中多係僱役，與西北情形不同，其流弊乃至于此。若遇兵差，吏益蠻橫，更不堪設想。附錄之以諗民上者。」錦藻烏程（今吳興）人，光緒甲午進士，官至內閣侍讀學士。獨力撰輯淸續通考，凡四百卷，起乾隆五十一年，至宣統三年，卒成有淸一代文獻之考藪，爲十通最後之一通。書成于民國十一年，自叙則書辛酉孟秋。蓋淸亡後十年，錦藻自居遺民，『中間避地靑島，寄迹大連』，故附陶淵明以甲子紀年也。斯文亦雅馴，于差役之流弊苦楚，官吏之層層剝削，走私與腐化能，皆活現紙上，文筆生動，淋漓盡致，洵妙文也。惜乎頭無充分資料，足以考訂作者生平事蹟；但讀此記，亦可想見高氏爲一有心人也。

難忘的史事（四）

諸葛文侯

海嘯樓談薈

我對孔先生說：「如果馮軍入晉，首先就要打大同，閻馮實行火拚，如何是好呢？」孔謂「不需要這樣做。」他連忙把地圖攤開，移置我面前，拿着一枝火柴指點道：「喏，馮軍入晉不必經過大同，可從『左雲』『右玉』這兩處潛師而行，入晉之後，由張之江總司令出名通電，請李協和、孫禹行兩位亦副署，聲明擁戴閻百川爲聯軍最高統帥，不管他同意與否，大軍急速馳抵太原，沿途絕對不會有阻碍的。閻百川亦決不致離開晉境，大軍到達太原後，再聲明是假道赴中州討吳，並無佔晉省之意。另由我輩從中周旋，請百川接濟一些械彈餽餉，別無所求。這樣，他即實逼處此，不能不接受，同時他對吳張方面亦可說是被脅持而然，暫以第三者地位坐觀成敗，實爲計之得者。你趕快回去報告他們，一定照此計劃行事，我在太原靜候佳音罷！」

我決定離開太原逕返張家口的前夕，又晉謁閻督軍表示辭行，並問他有何吩咐否？他以一封長函交我帶回，原函面封着，是給李協和孫禹行二公的。他只告訴我，將來李孫二位如果不能安居在張垣時（意味着馮軍必然失敗），即可到太原來住住，吳，張對這二人是不敢怎末樣的。說罷，又給我一本密碼電報本，上面寫着「協和吾兄存用」幾個字。最後他笑道：「你這次太原之行，大概感覺失望吧？」我忙答曰：「很愉快，因爲親身看到了中國的模範省啊！」出來跟朱參謀長綬光道別，他送我到轅門口，輕聲言道：「閻先生素來謹愼，而山西目前處境亦很困難，過於冒險的事情，他是不能做的！」我瞭解他指的是閻馮合作問題，祇好笑笑。詎知三年之後，閻馮居然合作問鼎中原，結果還是失敗了！

我回到張家口，把此行所聽得的一切意見，詳細報告李協和先生，特別强調孔文撤先生的計劃似屬可行，他認爲這要取決於馮煥章，別人不能作主。再過了兩三旬，南口戰況趨於頹敗之勢，我趨叩馮軍總部參謀長曹浩森兄（他是由李協和先生介紹給馮玉祥的），密詢他是否知道「孔庚計劃」？他說知道，但大家研究結果，認爲諸多困難，不能作行險徼幸之事，將來只有以綏遠、甘肅爲退步之所。

民國十六年秋間，孔庚先生在南京遇着我即高聲言道：「去年馮軍怎末不實行我在太原對你所說的軍事計劃？假使照我的意見行事，西北軍即不必繞大圈子，從甘、靑、寧、陝以出潼關，而北方的革命工作亦早已成功，如武昌圍城之役，如河南駐馬店與奉軍惡戰之役，皆不會發生，可避免革命軍很大的犧牲啦！」其然，豈其然歟？這就只有留給軍事家和歷史家來評判了。（完）

山川風物

鄭成功遺蹟

道南

延平郡王鄭成功的遺蹟，在台灣的很多，在福建的也不少。他是福建省南安州人，福建沿海就有許多他的遺蹟，雖屬一井一石，莫不受人民寶重。

在厦門五老山前有一片地方，俗名演武場，是當年鄭成功演武練兵的大較場。據楊英「從征實錄」所載：鄭成功於永曆九年（公元一六五五年）三月，把原名「中左所」的厦門改名「思明州」，並在島上興建演武較場。就在這較場上訓練了英勇善戰的七十二鎭陸軍。厦門大學就建築在演武廳原址上。

厦門八景之一「鴻山織雨」的鴻山寺前，有一巨石，上勒「嘉興寨」三字，是當日鄭成功的營壘所在。據「厦門志」載稱：島上東北隅的陽台上和厦門虎頭山隔海對峙的鼓浪嶼龍頭山上，尚有他的兩個兵營，前者名「羊角寨」，後者名「龍頭山寨」。

當日鄭成功在軍政餘暇，嘗到厦門東郊的「紫雲巖」和「太平巖」息影讀書。在「紫雲巖」的最高峯，也就有「高讀巖」這個稱謂；在「太平巖」叫「海雲洞」的八角石亭，後人也刻有「鄭延平郡王讀書處」八字留念。

此外，目前遺存在白沙的鄭成功文物，還有石製馬槽及「國姓井」。

憶屯田

夏日晴

翁孫不作屯田廢，淳俗而今日以漓；
處處疊牀構架屋，年年三熟谷成蹊。
相忘藍縷猶糟粕，共厭淸貧尙綺羅。
溝洫未完宮室急，言尋安樂樂行窩。

內僑警台報字第〇三一號內銷證

自由報

THE FREE NEWS

第二一〇期

中華民國僑務委員會核准
台僑新字第三二三號登記證
中華郵政台字第一二八二號執照
登記爲第一類新聞紙類
（每逢星期三、六出版）
每份港幣壹角
台灣零售價新台幣貳元
社長：雷嘯岑
督印人：黃行憲
社址：香港銅鑼灣高士威道二十號四樓
20 CAUSEWAY RD 3RD FL
HONG KONG
TEL. 771726　電報掛號：7191
承印者：田風印刷廠
地址：香港灣仔高士打道一二一號
台灣分社
台北市西寧南路壹壹零號二樓
電話：六四〇三〇三
台郵信箱第二五二九號

對美俄秘密外交的一點觀察

王厚生

從最近世局的演變看，國際形勢似乎較爲緩和了，冷戰「解凍」的說法，一再爲人所提起。二月十日，蘇俄突將U二諜機駕駛員鮑華斯釋放，將他移交柏林的美軍當局，同時，自去年八月一日被東德共黨政權扣留的美國學生普雷爾，亦獲釋出，交給柏林的美國當局。在美國方面，則將已判刑三十年的蘇俄間諜艾培爾運往柏林，加以釋放。

事先，關於美俄進行釋囚談判，外界毫不知情，可見雙方當局是幹着一種秘密外交活動，這種秘密外交在俄方是由何人負責──赫魯曉夫的女婿阿祖貝？抑葛羅米柯？美方是湯普遜或者魯斯克？現已成爲一個謎局，我們對此似乎可以不必多所研究。要之，美俄這兩個不同社會制度的國家已開始從事秘密外交而已。既有這次的開端，今後還有進一步的買賣要做，似可斷言。而且，第一宗交易就釋放U二諜機的駕駛員鮑華斯，更可想像他們今後的交易大致屬於何種性質。因爲世人咸知，在一九六〇年五月的時候，美英法俄四國首腦原定在巴黎開會，欲以所謂大衛營精神，解決若干已告成熟的國際難題，不料在五月一日，U二諜機事件發生，赫魯曉夫大爲光火，四國首腦雖如期在巴黎碰頭，但在赫魯的激動牢騷下，四國首腦會談不歡而散。所謂大衛營精神，隨告消失，國際形勢亦逐漸回到前此的緊張狀態。因而可以說，U二諜機事件是美俄關係轉趨惡化的關鍵，此次，莫新科竟然扭動此重要關鍵釋放其被判三十年徒刑的俘虜人員，亦可以想見俄方的大致用意是什麼。

英國外交部發言人會爲鮑華斯被釋感到「非常高興」。實際上，當美俄在進行這宗秘密交易時，英國政府實已早有所聞，因爲自北大西洋公約組織成立以來，美國和英國是合作最爲密切的盟國，兩國對於重要的情報，無不聲氣相通，在白宮與唐寧街之間，經常保持直通電話的聯絡。去年十月俄共召開第二十二屆代表大會後，柏林和德國問題因赫魯曉夫的自動改變政策（即不急急於在去年年底之前締結對德和約）而化戾氣爲祥和，共黨陣營內部也因阿爾巴尼亞不服從赫魯的「修正主義」，「機會主義」路線而呈現公開分裂。在新的形勢面前，，美英照例有首腦聚會，甘迺迪總統和麥米倫首相的百慕達會議即是這種例證。不但在美英之間，就是北大西洋公約的會員國之間，她們也是互通消息的。西方國家能夠團結，其基礎在此，北大西洋公約能夠發揮嚇阻俄帝西侵的實力作用，其基礎亦在此。

當共黨陣營內部發生歧見時，美俄兩國進行秘密外交活動，最感覺不愉快的殆莫如中共。因爲，我們相信在目前情況下，蘇俄雅不願將她外交政策的眞相和盤托出，讓中共或其他共黨附庸國看得淸淸楚楚，何況，她的外交政策已不能代表整個共產陣營，阿共、中共、義共等都已公開表示不能同意莫斯科的領導方針。蘇俄的領導地位既受若干共黨國家的反對，則俄共爲貫澈它本身的既定政策，除秘密外交外，別無良策。不循秘密外交，足可使好爭喜辯的阿共中共曉曉不休，益增共黨陣營的分歧混亂，以及互揚其醜惡。所以，赫魯實有不得不採取秘密外交的難處。

雖說冷戰有「解凍」迹象，今後國際間當仍以「和平共處」或「戰爭不可避免」爲重要爭端。共黨陣營間爲此曾作理論爭辯，至去年十月的俄共大會，爭執達於高潮。據我的觀察，

赫魯曉夫的「和平共處」政策確實含有若干思想成份，而霍查和毛澤東的見解只含策略意味，因此可以說，赫魯還勉强可稱爲思想家，而霍查和毛澤東只配稱爲策士之流。譬如，赫魯說：「現在主要的是要不斷發展所有社會主義國家和每一個社會主義國家的經濟，爭取使世界社會主義體系在生產的絕對產值方面超過資本主義體系。………社會主義國家威力的增長，意味着和平的物質和精神的因素加强。現在已經不能單從資本主義規律的作用着眼來看待現時代的根本問題，例如戰爭與和平的問題」。我認爲，最後那二句話，至少可以作爲新的東西而增補馬列主義。反觀霍查，不從理論而從實踐着眼，他承認世界已經與馬克思、恩格斯和列寧的時代大不相同了。他說：「亞爾巴尼亞勞動黨看到並且了解世界上發生的深刻變化，以及產生的新條件和新現象」，可是，他接着又說：「應該從世界上發生的這些變化中，得出正確的革命的馬克思列寧主義的結論，應該得出不致造成改良主義與和平主義的幻想和不致削弱反帝鬥爭，而要日益加强這一正義鬥爭的結論；應該得出不致使人民離開革命事業，而要日益接近革命事業，不致使人民離開其民族解放鬥爭，而要日益擴展這一鬥爭的結論」。一言以蔽之，在世界的新條件和新現象下，仍要加强赤化全世界的鬥爭。

毛澤東向來喜歡舞弄筆墨，自從辭去作爲「國家元首」的主席後，專心研究馬列主義，却不見有什麼署名的東西發表。但無可諱言，中共中央是堅持戰爭不可避免的主張的。毛澤東不敢公開出面，與赫魯正面作理論的衝突，但連年來，假「人民日報」或「紅旗半月刊」編輯部名義或其他名氣較小的人出面，所發表的戰爭不可避免論，足可纂輯成冊。所有刊於中共機關報刊的言論，除搬用已經陳舊的教條以外，都是策略性重於思想性，換句話說，實踐重於理論。

繼去年十月俄共大會後，共黨的國際統戰組織──世界和平理事會──於十二月間在斯德哥爾摩集會，中共所派去的廖承志和劉寧一先後在會上發言，不但充分表演了好戰的姿態，也表明中共的國際鬥爭是策略重於思想的。廖承志發言時，强調世界和平現在仍然受到嚴重威脅，新的世界大戰的危險仍然存在，並且說：「爲着迫使美帝國主義接受和平共處，需要動員羣衆，積極行動，同帝國主義進行長期的，反覆的、艱巨的鬥爭。那種認爲不依靠人民，不經過鬥爭，就能同帝國主義達成協議，實現和平共處的想法，只能渙散人民的鬥爭意志，危害世界和平事業」。廖又主張同帝國主義進行鬥爭，應當準備兩種手法，即一方面談判，另一方面必須進行各種形式的針鋒相對的鬥爭。這原是中共「談談打打」「邊打邊談」的故技，屬於實踐的範疇，談不上思想價值，因爲實踐隨環境和形勢的變而變，屬於技術性；思想則不然，它不受環境和形勢的太大影響，或曰，它可放之四海而皆準，是屬於原則性的。

劉寧一的發言涉及裁軍問題，他明白表示，不能同意全面徹底裁軍是通向和平的唯一道路的說法，認此說法是錯誤的，十分有害的。反之，他提出「被壓迫民族」不能裁軍，而是應該建立和擴大武裝。

中共的這些言論，在字面上固與俄共的政策路線相違，在實際做法上，亦與俄共的行動不一致。中共的策略性言論究有多大影響力，大可懷疑，至少，在中東歐地區，因國情和地理環境的迥異，中共的策略意見難以令人接受。阿爾巴尼亞將義大利也列爲「帝國主義」，又謂「希臘保皇法西斯分子和南斯拉夫修正主義者」所推行的是戰爭政策和侵略政策，因而，她易於接受中共的策略性言論。但是，這種基於一國的特殊情況而發的言論，顯然不能贏取蘇俄的完全同意。

我們時常聽見西方人士說是蘇俄因有四十年建設的基礎，而中共的工業還在落後狀態中，這種差別是促使兩方發生歧見的原因。這一說法自有相當根據，在今日的蘇俄當政者心中，認爲經過七年建設計劃之後，繼以二十年的規劃，一定可在生產的絕對產值方面超過資本主義。這也是基於蘇俄一國的特殊情況而作的如意想法。現在，俄帝爲了「和平共處」，顯然不顧其他共黨國家的猜疑，而逕自與「美帝」進行秘密外交，如果因此而造成共產國家的更大裂痕，總不能全怪西方的有意分化了。

元月十一日

漫画天下

整容有術

「同靴」不易

自由談

習俗與國運

馮子先生

「習俗移人，賢者不免」這兩句古語，誰都知道的，但所謂「習俗」究竟是何內容，即有言人人殊之感。

大體說來，「習俗」的的涵義應該包括着地理，氣候，生活和生計這些因素，才可以發生「移人」的潛能，雖賢者亦無法避免現實的環境支配──除非大智大勇的英雄豪傑。準此以觀察今日台灣一般社會現象，可謂信而有徵也。

近幾年來台灣社會上不斷地演出殺人慘劇，如謀財分屍案，如戀愛不遂而槍殺女方全家人案，如挾嫌仇殺學校校長夫婦暨若干同人案，主犯都是來自大陸的內地人，而且盡係知識份子。這些慘案發生的原因，十之七八是由於生活與生計的煎迫而然，十之二三基於地理和氣候的關係。還有一般從事於政治或黨務工作的高級知識份子，他們亦跟過去在大陸上對人處事的風度迥不相侔，胸襟狹隘，眼光褊淺，氣宇顯得特別渺小，完全缺乏恢宏豁達，役人而不役於人的情操，前後判若兩人。就是爲人師表的學者罷，亦多與先哲所識「古之學者爲己，今之學者爲人」的義理相符合了。大家心目中的當務之急，即爲追求個人生活上的物質享受，在黨政上爭奪權位的終極目的，亦不外乎是啊！如此這般情形，能說不是受着地理，氣候與生活和生計這些綜合習俗的潛移默化之結果嗎？

更深一層的看法，構成這種習俗的基因只有一項，即人們對於未來前途減少了創造的勇氣和信心，因而希望渺茫，心情煩鬱，不知不覺地發抒着與生俱來的惡性根，而視理想爲無裨實際的迂濶之談。我認爲這是當前最嚴重的社會問題，國家民族存亡攸關，非急起爬梳策劃不可，而其要訣即爲革新政治，以促進工商企業之發展，蔚成中興氣象，先使人們激增反攻復國的信心，滿懷樂觀，認定光明前途已在望，暫時的困苦艱難不妨忍受一下，社會上的乖戾之氣自然就消散了。

人類向上發展的內燃力就是希望，如果感覺生活前途沒有了遠大希望，那就放僻邪侈，無所不爲了。現時大家所希望的是反攻復國，而以革新政治爲大前提。政治家應有旋乾轉坤的能力，區區習俗如不能轉移，救國云乎哉！

投石問路攪其罷免 執政黨外議員 覬覦北市政權

（本報記者台北航訊）上月中，台北市非執政黨籍市議員張詩經，黃信介等，於勸請黃啓瑞辭卸市長職碰了一鼻子灰後，他們居然並不灰心，正一步步的走向攪「罷免」的路上去。

張詩經黃信介等市議員此種行動，其出發點，並不是對黃啓瑞有多大好感，而祇是對由省政府派來任代市長的周百鍊看不過眼；甚至，也還不是對周百鍊個人有多大的過不去之處，而祇是希望如此一來，使得台北市長這隻座位，不能不另行改選，並希望在改選中，他們非執政的國民黨以外人士，有機會當選。所以，說得更乾脆些，張詩經，黃信介等人而今所努力以求的，簡直就是與執政黨爭奪台北市的政權。

當上月中，張詩經，黃信介等人親往黃啓瑞寓，表面上是慰問黃啓瑞，而實際是敦勸黃啓瑞辭職，藉爲改選台北市長打開大門被拒絕後，他們辭出黃寓，黃信介就忍不住連聲的說「罷免罷免」！當時，還有人教黃信介不要衝動，慢慢從長計議。但實際，他們從那時開始，就確實在爲攪罷免做着投石問路的工作了。因爲他們亦清楚，要罷免市長，決不是輕而易舉，說罷免就可以罷免得了的。好像去年底也就是他們這批人攪起來的罷免市議會副議長周財源案的失敗經驗，就在在值得他們引爲警惕。所以，雖然從那時開始，他們其實已經奔向攪罷免之途。但却至今不敢說他們一定要攪罷免。從那時起，他們所進行的努力，計爲：

第一、以各種可能的方式同台北市民分別接觸，徵詢大家對於罷免的意見——同時亦希望了解到如其改選台北市長，大家比較接受的，是什要人。

第二、乘過年期中，利用拜年和飲春酒等等機會，儘可能與台北市民分別接觸，繼續爲罷免及改選市長問題，探詢行情。

第三、決定要來一次街頭演講，目的還是那個目的，據說，即使他們終於發覺攪罷免攪不起來了，但由這種街頭演講，仍可收到掀起政治風潮的效用；對於非執政黨人士，有政治風潮，總好過沒來政治風潮。

但他們所決定要做的街頭演講，畢竟能否實現，要看市警局能否批准申請——台灣而今在非常時期，凡開會，演講之類，均須事前獲得批准。

張詩經，黃信介等所暫定的作街頭演講日期，是二月二十一日。因爲那天是第五屆市議會成立週年紀念日，他們要藉此機會，「宣導本市市政建設。」他們所暫定的是當日晚七時起，分別在萬華地區的梧州街及承德路平陽街口遠東戲院附近這兩處，各搭一台，在台上向市民演講。張詩經，黃信介等七位現任台北市議員，把他們此一決定報告議會後，市議會已接受了他們的意見，去公函到市警局，請求給予批准。

除了在競選期中發表演講外，平時要做此公開演講，並無先例。但據他們的說法，「議員應與選民保持接觸，雖不能隨時向選民報告，至少應定期或藉機會以廣泛的市政一般情形，告訴選民」，所以認爲市警局應無拒絕申請的理由。他們又指出，在去年九十月間，曾先後有本市地方自治協會及代市長周百鍊，在龍山寺前廣場發表公開演講，則「社會團體可以當衆演講，選民所選出來的議員，豈猶不可對選民演講」？

雖然如此，如其市警局要拒絕申請，他們是可以有法令根據的。問題的癥結，顯見還要看執政黨如何決策？願不願意任由他們掀起政治風潮？而由於申請係由市議會出面，警局如加拒絕，也並不是全無顧慮的。（一東）

情形有如大陸當年 越南局面大不可以樂觀
共黨手段毒辣固然厲害 我們本身亦有不小弱點

（本報西貢通訊）南越局面是不能樂觀的。儘管美國宣佈新設立一個援越司令部，並史無前例的派遣出一位四星上將軍主持這個司令部（美國協防台灣司令部的主持人史慕德，亦僅爲中將階級，只有三顆星），南越局面，依然是不容樂觀。

美國甘迺廸政府毅然宣佈設立「援越司令部」，不失爲一項「勇敢」的決定，相當顯示了甘迺廸敢作敢爲的魄力，美國至此，是更深的介入越南戰爭了；它現在的界線，只差還不會下令美國子弟，在越南戰場上掀動槍機，實地參加射擊戰而已。

美國政府其所以有此「勇敢」的決定，正就是爲了南越局面的不能樂觀，是不成問題的。但根據本報記者的認識，即算甘迺廸政府採取了這項行動，如其沒有更進一步的行動繼之，要扭轉越南局面，仍然只有很小很小的百分比的公算。

造成南越局面不容樂觀的，第一個原因，是南越民心已脫離了吳廷琰政府。造成南越民心脫離吳廷琰政府之結果的則有兩項因素：其一爲共黨游擊隊的毒辣而殘暴的作法；凡有在行動上協助吳廷琰政府者，共黨游擊隊會絕不客氣的宰了他，而且它們還往往在羣衆面前，公數其「罪」，然後宰而殺之。

共黨游擊隊這種做法，是曾經過深思熟慮所設計出來的，它們的目的，在於藉此立「威」——造成恐怖，使其餘的人，有了戒慎，對於凡是不利於共黨游擊隊的消息，如果官方問到，總是搖頭三不知。這是共黨游擊隊藉恐怖行動所造成的老百姓遠離政府的現象，在南越人民而言，他們非如此不足以「明哲保身」，其處境是只有令人寄予同情的。

其次使得吳廷琰政府失却民心的，是吳廷琰政府，包括吳廷琰的左右，吳廷琰的家族在內的貪污橫行種種不法行徑所使然。吳廷琰這幾年來一直行的是獨裁之政無庸諱言，且這亦是他的政府喪失民心的原因之一，但還不是最大的原因。如果吳廷琰政府廉潔能幹，把南越攪得好，他雖獨裁，人民亦不會不擁護他。最糟的就是吳廷琰政府人員，大多數都貪婪無饜。吳廷琰自已不要錢，可能是事實，但吳廷琰家族，如他的弟婦吳廷儒的太太，就不但在政治上炙手可熱，且還拚命的弄錢，民心焉得不失？

共產黨不見得已經在南越得了民心，固是事實；但吳廷琰已經失了民心，同樣乃是事實。

南越局面之所以不可樂觀，第二個原因，是共黨游擊隊以爛爲爛，欲求把南越攪得爛無可爛，然後由他們把它拿過來的戰略，確實可怕，有以致之。共黨游擊隊而今充分掌握地利，他們幾乎可以隨心所欲的自竄、東來來去去，他們的游擊戰術，亦確實可以使得南越經濟逐漸陷於脫節，癱瘓，老百姓在本身生活成了問題之時，他們會違背自已的心意，跟着共黨鋌而走險的。如今有的地區，已有此情勢發生，這種事再下去，普遍了，南越也就完了。

這種情勢之造成，自由國家包括美國在內苟且偷安，只想妥協敷衍，亦大有關係。好像寮國問題，美國由於一念怕打仗，它正在找抽腿的藉口——成立聯合政府，不惜力壓永珍王室政府以達成抽腿的目的。實則如此一來，寮國已有大半土地在國際共黨手中，北越共軍可利用寮國領土，進進出出，南越局面就因之更加不堪了。

華盛頓有個說法，說是照現在的形勢，要在南越肅清共黨游擊隊，要幾年工夫。這說法下的畫面，已經夠黯淡了，其實還是過份樂觀之論！

本報記者的觀察，今天的南越，正有如我們八年抗戰勝利後直到把大陸失去之前的那種情形！（秦）

報館集體受處罰 犯了藐視法庭罪

（本報訊）最近香港有六家報館被律政司控以藐視法庭的罪嫌，前天（十三日）由合議庭正式審訊了。這是本港不常有的重要新聞，殊堪注意。

六家報紙的東主，編輯主任，發行人，承印人皆在被控之列，案情都是因各報記載所謂「雙黃案」——即港商黃錫彬，黃應求父子被綁票勒贖及撕票情形——過於渲染，認爲觸犯了藐視法庭的律例。這六家報紙中，兩家是反共的（越華報，香港時報），三家是親共的（文滙報，晶報，循環日報），一家是中立的（成報）。主控官指出文滙報有「確實」」藐視法庭之行爲，晶報有「特別」藐視法庭之舉，並說明除循環日報外，各被告過去曾犯有同樣罪嫌的底案在卷。被告等皆請有律師出庭辯護，一面承認錯誤，同時請予寬恕，理由是報紙的責任原在盡量導爲大衆感到興趣的重要消息，而由於各被告人係在不同法律環境裏長大之故，並不一定深切地諳悉香港法律，情有可原。但主控官指稱：「不能因大衆興趣，即作爲逃避法律責任的理由，而且越是顧及社會大衆興趣，其損害程度即更嚴重。至於不熟悉法律，亦不能藉爲免罪的解釋之詞。」結果判罰文滙報，循環日報，越華報各八千元港幣；晶報六千五百元；香港時報六千元；成報五千元。

●據熟悉英國法例的人說，凡屬必須經過法庭審訊判處的條件，在法庭尙未定讞之前，報紙上如果評論孰是孰非，固然構成藐視法庭之罪行，即不加批評而對於案件內容的紀述太過渲染，亦爲法例所不許的；甚至拍照登在報上，也可視爲犯法行爲。這六家報紙就因爲記載「雙黃」案的認人，捉人，以及發掘黃應求尸骨等經過情形，描寫過於詳盡，以致引起「官非」受到處罰。越華報是小型報紙，經濟基礎比較脆弱，被罰八千元，儕受打擊殊爲沉重。

在英國法律中，還有一種誹謗罪亦處罰很嚴厲，新聞記者平日的言論出版雖然極其自由，若觸犯了誹謗律，一經被人告發有據，無論你具有任何理由，總是敗訴無疑。這是爲要防止，記者濫用言論自由權的毛病，不失其爲民主政治生活的「制衡作用」。準此以看台灣報紙的社會新聞記載，則不勝慄慄危懼之感矣。所以，在香港作新聞記者，隨時都要翻翻港政府歷年來刊佈的法例彙編，以免不知不覺的連累東主犯罪，受罰，跟在別處的記者生活不一樣。（艾子）

專家會議乎？雜家會議乎？ 且看能否實事求是，不作空談

（本報台北航訊）正在台北舉行中的全國第四次教育會議，據主管當局宣稱，幾百名預會人士盡係海內外的教育專家，但按諸教育部公佈的名單，其中有文藝，戲劇，小說各種作家，且有若干指定出席的人，由於他們的名字在社會上很陌生，而其學歷與資歷亦未註明之故，不知道究竟是屬於那一類與教育有關的專家呢？還有只在海外掛名教書，而其私生活腐爛聞名的人物，亦濫竽其間，然有些眞正在國內教育界素著聲譽，爲大衆所熟悉的學者專家，却未被邀參預其役。因此，有人說這似乎不是專家會議，而是「雜家」會議吧？

中華民國開國五十年來，這種全國性的教育會議，到現在纔是第四次，我國教育方針和制度始終沒有一套整然健全的體系，這是過去對教育問題太疏忽的結果。此次大會中，關於百年樹人的根本大計，應如何縝密研討，斟酌至當，作出切實可行而適應需要的結論來，乃係首要任務。在短促的四五天會議期間，如果又像以往的各種會議情形，預會人士晝夜忙於各機關的招宴應酬，匆匆通過一些博而寡要的議案，發表一篇堂哉皇哉的宣言，那就是多此一舉，徒然浪費人力財力罷了。據聞大會收到的提案雖不少，而切中肯綮的意見並不多，主要的教育計劃與改進方案，還看教育部是否已有具體的決策，給大家作藍圖，纔可望免於「築舍道謀」之弊。例如教育部現在提交大會討論的「光復大陸後教育重建方案」，固然不能說是不重要，但恐非三四天的會議時間所能完功的。目前在台灣和海外華僑社會實行的學制，即有亟待改進之處——如發展科學教育，改善留學政策等等，且可作爲將來光復大陸後，重建教育的圭臬，這些實際問題應該優先檢討決定，方爲實事求是的表現，否則百廢俱舉，勢將一事無成。前天有一位預會的先生對記者表示，他就心在這四五天的會議期間，對那光復大陸後的教育重建方案就討論不完，而許多現實問題乃無從談起。這是經驗之談，值得大家警惕的。（凌雲）

搶救中國文字 延續中華文化

陳名

這並不是危言聳聽！而是一個鐵的事實！

「有五千年光榮歷史的中國文字，已遭受着空前的危機！生死存亡的關頭，我們如不加以搶救，什麼都來不及了」！

最基本的事實：請看看我們今日能夠閱讀中國文字——方塊文字——的人口數字比率！

國父在三民主義演說中列舉全世界人口認識方塊文字的比率，是「六分之一」——二十四億人口的四億。占世界各種文字擁有讀者的第一位。

然而，今日，鐵的事實！我們如果不反攻大陸，收回河山，救出同胞，重行敎育！今日我們中國文字的讀者祇有「兩千萬人口都不到！」三十億人類中的「三百分之二」共產黨在大陸所推行的拉丁化，簡體字，在事實上，他的已摒除了中國文字的本質，在趨勢上，總有一天中國文字會被他們絕滅的！

誰都不能否認：

文字，是文化的符號！

文化不滅 國家不亡

一個國家可以滅亡，一個民族能夠維持他們自己的文字，還有復國的希望！但是，一個有形的國家和民族，無形中自己喪失了自己的文字，那他的前途，他的悲哀，將是不言可喻的了！今日，中華民族，有形，無形的，如果自滅了我們的文字，這隱憂，實在太大了！

不說別的，許多現實的困難的問題，都可以說，是從這基本原因產生的！

你知道嗎？中國的文化事業爲什麼那樣式微，沒有一張超過二十萬的報紙，或是雜誌？南洋僑胞爲什麼已不歡迎中國影片？中國商品爲什麼不能進入世界市場？甚至，中國外交官不能用中文說話？中國從來沒有得過一次諾貝爾文學獎金？難道中國人眞不如一個西洋的小國家嗎？不——那都是中國文字的危機所造成的！

中文入口祇不過一千萬！年青僑胞，都不識中文而讀外文，以及僑居地的國語文；中國這個名詞在外國人耳目中沒有印象，他們怎麼會喜歡用中國商品？弱國無外交！中國的文人不知相重，祇知相輕！

每次，中國大員從外國回來，都會說：「我們的國際宣傳不夠！」的確！外國人對中國不了解！就是中國人對中國文字，也不太夠了解！我們的文化界、敎育界，對我們自己的中國文字太不注意！

改用楷書 印刷書報

最基本的問題之一，我們的印刷術，到目前爲止，是完全「落伍的」！我沒有看見過一本完全用「楷書」的報紙和雜誌！我們的鋼模，用的的是五、七百年前的字體——宋體，或明體，而我們要大家包括學生——寫的，卻是「楷書」。

你能說「宋體」就是「楷書」嗎？沒敎過中學國文，改過學生作文的人，他們不會明白：宋體字是「別字，錯字的製造廠」！因此，我們的編輯、記者、作者、譯者，整天地在那裏寫錯字、別字；報刊、雜誌、電影字幕，都在寫錯爲對，寫別爲正，叫我們年青的一代怎麼去改正錯字呢？叫我們如何不「落伍」呢？

說最簡單的！宋體字的「即使，既然」，頭上都有一小撇，學生照着寫，你奈何得他？「爲什要」的爲字頭上有腳爪「ㄅ」，「敎育」的敎字歪了頭，你要怎樣糾正？

總而言之，我們敎篆、隸、是另一回事，今日「印刷字體」不改用「楷書，」，是方塊文字厄運的一大致命傷！我不會見過一個國家，敎古文字而寫今文字的！英文的宮廷體和草體字母，祇是我們的「筆劃」而已，不能作對當來說；我們要維護中國文字，維繫中華文化，最近期間，改用「楷書印刷」，是必要的措施！全國敎育會議以後，課程標準改訂，新敎科編印的時候，這一點，一定要求「做」的！

嚴格確定 標準的字

最基本的問題之二，我們的字典、辭典，到目前爲止，是完全「落伍的」！簡體字運動，推行也好，反對也好，而一經政府公布：禁寫簡體字以來，我們的字典、辭典裏，仍舊一樣印有簡體字，常用簡字，俗字，這又叫讀者，寫者，如何應付？一面高唱着「寫標準的字」，一面根本沒有字的「標準」！于右老的「標準草書」，沒幾個人寫得出來。其他方塊字的標準，無所適從！甚至，連共產黨僞政權三十九年才公佈列入電報號碼中的「搞」，「垮」兩個「湖南土字」，都在自由中國大行其是！我們的標準在那裏？我們不寫簡字的辦法在那裏？

說簡單一點，這個問題也很簡單！把所有的字典、辭典，清整一番，是早應該做的事！至於簡體字，或文字改革，目前還談不到。敎育當局在敎育會議之中，應該設法，訂出一個標準，並從事實際的「平準工作」！

中國文字 並不難寫

基本問題之三，我們方塊字的難易問題，應該有個明確的決定！並從事於「中文打字機」的發展！

我不是標新立異，硬說「中文」書寫並不困難！但是，依照文字學的研究，我們不談那些中國文字的優美，就以難易來說，中國方塊文字，的確並不比拼音文字更難！

誰說中國文字進步階段較遲？西洋文字從單獨的文，成爲拼音的字？誰說「標音文字是第四階段的進化文字」，而中文還留在「標形文字的第三階段」？其實，中國文字是合有二者之美的第四階段標音文字了。我們的形聲字，佔了百分之八十以上，這就是「標音文字」。而方塊的標音文字，不比長短的拼音文字進步嗎？

誰說中國文字難寫而複雜呢？其實，中文比拼音文字簡單得多呢！拼音文字的元素，是字母（Letter），中國文字的元素，是筆劃！橫劃、直豎、撇捺、點揚，總比ABCDEFG來得簡單吧！拼音文字的字母，總有二三十個，中國文字的筆劃，不超過二十！結構起來，他們是簡譜式的連環畫，我們是正譜式的水彩畫！祇要畫的方法加以研究，中文要比拼音文字方便、整齊！書寫也簡單，容易！

確定了這個正確的觀念以後，中文的優美性自然可見，而打字機的發展，也是最重要的！我們現有的方塊打字機，當然太煩；原因是大家把原理弄錯了！無論林語堂的電動機，或是中西合辦的部首打字機，也都弄錯了！西文打字機，打的是字母，我們打的是「文字」，這當然不能相比！電動也麻煩，而且價錢貴！

我這裏要疾呼！我們走的路，應該照着原理來！我發明着「中文筆劃打字機」，可以就現有英文打字機的構造，稍加調整，打出方塊字來，希望國內外有心人士以及朝野同文，予以注意協助，促其實現，並廣爲推行；中文書寫困難的問題，自可解決。

中國文字 是進步的

上述三個問題的解決，可以說是基本的問題！至於目前的推廣問題，我們應該注意兩件大事！在事實上：英文，已由商業性的世界語轉變成爲綜合性的世界語，這是由美國執世界政治、經濟，科學的牛耳而造成的！那末，我們要使華僑維繫民族文化，使盟邦維持道義邦交，我們的英漢對照書報雜誌電影，藝術工作應該好好的下一番工夫！

、以文字進化過程上看：中國文字，本來是進步的！自甲骨、鐘鼎、大籀、小篆，而至隸、草、楷的演進，到目前爲止，已滯留了一千五百多年乃至二千年，中國文字本身的進化，應該有所準備，我們並不贊成「簡體字」和「羅馬字拼音」，也不主張「以注音符號」代替中國字；但是，我們的字體，是否需要「改革」，也不妨由專家去研究。

金、遼、立國，先造文字；西洋新興諸國，戰後獨立各國，本來沒有文字的，他們都新造了文字。無論歷史的敎訓，眼前的事實，我們在反攻大陸以前，並沒有理由反對字體的眞正合理進化的！

當然，如何進化方塊文字，茲事體大，應該從長計議！絕對不容亂來！

方塊文字，是優美的，方便的，容易的，但是，我們面臨着相當嚴重的危機！我們身負文化絕續存亡遺際的中國文人，不得不有所深思遠慮，謹以一得之愚，提醒國內外愛好自由，愛護中國文化的同文，共同研究！

我們面對的，不祇是中國文字的危機，實在還是中國文化的危機，這是歷史性的任務，我們必需努力搶救方塊文字，才能延續中華民族的歷史，文化！

（五十一、二、六．於馬公中學）

香港與大陸

僑滙一年存銀行 死了棺木可以租

▲據一位在香港某紡織廠當技工，姓許的朋友說：他每月把所得的工資，一部份匯寄鄉間，接濟家人，但最近接到家中來信稱：這許多年來，匯回家中的錢都收到了，但是這些匯款中，僅有百分之五十是落到自己的手裏，另百分之五十是被勒令存入「人民銀行」去的，而一經存入銀行，自己根本就沒辦法提取出來了，而且，還要你去參加「人民公社」，把這些存款去投資，作爲「人民公社」的股金。雖是家中發生什麼意外事件，急需用欵，中共也是不准你到銀行去提取欵子的，即使有萬一機會，居然批准你去提取少數欵子，也要你馬上再寫信，去催海外親人，促其速匯欵返家，用以補足所提之數。而這些信件，都是共幹替寫信的人起好信稿，只須現抄就是了。

來信又說，不必再匯錢回來，最好是買些食物，如，猪油、麵糖、和故舊衣服等寄回，因爲這類東西，在家鄉根本買不到的，甚至在店裏看都看不到呢。又說：鄰村何家親家的婆子，去年臘月初，不幸逝世了，收殮時，衣服都沒有穿一件像樣的；棺木是向謝家租來用的，租金十塊錢。（如）

瘟君續夢

第三回：掩面向黃泉，貳臣遺恨　低頭拜白虎，帝子驚魂

一聽李維漢口氣不善，李濟琛心裏也有點氣慣，勉強忍住解釋道：「這一點，部長也應該清楚，完全因爲民主黨派發展路線不同，其他黨派吸收對象比較廣泛，只有我們的成員，『黨』規定只准吸收國民黨政府，北洋政府的官吏，全體黨員沒有六十歲以下的人，其中有宣統皇帝胞叔載濤，有洪憲皇帝大典籌備處處長朱啓鈐。試問他們能作什麼事，只有靠黨養活了。」

李維漢說道：「照你的說法，你們大可改名爲垃圾黨，不必叫民革了。」

李濟琛再也忍不住了，冷笑道：「垃圾也有垃圾的用處，眞要是一文不值的話，早就裝進垃圾桶運去作肥料去，不會放在北京城裏擺樣子了。」

一句話激得李維漢跳起來，指着李濟琛說道：「人人都有用處，只有你個老廢物沒有一點用處，白白蹧蹋人民的小米。」

李濟琛一拍桌子，站起來指着自己鼻子說道：「我是老廢物，我並不是自己投奔來的，是你們毛主席派潘漢年到香港把我請來的。我蹧蹋小米也是蹧蹋中國人的，並沒吃到李維漢一粒，你憑什麼罵我。」

李維漢冷笑道：「你這個老傢伙臉皮眞厚，還好意思說是毛主席請你來的。你看見過玩猴的沒有，猴子也是設法請來的，不請，牠自已不會鑽進籠子的。」

一句話擊中了李濟琛的要害，宛似被人打了兩巴掌，面孔熱辣辣的只是冒火，剛才的一股氣已經消失了，頹然坐下，兩手抱着膝蓋，低下頭去，一句話也說不下去。

李維漢乘勝追擊，又拍一下桌子說道：「我特別警告你，如若三天以內你們不照樣開會，老不死，你等着好了。」李維漢說過起身走了。

房內只剩下李維漢和邢西萍兩人，邢西萍過來勸道：「任公不要難過，部長今天在毛主席那裏受了批評，所以肝火特別旺，你還是回去籌備開會吧！這是黨的既定政策，誰也拗不過的。」

李濟琛含淚離開統帥部，回到家中就病了。人雖然病了，會却不能不開，連夜發出通知，在第三天開座談會。到時候民革在北平的中央委員，各部門負責人都到了，李濟琛渾身發着高熱，兩頰紅得似胭脂一樣，由兩個孫子架進會場，站在主席台上只是顫抖。統戰部派了副部長邢西萍去出席指導，李濟琛站定了就開會，會場正中懸着馬克思，列寧的大像，兩邊掛着毛澤東、劉少奇、周恩來的像、中山先生的遺像也獲准懸出，掛在毛澤東像的下面，中山先生的遺像剛懸出來，許多人眼圈都紅了。民革副主席之一的熊克武坐的方向正對着孫中山先生遺像，他悄悄走到對面坐在邵力子傍邊。

邵力子很奇怪問道：「你的坐位是排定的，怎麼隨便更動。」

熊克武搖搖頭：「那個座位正對着總理遺像，我感覺先生只是望着我微笑，我受不了，全身都在冒冷汗，所以搬到這邊來。」

邵力子黯然低下頭去，久已泪沒的良知，又蕩漾一下。

（七五）

春到澎湖

東方青白

一

一連颳了三個多月的季風，
一直冲了一個多月的寒流；
立春，三陽重生；
萬象更新，春到澎湖港頭！
× × ×
刺面的季風，不見了踪迹，
砸肉的飛砂，自己不會走；
和煦的春暉，普照着海島。
澎湖的春光，更加的幽優！
× × ×
十萬軍民同胞歡欣鼓舞，
六十四個島嶼屹立海口；
金馬是反攻大陸的跳板，
澎湖是保障台灣的咽喉！

二

看馬公港口，
碧綠的海波不皺；
水平如鏡，山低似牛，
澎湖的軍民在海濱優遊；
× ×
古色古香的觀音亭頭，
紅男綠女把幸福祈求；
西瀛勝境，海水浴場，
目不暇接，美不勝收！
× ×
傍城面海的縣體育場，
從元且開始比賽棒球！
一個鎮公所舉行國民運動，
維持了十二個年頭，難能難求！
× ×
總統賓館，介壽亭，輝譜另一頭；
西瀛勝境，春到澎湖，
眞是美不勝收！

三

依丘築城，臨海建樓；
順承門是唯一古蹟所留；
夕陽古道，金龍峽頭，
碧海綠波，倒映着萬古愁！
× ×
大西門的城口，
早已失修；
這番爲了觀光料工重修，
將看他日更有一番情由！
× ×
造工事拓寬了馬路，
建大廈拆去了城頭；
我爲馬公城的古蹟担憂，
請把這唯一的馬公城保留！
× ×

（未完）

邛都憶往（十七）

李仲侯

廿五日大清早，我們獲得撤退的消息，台北市方面還派了一架軍機來接我們，不過機的噸位很小，最多只能載十五六人。這日是星期天，我還去總部各處作了一次最後的巡禮，只看到了幾處值日官，各辦公室的檔案文書，早就燒得一乾二淨，只有幾架電話機，還靜靜的擺在辦公桌上，我出來到達小廟機場，已是中午時分，坐在候機室內和管理機場人員聊了一些不相干的話，無意中推開窗門望去，外面靠近一條大馬路，遠遠的看到西昌方面（小廟距城十五里）有一隊服裝不整的人馬，雄糾糾踏着步伐，正對機場走來，漸漸相去不遠，仔細端詳，還是駐富林第五兵團司令胡長青將軍代託我們招募的一批新兵，領隊的是我介紹去的同鄉羅漢興，他倒是全副武裝，遠遠卽和我打招呼，他說：上午在城內出發，今晚還要趕至瀘沽宿營，素來知道我是很少跑機場的，他全未注意，認爲我是偶爾來此迎送什麼顯貴，便也含糊交談幾句過去了，望着他們的背影，正大踏步向瀘沽挺進，這件事，是我離開西昌唯一的遺憾。在那樣情況下，也委實無法明示我的行踪，這時我本知胡長青將軍在富林已遭大股匪軍攻擊，所部損失殆盡，他已退處海棠溪，還和我接過一次電話，詢及西昌情形，我勸他來城細商行止，他掉頭不顧，並說硬要和共匪死拚到底，後聞我們撤出西昌還不過三天，他就在越嶲城郊壯烈殉難，我那同鄉和那批新兵也就無法知其下落了。

場內另停有胡宗南將軍一架軍用座機，較我們的稍大，此外別無所見，黃昏時候，搭機的人紛紛而來，箱籠行李堆積甚多，人聲亦漸噪雜，七點鐘，天已全黑下來，機場遠遠的西北角上，突然人聲鼎沸，發出了怒吼，大家面面相覷，不知發生什麼事故，有些胆怯的竟拔步向機場外飛奔，後來查明，機場四周，原用鐵絲網圍，附近農莊有幾頭耕牛，衝破鐵絲，闖進機場，許多農民正在那裏圍趕。

是夜黑漆如墨，雖時近暮春，氣候寒冷，四山陰沉，濃雲密佈，恍似隆冬欲下雪的樣子，八時剛過，檢查員開始檢查行李，凡箱籠被包一概不許上機，所有衣服要帶的只准穿在身上，此外各人還帶一只手提皮包，因天氣特冷，各人就把衣服一層一層穿上，外面把呢大衣披起，裝成像個韋馱佛，應帶的儘量向皮包塞滿，其餘都不顧了。九時卅分，遙見東南方有兩道如虹的燈光，衝破大地黑暗疾馳而來，我們知道是胡宗南，賀國光兩位先生到了。

新的一頁

——一個預備軍官小記

汶津

去年夏天，我在學校辦妥了留職停薪的手續，便去軍校報到。剎那之間，我猛然意識到自已又要重新作一次學生了。而且這回更得嘗一嘗另一種滋味——穿上軍裝，甩開一切老百姓習慣的生涯。

三個月過得太快，像夜空中的一陣煙火，亮了，又消失了。投階之後，我們這羣初出茅廬的少尉軍官，便在歡送聲中登車，向曠濶的校園投下最後的一瞥。

和其他同學一樣，我被分發到部隊。經過一度的輾轉，我與二位伙伴在夜色中到達了營地。營房坐落在山坡上，海拔挺高，風砂也不小；至於那幾幢克難房子，讓一個住慣大都市的年青人看了「簡陋」二字迅速的湧上心頭。但是我却遇上了一些好長官和好弟兄——難得的「人和」！自那平淡而親切的歡迎中，我便直覺的了解了這點。

一位早我一年服役的好友告訴我：「我們預備軍官即使不帶任何『註冊商標』也足夠教人一目了然的，只爲了一個特色——嫩。」記得我是笑着聽這話的，如今我可以悄悄的求證了。

熟記着軍人禮節，讓「謝」字成爲我口邊的寵兒，我竟變得如此謙抑。我學會用最簡短的話語，換取最豐富的「行情」。

新「官」上任之後，我接觸到一些表格和資料，發現全連官兵的家世欄中，全都塡着一個「農」字。我不禁想：我的祖上也業農的。我不願有例外之感。但就憑我這個吞吸過十多年都市煤烟的異鄉人，再也無法和他們那種淳樸和坦率相比匹了。

我喜歡聽老士官們滔滔地講述他們的身世，並默默欣賞他們的神情。去年此刻，也許我正在講堂上天花亂墜的說敎呢。但在這兒，我常常學孔子自問：「吾有知乎哉？」對於他們四海爲家，歷盡滄桑的境遇，我眞是一無所知啊。

土腔土調的山東口音，使我這略具語音常識的南方人着實受到了考驗。尤其在說得急促如飛爆的時候，我只有以頻頻的點頭，和微笑來掩飾我的技窮。

「打過許多仗吧？」我會孩子一樣地問。

「嗨，數也數不清啦。」對方搖着頭說，也分不清是無可奈何的感傷呢，還是莫可名狀的驕傲。

於是我恍如嗅到一股戰火的氣息，驚訝於一個海南島的故事，並且在金門砲戰中身歷了一遭。晚間解衣就寢之際，我不禁怡然自問：今天又「收穫」了多少？饅頭雖早已消化了，這些卻可以儲藏得很久遠。

現在我禁不住要說一個酗酒的故事了。我是個滴酒不沾的人——我的意思是說，這十幾年來。童年時代一次無知的酒醉，着實苦了我十來個鐘頭。隱約地一種未形諸聲色的決心，使我此後一直遠離着杯中物。多少年來，我應付了許多善意的勉強。但是，在這裏，我終於又吮了幾口「苦水」。理由簡單得不值一說，當他們豪爽地向你舉杯時，你無權，也無法拒絕他們。雖然我仍技巧地只讓最少量的液體進入口腔，但畢竟我絲毫沒有爲此後悔。

那故事不是屬於我自已的。一天午後，我正被困在一叢亂夢的圍城中，一種嘶啞而奇遇異的聲音驚醒了我。我立即辨出那是一位年踰不惑的士官。過量的黃湯使他失去了平昔的老成。只聽得他間歇的暴風雨似地哭喊着，好像要把半生的委屈都傾洩出來。並且不時地喚着自己的名字，那聲調夾雜着凄切的感慨和不自覺的自尊。連長親自勸他，哄他，命令他，甚至罵他「沒出息」，想激將他，都沒有及時生效。僅持了十餘分鐘之久，他才被別人強扶着離去。

事後他受到了輕微的處罰。我從側面得知，那是他第一回的酒後失態。

新年的時候，大家都興高彩烈的喝着酒，猜着拳，我恰巧走過他的身邊，不經意的問他：「不喝酒嗎？」

「不。」他嚴肅非凡的說。「永遠也不喝了。」不喝。」說不喝就是

「發過誓了？」我半玩笑、半認眞的追問。

「你走着瞧吧，一輩子不喝了！」

我很感動，也爲他覺得快樂。不自禁的，我想起他的兩個孩子巳有十多年沒見到他們的親爹了。我要告訴他們，把老人家還是一樣的健壯，一樣的可敬。

海嶠塵談

談趙戴文

諸葛文侯

上次我談太原之行的史事，提到當時的晉北鎮守使趙戴文（次隴），後來我做過他的僚屬，想起此公，亦有足資稱述者。

我當年經過大同時，雖然趙鎮守使不在防次，總認爲他一定是個晉軍的高級軍官，等我到了太原，在督軍署宴會中跟他初次晤面，覩其容貌，頗類侏儒式人物，再瞧他穿着軍服對閻督軍舉手行禮的姿勢，爲之啞然失笑。後來據那位負責招待我的龍君說，趙鎮守使在太原城內，有時候戎裝乘馬過市，但需衛兵牽着馬繮而行，以防有疾馳摔下來的危險。因爲他是個純粹的文人，軍旅之事，未嘗學問，然既爲堂堂鎮守使，又不能不表示一些軍人的生活行動也。我說閻公何必敎他担任鎮守這種高級軍職呢？龍君謂趙次老與督軍關係極深，又係小同鄉（五台人），在山西政壇上，資格很老，且淡於名利，各方面對他皆表尊敬，敎他作鎮守使，旨在協調軍方的人事磨擦而已。此時我對趙氏的觀感殊不佳，覺得他作文官亦不過是百里侯之類的材料。

民國十八年他奉命到南京做內政部長，這時候我是內政部參事，見他只帶來一位速記員到部就職，且當着部內各個高級職員面前，懇謂前任部長薛篤弼道：「子良老弟，我這次祇帶了一個速記員來，爲的是我說話的五台鄉音太重，別人聽不清楚，否則連這個速記亦沒有任用之必要。部裏的大小職員，你可不能帶走一名（薛氏轉任衛生部長），以免令我爲難。你若不接受我的要求，那就是對不起我！」他這種天下爲公的風格，把原有對他的蔑視心理，一掃而空了。他在部裏核閱公文，或處理重要事項時，必請主管司長，次長和參事們，在部長室坐着商討，得有結論，然後判行發落，從不單獨裁決，十分虛心。這種公正的作風，卅年來我未曾見有第二個，實在難得。每逢星期一紀念週，他總是講述孟子的學說，部中大小員工，每人都由他購贈一部孟子書，他所講的孟學，頗多新義，可惜他的語言很多人隔膜不明，這是美中不足的事。

民十九年中原大戰前夕，他已轉任監察院長（副院長陳果夫），中樞派他回晉勸阻閻錫山馮玉祥勿啓內戰的戎端，他臨行把南京高樓門閻百川給他購置的住宅，敎我遷居其間，乃發覺他棄置西式洋樓不住，另築平房一椽，後有舊式茅厠，原來他不慣用抽水馬桶，非蹲着即不能通便哩！他一去即不復返金陵，我纔恍然他要「託其居室」的用意所在，心細之至。直至民國廿一年秋，我移家出京，把房屋交還時，他寫信給我，大讚我的道義精神，實則佔便宜的是我，講道義的是他。這亦可見老輩人的風範別有不同，大足以覘世道人心之趨向也。

屠蘇酒

春陽

正月節物多，唐時元旦有屠蘇酒，五辛盤，膠牙餳，人日有煎餅，上元有絲籠，立春有綵勝雞，燕生菜。其中屠蘇酒，宋時巳不明其所以。據陳元靚歲時廣記引宋歲華紀麗：俗說屠蘇酒者，草庵之名也。昔有人居草庵之中，每歲除夕，遺里閭藥一貼，令藥浸井中，至元日取水，置於酒樽，全家飲之，不病瘟疫云云。

內備警台報字第〇三一號內銷證

自由報

THE FREE NEWS

第一一二期

中華民國僑務委員會請發
台教新字第三二三號登記證
中華郵政台字第一二八二號執照
登記爲第一類新聞紙類
（本報刊每星期三、六出版）
每份港幣壹角
台灣本售價新台幣貳元
社長：雷嘯岑
督印人：賈行雷
社址：香港銅鑼灣高士威道二十號四樓
20 CAUSEWAY RD 3RD FL.
HONG KONG
TEL. 771726 電報掛號：7191
承印者：田風印刷廠
地址：香港灣仔高士打道二二一號
台灣分社
台北市西寧南路壹壹柒號二樓
電話：三〇三四六
台郵劃撥儲金戶九二五三

從一本書談到中國教育問題

唐昭祺

全國第四次教育會議於二月十四日在台北舉行，前任教育部長張其昀，在會前一月，曾有「景福門回憶錄」的著述發表。（景福門爲舊日台灣省城之東，正對現總統府，教育部即在後側。）暢述其四年半任期內各項教育，文化之重要措施，及其所依據之理論，與所追求之理想。惟於其繼任者（梅貽琦、黃季陸）均有所因革損益，故此一「回憶錄」之發表，不但爲關心教育人士研究此中得失之所本，亦可作此次會議參考改進之重要文獻。

我國教育，文化措施，在開國五十多年中，是議論最多，問題最複雜的一環。一方面是學制如何配合現實需要，以擴大教育的成效；另一方面是文化思想體系的如何建立，以迎頭趕上時代，促進國家社會的進步與發展。本報於前數期所刊載胡適與徐復觀兩位先生的文章，辯論東方文化——亦即中國文化應否存絕興廢的問題，即顯示我們教育文化思想，到目前爲止，仍舊針鋒對壘，各持所見。胡適先生是國內外知名學人，又是中央研究院院長，和國家長期發展科學委員會的主任委員，其思想言論，可產生一定的影響作用。如果這個關鍵性的問題，不求出一個明晰的方向，教育的百年大計，無論是國民教育，或高等教育，均頗難求出它的良好結論。

「景福門回憶錄」，從張氏在教育部長任內，其對中國教育文化確有一套體大思精，涵融並蓄，既足以發揚固有傳統文化，亦足以兼取西方學術思想的劃時代建樹。張氏以眞、善、美、聖爲鵠的，俾達成科學、倫理、藝術、宗教等四位一體之教育宗旨，並以其所釋設之「中國文化研究所」所屬之十大部門：「即（一）哲學；（二）教育；（三）宗教；（四）歷史；（五）地理；（六）文學；（七）美術；（八）音樂；（九）戲劇；（十）建築等研究所竟其事功。在科學發展方面，張氏在教育部任內有自然科學獎金一百名，以與人文科學齊頭並進。而「中國學術發展綜合性長期計劃」之規畫，更爲爾後「國家長期發展科學委員會」的「國家長期發展科學綱領」所承襲其中科學的一部份。胡適先生數十年認爲科學足以教國，故特別偏重於此。惟近世器道二元的理論，是否仍認可其存在，而此種劃裂輕重，是否必要，亦十分值得商榷。

張氏對消除「惡性補習」，舉辦「免試升學」，延長義務教育，以維護學童身心健康，增進國民生活知識技能，頗具信心，惟繼任者未能繼踵前修，至爲惋惜。但以潮流所趨，與社會現實的需要，此項延長義務教育的決定，已成莫之能禦之勢。至於普及科學教育，使「科學進入農村」；建設「社會中心教育」，實現「政建合一」，張氏在其任內均有卓越之貢獻。其根據「民生主義樂育兩篇補述」所規劃之台北市南海學園，台北縣板橋學園，及蘆洲學園，規模宏大，文物燦然，尤爲莘莘學子絃歌雅集，治學觀摩之所。所謂「甘棠遺愛」，遊憩此間，未嘗不想念其山高水長之風。

我個人認爲當前教育文化思想，西化與國粹之爭，均屬一偏之見，惟截長補短，兼融並治，去其糟粕，擷其精華，文明乃能源遠流長，發揚光大。美國爲當今科學最發達之邦，而其對人文宗教的砥礪奮發，卻有唯日不足之感。我國科學發展，雖未能趕上歐美，但我國科學人才並不稍遜於歐美，問題在於我們如何發展國內的科學研究環境，而科學研究環境，教育祇是其中之一端。在一個經濟開發落後地區，科學是不大容易長成的，即使有少數將殊成就之士，亦將楚材晉用，不獲施展其才能於宗邦。所以發展科學，不能僅憑教育。我們敢說，以中華民國而言，發展科學的最大障礙是財力的缺少，和產業基礎的薄弱，不足以支持這一龐大事業的推進。至於我們的傳統文化，精神文明，不但不足以阻礙科學的發展，反足以促成它的滋長茂盛。因爲科學的根苗，是適合在文明沃土中生長，而不宜在於蠻貊草野之中發育的。

因此，當前教育工作之急務無過於從基礎上培養國民的德、智、美育，建全國民的身心健康，增進他們的生產技能，謀國家的產業經濟發展，使每一個國民不但有接受和發展科學的頭腦，而且亦有發展科學的環境，並利用科學，以增進社會人羣的福祉，使人類漸進於眞，善、美、聖的境界。可以說，發展科學是促進人類更趨文明的一種手段，而不是它的最終目的。惟其如此，所以在發展科學的用力上，要時時兼顧到仁智雙修，不可偏廢。祇有納粹和共產主義，才不顧一切，集中其全力以發展科學，復利用獨有成就的科學，作爲其對內奴役鎮壓，對外侵略擴張的工具，造成人類因科學的發明與進步，而遭受到無比的浩劫。

張其昀在其教育部長任內，他認爲他確曾替我國教育做了不少有價值的工作。別人批評他「百廢俱舉，一事無成」。但教育工作決不是一朝一夕可以呈功見效的，而且教育更不像練軍隊那樣單純，它必須「細針密縷」與「大刀闊斧」雙管齊下。既要着準遠大目標，又要從基礎上做起。他做的許多事情，雖然頭緒紛繁，種類多端，但都導源於一個完整的思想體系。所以「景福門回憶錄」這本書，是當研究我國當前教育問題的參考；也可以從這本書上，對作者個人在中國教育工作上，評定他的價值。

（二月十二日於台北芝山岩）

虎年扮虎

爭骨頭

自由談

自由人類的噩耗

上月廿八日美聯社由華盛頓發出電訊，報導參議員塞爾蒙爲進行調查國務院禁止軍人發表反共言論的工作，被國防部長阻碍犄制後，他公開致書於選民，指出國務院審查人員的報告使他特別震驚，內容歸納爲四點：不相信世界共產主義的陰謀性質，一也；認定蘇俄將逐步改變爲非侵略及和平的社會主義國家，二也；堅持着美國希望各國能依其所好，選擇政治制度的原則，即使他們選擇了共產主義亦無所謂，三也；美國所要阻止的，祇是向外侵略的那種共黨，四也。這與羅斯福，杜魯門執政時期的國務院官員，如拉鐵慕爾，戴維斯，范德宣那般「太平洋學會」份子的思想沆瀣一氣，亦就是現在圍繞甘迺迪總統左右那批哈佛大學出身的智囊人物所贊許的意見。羅，杜二人已經把中國的廣土衆民斷送於俄共集團之手，如今眼見甘迺迪這位標榜「新境界」的總統又要將寮國淪於赤化，還有若干弱小民族國家，很可能在美國領導之下，逐漸陷入共黨的魔掌中，非等到共黨在華府廣場上揮着紅旗，舉行埋葬資本主義王國的「美帝」喪禮時，民主黨人這種自詡爲開明進步的幼稚思想，是不會終止的！

美國的官員們不相信國際共產主義的陰謀性質，殊不足怪，因爲他們的文化根基很淺薄，而又藉其地緣關係與重商主義的偶然幸運以致富，滿懷優越感，自命不凡，且未曾嘗受過共產黨的奴役生活，對共產主義本質及其陰謀，當然莫名其妙。

美國人沉醉於本土安全繁榮的畸形生活環境中，提起戰爭就惶震慄，聽到俄酋唱出「和平共存」的俚曲，大喜過望，自然相信俄帝的「和平」宣傳是眞話。這與英國羅素相信共黨可能施行仁政的心情無異，都是惰性發展而已。

由於對共產主義的本質及其技倆懵然無知，而遇事總要以自己的尺度衡量別人，因此，美國官員乃認定世界上一切共黨政權之建立，都是當地人民自動自願選擇的政治制度。這跟兩年前我在西德佛蘭克福市街上，被一位年登耄耋的老翁質詢說：「你們中國人爲什麼不舉行投票，把毛澤東那混蛋主席趕走？」的知識，有異曲同工之妙。他們認定在鐵幕內生活的人民，亦像美國或英國人民一樣，擁有自由投票選擇政治制度和執政人物的權力。愚昧至此，眞是無話可說了。

美國官員既然相信蘇俄將逐步改變爲非侵略而和平的社會主義國家，又說美國要阻止那些向外侵略的共黨，似係自相矛盾的混亂思想。究其實，他們所謂「向外侵略的共黨」就是中共，因爲中共反對「美帝」最激烈，然中國距離美洲極遠，決不怕中共軍隊打到美國來，祇要俄共和平共存了，美國官員即不妨放大胆量反對中共，目的在使中共知難而退，改變態度以與美國和平共存，貿易通商。至於中國人民過着奴役生活，那就是粵語所謂「好少理」，又說是「關人？」了。

對着有智慧的人談問題，自可以得到妥當的結論與解決方法；對着知識較差而肯虛心聽取別人意見的人談問題，也可能獲致合理的答案；唯有強不知以爲知，予智自雄的剛愎人物，遇事無可理喻，教人啼笑皆非。不幸今日領導自由世界的政治家，盡是些予智自雄，無可理喻之輩，這就難怪共黨魔力日益增高，而自由人類乃逐步淪於鐵幕之中，無以自拔。此噩耗也，不可懼哉！

馬五先生

××寶島之窗××

△斑馬線權威樹立靠洋人：台北市已成爲了車的世界，有車爲貴，高於步行人何祇一等，人要穿過馬路，眞是危乎殆哉！因此，年前有美國的某市長者，來台灣訪問，他看到台北市的交通現狀，深爲感慨的說道：「台北居然是人等車，在我們那兒則是車等人」。這是咱們宣傳上的一大成功，說汽車是「市虎」，「馬路如虎口」，「行人不可走」！如此傷人不動心的市虎，而又如此之多，誰敢硬闖？今天要樹立斑馬線的權威，市民應當喝彩，但不知是否眞的可以「車等人」了？

△台北市舞禁開放後，最先開張的舞廳「萬國聯誼社」，因爲新舊股東爭奪管理權，而鬧得劍拔弩張，由演全武行鬧成對簿公堂，至雙方律師在報上互登啓事，不可開交。據說此中內幕頗多，投資者多爲本省人，當初因執照難領，才由某某等活動開業，此中牽涉某某鉅公大少爺等，且有官方人士支持。某某等雖是不出一文資本，但以開創之功，淨得乾股二分之一，嗣後即把持不放，乃演成此一爭端。

斑馬線權威 從此該車等人了

陽明山會談 希望能儘早召開

△一個名叫「公共行政及企業管理」的「中心」，據說要在四月初成立了。在自由寶島，「中心」猶如「之家」，已成爲時髦名詞。這個中心，照樣有美援，也有美籍顧問。並且在一般教育訓練之外，還準備對政府及企業，提供資詢意見，或研究政府所送的問題。此頗令人懷疑：公共行政，企業管理，難道眞是因爲我們沒有一個「中心」嗎？然則有了這個中心，我們今後就可希望一切能攬好了嗎？又沒有美援，沒有美籍顧問，難道就成立不起這樣一個中心嗎？以及有了美援；有了美籍顧問，我們才知道成立此一「中心」嗎？

諸如此類疑問，說不勝說。歸根到底，除了美援中心之外，我們曾經想做過什麼？我們的大學林立，研究所研究些什麼？我們的政府，像公共行政和企業管理這樣的一個敎育訓練、諮詢研究中心也不能自力更生嗎？

△近有報紙刊出陽明山三次會談可能拖延到不知什麼時候才能召開，二月十四日，卻由中央社鄭重發佈一條花邊新聞，說陽明山第三次會談在一月後舉行，外傳三次會談短期內難舉行不確。陽明山會談前兩次早已成爲過去了，第三次陽明山會談，究竟還會談不會談，有人認爲政府應當明明白白來個昭告。蓋團結海內外反共人士，乃刻不容緩之急務也。如果還要繼續召開，則一年之計在於春，也應是時候了。（匡謬）

建軍土改兩大成就之外
台灣的幾項進步事業
公教人員保險制・醫藥設備完善。
郵政效率高强。公共交通亦良好。

（本報記者台北航訊）中華民國政府播遷到台省已歷十二載了。在這十幾年之中，整軍經武，生聚敎訓，可謂不遺餘力，而以軍事方面的成就特多。關於政治上的新猷，世人多注視於台灣土地改革政策之成功，而忽略了其他方面的進步且因某些政風不無腐敗低能的現象，認爲政治建設的成績不如軍事遠甚。實則有幾項進步的事情，不特過去在大陸上所罕見，即在今日亞洲各地區，亦應首屈一指的。

第一：台灣現推行的公敎人員保險制度，除英美諸國以外，殆爲任何自國家所不及，而台灣醫藥設備之進步，在亞洲亦少有媲美者。政府每年對於公敎人員疾病保險費用之支出，其數字相當龐大，若論國庫收入實況，很難負担的，但政府毅然實施，使一般淸寒的公敎人員，減少因財力支絀而枉受疾病侵蝕的痛苦，譬如有些需要住醫院施行手術或須使用貴重藥品治療的疾病，倘在日本或香港這些地方，非中人以上之資，即休想問津，但在台灣，公家基於保險制度，可替他支付半數以上的醫藥費。當年爲實現這項保險政策，首先倡導促進最熱心的人，就是現任行政院退除役軍人就業輔導委員會副主任委員趙聚鈺氏，其次則爲立法委員們竭力贊成。等到政府決定施行時，旅居台灣的美國朋友亦大爲詫異，覺得這是一項了不起的事業，他們很替中國政府的財力就憂，但迄今行之數年，政府還是支持下去了。

台灣的醫院，除了舊有的台大醫院以外，還有省立「松山療養院」，私立「中心診所」，公立「榮民醫院」，各科醫師盡係中國第一流人才，而設備亦很完善。只是台大醫院較差，但它亦有一種好處，即決不使用或出售假藥，有若市面藥房摻雜僞質的情形。現代治療癌症的最新式藥物「鈷60」這種高貴設備，台灣亦有。尤其是「榮民醫院」的設備最完善，規模很宏偉，管理亦甚縝密，雖然是專爲軍人而設立的醫院，但普通人民亦可以就醫。記者於三年前在日本東京看到「東京醫院」（即原有著名的「帝大醫院」）那種混亂情形，比現時我們的「台大醫院」更糟糕，病人施行手術時，旁人隨便進去參觀，即此一端，可概其餘了。台灣的醫藥費亦不便宜，然公務人員有了保險費的公帑挹注，負担乃輕鬆得多！

第二：台灣郵政已做到了迅便確實的效能，比較日本和香港都高強倍蓰其他的亞洲地區，更無論矣，即英國本土亦復望塵莫及吧？在台灣任何窮鄉僻壤，皆可通郵，如東西橫貫公路兩旁亦不例外，並且可以投寄航空郵件，有專車遞送到飛機場所，決不稽壓停滯。台灣的郵局又能代寄特別包裹，如棉被，粽子之類，這是別的國家所沒有的事。住在交通方便的都市中的人，每逢有緊急事情要發信給親友時，祇要寫明「限時專送」字樣，花兩元台幣（折合美金四分多），在兩三小時之內，一定可以送到收信人手中。郵局更隨時派人查詢郵遞的時效情況，藉以參考改進，表現實事求是的認眞精神。

第三：台灣一般交通情形很良好，鐵路火車准時行駛，除非臨時發生故障，開行和到達的時刻，絕對準確，車站上的秩序亦不紊亂，像過去在大陸上苦力搶運行李，旅館爭攬旅客下店的現象是沒有的。台北和台中市的公共汽車，座位很舒適！—都是皮墊彈簧椅！—乘客雖然擁擠，但秩序很佳，大家排隊，依次魚貫上車，並無爭先恐後，相互擠奪之象。車上的售票員盡屬女性，服務甚勤實而誠懇，如香港報紙記載當地「巴士」售票員對乘客不禮貌，甚至毆辱乘客的怪現象決不存在。

這是今日台灣值得稱讚的幾項社會建設事業，如果一般政治人員亦能具有此種爲人民服務的精神與作風，中華民國的復興，即翹足可待了。（二月十五日於台北）

蘇東啓案的關鍵
是反對？抑是反動？

（本報記者台灣航訊）台省雲林縣議員蘇東啓被治安當局拘捕訊究的消息，海內外報紙已有記載，上月台灣警備部發言人曾對外聲明，謂蘇東啓被拘訊原因，與組織新黨問題無關，他是犯有實施叛亂的罪行。記者近來從各方面調查蘇案眞象，他確有暗中誘惑國軍某部士兵，進行暴動的行爲，且在他的家中查獲了一些秘密文件和旗幟符號等等，本案正在軍法審訊之中，不久將可判決公佈。蘇東啓與台灣省議員李萬居，是雲林縣的兩大聞名人物，他的年齡比李氏輕得多，只有三十幾歲。他爲人勇於任事，過去曾經競選雲林縣長失敗後，對現實政治即深致不滿，當雷震等從事新黨組織運動時，他亦是熱心贊助之一員。因此之故，人們對於他被捕的觀感，總以爲必與新黨問題不無關係，然治安當局正式否認，而軍法審訊又不公開，社會謠言就多了。上月李萬居在省議會所提十餘項質詢問題，亦涉及蘇東啓被捕事件，省主席周至柔未予正面答復，更引起人們的疑問心情。據記者所瞭解，當局不願披露案情的內容，亦有其不得已的苦衷在，且可以聯帶報導一點關於雷震案情的採訪線外消息。

雷震被刑徒刑後不久，胡適之先生從美國回來，本想到監獄裏去看看雷氏的，事前當然要徵取當局同意。據聞當局會將雷案的詳細內容和證據，交給胡氏看過其中有些證件很重要而判決書上未便說明（大槪是雷氏策動某種革命行爲的文件之類），方知雷氏當時由反對派走進了反動派的道路，認爲越出民主憲政常軌，乃放棄了探監的意念。世人不察，每以胡氏在海外曾爲雷震辯護，回國來竟不去探視一下階身縲絏之中的老友，似乎不合情理，殊不知此中別有隱情，未宜錯怪胡氏的。藉此我們也可以理解治安當局說蘇東啓被捕與新黨運動無關的話，似有其可以置信的事實存在着，而雷案公開審判，蘇案卻不公開審理的所以然，亦可想像了。（凌雲）

教育會議・七代同堂
百年大計・地上太空

（本報記者台北航訊）第四次全國教育會議於本月十四日在台北揭幕，爲期四天。海內外被邀參加會議的教育界知名之士及專家，逾三百之衆，誠盛事也。

全國教育會議，第一次在民國七年五月十七日至二十八日，在南京舉行，由蔡元培主持；第二次是民國十九年四月十五日至廿三日，在南京舉行，由蔣夢麟主持；第三次是民國廿八年三月一日至九日，在重慶舉行，由陳立夫主持；此次在台北舉行四天，由教育部部長黃季陸主持，距上次會議時間已達廿三年之久。

第四次全國教育會議，與會人數比之前三次，爲最多的一次，尤其是專家多。出席會議者中，有七位前任及現任敎育部長，依次計爲蔣夢麟，王世杰，朱家驊，程天放，張其昀，梅貽琦及黃季陸。黃季陸笑謂爲「七代同堂」，果然，他是第七代了。

至開幕之日止，大會共已收到提案一百五十件之多。這些提案分成十一類，亦分十一組審查。提案中最重要者，是改訂學制，改進高等敎育，加强科學敎育，積極進行特殊兒童敎育，大衆傳播敎育，及敎育部提出的「生活敎育方案」等。

我國敎育制度，從民國十九年第二次全國敎育會議制訂敎育制度，至今已達三十年之久。這幾十年中人家已從地上走到太空，我們的學制早已與時代脫節了。此時此地，召開會議來研究國家百年大計，正是理有固然，勢所必至，而有重大的意義。（燕謀）

台北市七議員
硬要街頭演講

（本報記者台北航訊）由台北市非執政黨籍議員張詩經、黃信介等七人所發起的「街頭演講」，因警局不予批准，但張詩經等已發出「海報」，似有不理會禁令，繼續照原定計劃進行之勢；若然，警方屆時勢必出而干涉，則糾紛，誠恐難免，如何發展，深爲各方所矚目。

根據本報記者所得消息，張詩經等議員要攬「街頭演講」，其最終目的，雖爲罷免黃啓瑞，從而達成另選市長，藉求覬覦北市政權，但彼等何嘗不知，眞欲罷免成功，所費手腳甚多，彼等有無此種能耐，大可懷疑。前次亦係由彼等所攬起的罷免副議長周財源終於失敗之事，即爲前車之鑒。此亦所以，張詩經等迄今尙未敢正式宣稱要進行罷免黃啓瑞也。因此，據幕內人士談，彼等攬「街頭演講」之目的，其實僅止於造成空氣，爲彼等做一次政治宣傳而已。

因此，有不少人認爲，執政黨與其採取不准許彼等「街頭演講」的辦法，反不如大而化之，任由他們表現一番，以聽起哄始，亦以聽起哄終之爲愈。至於如今採取的禁止辦法，於法固然有據，但如彼等果眞不理禁令，擾其「街頭演講」，而由警方加以取締，此其結果，大之說不定會釀成「糾紛」，小之亦必造成「新聞」，前者固然不是好事，後者更使彼等達成宣傳之目的矣。畢竟如何發展，當拭目以俟之。（權）

〔採訪線外〕
台北過年在緊吃
公車破例鮮糾紛

△抗戰時有「前方吃緊後方緊吃」的意存警惕的話，現在的自由中國，前方雖未吃緊，後方則確實在緊吃。

據台北市家畜市場管理處的統計：二月二、三、四、這三天，即大年初一的前三天，台北屠豬達一〇，三五〇頭，較之去年同期的九，六九七頭，增加了六五三頭。粗畧估計每頭豬一二〇台斤，共達一百廿四萬二千台斤，即以台北市人口一百萬計，每人亦吃了豬肉一點二四台斤。

△本報上期會報導，台鐵路局在大年初二創造了客運紀錄，一日間運載旅客四十八萬。現在台北市公共汽車在過年期中的運客紀錄亦出來了，計五天之中，每天運客都超過七十萬名。

每天運客七十萬不算是了不得的事，但五天來公共汽車很少發生糾紛，又無行車事故，則確實算得是破紀錄的。（覘）

寮局益危急

美居然又扣發經援
寮國政府勢難支持

（本報永珍通訊）寮國局勢更趨危急，邦安親王與諸沙旺將軍領導的寮國王室政府，雖仍在繼續盡全力的加以挽救，但除非西方國家特別是美國政府能夠改途易轍，否則，寮國現政府的努力，將只是拖延時間的掙扎而已。

共產集團收拾寮國的戰略，仍然是會場戰場兩面並進的「雙刀鋒辦法」，亦即是「談談打打」的辦法。共產集團可能是更希望在會場上不發一槍一刀的手段取得寮國的，這手段目前還是那個成立「聯合政府」，由詐稱「中立」的富馬出任首長，而富馬却其實在共黨控制之下，口稱中立，其實絕不中立。但共產集團並未放鬆從戰場上取得寮國的另一辦法，南塔之戰，便是其例。共產集團儼然是企圖藉加強戰場上的壓力，以便其由會場上去摘取果實。

如果祇是共產集團的壓力，寮國現政府還有若干希望能夠屹立不搖，但不幸，除共產集團之外，西方國家，居然亦在與共產集團一鼻孔出氣，對寮國現政府施行壓力——美國之採取本年來已第二次的扣發對寮經援之事，竟連華盛頓官員，亦承認這是壓迫寮國政府對組織「聯合政府」作出讓步所採取的步驟。這更加困難了寮國現政府的處境。

寮國現政府官員，對於美國此一壓力之來，頗爲震驚，亦特別痛心！他們確實料不到美國居然到這個時候，還採取這個從背後刺殺寮國的「犯罪」手段。在美國如此倒行逆施的壓力下，寮國現政府還能支持多久，很值得懷疑。（協）

香港與大陸

▲據最近由上海來港的張先生說：「我是在上海××國營織廠當工人，已有八年多的時間了，每月的工資五十多元。在工廠裏的工人，配糧比較普通一般市民要多一些，我每月配大米二十市斤，雜油（黑色）二兩，食鹽二兩，可以吃得一個半飽。在上海市面上，有自由市場設立，有些東西可以買得到，但是價錢貴得嚇人，如一條洗面手巾，起碼要三塊錢才買得到，雞每斤貴到十二元（共幣），僱客多是那些做官的共產黨人，普通人想買亦買不到的。」

又說：「我們在大陸的人，每個人可以說都很有錢，因爲我們每月都有工資收入，但要想拿錢去買一點東西，根本就沒有買，所以形成有入無出的怪現象，而每個人都有一大把的紙幣貯存起來，沒有用處，假如聽到誰有金飾外幣轉讓的話，那眞是搶手得很。現在，黃金黑市價每兩已炒到一千二百元左右（共幣）。」

▲據一位名叫阿芸的女工說：「我是在香港敍舍道××號打工，今年正月二日，我回到惠陽鄉間去拜年，順便去看看我多年沒有見面的母親和弟妹們。當我返抵鄉下，首先看到家裏的人那種憔悴凄涼像，使我心頭實在是難過極了，我母親對我說，假如有人來我們家裏談話，你要小心，不要亂說話，最好以緘口爲上策，說錯了話，是很麻煩的！我聽後更難過了。所以，我共無心多住下去，也免得消耗家裏的糧食。母親弟妹就因爲吃不飽，早已皮黃肌瘦了。」

論當前台灣高等教育之弊

黃少游

現在中華民國第四屆全國教育會議已於二月十四日在台北開幕了，作者執教大學前後達二十餘年，願就平日所見現在台灣高等教育之弊，特提出若干犖犖大者，以就教於全國教育會議諸君子之前。

昔德菲希特氏（Fichte）於德國受拿破崙蹂躪之後，曾在「告德國國民書」中有謂：『若知國家之所以敗，卽知國家之所以興』。作者不敏，本文卽師此意，卽吾人欲振興今日台灣之高等教育，必先知今日台灣高等教育弊端之所在，夫然後始可以談今日台灣高等教育之改革，此事理所必然，邏輯所歸趨。

夫高等教育，乃別於中等教育而言者，其中包括專科學校，大學及研究所，而其目的，就一般而言，則在造就專門技術技能（專科學校之宗旨），高深學理（大學宗旨）高深學術（研究院所之宗旨）及國家最高幹部或領袖人才（如英國牛津劍橋及美國哈佛與哥崙比亞等大學）故它也不同於普通的國民教育。

現在台灣高等教育，發展甚速，惟因有關方面對此，認識不清，了解不夠，故發生以下列諸弊：

第一、專科不專。原專科學校，乃在造就專門技術及技能人才，其目的乃在實用而不在於高深學理及學術之研求，故其在學期間短，二年或三年，如農業專科，工業專科，商業專科，行政專科，師範專科，會計及統計專科，水產專科等等，要皆在實用或應用。蓋此有一定之目的與作用，惟近年來因大學之「風」，「風」靡台灣，故造多專校不專，而好高鶩遠，意起而思升格，而改學院（大學），而根本違反專科教育和專科學校之目的宗旨和作用而不自知此實爲遺憾！因專科學校之設，乃在適應農工商業社會及地方行政之實際的需要，而其專科教育之本身，又先天的充分帶有濃厚的職業教育性，它與大學以研究高深學理學術者根本性質不同，故此非學校升格問題，乃學校變質問題（卽以注重科學技術技能之應用爲主之專科教育，一變爲以注重科學高深學理研究之大學教育），此風不戢，其害無窮。

第二，大學不大。所謂大學，必須一切顯示爲大，如研究的爲大學問，大理論，大問題，如所造就的爲大學者，大人物（如政治家，科學家，文學家等等）。準此以論，現在台灣的大學實不夠大，他（她）們根本都是在被動的學習（上課聽講），而非自動的研究，所以大學問，大理論，大問題，根本在他（她）們沒有，至於大學者，大人物，學校既沒有這樣的教育理想，他（她）們根本也沒有作如此想；他（她）們大多數唯一的祇希望四年畢業考試及格了，出校去撫撫自己的命運和家庭社會關係，謀得一份相當的職業吃飯就如願了。

第三，研究院所不研究。研究院所，應該是國家的最高的文化和學術人才薈萃的機關，它應該負起，「究天人之際，通古今之變，成一家之言」的責任，而不應該單祇是學分修畢了，照例的投予碩士或博士的學位的洋玩意兒的機關，它要對國家學術與文化有最偉大的貢獻——時代、人物和思想。換言之，要對中國學術文化負起繼往開來及創新的任務。因此，現在研究院所本身，應該多在「究」字，「通」字、和「成」字等方面用功夫，有表現和貢獻，而似不專在造就「碩士」、「博士」或大專教師爲職志。（按現在大學研究所「碩士」和「博士」多留在原大學任教）同時「研究」與「教學」二者本非一事，故研究者未必能（善）教學，而教學者又未必能（善）研究，此理凡稍懂教育者，必能道之，故不贅言。

第四，有學閥而無學派。學閥可畏，學派可喜；學閥足以敗壞教育學派可以振興教育。何謂學閥？曰利用學術教育而把持學術及教育機關，而排斥異己者，爲學閥。何謂學派？曰對於某一學問都能「言之成理，持之有故，而非人云亦云底各不同其主張者之謂。大學既爲大而且又爲研究最高深學理之機關，自應容許各種見解不同學派之存在，所以，百家爭鳴，萬花齊放」，要爲大學內應有之學術氣氛，否則學閥操縱權利是圖，學派排斥，學術死寂，則大學直爲學閥之佔領地，學術研究云乎哉！現在台灣各公私立大學學術研究空氣既不濃，而眞正在學術上之學派又談不到，豈可哀也！

第五，有學系而無內容。現在台灣各公私立大學，分系過密，學系過多，內容缺乏，或可謂無，實爲大弊。現在，若干學系畢業之學生，其所習之課目，猶不如往日其他學系之多之精，例如從前政治學系，經濟學系和法律學系等三系所學之學科，而現在竟分爲政治，外交、邊政、經濟、財稅、國際貿易、銀行、會計統計，法律等九學系學習，卽此可見程度水準之降低，分系過密之不合理與遺誤青年學子大學光陰之一斑。

第六，有教員而無職員。查職員與教員，任務不同，才能不同，不能相強，蓋因善於職者，未必善於教，善於教者亦未必善於職。惟現在台灣各大學職員，除校長外，其餘職員如教務、總務、訓導三長，各院院長、秘書，各系主任，各組主任等等，均須由教員（教授，副教授或講師）兼充，此實最僨事與不合情理，蓋此不但違反一個人的志趣專業和才能，且貽誤教學與辦事二者甚太，此實卽應研討與改進者。

第七，普通課多專門課少。大學非中學，故專門課應多，普通課應少或無。而現在台灣各大學一年級所修之課程，大部爲在高中所應修畢，或在舊制大學預科所應修畢之普通課程，因而學生上課忙碌，無暇自修與專門研究，今後若掃除此弊，或在學制上縮短中學爲四年制，恢復大學前制（卽二年預科四年本科）或在課程上，提高中學教員素質，加強高中大學預備課程之完成，而使今後大學一年級不再授普通課程（如國英數等）如此則大學水準必可高。

以上七弊，要爲今日台灣高等教育所顯露出者，若從教育政策方針制度和人事方面加以改革，則幸甚矣。

寫君續夢

第三回：掩面向黃泉，貳臣遺恨；低頭拜白虎，帝子驚魂

李濟琛在台上捧着統戰部發給的演講詞，氣喘吁吁的唸道：「我們民主黨派的成員十年來在共產黨教育和幫助下，一般都或多或少的爲社會主義革命和社會主義建設做了一點事，我們要在今後作出更多的貢獻，就必須繼續在共產黨的領導下，在社會主義崗位上，不斷地通過實踐和學習來加強自我改造，爲偉大的社會主義事業服務，是我們無上的光榮，無比的驕傲。」

李濟琛讀了一半，已經上氣不接下氣，回頭看見統戰部的人正在注視他，連忙擠出丹田的氣，大聲讀下去，讀到最後兩句，照例要舉手高呼，他剛剛喊出「無上的光榮」人已經打幌。不過，心裏還明白，知道剩下這一句不喊完，明天一定要遭李維漢半天的罵，當時左手扶着桌角，閉着雙眼，把全付精力用到右臂上，舉手又高呼一聲：「無比的驕傲」，「傲」字尚未落音，人再也支持不住，一個倒栽葱從講台上跌下來。

李濟琛一跌下來，民革人員頓時亂成一團，但是，統戰部不下命令，誰也不敢動手去救護。邢西萍緩緩站起來問道：「任公，跌傷了沒有。」

李濟琛沒有開口，邢西萍跳下講台一看李濟琛面如金紙，呼吸急促，已經人事不知。邢西萍知道這不是假的了，擺手叫過來民革兩位中委，盧郁文和余心淸，指着李濟琛說道：「你們兩位把任公送到人民醫院去。」回頭向會場打個手勢：「大會不要散會，舉一位代理主席，繼續開會。」

民革委員聽說邢西萍讓大會舉一位代理主席，頗感意外，一般慣例，民主黨派負責人及各部門主管，都由統戰部事先協商的，這次要自己選舉，大家自然覺得奇怪。

在邢西萍來說，他不肯當場指定，也是他的聰明處，民革當前有七名副主席，卽何香凝、程潛、蔡廷鍇、張治中、熊克武、鄧寶珊、陳紹寬。其中何香凝是廖承志的母親，國民黨元勛，幫共產黨的忙幫了幾十年，毛澤東見到她都恭而敬之。程潛是林伯渠的姻丈，又是湖南人，很受毛澤東重視，早有問鼎民革主席的雄心。張治中和毛澤東有特殊關係，除非他不想當民革主席，否則誰也不能抗手。鄧寶珊是毛澤東的親家，雖然毛岸英死了，可是鄧雪梅尚未嫁人，親家關係還在，憑此關係，一口氣當了十年甘肅主席（省長）。這四人實在地位德齊，各有千秋。邢西萍若貿然指定一人代理主席，恐怕最後鬧到毛澤東那裏他扭不了責任，所以他打一套太極拳，要民革中委自己推。

本來程潛一看李濟琛從講台上倒下來，以爲邢西萍必然會指定他代理，那知邢西萍要大家推選，程潛不免有點着忙，不過，還抱着一希望，以爲統戰部應該可以授意大家推選他，不料邢西萍坐在講台上不開口，統戰的辦事人員每人發給一個紙條，採取不記名投票方式，這以來大家膽大了，眞眞可以自由選舉，每人寫了一張票送上去，最後由邢西萍主持開票，結果全選了何香凝，程潛只得一票，大家認得筆跡，和「養復園詩集」題簽相同，原來是他自己投的。在一陣鼓掌聲中，何香凝走上主席台，主持繼續開會。

（七六）

春到澎湖

東方青白

四

馬公的街頭，
小上海稱之無愧；
民權路上商店林立，
爆竹紙屑堆滿了街口！

×

阿兵哥氣昂昂雄赳赳，
小姐們多美麗又溫柔；
電影院外從不見黃牛，
彈子房口站着神槍手！

×

特產店裏的文石，
閃爍着歷史的火球，
糕餅店裏的花生酥，
散放着少婦的馨嗅。

×

辛勞終年的蒙面姑娘，
展露着眞面目多清秀；
海上魚郎却不停不休，
趁着和風出海把魚求。

×

春到澎湖萬象甦，
春到馬公百景秀；
風俗淳樸人情厚，
一片恭喜聲無疆之休！

五

澎湖風光許林投；
林投公園遊人稠。
巴士軍車紛紛奔馳，
自由車來去也很自由！

×

遼濶的海洋多角的海港，
島上平時被碧波鑲邊頭；
叢林遠映紅磚村樓，
海濱小丘藏着幽幽的林投。

×

蒼翠的刺柏，蓋着曲徑更幽幽，
誰能說這些柏樹祇是沙漠中的綠洲？
不祗是情侶戀儔，更有那男女老少，
趁這春日和風到海隅悠遊；

×

樹林下野餐小休，
海灘邊找尋珊枝珠球，
聽拍沙的潮聲，
起思鄉的念頭悠悠！

（未完）

邛都憶往（十八）

李仲侯

小廟機坪的四周都是靈山繞環，平時白晝飛行，一不小心，會演過撞山慘劇，黑夜起飛，實在感覺危險，那時立刻就有人想出辦法，向附近找來幾桶汽油，圍在跑道四周，桶上鑿些小孔，用火點燃，登時就發出熊熊火光，照耀如同白晝，飛機的螺旋槳剛要發動，場內閃出了一位彪形大漢，氣急敗壞的跑近機身，他跑得急，在路上跌了好幾交，滿身染上泥汚，口氣咻咻的說不出話來，原來是總部派赴西路偵察匪情的一位同事，把他接上飛機，他纔慢慢說：共匪大軍已抵瀘山，正源源渡過邛海，進佔西昌，他奉命去探，進到五里猴，遇着了匪軍前哨，被他裝故說脫了，就拚命跑來機場。還有幾位同事，家眷都在城內，聞聽我們要走，隻身跑到機場送行，臨到飛機快開動時，他們心中陡然一想，也顧不到室家了，就扳上我們的飛機走了。

春寒料峭，我雖已穿上了很厚的衣服，上飛機坐下來還是發抖，此刻疲倦既極，飛行約摸一小時，我已不知不覺朦朧睡去。記得到海口是午夜二時半，下機後，走上大街，正值宵禁戒嚴，通街店門緊閉，無處投止，最後看到三六九飯館的市招，就去拚命敲門，店內堂倌都被我們吵醒了，開門進去，那時肚內已餓得發昏，吩咐堂倌，大魚大肉，儘管端來。飽餐一頓，守候至天明，纔搬到另一旅館，走上街去，纔知海南氣候特殊，春二三月已完全是一派炎夏風光，路上行人，盡是穿的香港衫，我們自西昌穿來的衣服，一件也不適用，趕快去買些汗衫短褲之類，把服裝更換，再上澡塘泡了一回。是時海南局勢已極度不穩，沿街到處擺滿地攤，凌亂不堪，商販大叫大喊，只想脫貨求財，百貨便宜得驚人，後來我們離開海口還不到一週，海南即被匪攻陷。

我們回到旅館，就接獲飛機續航台北的通告，大家團聚在飯廳裏，無事閒聊，有些人又唸起苦經來了，有人說：可惜我的學經歷證件，連箱子一起丟掉了。也有說，我有幾十塊大洋打在被包裏一齊不見了。從前有句俗話，「下水思命，上岸思財」，原本是人的恆情，這些都是閒話，惟有臨時丟了家室而同抵海口的幾位同人，別有懷抱，呆在傍邊，一語不發。他們當然是在惦念他們的妻兒。他們一身以外無長物，倒也乾淨俐落，這批忠貞志士，後來一到台灣，各自都能開天闢地，他們唯一的希望是提早打回大陸，好去拯救他們的妻兒和同胞。時間是無情的，等待快十二年了，他們依然那末堅毅，那末自信，相信終有和大陸妻兒見面的一天。

民國卅九年三月廿八日上午九時，我們的飛機在海口向台北飛行，麗日當空，晴光萬里，下午到達台北松山機場。在卅八年底整個大陸變色後，我們這一塊在唯一獨存的西康高原上，堂堂正正的豎起了青天白日滿地紅的國旗，轟轟烈烈的發出了抗暴的號召與共匪作生死的搏鬥，閱時三月，至此終告結束，大陸也從此完全關入鐵幕了。（全篇完）

元宵談往

漁翁

術數家以六十甲子配九宮，必有一百八十年度盡，故以第一甲子為上元，第二甲子為中元，第三甲子為下元，謂之三元。上元在陰歷正月十五日，中元七月十五日，下元十一月十五日，唐宋以來，以元月望日，列為上元佳節。因此，民間對此上元節令，較中元，下元，為更踴熱烈。

上元之夕，曰「元夕」，元吳師道有元夕詩之作。一稱「元夜」，謂上元之夜也，唐人多謂上元夜，後人則曰元夜，楊奐詩：「歲歲逢『元夜』」。又名「元宵」，東京夢華錄：「正月十五日為元宵」。韓𠗊詩：「元宵清景亞元正」。元夕，元夜，除詩人詠用外，民間皆稱之為「元宵節」。

宋周必大國平續稿：「元宵煮浮圓子，前輩似未嘗賦此，坐間成四韻。」後人因元宵煮圓子，遂呼圓子為元宵。今市上用糯粉裹成小圓形，內藏片糖，煮成湯圓，名曰「元宵圓子」，一年三百六十五日，均有出售，不僅元宵為然，而由來已非一日。

元宵舉行燈市，起源於唐代，時帝王多御午門觀燈，金吾不禁，歌舞昇平，蘇味道詩：「火樹銀花合，星橋鐵鎖開，暗塵隨馬去，明月逐人來。」宋時，此風更為盛行，自宮闈以至民間，觀燈同樂，通宵達旦，勝於唐代之熱鬧多多矣。故蔡狀元君謨上元應制詩，有曰：「宸遊不為三元夜，樂事還同萬衆心。天上清光留此夕，人間和氣閣春陰。」又王翰林禹玉亦云：「雙鳳雲中扶輦下，六鰲海上駕山來。鎬京春酒霑周晏，汾水秋風陋漢才」。此皆上元天子觀燈賜宴之作，上行下效，成為一年更始最快樂之令節。

關於元宵故事頗多，茲舉一二，以佐筆談：宋眞宗時，某歲元宵，宮闈士女，皆出觀燈，王太宰會之幼子，乳名十三郎，年方五歲，帽上配有明珠，為拐竊所覬覦，在人叢中於老僕背上竊負而去，為十三郎發覺，所負異人，即將帽除下，藏之懷中，並將帽內有穿針彩線，（宋時小孩制邪之用）秘入匪徒衣領內，以備他時捉賊之標記，忽聞大官經過，郎攀轎呼救，賊棄而逃，輿中人乃宮內總管太監，知為十三郎，載之入宮，眞宗與后見之皆大歡喜，時內宮尚無皇子，以元宵得外童入宮，喜為添丁之佳兆，同時敕五城兵馬，將匪徒擒獲，後人編為劇本為「十三郎五歲朝天」，至今猶為佳話。

宋仁宗時，以廣西蠻人儂智高反叛，詔狄青討伐，軍至賓陽，適值元宵，青令營中張燈結彩，置酒作樂，作無鬥志狀以誘之，智高使諜偵報，遂不戒備，是夜三更後，青率師突襲崑崙關，一鼓下之。史稱狄武襄元夜奪崑崙，亦傳為千古美談。

明太祖得天下，定都南京，某年正月十五日之夕，微服出遊，見家家戶戶所懸花燈，有書「淮西女人好大脚」者，太祖曾與郭子興婢為婚，婢姓馬，脚大，有恩於太祖，故立為后，以燈上所書大脚，有刺諷馬皇后，不免見而憤慨，乃暗以白粉誌其門旁，回宮令禁軍按戶搜查，如有上項花燈者，舉家誅之，一時被殺者衆多；因此，燈市漸漸冷落。至明北遷後，以舞龍燈始復盛。清朝稱盛，熱鬧不在唐宋下，隨園上元觀燈詩云：「嫦娥也護燈光佛，捧出銀盤不敢明」，足見元夕燈光之燦爛，到今日殊不易得，而此時此景，最值佳節而溯往事，不禁有今昔之感！

邃齋朱術均，字均焉，簡王植七世孫，元夕詞結句云：「總到衆中喧笑處，老年人少少年多」，蓋以光陰易過，歲不我與，不免有老大之悲！筆者飄零海隅，已歷十二寒暑，望月思親，不有所作，如此良夜何！爰成七律一首云：「春回大地到元宵，滿腹愁懷一醉消；冷眼連年觀世變，舉頭千里感身遙。繁華有句慚凡響，獨調無音悵寂寥；佳節思親眠不得，三更猶是把燈挑」。

海嶠雲談

張國燾毛澤東交惡記（一）

諸葛文侯

張國燾與毛澤東都是參預中國共產黨創建之役的一份子，論學歷和資望，張皆優於毛。張出身北京大學，毛係湖南省立初級師範畢業生；張在北大時，即為蘇俄第一任駐華大使加拉罕所賞識；民國十三年國民黨第一次代表大會之際，因實行容共政策，張與毛被選為候補中央執委員，然張氏所得票數遠勝於毛。後來張以與加拉罕的交誼，曾奉派赴莫斯科，担任中共駐第三國際代表職務，聲勢與地位均在毛氏之上。張回國後，以中共中委資格，兼任徐向前「第四方面軍」的政委，權力尤非毛所能比附——毛在江西曾被排斥於中央黨部之外，躲在鄉間養病。徐部共軍原以大別山脈為巢穴，實力亦頗雄厚。迨民國廿四年春間，共黨在江西不能立足，傾巢向西南逃竄，毛與朱德，賀龍等趨湘桂邊區流竄貴州遵義喘息，張氏統領第四方面軍十萬人，由鄂北經紫荊關進入四川的通、南、巴邊陲地帶，而張毛二人，即從此開始交惡，終致趨於橫決，釀成一塲劇化的內鬨狀態。

當共軍由江西突圍時，決定以遠走至西北甘寧青三角地帶為最後目的地，各部分途進行，共赴一的。斯時中共的「軍委會主席」是周恩來，黨權亦非操在毛澤東手中，論實力，以張國燾與徐向前為最大，所以，中共高級幹部亦多隨同第四方面軍流亡在川境。張，徐等率軍進陷川鄂接壤的通南巴之後，頗感前途茫茫，擬暫以川邊為根據地，唯一要務就在結合當地民衆，擴展勢力。他們認為川民飽受軍閥與土豪劣紳壓迫剝削的痛苦，生活與生計皆極艱困，但對共產主義並無認識，且存畏懼之心。為適應現實環境起見，先揭出「人民自治政府」的旗號，主張打倒軍閥，剷除土劣，撤廢苛捐雜稅，實行地方自治，而不急於標榜共產式的蘇維埃政府，以為這樣必可以博得民衆的擁護，使共黨立定脚跟，徐圖發展。

而毛澤東利用共黨西向流竄機會，藉其所謂「遵義會議」攫奪黨權，而以中共中央名義發號施令，首先即指斥張，徐在四川倡行人民自治政策，放棄蘇維埃政府組織，不厲行分田與清算鬥爭運動為右傾機會主義，命即改正。張等據述各種事實與理由，認為這是因時因地因人的權宜之計，革命目的固不可變，然策畧不應拘泥於敎條主義，膠柱鼓瑟，徒招惡果。毛不接納此項意見，指張氏違抗黨的命令，彼此爭執不下，愈演愈烈，最後毛對張氏加以反黨的罪名，開除張的黨籍。張忿甚，反唇詰譏毛氏篡竊黨權，係非法行為，決不接受其亂命，旋糾合流亡在川境的大批中共中央執行委員，成立中央黨部以相對抗，亦予毛澤東以開除黨籍的處分，雙方勢成水火了。在川的中共中央高級幹部皆不直毛之所為，一致與張合作，只有張聞天一人主張調和，曾往來奔走於川黔之間，從中斡旋，且緩合毛張二人暨雙方高級共幹，約期集會於川省茂縣的山區，協商一切。屆時毛張又發生激烈爭論，幾乎動武，事終不諧。後來張聞天能在毛朝做到「外交部部長」，而陳紹禹幸運，即種因於此役也。

元宵節在宋時

元宵節在宋時，其奢豪慶祝之盛況，比之唐代，猶有過之。東京夢華錄叙元宵繁盛有云：「奇術異能，歌舞百戲，鱗鱗相切，樂聲嘈雜十餘里。擊丸蹴鞠，踏索上竿，猴呈百戲，魚跳刀門，使喚蜂蝶，追呼螻蟻」。宣和中，徽宗更有於十月廿一日在內殿張燈預賞元宵之事，而不久靖康之變作矣。南渡後，劉昌詩避難南中，製鷓鴣天詞十五首，述上元陳迹，不勝其白頭宮女之感焉！其第十五首云：「貧賤親曾見太平，元宵且說景龍燈。四方同奏昇平曲，天下都無嘆息聲。長月好，定天晴，人人五夜到天明。如今一把傷心淚，猶恨江南過此生」！（晴）

內儲警台報字第〇三一號內銷證

自由報

THE FREE NEWS

第二一二期

中華民國僑務委員會頒發
台僑新字第三二三號登記證、
中華郵政台字第一二八二號執照
登記為第一類新聞紙類
（半週刊每星期三、六出版）
每份港幣壹角
台灣零售價新台幣貳元
社　長：雷嘯岑
督印人：黃行奮
社址：香港銅鑼灣高士威道二十號四樓
20 CAUSEWAY RD 3RD FL
HONG KONG
TEL. 771726　電報掛號．7191
承印者：田風印刷廠
地址：香港灣仔高士打道二二一號
台灣分社
台北市西寧南路壹壹叁號二樓
電話：三〇三四六
台郵撥儲金戶九二五二

論政治上的反對派與反動派

李宗谷

反對（OPposition）與反動（Reaction）這兩種詞彙，涵義迥不相同，界說亦很清楚，不宜混為一談的。可是：一般幹政治活路的人，每每有意無意的把這兩種不同性質的言行夾纏在一起，因而釀成許多不必要的爭端，甚至演出可怕的悲劇，殊堪浩歎！

人們對於某些與自身攸關的事情，表示贊成或者反對的意見，這是人性應有的現象，不足為奇。所以孟軻標舉人性的四大端，即惻忍，羞惡，是非，辭讓之心是也。他認為人而不具備着這四種心性的，便不算是人！羞惡是非之心的輻射作用，即為對於某項事情或某種人物發生贊否的觀念。一個人如其對於一切事事物物皆視為無所可否，那他若非白痴漢，便係心死的行屍走肉，連鄉愿亦說不上的。人民對於政治制度以及由此而產生之政府的諸般措施，以其關係本身的生存利害之故，基於羞惡、是非之心的本能，反對某項而贊成某項，原係天賦的人權，不可剝奪，亦不能漠視的。古往今來，政治上的當權者絕對不容許民衆對政府措施表示異議的，祇有共產主義和納粹主義這兩種違反人性的暴力專制政權而已。至於其他任何政體的執政當局，決不禁止人民對現實的政治生活表示反對意見，並且希望隨時聽到反對之聲，以資參詳改進。中國儒家倡導這種政治風氣最熱烈而詳明，如謂「禹聞昌言則拜」，又謂「言者無罪，聞者足戒」，都是鼓勵人民對政治生活表現羞惡、是非的觀感。現代的民主憲政國家，更以政府是否尊重反對意見，作為衡量民主生活程度的準繩，有些審智的政治家，還要設法教民間儘量發抒反對力量，祇要是動嘴筆而不動手脚，即不妨暢所欲言，百無禁忌。

對某些政治問題表示反對意見的人，並不意味着他就沒有愛國情操，也不是對執政人物一定立於仇視地位。相反地，他對於國家民族和政府當局，或許抱存着一股熱烈愛護的心情，期望對方力爭上游，止於至善，所謂「愛之也切，責之也殷」，人情大抵皆然。個人與朋友相處之間，凡是積極表示勸善規過的言論主張者，皆為高度友愛精神的反映，認為對方是好友，知無不言，言無不盡。這樣淺明的心理作用，誰也理解的。

至於在野的黨派人士，對現實政治表示不滿，更係題中應有之義，非如此不可，否則失去立場了。固然，他們不滿現實的用心，跟一般反對者不同，乃具有討好民衆以期奪取政權的潛在意識。但民主政權之轉移，是要經過民意抉擇的，民衆是否贊成他們的主張，尚有問題，說說反對的話，似乎無關宏旨。

執政者厭聞逆耳之言的基本原因，是昧於政理與政術，予智自雄，認為治國平天下易如反掌，不需要別人饒饒過慮了。充此一念之差，即構成所謂「威信」「尊嚴」觀念，誰要反對政治上的任何一種措施，便係有損政府威信，亦復傷害了執政者的尊嚴。職是之故，始而產生官僚主義，不恤人言；繼而擴張為獨裁思想，拒諫飾非；最後乃流於偶語棄市的暴虐專制主義，而治少亂多了。實則我國君主時代的唐太宗李世民，隨時受到臣下直言極諫，指摘他的謬誤缺失，並無損於唐朝貞觀之治的威信，亦與唐太宗這位英明之主的尊嚴無傷，反而博得後世歷史家的特別稱讚。到了現代的民主世紀，政府是為人民而存在的，一切政治行為皆須以民意為依歸，民之所好好之，民之所惡惡之。自國家元首以次的官吏們，都是人民的公僕，遇事不得違背民意而獨斷獨行。所謂「威信」與「尊嚴」的觀念，根本不存在了。如美國總統杜魯門當年撤去麥克阿瑟元帥的遠東盟軍統帥職務時，國內反對之聲四起，且有人以草紮人形，寫上杜魯門的名字，提到市街中予以搶斃者！這樣的反對言行，白宮的威信與杜魯門總統的尊嚴，可謂掃地以盡了。然而美國人乃至於全世界的民主國家人士，並不感到這是甚麼大不了的事情，杜氏本人的社會地位亦無所損害，這就是很好的例證。無論君主政治也罷，民主政治也罷，從政理與政術着想，執政者聽取反對意見，是必要的。在反對言論之中，自不免有唱高調或不符事實的逆臆武斷的毛病。然高調終不能抹煞現實，曲高而和寡，而武斷逆臆之詞，亦必為事實所否定，到頭來仍無害於治道。如果禁止其說話之自由，就要激成一些無謂的是非糾紛，與政理政術相乖違了。

反對言論祇要不涉及法律問題，如造謠誹謗，專作人身攻擊，以致損害別人的人格和信譽等情形，即為法律所不許，且與言論自由的義理不合，自在禁止之列，亦無注視的價值。此外不管說的對不對，在政府的立場上，都應該採取放任主義，纔可望獲致政通人和的效用。

反動的意義與作風，皆與反對大大不同。反動表現在言論上的，是對現有的一切政治措施，皆予以全稱否定的論斷，因而認為現有政權沒有存在的必要；同時採取各種或明或暗的行動來破壞現狀，推翻政府，實際就是革命運動。革命固然不是甚麼聞所未聞的稀罕事情，但在政府看來，這是一種叛亂行為，即有依法究處的職權，人們即不能以民主自由的道理，希望執政者對反動份子亦曲予優容，因為反動派根本不承認現有政府之存在，而且要推翻它。同樣的理由，政府亦不可隨便視反對言論為反動，動則扣人以「叛亂」的帽子。

鑑別反動與反對的性質，亦很簡要，前者在言論上否定現政府之存在，認為有百非而無一是，又繼之以有組織、有計劃的陰謀活動，如煽惑民衆暴動，引誘軍人叛變等行為，後者止於批評庶政得失，臧否政治人物，卻不否定政府之存在，更不採取任何足以妨害社會安寧秩序的行為，唯一可能的行動，就是從事競選而已。因此，我們對於台灣治安機關最近拘訊雲林縣議員蘇東啓案，以及其他類似案件，希望迅予審判，公佈犯罪事實，予世人以共見。假使他們確有反動的行為和證據，那就是罪有應得，誰也不能說二話。如其混反對與反動為一談，即無以間執反對派之口，且對國家信譽大有關係，切不可掉以輕心。

反對與反動的性質雖然迥異，亦有其相因相成的聯帶作用，就看政府當局運用政治技術的手法如何？不滿現狀的心理，乃是社會進化的原動力，人們由於不滿現狀，而對現實政治表示某些反對，這[illegible]為理所應爾，政府對於民間的反對言論，認為有可採納者即採納之，否則讓他說說，亦無所謂，這便是民主憲政之治。如果聞到反對之聲，即出以敵視態度，查禁追究，不稍寬假，這就是有如治水然，專作堤防，而不從事疏濬，結果勢必弄成潰決之災。一般發表反對言論的人，居心本來無他，只是希望政治生活更好些，國事更進步些，當道是否聽取他的意見，並不在乎，有些人甚至於說了算數，隔天就忘記了這回事。可是，政府如果不許他說反對的話，說着即有壓抑，他心裏便會激起反感，認為剝奪了言論自由權，更不服氣而再說，[illegible]顧慮自然更多，如此相激相盪，最後很可能迫使[illegible]他的反對者，挺而走險，率性過於反動的途徑了。其始也簡，將畢也鉅，政治上許多禍亂，都是由於當局者不善於運用政治技術而釀成的！對日抗戰[illegible]，輿論界曾經喊出一句口號：「要變不要亂！」今日我國家的處境，比抗戰時期尤為艱難，安全第一，決不可亂，但希望政府改變一些舊有的觀念與作風，適應時代要求，團結海內外的人心和力量，[illegible]以放寬言論自由，容忍反對意見為當[illegible]！

漫畫天下

他心頭放下一塊大石

面具的背後

自由談

官僚習氣

金聖歎批評「續西廂記」之作，說是天下最污臭之物，殆莫過於嬰孩的糞便，而續西廂的內容，實比乳臭小兒的糞便更是臭不堪聞也。基此語意，我認為世間最醜惡的事情，當以娼妓對人裝成良家婦女的模樣為首屈一指，但有些吃政治飯的人那種官僚習氣，比妓女冒充高貴婦人的形態，更要醜惡萬倍！

作官無論大小，原是人類生活過程中的一種符號，沒有甚末了不起的意義的。在君主專制時代，居官位者對人民享有生殺予奪的權威，下意識的妄自尊大，猶有可說，也有令人羨慕敬畏的因素存在。至於現代號稱民主國家的官吏，乃是人民公僕，決無官派之可言了。可是，中華民國實行民主共和政體已逾五十年，而許多在政治上據有一官半職的人，官僚習氣依然十足，對人處事，隨時擺官派，打官腔；甚至過着貧賤之交的老朋友，亦表現一副矜持莊嚴，懍然不可侵犯的損象，好像他的骨骼比衆人多了幾節，身價也高貴了幾錢幾分似的。實則他的公私生活都是卑鄙齷齪，不堪聞問的。官僚習氣越濃厚，越就無所不為，為着固位邀寵，任何下賤的言行皆能說能做，別人一目了然，他卻自鳴得意，驕其妻妾鄉黨，這不是人間極端醜惡的事嗎？

最奇怪是有些在貧賤時逢人大罵官僚主義，而以新人物自命的高級知識份子，一旦在政治上混得了某種官位後，他的人生觀馬上即由質的突變而演為量的激變，前後判若兩人，官派官腔，不可嚮邇，真不解這是甚末心理現象？因為民國時代的官兒，再不會使人認為有「三代光榮」的價值潛存了，肉麻當有趣的醜態百出，其意何居乎？就我的體驗所及，大概官職較高的人，反而官僚習氣較少——當然亦有例外，但不常見——唯有那些祇是半桶水式的才學，而又竊據不高不低的位置的傖夫俗士，纔滿腦子官僚思想，視官銜為奇貨，恬不知羞。孔子云：「鄙夫可與事君也歟哉？」卑鄙的官僚份子充塞於仕途，國事沒有不敗壞的。

若要實現民主政治，最基本的條件即須滌除腐敗的官僚惡習，文武官員皆以公僕自居，不敢擅作威福。社會人士亦應改變舊觀念，不復以巴結官吏為求生的捷徑，養成官賤而民貴的風氣，庶幾有瘳！

馬五先生

教育會議失敗收場

改訂學制案被扼殺　最使人們搖頭嘆息

（本報記者台北航訊）十四日至十七日爲期四天的第四次全國教育會議，許多人曾經對他寄予重大的希望，但結果，可以肯定的說：這些人的希望，變成失望了，尤其是「改訂學制」案的被弄到體無完膚，面目全非，最使人失望；現任敎育部長黃季陸更必然有「道不行」的感慨。

所謂「改訂學制」案，其全名是「改訂學制，以配合社會文化經濟之發展」案，它我構想及精神，是黃季陸上台近一年來寧殫精竭慮以求實現的，也是許多人都大概同意的們今天的社會現實應該有此變革的，豈料終於失敗了。

由於黃季陸很重視此一學制之改訂，在第四次全國教育會議籌備期中，他即指定成立一個專案小組，他並自任這專案小組的召集人，歷次都出席，小組會議，詳研改訂方案。據說本案原擬由教育部出名提出，交由第四次全國教育會議討論的，其後考慮結果，改爲由十一位專家名義提出，這十一位專家爲：田培林、劉季洪、孫元會、孫邦正、沈亦珍、張邦珍、林本、郝漢良、王亞權、姚淇清及劉英士，有的是敎育理論專家，有的是敎育部司長級以上的大員。大體言之，本案乃是敎育理論和敎育實際經驗的結合之產物。

不特此也，第四次全國教育會議的籌事組處理提案時，本案是被列爲首案的。在排定議事日程時，本案係被安排在大會揭幕禮之後的第一次大會首先加以詩論，然後再交由審查委員會審查的。凡此都是黃季陸的苦心的安排，其意在於使本案的精神得能先在大會中報告出來，使預會者均有充分的了解，免得在審查會中糊裏糊塗的「栽跟斗」。但結果還是栽了跟斗。

不特此也，由於許多人重視本案，黃季陸在本案進行審查的六個小時中，一直在場「旁聽」，但他亦因此眼睜睜的看到本案落得被肢解，被扼殺，而體無完膚，面目全非的不幸下場。

本案的主要精神，在於加強職業敎育，「以配合社會文化經濟之發展」，故建議在初高中學內增加「職業班」，以便因材施敎；又建國民學校課程採用六年一貫制；又建議高中四二制分組授課；又建議大學敎育是「選擇性」的原則。但凡此建議，統統被否定了！六個小時的激烈爭辯之結果，一言以蔽之是「不許學制改訂，完全一仍舊貫」。

大會通過的各項提案，將設置決議案件整理委員會，加以通盤的綜合分析，然後整訂實施方案。據說黃季陸而今就寄萬一的希望於這一整理委員會能夠使「改訂學制」多少恢復舊觀，然而這只有萬一的可能而已。（深）

勞民傷財復無成功希望

罷免黃啓瑞醞釀打消

非執政黨籍議員全力攪不信任案　不計效果目的僅在使周百鍊難堪

（本報記者台北航訊）台北市議會部份議員擬在本月廿一日召開的臨時市議會中對代理市長周百鍊提出不信任案，此案能否被列入議程並獲得通過，關鍵端視議長張祥傳的處理方式如何而定。

依照規定，此次臨時大會只討論第三次大會既有的議案，不接受任何新的正式提案，所以若干議員將提出的對代市長周百鍊不信任案，並未送到議會去。

據某位非執政黨籍議員透露：這次不信任案，原來簽署已經有了二十多人，後來有些執政黨籍的議員受到黨的壓力，又來把簽署取消了。這位議員還表示，這次不信任案並不是他們發起的，他們因鑒於上次罷免副議長周財源的經驗，原先也是執政黨籍議員簽了很多，後來就是他們打退堂鼓，致未通過，所以這次他要他們先簽到十幾個人，剩下來的再由他們去找滿四十個人，這樣簽署的人數超過議員的三分之二，就可希望不經討論而直接定案了。

執政黨方面對此次不信任案的醞釀很重視，正在多方設法疏導，希望能根本打消此舉。執政黨議會黨團小組會經在十二日開會討論這一問題，發言非常激烈，有的人甚至表示要他們去勸服這一正在進行的事情，是一件困難的工作，沒有辦法只好辭職了。可見在執政黨籍議員中，都還難以打消此一念頭。

不信任案不能列入議程，是否便表示不信任案不在此次會議中提出呢？據說不然！不信任案雖然不能列入議程，但他們仍可經由別的途徑提出，那便是採用「臨時動議」的方式。臨時動議有兩種方式：一種是書面的，只要有一人提案，四人簽署就可以成立；另一種方式是口頭提出，提案人當場請求主席徵求附議，只要有四人附議即可成立。將來他們究將採用那種方式呢？據有人向記者透露：他們將採用口頭提案的方式。而且據說將來起來口頭提案的議員，還將是一位執政黨籍的議員。祗要本案有人提出，四人附議成立，是決不成問題的。

但臨時動議成立後，是否立時付討論表決，就要看議長張祥傳的處置了。因爲市議會有一個程序委員會，照例任何議案，必須先經程序委員會的安排才能列入議程，而程序委員會的委員中，執政黨籍的又佔三分之二的多數，像上次黃啓瑞被起訴後，非執政黨籍議員提出請司法機關迅速審判的臨時動議，便在交程序委員會後被打消。如果這次不信任案的臨時動議提出，張祥傳議長又將交程序委員會，則多半會被打消；如議長認爲本案重要而緊急的話，便可立即開始討論表決。因此張祥傳的態度如何，對此案成立與否的關係很大。

議長張祥傳日前的表示，議會無權對縣市長提不信任案，就是通過不信任案也不發生效力。這話在非執政黨籍議員看來，張祥傳是在爲將來本案通過後自己預留退步，因此認爲張祥傳可能幫助本案提出討論。因爲張祥傳是執政黨籍，當然應該遵照黨的意思打消此案，但他個人與周百鍊間的不協調卻是人所共知的事，同時議員們既有這樣的表示，他勢必不顧去硬性打消而開罪議員，所以他先說出縱然通過也是無效的話，以爲將來的開脫。

至於在議會中提出的時機，[illegible]

[illegible]議會中能獲通過，若干議員計劃當提付表決的時候，提議以無記名投票表決，因爲無記名的秘密投票，才可使執政黨籍議員[illegible]（興越五一、二、十五）

（本報記者台北航訊）市議員對周百鍊代市長提不信任案，目前有新發展，可能在本月廿一日召開的台北市議會臨時大會中以臨時動議的方式提出。

黃啓瑞市長因案停職並經初審判刑後，市議會中的部份非執政黨籍議員，便在作罷免他的活動。上月廿八日，這些議員集體去拜訪黃啓瑞，希望他能自動辭職，但黃氏表示絕不辭職。這結果，在那些議員，據說也早料及會如此的，總算做過了例行手續，於是對代市長周百鍊的不信任案從醞釀而至着手進行了。

不信任案已經獲得廿六位議員的簽署，其案由及內容還在發起議員的高度保密中，絲毫未見外洩。本報記者卻自某議員處獲悉此一內容。該不信任案之案由：「爲自代市長周百鍊接以來有違法越權等事實，經本會一再請其改正，但迄未收效，長此以往，恐有違地方自治之原則，特提不信任案」。接着並列舉四項理由，認爲周百鍊不能信任。理由中說到周百鍊在第一次出席議會的時候，會經引用過國父的話，說官吏是司機，人民是老板，司機是爲老板服務的。但周氏上台後並不重視議會，比如

不信任周百鍊案列舉了四項理由

第三次議會中議員的質詢，他就用拖時間的方法或者是避而不答，而不成功的罷免副議長周財源之舉，便是因爲他幫周百鍊逃避答覆而引起的。至於書面答覆到現在都未送來，蔑視議會，那裏是在爲人民服務云云！

在所謂「違法越權」的指責方面，不信任案中指出的有：在市府主任秘書侯暢之上又安置賴春貴爲顧問，侯是黃啓瑞的主秘，周要侯留任，但又故意給他冷淡，缺乏政治道德。不信任案中又說：周百鍊攜帶私人進入市府，但又格於法令規定，無法安插，都留置市長室工作，這種情形重則洩漏公事機密，輕則破壞人事制度，並且這些人常以「挾天子令諸侯」的姿態干涉市政。市文獻委員會原是黃市長兼主任委員，周百鍊祗是代黃啓瑞，竟以代理人的資格將原任的兼職免去，現在議會正以公事請行政院解釋，這是否違法？

周代市長此次對煤氣公司的改組，也在不信任案的理由中被指爲「違法越權」。指他「違法」的地方是說：市政府當然有改派官股董事之權，但常務董事卻是應該由董事會互推而不該逕由官股指定。「越權」的指責是說：「煤氣公司既然祗是「改組」，但卻由官股指派了整個的人事，並不尊重民股，「越」了董事會的職「權」。

不信任案的指責還有：台北市變園建堤委員會的人員和經費編制都還未送議員審議，前次「波密拉颱風災害處理緊急辦法」的市單行法規，迄未送到議會審議追認，完成立法程序等等。

議員們這篇自信理由十足的不信任案文，是否能與市民見面，就端視這不信任案會否提出及提出後能否在市議會中通過而定。（昌，二十五日）

陳誠銷假辦公

（本報記者台北航訊）副總統兼行政院長陳誠，終於到行政院銷假，恢復辦公了。陳氏是從休養地的南部回到台北後就到行政院恢復辦公的。他的健康已完全恢復了，一直到陳氏恢復辦公了，不少人才算眞正放了心。在台北政治圈裏，陳氏可能倦勤不再做行政院長的傳說，五個月來，不絕如縷。而由於陳氏的恢復辦公，政府人事將有更動的謠傳，亦就不攻自破了。（路）

採訪綫外

有志竟成・天助自助　害羣之馬・無話可講

▲在美國海軍研究院獲得博士學位的海軍中尉韓光渭，十八日坐飛機返抵台北，將入中國海軍專科學院去做該校最年輕的副教授。

以一個外國人而在美國海軍研究院獲博士學位，是前無先例的創舉。韓光渭初被選送美海軍研究院時，原係打算以二年時間，攻讀碩士學位，但結果他僅以一年時間就完成此項學業，乃申請以另一年讀博士學位，該研究院以韓光渭的論文有份量，乃破例的准他這外國人繼續「深造」，後來並主動代他向我海軍總部要求延長留美期一年，準備博士論文，終於有志竟成，如願以償。

韓光渭現年卅三，他民卅八年來台時，只是一個舉目無親的流亡學生，全憑自己努力，始有今天的成就的。他說軍中不會埋沒每一個肯上進的人，確是事實。他來台後，最初考取台中農學院森林系公費生，及後公費制取消，他乃暫行半工半讀；民四十他考入海軍機校，以「狀元」畢業，而卒於四十七年獲選赴美深造。

▲全國體協理事長楊森又辭職不幹了，新年假期屆滿後，他一直都不曾再到體協辦公。他辭意甚堅，連關於中共退出國際田徑協會之事，他亦不肯講一句話，說是他已不在其位，不能代表體協發言。

楊森這次爲什麼倦勤？他不肯明白道出，有人遂疑其有難言之隱。楊森只是不着邊際的表示：因爲幹不下去，所以不幹而已。

「將軍一去，大樹飄零」。誰對體協起身任艱鉅，固有才難之嘆，功敗垂成的體育館，更難免胎死腹中了。

▲臺北縣國大代表王天任及其現任刑警的兄弟王鏞，十八日晚因酒使性，先之以大鬧飯館「揍東西」，打傷人，繼之又在街上打人，最後在被帶到警察派出所時，又大鬧派出所，搗東西大吵大鬧，甚而說出「警察不是東西」的很不好聽的話。

由於國代中頗有害羣之馬，在大陸時代就使得國代被稱爲一「害」。去年在台灣更有把警察亦列入「新五害」的說法。看王天任王鏞此種失格的行爲，眞的，能教人有什麼話好講呢。（廉）

懶

汝津

「弟因生性疏懶，故久未作覆，尚祈有諒。」像這樣的文章時常會出現在信箋上。我們一生當中眞不知會收到幾封這種信，也數不淸自己曾發出多少類似的「大札」。未有人而不懶者也？我們該又難逃賢人們的春秋之筆了。

「懶」是一種最現成的藉口，最平易的謊言——不，豈能說它是謊，不過成份不純，有如滲水太多的飲料罷了。人都喜歡說自己懶，最可怪是說時坦然自若，毫無慚愧的意思。好像比早上被西風把一粒沙吹進眼裏還要尋常。其實仔細推敲之後，個中的「潛意識」然是美妙：「不要看我這麼懶，做起事來可別有一手呢。」原來是拿一個懶字來烘托他的不凡才智啊。

熱帶民族天性難逃一懶，是不是也可以套一個「天將降大任於斯人也」？非洲有一個新獨立的國家立國之後的第一件事是提倡穿褲子運動，足見還是不能一以貫之。不然的話，不要說穿褲子，就是獨立政權也不耐煩去爭取了。

懶人也有懶福，所以歸根結底，人還是懶些的好，「偶然懶散」也可以和「難得糊塗」並列，作爲小市民們的座右銘吧？徹底不懶的人物，首推野心家，你如果也有一點勤快，不妨費神翻翻中外歷史，那些以侵略爲唯一事業的古人，沒有一個和懶有緣的。大不了在他的夫人眼中，他的服裝儀容還有待改善；但辦起大事來，精力的旺盛，意志的奮勉，都是頂刮刮的。如果他們的父母也能在童年時代稍稍的教他們一些懶方子，你能說世界不會因此而減少一部分戰亂的不幸嗎？

說起懶，我們又想到老子。老子的「將欲弱之，必也强之」，如果倒過來一想，也是妙用無窮。我想套一句：「將欲勤之，必也懶之。」有些對工作不太熱心的朋友，不妨試服一帖。那法兒也很簡單：放下工作，閒居一月，每天任君高臥到日上三竿，「不爲所不欲爲」，看你是不是耐得住！果眞有這份能耐，到不妨以「懶仙」傲人；不然，還是乖乖的勤於本份吧。

我無意提倡懶的哲學，但也忍不住要向某些勤得不大得體的朋友抗議——至少是建議：許多眞正的事業不一定依賴永不停息的勤；懶虫雖然可厭，懶德卻不可不知。偶而放鬆一下自己，使智慧，心靈都得到一刻懶散，正是恢復精力的好方法。

懶人常常被迫做額外的事，是老天爺的巧妙安排麼？好在懶人必有懶術，紡織機的改善，據說就是一個管機器的懶孩子因爲貪玩而想出的法子，想不到卻讓後人省便不少，現在的科學文明，也大有裨益於世之懶君子，家庭中一切「自動化」，主婦們就能夠省下許多時間來閒談是非了。

有些野史家喜歡指出：不少偉人從小都是出名的懶學生，逃學有份，調皮搗蛋更不會落在人後，信不信由你。不過在我看來，逃學還須要一番安排——譬如向學校，家長雙方面撒謊，把田間小道弄得十分熟悉，有時還得冒險爬牆，鑽鐵絲網，上氣不接下氣的作一次長跑。所以仍不夠懶的資格。最標準的是在課堂上打瞌睡，並且誘使別的同學代做練習的小傢伙。不過在作難教師這一點上，他們仍舊很勤。如果你一心唯恐人們懶到不可救藥，完全是杞人憂天了。

懶散的時候，有幾種情況可能發生的，一是髀肉復生，一是無聊人生，一是休矣此生，也許一位退休的老人還會異想天開，扮演一次風流小生呢。總之，天下的無奇不有，決不因爲懶人而失色。

懶字常使人覺得太不堪，那實在是一偏之見。從懶中悟得妙諦，從懶中培養銳氣，又何嘗不可？「四體不勤」是古已有之的懶，但根本無妨於夫子的救世精神。

藝術家原是懂得懶的藝術的，我建議科學家也不妨學點懶道，不必再勤於製造核子武器了。

香港與大陸

據一位姓徐的蘇北朋友說：「我是在香港××機器廠當工人十四年多了，妻兒子女一家四口，都住在此地，大陸家中還有高堂老母在上，我過去每月都有錢匯回去接濟，自去年起改寄一些食品回去。我母親時常來信都說，「祖國」自「解放」後，飛躍猛進，生活都很安定，豐衣足食，要我回家去看看。我在去年舊曆臘月下旬，向公司告假半月，並且我又買了一些食物，由香港坐船先到上海，再乘火車至南京，再轉津浦車到達家鄉。當我回到家中，所見到的都使我吃驚，和信中所說完全不同。我看見我們家安葬祖宗的墳墓，都被挖光了。母親告訴我說，各地的墳墓都被挖盡了，以便開墾種植，增加生產。所有先人骨骼都被化了灰，作了肥料。又說我們現在住的房子，過去雖然是你父親經營自置的產業，現在也已經被沒收歸公。我們現在每天早晨天還沒有亮大家就拖着疲乏枯瘦如柴的身子去參加生產工作，吃又沒有吃得飽，但是誰又敢反抗？否則那些幹部便替你加口一項反革命的帽子，那你就完蛋了！我不忍在家多看他們受苦，所以在年初七日就回到香港來了。」（兪）

說醋

漁翁

夢梁錄云：「人家每日不可缺者，鹽油米醬醋茶」。元人玉壺春、度柳翠、百花亭等劇，都有「早晨起來七件事，柴米油鹽醬醋茶」句，即今之所謂開門七件事也。

醋爲有酸味之液體，以酒發酵而釀成者也，其氣刺鼻，觸之傷膚，爲何列入人生七件需要之內？蓋醋不僅能調百味，貯食物，令人開胃助消化，且可供醫、染色，爲工業上重要之物。

俗稱嫉妬者，爲有醋意，以妬婦比獅子，續文獻通考：獅子日食醋酪各一瓶，吃醋之說殆本此。醋含酸，所謂寒酸者，謂貧士也。陸放翁詩：「書生老瘦轉酸寒。」范成大詩：「洗盡書生氣味酸。」可是，讀書人，雖在寒酸中，簞食瓢飲，而不稍改儒生之本色。

因吃醋而起口角、鬥爭，甚至釀成命案者，謂之「醋海生波。」傳昔一婦人，以夫出外多年，往卜者測之，書一「醋」字，問夫歸期，卜者見她兩足站立如「八」字狀，復以「醋」字拆之，即云：「八月廿一日酉時，爲爾夫歸期；但有醋意，不免爭端，宜愼之。」

婦謹記卜者言，於是日殺雞作食，爲夫洗塵，待酉時果歸。其夫見棹上滿餚，並設二席位，疑妻另有情人，即毆辱之。婦以卜者言對，終得解。

向核彈抗戰

陳知青

前言

我從卅八年開始研究原子能科學，迄今十二年，也耗費了十二年！因人對於原子能的常識，似乎不關痛癢！四十五年二月二十八日，我在中央日報呼籲「建設迎接原子能時代的心理」，提倡科學文藝，也不能普遍收效！直到蘇俄試爆了五千萬噸級的核彈以後，國人還是糊裏糊塗。有的恐慌了一陣子，一窩蜂的「流行性」過去了，又高枕無憂了。

記得去年十一月七日，敏感的人們，紛紛打電話到有關機關去詢問！如今，卻又在農曆春節的狂歡中，忘去了我們眞正的威脅。

我們，面臨着「放射性的原子塵」的襲擊！由於蘇俄五千萬噸級的核爆炸所產生的放射塵，因西伯利亞氣流的轉進，自華中經流到台灣北部，去年十一月七日，八日，兩天，台灣上空的放射塵含量，有人說已到達爲害人體的程度。大家才開始緊張起來！

更可驚的是，原子能資料委員會將要統一發表消息，使氣象機構的新聞和預測，歸於統一化和科學化！但人們一時被安定下來，卻沒妥善的準備。去冬，四十年來唯有的「奇寒」，難道沒有人連想到這就是蘇俄核彈侵襲的後果之一嗎？

雖然，蘇俄這種放射塵，或許不會使我們發生較大的驚擾！但是，我們身爲二十世紀的現代人，對於無形的核彈戰爭，和原子塵襲擊的現代常識，不得不從現在開始，作普遍的了解，以做萬一的準備！

因此，我們必須向核彈抗戰！

用我們八年苦戰，對日本軍閥抗戰的精神，向蘇俄氫彈侵略抗戰！中國老百姓今日對於「氫彈侵略」的了解程度，和民國二十六年對日本軍閥的了解，一樣的可憐！我們能夠從抗日戰爭中了解日軍的面目，而最後獲得勝利；如今，我們應該提早了解「核彈戰爭」的面目，才可以提早我們對核彈宗戰的勝利！

我們要向核彈抗戰！我們先得了解核彈是什麼？我們現在是否屬於「核彈戰爭」之中？

我們的答覆：「核彈戰爭」已經「開始了」！從蘇俄的五千萬噸級氫彈爆炸試驗開始！

其次，我們要了解的，目前的核彈戰爭已經打到那裏了？

我們的答覆：目前的核彈戰爭，已經打到我們中國的上空了！從去年十一月七日的報導起！前些日子，日本人民已被蘇俄原子放射塵灼死了千百人！而日本人向蘇俄提出抗議！我們不用抗議，祇有抗戰！要抗戰，必先明瞭「怎樣去防禦放射塵？」

再次，我們要了解的，在這個核彈戰爭中，我們應該怎樣抗戰？開始以後，還取什麼戰術？進行之後，採用什麼戰略，來爭取抗戰的勝利？

正好這個時間，諾爾貝物理學獎得主美國原子能博士李必敎授發表了一篇「你能生存於原子襲擊下」，各報譯出來給大家作參攷！同時，中子彈的試驗和辯論也正甚囂塵上，我們也作一個簡單的介紹。但是，事過，而境已遷，人們又淡忘了！我們怎麼得了！

最後，我認爲要爭取核彈抗戰的勝利，我們中國人也應負起責任來！這一個意識，是我十年的苦心，敬貢獻給自由人類，作爲一種思想的啟發，和勝利的曙光！（一）

瘟君續夢

第三回：

掩面向黃泉，貳臣遺恨
低頭拜白虎，帝子驚魂

民革繼續開會，每個成員也都自動起來捐助三分之一小米，支援農業和工業建設，任務就算圓滿達成，不料就在開會時，何香凝突然提出要派人去問李濟琛主席，邢西萍不由吃一驚。因爲李濟琛這個病實在是統戰部逼出來的，假若李濟琛不死，他決不甘休。儘管民革（黨派）一開始就變成了傀儡戲，統戰部就是牽線人，民主黨派決不可能打擊統戰部的人，但是這次統戰部硬指定民主黨派自我節約，確實非中共中央及毛澤東的命令，如若李濟琛連絡何香凝把情形報告周恩來，統戰部人員可能受處分。邢西萍越想越怕，自己又拿不淸主義，唯一辦法只有先阻止何香凝去醫院探病，然後再向李維漢報告，由他想辦法應付。

邢西萍決定了辦法，陪笑向何香凝說道：「任公的病只是積勞成疾，沒有什麼問題，不過，要讓他好好休息幾天，千萬不必再驚動他。我看派代表去探病，似乎不必了，停一時散會，我通知他家庭派人去醫院伺候他就行了。」

邢西萍說過就算下了結論，民革其他人員誰也不敢多開口，何香凝雖然不怕邢西萍，一個人也作不出決議，只好算了。

邢西萍回到統戰部把開會情形報告給李維漢聽，李維漢當時又喜又驚。喜的是李濟琛果然被他折磨倒了，驚的是萬一李濟琛把其中經過告訴何香凝，鬧到毛澤東跟前，自已非受處分不可。

李維漢沉吟一下，說道：「西萍同志，你的辦法很對，我們目前第一步是封鎖李濟琛，絕不讓他和民革其他人員見面，過了幾日這老傢伙一死，不就完哩！」

邢西萍笑道：「我的辦法只是一時權宜之計，長久了是不行的。試想李濟琛入了醫院，任何人都不准探視，將來傳出去，其他民主黨派也許會懷疑我們把李濟琛謀害了吧！」

李維漢想想也對，當時問道：「這件事最好是派一名李濟琛的家屬到醫院去伺候他，問題是他家屬中間誰最可靠，最好有我們黨團員，從中挑一人去醫院伺候他就是了。」

邢西萍笑道：「這個辦法最萬全了，不過，我對他家庭情形並不淸楚，把武秘書找來一問知道了。」

說起武秘書到是統戰部的「傑作」之一，原來中共政權成立之初，各民主黨派剛剛組成，中共對各黨派首領相當優待，高級人員每人配給房子，汽車，警衛，老媽子，另外還有一名秘書，這個秘書就是管家。李濟琛配了一位武秘書，沈鈞儒家中是一位王秘書，每天要買菜，菜金由秘書手上支取，家中有了客人，也要告訴秘書，秘書如說沒準備飯菜，客人就要告辭。家中任何人寫了信，全由秘書代寄，因爲他有郵票。有客人拜訪，秘書照例奉陪，担任速記。這種秘書還是終身職，只要這個黨派首腦不死，秘書一職就不會更動。

邢西萍提到李濟琛家中的秘書，李維漢豁然頓悟，連說：「我眞糊塗，打電話把他找來。」

（七七）

春到澎湖

東方青白

六

忠烈祠，好身手；
背丘面海，氣勢儼儼！
蘆溝橋發一先聲，
氣吞日閥一代英酋；
自建忠魂安息所，
自安忠魂永垂不休！
浩氣長存，
英名永留！
×
回首海隅，山丘，
白虹如雲，晴空無曀！
這安平的門戶，
靠誰來固守！
就看在前來瞻仰的年青朋友！
×
面向着大好河山，
心想着延平計謀！
不管是什麼時代什麼戰爭，
澎湖永遠是東海的灘頭！
看這個春天，
讓我們大顯身手！

七

春到通樑綠油油，
三百年的古榕幽像小丘；
氣根互枝連理廿八宿，
×
欣欣向榮，艱貞悠久！
×
春到龍門浪湫湫，
春到虎井沉城頭，
春到七美七樹秀；
春到西嶼落霞流！
×
白沙映着春光綢，
大赤崁的樓頭關不住春色向外溜！
×
猛回頭黃昏夕陽去，
海上漁火點點，道上火炬一球又一球！
舞龍，舞獅，高蹺，花船如水流；
軍民同樂依依，
冲天的燄火是火箭的源流！

八

軍愛民，民敬軍，
軍民同結在心頭；
中正堂內軍民同樂，
軍魂康樂隊新曲出岫！
×
澎湖風光搬上舞台頭，
載歌載舞以忘憂；
村長村女演出農家樂，
地瓜高粱不講究享受。
×
漁家男女表演漁家樂，
搖船補網歌舞樂豐收；
林投之夜戀愛狂歡樂，
從軍保家先天下之憂；
×
海濱交響勞軍酬舞樂，
碉堡勞軍別開生面，
守住崗位，愛護婦女，
康樂下戰壕，
軍民歡樂依依，
春到澎湖海港頭，
七曜交輝共聚首！

（完）

憶重慶「抗戰風」

楊檟榆

抗戰時期，在陪都居住過的人，對山城——重慶一定不會忘懷；那依山傍水的街道，滾滾長流的江水……以及純樸的民風，濃厚的人情味，在在使人留戀。

重慶非特是川省第一大商埠，交通方便，人文薈萃；得天獨厚，更是地勢雄壯，帶形的城市，三面環水，背腹依山，臨高望下，江水一瀉千里，的確氣勢不凡！諺曰：「天生的重慶，鐵打的瀘州」。難怪抗戰初期日機濫炸山城，因有天然的掩蔽，良好的防護，人民生命財產，均未遭到慘重損害，相反地在軍民積極建設經營下，市面更日趨繁榮。

山城裏外有好些地方值得一遊：香國寺，曾家巖鬧中有靜，別有天地。沙坪壩文化區域，林木夾道，花開滿枝，處處給人清幽舒暢的感覺。歌樂山林茂泉流，氣候涼爽，暑夏最爲適宜。眞武山在城東南，上有眞武宮，宇殿宏偉，古色古香，登臨絕頂，俯視兩江相夾的山城，宛如一片浮葉，煞是輕佻。復興關雄峙嘉陵江上，巍偉峻拔，氣概萬千。關內之夜雨寺，所謂「佛圖夜雨」，爲巴渝名景。南岸溫泉有花溪，虎嘯口等名勝，沿途奇花異草，景色秀麗，遊覽沐浴，心曠神怡。黃山一帶林木蒼葱，青翠欲滴，徘徊其間，留連忘返。夜的重慶很熱鬧，青年館，精神堡壘前遊人如織；陝西路銀行界，都郵街商業區高樓大廈，鱗次櫛比，在輝煌燈光映射下，更顯得無比華麗。要是站在江北，南岸隔望夜景，市區層層燈光，密麻麻一片，煞是好看；俯視江中，燈光倒影，萬花筒般，更爲壯觀！

陪都的娛樂事業相當發達，京、川、漢、楚戲都有，夠得瞧！談到吃，重慶四方雜處，各地館子都有，南北口味，樣樣俱全。而令人偏愛的還有街頭的一些小吃，梆梆糕、担担麵、抄手、湯圓、麥芽糖、油糍子、芝麻糰、炒米糖開水、醪糟雞蛋……各有各的口味。

要消遣的話，好去處較場壩，裏面跑江湖賣藝的，要把戲玩小魔術的，看相算命，打花鼓唱小調，演戲的，說評書的……五花八門，無所不有，逛蕩其中，有如置身北平的天橋，南京的夫子廟。

特別值得一提的是那時陪都的風氣，確實要得！男的穿套卡機布中山裝，女的一襲陰丹士林旗袍，便很時髦。至於排隊購平價米，擺長龍候自來水、安步當車，吃豆芽菜等等生活現象，已是司空見慣，不足爲奇。抗戰時期的軍民都同仇敵愾，一致對日！所以吃苦耐勞的生活，大家認爲應該，一切艱難困苦，都能甘之如飴，上下一體，充分發揮了民族優越的堅忍精神，終於贏得最後勝利。觀之今日反共中樞的台北，繁華熱鬧，不亞重慶，正如一小學生作文之句：「站在台北街頭，一看盡是人頭」。繁榮盛矣，只是歌舞昇平，缺乏「戰時氣氛」！昔日的「重慶風」——「抗戰精神」又該發揚光大，實踐勵行纔好！

上元危言

周燕謀

過了舊年，又值元宵。在歷史上，元宵節是很排場的，而今則已淪爲年節的附庸了。

據考證，元宵節自西漢以後始有。史記所載正月上巳祀太一，但日期並未確定，故燈節的發源應始於東漢，源從佛教中傳來，涅槃經云：「正月十五日，天人散花奏樂繞燈，步步燃燈三十里。」漢明帝首下燃燈之命，可說是燈節的創始者。其後踵事增華，至唐而洋洋大觀。太平廣記云：「唐明皇移仗上陽宮，結構彩樓三十餘間，金采珠玉，間廁其間，以燈爲龍鳳虎豹騰躍之狀」。於是楊國忠子弟，上元夜以千炬紅燭，圍於左右，名千炬圍；韓國夫人置百枝燈樹，高八十丈，豎立高山，上元夜點之，百里皆見。」不僅此也，明皇雜錄所記之動物象形燈和高百五十丈的燈樓；朝野僉載：懸燈五萬盞，高十二餘丈的燈輪；開天遺事所載：楊家兄妹的百枝燈樹，而用百里皆見，光明奪月色也。但唐人所記載遊爲簡略，至宋代更是盛況空前，朝野上下，都在吃喝玩樂上用心，元宵節的玩藝越來越多，越來越漂亮，越精緻，而且皇上率先躬行。乾淳歲時記說：「元夕二鼓，上乘小輦，幸宣德門，觀鼇山，擎輦者皆倒行，以便觀賞。山燈凡數千百種，極其新巧，其上伶官奏樂，其下爲大露台，百藝群工，競呈技巧。內人及黃門百餘，皆裹翠娥，仿街坊清樂傀儡，繚繞於燈月之下。宮漏既深，始宣放烟火百餘架，於樂聲四起，燭影縱橫，而後駕返。」帝王享樂，歆歟盛哉！上有好之，其下更甚，孟元老東京夢華錄，除元宵景物歷歷指數外，更加抽象的描摹，把東京城妝點成光明美麗的極樂仙境：「於是華燈寶炬，月色花光，霧霏融融，動燭遠近。阡陌縱橫，城闉不禁。巧裝新妝，競誇華麗。春情蕩漾，酒興融洽。雅會幽歡，寸陰可惜。景色浩鬧，不覺更闌。寶騎駸駸，車輪轆轆。五陵年少，滿路行歌。萬戶千門，笙簧未徹。」此時此地，此情此景，誰又料到靖康之禍呢。

最可痛憤的是「靖康恥猶未雪」，而西湖歌舞，又使「小朝廷」直把杭州當汴州！武林舊事：「花邊水際，燈燭燦然迎人，士女縱觀，則迎門酌酒而去……金白雅潔，靚妝笑語，望之如神仙。兩隄駢集，幾於無置足地；水面畫楫櫛比如魚鱗，亦無行舟之路。」這那裏還像是戰時首都？「南渡衣冠思王導，北來消息少劉琨。」光復之志隨流水而去，偏安的局面又怎能長保不失。嵯山之禍以後，燈節的盛況便一蹶不振，從劉辰翁的詞中，可見滄桑之迹。宋亡前一年的元宵，劉的詞是：「春事誰主，長是懶手去，誰知道斷烟禁夜，滿城是愁風雨。」醉生夢死，實在可惜。「宣和舊事，臨安南渡，芳景猶自如故。」禍胎即種於此「猶」字上。國勢已非，而不改其樂，此等人那有心肝！「江南無路，鄜州今夜，此恨又誰知否？」亡國破家之痛，已見其端。宋亡後他的故國之思，與日俱進，先慨歎着「長笑兒童空蹈舞，何曾見，宣德棚，不夜城。」至寶鼎現中所謂：「父老猶記宣和事，抱銅仙鉛淚如水……腸斷竹馬兒童，空見說三千樂指，多時春不歸來，春到時睡……使當時親見霓裳，天上人間夢裏。」眞是驟淚俱下了。

在太平之世，新年佳節，大家高興慶太平，無可厚非。但在戰時，還逢年過節悠哉游哉，歌舞昇平，樂不思蜀，又焉能存？愛國家的人對這種現象是大大的不滿的，據晁過的客話載：「蔡君謨守廣州，上元日令民家家點燈七盞。陳烈作大燈書之曰：『富家一盞燈，太倉一粒粟。貧家一盞燈，父子相對泣！風流太守知不知？猶恨笙歌無妙曲』！君謨見之，遂輿罷燈」。報載：台北市萬華區花燈比賽，有一燈塞資數千元者，「臥薪嘗膽」，「克難節約」聲中，這般人是何心哉！

海嘯叢談會

張國燾毛澤東交惡記（二）

諸葛文侯

茂縣之會既無結果，而斯時國軍追剿部隊源源入川，薛岳，周渾元兩大將所率精銳之師，對川黔邊境共軍採取包圍戰略，擬將徐向前的「第四方面軍」一鼓而殲滅之。蔣委員長又坐鎮貴州省城，督剿朱德賀龍諸股，朱等亦會作殊死掙扎，終不得逞。共軍形勢危急萬分，張毛爭雄的內鬨問題，祇好暫告停頓，而以突圍逃生爲急務了。

共軍突圍計劃，仍照原有決策進行，即以甘，青，寧三角地帶爲歸趨之所。張，毛各領所屬軍隊，沿金沙江兩岸流竄，彼此約定在行軍之際，互以無線電報告敵情和本軍狀況。張氏按日如約通報於毛澤東，然毛氏初猶回報敷衍，旋即音訊寂然。張氏督率「第四方面軍」向西北前進，沿途幸未遭遇國軍截擊，走到黃河河套地帶時，尚不知道毛澤東利用陝西土匪劉子丹的合流關係，已在延安停留下來，實行據地稱尊的情形，仍令徐向前統率兩師人馬越過河套，向甘，寧邊境進發，張氏自己帶領着兩師之衆，暫在河套駐紮。繼而惡耗驚傳，徐向前在寧夏境內被馬家軍打得落花流水，全軍覆沒了！這時候，毛澤東在延安開堂作寨主的消息，業已遍傳各方，毛氏亦得悉「第四方面軍」在寧夏慘敗的情況，乃以「中央軍事委員會」主席名義，令飭各個共軍赴延安集中。蓋毛氏到延安後，先把「軍委會」改組，周恩來辭去主席職位，由毛兼任，所以他就有權命令張國燾，徐向前所部共軍歸隊，而張，徐亦因寧夏之凶敗，蹙蹙靡騁，唯有收集餘衆集中延安之一途，庶可免於被近消滅的惡運。

張氏到達延安後，毛澤東以「第四方面軍」實力尚不小，對於張氏和徐向前，竭力表示棄嫌修好態度，強調兄弟鬩牆，外禦其侮之說，認爲處此危急存亡之秋，若再起內爭，祇有同歸於盡而已。這類話語，張，徐當然聽得進去，則無異議。毛氏即將「第四方面軍」番號撤消，全軍從新改編整理，且由「中共中委會」推舉張氏爲共黨僭設的「西北邊區政府」副主席（正位是林祖涵）。另派徐向前主持籌設軍事教育機構事宜（美其名曰紅軍大學），對張徐故作推崇之狀，十分親熱。毛澤東掌握了黨權與軍權，既有彭德懷賀龍等部共軍擁護，又有延安土匪頭目劉子丹高崗等匪衆受其驅策，所謂形勢比人強，共黨中央幹部人物除陳紹禹等三數受莫斯科支持份子之外，自周恩來以次諸人，皆唯毛酋的意旨是從，「毛主席」乃構成了延安寨上的「始皇帝」地位，權勢煊赫，不可一世。

這時國軍張學良胡宗南所部大軍，奉命入陝追剿共匪，毛澤東急於對外，不欲遽興清算異己之獄，以對張國燾的宿怨隱忍未發，以待時機之來臨。

新年書感再寄仞公

夏日晴

獻歲風光冉冉收，鱗鴻聊與寫離憂。
本來醇謹如江夏，那得狷狂似海秋。
師不渡河將自老，民皆懷土欲誰尤？
詩成怕向空樽望，爲念空樽遍九州。

內僑警台報字第〇三一號內銷證

自由報

THE FREE NEWS

第二一三期

中華民國僑務委員會頒發
台教新字第三二三號登記證
中華郵政台字第一二八二號執照
登記爲第一類新聞紙類
（本週刊每星期三、六出版）
每份港幣壹角
台灣零售價新台幣式元
社長：雷嘯岑
督印人：黃行蜚
社址：香港銅鑼灣高士威道二十號四樓
20 CAUSEWAY RD 3RD FL
HONG KONG
TEL. 771726　電報掛號．7191
承印者：田風印刷廠
地址：香港灣仔高士打道二二一號
台灣分社
台北市西寧南路查查本號二樓
電話：三〇三四六
台郵掛號金戶九二五二

解決毛澤東的最好時機

方　南

「日暮途遠，倒行逆施」，用這八個字給今天的毛澤東寫眞，最是確切。可是要儘速打倒他，我們仍須趕緊加工努力才成。

借用共產黨慣說的「挖根」這個名詞，我也打算挖挖毛澤東的根。

誠如日本一些評論家所說：毛澤東正在對外擺出最强硬的姿態，對內卻稍稍放鬆了對農民的苛酷控制，改取懷柔手段。換句話說，他企圖「安內」以「對外」。說毛澤東强硬對外，應該包括他對赫魯曉夫的不服從。至於再度厲行反美，大陸人民也巳看得膩了，不會有什麼新的感受。

很顯明的，毛澤東巳在事實上向「右傾份子」屈膝了，也向農民低頭了。不管他仍在口頭怎樣罵「右傾份子」，不管他仍然死手拿着「三面紅旗」，但明眼人總可看得出他巳從暗裏倒退了許多步。

雖則倒退是暫時的。「退一步，進兩步」原是他們的戰鬥法則。但倒退總是事實。

雖則他以「退」爲手段，「再進」才是目的，但他總不能不被迫暫退，也是事實。

是什麼迫他非暫退不可呢？我看，這是中國人的民族主義認眞發揮了力量，打中他的要害，他本想招格，但到底招格不來。

毛澤東口中眼中的「右傾份子」，其中最主要的就是那些不忘「中國本位」的一大羣知識份子。他要招格這一股由民族主義產生出來的力量，才要設法消滅「右傾份子」，他祗在表面得到勝利，民族主義終於迫使他慌亂失措，因而走上現在的一條險路。我們可以這樣說，毛澤東這回對外强硬的表現，包括了「反赫」，是被民族主義擊至搖搖欲傾之後，才反過來想抱着民族主義做護符，希圖藉此躲過一場大難，延續他的一條殘命。

毛澤東不怕人民作反，祗怕軍隊作反，和黨的幹部作反。因而糧荒太過嚴重，飢餓的威脅業巳成爲全面化，長期化，使他發覺軍隊也有些不穩了，才開始知道事情不妙。他這回「反赫」，除了赫魯曉夫曾經要「整」他，具有私人的仇恨因素，另方面也因「反赫」可以疏洩大陸知識份子鬱積巳久的「反俄」情緒。他「捧史」而「反赫」，並乘機自居於世界共黨領導者的地位，將自己平白抬高了一級，其中藏有指鹿爲馬，利用矛盾的手法在內，不可不辨。

大陸同胞飢到怒火如焚，生計斷絕，誰都知道糧食是給誰奪去的，反俄是人同此心，心同此理，毛澤東借「反赫」來作無聲的交代，連許多失敗的責任也以爲可以輕卸了。在內外交迫當中，爲着先把內部火山爆炸的危機弛緩下來，才會走此險着，但求僥倖，等如飲酖解渴，祗好見一時算一時而已，比似日暮途遠，豈爲太過？

毛澤東此時打的如意算盤是：讓農人願意下田做工，不妨暫把管制放鬆一下，祗要天公給一個好年頭，先教大家吃個半飽，同時教大家再有一點點的「民族自尊感」，以後才好去做他的「世界共產領導者」。這樣的算盤打得通麼？一個狂喊過「一面倒」的頭號漢奸，還可借民族主義的旗幟來做救命符麼？不可能的！但我們必須知道毛澤東最害怕的是什麼，和曾經被什麼擊中了要害。這是大家要一致齊起，乘勝追擊的時候，切切不可讓他有喘息的機會。

毛澤東把民生弄得毫無辦法，陷入絕境，把民族地位貶爲附庸，把民權一手扼殺，祗許有黨權而不許有民權，這時正因全民憤怒而發抖，如果我們還不能從速利用這個時機去解決他，還再等待些什麼？

到了這個時候，我們要注意兩個問題。一個是：大陸人口大部仍是農民，中國農民素來是知足而保守的。久渴易爲飲，久饑易爲食，他們對毛澤東的憤怒會因一時可獲半飽而鬆緩下不去。祗要廣大農村暫時不起亂，來自農村的軍中士兵在情緒上繼續變壞，毛澤東還可想法子把軍隊緊緊抓在手裏的。祗要抓緊了軍隊，他便有了維持下去的把握。他這一轉向的希望是如此，我們還好再呆等下去嗎？

另一個是：在鐵幕外面鼓吹反共的知識份子，歷年都用民族主義作爲攻擊毛澤東的利器之一。這種日積月累的攻擊，終於起了巨大作用，乃屬事實。我們的精神是與大陸不忘中國本位的知識份子相通的。我們巳看到毛澤東政權因受不起這種攻擊而出現了瓦解之勢，便該加强使用這種武器，並且要一致用心研究，使它變得更爲精銳而有用。此時我們在金門對共軍的喊話者，在台灣對大陸的廣播節目編訂者，以至用汽球飄入大陸的各種宣傳品設計者，和在大陸從事地下叛反的工作計劃者，都該適應這一新形勢而有新的努力才是。

我們自然知道，毛澤東「反赫」並不就是「反俄」。毛澤東扛着「捧史」的招牌去「反赫」，而史達林則爲謀殺中華民族的最大兇手，單以指令中共出兵參加韓戰一事而論，便巳將百萬中國青年人的血肉，投入韓國，替蘇俄建成一座血肉長城，並替史達林個人擋災。有血性的中國人祗要追查這一篇血賬，便覺得有對史達林鞭屍的必要。「捧史」的毛澤東當然要對這一血案負責，永爲民族罪人，決無翻案的餘地。此時，我們要打擊毛澤東擬向大陸人民引起錯覺的任何計劃，要向他一身集中火力，要使他找不到遁逃的空隙。

中華民族正處於空前悲慘的境地，像美國那樣的「友邦」，竟有現居要職的人，常說蘇俄總有一天要與西方合作，對付「中國」，這和史達林、赫魯曉夫之視淺，實在沒有什麼分別。民族自救，祗有靠我們自己眞正努力。毛澤由於投靠蘇俄，大喊「一面倒」，已把中華民族害了十二年，死了幾千萬人，現在再想把中國變爲赤化全世界的第一根據地，拿「窮」與「爛」做唯一的本錢，拿他的「游擊教科書」作爲「革命聖典」，大量輸出。假如再給他繼續延命幾年，中華民族的命運還堪設想嗎？

盱衡世局，我們必須將「民族自救」一句口號提出來，而打倒毛澤東則是「民族自救運動」中第一個工作目標。祗要毛澤東及其爪牙被解決和消滅了，大家在大陸痛定思痛，將百年來全民族所受的種種苦難從頭細算一番，再替民族復與來一個全盤打算與永久策劃，相信總不會再像從前那樣太不爭氣，仍舊以亂召亂吧！

民族主義巳把毛澤東政權搖動起來了。「民族自救」怎不可能成爲一個偉大運動呢？我們再不應該呆呆等待。我們要不斷的發揮威力。這運動要做到內外結合一起設法把海外和大陸的力量打成一片，而以台灣爲其運行的中樞。外力雖有可用與可借，但我們要先在心理上把這一因素除去，認定自己的事要由自己動手去做，自巳的命運要由自己來決定，才可從「自救」這兩字用心去想辦法，用力去達成。

漫画天下

南

「我也有份兒的啊！」

巨鯤背上的小舟

自由談

哲人其萎！

馬五先生

一代學人胡適之先生忽以去世聞，這是中國之不幸，亦爲自由人類的一大損失！

胡先生一生治學的精神是那末擇善固執，有所不爲，而其處世接物的態度，又是那末和藹可親，平易近人，祗看他這種風格，就令人敬愛不違了。我在青年時代，讀到他那首咏老鴉的新詩：

「我大清早起，站在人家屋角上啞啞的啼；人家討厭我，說我不吉利。——我不能呢呢喃喃討人家的歡喜。」

心裏對胡先生即留着一種深刻的印象，不期然而然地引起共鳴之感。經過卅年來的觀察體驗，認定了胡先生的思想言行，確有其「造次必於是，顚沛必於是」的定見和守則，始終不渝，那就是堅信個人自由與人格尊嚴的義理，決不含糊。他嚮往民主與科學生活，但不作譁衆弋譽的狷激之談，對民主政治主張一點一滴的創進，對科學知識主張從文化思想上生根。表面上，他似乎與人無所爭，頗爲隨和，內心裏卻堅持其所信守的思想原則，一以貫之。他是以慈悲爲懷的佈道心情，向世人闡述其人生觀和宇宙觀，期收震聾發聵之效。所以，他當年跟陳獨秀提倡新文化運動時，說陳氏的書齋門口，好像貼着一張「內有武器，來者當心」的字條，而他的門口，卻經常寫出「內無武器，來者放心」的標語，表示絕無詘詘拒人的詞色。這不是一個學者和敎育家應有的風範嗎？

胡先生曾對人說，他的言論，主張常常受到別人「圍攻」，但他不但是不生氣，而且很歡迎，認爲這是進步的現象。這種客觀追求眞理的治學態度，虛已以聽逆耳之言的做人方針，如果一般知識份子都能見賢思齊的話，相信中國的文化精神必不致空疏到目前這種境界，而中國的民主自由生活，也不會鬧成至今還在「是非之言盈天下」的這種落後景況吧？

人莫不有一死，遲早總是免不掉的。就胡先生個人來說，年逾古稀，一生淸白，桃李滿天下，死於學術工作之中，當無遺恨可言。但在現時國運艱迍，需要以文化思想力量來救亡圖存的階段中，胡先生具有砥柱中流的作用，死非其時，而竟遽然長逝了，怎能不使我們感到哲人其萎的悲痛呢？唉！

郵政醫院公開服務大衆

設備不錯並正擴充中　醫護人員均有學有專長

（本報記者台北航訊）在各機關都流行着「本位主義」，抱着「多做多錯，不做不錯」，而一味敷衍塞責的今天，而郵政却在它專管的郵信業務之外，把他們原來供自用的醫院也開放爲公衆服務，是一件值得讚譽的事情。

據郵政醫院鄭樹玉院長說：「郵政醫院的前身，祇是一個小型的診療所，原來專對郵政從業人員服務，擴展爲醫院還祇是四十九年六月的事。鄭院長說：他們不是爲了營利，而是想把郵政上已具規模的良好制度，透過醫院向公衆服務。鄭院長謙稱他對醫學是外行，他祇是一個郵政從業人員，但是他讚揚醫院內的全體醫護人員，說他們都是專家，在他們的主持和合作之下，醫院才有今天的成績。據記者所知，該院的醫務主任孫明廉及其他醫師、護理人員都是在國內外學有專長的。

郵政醫院佔地六百坪，建築新穎，是一間全科醫院。現在設有頭等床位二間，二等床位二十八間，祇因社會公衆尚未十分了解該院亦對公衆服務，所以住院人數不多，形成醫師護士多過病人的現象，也因此病人能得到很週到的照護。

台北各公立醫院差不多都是人滿爲患，何以該院能獨得清閒？原因除了前說社會公衆不知道該院是公開的外，還有該院不是公教保險的特約醫院，公教人員不能享受免費的優待，祇能像一般公衆一樣的享受九折優待。但就是這樣，也還有不少人寧願放棄其他醫院的免費而來該院就診，因爲在該院不必要花時間輪班候診，對病人來說是一個莫大的方便了。

郵政從業人員也都是參加公教保險的，所以他們在別的醫院能享免費，而在郵政醫院却祇能受到部份的補助。據統計，到郵政醫院就診的，郵政人員佔全數的三分之二。

大家都知道郵政自有一套完整的制度；但這套刻板的制度如果用在有需急待處理的醫院事務上，會不會有緩不濟急的延誤情事？據鄭院長說：他們絕不以制度而害緊急處理，他們是儘量在制度之內力求迅速與方便。

醫院不祇「醫術」重要，還有同樣重要的是「醫德」，一般醫院就是在缺乏「仁心」一點上時常遭受疵議。病者住院，往往對於「服務態度」的要求亦不下於對「醫術」的要求。郵政醫院在這點上，一向是力求注意的。

記者從側面獲知該院兩件感人的故事：一件是一個報販的孩子骨折，無錢就醫，經該院眼科醫師謝運璠發現，送入該院治療，出院後該院同人助該報販訂報多份，分期付還該院同仁墊付的醫藥費。此一報販，非但兒子的病獲救，且還增加了收入。另一件是一位司機太太發生「死胎」，此司機不在家，由其鄰居護送入院，出院時尚欠該院同仁義墊的藥費三千多元，此一鄰居靠賣文爲生，但大年除夕還把賣文所得原擬過年的稿費二百元，送去該院償債。

記者曾在該院作了一次巡禮，該院的房舍整潔，開刀房完全新式設備，有空氣調節，現有手術床一間，但仍有餘地可供兩個手術同時進行。育嬰室也有氣溫調節，並有輔育器供不足月胎兒使用，嬰床亦甚漂亮。該院且正準備在現院址後面擴建樓房，增設三等病房，充實內外科設備，眼科儀器等等，俾能更進一步擴大爲公衆服務。（吳越，二，十七）

香港文教新聞界一致痛悼胡適之

李璜認胡已盡到時代任務死且不朽　又說胡是爭民主自由決不妥協的人

（本報訊）對於胡適之先生的猝然逝世，香港的文教新聞界，一致表示沉痛的悼惜，認爲這不但是中國無可補償的大損失，也是全體自由人類無可補償的大損失。

廿五日有一家日報指出兩點：「第一，在促成近數十年學術的新風氣方面，胡先生實爲最大功臣。……第二，胡先生是一位熱愛國家的學者。……我們深爲祖國悼惜這樣一位巨人」。

同日一家晚報「敬悼自由民主新文化的大師」說：「從唐朝的玄奘法師，宋朝的朱熹以後，沒有一個中國的大學者、大思想家有胡先生這樣的博大精深，也沒有一個大師能像他這樣爲自由民主創下過如此輝煌功業。……贊他是中華民國的孔夫子，也不爲過」。

又說：「海外的千千萬萬現在仍在教科書上讀胡先生文章的青年少年學生們，自由世界各國的學術界人士，甚至於仍在大陸的胡先生的千千萬萬的朋友和學生，甚至於反對胡適思想的他的『敵人』，是無論如何都痛惜的」。

又說：「『五百年必有王者興』，前人讚孔子讚周公，實則自朱熹迄今，已有八百年，而朱夫子無論如何不及胡夫子的。」

胡適之先生的老朋友老同事現在香港做教授的李璜先生，則特別指出兩點：認爲（一）胡先生已盡到了時代的任務，死且不朽。（二）胡先生是一位爭取民主自由決不妥協的人。

李璜解釋說：中國歷史文化到現階段，需要「德先生」與「賽先生」，這是時代的必然，非此不可的。胡先生的貢獻，是他做了啓蒙者，他不但介紹了「德先生」與「賽先生」，而且一面以身作則，他不停歇的在爭取民主自由，他又在以科學方法治學上，做成示範，有所表見。李璜說：有的人罵胡先生提倡新文化，但却在考證紅樓夢，考證水滸上做工夫。而不知考證紅樓夢、考證水滸正是他所鼓吹的以科學方法治學的適用，且亦正因爲他所考證的是大衆都讀的紅樓夢、水滸，其影響就更普遍更廣大了。

李璜又指出：有的人罵胡先生「但開風氣不爲師」，在新文學上自己並沒有偉大的著作，而不知胡先生是領袖羣倫的啓蒙者的身份，也不認識開風氣的重要性，實則，胡先生能開風氣，正就是他的大貢獻了。所以他強調胡先生已盡到了時代任務，死且不朽。（卓）

往事如烟唐榮案　何以解釋大法官

（本報記者台北航訊）作爲監察院二月份院會中一項重要議案的該院經濟委員會所提的擬請大法官解釋行政院引用總動員法救濟唐榮案是否適當案，院會曾三次討論，終於廿一日進行表決，結果是決定提付大法官請予解釋。

由於本案在討論之時，一直存在着正反兩面的意見，公說公有理，婆說婆有理，相持不下，莫衷一是，也就引起了社會人士的紛紛議論，報紙上也不斷出現「護航」、「放馬後炮」種種說法。而且，一直到本案表決通過之前一刻，社會人士，大多以爲提請大法官解釋的希望，已經很微弱而黯淡了。乃結果終於還是通過了！姑不問這「馬後炮」畢竟於事何補？能通過比之通不過，總像要差強人意些。

實際，必須指出；爲了救濟唐榮案已經是如烟往事，假定行政院這事情確實做差了，然而，木已成舟，要挽回亦無從挽回了。加以，監察院在決定提請大法官解釋之前，已經對行政院提了「糾正案」，既要糾正，當然是已經認定行政院做得不適當，則即使將來大法官的解釋，也認爲行政院做得不適當，也無非藉大法官之手，派行政院的不是而已。派不是却並不能使得行政院已經做了的事，因此取消，則最多亦不過亡羊補牢而已。而如其大法官的解釋，居然並不如監察院所想望的，那就更糟：到那時，監察院又將何以爲情？

平情而論，在我們的「國會」中，監察院近年來的表現，算是最肯做事的。祇是有的人認爲還是不夠——監院每年一次的總檢討，就亦並不護短，承認確實還做得不夠。不夠之處的最爲社會人士所家喻戶曉的，是監察院對於「拍蒼蠅」，動作表現得很敏捷，而對於「打老虎」，則就行動遲緩，拖泥帶水，往往而成爲「放馬後炮」了。好像這次對於唐榮案，就無論如何屬於「馬後炮」。

有的人還認爲，這次討論唐榮案時，那些主張待行政院答覆了「糾正」再決定是否提請大法官解釋的，固然有「護航」之嫌，就是那些主張不待行政院答覆「糾正」而即提請大法官解釋的，其實亦是「踢皮球」，「打太極」——因爲不是，監察院則就此算是繳卷大吉，是希望由大法官去派行政院的不是，是則春秋責備賢者，如此這般，「御史」精神亦還是表現得不夠的。

按對於唐榮案，監察院經濟委員會經一年又半的調查，會決定請院會採取五項步驟，其一是向行政院提糾正案，其二即是提請大法官解釋，另第三項爲對若干公務員在唐榮公司兼任顧問職務者提案彈劾，第四項爲唐榮負責人唐傳宗涉及刑事部份將移送司法機關處理，第五項爲有關部首長在處理唐榮案時有失職者，將予彈劾。這餘下的三項步驟，不知監察院將於何時做出決定？（當）

非執政黨人士滿肚密圈　待機爭奪北市政權

街頭演講雖未成宣傳目的已達　傳高玉樹等四人均有問鼎打算

（本報記者台北航訊）台北市非執政黨籍議員張詩經、黃信介等七人，經過大鑼大鼓要攪「街頭演講」，被警局阻止了，又在市議會大吵大鬧一番之後，他們製造氣氛自我宣傳之目的已達成，據說已開始在動腦筋安排人馬，準備在將來的市長選舉中問鼎北市政權了。

這些非執政黨籍的市議員，爲了覬覦台北市政權，幾個多月來曾做了許多經過深思熟慮安排下來的工作。大體上，他們的努力都是有成就的，部份是他們努力的收穫，另部份則是執政黨的錯誤處理幫了他們的大忙。他們的努力最重要的計有下列：

（一）他們集體到因案被停職的民選市長黃啓瑞家裏勸黃自動辭職。這是他們的最如意算盤，設使黃啓瑞真的提出辭職，則無異於天上掉下來的讓他們可以在改選市長中爭奪台北市政權的機會，爭奪得到與否，自是另一問題。他們的這一如意算盤沒有打得響。但他們這一「勸辭」工作，却不是沒有收穫的，他們主要的收穫爲製造氣氛，造成「新聞」。台北各報對他們這一努力，就曾經以不在其小的篇幅，加以報導、評論——無論是好與壞的評論，在他們要自我宣傳這一目標上，他們總是有收益的。

（二）「勸辭」不成功，他們實行先禮後兵，要攪「罷免」了。而其厲害處，是他們所採取的「猶抱琵琶半掩面」的手法，他們早一些時候未肯不真的希望一舉把黃啓瑞罷免掉，他們亦確實會經利用許多場合，如私人接觸、拜年、春酒等，試探各界對於罷免黃啓瑞的行情。而最有力之一著，則是他們居然要攪「討論市政建設」的「街頭演講」，事前大吹大擂，根據本報記者從各方面所得消息的分析判斷，他們本意在祇要希望攪得熱鬧，造成氣氛，替攪罷免起鬨而已。他們深知，要攪罷免，談何容易？他們宣傳「街頭演講」就是要想攪罷免，更是異想天開而已。警察局以「街頭演講」爲非常時期妨害治安的任何由來，一律禁止；是他們正寧願無事而阻止的，却成了轟動一時的新聞。他們並且立刻因爲不執政黨加以利用，在市議會大吵大鬧一番，全武行，新聞一出，幾乎成了全面的新聞。他們就利用這新聞，真正造成了氣氛，自我宣傳的目的，乃告超乎預期的完成。

現在，他們差不多已經完全放棄攪罷免，理由是，茲事體大，必然勞師動衆，而又看不出有幾分成功的希望。甚至他們原來已進行得七七八八的在市議會提出對代市長周百鍊的不信任案，亦其勢無法提出來了。但他們以爲，黃啓瑞所牽涉的案子，有可能在幾個月內得到最後的結局，則除非黃啓瑞在兩案中都推翻初審，獲判無罪，則改選台北市長，已不在遠，現在是應該準備的時候了。即使由於黃所牽涉的案子拖延下去，致使周百鍊居然代完黃啓瑞的任期，亦不過兩年多一點，有備而戰，現在亦是應該開始佈署進行努力的時候了。

由現任議員張詩經、黃信介等七人至目前爲止，但當然這七個人祇是前台唱戲的人，在後台的另還有人爲問鼎。據還未完全證實的消息，有意於問鼎台北市政權的，（一）前任台北市議員有「大炮」之稱的郭國基，（二）現任省議員有「高派」大將之稱的李賜卿，（三）前任台北市民選市長高玉樹，（四）曾經當選台北縣省議員，結果被法院判決無效的李秋遠，據說是有矛盾衝突的。

高玉樹是「識途老馬」，自命不凡，躍躍欲試，念念不忘；郭國基如其高玉樹的要出而競選，他說他將捲土重來，不惜表示與之對台；李秋遠的野心勃勃，他已經在把戶籍遷入台北市了，就是想在台北縣台北市都打對台的。至於李賜卿，四人中是第二熱門的，許多人看來，他是顯身手是其四人中最熱門的了，除非高玉樹果真出來，否則他是最熱門的了。（哲）

對東西文化問題的看法

顧翊羣

美洲來鴻

嘯岑社長先生道鑒：

近閱貴報暨「民主評論」與「文星」等雜誌所登載關於東西文化之討論，弟亦願有所論列。民國十二三年間科玄的人生觀論爭起時，西方文化雖已顯露裂痕，但局面尙未嚴重化。有識之士，雖已看到科學主義實證主義之流弊，然新派學者則從功利的速效的觀點，認從速西化爲我國救時良藥，可以起死回生。爭論結果爲新說得勝，而傳統的人生觀被拋棄，各學校廢止讀經書，教育方針重點在傳授知識，不在培養人格。青年學子鄙夷舊學，以全力追求新事物與新現想，而日益左傾，最後引致大陸之淪陷。

但同時全世界在過去五十年間，隨西方科學技術之進步，納粹與共產勢力亦相繼抬頭，人類之走向非理性趨勢日益顯現。二次大戰以來，冷戰逐漸轉熱，小赫胥黎昆仲指出現代隨原子爆炸後，有知識之爆炸，人口之爆炸，以及資源消耗之爆炸。哲學家多人指出現代個人，社會、種族、國家各種之分裂與離心。故西方文明之缺點，已無可否認。

考西方在古希臘時代，有古典的宇宙觀人生觀，其文化爲完整形態。至中世紀則有基督教的宇宙觀人生觀，由上至下人人均心安理得。自十七世紀科學技術興起後，工業與武力膨脹，全球均爲白種人勢力所宰治。本世紀兩次大戰之後，尤其近十餘年間，科學技術，工業上之自動機械化程序，加速的向前發展，不復容受人力所控制，而幾乎變爲雪萊夫人名著中之科學怪人，浸將反客爲主，使人類爲所毀滅。發明雷達之英人華主瓦特爵士，在近著中，估計祗英國一國已造成之原子彈，即可將全球人類毀滅。美蘇兩國亦正在研究如何製造「最後武器」，即從衞星上或潛水艇上放出一種新武器，可將一整個大陸炸毀，不容許對方有還手之機會。故變方均色厲內荏，而神魂不安。

法國實存論者馬塞爾氏，於其所著「人對抗人道」一書中，對技術發展有深刻之議論。伊謂技術與習慣相同，均爲人造的。人可沉溺於惡習，故亦可變爲技術之奴隸。在廿世紀技術之於人類，已自手段轉爲目的，且更變爲崇拜之對象。現代技術人大多爲失去本根之人，彼此間爲計較金錢收入，而互相忌妒，並感覺人生之無意義。百餘年來技術之發展，實成爲人類之負担。

荷蘭科學的哲學家房邁生氏，在去年九月份國際哲學季刊發表「論科學對文化之衝擊」一文中，謂科學與技術興起後，曾給予人類以幸福，但亦逐漸予以憂慮。現在則整個技術世界依照其自身結構而進行。玆世界不僅反映大自然之力量，亦反映人之才智與技巧，更反映人之錯誤，尤爲重要者，則爲反映一種神秘的因素，即人之惡念（malice）是也。大科學家海森堡氏在「物理學與哲學」一書中，認技術文明已走入人力所不能制止的階段，但在該書末段中表示：希望許多不同的文化傳統可能共同存在，且或可將不同的人類之努力合併而爲一種新的思想與行爲之平衡，及活動與沉思之平衡。房邁生氏在伊所著文末段則聲稱：西方世界雖認可科學技術與社會經濟之成就，應推廣至全世界，但同時亦深懼此種技術之推廣將毀壞各種舊文化之精神傳統，蓋西方人深知如無一哲理的與宗教的態度以爲支撐，則技術文明之爲害，將超過於其成就也。

美國文化哲學家輿佛教授，在最近一期之現代季刊中發表「文化自由之重要性」一文。伊謂一種文化恆自動的趨向完整（integration）而發揮其創造力，但現代政治的熱狂者，每藉口於去障礙求進步，而將文化之完整性破壞。每一地域之文化，有自身所認可之各種價值，並可自主的吸收外部之價值。然如該文化不能自主的選擇或排除，則將失去創造性而逐漸消沉，或走向折衷主義，世界主義，乃至亞歷山大主義（按此當爲一切包容大而無當之意）等等。

我國自古相傳之世界觀人生觀，中正合理，與西方二千餘年來三次改變之古典的，唯神的，與唯理的宇宙觀人生觀相比較，似兼有其長處而無其短處。我國近百餘年來受外力侵凌後，文化失去自主性而活力減退，但此僅一時現象而已。目前新儒家思想重振，精神傳統應不致中絕。新儒家之崛起是自動自發的，不借助於政府或任何方面之力量，而執筆發揮思想者，且頗多青年學者與軍中人士，可見近年學風之嚴肅平實，與民國初年之囂張尖刻者不同。我國大陸青年行將歸向過去精神傳統，爲理所當然，勢所必至，因傳統的人生觀遠優於無人性之唯物史觀也。

西方人自十七世紀以來之所謂現代心理，已爲世俗主義、懷疑主義、與相對主義所替代，而看法模糊不淸，判斷力亦大受影响。目前伊等所最恐懼者，爲中共政權不惜犧牲人命，而製造原子武器以與西方爭鬥。第照吾人看法，本世紀內世界人口爆炸之危險性，實遠較中共武力之威脅爲巨。目前大陸人民乃至軍人，久已對中共政權厭倦。如自由中國能返回大陸，則東西方戰爭之機會將大爲減退。如中國傳統文化更能發揚光大，則可以補充西方技術文明之缺陷，俾人類之努力得到平衡。蓋中國儒家向來重義輕利，尙德不尙力，並反對玩物喪志，心爲形役，與西方現代精神，實成對比也。

吾人贊成美國當代天主教哲學家穆雷教授之意見，認國際共產主義實乃近代權力政治之邏輯的結果。穆氏謂，較共產主義更重要者爲關係於玄學的與本體的眞理上之若干問題，例如：自由應如何決定？民主應否遵循照目前無標準的濫用，抑用以維護公道？而最重要的，厥爲：應否用與過去傳統有關之各種前提，確認，暨方法程序，以代替對理性與實在之「內部不忠實」（interior disloyalty）的行爲，後者實乃「現代性之本質」（the essence of modernity）也。

總之，現代西方有識之學者已注意其自身之精神傳統矣。吾人爲國家爲民族爲人類前途計，豈能不力求中國精神傳統之重振乎？

手此敬頌

著綏

弟顧翊羣拜上

二月十九日

再者：最近柯拉茲博士研究蘇俄宗教，發現經過肆拾肆年無神的共產政權壓迫之後，俄國不僅正統教會尙在繼續，此外浸禮會，羅馬公教會，信義會，喀爾文派，七日來復派，耶和華見證派，猶太教，佛教，以及其他宗派，均依然存在。柯氏結論謂：純正宗教在任何一民族之靈魂與傳統中，業已根深蒂固，故共產教之消滅，當遠在其他宗教之前。

向核彈抗戰

第一部　核彈戰爭開始了

陳知青

這決不是「危言聳聽」的庸人自擾！

惟有對核彈戰爭認識淸楚些的人，才對核彈戰爭，格外憂懼。

愛因斯坦可以說是「核彈之父」，他在一九〇五年發表狹義相對論，提出「質量可以轉化爲能量的質能互變公式」E=MC2，能量等於質量乘光速的平方。也就是說一點點物質，能夠放出極其巨量的放射能量！十六年後，他的理論獲得諾貝爾物理學獎，實驗尙未完成。直到一九四二年，（十二月四日）「核彈之母」的費爾密，才在美國支加哥大學的操場上，實驗第一架鈾、石墨的原子爐！證實了他的理論；而愛因斯坦，以和平主義見稱的理論科學家，自己不參加原子彈製造工作，却在一九三九年上書給美國的羅斯福總統，要求製造原子核分裂彈的試驗。因此，核彈戰爭的開始，也可以說是第二次大戰中萌芽的，到大戰結束後，難怪愛氏幽默地說：——第四次大戰，人類將要用木棒、石片作戰了——這意味着核彈戰爭的毀滅性！

英國哲學家羅素，爲了抗議重開核彈爆炸舉行靜坐，而遭英國政府的拘禁；他老何嘗不愛惜自己的自由呢？問題，是在他看出了核彈戰爭的危險；但他的對策是姑息的，消極的！英國政府逮捕老哲學家，固然做得對；但是，積極方面，我們應該怎樣向核彈「抗戰」！

因爲核彈戰爭已經開始了！早在愛因斯坦逃離納粹德國的時候，德國科學家史屈拉斯曼和哈思，已在研究原子核分裂！二次大戰勝利時，德國的原子彈工廠和技術人員，成爲蘇俄的戰利品，從事積極的研究實驗，而造成蘇俄在原核子科學和人造衞星方面的優勢！

從這些原核子科學發展的歷史來看，我們可以斷言，蘇俄侵略世界的「核彈戰爭」，早已開始；第一次恢復試爆，是有形的「破壞停戰——禁試」。」五千萬噸級核彈的試爆，影响了整個地球的空氣，以及多季的氣候。如今，蠢蠢欲動的第二次恢復試爆，正是蘇俄核彈侵略戰的第二回合的開始！我們爲什麼不起來向核彈抗戰，而願在「停戰」策略下等死嗎？

（二）

瘟君續夢

第三回：掩面向黃泉，貳臣遺恨
低頭拜白虎，帝子驚魂

武秘書到了統戰部，李維漢劈頭問道：「武同志，李濟琛家屬誰的思想進步些。」

武秘書笑道：「李濟琛的家庭眞眞是頑固透頂，從老到小思想都定了型，再也改造不過來。」

邢西萍插嘴問道：「李濟琛家庭這麼多人口，一個進步份子也沒有嗎？有沒有我們的黨團員？」

武秘書點點頭：「只有一個青年團員，是李濟琛的孫兒媳婦，叫做陳珂珂。」

李維漢和邢西萍互相看了一眼，李維漢聳聳肩膀，說道：「祇有一個團員，也無法選擇了，你回去告訴他們家屬，就說李濟琛病了，已送進人民醫院，醫生說是要靜養，外人不能探望，祇准陳珂珂一人進去陪伴。」

武秘書笑道：「這個老兒果然病倒了，他來開會時已經發熱，兩個小孫子把他架進會場就回去了，到家中和我說，恐怕爺爺這場會要開掉老命。大概被這兩個小傢伙說靈了。」

邢西萍笑道：「那也不一定，禍害一千年，他那裏就會死了。你趕快回去辦事吧！」

武秘書回到李濟琛家裏一宣佈，全家頓時亂成一團。爭先恐後要到醫院去探視。武秘書接着說出醫院祇准陳珂珂一人去，其他的人祇能在家中聽消息。

李濟琛夫人哭道：「就算醫院祇准一個人去探病，也應當由我去，怎麼派到珂珂呢？」

圖窮匕見，武秘書祇好照實說是統戰部的意思。一提統戰部時鴉雀無聲，大家不敢再爭，祇好由陳珂珂一人去了。

李濟琛被送進醫院之後，施行人工急救，不久就甦醒過來，醫院裏注射幾支鹽水針，熱度降低，神志漸淸，舉目四望，一個人影也沒有，凄凉萬狀，再想睡也睡不着，不由得回憶起往事，由民國十三年担任黃埔軍校副校長算起，三十五年浮沉，今日居然落到這個下場，越想越覺得不值，越想也越感到難過。又想起民國十六年共產黨在廣州大暴動時，自己正坐鎭廣州，當時殺死張太雷，滄鬆東延年。葉劍英幸虧逃得快，若被捉住也必然懸首高竿。自己和共產黨原有解不開的仇恨，何以一個糊塗竟然和共產黨合作去打倒仁人志士流血流汗所建立起來的合法政府。

李濟琛想到這裏，再也不能入睡，就在這時房門一响，陳珂珂進來了。

李濟琛見到陳珂珂，好似沙漠中見到甘泉樣一，掙扎着就要起身。陳珂珂趕快過去按住他，小聲說道：「公公不要起身，護士同志要你安心靜養，最多[illegible]禮拜就好了。」

李濟琛頹然臥下，嘆口氣說道：「孩子，我那裏還想病好，祇想早死了。」

陳珂珂知他又發牢騷，安慰道：「公公不要難過，你的病沒有妨礙，黨和國家都需要你。今天你剛病倒，毛主席和周總理就派統戰部的人打電話找武秘書去詢問，他們都很關心你。」

提到統戰部，李濟琛忽然想起，問道：「你來探病，婆婆怎樣沒來？」

（七八）

香江行

漁翁

香港，一名「香島」，又稱「香州」，對岸爲「九龍半島」，僅一水之隔，故統稱之曰「香江」。百年前，爲一荒涼地，割租與英後，經營開闢，成爲今日繁榮之自由港。余避難此間，歷十二寒暑，焉名勝，訪古蹟，所至有詠，因爲長句，以抒所懷，凡七百言，命曰「香江行」。

何年天地闢斯洲？山外山分樓外樓，四面滔滔皆大水，好憑砥柱鎮中流。相傳有寇曰「阿香」，又說芙蓉滿地芳，以物以人名此港，却教過客費評章。對岸層巒有九峯，蜿蜒起伏狀如龍，太平洋上稱名埠，智水仁山氣所鍾。昔年我爲主人翁，今屬他邦掌握中，千載衣冠終未改，依然猶是漢家風。二十年前海上遊，風花水月記從頭，今朝又入繁華境，好泛重洋一葉舟。島上風光分外幽，轅門有圖曰「兵頭」，就中不少開心處，月滿寒潭花滿樓。尋山何處有芳村？都道胡家虎豹園，好景一時看不厭，更邀明月到清樽。芒鞋踏破宋王台，石上題詩掃綠苔，想到崖山山下水，幾回搔首幾徘徊！芳蹤又到荔枝園，歌舞場中笑語喧，演至天涯淪落處，聲聲使我暗消魂。獅子山頭古色蒼，嶙峋畢肖婦人裝，臨高始覺生離苦，我亦飄零憶故鄉。再坐登山一電車，好同走馬去看花，太平嶺上瀟湘望，三徑菊松是我家。山巔遊罷到江濱，姊妹當年有七人，欻乃一聲投海去，猶傳日暮現原身。此間跑馬已成風，春夏秋冬有富翁，個裏明知希望少，也會幾度試窮通。九龍城外訪黃仙，廟貌香綿不斷烟，願乞楊枝甘露水，朝朝遍洒大羅天。削髮於今五十秋，此風早已遍神州，爲何百粵農家女？背後辮猶三尺留。閒從草野話桑麻，欲覓郊陰去種瓜，淺水灣頭風景好，一竿伴我訪漁家。筲箕灣裏鬧黃昏，喜與漁人共舉樽，對面燈光何處是？原來滿照鯉魚門。把釣江頭興未闌，春花春草映迴瀾，波濤萬頃隨流水，合與功名一樣看。最好清和首夏天，取魚沽酒醉江邊，當家莫笑無長物，風滿帆兮月滿船。雲物淒涼拂暑流，金風颯颯又來秋，年年祗羨南歸雁，空抱月明宿斗牛。又入冬有菊傲霜枝，冷暖年來祗自知，搖拽櫓聲驚客夢，此身不似在山時。隔舟忽聽琵琶響，聽罷琵琶萬感生，同是有家歸不得，滿腔心事向誰明。一片冰心照水清，五湖烟景有誰爭？而今嘯傲垂楊下，縱酒酩然到太平。饑驅個個爲錢磨，我到愁時詩更多，厭看人間花富貴，江楓漁火一吟哦。十二年來客裏過，流光如箭又如梭，諸公若問山和水，請讀漁翁一放歌。（一）

唐太宗（一）

李仲侯

唐太宗貞觀之治，曾在中國五千年專制政體上放出過異彩，在國史上也寫下了光輝璀燦的一頁，新唐書載貞觀時，「東至於海，南至於嶺，皆戶不閉，旅行不齎糧」。吳兢著貞觀政要亦說：「官吏多自清謹制馭，王公妃主之家，大姓豪猾之伍，皆畏威屛跡，無敢侵欺細人。商旅野次，無復盜賊。囹圄常空，馬牛布野，外戶不閉。又頻致豐稔，斗米三四錢。旅行自京師至於嶺表，自山東至於滄海，皆不齎糧，取給於路。入山東村落，行旅經過者，必厚加供待，或且時有遺贈，此皆古昔所未有也」。至後儒對太宗之評論，亦譽多於毀，如司馬光說：「太宗文武之才，高出前古。驅策英雄，網羅俊乂。好用善謀，樂聞直諫。拯民於水火之中而措之衽席之上。使盜賊化爲君子，呻吟轉爲謳歌。衣食有餘，刑措不用。突厥之渠，繫頸闕庭。北海之濱，悉爲州縣。蓋三代以還，中國之盛未之有也」！這是極好的批評。又如歐陽修說：「盛哉太宗之烈也！其除隋之亂，比跡湯武；政治之美，庶幾成康；自古功德兼隆，由漢以來，未之有也！至其牽於多愛，復立浮屠；好大喜功，勤兵於遠；此中材庸主之所爲。然春秋之法，責備賢者，是以後世君子欲成人之美者，莫不歎息於斯焉」。這是好而衆壞的批評。三代以下，一治一亂，畢竟亂世多而治世少，唐太宗具備了一副軍事政治的卓越天才，不過他祇能說一位負絕千古的賢君，而不是天生的聖人。史載：他於貞觀二年，見京師大旱，蝗虫蠭起，太宗入苑視禾，見蝗虫掇數枚而咒曰：「人以穀爲命而汝食之，是害於百姓。百姓有過在予一人。爾其有靈，但當食我心，無害百姓」！左右苦諫曰：「恐成疾，不可」！太宗曰：「所冀移災朕躬，何疾之避？」這在今日核子科學時代說起來，眞是一個大笑話，但在君主迷信神權時代，却發生了極大的效用。人們認爲一個做皇帝的人，能不畏疾病，捨身爲民請命，自古聖君賢后所無。他蓋深知邦之本在民，事事能從愛民之一念發出，故內安外攘，文治武功，無往而弗利了。

唐時疆宇，東極於海，南至安南，西抵大漠，北踰陰山，東西九千五百一十一里，南北一萬六千九百一十八里，較諸漢隋版圖，實爲擴大。太宗自平定回紇諸部後，其酋長都頓首入朝，委身內屬，同列州郡，他們一致推崇太宗爲天至尊，說：「願願天至尊爲奴等爲可汗，子子孫孫常爲天至尊，死無所恨」。

早晨的廣播

汶津

我一向沒有晏起的習慣，但冬天早晨的被窩也會使我多依戀半晌。到了軍中，我對起床號特別敏感。漱洗後，如果沒有朝會，我便讀幾首詩詞，或唸一段英文小品。有時更踏出營門去迎一鱗一鱗的朝霞——那種不可思議的燦麗！但最使人意趣盎然的，却是收聽早晨的廣播。

前年的一個晚上，我幾次三番的走出巷子去張望貼在中央日報門首的號外，一直到夜深，我才決心讓最後的消息延擱一宿。次晨，我終於在「早晨的公園」中知悉了讓人惋惜的結局——楊傳廣以些微之差而得了銀牌。那樣精彩，緊張的新聞雖則可遇不可求，早晨的播音却是每一不願賴床的人都能享用的。

記得在軍校受訓的時候，每天早餐桌上除了饅頭稀飯之外，還有擴音器中傳出的轉播聲。在油條燒餅之間攤一張早報是莫大的愉悅，但是對於渴切的人們，早晨的廣播可以供應更多「新」上加「新」的新聞，在那幾個月有聲有色的團體早餐中，曾經有三則新聞引起了不大不小的騷動，如今我還記得那麼清楚。一次是憤怒與惋歎的交加，也是最使値星官担心的一次——外蒙闖入了聯合國！我相信那該是全餐廳的人吃得最不消化的一次。另一次比較微妙，也比較輕淡，那是哈瑪紹死後不久榮獲諾貝爾和平獎金的消息，我們這些大孩子不禁深深地領略到「身後哀榮」的奧妙。在世局詭變多端的幾年中，哈氏確已竭盡了一個超然的公僕的能事！再有一次則是意外的狂喜與衷心的祝福——你還記得李秀英榮獲第二名世姐的喜訊傳來時的心情嗎？男士們開始對她的麗質重行估價了。早晨的廣播往往帶來一日的欣悅，乃至更悠遠的回味。

最近又在露天的「餐桌」上聽到一段有趣的廣播。「早晨的公園」的主持人，特地爲一位殷勤的聽衆重播他新年的開鑼戲——一段講辭，因爲那位先生會答應了因故早出的夫人，代錄那段嘉言的，然而他失職了。這樣的補救法實在是體貼入微。可惜重播時的聲調已經有些不自在了；好在那位特別聽衆一定急於筆錄（但願他學過速記），不會留意這些末節的。

早晨談家常是不煮人厭的，但是愈閒談愈好，否則人們會敬謝不敏，寧可到戶外去呼吸新鮮空氣或聽聽鳥鳴的。如果有音樂，一些古典的小品該最合宜了，大鑼大鼓的奏鳴或演唱，恐怕有損朝氣吧？而且還得謹防「再而衰，三而竭」，到時候底下節目無以爲繼，聽衆們只好扭上開關，去忙他們的俗事了。

說到這裏，不禁又想起恩果先生的妙文「一天的刑罰」來了。開宗明義的，他說：「昨夜我會失眠很久，今早我正要迷迷糊糊睡去，忽然鄰人的『麗的呼聲』開了，……『麗的呼聲』開始廣播了。」由於那位芳鄰的雅興，他與千變萬化的聲音作無可奈何的搏鬥。最後他寄望於「管制收音機，麗的呼聲聽戶法案」早日提出，以便救他早日脫離苦海。　早晨的廣播對於恩果先生是多麼可怕啊。如果魯賓遜飄流到荒島上時，帶了一架無線電的收音機，他自然可以開足音量，恣心所欲；但是牆壁缺乏隔音設備的都市住家們，請您們忘盡我在前面所說的一切有關早晨聽廣播的趣味吧。因爲，您們的芳鄰也許正在日夜詛咒呢！

海嘯樓說薈

張國燾毛澤東交惡記（三）

諸葛文侯

民國廿五年十二月十二日西安事變之役，原係共黨煽動策劃起來的。旋以國府決計聲罪致討，何應欽受命爲討逆軍總司令，統率顧祝同劉峙各部大軍，集中洛陽待命，中央空軍且不時在陝境作威力偵查，兵諫的發動者張學良已有畏禍懺悔之意，楊虎城無力叛亂，形勢對共黨大不利。如是，毛澤東又嗾使周恩來在西安搶先對蔣委員長表演輸誠的把戲，說是共產黨並不贊成張楊的兵諫行爲，共黨絕對服從政府命令，一致抗禦外侮，不復從事內亂，且願設法維護蔣委員長的安全云云。蔣公回京後，一面請求政府減免張學良的罪刑，同時進行抗日計劃，對毛共的淸勦工作，暫行緩弛，以杜塞在野反對派指摘政府「勇於內戰」的口實。

毛酋得此喘息機會，認爲策動西安事變以圖存的目的業已達到，有恃無恐，即展開內部淸算異己的鬥爭陰謀，第一個對象便是張國燾。他就民廿四年所訂共軍突圍計劃，以及「第四方面軍」入川後裹足不前，頓兵通南巴地帶設立「人民自治政府」，表示放棄共產主義，以與地主劣紳合作，違抗黨的命令等情形，指出張氏實有反黨的行爲，至少也犯了右傾機會主義的過錯，提出中委會予以檢討。張氏自然有他的充足理由，答辯振振有詞，但在毛氏專政獨裁的延安情勢之下，一般當年跟着張徐流亡四川，贊成「第四方面軍」的革命策畧，而同意以「中央黨部」決議開除毛澤東黨籍的中委人物，此時誰也不敢替張氏說句公道話，有些竟附和「毛主席」的說法，表現着落井下石的態度了。張氏面臨這種惡劣環境，自信居心無他，且對共黨曾經建立過不少的汗馬功勞，在黨內的資格亦很老，料想毛酋除却用語言檢討這類玩藝，藉以打擊其聲譽以外，亦不敢再作別的舉動。如是，張氏乃採取消極抵制之法，每逢毛酋召集會議，即稱病不出席。詎毛一意窮追緊迫，張告假不預會，他即移樽就教，把那檢討會移到張氏住宅來舉行，張臥床不起亦無所謂，教他躺在床上答話，因各個高級共幹此時皆住在延安延安郊區「棗園」的窰洞裏，旣容易召集，而住所亦不寬敞，事實上須以臥榻之側作會場呢！

檢討會的惡作劇連續演出，對張氏實行疲勞轟炸，循環不休，張以孤掌難鳴，所受精神虐待之痛苦殊甚。毛酋用意在使張氏當衆認錯悔過，先報當年的一箭之仇，然張深悉共黨所謂思想鬥爭的後果將是怎末回事？而自身在共黨又奄有元老與功臣的地位，亦不能隨便被莫須有的罪名所屈服，致召他日不測之禍。如此相持窮年累月，共黨在延安的報刊經常載有攻訐張氏的言論，張請辭去邊區政府副主席的職務亦不允許，這是川諺所謂「踩倒扒」的惡毒手段，終致迫使張氏不得不出奔武漢，而結束了在中共的可憐處境。嗟乎！怨毒之於人，甚矣哉！（完）

山川風物

南陽諸葛廬

道南

在河南南陽縣城西門外，有一座蜿蜒起伏的山陵，綿綿數十里，至城西五里所處，突然中斷，因此被人視爲臥龍崗。臥龍崗中斷的山窩，一片曠場，氣象宏大，前有白河環繞，武侯祠即建於這片曠場的中央。距祠門約百餘步，有一座牌坊矗立，有「三顧草廬」四個大字。

祠旁邊左，古木林立，林下有小亭多所。還有一座八角樓，是武侯祠圖書館，規模不大，藏書不多，但登樓遠眺，風景淸幽。武侯祠是三座古式建築物，紅牆綠瓦畫棟彫樑，庭背古柏參天，濃陰蔽日，景象與成都的昭烈廟相彷彿。

劉先主三顧的草廬，即位於前殿與中殿之間，佔地極少，大約橫與直均不逾六尺。據地方人士說，自三國迄今歷千七百多年，這草廬不知經過修葺多少次，惟一向保持其大小形式，始終沒有變動，以求存其眞相等語。是則當年武侯躬耕時候，就是居於這間陋室了。因爲草廬的確簡陋，土人名之曰諸葛庵，庵即小草舍之謂。

中殿之後爲後殿，後殿較前殿與中殿尤廣，並且有一層樓，內供武侯臥像。祠中前殿供武侯端坐椅上之像，是指他措事時情形，中殿供席地而坐像，是措他燕居時情形，後殿供臥像，則爲休息時。當時塑像者的設計，也算周到極了。

自由報

內僑警台報字第〇三一號內銷證

THE FREE NEWS

第二一四期

中華民國僑務委員會發行
台教新字第三二三號登記證
中華郵政台字第一二八二號執照
登記爲第一類新聞紙類
（半週刊每星期三、六出版）
每份港幣壹角
台灣零售價新台幣弍元
社長：雷嘯岑
督印人：黃行實
社址：香港銅鑼灣高士威道二十號四樓
20 CAUSEWAY RD 3RD FL
HONG KONG
TEL. 771726　電報掛號．7191
承印者：田風印刷廠
地址：香港灣仔高士打道二二一號
台灣分社
台北市西寧南路壹壹本號二樓
電話：三〇三四六
台郵撥儲金戶九二五二

從核子戰爭談法國原子政策

郭甄泰

法國自一九六〇年二月十三日成功的引發了一次原子彈試驗後，已繼美、俄、英之後一躍而爲世界上第四個核子國家。以常情論，法國有四千五百萬之人口，有一百萬之兵力，爲北約駐德派遣軍，北南中三個指揮所中路之司令，現復爲第四個核子國家，其在北約盟國中之地位以及在西德軍事上對抗蘇俄之份量，均應在西德之上。但實際上，西德軍備獨邀美國青睞，三軍軍力逐漸擴充，前線兵力據諾斯德將軍之緊急部署爲德軍由十二師增至十四師，人數由二十八萬增加至三十一萬八千，第一線兵力由七師增至十二師，法國則由三師增強至四個師，僅增加一師，反默默無聞，一若無足重輕。此何以故？法國軍備之主力爲陸軍，而其半數以上均陷入阿爾及利亞之坭淖，無法自拔。阿爾及利亞問題如不解決，大部陸軍不能撤回，法國自顧不暇，已無餘力對外，其在北約中實力之貢獻，顯有限度，且遠較西德爲遜也。

次就核子武器言，法國原子彈試驗雖已成功，但自製核子武器在本年年底以前方能完成，攜帶自製核子武器之新超音速「影子四式」轟炸機、試驗飛行僅有五十小時以上，在一九六三年底以前，尙無法擁有嚇阻戰爭實力。迴憶去年赫魯曉夫爲拍林問題曾一再對英法發言恫嚇，先稱：『……有六顆氫彈可以使不列顛一掃而光，另外九顆氫彈，則將使法蘭西全部毀滅。』繼復稱：『……吾人將問法國總統：帝國主義發動戰爭時，法國會有何物存留？英法兩國爲人口稠密國家，如果發生原子戰爭，均不會繼續存在。』對此恫嚇，英外相曾予以明確之答復謂：『英國擁有足夠之核子打擊力量，足以毀滅蘇俄大部份之大城市。』英空軍部長亦謂：『倘英倫直接受襲擊，英空軍轟炸機將及時投彈；吾人向蘇俄索取攻擊英國之代價，將超過俄人能付出之數目。』措辭嚴正，落地有聲。法國則黯然無色，不能置一詞，因在嚇阻實力尙未完成以前，自以無言之答復爲宜，蓋不便示弱，亦無法逞強也。現在法國之阿爾及利亞問題即將解決，五十萬之精銳即將陸續撤回本土，自製核子武器與攜載核子武器飛機亦即將試製成功，在不久之將來，法國之軍備，即可集中法國本土，並加強在西德駐軍之實力，對於蘇俄之核子恫嚇，即可報以有聲之答復，對於北約軍力，亦可有巨大之貢獻，法國國際地位急速增高之日即在目前。於此時會，由核子戰爭觀點以檢討法國之原子政策，對於法國之將來，重新予以認識及估價，自不失爲一重要之問題。

毒蛇與鐵腕的鬥爭

和平樂章的彈奏

一、法國國防政策之演變

第二次世界大戰前，法國之國防以防德復仇，力圖自國之安全爲首要，防備意大利由地中海問題所發生之強硬政策及確保海外領土爲次要，故其國防政策爲整備最強之陸軍以威壓德國，維持最強之空軍及潛水艦隊彌補海軍軍力之不足，以確保西地中海權。二次大戰後，法國雖已勝利，但創痛巨深，加以法國地理地位，處於首受蘇俄攻擊之地位，深恐美國戰略爲將軍隊撤至英國與非州，或在遠方組織大規模解放運動，以謀戰爭之最後勝利，致使法國遭受侵略者之蹂躪，而無法挽救其殘破之文化，故其國防方針爲：『守住戰勝後所佔領的萊因河與易北河間之走廊』，『在開戰之初，美、英陸軍即負起作戰之任務』；國防政策爲：『重整軍備，反對武裝西德，共同防衛，積極防禦攻勢』（詳拙著「現代國防」正中書局出版）。及後蘇俄造成原子彈，並造成氫彈，洲際飛彈，戰略型態與戰術丕變，蘇俄周圍的國家，已變成爲不設防的城市，法國有隨時遭受毀滅之虞，其國防政策遂不得不大爲改變，而自戴高樂執政後，法國國防政策，更有極顯明之方針，大概情形如下：

一、積極試製原子彈。法國製造原子彈，不始於戴高樂執政府，但自戴高樂執政後，更爲積極，別爲極顯著之事實。核子試爆在撒哈拉沙漠已舉行四次，本年年底前，原子彈及攜載原子彈投彈飛機，均可製成。法國空軍現已向負責設計「影子四式」核子轟炸機之「德紹爾特」飛機公司以兩億美元的高價訂購該項轟炸機五十架。最近數年內，法國即可擁有自行設計的核子炸彈，核子彈頭，中程飛彈以及核子潛艇等新型核子武器。

二、加強本土及西德前線兵力。去年一年非州出現十餘新獨立國，其中十三國均爲法國之殖民地，法國對於此等屬地，已可不負防衛之責。現在阿爾及利亞問題亦將解決，本年一月戴高樂不顧國防問題專家之反對，已下令從阿爾及利亞撤回兩師軍隊，使法國武裝力量又繼去年撤回兩師軍隊之後，再減少十分之一，預定陷入阿爾及利亞之陸軍五十萬人，均將陸續撤回法國本土。法國兵力集中後，北大西洋公約國中線之防禦即可增強，法國本土之安全即可增加。

三、共同防禦。法國於民國三十九年曾向華盛頓提出兩次備忘錄，均力言「如果不能得到外國人力與物資的援助，目前無力防衛」，現在戴高樂雖先將美國的戰術轟炸機驅出法國領土，繼將法國的地中海艦隊退出北約組織，表示與美國不合作，但其目的主要爲建立獨立核子嚇阻力量，受到英美的輕蔑，心存報復，並非放棄共同防禦之戰畧。現在法國空軍尙保留有六個機場供美國空軍使用，並有兩個機場供西德空軍訓練之用，去年十一月美法兩國曾簽訂一項協定，由美國訓練法國部隊使用原子武器，以達到「共同防禦的目的」。現復不再反對武裝西德，並擬由阿爾及利亞大量撤兵，增強北大西洋公約國兵力之協助，法國不可能爲獨立之防禦，戴高樂對此固早已知之甚詳也。

四、積極防禦攻勢。法國主張防禦前線必須儘可能逼近俄帝鐵幕，絕不能採取放棄大陸而在其他地方繼續作戰的戰畧，故主張積極的防禦攻勢，一切戰畧、戰術、兵員、物資裝備，均係以此爲依歸，前述集中兵力與由美國訓練法國部隊使用原子武器等措施，均係此種積極防禦攻勢戰畧之配合。現在美國甘酒迪總統主張堅守柏林，卽無異爲法國對俄戰畧上之勝利，因對俄戰事如一開始，受害者首爲德法兩國，北約如不採取積極防禦攻勢，法德卽必將首先遭受蹂躪也。

二、法國之軍備

法國現在三軍兵力共約一百萬人，以陸軍爲主，擁有豐富之實戰經驗。自第二次世界大戰後，法國陸軍曾先後參加黎巴嫩、叙利亞、中南半島、馬達加斯加、突尼西亞、摩洛哥、蘇彝士、阿爾及利亞等戰役，素質，經驗，均甚優良。編制上分爲戰鬪師、裝甲師、空降師、騎兵師、機械化師、原子裝備師等，在普通的情形下，每師有三個步兵旅與一個裝甲旅，每旅均有偵察單位，野戰、工兵、防坦克部隊與輕型補給隊，原子大砲與裝有原子彈頭之火箭，則由師部直接控制。海軍現有兵力共約七萬二千人，總噸位逾三十萬噸，計有航空母艦五艘，主力戰鬪艦四艘，巡洋艦四艘，驅逐艦五十四艘，潛水艇十八艇，實力居世界第四位。最大作戰單位爲地中海艦隊，最近並擬增建航空母艦兩艘，配備核子武器的巡洋艦四艘，核子潛水艇一艘，以期澈底革新海軍。次言空軍，法國空軍現有八個聯隊，十四萬二千人，各型飛機千架。飛機除二百架螺旋運輸機，教練機，連絡機，巡邏機外，其餘均爲新式噴射機，大多數戰鬪機均能攜帶空對空電導飛彈，另尙有許多型空對地飛彈，性能不讓美國專美。攜帶原子彈轟炸俄境之長程轟炸機；本年底前亦卽可製成。最近法國復擬在今後十年內，將陸海空部隊澈底革新，配備戰術與戰畧的核子武器，以便「單獨或與它的盟邦」共同應付威脅性的危機。氣魄宏大，一世之雄，餘風猶存。

（下文轉二版）

自由談

匪夷所思

馬五先生

最近海隅自由文化界發生兩項奇聞都與台灣有關。

一是在香港專門替反共報刊寫評論文字的同業黎晉偉君，他把歷年來發表了的文章，印成專集後，曾向台灣申請進口推銷，結果遭主管機關批駁不許。

二是在香港創設多年的自由文化機構——亞洲出版社，擬將該社出版的一些非政治性的著作品（如文藝與藝術之類的書刊），申請按照舊章「自備外匯」的規定，輸入台灣銷售，結果奉到主管單位核示以書刊准予不結匯輸入，但不許發售！

黎君的情形，我在五六年前就遭遇到了。當時我把在海外的政府機關報——「香港時報」副刊上每天所寫的筆記小品文（多半都是評隲對日抗戰時期的叛國之徒，以及大陸淪陷之際的投共人士）一字不易地印成專集，依法向台灣申請入口，卻被主管宣傳事業的決策機關否決了。並且開列了若干條指示，敎我遵照修改，而那些指示又盡係抹煞事實的謊言——如說楊杰沒有做過革命軍初創的工兵營長，又說韓復榘通敵被捕時，不是最高統帥在開封設計擒拿的——硬要我造謠說謊，把眼前的史事變造過。我不願作此無關宏旨的無聊之事，乃自動撤消申請案。黎君今日所受到的「烏氣」虐待，還比我好些呢！

綜觀上述事情，我想請敎一下在台灣主持文化宣傳事業的先生們：對於現階段反共抗俄的文化宣傳工作，究竟有不有一定的政策或原則？某種書刊允許或者禁止輸入台灣的審核條件，是憑國策和法令爲準繩呢？抑是憑主管人員的愛惡感情爲依歸？以反共抗俄爲職志的書刊，竟不許進入領導反共救國之役的政府，在地區，這是甚末道理？既然許可某些書刊以不結匯的方法輸入台灣，而又附以「不許發售」的限制，若非故意對商民開頑笑，便是濫權瀆職的惡作劇吧？政府隨時倡導忠貞愛國，團結海內外反共力量之說，然其所屬機構，竟要從文化思想上來分裂反共陣營，並且以排斥忠貞愛國之士爲能事，這種「前面賣生薑，後面喊不辣」的作風，是何用意，實在匪夷所思也矣！

國際漢學會議延期內幕
傳因張君勱建議然使

（本報記者台北航訊）美國亞洲基金會，擬在台舉行一次國際漢學會議。此項會議，該會已委託台灣的東海大學主持，原定參加人員以中美兩國的漢學家為主，並定三月間在台舉行。但此一國際漢學會議，現已因張君勱的建議，決定延期舉行。

張君勱最近有專函寄給教育部長黃季陸，在該函中，張氏認為漢學會議的舉行，必須具備四個先決條件。他說：這四個先決條件，在漢學會議舉行前，即令不能全部辦到，亦應部份辦到，否則寧可延期。傳黃部長將張氏的函件交國民黨中常會討論。又傳當局同意張氏的看法。張氏所建議的四點為：

一、推崇或宣揚自己文化之著作，須有若干先已印成。

二、自己大學內有此講座。

三、中央研究院項目內應當有此一類。

四、國家風氣應步武儒家之後（編者按：此條辭語有欠清晰）。

張氏並特別指出國內對漢之學有研究士，及倡導此項風氣者如錢賓四、唐君毅、牟宗三、徐復觀、謝幼偉、張曉峯等。以及其他學者同意此意見的，先組織一委員會，由教育部長召集，擬定一項中國文化刷新計劃。對於前所列漢學著作，可由各人分別担任之。張氏以為國際漢學會議，不可缺少日本與歐美專家，是以國內先有準備，然後可以移人觀聽。否則雖稍延一年半載，似亦無妨。此一會議，如果準備工作進行順利，今年內即可舉行。

久已傳聞張君勱氏將於三月間返國參加國際漢學會議，暨三次陽明山會談，以及民社黨全國代表大會。現據此間民社黨副主席蔣勻田透露，張氏最近有信給他，信中表示，陽明山會談既無確期，他已決定接受西德的邀請，於三月間前往講學三個月（題目已經擬定為「從哲學的觀點看共產黨」。）

張君勱究竟在何種情況下才能回國呢？蔣勻田說，張氏前函表示，在他回國前，三黨必須對共同合作反共綱領達成協議。但這個反共綱領，經在野黨與執政黨方面多次接觸，尚無具體進展。張氏是一個漢學家，據蔣勻田判斷，張氏極可能返國參加國際漢學會議，如果政府邀請他，他是不會拒絕的。（匡謬）

採訪線外

警官開畫展涉嫌斂財
局長辦交接有令送禮

△台東鎮警察分局某某派出所主管，本（二）月十八日向小攤販、妓女戶、茶室、旅社，發出大批請帖，邀請參觀其本人所舉行之畫展，請帖上雖自稱「習畫業已念載，上摹古意，下參近法」，但事實上所有展出之畫，悉係另一張某所作。

鎮民代表高子賢認為此舉，跡近斂財，乃於鎮民代表大會中提出指責。高子賢在質詢時稱：「某主管開畫展，當為提倡藝術，自應邀請一些懂得藝術的人士前往參觀才對，偏偏請的卻是小攤販、妓女戶、茶室、旅社的老板，這不是借名敲竹槓是什麼？身為人民表率的警官，將人家的作品據為己有，已屬不當，果真借此撈一筆，更不應該。

請帖上所謂「下參近法」，大概是指「參考時下借畫展為名打秋風是實之法」之意，是耶？非耶？

△局長交接，居然命令下級機關送禮。

雲林縣府民政局長楊崧山改調秘書，遺缺由該局社會課長楊文彬升充，新舊任於二十一日上午辦理交接手續。

為了縣府新舊任交接，二十日各鄉鎮長都接到一封「公函」，要各鄉鎮送禮，以示賀意。「公函」蓋有民政局的印章。據說：該縣縣長林金生據報後，至表震怒，特手令警察局查個水落石出。林縣長認為此種「惡作劇」之風不可長，因令警察局澈查。

其實，如果真有心要澈查，只須驗明民政局的印章是否真，便不難查個清楚，只怕說說而後不了了之，那就必然查不出來。（昌，二，廿四）

一招不成另來一招
北市議會新醞釀
建議周百鍊改善態度
否則就要求省府召回

（本報記者台北航訊）台北市議會第四次臨時大會前，部份議員原擬對代市長周百鍊提出的「不信任」案，開會三天了還沒有提出。依三天來的發展觀察，不信任案大概不會提出了。但同時，又有一項新醞釀，即改提一個「建議案」，向省府建議要周百鍊改善服務態度，否則請省方回召他。

市議員們對周百鍊的「態度」感到不滿意，儼然不是少數人。議長張祥傳便是其中之一，周張之間有意見，早在道路傳聞之中。其他議員們的不滿意周百鍊，有的自然是為了公，但不能說為私的就沒有。周百鍊處世接物的態度，確非沒有值得檢討的地方，尤其是他周圍一些智囊的表現，被認為不免幼稚無聊，而這些賬，都被記到周百鍊的頭上去了。

好像市府顧問兼秘書主任的賴春貴，他是周百鍊帶進市府的，他在市府所受到的寵信之隆，實駕主任秘書侯暢而上之，以致主任秘書批核過了的公事，還要送到秘書主任那裏才能作最後的定案。侯暢是確確實實的受到冷落的。因此，在年底前，侯暢就把辭呈送給周百鍊，周卻到現在還未批下來。畢竟是周百鍊有心想挽留侯暢呢？還是因為他找不到適當的人去繼任呢？據說周百鍊雖有心要賴春貴來做，但資格有問題。而其他人士，看到侯暢今天的處境，誰又願來受這閒氣？

周百鍊對侯暢一事的處置不妥貼，在市議會中是普遍感到不滿的，也所以上次賴春貴列席議會，轟他得最兇的還是執政黨籍議員，這次醞釀提出的不信任案中，侯暢之事就是被提出來的指責題目之一。更顯明的是市議會在二十三日通過一項臨時動議，請周百鍊慰留主任秘書侯暢。本案由議員陳鴻韜等提出，指出「市府主任秘書侯暢，為人耿廉，辦事忠勤，近聞辭職引退，擬請大會公決，建議周代市長加以慰留」。當時出席議員五十餘人，全場無異議通過，送請周代市長採納。

周百鍊是執政黨黨員，按說應該與市黨部很合作，可是事實不然，彼此相處，未能融洽。周百鍊說市黨部不合作，說市黨部委員反對他。市黨部方面則說責任應由周百鍊負之。最近市府一位主管財政的秘書，把市黨部在市府支用經費的情形外洩，大受譏評，更使市黨部大不愉快，執政黨籍市議員也表示憤慨。

事到今天，如其前此醞釀的不信任案或者「新醞釀」的建議案，果真獲得市議會通過，在政治意義上來說，對周百鍊其實沒有什麼不同，即均會使他難堪的——亦均祇能使他難堪而已，並動搖不了他。（吳越廿四）

胡適博士逝世前後

（本報記者台北航訊）一代學人胡適之先生遽然辭世，在台灣是引起了有如地震般的震動的。甚至那些正在「圍攻胡適」的人，亦不勝其悼惜之情；他們因為胡先生的突然死去，這纔發覺了他的無與倫比不可替代的重大價值，而頓然有寂寞空虛的感覺。

胡先生的老朋友，已經在台大醫院養病一多多的清華大學校長梅貽琦，當他廿四日晚得到胡先生的噩耗後，嗚咽不已，並責備大家太疏忽了！他說：大家明知胡先生的病還沒有真正痊癒，為什麼竟讓他去主持院士會議？

是的，胡先生在中央研究院院士會議那天，他太高興太興奮了，在酒會中他講了許多話，酒會剛結束，他就一蹶不起了。許多人都認為，如果那天不讓胡先生主持院士會議，不讓他主持酒會很可能他還能夠活下去的。

胡先生那天，確實太興奮太高興了，他顯然忘去了他還是心臟病在身的人。在那天院士會議結束後吃午飯時，院士之一的王世杰，會勸胡先生要注意身體，不要多講話，王世杰還曾幽默的說：「要講我替你講好了。」胡先生當時曾哈哈大笑。然而他就這樣死去了。國家多難，胡先生實在死得太早了！（清）

從核子戰爭談法國原子政策

（上接第一版）

三、法國國防上之弱點

法國國防上弱點甚多，舉其大者，約有四項。

一、士氣低落。法國在二次大戰雖已勝利，但創痛鉅深。法國在第一次世界大戰中死亡一百七十五萬人，受傷七十五萬人，佔法國二十歲至五十歲男子一千萬人中百分之二十五；在第二次世界大戰中再傷亡兵士與平民七十五萬人，二十萬人陣亡，十九萬八千人被德國秘密警察迫害或槍斃，三萬七千人為地下工作而死，五萬九千人因空襲而死，十八萬二千人死於德國集中營，九萬人死於俘虜營與奴役。故對於戰爭異常恐懼。現在法國空前繁榮，一般人民，注重享樂，所關切者多為生活上之享受，對於政治缺乏興趣。加以連年作戰，結果均係敗北，僅靠以高價雇傭之外籍官兵奮勇當先，士氣低落，無庸諱言。

二、地理環境不良。法國為一大陸國家，四面受敵，而又兩面瀕海，前此並在非州保有大批之殖民地，因此其軍備除陸空外，復須兼重海軍，近因蘇俄擁有原子彈，氫彈，中程飛彈，洲際飛彈，法國城市已等於不設防，法國為維持其有光榮歷史之大國氣派及參與國際會議之發言權，復不得不竭澤而漁，以致力於原子武器之製造。試觀其今後十年擴軍革新計劃，無異於陸海空原子武器並重，此實為任何國家國富所不許，且犯兵家之大忌。西班牙之強盛，不能維持於久遠，現在之法國亦將日趨於沒落者，均以此故。

三、兵力分散。法國軍備之主力為陸軍，但其鉅額兵員的百分之八十以上，均分駐於國外，最大的部份，則為投入阿爾及利亞一隅。現在法國之假想敵為蘇俄，蘇俄在東德前線駐有二十三個師，其中有十個為裝甲師，十個為半裝甲師，擁有可在萊茵河架設十五座橋樑的材料，六千輛戰車，二千輛裝甲而能涉水的載運車，並有兩個航空軍的支援，其本土數十個師，亦可於短期內加入作戰。而北約最高總部所轄的三個派遣軍指揮部，其中之中線指揮部最為吃力，復為法駐軍所防守。現在法國之派遣軍只有三師，殊不足以應付當面之強敵。法軍在阿爾及利亞者，約有五十萬，去年曾撤退二個師，即全部兵力十分之一，本年一月復又再次決定撤退二個師，今後如不能設法，結束阿境七年戰事，陸續撤退駐軍，用以增強北約盟國在西德前線所需之兵力，則在北約中線防禦上，實為一大空隙。

四、法國國防上應採之政策

就國防及戰略上言，現在世界上之真正獨立國家，只有美、俄二國，其餘均為附庸。故法國國防上雖有許多弱點，但並非不可補救，將來且大有可為，現在應採之政策如下：

一、迅速解決阿爾及利亞問題。法國派往阿境部隊，除已於去年底撤退兩師外，現尚有四十四萬一千人，每年消耗軍費約十億美元，而清剿鎮壓政策，又徒勞無功。現在民族獨立運動的潮流，愈益壯大，法國對此問題，如不能解決，則勞師動衆，勢將愈陷愈深，無法自拔。戴高樂必須以壯士斷腕之精神，設法壓制極右極左兩派，迅速予以解決。法國之生命在本土而非阿爾及利亞，皮之不存，毛將焉附？法國本土如被敵人佔領，縱能奄有阿爾及利亞，又有何用？

二、停止擴充海軍。法國之非州殖民地相繼獨立，對於西地中海之控制權已無必要，因此對於海軍之擴充實可適可而止。最近法國決定將增加航空母艦兩艘，配備核子武器的巡洋艦四艘，核子潛水艇一艘，殊屬顛倒本末，急所不急。應即停止此項決定，將其經費集中移用於革新陸軍與製造核子武器，以免力量分散，不能發揮其戰略上之任務。

三、從速進行歐洲政治聯合。法國倡導六國共同市場已使歐洲形成一個團結及繁榮的單位。現在六國的國民生產總額，一九六〇年比一九五七年增加百分之七，一九六一年比一九六〇年增加百分之五，此數字比美國的增長率大一倍。整個市場的工業生產，一九六〇年增加百分之十二，三年之內增加了百分之二十五。據統計六國共同市場擁有一億七千萬人，如將英國領導的「自由貿易區」吸收在內，歐洲的繁榮，強大，直可以與美國並駕齊驅。現在六國共同市場已如磁石一般吸引東歐的共產附庸國望風傾慕，赫魯曉夫膽戰心驚，使用種種方法破壞，早已為之寢食不安。設使英國領導的「自由貿易區」一致參加，最後復能真正形成一個歐洲聯邦或歐洲合衆國，則此一聯邦或合衆國大致將擁有三億人口，在人口、經濟與軍事力量方面均將壓倒蘇俄及其附庸國。成為一真正獨立之國家，可以與美、俄分庭抗禮，鼎足而三。美歐兩個合衆國對蘇俄集團，一旦有事，以二對一，勝負之數，寧待蓍龜？六國共同市場，法國倡導於前，已獲實效，對於歐洲政治聯合如能進一步促其成功，則共產集團真可不打自倒，民主國家真可不戰而勝矣。（完）

胡適之先生憶語

雷嘯岑

中華民國五十一年（公元一九六二年）二月廿五日清晨，我在海隅寓所臥榻上，順手拿起一張當天的報紙看看，頭條新聞標出一行大字題目「胡適昨在台北逝世」，不覺大叫了一聲「哎呀！」寒妻問我何事驚惶？我說：「大事不好，胡適之先生忽然去世了！」馬上起床來仔細閱讀報紙上所載胡先生病故的經過情形後，適見書桌上放着一本今年一月出版的「文星」雜誌，封面印有胡先生笑容可掬的照片，我黯然對着他那副滿面祥和之氣的遺容，不禁淚盈於眶，深深地感到黃爐之痛，即提筆寫了一段「哲人其萎」的短評，刊諸本報，藉申哀悼之情。現在還要談談我與胡先生私人交往中的故事，以誌不忘焉。

我跟胡先生初次見面，是民國十九年春間，在杭州市郊「烟霞洞」偶然遇合的。那時我與南京中央大學校長張乃燕，經濟學院院長馬寅初，奉中樞命令典試浙江省政府主辦的縣長考試，假日偕游杭州名勝區「九溪十八澗」，馬寅初氏發覺胡先生住在烟霞洞，即約同張氏和我去叩訪，胡先生並不以我是生客而有所矜持，他照樣地跟老友馬氏說笑話，作趣談，當時我覺得他是個很有風趣的學者，印象頗佳。嗣後各自東西，極少往還，直到民國卅七年第一屆國民大會時，纔在南京重逢，我以「和平日報」總主筆名片投謁，他似乎不相識了。我把當年在杭州相見時，馬寅初會用英話問他「有多少表妹」那段趣事說出來，他大笑道：「你的記心眞好。寅初的日常生活太呆板，缺乏輕鬆情調，你說對嗎？」繼而我問他：「外間盛傳國大代表要選舉胡先生作行憲的首任總統，你以爲何如？」他嗤然道：「看看我這副書呆子的相貌，配做總統嗎？笑話！」旋說：「書生亦未嘗不可以作總統，但你我這一代人可不行，下一輩人或許有此事，只恐怕你我都看不到了。」如今胡先生果然「不見九州同」而撒手人間了，能不悲哉！

大陸淪陷後的三五年間，胡先生僑居美國，我在「香港時報」主持筆政，有人寫了一篇關於羈留大陸上的一般學人的生活報導文字，刊在時報上，其中談到周鯁生，認爲周氏已甘心從賊，乃加以「軟骨動物」的評判語。胡先生看到之後，致函時報負責人替周氏辯護，說是「我要抗議！」我寫過一封長信給他，說明一切，他亦就不說甚末了。

國民代表大會第三次在台北舉行時，本報剛剛創刊，載有武俠小說一篇，胡先生見到我，即大聲言道：「怎末你辦的報紙亦登載武俠小說嗎？眞是出我意料之外，詫異詫異。」我告以這是爲着適應讀者的興趣而然，旨在發展銷路罷了。他答道：「你是爲辦報而辦報呢？還是爲理想而辦報？若係後者，那就不必顧慮銷路，只問這張報紙在文化思想上，是否盡到了領導時代的職責？其他皆無所謂。如果財力支持不了，寧可停刊，也不應該開倒車以迎合人們的低級趣味。」他如此義正詞嚴的說法，我無以難之，祗好通知主編人，趕快把武俠小說停止刊載，以副胡先生眷注期許的盛意。他一生提倡科學知識，對於神話性的文藝作品，看不順眼，理所應爾也。

從此以後，我每次到台北時，總要到南港中央研究院去看看胡先生，他喜歡談天，話匣子一打開，即娓娓不輟，亦依依不舍，並且教我在那來賓訪問冊頁中，簽上「馬五先生」的筆名，以留紀念，他說自己的心臟宿疾未癒，隨時有瞑目之可能。去年秋間我在台北跟他晤談時，他問：「你所寫的『卅年動亂中國』的下卷，完成了沒有？莫要像我的『中國哲學史大綱』一樣，下卷長時間陷於難產的狀態中啊！」我說：「寫作到不難，材料也搜集了大部分，難在出版呀！」他怡然道：「趁時間將它寫好，不必急於出版罷！你搜羅的都是些原始資料，彌足珍貴。」某天晚上，又在朋友家跟胡先生一道敘餐後，閒話國是問題，談到陽明山第三次會談這回事，他的心情很激動，主人和其他幾位友好，一致認定胡先生的心臟病尚未完全消除，勸他遇事不必過於激動，留神身體，他笑謂精神還好，沒關係。可見他是抱有強烈的愛國心，老而彌篤。詎知這一夕快談竟成了永別之詞，人生至此，天道寧論！

胡先生的學術思想及其政治主張，是一貫的，他對人處世的風格，不激不隨，恰如份際。當此國步艱難，危疑震撼之秋，許多達官貴人以及名流學者，皆以遠走異域，臨難苟免爲得計，胡先生卻舉家從外國回到台灣來爲國家服務，這一點就值得世人敬佩不置。我不知有些反對胡先生的人，如果易地而處，是否亦有胡先生這種勇於赴難，死而後已的精神呢？他的學術思想和政治主張，儘可以批評訾議，但他的愛國情操和行爲，卻足以矜世式俗，垂範人間。

安息吧，胡先生！你的肉體萎化了，你的精神是永遠存在的！

香港與大陸

寶安縣屬鄉村 月配谷十三斤

實在是活不下去了

二月廿五日晚，寶安縣屬深圳附近鄉民二十多人，內男女老幼均有，集體越新圳河逃抵香港。據其中一位麥君說，他們之所以逃走，完全爲了在大陸生活太痛苦，吃不飽，穿不暖，不得不冒九死一生的危險逃之夭夭。

麥君說：他們鄉間現在配給的糧食更少了，每人每月僅獲配谷十三市斤，得米不過十市斤左右，這怎能維持生活呢？

據麥君說：他們在大陸時，大家都只能每天吃兩餐粥，而且是很稀薄的粥。另外，爲塞肚子，只能吃一些野生植物拌米糠拌稻草碾成粉末製成的餅子，硬得不得了，亦完全沒有一點味道，但爲了活下去，不吃是不行的，否則你就必然被餓死無疑。

麥君自己已五年沒吃到過猪油了。祇在這次過年的時候，每人得配購二兩猪肉，大家都吃得狼吞虎嚥，但畢竟太少了！那能再像共產黨沒來以前大家可以儘量享受，特別是過年過節，大魚大肉，要什麼有什麼的生活？

麥君說：他們在大陸時，儘管吃不飽，穿不暖，但還是要逼着勞動生產。誰不勞動，不但會被取消那點點配給，更還要被共產黨抓去問罪，輕則說你破壞國家生產計劃，重則給你加上反動派的帽子，勞改苦頭都有你的份。所以，麥君說：現在在大陸，倒是眞的誰亦不能免於勞動的，除非是你死掉了。

麥君他們是早就起心商量好要逃亡的。據他說：二月廿五日那晚，天下大雨，一片烏黑，他們認爲是逃亡的好機會，於是集合二十多人，悄悄偷跑，沿小路摸到深圳河涉水而過。他說，在他們過河時，被共軍發覺了會放出狼狗來追，好在追到時他們已全體過河了。當時共軍又會開槍亂射一通，總算天可憐鑒，他們中沒一人被打中。（亞）

向核彈抗戰

一、蔭蔽的核彈戰爭

陳知青

從各方面的報導，和幾年來的情形看，蘇俄所進行的「政治勒索」，已經變成了蔭蔽的『核彈戰爭』了！

從過去的經驗來說：蠶食有利於鯨吞！從大陸淪陷的教訓來說：俄共集團的和平談判，停戰停火，就是蔭蔽的戰爭！因此，蘇俄的核彈試驗，也就是「核彈戰爭」的蔭蔽！他們自己試爆完成，好了，就開始談判，來一個禁止爆炸試驗的「君子協定」！他們認爲要試驗了，就破壞協定。

雖然，上次五千萬噸級的氫彈試爆，原子塵放射塵病的損失，蘇俄及中國大陸所受災難的不會比其他地區輕！但是，出產黨對於「人民」是不惜犧牲的！相反的，他們正在研究另一個節目！

核彈試爆，在政治上是對自由國家的敲詐，勒索！在科學上是對超級氫彈的研究實驗；在醫學上是對被放射塵灼傷人們的救護試驗，以及核彈戰爭的防禦試驗！

因此，我們今天，不必代自由集團的政治家們去打算，該不該停止試驗的問題。我們應該有一個心理的準備！不管怎麼樣，核彈戰爭並不會毀滅人類，核彈戰爭不但不可避免，而且已在無形的，間接的開始了！我們不能依賴它的毀滅性，推測誰也不敢發動核彈大戰！因爲這種按扭戰爭，祗要暴君一時衝動，便能轉變蔭蔽戰爭爲直接戰爭的！

以唯物辯證法的原理來講：蠶食到了某種程度，必定由量變而轉變爲質變的鯨吞的！俄共所用的叛亂——和談，停火——顛覆的公式，已經從東歐，中國大陸，用到韓國，用到越南。在核彈戰爭上，他們也一樣的會用蔭蔽的試爆——停止試驗——戰爭的公式。所以，核彈戰爭會不會由核彈試爆轉變爲核彈大戰的問題，等於日軍侵佔了東北，會不會侵略全中國的問題一樣！

因此，我們在核彈戰爭的蔭蔽階段，必須有一種心理的準備。我們得假定核彈大戰一定要發生！我們必須準備向「核彈侵略」抗戰！如果，我們在東北淪陷時便開始更認眞的準備抗日戰爭，抗戰勝利或許更有把握！向國聯提訴，無補於事！我們祗有準備！瞭解敵人，瞭解戰爭的情況和對策！（三）

瘟君續夢

第三回： 掩面向黃泉，貳臣遺恨
低頭拜白虎，帝子驚魂

陳珂珂頓時不知所答，停了半晌說道：「統戰部說你病中要靜養，禁止外人探視。」

李濟琛勃然大怒，用一隻枯黃的手拍着床邊嚷道：「這叫什麼話，你婆婆怎麼變成外人了。」

陳珂珂不敢答話，站在那裏只是捲衣角。

李濟琛冷笑一聲：「我明白了，孩子你坐下，不干你事。」

陳珂珂挨着床邊坐下，看見李濟琛枯黃的臉上，流下了兩行清淚，順着太陽穴流進耳朵。陳珂珂覺得十分淒慘，也不由得流了一陣眼淚。

半晌，李濟琛突然拉着陳珂珂的手說道：「孩子，你說人死了究竟有沒有鬼。」

陳珂珂搖搖頭，勸道：「公公，你好好養病吧，儘是胡思亂想有什麼用。」

李濟琛苦笑道：「孩子，你給我一個切實答覆，到底人死了有沒有鬼。」

陳珂珂不由得笑起來，反問道：「公公你以爲有沒有鬼呢？」

李濟琛嘆口氣：「孩子，我從前是不相信有鬼的，現在卻希望有鬼。但是又怕有鬼。所以心情十分矛盾，也特別覺得辛苦。」

陳珂珂奇怪道：「公公，你是不是發熱燒胡塗了，你的話我怎麼不懂？」

李濟琛慘笑道：「孩子，你沒有受過我的罪，當然不懂我的話，讓我解釋你聽。假若人死了眞的有鬼，我可以在陰曹地府睜大眼睛看着毛澤東，劉少奇，李維漢這幾個匪怎樣死。」

陳珂珂「唉呀」一聲，驚的從床上跳起來。

李濟琛擺手笑道：「孩子，你坐下，我明白隔壁房間裝的有錄音機，可是，你不用怕，李維漢沒有機會再整我了。」

陳珂珂無可奈何坐下，李濟琛吁一口氣，說道：「不過，我又怕眞有鬼，假若人死過都能見面的者，我有什麼臉面去見先總理呢？當年跟我在廣州剿共的老同志，會向我臉上吐口水的。就連馮煥章也會笑我是個胡塗虫，倒沒有他在黑海上燒死了還乾淨些。」

陳珂珂不敢開口，靜聽李濟琛發牢騷。

李濟琛牢騷發完了，心情似乎平靖些，又沉沉睡去。

陳珂珂悄悄起身撥個電話給統戰部，打算回去。統戰部裏面是邢西萍接的電話，告訴陳珂珂道：「一切情形我們都知道，你安心在醫院伺候他，不能離開。」

陳珂珂沒有辦法，只好在醫院開一個房間，就近看守李濟琛，隨時將情形報告統戰部。

本來照李維漢及邢西萍的估計，李濟琛入了人民醫院最多不過活三天。那知過了一周，李濟琛還未死，而且病漸漸有起色了。李維漢不由慌了手脚，恐怕李濟琛眞的痊癒了，出院後找到宋慶齡，何香凝兩個老太婆，直接告到毛澤東那裏，必然要有個小麻煩。李維漢越想越放不下心，就把統戰部重要人員找來商量，怎麼處置李濟琛。

邢西萍笑道：「可不可以把對付張西曼的辦法再用一次。」

李維漢搖搖頭：「那怎麼成。」（七九）

洛陽橋故事

漁翁

在福建惠安縣西南三十里，與晉江縣分界處，有「洛陽江」。唐宣宗微時，曾遊至此，謂山川勝概，有類洛陽，因以名江，江上有橋，即所謂「洛陽橋」也。

洛陽橋，長達三百六十五丈七尺，廣一丈五尺，為宋代蔡襄所建。蔡，仙遊人，字君謨，天聖（仁宗年號）進士，累官知諫院，正色讜言，精於吏事，文章精萃，小楷草書，尤為當時第一，歷知開封、福州、杭州、泉州，所至有聲。當官泉州時，以洛陽江在唐時雖建有橋渡，但經過數年，或十餘年，為大風或波濤所摧毀，往來者視為畏途，誠有澈底改建之必要。

因此，蔡以建橋，列為中心工作，惟其時科學未昌明，而地臨海濱，江流廣闊，以致屢建屢傾，勞民傷財，引以為苦，百計思維，除制止江潮，別無辦法，然潮水非人力所能控制，以為非感動司潮之海龍王不為功，而龍王深居海底水晶宮，又非得有下得海者，事終莫濟，於是有關建橋的神話故事流傳，至今猶膾炙於人口。

蔡在無計可施的焦灼情形之下，祇好求助於神，希望有能下得海其人去轉懇龍王，以完成這一偉大的工程。適衙內工役中有一「夏德海」之姓名，屬吏乃以夏獻於蔡，稱其下得海，蔡就以書信一封，令其尅日下海，逕赴水晶宮，面呈龍王，並候書信還。

夏聞之，大驚！跪於蔡前曰：「小役係『夏德海』，乃春夏之夏，而非上下之下，德行之德，湖海之海，而非真能『下得海』也」。蔡大怒！勒令速去，如違，罪及全家。夏知無法可免，始恨父母命名不慎，致有此禍。不已，祇好酌酒一大斗，乘醉投海，一死了之。乃負文書於背，行至江干，見茫茫大海，一望無涯，投之必葬魚腹中，徬徨間，而因酒醉臥倒沙灘矣。

醒時，東方已白，而背上公文，已被人解脫，見有復信，即踉蹌回衙報命，蔡見回信上，僅一「醋」字。據閩雜記載：「俗傳公造橋時，檄海神，募醉卒齎投，得醋字還，乃以八月二十一日興工」。橋卒成。

橋上有孔，凡四十七，橋身非弓形，平坦如砥，從橋頭一眼望去，修長遙遠，不容易見橋尾，聞橋上舊有南北中三亭，現已無跡可尋，不知年久傾圮，抑為修築公路所拆毀？無從致證。

在橋南有蔡忠惠公祠，神龕上有蔡公神像，廊下碑刻雖多，泰半破碎不能辨，惟蔡手書「洛陽橋記」，尚可卒讀。

唐太宗（二）

李仲侯

天至尊和天可汗的意思相似，同為最高的尊稱。貞觀四年，四夷君長詣闕上書，請太宗為天可汗，太宗曰：「我為唐天子，又下行可汗事乎」？羣臣及四夷君長皆稱萬歲。從此凡以璽書賜西北君長，咸稱天可汗。天可汗制度，自貞觀四年起至唐德宗建中四年止，維繫了一百五十年之久，參加這項組織的有西域十六國、昭武九姓、克什米爾、土耳其斯坦、吐蕃、印度、尼泊爾等，它的任務在維持和平，仲裁糾紛，抵禦大侵略並維護天可汗的安全。遇有四夷諸酋長死亡者，必由唐下詔冊立其後嗣，詔書未到，新君不得遽即位。天可汗彷彿是一世界聯邦組織制度，統率天下歸於一尊，又類似今日之聯合國制，以唐室為其宗主。那時維繫邊地與內地之關係，於四邊設六都護府，安東都護府設朝鮮，安西及北庭都護府設新疆，安南都護府設安南，安北都護府設科布多，雲中都護府設蒙古。疆域擴大的另一結果，是人口激增，因每一地區向唐朝進貢，其人民也隨之取得了中國國籍。由於四夷君長竭誠擁戴，益足以見唐室強盛，德威遠播，通鑑載太宗死時：「四夷之人入仕於朝及來朝貢者數百人，聞喪皆慟哭，剪髮剺面、割耳流血灑地」。其感人之深，有如此者。

其對外影響力之最大者，就要算中華文化的遠播，東屆日本，南及越南，西踰葱嶺，北絕大漠，在這數萬里廣大區域內，莫不為大唐文化所籠罩。維時四夷欣慕大唐文化的，都紛紛遣送子弟前來留學，學成後，把大唐文化帶回各地。所受影響最深的當為日本。日本自大化元年（貞觀十九年）開始改革政制，施行新政，採用中國的官制、禮制、學制、田制及刑律，作為改革的藍本，脫離了氏族社會，建設成為新的政治經濟統一的集權國家，即日本歷史上有名的「大化革新」。其次朝鮮於貞觀十四年遣世子桓權入唐朝貢，隨後送子弟入唐進國學求教育的尤多。西藏（唐時名吐蕃）亦接受唐朝文化甚深，歸順後，太宗命禮部尚書江夏王道宗持節送文成公主入吐蕃，其贊普大喜，見道宗盡子壻禮；慕中國衣冠儀衛之美，為公主別築城郭宮室處之，希能化其國之惡俗；遣送大批子弟入國學受詩書。流風所被，至西域如安西、于闐、疏勒、焉耆、高昌等，婦女服飾略同中國，文字亦與華夏無異，不過另有一種胡書，習毛詩、論語、孝經、諸子史集等，由學官以教授子弟，所作詩賦，所用刑法以及婚喪風俗，咸被唐朝文化的影響，漸漸均與華夏相若。

早熟

玟津

由於早熟而蒂落的果實，往往味酸；早熟的孩子在成年人眼裏，也像焦點沒有對準的鏡頭。

電影「孤雛血淚」裏的十三歲男孩，當他墾荒伐木為生的父母雙雙故去之後，毅然地以家長的身份，安排他的四位弟妹，一夕之間，他儼然是一個成人了。看此片時我已二十，只覺慚愧得很。

最近台北有一樁更驚人的新聞。八歲的孩子眼看着家裏三天沒飯吃，三個幼妹啼哭不休，竟私出家門，輾轉的到職業介紹所（虧他找得到！）市政府社會局去求職，當人們驚訝得目瞪口呆時，他却有自信心地說：「我會掃地，會煮飯，會照顧孩子。我不怕吃苦，什麼都能幹。」但世俗的觀點使他失望了，流落街頭幾小時後，終於快快而歸。當他落魄的父親聽到記者口中說出的故事後，禁不住抱緊孩子，哭泣一場。但那倔強的「大哥」，却仍不肯滴一滴眼淚！我不知道這世界真變了多少，似乎每一個都市中的孩子，都比以往易於早熟了。但這一位，他的父親除了愧疚之外，心坎裏還會冒出一縷驕傲來吧。

苦難、奔波和遭受忽視，都可能成為早熟的後天因素。見得廣，接觸得多，也是早萌智慧的理由。富家子的無聊無賴，正是溺愛的產物，而早熟是完全相反的。並不是說他能一目十行或聞一知十，只是他享有更少的童稚，而更早的問津嚴肅的課題，他不僅窺見了生活的重担守候在他的前方，甚至還想到整個世界的苦難他也必須分担一份。他覺得做一個「人」是義不容辭的，他覺得他不能落在人後。他焦急，他不認為忍耐是必須的。他渴望成長像當年在母親胎盤中急於見世界一樣。

王荊公筆下的仲永，是早熟嗎？不，「天才」是一回事，早熟則要看後天的境遇。如果仲永不成為他那位鄉下佬的尊翁搖錢樹，而能自由發展他的才智，他會成為怎樣的人物？會對世界有怎樣的貢獻？這些假設使人煩去想像嗎？就說他是受害於早熟吧：他的不幸，也並非智慧的早熟，（那是不可思議的天賦），而是俗念的早熟。[illegible]是千古長流中的一泡沫罷了。

[illegible]

海嶠雲談薈

在我國八年對日抗戰期間，政府為闡揚民族精神，表彰民族大義，以加強民衆愛國禦侮的情操起見，每年皆特派大員赴陝西的黃帝陵墓恭祭一次，藉資矜式。中共於抗戰初期曾經發表宣言，服從國民政府命令，一致抗日，自動停止一切釀亂行為，所以，政府於派員致祭黃陵時，即囑延安的中共亦派大員陪祭，表示舉國一致救亡圖存的協和氣象。

民國廿七年國府遷移到了武漢，中樞特派陝西省府主席蔣鼎文就近恭祭黃陵，毛共方面派遣「西北邊區政府」副主席張國燾馳往陵墓陪祭。這原是例行公事，沒有其他任何作用的。蔣張二位大員聚首黃陵

張國燾出奔武漢以後（一）

諸葛文侯

時，照例寒暄談笑，當祭禮完畢之際，蔣謂張氏：「有暇請到武漢去看看吧！」這時國共合作抗戰，毛共在武漢設有辦事處，若干高級共幹皆在輦轂之下，公開活動，蔣氏這句應酬話亦很尋常。張答言早有此意，得便甚願一行。蔣乃語之曰：「如其可能的話，最好今天搭乘我的車子赴西安，再坐飛機前往漢口，甚為穩妥。」張答「也好！」即偕蔣同行登車。此時毛共人員忽覩張氏偕蔣氏離去，大為驚詫；但不便攔阻，而蔣氏隨帶着武裝衛隊，共黨亦不敢制止張氏的行動，國燾就是如此戲劇化的出奔到了武漢！當時各方人士並未注意此事的重要性，以為張氏亦與周恩來、董必武之流一樣，在武漢小住若干時日，又會回延安去的。祇是毛澤東心裏有數，他認定張氏此行必不復返了。經過一些時日後，他召見張夫人，問她和兒輩是否要到漢口去？若然，他可派人護送她們前往西安，決不留難，但對張夫人特別警告道：「你告訴國燾，關於我們黨的內部事情，教他對外莫亂說，否則我們要對付他的！」這便是張氏這廿餘年來，對本國或外國人士避免談論中共內幕情形的所以然。兩年前，香港「亞洲出版社」擬刊行一本研究中共的史書，會請張氏寫一篇序文，張初則遜謝，繼以情不可却，隨便寫了幾百字膚泛之詞，搪塞了事，該社編輯主任對我談及，甚表失望，我請以張氏實有不得已的苦衷，應該原諒他。

張氏到達武漢之後，即向我黨政當局表示不願重返延安的意志，亦不欲在政治上担任任何名位，只願以在野的國民身份，為抗戰救國而在文化上聊盡其棉薄之力。唯自身缺乏財力，希望政府予以資助，先行創辦一種刊物，從事思想鬥爭工作。可是，對外決不能說是政府資助的文化事業，否則將無效用之可言也。他曾與當時執政黨組織部長陳立夫迭次商談此項問題，終無結果。假使當時有執政黨的中央委員投奔到延安的話，毛共一定視為奇貨，要向海內外大事宣傳利用一番的。我們對於張氏之來歸，却視為無足輕重，漠然置之，這亦是招致神州陸沉之禍的一項因素吧？

黃鶴樓佳聯

道南

武昌的黃鶴樓，這是著名的古蹟，去遊覽過的人很多的。如今，由於中共修建長江大橋，將黃鶴樓予以拆毀，千年古蹟，興廢無常，[illegible]舊日的黃鶴樓，有很多對聯，[illegible]

[illegible]「山勢西來巫峽雨，江流東去海門潮」[illegible]宋牧仲（犖）是清初長於文學的大官，為人風雅，他的聯云：

「何時黃鶴歸來，且自把金尊，看洲渚千年芳草；
今日白雲尚在，問誰吹玉笛，落江城五月梅花。」

如今黃鶴樓既毀，黃鶴將永不歸來了。陳兆慶一聯也寫得頗有氣概，聯云：

「一枝筆挺起江漢間，到最上頭，放開肚皮，直吞得八百洞庭，九百里雲夢；
千年事幻在滄桑裏，是真才人自有眼界，那管它去早了黃鶴，來遲了青蓮？」

山川風物

弔胡適博士

夏日時

績溪家法比歐陽，文苑旗幟捷伐張；
歸時春暉非畫錦，來歸瓊島亦河鄉。
放任偶諧蛇添足，顧復誰生雁著行；
等是樹人關大計，不堪重到子民堂！

內僑警台報字第〇三一號內銷證

自由報

THE FREE NEWS

第二一五期

中華民國僑務委員會頒發
台僑新字第三二三號登記證
中華郵政台字第一二八二號執照
登記爲第一類新聞紙類
（半週刊每星期三、六出版）
每份港幣壹角
台灣零售價新台幣貳元
社長：雷嘯岑
督印人：黃行畬
社址：香港銅鑼灣高士威道二十號四樓
20 CAUSEWAY RD 3RD FL.
HONG KONG
TEL. 771726　電報掛號．7191
承印者：田風印刷廠
地址：香港灣仔高士打道二二一號
台灣分社
台北市西寧南路壹壹零號二樓
電話：三〇三四六
台郵撥儲金戶九二五二

悼念適之先生

王厚生

二月二十五日清晨，閱報，驚悉胡適之先生逝世，心中有一陣說不出的沉重和悲愴之感。

我和適之先生沒有深交，僅僅見過幾面，儘管如此，從我還是小學生的時候，已經知道適之先生。無可否認的，適之先生的思想對我曾經和還在發生影響作用。關於適之先生的偉大，我沒有資格說，但我曾經讀過他的不少著作，對於他的思想，還畧爲曉得一點。

我自己作爲一個知識分子，對適之先生的逝世，尤其當這個反共復國工作轉入決定性關頭的時候逝世，正有難言的悵惘的感覺。

在我們中國，有幾個胡適之？有幾個像胡適之那樣的知識分子？我們時常聽見有人說，知識分子是國家和社會的瑰寶，則適之先生的逝世，對國家和社會來說，自然是一個很大的損失。

我們不說別的，只看適之先生一生兢兢業業，鑽研學問，探求眞理，這就不大容易，這就值得我們後來的人效法。

適之先生向來提倡科學，主張民主，雖發爲言論時，不無偏激，但他向國人所指示的總方向並沒有錯。賽先生和德先生都是時髦的人物，都是潮流所趨，我們要將中國從根上救起來，一定缺不了科學和民主。

適之先生提倡科學，講科學方法：大膽的假設，小心的求證。在他臨終的前一刻，自己承認對物理學一竅不通。他在這方面，似乎限於時間，未作系統的建立，卻因提倡科學之故，勇氣十足地拆掉舊房子，重建全盤西式的新房子，致遭國人的反對。

在五四前後，適之先生還提倡白話文，高呼文學革命。在今天看來，已看不出有什麼壞處，而且，有了相當的成就和貢獻。

五四運動時期，適之先生爲陳獨秀的「新青年」雜誌撰稿，除了提倡白話文和文學改革以外，他也曾參加「打倒孔家店」的工作，直到如今，仍不受國人的原諒。

適之先生主張民主，數十年如一日，陳獨秀雖是他的要好朋友，但對馬克思主義和共產黨的「無產階級專政」，適之先生從來表示堅決反對。陳獨秀到了晚年，也深深覺悟到「無產階級專政」的不是，也認識民主政治才是合乎人類理性的大道。

民國以來，民主政治是全國上下一致的要求，國民黨的民權主義，在野黨如民主社會黨和青年黨，都要求民主憲政，但是，國家不幸，遭到共黨的變亂，民主政治在我們中國沒有安定的足夠時間做奠基工作，至今仍然議論紛紜。現在，朝野間爲民主憲政的實踐和方法發生歧見，在基本理論和原則上，初無二致，在這種情形下，適之先生最重視的似乎還是言論自由，負責的言論自由。在他死前的酒會講話中，也曾一再提到言論自由問題。

知識分子的思想，免不了時代的影響，一九一七年俄國革命後，社會主義在世界各國風靡一時，許多站在知識界領導地位的思想家無不對社會主義寄予希望。適之先生不能例外。約在三、四年前，他在台北的某次公開演說中，承認對社會主義曾表同意，以後，再度到美國，就放棄社會主義作爲理想了。其實，據我記憶，大約在民國三十七年夏秋之交，適之先生曾在武漢講學，他還是贊成社會主義的。不過，我們相信，在最近幾年中，適之先生一定是不滿社會主義的。

原因似乎是很簡單的，我們都知道，適之先生是美國實驗主義大師杜威的學生。許多年來，適之先生禮聘杜威來華講學，寫文章介紹實驗主義。他的「中國哲學史大綱」，被人批評是用實驗主義的觀點來看中國哲學的。不錯，適之先生是實驗主義的信徒，根據實驗主義，凡是一種信仰或思想，其眞理應於實踐中判斷。所以，只要實驗主義者向當前大陸上的中共賣國政權喝一聲：「拿證據來！」，中共就無容身之地，就不能再施欺騙之術。請想一想，共產黨的宣傳講得天花亂墜，那一樣能兌現？那一樣拿得出眞憑實據來？「三面紅旗」的結果怎樣呢？「一年等於二十年」的成就在那裏？「豐收」在那裏？「吃飯不要錢」在那裏？中共要清算「胡適思想」，是必然的事。

幾年前，此間有一研究學術的青年團體，請我講演在美國的張君勱先生的思想，因而，將從前科學和玄學論戰的文章讀了不少。我就知道，適之先生雖站在科學一邊，不贊成思辨的哲學（speculative philosophy），實際上，他本人在實質上還是一位哲學家，而非科學家，不過，他的哲學是實驗主義罷了。

君勱先生也不是反對科學的，他主張科學和哲學攜手，共同前進。君勱先生珍惜我國固有文化，但他和胡適之先生相似，年青的時候出國留學，讀洋裝書，眼見西洋的富强，同在思想和精神上受到深重影響，所以，君勱先生也提倡科學、民主，主張社會主義和新道德。民國三十七年秋，他曾演講「新道德的基礎」。在政治上，適之先生和君勱先生也有近似之處，兩人都沒有做到大官，都反共，都與國民黨和蔣總統有批評，有合作。民國三十八年初，共產黨印了一本冊子：「胡適與張君勱」，到處散發，將兩人痛罵一頓。

適之先生留美回國後，就做北大教授，數十年來，他沒有脫離教書和辦學的工作，因此，與大陸上的廣大的青年羣衆經常保持聯系和接觸。大陸淪共已十餘年，青年人變成中年人，他們是目前大陸上的社會骨幹分子，如果他們知道適之先生逝世，一定也感覺到悲傷，並由內心的傷感激發出反共的思想和行動。

去年（五十年）八月下旬，我到台北出席陽明山第二次會談，見到適之先生，留下最後的印象。八月二十五日，會談在陽明山國防研究院大禮堂揭幕，未到九時，我站在走廊上與舊雨新知歡談，適之先生走進來，我一見他，趨前握手，周圍的人都與他握手，人很多，只作寒喧，未多談。待陳兼院長致開幕詞後，休息十分鐘，我步向顧問座席，擬與熟人寒喧一番，適之先生已離座，當我走近他時，旁邊有人對適之先生說：「適之先生，且慢走，下面有你老師（指王雲五先生）的好戲（指政務報告）」。適之先生含笑，幽默地答道：「老師特准請假」。匆匆離去。以後，到了八月三十日晚間，蔣總統宴請全體與會人士，適之先生也來了，他坐在蔣夫人的左手邊，不時與蔣夫人有所交談。我望見適之先生的臉色青白，精神不振，也知道他剛從醫院出來，還在休養期間。宴會散，亂哄哄，無法找他談。那次，在台灣二星期，委實太忙，情緒難寧，所以，始終沒有機會和適之先生面談，而介壽堂的兩次見面，卻在我的腦際留下永難忘去的印象。

四月五日晨

漫畫天下

這條尾巴難掉？

兩個計時炸彈那個先爆？

自由談

軍事游戲

泰國政府當局最近聲明對東南亞公約國軍事演習的玩藝，不感興趣，拒絕參加，免虛糜財力。此正義之聲也，值得喝彩！

所謂東南亞公約，自創立以來，東南亞地區的共禍日益嚴重，寮國已危在旦夕，越南亦烽火遍地。若非美國對越南共禍單獨負責應付，而指望東南亞公約的力量來應援，那不特吳廷琰政府早已坍台，讓越共控制了全越，卽泰國的自由生存亦無望了！東南亞公約理事會議或軍事顧問會議，經常舉行，除卻說些廢話，裝模作樣之外，就是隨時相約湊合幾條破爛的軍艦，幾架陳舊的飛機，或者從太平洋某一島嶼上，運來一二枚早已作廢的飛彈，在東南半島的陸海空中，從事游戲性的軍事演習，企圖騙騙婦孺們，令人見了肉麻難過而已。泰國當局決計不復浪費財力，參預這種無聊的勾當，可謂明智之至。

我認爲泰國，菲律賓這些直接感到共禍威脅的國家，應該以東南亞主人的資格，要求改組現有的東南亞公約體系，使它成爲眞正對東南亞地區具有集體安全效能的聯防組織，否則今後不再預聞這種連「紙老虎」亦不如的所謂公約事宜，而別謀自立自衛之道。祇要咱們亞洲地帶的自由國家切實團結，互信互助，絕對可以抗禦共禍，自求多福的。「需者事之賊也」，你以爲反共必須仰仗西方强國的支援，纔可立於不敗之地，他們就藉此玩弄這些弱小的友邦，甚至於挾持友邦，作爲跟俄共集團進行妥協談判的交易品哪！

因此之故，我覺得台灣海峽的軍事演習工作，也應該予以停止或減少。中華民國的數十萬大軍，整訓已逾十年，裝備亦很完善，然歷久未能對共區實行弔民伐罪，祇是不斷地演習，徒然虛耗物力財力，是亦不可以已乎？軍事演習的作用不外兩點：一爲實戰的前奏曲，藉以加强軍隊的戰鬥精神；二爲向敵人表示不惜一戰的決心。如今領導反共運動的西方國家，迷戀着和平共存主義，避戰唯恐不及，且不許遭受共禍的友邦，採取軍事行動，而隨時在亞洲地區攪軍事演習，試問有何意義，又有甚末作用之可言呢？毫無價值的軍事游戲，不攪也罷！

馬五先生

輓胡適之先生 聯幛集錦

（本報記者台北航訊）弔唁胡適之先生的輓聯、輓幛、花圈、函電，截至三月一日晚八時，治喪委員會統計為輓聯、輓幛八百一十件，花籃、花圈二百一十四件，函電二百零六件。

在八百多件輓聯、輓幛中，不少是用白話寫的，但到底還是用文言的多。下面是比較最引人注意的：

蔣總統的輓聯是：

「新文化中舊道德的楷模；
舊倫理中新思想的師表。」

（蔣總統另有一個輓額，題着「智德兼隆」四個字。無論輓額輓聯，上首都是：「適之先生千古」，下署「蔣中正敬輓」。）

陳副總統的輓聯是：

「開風氣而為之師，由博涉融合新知，由實驗探求眞理；
瘁心力以致於學，其節慨永傳寰宇，其行誼足示人羣。」

（上首是：「適之先生千古」，下署「陳誠敬輓」。）

于院長的輓聯是：

「著作有千秋，此去震驚世界；
精神昭百世，再來造福人羣。」

（上首是「適之先生千古」，下署「于右任敬輓」。）

王雲五的輓聯是：

「虛懷接物，剖析今古問題，發揚儒家精神；
實證窮源，爬梳中西哲理，的是科學精神。」

（上首是「適之同學千古」，下署「王雲五敬輓」。）

羅家倫（國史館長）的輓聯是：

「為文化拓荒；
回祖國殉道。」

（上首是「適師不朽」，下署「學生羅家倫泣輓」。）

吳德耀（東海大學校長）的輓聯是：

「海外研名理，中華倡科學，通中西文化之郵，能見其大；
持身師顏曾，報國如蔡梁，集古今哲人之粹，無思不服。」

蔣丙然的輓聯是：

「先生不可死，居然死了；
我們還活着，何以繼之。」

洪炎秋（國語日報社長）的輓聯是：

「文學的國語，國語的文學，仗先生提倡；
民主和科學，科學和民主，待後死發揚。」

（上首是「適之老師千古」，下署「學生洪炎秋敬輓」。）

楊盤庚（一個陰曆年底曾向胡先生請益的人）的輓聯是：

「並代不相逢，待下走悟道請益，頓成隔世；
望洋興浩歎，問先生撒手去後，更有何人！」

美軍援顧問團顧問任乃聖的輓聯是：

「中弟子，外弟子，同坐春風，桃李滿天下；
德先生，賽先生，首先創導，名聲溢全球。」

中研院代院長李濟的輓幛是：

「『明天就死又何妨，努力做你的工，就像你永遠不死一樣。』」這是適之先生替丁文江先生翻譯的英文句子，現在就用這幾句話，悼適之先生」。

女監委宋英（雷震太太）的輓幛是：

「適之先生：在這個一半自由，一半奴役的現世界當中，胡適思想必然的有人崇奉，也必然的有人剿擊，但你的思想絕不會隨着身體火化而消逝。可敬的適之先生，請你安息吧！宋英敬輓」（貳（

涉牽太廣一動不如一靜

改台北市為院轄市 目前難望成為事實

（本報記者熊徵宇台中航訊）台北市議會在二月二十六日那天舉行第四次臨時大會的時候，市議員陸阿龍提出一件「建議中央政府將台北市晉升為院轄市」的議案，立刻引起在場的二十五位議員們的共鳴，紛紛發表意見，認為台北市的人口已達百萬而且又是中央政府的所在地，具有成為院轄市的條件，同時，台北市現在的稅收總額在十八億以上，市政府的總預算再加上追加預算也不足五億，如果改為院轄市，繳省政府的六億就可以免繳，台北市每年的預算就可以增加到十億以上。這樣，除各種建設都可以展開以外，學校的二部制和三部制也都可以取銷。

就這提案的內容來說，理由是非常正大的，所以大會就順利通過，做成「向中央建議，以符民望」的表決。也成了當天的晚報和第二天各日報省市版的頭條新聞。

但就記者個人的看法，台北市議會的這個決議，在目前也許不能成為事實。台北市議會希望台北市升為院轄市的要求，是早就有之的，在台北執政律師業務的女議員孫性初，半年前亦在市議會提過這案，但是沒有獲得大會的支持。後來，同意孫性初的議員們，找台北市的省議員陳愷談這個問題，希望陳愷在省議會提出來。

省議會反對

去年（五十年）的十一月，省議會舉行第二屆第四次大會，陳愷在民政質詢時的二十七日下午，提出這案，當時就有三分之二的省議員反對，他們在議場上所持的反對理由，是說台北市的實際人口，只有九十五萬，不足以成為院轄市，同時，各種行政措施都很零星，必需遵要省府運營。但是在場外的說法，認為台北若果升格為院轄市，市長必然由中央政府派任，在呼籲公佈地方自治通則和希望選舉省長的這階段，如台北成為院轄市，無形中影響了省長選舉的願望，同時也損害了省政的完整。

而同時，有一部份省議員的政治集團中，有的希望攬台北市長，有的在等待省長選舉，對台北升為院轄市，都是一種不利，所以就形成一片反對之聲。

第二天（去年十一月廿八日）的上午八點鐘，記者走訪省議會議長黃朝琴問他在個人立場上，對陳愷的這份提案有什麼看法，他說：「在各種情況下，目前把台北升為院轄市是不合宜的。我的意見和昨天下午在議場裏持反對意見的議員們差不多」。

到九點，會場舉行第七次會議，記者席上就發現以大牌議員李萬居為首，加上雲林籍的林中港，南投縣蕭添財，和高雄市的李源棧，苗栗縣的黃運金，聯名提出臨時動議：「堅決反對將台北市升格為院轄市」。

這臨時動議的案由中說：「本省各縣市行政區域，自十年前調整以還，省民安堵如恒，省政營運順遂，無須擬議改制。如台北市成為院轄市，則徒增省民負担，損害省政完整，本會基於國策與省民利益，堅決反對台北市升為院轄市」。

否決的否決

動議案中，提出六點理由，列舉人文，地理，財政，以及行政上的諸種理由，認為台北市工商發達，在省財政上為重要的一環，倘若劃出改制為院轄市，不獨本省失去重大財源，在課稅上，將使縣市的負担不均，而偏袒於都市。同時，院轄市與省政府地位平行，台北一旦改制升格，組織編制與人員自須擴大，地方預算的經常費，勢將隨之培增，徒然加重人民負担。換之今日台北市，各方面的建設未如盡人意，乃在於地方預算之業務經費，囿限於歷年預算額之不足以應付當前的需要，徒言改制，無補時弊。同時，近代都市的發展與建設，多已避免都市人口集中，而形成交通與住屋衛生的種種紊亂，而多主張建設「星帶都市系統」，宜追隨此一思潮，以為地方久遠之福；以寬觀時的需要，當從疏導人口與平均發展各都市着手，不必偏於台北一隅。

這份言之成理的動議案，當然不是陳愷一個人的孤軍所能阻止的，於是獲得多數的通過，在議決的議決中，大意：「送請省政府轉請中央重視本會意見」。

如今，台北市議會在省議會休會不久的當兒，決議請中央晉升台北為院轄市，似乎是否決了省議會的否決，來個「桑司」，形成市議會與省議會的熱鬧場面，在中央決策之前，看來不會平靜。

中央無決定

中央是怎樣的決策呢？我們當然還無法知道。但就記者個人的瞭解，可以說中央方面目前才注意這個問題。我這樣看，是有根據的。因為去年十一月間，陳愷預備在省議會提出「台北晉升為院轄市」的這案以前，曾經與他所屬的國民黨台灣省黨部的某高級人員提過，當然是順便深探黨方的意見。那高級人員當時沒有提出具體的意見，也沒有阻止陳愷提案，祇是說：「這件事醞釀很久，但中央方面並沒有什麼指示。我們就事論事的看法，對於台北市升不升格為院轄市，沒有多大的意見。因為從財政觀點上說，台北市全年的稅收十八億，市府只分到四億，升格後可能多分一點，來充實台北市的建設，當然也是件好事，但是從另一方面來說，這些年來台北市比較重大的工程，來自市預算的未來就不多，大部份還是省政府的補助和透過中央所得的種種援助與貸欵。此時此地，中央，省和地方，雖然是三級，但因同在一地，不管財政收支怎樣制分，怎樣變更，都是挖肉補瘡，此盈彼虛。台北市升格為院轄市之後，縱然可以多分到一點稅收，但無補於整個國家的建設，反之升格後必然擴大編制，增加人員，這一筆人事費的增加支出，也勢必抵消一部份增加的收入。

「若果我們把台北升格為院轄市，也許有些人會認為，我們把地方自治在向後拖，把台北市造成一個特殊局面，握在手上。黃啓瑞出事以後，派周百鍊去代理，大家都免不了風風雨雨，現在談這個問題也不是時候」。

不可鬧糾紛

從這一番話裏，我們可以體會到中央方面確實沒有什麼決定。如果有，對這個醞釀很久的問題不會沒有「指示」。若有指示，希望台北升格為院轄市的話，對陳愷的提案，不會那樣淡漠，也不會說那番話。而同時，透過省議會的黨團，提案就不會不成立。反對的愷提案的那天，省議會的黨團書記許金德就按過反對票的電動表決器。

去年十一月廿七日，距離二月廿六日恰是三個月，而改院轄市的醞釀更已歷有年所了，這問題也不會還沒有引起中央注意。顯然的，是中央不願意注意。如今既然由台北市議會做成了決議，中央總會有個答覆。但省議會也必然會堅持原案，在中央未決定前，自難免有一番風雨。我們只希望不要為這個無所謂的問題，擴大政治糾紛，加深政治恩怨才好！

北市請改院轄市案 原提案充滿火葯味

（本報記者台北航訊）台北議會二月二十六日通過的請將台北市升格為院轄市的建議，表面上看，這祇不過是市議會的一項建議案，沒有甚麼出奇之處，但許多人以為，這實際卻意味着政治上的勾心鬥角。尤其從這一建議，不啻是針對省議會上年通過的「堅決反對將台北市升格為院轄市」之「抗議」看，更足顯示其政治意味。

台北市長的寶座，是有志政壇的各方人士逐鹿的焦點，執政黨籍若干人士，可能想到把台北市改為院轄市後，因為市長可以名正言順的由政府委派，就可省去許多選舉上的麻煩；但非執政黨人士，特別是那些有志問鼎市長寶座的人，他們就當然要堅決反對了。而這兩種意見，見仁見智，都是可以言之成理，持之有故的。

市議會這次通過請將台北升格的建議案，係由市議員陸阿龍等二十五人所共同簽署提出，陸阿龍等人的原提案文，經秘書人員修改後比正式提出來的，要充滿火藥味得多。原案的案由就是：「為反對『堅決反對將台北市升格為院轄市』的台灣省議會之無理，越權，違法提案，並請中央政府勿為少數野心份子玩弄，應根據實際需要，依法迅速將台北市升格為院轄市，以富國利民案。」而這裏所說的「少數野心份子」，可能並非對省議會而言，而是別有所指。這未修改前的原提案文還說：「台灣省第二屆省議會第四次大會，無理，越權，違法通過李萬居等五議員所提『堅決反對將台北市升格為院轄市』案，其用意恐台北市升格為院轄市後，那些「野心份子」有意問鼎省府主席者，胃口減退，其內容甚為空洞，無聊，越權，違法。」並謂：「省議會作此決議，失去上級民意機關之尊嚴，剝奪了地方民意機關職權，如為少數人之權益，而犧牲多數人民之利益，有失民主之立場，市議會應予堅決反對」云云。

但當陸阿龍議員等的臨時動議醞釀提出之前，市議會中非執政黨籍議員張詩經等，也在會商對策。因為陸案如果通過，則與他們大力進行的改選市長的主張相衝突。他們亦預料陸案在議會中必能獲得通過，於是他們也就同時進行簽署，以便陸案通過後，即時提出複議。所以，廿六日上午陸案通過後，張詩經等十八人的複議提案，也立刻便提出了。祇是，複議案雖然提出，廿六日已來不及討論。依照議事規程，要複議案通過，必須三分之二的議員贊同，在目前情況下，複議案要獲得足夠附議人數，誠屬不可能的事。果然本次市議會臨時會議的最後一天的二十七日，複議案決定撤銷了，而祇是決定在市議會組織促進委員會研討時，附帶反對改院轄市的意見，一併提請中央參考。（吳越。二月廿七日）

從雷震輓胡適聯語談起

于景光

據台北泛亞社二日電訊：曾以「叛亂」罪被判處十年有期徒刑的「自由中國」雜誌負責人雷震，在獄中製聯語挽胡適之博士云：「倡導白話文學，宣揚科學精神，百世永垂光輝，先生已無遺憾」；「痛恨極權奴役，力爭民主自由，大陸共匪未滅，後死何以為人」。祇就聯語而論，這是不成熟的文藝作品，凡與聯語的規律不合，如上聯有兩個「學」字，下聯並非相對的，而「憾」「恨」二字又同用於一聯，皆犯了聯語的禁忌。同時，中央研究院同人對胡院長的祭文，措詞不文不白，非新非舊，亦跟雷氏的挽聯相伯仲。這大概是因為胡先生一生倡導文學革命之故，大家乃以「解放體」的文字來悼祭他吧？我認為現代人的文藝作品，應該有新的創造風格，但不宜表現「放小腳」的形相，要新，就整個的新，要舊的，就得仍舊貫，否則不足以開一代的風氣，而在文學上卽沒有劃時代的價值。

提起雷震這個人，如今居然成了名聞中外的「民主鬥士」，可謂奇蹟中之奇蹟。他在過去三十年來的中國政壇上，一貫地是以「豐沛子弟」出現，憑着浙江湖州籍身份（戴季陶，陳果夫，陳立夫，朱家驊等，都是湖州人），蜚黃騰達，紅極一時。對日抗戰之際，他在重慶担任陳立夫氏創設的「工礦銀行」常務董事兼總經理，繼而官拜「政治協商會議」秘書長，儼然是國民黨的代表人物；卽在大陸淪陷後，他與洪蘭友還代表蔣總統到海外跟一般反共人士洽商團結救國問題，一片忠貞不貳的意識形態，可以列於「死硬派」之中。像雷氏這種「階級成分」和生活關係，竟蛻變為「民主鬥士」，而以「叛亂」罪入獄，能說不是奇蹟中之奇蹟嗎？

雷震何以攪到「叛亂」坐牢，大名鼎鼎的下場？可說是環境所造成，而一般昧於政理政術的「忠貞鬥士」，贊助雷氏成名的力量更大。人們試翻閱一下「自由中國」雜誌初期的言論主張，卽可恍然領悟的。假使國民黨在台灣實行改造時，給他一個改造委員名義，或者在政治上給他一種相當的職位，他到今天必然是黨國的「孤臣孽子」無疑。再不然，當他在「自由中國」雜誌刋出「政府不能誘民入罪」的評論文字後，當局者若責之以黨義與國難的道理，既不採取威脅手段，亦不讓一個學習速記出身的人物，指着雷氏的鼻子大開其教訓，盛氣凌人，過於給他難堪，他亦就不致趨於橫決，以雷氏的性格及其生活狀況，他絕對沒有冒險犯難，不顧一切的勇氣，實可斷言。後來他以「自由中國」雜誌為舞台，對國事乃至於政治人物，專門唱反調，出惡聲，完全是被逼迫挺而走險，終於由反對派而演變為反動派，貿貿然要想起來奪取政權了！現在事過境遷，大家平心靜氣地回溯往事，我想亦不無「何必當初」的感慨心情吧？

自從「自由中國」雜誌出了岔子，外間發生一種「祇是胡適之纔有言論自由」的評語後，胡博士卽辭去該雜誌發行人的職務，以明心迹。繼而該雜誌又有「反攻無望」之說，胡博士亦曾在社務會議中，責備雷震等失言失態，他認為反攻復國乃是全國人民的唯一志事與希望，有如人們家中供奉着的祖先神龕一樣，怎末可以損毀它呢！這可見胡適之先生是個識大體，顧大局的愛國學人，實與雷氏作風有別，有人若藉「自由中國」雜誌的情形來攻擊胡氏，那就是不公道，而視雷震的狷激不識大體的言行，有過之，無不及也。我們還知道有位「自由中國」雜誌的發起人某某，表面上忠貞透頂，隨時對人怒斥雷震與其他在該雜誌撰文的幾個人士為「豈有此理」！但他在海外却經常跟大陸上共匪們暗中貿易漁利，連他的太太亦看不順眼，要出面檢舉呢！我舉此例，旨在證明凡是公開表示不滿現狀，對政治問題和人物有所指摘的，並不一定就是別有用心的不忠貞份子，而在表面上裝出死硬愚忠氣派的，或許比雷震之流更有「叛亂」行為。我們只想想過去若干老共埋伏在國府各機關中，如冀朝鼎在中央銀行那種忠誠的偽裝情形，可為殷鑑了。

胡適已逝，雷震在囚，然「痛恨極權奴役，力爭民主自由」的文化思想，仍係中國人反共復國運動的唯一特效劑，雷氏謂「共匪未滅，後死何以為人」，我說只要後死者誠心誠意的為爭取民主自由而努力奮鬥，識大體，顧大局，對內不化有用為無用，對外不變友人為敵人，國家民族的前途是光明的。

向核彈抗戰

陳知青

二、核彈大戰的性質

所謂第三次大戰，不能用原子彈，氫彈的名詞了。因為如今蘇俄所試爆的超彈，已比氫彈的威力更大，所以，選用「核彈」一詞。

所謂核彈，包括着原子彈類的第一級分裂反應炸彈，我們已知的有鈾原子核彈和鈽原子核彈。以及原子彈外面包上一層殺傷力甚強的鈷，又叫鈷原子彈的。他們是原子核分裂的炸彈。

第二級的核彈是分裂後融合反應的炸彈，最明顯的是氫原子彈，它是要靠鈾原子彈爆炸後，發出高熱巨能，使氫原子核發生融合反應的大核彈。這一類的核彈，現在從氫原子核彈，發展到氦原子核彈，鋰原子核彈，鈹原子核彈。蘇俄的所謂超彈，至少已比美製氫彈威力大，可能在進一步的氦，鋰，鈹等輕元素方面發展了。

第三級的核彈，是純粹的融合反應炸彈，這也就是現在所謂的死光中子彈。我們還不能知道將來更能發展那些配合核彈。至少，依理論的推測，更可以發展的是「正反質子彈」以及各類「介子彈」。

但是，無論核彈試爆，或是核彈大戰，它具有顯明的特殊的性質，和兩次大戰是大大地不同了。

第一、核彈戰爭，沒有前方後方之分。沒有軍隊和平民之分。因此，我們老百姓，每一個人，都應對核彈戰爭，有所認識。

第二，核彈戰爭，它的速度之快，不是普速的噴射機或無線電可以警報報告的。核彈的殺傷力是以閃電的光，速進行，每秒鐘走十八萬六千哩。普通能看到核彈爆炸的閃光，殺人的輻射塵就到了你的身上！因此，我們必須隨時隨地做準備。

第三，核彈戰爭，沒有戰時平時之分，沒有安全地帶可逃。因此，我們隨時隨地必須準備受核彈襲擊，以及輻射塵進攻的防護。

雖然，這三種特性相當可怕，但是，我們地球人類，決不致於全被毀滅。愛因斯坦的預言，第四次大戰用木棒作武器，祇是悲天憫人的說法。我們祇有向核彈抗戰，才能保住生命！（四）

香港與大陸

湖南省北部一帶 連穀種也成問題

共黨要人民爭取僑匯

原籍湘北的李君，兩週中接到三次家信，都是催他匯錢回去的。李君所得家信中說：春耕快要開始了，鄉中共產黨幹部已一再叮囑大家，必面攪好春耕，增加生產。但是在湘北一帶，由於連年饑荒，連穀種都成問題，如何而能攪好春耕，不但老百姓沒有把握，就是共幹，亦暗中着急。

因此共幹已發動那些在海外有親友的老百姓，要大家寫信向海外爭取匯款。李君因為這些年來都每月匯四五十元港幣回家，他的家已被列為有僑匯的戶口，如果不能及時多爭取一些僑匯，共幹決不答應。共幹還對李君的弟弟說，如果他們家能設法多弄一些匯款回去，在配糧方面，可以得到優待，多配一些糧食。否則要受處罰。

能夠多配一點糧食，是所有大陸同胞最關切的事；春耕是否能夠攪好，由於收成全由公家拿去，大家倒並不以為意。因此李君所得到的這三封家信，都催李君早些匯款，並說能夠比往常多匯一點，對於家中人的生活，更可以有切實的幫助，催李君無論如何要設法快些匯錢。

李君的家信中，還提到鄰居的王伯伯，他已經差不多七十歲的老人了，為了生活苦，身體更不如前，不能做較沉重的工作，每月的配糧亦較他人的為少。王伯伯為了補助生活，養了近十隻雞，原打算雞生了蛋，可以拿出去賣，自己要吃點雞蛋亦方便。那知自從他養的雞開始生蛋後，共幹就天天把蛋拿走，名義說是由公家收購，實際則是半買半送，所給的價錢比市價便宜過一半，使得王伯伯的心力白費，自己要吃一只雞蛋亦不行。王伯伯一氣，偷偷宰殺了一隻雞，把它吃了，但第二天就被共幹查出，把他拉去坐了十天牢，說他破壞生產。放出來後連原來的一點點配糧都給取消了，生活更成問題。王伯伯的兩個兒子，名叫大毛小毛的，眼看老父生機斷絕，悄悄把自己只能吃個半飽的糧食省下一點資助老父，被共幹知道了，說他們兄弟還存在着封建的溫情主義，把他兄弟全抓去勞改，王伯伯的生計更困難，其勢非餓死不可了。（複）

瘟君續夢

第三回：　掩面向黃泉，貳臣遺恨　低頭拜白虎，帝子驚魂

說起張西曼，却是一名屈死鬼。此人是留俄出身，回國後就在北方幾間大學任教，抗戰時期在後方教書，經常住在重慶，雖然教書却不忘情政治，正是身在江湖，心懸魏闕，又因為當時後方一些學校師生，以左傾為時髦，張西曼是留俄學生，能說俄語，他經常跑跑俄國大使館，更得風氣之先，左傾自不肯後人，於是就被左傾份子尊為民主教授，張西曼也洋洋得意，以蘇聯通自居。

勝利後，張西曼又回到北方教書，不久，平津陷落，毛澤東的總部也由石家莊搬進北平，蘇聯為了慶祝中共「開國」，派來一個文化代表團，團長是因寫「赤色近衛軍」得過史達林文學獎金，在史達林死後因「厭世」而吞槍自殺的法捷耶夫，副團長是西蒙諾夫。因為西蒙，西曼聲音近似，大家就改稱張西曼為西蒙諾夫，張西曼更為得意，日日放言高論，了無忌憚，儼然以蘇聯人自居，統戰部對他開始注意。

不久，發生了接收舞弊案，北平初陷落時，中共首任市長是葉劍英，當時城市物資堆積如山，絕大部份都被葉劍英接收去，以後葉劍英辦交代給聶榮臻，這些物資竟然失了踪。許多民主人士第一次領教共產黨的吏治，不免暗暗搖頭。只有張西曼在大庭廣衆之間嚷道：「這叫什麼話，國民黨也未曾這樣貪污過。不用再談革命了，馬上命就被人革了。這種情形我不能坐視，我一定打電話去告訴史達林。」

張西曼窮嚷一通，也沒有人敢接腔，大家就分手了。第二天傳出消息，張西曼昨夜暴病逝世。這一來把民主人士嚇死了，一直到大鳴大放，很少人再敢多說話。

張西曼之死，無疑是統戰部傑作。現在看到李濟琛病漸痊癒，將有後患。邢西萍又想起對付張西曼的辦法。

李維漢搖搖頭：「那怎麼可以？張西曼的事件是得到上邊同意的，現在用到李濟琛身上，誰負責任？萬一出了麻煩，我同你如何担得起？」

許滌新說道：「我到有個辦法，不知能否行得通，說出來請各同志作個參攷。」

邢西萍問道：「你是不是採取對付謝雪紅的辦法，指李濟琛是美帝特務。」

許滌新搖搖頭：「那個辦法用到李濟琛頭上如何能成？我的計劃是派余心清和盧郁文到醫院去探病，放空氣嚇他，就說黨已決定要清算廣州事件，替張太雷，陳廷年幾位同志報仇。李濟琛聽到這個消息，硬嚇也就嚇死了。」

李維漢鼓掌笑道：「這個辦法要得，用藥針毒死了人要留點痕跡，嚇死人却一點痕跡也沒有，又高一級。現在就這樣辦！」

說着就把余心清和盧郁文叫來，派他們去負責嚇死李濟琛。

這兩人個是共產黨的地下黨員，派去民革任中央委員，負責監視民革活動情況。余心清是馮玉祥舊部，專門向西北軍傳道，當時就有紅色牧師之稱。勝利後在十一戰區長官孫連仲手下任設計委員會副主任。因主持共諜在平組織，搜集國軍情報被捕，解到南京處死刑，適當其時李宗仁出任代總統，為了表示和談誠意，下令把余心清釋放了。（八〇）

燕塵識小

無負生

馬五先生曰：「今年太歲在寅，未審先生能爲本報續撰壬寅談往否？企予望之也」。無負生曰：「諾」。

壬寅談往

溯自上年辛丑仲冬十一月二十八日慈禧挾光緒攜駕回宮重掌二百戰搖搖欲墜之皇權，迄於辛亥殘臘十二月二十五日隆裕命宣統降詔遜位，結束三千年綿綿不絕之帝制，其間歷時整十年又一個月。在此不長不短的十年中從政治之施爲，測清廷之成敗，表面上是粉飾太平，實際上是苟安旦夕。六十年前的壬寅（清光緒廿八年西元一九〇二）就是在這種東塗西抹補苴罅漏的氣息中混過了一年。反之，革命大義，默運潛滋，是可識也。

壬寅春正月，有旨裁撤河東河道總督缺，詹事府歸併於翰林院。無負生曰：「此戊戌變法裁汰冗官之故轍也。」

二月：有旨命各出使大臣查取各國通行律例，責成袁世凱劉坤一張之洞愼選熟悉中西律例者，保送來京，聽候簡派，開館編纂。是爲修訂刑法以爲收回領事裁判權之張本。無負生曰：收回領事裁判權豈易言哉。必待八年抗日告厥成功，始臻實現，歷時且將五十年矣。

三月朔辛酉，日有食之；三月望丙子月食。無負生曰：六十年後之壬寅，正月朔甲戌，日有食之，正月望戊子月食，遙遙相對，何其巧也。

四月：太后命外務部妥訂各國使臣及其眷屬游讌宮廷日期。各西后回京後，以舊時瀛秀門內儀鑾殿址改建海晏堂爲讌會外人之地。至是，命部臣酌擬每歲敦請游讌日期。旋議覆：各使臣及參贊隨員並各使及參隨眷屬，擬於上半年之三四月下半年之八，九月臨時，請旨欽定日期，由部中先期柬請，遂定爲例。至日，宮中特備洋餐款待外賓。客去之時固皆極口稱謝，然一至次日則各使又到外務部百端要挾矣。無負生曰：「數年前西后仇外之心極強。庚辛之變，痛鉅創深者，僥倖還巢，一變而爲媚外；昔之傲然自大，不惜卑屈至此，然於外交大計，絲毫無補也。」

按：派侍郎沈家本伍廷芳將一切現行律例，按照交涉情形，參酌各國法律，悉心改訂，修定呈覽，候旨頒行。其後訂定刑法，以斬決爲極刑。其凌遲梟首戮屍等殘酷之刑，永遠刪除。鞭笞烙印以及連坐親族等法亦皆廢止。此誠我國刑法史上一大進步矣。

六月：命張之洞充督辦通商大臣。九月加派袁世凱爲督辦商務大臣，與張之洞會同辦理通商。伍廷芳爲會辦大臣。無負生曰：北洋兩湖，以地醜德齊，袁張之間，不能無競，此其一端而已。

八月：工部尚書呂海寰左侍郎盛宣懷與英使馬凱在上海續議通商行船條約十六款成。（一）

唐太宗（三）

李仲侯

其時中國的繪畫、印刷、織絡，造紙等各種優美的藝術工業，由於天可汗的組織，傳入了中亞和西亞的很不少。大唐之文化譬致如水一般向四鄰流注，無遠弗屆，故唐以後，外人大都稱中國爲唐，稱中國人爲唐人，中國字亦曰唐字，即今外國各地的唐人街，亦沿此而起。

貞觀之治，距今只一千三百卅五年，它的成就，迥非歷史上所傳：「成康」、「文景」、「開元」、「雍熙」之治可能比擬。即方諸五帝三王之治，亦難以論其優劣。我們僅就其對內影響力的深鉅而言，可以比得上孔子大同理想之治，後世小康治平的局面，決無法望其項背，實爲中國歷史突出的一個奇蹟，前無古人，後無來者。故後來凡稍留心治道的人，莫不崇拜唐太宗並研究其爲人。凡有國者對太宗貞觀之治，亦莫不思效法仿行。讀史者亦不肯輕易放過這段史實，存之於心，筆之於文，有意無意爲太宗作了義務宣傳。

可惜的是太宗只活了五十歲，君臨天下亦僅二十三年。傳其子高宗，雖在位較久，但史稱其：「柔弱寡能，內寵多欲」，武則天以太宗才人，正位中宮，高宗死後，垂簾聽政，濁亂朝綱，貞觀所遺下的良法美政，隳毀畧盡。天殆不欲長治久安以濟中國乎？抑太宗獨能專美於前，後起者難以爲繼乎？

我們要談貞觀之治，須先瞭解唐室開國以前的治亂概況。隋朝在文帝統一南北朝以後，曾出現一小康局面，文帝在位廿四年，頗能勵精圖治，勤政愛民。到了隋煬帝，盛治宮室，窮極侈靡，遨游無度，巡幸四方，政刑廢弛，賄賂公行，其荒淫無道與秦始皇都是歷史最著名的兩位暴君，煬帝在位最後數年，天下大亂，羣盜羣雄紛紛起兵，割據稱王，到處土崩魚爛，人民痛苦不堪，他一直昏迷不醒，到被殺之日，還在自我陶醉，滿不在意。唐高祖與唐太宗，就在這羣雄逐鹿中原的局面下，乘時崛起，掃盪寰宇，神州復歸統一。但隋室紊亂已極，元氣損傷過甚，雖經高祖努力撥亂反治，經過了八九年的休養生息，還未出人民於水火而登諸袵席。太宗繼位之初，人民生活仍極痛苦，戶口稀少，瘡痍滿目，他目擊民艱，講求治道，「飢者易爲食，渴者易爲飲」，貞觀之治之可說是當時人民厭亂心理，也反應和望治心切的一種結果。

唐太宗生於隋開皇二十年，歿於貞觀二十三年，享年五十歲。生有異稟，自古英明之主，所謂：「龍鳳之姿，天日之表」，自不用說，隋末義兵蠭起，李密見太宗天姿神武，治軍謹嚴，曾私謂殷開山曰：「眞英主也，不如此何以定亂乎」。

虎年談虎

漁翁

今年歲次壬寅，屬虎。虎，猛獸名，形似貓，全身長五六尺，毛色鮮黃，而有黑色條紋，性兇殘猛悍，常食其他獸畜，並傷害人類，寒帶熱帶皆有之，產於滿洲者，毛密而厚，其皮可作坐褥，其骨可作藥酒，以其威猛異常獸，故稱爲獸中之王，詩所謂「矯矯虎臣」也。

檀弓：孔子適齊，過泰山，有婦人哭於墓，使子路問之，答曰：「昔者，吾舅死於虎，吾夫又死焉，今吾子又死焉！」子路曰：「何爲不去也？」婦曰：「無苛政」。子路以告，孔子曰：「小子識之！苛政猛於虎也。」虎能害人，有時或可避免，而苛政之慘，無法可以解脫，所以這婦人以國無苛政，寧死而不願他徙也。

虎之猛，在乎口，以口內有尖銳之牙也。漢光武以銚期強悍，拜爲虎牙大將軍。莊子：「料虎頭，編虎鬚，幾不免虎口哉！」又史記：「足下起糾合之衆，收散亂之兵，不滿萬人，欲以逕入強秦，此所謂探虎口也。」任邱邊長白掘李自成祖墓，自叙其事之危險，曰「虎口餘生」，曹子清演爲填詞五十餘齣，以言其虎口之不可近，萬一遇此危險，得而避免，亦僥倖中之虎口餘生耳。

可是，明知山有虎，而偏向虎山行者，謂「不入虎穴，不得虎子」也。漢史：班超使西域，鄯善王廣奉詔，禮敬甚厚，後忽疏懈。超曰：「此必有北使來」，乃謂其將士曰：「不入虎穴，焉得虎子？」是夜用火攻虜營，斬其使，而一鼓殄滅之，此計雖具有幾分冒險性，而其搏虎之大無畏精神，至今猶膾炙於人口。

虎雖視貪殘，不可向邇，但也有遇虎而得生還者，事見宋史：朱泰家貧，鬻薪養母，虎負之去百里，朱厲聲曰：「食我不足惜，但母無託耳。」虎遂棄泰於地，里人以爲孝感，醵金遺之，目爲「虎殘」。執此，足見虎不食孝子，而具有天性，謂之「仁虎」，誰曰不宜。

又傳一樵子入深山採薪，失足墜虎穴，穴高數丈，不得出，穴內僅一虎子，樵以虎子不能害，若大虎歸，恐難免，匍匐穴內，惴惴然以待死！夕陽將下，忽霹靂一聲，而大虎入，口含一豕，見樵伏於一角，狀甚憐，除以豕飼其子外，餘賜樵，樵饑而食之。翌日，虎又出，夜復含一豕歸，給子與樵分食之，日以爲常。旋小虎長成，欲遷地，樵求虎負之出，虎頷之，出穴後，樵約某月日，以一豕爲報。屆日，虎先至，爲里人持械圍困於泥淖中，而樵負豕至，向里人備述虎之義氣，哀求而釋之，並贈以豕送深山而泣別。里人以其義，築亭於山畔，顏曰「義虎亭」，民初文人蔡鄜爲文記其事，以爲人之不義者戒。

雖然，虎而知仁明義，乃偶然事，不可習以爲常，認爲虎不傷人，可與之狎而不防，一旦張牙舞爪，後患不堪設想！據漢史載：漢王欲西歸，張良曰：「今漢天下，有其大半，楚兵罷疲，今釋之而不伐，是養虎而自貽患也。」楚項是虎，但已疲憊，乘機殺之易，若假以休養，後患無窮。張良之言，極中肯綮，高祖之得天下，良謀爲多，在漢三傑中，要以良首屈一指。

養虎貽患，事固不可，而爲虎作倀，尤謂助惡之尤者。據聽雨記談：人遇虎，衣帶自解，皆倀所爲。相傳虎齧人死，魂不敢他適，輒隸事虎，名曰「倀鬼」。今之人，父母妻子，死於暴政，而猶爲之奔走呼號，助桀爲虐，殆亦虎倀之徒歟！

今爲虎年，談虎生變，值此八方風雨，安得虎賁三千人，統虎賁之士百餘萬，乘金鉞，用火箭，深入虎穴，一鼓而殄滅之，毋爲世人患，則有賴於我赳赳武夫之虎士也。

張國燾出奔武漢以後（二）

諸葛文侯

張氏在武漢擬創辦刊物的計劃既不能實現，又不願扭任其他的官職，閒居終日，甚感無聊。當時日寇節節進逼，武漢亦很危殆，國府決計遷入巴蜀，繼續抗戰。他素見報紙宣傳廣西地方建設成績優良，有模範省之稱，而李白諸巨頭又常常表示禮賢下士的作風，歡迎別省著名人物赴桂參觀指導，張氏在武漢亦曾受邀約前往桂林一行，乃欣然就道焉。

張到達桂林，當地軍政首長特別款待，禮遇優渥。詎客居一星期之後，忽見桂省府建設廳主辦的「建設月刊」上，刊出莫斯科第三國際指示張氏反革命，開除其黨籍的決議文，又載有延安毛共譴責張氏叛黨的各種罪狀紀述，更附齎該月刊記者批評張氏「投降」的文章。張氏認爲省府建設廳的刊物，即是官方的宣傳機構，而廳長黃公度原係著名的托派份子，他敢於這樣的給客人過不去，事前若非得到了省主席同意，豈能胆大妄爲，一至於此乎？他越想越氣，懷疑李白等人或許暗裏通共合作——此時廣西對中央仍處於半獨立的政治狀態中——故意邀約他到桂林來，再予以嚴重的侮辱打擊。因此，他決不相信當時廣西當局向他解釋安慰的語言是出於誠意，佛然絕裾而去。這時候，國府已移入重慶，他祇好經貴州轉赴渝都，家屬早已到渝，卜居在市內張家花園某號屋中，憑着一份「國民參政員」的薪金以過活。

既而國民黨中央組織部長朱家驊爲研究中共問題設置一個機構，懇邀張氏贊襄其事，張以並非政府官職，且爲研究設計性質，亦樂於應命。未幾，戴雨農在重慶市外磁器口創設的特訓班，請張氏前去講演對付共產主義問題，他闡述共產主義是一種思想問題，須從政治方面着手，才可以遏制共黨的發展，專靠武力是不行的。他講演了一小時，聽衆反應殊淡漠，說是不若某某專家的講法能受大家歡迎。張氏即向學員索取了一份印好的某專家講演詞，拿回家中仔細閱覽，看他講的內容如何？原來這位專家只說共黨盡是些匪徒，專幹打家劫舍，殺人放火的勾當，惟有以勦匪方法，用武力草薙禽獮而消滅之，其他皆係迂濶不切實際之談云云。張氏覺得這種思想太過幼稚淺薄，根本不瞭解共產黨的本質爲何物，而執政黨乃奉之爲專家，可見當代談反共的人士，都是隔靴搔癢，未聞大道，他的說法既然曲高和寡，祇好自慚形穢，嗣後再不講演，即朱騮先部長所設置的研究機構，也不願參預了。

連年來，張氏所如不合，而執政當局亦對他未加重視，投閒置散，躋於淸客之列，自已滿懷雄心和理想，始終無從表現，乃閉門謝客，甘作伏櫪之老驥，得暇即與三數友好從事雀牌娛樂，藉以消閒解悶而已。

高延第其人

黃寶實

前就高延第輓船記爲滿清稗政實錄之一，刊本報二〇九期，喜其文字雋永，而苦不得高氏之生事。茲閱清朝續文獻通考卷九十選舉考辟舉：「光緒十一年諭黃體芳奏，查明績學之士，懇恩獎勵等語，江蘇……監生高延第著賞給翰林院待詔銜」。

劉錦藻原案：『黃體芳原奏畧曰，「查有……山陽縣監生高延第操行純愨，學問優長。前粵寇踞省城時隨其父士魁在籍舉辦團練，屢著勤勞。平日於地方利弊，尤能悉心籌畫，事竣即退。官吏造訪，罕覯其面。獎誘後進，必以道義相切劘。所著老子正義，淮安府志，盱眙縣志，亦頗淹賅。洵所謂勖學砥行，不求聞達，與古之隱逸君子，同一懷抱與！」』案黃體芳時官江蘇學政，山陽即今淮安縣也。

內僑警台報字第〇三一號內銷證

自由報

THE FREE NEWS

第二一六期

中華民國僑務委員會頒發
台救新字第三二三號登記證
中華郵政台字第一二八二號執照
登記爲第一類新聞紙類
（半週刊每星期三、六出版）
每份港幣壹角
台灣零售價新台幣貳元
社　長：雷嘯岑
督印人：黃行奮
社址．香港銅鑼灣高士威道二十號四樓
20 CAUSEWAY RD 3RD FL
HONG KONG
TEL. 771726　電報掛號．7191
承印者：四風印刷廠
地址：香港灣仔高士打道二二一號
台灣分社
台北市西寧南路壹壹零號二樓
電話：三〇三四六
台郵撥儲金戶九二五二

中國文化思想與人類前途

林介山

中國文化的一套以「仁」爲「人」，把「人」化爲「仁」，以「仁」爲「道德」的代表，以「神」「天」爲道德的象徵，而以德育爲人類社會領導的思想體系，無論從任何角度看，都是完整無瑕的，說句老實話，這已是世上再難找出對人類前途更有貢獻的文化。人類首要在追求足以安身立命的地方，那就需要有「和平，自由，溫暖，無恐懼」的環境，特別是「和平」。所以亦惟有强調道德教育，灌輸人類以和平思想，才有充實世界和平的內容。人生的整體，固需要神明的意識，與物質的保養，然人生的實體仍在於「人」。孔子每在「大學」上提到：『君子先愼乎德。有德此有人，有人此有土，有土此有財，有財此有用。德者本也，財者末也……』人類世界惟有相互尊重德性，輕視物質，才可抑止人類原始獸性的發揚，與無厭私慾的競爭。所以，不以道德爲人生最高價值的機械物質文明，不爲君子所崇尙，尤非和平世界所稀罕。中國文化的寶貴處，正是撫觸到人類此種安身立命問題的核心，其所以數千年保持泱泱大國風度，不爲武力屈服，不爲外國同化，就完全依賴此一至情至聖的人性文化的發揚，特別面當以偏爲全的，側重科學技術發展的，而神，人，物迄未能取得協調統一的今日世界，中國傳統的道德文化，對人類幸福的前途，就更具有不朽的作用。

人類幸福的前途，是決定在神、人、物三者能否協調統一？所謂神、人、物，在文化言，是指宗教，唯物論崇拜者，與人文精神三者；在個人言，是指人身、靈、肉三者——人身上需靈性道德的修養，下需物質生活的維持，方爲人類生命的完全。

人類站在宇宙間的地位是一個中庸體，他上有天，下有地，他是頂天立地的生物，而又不能離天去地而獨存。天是神，那是人類由心理發生的意識的昇華，代表着靈性道德的修養；地是物，那是生活的資料，爲生理上的需要，代表着人類潛意識的慾望。人之所以稱作「仁」，雖非神，而應包容有神的意識的領導；雖非物，而又不能不來頼物質生活的維持。人若偏重神靈生活，便成普遍貧困的世界；人若偏重物質生活，便成獸性鬥爭的世界；神與物在人類生活中祇是佔有一個輔體的部分，人類生活的整體，在確立「人與人」間道德交往的聯鎖，兼顧「人與神」，「人與物」的關係，使人憑藉神明恩相敬畏鬼神之心，以維繫人生的常軌，認識自由平等的根源，又使人開墾土地，生產財富，來維持生活，繁榮社會，故人雖稱作「人」，其實「人」祇要稱呼的符號，「人性」便代表着「神與物」的均衡，本質上是神、人、物三者統一的綜合體。

我們無可諱言，一部人類歷史，那祇是一部陰險、恐怖、流血、和鬥爭的紀錄，人類寫成這樣一部可恥的歷史，是由於無知，錯認眞理，和以「偏」爲「全」的意念所促成。形或和促進這股力量亦不是蓄意的。人類由古迄今，總是若有所失，像是欠缺了一樣什麼東西似的，早已到處摸索，雖然並不淸楚要摸索的是什麼，但他們總以爲他們的祖先確曾遺失了一件極其寶貴的東西。

人類這樣不斷的摸索，直至有一天，有些發現了神，有些發現了人，有些發現了物，便各別都以爲所失去的東西經已尋到。並且，各別堅持自己所發現的東西，即爲人類生活的全部。至於不惜以蠻橫兇暴殺害人身，來實現此一偏見的主義思想，例如以金錢論人格地位的資本主義的僞善社會，以絕對服從組織的共產主義的暴力社會，便同等藉着科學進步爲號召，在加深人類生活的痛苦。資本主義尙容許擁有個人自由享受的誘惑，共產主義却又進一步剝奪各個人一切的所有。這二者尖銳地劃分「個體」與「集體」的對立，由「自我」到「超我」的對抗，而美其名曰「「人權與人道」，事實同等不以人性本能需要爲中心，缺乏構成人權與人道的基礎。

神是神，人是人，物是物，各有特性，所以不能强人爲神，亦不能强人爲物。違反此一法則，必然問題多多，因爲各各都以偏爲全，各有所欠缺，便各有所不滿，這就是歷史上神、人、物三分天下對人類社會帶來的不幸。

綜觀世界文化思想，要能包容兼具神、人、物三種因素於一個完整的觀念中，除中國文化「以仁爲人」的中庸思想外，再無其他文化足以有令人更滿意的解釋了。

「神、人、物三合一」可說爲人類最完全最合理的思想，三者分則亂，合作治。中國文化若認爲仍有不足，就是未有强調物理追求的科學與「宗教性獻身犧牲的精神。」但她亦已常常以敬畏之心涉獵到，如「有天地而後有萬物，有萬物而後有男女……」祇不過她以爲「人類世界」係以「人類爲中心」，離開「人類」，這個「世界」根本就不存在。所以人倫之大本，首在和平相處之道，此中國文化重點落在培育人性人格造成恂恂儒者風度的原因。

希臘式個人主義的物質文明與希伯萊式救世主義的宗教精神，祇堪作爲中國文化若干未經具體强調部分的補充，因爲主張「個人自由」或「剝奪個人自由」，都屬於兩極，並不比中國文化主張神、人、、物相互交感的「仁心仁政」——顧個人自由亦顧他人自由的理論更見完善。

現代的民主社會主義和共產黨自稱科學社會主義，原始係同等的以崇奉機械物質文明爲主，雖然前者加上文藝復興的人文精神，後者利用殉道精神加上恨的哲學，但本質上在生物科學的機械分析下，把人類置於普通動物範疇，與禽獸同列，視爲機械物質的一部，便同等仍是對最珍貴之人類因素有所欠缺。不幸西方學者固未指陳中國文化此點對世界文明貢獻的偉大，中國自己的學人竟亦未把握本位文化的奧妙精微的重點，和國人生命的所寄，國家立命的所在，他們如非作囫圇吞棗式的讚頌，便是以「冒進精神」否定自己的一切而盲目崇外。在中國思想界每沾沾樂道的五四新思想運動的精神，外表上無疑是以新觀點來解釋本位文化，號召「中學爲體，西學爲用」，以溶和東西文化的精髓，結果雖然是對本位文化起了變質的作用，但却「反賓爲主」，在前有西方民主政治思想的入侵，信奉者以爲是萬應靈藥，而幼稚地强把西方工業資本社會的產物，要一蹴實施於農業經濟社會的中國；在後有共產主義的入侵信奉者更以是萬應靈藥，而橫蠻地把馬克斯仇恨西方工業的方法，要來代替所有中國文化的寶貴遺產；這二者自入侵中國以後，溫文、沉潛、保守、厚道的中國文化，便被活潑浪漫的西方民主思想與被鬥爭激進的共產主義排擠至無可立足之地，但中國並未因此獲救。相反，由於國人失去本位文化的根基，偏見學說紛陳，由個人、家庭、到社會的道德，都無可依循，遂使國人徬徨於十字街頭，一國裂爲多頭，天下之亂如禽獸，其危害國人生命與國家命運的程度，又豈爲「封建道德文化」所能及於萬一？

休矣！人類的前途，與新世界秩序的根基，仍有賴於包容「神、人、物」三種因素的中國文化思想之領導，獨中國人反爲捨近而圖遠，捨好而求壞，可悲孰甚哉!?

「還我機來？」

兩種子彈

自由談

快向大陸上點火！

馬五先生

毛共的空軍戰士劉承司架機投到自由祖國來，海內外的中國人聞訊歡忭鼓舞，對這位劉義士寄予無可形容的讚許心情，理固然也。我們還聽說毛共的海軍戰士中，最近亦曾有三艘魚雷艇實行起義，不幸在航行中被共黨發覺而追回魔窟去了！

一架米格式飛機和三艘魚雷艇脫離魔窟，在其本質上，對毛共原不算是鉅大的損害，但在精神上却係它的致命傷，因此而使全球人類認識並確信中國大陸上的共黨暴虐政權危在旦夕了。更重要的一點，乃是毛共所恃以爲生存支柱的軍隊，業已表現反叛行爲，從此更互相猜忌疑懼，一方面監視控制唯恐不嚴密，一方面即更感暴政壓迫難以忍受，離心力日益深重，相激相盪，有如一顆鉅大的計時炸彈，終非爲然爆發不可的！

世人若以毛共的陸軍尙無起義情形，便認爲陸軍可靠，那就是錯覺。飛機和兵艦常在天空與海面出勤或練習，起義的機會較多，行動亦不像陸軍那樣被嚴密監視着，步履維艱。所以，毛共的海空軍遇到機會，即可以迅速採取去逆効順的義舉。至於它的陸軍內部的反共意識，實際視海空軍尤爲强烈，試看香港不時發現來自大陸上的陸軍官兵逃亡者，即係顯明的例證。若要它的陸軍集體起義，必須有外來的武力打擊，毛共需要他們負弩前驅作戰時，才是大好機會啊！

大陸上充滿着反共的火藥庫，只待有人投擲一根導火綫，馬上就會烽煙遍地的。這項導火責任，當然就是在中華民國政府身上，祗因受着中美安全互助協定的約束，不徵得盟邦的同意即不便自由去點火而已。如今有了毛共空軍與海軍將士的起義事實發生，我們希望政府當局趕緊向大陸進行點火工作，以慰海內外億萬的中國人民渴望「王師北定中原」之急切心情。沒有外來的實力打擊，而欲坐待鐵幕內人民自動起來推翻共產政權，此是幼稚的幻想。這點常識問題，我們尤其盼望美國朋友特別瞭解爲是。

台灣人人眉飛色舞

從劉承司起義來歸 證實中共末日將臨

（本報記者台北航訊）胡適之先生的喪事剛於三月二日告一段落，三日上午，中共空軍的一個少尉劉承司，就從浙江省的路橋機場，駕駛一架俄製米格十五型機，逃奔自由，飛來台灣，投入自由祖國的懷抱。這一個大好的消息，當天就傳開了，人人眉飛色舞，高興得不得了。

據起義來歸的劉承司說：他是從空軍電台對大陸廣播的「自由的召喚」節目中，得知蔣總統的六大自由、四大保證的號召，並指示駕機來歸的連繫方法之後，早在一年之前，便立下決心，要待機奔向自由的。他對於他現在的居然能夠如願以償，感到特別興奮，特別高興。

劉承司又說，大陸同胞這些年來，特別是最近的兩三年來，由於中共攪出「三面紅旗」的大人禍，再加上天災，大家的生活都慘苦不堪言狀。大陸上的同胞由於糧食吃不飽而胡亂吃一些其實絕不是人類所應喫的東西大部份人都骨瘦如柴許多人都害了「水腫病」、「夜盲眼」及「肺病」、「心腎病」等等。大陸同胞對於共產黨，在內心裏都恨透了。大家所日夕盼望的，是政府早日反攻，去拯救他們。另外，如果有機會，大家都願逃，他本人這次的起義來歸，就是一個例子。

劉承司還說：中共的軍隊，比較上，確實要比一般同胞生活好過些。尤其是前些年，軍隊是天之驕子，但近年來亦不行了，只是還算能夠吃得飽而已。劉承司說：中共空軍中恨共產黨的人多得很，想起義來歸的人亦多得很，不過起義的機會難逢難遇而已。他自己這次能夠完成起義的願望，就是因為那天他是單機試飛，機上所帶的汽油亦不少，他才把握時機，飛來台灣的。他說：假定政府大反攻開始，他認為共軍陣前起義的必定很多，拉枯摧朽，很容易的就可以把大陸光復。

由於劉承司的起義來歸，台灣許許多多人，對於反攻復國的大業，現在是更加充滿了信心，更加樂觀了。並認為，既然中共已經敗象畢露，現在正是我們揮軍反攻的有利時機，我們應該趕快的認真努力，不可以再等待，再徬徨，以致失掉了這個大好機會，同時亦失掉了大陸億萬引領待救的同胞們的心。苟安逸樂的心理，再不可有了！是我們重甦革命精神，乾坤一擲的時候了！

又還有不少的人認為，從劉承司起義來歸所反映出來的事實——大陸民心士氣都歸向政府，希望政府早日反攻的事實，我們政府應該卽時擴大的發動號召中共軍特別中共空軍起義來歸的運動，讓「自由的呼喚」聲音更壯大起來，果眞再有更多的劉承司第二，劉承司第三投奔過來，共產黨的末日就到了！（觀）

台灣電視任重道遠

教部實驗台有精神無條件

民營電視公司國慶日開播

（本報記者台北航訊）台灣今年要進入「電視時代」了——一間民營的台灣電視事業股份有限公司，繼教育部電視實驗電台之後，已公開宣佈將在「本年國慶正式開播」。

教育部的電視實驗電台，是從二月十四日第四次全國教育會議開幕那天正式開播。在第一期的六個月期間，是實驗時期，六個月後即正式建台，完成正常的播出。在首六月期內，一切都是實驗性質，機件係由交大電子研究所師生，以「克難精神」，把一些舊機件拼湊而成。正式建台時，便計劃從國外輸入機件。教育部最後的構圖，是在全省廣播網和電視台設立以後，開設一所「電視學校」，招收各級學生，依其程度科別，分讀學分和不讀學分兩種。讀學分的在考試及格後給予學分，學分修滿後給予學位或證書。目前節目的分配，原則上是教學節目佔百分之四十，綜合性教育節目佔百分之三十，新聞節目佔百分之十，娛樂節目佔百分之二十。至於有系統的教學節目及配合學校教學的節目，該台目前暫不舉辦。

照該台從開播到現在的情形看來，要達到教育部的理想，還有一段艱鉅的路程。據記者的了解，該台最大的困難，是經費不足，目前的條件，嚴格的說簡直不夠一個電視台的標準。即以該台的攝影場來說，許多高熱度的燈光集中一起，氣溫悶熱不堪，又沒有冷氣的設備。又如該台並無事先攝存的節目備用，每次都需臨時去東邀西請，加以電台又缺乏購買底片的錢，所以不能去受邀的團體攝製回來映播，必需把受邀表演的團體，勞師動衆地約到電台來當場演出，演出了卻又無膠片來攝製儲存，供以後不時之需。好像有個「娃娃劇團」，在該台開幕那天演出「寶寶夢遊大一國」的兒童教育短劇，因為獲得觀衆好評，過幾天只好又把那些孩子找來重播演了一次。如果該台當時攝好貯存，那會有這樣人力浪費的現象發生？

據教育電視台執行秘書劉家驗對記者說：現在台灣僅有五十架電視機，這還是年前中廣公司辦理試播電視後留下來的。這些電視機都設置在公共場合。美僑攜來的也少得很。所以，教育部費這麼多心血建起來的電視台，只能供少數電視機的享受，說得好一點，這是「不問收穫，祗顧耕耘」的埋頭苦幹精神，說得不好就是「唱戲給瞎子看」，白費氣力，辦這個電台的作用又在那裏？因此，許多人關心到，教育電視台是不是要辦理推廣電視機的工作，使其數量增多，然後才可以達到「電視學校」的目的？

據劉家驗表示，該台還沒有推廣電視機的計劃，同時交通部也還沒有開放電視機的進口。果其如此，教育部在創辦的時候，不應該不考慮到這些問題。電視機如視為教具便應該准許進口，再不然就該設法在國內裝配或生產。這些因素不先加考慮，貿然便要趕在全國教育會議時開播，實在說，是沒有什麼大道理的。再者，把「電視學校」視為「社會教育」還無關緊要，如要給予「學分和學位」，便又牽涉到學制改變的問題了。當此連「夜間大學」和「學分制補習大學」都還「難產」的時候，做得到麼？又是合理的麼？

一般的反應，認為教育部設立教育電視台以推廣教育，是一件值得贊揚的事，但希望能有充實的經費，完善的設備，訂定確實可行的計劃，腳踏實地的做。不可標新立異，尤不可把一件有意義的「教育工具」變成了一時的「表演工具」。

至於新聞的台灣電視事業公司表面雖說民營，實際卻與中廣公司的情形類似。該公司目前已與日本投資的四家公司完成簽署手續，並已向陽明山管理局洽辦在竹子山電視發射台基地的租用手續，及預定在台北市敦化路上附近興建的電視大廈，即可發包興工，所需電視器材已向日本訂製，即可配合工程進度陸續運台架設。節目方面的編審排列，初期預定為每日五小時，除新聞、氣象、運動及豐富的正當娛樂節目外，並將特別着重於公共福利，公衆服務、社會、兒童，及婦女節目等。該公司將自建電視機製配工廠，除重要配件外，其餘將儘量採用國貨，將來並期能製造純粹國產電視接收機。該公司一切計劃，均按「本年國慶正式開播」的目標在進行。（吳越。三、一。）

一言一動皆學問 非為私誼哭先生

胡適之喪點滴

△一代學人胡適博士猝然長逝後，治喪委員會是台灣近年組織最大的一個，主任委員為副總統兼行政院長陳誠，委員數十人差不多網羅盡了在台灣的政治、學術、文化、教育界的名流，後來以仍有遺漏，接連又增加兩次委員的名單。

△胡適之先生治喪委員會，共收到了一千三百七十七件來自海內外哀悼胡適博士的輓聯、輓幛、輓詩、輓詞、花籃、花圈和賻儀新台幣二千九百四十元，美金三十元。其中最多的是輓聯，共有五百九十八付，花圈二百十六個，唁電二百零七通，輓幛一百五十三幅，輓箋六十七幅，輓軸三十七幅，花籃二十七個，輓詩九篇，輓詞六幅，橫條二幅，輓額一幅，花牌一面，其他六件。

△胡適之先生之喪，二月廿五日起前往殯儀館弔唁者以及出殯之日參加送喪行列與路祭者十數萬人，有的且係自南部中部特地趕來，共中包括各界人士，胡先生的友好學生固然都來了，但更多的卻是與胡先生素昧平生，全無交往的人，而且個個都是自發自動而來的，情眞意摯，無以尚之。很難相信還有什麼人能夠得到如此規模，如此內容的「哀榮」。而所有這些人都具有的同一的心情，乃是：國步多艱，胡先生不可死！胡先生死得太早了！

△胡適之先生生前的王司機，為胡先生的死，哭腫雙眼說：他一向不稱胡先生為夫子或先生，總是稱他為院長或博士，因為他是聖人。他又說：胡先生從不發脾氣，又不擺架子，在生活上處處體諒別人。

這位王司機的話，引起台中一位他的同行的感觸，在台中的楊司機投函報紙，說他那位月入數萬元的總經理主人，常要他工作整天並替他打通宵麻將，而從不給賞錢，為了一點小事，還要發脾氣，打官腔。楊司機說：這位總經理的作風與胡適之先生相比，眞有天壤之別。

△「容忍比自由還更重要」，是胡先生在死前幾天寫贈給他身邊的特別護士徐秋皎小姐的。

近年來胡先生都是受徐小姐的看護。她對胡先生印象最深刻的是兩件事：一是每逢替他做一點事情，他總是親切地說聲「謝謝」；二是從不以難看的臉色對人。在長時間的相處中，她感覺胡先生的一言一動，都是學問，並且永遠不會枯燥而有興趣。

胡先生逝世的時候，徐小姐恰巧不在他身邊。她很傷感的說：整天在他身傍的我，沒有能在場見到他最後一面，是多麼遺憾的事啊！（昌）

民心如此，何以應之！

台灣四個人之中 三個望今年反攻

（本報記者台北航訊）民意測驗協會，最近以選樣方式舉辦了一次國民願望測驗，其結果顯示：希望政府於本年之內實行揮軍反攻大陸的，達百分之七十五。亦即是在四個人之中，就有三個人主張國軍今年便反攻大陸。

這一測驗結果，是三月五日發表的，距離中共的空軍少尉劉承司起義來歸，祇有兩天。劉承司曾經透露：現在非但大陸億萬同胞都盼望國軍早日反攻去拯救他們，連中共唯一賴以鎮壓人民維繫其政權的所謂「解放軍」，而今亦是軍心渙散，心向自由祖國，希望國軍早些實行反攻。

這一次的民意測驗，除了百分之七十五均希望本年之內就反攻大陸之外，還有（一）約百分之二十，希望整飭吏治、改善社會風氣；（二）餘下的百分之五，則希望政府提高公教人員待遇，減輕稅捐及辦理移民等等。

被測驗者對於另一問題——反攻大陸時是否願意回大陸去的問題，所得到的答案是：

（一）表示願意馬上隨軍回大陸的，佔百分之三十。

（二）表示須俟光復區安定後回大陸的，佔百分之四十五。

（三）表示不去大陸的，佔百分之十三。

（四）表示無意見的，佔百分之十二。

對於今年個人的最大希望是什麼的問題，所得的答案，就顯得五花八門了，計為：

（一）最大多數希望增加收益。

（二）商人多希望盈利。

（三）公教人員希望加薪或獲得理想的兼差。

（四）農民希望風調雨順，不來颱風，得一個大豐收。

（五）家庭主婦部份希望有餘錢購買電鍋、冰箱及電視機，部份希望子女考上一所理想的學校。

（六）其他有的希望「找個女友或老婆」，有的希望「中個特獎」，有的希望「不要害病」，有的希望「減輕一點體重」等等。（心）

驚聞胡適之先生逝世 回憶過去二三事

顧翊羣

昨日從廣播中驚聞適之先生在台北逝世，數十年前事忽然回上心頭，敬寫短文以紀念胡先生為人，順便提及我所敬仰之蔡前校長元培先生。

我於民國五年考入北大舊制預科，同時考取的有張國燾兄與數學家劉正經兄。記得其時胡仁源先生代理校長，陳獨秀先生則已任文科學長，我們在「新青年」雜誌中，偶爾見到胡適之先生通信，對其見解之新穎，甚感興趣，但大家對「新青年」主張之過分激烈，則不能同意。

民國六年蔡先生來北大担任校長，在「國民」雜誌社成立時，我們恭請蔡先生出席致詞。清晨八時，蔡先生便已翩然蒞會，使我們社中同人對蔡先生之認眞守時，有深刻的印象。「國民」雜誌為段錫朋易克嶷劉正經等諸君所發起，我亦追隨他們寫過數篇文字。但「國民」的言論比較持重，不如「新青年」與「新潮」等雜誌之前進，出版約二年便告結束，其中社員以後大多加入國民黨，祇有張國燾兄屬於例外。

蔡先生的種種措施，如請胡先生與辜鴻銘先生同時來校任教，樹立北大學術自由的風氣。我們當時無機會上胡先生所授課程，但記得杜威博士來華講演時，胡先生係担任翻譯，對杜氏演詞，隨講隨譯，既流利，復清楚。此後二年新文學運動得到決定性的勝利，歷史考證的風氣大盛。有一天，先君同學兼摯友陳漢章先生來舍，說蔡先生擬請先君到北大担任功課，其時先君已在女高師——即後來的女師大——教授國文，經向蔡先生辭聘。但蔡先生之尊師重道，與謙和的態度，我至今還深深記得。

民國十四年，我到中華教育基金文化董事會，在幹事長范源濂先生手下担任財務秘書，方有機會認識胡先生與周詒春張伯苓蔣夢麟丁文江諸先生。記得每次開會時，胡先生發言均極中肯，加上丁先生之確信所見，與范先生之沉默審慎，使我對治學做人之必需不斷努力，永遠牢記不忘。

國府在南京成立後，有人提出改組各國庚款機關之議。中華教育文化基金董事會係處理美國庚款機關，其章程規定應保持獨立性。董事會在北平開會時，胡先生發言甚多，認此點不容遷就。後來在杭州開年會時，改選董事，由會中自主決定，使該原則未遭破壞，胡先生的言論主張關係甚大。

我們去杭州時，滬杭火車中發生一事件，使我印象深刻，茲畧述如下：

我們所坐的是頭等車廂，有一着制服者攜其妻與妹亦坐在車中。啓行後，查票員發現該人所購票係三等票，當即請其移往三等車中。其人置諸不理。查票員請了押車憲兵來，向其人說明已在三等車覓得座位，請他與妻妹從速前往。伊大事咆哮，向憲兵說：「我係你的上官摯友，如你再事麻煩，我將請他予你處分」。當時胡先生適在鄰座，起向憲兵言道：「你儘管執行職務，將此人押往三等車中，我等現時大家簽字證明你係盡職務本分，不必懼怕他向你長官誣告」。其人立即攜其妻妹移往三等車中。

胡先生在學術思想上，對國家民族貢獻之程度，自有歷史判斷，非北大舊學生如我者所應致詞。我願在此時指出，胡先生縱使對過去傳統——尤其在生活習慣方面——有批評逾分之處，但他本人在做人實踐方面，完全是一位舊式的儒者，例如他對寡母胡太夫人之孝順，對早年訂婚後來結婚的胡夫人之終身相敬愛，對國府成立後有關大計之率直陳詞，以及在抗日時期出任駐美大使之盡職，對後進學者之提携愛護，以及對舊日知交之一面在學術上論辯一面維持個人交誼，這許多行為，是我們所共見而欽佩的。

當前的世局與民國初年的世界情況大不相同，中國與世界之思潮也與當年有別。我個人見解與胡先生的看法，有所出入，但我對胡先生之為人，與他的聲音笑貌則是永遠不會忘記的。

五十一年二月廿五日華府

香港與大陸

了。

王「勞模」回香港來

王「勞模」名朝培，本來是香港一家工廠的技工，現在還不到三十歲。他在香港時就很「前進」。一九五八年，在香港的共產黨人的努力下，王朝培響應「祖國大建設」的號召，毅然的回到大陸去獻身於建設工作。在王朝培進入鐵幕的前夕，共產黨人還會設宴熱烈歡送他。

他回到廣州後，立刻被安排到一家工廠，做他所熟悉的工作，待遇有人民幣二百多元。他很高興，工作亦幹得特別起勁，終於被尊為「勞動模範」，替他披紅掛綵，一九五九年中共辦的「廣東畫報」曾為他大力宣傳。從此人人都叫他王「勞模」而不名。但不久之後，他的工作崗位被調動了，薪工雖然未減少很多，卻七折八除，要他捐這獻那，他已經意興索然了，之後又調他下鄉參加農業生產，他完全外行且不說，待遇更一落千丈。而因為他到鄉下去，他發覺農人的生活比之城市工人的生活更加不如，人民公社一來更使得大家餓肚子。後來雖然又被調回廣州，但他的認識清楚了，他發覺到受了欺騙，他乃以裝病方法實行逃避，一面並申請來港就醫，居然意外的被批准，王「勞模」於是回香港來了。他回港後就以自己為例，勸他的朋友萬不可以上共產黨的當。人家問他還去大陸嗎？他說「除非毛澤東親自來香港迎接我」！

（寄）

向核彈抗戰

陳知青

究竟核彈戰爭來襲時，我們會發生怎樣的恐怖的情況呢？

我們先說說間接的蔭蔽的核彈戰爭吧。那也是遠在幾千里外，遭受到蘇俄核彈試爆原子輻射塵的進襲時的為害情形。

我們祇要信任科學家，他們告訴大家輻射塵到達為害人體的程度時，我們無論從空氣中或暴露的食物如青菜，鮮魚中，便會染上輻射塵病，或輻射塵中毒！

輻射塵對於人體最輕微的傷害，就是平時多照射了X光綫，或是每人體內超過了一定量也會發生的。對於皮膚，輕微的由脫毛，而至發生紅斑。進而發生乾性的表皮炎。再進而為滲出性表皮炎。最厲害的會使皮膚壞死。

輻射塵病，最容易成為傳染病的犧牲者，最可怕的，輻射塵過量的話，會破壞人體中的白血球。它是用以抵抗細菌的；白血球被破壞以後，一切傳染病都乘機而入。

引起貧血症，是放射性病的副作用。人的骨頭是長血球的源頭，紅血球從骨髓中生長出來，補充人體需要。骨髓細胞受到輻射塵的傷害之後，減低了骨髓製造紅血球的能力，發生嚴重的貧血症。脾臟因為担負起次要的造紅血球的工作，也會引起不健康。

三、輻射塵病的症狀

普通輻射塵病，是在莫名其妙的情形之下，身體感到疲乏無力，但找不到疲乏的原因，血壓會稍稍降低，不注意，常常被疏忽。有時嘔吐不止，但根本沒有嘔吐的理由。可能又瀉起痢來，但根本沒吃什麼不潔的食物！

這種輻射塵病，好像鄉下人見了鬼一樣。如果，你去求神拜佛，或者不理不睬，經過幾天，一切現象消失了，就是幾個禮拜以內，再也沒有別的什麼像生病的樣子和症狀。你都以為是痊癒了。其實，這不過是「潛伏期」。再過一星期，甚至三星期，時間長短看輻射塵的程度在定，他又患起四肢酸軟無力，疲乏不堪了。接着又來的便是無故地發熱，發燒，漸漸地，你的心跳次數增加起來，體重也因此而減輕。飯也吃不下，食慾再也振不起來。再回過頭來，嘔吐起來。

這種怪病，說來陰森森的怪恐怖的。有時，比那種謀殺性的恐怖片更恐怖。一下子，皮膚中無緣無故的流出血來，沒有一絲一毫的碰觸他，那來的血呢？這是放射性外出血。當他張開嘴時，忽然從嘴角上掛起兩條血來，一直往下流！這是輻射塵的牙齦出血！

更可怕的，眞的有鬼樣！或是有強悍的謀殺者一樣，忽然，你的頭髮，在你自己梳頭的時候，丟下一大束來。當你越恐懼時，越注意自己，脫帽子的時候，也會掉頭髮。再看看，腳上汗毛不見了！再摸摸，胳肢窩的腋毛也脫落了！甚至於全身所有的毛髮，都脫得光光的。

但是，你不用怕！這個扮鬼的謀殺者正是輻射塵，你受害得輕微的話，還能起死回生，經過了這恐怖的階段以後，病人很快的恢復了健康，再不生病了。相反的，輻射塵重傷的病人，就越來越重，比痲瘋患者更可憐！患者就在幾天之內，活生生的受着抽筋剝皮般的痛苦，而悲慘地死去。更要這樣凌遲幾星期，苦連天，鮮血淋淋，血肉的死去！唉！

這就是蔭蔽性核彈戰爭的恐怖現象，它殺人不見形影，它比任何高明的謀殺者更兇狠。我們如果現在不開始準備抗戰，到了輻射塵超過為害程度時，不知不覺的患上這種悽慘恐怖的疾病時，豈不糟了。這時，或許有些醫生根本也沒覺悟，不肯用藥，那末也祇有自己設法，挽救你的生命！（五）

盧君續夢

第四回：掩面向黃泉，貳臣遺恨　低頭拜白虎，末帝驚魂

余心清撿了一條命，一溜烟跑回北平歸隊，中共政權成立後任「典禮局局長」。中共就派他去民革工作。

至於這個盧郁文，修中共史免不了要記他一筆，一九五七年中共發起大鳴大放時，盧郁文任國務院秘書長助理，鳴放時，大家都在批評共產黨，只有他挺身出來替共產黨辯護，於是許多人就罵他無恥，民革中央委員絕大部份無人與之談話，盧郁文惱羞成怒，竟然向統戰部報告，有人寫恐嚇信，寄兩顆子彈頭給他，信上警告他要再為虎作倀，就要用子彈來對付。

中共當時正被鳴放鬧得無法下台，又因為這件事實在是毛澤東自己鼓動的，一時又無法改變，現在抓到盧郁文這封信作了證據，馬上翻了臉，把鳴放的人一律指為右派份子，加以清算，盧郁文因為替「人民」立了功，升為副秘書長，更是死心塌地為中共效忠，所以李維漢才派他和余心清去嚇李濟琛。

余盧兩人恐怕說話露出破綻，給李濟琛看破，在統戰部預演了幾次，才放心大胆去人民醫院探病。

那知道一進門就碰了釘子，李濟琛正和東坷坷說話，一見這兩個鬼頭鬼腦進來，登時面色一沉，問道：「你們二位此時跑來一定有什麼任務吧！是不是看我幾時死。」

盧郁文連忙分辯道：「任公不要誤會，我們兩個實在是來探病的。」

李濟琛冷笑道：「我的內人都不准來，你們怎會被批准，當然是統戰部派你們來的。」

盧郁文不料李濟琛病了反而精明起來，頓時張口結舌一句話也說不出。

余心清比較有急智些，連忙說道：「統戰部所以准我們兩人來，這裏面有個原因，因為任公進醫院時是我們兩人護送來的。」

李濟琛「哦」了一聲，問道：「你們來的時候，聽到什麼消息沒有？」

未等余心清開口，盧郁文一五一十把統戰部交待的話學說了一遍。

李濟琛冷笑道：「我不相信共產黨此時還算那些舊賬，況且在廣州伏法的那些共幹，都是毛澤東的對頭，他才犯不着理會哩！大概是統戰部派你們來嚇我吧！」

兩人登時呆住了，余心清強打精神說道：「任公不必多疑，我是一個虔誠的基督教徒，我可以按着聖經發誓，郁文同志說的都是眞的。」

李濟琛笑道：「你是基督教徒，當過牧師，我想請教你幾個宗教上的問題。第一、基督徒准不准說謊。」

余心清紅着臉搖搖頭。

李濟琛追問道：「像我這種人死了能不能進天堂。」

余心清說道：「任公你是一個善人，將來一定進天堂的。」

李濟琛又問道：「殺人放火，謀財害命的強盜，專門說好話做壞事的騙子，身後能不能進天堂。」

余心清搖搖頭，「當然不能」。

李濟琛時笑道：「照你的說法，毛澤東，劉少奇，李維漢死後必墜地獄了。」（八一）

燕塵識小

無負生

九月：有旨命各省選派學生前往西洋各國學習專門。先是，五月間兩廣總督陶模命吳敬恒率學生十餘人赴日本留學，胡漢民，周起鳳等皆與焉，時湖南黃興已先至。（胡黃訂交縱談革命自此始。）蓋不待清廷降諭，各省已快着先鞭，留學政策至此大定。墨守之徒，無力撓阻矣。

無負生曰：風氣既開，人才蔚起，甲辰以後遂有洋翰林之一途。回憶四五十年前，編查憲政，主講大庠，折衝壇坫，振興實業者，何莫非留學諸賢。甚至革命中堅，排滿興漢者，亦是壬寅出洋留學中人。稚暉漢民克強諸先生，咸昭昭在人心目。然則留學政策之有關世運，顧不重耶？

兩江總督劉坤一在任病歿。九月初六日奉上諭：朕欽奉慈禧端佑康頤昭豫莊誠壽恭欽獻崇熙皇太后懿旨：兩江總督劉坤一秉性公忠，才猷宏遠，由諸生起家軍旅，屢建功勳，洊歷封圻，克勤厥職。嗣簡授兩江總督，兼充南洋大臣，十餘年來，鎮撫地方，軍民愛戴。辦理交涉，悉協機宜。前年近畿之亂，

壬寅談往

該督保障東南，匡扶大局，厥功尤著。老成碩望，實為國家柱石之臣。前因患病，迭次賞假，並頒人參，藉資調理。方冀早得就痊，長資倚任，遽聞溘逝，震悼良深。劉坤一着加恩追封一等男爵，晉贈太傅，照總督例賜卹；賞銀三千兩治喪，由江寧藩庫給發，賜祭一壇，派署江寧將軍額勒春前往致祭，予諡忠誠，入祀京師賢良祠，並於江寧省城湖南原籍及立功省份建立專祠，平生事蹟宣付史館，任內一切處分悉予開復，應得卹典，該衙門查例具奏，靈柩回籍時，沿途地方官妥為照料。該故督子孫幾人，着張之洞速查明具奏，候旨施恩，用示篤念藎臣之至意。欽此。

十一月初十日再奉上諭，張之洞奏遵旨查明督臣子嗣一摺，已故兩江總督劉坤一之子候選道劉能紀，加恩着以四品京堂候補，伊孫一品蔭生劉恩着以郎中用，候選同知劉恩鈐着以知府用，劉恩鏐，劉恩鈴均着以主事用，以示篤念藎臣有加無已之至意。欽此。

張之洞疏陳坤一政迹，其結語云：「坤一居官，廉靜寬厚，不求赫赫之名，而身際艱危，維持大局，毅然擔當，從不推諉。其慮定而決，能斷大事，有古名臣風」。世以所言為允。

於是清史稿論曰：「劉坤一起家軍旅，謀國獨見其大，晚年勛望，幾軼同僚，房杜謀斷之功，不與褒鄂並論矣」。

無負生曰：「一年之間，合肥新寧，先後殂謝，「人之云亡，邦國殄瘁」，殆亦古今同慨者歟？（今指六十年前之壬寅，非今之壬寅也。）

十一月：有旨命明年會試為始，凡授職修撰編修及改庶吉士用部屬中書者，皆令入京師大學堂分門肄業。無負生曰：「着此一鑿，然後京師大學堂絕而復甦矣」。（二）

唐太宗（四）

李仲侯

隋大業十一年，突厥圍困煬帝於雁門，詔天下募兵。時太宗年十六，前往應募，其父李淵亦從是年起逐漸抬頭，由宏化留守調為山西河東撫慰大使，次年為太原留守，以後即由太原發迹而得天下。故太宗在十六歲以前，不過是中級官的一個兒子，對於民衆是很接近的，對民間疾苦，自然也很通曉的，他自己也說：「朕年十八，猶在人間，百姓艱難，莫不諳練」。他十八歲舉義兵，廿四歲大致就將中原羣雄平定，廿九歲即帝位，以一身經百戰，少壯有為之青年而為帝，自可大展抱負，造福斯民。

我們綜合太宗在位，號稱貞觀的治績，舉其犖犖大者，約有下列數端：

一、興文教，太宗初即位，即仿漢武帝之所為，表彰六經，罷黜百家，專尊孔子，以儒家學說，取得政治上的決定地位。在歷史上以孔子為先聖，使中國歷代文教定於一尊，實始於唐太宗，後世即成為定制，莫或改易。那時的教育相當發達，學校制度亦甚為完備，中央與地方系統均極分明，太宗曾大徵天下名儒為學官，數幸國子監講學，學生能明一經以上，皆得補官，並增築學舍一千二百間，增學生滿三千二百六十員。自屯營飛騎，亦給博士，並授以經，有能通經者，輒得貢舉。因此四方學者，雲集京師，如高麗，新羅，百濟，高昌，吐蕃諸酋長，均遣子弟，請入國學，其升講筵者至八千餘人。學風之盛，外族沐受中國文化之深，實為曠古所無。

太宗既崇尚儒術，尤能以儒術緣飾吏治，使其與政治打成一片。他於門下省置弘文館，取三品以上子弟為弘文館學生，並於弘文館置四庫書廿餘萬卷，選天下文學之士虞世南，褚亮，歐陽詢，姚思廉，蔡允恭，蕭德言等以本官兼學士，令吏日值宿，聽朝之暇，引入內殿，講論前言往行，商權政事，或至夜分乃罷。

儒家經籍自經秦火後，散佚殘缺，後儒釋注，又多穿鑿附會，錯綜紛歧，莫衷一是，貞觀四年命顏師古於秘書省改定五經，師古多所釐正，書成奏上，太宗復命諸儒詳加辯論，乃於貞觀七年頒行天下，是為五經定本。嗣又以儒學多門，章句繁雜，詔國子祭酒孔穎達與諸儒撰定五經義疏，書成凡一百七十卷，復詔中書門下與國子三館博士弘文館學士詳加考正，於是長孫無忌，于志寧，張行成，高季輔等費四年之力，始釐訂就緒，詔書頒行，即流傳至今之周易，尚書，毛詩，禮記，春秋左傳五經正義，為研究經籍者所必備之書。

從甘地說起

汶津

尼赫魯在串演了許多丑角戲之後，平白失去了一萬二千多平方公里的領土，「共產主義」到底是怎麼回事，尼先生也該心裏有數了吧。當此歐亞大陸情勢變幻莫測的當兒，我們不禁又懷念起他的岳父大人來了。

這位「印度的國父」誕生於一八六九年，正當印度三億人民在大英帝國的壓迫下過着瀕於絕境的生活——「農民的一切生產，僅足納稅！」工人呢，每日勞動十小時以上，工資則不及英國工人的七分之一！重租、苛稅加以落後的醫藥，使它成為死亡率最高的國家。甘地有生之年，始終睜着一雙慈祥的慧眼、悲憫地矚着整個民族的悲劇。

他在少年時代受到耆那教派的「愛」及「不傷害」的教義影響，長又承受了託爾斯泰的「不抵抗主義」，遂成為近代民族主義陣容中的一大奇葩。在某些軍國主義者眼中，甘地更是不可思議的。

甘地的前半故事也和我們的中山先生相似。當他在倫敦大學學法歸國後，因看到國內帝國主義的橫行，痛心地去國而赴南美。可是那兒種族歧視的風氣也和他的故國一樣。他是在弱小民族的恥辱中成長的，但却堅持如要改善祖國的現狀，必須在不流血的條件下與英人合作，甚至主張協助英人與荷蘭人，蘇魯人作戰；以後更發動了將近百萬印胞參加歐戰，企圖引起英人的同情。但他失望了，英人忘恩負義，仍以殖民主自居，於是印人怒火難遏，羣起反抗。自幼受着印度森林文明滋潤的甘地，依然不相信暴力能解決什麼問題。為了進一步實現他改善印人地位的理想，他創辦了「印度輿論」，並創建新村，實施「感化教育」——以教師的生活為人格示範，以身教導引學子。

由於英人看待印度人像奴隸，更苛征人頭稅，引起激烈反對，甘地却仍堅持「非武力運動」。一方面他力求改進印人現狀，設立真理學院，並收錄了一對「賤民」（首陀羅），以為破除種族觀念及階級歧視的初步。在反對聲中，他始終不灰心，旅行各地，深問民間疾苦，以為改革的準備。更與有心之士發起了一個「哈多」（即「罷工誌哀」之意），在一九一九年四月後遂如火如荼地展開不合作。不可避免地，人們違反他的初意而暴動了。此後國民大會成立，反英運動更如野火燎原；用國貨，拒作英人奴隸，不納稅等成為運動的重心。甘地始終是這一運動的靈魂。屢次被擒，又屢次以絕食抗議强權，他忘記了一己的安危。

英人執迷不悟，只知高壓手段是賴，兩次圓桌會議也只是一味敷衍欺詐。一九三〇年反英運動已至巔峯，但「非武力主義」是一種穩定力，也成了一個包袱——甘地提倡這種主義，一面是他的信仰使然，一則也顧忌到印人的實力，不願民衆作無謂的犧牲，也許有人不能同情他的消極抵抗，但沒有人不為他的救世精神而肅然起敬。他曾幾次長期絕食，卓特的意志使他與飢餓抗衡。最後一次是在七十四高齡的一年。正如他的中國友人曾聖提先生所述的：「甘地先生的絕食是印度問題糾纏到走頭無路的時候，同時亦是印度問題豁然開朗的時候。」真的，在印度人的心目中，甘地簡直是一位神。

東方另一位民族聖人凱末爾，也有出類拔萃的氣度和慧性。在他一篇著名的演說中，曾誠懇的說：「人終必有死，故當他在生的時候，應及時行樂，而唯一行樂之道，不是為我們自而工作，乃是為未來的一代而努力……有這種理想的人，應不必過問：未來的一代是不是知道我們曾為他們而努力呢？」當他使土耳其的獨立民主成為事實時，又熱心地培植另一黨來共同推進廿世紀的理想政治，而「並不希望他所培植的花木對他感激或效忠」。這種境界，真可與甘地媲美無愧。東方在近代實在出現了不少有「王者」之風的偉人，但天降的災禍却也空前的驚人。只有及時的自助天助，才不致辜負這些先知的心血啊。

海嶠塵談薈

張國燾出奔武漢以後（三）

諸葛文侯

民國卅四年春間，日寇的敗象已顯見了，某夕，張氏接得電話，謂政府最高當局有要事商量，囑即往見。張如約進謁，蒙叩詢戰後對中共問題的意見，認為此問題如不解決，則一切建國工作皆談不到，張亦表示同感。最後囑張氏撰擬一種意見書，並附帶及於戰後的財經問題，俾資參考。他竭盡心力而為之，依然强調政治反共的重要性及其實施綱領，自信不無一得之見，然直至日寇投降還都，最高當局再未跟他談過這回事了。

抗戰結束之初，政府與盟邦美國合作，於各省設立善後救濟分署，任命張氏為江西分署長，張以其為桑梓服務，且係暫設的救濟機構，亦樂從之。按規定，救濟分署長須參預該省政府的省務會議，某次省務會議時，建設廳長提議援用勦匪時期軍事委員長行營頒訂的義務徵工法令，分區徵用全省民工從事修路之役，每人義務作工三天。張氏即席聲言：「八年抗戰結果，民間疲苦殊甚，義務徵工之法，似應考慮。省府若因財力支絀，不能付給工資，救濟分署可以設法應濟。本人認為被徵修路的民工，不特必須給以工資，而且還要優厚些，藉示政府體恤民艱之意。」詎建設廳長當場駁復張氏為不懂國府政情與法制——即指過去勦匪時期的各項措施，言下對張氏諸多譏諷詞句，其意若曰：「你是投降的共產黨人，給你一個官位，已是我政府的格外恩德了。竟在省務會議中曉曉論事，何不識相乃爾耶？」張氏無端受此奚落，而其意見亦未被採納通過，深知這般被勝利沖昏了頭腦的官僚人物，不足與有為，來日大難，方興未艾，即辭去現職，毅然引退，攜家遷赴上海僑居焉。

他到上海募集了一些資金，獨力創刊一種雜志，名曰「創進」，這總算實現了多年來的願望。他以當時執政黨中央宣傳部對於反共的報刊，曾按月配給白報紙若干，亦援例申請，竟不獲准。迨卅七年冬間，大陸快要變色之前夕，愚友黃少谷充任宣傳部長時，我援鄭學稼兄函告前情，認為殊不合理，即向少谷談及，他馬上查案照辦，配給「創進」雜志白報紙如例，然而為日無多，京滬旋告淪陷，國燾亦踉蹌遠離台灣了。

張氏到達台北後，曾斥資在新北投頂得房屋一椽，準備作久居計，並擬恢復「創進」雜志，因原任主編人鄭學稼兄亦舉家流寓台北，輕而易舉也。不料張氏正在鳩工庇材，修繕其所頂住宅之際，忽有自稱為「東南軍政長官公署」的軍官者二人，聲勢洶洶，指張氏此屋是他早已購入的，立刻敦促停止修繕，旁人告以張氏名字，那軍官更咆哮道：「他原是共產黨，現在要來共我的產嗎？」張雖憤懣，但以其無可理喻，隱忍不校，即攜家前來香港，再不回首望台灣了。至於他在香港十餘年來的生活情況，世人多知之，毋待贅述矣。（完）

春望

馮吉煌

十里洋場畫漸暝，東風習習護溫馨；
繞隄曲水千篙綠，隔岸寒山幾點青。
出谷金鶯織嫩柳，嬉春彩鯉戲新萍；
眼前生意嬌無那，造化由來擅性靈。
朝來扶醉强登樓，遠水遙山一望收；
故國滄桑餘舊夢，香江風雨注新愁！
落紅吸盡青春血，曳紫終歸黃土丘；
一事縈懷忘不得，伍員身負殺天仇。

自由報

THE FREE NEWS

內僑警台報字第〇三一號內銷證

第二一七期

中華民國僑務委員會頒發
台執新字第三二三號登記證
中華郵政台字第一二八二號執照
登記為第一類新聞紙類
（逢星期三、六出版）（半週刊）

每份港幣壹角
台灣零售價新台幣貳元

社長：雷嘯岑
督印人：黃行蜜

社址：香港銅鑼灣高士威道二十號四樓
20 CAUSEWAY RD 3RD FL
HONG KONG
TEL. 771726。電報掛號：7191
承印者：田風印刷廠
地址：香港灣仔高士打道二二一號

台灣分社
台北市西寧南路壹壹本號二樓
電話：三〇三四六
台郵撥儲金帳戶九二五二

甘迺迪政府的新外交設施

宋文明

過去德國鐵血宰相俾斯麥曾經說過：「任何一種政策，都要通過人。」假若沒有一種健全的人事安排，充分發揮人的才智，則無論再好再重要的政策，最後都將歸於枉然。對於美國甘迺迪政府的外交政策及作風，過去我已談得很多，現在就根據這一觀點，來談談甘迺迪政府在應付外交問題時所採取的幾種人事上的新安排。這種外交及人事上的新安排，主要者有：

第一，建立常設的巡迴大使一職。在過去數十年，美國總統及國務卿常因某種需要，不時遣派特使或代表前往國外。如羅斯福時代的威爾斯與霍布金斯，杜魯門時代的馬歇爾與哈立曼，艾森豪時代的李查茲及米爾頓・艾森豪，都曾担任過這類職務。但這些總統，從未想到設立像巡迴大使這種經常性職位，以應付美國外交上的需要。由於當時沒有這種巡迴大使一職的設置，所以那幾位總統不僅須經常選派特使或代表前往國外，而且他們的國務卿也因某些國際會議的不能不躬親出席，致一年大部份時間都消耗於國外，無法留在華盛頓主持國務院的工作。如杜魯門總統的第一任國務卿貝爾納斯，艾森豪總統的第一任國務卿杜爾斯及第二任國務卿赫特，曾在國外消耗了很多的時間。尤其杜爾斯其人，一年到末不是在國外開會，便是親自訪問各國，而真正花在華府國務卿辦公室內的時間，實在非常有限。像杜爾斯這種作風，一面固與其個人愛好遊歷的性格有關，一面也是為了工作上的實際需要。因除非如此，即無法很快完成一件工作。

現在甘迺迪政府設立常任巡迴大使一職，使其代表總統及國務卿經常旅行國外，便在糾正以上這種缺陷。這一職位的設立，固然不能完全免除總統及國務卿的必要的國外旅行，但可使他們的這種旅行能減少到最低限度。如一年多來，甘迺迪和魯斯克兩人離美外出，只有少數幾次，每次出外時間亦極短暫，而大部份任務則交由巡迴大使去担任。我們可以想像，假若甘迺迪政府沒有這一巡迴大使的設置，聽由國務卿魯斯克去彙辦年來由哈立曼與鮑爾斯兩人所作過的事情，那麼魯斯克勢將又成為貝爾納斯或杜爾斯第二，甚至可能還要更忙。而且設立這種常任巡迴大使，還有一個很大的好處，便是可以由此避免臨時選派特使的周折，並隨意任命重要人員担任總統外交顧問，而不致引起國務院與國會方面的不滿。

第二，建立亞、非、拉丁美洲特別顧問一職。過去美國任何政府都未設立過這樣一種職位，就是羅斯福總統高唱睦鄰政策時代，也未想到設立這種職位。所以現在甘迺迪總統設立這一新的外交職位，甚至連同它的基本概念，在美國歷史上也是初次所見。對於這一新職位的設立，有人也許會認為是一種安插前副國務卿鮑爾斯的因人設施，是一種悠閒差事，而不表重視。其實，在今天這種國際冷戰局面下，這一職位對於美國的將來確是有一種無比的重要性。這種重要性就在於：不論美國或蘇俄，今日都在爭奪亞、非、拉丁美洲這些落後地區，這一爭奪戰演變的結果如何，不僅將決定這些地區本身的政治前途，而且亦將決定整個的世界前途。除非美國不想贏取這一爭奪戰的勝利，否則，就得對這些地區予以特殊注意，使這些地區最後能踏上美國所希望的道路。這些地區對世界其他部份來說，有它一種特殊的問題；可是就它們當中的情形來說，卻有一種共同的趨向。所以對於亞、非、拉丁美洲這些落後地區，美國除了進行一般的外交活動外，還得就它們的特殊困難與共同問題，作一種非常的關照與處理。鮑爾斯的這一新職位，一面就在使美國對這些地區的各種特殊努力能予以協調，集中，作最有效的運用，一面也在根據這些地區的各種不同環境及要求，隨時提出新的想法，研擬各種長遠方案，以備與共黨作競賽。所以鮑爾斯的這一新的任務，是一種全面爭取中立主義的第三者的任務，也是一種極為特殊的任務，以鮑爾斯其人的作風，叫他來担任這種專門運用頭腦，研擬計劃而不涉及行政的工作，在我看來，那是再好沒有了。

第三，設立應付各種局部問題的臨時性「危機中心」。由於美國國力的強大，與全球任何一種變化和美國具有息息不可分的關係，所以美國的對外工作，絕不僅限於由國務院一個機構來担任，而是同時牽涉到總統府（白宮）國防部，對外經濟開發總署，新聞總署，中央情報局，以及其他各部門。這些機構在應付各種外交問題時，在一般的情形下，總是以國務院作主體；可是在某種特殊的情況下，卻又以其他部門為中心。如對已經宣布絕交的古巴，這種責任顯然主要是在於中央情報局，而非在於國務院。由於這種種複雜原因，所以過去美國在應付各種重大外交問題時，總是政出多門，各行其是，一遇局勢惡化，更步驟零亂，互相掣肘，遂致時常造成嚴重錯誤。尤其甘迺迪政府於遭受古巴登陸事件的打擊之後，更認為過去這種作風已完全不能適應新的需要，於是便決定立刻加以改變。這種改變的結果，便是根據各種問題的緊急程度及性質，設立一個由各部門代表所組成的「危機中心」，俾對這一問題作集中而迅速的應付。如對當時的古巴問題，這一「危機中心」則由國防部主管國際安全事務的助理部長尼茨來主持；對於寮國問題，則由副部長吉爾柏屈克來主持。這種作法在表面上有點近似於一般的小組委會，但與那種小組會完全不同。因一般的小組會祇在調和各方意見，並無實際權力；而這種「危機中心」除了綜合各部門對某一問題的計劃以外，還直接對總統負責，準備隨時提出緊急應付建議，並傳達總統的決定。換言之，普通小組聯席會，旨在商延行動；而這種「危機中心」則旨在加速行動，以爭取對某一問題的妥善而立即的決定。

第四，對於各種重大問題的長遠決策，在作一最後決定前，先行指派專家對此作一全面而詳盡的研究。這種作法，在過去美國歷屆政府中也曾採行過，但像甘迺迪政府對於一切重大問題都採取這種方式者，這還是第一次。在這種方式下，甘迺迪總統曾先後派任：艾奇遜主持研究對北大西洋公約的未來計劃；派羅斯托主持研究對越南的經援改革；派泰勒主持研究對越南的軍援計劃並使其親自前往調查；派混任駐泰國大使楊格主持研究對寮國的長遠政策；派哈大國防研究所主任克辛傑主持研究對柏林政策；以及派克森博士主持研究對琉球政策等。在未來數年之內，我相信甘迺迪將會派任更多的專家，研究更多的問題，以便提出完善報告，為美國對這些問題的未來決策作參攷。

總之，甘迺迪總統的這種種外交設施，只有一個目的，就是要使美國所有第一流人才的聰明都成為他個人的聰明，使這些人的智識與經驗都成為他個人的智識與經驗。正因為如此，所以他選派一些有特別外交經驗與才智的人作巡迴大使及顧問，請他們隨時提出各種遠大政策建議及新鮮看法；所以請政府各有關部門儘量發揮意見而不被蒙蔽；所以請各種專家先行對各項問題作完善研究，而後提出決策建議。在目前這樣一個複雜而多變的世界，任何一位政府首長的個人才智，都無法把每一問題作到樣樣精通，尤以強大如美國者為然。可是由於甘迺迪總統充分運用了以上這些辦法，變眾人之智為己智，變眾人之慮為己慮，所以他現在實際上確已作到樣樣精通，耳目皆靈了。美國目下有些人正在說：「甘迺迪學習得很快」，我亦作如是觀。

坐視關鎖得住的嗎？

坐一望二

自由談

莊萊德為何辭職

美國駐華大使莊萊德忽以去職聞，這是很可惋惜的事件；而他於得到白宮允許他辭職的消息後，即不參加「碧瑤會議」，馬上就離台回國，去之唯恐不速，這是殊堪玩味的情形。

莊萊德素有「中國通」的聲譽，能說一口流暢的中國國語，遞為自然。他在駐華大使任內，跟中國政府和在野人士皆相處得很好，絕無任何不愉快的事情發生過，比較他的前任那位「中國之友」藍欽先生的人緣，決無遜色。自從外蒙政權參加聯合國問題解決之後，中美兩國在外交上別無歧見可言，莊氏對於中國反共抗俄的國策，更無不同的見解，何以遽萌退志呢？

我認為莊氏求去的原因，決非對我方有毫末不滿，而是基於美國政府的某項對華政策所使然，換言之，即是跟美國國務院方面的某種意見或主張不一致吧？他和藍欽都是職業外交人才，沒有黨派的成見，對中國問題的認識和瞭解，亦較為深入些。

現時環繞着甘迺迪總統左右的所謂智囊人物，不是講壇派的社會主義幻想家，就是些急功近利的倫理相對主義者。這般人祇認定台灣這塊地方不能落於俄共集團之手，以致影響美國國防上的安全感。除此以外，他們始終迷戀着「和平共存」生活，鍥而不舍；而且癡望中俄共發生大破裂，等待蘇俄來要求美國合作對付毛共。君不見美國代表去年在日內瓦十四國會議中討論寮國問題時，曾聲言美國決不受毛共的挑撥蠱惑，而在寮國跟蘇俄作戰的那種「天方夜談」嗎？

明乎此，我們即認為莊萊德大使之去職，對中華民國將有不利的影響，而其後繼者亦必然不復是藍欽和莊氏這類具有堅決反共意志，又深諳中國問題的超黨派人物了。職是之故，我政府對於華府所擬駐華使節的人選，自應詳細調查一番，看是何等樣人，然後表示同意與否，萬不可一味O.K.自貽伊戚。總之，至少在華沙的「美毛談判」把戲未終止表演以前，咱們對美國的外交措施，便須隨時提高警覺，不能掉以輕心也。

馬五先生

發明不少·無人理會
崔興化獲香港廠商羅致
這位所謂在野科學家 如今總算苦盡甘來了

（本報記者台北航訊）一位有勇氣、有毅力，而對困難的現實艱苦奮鬬的「在野科學家」崔興化，埋首許多年，廢寢忘食地研究的結果，雖然吃盡了苦頭，飽遭現實的白眼，潦至一家人的生活陷於無着狀態之中，仍不減其研究的興趣；而今，這位「在野科學家」，可說是苦盡甘來了。

崔興化係一退役軍人，他在埋首研究的這些年中，先後發明了不少東西，軍事方面的如「砲兵射擊指揮儀」、「大砲射擊法」；按此種發明，美軍事教本已被採用爲教材。社會方面：「平交道自動按鈕控制器」；藝術方面：「崔氏吉他」、「伴奏者」、「圓形口琴」；而繼「圓形口琴」之後，他又於最近發明了一種名爲「重疊口琴」的，現已設計完成，並向中央標準局申請專利中。

「重疊口琴」形如香煙盒狀，雖屬直形口琴類，但與普通長形口琴不同，在構造上分獨奏口琴和口琴隊口琴兩種，均有完全符合「和聲」原理的伴和音，並可行重音及三重音等演奏，情調頗多變化，演奏更爲多采多姿。

崔興化君的生涯，年來陷於非常困難之中，報紙曾有多次爲這位「在野科學家」呼籲，但均未獲得政府當局之重視，其他更不用說了。現在他可說是苦盡甘來了。因爲現有香港「力大塑膠公司」聘爲總工程師，聘書已寄到，聘崔興化君担任該公司新口琴廠設計兼製造總工程師。該公司並已滙來港幣四千元，其中三千元作崔興化君離台後暫時安家費，另一千元則爲他由台赴港的旅費。

力大公司日前給予他的待遇，暫定爲月六百元，但保證在「圓形口琴」生產問世向市場大量傾銷時，即將崔之薪俸提高至與香港一般總工程師的最高待遇看齊。

力大塑膠公司據說是香港有數的幾家塑膠公司之一，兼設有五金廠，有廣泛的國際市場基礎，對於崔氏所創的「圓形口琴」未來的銷路有極樂觀的市場環境。該廠現已着手爲「圓形口琴」建造新廠，並陸續向各國辦理「圓形口琴」專利申請。

「力大」和崔氏投資合作製造圓形口琴的條件，係公司純利潤百分之五十五，崔佔百分之四十五，但崔尚得支付代理人百分之十的利潤。崔君即將離台赴港，他並與該公司有在台設「圓形口琴廠」的協議。

自由中國天天在喊「發展科學」加強科學、敎育等等口號，或在多國聘請專家；可是一位有成就的科學家如崔興化者竟然未被理會，任其自生自滅，要亦是可惋惜的事。（匡謬）

汪記人馬辦刊物
波折之後又波折
開辦費被顏某挪用光了

（本報訊）流落海隅之前任「汪記」南京政權宣傳部職員顏某，曾向日本政界活動，擬集資創辦文化事業，且已丐得日本外務省贊助各節，本報業經報導過了。此事曲折頗多，情形亦殊複雜，值得詳細紀述之。

話說當年岸信介担任日本首相時，曾經籌劃了一筆公帑，作爲救濟一般流落在海外的前任「汪記」政權諸中國官員之用。去年顏某到東京活動，要在海隅攬文化事業，日方以其符合上述救濟方案的旨趣，表示同意。這時候，適有在汪政權官封部長階級的某君，因事到了東京，日方即以此事相叩詢，某謂事屬可行，但經費交由何人保管關係重要，不可隨便。顏某聞悉此訊，深恐事情或有中變之虞，乃向某懇商，謂此事非請部長出來領導不可，蓋欲藉某部長的名義，以堅對方信任爲。此某部長事前雖未參預其役，但被人把高帽子一戴上，也就欣然樂從了。這便是前此本報報導東京撥款到海隅領館後，因而發生領欵手續爭執的來由。

日方的鉅額經費，因領取與保管問題發生波折後，一時陷於停滯狀態中，幾經洽商疏解，才於去年舊曆十二月間，決定由某部長出面創辦一種刊物，費用當然按照原有計劃，完全仰給於日方的所謂救濟金，先領開辦費港幣三萬元，是由顏某經手的。某部長曾以此事宣揚於友好之間，說自己原是經營出版事業的老行家，現時又在海外從事文教工作，應該有此一舉，且擁有一個言論機構，亦大佳事。但若干友好多持相反意見，勸他不要幹，尤以樊某金某兩位勸阻甚力，而某部長執意不回，非幹不可。事情傳開於汪精衛的大兒子孟晉，他更表示不贊成，曾說：「世人已視我們爲漢奸，現在又來幹這種事，豈非證明我們眞是漢奸了？」詞意嚴正，聞者贊許。但某部長依然不改初衷，專心致力於刊物之問世，原預期舊曆年後，即可正式開張的。

詎料事與願違，所領到的開辦費三萬元，據顏某說，因爲過年的關係，他已經挪用了！某部長聞此消息，有如霹靂一聲，驚詫而且憤慨，但又無可如何，錢既被經手人用去了，有甚末辦法呢？縱使告到法庭去，也是枉然的。要想再向資方加撥經費，亦覺難以啓齒，書空咄咄，悶鬱於懷，過去曾經勸阻他的幾個朋友，提起此事就搖頭不已。究竟某部長的出版事業美夢能否完成，就看出錢的人是否不在乎，再肯付出一筆救濟金？可是，假使資方再發救濟金，而得之者只是一二人，許多跟汪政權有關，被列爲救濟對象的人士，必然不願負此惡名，有所爭辯的。後事如何？且聽下回分解罷！（黃怡）

省縣鄉鎮民意代表
力爭任期改爲四年
頗有不達目的不終止勢

（本報記者台中航訊）三月初，台灣省政府地方自治法規修改委員會第十一次委員會中，提出了：「省縣市議員暨鄉鎮民代表任期改爲四年」的建議。

這項建議，現在省府法制室審核中，然後經過法規整理委員會，與省府委員會的決議，再送省議會審議通過後，呈中央公佈實施。所以這項關係本省地方自治的重大建議，目前還是草案。但是省級的府會兩方面支持這個建議，可說已成定局。

因爲這份已獲初步通過的草案，本來就來自省議會，經過省議會今年一月二十七日二屆四次大會結束以前，全會決議：「送請中央採納」。

提這案的省議員共有四位：青年黨的郭雨新，無黨派的許世賢，國民黨的賴榮木和蔡李鴛。從這四位議員的黨籍來看，似是一個客觀要求，而非政黨之爭。

郭雨新在提案中說：按照現行地治法規，執行機關之縣市長，鄉鎮長及村里長任期均爲四年，然民意機關之省議員，縣市議員，鄉鎮暨市民代表任期，則均爲三年，不但地方首長與民意代表的任期不能一致，而且分別選舉，次數增加，亦屬浪費物力，人力。

許世賢認爲上自省縣市鄉鎮首長和代表，下至村里鄰長的選舉，應該統一日期一次舉行，減少了民間的煩擾，節省國家的公帑，提高全民的投票興趣。

賴榮木和蔡李鴛連署的提案中說：「本屆任期的民意代表與地方首長相差一年，應該將本屆民意代表的任期，延至與地方首長同時改選」。

如果這項修改草案獲得中央採納公佈施行，本屆的民意代表，任期自是延長一年，否則就難能統一選舉。

但是有些專家認爲，就目前的客觀情形來說，如果議員代表等由三年改爲四年，辦選舉的人省了很多麻煩，競選人和當選人的準備與時間，也充分得多，而提高選民的興趣也是必然的，然而，就地方自治的理論上與事實上來說，還是以三年爲宜。

記者爲此曾訪問過支持這延長任期案的省議員，我說：「如果中央不採納，各位打算怎樣」？他們說：「再提案提到採納爲止。同時，若果我們的這合理合情的延長一年任期不得中央同意的話，那麼，國大代和立監委的任期，又作何解釋呢」？

看起來，如果這項修正草案不獲中央採納的話，可能又是省議會的熱門提案，因爲三年任期，他們再只有一年，再開兩次大會就結束了任期，或行或止，不能久延，他們就要佈署下屆的競選。如改四年，當然各人的打算又不同了。

據省政府方面說，這項地方自治法規的修改草案，在短期裏就能送呈到中央。在中央決定以前，不能作任何判斷。（熊文野）

莊萊德揮淚匆匆離華
例行調職歟？內有文章歟？

（本報記者台北航訊）美駐華大使莊萊德，突然的辭職返美了，他而且匆匆其行——六日宣佈辭職獲准，八日就飛離台北了。

職業外交官的莊萊德大使，他三十年的外交官生涯中，有三分之二的日子計二十年消磨在中國。二十年中，他不但交了許多中國好朋友，能夠說一流口利的中國話，對中國問題了解得相刻深刻，是美國外交官中的著名「中國通」，他對中美兩國友好邦交的貢獻，特別是最近這四年駐華大使任內的貢獻，更彰彰在人耳目。唯其如此，他的突然去職離華，不但中國朝野不勝其惋惜之情，莊萊德自己，還有他的夫人，也確實表現了依依不捨的情懷。八日那天，在松山機場上，他夫婦一面與送行的四百多位中國友人握手互道珍重，一面用手巾揩眼淚的那一幕，陽關一闋，亦不過如此了。

莊萊德大使說他這是第二次向甘酒迪總統辭職，但據內幕消息，他是第三次辭職了。首次是在上年元月甘酒迪就任之時。當然那一次僅屬沿例文章，前任總統所任命的大使，新總統來了，總得如此表示的。那一次甘酒迪不會准他辭職。第二次，也就是莊萊德不會說出的那次，在上年的五六月，當時據說係由於中美兩國對於是否讓外蒙僞政權混進聯合國的問題，有激烈而尖銳的不同意見，他感到調和難，乃請求辭職。那次的事，後來中國屈己從人了，莊萊德也就再度被慰留下來了。

這次是第三次，莊萊德於本年一月又呈請辭職。華盛頓於本月六日宣佈批准，但未規定他的任期於何時截止，莊萊德且未等候他的繼任人發表就匆匆的離任而去。

美國駐外大使，兩年一任。做兩任的不在少。但兩任之後再三任的，非常之少；非有很特殊的情況不會出現。莊萊德駐華已四年，按例是應該調職了。目前中美官方所宣佈的，就都強調他是例行調職。莊萊德也說他的辭職與政策無關。但畢竟有無保留之處呢？再者，台北有不少人，對於莊萊德的行色匆匆，特別表示不解，懷疑可能是「內有文章」，亦即是美國的對華政策或許有變，或許是正在醞釀要變之中。

究竟如何，從繼任人選應該得到一些眉目罷？（遠）

反攻聲浪 響徹台灣

（本報記者台北航訊）駕米格十五型機起義來歸的劉承司，在台灣大出鋒頭，所到之處，備受歡迎，許多人都以能夠和他拉拉手拍拍照爲榮。而因爲劉承司的來歸，反映大陸同胞甚至中共藉以維持其政權的「解放軍」，都昕夕盼望國軍早日反攻，去「解放」他們，輿論以及立法委員們，亦一致的認爲，現在是我們反攻大陸的最適當時機，不可以輕輕坐使良機失去。現在就要看政府的表演了，畢竟政府何時行動呢？即使還未能「大舉」，小動作總應該有之了。

香港與大陸
一樣吃不飽 共幹也怠工

最近從漢口來港的蕭君說：他原來家鄉信陽鄉間，自從人民公社成立後，他的家裏僅餘的炊具也被拿走了，大家一起在公社吃大鍋飯，每天按時被召去田裏參加生產工作，中飯也是在田野間吃的，飯後又得馬上工作。因爲吃不能飽，大家的體力一天天衰弱，有的人竟弄到支持不下來。但共幹卻仍然要迫令你工作。大家一方面是心裏不高興，再方面也因爲氣力差了，要做亦力不從心，乃實行怠工，能夠偷懶就不做。起先，共幹還表示得很凶狠，動手打人，後來他們才發覺自己家裏的人也一樣挨餓做不動，他們明白是爲虎作倀，也與大家站在一條綫上，實行怠工。人民公社也就這樣心照不宣的壽終正寢的。在中共後來允許人民有保留地去自己攪生活，比如養猪，養雞都准許人民，但「生產成果」仍得「給他們收去，到現在還是一樣」的：「只有做，沒得吃」。

又說：他的鄰居周伯伯，是一個讀書人，共黨未來前，家裏也有兩畝多田地，全靠敎私塾幫補家用。但共黨來後卻給他加上一頂「富農」的帽子。他氣不過，用「富農」兩個字做了一付對聯：「欠債不還，何謂富農；讀書無用，不如農」。被共黨知道了，把他逮捕，說他思想封建，遣送他到關外「勞動改造」去了。（羊）

懷念重新估價的胡適先生

劉成韶

影響近代中國思想的，有兩位偉大的導師：一位是胡適之先生，一位是陳獨秀先生。他們先是爲了新文化新方向新精神一起相互輝映，後來因爲有了意見的不同而各自西東。

胡先生是這一代的先知先覺者，他的一生都貢獻給新文化的倡導，和致力於科學與民主的宣揚。他在新思潮的意義上說：「現今的時代，是一個尼采所謂重新估定一切價值的時代。從前的人說婦女的脚越小越美，現在我們不但不認小脚是美，簡直說這是慘無人道了。十年前人家和店家都用鴉片烟敬客，現在鴉片烟變成犯禁品了。二十年前康有爲是洪水猛獸一般的維新黨，現在康有爲變成老古董了。康有爲並沒有變換，而是估價的人變了，故他的價值也跟着變了。這就叫做重新估定一切價值！』到民國三十六年胡先生再說：『五四帶來的新思潮就是批評精神，也就是尼采所謂重新估定一切價值；以此重估爲工具，以批評精神解決問題爲方法，便可以達到改造中國文明的目的。從前認爲好的，美的，對的，我們要批評他；從前認爲壞的，醜的，不對的，我們也要批評他。反對裹脚，反對文言文，反對孔教會，就是好些例證。當時吳稚暉會被目爲戴紅帽子來提倡危險思想的，於今呢，昨日少年今白頭，當年的危險分子都老了，但三十年來的成就太不夠，我們要繼續重新估定一切價值！』這段話在三十年後又來個重提，能不令人覺得有深刻的沉痛嗎。我們想前進，就不能不離開現在的位置，哥倫布之所以起錨向未知的新大陸摸索，就是想探求尚屬於疑問的土地，浮船於無人航過的大洋，這好像是發狂似的，但就是因爲發狂才有新大陸的出現。

自歐洲文藝復興運動，把教會因襲的權威打倒，才表現出近代獨立自由的精神。從科學上解放了理智，在宗教裏解放了良心。這種影響所及，在德國是倡導重新估價一切的尼采，用破壞力動搖了舊時代的假裝尊嚴，以叛徒的氣概宣布了上帝的死刑，在懷疑[illegible]的路口走入了眞理的追求。他在其所著的曙光中，「他要作善惡的創造者——然而他必先對古老懷疑，去破壞搗毀一切的價值，什麼東西要在眞理上毀滅，就讓它毀滅吧！可是許多的建設還待建設起來哩。」他站在前進之路上高呼着羣衆，是認定目標的時候了！是播下希望種子的時候了。他說：「要是人類沒有目標，那人類不也就沒有自身了嗎。」他寫過一個瘋人，白天持燈越街穿巷的大叫着：上帝被我們殺死了。他又寫信給他的妹妹：「假若你願意靈魂的安靜與快樂，你就信仰；假若你願作眞理的信徒，你就懷疑！我們要什麼呢？安靜與快樂嗎？不，而是眞理——不管怎樣的可怕和危險。」

在法國，有位診治法蘭西人愚昧和迷信昏盲的福祿特爾，他估定了重新的價值，他用其戲劇裏 Araspe 的話，說出重關世紀的宣言：「讓我們信任我們自己，看什麼都用我們自己的眼睛：讓眼睛做我們的聖判，做我們的三寶。做我們的神明！」他懷疑歷史的不可靠，說「那是罪惡災難的寫照，是活人在死人身上耍花樣，哲學走入於黑暗的中心，人心被世紀的積誤所蒙蔽，禮法呀，制度呀，勳章呀，紀念碑呀，堆積起來證明過去的歷史在扯謊。」有個荒唐的故事來傳說他，他的唯理主義與盧梭的自然主義激動了大革命的巨浪，皇帝的寶座爲之動搖，當路易十六在廟院獄室內，看完了他倆的作品後，連連頓足嘆道：「這兩個人亡了法國。」由此可見其影響了。

無怪乎易卜生也在北歐來指責社會的罪惡，重新對社會估量。本來他先以爲有目的奮鬥，向着高遠處走，各人適宜於自己個性的途徑，大家來創造全體的幸福。可是他看見尋求光明和正義的人之不被容，所以他說一切自由解放的趨勢，統統是社會棟樑所害怕的。『所謂社會棟樑一般人，統統是害怕日光的。因爲日光可以照透他們的黑幕。』「人類的天職，難道不應該使社會有新思潮嗎？」政治家說社會不需要有新思潮，能夠保存舊有的思想就心滿意足了。」「如果在黑暗的社會上有人敢發出自由的言論，就要宣佈他是人民的公敵。」因此「大智慧的人，在社會上就被人視爲瘋狂，大多數的庸衆，對於代他們謀幸福找光明的人，施以種種的侮辱或陷害。他們催促人道和進步，產生了宇宙的新原理，建築世界的新禮拜堂。」這如托爾斯泰說的一樣，一切新的眞理改造風俗，促進人道，初時只有少數人提倡，因爲他們很明白這種眞理，其他還是信仰着從前的眞理是舊社會的基礎，常常反對新的眞理發展。……新眞理才能產生新社會。故而克魯泡特金的主張說：「政治的經濟的和社會的制度，已趨於破產……有新生命的必要，現在的道德律管轄着大部分的人生，已經覺得不適用。人人都見到這種東西的不公平。過去的道德，現在有些應視爲該革命的不道德，新舊潮的衝突，不管在那一流的社會裏，那一個場所中，甚而在一個家庭內，也明白的表露出來。」

我們看潮流繼續的前進，順着它的途程，向着理想來達到目的。我們對這社會的惡濁環境，能不清除使空氣新鮮嗎？自新文化運動以來，封建偶像的需要打倒，與民主及科學需要絕對的建立；然而現在已到了民國五十一年，一切還是依然的沒有能夠實現。所以胡先生最近又說：「爲了給科學與技術的發展鋪路，和準備接受歡迎近代的科學與技術的文明，少不了某種知識上的變化或革命。」「我們應該承認那些老文明中很少精神價值或完全沒有精神價值的時候了！」「因爲近代的文明是歌頌人生的文明，是利用着人類的智慧來改善種種生活條件的文明。它是人身上最有精神意味是最神聖因素積累的成就：那個因素就是人創造的智慧，以研究實驗的方法去求知，求發現，求絞出大自然的精微秘密。」「我還相信我過去的話是不錯的，我還以爲這是對東方和西方文明很公正的估量，我還相信必須有這樣的對那些老文明，對科學和技術的近代文明的重新估量重新評價，我們才能眞誠熱烈的接受近代的科學。」（以上見「科學發展所需要的社改革」）我們看看我們國家積弱的苦境，民族衰老的惡習，我們不能不踢開頑固衰老惰落保守的舊東西，而來建設我們强壯進步向上淅的現代化了！

胡先生豪邁過人，富正義感，既雍容忍讓，又寬厚熱誠，有仁慈的長者之風。在平常使人親切，於特殊處讓人崇敬。今竟像巨星般的隕落了，能不使國人同聲一悲麼！

向核彈抗戰

四、核彈戰爭的慘況（上）

陳知青

眞正的核彈大戰爆發以後的慘況，現時我們無法完全預測！因爲新的核子武器，還不斷地在秘密發展中。

科學家們認爲，核彈戰爭會很快結束。這是太樂觀的看法！一般老百姓，認爲小地方不値得丟原子彈，所以不要緊。這是太無知的看法！眞正的核彈大戰發生，我們不妨假定，地面上，將是被炸得體無完膚，生存維艱的。

也許「封神榜」可以來形容「核彈大戰」。除非，我們有土行孫的本領，或是哪吒的風火輪。但是，核彈大戰中，擁有這種科學武器的雙方，將會各顯神通，花樣百出的！因爲雙方都有「土行孫」，大家都在「地面之下」指揮，研究。

這不是據新立異之說！二次大戰中，法國馬奇諾防綫的地下室，和希特勒的地下室，他們都有這種準備。祇是核彈戰爭，不能用防毒氣的方法來掩蔽！輻射塵比毒氣更厲害，它會滲透過三呎厚的泥土。

依照可能的情形說：核彈大戰發生之後，黷武的一邊，企圖用大量的輻射塵的核彈，向敵國的領土，據點，用洲際飛彈發射氫彈或超彈，企圖一舉擊敗敵國！但是，被襲的一邊，卻用種種防禦的方法，顯出神通。戰爭，未必就會很快結束的。

儘管他用巨大的超彈進襲，而他卻用反飛彈飛彈，把侵略的洲際飛彈在大氣層以外截住而爆炸了！雖然她能反飛彈，可是，百密一疏，一方面巨型核彈，仍會在地面上爆炸；另一方面太空中的輻射塵，仍會向地面上降落。

因此，當核彈大戰開始的時候，地面上的人類，不能鑽入地底下去的。在大都市裏的人們，即使進了地下室，在爆炸目標之中，都是難逃刦運的。殺人如麻，在所難免！

在初期的核彈大戰中，它殺傷的力量，是炸平十幾方哩的地面，毀滅整個城市，使所有的平民、生物，由於原子塵的傷害，而處於燒光殺盡的地步。據萊波博士指出，美國二十七個城市，四千萬人口，可以由三十六顆氫彈，加以消滅。相反的，在蘇俄祗有十一個城市，一千三百萬人口住在那裏；當然，美國有足夠的氫彈，毀滅這些城市和人口。（六）

瘟君續夢

第四回：掩面向黃泉，貳臣遺恨　低頭拜白虎，末帝驚魂

不防李濟琛這樣一問，兩人慌得一齊掩耳朵，盧郁文開門就向外溜，余心清也跟着跑出去。李濟琛這回眞出了一口惡氣，拍着床哈哈大笑起來。那知道久病之後，中氣虛弱並未復原，精神興奮過度，突然虛脫，馬上昏過去。

陳珂珂在隔壁房間裏聽到李濟琛大笑一陣，接着就沒有聲音，知道不妙，趕快跑過來，只見李濟琛雙目微閉，牙關緊合，已經人事不知。陳珂珂頓時驚得哭起來。

護士聞聲趕至，摸摸胸口還未絕氣，趕快去請醫生，一連打了兩針强心劑針，李濟琛始悠悠醒來，睜眼看見陳珂珂站在床邊哭，不由得一陣心酸，也流下兩滴眼淚。

醫生和護士看見病人醒來，一齊退出去，李濟琛拉着陳珂珂的手說道：「孩子，哭什麼？公公這次是眞解放了。」

陳珂珂掏出手絹擦擦眼淚。

李濟琛一連喘了兩口氣，緩緩說道：「孩子，我的病不能好了，你回去告訴婆婆，我死後千萬用火葬，不論共產黨怎樣安排，這一點非爭不可的，萬不能留個墳墓。」

陳珂珂勸道：「公公，你還是好好養病吧！何必操這些閒心。」

李濟琛拉着陳珂珂的手連搖了幾搖，說道：「孩子，這不是閒操心，你一定要告訴婆婆。假若留了一個墳墓，等到台灣老朋友打回來時，他們再跑到我墳前祭一祭，我就更現眼了。」

陳珂珂不敢接腔，只是擦眼淚。

李濟琛喘了一陣，問道：「今天幾號了」。

陳珂珂答道：「十月九號」。

李濟琛長嘆一口氣：「明天國慶這個好日子我是度不過了。」

李濟琛說過又昏昏沉沉睡去。陳珂珂不敢離開，枯坐在房裏看着，十分不安，又不好找人作伴，恐怕統戰部不答應。

停了半個鐘頭，李濟琛突然睜開雙眼，徐徐說道：「毛澤東！毛澤東！你害的我活着不能見人，死了不能見鬼，此仇此恨，我到黃泉也不饒你。」說過一連出了幾口氣，又閤上雙眼，陳珂珂再伸手摸摸渾身冰冷，眞的死了。

陳珂珂撫屍大哭，護士，醫生跑進來一看，李濟琛已經死去，趕快打電話報告統戰部。

李維漢見到余心清和盧郁文，聽說是李濟琛已漸復原，正自發悶，忽然接到電話，高興萬分，馬上帶了邢西萍，張執一，許滌清趕到，看見李濟琛眞的死了，陳珂珂還在哭。李維漢叱道：「哭什麼？趕快回去告訴你們家裏人，就說老傢伙死了準備辦喪事吧！」李維漢興冲冲離開醫院，趕去「主席官邸」向毛澤東報告李濟琛已死，並請示如何辦理後事。

毛澤東聽說李濟琛死了，鼓掌笑道：「李任潮這次不能再『任意攪風』『潮』了吧！總算少了一個禍害，只是他怎麼死得這樣快？」

李維漢陪笑說道：「人老了就容易死，到不一定要害大病。」

毛澤東點點頭：「李任潮留有遺囑沒有」？（八二）

韓芾海四不像

黃葉村人

韓芾海，又名文智，廣東文昌人，旅閩久，諳閩南閩北語，故亦稱閩南人。余識文智於清末，時文智在福建水師提督洪永安部下爲文巡捕。文巡捕者，即今日之副官，品級高下不等。其人雍容弘雅，不諳粵語，蓋已忘爲粵籍矣。

嘗爲余言：少時遇相者，曰：君面如猿，背如龜，頸如佛（指寺廟中之彌勒佛），而肩又如熊，是謂「四不像」。將來命運亦四不像，要經歷富貴貧窮四個階段而後終。文智不之信，一笑置之而已。之後，洪永安去廈門（清代水師提督署設廈門），林國賡爲海軍廈門要塞、及警備司令，洊文智歷署思明縣（即廈門）縣長，金門縣縣長，平潭縣縣長。

抗戰時，文智避亂香江，一日，與余相遇電車中，余笑謂曰：「金、廈、潭、澎（澎湖），在昔有「富貴貧寒」四島之稱。今君已歷其三，一旦抗戰勝利，台澎必然物歸原主；屆時，澎湖置縣，縣長人選，舍君莫屬，是相者之言可驗也。」文智知余戲之，苦笑而已。按：明寧靖王卒葬金門，故稱貴島，以有王族陵墓也。廈門爲閩省旅外僑胞出入孔道，富者多營別墅于隔江之鼓浪嶼，故稱富島……。

初，文智爲廈門警察廳偵探長時，會農曆除夕，文智自其隊部返城內住家，途遇所識圬者，韓問何往？圬者曰：「歲除，無以卒歲，正在張羅耳。」韓曰：「第歸！需多少？我將遣人送來也。」圬者告以五十金。既歸，即取金予傭媼，命送圬者家。適媼正餐蚶未熟，韓妻命稍待，既熟，又遇他客來，治饌畢，始囊金往。至，則圬者已懸樑死。其婦及遺孤正伏屍而泣，鄰右紛集，罔不嗟嘆。蓋圬者歸，告妻，舉家狂喜，咸引領以待。久之，不至，視日已西下，妻揶揄之，嘔曰：「韓協台誑汝耳！大年三十，人家已團爐，敬祖先，享團圓之樂矣。誰還念汝這窮鬼耶？」言訖，悻悻攜兒去，將乞諸其鄰也。圬者見妻去，知無望，乃入室自縊。比及妻歸，圬者已返魂無術。韓聞，大慟！爲營葬事，並厚卹其家。曰：「我雖不殺伯仁，伯仁由我而死！」至其子能自立乃已。

韓生有異相，口闊，能自吞其拳。相者曰：此飛而食肉之相也！」顧出身行伍，而終於文職。晚年從商，不問政治，廈門變色前，復逃香江。其後，以老病歸。韓有大廈在城內，不能免於所謂「淸算」，料在意中。然則，相者之言，其可信耶？其不可信耶？亦異已。

唐太宗（五）

李仲侯

貞觀三年，太宗勅修唐以前諸史，命令狐德棻，岑文本修周史，李百藥修齊史，魏徵修隋史，姚思廉修梁陳史，並任魏徵及房玄齡爲修史總監。帝並親自改撰晉書，成晉書一百卅卷。隋史序論皆魏徵所作，梁陳齊各爲總論，時稱良史。太宗不但於政治具有輝煌之成績，對整理中國固有文化遺產，亦有莫大之貢獻。

太宗雖極端崇尙儒家學說，但對各種教派，並無門戶之見，他對佛教雖不信其教而能容其存在，不究其義而能助其宏揚，他對佛教有偉大的貢獻。如助玄奘翻譯佛經一事可以看出。玄奘於貞觀初赴印度留學習佛，要算中國歷史上出國留學之第一人。他於貞觀十九年學成返國，太宗見之大悅，與之談論甚詳，詔將梵本六百五十七部，於弘佛寺翻譯，並勅房玄齡、許敬宗廣召碩學沙門五十餘人，相助整理，計所譯就之佛經共七十五部。

太宗崇尙道教，篤信老子學說。唐初本有一種讓各教派互相辯論的風氣：武德七年，高祖幸國子監，親臨釋奠，引道士沙門與博士雜相辯難；貞觀十二年，皇太子承乾集三教學士於弘文館，闡明佛法，三教代表，儒爲孔穎達，道爲蔡晃，佛爲慧淨，各自爲教辯護，展開激烈的論戰。三教領袖人物，既可公開辯難教義，可見太宗時對學術自由競爭辯論之風，頗爲盛行。

史載：「太宗罷朝之後，引進名臣，討論是非，備盡肝膈，唯及政事，更無異詞，終及日晏，命才學之士，賜以淸閒，高談典籍，雜以文詠，間以玄言，一夜忘疲，中宵不寐。」因他於日理萬機之餘能留意文史，故收集天下書籍亦不少，命令狐德棻及魏徵相繼爲秘書監，挑選五品以上子孫工書者繕寫，寫好藏諸內庫，由宮人保管。曾置四庫書於弘文館殿。那時私家著述之風亦大盛，最著者，如太宗所著的帝範，長孫皇后的女則，魏徵的羣書政要及類札，李襲譽的忠孝圖，魏王泰的括地志，高士廉的文思博要，李播的方城圖和飛騎戰陣圖，及唐三藏奉詔翻譯的大唐西域志等，均深具價值。

閒話梅蘭菊竹

漁翁

梅蘭菊竹，是代表一年四季的春夏秋冬，不僅僅於畫譜中見之，即此地耍樂場合的雀戰，也以梅蘭菊竹，代表東南西北的四方向，認爲此等花卉草木，爲四季中之特出者。梅放於春，爲百花之魁，蘭開於夏，乃王者之香，菊傲秋霜，有高風亮節，竹耐多寒，歷冰雪而不凋，各有各的特長，也各有各的賞識與重視，愛惜與羨慕。

梅，大木也，有紅白兩色。白者初開時微帶綠色，亦謂之綠萼梅。葉後花而生，卵形而尖，邊有鋸齒。果實味酸，早春花開，立夏後熟，生者青色，謂之青梅，熟者黃色，謂之黃梅。當羣花未開，而獨占先，衆芳已落，而獨在後，淸瑩皎潔，爲林和靖所賞識。林於宋神宗時，隱於孤山之梅嶺上，放鶴湖中，不婚不宦，陶然自得，時人稱它以梅爲妻，以鶴爲子。因此，梅比婦人，故昔人有「家中還有一枝梅」之載詠。

古之詠梅者不少，要以林和靖所賦：「疏影橫斜水淸淺，暗香浮動月黃昏」，爲最名句。但五代時江爲詩云：「竹影橫斜水淸淺，桂香浮動月黃昏」，林取之，易「疏」「暗」二字以詠梅耳。曝書亭詩云：「畫到影疏香暗處，始知一字可稱師」，而世人笑爲偷句之師。宋詩人王淇，以梅本淸閒幽雅，何以得嫁林和靖？故有「只因誤識林和靖，惹得詩人說到今」句，亦雋永也。

蘭，常綠多年生草，俗稱蘭草。葉長而柔，春夏之交着花，有甌蘭，建蘭之分。甌蘭多產於浙東，產於福建者，名曰建蘭。幽香淸遠，有王者香之稱，列爲頭狀花序，是有異於凡卉也。此草山野自生，庭院亦栽植之，就中以兩花並蒂而開者，爲最奇觀，少見而可貴。元代詩人謝宗可詠並蒂蘭詩云：「碧蕊連芳並蒂擎，春風江浦對含淸；不妨燕姞重占夢，應姚湘纍獨解淸。霜節百年期共老，國香一點爲誰爭？詩人莫比雙蘺怨，幸有淸香送月明」！可見古人對並蒂蘭之重視，而流露於字裏行間。

菊，花名，古作鞠。禮云：「鞠有黃華」。春由宿根生，夏至後分植，深秋開花，也列爲頭狀花序。種類至繁，李時珍謂有九百品，陶宏景別爲兩種：莖紫氣香而味甘者爲眞菊，莖青而作蒿艾氣，味苦不堪食者，名苦薏，即野菊也。

菊傲霜枝，獨抱幽芳，花之隱逸者。淵明所愛惜。淵明生於東晉晚期，其時政治黑暗，思想紊亂，道德墮落，它欲逃避那惡劣環境，便藉這恬淡的菊兒以明志，所云：「酒能祛百慮，菊解制頹齡」，足徵愛護之切。周惇頤「愛蓮說」，借淵明「愛菊」之作陪襯，它說：「淵明愛菊」。又崔曙「九日登望仙台」有曰：「且欲近尋彭澤宰，陶然共醉菊花杯」。是陶淵明愛菊的精誠，躍然紙上，眞的前無古人，後無來者。

竹，多年生植物，種類不一。高者四五丈，圓而直，亦有方者。中空有節，質堅韌，可供建築製器之用。每迎風而不斜，遇雪而不凋，可以避暑，可以禦寒，俗謂「寧可食無肉，不可居無竹」。與松梅稱爲歲寒三友，以喻人之高風亮節。黃庭堅詠新竹，有「解籜時聞聲簌簌，放梢初見影離離」句，以竹苞爲籜，籜解，而竹梢放，其聲簌簌，其影離離，引爲羨慕。它所羨者，在乎淸幽之風，以竹有君子之節，無形中也以君子自許，黃能文章而有氣節。故後諡之曰「文節」。

人心不同，各如其面。那皎潔的梅，爲林和靖所賞識；幽香的蘭，爲謝宗可所重視；隱逸的菊，爲陶淵明所愛惜；幽閒的竹，爲黃庭堅所羨慕。所好不同，但他們都視富貴如浮雲，以表現君子的風度和高尙的氣節。人以物貴，物因人傳，時窮節乃見，此梅，蘭，菊，竹之所以值得膾炙人口也。

海嶠書談

田桐對領袖的諍言

諸葛文侯

中國國民黨黨史編纂委員會在台灣輯印了「開國名人墨蹟」兩冊，多係民黨初期諸文武幹部所寫的函牘，內容全屬商討革命事宜，實爲近代史料中之最可珍貴者。我仔細省閱了幾遍，觥觥羣賢之中，有些是認識的，而以田桐（梓琴）先生的印象最深刻，因爲他健談，又賦性跅弛，不作要人狀，無論新舊朋友，只要是本黨同志，他即表現着一種「有話就說」的誠坦風度，殊堪敬愛。他這種風度，對於本黨的領袖亦不例外，如「開國名人墨蹟」中，影印田氏於民國七年間致國父孫公的一封信，即有這樣的一段諍言：「先生此刻態度，宜若無事者然，對於議員政客爲雍容之談話，不作憤懣之氣，則厭惡岑三（按係指岑春萱）者日益來歸：……先生向日之病，見客之時不打起精神，致生輕慢。此後如精神不足之時，則託故不見客，苟見客，則必振作精神，此爲政治生活者所大宜注意者，望先生愼之。」我在學生時代曾經見過孫公一次（民十四年初在日本神戶），看他對吾輩後生亦表示那樣和悅熱情的詞色，似與田先生所諫言的不相侔。大概是民國五六年之交，孫公在廣州護國討袁之役中，被岑春萱一派政客，勾結桂系軍人陸榮廷輩排擠去粵後，因而對客談話——尤其對當時的國會議員和各方代表等，不無憤慨的表情，所以田先生特加忠告，亦係出於愛護心情。可見前輩革命黨人的人生觀和其相處的風格，迥異流俗，這亦反證孫公平日能受諍言的民主精神，在同志間具有感召潛力也。

田先生認爲從事政治生活的人不宜輕慢賓朋一節，確有至理存焉。許多政治人物常因此而遭受損失，甚至敗壞事業哩！例如五六年前，顧孟餘氏在海外作政治活動，身居領導地位，卻不願意見客，縱或跟人晤面，亦穆然矜持無語，客人若多說幾句話，他就起身離座，表示厭煩之意。如此作風，理合到深山窮谷中去密修禪宗，搞政治活動便是莫大的笑話。最後他所領導創立的「民主戰鬥同盟」終於拆夥散場，良有以也，豈徒然哉！近代林林總總的政治名人中，擅長對客親切談話，不怕煩擾的，我發覺兩位：第一是汪精衛，他既善於詞令，又能表現着洋溢的熱情，即或是僞裝的，亦能給人以好感。第二是現時兼任行政院長的陳副總統辭修先生，他好客談話，除卻親切感以外，喜歡多談，客人不自動告辭，他是決不作端茶送客之狀的。吾友黃少谷兄常說陳辭公是不怕浪費時間的人，此言有理。政治原是管理衆人之事，居於政治領導地位者，衆人自然隨時奔走於的門下，若缺乏古人吐握之風，而又對客流露驕倨輕慢態度，那就祇有成爲孤芳自賞的光桿偉人而已。我贊美田梓琴先生的說法，乃引申其旨趣如此。

燕塵識小

無負生

壬寅談往

十一月十八日（西元一九〇二年十二月十七日）京師大學堂招生開學。計取仕學館生五十七名，師範館生七十九名。

於是後之北京大學遂定十二月十七日爲校慶。胡適之先生根據鄒叔文先生的假設，推定北大校慶日是由壬寅年復校的日子換算陽曆而來的。四十九年十二月胡先生寫「京師大學堂開辦的日期」一文，要點如上。全文見第十一卷第一期民主潮，茲不備錄。

十二月三十日：李紀堂、洪春魁謀舉事於廣州未果。事見國父年譜上冊一一四頁，不具錄。

無負生曰：六十年前的壬寅事之可紀者如此而已。然其中亦有一線可尋。拳匪之亂，敵我強弱，洞若觀火，西后至此亦不知抱殘守闕之難以圖存，而又不肯大刀闊斧改弦更張。而且此時朝士疆臣，旗人無論矣，即使漢臣，亦多回到固寵希榮之老路，環顧內外，實亦無大力包舉旋轉乾坤之才。是以今年（六十年前的壬寅）枝枝節節而爲之，仍不出乎康梁舊轍，盲目夜行。從寬論之，勉強可說是「可與爲善」的一年，可惜的是「爲善不卒」而已。然而革命生機，萌芽已露，盈虛消長，殆有數焉。民國五十一年歲在壬寅上元深夜無負生識於台北，撰燕塵識小至此已入第八年。（三、完）

自由報

內僑警台報字第〇三一號內銷證
THE FREE NEWS
第一二八期
中華民國僑務委員會頒發
台技新字第三二三號登記證
中華郵政台字第一二八二號執照
登記爲第一類新聞紙類
（每星期六出版、三就每星期刊年）
每份港幣壹角
台灣零售價新台幣式元
社長：雷嘯岑
督印人：黃行憲
社址：香港銅鑼灣高士威道二十號四樓
20 CAUSEWAY RD 3RD FL.
HONG KONG
TEL. 771726　電報掛號．7191
承印者：田風印刷廠
地址：香港灣仔高士打道一二二號
台灣分社
台北市西寧南路壹壹本號二樓
電話：二〇三四六
台郵撥儲金戶九二五二

當前國家幾個重要問題應有的解決辦法

黃少游

當前國家幾個重要問題，看似複雜，其實非常簡單，只要負責的有關方面，不別有用心，故弄玄虛，就事論事，解決並非難事。特舉犖犖數大端，以證吾說。

關於司法方面

法院改隸或司法行政部隸屬問題現行憲法關於政府的體制，很明白是採行五院制，同時，國父的遺教，也是主張五權分立。因此，我們既不應拿內閣制的成規要把司法行政部強留在行政院；同時也不應仿照美國總統制的體制，把司法行政部置諸於國務部門。因爲五權各自獨立，各有門戶（五院），它與內閣制和總統制的性質作用和原理，根本不同，它是權能區分基本政治原理之下，五個相互平等和互相爲用的治權，而非制衡爲用，對抗爲主的三權分立精神下的體制。明乎此，所以有關方面實在不必故弄玄虛。同時，司法是整體的，審檢不能分家的，而人事經費，尤其不容讓人越俎代庖，否則整個司法零碎分割．的結果（如傳說中高等以下法院的審判權歸還司法院外，其餘如人事、經費、檢察、監所、公證、法官訓練等等司法行政範圍內的職權，均仍保留在行政院）還要比現在被腰斬了的（如高等以下法院隸屬行政院）被劈分了的（如整個檢察機構屬行政院）被整個侵佔了的（如其他司法行政）司法尤慘痛可悲。因此，現在司法的問題即爲是否讓司法完整和獨立的問題，而非其他如高等以下法院改隸以及其他人事和經費等等的枝枝節節的問題。若果要維持司法完整及尊重司法獨立，那末，天經地義的辦法，就是把原應歸於司法院的司法行政部歸還司法院好了。

司法人員待遇問題美國是司法至上，所以司法人員待遇是較其他政府人員要高些。我們要五權平等，所以我們政府對於公務人員的待遇，一向是平等的。現在因爲物價高漲，一般公務人員的待遇與物價和生活指數距離太遠，所以均感痛苦；因而近年來，有人特別引美國司法人員特高的待遇，及現在司法人員辦案特別辛苦，以及免除貪污種種爲理由，要求司法人員，特別是推、檢及庭上書記官的待遇，要高出其他公務人員。我們不管這些理由充不充足，但現在的推檢及庭上的書記官的待遇，已經用司法補助俸的名義，大大的比凍結了多年的一般公務員的待遇提高多了，這是事實。但是，現在有關方面，還以爲未足。不管其他的公務人員對於現在的推、檢和在庭上的書記官的待遇已高出他們若干成，甚至若干倍的這種歧視的和差別的待遇，其心中已感忿忿不平，及要求調整一般公務人員待遇猶無希望之際，猶在努力謀求其提高，此種舉措，固可得歡喜或示好於這些少數的司法人員──推檢及庭上書記官，但對於其他的司法人員和廣大的公務人員精神上的刺激與情感上的悲憤，實在不可以道里計。這對於國家的改進有什麼好處？三民主義和五權分立的平等精神何在？自毀長城，不求正道，故治絲益棼，貪污層出，見慣不驚，國家前途，寧有豸乎？

他們還是「合作」得很好

這時要脫身便難了

關於教育方面

高等教育應注重質的優良，而不在量的增多，故美國大學推廣性的大學教育政策，應該揚棄。只要眞正辦好幾所夠國際學術水準，人才濟濟，內容充實的大學，能爲國家學術文化打基礎及爲國家造就少數卓越的學者和專家就夠了，而不必粗製濫造，滿街都是大學士。再科學與哲學，在今日已發展至相需爲用不可分離之境，故在高等教育即大學與研究院所中，應齊頭併進平衡發展，相得益彰。

專科及初高級職業教育應採推廣政策，國家或人類上智甚少，中庸特多，故非如此不足以適合國家及社會實際之需要，及解決社會若干問題（如大學失學問題及失業問題）。蓋現在若干高初中及大學畢業生，若非失學（升不上高中或大學）即多失業（謀不到維生衣食之具），要皆爲專科及職業教育之未被推擴及重視之果。

教員待遇問題近年國人對此之重視與關切，畧與司法審檢人員相若，其改進待遇之處亦不少，如學術研究費，進修費，鐘點超支費等之外，尚有校外兼課兼職，科學發展補助金及國立講座等等，名目繁多，雖不普遍，人人如此，但大體言，一般教員，較之一般公務人員，其待遇要不爲不厚。而現在有關方面猶在利用各種方式，爲謀進一步的變相調整改善，固無可厚非，但學術（文章）爲千古的崇高事業，非可以單純從物質上之獎助可以成功得其發展，相反，自古至今，自中至外，凡在學術及文化教育上有絕大的成就者，多在淡薄物慾或物質的生活環境中奮鬥以出衆者，此點，有關方面，應該不忘國父「精神重於物質」及先民「士先器識而後學問」，「文窮而後工」等等遺訓，則國家教育方有價值與前途。

關於政治及行政方面

陽明山第三次政治會談，行將舉行；公共行政教育計劃，刻已在國立政治大學付諸實施；合此二事，就當前自由中國而言，頗饒有興味。蓋政治與行政，本爲一體，相互爲用，不能分立。政治爲行政之本，行政爲政治之用，吾人也可以說，政治爲行政之理想，而行政爲政治之實行。故政治而無行政，則爲空洞的理想，而行政若無政治，則爲冥頑的盲行。所以，現代政治爲行政立法，而現代行政則爲依法行政。

吾國近數十年來，國家之所以缺少進步，則爲政治與行政混淆不清，權責不明，以致政治敗壞行政（如一朝天子一朝臣），賢能者不能在其位，行政毒殺政治（如行政無能，國家一切計劃徒托空言），兩者交相爲患，互爲影響，卒造成今日之殘局，誠可哀也。爲今之計，今後自由中國之政治問題與行政問題，應作如下之原則性之解決：

關於政治問題

在反共抗俄，光復大陸，重建中華之大目標下，及中華民國憲法體制內，實行海內外人士大團結。其方法一爲根據國家當前的情勢及將來的需要，制訂「反共抗俄光復大陸重建中華」之共同綱領，以爲全國上下一致遵行之準繩，如過去之「抗戰建國綱領」然。一爲執政黨自動的組織一個舉國一致的眞正的以人才爲中心的責任內閣，而不是粉飾，請客式的或分贓式的內閣。這種內閣，自然要完全對一切政治和政策底得失，在法律和個人政治道德上負責。

關於行政問題

要使行政有能或行政效率提高，今後國家用人，一定要打破派系樊籠，依法用人（一定的標準，合法的程序，合理的待遇及公開與公平的競爭）及依法行政（一切行政無背於法律）。要做到這點，第一、要一切政治勢力（派系）不要干涉行政（如人事事務）。第二、健全行政組織及人員編制，務使之科學化，合理化。第三、要爲什麼事用什麼人（以事擇人），及用什麼人做什麼事（用其所學及所長）。第四、培養行政道德（盡其所能，忠於所守）。第五、健全現代行政觀念（役於人而非役人）。

以上一切，卓無高論，要在有關方面的負責者，本其良知，運用科學頭腦，發揮國父遺訓之服務精神，則國家必大有前途，有反共必勝，建國亦必成也。邦人君子，其共勉之！

讀自由

仕而優則學

馮五先生

台北消息：前任外交部長暨駐美大使葉公超氏，最近執教鞭於台灣大學與師範大學，講授「英美詩人」課程。此乃吾輩知識份子的正業，佳訊也。

葉氏原留學英倫治文學，因緣時會，置身政治場中，亦頗負時譽，固可謂「學而優則仕」者矣。然而，一般文化人從政，如不願以官僚自居，而欲基於理想與抱負，必期有以自見，結果類多鎩羽失望以去，甚至陷於焦頭爛額，啼笑皆非的下場，亦不希奇，歷史紀錄，例證孔多。蓋政治生活的本質原是漆黑一團，無所不爲的，每以脅肩諂笑爲忠良之士，沒有主張爲幹練之才，如其懷抱着有所不爲的心情而從政，根本就是不合時宜，非栽跟斗不可。葉氏今日能以閒散之身，悠然向青年學子說教，實屬幸運，差堪附於「仕而優則學」之列，所以我認爲是好事啊！

由於教育制度之缺陷，與社會環境之影響，學校教師成了販賣知識的文化商人，日唯孜孜汲汲於個人和家庭的生活問題，所謂「師表人倫」之道，非不爲也，是不能也。因而一般青年學生深深地感到一種精神上的空虛，即人生的修養工夫這回事，究竟如何是好呢？他們企望從教師方面得到正確的解答。葉氏原非爲貧而執教者，所教的又是文學課程，這對於青年的修養問題，關係甚爲深鉅。在現代教育環境中培育出來的高級知識份子，普遍的毛病即是未能免俗，絕無半點詩人的高雅氣息，一行作吏，更見其品斯下矣！葉氏似乎尚能保持文學家的素質，並未惰落，值此燕居多暇之際，能爲知識青年講述英美詩人的生活情操，大可以消除他們心靈上的迷惘，彌補其空虛，民德歸厚，善莫大焉。

「仕而優則學」的功用，勝過於「學而優則仕」，這是我的觀感，因爲前者從仕途生活中，體驗到若干超乎意象以外的事情，足以垂教後生，知所鑑別也。

讀書人攬政治祇是一種副業，古人所謂「致君於堯舜」之說，廢話而已。吾國立國逾五千年，讀書人從政者億萬數，然堯舜治終未見有第二個，不亦怪哉！

教書是吾輩的正業，意義亦比卑鄙齷齪的政治生活優越萬倍，我希望葉氏定心盡力而爲之，不要以玩票的心情，淺嘗即止，幸甚！

各縣市議長海濱集會記

有志一同爭取待遇
地酒花天不亦樂乎

（本報記者台北航訊）台灣省各縣市議會正副議長主任秘書第三次座談會議，於本月六日正午十二時假金山鄉金山大飯店舉行，該項會議如曇花之一現，到午后一時半即告散會，計爲時凡一點半鐘。如此匆忙，有人推測是怕新聞外洩。即以會議場所之選擇在海濱鄉村地方，有人以爲便說明該會議的內容，無非是爲自己「漲價」，以及還有而今民意代表所熱衷的「錢」與「權」之爭。

會議所討論的提案，計有（一）維護縣市議會審查縣市總預算之法定職權。（二）指責政府規定會議經費的編列不合實際要求，應予調整。（三）建議政府修改財政收支劃分辦法，將貨物稅，營業稅，以百分之廿劃歸縣市收入，田賦整個劃歸縣市。（四）原定七天的會期請予放寬。（五）縣市政府應切實執行議會的決議。（六）選舉縣市議員時，關於女性候選人現行辦法，請予修正。（七）請政府維護地方自治法規中賦予議員之權力。（八）請提高議會事務費，由六千元提至一萬元。（九）將每一議員一千五百元的準備費，提至四千五百元。（十）議會辦公費每一人員原爲一百元，提高至三百元。（十一）設法再爭取議員們的調查研究等費。因爲前幾項爲增加地方稅收後，而後幾項再充裕議會及議員們的財源，當然，與會者又有何人會反對呢？所以都一一順利通過。

這次會議由台北市，台北縣及基隆市作東，所以謝文程縣長，林番王市長，均與會週旋，以示有禮，親切。會議由張祥傳、蘇清波兩位議長主持，二十一縣市的議長副議長除台東縣未參加外，其餘縣市均與會。

會議之後，尚有餘興節目，此爲台灣一貫時尚，計下午五時由陽明山管理局局長郭大同作東，在陽明公園服務社以茶點招待，以盡地主之誼。但各縣市議長們，認茶點不夠刺激，至六時，準時在台北市麒麟酒家張席，設宴達十桌，因這天艷陽普照，氣候溫和，也許因爲會議討論提案的渴熱未消，故均大喝其啤酒，每桌有酒女二名助興，頓時燕語鶯聲喊四喜，呼八仙，再襯托上鏗鏘的粗氣門，眞所謂昇平氣象也。反正不是自己掏腰包，管他娘的大嚼大喝，到深夜十時，有的酒態蹣跚，打道回府，也有的醉眼朦朧，餘興未已，酒後是否還有其他花樣，局外人便不得而知了。

據一位老牌議員說：「麒麟酒家的菜，大概每桌一千元，每席十人，（酒女在內）每人平均喝啤酒兩瓶，（酒女的迷魂不在內）計需二百瓶，當「番」的酒女，每人五十元（額外賞賜不在內），再加上金山飯店昂貴的房租，包車費，連同全體的餐旅宿費，恐在五萬元左右。

議員上酒家，酒後出洋相，在本省是司空見慣。但全省廿一縣市的正副議長集體會後吃花酒，尚屬罕見，花天酒地，不亦樂乎。該項新聞各報語焉不詳，這大概是他們集會的時間短而快，而且也無所謂討論，不過是一個「有志一同」的齊一步伐而已。

議員們爲民喉舌，是爲老百姓緊腰包的，如此一來，是爲公則創減預算，爲議員們自己則漲價。更奇特的是，開會爲爭取議會的經費編制，事務及準備費的增加，及辦公費的調整，如果政府採納該項建議，準予照辦，他們將爭取到有用的公帑轉入浪費，非但愧對而今財政拮据的環境，也自然對不起出民脂民膏的選民。祗希望高抬貴手，到此爲止，不要使此惡劣作風再蔓延下去。（匡謬）

民社黨三次全代會廿一日在台北舉行

張君勱自美國寄來開幕詞

（本報記者台北航訊）中國民主社會黨第三次全國代表大會訂於本(三)月二十一日在台北和平東路二段二二五巷六號該黨中央黨部舉行，來自國內外的代表，預期有二百四十多人，自本月十七日開始辦理報到手續。該黨三次全代會，按照規定，應於去年十一月間召開，旋因故而一再延期。

據說，該黨此次全代會，在政治上並無特殊的意義，而僅屬於「例行」性的會議。會中將修改黨章，原則上採取「虛君」責任內閣制，並改選全體中央委員，及主席、副主席。該黨黨魁張君勱將不回國主持三次全代會，因爲他將於月底赴西德講學，時間是三個月。但是張君勱很重視該黨此次會議，所以開幕詞也寄來了。目前，張君勱已辭去世界日報主筆的職務，正在爲出版「中國儒家思想史」（英文本）下冊而忙於校正工作。

中國民主社會黨係由國家社會黨與海外的民主憲政黨合併而成；國家社會黨成立於三十年前，即民國二十一年，創黨人爲張君勱、胡石青等。二十七年春，張君勱代表該黨與執政的國民黨總裁互換承認文件，並提出人選，參加國民參政會，是爲國社黨公開活動之始。三十三年十二月間，張君勱遊美，因海外的民主政黨人士之要求合作；期以增進民主力量，乃有合併之議，直到民國三十五年八月十五日在上海召集各地代表會議，兩黨始正式合併，改名爲中國民主社會黨，成立組織委員會，執行黨務，並選張君勱爲主席。三十六年七月二十四日召開第一次全國代表大會，仍選張君勱爲主席。但另設副主席五人，分別輪流主持黨務。

該黨除中央黨部而外，另有向構父領導的所謂「民社黨中央改造委員會」，與劉政原領導的所謂「民社黨中央黨部」，前者設黨部於南昌街；後者的黨部設於雅江街，一黨三分，用致視聽淆亂，殊堪惋惜。據民社黨副主席蔣匀田說，向構父方面，眞正的民社黨黨員不足十人，其餘的黨員中央黨部都無案可查；而劉政原方面，仍舊原有的二、三十人，是所以比較簡單，目前正由監察委員劉行之（該黨中委）與劉政原進行洽商中，劉政原方面是不是出席此次全代會，不日即可分曉。但向構父方面據說已無法洽談了。

蔣匀田對該黨「四分五裂」的情形，不願意多談，他含蓄的說：「此一現象，係基於種種原因」，如「缺乏一種融合黨內意見的環境」與「黨員個人經濟生活的改變」等等。但該黨的刊物——「民主中國」半月刊，在今年三月一日出版的一期上，有一篇社論，相當說明了該黨不團結的根由。

蔣匀田曾經感慨的表示：「如果不是基於國家的需要，民社黨實在沒有存在的價值，更沒有苦撐的意義。因爲中華民國憲法是三黨與二無黨人士所共同制定的，故必須維持政黨政治的形態，而爲了國難當頭，不得不維持一個『三黨合作』的局面，以利政府對外號召啊！」云云。（張健生）

婦女會公雞贈義士
劉承司初次吃烤肉

（本報記者台北航訊）本月三日駕機起義來歸的劉承司，週來一直是台灣天字第一號新聞人物，到處受到最熱烈的歡迎，十日那天在台北市舉行的歡迎大會，是其高潮之一。那天在歡迎大會之後，有五萬人的盛大遊行，台北市民爲爭睹劉承司以及也參加遊行的邵希彥，高佑宗三人的風采，萬人空巷，夾道歡呼，據最保守的估計，在街旁看大遊行的人，爲數逾三十萬之衆。

△劉承司起義來歸之後，許多人爲向他表示敬意，紛紛寫信成打電報向他道賀，另外則有許多人送禮物給他，如鋼筆，水菓之類，使他應接不暇。其中最有意思的禮物，是台北市婦女會送給他與邵、高兩人的每人一隻大公雞。因爲劉承司曾說，自從中共在大陸攪人民公社後，大陸「雞犬不驚」，統統完了，他到台灣後的第一晚聽見「雞司晨」喔喔而啼，是他留下的第一個深刻印象。婦女會的三隻大公雞，是十日那天大遊行隊伍轉入中正路時，三隻雞被裝在竹籠裏分別送給他們的，三人接受公雞的贈禮時，高興得不得了。

△劉承司是廣西田東縣人，有五位廣西同鄉寫信向他道賀，因爲信寫得非常親切熱情，劉承司讀後，特別感動，他說：「大陸上共產黨攪人民公社，早已經把好好的家庭攪得四分五裂了，對於什麼父子，兄弟，夫婦，朋友以及同鄉，同姓種種關係，完全談不上了。今天回到自由祖國之後，再獲得這份寶貴而原始的鄉情，的確使我太感激，太感動了」。

△十一日晚間，比劉承司早幾個月駕機投奔自由的邵希彥、高佑宗兩人，在淡水河畔的一家北平烤肉店，邀請劉承司吃烤肉，劉承司大快朵頤之餘，他愉快的宣稱：「這是我有生二十五年來第一次吃烤肉。」又說：「我到台灣這幾天來，各界同胞熱情的歡迎我，請我吃這樣那樣，使我眞吃都吃不過來了」。又說：「這裏的菜，味道鮮美，花樣多，不像在大陸天天吃千篇一律的大鍋菜」。那晚他們三人的「烤肉會」，原本是秘密舉行的，但到底給附近的同胞發覺了，非常高興，特地買了些鞭炮來放，表示歡迎他們；有一大羣孩子，還拿着筆，紙來，要他們簽名留念。店老板也高興得很，說是他們能到他店裏吃飯，深感榮幸。

△劉承司已經好幾次公開報告大陸同胞的慘苦情狀，並亦好幾次報告大陸億萬同胞都「人心思漢」，大陸盼望政府早些反攻大陸，去拯救他們。在十日的歡迎大會上，劉承司就說：「大陸同胞都希望共匪早點滅亡！蔣總統早點下令反攻」！與會的五萬人，都爲他的激動呼聲，熱烈鼓掌，因爲大家的心聲，同樣都希望政府早日揮動義師，踏上大陸，但政府畢竟什麼時候才會下達反攻的命令呢？（波）

採訪線外

▲副總統兼行政院長陳誠，在新近一次行政院例會中，曾經對政府各部門目前盛行的酬酢飲宴風氣，大表不滿，叮囑各機關首長，今後除了外交上有必需外，應竭力的避免再有請客情事。他說：目前國家處境如許艱難，若果大家再在酒席上浪費公帑，成何話說！

副總統的話，說得很對。副總統個人生活儉樸，更是有目共覩。人們以爲，這時候這環境能對於浪費風氣加以指摘而自己並不會臉紅的人，實在已寥寥無幾，副總統却不成問題是最有資格的一個。副總統而今又是閣揆，是最高行政首長，風行草偃，如何使得他的指摘收到大效，而不流於說過算數，這才是最爲重要的。

當然，我們今天的不免於浪費公帑，不但不止於飲食徵逐之一端，甚而飲食徵逐還祗是其小焉者耳。比如我們的政費，還有軍費，後者佔總預算的百分之八十，是否有許多浪費，就值得嚴密的檢討。我們的主計審計制度對此有無盡責？爲什麼不能盡責？應如何更張振作？還有我們的各級民意機構對於審議預算決算，是否已經盡了責？需要如何去認眞盡責？在在值得詳加檢討，而尤在於我們能夠發揚民主與法治的精神，也纔有補於時艱，而不致眞的弄到水盡山窮，無有死所。

飲宴風熾・陳揆震怒
疊床架屋・官民同然

▲經過台北縣永和鎮居民爲請建堤防而向立法院，監察院與行政院請願，鬧得異常轟動之後，唯一的收穫，似乎還止於大家發現：關於建堤之事，政府機構疊床架屋，各有權責，一關又一關，事情却不會做出來。

比如台北縣府於上月間設立一個「永和堤防建設委員會」之後，現在又設立了一個「台北縣淡水河流域治水工程策進會」及「永和築堤小組」，已一共有三個機構之多，名稱雖不同，開會之時，却總是那麼幾個人，眞是妙不可言。

而且，還不但官方如此，民間亦然。永和地方上除有「永和建設促進會」，「堤外戶長會議」，又有種種「代表」，如所謂「建設促進會委員」，「防洪技術委員」，促進會與防洪會混合產生的「代表」，「堤內戶長代表」，「堤外戶長代表」，「請求補償代表」，「請願團各里代表」等等，實在都祗爲那麼一件事而已，眞是妙不可言。（雄）

吳必彰案餘波

（本報記者台北航訊）反共藝人李湘芬的丈夫金科醫生吳必彰自殺案，因爲吳必彰在自殺時所留「遺言」，謂中央「銀行稽核」主任黃厚鏞「騙財」，警方前曾先後傳訊李湘芬及黃厚鏞，十一日又擬傳訊吳必彰，但未找到，現決定請吳於十五日前往警局一行。

但據消息，吳、黃間的錢財糾紛，經雙方友好的調停及律師、會計師的見證，已經和解了。祗是不知道和解的竟是如何和解而已。果眞和解了的話，則只須十五日吳必彰到警局三言兩語，此曾經鬧得差一點出人命的案子，也就可以銷案了。

宇溫將軍捲土重來後 緬政局仍未可樂觀

—仰光通訊—

本月二日，緬甸宇溫將軍所領導的軍事政變，突然而發作，但卻不是認眞出人意料的。

這是宇溫將軍一九五八年來第二次攪軍事政變了。那次宇溫將軍是從宇努手中取得政權的；這次亦然。那次的政變，宇溫將軍是叫他的手下通知宇努要他下台，宇努經過與宇溫將軍一度密談之後，乖乖交出政權的；這次則宇溫將軍先出動軍隊把宇努及其他約五十位政治人物抓將起來，完全是用硬功奪得政權的。

因此，在一九五八年九月那一次，宇努以及宇溫將軍，均諱言那是政變。而這次，宇溫將軍豈但不再諱言是政變，且還說他領導的這次政變，乃是一次革命。

宇溫將軍這次的革命，是一舉事頃刻之間就完成了的；他當時所出動的部隊，雖多達萬人，卻幾乎完全未遭遇到阻撓——唯一的意外，發生於緬甸前任總統蕭恢塔被圍捕時，他的衛隊開槍抵抗，以致雙方經過短時期的駁火，以致他的兒子竟寃哉枉也的被打死了。

宇溫將軍於政變成功之後，差不多立刻就採取了如次幾項措置：

（一）宣佈成立一個「國民革命委員會」，委員十七人，全部是軍人，由宇溫將軍任主席。

（二）宣佈成立「國民革命政府」，閣員連宇溫將軍在內，僅八個人。八閣員中，除外長宇齊漢之外，均爲軍人。宇溫將軍除担任總理外，並兼長國防、財政、司法等三部。

（三）宣佈解散國會，宣佈憲法停止實施（根據宇溫將軍的說法，緬甸憲法有許多地方不合時宜，將予大大的改寫）。換言之緬甸而今是在非常時期的軍事戒嚴令控制之下。而且，在相當長久的時間內，宇溫將軍所領導的那個十七人「國民革命委員會」，將取代緬甸國會的職權，成爲緬甸的立法機構。宇溫將軍不但是「國民革命委員會」的主席，加以又是「國民革命政府」的總理，故事實上，宇溫將軍是大權獨攬的，即使說是他取得了獨裁的大權，亦不爲過。

（四）宣佈改組五個邦政府，分別成立邦革命委員會。邦革委會主席雖爲文人，但每一邦革委會中均被安排一個上校軍官，形成「太上主席」的架勢，儼然實際掌握邦革委會的大權。

（五）宇溫將軍曾召緬甸三大黨——宇努的聯盟黨，宇巴瑞的反法西斯自由聯盟及共黨外圍組織之國家陣線——領袖各五人會議，對他們告誡說：他們的黨可照舊存在，但不得胡亂活動，尤其不可有不利於「國民革命委員會」與「國民革命政府」的活動。

宇溫將軍爲什麼要攪這次革命呢？據他說是由於國內政治的危機，又說緬甸的外交政策不變。宇溫將軍舉事無關於緬甸外交政策，儼然係屬可信的。在仰光的外國觀察家，絕無一人懷疑宇溫將軍不仍將走中立外交路線的；只是宇努是左傾的中立，或稱親共的中立，宇溫將軍充其量稍微不及宇努的那麼一唯俄共集團之馬首是瞻而已，要他不走中立外交，目前絕無可能。眼前祇能說，宇溫將軍抓權，對自由世界言，不會比宇努更壞，而能好多少就未必然了，他上次一年半的爲政表現，就是例證。

至於所謂國內政治危機，其一爲各黨派政治傾軋，宇努的那個執政黨內部亦爭權奪利無所不用其極，攪得烏烟瘴氣。其二爲宇努效顰共黨，大攪其國營，三月一日起連入口貿易亦開始國營，弄得緬甸經濟一團糟，物價高漲。但結果入口國營僅一天，政變就發生了。其三爲撣邦要求分權，恫嚇要不然他們就要鬧獨立。

一九六〇年年初大選過後，到四月宇溫將軍交出政權那段期間，仰光會有過許多推測，有的推測且變成了口耳相傳的謠言。但結果宇溫將軍交出了，以事實粉碎了那些謠言。祇是，政權交接後，謠言還是未曾止息，而祇是變爲觀察與判斷，說是除非宇努這次居然打破往例，幹得出有聲有色的成績，否則，宇溫將軍是隨時都會捲土重來的。早則半年，遲亦不出一載。現在，差不多兩年了，但宇溫將軍畢竟又來了，那些觀察與判斷，算是有一半兌了現，有一半却是落空了。當然，宇努實在幹得大大的不佳，也是事實。

但另外也是事實而不應忘記的，宇溫將軍在一九六〇年交出政權之前，在年初，是由他的手裏與中共簽訂那個「邊界問題協定」的。此後在宇努上台後，宇溫將軍與宇努聯袂訪中央，又單獨訪蘇俄。要說宇溫而今當政就會大有利於自由世界，未免要失之盲目樂觀了，雖然宇溫將軍確實反共。（微）

向核彈抗戰

陳知青

四、核彈戰爭的慘況（下）

如果，以科學理論的效果來說，華盛頓，或莫斯科，都可以用一個氫彈來毀滅的。但是，誰又願意讓人家毀滅呢？畢竟如何，這就看雙方防禦的力量了。在這種不可預測的情況之下，祇有一個原則，侵畧者往往疏忽於防禦，急切於進攻，侵畧者失敗的理由也就在此。因此，我們要抗戰，必須注重防禦。孫子兵法說：「善攻者，動於九天之上；善守者，藏於九地之下。」眞有道理！我們應該注重守呀！

說到核彈大戰的慘況：大量的巨型核彈在東西兩半球上紛紛落下，有人說地球軌道將被變動，或許過份了。但是，不管北半球好如陀螺的上面，重心可以穩定；我們把核彈當作小石子打陀螺吧，說不定地球會受影響而搖擺。祇是雙方還沒有那末多的核彈來孤注一擲吧了。

當核彈爆炸的大戰開始，首先對四面八方擴展的是强烈輻射塵的閃光。這閃光將使睜開眼睛的人類雙目失明，或患眼睛白內障。在爆炸中心，除有生或無生的萬物遭毀滅以外，在或大或小的範圍之內，開始被輻射塵，X射綫，伽瑪射綫，貝他射綫，中子射綫，阿爾發射綫所襲擊。

第二個慘況，是隨着巨大的爆炸的聲波，使附近的空氣，發生一種震動的「颱風」，「驚天動地」，並非言之過其實。「震耳欲聾」，更是事實。

同時，在聲波中以音速（每小時六七〇哩）傳達播展的是核彈的高熱。不必說目標區會立起燃燒，就是在或大或小的範圍內的熱度，由於連接的爆炸，會使生物活活的遭灼傷，其程度蓋亦屬於不可以計算之列。

第三個慘況，才是輻射塵的擴散。多數的核彈爆炸後，輻射塵並不隨大氣流的方向而轉，相反的，輻射塵可以影響大氣流的方向，使大氣層內充斥了輻射塵，向地面包圍起來，這不是四十八小時可以了事的！

在這種慘況之下，誰亦無法計算，大戰將運用多少顆核彈？發生多少輻射塵量？需要多少時間，躲在地底下，再來清除原子塵？

但是，我們也不必過份憂懼。有一種破壞力量，總是有一種防禦的尅星的！

（七）

香港與大陸

據一位剛由廣州逃來香港的鄭君說：他是粵北連縣人，連縣這兩三年來，由於中共一再削減配糧，人民苦不堪言，餓死的人簡直不知道有多少。

他說：在他離開連縣時，每人每日僅配六両米，另加一些蕃薯等雜糧，大家都無法吃飽，只好把些野生植物和蔬菜一齊煮來吃，藉求塞飽肚子，過一天算一天。但因此，百病叢生，什麼怪病都出現了，病了又得不到醫藥照顧，所以死了許多人，但究竟死了多少人，沒有人知道。他說至於肉類，他們已好幾年沒有嘗過了。因此鄉間的人，都向城裏擠。他就在這種情形下，擠到廣州去的。他在廣州街上露宿了兩個多月。共幹曾經要把那些擠到都市的人遣送回原籍，他們知道這消息後，乃設法逃到深圳，再乘一個下雨的黑夜裏，逃到香港來。

鄭君還說了中共攪人民鍊鋼的故事，他說：大前年（一九五九年）共黨在內地大攪鍊鐵鍊鋼運動，一時到處都看到是熔鐵土高爐，共幹們對人民說：日本鬼子眞可惡，他們原本和我們訂立了商業合約，答應以三千萬噸鋼鐵賣給我們國家，來建設鐵路，橋樑，水壩等巨大工程，那曉得日本鬼子又和美帝勾結，不履行這些合約，使我們建設受到阻礙，這種陰謀眞是可恨！現在，我們決定不要他們的貨了，還是靠自己靠得住些，所以全國人民要一齊站起來，大家努力克服這種困難，我們每個人要負起責任。於是叫大家回去把家裏所有的鋼鐵都拿出來，貢獻給國家。就這樣，每個人的家裏所有鐵器，小如門上的鎖，窗子上的鐵枝、門鈎，煮飯菜的鐵鍋、火鉗，以至抽屜鎖等等，凡是鐵器類，均被共幹拿去了。有些人當時還請求把門上的鎖及鈎不必除掉，以便鎖門之用，但共幹說：現在我們是共產主義社會了，人人都豐衣足食，已經是道不拾遺了，這類東西已用不着了！沒辦法，大家只好把一切都交出來了。（何）

瘟君續夢

第四回：掩面向黃泉，貳臣遺恨　低頭拜白虎，末帝驚魂

李維漢沒留神，順口說道：「他在醫院的談話都有錄音」。

毛澤東說道：「那好極了，把錄音帶拿來開給我聽聽」。

李維漢猛然想起李濟琛講了許多罵毛澤東的話，如何能讓他聽？一時不免有些躊躇，呆呆地站在那裏。

毛澤東十分奇怪，問道：「你聽到我的話沒有？怎樣不去，站在這裏幹什麼？」

李維漢不敢多說，回去找那西萍一商議，那西萍也嚇了一跳。李維漢嘆口氣：「李濟琛這老傢伙臨死又害了我一下，他死了說不定眞會到閻王爺那裏告我哩！」

那西萍連連跺脚說道：「早知道毛主席會要錄音帶，當時就該逼着李濟琛說一些死了都感激毛主席，感激黨的話，現在已經遲了。」

兩人正在商議中，田家英打電話來，說毛主席正急得跳，催促趕快把錄音帶送去。

李維漢無計可施，只好戰戰兢兢把錄音帶捧去，到了毛澤東「官邸」後，毛澤東已經取出錄音機等候着，藍蘋和麗拉不知道是李濟琛的遺言，以爲是名角唱戲錄的音，也跟着出來聽。

那知一聽到李濟琛在說：「假若人死了眞的有鬼，我可以在陰曹地府睜大眼睛看着毛澤東，劉少奇，李維漢這幾個匪棍怎樣死。」藍蘋驚得叫起來，麗拉也只是梧耳朵，毛澤東氣得頭上青筋根根暴露，李維漢站在那裏直哆嗦。

一直聽到最後李濟琛說：「毛澤東，毛澤東，你害的我活着不能見人，死了不能見鬼，到了黃泉我絕不饒你！」毛澤東登時變得臉色蒼白，不由得長長吁了一口氣。

李維漢收起錄音帶，轉身想走，毛澤東嘆息一聲，說道：「你去把趙樸初和巨贊和尚找來」。

趙樸初是中共佛教會的副會長兼秘書長，是個居士，專門負責替中共作佛教統戰，凡是派到日本及東南亞佛教國家去的代表團，總有趙樸初一份。至於巨贊和尚，原是共產黨員，在上海大夏大學讀書時，就加入了共產黨，後來被警察局發覺，正要予以逮捕時，他跑到南京，恰好此時虛雲法師在南京說法，巨贊就拜在虛雲法師門下，剃度爲僧，警察局追到南京，知道他當了和尚，總以爲他既獻身三寶，應該放下屠刀，也就算了。那知他仗着袈裟庇護，仍替中共做地下工作。直到中共政權成立，他已當了二十年和尚，也沒法再還俗，只好繼續作和尚，實際上却掌握着佛教會的大權，名義上是副會長，權力却在會長喜饒嘉錯之上。

巨贊同趙樸初聽說毛主席「召見」，不敢怠慢，馬上趕來。見了面，毛澤東先聊一些閒話，過了二十分鐘，忽然問道：「你們兩人佛法都很精深，到底因果報應之說是否可靠呢？」

巨贊和趙樸初互望一眼，覺得十分爲難，要說沒有因果報應，怎麼解釋佛經？要說有因果報應，又變成了唯心論。

毛澤東笑道：「你們只管說，我們今天是談佛學，不是研究馬列主義，我不會檢討你們的思想問題的」。

趙樸初眼看賴也賴不掉，只好壯着胆量說道：「按照佛家的說法，輪迴果報是有的。」（八三）

李蘭齋蝴蝶夢

黃葉村人

臧和齋（致平）師長，任閩軍總司令時，駐厦門。其部曲有李蘭齋者，河南開封人，爲臧部高級參議。時有贛妓楊蘋卿，以九盞燈豔名，張幟厦門，李暱之。李寓南華旅社，時召蘋卿至社幽會，蘋卿每至，輒挾一皮夾，不假手他人，人以爲褻衣，不之疑也。

蘋卿，年十七八以來，身段苗條，能說廣汕滬厦方言，齒如編貝，一笑嫣然。余友惜紅生亦善之。生與李亦相稔，二人時會於蘋卿所，蘭齋不知也。頃之，蘭齋向生假千金，問：「何需？」曰：「爲蘋卿脫籍也。」生慨然予之。蘭齋遂娶蘋卿，營金屋於鼓浪嶼。從此，蘭齋蘋卿遂絕跡於夕陽寮。（厦門北里鶯花集散地也）

蘭齋旋改就閩軍前敵總指揮部參謀長，總指揮劉長勝，臧之旅長也。駐閩西，防洪兆麟部東下。會長勝子病，長勝赴滬視其子疾，蘭齋匿鼓浪嶼與蘋卿暱。前線乏人指揮，事爲洪軍探悉，遂長驅直下漳州，劉旅全潰。長勝匿滬不敢返，李亦秘密逃汕頭。

居無何，李得蘋卿信，謂事已緩和，返厦可無慮！李遂返。初不料臧部已得密報，使人攔截海中，李甫下小艇即爲邏者拘去，禁於閩軍司令部（舊水師提督衙門）。李請求見臧，一言而死，不許。越日，即提至軍部照牆槍決。時正午十二時也。

初，蘭齋下小艇時，蘋卿亦僱舟往迓，邏者不許近。既知李死，則號啕大哭。迺詣部舁李屍，草草入棺，寄厝同安內（地名）祭以楮酒而返。方入室解衣，則見有大蛺蝶在其左右繞飛，撲之不去，異之。其母祝曰：「若蘭齋耶？請飛出簷外，人鬼異途，毋令小兒女驚恐也！」蝶果逡巡飛出，伏於簷外晒衣竿上，久之，不去。蘋卿母迺市肴酒，祭而遣焉，蝶仍不去。

時因漳州告警，厦市戒嚴，夕陽寮（明末陳黯讀書處，俗名寮仔後）鶯燕，多遷居鼓浪嶼，聞其異，紛紛趨視。蝶黃色相間，尾有貓兒眼，圈白色，四邊黑色，大如掌，異於常蝶。蘋卿母恐惹禍，取其竿，蝶飛入室，覓之不得，至夜，蘋卿獨坐室中，母下廚，蝶忽飛出，集蘋卿襟上，大驚，喊叫。母入，命解衣，擲於地，聚火焚之，蝶遂殉焉。

抗戰後，惜紅生歸自香江，過漳州，遇蘋卿於康樂道中，青衣布履，形貌憔悴，已無復昔日風韻矣。

唐太宗（六）

李仲侯

而魏徵，虞世南，王績，褚遂良，長孫無忌，顏師古，令狐德棻，杜正倫，岑文本等的詩，皆具一代宗風，開盛唐之先河。他又極力提倡書法，集王右軍書爲聖教序。故太宗及褚遂良，歐陽詢等的書法，莫不爲後代所宗仰。關於技巧方面，如王孝通之緝古算經，和李淳風所注算經十書及製造的渾儀，即今科學昌明時代，亦有研參之價值。

二、定法制　儒家思想在政治上的一貫主張是以禮德爲主，政刑爲用，因爲中國過去是宗法社會，純賴一套完整的行爲規範來維持社會的秩序。所以太宗自即位以後，他務未遑，即積極的訂制一部法典——唐律。這部法典，是中國古代最完備的一部成文法典，它能鎔冶秦漢晉魏南北朝及隋代法律思想和制度於一爐，後來宋元明清的法制，大抵以此爲準繩，在中國法制史上其影響力之深鉅，概可想見。

唐律的特質，確能做到「以禮德爲政教之體，刑法爲政教之用」。它根據的理念是：法之所禁，禮所不容；禮之所許，法所不禁。其法律全部的用意：重人品，重等級，重責任，論時際，去貪污，定主從，定等次，重賠償，避操縱。從整個法律精神中，透露出中國傳統文化之湛深意義，不僅爲中國後代法律之藍本，在當時並適行於國外，東起日本，西達蔥嶺，北方契丹蒙古諸族，南方安南諸邦，全都是唐律廣被行使之地。加以它的立法，較諸以往大爲寬減，笞杖不過二百，徒不過三年，流不過三千里，役不過四年，死不過絞斬，無終身囚繫，凌遲，磔錮之刑，緣坐限於父子，廢除族誅之制，九十歲以上七歲以下，雖有罪不刑，老小廢疾，可准其贖刑。此外於量刑原則，均規定甚詳，只要司法得其人，皆可於定罪科刑之際，施仁於法律之中。

「縱囚」的故事，在歷史上是最膾炙人口的一幕，史載：「太宗以英武治天下，然其天姿仁恕，初卽位，有勸以威刑肅天下者，魏徵以爲不可，因爲上言：「王政本於仁恩，所以愛民厚俗之意。」太宗欣然納之，遂以寬仁治天下，而於刑法尤慎。

從自殺說起

楊海宴

生活受了重大的障礙，且覺得這障礙即使去掉亦無足貴，或者很明顯的判定活着不如死了的有意義，遂有自殺。不論任何一類自殺，我是不敢非薄的。

凡事未親身經歷，復不易地而思，輒加以竊笑，或妄論是非，總是容易給自己貽羞的。人欲免於妄謬，捨多學多問外，就是慎思明辨。曾國藩誡弟不可自恃，只宜抑然自下，一味言忠信，行篤敬，庶幾可以遮護舊失。這「遮護舊失」四字是太重要了。

生物的本能是求生，到了自覺的去結束生命，無論如何是一件嚴肅可哀的事，應該以誠敬偉大的懷抱正視它，若果論斤計兩，評判得失，那實在是刻薄了一點。尤其心存鄙薄，更不應當。一個苦力爲了一隻手錶自殺，與守義成仁而死的志士，是否有多大分別？如果真以實事求是的態度，是不敢遽加定論的。在大陸上一再被中共迫害的作家沈從文曾說：「爲了死可以達到某一個高尚的理想，完成某一種美麗的企圖，爲了處置生命到一個美麗形式裏去，一死正類乎偉大戲劇或故事所不可少的情節，因此從從容容照計劃作去，這種自殺有的爲求人類自由，文化進步，歷史改造，也有的是爲一己，爲使一己生命達到一個高點，社會皆認爲難能可貴。然而童養媳偷偷在土灶邊吞烟，與蘇格拉底在獄中喝那一杯毒藥，前者的死與後者的死，眞正有甚麼不同處？」這種反問，並不是在抹煞那些志士仁人捨生的價值，而是在提醒我們：任何一類自殺是不必貿然笑其愚蠢的。「千古艱難唯一死。」而竟自覺的結束生命，總值得悲憫同情的。只有可笑可鄙的苟且偷生，決不會有可笑可鄙的自殺。即使萬死不足謝其辜的罪犯在獄中自殺，也證明他有了良知懺悔之情，是不也值得寬恕同情麼？至於那些爲消滅證據，掩護同黨的自殺，那似乎已越出單純的個人自殺動機的意義了。

生命是可愛的，生乃是人類最基本的權利，愈是進步的社會，愈能尊重生命，這是不待置疑的。任何社會事業，視其能否培養生趣，造福生命而定其價值。欲占知一個國家政治，道德的興衰隆替，也可以從其尊重生命的情形中察看得出來。若果除一己的禍福生死，對他人不關痛癢，漠然視之，則這個社會人心是痲痺了，必然是非倒置，善惡不明，社會風氣亦必然是相率而爲僞，上下交征利。曾國藩一生平和謙讓，惟獨言及當時社會朝政時，不論是上皇帝的奏章，與友朋的書牘，或是平時言談，那種慷慨激昂的語氣，儼然怒髮衝冠。他上咸豐奏札有云：「……以臣觀之，京官之辦事通病有二：曰退縮，曰瑣屑。外官之辦事通病有二：曰敷衍，曰顢頇。退縮者，同官互推，不肯任怨，動輒請旨，不肯任咎是也。瑣屑者，利析錙銖，不顧大體，察及秋毫，不見輿薪是也。敷衍者，裝頭蓋面，但計目前，剜肉補瘡，不問明日是也。顢頇者，外面完全，而中潰爛，奏章粉飾，而語無歸宿是也。……」在那種生殺予奪的帝王時代，尚能容許這種激烈的言論，毋怪其「中已潰爛」的滿清，還苟延了六十多年的命運，也眞是不簡單的！一個社會只要不彼此塗飾，轉相欺謾，則人心必不致麻木不仁。人心不麻木不仁，就會講究是非，明辨善惡。一個講究是非，明辨善惡的社會，必然尊重生命。這就是說：既關心自己，也關心人家，人人都活躍着廣大深厚的同情心。那麼這個社會也還可望精誠雍穆，欣欣向上的。否則殘酷自私，交征以利，益尚虛文，那這個社會就眞正走上最殘忍，最痛心，最不可補救的自殺之途了。

海嶠舊談會

想起陳獨秀

諸葛文侯

我沒有見過陳獨秀，但在學生時代讀他的語體文後，因爲他所寫的文章具有濃郁的煽動性，頗爲欣賞，而且試行模仿過。當時心裏對社會主義儘管由於沒有瞭解而十分憎惡，也討厭共產黨的組織，然對陳氏個人還是由衷地表示贊佩。往後經過二三十年來的觀察，認定陳氏眞不愧爲現代中國知識份子中的英雄豪傑，值得敬仰的。至於他的政治思想問題，又當別論，我所稱讚他的地方，就是他那種富貴不能淫，貧賤不能移，威武不能屈的獨立人格。

陳氏由中共的「家長」地位，被俄共貶斥爲「機會主義者」的時候，史達林教他到蘇俄去學習改造。他如果眞是個機會主義者，未嘗不可應命前往，祇要對史魔低頭折節，表示效忠，便不難東山再起，重據中共領導人的寶座。然而他有所不爲，指說俄共根本不瞭解中國的情形，領導無方，拒絕赴俄，其意若曰：「若談中國社會革命問題，你們俄國人應該向我陳某人多多學習哪！」他根本就瞧不起史達林。

我國對日抗戰前兩年，毛共集團想借刀殺人，把陳氏幹掉，着人向國民政府告密，而在上海租界內將陳氏逮捕到南京，他夷然不加申辯，靜候處理。章士釗自告奮勇，挺身出來替陳氏作義務辯護律師，陳氏聲明拒卻，說行嚴不能，亦不配來替他辯護。意思是認爲章氏並不懂得共產主義及其思想體系是怎末回事，做些「之乎也者」的狀詞，胡亂辯解一陣，寧非笑話！

對日抗戰發生後，他被釋出獄，隨同政府播遷，生活十分艱困。初到武漢住在一家煤炭店的樓上，郭春濤奉四川軍頭劉湘之命，邀請他入川作劉氏貴賓，且袖出劉氏所致送的旅費數千元。陳怒目詰郭曰：「你以我爲何如人？」表示逐客的詞色，郭赧顏抱頭鼠竄。時毛共集團傾全力詆毀陳氏，在報紙上公然指其爲日本間諜，且說他每月在日本領事館領取津貼幾千幾百幾十元，好像確鑿可據。那時住在武漢的若干文化人，以國民黨籍的周佛海等爲首倡，激於義憤，替陳氏抱不平，聯名發表宣言，證明毛共集團胡說八道，厚誣忠良之士。陳氏卻一聲不響，嗤然置之。到了抗戰中期，毛共集團派遣寄居重慶的董必武，吳玉章兩個老共，赴江津縣面晤陳氏，勸他表示悔過，即可歸隊到延安去，仍奉之爲老大哥。他笑問董，吳：「我究竟有甚末過錯可悔，實在不明白，倒要請教二位一下。」弄得兩個老共尷尬難堪，嗒然若喪。他在抗戰末期，曾在報上寫文章檢討世界未來的趨勢，恰與現時的世局相吻合，不爽累黍，可見其學識之湛深，眼光之銳敏，當代絕無人可以跟他比倫的。

綜觀陳獨秀這些言行，再證以他一生決不喪其所守，「之死靡他」的志節，如其不以成敗論人，能說他不是知識界中的英豪人物嗎？

山川風物

岳陽樓

道南

「八月湖水平，涵虛混太清；氣蒸雲夢澤，波撼岳陽城。」讀了孟浩然詩，使我想起洞庭湖邊的岳陽樓。

洞庭湖三面環繞岳陽城，這座城屹立在粵漢路上，形勢優勝，自來被軍事家視爲戰略要地。顧亭林說：「岳州府襄山帶江，處百越巴蜀荊襄之會，全楚之要膂也。唐人以岳鄂二州，控扼江沔，並稱衛要。湖南得岳陽，足以規取荊鄂。淮南得岳陽，足以包舉湖南。故爭之急也。蓋自江而東西，自湖而南北，岳陽皆居其要會，岳陽未下，不可以圖進取也。」

這座樓襟帶洞庭，俯瞰長江，登樓遠望，烟波浩渺，氣象萬千。清中興名將胡林翼曾有聯云：「杜老乾坤今日眼；范公憂樂古人心。」何子貞並有長聯云：

「一樓何奇！杜少陵五言絕唱，范希文兩字關情，滕子京百廢均興，呂純陽三過必醉，詩耶？儒耶？吏耶？仙耶？前不見古人，使我愴然涕下；

諸君試看：洞庭湖南極瀟湘，楊子江北通巫峽，巴丘山西來爽氣，岳州城東道岩疆，瀦者！流者！峙者！鎮者！此中有眞意，問誰領會得來？」

迎劉承司義士

夏日晴

矯矯劉郎膽氣豪，天風吹送踏金鰲；
倉庚解語花朝近，獅子嗜聲禹甸騷。
一葉驚秋思奏凱，萬方多難想流膏；
路橋從此人爭羨，衣錦王祥得佩刀。

內備警台報字第〇三一號內銷證

自由報

THE FREE NEWS

第二一九期

中華民國僑務委員會頒發
台報新字第三二三號登記證
中華郵政台字第一二八二號執照
登記爲第一類新聞紙類
（半週刊每星期三、六出版）
每份港幣壹角
台灣零售價新台幣貳元
社長：雷嘯岑
督印人：黃行奮
社址：香港銅鑼灣高士威道二十號四樓
20 CAUSEWAY RD 3RD FL
HONG KONG
TEL. 771726　電報掛號：7191
承印者：田風印刷廠
地址：香港灣仔高士打道二二一號
台灣分社
台北市西寧南路壹壹零號二樓
電話：三〇三四六
台郵撥儲金戶九二五二

訴諸預言的自由世界盟主

雷嘯岑

現代英國哲學家羅素，在其所著「自由與組織」一書中，談到美國人的氣質，他引述十九世紀初期英國作家麥克馬斯特（Mcmaster）所指出的現象道：

「別的國家矜誇過去或現在，眞正的美國公民卻昂首向天空，冥想他的國家將來會如何偉大。別國人因歷代祖先的功業而覺得光榮，美國人卻誇耀於後世子孫的成就；別人訴諸歷史，美國人訴諸預言。他會隻手拿着馬爾薩斯的著作，隻手拿着待開闢區域的地圖，一面斷然否認我們預料美國將來會變成何種樣子，一面且沾沾竊笑幾何級數會給美國史灑上怎樣的光榮。這種訴諸未來的心理，乃是他們無窮的資源。」

的確，「美國人訴諸預言」的這種天性，至今並無二致。他們對於任何問題，尤其是政治問題，總是忽視現在，憧憬未來，憑着自己的智能和想像力，繪出一幅美麗的遠景，自我欣賞，信以爲眞。這類例證，在二次大戰後，美國領導自由世界的所作所爲，累見不鮮，而以對中國問題表現得更爲淋漓盡致，嘆觀止矣。毛共力量明明是由俄帝長期培育指導而發展起來的，美國人卻認爲是與蘇俄無關的土地改良主義者。當中國政府剿共的軍事形勢惡化之際，美國卻倡導中國人重新組織「第三勢力」來反共，而對現存的，且具有深厚友誼的反共政府聲言「一筆勾消」，更用外交白皮書的方式，公開加以打擊，唯恐毛共不能竊據中國大陸，跟美國友好通商哩！俄共集團之積極反美，是其世界革命策略的必然性，在二次大戰以前，俄共集團對美國毫無惡感，而以反英爲急務，原因是英國居於資本主義世界的領導地位。二次大戰以後，美國已取英國的國際盟主地位而代之，俄帝乃以美國爲死敵，所謂「擒賊先擒王」，是基於世界革命運動之利益而然，決非一時的感情用事，道理淺明，不難瞭解的。可是，美國人藉其「訴諸預言」的特性，當史達林在生時，認爲中共將變成「亞洲狄托」，跟俄帝反目分裂。史魔去世後，赫魯歇夫爲着內部的權力鬥爭關係，對外倡出「和平共存」之說，這與當年史達林爲要爭取英美應援以抗拒納粹大軍進攻，而宣佈解散「第三國際」，藉以暫時轉移資本主義世界觀感的戰術相同，赫酋在美國且表明要「埋葬資本主義社會」的世界革命原則，可見其「和平共存」口號，只是一種手段而已。然美國人一心以爲鴻鵠將至，更進一步的預言蘇俄將要跟美國合作以抗禦中共的威脅，理由是中國人口有如馬爾薩斯所指示的公式激增，勢必向着地廣人稀的俄屬西北利亞地帶發展，俄帝實逼處此，唯有與美國合作以圖存了！這種預言原係拾取陳腐不堪的「黃禍論」牙慧作根據，不堪一哂的。美國人卻像煞有介事，他們的代表在日內瓦十四國會議討論寮國問題時，竟公然認定中共是要藉寮國問題挑撥美俄戰爭，而聲稱美國決不受中共利用，當場使俄帝代表亦大吃一驚，不得不聲明中俄共之間精誠團結，並無歧見。

最近中俄共之間，關於世界革命的理論發生爭執，更給予美國人「訴諸預言」的未來心理以莫大鼓勵，他們對於世界反共問題，大有坐待勝利來臨的信念，試看國務院政策設計部主任羅斯托日前發表的演說：「共產集團現正在一種巨大的歷史危機中，此危機之形成爲莫斯科與北京間之嚴重糾紛。在此危機之背後，乃民族主義之興起，以作爲共黨集團內的一種有生氣及不斷滋長之力量。此種力量已在蘇俄本身及其他共黨執政之地區滋長，儘管共黨仍將維持其對西方之壓力，但共黨集團之逐漸解體及分裂，定必繼續下去……共黨集團的民族主義及國家利益之伸張，應產生一個較有生活價值的世界。」（見法新社十六日電訊）這種見駱駝以爲馬腫背的觀察推論，乃是由於美國人「訴諸預言」的那種「無窮的資源」而產生的。他們忘卻了英美之間常在反共策略上表現着背道而馳的言行，甚至隔洋罵陣，互不相下的情形，而自由世界終未釀成分裂結果的事實，乃覬中俄共之間一時的理論爭執爲共產世界的滔天大禍，非自行崩潰不可呢!?更昧於共黨集團一向就是利用民族主義思潮，以掀起弱小民族國家的反帝國主義運動而着着成功的現實教訓，卻强調民族主義將使共黨集團逐漸解體及分裂的說法，豈非笑話！

美國人既以「訴諸未來的心理」領導自由世界反共運動，如是，對於現實問題即完全憑其主觀的預言爲標準，抹煞事實，自以爲是。而在反共的軍事問題方面，他們亦發明了一條定律，即任何地區如發生反共的軍事行動，哪怕是一種警察行動，他們亦預言俄帝一定介入，因而觸發世界大戰；同時他們又決不相信任何自由國家具有反共的軍事力量，談到戰爭，即令是局部小戰，亦認爲除非美軍實行參戰，必無致勝希望，而這又是觸發世界大戰之所爲，千萬使不得。因此之故，美國對於接受美援的自由國家，一律用「安全互助協定」加以軍事束縛——事前非徵得美國同意，對共黨不許採取軍事行動。如台灣海峽的金門島，雖遭受共黨的猛烈砲轟，一天之內超過十萬發砲彈，死傷平民累累，然國軍不特不能出擊，且不得用美援設備的新式大砲以反擊敵人。亦以此故，美國政府當局對於自由國家所供給的共黨集團情報，祇要是不符合他們那種「訴諸預言」的目的，皆認爲不可信，說是華府的「中央情報署」並無所聞。明乎此，即知美國一聞俄帝在原核子武器發展上有較爲優越的事情——如俄帝首先發射人造衛星進入太空之類——而張皇失措，不可終日的現象，用意並不在實際戰爭關係，而在防制一般自由國家，因此對美國失去信心，不願隨着美國人「訴諸預言」的領導方針，旅進旅退，以致美國有喪失推銷商品的海外市場之虞而已。

俄共集團是專講現實利害的，當年史達林教唆韓共與中共從事侵略性的韓戰，等到戰事的勝算無望時，他又以調人姿態，提倡和談了。赫魯歇夫一面以越洲飛彈的外交文書，脅迫美國制止英法進軍蘇彝士運河，同時俄軍卻對匈牙利人民實施血洗屠殺行爲。這兩役的勝利皆屬於俄帝，美國祇有吃虧掮木梢的份兒，原因就是「訴諸預言」的心理作祟，這有如一個理想與幻想豐富的迂濶書生，跟一個實行刦掠財物的橫惡大盜相周旋，孰得孰失，不言而喻了。俄酋赫魯歇夫深悉此中義理，提出「和平共存」口號，大可以迎合美國人「訴諸未來的心理」作用，讓俄帝從容準備，以待一擊而中的時機到來。我們聽着俄帝對於裁軍談判的胡攪蠻纏的行爲，再看到美國國務院政策設計首長羅斯托的預言，對於自由世界未來前途，實在慄慄危懼，寢饋不安。美國若不受到俄帝的飛彈襲擊——並且要襲擊到美國本土——他們那種「訴諸預言」的領導方針，似無變更之可能。就中國的現實情勢而言，我們再不能追隨「訴諸預言」的領導方針以自誤，修改中美安全互助協定，此其時矣。

漫畫天下

南地

另有打算

這仗必要打下去

自由談

悲劇人物

馮五先生

前南韓總統李承晚以殘軀多病，擬回本國終其天年，而現任南韓總理宋堯讚——也就是李氏的舊有僚屬——表示拒絕，說是要電令檀香山的韓國總領事予以阻止。李氏賦性雖倔强，而臨着這種殘酷的現實政治環境，亦不免黯然神傷了。

李氏一生爲祖國的獨立運動，歷盡千辛萬苦，而及身得告成功，榮膺開國元首之任逾十年，韓國人民可謂無負於李氏矣。假使他能以大韓民國的華盛頓自居，對政治權位適可而止，決不中毒，那末，他不特在生時受着全民的愛戴尊崇，身繫天下之重望，死後亦必然銅像巍立於韓國，永垂不朽呢！然而李氏計不出此，染上了權力中毒的痼疾，佔據着統治地位，鍥而不舍，並且每次爲要聯任總統，即將憲法予以修改，議員若不同意，隨便捉將官裏去，終於弄成民怨沸騰，激起軍人叛變，祇得狼狽下野去國，雖欲歸正首邱，亦多阻礙。誰爲爲之，孰令致之，李氏清夜濟恩，應有「於人無尤」之感吧？

李氏的愛國心情，自屬無可懷疑的，可惜是愛國不以其道，遇事不顧一切的蠻幹，例如他對日本深惡痛絕，不屑與之論交一事，就個人的關係而言，固然情有可原，因爲他平生所受日本帝國主義的壓廹凌辱太深鉅了。但就整個國家民族的前途設想，這種剛愎作風，實在不足爲訓。又如一生爲韓國獨立而努力不懈的金九一派人士，祖國獨立後，在政治上竟無立足之餘地，金九且死於非命。這證明在李承晚先生的心目中，沒有「容忍」觀念存在，即無民主精神之可言，完全跟時代背道而馳，結果祇有成爲時代的悲劇人物了。

人的歷史由自己創造，也由自己纔可以毀滅，跟別人決不相干。古往今來，政治人物毀滅自己所創造的輝煌歷史的唯一利器，就是權力中毒，觀於李承晚先生之下場，信有徵也。

爲修改聯防條約問題

哈里曼訪台談了些什麼

中美雙方均守口如瓶

（本報記者台北航訊）惹人注意的台北中美會談結束，美國務院主管遠東事務的助理國務卿哈里曼，亦已離台飛往日本。哈里曼在台北時，曾與蔣總統有過長談，亦就是被稱爲中美會談的，究竟談了些什麼？有何等具體決定？中美雙方，均守口如瓶，諱莫如深。

哈里曼於十五日離台北時，雖曾在飛機場舉行記者招待會，但對於較具體的問題，哈里曼的答覆，祇是一味推搪，像踢皮球那樣把它踢開去，要發問者去問中國政府；再不然他的答覆亦是不着邊際的，如說中美雙方將於重大問題並無歧見之類，說了與未說其實差不了多少。

哈里曼雖不會透露當前最突出的問題，即修改中美聯防條約，藉使中國政府可以自由對中共用兵的問題，但哈里曼對其他問題卻口沒遮攔，坦誠而痛快的說得很多。比如：

（一）他強調中華民國政府是中國唯一的合法政府，以及強調美國將繼續反對中共政權混入聯合國。哈里曼說：這是美國的基本立場，肯尼地去年十月曾予重申，他現在還想把它重申一次。哈里曼這些話，如果在約半年前說出來，可以成爲頭條新聞，現在則不顯得不重要了。

（二）他盛讚中國政府近年來在台灣省的建設成就，同時並指出中共在大陸所遭受到的嚴重的失敗。他說：大家都已知道，中國大陸上所發生的災難，是由於共產黨的錯誤方法與共產主義的殘暴和奴役所成造的，與中共所歸咎的「天氣」，完全無關。又說：「人們要認識中國，應該到台灣來看看。在台灣，人民有自己的土地，人們可以看到他們的生產情形，如何正與中國大陸所表現的成了最尖銳的對照」。哈里曼並因此說：中國大陸的災難，無異告訴全世界，共產主義是一種錯誤的哲學，因而它就絕不是人類今後的道路。

哈里曼這些話，重要是極其重要的，但爲了現在大家注意的是中國政府反攻大陸的問題，所以也就顯得不夠重要了。而哈里曼對於反攻大陸問題，卻總是不肯做正面答覆。雖然如此，哈里曼與蔣總統會談中必然曾經提到過修改中美聯防條約問題，則是大家都不加懷疑的。也許因爲這問題太大，不是哈里曼權力範圍所能決定的事，有待甘迺迪或魯斯克去決定，所以哈里曼就祇能顧而言他了。（放）

出席人選仍是第一難題

陽明山第三次會談越來越可望不可即

（本報記者台北航訊）台北而今已極少聽到有關第三次陽明山會談的話了。這似乎顯示：第三次會談有越來越遠，越渺不可期之勢了。

政府官員口中，一貫是「第三次陽明山會談必定舉行」，說得斬釘切鐵，作毫無問題之狀。政府，或者說執政黨，確乎有心要召開第三次陽明山會談，而且還有心要使作爲整個陽明山會談「重頭戲」的第三次會談，攪得光彩熱鬧，有聲有色，這點倒眞是毫無問題的。

但不能因此就說第三次陽明山會談必定可以舉行。尤其絕對不能夠因此而說：第三次會談將必然可以在短時期內，舉行得起來。

要第三次陽明山會談能夠早一點攪起來，需要若干條件的配合，政府的決心，祇不過是這些條件中的一個而已。

在政府官員口中，當被正式問到第三次陽明山會談的日期時，倒是態度謹慎，並不亂說一通。他們甚至連「大概何時」「可能何時」之類的其實說了與不說並無區別的話，亦儘可能的不說。然而，在台北報紙上，大約一週至十天光景，總可以發現一些有關第三次陽明山會談的「消息」，一律均以「本報訊」出之，但是不說出消息的來源。在這種「無頭消息」之中，倒往往而對舉行日期，有所交代了，如在二月底的消息是或將於三四月中舉行，現在則已變成：可望於四月舉行了。

台北政治圈子裏的人，對這類「消息」，一般都把它看做是政府以側面的姿勢發出來的。而且認爲發這種消息，完全是政治性的，即無非在求不要「冷落」太久，使大家根本絕望而已，其可靠性自然淡薄——橫順那是「無頭消息」，誰也沒有責任，儼然就連刊載這種「消息」的報紙本身，亦表現得似乎完全不要對讀者負什麼責任那樣。

第三次陽明山會談其所以越來越顯得有聲無氣，最主要的，還是那個老問題，即邀請些什麼人？最傷腦筋的是兩個在野黨，民青兩黨內部的團結運動都鮮有成就。

本來，政府是決定光是決定邀請的人數，比如青年黨多少位，民社黨多少位，通知該兩黨，由該兩黨自行產生代表人選。政府這項決定，不但是最省事的辦法，且亦還可說是最爲理想的辦法。但爲了民青兩黨內部分裂依然，要他們自己產生代表，殆不可能了。這樣當然祇能改由政府決定名單直接邀請之一法。而這就有困難了：邀請些什麼人？被邀請者所隸屬的黨，會認爲滿意嗎？被邀請的人能夠來嗎？願意來嗎？這些問題，只要有一個是眞成了問題，就會使得第三次陽明山會談減色了。

所以，本月十三日行政院副院長王雲五在立法院答覆立委趙惠謨的詢問時，他就否認第三次會談參加者人數已決定爲八十人之說。王雲五還說第三次陽明山會談，現在不但被邀請者的人選不會決定，連要邀請多少人，也還沒有決定。又說：在原則上，凡有代表性，在政治上有不同意見或不同主張的人，政府爲集思廣益，都在考慮邀請之列。至被邀請的人能不能來，就只有由被邀請的人士自己去做決定。

王雲五這些話因爲係在立法院說的，自然代表正確的事實。則亦足見，這時候還不會決定人數與人選，要說第三次會談可望於四月間舉行，其可能性少之又少。如果四月不行，五月六月呢？假如政府但求繳卷，不問結果之好壞而草草召開則已，否則，即由於民青兩黨內部意見不協和，政府要決定邀請名單，困難重重，實在看出不出畢竟要多少時間纔可以把這些困難解決。至於民青兩黨以外人士的邀請，那就簡單多了。（調）

（（（採訪）））（（（線外）））

▲我國學童入美國學校事，民意機關七八年前就提出指摘，十三日立委劉漢又提出頗爲嚴厲的六項詢問，要求答覆，教育部長黃季陸雖當有所說明，但卻避重就輕，未接觸癢處，顯示這問題要解決相當棘手。

劉立委六項質詢中的前二項及最後一項：（一）中國兒童在國內受外國小學教育，是否違背憲法？是否違背教育宗旨？是否違背國民學校法？這是有辱國體的事，爲何多年置之不理？（二）中國兒童在國內受外國小學教育，截至現在究有多少？爲何大多數兒童家長的姓名總諱不公佈？（六）今後最高主管當局對於這件有辱國體的事，究竟持什麼態度？有無澈底解決的決心？

有辱國體。問題棘手

▲劉承司起義來歸後，一方面被升級爲空軍中尉，另方面又獲獎黃金千兩，已經成了中國空軍裏面的一位富翁。據劉承司說：他起義無非爲了投奔自由，大陸同胞正受苦受難，他簡直沒有去想怎樣使用那筆獎金問題。這些話要可見他雖然「升官發財」了，卻還不等同流俗，忘了本份。

劉承司獲獎的一千兩黃金，經換成新台幣一百四十萬元，他以其中一百卅五萬存入台銀儲蓄部，作一年期貯蓄存款，月息利率一分二釐，每月可獲利息一萬六千多元。另以四萬元作活期存款，可隨時加存或提用。餘一萬元他帶在身上，說是準備買照相機及收音機用的。

議員振作。官吏遲到

▲台北市議會議員，以往有個壞習慣：不準時到會出席會議。以往定上午九時開會的，往往要到十時半後，才能湊足法定人數。下午的會議亦然。但十二日第五屆四次大會開幕後，議員們頗有自我振作之勢，上午的會僅較規定時間遲三十分鐘，下午的會更僅較規定時間遲十分鐘而已。

但十三日，市議會雖上午九時半以前就開會了，卻因爲議程爲質詢民政、地政、社會、兵役、秘書室、人事室、財政局、稅捐處、主計室、工務局等單位，大多數主管卻姍姍來遲，議員們紛紛發言責備之餘，並實行休會抗議。弄得代市長周百鍊除面飭各主管今後必需按時列席議會備詢外，還公開「表示遺憾」一番。（體）

北市議會新的風波

執政黨外議員成立聯誼會

二千元經費問題引起糾紛

（本報記者台北航訊）台北市議會中二十一位執政黨的國民黨籍以外議員，於十二日成立「台北市第五屆議會國民黨外議員聯誼會」，第二天的十三日，就因爲原來以爲已經不成問題的每月由議會撥付二千元經費其實還有問題，在議會中與議長張祥傳吵了一頓，將來如何解決，尙待以後的協商。

這個被簡稱爲「黨外議員聯誼會」的新組織成立後，曾以記名投票方式，選出聯誼會的「幹事團」，計蔡萬林以十八票當選爲幹事長，張詩經以十七票當選爲書記，總務幹事爲林謀祥（十票當選），議事幹事爲廖鍾脈（十一票當選），及財務幹事爲林中（十四票當選）。

所謂原來以爲不成問題的每月兩千元經費，有一段經過。原來，這二十一位「黨外議員」們，他們以爲既然他們的國民黨籍同仁有「黨團幹事會」的組織，認爲他們自己亦有組織「聯誼會」的必要。他們又以爲國民黨籍議員的黨團幹事會每月有四千元經費，則依人數爲比例，他們這個聯會誼！每月應有經費二千元。

國民黨籍議員的黨團幹事會經費四千元，是由市黨部在黨費項下撥給。但「黨外議員」們以爲，那黨費亦多取自市政府編列的預算，而經過議會通過的，則「黨外議員」既同意這些預算的撥付，爲利益均霑，他們乃根據彼此人數的比例要求張議長答應每月給兩千元經費。他們還說：國民黨市黨部爲爭取黨友，以往曾經多次宴請他們這二十一位「黨外議員」估計每月此項費用，亦約達二千元之譜，則不如將該款固定的每月撥給他，作爲經費，國民黨市黨部則不必再請客了。他們以此要張議長代爲努力設法。

張祥傳議長受了他們之託，曾將此事向市黨部提出，後者以爲：以招待黨友名義開支此數，固無困難，但要按月固定的撥出此數，沒有了根據，而且亦有失立場，故拒絕給這筆錢。但「黨外議員」追張議長追得厲害，張乃答應他個人願盡量設法補貼，並非答應由議會的公款支付。可是「黨外議員」卻說：「議長答應了，經費沒有問題了」。他們新成立的聯誼會財務幹事林中，十三日上午向張議長要那兩千元，張議長告以議會不能支付這種款項，以致彼此吵了起來。據說雖然吵了，仍然可以設法協商解決的。

又在「黨外議員聯誼會」成立之日，眞是無獨有偶，國民黨籍議員的黨團幹事會，亦在當天開會，改選了幹事，其結果，由蔣淦生、陳鄭歧、陳連祿、鄭李足、葉依坤、黃光平、歐陽斌等七人當選。看形勢，一般以爲，蔣淦生將最可能出任黨團書記。又沈應松及黃衍樑兩人當選政治綜合小組委員。（備）

中研院院長人選難

胡適死前曾推荐三個人

蔣廷黻·吳大猷及王世杰

（本報記者台北航訊）胡適之先生突然逝世後，所遺中央研究院院長一職，究竟將由何人起而繼任？半個月來，一直是許多人注意的問題，學術界的人士尤其諸多揣測。卻至今似乎有才難之歎，由誰繼任，相信未必是很快可得到結論的。

胡適之先生生前，就曾經表示有意退休，而僅以院士身份住在南港，期能寫完他的「中國哲學史大綱」。在當時，他曾經非正式的向當局推荐三個人選，作爲決定的參考，這三人爲蔣廷黻，吳大猷與王世杰。但在此三人中，蔣廷黻一身兼兩個現時最爲緊要的外交職位，他應該不是短期內可以辭卸駐美大使與駐聯合國常任代表回來做中央研究院院長的。吳大猷呢，有消息說當局曾非正式探詢他的意向，但他婉謝了，並忽忽又出國去了（胡先生死時，他曾回國出席院士會議）。至於王世杰，是否可能，並非沒有問題。他所以，如其新院長人選困難李濟其勢會代理相當的一段日子吧？（境）

最近七年中間 南越教育成就還不壞

西貢通訊

越南最近七年來，教育方面已有飛躍的進展，其斐然成績更是人所共見，這裏做一個簡略的報導。

曾經在越南住過很長久時間的外國教育界人士，就很了解越南教育界的情形，且很欽佩越南人對教育的熱心與寄望之殷深。比如美國駐越服務團教育科主任希爾特烈斯，就會寫下如下幾句很深刻的讚美的話，他說：「凡受過教育的越南人，都有一所很崇高的信心，他們相信將來一定會幸福，前途一定是光芒萬丈的」。

可是教育是長遠之計，任重而道遠。這裏有一個遺憾的地方，過去並未有一個具體的計劃，來推進國民教育，使到每一個國民都有一個平等的受教育的機會。首先，由於學校的校舍不多，同時由於入學人數很少，而且課程方面又太偏重一隅，培養高級的人員或幹部是可以的，普遍性教育卻仍是一個「理想」，據一九五四年的統計，能夠入學的越南成年人不超過百份之十，能有機會讀書的人太少了。

一九五二年時，當局曾頒佈初級教育修正法令，發起掃除文盲運動，在一九五三年曾修改中等教育課程，繼後數年，初等教育課程修正付諸實施。一九五五年在教育政策方面，亦曾有過積極的改進。跟着又有一個新命令，這命令之出現確定了教育人員的地位，並且修正了國家教育部門的行政組織。

一九五八年到一九五九那一學年，是越南教育上發展的轉捩點，中等教育的全面改進，經由兩個步驟完成了：（一）在一九五八年五月，初等教育的使命由於國家教育基本原則的確定，而獲得了明確的概念。（二）一九五八年八月曾有一個新的措施，根據所訂的基本原則而修改的新的課程，乃於一九五八年到一九五九這一學年的開始立刻付諸實施。

經過修改的課程，注重國家文化傳統中心與誠的發揚，培養學生使具有科學頭腦，提倡外語的學習，加強道德與公民常識的研究與闡釋。

初等教育的課程曾經數次的修改，初等教育新計劃所採擇的教學方法，乃是「面對面」的教學方式，初級學校應是兒童康樂活動的中心，使他們認識他們所生存的自然與社會環境，在學校裏對農業技術各方面作淺顯的介紹，將是眞正發揚傳統精神的課程，可是，這一類必要的教育卻未能及早推展開來。

至於高等教育，在質方面仍保持原有特性，在量方面卻大大地增加與擴張。在一九五四年時在全越只有二千個學生，可是只不過兩年的時間，即一九五六年，單單西貢大學就有二千四百八十一位學生。在一九五六年到五七這一學年全部註冊人數已破四千大關。這一種急劇的增加一直至今天仍在繼續中，在一九五八——五九這一學年開始時，西貢大學註冊的學生有六千五百四十一位，而到一九六〇——六一年度更增至九千三百一十四位。這說明了受高等教育的機會人數大大地增加了。在一九五七年，有兩間新成立的大學，一間設在前越南首都順化，新創立的順化大學在它創立的第一個年頭就表現出它的朝氣與魄力，它從開始時學生人數七百零五位到一九五九——六〇那一學年初，就增至一千一百九十二位；教職員由最初的三十六位增至一百一十位。

另外一間是大勒大學，它被視爲半公立教育機關，因爲地皮與校舍是政府撥出的，而一切管理責任，教務行政，教授聘請薪金支付全由天主教負責。

越南的教育已建立了進步的穩固基礎，就在這樣的一段時間內能有如許卓越的成就，實足引爲自豪。正如上述，這正是由於大衆對於教育的重視與熱誠支持所致。當然越南教育前途的任務仍然是很艱巨的。（泰）

注意中共與美國間 購糧政治買賣

信升

中共正在向美國洽購糧食是當前的大新聞之一，甚至比日內瓦十七國裁軍會議更要聳人聽聞與關係重大，特別是以自由的中國人的眼光看來，重要極了。

所謂裁軍會議，其實是放言高論的宣傳而已。祇有天眞近於無知的人，才會幻想裁軍會議或許能有若干成就。不是說不應該裁軍。裁軍確不失爲保衛和平第一件要緊的事。裁軍千該萬該。即使像蘇俄那樣夢寐不忘突擊成功「一匡天下」的國家，它亦不就在心非口是的吶喊裁軍？然而，在現狀之下，敢於斷言，絕對難望眞正實現裁軍這樣的好事。

而中共向美國洽購糧食這事情就不然了。這是一場政治買賣，買賣固不成問題。這場政治買賣，以共產黨處心積慮鍥而不舍的努力，配合以美國的「商人兼幻想家」的政治，的確，有可能會做得成功的。而祇要這筆買賣成功了，今後的第二筆第三筆政治買賣，便自然的會接踵而來，那還了得！

中共向美國洽購糧食之事，首先透露出這消息的，是曾經得過諾貝爾文學獎金的著名美國女作家賽珍珠，她「讀者投書」紐約時報，說中國大陸的人民正在捱餓，情殊可憫，美國應該站在人道的立場，把剩餘糧食買給中共。她並說她知道有美國的出口商正在爲這筆人道生意向政府進行申請之中。

由於賽珍珠的這一「催生」行動，美總統甘廼廸和美國的商務部，就不能不把這事情公開了。甘廼迪說出：確有一家美國公司已做此申請——要求許可每年運七十五萬噸小麥和同數量的大麥到北韓，連續三年；又要求許可每年運一百萬噸小麥和同數量的大麥到中共區，連續三年。據估計，以當前糧價，這是四億美元的生意；說大雖不大，說小亦不小。重要的是，甘廼迪並沒有堅決的一口回絕做這筆買賣。因而，美商務部就表示確乎正在考慮這項申請中了。

甘廼迪這樣的表示，連美國輿論都在羣起而攻，認爲美國如眞的賣糧食給中共，那將無異於代中共挽救軍心，代中共餵養爲它看守那個天怒人怨的政權的「解放軍」，至於眞正最需要糧食的中國老百姓，將絕難望享受到這些糧食的。這說明，賽珍珠所說「情殊可憫」與「人道的立場」應該如何如何，其實是「宋襄公之仁」，見事不明，養虎貽患而已。

甘廼迪之不予毅然峻拒這項買賣，說明「內有文章」，中國人必需注意。在談了八年還在談的「美毛談判」未曾收檔之前，諸如此類的怪事，隨時都會出現的，中國人豈能對此不加注意？

附啓：「向核彈抗戰」一文續稿未到，暫停。 編者

香港與大陸

這裏是一樁共幹爲弄錢而幫助大陸同胞逃到海外來的故事，透露這故事的是劉君，湖北人，他就是給錢由共幹把他弄出來的。他今年十六歲了，他是先由湖北到廣州，再逃來海外的。他抵達廣州市後，聽人說華僑旅行社可代辦手續來香港，他靈機一動跑去問，但因他的證件祇是由湖北到廣州醫病的，華僑旅行社回答他沒有辦法，他亦就不作此想了。他回到他住的旅館去休息，但不一會，有一位不速之客來拜訪他，他有些怕他想到香港的事被共黨知道，担心要出事，但躲亦躲不了，祇好接見，先決定儘可能少講話，後來，還是那位不速之客先開口問他：「同志，你是不是想到香港去」？他不敢承認，但亦不敢否認，乃支吾以對。那位不速之客於是安慰他，要他不必怕，說他可以代爲想辦法的，條件是要他一千元港幣，保險他能安全地到達香港。劉君答以他沒有錢，除非到了香港求朋友，也許可弄到這筆錢。那位不速之客竟答應了，說是可以到港三天後給錢，還說他不怕劉君「過河拆橋」的。

第二天早晨，他就這樣和那位不速之客同搭汽車到了關閘，到時根本沒有經過什麼檢查，就平安地步過了關閘，進入了澳門。劉君起初還以爲是到了香港，後來才知道那是澳門。在澳門住旅館也是那不速之客替他找的。在澳門住了四天後，一個晚上，又帶他落船，是一艘不頂大的木船，他一進船裏，看見早擠滿了人，大約有二三十人之多，都被安置在船底躺着，要他們不得吵鬧和亂動，上邊船面，船面堆滿了貨物。當下船就開了，在裏面相當難受，也祇好由他去。天還未亮時，他們已到達九龍一個地方登岸，再由他們分別派人護送劉君等到達目的地，劉君本人一天內就借到一千元給了他們。

劉君說，他交錢時，那人還對他說：「他如有親戚朋友想出來的，可以和他連絡，同樣辦理」。劉君說這些共幹要看你的身價要錢的，據他那天晚上在木船中知道，有的人花到五六千元港幣之多呢。

劉君還說：湖北他的家鄉眞夠慘，大家連稻草麥梗都拿來研成粉末做餅來吃了，有好多人都害了病，最普遍是黃腫病，因病而死亡的，多得很，眞慘！又說他的家鄉過去多喜歡養狗的，共黨來後，而今狗也被他們殺得絕跡了。共黨還胡扯的說：狗是專門替富人當差欺負窮人的東西，如今窮人翻身，用不了這些狗了云云。（言）

瘟君續夢

第四回： 掩面向黃泉，貳臣遺恨　低頭拜白虎，末帝驚魂

毛澤東笑道：「有沒有證據呢？」

趙樸初說道：「證據很多，民國初年安徽軍閥倪嗣冲，一生無惡不作，殺人如麻，到了害病要死時，渾身發腫，滴水不能進，閉眼就看見冤魂來索命，睡在床上日夜乾嚎，過了二十多天才死。他本來是個大胖子，到死時只剩了一付骨骼，全身血肉都變成水流盡了。」

毛澤東聽到這裏，慢慢把手中紙烟放下，臉上笑容也失去了。趙樸初說道：「至於輪迴之說，人所共知的一件事，就是烟草大王簡某死後投生一隻小狗，托夢給中人家，買回來供養。由這些地方看，因果輪廻之說都是有的。」

毛澤東閉着眼思索一時，問道：「像這類事情，有沒有辦法化解呢？」

趙樸初雖是居士，對佛經並沒有湛深研究，聽到毛澤東這一問，頓時不知所答，只是望着巨贊，要他說話。

巨贊雖然也不是眞正的佛門弟子，不過，他究竟當了二十多年和尚，所知所聞自較趙樸初這個「居士」知道的多。當時站起來說道：「佛法上有個拜『水懺』，是解生死冤仇的，據說漢朝的袁盎陷害了晁錯，使晁錯滿門斬首，這個冤仇晁錯追了袁盎十世，因爲袁盎當時是個得道高僧，雖然被晁錯冤魂找到，生了一個人面瘡，結果用法水洗掉了。以後凡是不能解的冤仇，就用拜水懺的辦法。」

毛澤東聽出興趣來了，連忙問道：「曹錯同袁盎，是曹操和袁紹的什麼人？」

巨贊和尚搖搖頭：「我沒讀過資治通鑑，他們的譜系我卻鬧不清楚。」

毛澤東笑道：「佛經我沒你熟，歷史你可沒我熟，下面的事情就要我講給你聽了。袁盎傳了多少代傳到袁紹和袁術，曹錯也傳了多少代，傳到曹操，兩方面打起仗來，袁氏弟兄都被曹操殺了，也是滅門，甚至袁紹的兒媳婦，都被曹操的兒子曹丕奪去，你說報應的慘不慘。」

趙樸初和巨贊聽的毛骨聳然。毛澤東說道：「現在言歸正傳，你們回去也替我拜一次水懺，超度李濟琛，免得他像曹錯追袁盎一樣追我。」

巨贊和趙樸初兩人互相換個眼色，不敢說話。毛澤東自言自語的說道：「其實恨我也是多餘，我實在是不得已呀！」

趙樸初勸道：「主席何必爲這些事分心，爲革命而殺人，完全是必要的，他即使告到陰曹地府，閻王爺也不會管的。」

毛澤東嘆口氣：「不問李濟琛告不告狀，我們拜過水懺，就算還清了債務，眞是有一天大家對質的話，我也有理。」

趙樸初同巨贊不敢多說，怕惹是非，等毛澤東說完，他們就起身辭出。

藍蘋同麗拉坐在傍邊聽故事，都聽呆了，又插不上嘴。看見兩人走了，藍蘋才縐着眉頭說道：「潤之，你近來好似有點精神恍惚，忽然怕起鬼來，眞使人莫明其妙。」

麗拉也勸道：「爸爸，爲人不作虧心事，夜半敲門都不驚，你怎麼忽然怕起鬼來。」

毛澤東苦笑道：「孩子，爸爸就是虧心事作多了。」（八四）

書台灣林文明冤獄

十八爺

林文明彰化阿罩霧莊人，爲林文察之母弟，林朝棟之叔父也。幼隨其父定邦解救族人林連招被擄案，定邦被匪林和尙殺斃，文明亦負傷。文察長大後，誓報父仇，跡林和尙行踪所在，猝擊之，力曳至父墳前剖心以祭，乃赴縣自首。咸豐初，太平軍起義幟嶠，四方蠭動，文察與弟文明，奉檄募台勇內渡，助平建陽汀州之亂。繼而轉戰杭州衢州間，戰輒有功，以所部台勇，皆鄉里子弟，樸訥堅武，生死相依，故能以少勝衆。文察積功署福建提督，文明擢副將。同治二年六月，台灣戴萬生起兵大墩，破彰化，圍嘉義，窺淡水，南北震動，詔命文察回台平亂，文明亦隨之返，連戰皆捷，十月戴投降正法。事平，文察復內渡，與太平軍鏖戰萬關，歿於陣，贈太子少保，予諡剛愍。

台民俗喜訟告官吏，不嚴反坐，故豪門巨室，平居恒自危。當戴萬生之倡亂也，文明隨兄進勦，駐軍於家，亂黨多見殺，遺種仇之，時謀報復。自文察彰州死難後，勢日替，文明居鄉多武斷，仇益恨之，同治九年，遂誣攤文明以謀反罪，督撫飭鎭道用便宜。時粵省黎兆棠爲台灣兵備道，悍酷寡恩，委吏凌定國蒞彰化城，僞牒問狀，文明肅衣冠，披翎頂，昂然入縣庭以就質也。定國出其不意縛而殺之，以露刃登堂，率衆拒捕罪名上報。其母林戴氏，年已八十，痛子無辜被殺，四次入京控都察院，事下督撫議，無如衆官相護，率合別情，以蔽其寃。戴氏以衰年命婦，羈省候訊，十有三年，家道中落，晝夜涕泣，苦守閭垣，寃不獲直，誓不歸台。主辦原案之黎兆棠，方以京卿督辦福建船政，又與總督何璟同鄉，同官相袒，自不待言。是時編修何金壽，御史吳鴻恩，孔憲轂察其寃，爭入告。舉人邱敏光等復合數十人呈督察院，懇求昭雪，始有嚴詔促斷結，承審吏許雪文明謀反寃，並請旌表戴氏。時林朝棟已官道銜兵部郎中，文明遺孤朝昌亦積功保至守備，朝棟以祖母戴氏年逾九十，羈旅他鄉，衰病日劇，亟思侍奉回台，乃邀斷代出切結完案，蓋其祖母不知，猶堅持在閩候不肯歸也。戴氏病至垂危，執朝棟手謂曰：「吾死不能爲汝叔伸寃，汝父殉難，汝忠臣子也，終當捨生以成吾志。」（上）

唐太宗（七）

李仲侯

貞觀六年，太宗親錄囚徒、放死罪二百九十人使之回家渡歲，令明年秋末再到案就刑，到了第二年九月，無人督率，皆如期自詣朝堂，竟無一人逃亡不到，太宗於是皆赦免其罪。這件事雖曾惹起後人的議論很多，但在法治史上確爲一件空前絕後的事。史家艷稱成康之治，刑措四十餘年，按貞觀四年，終歲斷死刑僅廿九人，與成康之治可後先媲美，二者均在政治史上留下了奇蹟。

太宗立國規模的宏偉，在中國歷史上亦要算是空前絕後的，因羅其宇之大，統治之廣，故中央與地方行政之組織亦甚龐大。在中央，王室與政府分立，君權與相權互濟，中央組織，由中書，門下，尙書三省分權鼎立：中書司發令之權，門下司審核之權，尙書司執行之權，三省權責均明確劃分，不容混淆。三省官制，起源本早，中書總國內機要，侍皇帝起居，掌管王言。門下省的主要職務，在盡規獻納，糾正闕失，其他雜務如尙食，尙藥，尙衣，均歸掌管。不過這兩省常合署辦公，共同掌管發佈命令之權。尙書則爲全國行政最高機關，如今日中央政府之行政院，組織龐大，下置吏，戶，禮，兵，刑，工六部，每部各轄四司，共廿四司，此外還有九寺，五監，分理庶務。尙書上承君相，下行中外百官，爲全國行政之總樞紐，原設尙書令主其事，其權力亦最大；因太宗在即位前官此，故將此缺虛懸，改設左右僕射二人，人選自極重要，如房玄齡，長孫無忌，李靖等均久任此官。

唐代地方制度，自高祖受命，改郡爲州，太守並稱刺史，於緣邊鎭守和襟帶之地，置總管以統兵戎，太宗即位，始依自然地理形勢，從新調整疆域，分全國爲十道：曰關內道，曰河南道，曰河東道，曰河北道，曰山南道，曰隴右道，曰淮南道，曰江南道，曰劍南道，曰嶺南道。道以下爲州（府），縣。地方首長，道有大都督，巡察，安撫，存撫及十道按察使等官，州在京兆、河南、太原三尉者，稱爲牧，其餘稱都督刺史，縣設縣令。

袁世凱洹上吟

漁翁

袁世凱，字項城，河南人，幼入邑庠，俗稱之曰「秀才」，而志氣豪爽，以雕虫小技，壯夫所不爲，故不從事學子業，嘗慕范希文爲秀才時，以天下爲己任之志，亦有「方今天下，舍我其誰」的想法。

袁一帆風順，成爲清室重威人物，西才高見嫉，被放歸田里，在其故鄉洹水，家居養疴，蒔花種竹，以作韜晦詩酒之計。按洹水，亦曰「安陽河」，源出山西黎城縣，伏流河南安陽縣西善應山而入於衛。戰國時，蘇秦說六國合從，盟於洹水之上，故又名之曰「洹上」。此地山水清幽，風景絕勝，袁吟詠其間，積稿成帙，顏曰「洹邨逸興」，曾經印行問世，後來世人以袁改元稱帝，冒天下之大不韙，因此，文隨人棄，坊間不再見矣。

袁身在洹上，而心繫皇都，未嘗一日釋却領袖慾，讀其詩，即見其人其事也。所賦「登樓詩」：「樓小能容膝，高檐老樹齊。開軒平北斗，翻覺太行低」。末二句，上可達太空，而下視太行山爲低，氣魄甚大，已兆日後一手遮天下之先聲。詩爲心聲，良非虛語。

袁患足疾，詠「病足」多首，其中五絕有云：「採藥入名山，愧余非健步。良醫不可求，莫使庸夫誤」。是其藉醫足而諷當朝之政治人物也。

贈友詩七律一首云：「武衛同袍憶十年，光陰變幻若雲烟。鐵中早已推留守，彥博寬堪代鎭邊。笑我驅車循覆轍，願公決策着先鞭。傳聞鳳閣方虛席，那許西湖理釣船。」按武衛同袍，係指昔日淮軍老友或任朝鮮總督時之同寅，勸友出山甚殷，而己則伏處洹上，不免抑鬱於懷。

和王介艇中丞遊園詩：「乍賦歸來句，林棲舊雨存。卅年醒塞夢，半畝闢荒園。鷗倦青雲路，魚浮綠水源。漳洹猶覺淺，何處問江村？」所云「漳洹猶覺淺」，即表示其終非池中物，不甘寂寞於林泉，蓋已躍然紙上。

還有落花詩：「落花窗外舞，疑是雪飛時。剛欲呼童掃，風來去不知」。此詩有唐人風味，步驟近代文人中有此風格者，亦不多見。

袁在洹上，早料清廷危殆，果不出兩年，以革命黨風起雲湧，詔袁出山，以應付時局，遂給予一空前之良機。也可以說清朝二百六十餘年之天下，便斷送這顧命之臣手中，俗云：「請鬼看病人」，信然。

袁入朝後，一面結合民黨，一面恐嚇清廷，在不卽不離中而獲得領袖之宿願。蔡東藩作「民國演義」上說：「袁世凱於民初，運用權術做了總統以後，被六君子勸進，和長子袁克定想做繼承大清的皇帝，才衝動他的皇帝夢」。但袁之英雄思想，早已見諸洹邨逸興之作品中，奈不審時，不度德，落得「一失足成千古恨」之結局，可哀也已！

袁彌留時，提徐世昌手而言曰：「我死之後，使遺體得歸正首邱，於願足矣。」足見袁亦眷念故鄉，臨死猶不忘茂林修竹之洹上；縱袁詩：「遠天風雨三春老，大地江河幾派流」句，已驗民國五年洪憲帝制不成之讖語云。

軍旅生活憶語

諸葛文侯

民國十四年冬間，馮玉祥自熱河潛師倒戈，馳回北京，實行政變之後，原北京衛戍司令孫岳（禹行）以同謀反對吳佩孚，雪夜開城迎接馮軍的功勞，於次年初春，取得直隸（河北省）軍務善後督辦職位，坐鎭天津，綰領軍民兩政。孫氏係國民黨人，素與張溥泉（繼）李協和（烈鈞）交誼篤厚，孫有阿芙蓉癖，體氣孱弱，每日上三竿尙酣睡未起，難任繁劇，乃將民政委之於張溥泉先生，軍事交由李協和將軍綜持之，不啻「臥治」也。

時愚方執敎鞭於民國大學，李將軍自塞外張家口專車赴津，抵北京西直門車站稍停，派副官至民國大學邀愚同行，爲其司記室之役。到達天津後，下榻曹錕之「曹家花園」，日間在督署辦公，情形殊緊張，而以軍事尤甚，內有前任直隸督軍李景林率其殘衆，從事反馮，外有張宗昌挾奉軍自山東進攻河北。孫氏的國民第三軍力弱，唯恃鹿鍾麟統率國民第一軍兩師以禦內外諸敵，戰事頗激烈。李協和將軍常於午夜以孫督辦名義發佈軍令，彼口述，我筆記，再以電報或電話向前線部隊發出，許多軍事術語非我所諳悉者，李面加解釋詳明，獲益不淺。尤其是他對炮兵的指示特多，連炮位與地形亦再三審核糾正，原來他是日本士官學校炮科出身的。

迨民十五年四月間，國民軍戰事不利，決計全軍撤退。某夕，李與孫督辦偕往火車站，登上早已預備的專車，愚手持小提箱，內藏各種密電碼暨直隸軍務督辦印信隨行，然站上軍車擁塞，李孫專車無法駛出，及深宵，忽不見二公，詢之衛士，知已改乘小轎車赴京畿了。愚與李將軍的副官田師驥君商議，以火車決無開行希望，擬步行赴天津日本租界暫避之，二人倉皇下車，循馬路前進，然路徑不熟，經過三小時的盲目奔馳，猶不知日租界方向所在，而精力已疲憊，突聞四面槍聲頻發，路人謂係奉軍便衣隊已進入市區，愚駭甚，即與田君趨入一設有鐵絲網之長巷中，偃臥地下，沈沈然睡矣。此時天色將曙，市區槍聲益密，有老人窺睹愚等身着西裝，狀似學生，知非普通難民，語之曰：「此地是封底的一條死胡同，君等未可久留，速去爲佳。」就詢日租界方向，老人指述一切，愚等急起前行，行至距日租界數十丈外，難民蝟集，日軍持槍把守鐵絲網缺口，禁人走進，愚等佇立觀變，忽一槍彈飛來，擊斃道旁行人中的一婦人，難民羣驚號四奔，而槍聲更緊密，人羣頻發慘呼之聲。時已天明，愚以置身危地，將不免，乃急馳至日軍近距離處，用日語大聲說道：「我是今早由日本坐船到達大沽口的，請讓我倆進去罷！」日軍瞥見愚帽側綴有日本早稻田大學別針式的小校徽，信以爲眞，慨然許之。進入租界內，一片昇平氣象，與鐵絲網外恍爲兩個世界，心裏發生無限的感慨。李將軍在北京候我不至，以爲遭難了，等我赴京相見，他歡然道：「你還在呀！幸運幸運。」

山川風物

寒窰

南道

平劇中武家坡的王寶釧寒窰，在陝西西安，離市區約十里許。未至武家坡，有「曲江池」，昔爲唐代開元年間貴胄遊宴之所。其東北有溝名「鴻溝」。再行約半里，至高原上有古窰，門上刻有「古寒窰」三字，內供王寶釧像。據傳即王氏苦守十八年之「寒窰」故址。旁置泥塑紅馬，即平劇中所謂「紅鬃烈馬」。門前有聯云；

「十八年古井無波，爲從來烈婦貞媛，別開生面；
千餘載寒窰尙在，看此處曲江流水，想見冰心。」

此聯爲高維嶽所撰。又寶釧神像前亦有一聯，則不知出自何人手筆。聯云：

「稗官彰其事，婦孺彰其名，廟貌彰其節，誰料丈夫出巾幗；
貧賤不能移，富貴不能淫，威武不能屈，自古貞女即神仙。」

最初王寶釧塑像，一雙金蓮仍是作紮脚的，馮玉祥在西安，提倡婦女放足，並嚴禁紮脚之後，王氏的塑像始改爲天足。

窰內後樓，爲民國二十四年，有好事者以寒窰僅祀寶釧，而薛平貴不參加，未免缺憾。且以寶釧生前，已苦守十八年，今旣廟食，不應再令其獨守了。乃募集捐欵，重修「古寒窰」，增塑薛王夫婦兩像，供奉於後樓，作爲神靈內寢之所。

輓胡適之先生聯

邵鏡人

擇焉似精，語而弗詳，哲史未完成，小心求證，猶有遺憾也；
知之匪難，行亦不易，持論果平允？大胆假設，足以自豪哉！

內僑警台報字第〇三一號內銷證

自由報

THE FREE NEWS

第二二〇期

中華民國僑務委員會頒發
台灣新聞字第三二三號登記證
中華郵政台字第一二八二號執照
登記為第一類新聞紙類
（半週刊每星期三、六出版）
每份港幣壹角
台灣零售價新台幣弍元
社長：雷嘯岑
督印人：黃行寰
社址：香港銅鑼灣高士威道二十號四樓
20 CAUSEWAY RD 3RD FL HONG KONG
TEL. 771726　電報掛號・7191
承印者：田風印刷廠
地址：香港灣仔高士打道二一二號
台灣分社
台北市西寧南路壹壹叁巷二號
電話：三〇三四六
台郵館金户九二五二

論大陸農業問題

金達凱

當前中共面臨的嚴重問題，主要是農業問題。由于連續三年的巨大災荒，農業普遍歉收，燃料不足，輸出減少，外匯枯竭，從而影響其工業生產的下降與人民生活水準的進一步降低。同時使內部矛盾擴大，右傾思想抬頭，農民生產情緒低落，軍隊情況不穩，加深了政治上的危機。因工農業問題，不僅是經濟問題，也是一政治問題，中共能否渡過這一難關，其關鍵在于今年農業生產之能否好轉。現作一概括分析。

一、大陸農業減產的基本因素

為瞭解當前大陸農業問題，須先瞭解造成大陸農業危機的基本因素。大致說來，此項因素表現于三方面：

首先，是中共的「重工輕農」政策的錯誤。我們知道，近代世界經濟的發展，雖以大工業為其主流，但農業經濟在人類經濟生活中，仍有一定的重要性。任何國家均不能不依靠其基本農業，以維持糧食和工業原料的供應。何況大陸經濟係以農業為基礎，農業人口迄今仍佔總人口百分之八十五以上，工業原料，出口物資，國內消費，大部份仍取自農業。則農業收成的豐歉，對中共經濟的影響，是十分顯然的。然而中共不顧此一明顯事實，過去數年均强調發展工業，其第一個「五年計劃」和第二個「五年計劃」的頭三年，均以發展工業，特別是發展重工業為中心，將一切資金傾注于「工業建設」，並擴大對農村的搜刮，以為其投資工業的張本。因而削減對農業的投資，從一九五〇年至一九五六年的先後七年間，其投資農業不過「人民幣」五十六億元，如按大陸總耕地面積十六億畝平均攤分，則七年內每畝投資額不過「人民幣」三元五角，每年每畝投資額只有五角的微乎其微的小數。一九五八到一九六一年，在農業，水利，林業，氣象等部門的投資，亦僅佔工農各業投資額百分之十二。因之，在農田水利，農業機械，化學肥料以及農藥等方面都不能適應農業生產的需要。于是產量既難以提高，而且無法抗禦水旱虫災的侵擾。這是大陸農業連續減產的第一項原因。

其次，由于共黨的着重工業，不斷抽調農村勞力以支援工業，特別是一九五八年和五九年的「大躍進」運動，大量抽調農村勞力轉移於工業及交通運輸單位，使大批農民脫離農業生產，從而造成農村勞力的不足。根據中共主管農業的譚震林一九六〇年三月的報告，大陸農村男女勞動力共二億三千萬個，折成全勞動力僅兩億多一點，除去參加工業及社辦工業及農村副業的人數外，當前實際負担農業的勞動力，只佔百分之五十，即一億人左右。以十六億畝耕地計算，平均每人要負担十五畝左右。而河北張家口地區，平均每個勞動力更負担耕地四十一畝。勞力既如此不足，自然嚴重影響農業生產。這是大陸農業減產的第二項原因。

復次，是由于對水土的破壞，造成水土的嚴重流失，加速了自然災害的發展。我們知道，農業生產的先決條件，在于水土的保持，而水土的保持，又有賴于林木的保護。但中共急功近利，盲目開荒，實行「毀林開荒」，「開山墾荒」，「與湖爭田」，甚至在路邊、塘邊、堤邊、屋邊、場邊到處種植作物，破壞了土壤，擴大了水土流失。土表土大量沖蝕，蓄水能力降低，稍晴即發生旱災，遇雨則形成洪水，而變成水災。這是大陸頻年發生災情的主要癥結，也是農業減產的第三項原因。

此外，更重要的一點，則是由于共黨對農村的殘酷搜刮，尤其成立「人民公社」以後，過份統制農民的生產資料生活資料，農民長年辛苦勞動，到頭一無所得，因而降低了農民的生產情緒，消極方面則實行怠耕，積極方面則破壞農具，進行不同方式的反抗。這是大陸農業減產的第四項原因。

由此不難看出，大陸農業問題，人為的因素居多，自然的因素較少。也可以說，共產極權統治制度，就是發生災害，製造饑荒的主要根源。因此，除非中共洗心革面，放棄一切暴力政策，否則大陸始終是饑餓的，共黨的困難始終是無法解決的。

二、現階段的大陸農業危機

基于災荒對中共的嚴重影響，因此中共今年的最大目的，是穩定農業經濟，希望能有一個中等年景的收成，以改善過去三年連續災荒所造成的不利局面。如此，自去冬以來，即廣泛鞭策農民進行春耕的準備工作，希冀尤有一個好的夏收。但是根據最近情況，共黨此項願望將要落空，因為在春耕問題上已遭遇到不少的障礙。

第一，是水旱虫災的問題。去年入冬以來，長江以北地區缺少了雨雪，河南，安徽等省已出現旱象。目前又因春季寒潮的到來，江北各省將要下霜，這對于春麥是一致命的打擊。其次是地下虫害增多。據最近中共農業部宣佈，大陸今年的地下虫比往年特別多，如河南沁陽縣一九六〇年有三十二萬畝田發生地下害虫，一九六一年蔓延到六十一萬多畝，今年又繼續增加。這對農作物自是一嚴重的威脅。

第二，是農具的問題。目前大陸機耕的土地面積還很小，農業生產主要依靠普通農具與耕畜。但是近年來農具普遍缺乏，今年尤感不足。據江西信豐「桃花公社」的調查，該社一個生產隊即缺犁二十五部，鋤頭、禾鍬、鐮刀等七種小農具，即缺三百三十九件之多。至於耕牛，亦普遍不足。如河南南陽原以產黃牛著名，現在該地的黃牛差不多絕了種。

第三、是種籽的問題。因連年饑荒，有的將種籽吃掉，或留得不足，有的保管不善，已發生霉爛變質，不能應用。據本年三月十五日北平「人民日報」消息，據十七個省區的調查，都發生有不同的問題。如山東廣饒縣缺的各種種籽竟達四百多萬斤；寧夏中衛縣「景莊公社」缺種一萬多斤。

他如肥料和農藥的缺乏，水利工程的兒戲，對春耕也有重要影響，河南白沙灌區建成不久，其渠道橋樑即損壞百分之四十，斗門損壞百分之二十五，量水設備損壞百分之五十。不過是公開的例子而已。

由上舉數例來看，今年大陸即便不發生自然災害，其農業收成仍然大有問題。何況水旱虫災已經露頭，勢無法避免。是則，今年又可說是一個災荒年，也在中共政權未崩潰以前，大陸人民將無法擺脫饑餓的厄運。

三、大陸農業的根本難題

目前中共雖在農業的危機下，並在工業生產比例上進行某種「調整」，並從工業單位抽調勞力回到農村。最近「人民日報」復以「從各個方面加強農業戰線」為題，發表社論，強調「從各方面加倍努力，以更多的人力和物力加強農業戰線，是爭取今年農業收成好轉的決定性步驟」。這暗示出其本年度的經濟計劃，將以農業為中心。其「人代會」的遲未舉行，及于前日召開「最高國務會議」（這是舉行黨中央會議後之重要步驟及舉行「人代會」之前奏），均與農業問題有關。但是能否解決農業問題呢？

拋開人口與耕地資源的矛盾不談，僅就農民與共黨的矛盾來說，即可肯定大陸農業的無法好轉。我們知道，農業是一有機的生產，農民的主動性與積極性，為提高生產的重要源泉，失去農民的支持，則不管如何集體化，至如何機械化，都是無法解決農業的落後。蘇俄農業的不斷發生問題，從列寧、史達林以至赫魯曉夫，都不能[illegible]。尤其[illegible]來的個體耕作和以家庭為單位的生活習慣中，其傳統的生產觀念更牢不可破。近年來中共雖改變「人民公社」性質，強調以生產隊為生產單位，並強調「按勞取酬」「等價交換」，以博取農民好感。但是由于它的說的與做的完全兩樣，實際上仍不放鬆對農村的搜刮，繼續統制農民的生活資料，剋扣農民的口糧。在飽受欺騙教訓和飢寒的現實的煎熬之下，農民也必然繼續怠耕，或進而從事更大的反抗。因之農業問題，將是共黨面臨的各種問題的尖端，農業的困難，註定了共黨的命運。

漫画天下

兩面倒

法蘭西小姐的扭腰舞

自由談

共黨的宣傳

蘇俄的陸軍宣傳工具「紅星報」最近寫文章指述美國一般普通人民常在饑餓之中。這眞是閉目瞎扯，不知所云。美國一般民眾生活水準之高，甲於全球，這是事實，而其社會保險制度亦相當完備。美國縱然有窮人，但其貧苦的程度，決不像共產社會如中國大陸上那種餓莩載道的情況，也沒有如蘇俄的運動員，走到資本主義社會（如倫敦地方）的百貨公司，就作扒手的丟醜行為。然而俄共竟有臉面來指摘別國人民常在飢餓中，這不特發生不了絲毫的宣傳作用，而且徒然表現着葡萄是酸的那種醜惡心情，可恥孰甚哉！

史達林有言：「共產黨人都是特別材料造成的。」這話一點不錯。我們在香港的共黨報紙上，每逢夏令時節，就常常看到有所謂「台灣赤地千里，民不聊生」的特訊，把台灣社會描述成一幅飢民遍地的圖樣。世人都認為美國生產發達，人民富裕，共黨偏說是常在饑餓中；世人皆指證台灣農民生活安定繁榮，工商業日益發展，共黨偏說是赤地千里，民不聊生。他們如果不是特殊材料造成的，怎麼作出這種特殊的奇談，而不怕別人駭笑呢？

從此我們可以證明一項共產世界的眞理，即他們的「鐵幕」政策，乃有其千該萬該的實際需要。先將鐵幕內的民眾，用思想改造的魔術，閉聰塞明，然後以胡說八道的教條，強迫灌注於每個人民的腦海中，變成不知人間何世的麻木動物，即絕對相信共黨的話是百分之百的正確了。譬如韓戰時期，毛共報紙曾經告訴中國大陸上的人民，說原子彈只是雞蛋那麼大，決不可怕，用報紙就可以擋住它。假使沒有鐵幕緊垂着，而讓外面的知識流傳進去，或者允許內部的人民隨便出來看看別處的情事，上述中俄共那類瞎話，誰還願意聽信嗎？

所以，共產社會一定要剷除舊有的知識分子，要把鐵幕內的兒童們，一手訓育成為機器人，可謂勢所必至，理有固然，毫不足怪也。

馬五先生

劉承司起義與心戰廣播

（本報記者台北航訊）最近自由世界有件大事，就是三月三日中共東海艦隊，第六航空師的一位少尉飛行員劉承司，駕駛米格十五型噴射戰鬥機，投誠到自由祖國——台灣的事情，這件事情，對自由與奴役的戰爭中，實在發生了極大的影響。這並不是因為一架飛機，一個人的問題，而是從這件事情上，證明了毛澤東統治集團，必然要崩潰的有力解答。

劉承司從小就接受了中共教育，可以說是由中共所一手培植的紅色接班人，但是他却唾棄了中共，而冒着一切危險而起義來歸投到台灣來了。這足以證明，中共一般幹部，都厭惡共產主義了。

其實說穿了，道理很簡單，人總是人，眼見中共統治集團，所作所為，使大陸人民經常生活在飢寒交迫之中，眼見自己的父母、妻子、兄弟、姊妹、親戚、朋友吃不飽，穿不暖，而中共的頭子們却在人民大會堂裏天天大擺筵席，叫他們心裏如何不起反感？有機會當然是反共抗暴了。

至於劉承司如何能勇氣百倍的駕機起義，這必須歸功於中央廣播電台了。這是一所專門對大陸廣播的電台，因為他們祇問耕耘不問收穫，所以外界都不清楚，自由中國有這樣一個對中共心戰的電台。這電台上工作的都是朝氣蓬勃，富有熱情而學有專長的青年，由一位姓黎的主任領導，日夜不懈的埋頭苦幹，進行對中共心戰廣播。劉承司的能有勇氣駕機起義，就是他們的傑作。據劉承司說：他是聽到了電台播送的蔣總統六大自由三項保證同邵希彥，高佑宗立志東飛的特別節目之後，才放心大胆的駕機起義的。

這一所電台，到今天已經使毛澤東等感到極度頭痛，想盡辦法也無法干擾，祇好嚴厲管制人民聽收音機，但是一批批投奔自由的人，還是那麼多，其中很多人是中共幹部，他們都是受了蔣總統六大自由三項保證的號召而起義來歸的。

中央廣播電台，除了國語節目之外，還有各種方言節目。他們有一個：「祖國的召喚」節目，是用各種不同的方言所播送的，這個節目詳詳細細的向中共陸海空軍與一般幹部，說明如何能安全起義來歸投奔自由。這個電台能有今日在對中共心戰上產生這樣大的威力，蔣經國，陳建中二位先生的功勞實不可磨滅。（柯仁）

角色包括流氓居民與憲兵
廿四小時三件打案
件件都很駭人聽聞
為什麼呢怎麼辦呢

（本報記者台北航訊）在十五日的台北報紙上，同時刊載有三件駭人聽聞的「打案」，一件更比一件嚴重，一件更比一件可怕。

這三件「打案」是廿四小時內發生的，依發生時間的早遲為序：第一件「打案」發生於十三日晚間，地點是高雄市距離自強路，警察派出所不遠之處，有三個較年青的小流氓，圍打一個較年長的大流氓，而且打得眞毒，居然活活的就把那個大流氓打死了。不特此也，就因為打得兇，竟使得一個路過其地目擊此一「打案」的六十八歲的老翁孫天來，因此而給嚇死了，使這一「打案」實際是死了兩個人。

被打死的大流氓，名叫黃耀牯，四十歲，是高雄市前金區黑社會「四大金剛」中的「老大」，在高雄是大大有名。打死他的，則是「四大金剛」中的二十二歲的「老二」黃重雄，以及兩個小流氓邱明雄與謝德章。這四個人和另外三個小流氓，當晚一同到美樂彈子房撞球尋樂，終因「老大」調戲計分小姐高阿秀，而高阿秀却是「老二」的愛人，後者氣不過，不顧「江湖義氣」，要逼「老大」當衆道歉，老大不肯，溜走了，但「老二」跟踪不捨，率同邱、謝兩小流氓，追到民生路一六九號附近，合三人之力，對「老大」拳脚交加，活活把他打死。

六十八歲的孫天來路過目擊其事，他駭得直抖，盡力奔到自強路向警所報告，他最後說：「我活到這大年紀，都沒見過打人打得這般很」。他說後便因驚恐過度而心臟痲痺昏倒，經急送醫院救治無效，而死去。

第二件「打案」，發生於十四日上午，地點為台北縣永和鎮的永和戲院。當時係在那裏舉行戶長座談會，商討築堤問題，出席的戶長有六百多人，永和警察分駐所所長劉鑄亦率領二十餘警員到場維持秩序。但當會議永和居民為築堤而草擬的緊急呼籲書，正提請會議表決之時，堤內居民鼓掌通過，而堤外居民有的反對，且有人大聲喊打，就打了起來。打的目標為「永和鎮建堤促進委員會」的兩個常務委員李憲章與賈永祥，打人者則很多，無法計其數，都是堤外居民。「打案」開始後，會場秩序大亂，羣情汹汹，雖警分所長劉鑄及二十餘警員力加制止，亦告無效，劉鑄且因此挨了幾拳，警帽被撕毀，警章被撕掉。紛亂歷時十多分鐘，還是靠警員奮不顧身，才把被圍毆的李、賈二人救出重圍，載往醫院急救，否則李、賈二人未必能夠不被活活打死。

據醫院診斷：李憲章計唇部、兩頰、鼻子、耳朵等處受傷，賈永祥則背部及眼角負傷，均留醫調治中。李、賈兩人，不但是建堤促進委員會常委，而且還是國大代表，所以第二天，「國代聯誼會」曾推舉代表，前往慰問他們。

第三件「打案」則發生於十四日晚九時許，地點為台北市南京西路，被打的是警察巡官及警員各一人，另外一個路人因說了幾句話，亦遭毆打。打這三個人的，則是憲兵特勤隊的十幾個憲兵。這三人在街上被打之後，又還被拖進憲兵隊去毆打。那位巡官的配槍亦被繳去。

這件「打案」發生的原因，據說是為了警察取締黃牛，而與憲兵發生「誤會」所致。當這三人被拖進憲兵隊毆打時，憲兵隊前圍而觀者有千多居民，一時情勢殊緊張，憲兵們均持槍警戒，如臨大敵。及後還是憲兵及警察高級官員前往憲兵隊，才得把被打的巡官與警員接出，送醫院救治。

據十五日台北憲兵隊及北市警察局發表的聯合聲明說：「憲警雙方人員，均對此事深表遺憾，雙方並亦諒解此事之發生，全係少數士兵一時情感衝動偶然發生者。台北憲兵隊曹隊長及北市警察局張局長基於『憲警一家』之旨，除對滋事人員業已從嚴懲處外，咸認今後更能精誠合作，團結一致，為維護社會安寧秩序而努力」云云。

如此接二連三的嚴重「打案」，殊屬可怕之至。流氓打架竟打死人，確屬駭人聽聞，且確嚇死了人。人民開會亦大打其架，尤屬駭人聽聞。以維持社會治安為職志的憲兵警察亦竟發生「情感衝動」的「打案」，就更是此風不可長了。為什麼有這許多可怕的「打案」呢？將怎麼樣有效戢止這種嚴重的「打風」呢？都是不容不立刻找出答案出來的。（治）

齊如山享福一輩子
國劇研究前無古人

（本報記者台北航訊）繼一代學人胡適之先生猝然辭世後，十八日，有「國劇大師」之稱的齊如山先生，亦以心臟病發，救治不及而死亡了。齊如老得壽八十有六。

齊如老那天是在空軍新生社觀賞小大鵬的娃娃演員們演出「小放牛」時，昏倒在劇場中死去的。最先傳出的消息，說齊如老因手杖滑倒的，俯身去拾手杖時心臟病發作昏倒的，但後來據座位貼近他的人說，齊如老實在是在看戲時病發倒下，其手扶身體，幾乎同時倒地。齊如老昏倒後，立刻被送到台大醫院急救，送到醫院時，心臟與呼吸均已停止，僅手脈還在緩緩跳動，雖經立刻灌輸氧氣，注射強心針及人工呼吸，亦無效用，於上午十時半宣告回天乏術。

齊如老是河北省安陽縣人，他家是當地望族；雖非貴，而甚富。如老幼讀詩書，及後到北平同文館唸德文，以後就到德國留學。從在北平時就是有名的「公子哥兒」之時起，如老就偏愛國劇，欣賞、研究，興趣盎然。德國留學回來，如老既未從政，亦未就其他職業，而就是對研究國劇感興趣。故有人說齊如老是玩戲玩了一輩子，亦享福了一輩子。

以往，我國人祇把國劇當作無關緊要的娛樂。王國維等人就文學立場去研究中國戲曲，其成就固有足多，但以純藝術的觀點去研究國劇的，齊如老是第一個人，其成就亦是空前的。

齊如老比梅蘭芳年長二十歲，他德國留學歸來，在北平聽梅蘭芳的戲，認梅是國劇天才，乃與梅訂交，一口氣替梅編寫了「生死恨」、「霸王別姬」、「鳳還巢」、「天女散花」等戲，在唱與做等方面，他亦有獨到的見地，不時向梅蘭芳指點，梅亦樂意於接受。梅的藝術造詣人所共見，但梅有這麼高的成就，齊如老實在功莫大焉。

共黨佔據大陸後，如老南下至香港居留，及後再到台灣。如老在台曾新編「征衣緣」、「新送京娘」等劇，但他對若干大人演員的演出都不感滿意，因而把希望寄託於小大鵬及復興劇校的娃娃演員身上，認其中很有些資造就的天才，每逢娃娃演員有演出，他必定去捧場，並隨時給予指導。正如胡適之先生是死於學術一樣，如老則是死於戲劇。

齊如老不但對國劇有劃時代的研究，同時他對我國民俗文學，亦有湛深心得，他一肚皮的帶鄉土氣的我國小掌故，每談起來，親切而雋永。他著作等身，除關於國劇者外，有若干就是有關民俗文學的東西。如老從前為研究國劇及民俗文學，所搜集的資料，甚為豐富，整整堆滿五間大房，有一位日本的漢學家慕名參觀了他的收藏後，回日本曾寫文章說，如老有關國劇的收藏之富，多過任何一個圖書館的收藏。

如老本年初曾出版約二十萬字的「國劇藝術彙考」專著，據他的老友馬壽華所寫評文中有云：「這本巨著，在國劇藝術方面，可以說是與六經諸子同功，在教育功效方面，可說是與汾河陽明比美」。（樂）

葉公超閉門編講義
劉東巖提議設胡適獎學金

（本報記者台北航訊）行政院副院長王雲五，十三日上午在立法院答覆立委趙惠謨詢問時，否認陽明山第三次會談參加人數已決定為八十人的傳說。王雲五說：關於陽明山會談，不但人選沒有決定，人數多少至今亦沒有決定。王氏又鄭重表示：「凡是忠於中華民國的人士，具有代表性的，儘管與政府見解不同，為集思廣益起見，都是考慮在羅致之列。」

▲葉公超重作馮婦：前駐美大使葉公超博士，自三月九日起，在師範大學英語研究所，重行登台執教，他教的課程是「英美現代詩人」。葉氏二十多年前，曾經在北京大學和清華大學開過這門課程，受到許多青年學子的歡迎。葉氏此次卸任駐美大使職務後，是他近二十年來最清閒的一段時間，因此師大的梁實秋教授和台大的英千里教授，邀他到學校講學時，他便終於答應下來了。他在台大亦開的是「英美現代詩人」這門課程。

葉公超住在市郊的榮民總醫院已很久，現在亦還住在那裏。有消息說他準備搬到市內來住，比較方便些。他正閉門趕編講義，故拒絕記者們的訪問。

▲胡適獎學金：胡適博士逝世後，舉國上下對於這一代學人所表現的敬意與哀悼，允稱空前。最近大華晚報徵文紀念胡適博士，有國民大會副秘書長劉東巖等建議：設立「胡適獎學金」，以一方面紀念胡氏對國家及學術的偉大貢獻，同時也可嘉惠青年學子。劉東巖及台大教授方豪等，並首先將稿酬捐給「胡適獎學金」作為基金。

劉東巖此一建議大要是：設「胡適獎學金」基金委員會，對所籌集到的基金之多寡，按年酌於國內著名大學及研究所等，擇肄業學生及研究員之合格獎學標準者，每人每年貸予獎學金五千元至一萬元；肄業或研究期滿後，應歸還貸款，另貸新人。如此循環，貸助獎學可垂永久，不惟男女青年學子永久蒙其德澤，胡適之先生亦可含笑於九泉。

劉東巖並提議前任美國駐華大使莊萊德及魯斯克國務卿，與我國駐美大使蔣廷黻諸先生，在美國再成立一個「胡適獎學金」委員會，以獎勵合格貸助在美國留學之各學業優良學生與研究員，如此，全球男女青年，均將同蒙其庥。（燕謀）

悼念齊如山先生

雷嘯岑

旅居台灣的中國文化界耆宿，最近連續去世了兩位——胡適之先生喪事剛告一段落，齊如山先生又溘然而逝了！老成凋謝，吾誰與歸，我心匪石，能不悲哉！

胡，齊兩位先生都是以上壽之年，因心臟疾發而忽然萎化，就其個人來說，著述等身，楷範長存，可謂毫無遺憾，然就國家民族的當前需要設想，却無疑的仍是一大損失。齊先生最近還替本報撰寫過長篇的國劇音韻考據文字，頗受讀者歡迎，我曾經函台北陳紀瀅兄敦促如老繼續惠稿，詎料佇候多日之後，得到的竟是如老的訃音，其傷感爲何如耶！

自中樞政府移至台灣以來，我因爲素性愛好皮簧劇藝之故，每到台北必與齊如老晤面揖敎。六年以前，某夕我在台北「新生社」，初次欣賞坤角徐露扮演「四郎探母」的鐵鏡公主，座位恰與如老相鄰接，聽到徐伶的咬字與道白後，叩問如老「她是南邊人嗎？」如老笑道：「你猜的不錯，她是江西人。這孩子材料不壞，學習梅派戲曲，必定有成就。祇可惜她現在似乎有點驕傲的心情，若不改正，那就很糟糕。」接着他又把「探母回令」這齣戲初在台灣禁演，繼經他修訂劇詞後，纔告弛禁的經過，向我敘述甚詳。我說：「這原是如老的拿手傑作，當然成功。」他欲然答道：「不成呀！你瞧台上鐵鏡公主頭上所戴的花飾，就不是那末回事。在台灣找不到京朝派的地道玩藝，只好對付着，騙騙外行啦！」

去年冬間，我在台北親戚家吃涮羊肉，在座的除齊如老之外，還有如老的昆仲壽山翁和盧小嘉先生。我們大談其皮簧劇藝，月旦現在台北的各色人材，我首先提到徐露，說這次相隔六年之後，看她演出一曲「遊園驚夢」，技藝頗有進步了，但不知其演唱皮簧劇，究竟是宗師那一派的路子呢？如老笑說：「人家現在成了名角，就算是徐派罷！」舉座爲之啞然。繼而我談到生角某君的藝術，盧小嘉先生答道：「從前有人問譚叫天兒，孫菊仙玩藝如何？譚說，他就那末唱下去罷，唱到臨死，他還不知道怎末唱纔對哪！」如老頷首微笑之，即對我說：「大鵬劇團現有兩個天才生，你可能不知道，一位是唱青衣的坤角嚴某，一位是唱雉尾生的某某（姓名我忘記了），都在童伶期間，很可造就。尤其是那個雉尾生，一切動作、表情、聲調等等，天然的合乎標準，就是在大陸上，也不容易找到這種人材的。你應該去瞧瞧，如其樂意的話，我可以吩咐大鵬劇團，在這個星期天下午，專排這兩位天才的戲，請你欣賞一次。」我告以回港的飛機票已經購定，來不及等到星期日就要走了，下次來台北時，一定請如老領導我去看看，以廣見識。誰知此項預約竟永遠不能由如老來實踐了！早知如此，我去多在台北再住一個月亦無所謂啊！

齊如老對人總是充溢着愉悅親切的氣氛，處世總是表現着滿懷樂觀心情，去冬我告訴他：「香港的共黨報紙上，兩年前曾經刊載梅蘭芳希望如老回到內地去的談話，說是可以保證如老的安全生活。」如老嗤然曰：「他有本事保證我的安全生活，幹嗎不能保證自己的安全，而以望七之年的老者，還要在舞台上唱旦角，替共匪拼老命呢？笑話！」他對於關係國家民族的節操問題，却凜然有所不爲，決不含糊。我跟如老在親戚家吃飯時，他的兒媳們亦在場，並且從旁指點我吃涮羊肉的方法——因爲我是南方出生的「老趕」，不會配作料——我再三請他們入席，他們都笑而不答，如老正色而言曰：「咱們北方人的規矩，有長輩在吃飯，後輩就得侍候侍候，等長輩吃完了，然後自己用飯。」我說：「如老這種家教，假使施之於美國青年兒女，一定非碰壁不可。即施之於本國一般的新青年，八成兒亦是行不通的。」他答道：「這是我國文化傳統的禮節，是修身齊家的要道，在我家便得如此。」這可見如老的家教謹嚴之一斑了。

我從民國廿一年春間，在北平前門外「戲劇學校」初次認識齊如老起，卅年來，每次見到他，音容依然猶昔，令人可親可敬。我對現代相識的老輩人之中，願意親敬兩位，一爲于右老，二即齊如老，原因是他二老沒有俗氣。如今如老乃棄我而去了，使我傍徨、悲傷，不能自己，擲筆三歎，不勝悼怛之至！

向核彈抗戰

陳知青

五、核彈戰爭的防禦（一）U—二飛機

說到核彈戰爭的防禦，我們應該分爲現階段消極的，積極的；和未來徹底的三方面來研究。大致說來，現階段的防禦計劃，都沒有十分把握。因此，核彈戰爭的挑戰，都比較困難，近於準備嘗試階段。

現在先說現階段的消極防禦，可從電子科學，核子科學和太空科學三方面來講：

電子科學，對核彈戰爭防禦的設計，注重在核彈武器的探測和警報方面。

我們這裏提出兩件重要的事實，可以說明現階段電子科學美國在防禦核彈戰爭措置上的優勢；但這優勢，祇能維持「核彈僵局」。

第一，U—二飛機對核彈戰備的探測：

U—二飛機的工作，實際上美國已對蘇俄進行了兩年，飛行了二百架次以後，秘密才被蘇俄揭穿。而最近，蘇俄却又以和平攻勢，釋放了被俘的U—二飛行員返美。

U—二飛機，是同溫層飛行機的一種，普通升空高度在七萬五千英尺到十萬英尺之間；飛行途中，不致爲地下任何現有的雷達設備所探測到，這是秘密，探測核彈備戰的基本工具，其重要性能，仰賴於電子科學。

這麼高的飛機，對於地面以及地下原子核彈武器的探測，自然比較困難。因此，電子科學，就爲這個問題，解決了特別的技術困難。

電子望遠鏡，是U—二飛機最基本的探測工具，對於高空飛行的攝影工作，反比低空順利。電子顯微鏡，也是輔助儀器，這兩種電子儀器，在天文學上和物理學上，早已在十幾年前，發展進步；把他們運用到高空飛機上連接攝影體系，運用電視技術，使地底的一切情形，可以詳明地了解。

這一種空中攝影的新電子體系的發展，先由美國康尼狄克州史丹福的哥倫比亞廣播公司的實驗室，作無人駕駛的空中飛行武器作研究。而U—二飛機的發展，當然是軍事秘密；這有人駕駛與無人駕駛之間，道理是一樣的。

一種軍用電視（叫電子掃描器的）比普通五百根通道（分解綫）精細二十倍，他有一萬根道，把畫面分析更加詳細，再由電子望遠鏡和電子顯微鏡的協助，使電子掃描機，雖在高空，仍能更鮮細地攝取地面的一切軍事設備（八）

香港與大陸

「要吃飯，老毛快滾蛋！滅共黨，歡迎老蔣快點返！」

這是現在大陸上流行的歌謠，是新近從南京輾轉逃到香港的某君講給本報記者的。某君說：在京滬一帶，這歌謠很流行，不論男女老幼，人人會哼，並亦時常掛在口邊。大家就像唸咒語那樣的在哼這首歌謠，表示大家心頭的希望，亦藉此發洩胸中的怨恨。

大陸流行民謠：『要吃飯、老毛快滾蛋！滅共黨，歡迎老蔣快點返！』

某君還說：當這首歌謠初傳出時，共幹大惱其火，曾經爲此抓去不少人，嚴刑拷打之餘，再送去勞動改造。共幹很想查出這歌謠畢竟是什麼人編出來的，却到底勞而無功，查不出來。因爲實際上，到底是誰的傑作，哼者確實不知道。某君就亦不知道。

某君說：日子久了，共幹爲了他們的家裏的人，甚至他們本人，亦生活得很艱苦，他們非但不再抓哼這首歌謠的人了，連他們自己的口中，亦禁不住跟着哼起來了。老百姓聽見共幹亦哼這首歌謠，十分開心，亦就完全沒有了顧忌，所以哼得更厲害了，男女老幼，無人不哼這首歌謠了。

某君說：大陸同胞如今最大的希望，是國軍打回來，人人心裏面都覺得唯有國軍打回去，大家才能夠有好日子過。其次一個希望，則是台灣的飛機多空投糧食，所以每逢晚間聽到有飛機聲，大家就都跑出來翹首而望，準備揀回一點空投的糧食。但晚上飛過的飛機，不見得就是台灣去的飛機，台灣去的飛機亦不見得每次都空投糧食，許多人往往只是白等一陣，無有所獲。

據某君說：在南京一帶，大人每日可配米六市兩，小孩子四市兩，老年人更祇得二市兩，距離要吃飽，差得太遠，所以沒有人不餓肚皮，特別是老年人餓得最凶，最爲可憐，因此致死者亦最多。老年人配米最少，是因爲共黨認爲他們老了，生產力減退了，只是消耗糧食，不能爲國家建設做出貢獻，還是讓老年人死了的好云云。

（惠）

瘟君續夢

第四回：掩面向黃泉，貳臣遺恨　低頭拜白虎，末帝驚魂

麗拉搖搖頭：「作虧心事要想法補救，光唸經不是辦法，死一個李濟琛就唸一次經，這麼多的民主人士都快死了，以後不是經常要唸經？我也不用去學查查，蒙寶和芭蕾舞了，乾脆學唸經算了。」

一句話引的毛澤東大笑起來。

藍蘋說道：「我說句公道話，李濟琛實在不該怪你，要說他會到陰間告你，那麼被俘了判勞動改造的國民黨軍政人員，還有宣統皇帝，豈不更要找你拚命。」

一句話提醒了毛澤東，不顧得再和藍蘋母女聊天，馬上叫田家英打電話去找羅瑞卿，不大時間羅瑞卿來到，毛澤東劈頭問道：「瑞卿同志，戰犯勞動改造的情形怎樣，有沒有悔過自新的份子。」

羅瑞卿被問的一頭霧水，怔怔地不知怎麼回答。

毛澤東忍不住了，又要發脾氣。還是藍蘋看不過意，說道：「瑞卿同志，主席問你話你聽到沒有，怎麼不答腔？」

羅瑞卿愁眉苦臉說道：「全國判勞動改造的人有幾百萬，主席這樣籠統一問，我怎麼回答？」

毛澤東也覺得太操切了，不由得笑起來，說道：「我問你被俘的國民黨高級軍政人員，有沒有悔過自新，向人民靠攏的，你開一些名單出來，我有用處。」

藍蘋插嘴說道：「還有宣統皇帝呢，他的近況怎樣了？」

羅瑞卿笑道：「所有被俘的國民黨軍政大員，覺悟最快也最徹底的是王耀武，他簡直比我們還要前進。」

毛澤東聽出興趣來了，連忙問：「王耀武怎樣前進法。」

羅瑞卿道：「他剛被俘就寫告黃埔同學書，勸大家起義，並且在電台廣播。後來陳明仁真的起義了，他們在漢口見了面，王耀武高興的不得了，他說聽到陳明仁起義，他也感到光榮。」

毛澤東說道：「口頭前進是僞裝的，假若他跑到台灣再掌兵權，又會和我們拚命了。」

羅瑞卿陪笑道：「別人的情形我不清楚，只有王耀武的前進到是真的。他在勞動改造時期，每次担二百斤草，一口氣可以走十幾里路，無人不誇他要得。」

毛澤東問道：「學習情形怎樣呢？」

羅瑞卿笑道：「學習也進步得很快，每次開小組會議時，只要提到史達林大元帥和主席，他都畢恭畢敬站起來。」

毛澤東鼓掌笑道：「瑞卿同志，你的腦子怎麼蠢得和賀龍一樣了，那一套法術完全是騙人的。張文黑從前提到蔣委員長就趕快立正，當衆高呼蔣夫人萬歲，這是大家都知道的事，可是去年他跟我到安徽去一趟，又大寫『跟隨毛主席出巡』了。王耀武在黃埔軍校是張文黑的學生，這一套工夫他算學足了，你千萬可不要當眞。」

羅瑞卿不敢再說話，只有微笑。

毛澤東又接着說道：「本來這個世界就是鬼騙鬼的，原不能仔細考究，既然王耀武做工這麼好，暫時把他記下來，只不知另外還有那些人呢？」

羅瑞卿說道：「這個問題我要回去調卷查一查才知道。」

正說到這裏，田家英推門說道：「林老來了」。（八五）

當日朝棟係用祖母姓氏具結乞銷，總督遂據請結其獄，僅奏言當時告示謀反一語爲過當，實未能盡雪其冤也。

劉銘傳撫台，朝棟、朝昌復稟請昭雪是獄稱：「胞叔文明，屢著戰功，洊保副將，既被無辜之戮，且蒙不韙之名，飲恨椎心，何顏自立天壤。再四思維，業經朝棟具結，久經奏定，本難再望平反，惟有泣辭本身及朝棟新沐之恩施，冀得湔胞叔被汚之名節，不得已瀝懇鑒察確情，博訪輿論，奏請朝棟、朝昌擬保官職，概請撤銷，追復叔父文明副將原官，明叔父被戕之冤慘，慰祖母不瞑之冤魂，朝棟等必當誓死以報朝廷」。劉銘傳乃奏：「臣曩歲家居，即聞台灣有此冤獄，及渡台後，又備悉此案奏結之未得確情：……前任督臣訪聞失實，疑爲豪勢，遂飭台灣鎮道便宜從事。林文明被殺之日，實係衣冠到縣庭投質，衆目共瞻，其非懷刃登堂，率黨拒捕，無煩重辯。

書台灣林文明冤獄

十八爺

惟事隔多年，妄殺之委員既因他案參革，督臣之誤辦此案，訊結此案者，或已物故，或已去官，牽累既多，臣亦毋庸再請查辦。惟既深知林文明以忠義之門，立功之將，而妄罹非刑，林朝棟，林朝昌，以世濟之忠而長留隱痛，事不同於幹蠱，朝廷賞功之典，豈可固辭，冤雖等於覆盆，鄉里直道之公，幸而未泯。可否仰懇天恩，俯念林文察死難之忠勇，林朝棟等數月戰守之勤勞，准將林文明開復花翎副將原官，俾全台士紳，咸知朝廷予奪之公明，不獨林朝棟兄弟感激鴻慈，涕泣效命已也」。

未幾，奉旨：「林文明一案，前據何璟等查明，並無冤抑，林朝棟情願邀斷，業經奏結。林朝棟等募勇助勦，著有勞績，自應給予獎敘。朝廷賞功罰罪，各不相蒙。所請撤銷保案，追復林文明原官之處，著毋庸議。」

此案拖訟十三年，仍由於同官相護，無法平反。足見清末政治黑暗，草菅人命之一斑。林戴氏以九十高齡，痛子銜冤，迭次叩閽，均不得直，自甘旅死他鄉，表示抗議。後來朝棟復平彰亂，再解城圍，晉升二品階，候侯道，賞穿黃馬褂。割台後，朝棟獨華服不歸日，林氏三世如此，何謂奇烈矣。（二、完）

三、創科舉：唐代科舉，是建築中國政治進入清明一塊大柱石，亦是中國文化機構的一條大動脈，因爲自唐太宗創建此一制度，能刺激全國各地的人才，使之朝向一個文化目標而進趨，全國各地的優秀人才，既由此一制度選拔到中央，再由中央下放各地，政治上永遠新陳代謝，永遠向心力趨向中央，維持一個大一統的局面。有了這一種考試制度，凡是有志在政治上活動的人，一經考取，無論在中央地方，遂取得了一種做官從政的許可狀，如此一來，其中選權皆由公開的考試標準決定，中央地方官吏，都不能再以私意上下其手。

唐代科舉選士不外三途：

唐太宗（八）

李仲侯

生徒，鄉貢和制舉。由學館出身，再經考試合格即可任官，這不管是一種學校考選任用的三聯制。鄉貢是平民參與政治或入仕的主要途徑，不經此一關，即不能應吏部試，不經吏部考試合格，不能登仕版。貢舉在科舉制度中可謂特別重要；貢舉考試，一年一度舉行，其考試和任用，都有一定程式。制舉乃以待非常之士，是一種特別選拔之法，由各地方機關逐層向上推薦於天子，再由天子親自臨試合格後，受以官職。每年多制推薦者謂之多薦。舉薦無定額，有時所舉人數太多，即加以限制。

史傳唐時選拔人才的標準，不外身，言，書，判四者。科舉考試，亦不外乎一種才智之測驗，只要其人道德上無嚴重的大毛病，而聰明才力又能過人者，便可任他去實際政治界去服務，然後再依他的成績而升遷。科舉是注重文字的考驗，且偏重於詩賦，因詩賦以薄物短篇，又有種種韻律的限制，而應試者可以不即不離的將其胸襟抱負，理解趣味，運用古書成語及古史成典，婉轉曲達，在不相干的題目下表達其意志，無論國家大政事，人生大理論，一樣的可以風花雪月的吐屬中透露宣洩，非學博而富於情感，非品潔而濟以才思，不能臻於詩賦之上乘。

四、飭吏治：太宗曾說：「朕每夜恒思百姓，閒事或至夜半不寐。惟恐都督刺史，堪養百姓，所以前代帝王稱共治者唯良二千石耳。雖文武百僚，各有所司，然治人之本莫如刺史最重也。朕故屏風上錄其姓名，坐臥常看，在官如有善惡事跡，具列於名下，擬憑黜陟。縣令甚是親民要職，昔孔宣父以大聖之德，尙爲中都宰，至於升堂弟子七十二人，唯有言偃，子路，宓子賤，始得相繼爲此官。」

漫談五行

漁翁

五行者，謂水，火，金，木，土也，分行四時，各有其德。術數家以其旺月爲用事，如舊曆以春季寅卯月爲木旺，夏季巳午月爲火旺，秋季申酉月爲金旺，冬季亥子月爲水旺，而以辰戌丑未四季月，減十八日歸本令，餘十二日爲土旺日，故週年每行用事七十二日。

術數家又謂五行相生相剋，以水生木，木生火，火生土，土生金，金生水；五行相反之，水剋火，火剋金，金剋木，木剋土。以人生命運推算，如四柱缺火，利於南方；若缺水，則利於北地，甚至因五行之所缺，而以命名字眼補救之。

命運之說，雖不可必信，而五行用事，具有相當的道理。同時，金，木，水，火，土，爲人生每日不可片刻離，特分別地寫在下面：

金屬，由地殼之裂縫迸出，凝聚地層間，多與他物化合而成鑛質，如金，銀，銅，錫，鐵，鉛，鋅之類。吾人所用之刀剪，鍋鏟及其他日常用品，多屬金製。但金能益人，亦能害人，古之戈矛，今之炮彈，成爲毀滅人類之工具。所以秦始皇得天下後，收兵器而鑄爲金人十二，同時焚書，以行愚民政策，自以爲可一世二世而萬斯年，誰知博浪一錐後，揭竿繼起，而秦社遂屋。後人以詩諷之曰：「焚書已種阿房火，鑄鐵何來博浪錐！」是則金有利於人世，不善用之，則演成禍國殃民之慘劇！

木，植物之通稱，無知覺者，謂之木，如醫言痲木不仁，故俗稱呆笨之人亦曰木。吾人日常所用之棹椅床櫃等具，何一非木所造成。所以管子有曰：「十年之計，莫如樹木。」蓋一木可以支大廈也。木不僅利於生人，且利於死，左傳：「則就木焉」，指棺木而言，即長生古所謂千年木也。

水，乃輕氣養氣化合之液體，無色無臭，在攝氏寒暑表百度則沸，冷至零度，則凝爲冰，爲吾人日食之所需。水到而渠成，范成大詩：「功名水到自渠成」，謂實至名歸，不期然而然也。可是，「水可載舟，亦可覆舟」。堯有九年之水，得禹王而治之。今日修堤築壩，順水之性以宜洩，使民得灌溉之利，謂之水利。

火，焚也。左傳：「凡火，人火曰火，天火曰災」。吾人賴以熟食者，火之力。由黑暗而變光明者，亦火之功。俗謂煞曰火，元稹詩：「心火自生還自減」。蓋心有所激而氣逆上也。火福人，亦禍人，昔日之火箭，敷松香以引火，燃之以射人者。據三國志：「諸葛亮進兵攻郝昭，起雲梯衝車以臨城，昭以火箭逆射其雲梯，梯燃，梯上人皆燒死。」而今日之火箭，其力量更千萬倍於往昔，如大戰爆發，毀滅世界人類者，火也。

土，地也，大學：「有人此有土」。凡地質表面砂泥等混合之物也，泥多而不易滲水者爲黏土，砂多而易滲水者爲砂土。不合時尙曰土，俗謂土頭土腦。又稱本地曰土，如土貨土產。人足跡所至，離不了土，及其死也，除鳥葬，風葬，火葬，水葬以外，[illegible]按此五字，左旁有金、木、水、火、土，不能對之聯語，故見而退者，認爲心靈眼高，而列爲第一人也。

台灣出版的「開國名人墨蹟」兩厚冊，附有各人的簡要事畧。各位名賢之中，我最熟悉的是李協和（烈鈞）先生，因爲曾經追隨李公有年，飫聞他閒談革命逸史不少。墨蹟中影印他於民國九年七月致國父孫公那封信，我認定並非他的親筆，而是秘書蔡公時的字跡。此外若干信札，也有些可能是別人代筆的，然皆無損於歷史上的珍貴價值也。唯所識李公事畧有云：「辛亥九江光復時，一度任軍政分府參謀長」一節，似與我所聞於李公口述者，頗有出入。事關開國史料的徵信問題，不妨姑存一說，以供史家之考證採納焉。若言糾謬尋疵，則吾豈敢！

談革命逸事（一）

諸葛文侯

據李協公告愚：辛亥武昌首義時，他因爲奉命參加是年秋操，流連在武漢，乃受任爲鄂省革命軍統帥部（初稱都督府，又名軍政府）參謀長。旋江西省亦響應革命義舉，宣告獨立，但建制不統一，南昌與九江各設軍政府，歐陽武馬毓寶分據都督之位，互不相下，贛人苦之，由彭凌霄（程萬）出面活動，聯絡江西各界人士，公推李協和先生爲全省都督。這時南京臨時總統府尚未成立，江西名界代表唯有呈請武昌革命軍代理大元帥黎元洪（大元帥係黃興，黎爲副座，黃謙辭，由黎氏兼攝之。）委任李氏爲江西都督。然黎遲疑不決，李就近再三催促，元洪答以「你自己辦命令罷！」李亦不客氣，即寫好江西都督的委任狀，面請元洪蓋章後，再囑執事者加蓋關防大印，又由秘書處發佈明令一道。他原是元帥府的參謀長，又遇着好好先生的黎元洪，乃得有此方便，若係局外人，那就相當困難。所以，李協公對愚細述此段經過時，曾笑謂：「我的江西都督是自己委任的！」

李公拿着委任狀赴江西接任之際，並無軍隊隨行，他祇是帶了幾名衛士和僚屬，乘坐一條兵艦出發（後來李公與海軍將領楊樹莊，陳紹寬等交誼甚篤，即源於此。）先到九江停泊，馬毓寶聞新任全省都督到來，且係革命軍大元帥府的參謀長，不敢怠慢，親登兵艦晉謁修禮，亦有探詢新都督施政方針之意。李公此時年紀纔三十，氣壯心雄，早已決計排除馬氏，乃於接談中，突舉佩刀將馬刺殺之（此時軍人皆佩指揮刀），然後登陸安撫馬氏所部新軍，收爲己用。好在各省新軍內部，都有革命黨份子滲透着，馬氏係滿清政府任用的官吏，被殺了亦不致影響軍心。當年李公在張家口圖書館內，繪影繪聲的爲愚談及這項故事，一面說，一面表演刺馬的動作，猶不勝其眉飛色舞的意態呢！他並且教導我：「青年時代應有敢作敢爲的勇氣，社會上纔會知道你，重視你。譬如我李協和，如果沒有在湖口稱兵討袁，在雲南統兵反袁，入廣東驅逐龍濟光這些勇敢行爲，今天還不是跟普通人一樣，默默無聞嗎？」愧我行能無似，終負先生期望，心乎愛矣！

孟姜女墳

南道

孟姜女的墳是在海水裏面，就在山海關東南廿來里遠的海邊，一座人字形的巨石，矗立在靠近陸地的海水上面，海浪輕輕地拍着它，四週濺起雪白的浪花。

傳說，哭倒萬里長城的孟姜女，就在巨石下面安息着。又據傳說，她跳海自殺以後，尸體被海水冲捲着，總不下沉。後來，一個漁翁用大石頭把她墜到海底，才得安葬了她。以後，那壓尸的石頭越變越大，露出海面，後人便把它當作孟姜女的天然墳墓，叫它「姜女墳」。

離姜女墳不遠的陸地上，是一片丘陵。在最高的小山丘上，是一塊巨石，傳說當年孟姜女曾佇立在巨石上，望她的丈夫也。後來在巨石上建有孟姜女祠，俗稱姜女廟。前殿設有孟姜女像，形容悲愴，彷彿千載之下猶有餘痛。前殿門楣高懸着一塊匾額，上面寫着「萬古流芳」四個大字。望夫石旁原有梳粧台等。文天祥在姜女祠作過這樣的一副對聯：

「秦皇安在哉？萬里長城築怨；姜女未亡也，千秋片石銘貞。」

山川風物

自由報

內僑警台報字第〇三一號內銷證

THE FREE NEWS

第二二一期

中華民國僑務委員會頒付
台報新字第三二三號登記證
中華郵政台字第一二八二號執照
登記爲第一類新聞紙類
（半週刊每星期三、六出版）
每份港幣壹角
台灣零售價新台幣弍元
社長：雷嘯岑
督印人：黃行寬
社址：香港銅鑼灣高士威道二十號四樓
20 CAUSEWAY RD 3RD FL.
HONG KONG
TEL. 771726　電報掛號・7191
承印者：田風印刷廠
地址：香港灣仔高士打道二二一號
台灣分社
台北市西寧南路壹壹壹號二樓
電話：三〇三四六
台郵劃撥儲金戶九二五二

從美國五百億金元國防預算檢閱美國戰備（上）

郭甄泰

美國甘迺迪總統於本年一月十八日向國會提出一九六二至六三財政年度預算，爲數共達九百二十五億三千七百萬美元，較一九六〇至六一年度增加一百一十億元，較現年度增加三十五億元。易言之，即較艾森豪政府完全負責之最後一年增加一百一十億元，較艾森豪政府草擬，經甘迺迪總統就職後予以修改之預算增加三十五億元。而就國防軍事預算言，共爲五百二十六億九千萬元，即佔總預算百分之五十七，較一九六〇至六一年度之四百七十四億九千五百萬元，增加五十一億九千五百萬元，較現年度五百一十二億一千二百萬元，增加十四億七千八百萬元。此項國防軍事開支，包括軍費四百八十三億元，軍援十四億元，原子能方面二十九億元，積儲戰略物資四千萬元，徵兵三千七百萬元，其他三千三百萬元。至於民防方面之六億九千五百萬元，太空發展方面之二十六億元，尚不在內。

承平時代，國防預算如此龐大，打破美國第二次大戰後之紀錄，海陸空原子武器齊頭並重，核子戰爭，普通武器戰爭，游擊戰爭分別加強，全體準備。甘迺廸力能過戰，堅定不可動搖之決心，凜然屹立，「需要有一個適宜而現代化的國防計劃，而不必顧慮開支的限制」的氣魄，躍然紙上。除美國之富不及此，除甘迺廸之堅強不有此。蘇俄塔斯社指爲「加强軍備的預算」，莫斯科電台指爲：「摒棄和平，選擇戰爭」，共產集團，整個震動。美國參院民主黨領袖說：「太好了」，西方世界，人人興奮。誠屬一九六二年中一項驚人之舉。

一、美國現在的國防戰略

美國艾森豪時代的國防戰略概念爲：「大規模的報復」，和「核子阻遏」，即「大規模的核子反擊」。此項戰略以一九五六——五七兩年爲黃金時代，其後因蘇俄長程運輸機，新式長程轟炸機，相繼產生，開始動搖。迨一九五八年，蘇俄長短程彈道飛彈完成，遂逐漸喪失效力，因之艾森豪執政末期，對蘇政策常須以毀滅與屈辱二者之中作一抉擇，順從則造成蘇俄訛詐的習慣，拒絕則有悲慘的核子毀滅之危險，因之遂不免有硬軟俱非，進退維谷之感。甘迺廸總統有鑑於此，就職後立即召泰勒將軍復役。泰勒爲艾森豪時代之陸軍參謀長，於一九五九年任滿退休，有驕人的軍功紀錄，有學者的頭腦和廣泛的知識。主張：「發展美國應付有限度戰爭的能力」，「增加應付非核子武器的能力」。他說：「我們已失去從前擁有原子的獨佔權，在彈道飛彈的數目上，我們也可能不如蘇俄，我們也沒有反彈道飛彈來彌補這種劣勢，我們未真正努力，以求在地面實力上與蘇俄頡頏，我們正處於敗局，必須設法平反」。自從他就任甘迺廸總統軍事顧問後，他的主張，大部份已被採納，甘迺廸於去年三月二十八日向國會提出的國防特別咨文，即要求國會撥出新的款項，以供普通部隊增加人員，訓練及準備。要求增加美國及自由世界盟國的軍事力量，並注意三軍裝備的平衡發展，以便在不同情況下，能應付任何型態的戰爭。凡此均爲泰勒將軍之主張，而新預算增加之經費，約十五億亦均係使用於以下三方面：

一、加強飛彈力量。要求下年度增建北極星潛艇十艘，使其總數達到二十九艘。提高義勇兵飛彈產量，並加速天矢式飛彈計劃的發展。

二、增加美國地面警戒的B二五和B四七型轟炸機的數量，並增至現有部隊整個的一半。

三、增加非核子武器的生產及擴充常規部隊與普通武器的數量。

從戰略觀點看上項預算計劃，有二種意義：

一、表明美國已摒棄單純的「核子報復」的嚇阻方式，注意各種軍力的平衡，使海軍，陸軍和空軍，以及特種部隊，齊頭發展，使美國有應付大戰的力量，也有從事小戰的準備，不致在局部戰事或游擊戰事中陷於被動。

二、說明美國在履行對自由人類的責任與保衛其本身的安全的前提下，將不受正常預算的限制，因而可用靈活有力的方法去應付敵力。

依此可知現在美國的國防戰略新觀念爲：

一、核子戰爭與有限度普通武器戰爭並重。

二、增加兵力並配備以現代化的非核子武器，以及充份的空運設備，以便在必要時，能同時在亞洲及非洲進行小型戰爭。

二、美國現在的國防力量

美國現在的國防力量，可以說是空前雄大，舉世無匹。

一、氫彈。自第二次世界大戰後，美國對於原子武器之投資，已達二百億美元。現在具有三萬五千枚至四萬枚之氫彈及彈頭，炸力等於三百五十億噸烈性炸藥，等於蘇俄每人各佔百噸以上。

二、飛彈。北極星潛艇現已完成八艘，共有飛彈一百二十八枚，擎天神飛彈已有五十四枚放在發射架上，太陽神飛彈十八枚，已開上火綫。中程飛彈在英國有六十枚，在意大利有三十枚，在土耳其有十五枚，另尚有怪獸飛彈二十枚駐於細因州。此項飛彈共三百二十五枚，每枚均可毀滅一個城市。祇須美國總統一按電鈕，即可空軍出擊，向蘇俄領域中之目標進軍。新預算中並增添義勇兵飛彈一聯隊，使義勇兵整個計劃的總數達七百五十枚。此外並增加北極星飛彈潛艇六艘，使海軍計劃的北極星總數多達四十一艘。

三、飛機。美國空軍戰略武力係以「B五二」型「B五八」型洲際轟炸機及「B四七」型中型轟炸機爲主力。據國防部長麥南瑪拉宣佈，洲際轟炸機「B五二」型現有六百三十架，「B五八」型超音速轟炸機現有七十架，每機能携氫彈兩枚。「B四七」型現有一千一百架，利用空中加油，或從海外基地起飛，亦可直抵蘇俄心臟。另外尚有駐在蘇俄邊緣基地的二千架轟炸戰鬥機及以小母艦爲基地的另一批一千五百架轟炸戰鬥機。這些飛機，多數都能直達蘇俄心臟。總計戰事發生時，美國能把核子毀滅力量送到蘇俄境內之有人駕駛飛機，約達五千二百架，所携帶的核子彈頭，最小者亦有三數噸級，由戰鬥轟炸機携帶的原子彈，其威力亦較投於廣島者爲大。全部出擊，一次即可投彈約達五千顆左右。新預算復要求撥款七十六億元，定製飛機，計劃再建立「B五二」轟炸機一大隊（原有十三大隊），「B五八」轟炸機一大隊（原有一大隊）。此外又撥款增加射程一千哩的「天雷」核子彈頭飛彈，以增加「B五二」的航程及威力。以現在美國飛機携帶核子彈頭之力量，炸平蘇俄兩次，實屬易如反掌。

四、陸軍。美國陸軍現有十四個師，今年底將有十六個師，人數由八十七萬增至一百萬。關於裝備方面，將添置大量的裝甲車車，五十一噸的「M六○」坦克，自動大砲及新製留級吉普，「潘興」飛彈及可由兩人管理的「大衛克維吉飛彈」，計共用款二十五億四千三百萬元，機動性及火力均將大爲增加。掩護地面部隊的戰術空軍亦將由十六隊增至二十一隊。此外陸戰隊三個師，人數由十七萬五千人增至十九萬，新設兩個營，及兩個直升機中隊，並增加「A四D」型戰鬪轟炸機，「F四II」型全天候攻擊轟炸機，俾以增加該隊的空中支持實力。

六、海軍。美國海軍人員共爲六十二萬，新預算將增加二萬九千人。艦船現有九九八艘，內有十八艘航空母艦、九、二九七架飛機。並計劃在今年建造新型戰艦二十九艘，改裝三十三艘。以較蘇俄之僅擁有潛艇四五○艘，驅逐艦數十艘，巡洋艦數艘，航空母艦一艘亦無者，估有絕對優勢，自屬毫無疑問。況在六萬噸航空母艦「星座號」，第一艘核子發動母艦「企業號」（七萬五千七百噸）已於去年十二月正式開役。第一艘核子發動巡洋艦「長堤」號（一萬五千噸），已於去年九月出海，北極星飛彈潛艇復又增加至八艘。美國此種威力強大之核子艦艇，最近數月來陸續完成，實可使蘇俄惝惝不安，不寒而慄。此外美國海軍復保留原定退役的驅逐艦十二艘，並接收有導向飛彈的砲艦七艘，以供反潛戰事之用，其目的則爲保證所運人員，物資，均能安全達到目的區域。

不勝頭痛之至

帽子裏另有乾坤

自由談

炒冷飯

美國當局對於寮國問題的解決辦法，認爲祇有跟共黨組織聯合政府，才是起死回生的上上之策。寮王不同意，即停止支付早有協約的經援款項，白宮主人且表示憤怒的態度。這是十餘年前，杜魯門政府對中國問題所作的老文章，甘迺廸政府對本宣課，再來炒一次冷飯，阿彌陀佛！

美國人對於所謂聯合政府也者，似乎特別感覺興趣，卻忘記了二次大戰後，波蘭，捷克這些國家，就是依聯合政府的方式，才被俄共集團吞沒掉的這項眼前的史事，不亦怪哉！

假如凡是有共禍的地區，即以組織有共黨參加的聯合政府爲保持和平秩序的特效方法，則古巴的卡斯特洛政權，當初原是聯合政府的形式，而卡斯特洛亦曾經再三聲明他不擬參加國際對立集團的任何一方面。美國何以又要加以打擊，制裁，迫使古巴投入俄帝的懷抱中呢？

美國對於發生共禍的自由國家，若根本置之不問，或過問而以組織聯合政府爲前提，實際是等於放棄，只不過形式和時間上稍爲不同而已。老實說，如果自由國家的政府願意跟共黨聯合執政，自不必煩勞別國鰓鰓過慮，再三說教才行的。若謂非如此即不符合美國的利益，那末，每個自由國家的利害，未必與美國的利害完全一致，硬要犧牲自己的生存以遷就別國的利益，烏乎可呢？

接受了美援的自由國家，便須以本國的存亡命運作代價，這樣的集體安全制，未免太危險，這樣的安全互助方法，實在太不合邏輯吧？

寮國的未來命運，大概可以判定了。龐安親王與諾沙旺將軍的反共政府，既堅決拒絕跟共黨組織聯合政權，美國必藉經援予以高壓，不行，即聲明一筆勾消寮國現政府，有如過去對中華民國的那套手法，而東南亞地區的自由國家乃告又弱一個。最後美國就發佈一冊外交白皮書，證明寮國不是美國送掉的，嗚呼哀哉！

馬五先生

美國發表對華歷史資料

台北困惑疑慮兼而有之

修改中美條約展望不佳

（本報記者台北航訊）對於美國務院的突然發表一九四三年中美外交關係的一批文件，台北是困惑與疑慮兼而有之的，其中疑慮的成份，更超過困惑的成份。

美國所發表的一九四三年中美外交關係文件，凡九百零六頁之多，台北報紙均以顯著地位刊載其大要的新聞報導，以及其目錄。官方對於美國此舉，尚無正式的批評；據說官方正趕譯其中重要部份（官方約於週前接得其全文）加以研究，然後才可能加以批評。顯見必須相當長久的時間，官方才能有正式的批評發出。

廿一日那天，外交部長沈昌煥，在立法院外交委員會的秘密會議中，會提及這件事（因其爲秘密會議，自不能視爲官方正式的批評），他強調兩點：（一）美國務院這次所發表的一批文件，祇是一種「歷史資料」。美國務院於一九五六年亦會發表一九四二年中美外交關係的文件。（二）美國務院於發表這批文件前，會先行徵求我國意見可否發表。因而沈昌煥說：中美兩國基於彼此利害一致，面臨共黨威脅，對太平洋負有共同安全責任，雙方友好密切關係，絕不會有什麼變化。但許多人認爲，沈昌煥是故意的加以輕描淡寫，否則就未免失之過份樂觀。

因爲第一，儘管沈昌煥說，美國務院於事前會徵求我國意見可否發表，沈昌煥卻未說明我國的意見是怎樣的？有可能，我國的表示是最好不發表。若然，美國到底還是發表了，則所請「徵求意見」云云，其實只是照例文章的「通知」一聲而已。第二，這是「歷史資料」固然不錯，但，不發表難道不可以嗎？進一步：爲甚麼要發表呢？發表的好處如何？壞處如何？

這些問題，一一根究下去，有不少人的看法，就與沈昌煥所表示的，大有不同。甚至還有人把美國此舉，比之於一九四九年杜魯門時代發表的那個「待塵埃之落地」，把造成「中國悲劇」的責任完全推給中國的那個臭名彰著的「白皮書」。台北的英文「中國日報」，就說美國此舉是重重的打擊了中國。另一家英文「中國郵報」，其評論雖無如此之嚴重，卻亦指出：美國完全沒有必要發表這些「歷史資料」，並強調認爲不發表遠遠好過發表這批文件。聯合報的社論比較緩和，只說「看不出美國務院此時發表這批文件，有什麼必要性」，「而令人有多此一舉之惑」。另一篇以「中美關係二三近事」爲題的分析報導，則指出：「此一行動，對美國無一益而對我國卻有百害」。

一九四九年美國所發表的中美關係白皮書，意在卸責，因而專揀中國這樣錯誤那樣不是的東西公佈出來。這次美國所發表的「歷史資料」，僅就報導中的大畧看，倒是好的壞的都發表了若干，其中且有中國當局目光如炬高瞻遠矚，而美國若干官員則完全看差了的部份。故要把這次比之白皮書那次，確乎不大像。加以現實的，中美如今確屬利害與共，互相需要，殊難想像甘廸迺會於此時此際，把中國「一筆勾銷」，亦是實情。然而，畢竟美國有什麼必要於此時發表這些「歷史資料」？

美國爲何要在此時發表這些「歷史資料」，還待將來的事實去解答。祇是有一點，應該是確切無疑的，是卽前任駐美大使莊萊德迫不及待的離華返美，已正與美國要發表這些「歷史資料」有關，顯然莊萊德就不贊成在此時而發表這些東西的。另外還有一點，也十九沒有問題的，是中國朝野僉認爲：如今正是我們反攻大陸的最適當時機，中國要自由的把握有利時機，對中共用兵，修改中美聯防條約對中國的束縛，爲題中應有之義。美國對此的看法，未必與中國符合。是則美國在此時發表這些「歷史資料」，等於暗示：它是對修改中美條約的要求關了門了！

美國畢竟所爲何來呢？（端）

蔣勻田四面楚歌　民社黨分裂益甚

反對派系實行「接收」黨部　蔣派聲言暫停在台黨務活動

（本報記者台北航訊）中國民主社會黨第三次全國代表大會，原定期於三月廿一日在台北和平東路二段二二五巷該黨中央黨部舉行，前經報導。十七日起，該黨海內外代表，且經開始報到。但結果由於該黨內部分裂益甚，和平東路該黨中央黨部且被反對召開此次全代會的派系分子所「接收」，致大會無法舉行。領導召開此次全代會的該黨副主席之一的蔣勻田及其支持者，甚至宣告暫時停止該黨在台一切有關黨務政策的活動，幾乎等於關閉該黨在台的黨部，另又電請該黨主席張君勱，請其全權「妥籌方便」，「權衡直接處理黨務之至計」，「卽移總部於左右」。此間人士，對於該黨此種愈演愈烈的內部糾紛，備極關懷與惋惜。

民社黨數年來卽分裂爲三派，計爲：（一）由副主席之一的蔣勻田領導之一派，其中央黨部卽設於台北市和平東路上址；（二）由向構父領導之「民社黨中央改造委員會」，黨部設於台北市南昌街；（三）由劉政原領導之一派，另設「民社黨中央黨部」於台北市雅江街。三派爭執不休，各自視爲正統。三派中則以蔣勻田一派實力較大。此次該黨第三次全代會，卽係由蔣勻田及其支持者所召開的。但從本月中旬起，其他派系，卽強烈反對此次全代會之舉行，認其爲「片面的」，因而發生此軒然風波。

且此次風波的引發者，更爲原屬蔣勻田派的一支系——「各省市黨部聯誼會」，他們聯合向構父派及原來的徐傅霖派，合作組成「中國民主社會黨團結委員會」，商討黨內合作事宜，以意見紛歧，未獲結論；而蔣派所召開的第三次全代會卽舉行期近。十九日，「聯誼會」乃採取行動，一方面匆匆在台北的晚報刊出廣告，發表「中國民主社會黨團結委員會宣言」，並增有十二項主張，另方面於同日晨聚集數十人，實行「接收」該黨和平東路中央黨部，藉以阻止全代會之舉行。但該「團結委員會宣言」在晚報上以廣告方式發表後，徐傅霖派又馬上加上否認，謂他們並未在該宣言上簽名。

蔣勻田派於中央黨部被接收後，曾向治安機關報案，台北市警察局，省警務處刑警大隊及管區之市警局第四分局，均派員到該黨部巡視，至當晚十時許，據說治安人員，以逗留於該黨部的人，並未發生事端，乃告撤回。另外向構父派民社黨人，爲壯「聯誼會」聲勢，亦於當晚前往該黨部，實行「增援」。向構父且發表書面聲明說：該黨黨員之所以「接收」和平東路黨部，係因「本黨少數份子一意孤行，定期三月廿一日召開片面代表大會，以致激起同仁公憤，已於本月十九日以行動阻止片面代表大會之進行」。又稱：「此種正義行爲，應予全力支援。」「今後一本協議方式，謀求全面團結，共同召開全黨代表大會」云。

處此黨部被「接收」的情勢之下，蔣勻田派當日乃以「黨員代表大會秘書處臨時秘書長程文熙」的名義，發出通告稱：「茲因中央總部已無法執行公務，大會不能如期舉行，除呈報張主席另定期再行通告外，並特此通告」。至廿一日，卽原定該黨第三次全代會開幕之日，反對召開此次大會的八常委派領袖戢翼翹，徐傅霖派的該黨台灣省黨部負責人李緞，及徐派中央總部主席，梁朝威（現出國），向樹漢，朱遠謀，劉政原，李華裕，孟昭麟等，均發表書面聲明，表示反對召開「片面的」全國代表大會，並呼籲黨內各派系摒除個人私見及小我利益，開誠佈公，力求該黨之全面團結，並籲請各派系領袖參加「團結委員會」，共同協商，再召開全面性的全國代表大會。

同日晚，「中國民主社會黨第三次全國代表大會各省市代表一百多人，卽被稱爲蔣勻田派的，則舉行聚餐談話會，會中決定將此次大會未能召開的糾紛經過情形，及今後黨務，報請該黨主席張君勱裁決處辦，並決定暫停在台一切有關黨務政策的活動。其致張君勱電文云：

「張主席君勱先生鈞鑒：本黨第三次全國黨員代表大會，本定於本年三月二十一日開幕，港澳及全國各省市代表，已陸續集中台北。乃於十九日晨七時，中央總部突被強力佔據。赤手空拳，既無自衛之能力，遍請治安機構，又未得合法之保護，致使大會不能如期舉行。矚目時艱，心痛欲碎。擬懇鈞座念創黨之艱難，聽國家之需要，權衡直接處理黨務之至計。代表等經一致決定，願以全權奉於鈞座，妥籌方便，以當祈全黨裕，卽移總部於左右。代表等暫以參加本黨實現民主政治之決心，不惜任何犧牲，靜候卓裁之決定。臨電懷念，不盡依依。」（積）

採訪外線

▲台北市議會第四次大會揭幕以來，除議員們已自動的糾正遲到的惡習，和因爲啓用「議事鍾」而使會場秩序大爲好轉兩項好現象之外，議員們在質詢時所表現的熱烈情狀及其所問之有內容，同樣構成一項好現象，合上兩者，已得其三。

關於後者，如二十日張四英議員提出四十個問題之多的質詢，以量取勝，頗有足多。又如同日張紫雲議員所提指摘代市長周百鍊浪費公帑的詢問，其所舉三件資料，有根有據，數字翔實，一點都不苟且，實在難能可貴。他所指摘的三件浪費公帑資料：（一）農曆新年，周氏送禮花了三十八萬之多，太浪費了，並舉出各單位報銷分配數字。（二）去年耶穌誕，周氏向外賓送禮動支預備金六萬元，但實際購買各種禮物費爲一萬四千元，他問其餘四萬六千元那裏去了？（三）上次議會閉幕時，周氏宴請議員及記者，原定十三席，結果僅開八席，估計花費幾千元足之夠矣，但市府的報銷卻爲五萬四千元，並舉出各單位報銷分配數字，他問這筆錢是怎麼花的？

但周百鍊對此詢問的答覆，卻簡單不過，祇說市府購物均由事務股辦理，依法報銷，絕無不淸白行爲。敷衍塞責，畧而不談，居然瞞混過關，則是很不好的現象。

咬文嚼字避重就輕　敷衍塞責瞞混過關

▲行政院副院長王雲五，廿日在立法院答覆質詢時，再度表示：政府不但不允許「特權」的存在，卽使是「特惠」，也不許其存在。他並解釋「特權」與「特惠」說：像領事裁判權那樣的東西，是「特權」，是確實不存在的。所謂「特惠」，是指有些公務員在執行職務時所發生的偏差，致予某些人「特惠」，他承認這情形在今天或確實有之。他說：「如果沒有『特惠』，那我們的政治太理想了」。

王雲五這番話，是答覆立委王惠鐵的詢問。王在詢問中發爲疑問：「政府對本院同仁歷年質詢，是否皆眞正加以虛心檢討？誠意接受？澈底改革？或付諸實施？……本席覺得政府對答覆本院質詢，似有一套公式，不外『某委員的建議，正飭某部研究中』。『政府對某委員所言，具有同感，今後將努力求改革』。或『某委員所指，尚未有何發現』等，甚至運用文字技巧避重就輕。例如王副院長在答覆王長慧委員質詢時，竟將『特惠』不是『特權』，請問二者有何區別」？

王雲五的答覆，是把它「區別」出來了，但亦確實不免「運用文字技巧，避重就輕」，說了與不說，並無不同。

▲台北朝野這一陣談得特別起勁的反攻大陸，因爲美國突然發表一九四三年中美外交關係文件，許多人都感到有如迎頭一盆冷水，一時意興，爲之索然。

但亦有人指出：正唯其如此，同時益證明光復大陸的重要性，證明自力更生挺起脊樑自求多福是很要緊的事。（權）

偏處台灣問題多　琉球僅其一例耳

（本報記者台北航訊）對於美總統甘廼廸發表聲明，說琉球是日本本土的一部份，一俟局勢許可，美國卽將琉球歸還日本云云，台北的反應是頗爲迅速的，外交部發言人表示我國「不能同意」！又說中國的立場依舊不變。

什麼是中國的立場？三月十三日外交部長沈昌煥在立法院答覆立委劉振東質詢時，曾列舉四點：（一）日本對琉球剩餘主權之說，在國際法以及條約關係上，皆無根據。我政府從來不承認此種說法，並且一再向友邦鄭重說明不同意。（二）琉球在地理上爲太平洋戰畧要地，正受國際共黨威脅，爲保護自由世界安全，美國不應放棄管理責任。（三）琉球未來地位關係世界安全，不能由少數國家單獨決定。（四）國際上應注意由多方面全力協助琉球人民逐漸達成自治願望。

依據國際條約的規定，琉球問題應該不是美日兩國此種私相授受而就決定了的。琉球會是中國的領土，史乘所載確切證據，超過千年。日本以帝國主義巧取豪奪的方式攫取琉球，則不過八十年光景而已。除琉球人自己之外，中國應該是最有資格的發言者。中國主張琉球自治立場，亦最爲光明正大。中國亦早就對有關各國淸楚表明此種立場。然而強權政治的現狀下，甘廼廸在發此聲明之前，竟未嘗先行通知中國一聲！說明我們如仍偏處台灣，問題正多，則人絕不會尊重中國的意見，琉球問題尚祇是眼前的一例而已。（與）

中俄共發生爭論的眞象

野鶴

英美的政治人物，近來對於俄帝與中共之間發生革命理論的爭執這回事，不斷地強調宣傳，認爲共產集團將告逐漸分裂，終必趨於自行崩潰之途，並且把此項爭執的來源，歸之於民族思潮的抬頭，自我陶醉，一心以爲即將坐收廉價的冷戰勝利果實。殊不知中俄共發生爭論的眞正原因，乃與民族思潮無涉，亦與革命理論不相干，完全是赫魯歇夫和毛澤東二人的一時意氣之爭而已。

世人如不健忘，當記得三年前毛共倡行「人民公社」制度的所謂「大躍進」運動時，俄酋赫魯歇夫不是曾經公開指斥其爲「反動」設施，說這是蘇俄早已試行而失敗了的辦法嗎？但毛共不聽諍言，一意孤行，由於農民一致怠耕的結果，乃招致農業生產計劃的「大躍退」，農產品意外歉收，工業亦隨之大受影響，又繼以連年水旱災害的侵襲，大陸上即產生了嚴重的飢荒現象，民心浮動，軍心亦因而不安了。毛共遭此困厄，無可爲計，只好乞援於「蘇聯老大哥」，要求俄帝一面停止索取毛共舊欠應還的債款，同時由俄帝出面，向西方國家購買糧食，而以記帳的方式，暗中轉輸給毛共，藉以挽救饑饉危機。

不料俄帝拒不接受，指毛共區域的飢荒係人爲的，與天災無關，理由是毛共不聽老大哥的話，蠻幹那絕對行不通的「人民公社」制度，要毛酋澤東糾正盲動主義的措施再說。然毛酋剛愎自是，不肯認錯。如是，俄帝除停止對毛共工業建設的援助以外，還要毛共清償蘇俄在韓戰時所給與的各項軍用物資的價款。毛酋聞之更加氣忿不平，認爲當年中共參加韓戰，原係替蘇俄老大哥効馳驅，作火中取栗的貓脚爪，損失慘重，以致妨礙了自身的工農業建設進度，迫使毛共不得不改取「大躍進」的方針。就毛共的辯證法則說來，中國大陸上的糧食災荒情況，追本窮源實以韓戰爲基因。如今老大哥見死不救，反而落井下石，竟索取韓戰時供應毛共各項軍用品的價款，未免太不講「兄弟之邦」的情誼了。一氣之下，乃將原訂的工業建設計劃宣告停止，而數千名蘇俄的技師和顧問，因爲無務可服，只好捲着鋪蓋回國哩！

赫酋的用意，原在使毛酋因糧荒而低頭領教，以後聽從老大哥的指導，以奠定社會主義國家家長的穩固地位和權威，然後予以援救。毛澤東早已承認蘇俄是「社會主義國家的頭」，亦無自外生成的意念，唯不甘心屈服於赫酋這種乘人之危的威逼作風，即將「人民公社」收攤，致損信譽。彼此都是一時鬥氣的感情衝動而已。恰好莫斯科召集的共黨集團會議中，阿爾巴尼亞共黨對赫魯歇夫的「和平共存」主張，表示異議，而赫酋當場予以嚴厲斥責，乃借題洩怨，而故意採取騎牆中立態度，期望赫酋爲鞏固「家長」權威，對毛共釋嫌修好，仍然給予經濟援助。所以，毛共在這項爭論開始時，並未表示意見，以靜待赫酋的反應如何。赫酋深知毛共的生存命脈，決不能脫離對俄帝的依存關係，非毛共首先低頭告饒，亦不願爲着阿爾巴尼亞這個毛頭小夥子的頭皮搗蛋，便對毛共表示遷就。明乎此，即知毛共目前對俄共的所謂主義理論之爭，乃是一種意氣用事的噱頭，有如英美之間不時對外交問題發生爭執，而始終還是團結一致的情形然。祗要俄帝一旦假以詞色，照樣給它經濟援助，它馬上又要大呼「蘇聯是社會主義國家的頭」了！

英美人士把毛共這項噱頭，看作自由世界的莫大幸運，好像認爲毛共如果變成了「亞洲狄托」，世界就永遠太平了。殊不知毛共縱或步了狄托的後塵，結果除了騙取英美一些軍經援助以外，對自由世界又有甚麼益處呢？南斯拉夫在聯合國且依然與俄帝沆瀣一氣，而狼狽相依，以反對英美的一切重要主張，而東歐的各個共黨政權，至今亦未有走狄托路線者。道理很淺明，任何共產政權如果完全放棄馬列主義，走向民主自由生活之路，俄帝就會用種種方法，使它本身發生內亂，沒法存在的。因爲俄帝到了緊要關頭，它決不會坐視一般附庸國家背叛而去，致俄帝亦不能存在，匈牙利的往事，可作鐵證。萬一世界大戰發生，狄托敢與俄帝敵對嗎？相反地極可能利用英美的軍援力量來打英美。至於毛共所處環境更劣於狄托，它感甚未能力敢和俄帝實行反目分裂吧？因此，英國想以「媒婆」自任，暗中拉攏毛共跟美國親近，固然是粵語所謂「阿聾打電話——攪來攪」；美國想以糧食交易來促進中俄共的大分裂，更係心勞日拙的幼稚行爲。

（香港與大陸）

十條步槍一座縣城

大陸同胞切盼反攻

據五天前自順德鄉間輾轉逃出的區君說：「只需十條步槍，便可打下順德縣城」。

區君現年十九歲，是一個初中三的學生。他是五天前夥同十幾個中山鄉民逃出來的。記者初聞十條槍可打下順德城的話，不免吃驚，問他難道順德未駐有共軍？甚至連民兵亦沒有？他說：「不是」。原來他是肯定的認爲：民兵與共軍都不會抵抗，而且他們都會倒戈，掉轉槍口對付共產黨。

區君說：大陸同胞早已把共黨恨入骨髓，唯一的盼望就是國軍早些回去。他說，祗要國軍登陸，老百姓必然聞風興起，不在話下。中共的共訓練的民軍，甚至中共的正規部隊，都會找機會投過來。十條槍打下順德城絕對不成問題。他說，不但順德如此，全國的數千個縣，亦莫不如此。但必需國軍登陸反攻，大家才敢動，否則動不起來。就算個別的動起來，也是白白犧牲，無益於事。

區君並說：大陸同胞切望國軍反攻，是人同此心，心同此理，連共產黨亦很明白的。他舉例：凡是某地發生破壞的事，雖然中共封鎖消息甚嚴，卻仍然能夠不脛而走傳遍附近地區，大家聽到後，心裏面都非常痛快，表面上則不動聲色。他又舉例：凡有人拾到國軍飛機散下的傳單，明知帶在身上被搜查到要吃大苦頭，卻大家都不肯立刻把它毀棄，總偷偷的藏起來互相傳觀。

區君是農民子弟，他說他讀的那個學校祗上午上課，下午往往到深夜，都被驅去「實習」，實際就是做工不給錢，被共黨剝削勞力。所以學生們不但書無法讀好，因爲太過疲勞，營養又差，大家的身體也給糟蹋了，一個個面黃肌瘦，精神萎靡不振。學校是收費的，每學期約五元，另每月要繳文化費宿費等四五元，又膳費將近十元共幣。父兄要子弟讀初中，就非更拚命勞動不可，其苦不堪言狀。（成）

向核彈抗戰

陳知青

五、核彈戰爭的防禦

（一）U—二飛機

U—二飛機的掃描電視照片，立刻轉變成爲電子訊號，變成無線電的電波，用發射機，隨時從飛機上，發射到地面的轉接站，再轉變爲光點，結合而成爲詳明的畫面。這個過程，祗要幾秒鐘就可以完成。因此，U—二飛機所探測到的蘇俄地面攝影資料，是夠詳細的。即使U—二飛機不幸失事了，他們的資料已經傳送到了接收站。而且，這種攝影的精確程度，由於電子科學的技術，比我們地上的普通「攝影」和「普通電視」都要精確。地下的探測，比地面的攝影，更爲重要。

核子武器，工廠設備，可以用攝影方法。而地下的核子武器的製造和儲存量，不是攝影可以取到的。因此，U—二飛機第二重任，就是藉着電子科學的技術，自高空使用各種特別的核子武器探測器。

我們首先得了解普通的原子核能輻射的偵察和測定方法，才能了解高空的深測法。

原子核能輻射的現象，因電荷，質量，能量，穿透力及游離力的不同而異。原子核彈，雖然有一定的防護儲存體，但是，它的上述現象是很難隱蔽的。一所試驗用的原子爐附近，可以測出放射性的強度，鈾鑛埋在地下，也可以探得其鈾的含量。因此，探測器對於輻射線，伽瑪射線，阿爾發質點，中子射線，電子射線等的探測，就有各種不同的方法：

計算出這種輻射能的強度，普通用的兩種單位，一是「居里」，是實用單位，一是「倫琴」，是能力單位。

一居里，其意思是每秒鐘在一立方公分的大氣內有三十八億個原子發生蛻變。

一倫琴，其意思是每一立方公分的標準大氣中產生二十億八千九百萬對離子對。射線強時，每分鐘計算爲若干倫琴；射線弱時，用每小時計算若干「毫倫琴」。

此外，更用電子伏特計算輻射能的動能的強度。普通用百萬電子伏特計算，但探測時必須知道是某一種射線。

在核子物理學的實驗探測上，可有很多種的方法，例用：（一）閃爍鏡，這種螢光用法鉑氰化鋇晶體試探射線的螢光，已被電子技術所代取。（二）感光測量法，須與顯微鏡配合。（三）驗電器，密爾根波文的弦線驗電器，勞力生驗電器，以石英鍍金，代替金箔，通電後觀察空氣中的離子數目。（四）游離室，類似容電器，通電後使游離子集中電極上，再用電位差別測量管及電流計測定。（五）蓋革——米勒計數計及計數管，使輻射線入管後使氣體游離，離子和電子的速度增加，而計數知強弱。（六）電子倍加器。（七）晶體計數器，（八）雲霧室。（九）泡沫室等方法。

（九）

盧君續夢

第四回：掩面向黃泉，貳臣遺恨　低頭拜白虎，末帝驚魂

活曹操柱着拐杖，顫巍巍地走進來，面孔瘦削，鬍子花白，一付蕭索神情，使人吃驚。

毛澤東連忙站起來讓座，問道：「林老，你身體復原了沒有，我正有一件事決定不下，你來得太巧了。」

活曹操嘆口氣：「我的病很難好了，不過，病得太久，也實在悶，所以來探望主席，談談家常，也開下心。」

毛澤東也有點黯然，說道：「我同瑞卿同志正在商量，打算把改過自新的戰犯份子提出一批釋放，不知林老以爲怎麼樣。」

活曹操長呼了一口氣：「這個問題要從幾方面來看，首先是技術問題，用什麼名義釋放？其次是原則問題，釋放什麼人？都要從頭研究。」

毛澤東笑道：「林老，什麼問題到你手裏好似抽絲剝繭一樣，總能理出眉目的。我們先研究技術問題，你看應該用什麼名義釋放？」

活曹操說道：「最好是大赦了，過去皇帝登極，或者生皇子都要大赦的。」

毛澤東苦笑道：「這兩個條件都沒有。說到登極，我現在是被人趕的退位了。說到生皇子，可是她已經十多年不生了。」毛澤東說到這裏向藍蘋指了一指。

活曹操和羅瑞卿都笑起來。

藍蘋「呸」了一聲：「怎麼扯到我頭上來了，眞是狗嘴吐不出象牙，當着女兒的面，一點人樣都沒有。」藍蘋說過話，起身牽着麗拉走了。

羅瑞卿笑道：「眞要找點理由，我到想出來一個，我們大可說是建國十周年大赦，也就名正言順了。」

活曹操連拍兩下頭：「我眞是胡塗了，這樣一個正大的理由竟然沒想起來，就照瑞卿同志辦法決定大赦好了。」

毛澤東十分高興，提筆就要下條子，可是剛寫一行楞住了，轉過頭來問道：「林老，這次由誰出名大赦。」

活曹操也呆了，停了半晌說道：「這個問題確實複雜了，現在政府主席是少奇同志，按說應該由他出名的。」

毛澤東惡狠狠地把筆望硯台上一丟，說道：「算了，不赦了。」

活曹操低聲問道：「主席此時忽然想起大赦，究竟是受了什麼刺激？」

毛澤東知道瞞不了活曹操和羅瑞卿，就把李濟琛臨死的事，源源本本說了一遍。

活曹操沉吟一時，說道：「既然如此，還是來一次大赦好，活人的怨氣消了，死人的仇恨也就解了。再進一步說，這完全是一個心理作用，主席經過一次大赦，就算把欠債還清了，以後再有民主人士臨死發恨，也就不必理會了。」

毛澤東說道：「是呀！我也是這麼想，問題是用什麼方式大赦呢？」

活曹操笑道：「主席既然不肯讓劉少奇出面，我到有個辦法，何不召開一次民主黨派人士座談會，表面是徵求他們意見，他們都同意了，由主席爲首會同各民主黨派領導人聯名向人代會提出，劉少奇就無計可施了。」

（八六）

窄門

熊徵宇

在這花不落鳥常語的亞熱帶島上，一住就是十三年，觀象上的半歲，情感上有些疲乏，總覺得，無量的蒼古森綠中有太多的靜寂的愴楚。

而寒冷的時間又是這樣短暫，天也總是藍的，常使我懷念故鄉淡黃淒迷的雲層，猶着那荒枯地裂的墩墩的冬！

現在島上的冬又來了，南台灣的氣候，只像北國的深秋，我想到雪。想到灕生。

灕生寫過「靜靜的雪，神秘的雪」。他從淡的讚中歌頌過人生與戰鬥，但他卻唱不出自己的意志，遠離了朋友和時代，雖然那聲音在我的意識裏還是那樣激動，那樣嘹亮。

這聲音也許是他自己的悲歌，也許這是時代的遺憾，也許如他所說：「是一個沒有說完的故事的終結」。

……

灕生是我十八年前在四川唸書時的同學。那時我們都愛寫點東西，常在校內外的刊物報紙上發表，於是由接近而成了朋友。

他唸的是圖博系，常怨博物教授太少，重要的課不能開。他表示對圖書方面的那套杜威分類法不感興趣，想轉到我們這一系來。因為我對他的熱情非常信任，也贊同他能這樣，但是主張他多考慮一下；當然把唸了三個學期的圖書館學的基礎來唸新開是滿好的。我說我手上有很完整的過去的講義和筆記，決定轉過來的話，先花點時間看看，免得下學期聽課生疏。他很高興，要我馬上清給他。

但在學校開始註冊的當兒，波茨坦宣言發表了，日本不久亦投降了。勝利像濃烈的酒，醉得人忘了無數的苦難，添了更多的盼望。於是，復員遷校增設系的問題，成了師生間談話的中心；住校的同學們都有寫不完的信。

那往日悲壯的歌聲溫柔了，薄暮中與黃昏裏流散着貼人的還鄉曲。

接近開學的時候，灕生才到校，他說假期在成都挺愉快。我問他轉系的手續辦好了沒有？他說根本沒有辦，不打算轉了。說將來在圖書館工作，可以研究點東西。

學校遷到蘇州以後，灕生確實是很用功，尤愛讀哲學方面的書，人也變得比較沉默。畢業的那年，他出版過一本「少年行」，其中大部份是在四川寫的；詩格正像他為人，安靜而激動。我至今還記得的兩句是：「天涯的邊緣近在咫尺，海的茫茫也有限。」

（一）

唐太宗（九）

李仲侯

可見他對刺史縣令這種親民之官，極端重視，並隨時嚴察其成績，加以調整。貞觀八年，命李靖等十三人為黜陟大使，分行天下，察長吏賢不肖。廿年遣大理卿孫伏伽等廿二人巡察四方，刺史縣令以下，多所貶黜，其詣闕稱冤者前後相屬，太宗令褚遂良類狀以聞，親自臨決，進擢二十人，以狀死者七人，流以下除免者千人。太宗於吏治，自中央以迄地方，都極注意，自考試詮拔以至獎懲黜陟，都不放鬆，這對整飭官常，使人盡其才，事得其理，自有極大的影響。

太宗自幼生長民間，深知人民在政治上的重要地位及痛苦所在，所以即位以來，處處關心民瘼，胞與為懷，凡百設施，均以民衆福利為依歸，每次遣使出巡，除察吏以外，兼負考訪民隱任務，詔書所說：「宜使大使，分行四方，申諭朕心，延問疾苦，觀風俗之得失，察政刑之苛弊，務盡使乎之旨，俾若朕親睹焉」。所遣各使如蕭瑀，李靖之流，大都為當代名臣，素著聲望，一方面自能代表中央，宣達政令，一方面取聽民衆意見，轉報朝廷。政治為管理衆人之事，政治如果忽畧了民衆的利益，置其疾苦於不顧，即容易流為暴政，這一點，太宗瞭解得最澈底。

唐承隋室之敝，人崇虛偽，士競厖雜，政教風俗之敗壞，已達極點，他轉移風俗，首從嚴禁賭博遊戲入手，唐律規定：「諸博戲賭財物者，各杖一百，贓重者各依已分準盜論，輸者亦依已分為從坐，大抵不滿五匹以下，各杖一百，五匹以上，合徒一年」。太宗以節儉為天下倡，賭博遊戲為敗德廢業之尤，故厲行禁止。太宗為徹底破除南北朝相沿下來的門第觀念及買賣婚姻的惡習，曾費過一番努力，那時山東崔盧李鄭諸大族，好自矜門第，雖已累葉凌替，他族欲與之婚姻者，必多輸財帛，嫁女索財，講價還價，既要面子又敲竹槓，這完全是一種門第觀念作祟。太宗深為惡之，乃令高士廉，令狐德棻等廣搜天下譜牒，考其真偽，辨其昭穆，第其甲乙，褒進忠賢，貶退姦逆，分為九等，編訂氏族志，頒行天下，嚴禁婚姻論財。他又主張破除迷信，並下詔：「私家不得輒立妖神，妄設淫祀，非禮祠禱，一律禁絕，其龜易五兆之外，諸雜占卜，亦皆停斷」。可見對民俗改革上，亦有極大之貢獻。

懷黃花崗烈士

漁翁

國父孫先生於民國紀元前十八年甲午（一八九四年），在檀香山創立興中會，第一次起義於廣州，第二次起義於惠州。到民國紀元前七年（一九〇五年），擴大興中會為同盟會，又第三次舉義於潮州，第四次舉義於惠州，第五次舉義於欽廉，第六次舉義於鎮南關，第七次舉義於欽廉上思，第八次舉義於雲南河口，第九次舉義於廣州，第十次舉義，就是民元前一年三月二十九日黃花崗之役。

是役也，同盟會以全力在廣州發動，不幸事敗，死難者近一百人，泰半係青年學子，黨之精華，事後，賴義士潘達微之力，將擺在諮議局門前曠地的七十二具屍體，合葬於廣東省城北門外白雲山之黃花崗，由是有黃花崗七十二烈士之稱。

此次起義，較以前九次，犧牲均為壯烈，碧血橫飛，草木為之含悲，風雲因而變色，革命精神，震動全國，故不半載而武昌舉義，一鼓推翻數千年專制政體，而建立民主共和的中華民國。是以三月二十九日黃花崗之役，實為辛亥革命的導火線，其意義與價值，至深且鉅！

民國建立後，國人崇德報功，就黃花崗烈士原葬處，擴而大之。民七年，方聲濤募修故墓，時林森任廣東省議長，復向華僑籌資，以建立紀功坊，八年始立碑記，由林森，胡毅生，何克夫，吳永珊，徐維揚等，為之審查，得烈士姓名五十六人，迨民十一年，林森復約諸人續開審查會，又得烈士姓名十六人，與潘達微所收黨人屍體七十二具之數目相符。鄒魯所撰黃花崗碑記，碑上所題七十二烈士姓名，錄於下面：

「方聲洞，林盛初，徐佩旒，韋樹模，徐禮明，徐日培，李炳輝，李晚，郭繼放，徐廣滔，游壽，徐臨端，李文楷，周華，陳春，徐茂燎，徐松根，徐滿凌，龐雄，馮超驤，江繼復，徐昭良，韋榮初，徐培添，陳更新，桑炳，徐熾安，勞培，曾日全，徐熠波，杜鳳書，陳與燊，余東雄，徐保生，徐廉輝，陳文褒，韋統鈐，李文甫，韋統淮，徐容九，徐進炘，程良，林覺民，宋玉琳，馬侶，陳潮，[illegible]」

[illegible]

國民黨中央常會通過以「三月二十九日」為「青年節」。可是，當時死難者，實不止七十二人。民二十一年，廣東革命紀念會，又審查得十三人，於黃花崗上補立一碑。最後另加李親恩一名，而未列碑。合殉難葬人為八十六人；而叢葬屍體者，祇七十二人。

[illegible]

談革命逸事（二）

諸葛文侯

「開國名人墨蹟」所附李烈鈞事畧又說：「時江西幫會勢力猖獗，蔣民附之，治安可危，乃猝以鐵腕定之，聲響大振，袁世凱默許其為革命軍中之健將，益忌之。袁已蓄帝制野心，決剷革命武力，二年驟免革命軍（按：此「軍」字應改為「黨」字方符事實，因此時並無「革命軍」的名稱與建制，而各省都督皆綰領軍民兩政也。）之三都督，而以先生居其首。先生乃以反對刺宋教仁案及大借款案，舉兵江西之湖口討袁。」依此紀述，似以袁氏係由於忌嫉李氏治贛之績業聲譽，而免去其職務者，李則因忿不能平，乃藉宋案與大借款案作起兵反袁之口實而已。

據愚所知，袁世凱之急欲去李，是基於兩項原因，卻與[illegible]幫會勢力無涉。民元國會成立後，李氏對於隸屬民黨的各個議員，聯絡甚為密切，且常有資助，而以江西籍衆議員朱念祖綜持其事。這是民國十二年朱氏與湘人陳郁（文虎）奉北洋政府之命，到日本東京公幹時對我談出的政治內幕。當時民黨的國會議員席次佔着大多數，遇事對袁氏實行制衡，袁調知李都督與議員間的密切關係，已深致不滿而遷怒了。繼而宋案與大借款案先後發生，李都督反對電文之激烈，又冠於南中各疆吏，袁更忌恨難忍。積此二因，袁於大借款案商得成議，尚未正式簽約時，即首先撤免李職，以促速內戰之勃發，他所忌李者，固在此不在彼也。

李氏倉卒起兵於湖口討袁之際，所領頗具戰鬥力的部隊，僅有林虎一團人（號稱為旅），餘皆臨時湊合之士。袁世凱任命李純為「九江鎮守使」，率一師之衆，進攻湖口，戰事居然相持逾月，初期討袁軍且佔上風。此中亦有一段內幕，即李純所部旅長耿毅（鶴生），忽於陣前起義，率衆投入討袁軍，迫使袁氏除增援陸軍外，復派海軍助戰，而討袁軍遂告不支矣！李，耿二人從此成為生死患難之交，久要不渝。我於民國十五年初次晤及耿氏時，李協公鄭重語之曰：「這位耿大哥是北方豪傑之士，你應該事之如師呀！」後來耿氏與居覺生先生等，某年在上海因政治關係被淞滬警備司令某逮捕，銬鐐押解南京，李協公在廬山得訊，即以長電斥責其司令之無禮，不惜絕交（某司令原係李協公的舊日僚屬），就是由於他跟耿大哥的深摯情誼而然也。李之為人，[illegible]豪邁而自信心殊強烈，不易接受友輩的意見，但對耿鶴生之言，卻沒有不聽納的。

開國名人事畧中，關於徐錫麟與秋瑾二烈士在紹興創辦學校一事，徐氏事畧部分說是「復與秋瑾女俠創辦大通師範學堂於紹興」，而秋氏部分又說是「並在浙江辦大通體操學堂」，究竟大通師範學堂與體操學堂是同一教育機構呢？抑係個別的？殊覺迷惑。又譚延闓事畧中，說「胡漢民先生詩中且以『太傅雍容』譽之」。諒係指胡先生當年避居湯山時所寫「憶組安」的七律詩句，查此詩第一句是「太傅沖和未易師」，並無「雍容」字樣，信史攸關，不得不指出如此。（完）

山川風物

望江樓

道南

出成都東門，就會望見一條拱形的大橋——九眼橋，跨在錦江兩岸。過橋沿江南行只有幾十步路，遠遠就望見映掩在竹林深處的一座古樓閣，像江南一帶的水榭式的建築，玲瓏雅致，引人入勝，這就是成都著名的望江樓。

望江樓原是中唐女詩人薛濤的故里。她生於公元七五九年，死於八三一年。父早歿，母孀居。她是當時才華洋溢的女詩人，及笄之年，即以詩名世。「全唐詩」中曾有這樣的一段記載：

「薛濤，字洪度，本長安良家女，隨父宦流落蜀中，遂入樂籍（按即歌妓）。辨慧工詩，有林下風致。韋皋鎮蜀，召令侍酒賦詩，稱為女校書。出入幕府，歷事十一鎮，皆以詩受知。暮年屏居浣花溪，着女冠服，好製松花小箋，時號『薛濤箋』，有『洪度集』一卷。」

望江樓是成都最好的吃茶地方之一，休假日固然綠女紅男，摩肩接踵，就是平常時候，由於天府之國民豐物阜，大家多的是逸致閒情，望江樓亦經常遊人如織。

內備警台報字第〇三一號內銷證

自由報

THE FREE NEWS

第二二二期

中華民國僑務委員會頒發
台警新字第三二三號登記證
中華郵政台字第一二八二號執照
登記爲第一類新聞紙類
（本週刊每星期三、六出版）
每份港幣壹角
台灣零售價新台幣弍元
社長：雷嘯岑
督印人：黃行奮
社址：香港銅鑼灣高士威道二十號四樓
20 CAUSEWAY RD 3RD FL
HONG KONG
TEL. 771726　電報掛號 · 7191
承印者：田風印刷廠
地址：香港灣仔高士打道一二二號
台灣分社
台北市西寧南路壹壹零號二樓
電話：六四三〇三三
台郵撥儲金戶九二五二

從美國五百億金元國防預算檢閱美國戰備（下）

郭甄泰

三、蘇俄何以不敢挑動戰爭

蘇俄自去年七月以來，對於美、英、法、希臘、土耳其、意大利、西德、伊朗，均曾明目張胆，大肆核子恫嚇。不日將埋葬某某國，即日將使某某國變爲廢墟，不日某某及某某國都將毀滅，即曰二十枚炸彈足以消滅某某國。飛揚跋扈，目空一切。實則均係虛張聲勢，裝腔作態，不值識者一笑。蘇俄百萬以上人口之都市有十一個，十萬人以上之都市有八十餘個，飛彈發射基地爲三十七個，飛彈與火箭製造廠爲十四個，鐵路運輸中心爲一百六十個，合計重要地點不過三百個。現在美國總統一按電鈕即有三二五枚飛彈出動。美國空軍飛彈及太空計劃主持人史里克將軍說：「美國具有核子飛彈，其準確性是能在一個機場範圍內着陸」，「吾人知道吾人之撞擊地區數尺以內之方位」，從可知僅此飛彈一種即可毀滅蘇俄之重要目標。另尚有飛機五千二百架均可攜帶核子彈頭空群出擊，蘇俄全國任何區域，均在其航程之內，蘇俄縱有反飛彈可以反擊，亦難逃避毀滅之命運。

不寧惟是，據北約秘書長史蒂克表示：「北約組織在核子武器方面遠勝於蘇俄」。英國首相麥米倫亦表示：「英國擁有足夠之核子打擊力，足以毀滅蘇俄大部份之大城市」，從可知僅北約與英國亦均能對蘇俄之核子恫嚇，予以反擊。現在美國北極星潛艇，在北冰洋，大西洋，蘇俄沿海游弋，其勢如虹，各種攜帶核子彈頭轟炸機，遍佈蘇俄邊境基地及航空母艦，其多如蝗。北約組織，英國存儲之核子武器，引滿待發，其威力亦可與蘇俄分庭抗禮，予以嚇阻。在此種核子威脅四面楚歌，美國海陸空三路可以萬彈齊發之下，咄嗟之間，蘇俄即可夷爲平地，而謂蘇俄於此時此地胆敢挑動核子戰爭，除非赫魯歇夫瘋狂擬實行自殺，並以蘇俄全國人民殉葬，寧有可能！至於普通武器戰爭，史蒂克說：「在一般武器方面，蘇俄仍握有相當的優勢，但北約的地位已大爲加強。」明言蘇俄亦無制勝把握。一旦普通武器戰爭爆發，在兵力方面，據美國政府的研究：「蘇俄共有一百七十五個師，總兵力一百九十萬人」，東歐駐有四十五萬蘇軍，在東德有二十五個師，在匈牙利約四個師，在波蘭約二個師，另尚有未經試驗尚不穩定的附庸國部隊東德六師共七萬五千人，波蘭十師共二十萬人，匈牙利六師共十萬人，捷克十四師共十七萬人，總共爲六十二師，約一百萬人。北約組織方面約爲二十二個師，最強的爲美軍五師共二十五萬人，其他爲英軍三師，德軍十一師，比荷各兩個師，法國三師，加拿大約有三分之一的一個師，共爲二十五師，約五六十萬人。蘇俄方面顯佔優勢。武器方面，蘇俄之第一線戰鬥機，半自動卡賓，手提機關槍，和無反撞力的平射武器，都是新型的，統一的，已達到標準化的程度。北約方面則步槍，機槍有三種口徑，野戰砲有二種口徑，坦克砲有五種口徑，補給困難，武器陳舊，亦甚爲明顯。加以美國第七軍的北翼爲平原地帶，易受侵襲，現由兵員不足的英國，荷蘭及比利時的部隊防守，如果蘇俄突然進軍，予以猛襲，初期很可能暫佔優勢。但美國第七軍擁有二八〇公厘大砲，八吋火箭砲，誠實約翰飛彈，伍長飛彈（射程七十五哩）紅石飛彈（射程二百哩）及拍球飛彈（二十五哩）等重武器，能於同一時間發射二百個核子彈頭。此外以戰鬥轟炸機爲主幹的北約戰術空軍，亦可以展開壓倒的核子炸彈。依據北約估計，縱使蘇俄揮軍四十師進攻，並有戰術戰略武器支持，但北約借助核子武器，仍能制住蘇俄，美國原定在德國堵截任何共產黨的攻勢三十日至六十日，並無困難。於此期間，蘇俄如仍進行戰爭，不謀求和之路，則核子戰爭必將於一夜之間，驟然發生，美國如先動手，蘇俄全國人民，絕無倖免之理，安敢貿然發動戰爭？姑讓一步言之，假定北約部隊，避免使用核子武器，全部使用普通武器作戰，蘇俄亦無勝算。據報美國駐歐第七軍現已全部配發M十四式自動步槍，每分鐘可射擊七五〇發，M六〇式機關槍也可以媲美蘇俄。中型坦克M六〇型，有比舊式多兩倍的射程，少耗燃料百分之四十，亦已開始配發。巨型砲美國新製造的自動型T二三五的一七五糎砲亦較蘇俄的二〇三糎巨型榴彈砲爲優。中型炮美國的T一九六自動一五五糎炮亦較蘇俄中型炮威力爲強。美國新預算，關於陸軍新製武器方面共撥欵二十五億四千三百萬元以便充實其機動力及火力。美國軍事方針中，「予陸軍以最佳的裝備，最佳的保護，與最輕的負荷」，業已完全作到。第七軍在普通武器方面，業已可壓倒蘇俄。至於兵力方面，據英國國防部長[illegible]宣稱：「有後備隊五十萬人，將保持準備狀態」，法國於阿爾及利亞問題解決之後，將抽調二十萬人增援前線[illegible]

[illegible]美國原定計劃在柏林作戰支持三十日至六十日，現在則縱[illegible]蘇俄對於普通武器戰爭，亦不敢貿然發動，自取敗亡。蘇俄恫嚇，如何如何[illegible]

[illegible]其效果祇能使西方聯盟國家覺悟，所謂準備，提高警惕[illegible]

漫畫天下

南施

紅色販子在等待着

趕得上麼？

四、美國現在軍備之目標

[illegible]

自由談

學然後知不足

馬五先生

英國哲學大師羅素，亦精數理之學，他曾給工業革命的因果定出一項交替論（Alternative theory）云：工業主義由於近代科學，近代科學由於加利略（Galileo），加利略由於哥白尼（Copernicus），哥白尼由於文藝復興，文藝復興由於君士坦丁堡之陷落，君士坦丁堡之陷落由於土耳其人之移殖，土耳其人之移殖由於中亞細亞之乾旱。故[illegible]歷史因果的基本工作是水文學（Hydrography）。（見羅素所著「自由與組織」）

我看了這段交替論之後，倘覺得自己的知識學問，在童蒙時期中，而深深地感到古人所謂「學然後知不足」之說，應該牢記在心，不可忘却。蓋以學問之道，繁頤湛深，個人的有涯知識，對於宇宙無涯的事物與義理，總是不容易通達的。且自從現代的原子核以及電子學發明後，不特社會科學方面的許多理論已不成立——最顯著的就是馬克斯所謂人剝削人的辯證論，將來原子能普遍地應用於和平事業，一切生產機器皆利用原子能，[illegible]人力勞動減少到最低限度，甚至完全不使用人力，亦屬極可能的事。馬克斯發明的「科學的社會主義」理論，即變成了莫明其妙的童話。就是自然科學上的若干定義與公式，然如相對論等等，亦多不能適用了。

[illegible]

祇爲區區八萬五千美元
氣象所雷達觀測站
今年成空且待明年

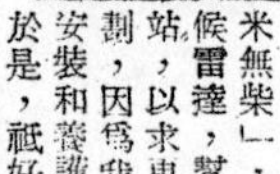

（本報記者台北航訊）「有米無柴」，美國贈送我國兩套測候雷達，幫助我國建立雷達觀測站，以求更準確的觀測氣候的計劃，因爲我國必須付出的裝運安裝和養護費用政府籌不出錢，於是，祇好使這件關係台灣全省千萬人安全的計劃，被暫時延擱下來，全省民衆，仍將繼續處在地震，颱風的不可知的恐怖之中。

台灣氣象所所長鄭子政向記者表示：氣象所建立雷達觀測站的計劃提出來之後，美國政府的商務部曾表示，願將兩套測候雷達贈與我國，以充實我們的氣象觀測設備。但我們必須付出一筆數達八萬五千美元的裝運，安裝和養護費用，目前政府因財源困難，無法籌措這筆美金，只好把此一計劃，至少延擱一年再說。

鄭所長說：明年能否如我們理想的將那兩套測候雷達運來我國，仍須視我國方面有無上述一筆錢而定。唯鄭所長表示：儘管我們將此一計劃暫時延擱，但美國方面所允諾的贈送我們兩套測候雷達的諾言，並未因此而失去其效力。只要我們有那一筆錢時，美國仍將繼續在工具上——測候雷達，及使用人員訓練兩方面幫助我們。

鄭子政所長對此一計劃的延擱，至表惋惜，他說：氣象所今後仍將就現有的設備，加强其測候工作，不過因爲沒有雷達測候站的關係，測候的準確性自然要差得多了。

本年一月五日，美國商務部正式致函我國，願意把兩套測候雷達贈送我國，這套雷達設備，對於地震的測量和高層氣象觀測，有顯著的效能。這種利用雷達來測量高層氣流的向速，而不受雲層障碍的設備，是第二次大戰以後的研究發明，即使是在科學發達的美國，也還是新穎的國際最高標準的測候利器。在測量上層氣流動態的高度上，可以達到十萬呎以上。舉凡大氣上層臭氧的分佈，太陽輻射，空氣成分、氣壓，密度和溫度等項，都可以測出。同時，還可以用來測報風暴的位置，研究雲層的組織，和雲體與雨點的分佈情形。它在分析雲體中降水密度水量方面，比較用雨量器來實測的雨量更爲準確。至於在測地震方面，一套「長週期」的地震儀，其倍力最高可達四千五百倍，另一套「短週期」的地震儀，倍力可以從一萬倍調整到十萬倍。本省目前最大的一具地震儀，倍力祇有八十倍，與這種倍力最高可達十萬倍的儀器相比，簡直是「天壤之別」。新儀器一經裝好，再遠地方的地震也能測出，蘇俄的核彈試驗，美國的地下試爆，儀器都能記錄下來。美國對於這套儀器完全是免費贈送，他們還願意計劃義務協助我們現有的氣象人員去操作這種新儀器。

台灣省的氣候預測，一向都是靠氣象所的一些過時儀器，因此，預測的不夠準確，已經被大家習慣了。台北市的報紙上，雖然逐日都有氣候預報的刊載，但也好像變成了「聾子的耳朶」，從來沒有人去重視過，常常是測雨偏晴，弄到人啼笑皆非。台灣地處環太平洋的地震帶上，又是颱風地帶，故對氣候預報的要求，特別感到需要。可是，從歷次的颱風及水災上看來，氣象預報都不能準確，使人民生命財產遭受莫大損失，政府花費在復原救災上面的經費，也是以億計。所以，常在災變之後，就聽到民間及輿論對氣象所預報工作一片抱怨之聲，甚至民間有人要控告氣象所所長，議會也要檢討質詢氣象機構，輿論更是大聲疾呼，要求充實和改善氣象設備。但一陣嚷嚷之後，往往又歸於沉寂，大家又復在苟安中等待下一次災禍的來臨。

本省居民對於地震颱風的危險，有着深刻的體驗，因此，對於這兩套儀器的接受，表示出深切的關切。台灣省氣象所方面，原來也在等待省府的撥款，準備在陽明山境內大屯山的鞍部，興建一座「雷達觀測站」。這個「雷達觀測站」一旦成立，對於「防震」「防颱」就可以有了較確切的保障，本省歷年來爲各方所詬病的氣象預報工作，將可大爲改觀。想不到，盼望已久的所謂「建立氣象雷達觀測站」的計劃，只好在「萬事俱備，只欠東風」的情況下告吹了。（吳越、三、廿四）

立院自清運動竟如何
虎頭蛇尾歟？貫澈始終歟？

（本報記者台北航訊）立委們正醞釀「自清運動」。畢竟如何「自清」？「運動」的成效如何？三月廿七日應該就可以有所表現了，最低限度可以看出一些苗頭來了。

這次醞釀中的「自清運動」，是由女立委王長慧等八十四人於三月廿三日下午提出的臨時動議所引發的。這項臨時動議之提出，則又是省議員許金德在省議會中說立法委員在審査某一稅法時會受到「銀彈攻勢」的影響而來。

女立委王長慧，以往並無赫赫之名。但自從她不久前提出反對「特權」的質詢之後，雖處囊中，聲名大噪。她那天領銜提出的臨時動議大要說：報載省議員許金德在議會財政審査會中，揭發立法院審議某項稅法時，曾經受到「銀彈攻勢」。如不澄清，以訛傳訛，不但將使 立法 院全體同仁蒙羞，也是國家的一大損失。因此，擬請院會交有關委員會徹底追査。

這個臨時動議提出後，立委們情緒緊張，發言踴躍，有的人且主張院會立即進行討論，不必婆婆媽媽的交什麼委員會繞圈子，費時而失事。立委郭登敖並因此大聲疾呼，說這是立法院成立十多年來第一次遇到的事件，不能馬虎。他並指出：近年來對於立法院，外間風風雨雨，傳說甚多，我們應藉此機會，澈底檢討，整飭自身，來一個清潔運動。

郭登敖所說的「自清運動」，立時獲得許多人的共鳴。但對於是否先交委員會抑逕由院會討論，卻意見不一。魏惜言是主張先交程序委員會安排的，他並說：民主國家的議會，議員會內發言，對外不負責任。臨時動議的內容又是根據報載消息，有無失實，尚待澄清。立法院對許金德議員那些話，當然不會滿意的，但應留有時間給許議員考慮，因爲很難說報載消息與事實之間，全無出入。

結果是決定先交給程序委員會了。而程序委員會當晚就開會，把這臨時動議排在廿七日的院會討論了。

但就在立法院提出臨時動議那天，許金德議員卻寫信給報館，否認他曾經說過那樣的話——畢竟許金德是否因爲報紙刊載消息，發爲評論，以及風聞立法院提出臨時動議知道闖禍了而加以否認，就不很明白了。

根據報載消息：許金德廿一日在省議會審査會中，談到立法院在審査某稅法時，會指出有關廠商對立法委員進行「銀彈攻勢」，並且列舉了「銀彈」數字和廠商名稱的。但他事後的投函辯正，卻否認他說過那些話，說是他的原詞，只說有那麼一些「風傳謠諑」，「雖然均非事實，但已足使我們警惕」云云。

對於造成立法院臨時動議的事件，由於許金德的否認，有「釜底抽薪」的作用，固不消說。然則立委們的「自清運動」，是否也跟着虎頭蛇尾，偃旗息鼓，匿跡銷聲？或者仍然貫澈始終，藉此認眞的「自清」一番，找出「害羣之馬」，免得「一顆老鼠糞攪壞一鍋粥」？廿七日的院會應可有所分曉了。立院的聲譽與國家的利益，自然希望是後者而非前者。（道）

東姑警告星加坡左派
勿反對馬來西亞計劃
謂否則切斷星馬交通

（本報星加坡通訊）馬來亞聯合邦總理東姑．阿都拉曼向星加坡自治邦提出警告：星加坡人民必須儘早對大馬來西亞及星馬合併問題，做出決定。他說：如星加坡自治邦人民的決定是反對星馬合併以及反對大馬來西亞計劃，則馬來亞聯合邦爲其本身的利益，可能採取嚴峻的行動，是即關閉柔佛長堤，把星馬兩地隔絕起來。

這是東姑．阿都拉曼發動大馬來西亞運動以來，對星加坡自治邦反對此計劃者所表示的最爲直率有力的警告，而且亦說得最爲露骨，清楚明白，一點也不含糊，也不再繞什麼圈子。所以，很受星加坡各方面的重視。

東姑．阿都拉曼是馬來亞聯合邦執政黨巫統的主席。馬來亞聯合邦，現由巫統、馬華公會及馬印國大黨三個民族政黨的「聯盟」執政。東姑．阿都拉曼的這番話，就是在星加坡巫統分部的大廈奠基典禮上公開講出的。顯然，他講這些話的意思，在於爲大馬來西亞計劃之實現，做催生工作。

大馬來西亞計劃運動，推動至今，約達一年，大體上是順利的，但反對者亦有之。反對的人是左派，在北婆三邦有之，在馬來亞在星加坡亦有之，而尤以星加坡左派的反對，最爲有力。這些所謂左派，實際就是共產黨，不過他們不用共產黨之名，而以諸如「社會主義陣綫」一類的招牌出之。東姑．阿都拉曼及其左右，從前曾指出：暗中領導反對大馬來西亞計劃的，是印尼共產黨，但據此間若干人士的認識，印尼共產黨在這件事上，其身份仍然是傀儡，中共才是其主使者。若干人士甚至指出：特別是像星加坡的林清祥這班人，乾脆就是中共份子，受中共的直接指揮。

在談到大馬來西亞運動的時候，東姑．阿都拉曼提出三項原則，即（一）迅速的，（二）有步驟的，及（三）和平的，以完成之。他强調絕不可以亦絕對要避免因此掀起風波，引來騷動。

東姑．阿都拉曼說：由於馬來亞聯合邦與英國關係友善，合經他去年到倫敦與英國政府談判後，英國贊同大馬來西亞計劃，願意於大馬來西亞計劃實現時，放棄對北婆三邦的統治權，讓北婆三邦及星加坡自治邦，與馬來亞聯合邦，以平等地位合組大馬來西亞聯邦。他說：那些反對大馬來西亞的人，會說他之所以倡導大馬來西亞，是爲了馬來亞想獲得北婆三邦的財富。他斥責「這是造謠」。他說：在大馬來西亞計劃實現後，五邦的一切財富資源，都將共同的結爲一體，共同促進發展，目標則爲共同的繁榮、幸福與和平。

東姑．阿都拉曼說：在他最初倡導大馬來西亞之時，各邦（記者按：指星、馬及北婆三邦）政黨一律表示歡迎，願意參加，但慢慢的有人反對了。（記者按：東姑．阿都拉曼此語指的是各邦左派，但東姑．阿都拉曼不久前，曾指責北婆三邦的英國官員，亦在暗中掣肘、破壞大馬來西亞運動，星加坡亦有人反對，而且反對得很囂張。他說：那些反對的人，都不是爲大衆着想的人，而是一些自私自利之徒，「極端集團」中人。

東姑．阿都拉曼說：那些反對的人，比如在星加坡的反對者，他們說當大馬來西亞聯邦實現，星加坡的內部安全由大馬來西亞聯邦掌握的時候，星加坡自治邦人民將蒙受不利。他說：這是他們故意要造成一種無根的恐懼，以達成其反對大馬來西亞的目的。他强調馬來亞聯合邦絕無意侵害人民的基本自由，即使那些極端份子，甚至共黨份子，只要他們能夠尊重法律，在憲法範圍之內活動，而不危害到大衆的安全與國家的安全，他們亦實在無須乎有所恐懼。

東姑．阿都拉曼强調：大馬來西亞聯邦計劃，是一定要實現的，亦必定可以實現。（增）

作勢反攻箭待發
車禍醜惡兇在逃

▲行政院指示教育部，囑其積極準備反攻大陸及國軍登陸後有關教育部份的各項工作。教育部則已經決定首先就儲備人才與編印教科書兩者，着手籌劃。這是政府於在國防部成立戰地政務局與行政院成立經濟動員委員會之後的第三項措施，尤其後者是美國發表一九四三年中美外交關係的歷史資料後傳出來的，顯示政府對於反攻大陸正積極策劃中，有箭在弦上之勢。所望者，此箭眞能及早射出，而非僅屬姿態耳。

▲經濟部長楊繼曾，力言台省經濟正不斷向上發展中，且說前途頗爲樂觀。楊繼曾且列舉數字，如（一）國民所得總額：四十年爲八十九億四千二百萬元，五十年爲五百三十七億二千六百萬元。約增加百分之六百。（二）國民平均所得：四十年爲一千零六十三元，五十年爲四千五百九十一元。約增加百分之四百五十。所惜楊繼曾未說出四十年至五十年物價漲了若干？亦即幣值跌了若干？同時楊繼曾亦說：經濟成長率要保持百分之八，很難，還需作更大的努力，包括更節約，尤其節約所得，都用於投資。

▲台北市中山南路口，二十日晚發生的一宗被稱爲「最醜惡的車禍」，雖經警局懸賞萬元緝兇，截至廿六日，仍杳如黃鶴。按這件車禍爲一架綠色吉甫在斑馬綫上所闖出，死台大醫院兩女性工作人員，其中一護士且身懷六甲，故實爲兩屍三命。其「最醜惡」之處，在於此綠色吉甫於肇禍後竟不顧而去，逃之夭夭，無人性極矣。台灣吉甫非多，綠色者尤少，居然七天還找不到兇車，亦有些說不過去的。（得）

燕塵識小

無貢生

壬寅續譚

一個月前的今天是陰曆正月十五日，在燈下讀「壬寅談往」，寫到新寧劉忠誠公坤一之喪，不覺喟然而嘆曰：「噫乎，人之云亡，邦國殄瘁，殆亦古今同慨者歟！」繼而又一轉念，以爲新年新歲何來此不吉之言？於是續爲之註曰：「此所謂今，指六十年前之壬寅，非今日之壬寅也。」謂將以此言，分清時代，庶幾「化凶爲吉」，可以「祓除不祥」云爾。

於是續寫壬寅年十一月京師大學堂招生開學事，而引胡適之先生根據鄒樹文之假設，推定北大何日校慶，作一小結。誠以前一壬寅，此爲大事，表而出之，亦固其所。旋卽繕清付郵，一以應馬五先生之雅屬，一以爲本年開筆之發端。時則，民國五十一年二月二十三日也。次日廿四偶然看了昨天廿三的中央日報，看見胡先生一篇短函。文曰：

編者先生：好久沒有看見你了，你好嗎？這幾天常看見中央日報副刊上小說大漢春秋的插圖，我頗想說幾句話。卽如二月一日此圖，一般讀者未必覺得有何可怪可笑。但我們應該知道椅子櫈子是漢朝決沒有的東西，這樣的一位坐在椅子上的漢武帝，一位坐在錦櫈上的平陽公主，就不免叫我們學歷史的人感覺可笑了。中國古代的人都是席地而坐，與韓國日本相同。皇帝，宰相，大臣，小臣都是這樣，故上下尊卑的分別是很少的。漢朝人尚是席地而坐，似無可疑。晉時始有「胡床」，卽是一種可以坐的櫈子，椅子（倚子）是更後起的了。諸公是否可以把這話婉轉告知畫圖的人，請他參考一點書，如南宋朱熹有一篇「跪坐拜說」（朱文公集六十八），如李濟先生近年也有這種研究的專文（跪坐蹲居與箕踞，見史語所集刊二十四本）。祝諸公新年快樂。胡適敬上五一、二、一。

看完了這篇短文，我對一位朋友說，胡先生病後寫一點不傷脾胃的小品文，總不會再有什麼是非了吧？大家一笑而別。晚上回家看見一張晚報，信手一翻，又看到一段短評，正是對胡先生昨天的短信而發。大意是說：

爲了一部歷史小說中的插圖，不合當時的事實，有歷史癖的胡適之先生一眼就看得出來，不是那回事。見微知著，正是專家不同尋常。民間懸掛的關羽像，右手掀鬚，左手執春秋，秉燭夜讀，那本書畫的是綫裝書。可是三國時代還沒有線裝書問世。但大家習以爲常見怪不怪。依然崇拜關夫子，這張畫照掛不誤。畫插圖，寫小說，下筆縱有所本，大都是用想像力，只能「想當然耳」，按之事實，總有出入。別說今人寫古事，作古畫，要鬧笑話，就是今人寫今事，亦不免把後來之事錯記在幾十年前。比如麻將中的「一條龍」，乃是新麻將中的一個花樣，如果說民國初年玩老麻將也有「一條龍」，就有點張冠李戴了。

看完了這段短評，不覺啞然失笑。心裏說，我猜錯了，居然還有問題。所幸文字寫得很委婉，對胡先生自不免有點諷刺，卻無一絲火藥氣。至於一條龍的笑話出於何人，更無須深問了。看完晚報聽了廣播，就在此時，傳來凶信。說是「胡先生心臟病又復，不及施救業已逝世。」乍聞此語，不覺瞿然而驚曰：「怪哉，不祥之兆，應於此乎？人之云亡，今竟然矣」。追溯十日之前已先有胡宗南上將之喪，（二月十四）今日適之先生遽謝賓客（二月廿四），更不料兩旬之後齊如山大師又返道山（三月十八）。一月之間大星三隕。假若六十年後，猶有人焉，續寫壬寅今史，則此三事必當大書，而深訝今春「木壞山頹，流年不吉」爲可異矣。（胡先生正忙開會，當天晚報大約未曾看到。也好，少生一點氣。）

因適之先生作古，我想在故紙堆中搜尋一點有關胡先生的遺聞軼事，以備徵集撰述。無意中發見一篇剪存的舊報是鄒樹文所作「北京大學最早期的回憶」，亦卽胡先生所據以考訂校慶之原文。原件作於三十七年冬，正是北大五十年校慶之前夕。距今首尾十五年，作者存亡固不可知，而胡先生則竟一瞑不視矣。文中所述都屬壬寅舊事，今爲轉錄，以存陳迹，惜乎不克與胡先生相與共證之。然而「人之云亡，邦國殄瘁」，終不免於古今同慨矣。傷哉！

壬寅二月既望風雨瀟瀟之夜，誌於台北。

向核彈抗戰

陳知青

五、核彈戰爭的防禦

（一）U—二飛機

這些探測方法，大都是電子科學的技術裝置，在地面實驗時，可以直接探測。U——二飛機的高空探測，當然，需要更特殊的裝置，作間接的探測。詳細的技術問題，還是最高機密，美俄雙方都沒有發表。而實際上，無線電的技術，對於空間的距離，並不重要。間接的探測，也有相當的成果。美國當局，對於U——二飛機被擊落的損失，十分樂觀，他們有信心地認爲這方面美國在五年之內，有絕對的優勢，戰勝蘇俄，因爲他已做到「知己知彼」。

由蘇俄的和平攻勢看來，U——二飛機的失事，正在加緊研究中，也不敢輕舉妄動。

在這種情形下，U——二飛機，雖然不是積極的核彈戰爭的防禦武器，至少在探測上獲得了一些初步的成效——雖然，基本辦法，還得另覓途徑——目前祇能延緩一段啓戰的時間而已。

（二）雷達特效探測

當U——二飛機被蘇俄擊落以後，美國宣佈對於蘇俄核彈戰爭的探測方法，還佔優勢。這應不是「自我安慰」與「自我宣傳」的話，而是一種事實。雖然目前這種特殊裝置，還在保密階段，但從科學競賽的另一方面看，雷達方面的特別研究，可能就是這進一步的法寶。

雷達射日，這是美國試驗成功的科學新聞，后羿射日的神話，已經被中美兩國的電子科學家們，造成爲事實。而「嫦娥奔月」，還未實現。可是，在這個「雷達射日」的背後，卻隱藏着另一核彈戰爭的防禦意義在內。

我們回憶一下，「雷達射日」的科學實驗：美國史坦福大學的艾西爾曼教授，嘉拉爾博士，和中國的研究員黃自維及陸軍通訊兵團的巴斯爾中校，於一九五九年四月開始，花了一年以上的努力，在新墨西哥州，做了幾百次的試驗，運用電子計算機算他們將雷達發射的訊號，瞄觸太陽，這個試驗成功後，宣佈說：他們强力的雷達訊號，於發射後十七分鐘，把折回的信號，由太陽帶回到地球。這個消息，包括純科學的和防禦核彈戰爭兩種意義：

（十）

香港與大陸

中共以糧食爲餌 逼人民多爭僑匯

上海猪肉每斤共幣九元六

據一位剛由上海輾轉逃來香港的趙君說：上海市配糧，經一減再減後，現在是大人六兩，小孩四兩，減到大家連兩餐粥亦都無法吃飽了，大家餓得頭腦發昏，但是沒辦法，只好把褲帶越加拉緊之一法。他說：自由市場雖然也有米糧出售，但是價錢貴得嚇人，且往往還有行無市。黑市米價，每百市斤貴到人民幣二百元以上了，還不一定買得到。猪肉每斤貴到人民幣九元六角（按官價折合港幣二十二元餘了），白菜也貴到人民幣一元二角錢一斤。葱、蒜、芹菜這類配作香料，則已絕市很久，買不到了。其他日用品，亦無不貴得嚇人。

趙君又說：共幹時常派人到有僑匯的戶口去，他們美其名曰「慰問」，其實就是按戶去做說客，要大家多向海外的親友寫信，促其多匯些錢回去。尤其每當配糧的時候，共幹們穿門走戶大聲疾呼地說：「你們想多配點糧食的話，那末，你們就該向你們在海外的親友多寫信，要他們多匯款回來，否則沒辦法」。又說：「只要你們的親友把錢交給海外的國家銀行，指定是購買糧食用的，都可以照買糧食。比如每港幣一百元，可以購大米六十市斤給你們。以多匯多配，數量不拘。只要匯款一到，你們持匯單到指定的配糧的地點去領取糧食好了。」

趙君還說：最近上海南京一帶盛傳國軍就要反攻了，老百姓聽到個個都暗中高興得很，祇盼望國軍眞的早些反攻。那些共幹看起來都有些失魂落魄，惶惶不安。在上海市，大家對於共幣已經不再有信任，所以凡是有多餘的錢，就都拿去搶購東西，只要見到有東西就購買，價錢貴亦不問。特別是對於糧食，成了大家搶購的對象，祇是並不能夠隨便多買罷了。（鋭）

瘟君續夢

第四回：掩面向黃泉，貳臣遺恨　低頭拜白虎，末帝驚魂

毛澤東一拍大腿：「林老，你這個主意簡直想絕了，我最近幾個月，苦思焦慮，想不出一個辦法能衝開層層阻礙，以前尚可召開國務會議解決困難，現在連召開國務會議的資格也沒有了，過幾天都要拿到政治局或中全會去討論，實在不勝其煩，現在你想出一個座談會的辦法，眞眞妙到極點，算是打開了一條新路。明天就傳這批人來開會，只是特赦那些人呢？也應該討論一下。」

活曹操歪頭看看羅瑞卿，問道：「瑞卿同志，你以爲應該赦誰。」

羅瑞卿皺着眉頭說道：「勞動改造的情形我不清楚，我回去同謝富治商量下，擬定一個名單送來供主席跟林老參考。」

活曹操笑道：「那裏要費這大的事，你以爲眞要揀無罪的釋放嗎」？

活曹操一句話說的毛羅兩人都感到驚奇，毛澤東說道：「林老，你的意思我到有點不明白，我們舉行特赦，自然要赦改惡從善，悔過自新的戰犯，有罪的當然不能釋放。」

活曹操搖搖頭：「主席對這問題還沒有想深一層，我們舉行特赦的眞正目的，除去消解怨氣，還應該注重對台灣及海外的統戰工作，只要有利於統戰的就應該儘早釋放，不必說什麼改惡從善的話。再說卽使從勞改營中釋放出來，他們依然要勞動，要受公安人員監視，又不是發他們一張通行證去香港，何必過於苛求？」

毛澤東同羅瑞卿聽了一齊拍手叫絕。

羅瑞卿問道：「林老，依照你的標準，應該先釋放那些人呢？」

活曹操摸着鬍子說道：「依我的意見，第一個應該釋放的是杜聿明。」

羅瑞卿連連擺手道：「這個杜聿明可是放不得，他是所有被俘國民黨軍官中，最頑固的一個人。一點悔過的意思都沒有。」

毛澤東笑道：「杜聿明的事情我也知道一些，據說他連一張悔過書都不肯寫，就是在談話中也從不認輸。早幾年沈鈞儒同黃炎培曾到山東勞改營去視察，杜聿明，王耀武都在那裏，王耀武思想已經完全改造，百依百順，要他作什麼，他就作什麼，只有杜聿明因不肯悔過，還帶着鐐。當他們和杜聿明談話時，沈鈞儒首先被他搶白一頓。」

活曹操聽出興趣了，笑道：「沈衡山說話顛三倒四，同我們談話也是經常碰釘子，自不怪杜聿明搶白他。」

羅瑞卿苦笑道：沈衡老只問他一句，爲什麼在淮海戰役時放毒氣。他反問衡老懂不懂什麼叫做毒氣，毒氣在什麼環境下始能放出。他又說毒氣在兩軍接近時不能放，冰雪載途時不能放，淮海戰役正在這種情況下，如何放毒氣？何況他從來也未放過毒氣。」

活曹操笑道：「杜聿明的辯才一定十分高明，不然作律師出身的沈衡山不會被他駁倒。」

羅瑞卿搖搖頭：「這還不算厲害，他答復黃炎培的話才更兇哩！」

（八七）

窄門

熊徵宇

後來我一直在故鄉湖北做事，而他服務東北，除了書信的往來，沒有見過面。萬想不到三十九年的秋天，在台北街上碰到他。

二

那天我看完第三場電影出來，準備到報社去上班，走到衡陽路口時，忽然聽到有個人叫我，回身後望，認他不得。於是，我站住，他走來，彼此凝睇一回，我不禁撲將過去：

「是你——滌生！」

「我以爲不是你哩！」

他的笑是飄渺的，帶着多種況味。我一時也說不出話來，只覺得他那瘦長的身子難禁深夜的秋風。

我到就近的一家旅社撥電話，請一位同事替我發稿。在咖啡館坐下來，談了兩個多鐘頭，眞不盡人世滄桑，幾年離索！

滌生憂患受得不少，但他豪氣仍然很高。他說：

「對日抗戰的時候，我們跟着大人走。如今輪到我們領先。」

「但是這回……」

「當然，當然更有歷史性。也是有把握的。」

「因爲我們領先？」

「憑着人性的信仰。」

他說得很慢，我聽得很深，剎那間，有許多意念從我腦中滑過，像我面前的烟霧，也像湍急的洪流，蕩漾着成長喜樂的笑聲和遙遠繁星的閃爍。一會，我說：

「滌生，我忽然想起你那首『草鞋吟』來了。」

「你還記得？」他有顯然感觸的表情，「那是唸高二的時候寫的。那日子遠了。學生們穿草鞋的時代也過去了。」

「但脚總是走路的，不管換上什麼鞋。」

「……」他頷首笑笑，站起身說：「我還得趕回基隆，我的事……」

「明天就進行。假如那位先生一定要走，我想不會有問題。資料室的主任當然歡迎你這樣的人才。但是那邊准你辭職？」

「我想會的。那個圖書館的規模很小，等於一間閱覽室，坐在那裏也沒有書編。閒着拿薪水也無聊得很。」

「那末有消息我就到基隆來。」

宿舍門口的羅漢松已由獨條小枝長得蓬齊了二樓的窗口。滌生已經在報社管了三年資料，跑了五年外勤。

（二）

唐太宗（十）

李仲侯

四、制田賦：唐初田土與賦稅合一，集晉南北朝以來田賦的大成：名曰均田租庸調法。均田之制，唐定男丁十八歲以上，官給田百畝，其八十畝爲口分，二十畝爲永業；篤疾廢疾者人給四十畝，寡妻妾卅畝，若爲戶者加二十畝，皆以二十畝爲永業，傳之子孫，餘八十畝爲口分，惟限一代，老死生歿，皆還於官。田多可以足其人者爲寬鄉，少者爲狹鄉，狹鄉受田減寬鄉之半。其地有厚薄，歲一易者倍授之。寬鄉三易者不倍授。工商者寬鄉減半，狹鄉不給。凡庶人徙鄉無以葬者，得賣世業田。自狹鄉徙寬鄉者，並得賣其口分田。已賣不復授；死者收之，以授無田者。凡收授皆以歲十月，里正預造簿籍，縣總集應退應受之人，對其給受。脫戶者有禁。漏口者有禁。浮浪者有禁。官司應授田而不授，應課農桑而不課者有禁。每里正管百丁，田萬畝。授田先貧及其課役者。凡田鄉有餘以給比鄉，縣有餘以給比縣，州有餘以給比州。此均田之大畧也。

至所謂租庸調者，因全國農民均各計口授田，因授田就應出租。壯丁之力役爲庸。地方土產之貢獻爲調。庸調與田租配合徵收。新唐書載：「凡授田者，丁歲輸粟二石，稻三斛，謂之租。丁隨鄉所出，歲輸絹二匹，綾絁二丈，布加五之一，綿三兩，麻三斤。非蠶鄉則輸銀十四兩，謂之調。用人之力，歲二十日，閏加二日，不役日者，爲絹三尺，謂之庸」。此租庸調之大較也。陸贄曾說：「此三者皆本前哲之規模，參考歷代之利害，其取法也遠，其立意也深，其斂財也均，其域人也固，其裁規也簡。有田則有租，有家則有調，有身則有庸，天下爲家，法制均一，雖欲轉徙，莫容其奸。故人無搖心而事有定制。以之厚生，則不提防而家業可久。以之成務，則不校閱而衆寡可知。以之爲理，則法不煩而教化行。以之成賦，則下不困而上用足」。

租庸調不計畝而計丁或戶以課稅，必首先實行澈底的均田制度，或每人或每戶有等額的田，然後纔能按丁按戶課稅。又按丁課稅，必須有最精密的戶籍制度，使無漏戶漏口或空戶等情事，方能免於逃稅。足證當時基層組織及戶口調查已臻相當嚴密。

孫提督三寶貝

黃葉村人

南安陳紹唐爲余言：孫開華提督福建時，駐節泉州。家有三寶，一、猴子，能聽話，供驅使。孫每晝寢，使猴子拱衛，人莫敢近。二、鸚鵡，會說話，署中上下，鸚鵡皆能呼其名姓，不誤。三、金魚，名紫牡丹，青蝴蝶者，能演戲，以青旂引之；青者出，紫旂者紫出，縱而上，有規律，不紊亂也。

某日，孫晝寢，猴子循例拱衛於簽押室。時天暑燠熱，少頃，有寵婢自內室至，擬白事。猴子歪其首，以右手作狀，示意孫睡。婢近窗內窺，仲其雙臂，晶瑩如雪藕。猴子心動，遽前擁婢，婢大驚，聲喊。衆趨至，孫亦醒，衆執猴子，孫命縛而鞭之，垂斃乃已。遂棄之後園中，擬俟其絕而後埋之也。

是夜，猴子踰牆出，自覓鮮草敷創，逾數日竟結痂癒，有黠僕教以「負荊請罪」，或得寬恕。猴果如教，俟孫怒霽，口啣荊，匍匐孫前，啣咻乞饒。孫意解，仍使供役。如是數月，未有動靜。一夜，缸中金魚，全被捏死，或言猴子。孫怒詰猴子，猴子以手作狀，繪影繪聲，意指婢。且叩頭出血。孫以婢愛觀魚，疑之，命召婢厲聲責之。猴子復跳躍作狀，婢恐懼，口不能作聲。孫益疑，自持鞭鞭婢。鞭甫下，架上鸚鵡忽作聲：「猴子殺之！猴子殺之！」

孫大悟，命縛猴子。猴子挨走出，竄逃無縱。紛擾至夜，猴子仍不得。恐其報復，下令闔贖戒備，見卽殺之。逾數日，孫晝寢于「上房」（內閫也），見一白衣少女攀簾入，以綠綃蒙首，向孫作蹁躚舞，舞罷，向孫唱李後主一斛珠：「奴爲出來難，教君恣意憐。」兩句，欸然而沒。蓋軍門幕僚所教，而鸚鵡所常唱也。孫醒，知爲夢，而心大動。亟起，至廳事，見鸚鵡方睡，益驚怪，命洒以扇撩之使起，命唱歌！鸚鵡仍唱前句，聲悽咽，似有變徵。孫不樂，命將鸚鵡移置押簽室，夜深被自守之。

漏下三更，軍吏報：「有緊急公文待閱！」孫閱畢，趨出，召營兵捕猴，蓋急報至，謂猴子走入民居，姦一民婦斃！婦子方彌月，亦被扼死搖籃中也。部署方了，夜已五鼓，急歸簽押室，則羽毛滿地，血水狼藉，鸚鵡已被扼斃，分屍數段，棄置隅矣。

子所爲，乃以楠木刻小棺，葬鸚鵡殘體於後山，植碑樹木，藉表悼思焉。

猴子竄出數日，走入市，見陋室中有婦人伏几臥，旁一孩臥於搖籃中，猴子入，擲孩於地，而自臥其中，孩子哭，婦醒見狀，震慄不能聲，猴子竟起，撕婦袴，婦驚斃。猴子並扼其孩。迨其夫歸，逐猴，猴竄逃，大痛，告官，官以爲提督猴，乃咨提督協捕猴子。紛擾數日，猴不得，城鄉人民稍有被殺者，乃大出綠營兵會搜，越數日，卒獲猴，傷其一足，迺解縣（晉江縣），訂期公審。

至日，用「企籠」（木製，迺用以刑人者，頂有蓋，蓋有圓圈如枷，使犯人之頸，首出於圈之外，下有墊木，抽墊，則足浮懸空，首懸圈中，逾刻旋斃）站猴於中，招受害者家人指認，既畢，在縣前當衆執行死刑。（按清代死刑，吏持死刑標插籠頂）予以更換，猴竟能伸其兩手自企籠之夾柱縫中旋之。刑未半，行刑官唱令抽墊！猴即色變，擲其果，瞑目不視，逾時始斃。紹唐親見之，爲余言之如此。此清代光緒季年事也。

海嶠叢談

大陸淪陷的基因

諸葛文侯

中國大陸淪於俄共集團魔掌中的主要原因，言人人殊，各有所蔽，亦各有所偏。今日痛定思痛，若以歷史家的客觀心情來評判，可舉出三大要素，而軍事不預焉。

在國府未還都之前，淪陷區物價指數較戰前增漲約爲兩倍左右。日本投降消息證實之際，若干住在重慶而有錢有勢的人物，利用權力機會，急飛上海巡視，旋帶着大批的上等日用必需品和奢侈品回渝，逢人稱說上海物價意外便宜，如當時的「關金券」五百元，即可購買盈車的日用品了。我就聽到兩位朋友如此云云，且承其以在滬所購廉價皮鞋等惠贈呢！

繼而杜月笙，戴雨農，錢新之等率先赴滬，即與汪政權財政部長周佛海洽商金融問題，首在如何規定法幣與僞幣的比率，俾人民有所遵循，而使社會生計趨於安定。周氏主張最好爲一與二十之比——即法幣一元値僞幣二十元——最大限度亦不超過一與五十的兌換率，則保證淪陷區的物價必無巨太波動情事發生（此中詳情，後來我到南京老虎橋監獄探視周氏時，他曾向我娓娓敍述過。）詎國府財政部聽信中央銀行副總裁陳行由漢口發來的片面調查報告，貿然頒訂法幣一元値僞幣二百元的明令，如是，京滬平津一帶的物價隨之狂漲，與日俱增，種下了日後無可救藥的經濟惡化之禍根，終於沒法收拾，而導致飲鴆止渴的金元券政策出現，構成經濟總崩潰的結局。

國府還都後，厲行懲治漢奸法令，除了拘究汪政權的重要官員而外，更有所謂「文化漢奸」「經濟漢奸」等名目，對社會各界人士廣事追究株連，繼之以籍沒財產，苛酷備至。當時曾有人對此事的後果，作出一種保守的估計：假定被建治的各色次要漢奸人物，全國約計爲十萬人，每人平均擁有直系親屬五名；這些親屬之中，每人平均又有五個對他表同情的親戚朋友；綜合起來便有三百萬人以上。這一大羣人，就是對政府抱有莫大反感的反側之徒，直接間接，隨時發生釀亂行爲，影響政府威信何等鉅大，關係國家治亂前途又何等深切啊！

不特此也，政府又對淪陷區各級學校的員生們，皆加以「僞」字頭銜，不許隨便繼續教讀，教員要嚴予甄別，學生要重行訓練。當時愚友楊人楩（曾在北大執教）以北平各大學「僞教員」代表身份，到南京向教育部請願，私下語愚曰：「我們在請願書中的『僞教員代表』這行字下簽名時，眼淚不覺簌簌灑落紙上了！」戰後赴北平主持黨務的吳鑄人兄告訴我，他到北平接見一般向市府請願維持生活的中等學校校長時，曾有一人訴說道：「我過去是國民黨員，吳主任委員在河北省黨部作訓練部長時，我曾經受過訓。不料國家八年對外抗戰之後，我卻以『僞校長』的身份來向吳委員討飯吃了！」說罷泣下沾襟，令人酸鼻。這對於一般知識分子的心靈創傷，極其深鉅，而主管機關首長之顢頇胡鬧，寧不可駭耶？

基於上述三項因素，卽知神州陸沉之禍，決非偶然，軍事失敗，是果，不是因也。

石湖風景

道南

蘇州近郊石湖的風景，秀麗絕了。彎彎的環洞橋，映着波光塔影，一派江南水鄉的情調。山並不甚高，但是異常秀媚；山上一座寶塔，也並不甚大，但是異常玲瓏。秀媚的山峯，配上玲瓏的寶塔，再襯以蔚藍的天色，映以淡碧的湖光，誰說不是一幅絕妙的圖畫？

石湖相傳是范蠡帶了西施進入五湖的地方。美麗的湖山，再點綴着這個千古雋事，更格外的生色。

石湖又是田園詩人范成大的故鄉。范成大在石湖邊上建造亭榭，宋孝宗親自寫了「石湖」二字，差人送給他，後來刻在范公祠裏的石碑上面。據古籍，他的故居，範圍頗大，有千岩觀，天鏡閣，玉雪坡，盟鷗亭許多勝迹。范成大死了以後，變成石湖書院。

石湖邊上，離開范公祠不遠，還有兩所古寺：較近的一所叫做石佛寺，依山傍岩而建，山壁有石窟，中有石觀音像，相傳，係齋梁時物，妙相莊嚴，雕刻十分精美。石佛寺下臨深淵，有泉出自石罅，雖大旱不涸。從石佛寺右側，迤邐而上，一帶崇樓傑閣，都是依岩而建。再過去不遠，便是治平寺。寺門前有兩株白果樹，亭亭如蓋，映着明朗的陽光，作深黃色，在蕭蕭的西風中，閃閃發光。

山川風物

內僑警台報字第〇三一號內銷證

自由報

THE FREE NEWS

第二二三期

中華民國僑務委員會頒發
台教新字第三二三號登記證
中華郵政台字第一二八二號執照
登記爲第一類新聞紙類
（本刊每星期三、六出版）
每份港幣壹角
台灣零售價新台幣弍元
社長：雷嘯岑
督印人：黃行富
社址：香港銅鑼灣高士威道二十號四樓
20 CAUSEWAY RD 3RD FL HONG KONG
TEL. 771726　電報掛號・7191
承印者：田鳳印刷廠
地址：香港灣仔高士打道二二一號
台灣分社
台北市西寧南路壹壹本號二樓
電話：三〇三四六
台郵撥儲金户九二五二

展開亞洲自由國家統一運動

——從美國的新外交動向說起——

林介山

這不是一個主觀願望的烏托邦，乃係檢討當前國際政局轉變而得出的結論。我們與其給人牽着鼻子走，莫如我行我素，作出更有效的「反攻大陸」的方法。

當前國際情勢可能有新的轉變，重心是在美國的新國策新外交的佈署；亞洲重心則落在「反攻大陸」的中國問題。這二者不獨有絕大的關聯，且關聯到一國主權與命運的興衰，中間就因爲有一紙中美條約串插的影響。

由於美國月來表現了軍事、經濟、外交的新的行動；由於中共的惡劣情勢達於頂點；亦由於「中美條約」中有兩點極端不利於我中華民國之「反攻大陸」復國運動；例如一九五四年十二月簽訂條約第十條有規定「軍事單位，未經共同協議，不將其調離第六條所述各領土（按該條所指乃台灣與澎湖）……」又一九五八年十月發表有關條約申明的「中美聯合公報」中有說「中華民國認爲恢復大陸人民之自由乃其神聖使命，並相信此一使命之基礎，建立在中國人民之人心，而達成此一使命之主要途徑，爲實行孫中山先生之三民主義，而非憑藉武力」。因此之故，所有熱情的愛國者及輿論界，日來更乘時抓住機會，公開籲請當局修正中美條約，實行反攻。

此一籲請是否能夠順利達成，仍需看與美國的新外交行動的旨趣是否相符合以爲定。

美國最鮮明表達對遠東新外交的趨向，是反映在三月十日開始，連續五日在非島碧瑤會議後的公報中。那是「美國準備協助亞洲國家，維護其民族獨立及促進彼等之經濟與社會計劃」；「並特別側重於改善教育及其他各項公共服務」。事後該會議主持人之一鮑爾斯並強調指出：「美國之政策，係以在亞洲周圍建立一個軍事保護盾，俾擊退未來侵略者爲其中心。但此項政策，係以協助『建立一個適當社會』之努力相輔而行。」在此之前，美國檢察總長在訪日期間，用絕對民主的態度，深入日本各階層，並邀請反美的社會黨及勞動總評人物訪美。在此同時，甘迺迪向國會要求撥四十八億美元以上爲援外軍經款項，其中經援卅三億餘，軍援十五億，遠東及東南亞獲配三分一以上。

從上述資料分析，我們大致可以肯定，美國今後對遠東的作爲，仍限於以現存的反共國家的邊境作界，加强軍事的佈置，並就需要，各別結合軍盟（此即所謂「軍事保護盾」）。而從在軍事盾保護的幕後，致力於受保護地區的經濟、政治、教育、社會的改革，目的在於促進一個美式民主政治制度的運動（此即所謂建立一個「適當社會」）。不久之前，美國強迫越南作民主政治的改革，隨着即加强軍援，這是個實例。目前美泰協防聲明，日韓進行談判，東北亞軍盟呼之欲出，亦是這種作爲的反映。又從其援外款項措施分析，軍援僅佔三分一弱，用對拉丁美洲援助爲比例，贈款佔六分之一，貸款佔六分之五，亦即是贈款屬「防堵」軍援的需要，貸款則屬於經濟發展開發計劃的需要，重點在於後者，不在前者。這種援外，由贈予改爲貸出的方法，是美國前所未有，爲美國利益打算的一部份。其餘可意味到的，就是美國企圖憑藉純美國民主理想型的感動力量，在一個長期安定的環境下，拉攏反美的左翼人士訪美，以改變他們對美國不利的態度。因此，可以預見的，美國是以美式民主政治爲共同政治意識的中心，藉加强反共軍盟的「防」線，來求取長期安定的局面，使從事於政治、經濟、社會及教育的改革。這是杜爾斯的防堵政策的擴大，是守，不是攻，是積極外交姿態幕後的消極行爲。

美國推進這項新政，顯見是接受了若干近年來國內輿論主張的影響，最顯著如一九六〇年三月間，美國麥克里蘭委員會發言人高德華達所主張的「修正援外計劃」，及一九六一年十月美國參院外交委員會主席福爾勃萊特所主張的「要以一個共同社會意識爲核心，來作爲維持世界秩序的中心力量」等。這等主張表現在當前美國新外交行動的，就是「由贈款變爲貸款」，及「建立一個適當社會」等兩個項目。但高氏主張的「除了保衛我們的疆界之外，還要突破他們的疆界」，及福氏主張的「以自由國家協會組織來對消共產國際組織」的積極徹底反共及挽救人類的方法，並未被采納。並且，福氏主張的共同社會意識，原係以自由國家協會形式的集體領導爲中心去施行；目前則以一國爲馬首是瞻而加上一國霸於純理想型的政治制度去領導；兩者比較，失全面而採局部，後者就比不上前者的健全了。同時，這種影響到他國內政問題的片面行動，如無其他的理由補充，就有干涉他國主權獨立，構成爲共黨攻擊的「新帝國主義」行爲的口實。

再從人事上說，哈里曼與鮑爾斯是主管亞洲遠東方面問題的大員。哈里曼是一貫地認定中俄共必然有矛盾的，現在中俄共事實上在思想上發生歧見，並且亦有足夠事實證明中共內部情勢惡劣日甚一日，但這不會促使哈氏同意國軍反攻，反而會鼓舞哈氏更堅強主張忍耐下去，以等候中國大陸內部反共革命自動爆發起來。而鮑爾斯這位曾轄過很多不利於台灣前途的話的人，是一個純美式民主理想型的崇拜者，他可以拿出一大堆改造他國政治的計劃，但絕不會贊同國軍反攻。其次，正當我朝野熱烈籲請政府修改中美條約，俾利於反攻復國當中，美國國務院突於三月二十日發表一九四三年秘密對華文件，據中央社電；該檔案文件包括中美兩國間外交政治軍事經濟財政與文化關係的每一階段，其中有載「美國對於有爆發之勢的國共衝突的態度」，據美聯社電，「據赫爾利宣稱（赫爾利爲當時羅斯福總統的顧問）：大體而言，蔣總統及中國人民均贊成民主政治之原則……」美國於此時此地發表此類文件，尤具深長意味。

綜上論述，美國當前的新外交趨勢，是代表美國的利益，及片面的愛惡與天真，這或許經過若干年後，可能有助於自由國家間的長遠目的，但顯明無助於已陷溺於水火的中國人民所亟需求援「救命」的現實，及一切已被赤化的國家幕後的求救呼聲。所以，當前討論到「中美條約束縛反攻大陸」這個課題，可以說和美國正致力的新外交行動旨趣不相符合。

哈里曼在離台時答得好，「反攻大陸問題，最好你們去問你們的政府。」是的，反攻大陸是中國人的事，一國的命運，要求救於外人，俯仰於外人的鼻息，實在可悲可恥。中國實行「反攻大陸」的復國運動，原是國策的決定，是獨立主權的行使，關係今後國運與衰，豈容一紙地方性的台澎條約的限制，使置我國家民族於萬劫不復之地！不論某一國的行動有利或不利於我們，主要還在於自己有新作爲。在中國而言，我國有本身立命的根株，從三民主義的體系，精神到團結海內外，重建辛亥革命環境，反攻復國，將迅見成功，何懼於中美條約的束縛？又何賴於附加條件的協區軍援與貸款？在亞洲言，自中共據有大陸政權，亞洲即失去和平力量而無憑依。各國內部亦從此紛亂頻繁，難得安定以從事於福利社會經濟的建設，溯源究始，自因有一個中共的滲透挑撥。「亞洲禍源是來自中共」，已被公認。且時與中國同一命運分裂爲二的，有韓越二國，寮國且分爲一國三公，因有共黨惡意破壞，而無形分裂爲二的，如日本等，更比比皆是。這些受害的國家，都是來自一個敵人——中共，他們都有絕對的權利，去統一他們自己的國土，也就有充份理由共同合作，以展開「亞洲自由國家統一運動」來進行自救。

（下文轉第二版）

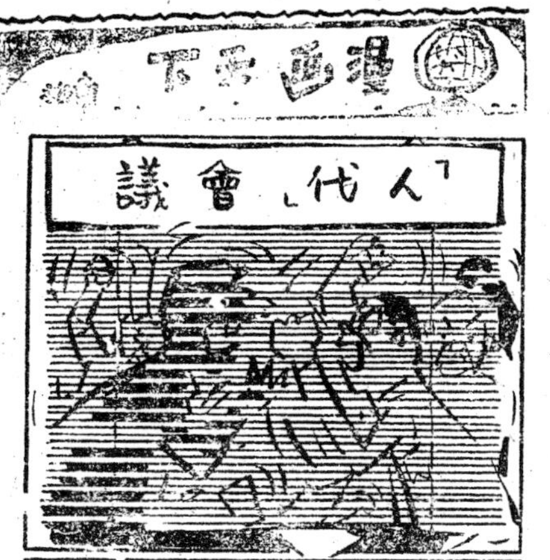

竹幕遮不住

騎「象」難下

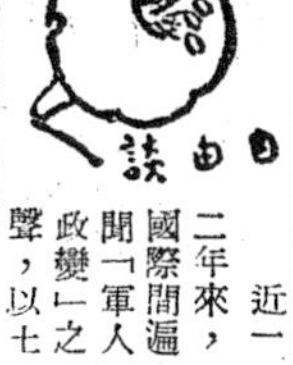

民主憲政的隱患

馮五先生

近一二年來，國際間遍聞「軍人政變」之聲，以土耳其爲濫觴，如是乎，南韓，緬甸，叙利亞，阿根廷等國的軍人，相繼發生政變，而其方式幾乎毫無二致，即於奪取統治權力而外，又否定議會政治，完全採取「軍事部勒」的獨裁制，而以修改憲法，預約某年某月纔將政權交還於所謂符合民望的「文治政府」。這是民主生活的反動行爲，殊堪注意。

產生這種反動行爲的原因不一，如經濟生活之貧困，世界局勢之危疑震撼，國際關係之刺激等等皆是也。但我認爲一般標榜民主自由主義的知識份子，有其「內部的不忠實」（Inter o disloyalty）的本質與作風，實佔主要成份。平日盛倡民主自由之說，指斥當政者貪汚無能，不知爲大多數人民謀致最大的幸福，大有孔夫子所謂「如有用我者，朞月有成」的氣概。一旦自己置身於現實政治場中，卻相率有意無意的趨於墮落境界：作官的固然多有自私自利，罔顧人民要求的言行；就是一般代議士，也常常忘掉了選民的利益，營私瀆職，肆無忌憚，表面說的是一套，暗中做的另是一套；慣罵別人不民主，自己的作風卻表現爲十足的官僚主義，甚至成爲希特勒與史達林的信徒，恬不爲怪。如此這般的民主自由主義，當然令人失望以至於痛惡的。但法制攸關，民衆不能隨便改造政治方式，相激相盪，終於引起軍人以武力打破現狀的政變行動了！所以，軍事政變的惡作劇，總是出演於產業貧乏和文化落後的地區，有由來也。

軍人干政之風決不可長，軍人亦不會攪好政治——不管是獨裁政治，或憲政之治，其揆一也。然崇尚自由主義而熱中於政治生活的知識份子，如不能知恥自愛，滌除其「內部的不忠實」劣性根，那就很不容易消弭軍人干政這種不民主的隱患，而使野心家乘機竊發，振振有詞，天下因之大亂，可懼也夫！

台北兒童醫院有新猷
兒童節開辦兒童保健
適應需要該院有待擴而充之

（本報記者台北航訊）「兒童是國家未來的主人翁」，「兒童是民族幼苗」。這是大家已經喊了多年的口號，是從西方傳入的「重視兒童福利」的觀念，但在近幾十年中，已經變成大家的常識了。「幼苗」是脆弱的，必須多加維護纔能成長壯大，成爲有用之材。記者爲了解我們對「民族幼苗」的維護情形是如何的，特地去訪問了以「維護民族幼苗」爲專責的台灣省立台北兒童醫院。

台北兒童醫院是在台灣以兒童病患治療爲對象的唯一專業醫院。該院設於台北市中華路，那是一幢小巧的建築物。于秉溪院長向記者說：在歐美國家中，祇要是居民人口在五六十萬人之地，差不多就有專業的「兒童醫院」設立。目前台北的人口爲一百萬，當然更感到有此需要了。于院長說：各國設立「兒童醫院」的目的，是由於重視兒童福利的觀念發展而成，尤其是近代醫學發達，做父母的更注意兒童的健康，因此，對於專業兒童醫院，就更認爲切需了。

作父母的多有這樣的經驗，就是兒童大部懷着對醫生和藥品的恐懼，所以，在就診的時候，情緒緊張，不肯與醫生合作。台北兒童醫院對這一點也設想到，他們在候診室建立了一個巨大的水族箱，養着五彩繽紛的熱帶魚，另外還養有小鳥，壁櫥內陳列着兒童喜歡的玩具，牆壁上也掛着兒童喜歡的畫，佈置成一個愉快的環境，儘量使兒童緊張的情緒放鬆，恐懼的心理消除。

在各個診療室的門口，不像一般的醫院掛着××醫師的牌子，而是寫的「×伯伯」「×叔叔」，兒童以這樣的稱呼對醫生，自然會產生一種親切的感覺。醫生獲得病童的信任，對診療工作，有莫大的幫助。

有些敏感的兒童，只要看到穿白衣的醫生，就會發生恐懼，該院爲了驅除兒童的這種恐懼心理，除了在複診室及病房中爲了防止不潔的傳染而須穿着白色工作服外，擔任普通門診工作的醫生，卻隨各人穿着普通的便服，無須穿着白色工作服。

兒童不單是有生理病態，有時也有心理上的各種病態，記者問于院長，該院是否對兒童心理病態也能進行治療？于院長以帶有歉然的態度告訴記者，該院由於院址過小，因此，對於兒童心理病態治療方面的工作，還沒有開始。不過，兒童醫院與「兒童心理衛生中心」有密切的聯繫，有心理不正常的兒童，都由「兒童心理衛生中心」研究。又說：在將來，兒童醫院還是要自己設立一套包括能夠對兒童各方面的完整治療設備。

兒童醫院爲了驅除兒童的恐懼心理，今年特別選出一批「勇敢兒童」和「模範兒童」在「兒童節」上表揚。獲選爲「模範兒童」的可以參加該院的各種遊藝會，娛樂活動，享受各種優待等等。今年該院在「兒童節」所定的節目是：上午在該院憑掛號證摸獎，下午在中山堂頒獎「勇敢兒童」和「模範兒童」，並由著名的「娃娃劇團」演出「寶寶夢遊大一國」教育劇，及復興劇校小朋友演出「西遊記」，以娛該院歷年就診的兒童。

在服務工作上，兒童醫院有幾點特色，是其他醫院沒有的。在收費方面，該院定有「分期付款」辦法，爲那些子女患有急病而又急切間籌不出住院費的家長設想，只要辦好手續，費用可以在出院後分期繳付。其次就是「電話服務」，家長可自電話中向該院請教兒童的醫療，養育，健康常識等等問題，無須親自去到該院就可獲得滿意的答覆。

還有一項最重要的，就是從今年兒童節起，該院將新創一種社會福利性質的「兒童保健」制度。任何初生兒童，只要經過該院的檢查，就可辦理「兒童保健保險」，每月只須繳四元的保健費，以後兒童有病痛就可免費就醫。這算是一種新興的社會保險制度，也可說是一件造福家庭的工作。該院的現址確實過於狹小，病床也只有三十開，已不能應付台北日趨增加的出生率。一旦「兒童保健」開始辦理之後，更將擁擠不堪。因此，該院擴建計劃，已經政府批准預算二千餘萬元，將在福州街原來省立台北醫院分院的舊址上新建一座規模宏大，設備完善的兒童醫院，院內並將美化環境，充實遊樂設備，善盡「維護民族幼苗」的工作。（吳越。三。廿七）

（採訪綫外）

▲有消息說：立法院長黃國書已決定辭去台灣合會儲蓄公司董事長的職務。消息說該公司四月廿一日召開股東大會時，黃國書屆時就會正式辭職。

黃國書辭兼職好事也

黃國書以中央五院院長的身份，而兼任屬於台省政府所管轄的合會儲蓄公司董事長，無異自貶身價，早爲清議所不諒，現在他決定辭職於立院進行「自清運動」之時，雖社會或傳其辭職係「自清運動」的影響使然，實際如何？不必深究，他能辭職總是好事。

▲蔣總統在青年節告全國青年書中說：「今日反共形勢，我們已由掌握了復國之鑰，進而要打開鐵幕之門的時候了。這就是大陸抗暴革命與台海[illegible]的聖戰隨時來臨的時候」。「我們更須以[illegible]敵必亡，漢奸必滅，和反攻必勝，復國必成的定理，必能在最短期內，光復大陸，消滅共匪，使國家重獲統一，同胞重享自由的目標提早實現，乃是毫無疑問的」。蔣總統這些話，贏得普遍的歡迎，因爲實際的情勢，確屬如此。大家問題只是國軍何時行動而已。大家的希望是及早行動，勿失時機。

議事鍾失權威大不該

▲「水仙花奇案」廿七日在台北市議會引起兩位議員的爭吵，這兩位一爲鄧建信，一爲黃奇正。他們吵得兇，連不好聽的罵人話都用上了。議長雖敲了一下「議事鍾」，兩人仍在吵，結果還是用宣告大會休息五分鐘的老法子，才平息爭吵的。「議事鍾」權威受損，此爲首次，但願再無第二次。（更）

立院自清好的開始
銀彈風雨決予追查

（本報記者台北航訊）由於省議員許金德「銀彈攻勢」云云所引起的女立委王長慧等八十四人所提「澈底追查」的臨時動議，以及因這臨時動議而引發的立委「自清運動」，三月二十七日立法院院會經過一番熱烈討論後，決將該案交紀律及法治兩委員會審查。

當日院會討論本案時，立委們情緒頗爲激動，形成二月份開始的本會期一個高潮，發言的有王長慧、唐國楨、陳海澄，吳望伋、侯庭督、榮照、郭登敖、陸京士、楊寶琳、李文齋等。「澈底追查」銀彈攻勢案固然祇是一個開始，以當日討論情形看，與其說立委們不放鬆「銀彈攻勢」的風雨所給他們的刺激，無寧說大家更注意於「自清運動」，大有非就此「自清」一個結果來不可之勢，確爲好現象。立院的「自清運動」可算是有了「好的開始」了。

關於追查「銀彈攻勢」本身，這臨時動議決交紀律與法治兩委員會審查了，說明立委們並不因爲許金德的「辯正投函」而認這番風雨已過去，而主張繼續追查。如王長慧的發言就認爲：許議員「辯正投函」是避重就輕的作法，事件並未因此澄清。陸京士的發言，亦說問題沒有解決，並說這件事很容易查，因爲「省議會開會有錄音，有紀錄，有其他出席的人，可調查明白的」。更多的人則認爲，不必過份重視許議員的話，而更應藉此來個檢討，亦就是「自清運動」更要得緊。

最先提出「自清運動」的郭登敖則強調建立制度問題，實在需要檢討。他說：立委當然不能兼任公職，但是否應兼律師、會計師？是否可以在外經營商業？也值得檢討，然後定出制度，大家遵守。他說以立委經營商業而論，就法而言，也許沒有什麼壞，但如果立委以一個董事長或總經理的名義，利用職權去敲詐，在制度上就很有問題了。他說：幾年來有意無意的，有形無形的，藉年許多風風雨雨，應加澈底檢討。何事可做？何事不可做？應明確規定。

陸京士說：在抨擊「特權」之際，同仁自清是重要的。又說：與其說自清，不如說自愛。「大家都希望好，但以往大家都怕事，怕多事，現在衆既提出，就不必怕事了」。（明）

展開亞洲自由國家統一運動

（上接第一版頭條）

中華民國[illegible]被邀請投在東南亞軍盟的[illegible]，也可能投入東北亞軍盟的陣營，但那顯明是消極的「防堵」作用的加強，不是如高棉主張的「除了保衛[illegible]」[illegible]洲受害的反共國家的政府，[illegible]痛癢的外國可以坐待「二十年」那種指責的心情，所以「反攻大陸」或是「統一運動」的進行，主要乃在於突破他們的「界限」，否則就非亞洲自由人的願望。

不論從任何角度看，展開「亞洲自由國家統一運動」都是有利[illegible]的國。如果美國的政策是有利於我們，使我們[illegible]「加速完成」反攻復國的[illegible]；[illegible]在同一時間內，各[illegible]。

[illegible]反共的[illegible]中共既爲亞洲各國禍亂的根源，[illegible]

[illegible]家主權的立場，從事於內政統一的軍事掃蕩，不容任何外國干涉，當中共內部壞到頂點，中共發生了「磨擦」，尤宜抓緊此一千載難逢之機，乘時展開此一果敢的運動。在美國方面，無須耗費一兵一卒，祗站在國際正義立場，監視蘇聯不致妄動介入，即可拔除亞洲禍根，何樂不爲呢？如果美國連此起碼的道義及正義的責任也不敢負擔，有何面目[illegible]？[illegible]

[illegible]一國之獨立主權能否行使，不自己在表現於行動時，是自傲爭辯之言論，而在能[illegible]

平時有明智與果敢之措施。（一）中美條約問題就是這類因果和考驗：我們擺着主要的可以求「己的」[illegible]（二）強調如何團結內外？（三）如何[illegible]與同利害國家密謀同一行動？諸[illegible]強調民本主義與民主主義的若干差異觀點，及比較共對亞洲社會環境的適應性等等切實可行的工作不去做，卻同時去追求「中美條約」的允諾，也有質疑。我們以爲這類條約性質，因此，屬於臨時權宜之計的，是爲一地方區域性安全保障而簽訂的武力」，這樣對該約第十條之規定，[illegible]

[illegible]

中國是中國，美國是美國，兩個主觀顯然永遠有矛盾。讓我們先求諸己而後求諸人；「己立」「己達」而後「立人」「達人」吧。美國的「新境界」，也可能是變相的「慕尼赫」舊劇之再演也。（完）

北京大學最早期的回憶
附錄「壬寅續譚」

鄒樹文

北京大學將於本年校慶之日，舉行五十週年紀念。我是本校第一班得有學位的畢業生之一。而況十二月十七日，大概即是壬寅年我入學開學的一天。所以我覺得這是我的權利，亦同時是我的義務，應該將我所記得及經過的事實，寫些出來，以資紀念。

北京大學校慶十二月十七日，決不是戊戌北大的任何紀念日，而是壬寅京師大學堂的開學紀念日。何以說不是戊戌年呢？那年到了十二月十七日，早已經過了政變風潮，康有爲梁啓超已逃走了，戊戌六君子已經殺身成仁了，那還在反動潮流初發展的時候，由此反動潮流而形成最高潮的庚子之變，何以能那樣的開這個「二毛子」的洋學堂呢？何以說是壬寅呢（一）北平師範大學導源於京師大學堂師範館這個師範館是壬寅纔創始的，這個校慶日期，據說是我的同館同班同學王桐齡先生所考訂出來的，師範大學即用此同一個日期爲校慶而紀年，則推始於壬寅而不溯及戊戌。（二）我在壬寅年入學開學的時候還記得每日天還未亮，每桌點了蠟燭吃早飯，學生與教職員同桌進餐，如此開學不久，約有一個月光景，亦就放學了。那時用的是陰曆，放學總在封印將近的日期。前清以十二月下旬封印，那時候各衙門將官印封起，以便過年後再擇日開印，所以封印與開印的時間以內便成規定的假期了。胡適之校長對於我這個推斷，亦頗爲首肯。但是全憑記憶與推想，還不足成爲定論。我願胡校長本他的考訂水經注精神，將這個校慶日期的來源，確實考訂一下。

壬寅京師大學堂開辦的時候，只有仕學師範兩館，其地馬神廟，是從前的四公主府，亦即是戊戌京師大學堂舊地址，即是現在北京大學的校本部。仕學師範兩館之創辦，乃取古語「作之君作之師」的意思，創辦的人當然有他一種偉大的抱負。仕學館當時學生取的是在京官吏，我還記得同學中有一個達壽，他在入學時已是翰林，初開學時學生少，學生請假亦掛牌（用現在名詞說是佈告），達壽因「迎鑾」請假，讓我腦海中留下一個印像，達壽在我畢業時做學部侍郎，所以在入學時他是我的同學，畢業時名義上爲師了，亦讓我更記得他這個名字。仕學館當時在馬神廟住的是十二齋，師範館宿舍是南北樓，這兩個地名，都成歷史，不知還有舊跡可尋否？仕學館後來遷出，又添了一個進士館與仕學館合併，進士館是爲新進士讀書之所，彷彿葉恭綽是當時的第一名。仕學館只招過兩班學生，遷出馬神廟以後，我還記得，有一天他們會來馬神廟，與師範館學生作友誼的拔河運動，以表示好感。

師範館在仕學館遷出以後，曾有一個短時期獨做了馬神廟的主人翁，那時教職員學生，甚至僕役，絕對沒有一個女性，所以可當此「翁」字而無愧。師範館在馬神廟畢業了幾班，我沒有考究過。我是第一班的最早一批，亦比較是最倒霉，因爲四年的學制，硬教我們最早一批的人讀了五年。我們最早一批入學後，各省陸續考試，併入第一批同班受課。所以最早者讀了將近五年，最慢者勉强四年。因爲學制屢改，我們第一批的入學時，屬望最高，入學後逐年降低了。這大概是張之洞及其他人等，與吾師長沙張百熙先生政見之爭，讓我們學生吃了苦，我還記得過着總教習張小浦（鶴齡）先生，居敬山（寄）先生，對我暗示若干有不能盡言之隱，依稀尚在目前呢。

有一天有人問我那時候讀的是什麼課程，即有人挿嘴說，大概多部份是經典。我們所讀的書，並不如此，現代科學是佔最大成份的。全部課程，在所謂「奏定學堂章程」及「欽定學堂章程」兩書內，均有記載。我們最早一批開學時，章程還沒有頒佈，我們課程隨不同時期章程之頒佈，而有所更改，這亦是我們最早一批吃虧之一端。我記起上心理學課的一件故事，有一天服部宇之吉教習講心理學，恰巧張[illegible]洞[illegible]查學，服部正在講人的記憶力，說是「[illegible]時候記不起少年或幼年的事情，因中年事多，把少年所經過的事遮蓋了，等到老年的時候，往往把中年的事忘了，於是少年及幼年的事，反而現浮出來，所以人到老年，往往可以想到幼年的事了。」這一小段對於記憶力的討論，觸怒了張之洞，以爲是譏笑他老了。後來商定學堂章程時，曾有一度要想取消心理學課程。服部是外國人，張之洞無法施威，可是要在師範課程裏取消心理學，這個遷怒的辦法，當然亦不能實行的。（一）

向核彈抗戰

陳知青

五、核彈戰爭的防禦（二）雷達特效探測

我們還先得談談雷達的普通常識。

雷達，據英文原意是「用無線電偵測和量距」。裝置相當的複雜，基本原理，和「回聲」相似。也就是「反射的原理」。好像我們用鏡子把太陽光反射出去一樣。也好像我們用手電筒照在鏡子上，會反射出來一樣。

聲波反射的回聲，向山谷裏大喊，不久立刻有回聲，音速以每小時六百七十哩進行。而雷達的電波，和光速相近，以每秒鐘十八萬六千哩的速度進行，就快得多。依照理論的計算，以這光速去到太陽，約需五百秒鐘，折算爲八分鐘點三循環。因此，雷達射日的結果，十七分鐘後，獲得回訊，兩倍路程，和計算相差不多。我們這種强烈的電磁波，能夠發射到日球去，距離有九千三百萬哩的遠距離呢！因此，大家都可以想像得到：來自太陽的「襲擊」，我們的特效雷達，就可以發現了，預告了。雷達可以探測遠在日球的情形，更可以旋轉着來自各方面的一切動靜物體。由這以觀，我們可以知道普通的雷達，可以探測飛機來自何方。這種電磁波，是直線進行的，好像祇能探測天空的敵機，或地面，或海面的敵車或敵艦！但是，光綫或電波，似乎無法轉變的。

或許，這是我的新發現。或許，美國所說的另有優勢的措施，就是這一種「雷達特效探測」。

由於無綫電的原理，我們地球的外層，有一層「電離層」。照理講，無綫電的電波，向天空發射出去，碰到電離層，便折射回地球，地面又折射上天空，再從電離層折射下來。如此作曲折進行，因以電磁波速進行，所以很快，可以收到附近的無綫電波。

相反的，雷達射日，卻要特殊裝置，發射强力電波，找尋機會，超出電離層的阻當和反射，使它能和太空通訊也好，與太陽反擊也好，倒比普通無綫電更難。（十一）

香港與大陸

深圳有個集中營
專關逃亡未遂者
男女老幼各省的人都有

在深圳車站附近，中共設有集中營，裏面關的大都是逃亡未遂的大陸同胞，數目很不少，各省的人都有。

這消息是新近逃到香港的湖南人某君說出來的，因爲某君就曾經被關在這個集中營裏面，親身經歷，他在敘述這段經歷時，兀自說「好險！好險」！猶有餘悸。

某君被關進深圳集中營的經過，很有傳奇成份。原來這位胡南老鄉的某君，以前並未到過香港，他這次先從長沙搭粵漢車到廣州後，因聽人說從廣州搭廣九車幾小時過了一道橋就是香港，他事情沒弄得淸楚，冒冒失失他就上了火車，一路居然沒遇到什麼麻煩，車過石龍橋，他以爲已經進入香港了，他高興萬分，跳下車來，逢人便說香港如何如何。別人聽不懂他的湖南話，他亦聽不懂別人的廣東話，最後被一個共幹發現，把他抓住，再押上火車，送到深圳的集中營關了起來。

據某君說：他被關起來後，從「難友」中的外省人知道那集中營是臨時性質，被關的人經常三五天問明來處，便被分別解回原籍，再受處罰。他說那集中營當時關了好幾十人，男女老幼均有，各省的人均有。集中營外面有鐵絲網圍住。他當時以爲：「完了，要受大罪了」。

但當天晚上，他因爲心裏發急，睡不着，乘看守的人一不小心，他溜出房來，想在房外透透氣。就在此時，他發覺鐵絲網那裏有幾條人影，他冒險走過去，原來有七八個難友在撬鐵絲網，他明白了，亦加入去協同撬，拉，扯，最後居然弄開來一個洞，大家一個個爬出來，他亦跟着，出來後大家小跑步，一個跟一個，跑了很久，到了深圳河，不顧一切的泅過河，再爬過一個鐵絲網，進入新界，眞的逃到香港了。

某君是長沙東鄉福臨舖人，世代務農，共黨到後說他是「富農」，淸算鬥爭得一無所有後押到東北改造，曾驅去做鑛工九年之久。他逃是爲了「大陸太苦，誰都受不了」！（思）

瘟君續夢

第四回：掩面向黃泉，武臣遺恨　低頭拜白虎，末帝驚魂

活曹操笑道：「沈衡山都敗下陣來，老油條更不是對手了。」

羅瑞卿說道：「黃炎培看見沈老不能下台，想替他解圍，單刀直入的問道：「杜先生，依你看你們校長還有沒有回來的機會」？

活曹操搖搖頭：「老油條壞得很，這個問題叫他如何答覆。」

羅瑞卿聳聳肩膀：「杜聿明倒未感到困難，他噴個烟圈，悠閒的說道：「當然要回來，黃先生，你同我都看得到」。

毛澤東一拍桌子：「這個人太頑固了，任何人都可以赦，就是不能赦他。」

活曹操笑道：「我的看法和主席不同，我以爲任何人不赦，也先赦杜聿明。」

毛澤東連問：「爲什麼」？

羅瑞卿也莫明妙，只是睜大眼看着活曹操。

活曹操不慌不忙的說道：「這完全是一種心理作戰。杜聿明的頑固是人所共知的，現在連杜聿明都赦了，其他的人一定對黨增加了希望和信心，以爲「雍齒且侯，吾屬何患」？思想頑固的也許一夜之間就變通了。」

毛澤東最怕活曹操說話揮文，總不懂又不敢問，只好冒充聽懂了，連連點頭。

活曹操繼續說道：「還有一點不知主席想到了沒有。杜聿明的女婿楊振寧最近得了諾貝爾獎金，是留美的最傑出科學家，如若能借杜聿明的力量把楊振寧爭取回來，收獲就大了。」

活曹操話未說完，毛澤東高興得從椅子上跳起來，翹起大姆指說道：「林老，你眞是諸葛亮再世，徐茂公，劉伯溫給你提鞋都不配。」

羅瑞卿也高興得連連的鼓掌，表示衷心佩服。

毛澤東問道：「其餘的要赦那些人呢？完全由你決定好了。」

活曹操說道：「我的看法應該以地區劃行，最好每一戰場先赦一人至兩人。這樣才能起更大的宣傳作用。」

毛澤東說：「好的，就這樣辦。現在已決定的有王耀武，杜聿明，他們兩人代表兩個戰場，此外還提誰呢？」

羅瑞卿笑道：「我看最好把盧濬泉赦了。他在守錦州時是副司令官兼兵團司令，地位不爲不高。再說他是雲南人，目前在滇緬邊區活動的國民黨游擊隊，有些是他的部屬，把他赦了，也許可以招降一部分游擊隊。」

毛澤東點點頭說道：「提起盧濬泉，我想不如把陳長捷也放了吧，他是傅作義委派的天津警備司令，傅作義作了十年部長，陳長捷作了十年戰犯，傅作義對這件事相當不安，每次見面都要向我求情。趁着大赦的機會，把陳長捷放了，傅作義一定要死心塌地對黨交心了。」毛澤東說過又笑起來。

活曹操閉着眼沉思一下，說道：「還有宋希濂我看也該赦了。」

活曹操說過，羅瑞卿擺擺手，「這個人如何能赦，他身上背的有血債，他是殺害瞿秋白烈士的劊子手。」（八八）

窄門

熊徵宇

八年的歲月，把我們帶進了該成熟的年齡，也增長了些人世的體認，漸漸地，覺得日常生活的感染有些不對，似乎有無形的灰塵蒙住生命的虹彩，似乎有許多渣滓在空漠中堆積，人總像是失落了什麼拾回了什麼似的，常有微妙的牽掛。總覺得這一個文明的世界裏有最原始的悲愴。而滌生與我之間，也有種太接近的疏遠，太瞭解的迷糊；我們由高談闊論，轉為低言稀語，只是過節渡年與那春深秋涼的夜晚作不眠的長叙。

我們彷彿有宿夢的翳障，我們開始有流浪的漂浮，我注意到滌生的臉上消褪了爛漫的神采，他眼角額頭，添了皺紋。而自己，兀愛默默獨坐窗前，守候那淡淡的晨星隱沒。有時，為梳子帶下的頭髮發愣。

有一天，我休假，在一家家鄉口味的館子吃晚飯，又在咖啡館聽了回唱片，有些音樂的感觸，想回宿舍去寫點東西。

街上沒有下雨，但是像下過雨似的，那晚來的海風和我心裏的感觸混在一起，就彷彿那不是燠熱的四月，而是重陽時分的季候了。

我在街上慢慢的走着，覺得熙來攘往的人羣，個個都很可親，但又突然有陣空虛，像在人羣之間。於是，我有踟躕的心情，不想回宿舍。報館單身漢的宿舍，夜晚像沒有香火的廟。我想假如回去寫不成東西，不如找個僻靜的地方走走，領味一些荒漠。但我還是走回了宿舍，走上了樓。

我掀電燈開關，推開房門，見滌生躺在他床上不聲不響。我輕聲說：

「晚上找你吃飯，你到哪里去了？怎麼燈也不開呢？」

他仍然不作聲。我脫鞋，換睡衣。扭開收音機。

「可不可以不開」？

「你說燈？」

「收音機。」

「這輕音樂不是很好？」我隨手關了，「你不舒服？」

「沒有。」

我遞烟他，為他燃火，回身把我桌上的枱燈也關了。

房中間的那盞吊燈，散着淺藍的光暈，瀉在滌生默不作聲的臉上，顯得異常深沉。剎那間，我感到這小房充滿一種輕微的壓迫，一種回憶，一種鄉愁，以及一種古代的憂鬱！（三）

唐太宗（十一）

李仲侯

在唐代一般國民負担，如賦稅一項，實較漢時為輕。漢人三十稅一，稅額本已極輕；但在唐代更輕，實際僅合四十稅一之數。依舊而論，唐初沒有一個無分田的農民，因此也不應該有一個農民負担不起他對國家應繳納的租庸調；漢代只做到輕徭薄賦，唐代則已進一步做到了為民制產，授田以後，至少使每個國民有了他普通水準以上的生活憑藉，再繼之以輕徭薄賦，國民經濟自易趨於繁榮。中國以農立國，人民生活仰給於土地，國家賦稅又大都出於土地，唐初能注意田畝之平均分配，農民有公家最低額的田畝可耕，則上層豪強兼併之風，亦可不禁自絕。

五，用府兵：唐代實行兵農合一的府兵制，使國民生活條件與戰鬥條件合為一致，亦為國家強盛根本要素。其制本起自西魏後周，行之於隋，至唐其制大備。基本原則是寓兵於農，平時耕種，農隙訓練，戰時參加作戰。分全國為若干軍區，辦理組訓徵召事務，其兵制全國分十道，置府六百卅四，皆有名號，惟關內二百六十有一，皆隸屬於衛。府分三等，兵千二百人為上，千人為中，八百人為下。士以三百人為團，團有校尉。五十人為隊，隊有正。十人為火，火有長。凡民二十為兵，六十而免。軍需除人麥九斗，米二斗，皆自備。介胄戎具藏於庫，出征則給之。徵發府兵皆下符契，州刺史與折衝府勘契乃發；若發全府兵，則折衝都尉以下皆隨行。

唐[illegible]國十萬人。[illegible]兵，一樣由國家授給田畝，自己耕種，國家可省養兵之費。[illegible]農事外，由國家所設之折衝都尉將率，施以長時期的軍事訓練。唐代府兵之強盛，其最大原因，窮苦大衆皆不須服兵役，府兵全係挑選身家殷實中上等人家子弟充當，即係丞相的兒子在兵役年齡，亦應荷戈戍邊。因其出身優良，軍隊素質，自然提高。加以訓練精熟，打仗容易致勝。遇四方有事，則命將出師。戰事結束，兵散於府，將歸於朝，兵不失業而將帥無擁兵之權，更可免軍人擁兵專擅種種流弊。

鄭和下西洋碑記

道南

福建長樂縣內天妃宮，有一塊明代所刻碑，名叫「天妃之神靈應記」。這塊碑是我國歷史上著名航海家鄭和（三保太監）所立，碑文內容記述鄭和奉命先後七次下西洋的事跡。

「鄭和碑」碑身不甚高，長約五丈，寬二尺七寸，邊沿刻有花紋。碑文楷書，全文三十一行，共一千一百七十四字。這塊碑所記雖是天妃靈應的事，但對鄭和七次下西洋的年代，經過的國家及其事跡，備予記錄，是一份可貴的史料。碑文有云：

「……鄭和奉皇帝之命，統率官校旗軍數萬人，乘巨舶百餘艘，前往諸番宣化。……忽魯謨斯，阿丹，木骨都東大小凡三十餘國……涉重洋十萬餘里……若長樂南山之行宮，余由舟師累駐於斯，詞風開洋，乃於永樂十年（即公元一四一二年）奏建以為官祈報之所……。」

這塊碑記是在明宣德六年（公元一四三一年）仲冬立的，即鄭和最後一次下西洋所立。題末有正使太監鄭和，副使太監李興，都指揮朱眞等題名。

清明談詩

漁翁

清明，為夏曆二十四氣節之一，多在三月間，若以陽歷推算，則在每年四月五日或六日。淮南子：「春分後十五日斗指乙為清明。」蓋以暮春三月，天氣明朗，萬物清潔而得名。

清明掃墓之風習，起源於後漢，據「蜀志」載：「諸葛亮曩昔師事龐德公，得奇門遁甲，木牛流馬，八陣圖，連環箭之秘傳。龐臨死之夕，遺命諸葛亮，每歲清明，為插柳枝於墓上。」所以趙元鎮詠寒食，有「也教插柳紀年華」句。在江南一帶，於清明祭掃時，往往用紙旗插於墓上，即柳枝之變相。且掃墓分前三後四，有一星期之時間，慎終追遠，可謂無微不至。

至於寒食，則在清明前三日，荊楚歲時記：「去冬節一百零五日，即有疾風暴雨，謂之寒食，禁火三日。」原來清明與寒食，分為兩個節令，據五代史載：「寒食清明，上墓野祭。」是則清明，為民間掃墓之節令，寒食，即以紀念高風亮節之義士介之推。

琴操云：「晉文公與介之推俱亡，之推割股以啖文公。文公復國，之推獨無所得，作龍蛇之歌而隱。文公求之，不肯出，乃燒左右木，而被焚死。文公哀之，令人是日不得舉火。」因此，乃有斷火禁烟之風，即「寒食節」之所由來。

古之詩人，詠清明者，為數不少，要以唐代杜牧之一首七絕為最名句，詩曰：「清明時節雨紛紛，路上行人欲斷魂；借問酒家何處有？牧童遙指杏花村」。此寫清明遇雨，雖郊遊敗興，而猶得牧童遙指，訪杏花深處一酌為快也。

有好事者，改杜詩為詞云：「清明時節雨，紛紛路上行人，欲斷魂！借問酒家何處？有牧童，遙指杏花村。」又有以此詩過肥，應由七言改為五言，所謂詩節，即包括清明在內，「清明」二字可刪去；行人當然在路上，「路上」兩字，是多餘；既有「何處有」之疑問，亦毋須「借問」兩字；第四句：「牧童遙指杏花村」，過於肯定，除卻「牧童」二字，任何人都可以遙指，來得廣泛而有伸縮餘地。雖屬強解，亦頗言之成理。

宋朝王禹偁清明詩：「無花無酒過清明，興味蕭然似野僧；昨日鄰家乞新火，曉窗分與讀書燈。」此言貧士遇佳節而無花無酒，如野僧然，祇因禁烟無火，乞鄰家所鑽之新火，雞鳴而起，分照於讀書之燈而已。

可是，花不過飽眼福，酒不過助心興，有無亦無關宏旨。而今日之大陸，饑無以為食，寒無以為衣，[illegible]久已斷火，救生不暇，追云追遠！爰依庾韻而賦之曰：「無衣無食過清明，病骨支離又戢耕；爭向天涯呼救助，望寄麥粉度殘生！」

尤以元代戴表元一首清明律詩，頗與今日大陸情況相同，寫在下面：「百年世事幾清明，今日清明又避兵；堂榭已憐賓客改，簪裙那復麗人行！禾麻地廢生邊氣，草木春寒起戰聲；渺渺飛鴉望無盡，古來曾是闔閭城。」讀之，不禁有今昔之感！

古詩云：「清明無客不思家」。飄泊海隅之我，年復一年，而未有歸期，每逢佳節，未嘗不無懷感；但搜索枯腸，莫獲好句，乃集古五首，藉抒積愫云耳：

雲淡風輕近午天（程顥），清明掃祭各紛紛（高菊礀）；四時最好是三月（韓翃），綠遍山原白滿川（翁卷）。

[illegible]

海嘯樓談薈

盧作孚何以投共？

諸葛文侯

川江航業創始者，前四川民生實業公司總經理盧作孚，係重慶近郊的北碚人，初在鄉里創辦三峽織布廠，完全以國產原料製造各種布疋，供應蜀中需要，頗獲盈利，亦著聲譽。蓋盧氏雖讀書無多，然賦性誠篤，能吃苦耐勞，處事踏實認眞，對人恂恂和藹，而其私生活亦殊謹嚴，凡是跟他交往的人，對他之為人與治事，都一致表示贊許。這就是他後來在實業界和政治界嶄露頭角的基本因素，決非偶然倖致的。

四川從民國肇建後到民國廿四年秋間，一直在羣雄割據的戰國時代狀況中，劉湘佔據重慶的時間最久，他胸懷大志，注意人才，如陳學池，劉航琛，何北衡等北京大學出身的青年人物，皆受他的徵辟而入幕，後至成為親信的高級幹部（學池早去世）。盧作孚以與航琛，北衡等人交往，亦參列劉湘的戎幕中，且以其誠懇實踐精神和私生活謹嚴之故，深得居停信任，因為劉湘生平亦是少有惡劣嗜好的人，對盧氏乃另眼看待。盧在開創川江航業之初，僅擁有一條小汽船，往返川境暨宜昌之間，劉湘據重慶這一交通樞紐要地，大力支持盧氏，只許盧船行駛川江，等於專利，又設置「川江航務管理處」，派盧綜持其事。「民生實業公司」之得逐漸發展，到對日抗戰時成了航業重鎮，可說都是叨惠於劉湘的培育支持之力。戰後該公司向加拿大訂購新式輪船八艘，價欵即由中央政府担保，以酬其在抗戰期間對國家的勞績，然他亦因此新輪關係而被共黨誑回大陸，死於非命，可哀亦復可歎也。

民國卅九年大陸淪陷之際，盧氏將那新訂的八條輪船開來了香港。洎英國承認毛共政權後，加拿大認為中英已無正式邦交，原由中華民國政府替民生公司担保的購船價欵未付部分，曾請託港政府向該公司索取，否則即將停泊在港的八輪予以扣押。盧惶遽無計可施，專函在台灣的舊識某某顯要告急，乞設法應援，然不得要領。此時何北衡尚居香港，但早有投共之心。他深知民生公司跟加拿大這項債務情形，於回到北平後為表示立功，獻議毛共藉此將盧氏召回內地，連同八條輪船一併駛還上海為「人民」服務。毛共滿口應允，先行代為付清加拿大債欵後，仍由盧氏主持舊有民生公司業務如故。盧初猶遲疑不決，旋經何北衡，吳晋航（和成銀行老闆）何迺仁（民生公司經理，是一個老共。）等陸續來港游說，且謂「張表老」——時任秧歌政權副主席的張瀾，川人也——負責保證，共黨方歡迎他這位「民族資本家」回去是十分誠意，決無他慮。盧徬徨之餘，抵不住現實問題的壓力，終於被迫回到重慶，不及半年，即慘死於共黨的清算鬥爭魔術之下。假使當年我政府能代償其數十萬美元的外債，他決不會投共，則今日民生公司在台灣將是航業界鉅大的有生力量矣。

自由報

內僑警台報字第○三一號內銷證

THE FREE NEWS

第二二四期

中華民國僑務委員會僑領登記證
台教新字第三二三號登記
中華郵政台字第一二八二號執照
登記爲第一類新聞紙類
（半週刊每星期三、六出版）
每份港幣壹角
台灣零售價新台幣弍元
社長：雷嘯岑
督印人：黄行寰
社址：香港銅鑼灣高士威道二十號四樓
20 CAUSEWAY RD 3RD FL HONG KONG
TEL 771726　電報掛號7191
承印者：四鳳印刷廠
地址：香港灣仔高士打道一二二號
台灣分社
台北市西寧南路壹壹壹號二樓
電話：三○三四六
台郵撥儲金戶九二五二

剖開寮國問題

翁達鶴

美國遠東事務助理國務卿哈里曼上月下旬訪問[illegible]之後，表示解決寮國問題的唯一途徑是成立聯合政府；同時還强調美國不能援助一個拒絕[illegible]美國政策的國家。甘迺廸總統也差不多於同一時候在華盛頓對記者表示他相信寮國最好[illegible]成立一個獨立的和中立的政府，由傅馬親王領導。跟着一位曾率領美國代表團出席日內瓦十[illegible]關於寮國問題會議的美國務院高級人物並且親自飛往康開與傅馬親王及戰鬥寮領袖蘇[illegible]舉行會議。美國對在寮國成立聯合政府的希求如此迫切，恐怕任何人都不再會懷疑美國[illegible]和寮國的文翁政府對唱雙簧了罷。

美國的邏輯

美國的邏輯是這樣：美國不可能在寮國這個戰場上取得終極的勝利。問題不在寮國而在河內和北平，更進一步說，不在北平而在莫斯科。美國的作戰，如不以河內以至北平爲對象，則寮國的戰爭便永遠不能結束，因爲敵人既然擁有一個無限的而又不受侵害的戰器深度：則那個戰爭直可打到天荒地老。但倘若以河內以至北平爲目標，那便十分可能是一場世界大戰。我們可以相信美國會爲柏林而不惜冒大戰之險，但爲寮國則又另是一回事了。韓戰之際，美國其時是享有對蘇的軍事優勢的，但聯軍的飛機尚且未越鴨綠江一步，現在即使優勢還在，但蘇方的破壞力顯然已加强了不知若干倍，要美國爲了一個遠在萬里之外的森林小國而冒幾千萬美國人喪生之險，這恐怕是難以想像的事。

既然大戰不願從事，小戰不能解決，則就只有尋求息爭之道了。

息爭之道有二，其一是仿南北韓或南北越的故事，將寮國劃分爲二。這可能比成立聯合政府要好些。但人們必須知道，無論南北韓或南北越，都是經過一場慘烈的戰爭，到了雙方認爲再戰下去都不見得如何有利的時候，才勉强形成的。試問寮國目前的停火綫如何劃法？難道親共勢力肯安於山區，又難道寮國政府肯將沿湄公河的城市讓出？

劃綫相安既不實際，則其次的解決辦法便是成立聯合政府了。

寮國的認識

以上只是說明美國爲什麼也贊成用聯合政府的辦法來解決寮國的戰事，並不是說聯合政府是一個眞的可以保障寮國的獨立和中立的辦法。

寮國的合法政府方面自然反對這種飲鴆止渴的辦法。文翁和諾沙旺們所最耽心的有如下兩點。

第一，他們耽心在他們控制下的寮王政府的七萬部隊和民兵，一旦落入聯合內閣的所謂中立派的國防部長之手以後，便將被裏翻外折，砍頭斬尾，再也不是他們所能依靠的力量了。任何人都知道，要和共黨周旋就必須有實力，把手裏握有的實力輕輕送掉，其結果便只好被消滅。文翁和諾沙旺之所以必須爭取聯合內閣中國防部長的地位，其故在此。

第二，聯合內閣無論其將延續若干年，總歸是一種臨時的性質，沒有一個內閣可以永遠不依照憲法進行選舉的。但依過去的例子來看，右派大概競選不過左派。左派的宣傳煽動力深入叢山茂林之區，右派的影響則僅及於幾個城市；左派的勢力深入城市的中下層，而右派的勢力則寄托於較上層。要說攏民衆運動的話，右派實在遠非左派的敵手。當一人一張票的民主在寮國實行起來時，恐怕聯合內閣便會於一夕之間變成一個清一色的親共內閣。文翁等之所以想保留內政部，不單是怕這一部門一落入親共勢力之手，便可能使寮國變成一個由蘇俄式或中共式的秘密警察統治的國家，同時也還爲未來的大選着想。

暫時拖下去

在沒有把握取得這兩個生存攸關的權力地位以前，文翁們之不肯接受由傅馬領導的聯合內閣，其理由是十分充裕的。不管美國如何向文翁提出保證，文翁們之不加以信任也是十分有理由的。一旦上述的兩種情形出現時，美國的應付辦法是什麼？如其說到那時再來使用武力，則武力何以必須到了形勢敗壞了的時候再來使用？聯合內閣之只是爲共產政權鋪路，這已經是一種政治常識了。

文翁們最怕的是，犧牲了寮國，卻只是爲了美國一時的方便——既不能戰，便只好尋求一種暫時的解決辦法，藉以保全面子的方便。因之他們決不甘心，就是在美國停止了援助的重大壓力之下也不肯屈服。他們至少看到了一點：在目前，在越盟的滲入規模不大之際，他們還可以支持，而兩三個月後，雨季便開始了，在那些大雨傾盆而下，日夕不停，叢林霧鎖，窪地水積的情況下，大規模的戰爭根本不可能進行。他們之還可以苟安一時是沒有問題的。正是這種展望使他們雖在美國壓力之下，也還敢於採取拖延的政策。

值得想一想

終極如何，目前這難於斷定。只是在寮國問題裏，卻有一點值得我們省想一番。

當戰鬥寮的領袖蘇馮諾萬越獄而逃時，其所能號召的烏合之衆爲數不過二三千，其餘康勒傘兵上尉發動政變，其所部也不過數百人。但在這個時候，寮國政府所擁有的美式配備的部隊不下兩萬七千人。這兩萬七千人卻給少數的叛軍打得只有節節後退，瓦瓶平原被佔，重鎮綫欸失陷。叛軍還在他曲附近幾於直達湄公河。一直到目前，政府的武裝，連同民兵在內，號稱七萬，但始終在北方未能打通永珍至王都鑾巴拉邦之綫，在南方未能打通永珍至他曲之綫。一個月前，西北部的衝要南塔並且告急。這種情形，實在使人氣短。留心寮國問題的人，總免不了有這樣的一個疑問：爲什麼親共的部隊會打仗，而反共的部隊則不會打仗。中國人自身本來就有了同樣的痛苦經驗。但答案到底在那裏，總還得探索一番。寮國政府歸因於越盟的干預。越盟之滲入作戰是事實。美國方面認爲越盟入寮的只有約莫五千人，寮方的估計約爲一萬五千。但即使是一萬五千，寮國政府軍至少在數量上也還是居於優勢。還有，寮政府軍裏面也不見得就沒有友軍協助。從地理看，經由越盟援助親共部隊，實遠不如經由泰國援助政府軍爲便利。從物力看，美國之可由空中地面來供應政府軍方面者，也可遠較蘇俄之依賴空運者爲多。無論從那一個條件來看，政府軍對叛軍都佔優勢。但所有這些優勢都爲一種劣勢所抵銷，那就是，反共的部隊不會打仗。爲什麼不會打仗呢？……這就是我們每一個人都得想一想的問題。若說地球上的任何一個角落一有親共的軍事勢力出現，便非由美國出兵不可，則美國雖大雖强，也決不夠應付的。

漫画天下

「前進」吧！

他希望抖一口氣

自由談

付之一笑

馬五先生

近來西方國家的政客們和輿論界，以歐斯忒里亞式的詞色，大力宣傳中俄共之間的反目爭論情形，一心以爲俄共集團由內鬨而自行崩潰的奇蹟，就要出現了。西方人竭其惰性自私的觀點，作一廂情願的神話性的預言，原不足怪，咱們的輿論界又何必人云亦云，跟着吆喝呢？

中俄共所爭執的，只是進行世界革命的手段問題，目的固無二致。這與英美之間常常爲着反共運動的策略問題而發生歧見，甚至隔洋罵陣，反唇相稽的現象是一樣的，英美既未因此而趨於決裂，使自由世界宣告解體，誰能想像中俄共在大敵當前的劣勢鬥爭中，竟會以一時的口舌意氣之爭，而實現自相殘殺的行爲嗎？即令毛共眞的變爲「亞洲狄托」，然其共產暴政如故也，奴役人民如故也，試問這對於中國人的自由生存前途，又有甚末益處在那兒呢。

西方政客們所企望的世界形勢是：但求自固吾圉，不受共禍侵襲，同時鐵幕內各個附庸政權都採取狄托路綫，接受西方大國的經援，從而讓西方的商品得到市場，獲致貿易利益，藉以增進本身的安全繁榮。至於呻吟顛瘁在共產暴政之下的人類生存禍福的問題，那便是粵語所說的——「你死你賤，好少理！」

所以，英美的政客們，談到在亞洲以實力反共這回事，那怕是在尼泊爾那類地方，亦肯定毛共全力介入，而蘇俄亦決不坐視。但一面又說俄帝因毛共日益强大擴張，終必觸發核子大戰，將與美國合作以抵抗毛共向西伯利亞發展，狐搰狐埋，莫名其妙，視世人如無知的童騃，可哂孰甚哉！

咱們反共的目的，是要自由生存，是反對共產暴政，既非對赫魯歇夫或毛澤東個人有甚末深仇大恨，也不是爲着要向共區做生意賺錢而然者。無論中俄共之間的革命理論爭執怎樣激化，只要毛共的暴虐政權一天存在，我們的反共意志決不動搖。對於西方政客們一切惰性自私的說法，付之一笑可也。

蔣總統藍尼薩談些什麼

短短時間中兩度接觸

（本報記者台北航訊）美參謀首長聯席會議主席藍尼薩將軍，在不及廿四小時的留台期中，兩度晉謁蔣總統之事，深爲台北中外人士所矚目，紛紛揣測他們究竟談了些什麼？揣測的中心尤在於：他們是否會經談到國軍反攻大陸的熱門問題？

藍尼薩這次訪台，只是他訪問許多遠東國家的旅途中的一站，他在訪台前，曾訪問了泰、越等國，訪台後又到沖繩、日本及韓國訪問，可以推測，在他的行程中，極可能並無特別的使命要同蔣總統商量──共產集團說他訪台爲了促使國軍赴援南越，當然是謊言，不值得掛齒。藍尼薩的說法，他兩謁蔣總統，祇是爲了向蔣總統報告他遠東旅途所獲印象，以及和蔣總統會商遠東一般局勢；至於我官方，對於藍尼薩兩謁總統所談何事，照例並無隻字提及。

台北人士的意見，藍尼薩所說他與蔣總統會商遠東一般局勢的話，無可懷疑，認爲那是題中應有之義。但同時認爲，他們必然不祇是談了遠東一段局勢，還談了其他特別的問題，尤其是中國反攻大陸的問題。並認爲後一問題，當是蔣總統所主動提出和藍尼薩商談的。

台北人士的意見，如其眞如藍尼薩的說法，他同蔣總統只是談了遠東一般局勢的話，則他在三十日晚間應蔣總統的邀宴會談一次，就完全夠了，爲什麼在卅一日他離台赴沖繩之前，還去同蔣總統同進早餐，又談了一次？大家的揣測是：藍尼薩在如此短促的勾留台北期中，居然匆匆的兩謁蔣總統，必然是因爲蔣總統把反攻大陸的問題向他提出，徵詢他的意見，所以他於一謁蔣總統之不足，而有再謁的必要了。

台北人士的意見，當此中國朝野鼓吹反攻大陸熱烈而認眞之際，蔣總統如其不順便把反攻大陸問題向藍尼薩提出，徵詢其意見，幾乎是難以想像的。從美總統甘酒廸在記者招待會所說中美雙方未有商談修改中美聯防條約，又說蔣總統在青年節告全國青年書中所說反攻大陸行動近期，他事先並無所知云云，中國人認爲，要美國當局同意修改條約，在此時際，希望不高；但大家都知道，美國軍人，對於反攻大陸時機的看法，以往就是較與中國人的看法接近的，所以認爲蔣總統會就此徵詢藍尼薩的意見。以藍尼薩的身份，他當然並不能對修改中美條約置一辭，但以他的地位，果眞他也認定現在是中國反攻大陸的適當時機，則亦未嘗不能相當影響美國當局之決策的。（量）

中研院院長繼任人 吳大猷呼聲最高

他會謙辭幹不幹未可必

中研院選舉前有過假投票

（本報記者台北航訊）中央研究院繼任院長候選人，已由該院評議員投票選出吳大猷，朱家驊，王世杰等三人，即將呈請蔣總統圈定一人，以繼故院長胡適之先生的遺缺。

中央研究院此一繼任院長候選人的選舉，是三月卅一日的事。在此以前的四天，廿七日晚間，該院在台評議員，曾經舉行一次「假投票」，結果選出的雖即是吳、朱、王三個人，但所得票數有差異，名次亦不同。而且「假投票」是經過三次投票纔得出結果來的，不像卅一日選舉時一次就選出來了，證明「假投票」對於卅一日的選舉，確有幫助。

卅一日中研院評議員選舉繼任院長候選人時，出席評議員二十人，另有八位評議員（在台者二人，滯留國外者六人）則通訊選舉，結果爲（一）吳大猷十七票，（二）朱家驊十六票，（三）王世杰十五票。廿七日的「假投票」，出席者二十人，結果爲（一）王世杰十票（二）（三）名的吳大猷、朱家驊均得八票；其餘李濟七票，楊樹人四票，沈剛伯一票。

廿七日的「假投票」係由蔣夢麟宴請該院在台評議員晚餐後舉行的。其所以舉行那次「假投票」，目的在於第一，測驗各位評議員意見，（二）怕各人意見不集中，致卅一日選舉時「難產」。果然，假投票進行了三次，才得出結果──實際，因爲獲選者須得過半數票，當晚出席者二十人，得票最多的王世杰亦僅達半數，認眞說還不能算是「結果」，爲了橫順只是假投票，所以亦就不會繼續投下去了。爲了假投票三次才得出不算結果的結果，說明假設沒有假投票「集中」了各人意見，卅一日選舉，將必然不會如是順利，一選而出。

在中研院故院長胡適之先生生前，他因爲健康原因，曾準備退休，據說他曾非正式的推荐三個人繼任院長，這三人爲蔣廷黻，王世杰與吳大猷。現在選出來的三個人，祇是以朱家驊代蔣廷黻而已；而蔣廷黻之所以未入選，有可能因爲他現任駐美大使又兼駐聯合國常任代表，不可能要他同來的關係。從現在的選舉結果，要亦足見胡先生的推荐，既可說是「衆望所歸」，亦可說「有其影響力」。

三位中研院院長候選人，以吳大猷最年青，祇五十五歲，王世杰最老長，七十一歲，朱家驊七十歲。吳是廣東人，爲物理學家，得諾貝爾物理獎金的楊振寧與李政道，都是他的學生。吳又是我國另一著名國際的物理學家饒毓泰（刻陷大陸）的學生，饒毓泰則又是胡適之的學生，所以吳大猷已經是胡先生的「第三代」了。

吳大猷出身南開大學，後來在美國密歇爾大學得博士學位，回國後歷任好幾個大學的教授，現任加拿大國立研究院物理研究所理論物理部門的主任。台灣推行中的由胡先生提出的「國家長期發展科學計劃」，吳大猷是原始起草人。

朱家驊是柏林大學的哲學博士，王世杰出身倫敦大學又在巴黎大學得法學博士。兩人均曾任大學教授，校長及教育部長。王世杰又曾任外交部長與總統府秘書長。以中研院而論，朱家驊資格最老，民廿九年故院長蔡元培先生逝世後，他就做院長，以迄民四十六年胡先生上台爲止。

在吳、朱、王三位候選中央研究院長中，畢竟誰將獲蔣總統圈定，學術界揣測紛紜。有消息說：在胡先生故世之後，陳副總統及總統府張秘書長均曾徵求吳大猷的意見，但據說吳婉辭了，並很快又回到加拿大去了。是以學術界人士的看法，除非吳大猷是硬不幹，否則他當是第一人選。（達）

青潭「匪情資料室」

蒐羅甚豐富國際亦馳譽

（本報記者台北航訊）司法行政部於三月廿八日下午，招待中外新聞記者參觀青潭「匪情資料室」。這是該局第一次正式招待外界參觀這一名聞國際的資料室。在此以前，一般國人對於所謂「中統」，「內調」，「保密」這一類情報機構，是但聞其名的，對於他們所蒐集的資料，更當然從未見過。

在自由中國各「匪情研究機構」中，青潭「匪情資料室」爲最受國際人士所重視的，因爲其中蒐存許多有關中共歷史的秘密文件，其中若干秘密文件不僅是自由世界所僅有的孤本，有的即使中共自己，也都沒有保存了。因而近年以來，各國近代史家及研究中共問題的專家學者，特別不遠千里而來，省閱這些罕有的中共歷史資料。

司法行政部調查局，早年係國民黨中央組織部一個調查機構；從民國十六年至卅三年止，曾六次破獲當時設在上海的中共中央總部，搜得大批原始資料的秘密文件，當時中共的重要文件，大部份都被一網打盡了。後來在所謂「二萬五千里長征」中，中共又失散了許多重要文件。中共到延安立寨以後，開始搜集它自己的有關文件和資料時，許多重要的文件都找不到了。司法行政部調查局蒐存的重要秘密文件，如中共第一個機關報「紅旗日報」創刊號，中共的「蘇維埃政權」各項文件，中共各種會議的重要決議案，就都是當時破獲中共中央機構搜得的秘密文件。這些秘密文件，充分暴露了中共附庸蘇俄的事實。抗戰時期，周恩來曾多次想要回這許多文件，都被有關方面拒絕了。由此可知中共亦很重視這些重要的原始文件的價值。

民三十九年，司法行政部調查局正式在台灣成立「匪情資料室」，把三十餘年來蒐存的有關資料，作了很有系統的整理，供上級的決策與學者專家之參攷。他們目前供應的對象，限於最高決策人士，與國內外研究中共問題的專家學者，國內各大學近代史教授及研究生撰寫論文時，也特別被准許閱覽。

青潭「匪情資料室」對該局所搜存的這些有關中共的資料，分別就其性質與特點，採用科學的方法，予以登錄，分類編目，製卡，依序排列保管。截至五十年止，他們所搜存的資料，包括有圖書刊物，文件圖片，實物等，計有十三萬餘冊之多（件）。該局又致力蒐集大陸共區的報刊書籍等文物，目前共區所出版的重要書籍和報刊，幾乎完全找得出來，足徵其用力之勤。該局爲便利各方參攷查閱起見，特別編製卡片和目錄卡兩套，有「分類目錄卡」與「書名目錄卡」，完全是科學管理方式。

除歷年來搜集的中共重要文件該局一部分資料，則是國內各方贈送的。好像幾年以前，胡適博士被邀前往青潭參觀這個資料室時，他看到共區清算「胡適思想」的許多資料，大歎觀止，後來他派人把中共統戰分子之一曹聚仁由香港寫給他的一封游說他的信，送給調查局，作爲研究的一項資料。胡博士去世以後，調查局曾公開發表這封遭胡適堅拒的統戰信。司法行政部調查局最近應各方要求，將於五、六月間公開展覽一部分青潭「匪情資料室」的重要秘密文件，使中外人士對中共陰謀更深刻的了解。（燕謀）

採訪線外

官場有「垃圾箱故事」 黃帝子孫「遙祭黃陵」

▲四月五日是清明節，台省各界，定於當日上午九時，在台中市忠烈祠遙祭黃陵，將由省府主席周至柔主祭，陪祭者有省府各廳處長，台中市各界首長，學校校長及農、工、商、婦女、學生代表等一千多人。

這固然是政府播遷台灣以來一年一度的例行公事而已，但當此反攻大陸高唱入雲聲中，人們對於「遙祭黃陵」，是有着特別感觸的。十幾年了！我們如其再不趕快打回大陸，我們就眞是不肖的黃帝子孫了。

▲不久前，台北縣樹林鎮公所爲迎接省府主席周至柔蒞臨巡視時「以壯觀瞻」計，曾強令全體居民，將垃圾箱從戶外搬進戶內，隱藏起來。曾經報紙揭露，發爲譏評。乃無獨有偶，高雄縣的潮州鎮公所，新近也爲了迎接省府主席周至柔蒞巡視時「以壯觀瞻」計，而因爲該鎮垃圾箱係不及一年前由鎮公所命令每三戶居民聯合購置的水泥垃圾箱，搬動不便，乃又下令居民一體把它敲而毀之。

事情是一樣的，都是官場的垃圾箱故事，而後者比之前者，更是變本加厲了，其所代表的意義也更嚴重了。如何是好！

▲台省唯一無二也頗有名氣的女鎮長──台北縣三峽鎮長林雪美，競選時曾許願任期內絕不結婚的，現在卻突然傳出喜訊，戀愛成熟，而且快馬加鞭的在四月二日結婚了，這女鎮長的丈夫爲留日學生嚴江。

林雪美而今芳齡三十了，的確也是應該「女有家」的時候了。所以，儘管她此舉與競選時的願心有違，她治下的三萬多居民，對此倒是並不介意，並且爲她高興的。據說這與她以往的政績有關，加以她亦答應雖結了婚仍然要把她尚餘的約兩年任期做完有關。（高）

反攻準備措施之一 經濟動員會成立

（本報記者台北航訊）被視爲反攻大陸準備措施之一的行政院經濟動員計劃委員會，經於三月卅一日成立，並舉行第一次會議。

經濟動員計劃委員會由行政院副院長王雲五任主委，副主委爲經長楊繼曾與台省主席周至柔，委員名單未經發表，僅知內長連震東，交長沈怡，財長嚴家淦，外貿會主委尹仲容等均爲委員。該委員會秘書長爲現任行政院顧問之董文琦；另將設副秘書長一人，人選在物色中。

經濟動員計劃委員會之職掌，尚無明文公布，據王雲五稱：將一切以配合反攻軍事行動爲第一要義，政院各部會間原有之經濟聯繫小組之應加强聯繫者加强其聯繫，應加歸併者將實行歸併。（魚）

北京大學最早期的回憶
附錄「壬寅續譚」

鄒樹文

京師大學壬寅開辦的初期，教職員對待學生是很客氣的。吃飯時候，教職員與學生同桌，學生居上，教員坐在客位。總教習張小浦（鶴齡）先生初到接吳摯甫（汝綸）先生的原任時候，着了那時的大禮服，朝珠補掛，拿了大紅片子，到學生齋舍，見了面行交拜禮（那時我們每人一間是要附帶說明的）這些禮貌，把那時的學生拘束住了，學生因此亦自動的人人自愛了。後來制度漸漸改變，飯廳上教職員與學生分桌，教職員另桌高坐堂皇了。到那時候的學校管理人已不是「管學大臣」，而降級爲「京師大學堂監督」了。我還記得第一任監督張亨嘉就職的時候，監督與學生均朝衣朝冠，先向至聖先師孔子的神位三跪九叩首禮，然後學生向監督三個大揖，行謁見禮。禮畢，張監督說：「諸生聽訓」，「諸生爲國求學，努力自愛」。於是乎全部儀式完了。這總共十四個字，可以說是一篇最短的演說。讀者諸君，還聽見過再短於他的校長演說沒有？這位新監督，因爲少數幾個學生，着了學校所頒軍操制服，在校外與他校學生集體拍了一次照，將每個學生各記大過二次，小過一次，並出佈告說：「軍服振振履聲……所謂大愚不靈大惑不解者也。」這都是最早一班裏的最早一批學生所身歷滄桑，常令人回想到初開學的早期時代。在管學大臣制度將要廢止的時候，曾就在校師範館第一班學生（大概那時第二班尚未入學）選派了一、二十個，分赴英美法德日俄各國留學，我那時是派赴日本而未去，及制度改變爲大學堂監督以後，更不勝「不隨仙去落人間」之感矣。

創辦壬寅京師大學堂的管學大臣張百熙先生，確盡了禮賢下士的責任。我聽說張先生爲聘請吳摯甫（汝綸）先生任大學堂總教習，吳先生最初不肯担任，張先生屢次敦聘，最後竟至於長跪不起，方始得了吳先生的首肯。吳先生應了聘以後，立刻說要到日本去，仔細考察一番，然後再到學校。吳先生於是即往日本去了。吳先生是文章經濟（現在說是政治）極負時名的一位老先生，以高齡前往考察，接見日本朝野，參觀各地各學校，自己與日人作筆談，隨即作詳細的筆記。因爲那時候的大學堂，等於一個初開辦的教育部，所以吳先生考察範圍，亦就非常廣泛。高齡作事，一絲不苟，亦就辛苦備至。考察回國後，即病了，一病即不幸長逝。我們學生只有在追悼會上瞻拜遺容，徒存景仰而已。我還聽見吳先生的一件故事，吳先生在做冀州知州的時候，爲永久水利的關係，開一條河，老百姓看不清楚，以跳水覓死相威脅，吳先生不爲所動，河開成了，後世至今利賴。吳先生的果斷眞不可及。吳先生之中道逝世，不但是我們早期學生的不幸，亦是中國早期新教育的大損失。

張管學大臣於吳先生故後，改聘張小浦先生担任爲總教習。吳先生是桐城古文家，張先生是陽湖派古文家，同是學者，而各爲一派的代表，亦是一種巧合。當時的京師大學堂，網羅了一時知名之士，如于式枚（晦若）先生，李希聖（亦園）先生，屠敬山（寄）先生，王丹瑤先生，或是高級職員，（當時的提調總辦之列）或是教習，我們如果能得到當時教職員的名單，一定還能發現很多爲後人景仰的人呢。張管學大臣與張總教習，對於青年愛護備至。我記得有一位教英文的助教，不很稱職，我們幾個學生反對他，那位助教是有大來頭的，自恃無恐，可是張小浦先生明辦是非以後，去見管學大臣，把那位助教辭去了，雖然張總教習爲了這件事，在管學大臣未到之前候在辦公室，以免那位助教先入爲主，但於此可見兩位張先生對於青年之愛護了。這件事幸在早期，倘遲至大學堂監督時代，這些學生早就被開除了。長沙張文達公卽管學大臣張百熙（治秋）先生處於西太后時代，欲謀急進的辦學，固不容易，而況張先生所網羅的知名而不得志之士甚多，例如參慶親王貪污的蔣埏式，亦是我們學堂高級職員之一。張管學大臣爲這些用人方面，亦頗遭時忌，所以治秋先生不能行其志而時遭掣肘了。我們現在人知道景仰蔡孑民先生，而忘記了張治秋先生任管學大臣時代創辦之艱苦，實在比蔡先生的處境困難得許多呢！（二）

向核彈抗戰

陳知青

五、核彈戰爭的防禦（二）雷達特效探測

我們這裏，可以運用兩者的原理，合併起來，造成新的「核彈探測雷達」。由於雷達的無綫電波，我們不但祇是探測敵機船的方向和地位，而且，可以運用「無綫電的特殊裝置」，使雷達可以探測地面地下的核彈儲存以及輻射情況，澈底了解敵情，這理由如下：

（一）用無綫電電離層折射原理，發射強烈的雷達電波，使其向目標地域，前進擊中，聽取其回訊。這在探測方法上是可能的。

（二）因爲電磁波的雷達，探測一定的物質，祇能作具體的了解，雖然，雷達電波，不受靈敏的影響，但是，如對「放射性的物質」更可以具備了探測「放射性」的電波作用。在許多放射性的探測方法中，電波是很重要的，因此，雷達特效的發射，不但可以探測敵人的設備，更可以探測敵人的原子能工廠，附近以及廠內，所儲存的核彈數量。由於製造和儲存，在空氣中或泥土中，它必然會殘留着或流露出若干的放射性物質，或輕微的放射線。我們可以從這些中子射綫或各種射綫的放射中，判斷核彈武器的儲存，不怕其保護如何周到，電波可使儲存的核彈各種特性，顯示出來。更進一步，如能研究出發射特別強烈的電磁波，以雷達擊中敵人的核彈武器，更有「就地進攻」的效果。正因爲電波對於核彈的影響是相當重要的。

依照上述的探測方法，雷達射日的應用，轉變方向，可使蘇俄的核彈準備，探測得一目瞭然。我們不能猜測，美國所謂U——二飛機之後，更有具體有效的探測蘇俄核子武器的辦法，就是「雷達」；但是，依照這個原理來說，雷達的特效，可以達這個目標的。

雖然，探測還是防禦中消極的辦法，但也是「知己知彼」，「百戰不殆」的基本條件。這一雷達探測的觀念，我們希望美國軍事當局能爲自己爲立。——這一新雷達設備的製造者，更有美國的標準局，康奈爾大學，以及麻州理工學院等。他們現在研究的項目是（一）太陽光圈內氣體的運動，（二）太陽向地球落下的質點，（三）太陽的磁性爆炸。雖然這些和平工作也很重要，但如轉向研究探測核彈武器，掌握優勢，也很重要。（十二）

香港與大陸

上饒春耕有名無實

肉類罐頭寄回被「充公」

據一位姓郭的朋友接到他母親從江西上饒的來信說：上饒的共幹，這些天來雖大力督促人民要攪好春耕，人民雖亦被迫表面上煞有介事的在田裏忙碌，好像真要攪好春耕，但爲了種子既不敷分配，耕牛尤其缺乏，加以人民因爲配糧少，吃不飽，力不足，做起工來有氣無力，敷衍塞責，所謂春耕，有其名而無其實，許多田土仍然丟荒，沒有耕種，春耕看來是很難攪得好的。

他母親的來信又說：他從香港所寄回去的食品衣物等，有的在領取時被迫上了重稅，如毛綫衣是上了百分之百的稅款，維他命丸藥更上了百分之二百的稅款，但總算是收到了；更有的東西，不但領不到，還惹來麻煩，受幹部教訓，東西亦被充公去了。

那些被充公的東西，包括牛肉罐頭及火腿罐頭。據他母親的來信說：共幹收到這些東西後，先叫她到人民公社去領取，但她到公社後，却被幹部拿出了罐頭，指着教訓她一頓，說「這種貴重食品，是資本主義者所經常食用的，你（指他母親）有什麼資格去享受？看來你的腦子還不曾改造好」！經他母親一再哭訴，說那不是她指定的，而是她在香港的兒子自動寄給她的。共幹才算沒有根究，只把東西充公了事。但在第二天，當他母親勞動後返家經過公社時，却發現那些罐頭空罐子被丟棄在溝渠裏，她信上說：「所謂『充公』，分明是假的，分明是被幹部們把那些『資本主義者所經常食用的』東西吃掉了」云云。（湯）

瘟君續夢

第四回：
掩面向黃泉，貳臣遺恨
低頭拜白虎，末帝驚魂

活曹操和毛澤東左右交換個眼色。活曹操說道：「定天下者無私仇，過去的舊賬那裏算得了許多。宋希濂的血債總沒有李濟琛，衞立煌，楊虎等人多，黨並未向他們追債。何必專注意宋希濂。」

羅瑞卿道：「林老，話不是這樣說，李濟琛等人是因爲立了功，可以贖罪，宋希濂是戰敗被俘，沒有絲毫功勞，怎能免罪？再說楊之華同志每次見面都向我要宋希濂爲秋白同志報仇，都被我支吾過去，現在突然把宋希濂赦了，她一定會來找我鬧的。」

毛澤東道：「沒有關係。楊之華找你鬧，你就說奉我的命令就是了。」

羅瑞卿不敢再爭，只好把宋希濂的名字加進去。

毛澤東何以苦苦袒護宋希濂，說來有一個內幕。當民國二十三年十月共軍在江西受不了圍剿，突圍西竄時，毛澤東想乘機陷害異己，在政治局會議時，授意周恩來提議，派瞿秋白回去上海活動。當時四面都被國軍封鎖，中共集合全部精銳還恐怕突不出圍去，現在却要瞿秋白單人匹馬回上海，明顯是借刀殺人之計。

毛澤東何以要害死瞿秋白？基本有兩個原因：第一是瞿秋白在黨內地位比他高，過去曾經領導過整個共黨，毛澤東自不願有瞿秋白在旁邊遮了他的威風。第二：瞿秋白學問在共黨頭目中穩坐頭把交椅，中俄文都精通，舊詩也作得很好，決非毛澤東那種半吊子可比，毛澤東由嫉生恨，就想幹掉瞿秋白，現在抓到機會自不肯放鬆，就示意大家一齊舉手贊成。瞿秋白是個道地的書生，不知「同志」們的心術壞到如此地步，也勉强接受了這項「光榮」任務。當時毛澤東就派鄧子恢護送，另外還有幾名衞士，夜間行到長汀一個山頭住宿，突然被國軍包圍，幸槍聲一響，鄧子恢等人都翻窗跑了，只剩下一個瞿秋白，束手被縛，在長汀被處死。當時國軍駐防長汀的將領，就是三十六師師長宋希濂。

瞿秋白被捕後，中共高級頭目也都懷疑事有蹊蹺，何以鄧子恢等人都能逃掉，只有他一個人不能逃？國軍情報又何以如此準確？瞿秋白等人住的一間山頭小屋，雖十萬分之一地圖也查不出，國軍卻輕而易舉就找到了？不過，大家雖然懷疑，也因正在西竄途中，自己尚不知命盡何日，自然顧不到瞿秋白了。

但是瞿秋白的未亡人楊之華在上海，間接從國軍方面傳出消息，知道瞿秋白之死有人告密。於是楊之華到了延安後就向中共中央提出控訴，要求替瞿秋白伸冤，但當時因死無對證，也無人理會。

民國三十八年宋希濂率十四兵團剿共，在宜昌被俘，楊之華以爲報仇時間到了，就要求公審宋希濂，調查是誰告密。本來不是楊之華出頭一鬧，毛澤東可能對宋希濂採取殺人滅口的辦法，這樣一來，驟瞞不住了，只好定期公審宋希濂，毛澤東暗中自然也作了一番安排。

公審由林伯渠主審，先問殺害瞿秋白的經過，宋希濂一口承認是他負責，但堅決否認有人告密，只說是偶然的遭遇。楊之華雖然不服，可是也提不出證據，只好算了。（八九）

窄門

熊徵宇

我把窗帘全部拉開，噴了一口烟霧，窗外的空間沒有佈景，是一片沉沉的幽闇。我想找話說，但是沒有。因爲有很多話在這八年相處的日子裏都說過了，雖然我與滌生的心理□□，謹防，但是我們都不願意發揮那些無聊的□念，也不喜歡自我解嘲的滿足，同時，那些抽象性的話題，近年也不多談，於是，我們的友情就這樣缺乏了生氣！

於是，我想求助於記憶，希望找點東西來充塞自己，但是一想起來就有太多的回憶，像重重疊疊的複印照片，像撕得殘缺不全的畫幅！

於是，我扔了烟蒂，準備睡覺，人睡在床上的時候，是會想起什麽來的。

當我睡下的時候，滌生起來關窗，他說：

「我想請調」。

「……………」

「台北呆久了，膩！」

「調南部？」

「那邊有個缺，走了個編輯。」

「合興趣？編那一版？你向社長談過？」

「我早就無所謂興趣了。通訊。採訪主任同意了。」

「換換環境當然也好。那麼幾時去呢？」

「明天見見社長晚上就可以走。」

「何必那樣忙？」我笑着說：「同事們總難免要餞餞行。」

「我沒有這份離情。怕這些麻煩。所以趕晚上走。」

我沉默了。坐起來在床沿邊抽烟，我迂緩地說：

「滌生，我看你近來想得太多了。」

「一個人沒有感覺會老。」

「但是太多的感覺會變成疑問。而現實生活是肯定的。太想多了，往往更空幻。還是直覺些好。」

「那不是直覺，是一種病，是現代人共有的麻痺。」他彈烟灰，眼睛望我：「大家都以爲有自己的意志，却把這個意志交給命運。冷淡的雜混感情，弱點的容忍，把現實做盾牌的爭權奪利的腐敗！」

「那末你感覺的又是些什麼呢？」

「什麼？什麼這兩個字永遠不會有結論」。他說：「你不要逼我招供，我承認無窮的疑問最後變成一個我。我本來就沒有什麼大志。」

「這並沒有錯。」我輕輕地說：「你到分社去了還是多寫點東西。那也是感覺的好出路。」

「寫那些婆婆媽媽的小說？」

「你的詩不是有很多人喜歡嗎？」

「詩？」他冷笑一下：「用巧妙的文字掩飾自己空虛的感情！這時代所需要的也不是纏綿悱惻的詞藻。」（四）

唐太宗（十二）

李仲侯

尙武功：太宗不僅是中國歷史上一位最偉大的政治家，而且是最卓越的軍事學家，宜乎文治武功，震鑠古今。貞觀武功之盛，要以平突厥，收回紇，征高麗爲最著。

突厥本爲中國古代北方一個很強大的民族，爲匈奴別種，歷代爲中國邊患最深。隋文帝時分東西兩國，東突厥的領土最大，東達渤海北部，北抵西伯利亞，南至內蒙沙漠，西抵外蒙杭愛山；隋末東突厥實力驟增，東自契丹，室韋，西盡吐谷渾、高昌，皆爲臣屬，控弦百萬，古狄之盛，從古所無。武德七年，突厥大舉入寇，唐高祖欲自長安遷都以避之，太宗不肯，親率兵至便橋抵禦，突厥請盟而去。翌年，李靖大破突厥頡利於陰山，斬首萬餘級，俘男女十餘萬，獲雜畜數十萬，拓地自陰山北至大漢。突厥頡利到長安，太宗責備他說：「汝藉父兄之業，縱淫虐以取亡，罪一也；數與我盟而背之，二也；恃強好戰，暴骨如莽，三也；蹂我稼穡，虜我子女，四也；我宥汝罪，存汝社稷，而遷延不來，五也。然自便橋以來，不復大爲入寇，以是得不死耳」。突厥既亡，投降唐朝的尙有十數萬人，太宗乃將頡利原所統的地區，置順、佑、化、長四州都督府，把頡利的地分爲六州，左置定襄都督府，右置雲中都督府，以統其衆。

回紇諸部在突厥之北，（即今外蒙古西南部），該部於貞觀初驟然強盛。十五年該部薛延陀眞珠可汗以二十萬衆渡漠南大舉入寇，太宗命張儉、李世勣等往討，大破之。二十年，喬師望等又大敗鐵勒諸部，其酋長頓首入朝，傾服歸順，一致推太宗爲天至尊。二十一年，詔以回紇□區，改編州郡，共設五府一[illegible]，以其酋長爲都督刺史，[illegible]：「臣等既爲唐民，往來天至尊所，如詣父母，請於回紇以南，突厥以北，開一道，謂之參天可汗道，置六十八驛，各有馬及酒肉以供過者，使歲貢貂皮以充租稅」。他們這種虔誠向化的精神，實與宗教徒朝拜聖地無異。

高麗新羅百濟，在唐初皆臣服於唐。到了貞觀十六年，高麗東部大人泉蓋蘇文殺其王，立王侄藏，盡殺大臣，自爲莫離支，專國政。十七年，新羅遣使來告：「高麗與百濟連兵，謀絕新羅入朝之路，乞兵救援」，太宗降書諭之，蓋蘇文不奉詔，太宗說：「蓋蘇文殺其君，不可不討」。

三月三日

漁翁

三月三日，古稱「三巳」，又曰「上巳」，謂陰曆三月上旬之巳日也。據後漢書載：「是月上巳，官民皆絜於東流水上，曰洗濯祓除宿垢，爲大絜。絜者，言陽氣和暢，萬物訖出，始絜之矣。」後來修禊之謂。漢末應劭所著風俗通引蔡邕語云：「論語：暮春者，春服既成，冠者五六人，童子六七人，浴乎沂，風乎舞雩，詠而歸。自上及下，古有此禮。今三月上巳，祓禊於水濱，源出於此。」

可是，古以天干之巳，談爲地支之巳，若朔逢午未，則上旬無巳日，故曹魏而後，不復用巳，而僅以三月三日稱之。自李唐來，此風更盛，一般騷人墨客，分觴流韻者，指不勝屈，杜甫賦「麗人行」，開宗明義的兩句：「三月三日天氣新，長安水邊多麗人。」白居易詩：「畫堂三月初三日，絮撲窗紗燕拂簷。」沈佺期詩：「九門馳道出，三巳禊堂開。」尤以崔護所詠「人面桃花」一首，至今猶爲人所樂語。

古以是日爲春禊，又稱「踏青」之季節，據千金月令載：「三月三日踏青，上「鞋履」。但舊唐書：「大歷二年二月壬午，上幸昆明池踏青」。又歲華紀麗譜：「二月二日，踏青節也。」復按蘇軾詩序：「正月八日，士女相與嬉遊，謂之踏青」。究以何時爲適宜？後之人，多用三月三日。今則士女出遊，以清明代之，蓋清明多在三月初，時値暮春，風和日麗，此韓翃之所謂「四時好景是三月也」。

至於修禊之典，以王羲之蘭亭集會，爲最膾炙人口。蘭亭，在浙江紹興縣西南二十七里，有步渚，渚有亭，故名。晉永和九年，三月三日，王爲會稽內史，等於今之行政專員，約太原孫統，孫綽，及其子獻之，徽之等四十二人，修祓禊之禮，羣賢畢至，少長咸集，成爲文酒之盛會，就中以羲之等二十六人，各成四言五言詩一首，獻之等十六人，詩各不成，罰酒三觥，因此，有蘭亭集序之作。羲之，字逸少，爲右軍將軍，世稱王右軍而不名。不僅能文，且善書，草隸爲古今之冠。論者稱其筆勢，飄若游雲，矯若驚蛇，其蘭亭集序，最爲後世所重，唐後已無眞本存在。

當在三月三日盛會之餘，酒酣興濃，用蠶繭紙鼠鬚筆書之，運筆時，若有神助，凡二十八行，三百二十四字，稱之「蘭亭帖」。雖眞蹟不存，而翻印行世，千百年下，猶流傳於不朽，以後之學書者，莫不以蘭亭帖爲張本。而春間文酒之會，亦莫不以蘭亭修禊爲圭臬焉。

自唐、宋、元、明，以至清初，修禊之風，猶未稍衰，以王漁洋揚州冶春詩最著稱；王爲揚州推官，三月三日，雅集平山堂所賦冶春詩，傳誦一時，茲錄兩首於下：「三月韶光畫不成，尋春步屐可憐生；青蕪不見隋宮殿，一樹垂楊萬古情。」「官舫銀鐙賦冶春，瑯琊風調更誰倫；玉山座上頹唐甚，意氣公然籠罩人。」可稱[illegible]比美[illegible]。時至今日，世局擾攘，[illegible]，縱有少數文人雅集，[illegible]！惟[illegible]

猶憶三十年前，每逢三巳，筆者客餘杭，約同道，泛舟於湖上，一觴一詠，顧而樂之。今則海角[illegible]，滄桑多變，[illegible]，不免有[illegible]之感！[illegible]

海嶠塵談

敵乎？友乎？

諸葛文侯

民國卅八年（西曆一九四九年）春間，國軍在上海進行勦共戰役之際，我于役上海中央日報，住北四川路底的親戚家，有三位關係淵深的朋友，經常晤面，無話不談。

老友四川大邑縣人李劍華，是學生時代的總角交，他自日本留學歸國後，在上海各大學執教，旋歷政府要職，迨對日抗戰時担任中央勞動局副局長，戰後又奉命爲上海市社會局副局長。其人沈默寡言，恂恂儒者，曾受制於所娶日籍悍婦，挽愚斡旋方得仳離；續娶上海大學女生某，常布衣髮髻，見人郎羞怯如村婦態。是時李夫婦卜居滬上司高塔路，距愚寓所彌近，彼此來往甚密切，李氏每來輒在夜間。某夕，愚語李以上海必不守，將避海而南走粵；彼問「你何必走呢？」答曰：「不走就是坐以待斃而已。」李謂：「我保證你不會「招」——此字係川諺，即受害之意——請放心。」愚言「你又不是共產黨，焉能保證我的安全？」他笑領之，即大談其社會革命的理論；深宵始別去，臨走猶輕聲告愚云：「你還是不走的好。」

周佛海之未亡人楊淑慧與其子幼海，因愚與佛海的深切交誼，素來過從頻繁。此時伊等住小沙渡路一魏峨公寓中，雖隔愚所居北四川路底甚遠，但楊氏不時枉訪，且常約赴伊宅宴會或便餐。幼海濡施丹頻，喜歌皮黃青衣劇曲，强愚試操絃索，又爲之錄說「春秋配」全齣唱詞，練習殊勤，幼海則與同輩朋友們時作撲克牌戲，殊少外務。闔家老少生活，固屬十足的小資產階級意識形態也。楊氏聞愚將南下入粵，急加勸阻，幼海亦如上述老友李劍華所言，認爲我沒有避地之必要。楊氏更謂萬一共軍入佔上海後，彼可檢出佛海之舊有長衫備我暫時改裝，並易地而居，藉避耳目，將來只要接受共黨的短期訓練，即可出來工作的。我笑謂：「你們不瞭解共黨那套作風，以爲不過是換朝代罷了，這是錯覺。我希望你母子二人亦趕快到香港去爲佳。」幼海即說他準備赴英國留學幾年，再行問世，我極表贊成，且謂：「你是學經濟的——他畢業於日本慶應大學經濟科——到英國多多研究一下費邊主義罷。」他甚以爲然。

我離滬時，並未通知李劍華及周幼海等，蓋恐他們黯然話別，徒增惆悵，別無他意也。迨共黨竊據上海後，報載李周二人赫然分任「華東軍政委員會勞動部」副部長暨「上海市公安局偵緝隊」隊長等重要職位，若非老共，曷克臻此！（李妻亦係一個老共幹）我不禁大爲吃驚，而以若輩過去隱藏滲透的技倆實屬高明，不知瞞過了若干名公鉅卿，即對我這種數十年來的貧賤之交，亦決不流露絲毫的親共言行，而使他們玩得團團轉，相信不疑，假使我留滬不走，或將成爲若輩立功的對象。可知凡以表面詞色爲辨別親疏之標準者，毫無是處。時人好以高呼「擁護」「打倒」口號，能寫善頌善禱的標語式文字者爲忠貞之士。我乃叙述這段故事，希望重視忠貞問題的人，知所省悟，留神觀察，謹防扒手！

碧潭勝蹟

南道

山川風物

碧潭位於台北縣文山區的新店。文山是台北縣貧瘠的區域，全區大部份地區爲山陵地域，平原極少，因此全區生產的糧食，不敷供應。老百姓「靠山吃山」，他們仍然獲得天獨厚的地理環境，林木蒼萃的文山山脈，出產名貴的「文山茶」，「文山包種」，「文山烏龍」，早已暢銷中外，名聞遐邇。

到了新店街市，向右轉一個小彎，便遇到一座高聳，這便是碧潭溪岸的長堤。我們由石級攀登，眼界豁然開朗，好像別有天地，聞名已久的碧潭，頓時呈現在眼前。碧潭緊接着新店的市鎮，是一泓平靜無波的溪流，碧藍如雲天，相傳有蛟龍潛藏。對岸巨嶺屏峙，峭壁峻奇，因此自古就有「台灣赤壁」或「小赤壁」之稱，所以也有簡稱爲「壁潭」的，是台灣十二名勝之一。

連接兩岸的交通，是橫掛在前面的大吊橋，彎曲如長虹，欄上懸有「碧潭游泳池」五個大字，吊橋高凌空際，勢態至爲壯觀雄偉。潭中有舢舨船隻，以供遊人乘坐。其中有一艘是裝有小馬達的汽艇，縱橫馳騁，吼聲齊發，傲視木製舢舨，宛如鶴立雞羣，但在這靜靜的潭中，它倒成了「搗亂者」，與靜謐的自然環境，大不調和。

春歸

夏日晴

需次十年猶有待，談君三月即瓜期；
旌麾指處皆新綠，衫袖風來已半細。
絕似周流尋司寇，光無存問鄭當時；
重逢倘值江南岸，願放薰風白屋吹。

自由報
內備警台報字第〇三一號內銷證
THE FREE NEWS
第二二五期
中華民國僑務委員會頒發
台社新字第三二三號登記證
中華郵政台字第一二八二號執照
登記爲第一類新聞紙類
（半週刊每星期三、六出版）
每份港幣壹角
台灣零售價新台幣弍元
社長：雷嘯岑
督印人：黃行甕
社址．香港銅鑼灣高士威道二十號四樓
20 CAUSEWAY RD 3RD FL
HONG KONG
TEL. 771726　電報掛號．7191
承印者：田風印刷廠
地址：香港灣仔高士打道二二一號
台灣分社
台北市西寧南路壹壹本號二樓
電話：三〇三四六
台郵掛號金戶九二五子

從甘迺廸聲明看琉球命運

宋文明

最近不久，美國甘迺廸總統曾爲琉球問題發表了一項重要的聲明。這一聲明雖仍強調琉球的美國基地對西太平洋地區安全的重大關係，但卻首次正式承認了日本對琉球的主權，並暗示將允許日本逐步參與琉球內部事務。這一聲明如此說：「美國承認琉球爲日本本土之一部份，並希望終有一天自由世界的安全利益能允許琉球重新恢復到日本完全主權之下。……我已下令與日本舉行商討，就日美兩國的共同援助琉球擬訂具體步驟，以促進琉球人民福利及經濟發展。」而與這一聲明同時所發表的一道行政命令中，甘迺廸總統爲了擴大與提高琉球的自治地位，更規定：（一）允許琉球立法會議選舉琉球政府的行政首長；（二）將美國高級專員的否決權力予以更進一步縮小，使其僅限於嚴格的外交與軍事問題；（三）將立法議員的任期由兩年延長到三年；（四）允許立法會議對議員人數及選區劃分作變通調整；（五）規定民政首長將由文人擔任；（六）對琉境美人的司法管轄作若干技術性改革。

從以上這一聲明及行政命令中，我們可以看出甘迺廸所宣佈的這一美對琉球的新政策，明顯包含有三項主要的意義：即第一，美國仍保有對琉球的最高統治權；第二，在整個國際安全所允許的範圍內，將擴大琉球人民的自治權利；第三，立即開始允許日本參與對琉球的經濟事務。換言之，從甘迺廸總統這一新的政策聲明開始，在名義上琉球雖然仍在美國的統治之下，而在實際上，琉球已成了美國、琉球與日本三方面的聯合統治局面。即美國負責琉球的安全、外交，以及行政方面的高級決策；琉球自治政府負責一切民政事務；而由日本負起經濟上的大部份責任。假若讓我再說得露骨一點，那就是琉球現在的局面，正如目前阿爾及利亞的情形一樣，正在出現一種過渡性混合政府。所不同者，阿爾及利亞的這種過渡性混合政府現在已告成立，而琉球的這種三方混合政府雖然不一定見諸公開的形式，而實際卻已隨着甘迺廸這一新的表示而徐徐出現了。

因此從甘迺廸發表這一聲明以後，琉球的終將歸還日本，已經不是一個是否可能的問題，亦不再是一個美國肯否如此武斷決定的問題，而祇是一個時間問題。說到時間問題，這種時間亦絕不會再等十年或八年的問題，而很可能祇是兩年或三年的問題。這就是說，在最近兩年以內，美國很有可能把琉球的行政權完全交於日本。何以會有這種可能？這要從三方面去看：

（一）美國現在已答應日本參與琉球的經濟事務，可是日本除了表示熱烈歡迎美國這決定外，現在又已提出要參與琉球的教育事務。日本參與琉球的經濟事務的結果，不僅將大大影響琉人對日本的觀感，使琉人無形中感激日本的援助，而且亦將使琉球與日本在經濟上變成完全不可分的關係。日本參與琉球教育事務的結果，更將使日本的國家主義及民族思想重在琉球生根，徹底控制琉球的智識份子及下一代的思想。可是日本的要求，絕不止此。一俟美國接受了日本可參與琉球的教育事務，那麼它的更多的要求，如參與琉球的警察與保安，公共衛生等等，自將接踵而來。如是，馬不停蹄，一步緊跟一步，終至於完全控制琉球的一切。

（二）從過去十來年的歷史看，自舊金山對日和約「間接」承認日本對琉球的「剩餘主權」，至一九五三年秋美國宣佈將琉球羣島之一的奄美大島交還日本，爲時不過兩年。自一九六〇年一月美日安全新約「正式」承認日本對琉球的「剩餘主權」，至去年六月甘迺迪與池田聲明，允改善琉人福利並於重要紀念日在琉球懸掛日本國旗爲時不過一年有半。再就上次甘迺迪對琉球問題所作表示算起，至本年三月這一新的聲明，爲時還不到十個月。從此可見日本的要求拿回琉球一事，完全遵循一種波浪形的攻勢路線，每隔一兩年時間，便發動一種攻勢，每一攻勢之後，美國便退讓一步，日本便前進一步。這種情勢固由於遠東的國際環境及美國的政策改變有以致之，但日本的經常不移的壓力，亦是一重要因素。越到後來，日本對琉球問題的這種波浪形攻勢亦越加緊，美國的退讓亦愈大。因此在未來兩三年，日本無疑將乘美國對遠東政策正欲作更張之際，將更加重壓力，以使琉球的行政權早日歸於日本之手。

（三）現在美國所持以反對琉球交還日本的最大藉口，便是琉球在美國防衛體系中的軍事地位以及整個遠東的國際安全。可是美國所持這種理由，是一個具有頗大彈性的說法，而不一定會成爲阻止日本及早取得琉球的重要障礙。換言之，美國這種理由與其說是在着眼於遠東安全情勢的變化，還不如說是在着眼於日美兩國關係的變化。遠東的安全情勢，這十年來並未顯著變化，可是日美兩國的關係卻已發生了重要的變化。若照美國在口頭上一貫所說的對琉球政策完全取決於遠東安全情勢，美國不應該這樣一步步放鬆對琉球的控制。可是事實上，美國卻正在準備要把琉球交還日本。可見決定琉球問題的關鍵，不是遠東的安全情勢而是日本對這種安全情勢的反應與態度。這就是說，祇要美國認爲日本的政權不會落於左翼勢力之手，祇要日本能接受美國琉球基地的長期存在及安全，並建立一種保證，不論日本國內情勢如何，而美國的琉球基地不致受到任何干擾，美國自樂於將琉球及早交於日本。所以現在的問題，就在日本能否對美國提供這種保證，以及美國對日本政局的發展有無絕對的信心。

說到日本對美國的保證及美國對日本政局的信心一事，我們不能不注意到一年多來在日本內部所發生的重大變化。僅僅在兩年以前，由於美日新約的簽訂及艾森豪的預定訪日計劃，而引起了日本左翼勢力大規模的反美運動，一時使美日兩國關係蒙受重大損失。可是自甘迺迪政府上台以後，美國政府便竭盡一切可能，設法轉變這種情勢。其中主要者，如選派第一流的日本問題權威賴紹爾出任駐日大使，建立兩國閣員級聯合委會，加強雙方文化交流發展對日本廣大羣衆間的普遍聯繫，以及歡迎許多勞工領袖人物赴美訪問等等確已收到相當的效果。所以最近不久當美國檢察長羅伯。甘迺廸抵日訪問，並找尋機會與日本青年及勞動羣衆接觸時，雖也發生少許不愉快鏡頭，但一般氣氛的友好與熱烈，絕不是兩年前所能想像的。在這種情形下，美國顯已認爲日本當前政局的發展，及其未來長遠前途的瞻望，根本就不會有何顧慮。所謂沒有顧慮，其意就是：在眼見的將來，日本政權仍將一直爲反共親美的日本穩健派所掌握，絕不會落到日本的小數反美派手中去。既無這種可能，那麼日本的穩健派勢力便樂於爲美國提供一種堅強保證，而不致受到國內重大的政治壓力，而美國亦同樣樂於接受這種保證，願與日本就琉球基地問題進行一種新安排。

鑒於這次甘迺廸總統的聲明，是發表於乃弟羅伯檢察長的返美報告以後，可見他這一表示絕不是一項枝節行動，而是美對琉球問題一整套新計劃的一部份。因此在我看來，美日兩國現正步入爲琉球基地問題進行一種新安排的前夕。這種有關新安排的商談，可能已在秘密進行，也可能很快就要開始，但總不會拖延太久。一俟這種對琉球基地安全問題的新安排有頭緒，那麼美國就會斷然[illegible]採取[illegible]措施，正式準備把琉球交給日本。

「大整肅」的前奏

打的好主意

自由談

總體戰的義理

馬五先生

有朋自寮國來，談到該國的動亂問題，指出一種奇特現象，即寮人在政府軍中服役者，雖擁有現代化的美式武裝，亦無作戰能力，而一些投入寮共旗幟之下者，拿着窳劣的武器，卻有衝鋒陷陣之勇，不亦怪哉！

實則理有固然，殊不足怪。戰爭必有目的，因何而戰？爲誰而戰？這些義理必須使士兵們徹底瞭解，方足以激起大家不惜摩頂放踵的戰鬥精神，表現出「雖千萬人吾往矣」的道德力量，此即現代術語所謂政治訓練是也。然而猶有未足也。假使一般主持軍事，政治和經濟業務的幹部人員，平日不能盡忠職守，潔己自愛，在公私生活上處處表示着與士卒同甘苦，與民衆同休戚的作風，而光靠軍中的政治訓練以培養士氣，效力還是微乎其微的。

像寮國那些執政的親王和官員們，平日生活腐化，貪墨盛行，民衆早已有目共睹，莫逆於心。軍中的士兵都是來自民間的，臨陣教他們去拼命，各人自然要發生因何而戰，爲誰而戰的疑問了！至於反動的寮共方面，他們原是在野的集團，爲着爭取民衆的同情，隨時裝出刻苦奮鬥，與軍民共安危的生活姿態，同時又以在朝執政，以及在軍中領兵的官員們那套貪污腐敗的現實情況作宣傳資料，煽起社會大衆的怨憤心情，而軍民合作的功能即爲之告吹矣。

寮國原是文化落後而產業貧乏的地區，執政者對於如何收拾民心，如何激勵士氣這類總體戰的道理，當然不懂，憑着舊觀念與作風以抗禦共禍，自屬凶多吉少，必無倖理，遲早終歸被共黨吞沒完事。我希望寮國以外的亞洲反共國家的政治和軍事人員，能夠瞭解總體戰的要務，先從健全本身做起，滌除腐化貪污，祇圖個人享受的惡習，藉以博得民衆的向心力，士氣即隨之踔厲奮發，不成問題。祇是夸夸其談，自認爲「士氣高昂」，一旦有事，必然經不起考驗的！

以動員備戰反攻爲中心

政院訂下年度施政綱要

（本報記者台北航訊）反攻大陸高唱入雲聲中，行政院經已釐訂民國五十貳年度的施政綱要。此項自本年七月初起至明年六月底爲止的施政綱要，係以動員備戰，加强應變能力，配合反攻政策爲其重心。

行政院釐訂的五十貳年度施政綱要，强調大陸上的中共暴政，經已造成政府光復大陸的有利形勢，故政府決定把握此有利的形勢，爲國家民族開創新的機運。

此項以動員備戰配合反攻政策爲重心的施政綱要，其主要規定計爲：

（一）各項施政，應以充實行動力量，早日光復大陸爲目標。而同時則注重確保台灣的安定局面，俾能累積現有的成果，以進而創造其他各種必需條件及有利的環境。

（貳）政治建設雖經緯萬端，當前要務，爲繼續擴大海內外愛國人士的團結合作，以匯集所有的反共愛國力量，同時則注意整飭政治紀綱，加强心理建設，改革社會風氣，充實基層自治工作，務期以革新與進步的事實，更加激發全國同胞的努力與信心，並增强對大陸同胞的政治號召。

（三）在國防軍事方面，則以加强防衞力量，保持高度戰備，精益求精，完成應變措施，並擴大建設後備武力；以準備隨時展開反攻行動。同時並推行軍工協進，以配合目前經濟發展，以及賡續實施退除役制度，以促進新陳代謝，而貫澈精兵政策的實施。

（四）在經濟方面，繼續執行第三期經濟建設四年計劃及十九點財經改革措施。而尤其注意開發資源，發展工業，促進土地利用，加强金融管理，推廣國際貿易，力求國家財政收支平衡，俾以達成加速經濟發展以及配合國防需要的目的。

（五）在外交方面，將竭力發揮獨立自主的精神，堅持正義的原則，在國際外交戰場上繼續奮鬥，務期能不但維護我國在國際上的合法地位，同時並能鞏固全世界反共自由民主的陣營，藉以立於不敗之地，切實確保自由世界的安全。

另外，在反攻大陸準備措施方面，除（一）行政院已成立「經濟動員計劃委員會」，（貳）國防部已成立「戰地政務局」，（三）教育部已着手策劃光復區教育方面的復興準備工作，及（四）救總已開始規劃戰地緊急救濟工作外，其餘各項準備措施，亦將陸續展開。（任）

僑委會最新調查統計

華僑總數逾千五萬

分佈五洲九十九國家地區

全世界有井水處便有華僑

（本報記者台北航訊）僑務委員會最新的調查統計說：現在全世界的華僑，總數爲一千五百七十萬零九千六百六十七人，分佈於五大洲的九十九個國家和地區，說明全世界沒有一個地方沒有黃帝子孫的踪跡。

依據僑委會的調查統計，五大洲中以華僑人數的多寡爲序，計爲：

（一）亞洲爲二十九個國家和地區，華僑最多，達一千五百一十七萬零八百四十八人。

（二）美洲的三十個國家和地區，華僑人數次多，爲四十三萬二千五百一十七人。

（三）大洋洲的六個國家和地區，華僑人數又次之，爲四萬三千一百七十三人。

（四）非洲的十五個國家和地區，華僑人數爲四萬二千六百二十五人。

（五）歐洲的十九個國家和地區，華僑人數爲貳萬零五百零五人。

關於華僑的人數，中國從古至今，沒有做過一次調查統計工作，因而全世界華僑究竟有多少人，根本就沒有人知道，甚至華僑這許多年來在各地受了些什麼苦難？他們對居留國家和地區有了些什麼貢獻？各國家和地區對於華僑的待遇如何？幾乎完全無人過問，完全是任由華僑自生自滅。直到大陸被共黨佔領了，政府播遷到台灣了，這才開始注意到華僑對於國家的重要性了。在那時，不知何人做了一個估計，說是全世界的華僑一共有一千貳百萬人。大家於是亦跟着說華僑有一千貳百萬。前幾年，有關方面又另外做了一個估計，認爲全世界的華僑已經有一千四百萬了。於是大家亦跟着這樣說。實際，無論一千貳百萬或一千四百萬，都只是估計而已，不可靠的。

就因爲估計不可靠，去年，僑務委員會乃做了一次調查統計，其方法是通過駐外使館及領館，沒有使領館的地方則通過當地華僑團體，要他們就便調查一下，向僑委會報告，經過約一年工夫，僑務委員會收到這些報告資料，加以整理，結果果然證明從前的估計不可靠，而得出這個一千五百多萬的新的數字。

但這個新的華僑數字，實在亦還不是絕對正確的，原因爲：（一）駐外使領館，特別是那些僑團的調查報告，不□□是完全的，其數字未必很確實。（二）這些調查報告，既不包括已被關入鐵幕的國家和地區的華僑，同時某些國家和地區的華僑中，又有所謂親共份子，他們亦不在調查報告之列。顯明的，儘管已被關入鐵幕的國家和地區並不很多，其餘國家和地區中的華僑親共份子亦屬少數，但究竟說明調查統計並不完全。（三）許多的華僑，因爲種種關係，他們已經取得他國國籍了，對於這些擁有雙重國籍的華僑，僑委會這次的調查統計，仍然把他們算是華僑的。實在這些人是否還得算是華僑，最低限度並非全無問題。像這類擁有雙重國籍的華僑，今後會祇有增加，不會減少，勢所必然。

但可以肯定的是：如其把擁有雙重國籍的華僑亦算在華僑之列，則僑委會新統計的華僑總數千五百餘萬，事實上是祇嫌其太少，不嫌其過多的。（清）

採訪綫外

▲台省合作金庫總經理也是現任省議員的林世南，因爲依法民意代表不得兼任公職，經向省府辭職獲准，省府經內定由財政廳副廳長陳運生繼任合作金庫總經理。

這是傳說中的立法院長黃國書決定辭去台灣合會儲蓄公司董事長的兼職之後，民意代表辭去公職的第二人。而因爲黃國書之要辭兼職還未正式見諸行事，故林世南實際乃是民意代表辭公職的第一人。中央及省縣市民意代表中，目前兼任公職的，爲數不在少，林世南爲天下倡已做出了好的榜樣，但望其能夠樹之風聲，該辭的人都風行草偃的辭去兼職，要麼就辭去民意代表，那就可望把民意機構給「澄淸」若干了。

▲美主管遠東事務的助理國務卿哈里曼，在衆院爲美國援外撥欵案作證時，大讚台灣這十多年來的建設成就，他說：「今天處於開發地區的台灣，具有一項最高度自給發展的潛力，其最有價值的資產，爲人力資源，主要是來自大陸的科學，醫藥，商業，工程，行政與教育等方面的領袖。其教育，衛生與政治機構，交通運輸等，都屬於遠東最佳者之列。」

中國一家好壞有份　愛人以德不在財物

哈里曼這番話，在台北贏得普遍好感，其原因，不但使得台灣省籍同胞以及自大陸撤退來台人士，都自覺的感到對於台灣這些年來的建設成就有一份功勞，尤其值得重視的，哈里曼這番話，並不像有些美國人那樣在台省籍同胞與外省人士之間故意劃一條鴻溝，更須有的在那裏製造分歧與對立。

▲台北市又有十五名醫師，其醫師證書經內政部核對並無該證書號碼後，市衛生局已追繳其許可執照，限期拆除其醫師招牌，不准再行營業。

這十五名醫師證書被發覺有問題的醫師，乃是僞醫，他們並無合格的醫術，以往他們不但掛假招牌騙錢，現在亦藉假招牌在「害命」。政府加以取締，太應該了。但有人指出，僞醫固然應該取締，那些遷轉抹角的途徑，以取得律師資格的人，因其並無真才實學，其騙錢亦正與這些僞醫相同，是否亦應該堵塞造成這些「貨不真價不實」的「賣律師」的法律漏洞而免這些僞醫徒與「竊鉤者誅，竊國者侯」之歎呢？

▲劉承司駕機起義來歸之後，海內外同胞嘉其行誼，給他禮物甚至捐錢鼓勵他的，絡繹不絕，新的一個例子如旅美僑胞黃社經等，就捐贈給他五百美元。這固然是一番美意，却爲難了劉承司，沒有辦法，他祇好聲明謝絕了。

劉承司說：他起義來歸，份所應爾。同胞們對他的好意表示，他自然感謝，但給他送錢，他却「愧不敢當」。因爲「我的生活和工作，政府已妥善安排」了。實際，因爲劉承司不但已是我國空軍中尉，且還已得到了政府一千兩黃金的獎賞，這筆錢他還不知道如何花費呢。君子愛人以德，大家確實不必拿實物或現金去鼓勵劉承司了。（鄒）

台東山胞國大代上書總統要借錢

（本報記者台北航訊）台東縣山地同胞選出的國大代表黃忠，因爲代人作保受累，被法院拍賣房屋抵債，無家可歸，告貸無門，乃上書總統，請求「設法找一間房子住，或者貸給五萬五千元贖回房屋」，以免垂暮之年淪落失所。

去年有一少女上書總統求職，一時曾傳爲佳話。所以國代黃忠的上書總統借錢，亦就吸引了不少人的注意，但看法殊不一致。茲錄黃忠上總統書如次：

總統先生：

我是台東籍山地國代。我雖窮苦，但我一向都沒有向政府有過非份的要求，或是在社會上招搖撞騙，一直都是在台東故鄉做着一個安份的良民而已。然而不幸我竟於前年替一位山胞朱坤茂作保受累，我所僅有的一棟房子，已被法院拍賣償債，現在拍定人及法院三番五次迫我搬家（附法院通知書傳票）。但是，總統先生：這就是我唯一的家，現在叫我搬到那裏去呢？我到處奔走呼號，毫無結果，現在我確確實實到了山窮水盡的地步了，我馬上就將看着自己的家具都被摔到街上去了。

總統先生：我如不是到了萬不得已的地步，我是絕不願意來麻煩你的。我現在已是走投無路，因此只好請總統先生無論如何幫我一下子忙，設法找一間房子住，或是貸借五萬五千元贖回我的住屋，以免暮年淪落街頭，那末總統先生的大恩大德都會永遠感激不盡的。最後請原諒我非得已，冒瀆淸聽，並祝總統先生政躬康泰。

國民黃忠上

三月廿七日。（燕謀）

自殺的僑委會庶務科長　孫宏幹有爛污紀錄　會積壓公文千多件

（本報記者台北航訊）僑務委員會第四處專門委員兼庶務科長孫宏幹，突於三月廿四日神秘失踪，及後發覺已自殺。該會於淸查其所經管之帳目後，發現孫某虧空公欵好幾萬元。孫宏幹在僑務委員會陳淸文委員長任內，任第一處科長時，曾因積壓公文一千二百件之多，受到記過處分；待陳淸文調職後，經該會副委員長黃天爵保荐，調升第四處專門委員兼庶務科長。孫宏幹此次先失踪後自殺，雖云殉情，一般認爲當與虧空公欵有關。

這如「狗咬人不是新聞，人咬狗才是新聞」一樣，這新聞的新聞性，並不在於孫某的虧空公欵之後突失踪自殺。

眞正値得注意的，乃在孫某未任現職之前，早經在同一機關當過與「庶務」無關的科長，「曾因積壓公文一千二百件，受到記過處分。」而到了主管一換，却因有人「慧眼識英雄」，給這位能「積壓公文一千二百件」的孫某幹起庶務科長來了。他拆了一個不算太小的爛污之後而失踪自殺了事，說來倒亦不是爲奇也。（匡認）

北京大學最早期的回憶

附錄「壬寅續譚」

鄒樹文

關於戊戌京師大學堂的事，我不是身歷其境，不能知道。我只記得我有一個長親，他是戊戌京師大學堂學生，那時候他是一個候補京官，可見那時學生或者亦是有類於壬寅京師大學堂的仕學館了。還有一位會元劉可毅在庚子年遇難的，聽說亦是戊戌京師大學堂有關的人，但我不知道劉可毅是學生還是教職員，到現在已不能考了。李家駒（柳溪）先生，後來繼張亨嘉做過大學堂監督的，亦是戊戌京師大學堂教職員之一，據傳說庚子年拳匪到大學堂去找他，李先生扮作了自己的趕車夫而脫險的。我們知道戊戌年的京師大學堂沒有畢業學生，並且自庚子年至壬寅年陽曆十貳月十七日開學止，中斷了兩年有餘的時間。所以不論北京大學紀年以戊戌開始與否，壬寅入學的第一班，總是最早的畢了業的班次。

馬神廟的校址，原來是前清一位四公主府。據說前清駙馬，如欲與公主行夫婦之禮，必定要公主宣召。種種君臣分際相隔的手續，非常之繁瑣，所以公主與駙馬，往往不能和睦。惟獨這位四公主一反向例，與駙馬甚相愛好，生了好些子女。這位四公主亦可以說是那個時代的改革份子。

那時候我們第一班處在專制時常改變的環境，對於自身地位亦不能不向當局有所要求，我還記得請求時的文字中，有「勳貴之苗，卿貳之胄，研經講肆，註籍精廬」這幾句話。至於所要求是怎樣的條件，這篇文字是何人所擬稿，寫給何人，我都不記得了。我還記得有一位同學挽一位早死的同學說：「未博得五年義務，七品虛銜。」一滿紙牢騷，可見我們第一個畢業班同學後期的時候一般情緒了。

我們第一班裏的第一批學生，自從壬寅年陽曆的十二月十七日入學，讀了兩年半，至丙午年的舊曆年底結束了讀書的課程。我們同班外省保送陸續來的，當然比我們的修學期間短一些，可是與我們第一批在京考取的同班上課，同時結束。寒假休息的時候，正是我們畢業考的時候，次年開印以後，開始畢業考試。次年卽是丁未年舊曆正月，把將近五個年頭的功課，幾乎樣樣都要考，都是從開宗明義第一章考起，到那門功課的結束爲止。這比較現在學校所謂畢業考即是學期考試其苦樂難易不可以道里計了。考的第一堂是國文，其中有一篇作文題，我還記得是「淡泊以明志論」。那天學部尚書榮慶到場監試，看了題目，無話可說，但是他聽到我們上午除本場外，還有一場，下午還有兩場，則爲之稱奇，在他的意思，還以爲每天只有二場呢！考了一共七天，每天如此，等到考完，我們每個都瘦了不少。

考畢以後，學生聚餐，我記得是在什刹海某號，服部先生說，你們畢業了，這個學堂就是你們的母校，還把母校兩個字，講了半天，因爲這兩個字在當時是從前沒有聽到的新名詞，不像現在已是家喻戶曉。當時如不解釋，亦許還要有「公校」的名詞與「母校」二字相對待呢。

第一班師範館應屆畢業學生，共有一百零八人，恰合水滸傳上，一百零八之數，但可惜其中有少數未能及格，我記不清確數，大約不四五名落第的而已。畢業分數，是將畢業考試分數與歷年積分，每年平均計分，畢業考試分數，佔到三分之一，亦可見其爲重要矣。我們每一課程的平均分數，即畢業分數，都寫在畢業文憑之上，這亦是現在學校文憑所沒有的事。畢業成績分最優等及優等兩種，最優等共十八人，第一名廖道傳，我是第十七名，其餘除未畢業的幾位以外都是優等了。

凡列入最優等及優等的學生，由大學堂奏請滿廷，給予師範科舉人學位，並各分等投以官職，最優等者五品銜以內閣中書儘先即補，優等者只給以中書科中書即補，統名之曰獎勵。這種獎勵，如果拿現在辦法作一比喻，則舉人是學位，官職則是高考後的分發，是畢業考試與文官考試同時舉行，比較現行制度簡捷得多了。我們得了這種獎勵以後，並不許去做候補官員，因爲我們師範畢業生，每人都應盡滿五年的教書義務以後纔能去候補，候補要論班次，是何時可以補着，那就似李慈銘六門對子下聯所說「戶部主事補缺一千年」，眞要天曉得了。那時候沒有學士碩士博士學位，只有舉人進士等學位，外國留學歸來的學生，亦都要考試，及格後分別給予舉人或進士。本國學校畢業生得舉人學位的，大是亦是我們師範館第一班爲最早。

以上拉雜寫來，全憑記憶，一切關於事跡的考證，有可考的，有不易考的，想找餘暇去做，我僅可保證這是從記憶中忠實寫出的幾句話而已。

三十七年十月三日於南京

（三・完）

香港與大陸

深圳中共海關征稅　不要共幣祇要港幣

曲江共幹居然偷搶糧食

深圳的中共海關徵收海外同胞稅款的，竟拒收人民幣，只要港幣。

這是新近自港回曲江探親的女傭某說出來的。這女傭某，四十多歲，來港已二十多年，她是得信知道她母親病重，所以回曲江走一趟的。她說：她這次回鄉時，特地帶了些舊衣服以及猪油，臘味等回去。她因爲人民幣在香港不值錢，特地買了百二十元人民幣帶在身上，以備到深圳時作繳稅用，那知道中共海關竟拒絕收人民幣，只要港幣，她急了，問海關共幹爲什麼不要人民幣，偏要港幣？共幹答稱他們係奉命而爲，並要她少嚕囌！她沒辦法，結果總共買來時還不到港幣一百元的東西，竟要她繳稅款港幣二百五十元，她身上祇有二百元港幣，不得已，連手上的戒指亦脫下做爲稅款，纔得過關。

某女傭說：她母親的病，實在祇是營養不足而已她又說：其實因爲吃不飽營養不足而生病，據她這次回曲江家中以及沿路所見，可以說人人如此，人人都有病，不特她母親一人爲然，據她母親及家中人告訴她：在曲江，現在偷穀案及搶劫案時時發生，卻從未聽說破過案。發生偷搶案多的是糧倉，誰偷的誰搶的，其實許多人都知道，但有的不願說出，有的則不敢說出，前者是老百姓，後者則是指共幹。據她母親及家中人說，偷糧搶糧最多的，實在乃是共幹，大家怎敢說呢？至於那些去偷去搶的老百姓，都是出於飢餓迫然，故誰亦不願指出人來。這樣，又怎能破案？（江）

「人代會」與吃飯問題

一東

中共絕對解決不了「吃飯問題」，「吃飯問題」倒要把中共解決了！

中共的「人代會」，三月廿七日開幕迄今，除在第一天中共發表了簡短的消息，報告出席者有若干及周恩來做了政治報告之外，到現在再無片語隻字的發表。這情形是大有背於中共之傳統的。

中共最善於攪宣傳。以往的中共「人代會」，在會前會中以及會後的大吹大擂，就極盡宣傳之能事。它這次爲什麼至今關起門來，半聲不響？

一九五五年的中共「人代會」，大概要算是最攪得熱鬧最說得天花亂墜的。那時，不但它的第一個五年計劃貌似展望良佳，而且又開始了它的農業十二年計劃。那時，中共的經濟建設是決定了要以工業爲重心，而且是以重工業爲重心，而且爲了「支援」工業建設，又決定要提高農業生產。

顯然，中共攪工業，得自蘇俄及捷克輸入機器。而這些機器是以農產品及礦產品去換取的；所以它吶喊要提高農業生產了。經建以工業特別是重工業爲重心是大錯誤，它的不切實際的「冒進」，又是一項大錯誤。所以，一九五六年，它要攪「試驗田」，提倡「深耕密植」了，要「一年收三季，要畝產萬斤，二萬斤，二萬五千斤了。

到頭來當然是大失敗。農業失敗，工業得不到「支援」，也大大的失敗了。

然而中共不覺悟，從而更亂來，一九五八年攪出「三面紅旗」，什麼大民鍊鋼，大躍進，人民公社出籠了。這就失敗得更慘，一敗塗地。中共宜稱是遇到了「百年來未有的自然災害」，實際乃是中國有史以來的最大人禍而已。

於是，去年連「人代會」亦不敢開了！

於是，這次的「人代會」關起門來，悶聲不響了！

必然的，閉門會議的「人代會」所討論的，只是一個簡單的「吃飯問題」。

而也是必然的，除非向全國人民認錯，改塗易轍，中共解決不了「吃飯問題」。

更是必然的，中共解決不了「吃飯問題」，「吃飯問題」將把中共解決了！

・附啓：「向核彈抗戰」續稿未到，暫停。編者

寫眉續夢

第四回：掩面向黃泉，貳臣遺恨　低頭拜白虎，末帝驚魂

以後揚之華在紅旗雜誌第八期寫了一篇「憶秋白」，仍然咬定有人告密。並且要求處死宋希濂。毛澤東也曾和林伯渠商量過，活曹操以爲知道「瞿秋白之死」內幕的，決非宋希濂一個人，殺了宋希濂也不足滅口，不如優待宋希濂以安大家的心，似乎還妥當些。就因爲活曹操的獻計，才保全了宋希濂的性命，恰逢這次特赦，也把他的名字加進去了。

談過宋希濂的事，毛澤東突然問道：「宣統皇帝應該怎麼處理呢？」

毛澤東一提出溥儀，活曹操和羅瑞卿都緊張起來。

羅瑞卿嘆口氣：「說起宣統皇帝，到眞是個難題，若是扣押着他，我們也於心不安，放了他又恐怕老大哥見怪，因爲他是蘇聯移交過來的。」

活曹操一言不發，只是閉目沉思。毛澤東忍不住了，問道：「林老，你有意見怎麼樣，宣統皇帝到底赦不赦。」

活曹操睜開眼大笑道：「當然要赦。主席有權力赦皇帝，這是秦皇、漢武都未有過的豐功偉烈，歷史上將來要大大記上一筆的。」

活曹操一句話搔着癢處，毛澤東在椅子上坐不住了，站起來笑嘻嘻地踱了幾步，對着穿衣鏡照了又照。

羅瑞卿皺着眉頭說道：「林老，這裏面有困難你考慮到沒有？首先是老大哥的態度，其次還要顧慮到政治局方面，實在因爲宣統皇帝的名氣太大了，有許多人未必全同意。」

活曹操摸着鬍子，陰陰笑道：「瑞卿同志，打仗，攪地下工作，你都比我內行。只有心理學你還差得遠哩！蘇聯方面決不會過問，因爲宣統皇帝是中國人，不是蘇聯人，他們眞提出意見，我們也容易答覆。

「至於政治局內部，你更可以放心，除去主席和我，能講話的也只有劉少奇和周恩來。劉少奇決不會反對，因爲事情決定之後，還要以他的名義來赦，對他很有面子，他是決不會反對的。至於周恩來更不會。說起來他和宣統皇帝及清朝還有些淵源哩！」

毛澤東搶着問道：「林老，你這句話什麼意思？清朝滅亡時周恩來只有十三四歲，他和清朝有什麼淵源。」

活曹操一句話說的毛澤東和羅瑞卿都大爲詫異。

活曹操笑道：「主席知不知道他爲什麼叫恩來？」

毛澤東當時楞了一下，忽然大笑起來，說道：「周恩來名字的來源我不知道，不過，他的名字實在起得好，一九五〇年我帶他去莫斯科給史達林大元帥拜壽，一天晚上史達林召宴，大家吃了幾杯酒，不再感到拘束，上天下地亂扯一通，最後說到每個人名字的意義，史達林的意義是『鋼』，莫洛托夫的意義是『鐵錘』，史達林大元帥問到我的名字是什麼意義，我說『澤』是灌溉，『東』是指整個東方。

「史達林笑道：『你千萬不要灌溉到蘇聯來，我們這邊是不缺水的。』

「史達林說過，我當時很窘，莫洛托夫就打圓場，轉過來問周恩來的名字是什麼意義。

「周恩來說他的名字是『恩自天來』，就等於我們革命成功完全蒙史達林大元帥的『恩』賜『來』的。當時贏得全體掌聲，史達林欣然乾了一杯伏爾加，算是替我解了圍。」

（九〇）

窄門

熊徵宇

有一陣汽車的喇叭從窗外流過，衝擊着夜，劃在我們的話裏。我不想和濂生再談下去，但有很多話接捺不住；他走後，這間房不是連回聲都沒有了麼？不是更空虛更荒涼？雖然近兩年來，由於我們對人世的觀感有所分歧，所持的人生態度各有不同，但是那默然相視與無言的靜默也成了一種習慣，一種關切，一種慰藉。於是，我有綜錯的情懷與多種依戀。

這時，濂生也像是有許多感觸，他踏着沉重的脚步踱來踱去，顯得這房間非常窄狹。我接上烟，說：

「你決定去？」

「當然。有可能的話，我想你也換換環境。這個都市機器味和美國味都太重，到處都是數目字，到處都是買辦人物！常生下去，把人的靈氣都攪光了！」

「是的。我也很想有一個靜一點的地方。」我思索一回說：「你過南部去了，生活要實際一點，找個對象成家。人在私生活上無掛無礙，情緒是會枯萎的。我們前幾年都想得天真，其實我們是不可能從精神上求解脫的。所以也就不必逃避。這兩年來，我想到人在日常生活上沒有負担是份悲哀。人到了三十歲，該有個家。」

「家？」他神經質的把家字說得又長又重：「家？我們的家呢？世世代代祖傳的？我看你像有發言權的人一樣，只會說，不會做。你爲什麼不成個家？像你現在的性格剛好適合抱着孩子陪太太買菜；不問世事地關起門來睡覺。但是你怕弱者的機智！我不想，我不打算成家。人，必須有的東西，結果都沒有；於是又摸索新的東西，而結果還是跟從前一樣！一個人自己的思想找不到出路，把所有的情緒都埋在家裏是可能的嗎？那是酒！我不想找女人來尋安慰；糊里糊塗的養孩子。這世界的人夠多了，不需要那些低能的創造！」

「但這是人性的本質。」我極力忍耐着說：「而且你永遠把自己擺在生活的上面，思想從哪裏有出路呢？路是寬大的，你不肯走。」

「那是毀滅的路！」

「永生的路是窄的！」我不耐地說：「那勃萊克所歌頌過的『死的門』不也是窄的嗎？」

「你讀過？你懂？」他用冷峻的眼光望我：「死，死是不泯的太陽的滅，不眠的月亮的睡。比耶和華所說的那個永生的門更永生！」

「我一點也不懂。你只是空談。懂什麼呢？」「一切都在變。」（五）

唐太宗（十三）

李仲侯

十九年太宗親征高麗，拔十城，斬首四萬餘級。九月班師。雖終其身未能平服高麗，及其子高宗派薛仁貴、李世勣等才把高麗討平，置安東都護府於平壤，統九都督府四十二州。當時因蓋蘇文橫行不法，殘民以逞，太宗往征，弔民伐罪，申大義於天下，後世亦鮮有非之者。

其餘如討龜茲，平吐谷渾，和土蕃，伐高昌，始則震之以兵力，使其畏威，繼則懷之以文德，令其悅服。

太宗佐高祖起義，不久即削平隋亂，完成了全國統一，即位後，又以武功彪炳，四裔嚮化，在軍事上表現了古今罕有的卓越成就。但是認識太宗是一個軍事家，遠不如認識他是一個政治家的重要。政治家最重要的條件，是要有理想，有抱負，有辦法，把握這三者堅定不移去努力。太宗的理想，是他初即位時即對羣臣說：「爲君之道，必先存百姓，若損百姓以奉其身，猶割股以啖腹，腹飽而身斃」。他鑒於隋末之亂，民不聊生，需要的是休養生息，他又說：「凡事皆須務本。國以人爲本，人以食爲本。凡營衣食以不失時爲本。夫不失時者，在人君簡靜乃可致耳。若兵戈屢動，土木不息，而欲不奪農時，其可得乎」？這都是看透了當時人民的疾苦，他經過了理智的考慮，由現實思想而發出言詞，均極近乎實，卑無高論，至於他的抱負，尤能針對時弊，決定努力的目標，貞觀元年他對臣下說：「朕看古來帝王，以仁義爲治者，國祚延長；任法御人者，雖救弊一時，敗亡亦促。既見前王成敗，足是元龜。今欲專以仁義誠信爲治，望革近代之澆薄也」。

又說：「林深則鳥棲，水廣則魚游，仁義積則物自歸之。人皆畏避災害，不知行仁義則災害不生。夫仁義之道，當思之在心，常令相繼，若斯須懈怠，去之已遠。猶如飲食資身，恆令飽腹，乃可存其性命」。他曾對封德彝說：「君者政源，人庶猶水，君自爲詐，欲臣下行直，是猶源濁而望水清，理不可得。朕欲使大信行於天下，不欲以詐道訓俗。卿言雖善，朕所不取」。他不但以誠信仁義，作爲一切施政的領導中心，認爲這是做人處事，如布帛食粟，須與不可離身，不但自己能身體力行，而且屢誡臣下，尤叮嚀切至。

山川風物

白居易墓

道南

白居易生於唐大曆七年（公元七七二年）正月二十日，今年是他誕生一千一百九十週年。詩人祖籍山西太原，誕生於河南新鄭，晚年定居洛陽，死後亦葬在洛陽。他的後裔以往每年清明節，都要到洛陽上墳，多的時候有數百人，至少也有幾十人。

洛陽龍門山分布在伊河兩岸，河西的叫西山，河東的叫東山，又稱香山。東山的北端有個峯，名琵琶峯。白居易的長眠之地，就在這山峯的峯頂。從洛陽市區乘公共汽車到龍門下了車，過伊河一條馬路，沿着東山向遠處伸展，由山麓到峯頂，有整潔的石級墓道，青松翠柏，遍植兩旁，走完最後一個石階，就是詩人的葬地了。墓爲黃土所堆砌，四週圍以圓形磚牆，墓前有汪士鐸書「唐少傅白公墓」碑石，清康熙四十八年立。墓前另有一塊明末「太守趙子京題」的碑。

龍門山景物宜人，伊河水在東，西山對峙下，北向奔流。屹立在伊河兩岸的，是舉世聞名的龍門石窟。

白居易活了七十五歲，留下了三千多首詩，通俗平易，婦人孺子均喜諷誦。他逝世於唐會昌六年（公元八四六年）的八月。今年的八月，也是詩人逝世一千一百十六週年。

滿清稗政實錄之二

黃寶實

清季自咸同連年用兵，民生凋敝，庫空如洗。（乾嘉盛時，庫存銀七八千萬兩。）及光緒晚年，內外迫，戰債之賠償，母后之揮霍，行新政，費陡增，比民軍首義，費已幾乎罄，無兵可調，無欵可籌矣。其間各級官吏，唯以腰漁爲能事，層層剝削，民窮財盡，以底于亡。李鴻章、張之洞、劉坤一、袁世凱之奏章，徐世昌、趙爾巽之奏章，揭發貪汚『陋規』病民之實況，其代表作也。茲錄于次，爲滿清稗政實錄之二。

一、光緒十八年直隸總督李鴻章奏覆熱河善後事宜，畧稱：「熱河近年，政以賄成，大府以至牧令，婪索相競，罕能以廉公自持。取之僚屬者，節壽有賀儀，到任有規禮，補缺有酬謝。取之商民者，街市鋪戶，攤派變本加厲，上下相沿，不以爲怪。」（下畧）

二、光緒二十七年兩江總督劉坤一、湖廣總督張之洞奏課官重祿，畧稱：「善教以培其材，尤須重祿以養其廉。……知府有表率之責，斷不可令其苦累。……州縣病瘠，則科派繁而病民；衙門繁累，則不得已而挪庫欵而病國。……調劑無常，署之民交病。……其號稱優缺者，則隱匿契稅，雜稅，減不過驛站經費，蓋州縣官至卑，例災賑，科場考棚之費，緝捕之費，驛路大差之供億，其養廉萬不足以給用，故不得不迫出此。然皆須能令其盡心于公事。……州縣有資費，……禁一切陋規，……國事上司需索，……切實報解，公欵不得藉口，……侵欺者，知府亦爲揭參，……至增加以後，再有貪墨，京外各官如敗檢者，除參革外，仍行追罰，充公」。

三、光緒二十八年直隸總督袁世凱奏請將道府廳州各項陋規一律酌改公費，畧稱：「近世仕習日壞，吏治日偷，其賄賂潛通者，懾于公義，怵于人言，不能公然婪索。其有明目張膽，昌言不諱者，則莫如陋規一事。查道府廳州，均有考核屬員之責，其道府除俸祿之外，別無進欵。入既薄，辦公又繁，乃不得不取給于屬吏。于是訂爲規禮，到任有費，節壽有費，甚任查災查保甲有費，或車馬薪水，莫不有費。此等風氣，各省皆然，非僅直隸。雖相沿已久，不同暮夜苞苴，但既受陋規，不無瞻顧。設有不肖屬吏，上司欲據實糾參，往往爲其下所挾持，不克逕行其志。吏治之敝，所由來也。」（下畧）（以上見清朝續文獻通考卷一百四十一，職官考，祿秩。）

四、光緒三十三年東三省總督徐世昌等奏，酌擬奉省各官養廉，並酌定公費，畧稱：「從前東省官吏差缺，所入甚微，遂至貪賄公行，寢成風氣。」（下畧）

五、光緒三十四年四川總督趙爾巽奏遵籌勻定州縣公費，「……州縣向來所恃，不在平餘陋規，而在不經不正之徵稅。徵稅者何？州縣臨去任減價稅契之謂也。它省稅契，亦有暗地私減，然爲數有限，秘密而不敢宣。獨川省視爲固然，張示曉諭，一減再減，上下相誘，幾同列肆，積習相沿，由來久矣。自有此徵稅，而州縣久任之說無聞。署事之員，一到秋成，日盼瓜代。實缺之官，經年不調，羅掘俱窮。雖平時有倒徵、恩徵、太平徵，種種名目，而所減無多，民不肯稅。必待交替，俄頃繁擾喧雜，……無可稽，即詢問本員，所入幾數，亦不能確知。蓋州縣之所恃者，全在平時聯絡紳團，寬待書役，而交卸之日，各團分潤，並謀所以爲報。多方搜羅，有大缺可垂手而得金錢數萬。官以紳團書役爲稅契之切要機關，是以遇有買賣田土之案，無論是非，一律斷賣；錢債控告，必令變產相償，總之爲得稅契而已。然此亦非州縣所得已，蓋舍此則各項攤派無所出，長官衙門及幕書應酬無所供也。夫天下寧有知恥不辱之官，斷無毀家做官之吏。然而不肯者，漁利以開端，久之即自好者亦隨俗以免累。此又論者因事原心，而不能以苛論者。」（下畧）（以上見同書卷一百四十二）

談有飯大家吃

諸葛文侯

曾經迭任中華民國總統的黎元洪，其才智固無足稱述，但他對於政治生活說過一句頗具哲理的名言：「有飯大家吃！」這與古人所謂「使天下之士皆有所養」的義蘊相脗合，即現代思潮的民主主義運動，基本上亦是要求有飯大家吃的心理現象，其他的說法，祇不過「又從而爲之辭」罷了。

傳說滿清康熙帝巡視江南時，在鎮江的焦山寺前，瞧着大江上的船舶往來如織，詢問寺僧每日大約有多少船隻逐江流而上下？寺僧答言統共只有兩條船——一條叫作「名」，一條叫作「利」。這位高僧的悟道之言，深中肯綮，把人生的意義徹底解釋了。人類生存的一切活動，除卻名利二字以外，還有甚末呢？自古迄今，國家治亂興亡的關鍵，就在是否有飯大家吃？所以，蘇東坡指述秦始皇之歧視虐待知識分子，無異於放逐千萬虎狼於荒山窮谷之中，任其饑餓，而希望它不出來噬人，其愚殊不可及也。

項羽要與劉邦爭天下，而對人吝惜名利之授與，不特珍視金錢，斤斤計較，即一種虛而不費的名器——官位，亦如其舊有部將韓信所說的：「印刓敝，忍不能予」。劉邦卻不然，既會要錢，更不惜給他人以官位，他自己的政治地位原係「漢王」，且可以認封部將韓信爲「齊王」，滿足從龍之士的好名之心。項劉的作風如此，成敗早已注定了。想作政治領袖的人，如其不懂得人生的名利慾念，實行有飯大家吃主義，日唯私人小派系利益是務，而僅知以「愛國愛民」，「革命犧牲」這類形而上的教條來號召天下的智勇辯力之士，期待他們盡入彀中，負弩前驅，這與鄉村農夫用一個豚蹄禱告天地神祇，而欲獲致篝車稻粱的幻想，毫無二致。

試舉一近例以明之：民國十九年中原大戰之役，關係國家安危與統治權力的消長甚鉅。當時中央政府與北方反動派，皆欲爭取關外的奉軍力量爲後盾。南京方面派遣代表吳鐵城與某要員赴瀋陽活動，雖百萬元不受限制，經費實報實銷，對於奉方人員之官位給予，更無所謂，要甚末，就答應甚末。北平的所謂「國民政府」，亦派遣了賈景德、薛篤弼二人出關游說，但規定每月交際費不超過數千元，至於官位，約以事成後再說。結果賈薛等一籌莫展，奉軍統帥一紙通電擁護中央，一道揮軍進關的動員令，即使汪精衛和閻百川馮煥章們的「擴大會議」及其政府馬上垮台，數十萬大軍亦未戰而宣告解體了。名利作用之影響於人心者，如此其深切著明，攬政治的英雄豪傑，豈可忽乎哉！當年我因爲厭惡內戰，亦曾叩國府主席譚組安先生，認爲大家皆屬革命陣線的黨國同志，幹嗎不能合作而常常相砍呢？他說：玩政治沒有別的要訣，對於好名的給以相當的名，好利的予以可能之利，天下即太平矣。此與「有飯大家吃」之說相通。世之醉心小派系組織者，應三復斯言。

內僑警台報字第〇三一號內銷證

自由報

THE FREE NEWS

第二二六期

中華民國僑務委員會頒發
台教新字第三二三號登記證
中華郵政台字第一二八二號執照
登記為第一類新聞紙類
（半週刊每星期三、六出版）
每份港幣壹角
台灣零售價新台幣六元
社　長：雷嘯岑
督印人：黃行當
社址：香港銅鑼灣[illegible]
20 CAUSEWAY RD 3RD FL
HONG KONG
TEL. 771726　電報掛號 7191
承印者：田風印刷廠
地址：香港灣仔高士打道二二一號
台灣分社
台北市西寧南路壹叁柒號二樓
電話：三〇三四六
台郵撥儲金戶九二五二

由亞遠經濟會議談日本所謂對亞洲經濟協力（上）

羅堅白

聯合國亞洲及遠東經濟委員會第十八屆年會，從三月六日起至十九日止，業已在東京舉行完畢。參會者除本地區內十八會員國，區外美英蘇等七國，及區內包含香港在內四個準會員國，與夫世界銀行，國際通貨基金機構等列席單位，共有代表三百餘名之多，在日本可算得一次近所罕觀的國際盛會。這次會議中值得我們特予注意的，是日本關於設立亞洲經濟協力機構的擬議所取態度，暴露它平素高唱入雲的「對亞洲經濟協力」，究竟是怎麼一回事。

緣該委員會在本屆年會開會直前。會由秘書長宇紐恩氏正式邀請日本及各會員國參加計劃中的亞洲經濟協力機構。宇氏原期待年會前倘能獲致各國——尤其主要是日本的贊同，便將豫擬已好的設立該機構宣言在年會中通過發表。日本不容否認是亞洲中唯一的高度工業國；而它自命在亞洲居於經濟上的領導地位，也似乎早為亞洲新興諸國所默許；因而享有多數純樸亞洲人對其所謂經濟協力抱着極其殷切的希望。不料臨到支票兌現時刻，日本對於宇氏的答覆，卻是「一向須從詳商討」，頗示着消極退縮的敷衍調子。因此在這屆年會議題中，竟未見設立亞洲經濟協力機構案正式露過頭。最甚詫異者，設立該機構的計劃，乃該委員會屬下「地區經濟開發小組」研討年餘之結晶。而該小組係由日本印度泰國担任；日本代表在該小組中發言的影響力，不待說，是決定性的；所以該項計劃，勿寧可以說是日本自身的計劃。因而印泰代表等才會把亞洲經濟協力機構的設立，看得如此輕鬆。然則，日本龍頭蛇尾出爾反爾的態度，究竟所為何來？

聽池田首相在年會開幕典禮時致詞，知道內幕的，知道他正是為日本這種態度作辯護。池田畧謂：『日本既為亞洲之一員，願意一面斟酌吟味先進諸國政策與亞洲諸國經濟建設的關聯，而對亞洲經濟的和平建設，積極有所貢獻。』他所謂「先進諸國政策與亞洲經濟建設的關聯」云云，可於二月十六日朝日新聞標題為「風」的簡短秘聞欄裏得到解說。據云：『日本最大的苦衷，在於它所站「中進國」（意謂日本一個腳業已踏進工業先進國的班行，另一個腳卻依然停留在工業後進國的隊列）的立場。尤其牽涉到它自己能否參加歐美各先進國共同對世界「低開發國」開發援助機構（OECD）的問題，則處勢更為微妙。正與美國合力援引日本參加該機構的加拿大，看日本對於設立亞洲經濟協力機構顯示積極而前進的傾向，便示意警告說：你若對AOEC（亞洲經濟協力機構）過於深入，將被OECD享以閉門羹。這個忠告，隱隱乎含蓄着一種對於日本的戒心：怕亞洲以日本為中心，結為一個經濟集團，將對美洲諸國及歐洲共同市場（EEC）形成一大威脅。』

按現在日本經濟的繁榮，來自對外貿易。日本的對外貿易，是一面以工業先進國的大面孔，誇示後進新興諸國以其所望塵莫及的工業製品，並大吹經濟協力，侵蝕舊帝國主義國家從原殖民地撤退政治勢力後而依然在各該地保有着的經濟地盤；一面以工業後進國的「低姿勢」，拿出國內「中小企業」用低廉工資製成的商品，從隙縫中攢進歐美各工業先進國內部，最初只乞食其大發展中的小唾餘，逐漸確立態勢，與各該先進國內諸有關產業公然競爭，有時甚至使其喪失自衛力而崩潰。日本這種利用所謂中進國立場的左右開槍的幹法，所以暫時之間尙能幹得通順，第一在美國，從世界大局着眼，須要拉住日本站在己方陣營，所以對它不惜或明或暗予以某種限度內的特殊經濟利益。其次在歐洲，因各國正埋頭於「經濟共同體」的創建，尙無餘暇對於小小的來自日本的經濟侵畧這種癬疥之疾，從事認真治療。並且歐洲共同市場需要美國幫忙之處正多，而美國往往予日本以庇護；所以為着尊重美國的面子，歐洲共同市場各國，亦未便急切與日本為難。美國庇護日本可由下述諸點獲取例證。自一九五六年起五年之間，歐美各工業先進國連同日本在內，對全世界低開發國的經濟援助，其總額為三百六十四億六千萬美元。其中美國佔其一半；次為法英西德；日本與荷蘭義大利都只各佔總額百分之三。並且據日本政府最近公表的「經濟協力白書」說道：『我國一方援助低開發國，一方卻從世界銀行借欵，反是借欵額超過援助總額。』那就是說連那區區百分之三的對低開發國的援助，還不是掏從日本自己腰包。這樣滑溜溜的日本，美國偏要進一步把它拉進OECD做一個堂堂皇皇的援助國。我們只須知道：工業先進國從低開發國購買其第一次生產品以充本國食糧或工業原料其作價標準，在於單價僅夠生產者在最低生活水平下存活；每年總價額僅夠購進本國輸入各該低開發國的商品。至於不使各該第一次生產品萬一被改售他國，及萬一將己國所賦予的購買力被轉用於購買他國商品，則在援助開發或經濟協力等約定上予以相當巧妙限制束縛。所以對於低開發國的經濟援助或協力云云，乃工業先進國對舊殖民地一種新榨取方式。不過第一次世界大戰以後，榨取的方式已由吃用擄獲動物的漁獵時代，進化到吃用飼養牲畜的畜牧時代而已。由此我們便可了然；日本參加OECD成為一個援助國，無異孤立而後起的飼養牲畜牧者得有機會參加畜牧業的同業公會，因而可以自由進入牧場，實在是一種特權。由此可知美國正如何在庇護日本。

日本懸處亞洲，既不能像英國那樣要求參加歐洲共同市場；而現在歐洲共同市場，自本年二月起已進入第二次四年活動期，其對內團結對外抗拒根出，將日見其增強與露骨。加以美國現正醞釀對歐洲共同市場諸國際美商品減輕關稅，頗示其決心予它以培植。日本為挽救這前孤立於歐美聯合戰線圍予外約劣勢，在理論上本有：以自己為中心在亞洲也建立一個經濟共同體，或老老實實跟定美國，等候美國把所策劃的太平洋經濟共同體組成以後，自己也加入為其一員的兩個做法。怎奈在事實上，談到建設亞洲經濟共同體，日本首鼠兩端於親共反共兩陣營，不為亞洲鐵幕外多數國家所敢信賴，因而共同體在政治上沒有基礎。第二，對於亞洲低開發國的經濟援助，日本一味想多多慷美國之慨享美國之成；而它自己身上也委實沒有多少油水可資擠出。第三，亞洲各國的農林礦產物即所謂第一次生產品，夢想日本幫助維持其國際價格的安定。日本既無力自己以高價儘量購進這等自己所不需要的產品；更無熱腸[illegible]它們創設一[illegible]市場上[illegible]，以穩定其較不吃虧的價格。所以日本只有在美國卵翼下與歐洲共同市場保持一種和平而友善的接觸。這就是池田所謂「斟酌吟味先進諸國政策」的由來。

然而日本希望以美國為中心的經濟共同體，能給予它一個第二把交椅的地位；尤其在亞洲圈內，希望美國做一個日本歷史上所首見，讓出實權而僅擁虛位的太上皇。日本政治家近年所標榜的「對亞洲經濟協力」，與夫在亞遠經委會「地區經濟開發小組」中，日本代表所主擬的設立「亞洲經濟協力機構」計劃，都不過是一種姿態：對美國要價，並予歐洲共同市場諸國以恫嚇。意謂：我若不能達到上述目的，我便如此造反。因為日本雖然沒有自掏腰包援助亞洲各國經濟開發的實力，但糾合亞洲三幾個低開發國在經濟上搗美國及歐洲諸工業先進國的亂，日本固優為之。例如日本倘肯挺身出來，姑先就現有由馬來亞、泰國、菲律賓組成的東南亞經濟聯盟，只須再把印尼拉進去，成立一個「錫和橡膠的緩衝公庫」，便可掌握這兩項第一次生產品的世界市場。吾人由此知道：上述朝日新聞所透露的加拿大的戒心，決非無病呻吟。而加拿大的警告勿寧可以看作美國假手於加拿大會對日本婉曲警告。美國為着安撫日本，近已示意於它：若美國對歐洲共同市場諸國輸美商品減輕關稅之舉能夠實現的話，這種稅率，將來也可適用於日本商品之輸美。美國，對日本如此柔[illegible]作另一方式的婉曲警告。就是說：美歐經濟聯合戰線[illegible]於美歐大國[illegible]外邊去享受風涼好了。

「游泳池已沒有水了，還游什麼：」

如此「同車」

自由談

天下為私

美國總統甘迺廸執政之後，他的二弟羅拔・甘迺廸榮任最高檢察長（即司法部長），內親施利維官拜「美國和平隊」主管首長，三弟愛德華・甘迺廸正在競選麻薩諸塞州的參議員，而若干哈佛大學出身的同學亦彈冠相慶，成為甘總統的高級幹部和「智囊」人物。最近美政府頒佈禁令，限制香港紡織品若干種進口，主要作用亦是為要保護甘老總自己家鄉——波士頓——的商業利益，蓋波士頓原是美國紡織工業的生產中心也。這真是「一人得道，雞犬皆仙」，猗歟盛哉！

政治上的徇私風氣，似乎時無論古今，地無分中外，人不管老少，都是人同此心，心同此理，而為勢所必至的。但以甘迺廸先生表現得淋漓盡致，最為突出，難怪美國輿論界要發出「甘迺廸王朝」的評語了！看他這類政治行為，即如其在競選時所強調的「新境界」政治理想，祗是一「理想」而已。大氣磅礴的政治家，就不會狂於「所識窮乏苦得我」的小家氣派作風，沽沽自喜，而一定實行天下為公主義的。甘總統的前輩先生羅斯福，作了十餘年總統，從來不任用親暱私人僭居政治高位，而且曾將內閣的陸軍與海軍兩部長，徵辟在野黨——共和黨——的史汀生，諸克斯承其乏，此其所以成為偉大的政治家也。

推考任用私人的主要原因，不外乎信任問題，亦認為對方忠實可靠與否的主觀價值判斷。[illegible]除卻負有滲透顛覆任務的共黨份子，別具心腸和陰謀而外，任何一個從政人士，決沒有自始即存心要作壞事的，[illegible]所以有時候發生不忠於職守的欺上賣友行為，環境關係最大，換言之，在上者的領導方法頗有問題，而其癥結就在一個「私」字。居上位者用人行政如以徇私為出發點，事實俱在，人皆見之，如是乎上行下效，相習成風，大家將奉公守法、效思長官的道德清操置之度外，平時營私舞弊，敗壞紀綱，偶遇着[illegible]，人民確有選擇公僕的權力，且每隔幾年行使一次，而言論又極端自由，對於執政當局的用人行政，尤其防腐消毒作用。所以甘迺廸[illegible]這套作風，倘不致滋生大害，否則貽患必不淺鮮。於此可知吾國儒家所倡導的天下為公之說，實為放諸四海而皆準的最高政治哲理，而西方學者基於重商主義所牽生的「分賦制度」思想，品斯下矣！

馬五先生

中共右派可能遭大整肅
對俄共屈膝勢所難免

（本報記者台北航訊）反攻大陸的鼓吹如火如荼聲中，此間人士對於中共的那個「人代會」，亦予以嚴密的注視，認為中共正在做垂死前的掙扎，又一次大整肅，大概是難以避免的，但卻並不能挽救它所面臨的必然敗亡的命運。

台北人士注意到中共「人代會」這次一反往常的大吹大擂，而變為關起門來秘密打救亡的主意，對外聲不響，雖片語隻字亦不透露。所以然者，台北認為，這一定是因為中共百孔千瘡，它所遭遇到的難題，多而嚴重，祗是一個經濟問題就可以要中共之命。中共唯恐外界知道他所面臨的嚴重難題，所以就保密唯恐不及了。

台北並不同意某些外國人的皮相之見，認為中共的「人代會」有什麼爭吵。如美國名專欄作家阿爾索普從香港所發報導中說「中共人代會的公開沉默，很顯然暗示中共頭目們正在互相抨擊或抨擊蘇俄，或兩者都有。而他們認為這些抨擊以保密為佳」云云。這種說法，其實是由於外國人根本不了解中共「人代會」的性格所致。中共內部有不同的意見是不錯的，中俄共近年來的關係甚不調協也是不錯的，但台北認為，對於凡此問題的處理，都是中共黨的事，與作為中共政權「國會」之一「人代會」無關。中共的頭目們，亦絕不會讓這些問題的爭論在「人代會」中演出。儘管「人代會」的代表也十九為中共黨員，但畢竟並非決策機構，亦未免人多口雜，「人代會」祗不過為中共的決策劃個行，完成立法手續而已，它怎有權力去過問那些大政方針？

對於外電報導中共已開始向莫斯科屈膝，台北人士亦是相信的，因為據說中共除此之外，實已無第二條路可走，而在沒有力量敢於「獨樹一幟」，祗好「一面倒」了。但台北人士認為，此一決定，要不是出於「中共政治局」的決定，便是出於「中共中委會」的決定，而與「人代會」不相干——台北人士認定「中共政治局」或者「中共中委會」在近期內必然已秘密開了會，對大政方針有所決定了。

祗是，因為「人代會」是中共政權的「國會」，對於中共而今所面臨的諸多而又要命的困難，其勢亦不能不報告若干，解說若干，而這些是無論如何不能讓外界知道的，所以，「人代會」就祗好關起門來，悶聲不響。

由於中共所遭遇的難題太過嚴重，台北人士的揣測，中共將被迫改採較和緩的政策，但相信它並不會取消「三面紅旗」，同時不但不會對「右派份子」放鬆，而會更嚴厲的打擊他們，整肅他們，把他們作為代罪的羔羊。（起）

北市罷免黃啓瑞運動
傳說有可能死灰復燃
黃啓瑞採取不聞不問的態度
聲譽非但未有受損反而有增加

（本報記者台北航訊）最近，因為台北市議會「七俠五義」的「分久必合」，重新言歸於好，打得火熱，人們於是又開始注意已經烟消雲散的罷免停職市長黃啓瑞的運動，是否又要死灰復燃了。有傳說：「七俠五義」將發表「聯合聲明」，要「對選民有所交代」。

是否「七俠五義」真的將發表「聯合聲明」？

是否「七俠五義」的「聯合聲明」真是有關於罷免黃啓瑞的？

如其為有關於罷免黃啓瑞的「聯合聲明」，則它是宣告就此偃旗息鼓呢？還是再接再厲一定要得出一項結果來呢？

凡此答案，都得待事實去作說明。祇是，一般人的印象，他們這台罷免戲，大概是已經唱不起來的了。就算勉強的唱下去，看來亦是勞民傷財，吃力不討好，攪不出什麼「明堂」來的了。

按：台北市議會的「七俠五義」也者，是繼第四屆市議會的所謂「五虎將」而來。所謂「五虎將」是指李福春，宋霖康，李賜卿，謝世輝，及楊玉城五人，他們都是前任台北市長高玉樹的旗下人物，故亦稱為「高玉樹五虎將」。但到第五屆即本屆市議會選舉時，李福春臨時打了退堂鼓，不再參加競選，其餘四人則仍競選，而且繼續獲選了。另外又有三個新人獲選，他們是：張詩經，黃信介與何宗儀。這七個台北市市議員，因為他們在市議會中，總站在一條線上，且活動甚力，比如去年底攪罷免市議會副議長周財源，主要就是這七個人的傑作。到他們約三個月之前開始醞釀要罷免黃啓瑞——先是勸請黃啓瑞自動辭職，黃啓瑞不幹，他們於是就喊出要罷免黃啓瑞了。因而就被稱做「七俠五義」了。

然而，一則「七俠五義」背境並不相同，再則所謂罷免黃啓瑞者，實際是針對代市長周百錬，對周百錬的市長位子大大不利，而「七俠五義」中却有的是周百錬的好朋友，所以，一開始，他們內部的意見，就並不十分調和，最低限度有的人的表現就不夠熱烈。直到他們要攪「街頭演講」不成功，特別到了李賜卿單獨一個人悄悄進行罷免簽署，其餘六人大表不滿，認為他自亂步驟，加以抨擊，鬧得大為不歡，罷免簽署畢竟簽了幾個人，亦不得而知，事情就那麼擱下來了，幾乎再沒有人提起罷免黃啓瑞之事了。

新近，由於李庭昌要競選台北縣蘆洲鄉鄉長，邀「七俠五義」前往助選，且居然以一百廿多票獲選後，大擺慶功宴，「七俠五義」再又重行聚會，打得火熱，所以才又被人注意到他們是否又要攪罷免黃啓瑞運動了。而且，也就傳出他們要發表「聯合聲明」，以便「對選民有所交代」的消息來。

不問「七俠五義」要不要再攪罷免黃啓瑞運動，在黃啓瑞，他倒一直對此冷眼旁觀，不聞不問的。黃啓瑞此一態度，很使不少人鼓掌，認為難能可貴，不失為「好好先生」。所以，「七俠五義」所攪的罷免運動，不但未使黃啓瑞的聲譽受損，反之倒增加了他的光彩，是很出乎許多人意料之外的。

據說，黃啓瑞之對於罷免運動採取不聞不問的態度，係由於：（一）黃啓瑞知道，他們攪罷免運動，主要並不是對他而發，而是對代市長周百錬而發。黃，周雖在國民黨內是競爭台北市長的對手，但黃啓瑞認為「兄弟鬩牆，外禦其侮」，爭之必以其道，幫助黨外人士的「七俠五義」來使周百錬不安於位，他不願做——黃如真的肯辭職，市長必需改選，一改選，因為周百錬還來不及佈置，難免要失敗。（二）黃啓瑞據說對政治已感厭倦，他現在正全力循法律途徑為他所牽涉的兩案求洗刷，據說，即使他將來獲判無罪，他亦不打算再攪政治，再不要復職做台北市長了。就因為他這樣的無得失之心，所以對於「七俠五義」所攪的罷免他的運動，或成或敗，他根本無所謂。（三）有可能，黃啓瑞一如社會大眾的看法，認為「七俠五義」所攪的罷免運動，是必定失敗的。首先連罷免簽署都未必攪得起來，否則在投票之時，亦斷無成功的希望。（亦華）

台省赴日教育考察團
北市團員難產內幕
癥結既在於所謂資格問題
儘可循法令途徑尋求解決

（本報記者台北航訊）台灣省赴日教育考察團，台北市應該參加的名額，由於市政府未循法令途徑去尋求解決，同時又有一、二市議員從中攪塲，以致一時之間，尚不能完全決定，且還不知道將來的結果會如何。

台灣省教育會主辦「教育人員赴日考察團」，在前年已經舉辦過第一次，今年是第二次的舉辦。此次赴日考察團的名額，全省是在四十至五十人之間，省教育會分配到各縣市去的名額，則是按該縣市教育會繳交會費的比例而分配，台北市這次分到的是三個名額。

台灣全省教育人員甚多，區區的幾十個名額，自然是「粥少僧多」，不敷遠甚。因此，省教育會又訂出許多資格限制的條件，比如必須三年考績都要在甲等以上，纔能參加選拔之類。由於名額既少，限制條件又苛，同時傳說在選拔上又有許多幕後方便，多數的教師也就「知難而退」，不願參加這種毫無把握的角逐，以致顯得教師們大都並不熱衷於此。

這次台北市分配的三個名額，台北市又先加以一個原則性的分配，就是中學校長參加一人，小學校長參加一人，小學教員參加一人。中學校長已經決定為市女中校長施學習，小學校長決定為西門國校校長陳炳鍚，小學教員全台北市祗有兩個人申請，一位是蓬萊國校的劉老師，另一位是螢橋國校的周老師。申請名額既然超過參加名額，便由兩人抽籤，結果是螢橋國校的周淑英抽中了，由周淑英去應該是無問題了，但問題又出在周淑英的資格上面。

周淑英早先是教化國校的校長，經調為螢橋國校的教員，她現在的底缺和支領薪水都還是在螢橋國校，但人卻被台北市教育局借調來担任督學工作。像周淑英這種借調服務的情形，在教育局內還很多；在教育局的編制內只有三個督學，這顯然是不夠的，因此其餘的十多位督學便都是由局向各校借調服務。

所以，以周淑英的身份來說，她應該算是一位現任的小學教員，但以她現在實際担任的工作來說，又是教育局督學的「教育行政人員」，是否應該佔去教員名額？但站在周淑英的立場，她如果因為被教育局借調服務就喪失了應享的權利，當然感到不公平的。而在另一位落選者，則以為以「教育行政人員」的身份佔去了「教員」的名額，絕對是不合理的。於是有一些市議員前幾天便在議會中向教育局長盧啓華提出質詢，會外也向盧局長施以壓力，鬧得市府無所適從。上週末市府為此問題開了一次會議，仍然未得結果。代市長周百錬甚為氣憤地說：「去協調好了，如果協調不好，大家都不去好了。」

促成小學教員如此激烈爭奪的另外一個原因，就是省教育會規定，教育行政人員參加考察的費用，除了一半由教育會負担外，一半還須由服務單位負担，各縣市教育科局大多不願增加這筆負担，所以就不願爭取這個名額。而中小學教育人員的考察費用，卻全部由教育會負担。所以，大家都想爭取這個免費去日本遊歷一個月的機會。

據一般教員對這件事情的看法，他們認為議員參加攪塲自然不必，代市長的說法也不妥當。政府有的是有關法令，究竟借調人員是保有原來身份呢？還是祗能使用現在工作的身份呢？法令上一定找得到明確的解釋，自然無須去作格外的爭執，也無須去做協調的工作，該誰去就由誰去；也不能因為爭執不下就都不准去，放棄了這個教育人員應享的權利的機會。同時，以後這種類似的情形，不能說沒有，能趁這回作一個案例，以後就無謂的糾纏，就容易解決得多了。

赴日考察團，在五月初便要出發，只有不多的時間決，給台北市教育局去設法解參加，只希望不要像上次台北又被一、二議員攪垮去不成。（吳越・四、五）

採訪線外

穿中山裝打遊擊戰
拿手好戲搓其四圈

△在台北美國的官員「太太俱樂部」，定十日舉行一個國際茶會，歡待屬於這個俱樂部的會員的朋友。這個國際茶會的陣容頗大，節目尤豐富，有十六個國家的旅華僑民，將在茶會中分別表演節目：如西班牙僑民佈置一個西班牙式村舍，表演西班牙土風舞，日本僑民將佈置一間日式房間，招待來賓飲日本茶，法國僑民將佈置一間咖啡室，展出法國的藝術品與化粧品等。

中國太太們這次是反主為客，沒有表演，否則拿手好戲自無過於搓其四圈衛生馬將了。

△香港政府把從海陸豐千辛萬苦逃出的六個青年遣返大陸之事，台北報紙於大表憤慨，猛烈抨擊之餘，又心平氣和的向香港政府建議兩點，頗見其苦心孤詣。這兩點為：

一、香港政府確立對大陸上投奔自由者的收容政策，使他們冒死到達後不再受移民局的限制，而可以暫時安身，然後再開拓其生活的道路。

二、香港政府如果因有所顧忌，不願意宣佈一個明確的收容政策，也當命令所有警察人員對於由大陸上逃奔入境者，一律詢明其意志，決定其去留。

△台北報紙這些天登了不少關於反攻大陸的「民意」，其中頗多堪稱突出的主張，比如：

（一）有人主張先由政府或民間組織「反共義勇軍」，進入雲貴邊區打遊擊，這樣「我相信在民怨沸騰的今日大陸，這批遊擊隊伍很容易在大陸生根，而且不斷的張大起來，到時機成熟時，政府大軍即可跨海揮戈反攻，……輕而易舉地消滅共匪，光復神州」。

（二）有人主張「在反攻之前，首應精神動員，思想武裝，如全國上下各級主管及員工，均穿中山裝，使現在奢侈浮華的社會，一變而為樸素節約的嚴肅社會」。（葡）

致教育部長黃季陸先生公開信
—討論東西文化思想與我國學制問題—
顏翊羣

季陸部長先生道右：客歲多間弟以例假返台，與執事匆匆一晤後，因赴各地訪問工廠及農家，暨與戚友聚首，竟未能至貴部向台端請教益，迄今思之，猶爲歉然也。月來讀台港諸地報紙，藉悉自台端履新後，關於教育上之建樹滋多，例如召開第四屆教育會議，聘請美國專家來台研究教育計劃，與經建人才訓練之配合，準備改訂學制，以及修正留學規程等等；爲國家樹立培植人才之百年大計，下風竦聽，曷深欽佩。茲敬有陳者：西方近百餘年來，科學技術日益發展，工業與武力亦不斷增長，科學家工程師對人類貢獻偉大，爲盡人皆知之事實。然歐美等國家富裕後，人民生活漸趨放縱，哲學家之思想亦自主敬存仁之基督教傳統，走上世俗主義、相對主義、進步主義、懷疑主義、自然主義等所謂硬心腸之思想，抱理想主義者相形見絀，於是馬克斯主義崛起，各國內部分裂，對外鬥爭，以引致今日全世界危機遍佈之局面。西方好學深思之士，大多承認科學技術愈進步，則危機愈擴大，而主張由末返本，由邊緣回到中心，俾人類不爲物役，而克能以道德主體運用科學技術之手段，庶獲拯救。

我國百餘年來，受西方侵凌，而因應隨人，不能自拔。五四運動時，諸大師提倡新文化運動，聘請杜威、羅素等大學者來華，用心本極正當。惜因此而引導我國青年走向凡新必佳凡舊必壞之偏鋒思想，誠非作者始料所及。倘當時於杜威等人來華後，續聘德之倭鏗，美之白璧德等主張道德的人文學者，至我國作學術講演，則我國思想界將不致一面倒，可斷言也。

以上對過去之迴顧，非弟之無的放矢，而有鑒於貴部聘請史坦福大學諸學者來台，協助以教育配合經建之工作，將引致學制之改訂，影響甚爲深遠。查史坦福大學爲美國行爲科學之中心學府，擁有甚多迷信「科學主義scientism」主張「社會工程social engineering」之學者。伊等以科學替代上帝爲崇信之對象，企圖用操縱學cybernetics，競賽理論theory of games，行爲心理學，語意學等等專長學問，將人類社會經過非强迫性的洗腦，而引導至地面天國。伊等之努力與馬克斯黨徒之努力，方向相同，惟一則保存自由，一則依賴暴力而已。

美國之正統學者，自白璧德以降而至今日之布許Bush、粤佛Weaver，冠克Kirk等學者，對以上之學派，始終反對，不斷在哲學、文化、歷史、政治、經濟、文藝、教育諸方面，撰文批評。弟愚以爲執事既聘請史坦福大學諸學者來華，則亦應將持不同意見之學者邀約來台，作學術性之講演，俾我國學術界、文藝界、企業界之有心人，得聆悉雙方議論，以資比較。以下五學者中任何一人，如能應邀至台，作三個月之學術講演，則其對我國思想界必有極大之貢獻：

一、儒伯克W. Röpke，現任日內瓦大學教授，爲西德復興之主動人，著有「我們時代之社會危機」，「人道之經濟」等書。

二、粤佛R. Weaver，現任芝加哥大學文學教授及現代季刊編輯，著有「理想有後果」，「修詞學之倫理性」等書，對西方文明之危機有最深刻之議論。

三、萊特D. McC. Wright，爲有名之經濟學者，現任加拿大麥吉爾大學教授，著書甚多。

四、海約克F. Hayek，現任芝加哥大學教授，爲有名之政治與經濟哲學家，著書甚多。

五、寇克R. Kirk，爲反對進步教育之保守主義者，著書多種，最具代表性者爲「保守主義者之心理」一書。

以上諸人中，除儒伯克爲德人，經常在歐洲，海約克爲奧人外，餘皆爲美國人士，對我國孔孟教義亦有同情之認識。弟以爲苟史大來台學者不屬於「行爲科學派」則已，如就中有一二人抱該派之主張者，則執事於改定學制以前，爲對政府與人民有交代起見，必須博審週諮，以杜後患。弟近年對中西學術畧加研究，深感美國當前社會科學家中主要學派之見解偏頗，而確信中國新儒家思想之重振爲救時之良藥，故不揣鄙陋，敬貢芻蕘，幸不以越俎晉言相責，無任企幸！

五十一年四月三日於華府

談中共向俄共低頭
一東

中共向俄共低頭並不能挽救它的危亡。中共唯一的路，是向老百姓認錯、低頭，束身待罪，還政於民。

有消息說中共已經向俄共低頭或即將向俄共低頭了。好像倫敦就有中共即將派一個「特別代表團」前往莫斯科的報導。

這最低限度是有其可能性的。

那些說中共已向俄共低頭或即將向俄共低頭的消息，無論如何不算憑空而來。不久前，俄共報紙不是曾轉載了「人民日報」兩篇社論？那兩篇社論的「調子」，就已經很像是出自赫魯歇夫之口的了。

有那兩篇白紙黑字的「人民日報」社論爲例子，中共已經向俄共低頭或即將向俄共低頭，有何足異？

所謂中共向俄共低頭者，應該說乃是毛澤東向赫魯歇夫低頭。亦即是說：毛澤東已臣服於赫魯歇夫，要事事以赫魯歇夫的意見爲意見，要聽赫魯歇夫的指示，要受赫魯歇夫的領導，而不再自以馬列「正統」自居，罵赫魯歇夫是「新修正派」了。亦即是毛澤東不敢再同赫魯歇夫爭領導權了。

無論說赫、毛之爭只是意氣之爭，或毛澤東硬要同赫魯歇夫爭領導權，事實說明，毛澤東力不如赫魯歇夫，爭不過赫魯歇夫，所以不得不低頭了。中共而今困難萬狀，百孔千瘡，毛澤東向赫魯歇夫低頭，想當然是爲了希望俄共援手，讓它渡過危機的，比如俄共給它大量經濟援助之類。但這有用處麼？

中共政權成立至今十二年餘，別的勿論，經濟就攪得一團糟。近三年來的「三面紅旗」的滔天人禍，尤其使得中共已到了山窮水盡的地步。而爲了中俄共之間其實是赫、毛之間攪得很不和協，俄共不但不給中共幫忙，反而逼中共要還歷年積欠，特別是韓戰期中的軍火欠賬，便使中共羅掘俱窮，無法應付。在現實面前，於是祗好低頭了。

但，所有共產政權，包括俄共在內，它們的經濟，就沒有一個攪得好的。就是中共向俄共低頭了，俄共願意幫中共之忙了，那亦必然有限得很。中共的禍事太大，杯水車薪，仍然無濟於事。中共企圖以向俄共低頭來挽救他的爛局，實在打錯了主意。

中共應該打的主意，也是唯一的主意，是向老百姓認錯，低頭，並先取消「三面紅旗」，進而掉共產主義的包袱，束身待罪，還政於民，才是正經。向俄共低頭有什麼用處呢？

中共向俄共低頭絕不能挽救它就要被老百姓解決的無可逃避的命運的。

香港與大陸

生不如死．橫順是死
大陸同胞不再怕
已敢高聲罵共黨

據剛從番禺掃墓返港的林君說：現在大陸同胞已不大怕共產黨，敢於大聲高氣的罵共產黨了，因爲他們認爲橫順是死，現在的生活更簡直是生不如死。

林君是本月三日早搭車去廣州，當天即回到番禺鄉間的。他說，鄉裏家家戶戶都死氣沉沉，個個都是枯瘦如柴，衣不蔽體。我回到家中，把帶返的食品和舊衣物等給家人時，大家有說不出的高興。隔鄰的喬叔對我說：他是派在養魚組工作的，每天都在村莊附近的魚塘裏工作，但祗有工作，所發的魚，我們却沒有吃的份。又說：有一次，在塘裏網上好些大魚，交給公社運往他處發售（聽說是運香港的），我乘他們沒有留意，偷了一條大魚出來，到了晚上，才拿出來偷偷地煮吃。雖然既無油又無配料，祗是把魚用水煮熟就吃，但這麼多年來，這次全家總算是吃了一餐大魚了。可是，因爲小孩子不懂事，把事情說出去，被共幹知道了，結果我被捕下獄，勞改六個月才放回來。又說：這些年來受的苦，我永世都忘不掉，這般沒良心的共產黨，祗要國軍回來，我就先宰掉他們才消我心頭之恨。林君當時曾大驚失色，要他不要隨便亂講，難道不怕共幹聽到？他答：怕什麼，橫豎無非是死，與其這樣受苦忍餓挨餓而死，不如乾脆給他們打死還痛快些！又說：現在這般共幹也開始明白了，不如以前那樣兇了，因爲他們家中的人也受到同樣苦楚！

林君說：內地謠傳國軍就要開始反攻，現在內地的共幹和共軍都人心惶惶，車站的秩序就亂得一塌糊塗，現在過去共軍是要干涉的，現在他們也不過問了，據說是怕惹起人民的反感，將來國軍反攻時先對他們下手。（云）

虛君續夢

第四回： 掩面向黃泉，貳臣遺恨　低頭拜白虎，末帝驚魂

毛澤東說過，活曹操同羅瑞卿都大笑起來。

活曹操說道：「那是周恩來隨機應變胡扯，他的名字眞正經是蒙清朝皇帝的天恩。就是戊戌政變那一年，恩來的祖父中了進士，捷報到家，恩來降世，舉家慶祝皇恩自天來，就替小孩子起個名字叫恩來，以紀念天恩。這件事那裏能扯到史達林的頭上去。」

毛澤東笑道：「不過總也算虧他，幸而他一胡扯，才替我解了圍。」

羅瑞卿問道：「宣統皇帝的問題怎麼辦呢」？

毛澤東看下林伯渠。

活曹操說道：「宣統皇帝當然在特赦之列，不過，他和別人不同，宣佈特赦時，必須要他來覲見主席，要舉行一個儀式，才算圓滿完成。」

活曹操說過，毛澤東和羅瑞卿又不懂了。

羅瑞卿說道：「特赦這麼多人，何必專提出宣統皇帝，要他來舉行什麼儀式。」

活曹操一翻眼：「你知道什麼？主席的天下到現在所以仍穩定，就因爲沒有來歷。清朝承繼明朝，北洋政府承繼清朝，國民政府承繼北洋政府，試問我們承繼誰？」

羅瑞卿不敢開口。

毛澤東皺着眉頭說道：「我們的政府當然是繼承國民黨政府了。」

活曹操笑道：「這樣說法究竟勉强。國民黨政府雖敗而未倒，到今天還霸佔着聯合國的席位，國際方面也是承認他們的多，承認我們的少。我們硬說繼承國民黨政府，在理論上是站不住脚的。」

羅瑞卿問道：「林老，我們何必一定要繼承別的政府，劉邦，朱元璋的天下都是自己打來的。」

活曹操搖搖頭：「歷史方面的知識，你還差得遠，劉邦是繼承秦代，劉邦入關時，秦三世皇帝至灞上迎降，朱元璋也是打敗了元朝，才做的皇帝，最後終於把元順帝的孫子買的八剌捉住，封爲歸義侯，天下才算一統。這些情形主席比你我都清楚，你不信可以問主席。」

活曹操和羅瑞卿問答之際，毛澤東已在急得搓手，聽到活曹操點到他的頭上，連忙說：「林老的話一點也不錯，過去我都沒有想起來，現在捉住宣統皇帝，乾脆就說我們的政府是繼承大清帝國，不就完哩！」

羅瑞卿嘀嘀道：「這樣說恐怕有點不大妥當吧！清朝亡了三十八年，我們政府才成立，如何能聯成一氣。」

毛澤東愣了一下，一拍大腿說道：「辦法有了，我們乾脆就說溥儀是康德皇帝，就說我們的政府是承繼滿洲國的，也就名正言順了。」

羅瑞卿不敢再說話，祗是望着活曹操。

林伯渠拈着下巴鬍子，慢條斯理說道：「這些都是小節，總之，宣統皇帝統治過整個中國，現在我們捉住了他，就等於奪到中國統治權，所以必須要宣統皇帝來覲見主席，如同晉懷帝見劉聰，徽欽二宗見完顏吳乞買一樣，才算完成任務。」（九一）

窄門

熊徵宇

，「我可能是在變。」他倒在床上說：「但是你變得更多，學生時代的觀念呢？影子都沒有！消隱；世故；你忘了過份的忍讓是怯懦——從前的朝氣呢？死了！」

我不響。他過了一回輕聲說：

「我明天晚上就走。要是分社方面不太適合的話，可能馬上回來。否則你托行李交貨運處寄我。你晚上要上班，我不到編輯部去了。」

「好。但是既然去就安下來，不要猶豫不決。」

「這世界是個人的意志決定得了的嗎？」

「假如意志薄弱的話，被決定的份都沒有。」我說：「你凡事要堅定些。」

滌生在床上翻了個身，把臉轉向牆壁。我不能睡，有很多結束不了的意念和一種發不出的毫無意義的離情。

三

滌生離開台北後，我有過一種黏性的落寞和不可索解的情緒，感到那八年的歲月，確實改變了我。變得失去了幻想的熱力，變得有些荒漠無情；沒有願望，沒有憎愛，也沒有哀愁。滌生說得對，是冷淡的雜混，弱點的容忍，是現代人共有的癱瘓，是那死了的活力！

我以爲讓精神理智一點是可以鉗制一切的。總以爲把感情昇華一些就可以忘記自己，但是那些累積的憂鬱並不能殄滅，青年人的富多盼望也無法扯碎，反而加強了那些經驗的力量，感到人世迷茫。我覺得，我在人生體驗上比滌生差得太多。

於是我後悔以往的生活，有很多悲悼。同時，對那種把白天當夜晚夜晚當白天的職業有些厭倦。我開始覺得歌廳裏鐃鼓的笨拙，噪啡室幽黯燈光的慘淡，以及那音樂旋律的愚蠢。

在睡意朦朧的剎那，在夢殘人醒的一瞬，我心裏總是有種潛在的盼望，盼望一個血的戰鬥，一個成功的勝利，一種有意義的犧牲，一個興轟轟的時代！

我向總編輯談到我想調到比較偏僻的縣市去担任採訪，換換我厭倦都市的情緒。恰好那時台灣東部有位記者請求內調。我離開我住了十年的那間宿舍。

經過分社的時候，滌生沒有多說什麼，只是說他這四年來生活得很平靜。又說一個人若果到了邊緣到寧靜的境界就沒有什麼可以擾亂，只是我們所處的環境不容許我們那樣。「一個備戰的國家需要人民有抗拒的性格。」

我在東部常寫信他，他回信總是寥寥數語。後來通信都沒有。我想我的思想是不夠安慰他的，還是讓他清靜些好。（六）

唐太宗（十四）

李仲侯

他的目的，由於理想抱負能努力求其貫徹，至貞觀中葉，海宇康寧，突厥破滅，乃謂羣臣曰：「貞觀初，人皆異論，謂當今必不可行帝道王道，惟魏徵勸我。既從其言，不過數年，遂得華夏安寧，遠夷賓服。突厥自古以來，常爲中國勁敵，今酋長並帶刀宿衛，部落皆襲衣冠，使我遂至於此，皆魏徵之力也」。太宗至此躊躇滿志，他的目的總算已相當達到，理想抱負都得實現了。

作爲一個軍事和政治領袖所需的才識品德是缺一不可的。唐太宗具有一副健全的體格，能勝繁劇，他出身打天下，不過廿左右，二十九歲即帝位，在用兵上，他每次都打勝仗，四十二歲幸司州，猶曾親格猛獸，可見其精力之彌旺。對於文學既有嗜好亦具特殊天才。書法無論草隸均精絕，並工於情文並茂的散文。他所作的詩，皆勁古雅，清新可誦。他做事有魄力，有遠識，有應變，富於精力的充沛，故能當機立斷，敢作敢爲，具有作領袖的一切美德。無論治軍，理政，爲學，處事，都能盡力以赴，毫不鬆懈。值政務叢脞，或軍書旁午之際，猶能賞玩文藝，遊心典憤，使學問與事功求其印證。

太宗日理萬機，處處能存戒愼恐懼之懷，貞觀二年太宗謂羣臣曰：「人言天子至尊，無所畏憚，朕則不然，上畏皇天之監臨，下畏羣臣之瞻仰，兢兢業業，猶恐不合天意，未副人望」。他做人的道德，深受中國儒家學說的影響，對於從古以孝治天下之古訓，尤能拳拳服膺，史載：「貞觀十七年十二月癸丑，太宗謂侍臣，今日是朕生日，俗間以生日爲可喜樂，在朕情，翻成感思，君臨天下，富有四海，而追求侍養，永不可得，仲由負米之恨，良有以也。況詩云：哀哀父母，生我劬勞，奈何以劬勞之辰，遂爲晏樂之事，甚是乖於禮度，因而泣下久之」。他還富有一種謙沖的美德，貞觀十九年，太宗謂侍臣曰：「朕自平定突厥，破高麗以後，兼幷鐵勒，席捲沙漠，以爲州縣，夷狄遠服，聲教益廣。朕恐懷驕矜，恒自抑折，日旰而食，坐以待晨，每思臣下有讜言直諫，可以施於政教者，當拭目以師友待之」。

髀肉復生

汶津

劉先主在荊州劉表處寄居，如廁時偶見髀裏肉生，潸然淚下，歎老之將至，而功業未立。由這一段遺史看，劉備就足以免於庸儒之譏了。所以古代大將都寧願以馬革裹屍做歸宿，正因爲誰也受不了某種今昔之感的煎熬。

英國大散文家蘭姆是一位宅心忠厚的長者。一生服務於銀行界，過着刻板的生活，很少閒暇，所以有人說他的一生和銀白色的燭光結了不解緣，只有「在午夜微弱的燭光下，作者才能夠深思熟慮，鈎玄提要」。到了晚年，他以悠久的年資退休了，得了一筆對窮文人來說是相當可觀的退休金，但他反而徬徨了：未來的日子，他將如何去打發？他竟懷念起東印度公司的辦公桌來。人們常以爲自己是喜新厭舊的，但在最深的根底處，有些情感是永難泯滅的。在你身爲鉅富的時候，你可能會懷想起童年溪邊垂釣的樂趣，甚至放棄了一個重要的商業上的約會（如果你的鑑性還不會被銅臭味汩沒的話），重新一試下餌待餐的玩藝。

人不能了解自己更多的，除非他能眞正的體察到過去的一切在自己體內所播的種，所抽的芽……。你是一位嚴峻的教師嗎？你當年不會串演過頑童的腳色？相信我，有一天你會經意或不經意地寬貸你屬下的「後進之秀」的；那是往事在警告你，在慫恿你。你甚至會技癢起來，和孩子們開一次極其孩子氣的玩笑。因爲，因爲你也髀肉復生了。

最近讀到兩位國際影星的新聞。一位是賭國王妃葛莉絲凱莉，她的聲華已辭別銀幕多年。但是最近大概也有點捺不住往事的撩惹，宣佈要重新參加演戲了。當然，新聞記者不會忘記加上一句使人發出會心微笑的按語——她拍片所得的將完全捐助慈善事業。你能了解一個貴爲王妃的婦人，不爲名，不爲利，而願意到開麥拉前受導演的支使嗎？本文的題目就是唯一的答案。

另一位是碧姬芭杜。在某種意義來說，她是比前者更聞名的——該說是，更風靡的。不僅僅因爲她是一位法國女子。她宣稱要退出影壇，她說：當一個人走了一大段人生的旅程後，應該稍稍打住，站直了，回過頭去看一看已經走過的旅途。所以她認爲這是時候了。在討論這件「大事」之前，我們也許應該先了解一下ＢＢ小姐本人。據說，她的眞實人生並不像她在鏡頭上所顯露的那樣。如果那是可信的，我們也該有理由說她是厭倦了那一套使她成名的作風吧？在她最近的「眞情」（俗譯「枕上風波」）一片中，我們已看到她穿著得較週到，並且企圖有所表現了。我們也許該爲她慶賀，（雖然不是人人所能同意的）但她的故事就此失色了嗎？她能抗拒靈魂底處的某種力量嗎？但願答案是肯定的。

我不大能夠了解一個寫作半生的人，如何能在下半生中完全與筆墨生涯絕緣。除非他根本不是一個誠懇的寫作者；除非他不可救藥地「才盡」了。但我依然難以想像。一個由小工出身的老闆，一定捨不得遠離他的工場而委諸不會比他更內行的經理人的，他倒很希望時常有一、兩部機器出了毛病，讓他有機會作一番示範表演。準此以求，有些退伍軍人動則出槍使刀狀，不也是緬不可名的髀肉在作祟嗎？爲什麼有許多人對暴發戶們不諒解？甚至寫了許多故事和戲劇來嘲笑他們？他們何嘗不想建立起新的威嚴來，但舊日全部的習性、行業常常捉弄他們，造成若干當場出醜的場面。這多少有點像烟癮或賭癖，要斬草除根，又談何容易？

你喜歡你的「髀肉」嗎？你相信命運的神秘嗎？無論如何，僅僅用「慣性」之類的字眼來解釋它是不夠的。

海嘯書談薈

幾個倔強的政治人物

諸葛文侯

現代東西各國的著名政治家，有幾個賦性倔強的突出人物，其言行亦多異彩，值得談談。

英國邱吉爾首相自視甚高，睥睨一切，對俄共的本質及其野心，尤有深刻的認識。他在二次大戰時，力主以巴爾幹半島爲盟軍第二戰場，從巴爾幹登陸，目的就是不讓俄帝勢力進入東歐，致貽他日無窮之患。當時代表美國政府駐在倫敦與邱氏協商軍事大計的馬歇爾將軍，卻反對這項戰略，俄酋史達林更不以邱氏的主張爲然，最後羅斯福總統決定以諾曼第爲第二戰場，邱氏爲之抑鬱不樂，但他顧念大局，祇好忍受。後來羅斯福銓衡盟軍統帥人選時，他的智囊團推薦馬歇爾，羅氏乃認爲不相宜，說馬氏已在議場上使邱翁失色，自不好又在戰場上頤指氣使，給邱翁以刺激，因而選擇了一個婆婆媽媽式的地中海區司令艾森豪威爾超任統帥之職（詳見小羅斯福的著述）。盟軍諾曼第登陸成功後，邱吉爾對美國杜魯門總統提出兩點要求：一是要美軍趕快馳入柏林，率先佔領；二是請美軍切勿撤出捷克京城。這都是防制俄帝向東歐發展的要著，可惜美國當局天眞幼稚，竟不採納。戰後邱翁又向美國人發表演說，首先提示了「鐵幕」這一名詞，使俄共寢饋不安，而譏之爲「戰爭販子」。假使美國當局當年能聽取邱氏的主張，國際局勢又何致於釀成今天這種情況呢？他的反共思想，可說是堅定不移，決不含糊，而其眼光亦殊遠大。羅斯福的氣魄可能勝過邱氏，但不及邱之老練卓識也。

二次大戰後，英國全靠美國的經援以從事復興，但又要保持其「老大哥」的身份，隨時發出「要貿易，不要援助」（Trade no Aid）之說，因而工黨艾里德政府爲着實施免發給人民配眼鏡這項社會主義政策，美國不願予以經援之故，彼此發生爭論，終致垮台了。邱吉爾重起執政後，他深切瞭解美國人的性情，更知道非有美援，不能渡過難關。他赴華盛頓訪問時，即以美國「外甥」（邱氏的母親是美籍）的姿態出現，他被邀到參衆兩院聯席會議中講演，第一句話就聲說「我不是來向各位伸手要錢的！」逗得議員們哈哈大笑，等他溜返倫敦之際，美國兩百萬噸的鋼鐵，卻由杜魯門總統核准輸送給英國了！

英美當局在戰後鬧得大傷感情的事件，就是艾登內閣與法國進軍蘇彝士運河一役。當時美國艾森豪總統憤於俄帝的越洲飛彈外交文書訛詐之辭，竟以停止供給英法兩國的石油爲武器，壓廹英法退兵，艾登向艾森豪要求通一次長途電話，而對方亦答以「我沒有工夫！」如是乎，艾登祇好揮淚下台，而以繼任人選乞救於邱翁，此時邱氏卻以大局爲重，決不意氣用事，他乃推舉那位亦具有「美國外甥」資格，又與艾森豪交情很好的麥美倫先生承其乏，使英美間的裂痕，逐漸得告平復。謀國之忠，知人之明，不能不令世人贊歎，而許其爲當代的傑出政治家啊！（一）

張九齡祠墓

道南

唐名相張曲江九齡，官至尚書右丞相中書令，其功業風度，載在史籍。他所著千秋金鑑，原文惜已失傳，獨有片段鱗爪，記在曲江府志與曲江縣志以及始興縣志中，已無法窺知全豹。

張九齡生前與佛祖六祖同時，六祖少受戒於曲江府（後改縣）湞江河畔某禪林，後始卓錫於馬壩南華古剎。他二人一則勛業彪炳，一則佛法無邊。傳聞彼二人生平交惡，九齡先六祖而卒。

因此，他的後人，師魏武曹孟德闢七十二疑塚的故技，爲防範歹徒發掘起見，亦曾置有疑塚多處，分佈英德、樂昌、曲江、始興各縣。曲江犁市山陬，現尚有他之衣冠塚，至其他各縣，則未詳所在。唯該塚日久失修，基址頹廢，而其眞確祠墓，係在曲江縣靖村（一名青村）對河之武陵源，又名羅源洞，今名墩頭村之麓。祠前懸有一楹聯文曰：

「曲江山水聞來久；丞相祠堂何處尋。」

其出比係集韓退之，對比係集杜少陵佳句，兩比之聯首，特別標出「曲江丞相」四字，可謂貼切典雅，無與倫比。祠後岡陵崛起，羣峯擁抱，據高臨下，局勢宏敞，環山蔓草芊芊，山葩似錦，久已爲人視爲遊覽勝地，其風景之幽美，可以想見。

山川風物

內僑警台報字第〇三一號內銷證

自由報

THE FREE NEWS

第二二七期

中華民國僑務委員會頒發
台僑新字第三二三號登記證、
中華郵政台字第一二八二號執照
登記為第一類新聞紙類
（半週刊每星期三、六出版）
每份港幣壹角
台灣零售價新台幣貳元
社長：雷嘯岑
督印人：黃行寬
社址：香港銅鑼灣高士威道二十號四樓
20 CAUSEWAY RD 3RD FL
HONG KONG
TEL. 771726　電報掛號：7191
承印者：田風印刷廠
地址：香港灣仔高士打道二二一號
台灣分社
台北市西寧南路壹壹壹號二樓
電話：三〇三四六
台郵撥儲金戶九二五二

由亞遠經濟會議談日本所謂對亞洲經濟協力（下）

羅堅白

日本對於美國及歐洲共同市場的恫嚇，還不止於設立亞洲經濟協力機構一個姿態，另一姿態，便是它於一九五九年二月由全國商工會議所出面參加「亞非經濟協力機構」，最近該機構也在策劃設立所謂「亞非共同市場」。該機構現在業已擁有四十個參加國；而其母體「亞非經濟會議」，發源於一九五五年的萬隆會議，不待說是共產陣營的外圍組織，以蘇俄及中共為核心。而亞非共同市場的構想，很顯然是與歐洲共同市場針鋒相對，並且想要把上述歐美工業國對世界後進國的經濟開發援助機構，OECD弄垮，或至少加以牽制及攪亂的。去冬該亞非經濟協力機構，舉行大會於新德里，日本出席代表是全國商工會議所的理事田中彥造。他被推任大會的議長；就在他的議長任內，通過了設立亞非共同市場案，並成立一個共同市場委員會，設經常辦事處於開羅以資推進。所以日本又不無策動其事的嫌疑。

然則日本所謂對外經濟協力，難道專用以為恫嚇手段，難道這一口號的裏面，竟沒有它自身本來的目的嗎？那却又不是這麼回事。對外經濟協力，是日本伸張其輸出貿易一項極其重要的生意經。連同明明為着確保日本工業所必需原料而投資於海外的原料生產事業，也決未離開這項生意經一步。例如它對於鐵礦石、銅礦石、石油、木材等海外資源開發的投資，到一九六零年末，共達一億三千七百萬美元。其結果，至少使各該資源所在的低開發國，增加了一億三千七百萬美元的購買力；至少為日本商品對各該國輸出增加相當於此數字若干成的機會。事實上所有這些投資，其大部原定為日本所製造的機器設備及零件，並半製品，局部必需原料品等；即各該商品自身便已藉此而得輸出。又如現佔日本經濟協力主要部門的技術協力，乃為低開發諸國訓練技術人員，或代擬開發資源及建設改進經濟事業等計劃。不僅藉此宣傳日本科學知識及工農漁礦等技術的優越前進，無形中使各該國人民提高對於日本商品的信心；且豫先培植好將來購用日本機器設備等的人物及機構，自然符合輸出貿易的算盤。所以從一九五六年到六零年的五年之間，日本對外貿易就輸出全體來說，不過伸張到一點六倍；但其中伴隨經濟協力而伸張者，竟達三倍有餘。請看去年一至十一月的輸出報關實績，其伸張額比前年同期共為一億四千三百萬美元，不過增加百分之四；但其中重機器類，竟伸張一億四千萬美元之多，其伸張率比前年同期竟達百分之四十五。按日本重機器類輸往低開發國，除了伴隨經濟協力以外，眼前沒有第二個門徑可循；這是世界所公認，也是日本所自認的。所以對外經濟協力云者，在日本尤是於其他各工業先進國，實在是極其高明美妙的一項生意經，絕對無可置疑之餘地。

日本現在頭角崢嶸的所謂「大物政治家」們，當其為國家樹立百年大計時，在他們中間最優秀的頭腦裏，也只仗有這項生意經去領導、支配、應付一切，這是戰後日本民族自己堵塞其前程的最大悲劇。他們也同一般渾噩民衆一樣，陶醉於一時虛幻的經濟好景之中。似乎從未注意過：日本經濟的基本弱點：第一，日本所恃以誇耀於全世界新興低開發諸國的高度工業，其基礎本來建立於過去所謂「大東亞圈」之上，不是現在區區四島之國所能背負得起來的。其次，日本現有工業規模，在亞洲雖可目空一切，對歐美則相形之下，大體屬於「中小企業」範疇，不夠競爭力量。由於前者，使其國家經濟，偏頗依賴輸出貿易，不能自主獨立，去追求實質健全的發展與繁榮。由於後者，明知其工業現有規模，已屬非分，卻仍須不斷擴大更新，不度德不量力去從事於打腫臉充胖子式的設備投資，求在商戰中加強自己的戰力，以圖存活。因此，日本從戰後復興起，在輸出萬萬歲的歡呼之下，顯示全國產業趨向於單純輸出工業化；多數具有工業立地條件的農村都不免有意識的或無意識的逐漸變成大大小小不替自己生產的都市；幾乎全體農民，都由羨望布夢想轉業為高薪待遇的工人。然若日本的輸出貿易到處碰壁，生產出來的商品賣不出去，不僅工業原料，連國內一億人口的生活必需資料也換不回來；此時想要恢復自給自足，一時當然來不及；則只有從此長久纔換下去的厄運，等候着日本經濟了。

日本政治家也許以為在今日世界裏，決不會有日本商品獨自到處碰壁之事態發生。豈不知今日世界的經濟秩序，寄托在世界的政治秩序上；而世界的政治秩序，則僅靠着三個支點為之支持：即美我河們在不相謀的避戰渦策，及一網象微批河強問均勢的國際和平論調布已。一旦從任何一個支點發生龜裂或動搖，則任何秩序當然都不算數。尤其輸出貿易的競爭，無異潛伏着從經濟上破壞世界政治秩序的禍根；明眼人早巳看見它終將盤錯刺天約遠遺以前之萌芽。蓋戰後自由世界當復興再建時期驟然掀起歐洲產業革命以來第二次技術大革新的高潮。各工業先進國各自埋頭在得意的新銳設備下，提高其生產能力，不知超越戰前最高水平若干倍。而生產品的海外市場，歐洲各國則多論變或削縮於殖民地之獨立；美國憑使領導自由世界的政治地位，難然較有伸張，然也絕對不夠滿足其國內奔騰澎湃的生產能力的要求。加上其產陣營的生產力稍能從軍備競爭及民需負担鬆一口氣以後，亦將悉索其不須計棄或本的敝賦，參加逐鹿。因此世界上出現了一個前古所未有的「生產無政府」時代；其所以尚未見到馬克斯所謂「恐慌」的光臨，則以各工業先進國皆能一時斂牙不露爪，去「發掘內銷」。然觀一發掘內銷之道，一其再投資再擴大更新為產設備，藉投資本生，直捷了當把自己身循環無端的交代着或自已經造成最痛快的消費顧客；一為給與顧客以分期付款的方便，以誘渡一般中小上月薪階級超越負担能力的消費慾。現在弱者的發展均巳追近極限；無政府大生產下商品洪水的出路，仍只有爭奪海外市場的老路一條。歐洲所以不得不結成共同市場，與夫英國所以不能不參加歐洲共同市場，都是恐怕自己的生產品在爭奪未能順利得手以前到處碰壁；日本焉能獨有把握，不怕？

日本政治家們對於日本商品將有一天到處碰壁的話，倘若認為不是局外人替日本胡亂廢抱把變，當能同時推論到近水樓台的亞洲，屆時獨可能支持日本工業存活到底並發展無限。然苛這從可能，不是簡單而經使的在日本需要時，便立即為之見實化。因為這個課題，最低限度的解答，須要使日本工業誠意為亞洲服務；那已不是純經濟性的、而在骨子裏包含着極其重大的政治性。不知日本政治家會經從研究或實際接觸中，察覺到中共的對日最高戰署否？該項最高戰略便是：使日本在經濟上孤立於亞洲之外；使其不為自己生產之高度工業，最後無從攝取替發以致擴擴，因而促成日本經濟整個崩潰於追逐輸出利潤之無制消耗。這個戰略，是毛澤東「破壞或掌擺全世界低開發地區以孤立消耗自由世界各工業先進地區」的世界革命戰略之一環；也就是漢朝對匈奴所用斷臂戰略的現代版。漢朝通西域以制匈奴，是斬斷匈奴的右臂；由中共目下對東南亞種種蠕動的迹象，觀其用意最深刻處，乃在準備斬斷日本的左臂。檢討至此，日本當僚會知道如何從政治上補葺其經濟的基本弱點，以解答上述課題。可惜滿膽生意經的日本今日所利大物政治家們，筆者幾乎求能以現拔中有一兩人足了藉此。所以筆者除於寄滿亞洲各試；對，日本所謂經濟協力並不必多存奢望外，並以一個生意經信徒資格，代表多數亞洲人對日本較量錙銖，而較[illegible]……所能做的事。（完）

五十一年四月一日　寄自東京

漫畫天下

這回要看誰的刀子最利了

「為什麼你們總是向我討……」

自由談

也談遞解難民問題

最近香港發生了遞解六名入境難民遣返中國大陸一事，頗聳動聞。各方輿論界與社會人士，皆表示遺憾惋惜之意，認為這是有損人道主義，亦傷害了英國保護政治犯的傳統信譽，理固當然也。

可是，站在一個反共的中國人立場，對此事除却遺憾以外，應該從各種情況設想，提出補救的建議，呼籲有關方面籌維良策，不使今後再有同樣悲劇演出，才是解決問題之道，一味地埋怨、譴責別人不講人道，徒費唇舌，於事無濟。我就不相信這樁事真是當地政府的下級行政人員隨便決定的，更不敢想像香港政府當局竟沒有人道主義的觀念在懷。不管此人同情與否，他們一定經過了考慮後，才作出這樣的裁決，自無疑問。因此，我要提示幾點意見：

在台灣的中華民國政府既然揭櫫「政治反攻」之說，即應以開濟恢宏的中興氣概，一面向大陸民眾宣告，凡是逃出鐵幕魔窟的同胞，政府必設法救護；一面與香港政府協商救濟安頓難民的各種辦法，總須使其在我，不教別人專替我們擔上這種與日俱增的沉重包袱；同時要求聯合國救濟難民的機構合作贊與，分担一些財力物力上的責任。來到香港的難民，經過調查後，必要時都可以進入台灣，從事各種適材適任的工作，亦可以藉此開闢兵源。這樣才是政治反攻的有效方法，也是心理戰的有效策略。不此之圖，若僅知責備別人不講人道，假使對方反唇相稽，說這些難民都是反共的中國人民，中華民國政府自有收容救護的義務，試問吾人其將何詞以對呢？

三年前，我在西柏林旅行時，聽着西德政府對東德難民入境的簡要迅速處理情形，頗為贊佩，曾詢問一位記者：「你們不怕共黨混跡滲透嗎？」他答道：「共黨份子若在西德的自由生活中經過相當時日後，亦會改變思想的。如果不變，我們自然會發覺而懲處之，何所懼哉？」準此以觀今日由大陸逃出海隅的難民，只要年富力強，具有一技之長者，皆不妨讓他進入台灣去，而香港政府亦不致感覺源源而來的難民恐慌了。

馬五先生

大專聯考分兩次舉行

考生機會多了一次算是好事　但望一本公平競爭原則辦理

（本報記者台北航訊）一年一度暑期中的大專學校聯合招考問題，非但爲應屆畢業的萬千高中高職學生所關切，就是社會各界也無不寄予深切的注意。大專入學考試，究竟是由聯合招生的好，還是由各院校分別考試的好，自從有聯合招生以來，就成爲聚訟紛紜的問題，見仁見智，除了社會人士的討論外，在立法院，每年幾乎都有委員提出這個問題向政府質詢，就是在月前召開的全國第四次教育會議，也將這問題作爲專題，加以研究。但不管如何，大專聯合招生仍是一年一年的辦下去，祇是在辦理的技術上，作一些枝枝節節的變更。就因爲是一些枝枝節節的修改，所以常在招生逼近之前才公佈，而且每年花樣不同，常常弄得考生無所適從，手足無措。

今年的大專聯合招生，是近年來變更最多的一年。

往年，公私立大專學校祇在暑期舉辦一次聯合招生，因此考生也祇能獲得一次投考的的機會，如果一次不能考取，就要就擱一年，等待次年才有機會再考，一般人對大專聯考的批評，也指責這是剝奪學生投考的機會。今年的決定是大專分兩次聯考：第一次聯考是大學及獨立學院，第二次是專科學院。雖然各校招生的名額是由教育部核定的，在招收的名額上是相同的，但辦理兩次聯考，總可以使部份考生多一次碰運氣的機會。

根據以往辦理的情形，辦理一次聯考，從報名到放榜大概需要五十多天時間，今年如果辦完一次再辦二次，時間上決不容許，所以勢必第二次聯考要在第一次聯考放榜前就開始辦理纔來得及。本來也是，第二次聯考如能在第一次聯考放榜後辦理，那些第一次已錄取的考生，可以不再參加第二次的投考了，否則如果第一次聯考還未放榜，考生爲了把握機會，其勢大多數會參加第二次的聯考。

根據尙在擬議中的日程，今年第一次聯合招生將在六月二十日左右辦理報名，七月十日左右舉行考試；第二次專科學校聯合招生希望能在第一次放榜後考試。因爲第二次招生報名的時候，第一次聯考還未放榜，所以絕大多數會報名參加第一次聯考的學生，一定要再化費一次報名費，來爭取另一次機會。但到第一次放榜後，有些已被錄取的考生，便會棄權，是否能退回報名費呢？這是許多考生都關心的問題。教育部長黃季陸曾認爲今年舉辦兩次聯考的情形特殊，似可對不參加考試的學生應該准他們申請退回報名費；但在六日召開的專科學校聯合招生委員會並未接受這項意見，仍然決定不參加考試的亦不退報名費。無疑今年將增加若干考生多一次報名費的負担。

至於今年大學及專科學校聯考的報名費，據說可能從原定的七十元，提高到八十至一百元。專科學校聯合招生委員會開會時曾初步交換過意見，還未作最後的決定，聽說下次會議還要正式討論。根據常情推測，假如不調整，自無列入討論的必要，反之，既要提出討論，便是有要調整的意思，否則何必多此一舉哩！

從歷年聯考來看，若干學校在新生註冊後都會發生嚴重的缺額情形，而每年都不得不降低錄取標準從落選者中來補足這些缺額，考生便會發生有幸有不幸的不公平現象，比如：甲校錄取最低標準二五〇分，乙校是二四〇分，補錄時二四〇分以下的考生僥倖分發到甲校，而乙校二四〇分以上的學生卻反而沒有這個機會。今年，因爲部份考生必然參加兩次聯考，如果兩次都蒙錄取，而註冊又只能一校，所以在今年大學，獨立學院和專科學校舉行兩次聯考後，缺額的問題還會更形嚴重。

數以萬計的考生關心今年聯考還有那些變更？大致的情形是這樣：今年，職業學校畢業生限制投考相關科系，似乎已成定局。高中三年修業期滿未能畢業的學生是否准予投考大專的問題，教育部已經解釋可以「同等學力」資格報考。尙有肄業大專學校的學生報考新生的限制，因爲於法無據，而且又有技術上的困難，今年還不會見諸實行。至於主科在總分比重的增加，各方意見尙未一致。專科聯考的考區，專科學校聯合招生委員會已決定，今年祇分台北、台中、台南三個考區，較往年大專聯考減少一個台東（花蓮）考區，對東部考生，是一個大不方便。

現在，大學和專科學校聯合招生的有關事項還沒有全部決定，過去有人檢討聯考制度，認爲聯考祇是爲圖辦事的方便。祇希望今年主持聯考的先生們，不要祇是爲求辦事的方便，而應該本着公平競爭的原則，處處爲萬千青年學子着想才好。（吳越・四、八）

空中學校成事實

今年先辦初中班

陸續再辦高中班大專班

（本報記者台北航訊）一月二十日本報首先報導台灣將創辦「空中學校」的消息，現在已經有了具體計劃，今年秋季就將正式招生。

教育部計劃自五十一年學年度起，舉辦「空中學校」，招收國校畢業生，授以相當於初中一的課程。入學年齡不加限制，且以審查方式代替入學考試，並逐漸增加各級學校課程。

教育部長黃季陸，首先澄清一般人對「空中學校」的幾項觀念。他說：一、空中學校不是代替現有學校制度，而是對現在不能升入現有各級學校的青年，以深造及取得同等學歷的一項補救。二、空中學校不是義務教育的延長，因爲義務教育是強迫的，教科書免費供應。依照我國現行憲法的規定，義務教育的實施爲六年，即限於六至十二歲的及齡兒童，故空中學制應以國民學校畢業生不能考入初中，願完成初中課程，初中畢業生不能考入高中，願完成高中課程，及高中畢業生不能考入大專，而願完成大專課程者爲對象。但不開設小學課程，除非由於現在國民學校教室，授課師資及設備的不足，酌設講授課程，以作補助。三、凡不能利用空中傳播的課程，應在各地區指定同級學校，及適當教師利用星期日或夜間授課，同時並予以德育，體育上的輔導，以期具備同級學校所需的各種條件。四、學歷的檢定應經過嚴格的考試及格。五、空中學校既不是強迫的，故凡自願深造完成學歷的合格青年，必須註冊後學修課業，方得參加考試。空中學校不是義務教育的延長，故將酌收少數學費及考試費。

計劃中的空中學校，黃部長透露：初中修業年限將爲四年，每學年分爲兩學期，每學期二十二週，每週六天，每天教學四小時，課程依照初中課程標準規定的科目及時數，採學分制，教學方式以教育廣播電台實施廣播教學爲主，並在適當地區指定原設的中學爲教學中心，講授心須面授的課程，及自然科學的實習，並改正學生作業，答覆疑難。學生凡按期繳送作業及按照規定出席面授時數者，取得該科目學期考試應考資格，考試由各分區教學中心集中舉行。學生修業期滿並修畢規定學分參加畢業考試及格者，由學校發給畢業證書，其學歷資格與普通中學相同。

關於此項空中學校推行的目標，黃部長說：一、增進不能進入各級學校的青年深造及完成學業的機會。二、補助師資質與量的不足。三、補救目前學校設備的不足。四、使青年一面就業，一面能獲得求學機會。五、改變因升學狂熱而引起的惡性補習，影響青年身心的健康。六、實施教育配合社會經濟文化發展的教育方針。

黃部長說：教育部對空中學制的建立，正積極策劃進行。此學制一經推行，我國教育必改觀。他並呼籲各界改變觀念，支持該部此項政策，期能在最短期內實現。（昌・四、十一）

立法院兩委會決定

先澄清銀彈風雨　再研討自清途徑

（本報記者台北航訊）因「銀彈」風雨而引發的「追查」動議以及「自清」運動，立法院的紀律、法制兩委員會，十二日舉行聯席會議，加以討論，幷作出兩項決定。

這雖然是紀律、法制兩委員會對這問題的首次處理，但自這問題發生至今的過程言，卻已是立法院第三次接觸到它了：第一次是女立委王長慧等八十四人提出臨時動議之時，當即在立法院院會有過熱烈的討論，不少立委不但主張徹底「追查」，「自清」的呼聲亦從那時便發出了。當時的決議是交由程序委會安排日期，再行討論；第二次即是經過程序委員會安排之後，又在院會引起一次熱烈的討論，同樣，那次不但仍有不少立委主張徹底「追查」，且「自清」的呼聲，亦愈見高漲，關於後者，有的立委幷較切實的提出「制度」的問題，希望立法院能夠因此得出結論，明白規定什麼事是立委所不應該做的？什麼職位是立委所不應該兼的？還有立委主張，最好立委連律師、會計師之類於法無不合，但卻必然有損於立委本身工作的職務，亦以不兼爲妙。結果是決定交由紀律、法制兩委員會先行討論。

十二日立法院紀律、法制兩委員會聯席會議的討論，亦仍然頗爲熱烈，其所得的兩項決定爲：（一）本案應先函請許議員金德來會說明或函覆後再議；（二）關於修正嚴肅紀律辦法，俟本案告一段落後，再行研討。

亦即是說要先澄清銀彈風雨，再研討自清途徑。

在那天紀律、法制兩委員會聯席會議中，發言者有十餘人，大概言之，仍然是發言熱烈，情緒認眞的。祇是從整個會議過程看，似乎已經更見偏重於「自清運動」了。關於銀彈風雨之事，頗有雖然非追查不可，卻顯示那將是不會有什麼眞正結果的。正如王長慧所說：「銀彈風雨希望能查個水落石出，如非事實，亦應予澄清」。看來將來就是「澄清」一番而已。

「自清」方面，儘管決議是俟銀彈風雨告一段落再行研討，但將來眞正值得重視的，應該還在這方面。杜均衡在會中，竟已主張大家來次「抓糞運動」，這四個字，正如以前的「自清運動」，已經被許多人放在口邊了。

杜均衡同時亦主張銀彈風雨應該追查，幷查個明白的，他說「否則大家都見不得人」！實在的，王長慧等八十四人之所以提出那個臨時動議，主要目的，亦就在於爲立法委員們不致於因此「見不得人」。

在會議中，本來多數發言者都是主張要許金德到會說明的，但爲了担心許金德假如不肯來，將怎麼辦？所以才有「或函覆」的那個辦法。現在許多人都在猜：畢竟許金德是「來會說明」呢？還是「函覆」呢？

（威）

採訪綫外

政府送禮議員收禮　是紅包歟抑貪污歟

▲台北十一日發生一樁因被判刑，銜恨法官，開槍欲殺死法官未遂，卻終於射殺一個警員的兇殺案，使整個司法界爲之震動，社會人士亦議論紛紛。

這被判刑因而銜恨行兇的人，名叫陳力，他因爲十年前任馬祖行政長官公署保安科長時，殺死行政長及一課長，經軍法審判判處死刑，後因身份改變，改送司法審判，初審仍判死刑，上訴最高法院時，主審推事尹銘璋改判以無期徒刑，但該陳力猶以爲過重，因而銜恨，假釋出獄後，竟欲殺死尹推事，幸開槍而彈未發出，尹推事得以死裏逃生。

本案嚴重之點，不在於判刑之倚輕倚重，而在於被判刑者居然錯誤的移恨於法官，而欲置之死地。此風確不可開，尤不可長，否則司法人員生命安全無保障，必然法紀蕩然，天下大亂了。

▲台北市議會五屆第四次大會開幕前夕，市政府曾以派克六一型鋼筆分贈全體議員每人一支，其時有部份議員拒收，又有部份議員退回了，但大多數議員是照收無誤的。迺事隔一月，議員們發覺市政府購買的該批鋼筆，爲數達一百支，市議員卻祇有六十一人，就算全都收了禮，除下的三十九支鋼筆，那裏去了？有十幾位議員要張祥傳議長查覆。當然這是要同市政府算賬之意。

這筆賬怎麼算法，還是小事，大事爲：市政府爲什麼要花民脂民膏去送禮？民意代表的議員又爲什麼居然要收禮？這是否也是「紅包」之一種呢？這樣的「紅包」又是否「貪污」之一類呢？

▲台灣各銀行，據說發生了存款多而放不出去的「爛頭寸」之事，所以十多年來總是一枝特秀的銀行業，如今發現盈餘銳減，至根本賺不到錢之事了。畢竟何以致此，有人担心是經濟發展陷於停滯的結果，而主張當局注視這問題。

這問題確實值得注意。且單注意還不夠，還應該想出辦法，打開出路才行。（建）

寮局在僵持待變中

——有左右大局潛力者唯泰國——

本報曼谷通訊

寮國問題尚在僵持局勢之中，美國堅決主張聯合政府的妥協政策，寮國當局始終拒絕如故。最近中共方面已派遣千餘名的「志願軍」入寮境應援寮共，看情形，在本年雨季的九月以前，寮國的戰火一定要激化的，勝負之數，此刻固不易斷定，但美國的妥協政策如不改變，「巴特寮」——即蘇發努旺親王所領導的共軍，終必奪取永珍，而將全寮國置於共黨統治之下，似無疑義。

寮國軍人之不能作戰，乃係世所週知的事實，而其原因不外兩點：一係源於佛教的戒殺思想，認爲殺人是違背佛法的罪惡行爲。他們戰鬥時，彼此都是向着樹木的尖端或天空放鎗，等到甲方困倦地退卻之後，乙方派人偵查屬實，纔敢推進，但對方宜傳卻說是攻下某地，佔領某地。所以，凡是兩軍交戰過的地區，所有樹木都被鎗砲打禿了。二係士兵的政治訓練不夠，而以反共的政府軍隊爲尤甚。一般士兵們不知戰爭的意義爲何，目的又是甚麼？他們只是直覺地認爲是替寮王以及政府的官員們爭奪權位，累積財富而已。所以，當年傘兵營的康利上校，在永珍以幾百名傘兵從事叛亂，而政府擁有美式裝備的大軍兩萬人，竟讓叛軍呼嘯以去，跟巴特寮聯成一氣，成爲共黨的一股力量，貽患至今爲烈！這就是美國對於寮戰要採取縮手靜觀主義的癥結所在。

假使雙方完全都是寮人鬥爭，則在本年雨季以前，彼此旅進旅退，當無問題，局勢即不會趨於惡化。可是，中共的「志願軍」如其加入戰鬥，那情形就迥然不同了。美國派在寮國的顧問們始終抱着一種天眞幼稚的看法，認定巴特寮集團之中，最多只有兩百個左右的共黨份子，其餘的文武人員，連同康利上校在內，都不是共黨黨徒，區區兩百名的共黨份子，縱然跟他們組織聯合政府，何足懼哉？有人詢問美國顧問：過去英國人控制着印度三億以上的人口，只是「東印度公司」的幾千名職員罷了，而中共亦是以極少數的劣勢兵力，即竊據了中國大陸，控制住五億以上的人口，這又作何解釋呢？他們只好聳聳肩膊，無詞以對。美國對於寮戰的論據，還是當年對韓戰那一套，即不願意「在錯誤的地點，跟錯誤的敵人，從事錯誤的戰爭」。然則寮國豈不是註定地就要被共黨全部佔領嗎？問題卻不那末簡單，因爲泰國與寮國壤地緊接，泰政府決不能坐視着共黨禍延到湄公河岸來，威脅泰國的安全，乃沙立總理曾經發表過指摘東南亞公約不能保障寮國安全的話，且對於東南亞公約國最近舉行軍事演習拒不參加。寮共若得勢，泰國必不袖手旁觀的。美國亦知道這種趨勢，最近哈里曼到泰京訪問，目的就在安撫泰國當局，說是泰國如果受到共黨侵略，美國即如對越南一樣，決以全力應援；同時又使「銀彈攻勢」，答應給泰國以經援，作爲開闢北部公路和修濬河道之用，交換條件便是勸泰國不反對寮國的聯合政府。究竟泰國當局是否接納哈里曼的游說，此刻尚是未知數，且看華府的金元誘惑力如何罷！

永珍當局對於聯合政府一事，只要能夠掌握着國防與內政兩部的權力，未嘗不可同意。但寮共方面亦深悉其中利害，決不讓步。因此，寮王與其內閣大員們，雖忍受美國停止經援的高壓，亦不肯安協，良以國防和內政兩部長若落入了共黨之手，只要攪一下軍事政變，或施行一次全國選舉，寮國即輕而易舉的宣告赤化了！與其妥協而終歸完蛋，即不如保持強硬立場；希望拖到今年雨季再說，何況外有泰國這一友邦從旁聲援，或許將有否去泰來之一日呢！

美國對於聯合政府這項主張決不會改變，它除此以外，別無可以顧全面子和聲譽的方法，實逼處此，莫可如何。唯一對寮國問題具有左右大局的潛力者，就是泰國，而泰國是否基於唇亡齒寒的關係，堅定目前的決策，不爲哈里曼的游說所蠱惑，那就靜待事實證明了。（競生．四月十一日於曼谷）

香港與大陸

大家恨共黨恨入骨髓

松滋同胞活埋共幹

怠工與破壞更人人皆然

一位剛從湖北松滋逃出來的某君說：大陸同胞恨共黨恨入骨髓，大家不但儘可能的怠工、破壞生產，不同共產黨合作，並一有機會，就實行收拾共幹。松滋農民同胞就曾經把兩個共幹活埋在棉田裏。

棉米之鄉的松滋，一向很富庶，共產黨未來之前，松滋的一年收成，雖三年用之不盡。某君說：但自共黨來了後，情形大變，特別是最近三四年，收成既不好，所有收成又全給共黨拿去，老百姓捱饑抵餓，苦不堪言。從去年起，配糧就減到每天祇得四兩米，外加一點雜糧，人民餓得半生不死，共黨卻不理會，還是要逼着大家生產，人民氣不過，同時亦因爲食不飽力不足，乃相率更加實行怠工。

某君所說松滋同胞怠工的辦法，可謂別開生面，他說：那些被驅殖到棉田工作的農民同胞，總是乘共幹監視不周，便大夥兒躺在棉田裏睏大覺。在棉花出了花蕾時，農民同胞還故意把花蕾摘下拋棄。這樣，棉花當然減產了。

共幹對於農民同胞的故意破壞生產，也不是不知道的。共幹亦曾經加以干涉制止，和農民同胞衝突起來，實行鎮壓，勞改了好幾個月，才又把他們放同來。這些農民同胞恨透了，有一次，趁祇有兩個共幹到棉田巡邏監工，農民同胞見有機可乘，先狠狠的打他們一頓，然後活活的把他們埋在棉田裏。事後共黨會到處搜查，卻到底找不出這兩個被活埋的共幹屍體來。據某君說：從這件事發生之後，欺軟怕惡的共幹們，氣餒大不如前了，對農民同胞亦客氣多了。現在，每天被驅去生產的農民同胞，往往都首先找野生植物以滿拿回賓食胡亂充饑，然後再幹共黨所指定的工作。共幹亦儘可能的不加干涉。甚至共幹眼看農民怠工，半做半不做的混日子，他們亦不敢妄加呵責了。

某君又說：現在在大陸若干地區來往，可以不要「路條」，但要搭車到與香港交界的深圳，卻非有通行證不可。所以他這次是先搭車到廣州，再由廣州搭車到石龍下車，然後夥同在路上遇到的五個亦決定逃亡的人，曉宿夜行，轉彎抹角，乘天雨夜黑之際，才逃到香港來的。他說：在大陸想逃的人多得很，你絕不用担心沒有同伴，祇是要逃得出來亦太不容易。（經）

印尼經濟一團糟

通貨發到八百億

（本報星加坡通訊）在蘇加諾「領導民主」下的印尼，獨裁是實，民主已經無影無蹤了。蘇加諾除在政治上攪「指導民主」，在經濟上，亦攪「指導經濟」，其結果則是印尼經濟的一團糟。比如物價飛漲，便是一例。再如濫發通貨，又是一例。

印尼當局對於印尼通貨究竟已發了若干，向來諱莫如深，四月十日，印尼安打拉通訊社突然對此作了一次報導，駭人聽聞，印尼人民暗中搖頭嘆息。

一九五〇年，印尼所發通貨爲四十三億盾。

一九五八年，增至二百九十億盾。

一九五九年，秋季已達三百四十億盾，當時蘇加諾玩魔術，實行「大鈔貶值」，降爲二百八十億盾。但不到三個月又增至三百四十億盾。

一九六〇年，續增至四百六十二億盾。

一九六一年，更增至六百四十五億盾。

目前的數字呢？還不知道，但估計已達八百億盾了。（德）

向核彈抗戰

陳知青

五、核彈戰爭的防禦

（三）攔截飛彈

飛彈的結構，包括發射器的火箭，導向裝置系統，和「核子彈頭」三部分；前面兩種，是屬於化學燃料及電子科學的，彈頭部分，是核子科學的應用。因此，我們對於飛彈，人造衛星等等的科學分類，歸到電子科學中去；至於眞正的太空科學，對於核彈戰爭的防禦，還有更具體的辦法。以後再以說明。

一般所說的飛彈，自第二次世界大戰中，德國所發展的V一、V二飛彈開始，原是利用中國「沖天炮」的原理，製成「火箭炮」，將普通的炸彈，由火箭炮，發射出去；沖過英倫海峽，威脅英國的安全。

二次大戰結束以後，德國的火箭工廠，在蘇俄的佔領區內，被蘇俄侵佔遷移而去，也擄去不少的火箭專家，由黷武的俄共，秘密地發展着「火箭科學」和「火箭工程」。這也就是二次大戰以後，蘇俄在人造衛星，洲際飛彈，太空船的競賽方面——一直佔先的基本原因！

美國，在這一方面，也獲得了投奔自由的一些德國火箭專家，如火箭之父布朗博士等，加以美國各種基本工業的雄厚潛力爲後盾，努力直追。平心而論，火箭科學，蘇俄在單線的發展，集中力量於極大推力的發射方面努力；斯潑特尼克，路尼克的搶先發射，是洲際飛彈的發射的副產品。人造衛星，祇是被發出去而能循軌道運行的「飛彈頭」而已。太空船更是洲際飛彈發射的電子控制的非武器的彈頭罷了。因此，我們所說的飛彈，就有各種不同的情形，而所謂「攔截飛彈」，又叫「反飛彈飛彈」。在此，我們必須把飛彈的種類弄清。（十三）

瘟君續夢

第四回：掩面向黃泉，貳臣遺恨　低頭拜白虎，末帝驚魂

毛澤東越聽越夠味，連連擺手道：「不必再討論了，就這樣辦。瑞卿同志你打電話給李維漢，要他召集各黨人士開一次座談會。」

本來統戰部時常召集民主人士開座談會，每次只是傳達「黨」的命令，由民主人士發表一些「我絕對擁護」，「我十分贊成」一類的話，就算了事。這次毛澤東要召集民主人士開座談會，意義就不尋常了，李維漢把可以請的都請到了，名單送給毛澤東審閱，毛澤東還嫌少，又添一些進去，連同共產黨高級頭目，共到了一百多人，大家心裏都在担心，不知毛澤東又搗什麼鬼。可是接到通知又不敢不來。

大家到齊之後，停了幾分鐘，毛澤東緩步走進來，劉少奇，周恩來，朱德都在後面保持了五尺的距離，沒有人敢同他並肩行走，民主人士感到毛澤東威風猶昔，更加害怕，不知他這次又賣什麼風雲雷雨了。

大夥坐定之後，李維漢宣佈開會，毛澤東站起來說道：「今天並不是什麼正式會議，只是舉行座談會，大家有什麼意見隨便談談，只要對國家有利，幫助共產黨進步的，我們都十分歡迎。」

一羣「民主人士」聽到這段話，不由得嚇了一跳，以爲毛澤東又攪大鳴大放的舊陽謀，要再找幾個章伯鈞，羅隆基出來。人人自危，誰也不敢開口。

停了幾分鐘，毛澤東笑着說道：「既然大家一時沒想出什麼問題，我到有一個意見先提出來研究一下。目前正當我們建國十年紀念，各方面都展開慶祝活動，全國人民表現得都很熱烈，不過，我想到被判勞改的犯人，十年來對國家建設也貢獻了很大力量，其中有一些人也應該提前釋放，今天我以中國共產黨主席的身份，來徵求各民主黨派及無黨派人士的意見，如若大家贊成，我們各黨派可以聯名向政府提出特赦的建議。」

毛澤東說過，全場響起熱烈掌聲，坐在主席台上的劉少奇，周恩來，朱德三人卻呆住了，你望我，我望你，連手也忘記拍了。

毛澤東說過之後，各民主黨派領導人，相繼起來發表一些「我擁護『黨』的政策」，「我『贊成毛主席的建議』」一類例行話。會議就要結束了，突然九三學社主席許德珩站起來說道：「請問主席，既然判了勞改的犯人都可以赦免，被帶了帽子的右派份子可不可以摘去帽子呢？」

許德珩說話時，許多民主人士都揑了一把汗，恐怕許德珩惹火燒身，把自己也變成右派份子。那知毛澤東聽了許德珩的話，猛然一拍桌子說道：「當然可以，也十分應該，幸虧許先生提醒我，現在就決定特赦和摘帽子同時進行。諸位還有其他意見，也可以提出來。」

會場又是一陣鼓掌，大家不曉得毛澤東何以又轉了性。

看看沒人講話，毛澤東又接着問道：「特赦，赦那些人呢？摘帽子又摘什麼人的帽子？各位請再進一步研究一下。」

這以來眞沒人敢開口了，足足停了十幾分鐘，毛澤東指着坐在前排的沈鈞儒問道：「衡老，你是當過最高法院院長的，你看應該赦誰？」（九二）

窄門

熊徽宇

島上綠肥紅瘦，晃眼間，我在東部過了兩年。這期間，南部的朋友來信，偶而提到濰生，說他比往日更不愛講話，人也不大出門，也不大和同事們來往。於是我又寫信跟他談些他喜歡討論的問題，但還是得不到他的回信。在我第六封信發出的第三天，忽然接到台南拍來的電報，說濰生病重，要我速去！

我趕到台南的時候，已近深夜十一點鐘，編輯部正忙。有位同事帶我到醫院。穿過兩列病室，看見總編輯和幾位同事在走廊上搖頭。我心跳着問：

「濰生怎樣？」

「你安靜點，」總編輯說：「眞是不幸！剛剛送進太平間！」

我用手帕堵着臉，我不願他們看到我流淚。有位同事悽楚的說：

「今晚九點進院，十點半去世。」

「是不是服毒？」我忽然想着說：「他心情一直不好。」

「動機有過。」總編輯說：「他有封信給你。信在我辦公室。是一位同事在他枕頭旁邊發現的。信尾的日期是今天淸晨四點二十五分。昨天晚上他說不舒服沒有編報，可能一夜沒有睡在寫信。」

後來總編輯又對我說：「濰生是服毒死的，工友送開水到他宿舍才發現，送到醫院已經來不及了。」「他說已經和醫院打過商量，就說是急性病，否則報社的名譽不好聽。」

總編輯接着在討論治喪的問題，我有着眼淚硬化的痛苦，充滿着傷心的訣別和超過悲痛的寂寞；現在回憶起來，還是一個蘇摩的夢，那樣驀然的！

這島上的冬日還有蝴蝶在飛舞，還是綠滿春濃，而濰生的墳上却已蔓草荒烟！

我耐不着他這週年的忌辰，在他墳頭祭掃回來，重讀他的那封信：

「你的第五封信是上月底收到的，因爲每次讀信都有太多的感觸，所以一直沒給信你。

「也許是我眞的變了，也許你也在變，也許在變的是這個年代。近幾年來，我們的思想確實分歧得很遠；我悲悼往日的那些多采豪情消褪得如此急劇！

「你在第四封信裏說：『在這人類生存與自由受到威脅的年代，存在的現實當然是格外尖銳，假如我們的精神不能超越現實而要脫離現實去找理想的話，那末代替我們思想的只是一個自己。』會使我連宵失眠，淚濕枕衣，傷感我們這一代的靑年有這多苦澀的咀嚼！（七）

唐太宗（十五）

李仲侯

他鑒諸隋煬帝之腐化墮落，以奢淫而亡其國，即位之時，即嚴禁奢侈浪費之風，厲行節儉爲天下倡。他說「夫聖世之君，存乎節儉。富貴廣大，守之以約。睿智聰明，守之以愚」。貞觀六年太宗謂公卿曰：「昔禹鑿山治水而民無謗讟者，與人同利故也。秦始皇營宮室而人怨叛者——病人以利己故也。夫珍麗奇珍、固人之所欲，若縱之不已，則危亡立至。朕欲營一殿，材用已具，鑒秦而止。至王公以下，宜體朕此意」。貞觀四年又說：「崇飾宮宇、遊賞池台，帝王之所欲，百姓之所不欲。帝王之所欲者放逸，百姓之所不欲者勞弊」。貞觀十一年「上營玉華宮，務從儉約，惟所居殿覆以瓦，餘皆茅茨」。他提倡約儉之風數十年不改，始終如一，不但造成了一種普遍的風尚，而且成了堅定難移的國策，其結果是：「二十年間，風俗素樸，衣無錦繡，公私富給。」

貞觀政要載：「太宗之爲君可以爲賢矣。貞觀之治可以爲盛矣。今即其行事觀之，內除羣雄，外定四夷，身經百戰，朱嘗負北，後世人君之功未有高焉者也。其君人之大德有三：一曰謙虛納諫，二曰知人善任，三曰恭儉愛民。後世人君之德未有過焉者也。」除恭儉愛民已經於前提過，玆就納諫，善任二者約畧言之。

太宗在位廿三年，臣工諫諍次數之多，君臣對答言詞之深切，及對當時政治影響之鉅，如果全部歸納起來，眞可編成一部巨著。諫官地位之尊崇，在歷史上任何朝代都未可與比擬。太宗對納諫有他自己的看法，他說：「夫王者高居深視，虧聽阻明，猶有過而不改，閒有闕□而不補，所以設輯木，以獻替之謀，傾耳聽心，佇忠正之說。言之而是，雖在僕隸芻蕘，猶不可及也。言之而非，雖在王侯卿相，未必可容。其義可親，不責其辯。其理可用，不責其文」。又說：「人欲自見其形，必資明鏡。君欲自知其過，必待忠臣。苟其君愎諫自賢，其臣阿諛順旨，君既失國，臣豈能獨全？」

貞觀時負盛名而最有影響力之諫臣，舉朝無過於魏徵，進諫次數之多，議論之正純，亦當首屈一指。臣子遇事盡言，君上從諫如流，君臣契合，有同魚水，我們在千載而下，猶可想見其盛況。

閒話牡丹

漁翁

牡丹，爲我國的特產，莖高二尺許，葉爲複葉，分裂甚深，春末夏初開花，徑三四寸，有重瓣單瓣之別，色有紅白紫等數種，在羣卉中爲最艷美者。

通志畧載：三代時，無牡丹之名，統稱芍藥。自李唐來，始分爲二，以其花似芍藥而幹如木，謂之「木芍藥」，且有「牡丹花王，芍藥花相」之稱。因此，譽爲國色天香，象徵富貴吉祥。俗又以「富貴花」名之。

唐都長安，即今之西安，上至宮中，下至民間，莫不遍植牡丹，相習成風，極一時之盛。詩人白居易賦五古云：「帝城春欲暮，喧喧車馬度；共道牡丹時，相隨買花去。家家習爲俗，人人迷不悟。有一田舍翁，偶來買花處；低頭獨長歎，此歎無人諭。一叢深色花，十戶中人賦！」它把牡丹之聲價，流露於字裏行間。

天寶間，唐明皇與楊貴妃，在沉香亭賞牡丹，命李太白寫詩助興，李作「淸平調」三章，第一章首句：「雲想衣裳花想容」，謂見雲而想妃子之衣裳，見花而想妃子之容貌。第二章首句：「一枝穠艷露凝香」，此以花比妃子，而明皇戀其色，猶露之凝花香而不散也。第三章首句：「名花傾國兩相歡」，以名花爲牡丹，傾國即佳人，指妃子也；有名花與佳人合在一處，以盡君王之歡，一字一珠，以描寫貴妃之國色。女爲悅己者容，閱之莫不喜悅，色，而明皇迷於花叢中，更感所賦之得體。於是又命李龜年從而歌之，明皇調玉笛以倚曲，貴妃酌美酒而歌舞，成爲空前絕後皇宮風流之韻事。於是牡丹之名，因此曲而更增聲價十倍，至今猶傳爲佳話。

又傳武則天春日遊園，見百花已放，獨牡丹不開，即貶到洛陽去，後洛陽的牡丹，居全國第一位，故有「洛陽花似錦」，「洛陽牡丹甲天下」之美名。

到宋代，更爲人羣所樂植，家家戶戶，相互比賽，周敦頤「愛蓮說」：「牡丹，花之富貴者也。」末又云：「牡丹之愛，宜乎衆矣。」以此人多愛富貴，故重此花者，爲當時普遍之現象。

歐陽修歌曰：「洛人矜誇立名字，買種不復論家貲。……」

「花王」之名，始於宋朝，時人稱牡丹爲花而不加名字，認爲牡丹即花，花即牡丹，足見對牡丹之重視。又牡丹譜云：「姚黃者千葉黃花，生於洛陽姚氏家」，故有姚黃魏紫之分。其實牡丹之品類繁多，不過黃紫爲當時之名貴者。

古之詩人，多以菊、蓮、梅等花，爲表示人們之高風亮節，如陶淵明愛菊，周敦頤愛蓮，林和靖愛梅；均視富貴如浮雲，當然把牡丹不放在眼下。但是，千載下不過寥寥數人。而宇宙間普遍的人類，極大多數，仍眷眷於功名，逐逐於富貴，汲汲於享受，認爲牡丹爲花中富貴，讚譽多姿爲可愛也。

今當春夏之交，此花含苞待放，而騷人墨客所詠，多在梅蓮菊竹，以牡丹近富貴而過俗，其實人們的心坎裏，何嘗不眷眷於功名富貴？尤其此地重財富，對花中之王的牡丹，爲百分之百的人羣所欣賞。筆者以牡丹對武則天而不開，是不畏權勢爲可貴，反之，不能傲霜雪，衆花一理爲可惜，爰賦七絕兩首，以結吾文。

百卉爭妍獨不開，
一朝謫貶洛陽來；
爲何怕見王侯面？
花莫能言道可猜。

洛陽城上牡丹香，
無奈風吹到大荒；
畢竟發花成一理，
問渠幾日可稱王？

幾個倔強的政治人物

諸葛文俊

法國總統戴高樂，在二次大戰初期，不過是一個上校階級的軍官。法國淪陷後，殘餘的海軍實力集中在北非港口，旋與美國合作，陸軍部隊則由貝當元帥的維琪政府收容之。戴氏逃難到了倫敦，可說是孑然一身，手無寸鐵，僅以「戰鬥法國」運動相號召，且在倫敦組織流亡政府，經費專賴英國邱吉爾內閣接濟。似此沒有領土、主權和人民的「戰鬥法國」，在當時固不爲世人所重視。然戴氏埋頭苦幹，努力於本國的地下工作，團結一般愛國分子，等到盟軍在諾曼第開闢第二戰場時，居然有法國軍隊參預了。

美國羅斯福總統以盟軍領袖地位，對戴氏另眼看待，曾於一九四三年開羅會議後，邀約他到北非的卡薩布蘭加晤談，但戴氏並不受寵若驚，而予以拒却。戰後他一躍成爲復興法蘭西的英雄，聲華藉甚，但他知道養望之道，決不亟亟於爭取最高的政治地位，讓那些林林總總的黨派政客們去胡攪瞎鬧，最後終以全國人一致屬望擁戴的方式，邁步登上國家元首的寶座，將法國的混亂局面收拾住，舊有那般濫政客乃鴉雀無聲了。

他當政以後，美國艾森豪總統對他特示親近之意，始而邀請他訪美，他不去；繼而艾氏先到巴黎枉顧，希望他基於國際禮儀，能赴美國一行，他還是不去。他看透了國際間依然崇尚强權主義，乃悉索敝賦，汲汲於製造原子彈。英美俄各國執政者儘管依然有介事地主張裁減軍備，禁造核子武器，他却充耳不聞，我行我素。俄酋赫魯歇夫隨時藉西柏林問題，興風作浪，對西方國家實行戰爭威脅，而英美當局即嚇得寢饋不安，要求跟俄帝作談判。但戴氏始終主張對俄帝採取强硬政策，他認爲俄帝如其眞有從事戰爭的勇氣與決心，西方縱然將西柏林拱手送給它，戰爭還是不會避免；否則西方表示强硬不屈，俄帝即將退縮的。他這種觀察力與判斷力，不是比英美的政治人物高明得多嗎？

戴氏之崛起當國，原得力於駐屯北非的法軍一致擁護所致，這是世人周知的事實。但他爲着國家未來的生存發展關係設想，毅然決然跟北非民族獨立運動的恐怖分子進行談判，允許阿爾及利亞人民自治，而不管駐在北非的法軍竭力反對，堅持自己的決策到底；且不惜以兵力遏制反叛的法軍，實行討伐。這種公爾忘私的精神，殊堪敬佩。

我覺得戴氏還有一種優點可以稱述，那就是他對國際問題不濫出鋒頭，不愛空疏議論，並不像美國的政治人物，遇事嘵嘵嘩咋，說的過多，做的嫌少，而這種作風實爲擔當大任的政治家所必備的條件，因爲言多必失，以國家元首地位而對外好作長篇大論之言詞，殊不相宜也。環顧法國現時的政治人才，凡屬知名之士，有誰能與戴高樂相伯仲的呢？他賦性倔强，但倔强得可愛，應予大書特書的！（二）

山川風物

廬山五大叢林

道南

江西的廬山，廟宇實在太多了，這裏祇想叙述較大的五大叢林，即海滙、歸宗、棲霞、秀峯、萬杉這五大佛寺。

五老峯下的海滙寺，在太平天國時，由於大兵之後，這古刹已蕩然無存。後來一位叫至善禪師的，立誓重建此寺，四方募化，廣納徒衆，才又把它復興起來。尤令人欽敬的，藏經閣裏那八十一卷血經，是出自一位普超和尚之手，同時也出自他自己身上的血。一直寫了十八年。

金輪峯下的歸宗寺，據說原是王羲之的故居。當年他在潯陽掛冠之後，就在這裏退隱，以娛晚年。嗣後改宅作寺，與金輪峯頂之塔，遙遙相對，益增遊人幽趣。

從三峽澗向北行，東邊有個玉淵潭，西邊便是幽邃山，當中那個大寺，名叫棲霞。此地的環境，不僅松竹遍地，岩石雜陳，且從含鄱口流瀉到三峽澗的水聲，這裏也淸晰可聽。時如萬馬奔騰，時如晴空霹靂，很使人心曠神怡，有飄然逸俗之感。相傳棲霞寺原是唐朝李渤讀書處，後來給一位赤眼禪師看上了，才改爲寺。

至於秀峯寺和萬杉寺也都是薇人懷古的好去處。秀峯寺的讀書岩，據說是南唐李後主少年的遊樂地。台下的七佛偈和平房濠紀念功牌，却是出自黃山谷和王陽明的手筆。

萬杉寺相傳是因爲大超和尚在這裏植了萬株杉而得名，但亦有人否認，說是宋仁宗的手寶，然而這些都可不管，寺門有一副門聯，倒値得一紀的：

「萬木秀南天，庇蔭斯民，並世有人參佛理；
杉林横北麓，樂撐故物，此間無日不禪心。」

內僑警台報字第〇三一號內銷證

自由報

THE FREE NEWS

第二二八期

中華民國僑務委員會領發
台教新字第三二三號登記證
中華郵政台字第一二八二號執照
登記爲第一類新聞紙類
（本週刊每星期三、六出版）
每份港幣壹角
台灣零售價新台幣弍元
社長：雷嘯岑
督印人：黃行雲
社址：香港銅鑼灣高士威道二十號四樓
20. CAUSEWAY RD 3RD FL
HONG KONG
TEL. 771726　電報掛號．7191
承印者：田風印刷廠
地址：香港灣仔高士打道二二一號
台灣分社
台北市西寧南路壹壹叁號二樓
電話：三〇三四六
台郵撥儲金戶九二五二

甘迺廸與我們反攻大陸

謝扶雅

（一）甘迺廸本人了解『一個中國』

自前年國會發表康隆報告，及前衆議員（民主黨外交決策人）鮑爾斯寫出那篇「重行考慮中國問題」的論文，明白主張「兩個中國」的對華政策以來，美國朝野一直醞釀着這種策動，但按照甘迺廸個人的性格及其大有爲的神態，頗與一般現實主義者的見解不同。他漸漸同情中國只有「一個中國」的想法。他的堅強保衛民主自由，主張民族獨立自治，徹底反奴役、反極權，殆本乎天性，斷非畏首畏尾，瞻顧徘徊，冀與共黨妥協之流可比。須知他是十足不扣的愛爾蘭血種；愛爾蘭民族敬天愛人，大多數皈依天主教，而抱理想主義的人生觀，與英國人的素持經驗主義或現實主義大相逕庭。

今世反共最力者莫過於天主教會。甘氏全家皆爲天主教信徒。雖在美國久已政教分離，然各人的人生態度及處世治事，仍不能不深受宗教信仰之潛在影響。去年聯大會場辯論中國代表權問題時，愛爾蘭國代表發言：要求中共必須對大會宣誓決不再採侵略政策，始可考慮准予加入。此論雖甚天眞，但確能代表愛爾蘭民族一貫信實態度及其立國精神。甘氏對中共之不斷瘋狂侵略（對西藏、對印度、對寮越），以及唆使印尼、尼泊爾，並干擾美國的後門古巴，心中早已忍無可忍。同時，他以十分同情了解的態度，公開宣稱：「現居台灣之大陸人均切盼早日回至老家。」他對大陸難民之蜂湧逃出，及港澳粮包之熱狂寄送，無不知之甚詳。他的深惡痛恨東柏林界之「牆」，尤與全國人民心情一致。凡此，俱足推知甘氏深切了解一個極深遠文化背景的民族，決不可能強分之爲「兩個」。

（二）美國何以不表支持反攻？

可是「政見」與「政策」，未必全能合軌。上所述甘迺廸個人的「政見」，係自其性情、抱負、卓識、及言論各方面歸納而得；至於華府今所採行的對華「政策」，仍基於現實客觀情態，暫不可能依照我們中國人的願望而即有變更。雖然中國人包括中共在內，都在絕叫「一個中國」，但正因中共一直強硬主張必須收復台灣，美國始不得不或顯或隱出以「兩個中國」的處置安排。美國何以又不敢援助國府收復大陸呢？其癥結有三：

（1）美國認爲台灣今日政治仍未臻修明之境，尤以貪污之風爲然，所謂「上下交征利，而國危矣。」若以一個腐敗的政權，決不可能推翻另一暴虐的政權；不但不可能外向攻敵制勝，內部即有敗亡之道。因此美國特於上月發表一九四三年一束對華秘密文件，內中備述當年國府軍政兩方面腐敗貪污各情形，預測將被中共擊敗；意在促起國府當局之重加反省。蓋謂必須內政修明，國力充實，然後可言進攻退守；否則自守不暇，遑論反攻？

（2）美國人深習於政黨政治監督制衡之功用，每以自由中國的傳統政治作風爲異，而國府中又無美國今所信任之人——例如胡適，他確能吸引此間朝野之欽佩，而不幸倏歸道山。民青兩黨主腦人均飄然遠引；新黨又不許其產生。海外學人及知名賢達之士足以號召華僑及國際間者，亦因有心報國而無路請纓，對政府當道屢有微詞。國府不能本民主寬容之旨，竭誠羅致，作爲諍友，發揮制衡作用，此亦予美國人以極大極多之疑慮。

（3）美國今倘不能保證一旦台灣揮師西指，中共將呈解體之時，蘇俄是否仍坐視不介入？今日中俄共之間雖然嫌隙加深，但赫魯曉夫絕對不容許如是廣土衆民之龐大資本（中國大陸）轉入自由世界之手，此理甚明。何況中俄共之友好同盟條約並未失效，美國決不願與蘇俄以兵戎相見於中原。而且美俄雙方還都怕上了中國的當。因爲這兩強若眞開火，勢不得不出動核子武器，而中共反可坐收漁人之利，即國府在台灣保存六十萬實力，更可於戰後擁有發言權。如一九四三年秘密文件中，駐華美國官員均曾指稱當時國軍已不努力向日本作戰，專靠盟友代爲犧牲，藉以自保其實力，即其例證。

（三）我們將何以自處？

雖然如此，以實際領導自由世界地位的美國，當無不願盡其力之所及，而對於凡是一個良好而有志氣的友邦政府和一個良善自助的民族，幫助其實現願望的。不過，個人和國家都是一樣，總要先有所以自立，先盡其在我。按照美國的立場與用心，它今日對台灣的軍經援助，其目的僅在「台灣」一隅。國府雖然經手這種援助，却不能隨便移作反攻大陸之用。這一點必須分辨清楚。國府甚至亦不宜專靠台灣省的人民去作反攻主力。我們不要把抗戰時期的四川來看台灣，而毋寧發揮孫中山精神——他在海外亡命，赤手空拳，推翻滿清統治，並沒有藉任何基地。即如國際間今所鬨傳的南越反共軍中，據說有一支我國海南島人阮某所領的游擊隊，殺敵致果，英勇絕倫，最爲越共所畏懼。阮某原只一介平民，昔在海南爲一天主教會神甫，當年流亡至越，今竟成了反擊越共的常勝「岳家軍」。不是嗎？孫中山先生及七十二烈士輩皆非帶兵出身的啊！中國明明訓：「有志竟成」，所以「志士」才是我們反攻的眞正主力。不算台灣省人，在台灣的大陸人二百萬中，豈沒有如阮神甫那樣的志士嗎？歷年自大陸流亡到香港的大陸人也在二百萬以上，不都是如甘迺廸所說的「均願回去老家」嗎？孫中山亦曾以香港爲「反攻大陸」之一據點的。即就辦報而論，如香港自由報的「香港與大陸」一欄，就在美國有很大很遠的影響力，所以我建議最好能把它擴充至一版，多多揭示大陸演變實況，對於新近來自大陸之難胞加以採訪，刊登其所證言，一方面，鼓勵港九居民儘量與大陸戚友通訊，取得聯絡，採取其回信中的生活消息予以披露（當然不載眞姓名及住址）。凡此資料皆大有利於美國援我的條件。美國一般人士自大陸人民公社失敗以後，已共覩中共之注定覆亡，不過時間遲速問題及看我們自己的新興力量如何而已。

（四）順帶着對教育說幾句話。

看了顧季高先生給黃教長的信，也使我發生若干感想。在沼吳復越上「十年教訓」的前例，爲國人所熟知；而我們又素習於教育之宗旨端在樹「人」——有獨立自主的人，不作任何的工具。即使在任何特殊或非常時，亦不應說人格是作國家的工具，更不是作黨的工具。能獨立自主的人，才能爲國家的主人，才能自覺地效忠於祖國。這是各級學校教育以至社會教育的根本前提。至於顧先生所指的邀請外人來講學，不可偏於某一邊的學派，自是瞻前慮後的經驗之談。其實教部屬下即有國立編譯館之設，何不予以擴大及加強。五四新文化運動以來，大呼科學與民主，而實際翻譯西方歷代名著究有幾何？魏晉南北朝即使禍亂相尋，而政府猶主辦大規模之譯事；譯館林立，譯士如雲，使我國學術界平添無限豐富之資源，而流澤亦長且永。彼蕞爾三島之日本，自明治維新以降，於西方各國所有著作，幾無不盡譯出之，固不聞其有「日」西文化之論戰，或所謂「保存國粹」與「全盤西化」之爭。我們直至今日，大敵當前，而猶互爲西化對國粹之啾啾漫罵，是亦可慨也已。我們祗有從人性人權的立場去擊破反人性、反人權，從自由與民主的立場去反抗奴役與專制，這比火猶明的眞理，還用多說嗎？思想學術的方針亦爲反攻復國之一大利器，此或非可收效於一日，但以復國建國之艱鉅，斷不能不付巨大之代價，而有魔術可尋？甘迺廸之弟檢察總長羅伯．甘迺廸，於過西德巡視東柏林界之圍牆時，慨然一說道：「德國終非統一不可，」但沒有魔術可以致此。「眞正的一個中國」，亦作如是觀。

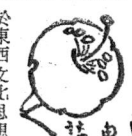

五十一年四月八日於美國新澤西

「大躍進」的總結

他們又說要「談和」了！

自由談

旁觀筆戰的感想

馮子先生

自從胡適之先生在其逝世的前些時，發表了一篇關於東西文化思想與科學文明問題的演詞以後，海內外文壇上即掀起了一場激烈的筆戰，揮筆上陣的都是些文壇健將，其中大多數且係我熟識的朋友。此情此景，可跟四十年前的科學與玄學論戰後先媲美，使學識譾陋如區區者獲益不淺，良堪欣佩。

回憶四十年前的科學與玄學論戰發生時，我正在大學裏讀書，每天從報紙上閱讀雙方的爭論文章，留有深刻印象，至今不忘。一般掛帥出陣的大將如丁文江、吳稚暉、張君勱、張東蓀諸先生，均能保持君子之爭的「義戰」態度，休休有容，既不盛氣凌人，申申而詈，也不自命爲通儒，作教訓別人狀，吳稚老比較突出，曾以「玄學鬼」的名詞贈給對方，亦復無傷大雅，且其突梯滑稽之筆調，足以引起讀者興趣。四十年後的今日，世界進化到了原子時代，我已變成了老翁，而咱們的文化思想依然停滯在「科玄之爭」的階段中，實不勝其失望之至！

胡適之先生那篇講演的中心問題，是要使西方科學文明在東方文化思想上生根，是要大家承認現代科學文明對人類進化的功用，而在文化思想上予以誠實地接受。究竟科學文明對咱們是否有益？中國人應不應該接受現代科學的洗禮？怎樣接受法？這才是值得大家研討的「盛世名業」。然而，綜觀各位健將的崇論閎議，洋洋灑灑，五彩繽紛，且有長達六七萬言的，却無一語道及這項癥結所在之點，徒見其彼亦一是非，此亦一是非，各是其所是，而非其所非，吵鬧了好久，旁觀者還不明白雙方的目標何在，甚至把話題扯到一個外國字義的訓詁上面去，所爲何來呢？

眞理愈辯論而愈明晰，我讚頌學術上的質疑辨難，但不希望陷於纏夾二的論爭，尤其不忍見有鬥嘴罵街式的作風。同是文化人，彼此相惜相親，互尊互諒爲佳，偶在言論上帶點幽默調侃的語意，原無不可，若出以詆譭詬誶，那就未免有損學人的風度吧？

幾增預算·一拖三年　包工購機·黑幕重重
北市兒童戲院　形同兒戲
市議會光火正徹查中

（本報記者台北航訊）台北市政府興建「兒童戲院」，涉有官商勾結嫌疑，戲院工程設計錯誤，一再變更施工，數度追加預算，追加經費超過原列預算，甚至包工倒閉，工程停頓，一拖三年，完工還是遙遙無期。戲院一千二百張座椅，發現偷工減料，取費過高，並且發包即先付八成貨款。購買影機銀幕，更是黑幕重重，商人虛設行號，市府未見貨品即先付出定金二十萬元。市議會專案小組對此猛烈抨擊。

「兒童戲院」是政府由於實行兒童不准進入戲院後，以一般兒童多缺乏娛樂場所，乃計劃蓋設一所「兒童戲院」，供兒童娛樂及社會集會之所。經選定台北市峨眉街原公園預定地上，變更都市計劃蓋設「兒童戲院」，全部建築經費，經市議會通過為二百一十餘萬，於四十八年十二月動工，預計一年完成。乃在建築過程中，發現舞台設計錯誤，牆壁龜裂，偷工減料等現象，遂一再變更設計，由市議會兩度追加預算，現在建築經費總額已達六百零五萬餘元，但因包工倒閉，工程停頓，完工遙遙無期，所謂兒童戲院，現在所能看到的，還只是一堆零亂的建材。

「兒童戲院」購買電影機，更是一場黑幕，十一日市議會專案小組的議員去出售電影機的「友芳行」查看貨物時，始發覺該行早在四十九年就已倒閉，行踪不明，而妙的是市府事務股承辦人員在議員出發查詢前，還在專案小組列席報告採購簽約經過，幾分鐘後西洋鏡就被拆穿了。

「兒童戲院」要購置電影機，剛好台北市新生戲院有一架七成新的要出售，市府不直接向該院接洽，卻由一家「惠中貿易公司」出面與市府商議，後來又改為一家「友芳行」出面，據說：新生戲院只要六十萬元，可是一再轉手，便被加上了三十萬元的交際費用。市議會在通過的預算中，只列有電影機購置費六十萬元，而且指定要日本或美國製的新品。同時這筆預算，在市府五十年度中並未列入，要到五十一年度纔能開支。

市府與「友芳行」洽購的經過，中間有很多的曲折，先是市府只將「友芳行」的洽售情形報到省府，但省府一再指示「應公開選購」，並應「公開徵求報價，將各廠牌及價格分析比較，本經濟合用原則予以選定，並依法辦理招標」。五十年一月，市府辦理招標的時候，有三家商行登記，乃市府臨時指定規格，要RCA牌，一三〇安培，倉卒之間，其他商行措手不及，便被剔除。因此只剩下「友芳行」一家議價，結果以新台幣九二〇、〇〇〇元議妥簽約。只因五十年度預算中，並無購買電影機的經費，乃由市教育局決定，在萬華初中修建費項下先墊付二十萬元定金，將教育經費移作娛樂費用。

市議會對於市府對「兒童戲院」一再拖延工程，已經很不滿意，現在電影機的購置，更是罔顧議會決議，越更光火。於是組織專案小組，要進行徹底查究。

十一日市議會專案小組召集座談會，市府經辦人員到席說明，記者在場旁聽，議員發言激烈，一致指責市府，既然明明知道電影機是新生戲院的，為何不直接洽商而要經過中間人的轉手？其次，預算科目未經議會通過，不得流用，市府何得以建校經費移購電影機？同時，議會通過購電影機預算六十萬元，為何不經議會通過擅自增加？貨品未經驗看，就先付了二十萬元定金，用六十萬元應該買到一架全新日本貨，為什麼還要買這架舊機器？

市議員為了證實市府的報告及查看現貨規格，按市府提供「友芳行」的地址去查看，原來該地並無「友芳行」，該行早於四十九年就已倒閉，現在是行踪不明，證實是虛設行號，勾結圖利，所謂「電影放映機」，更是「空中樓閣」，不知是在雲裏還是霧裏。最令市議員們氣憤的，是該行既已於四十九年就倒閉了，則後面一段議價，簽約，付定金二十萬元等過場，又是怎樣做出來的？定金二十萬元又是何人領去？

因此，專案小組決議，要市府在四月份內追回已付的二十萬元定金，如不能追回，決送請司法究辦；至於市府失職人員，也應究辦。

近年來，台北市府雖然有各種「紅包」事件發生，但像這種公然以虛設的行號，朦混議會，不依法定手續，超越預算付款的駭人聽聞事件，倒還算是首次。（吳越。四、十一）

補習並非全屬惡性　另亦還有善性補習
惡補應取締·善補應鼓勵　不可不分惡補善補全取締

（本報台北航訊）惡性補習一詞，為現代自由中國所獨有；惡性補習一事實，雖不敢說其他國家絕無，卻敢說以現代自由中國為最甚。近年來，政府曾三令五申，嚴予取締，然無顯著成效，惡性補習仍然存在。

惡性補習仍然存在的原因很簡單，做父母的，總希望自己的子女小學畢業能考取初中，初中畢業能考取高中，自然希望子女能有補習的機會。因而政府不准學校補習，學生家長卻吵着鬧着要學校補習，甚至只要學校肯給他們的子女補習，他們繳多少費都高興。學校不能不答應家長的要求，但又不敢公開地違背政府的取締令，於是公開的惡性補習，轉為不公開的惡性補習。因而政府又進一步，想出一種更徹底的辦法——免試升學；但免試升學不能全面實施，即局部實施，亦有頗多無法解決的困難，結果仍然無濟於事。

政府為取締惡性補習，曾傷透了腦筋，想盡了辦法。這種認真辦事的熱忱與精神，的確值得欽佩，但對所辦的事卻缺乏明徹的認識。

首先政府認為補習與惡性是相連的，凡補習必是惡性補習，取締惡性補習就是取締一切補習。這是大錯特錯的。也是取締惡性補習而不得成功的關鍵所在。實在，補習與惡性並無必然的關係，有惡性補習，有非惡性補習，並非一切補習都是惡性補習。要取締只應取締惡性補習，而不應將一切補習都視為惡性補習而取締之。

所謂惡性補習，就是具有惡性的補習。所謂惡性，一是強迫性，二是敲詐性，三是虐待性。許多學校，凡學生至某一年級，便須一律參加補習，不參加者，則給予諷刺，或歧視等精神威脅，或對其學業功課不予照顧，使其大感不安，有些受不了的，便只有勉強參加。這便是強迫性。凡參加補習者，均須繳高額的補習費，由校長，主任及任課教師按比例分享，而由那個教師任課，則由校長依個人的喜惡而決定。凡擔任補習課而分享補習費的教師，照例須向校長送禮討好，否則便將失去擔任補習課的機會。這便是敲詐性。每天補習的時間太長，且所謂補習，並非真正教給學生些什麼，只是由一個教師監管，將學生關在教室裏悶坐而已，如此學生身心發展自要受到摧損。這便是虐待性。

如果學校興辦補習而能免除上述諸惡性，便是正常的補習，因如此可使學生未學好的功課得以學好，學業得以進步，亦可說是善性的補習。

惡性補習政府自然應該取締，至於善性補習，不但不應取締，而且應該鼓勵指導。如果政府為了取締惡性補習連善性補習也一併取締，不但惡性補習取締不了，而且會逼得善性補習也變成惡性補習。至於免試升學，也不是辦法。現在學生程度已經夠低了，如果連升學考試都免除了，還有幾個學生肯用功讀書呢？再說升初中免試，那麼升高中升大學是否也都免試？若是升高中升大學不免試，還是要有補習。就是升高中升大學也免試，但在學校裏還要有考試；只要有考試，就會有補習。假若為了取締惡性補習而把一切考試都免除了，那後果將是不堪設想的。（孫德德）

是西方人士醒覺的時候了

（上接第三版）中國大陸連續發生幾年的嚴重饑荒，自由世界本於人道精神，不斷透過紅十字會，向中共表示願意救濟之意，但中共重視自己的「面子」過於顧念人民的饑餓，一一斷然拒絕了！慈善事業做到這種程度，總算已盡了心。但去年英國就有一羣知名的作家，學者，傳教士在曼徹斯特「衛報」發表一項聯合聲明，主張西方不但要立即提供大規模援助，而且這項救濟工作，還應該從大量削減國防費用，特別是不增加危險性的核子武器的費用來支付。這羣作家，學者聲明他不是共產黨徒，也不是共黨同路人，但他們卻如此表錯情，把中共當作一個與民休戚的政權來看待。他們說：「西方現在已經得到了幫助它長期以來虧負良多的一個偉大民族的機會，而同時也得到了開始創造與自我毀滅截然不同的一個世界性機會，這可能是我們最後的機會了。」

這段話對於廣大忍饑挨餓的中國大陸人民來說，算是正確的，特別是英國，它不但過去虧負良多，現在它仍然把大批的戰略物資，供給中共來制壓中國人民！他們利之所趨，根本就不問是非，不辨敵我。卸下自己的武裝，裝備敵人，然後再假想它會製造原子彈，中國六億人民會跟着毛澤東的獨夫路線向世界闖禍，而發為「黃禍」奇談，相驚伯有。這些國家，除了英國之外，加拿大，澳洲，法國等等這些常常被中共毒罵為腐朽的資本主義國家，把大批糧食資敵，都可以說是優為之。美國最近有一批商人，自然更不甘落後，他們正打算要求政府准許輸出糧食前往大陸，去餵養中共那幾百萬大軍和特務爪牙，好讓中共的反美反得更起勁呢！

現在真正到了西方人士「幫助它長期以來虧負良多的一個偉大民族的機會」了！中共之有今天，「黃禍」之有今日，大半是由於西方自己錯誤的思想，錯誤的行為所造成的。如果西方人士能夠從此覺悟，不再作繭自縛，濫用聰明，則猶為未晚也！（四月十日）

危機嚴重·生怕走漏
中共人代與政協　海隅嘍囉被摒除

（本報訊）毛共的偽「人民代表」與「全國政協」兩個會議，已相繼閉幕了。過去每逢這幕醜劇演出時，繪影繪聲，大力宣傳，這次乃若上演無聲電影片，會議情形幷無片言宣洩，而且不特禁止新聞記者入場採訪消息，即若干「人民代表」和「政協委員」亦被摒除不得預聞其事。例如僑居香港的偽「政協委員」費某，王某，高某等人，只有費某被許出席會議，王某馳往北平參加第一日的開幕儀式後，即被勸的「乞假」溜返海隅了。高某過去曾以吃過「毛夾鷄腿」——他初次到北平投靠時，毛澤東於宴席中給他夾過一塊鷄腿——引為三代光榮，對人自詡為毛朝的寵信「僑領」。可是，這次關係重大的會議卻不讓他參加，實在失望之至。至於吳某，原是毛共派來海隅從事影片業務的幹部人物，他之被拒出席，必為內部的派系傾軋關係所致，因為內地有一羣共黨份子的「人民代表」，這次亦未參加也。

觀此情況，即知毛共政權的內部危機擴大，困難更多，要在這次大會中博得起死回生的方法，凡屬「人代」與「政協」份子，稍有疑問，均禁止出席，以昭鄭重，尤其是住在海外的嘍囉，怕他們不能保密，有意無意的洩漏了會議內容，給敵人偵知真象，太危險了。大會閉幕後，才把周酋恩來所作的官樣文章——政治報告——正式發表，滿紙宣傳濫調，自欺欺人，說甚末「三面紅旗政策正確」，更將令人聞之即作嘔的所謂「百花齊放」口號，重行提出來吆喝，企圖掩飾其百孔千瘡的垂危命運。然亦顯露着一條臊臭的狐狸尾巴，即所謂正確的總路線，已由原有大吹大擂的工業重點，倒退到農業經濟中心的「社會主義」建設途徑了！它要把城市的居民趕回鄉村去增產糧食和日用品，卻不顧六七年前即自稱為「一年等於廿年」的工業建設成績那類胡說八道的瞎話，世人幷未忘却呢！（果）

黃坤洸殘而不廢　得博士難能可貴

（本報記者台北航訊）黃坤洸獲得日本東京大學核子物理學博士學位，不但黃的父母引為無上安慰，並亦的確轟動台灣學術界，認為三歲時便因小兒麻痺症成了殘廢的黃坤洸，卒以意志堅強，努力向學，雖殘而不廢，卒竟能獲得今天的成就，大大的難能而可貴。

由於黃坤洸的成就，亦給全世界一項有重大意義的啓示：做父母的以及整個社會，絕不可因為一個人身體某一部份有了缺憾，便放棄培育他及鼓勵他做其力所能及的努力的機會。同時，所有不幸而殘廢的人，由於黃坤洸的成就，亦應該興起見賢思齊的作用，全力做你所能做的，你同樣的可以出人頭地，並對社會對國家對人類做出大貢獻來。（乾）

是西方人士醒覺的時候了

唐昭祺

目前論西方外交，自以美英兩國爲權威重鎮。德法兩國，雖同樣重要，但後者的活動，多對其本國或歐洲方面具有影響力，至於對亞洲，則美英之外交動向，顯然掌握了更大的關鍵性。

英國首先承認中共僞政權，這是英國人算盤主義所撥的第一顆算子。可惜這顆算子撥動了以後，算來算去，不是加法，更不是乘法，而是不斷累進的遞減法，把大英帝國東方的利益一天一天的減少。美國人的算盤主義並不比英國落後，她雖然沒有步英國的後塵，卻發表對華白皮書，要靜待「塵埃落定」，再打一次如意的算盤。韓戰爆發以後，杜魯門總統出兵援韓，並以第七艦隊協防台灣，是因爲恐怕台灣不保，將危及以日本爲基地的運輸補給，但對於當時國軍的請求參加韓戰，和乘機反攻大陸的願望，則加以限制。艾森豪總統就職以後，宣佈有名的「解放政策」，並且還像煞有介事的聲稱解除國軍反攻行動的束縛，說是第七艦隊不是用來保衛中共僞政權安全的。但艾森豪這個聲明，當時卻是爲了達成韓戰停火，對中共所作的威嚇戰略而發的，等到韓戰停火告成，一九五四年的中美共同防禦條約成立，則這項聲明就完全走了樣。因爲根據這項條約的第六條，以及爲實施此項條約的換文中所規定，把中華民國的「領土」縮小爲台灣與澎湖，並訂明「鑒於兩締約國在該條約下所負之義務，及任一締約國自任一區域使用武力，茲同意使用此項武力時，將爲共同協議之事項……」。美國於此，等如把台灣與澎湖作爲基地，並以中華民國的精練三軍，保衛西太平洋的安全。這個算盤的打法，雖然是「共同防衛」，但最划算的仍然是美國，因爲美國在台灣用很少的錢，就可以牽制和抵禦據說有三百多萬正規部隊，和幾千萬民兵的中共，使得赤色的共產勢力無法在西太平洋越雷池一步。

・共產國家痛罵資本主義國家，而算盤主義就是孕育在資本主義之中的。資本主義最熟習的公式，就是投資和利潤。最近美國主管遠東事務助理國務卿哈里曼在衆院外交委員會作證時，曾有一段話，最足以說明這一實情。他說：「我們的政策是基於承認中華民國政府爲合法的中央政府，我們的援助對阻止中共進一步的侵略是一種重要的阻遏力，如果我們撤銷援助，勢將引起政治與經濟危機，因而鼓勵中共的攫取野心，危害美國在西太平洋的政治地位與安全……對中華民國三軍的援助，就美國本身安全言之，實爲良好的投資」（台北新生報美聯社三日電）這段話對中華民國來說，當然慶幸能夠得到自助人助，但假如中華民國迄未能產生遏阻共黨擴張的美國「基地」作用，那麼，哈里曼就會像對寮國歐姆政府那樣的警告：「我們沒有必要支持一個不遵從美國政策的國家」。這裏面誠不知國際間的道義何價？

更奇怪的是，儘管西方國家（美國當然不會後人），一方面承認中共是對自由世界比蘇俄更爲兇悍的敵人；另一方面卻又不斷尋求對這一兇悍的敵人予以姑息安撫。他們除了宣揚「不應忽視中國大陸有六億人口存在」的事實，以作爲他們的「政策」理論根據之外，還製造許多「專家」的預言，斷定中共可能在某一定期間內試爆原子彈，替自己一廂情願的姑息念頭，先建立一個「恐怖的平衡」。於是乎「黃禍」的奇談出現了！聯俄制（中）共的妙論也出現了！他們說：拿破崙蹂躪歐洲的時候，法國人口祇有三千五百多萬，現在大陸的人口增殖率一年就是三千五百萬，等於每年增加一個拿破崙的恐怖。他們又說，饑餓而繁殖迅速的中國人口，將來必然要向北方蘇俄方面發展求生，而構成對蘇俄的嚴重威脅，要抵抗這種「黃禍」，西方應與蘇俄謀求合作。到了最近，由於中共和蘇俄不同路線的分歧爭執，這派人士更振振有詞了！而且，美國哥倫比亞大學共黨事務研究院主任布拉西辛斯基教授，在三月份的一期「新共和雜誌」內，就提出與此相類的主張。他認爲一、西方應和蘇俄領袖親善。二、美國應繼續和中共絕交，讓中共敵視美國，使蘇俄和中共的關係更加緊張，反之，如果美國從事與中共建立接觸的努力，蘇俄即將與美國進行鬥爭，以博取中共歡心，而使蘇俄更加好戰。三、美國應承認外蒙。外蒙是由蘇俄建立，而使中共受直接犧牲的，美國以承認外蒙作爲一種市好蘇俄的方式，就一定會使中俄共的關係更加惡化。（見香港工商日報三月廿八日國際剪影版）這種主張，眞不知怎樣想出來的？難道蘇俄現在還不夠好戰？蘇俄的不斷反美，難道又是美國與中共在日內瓦在華沙接觸了幾年所引致的？這位教授如果堅信他的主張正確的話，他應該更進一步，建議美國政府支持國軍反攻大陸，到時蘇俄也許會出助一臂之力呢！若是他計不及此，這與姑息中共的論調又有什麼不同呢？不過他說得比較技巧一點而已！

（下文轉第二版）

香港與大陸

聞道國軍將反攻　大陸同胞展眉笑

因此謠言亦多得很，一個最特別的謠言竟說政府將派朱德做反共軍前敵總指揮。

剛從湖南逃出來的某君說：在大陸，月來盛傳國軍即將反攻，人民口耳相傳，大家談的都是這個問題。而因爲傳說國軍將反攻大陸，有關的謠言亦就多得很，其中最特別的一項謠言，居然說在國軍開始反攻之時，中華民國政府將派朱德做反共軍前敵總指揮。

某君說：政府將派朱德做前敵總指揮的謠言，雖然即使在大陸亦有許多人認爲十分荒唐可笑，但他說這項謠言確實聳人聽聞，傳得很厲害，繪影繪聲，煞有介事。某君說：就因爲大陸盛傳國軍將反攻，一般人的精神，亦爲之一振，每談到這事，大家都顯得高興得多了。他說：中共統治大陸十二年了，人民生活一年比一年苦，一天比一天苦，特別是最近三四年，苦到做夢亦想不到的地步，大家都是滿肚皮的氣，人人愁眉苦臉，無精打采，簡直沒有什麼事是能夠使得大家高興的。現在有了國軍將反攻的傳說，大家算是高興一下了。大家都覺得前途有些希望了。

據某君說：大概爲了國軍將反攻的傳說很盛，平時作威作福的共幹們，近月來對老百姓亦顯得和氣一些了。共幹們對在海外在台灣有親友的人，尤其顯得和氣，大拉交情，表示很夠朋友的樣子。

某君又說：大陸近年來，搶刦偷盜案件很多，比如在長沙，每天就不知道發生若干次搶刦偷盜案，共報即使一字不刊登，人民卻還是從彼此的見聞接觸中知道這些事。搶刦偷盜的對象，以食物衣著爲多，尤其食物最多。某君這次在離開長沙的前一天，就親眼看見一宗強搶食物的事。某君說：當他那天經過長沙北門時，看見有一個人在他的前面走，那人手裏拿了一包用荷葉包起的東西，但走不多遠，突然從一條小巷內走出一個人，把那包東西一把搶走，拔足飛奔，被搶的人立刻追趕，搶東西的人則邊跑邊拆開荷葉包，把裏面的東西送進口裏。原來那是幾個包子；待被搶的人追到之時，幾個包子都已給吃進肚裏去了，被搶的人只苦笑一下，搖搖頭了事。在街上看到這事情的人，同樣亦祇是搖搖頭了事。某君當時就是曾經爲此搖搖頭的人之一。（安）

向核彈抗戰

陳知青

五、核彈戰爭的防禦　(三)攔截飛彈

飛彈大概可分爲三類：（一）短程飛彈，（二）中程飛彈，（三）遠程飛彈，也稱洲際飛彈。

我們這裏要說的核彈攻擊武器，以洲際飛彈爲主。因爲一般舊式原子核彈用X15飛機投射的方法，已被洲際飛彈的方法所取代。

美國的洲際飛彈，在海陸空三方面齊頭並進的發展：北極星飛彈，由潛水艇發射；擎天神飛彈，太陽神飛彈，由陸地發展；更有紅石飛彈，智神飛彈等，由空軍發展。以上這些有名的洲際飛彈，已經公開，此外秘密進行研究的飛彈，還多得很。

關於攔截飛彈，美國業已試驗成功的是「尼克・赫伯利斯反飛彈──飛彈」。是聯合勝利女神飛彈，響尾蛇飛彈的結構，依照「紅外線」追縱熱能的原理和洲際的導向飛彈裝置，聯合行動；將反飛彈發射到大氣層以外的太空中去，用紅外線的裝置，追縱敵人的洲際飛彈，把它在距離目標區極遠的太空中攔截住而爆炸了；這樣，可使洲際飛彈直接命中的災禍避去。雖然，在外太空爆炸核彈，也會有放射塵降落到大氣層中來，染污了我們的空氣，但是，這種攔截洲際飛彈的反飛彈，不失爲「防禦核戰突襲」的方法之一。

至於有效的使用反飛彈飛彈，對於探偵敵人洲際飛彈的發射，極爲重要。否則，敵人還未進攻，反飛彈發出去是浪費；如來不及反擊，便受其禍。雖然，美國已演習過數次，現在加緊研究自動的發射系統，它能連繫到偵伺洲際飛彈的發射而自動反擊，這是很重要的。（十四）

瘟君續夢

第四回：　掩面向黃泉，貳臣遺恨　低頭拜白虎，末帝驚魂

沈鈞儒連忙站起來說道：「報告主席，我雖然當過四年多最高法院院長，可是從未判過一件案子，犯人是些什麼人我根本不知道，不便插嘴。」

毛澤東又點點頭，指着黃炎培問道：「任老，你認識那些勞改份子，可以提出來儘早赦免。」

老油條聽到毛「主席」問到他，咭碌碌從椅子上爬起來說道：「主席睿鑒，炎培接觸的都是工商業人士，這批人犯了罪的大部份都跳了樓，小部份也都服毒，被判勞改的絕無僅有，所以實在想不出來有誰。」

毛澤東笑道：「任老，你不要又向我賣油條，從北洋政府到國民黨政府，軍政大員那一個你不認識，你還是說說你的意見吧！」

老油條看看實在賴不掉了，陪笑說道：「今天座談會一開始，主席就說是各黨派提出意見聯名向政府建議，我想各黨派只能提出原則，至於赦免那些人應該由政府決定才是。」

毛澤東被他說的哈哈笑了，當時向在傍邊的劉少奇，周恩來笑道：「老油條眞有兩手，照顧得實在周到。」

劉、周兩人，只好陪着乾笑一陣。

座談會開過之後，李維漢擬了一個建議，送給毛澤東過目，毛澤東又提筆改了一部份，然後由毛澤東及各附庸黨派首領聯名向人代會常委會提出，常委會自然通過如儀，再送交劉少奇，然後通令「特赦」，就算功德圓滿。

這次特赦的共計三十三人，屬於國軍將領的三十人，另外三人是僞滿洲國皇帝溥儀，滿洲國第一軍管區中將司令官郭文林。僞蒙疆自治政府錫努盟至軍副司令雄努敦都布。

消息傳出，一批不明就裏的人聽說被「特赦」了，不免歡忻鼓舞，尤其王耀武在勞改營內一連跑了三個圈子，一邊跑一邊高呼「毛澤東萬歲」，高興得要瘋了一樣。杜聿明卻一言不發，夾着紙烟只是在沉思，其他的人也都喜憂疑半，不知共產黨又要什麼把戲。其中最感到不安的要算溥儀。

溥儀自從一九五零年底蘇聯把他移交給中共，就被送往撫順特改營，所有僞滿時代的官吏大部份都住在這裏，每人每天要作苦工十多小時，年齡大的人因受不了折磨，多數死去，只有溥儀和溥傑特別受優待，所以還一直活着。

中共優待溥儀，原因有多端，首先是蘇聯把溥儀交給中共就十分勉强，據說韓戰初起時，中共軍奉令入韓參戰，史達林曾經考慮到，中共軍一旦敗潰下來，聯合國軍乘勝直追，國軍勢必在東南沿海大舉反攻，毛澤東自然招架不了鉗形攻勢，很可能又退回延安。到時爲了不使東北落入中國政府及聯合國之手，史達林將擁溥儀返建滿洲國，當時毛澤東對此也同意了。以後由於艾德里的帮忙，聯軍未能進攻，韓戰終於停火。毛澤東恐怕蘇聯有一天會又來[illegible]滿洲國，所以再三向蘇聯要求交還溥儀及滿洲國官員。蘇聯一方面拗不過中共的面子，另一方面在東北找到高崗作溥儀替身，也就同意把溥儀作個人情，把溥儀一批人移交給中共，但要中共保證不得虐待滿洲國皇帝，中共自然不敢違抗，所以溥儀雖坐苦工監，並未作苦工，自己還有一個單房，閑來還可以和溥傑下盤棋。（九三）

窄門

熊徽宇

「如今，我承認我的思想只有一個自己，但在這個尊重個人的時代裏似乎並不是罪惡。而那些英雄豪傑偉人們，又何嘗不是以個人爲起點呢？只是我卑微的思想像被拴着繩的鼻子，這人世有太多的繩子牽着人走！

「我慚愧到如今才懂得只有不停的死亡與新生是宇宙永恒的生命，而人類捉摸的永恒永遠是古老的神話，永像那樣流逝！

「你說：『我們是被放進戰爭的洪爐裏一再提煉過的，體驗過人世最大的歡樂與悲哀，情感上不該再有垃圾；我們是在戰火裏長大的，該在戰火裏新生。』但是握在我手上的種籽，是一顆空癟的稻殼，我不能發芽。我經受不起太長久的溶冶，不能成爲火燄裏的鳳凰！

「我覺得詩和美的感情並不能遮掩這醜惡的人間，也裝點不了自己，我常感到我渾身長滿了虱子，渾身血腥腐敗；生命沒有顏色，靈魂怯懦而骯髒，於是，我發現這世界上到處都是巫婆，郎中和假聖人！

「因是勝利的女神和流亡的蝴蝶也都不過是平庸的象徵，平庸的感情。

「我不想用盾牌來遮掩自己，但也不是像你所說的那樣，對將來抱着一種空泛的觀念。也不是斤斤於個人將來的希望與打算，只是感情的火燄焚燒着精神憂患的木柴，常使我想到邏輯上那匹灰色的馬！

「想到這，我就有一種超乎邏輯的恬靜，心志就得到了靜止，那樣印證着生命。

「我知道，人類在憂患中有過很多嚇嚇的成就，打敗過很多野蠻和暴政，有過很多不朽的創作，但是我想他們當時的社會文化似乎不是我們這樣。好像比現在多點尊重，多點敬愛。

「我有過也失去過熱烘烘的生活，希望過受苦，希望過享樂，希望過粉身碎骨；希望在火網裏死！但是星星接着星星，年華接着年華，所希望的旅途，一直不能動步，於是，我怕聽到台灣海峽的對面是大陸，怕想起家在海的那邊！

（八）

唐太宗（十六）

李仲侯

魏徵在高祖時，原官太子建成洗馬，見太宗與建成陰相傾奪，勸建成早爲之所。及太宗即位，不但不記前隙，反而拜徵爲諫議大夫，史載：「太宗新即位，勵精政道，數引徵入臥內，訪以得失，徵雅有經國之才，性又伉直，無所屈撓，太宗與之言，未嘗不欣然納受，太宗嘗謂之曰：卿所陳前後二百餘事，非卿至誠奉國，何能若是」！貞觀十二年詔宴公卿，謂侍臣曰：「貞觀以前從我平定天下，周旋艱險，玄齡之功無所與讓；貞觀之後，盡忠於我，獻納忠讜，安國利民，犯顏正諫，匡朕之違者，唯魏徵而已。古之名臣，何以加也」！魏徵死，太宗親臨慟哭，親爲製墓碑，親自書於石，他並慨歎的說：「以銅爲鏡，可以正衣冠。以古爲鏡，可以知興替。以人爲鏡，可以明得失。朕嘗保此三鏡，以防己過。今魏徵殂逝，遂亡一鏡矣」！太宗於臣下的諫奏，不但不因其有不合意的地方而加責備，而且大都加以口頭上或實物上的獎勵。因爲太宗的廣開言路，獎勵諫諍，造成了一時的風氣，當時的諫臣，除以魏徵、王珪爲最著外，薛收以獵諫，孫伏迦諫元師律罪不當死，溫彥博諫長安令楊纂失察罪不當死，虞世南諫田獵，諫山陵之制不宜過厚，諫宮體詩不宜作，恐天下從風而靡，諫勿以高功自居，勿以太平自怠，馬周諫大安宮宜崇奉，宗廟宜親侍，樂工王長通等不宜賜官，姚思廉諫幸九成宮，高季輔指陳時政得失，戴胄及張玄素諫修洛陽宮，褚遂良諫魏王泰太過，諫告成東岳，諫不宜對羣臣窮詰張玄素之出身，張行成諫天子當以四海爲家，不宜以東西爲限，李乾祐奏劉仁軌私役門夫罪不當死，柳範諫權萬紀不能救太子承乾以正不當誅，劉洎諫帝不宜與羣臣論難，諫對上書人不宜面加窮詰，阻進言之路，一時諫諍之風盛行，實數之不可勝數。

營地小趣

汶津

在山上的營區中，你不寂寞嗎？朋友來信這樣問我。我說：不。這裏有悅人的大自然，更有微妙而高貴的人性──如同未雕的璞玉。

還有許多其他的點綴：一隻小黑貓不時闖進我的「私閨」來，有時撲向床上的軍氈──她會以爲是一片草坪吧？有時則在我的椅子下廝磨我的雙足。等我假意的呵斥她，她便幽幽地溜了出去。吃飯的時候，她也會成爲不速之客，咪咪的叫幾聲，大有「打秋豐」的意態，如果你給她一片帶肉的魚刺，她還要遲疑一下，才把它含起。有時則舐了兩下，便半途而廢了。也許她本是吃飽了的，只是跑來逗逗我們這些以施主自居的人吧。

一隻會要把勢的花狗，也是引人注目的。牠壯而矯捷，只可惜沒有見過牠跳火圈的雄姿。但使我眞正欣賞牠的卻是由於牠那不同凡響的風度。牠絕不像一些似悍實懦的惡犬一樣，見着什麼人就胡吼一頓。營地裏的這隻狗可才是眞正的好漢，碰上了只是友善而大方的頷頷首，除非你有意去惹惱牠。

亂唱亂叫的八哥雖然不是天才的演唱家，也不會得到大指揮家約翰生的青睞，但把牠看作無傷大雅的頑童也不錯。牠似乎沒有自己的歌，也還沒有熱中於說人話，卻學會了「早晨的公園」開播時的清脆鳴聲，在日正當中的時候，牠也許會靈感驟發，暢暢快快的吱喳一遍，保你錯不了幾個音符的。

說起頑童，可眞有着一位。他不是這裏的客人，而儼然是一位小小東道主。胖胖圓圓的臉，使人想起童年玩過的大皮球。他也像四、五歲那麼大的一般孩子一樣，經常自得其樂地望着什麼出神，甚至大聲叫他也叫不應。除非去拍他的肩，摟他，把他挺舉起來，他才會笑出聲來，或向你以平等的身份打交道。有一次他被長輩教訓了，哭腫了眼。我輕聲地問他是不是挨打了，他很有氣性地轉過身去，不理會我。我算是碰了一個小小的釘子。

有一天下午，陽光暖和而鮮麗，他的神情也特別活潑。他心血來潮地站在營門口的樹蔭下，向所有過往的「阿兵哥」敬禮。一時大家都來看這位煞有介事的小衛兵。他卻依然面不改色，反而對一兩位沒有回禮（也許根本沒有看到這位侏儒的英雄吧）的同志提出抗議。接着有兩人扛着一大桶水走過，他情急智生，左右開弓，來了個「雙式」的最敬禮，弄得大家異口而同的哈哈大笑。有人問他：「如果有三個人一起來怎樣辦！」他搔搔頭想了一下，終於不理會了。這時，他依然以最標準的姿勢，稍息一番。

你也許會覺得難以置信：現在的猪圈還是猶當年標準的生產者，他們在採購之工之餘，還付出很多的精力來從事這些副生計。當然，在旅遊者是最可厭的猪仔的營中，我也參觀了。在此以前，我實在是不了解猪的。只是從梁實秋先生的小品文中提到猪的種種，當時只覺有趣。那細身脂「猪境」之後，觀念全非了。

清晨，我到這位官便帶我去參觀營區的「財產」。走到猪後的一排猪窩，他神色自若的叙述着猪仔們的歷史和生平，以及牠們所受的待遇和未來的命運，我雖被一股沖天惡臭所困，卻爲了表示入境隨俗，連鼻子都不敢捏一下，動作都自制住了。急忙完成禮節，退出猪舍之後，平時可以過境，所以平一日又安步越過「祖界」時，忽聞一陣嘶賊之聲，乍聞之下，的手腳，發顫起來。「我可以說，一生之中，從來沒有看到那麼醜，那麼使人惡心的東西。但在回營的時候，我敢作證的對勞人說：「今天我總算看到猪君子的表演了」。

海嶠譚薈

幾個倔強的政治人物

諸葛文侯

南韓總統李承晚與戰前迭任「朝鮮流亡政府」主席金九，都是畢生爲祖國獨立自由而艱苦奮鬥的革命志士，李氏經常亡命在美國，金氏則久居中國，實際領導復國運動，若論對於祖國復興的勞績，金氏實在李氏之上。然李氏仗着戰後美軍佔領南韓的機會，由美方歡迎他回國來，得以捷足先登上開國總統的大位，殆所謂時勢造英雄也。

我們若以法國總統戴高樂的倔強性格爲可愛，那末，兩相比較之下，李承晚的倔強而又剛愎之個性，就顯得可驚了！他久居新大陸，浸潤於美式生活的民主社會中，又由美軍支持他當政。可是，他在內政外交上的一切行爲，竟沒有絲毫的民主氣習，佔據着統治地位，戀棧而不舍，隨自己的方便以修改憲法，國會議員如有異議，立即加以逮捕，滿不在乎。他那位奧國籍的夫人曾替他解釋，說是「總統年紀大了，做一屆就算一屆，不像青年人去位後還有再起執政的機會。」表示李氏必要幹到臨死方休的堅強意志，這不是可驚的事體嗎？他在第三次大選時，民主黨競選人張勉想要租一個會場所作爲競選演說之處，亦不可能。民衆投票時，除卻京城以外的地區，每個選民就有一個兩個警察監視着。這比印尼總統蘇卡諾在中俄共方面學來的所謂「指導的民主」，更不成話呢！

李承晚總統的外交政策，對日本深惡痛絕，完全採取報復主義，無可理喻。某年，駐在東京的盟軍統帥麥克阿瑟，爲調和日韓關係，以利東亞反共前途，特邀約李氏赴東京作上賓，由麥帥設宴款待，並請日本首相吉田茂作陪，希望他們兩位有機會從事私人談話，促進交誼，詎李見着吉田，始終不屑與之交談，連寒暄話也沒有，形同仇敵，場面尷尬。吉田茂原來亦係倔強成性之人，但爲仰體麥帥的意旨，祇好低聲下氣，先向李氏作聊天式的閒話，他說：「我當年在貴國作總領事的時候，貴國各山澤中老虎很多，不知現在的情形如何？」李氏卻憤然答道：「咱們韓國的人民和禽獸，早被你日本人屠殺淨盡了，那裏還有老虎生存呢？」他倆是用英語對話的，麥帥在座聽到，爲之苦笑，而吉田更感覺難堪，然又不便認眞鬥嘴，致煞風景，終於不歡而散，使麥帥的一片苦心，付諸流水。李氏一生吃過了日本帝國主義者的苦頭不少，他痛恨日本人，亦屬常情。但他對於日本以外的亞洲反共友邦，亦依然表現着自高自大的意識形態，從不爲韓國的前途利害設想，在外交上有所周旋結合，只是隨時大呼「揮軍北進」的口號而已。

看看李氏當國十餘年來的政治行爲，一股剛愎之氣，不可嚮邇，這豈是謀國之道？因此，他的下塲，亦視併世的著名政治人物特別淒慘，可驚亦復可憐也矣！

（完）

南山和大鐘

道南

山川風物

南山在廣西貴縣，離城十里的南江岸上。遠望南山，只見羣峯聳峙，前面是石林，虎踞龍蟠，後面是土石山，樹木葱蘢，蜿蜒如青羅帶，好一片山色水光，彷彿把遊人引進了「碧蓮玉盧」的世界。

迎面第一座石峯，鷄頭鶴頂，是南山的天然屏障。當地人叫它「鷄仔山」。這鷄仔山有一個妙處，就是會應話，如果你大聲叫喊，它會以千百倍回聲答應着。這時候，四週圍的回聲，山鳴谷應，久久不絕，人被聲浪包圍了。

到了南山麓，更是花團錦簇，遍山密密叢叢，都是梧桐青籐，蒼松翠竹，還有那許多果樹和奇花異卉，把偌大的一座南山，點綴成了花果山。山上還有三個巨大的半山洞穴，可以容納數百人，洞中有迂迴曲折的石廊，旁綠的半山湖和流水淙淙的清泉，還有若干千態萬狀的石鐘乳，有如千花萬壽的石筍石柱。

在半山洞穴上，有座景祐寺，現在都稱它爲南山寺。有寺門三道，僧樓兩層，宋元以來所刻的石佛、石像、石獅、石翁和碑石，把這個洞天福地裝點得更加美麗。

山頂有一個空曠的石室，稱爲宜仙洞。寺裏有一口二千多斤重的大鐘，人們叫它「飛來鐘」，說是一朵五彩祥雲把它送來的，其實這口鐘是宋朝天啓年間就地造的。

內僑警台報字第〇三一號內銷證

自由報

THE FREE NEWS

第二二九期

中華民國僑務委員會登記證
每份港幣壹角
台灣零售價台幣貳元
社長：雷嘯岑
督印人：黃行富
20. CAUSEWAY RD 3RD FL HONG KONG
TEL. 771726　電報掛號·7191
承印者：田風印刷廠
地址：香港灣仔高士打道二二一號
台灣分社
台北市西寧南路壹壹本號二樓
電話：三〇三四六
台郵撥儲金戶九二五二

從美國遠東戰略態勢看中國反攻大陸（上）

郭甄泰

晚近中國反攻大陸之聲浪，甚囂塵上，大有箭在弦上，風雨欲來之勢，窺其原因，約有三項：

一、大陸上天災人禍，民不聊生，六億人民中有五億食不飽，穿無衣，水深火熱，引領待救。偽政權唯一支柱的陸軍，亦糧食配給削減，營養不足，開始挨餓，有日呈動搖消息。『北平政權除非有一個在一九六二年大豐收的黃金機會，否則無論什麼事情，都可以在中國大陸發生』。足徵中共政權險象環生，衆叛親離。國軍一旦登陸，人民必然望風響應，草木皆兵，中共崩潰，指日可待。

二、中共之唯一靠山為蘇俄，現在因中共整肅蘇俄在中共陸軍中所培植之親俄分子及對外政策上一唱和平共存的顛覆政策，一主強硬侵略赤化世界之政策衝突，已呈分裂攜貳狀態。中共冰山既倒，無人撐腰，正好乘此時機，予以摧毀，藉收事半功倍之效。

三、台灣彈丸小島，面積僅有三萬五千七百五十平方公里，而山地又佔三分之二，耕地僅有八十餘萬公頃，加以礦產不豐，工業尚未十分發達，人口，容納一千一百萬人口，終非長久之計，如不乘機反攻大陸，等於坐以待亡，慢性自殺。十二年來，今歲不戰，明年不征，人心苦悶，已達極點。人心一有反攻呼聲，實如空谷足音，暮鼓晨鐘，聞鷄起舞，蓋有然也。

顧反攻聲浪雖高，但反攻主賴軍事，而遠東各國軍事與其他自由世界各國相同，均為美國所支持，復以美國軍力為軸心，任何國家之戰略及軍事行動均須配合美國，一惟美國之馬首是瞻。否則殆無成功之望。因此我國在反攻大陸前，對於遠東各國兵力之分佈，美國兵力之佈署，以及美國對遠東之戰略與政策，均有明瞭之必要。茲由美國之遠東戰略態勢，以深討美國對我國反攻大陸之態度及我國反攻大陸應採之方策，俾國人對於反攻之準備與前途，有明確之認識，一方使人民對政府之責難可以減少，一方使內外對於反攻之目標，有方向可以努力。

甲、遠東各國兵力分佈現況

遠東之主要戰場有三：一為東北亞，一為東南亞，一為台灣海峽。東北亞方面，日本與蘇俄一葦相隔，南韓與北韓犬牙相錯，互相對峙。東南亞方面，北越利用游擊隊，與南越短兵相接，日有死傷，寮國政府與寮共邊打邊談，迄難實現獨立中立之寮國，泰國則陳兵寮緬邊境和越南十七度線的左翼地區，配合越南陸軍主力，建立了一道邊境防線，嚴防中共乘機而動。台灣海峽方面，國軍與大陸共軍隔海相望，每日炮戰，『反攻』，『解放』之聲，鷄犬相聞，戰事一觸即發。各戰場兵力，據日本防衛廳三月二十七日之宣佈為：『就整個遠東而論，共黨國家之海、陸、空軍兵力，較自由國家為強』，但實際上則大致尚屬平衡。

先就東北亞戰場方面言，共產集團方面蘇俄陸軍四十萬人，北韓陸軍四十五萬五千人，共有八十五萬五千人，加入中共在東北之陸軍十一個師約二十五萬人，共為一百一十萬零五千人。自由集團方面，日本陸軍十七萬一千五百人，南韓陸軍五十四萬人，合計為七十一萬一千五百人，加上美軍五萬二千人，美陸海隊二萬四千人，較共產集團，相差雖約為三分之一，但美軍裝備精良，尚有第七艦隊相助，日本陸軍動員潛力亦大，足可相抵。空軍方面；共產集團蘇俄三千二百架，北韓九百九十架，加入中共東北空軍一千架，約為五千架。自由集團美國一千八百架，日本一千架，南韓三百架，共為三千一百架，相差雖多，但中共方面飛機能力稍差，訓練時間不夠，就實力言，兩方相差無多。海軍方面，就艦艇數言，蘇俄七百艘，中共七百六十艘，北韓九十六艘，共為一千五百三十艘。自由集團美國一百二十五艘，日本四百艘，南韓七十艘，共五百九十艘。共產集團遠較自由集團為多。但如就噸數言，兩方，均在八十六萬噸左右，亦略相伯仲。

次就東南亞方面言，北越據推定有十一個師，約三十五萬人，南越則有陸軍二十萬人，泰國亦有陸軍八萬五千人，陳方勢力，旗鼓相當。共產集團雖中共在雲南，廣西兩省可抽調四個陸軍兵團出戰，廣州，昆明兩軍區的兵力，約有五十萬人；可資聲援，威脅東南亞，但現在美國在越南採取積極態度，前已成立司令部，派上將指揮，復供給一切軍需物資，表示在必要時，不惜參戰。對泰國且保證，如有需要，決於二十四小時內赴援，中共不敢貿然出兵，已在意料之中。因此，在東南亞戰場方面，自由集團軍事形勢，頗可樂觀。

至於台灣海峽方面，兩方對峙，陸軍兵力，大致相等，即均為十個軍左右。基本武裝狀態業已核子化，打普通小仗，已無可能。加以美國第七艦隊，經常在台灣海峽巡邏，嚇阻力量強大，中共望海興嘆，不敢越雷池一步，平衡局面，亦可維持。日本防衛廳對於遠東兩集團陸海空兵力係儘從數字估計，美軍方人員稱：「一名有高度水準携有發衍自動武器的美陸戰隊與北韓農兵攜有惡劣步槍者相比，一艘最新式噴射戰鬥機的第七艦隊航空母艦與北韓一艘僅得一架舊式犁牛式機沿岸小艦獲同等地位，實為不類」。確係平允之論。

乙、美國遠東兵力之佈署

美國在遠東兵力佈署之目的，為平衡遠東自由共產兩大集團之實力，可分為第七艦隊，基地，機動部隊三部分，分述如次：

（一）第七艦隊

第七艦隊以日本之橫須賀，佐世保，冲繩之中城灣及菲律賓之比斯開灣四處為基地。陣容為：航空母艦四艘，配有遠距離飛彈的巡洋艦三艘，驅逐艦三十艘，護航驅逐艦十艘，潛水艇七艘，掃海艇等七十艘，總噸數達五十萬噸以上。另外，配有轟炸機，戰鬥機，對潛哨戒機等約六百五十架，總兵員約達六萬人。在平時艦隊中，不特規模與編制為世界之最大者，作戰能力，僅其中六萬噸之航空母艦雷殷吉號一艘所裝配之核子火力，已超過第二次世界大戰中日本軍所耗火力全量十倍而有餘，亦為有史以來所未有。至其守備區域，自一九五四年改歸夏威夷太平洋艦隊指揮後，東起關島東九六〇公里，西至印度洋，北起白令海，南迄澳洲南端，面積恰為地球海面的五分之一，範圍之大，雖舉世無匹。但第七艦隊實際上之活動範圍則以台灣海峽為中心。軍艦的佈置，大致都以在日本海道，地方，也以及冲繩和菲律賓等地，必要時尚可由第一艦隊與第六艦隊隨時增援。一九五四年七月海南島上空發生空戰，一批航空母艦與其驅逐艦編入第七艦隊指揮之下。一九五八年金門炮戰時，第六艦隊曾調來航空母艦，準備隨時以空中火力制壓來自大陸沿海中共方面的挑戰。職是，第七艦隊見為遠東之長城，已保衛遠東和平之嚇阻武力，遠東海上無人敢攖其鋒。

（二）基地

美國在遠東之最重要基地，在為琉球。美國防部在此基地，已投資達十億美元以上，自從美日新安全條約改訂後，美軍重要戰略物資以及武器在日本基地的搬運與裝備，都要事先與日本當局協商，因之美國在日本基地的價值，大大減低，琉球基地的價值，則隨之大為增高。據日本情報指出：琉球基地現有陸軍一萬二千（包括傘兵在內），海軍陸戰隊一萬八千，空軍一〇〇〇〇，海軍二千，飛機六十五架，飛彈基地八處，地對空飛彈三營，另有射程一千二百海里的自導飛彈基地四處，已形成為威脅俄共與中共大陸心臟地區的安全堡壘，此外美國在日本之立川，橫田，三澤，板付，厚木，岩國等地設有戰略戰術空軍基地及海軍陸戰隊駐地，長距離轟炸機。在菲律賓之克拉克有遠東最大空軍基地，周圍達四十四公里，有跑道三千五百公尺，橫貫其中，基地大部滿佈倉庫，堆滿網包的軍需物資，命令一下，即可由飛機運送在東南亞任何地點。台灣設有一所最完備的空軍基地，同時駐有與台灣的同型。空軍基地，備有以中共為目標的長程飛彈，亦均為嚇阻中共侵略之最有力武器。

（三）機動部隊

美國已增強陸軍機動兵力，[illegible]……夏威夷的第二十五步兵師亦可增援遠東戰場，第五〇三戰鬥隊……[illegible]……亦無此種態勢。

貌合神離

大家跳不過的一關

自由讀

由自覺到聯戰

馮玉先生

最近台灣的治安機關倡導「自覺」運動」後，已有兩位共諜嫌疑份子出來自首了。這是好現象，殊堪欣慰。

我曾經在報上迭次提示西德政府對由東德來的民衆一例收容一事，說西德當局決不怕共諜滲透，他們認為一個共諜到西德飽嘗了自由生活的滋味後，思想就會改變的，如其冥頑不靈，自可查覺懲處，毫無所懼。台灣屹立海上，地理環境較西德更容易控制，而防諜工作又相當完備，更不怕共諜潛伏作祟，只要他稍有異圖，即無所逃於天地之間。所以，當局號召「自覺」的政策，十分正確，當然可以博得預期的效果。

不過，還有一點值得注意，即對於由「自覺」而自首的人士，必須一視同仁，予以自新之路，照顧他們的生活，安排他們的工作，量材器使，藉觀後效。過去在海外有些迷途知返的覺悟份子，被爭取赴台灣作一次宣傳之後，常有冷藏一旁，任其自生自滅的現象，實在不足為訓。我們講心理作戰，談政治反攻，自應特別致力於「聯戰」工夫，萬不可敷衍從事，只是口頭宣傳，不求實際。十餘年來，在海外目擊敵人的統戰情節，深感我們的「聯戰」作用太不成比例，事實俱在，無庸贅述。

聯戰是政治反攻的主要武器，也是「使天下英雄盡入吾彀中」的政治最高指導原則。除卻需要妥當的政策和計劃以外，還要有大氣磅礴，智能卓越的執行者。這不是普通的特務工作，小家氣派的作風，但求對方在報紙上寫些擁護打倒之類的傳單式文字，便認為功德圓滿，結果一無所獲，枉費人力財力而已。我敢說，若干年來政府為團結運動而消耗在海外的人力財力，十之七八都是浪費掉了！最大原因即係不得其法，不得其人，實行衆銷主義。

台灣的自覺運動，已有良好的收穫，希望對於海外的團結運動，今後亦能改絃易轍，拿出優越的作法來！

稅吏查帳百般刁難
高雄廠商有四怕

怕剔出｜怕造報｜怕調整成本｜怕巡行決定

（本報記者高雄航訊）高雄市稅捐稽征處，最近竟對廠商，旅館及汽車行，採取了「巡行決定」的課稅政策，儼然苛擾，引起各業商人怨聲四起。

十四日上午市政綜合質詢時，議員蔣金聰提的質詢中指出：稽征處對廠商課征營業稅所採取「巡行決定」課稅，是不合情理的，而且不合民主政治的要求。不管廠商每年盈虧，採取「巡行決定」課稅，這種「巡行」含義，似乎是專制時代稅吏對商民的一種不合情理措施。蔣金福議員特別指出：有的查帳人員，固然操守好，但有些稅員一出稅處大門，便是「天高皇帝遠」，作威作福，唯我獨尊，胡爲亂攪。他們利用職權，向廠商查發票，看帳簿，甚至查存貨，這種疲勞轟炸的查帳方式，近似百般刁難，廠商不堪其擾，因而造成廠商們對稅員發生「四怕」觀念。蔣議員指出的「四怕」乃是：一怕剔出，二怕造報，三怕調整成本，四怕巡行決定。蔣議員舉例說：廠商們認爲開支正當的，稅員查帳時卻予無情的剔除，並指定廠商要填具各種表報；進貨成本，亦予以恣意減低，不管年度盈虧，仍以盈餘課稅。廠商處此情形之下，爲免煩擾，祇有忍痛照繳，以致怨聲四起。其餘尚有江晚來，李成敬，洪見來等議員亦先後發出共鳴。

十四日上午市議會中，市議員王正經，洪見來亦對市稽征處「巡行決定」之措施質詢指出：稽征處對旅館業及汽車行，採取上項課稅措施後，對商民來說，殊不合理。並舉例說：旅館的房間，雙人房只宿一個旅客，課稅仍照兩人爲準；計程車每次出租，不管行程長短，每次按照五十公里課稅，這簡直太不盡情理。

高市稽征處劉處長答覆：本處對旅館業及包車行課稅，採取「巡行決定」係爲了增加本市稅收之措施，並報奉省府核准，倘有不近情理，容研究後改善云。然而稅收又豈是可以隨便增加的？

蔡天送議員質詢時指出：市民欲經營商業，必須向市府工商科，警局，衛生局，稽征處等四個單位提出申請，重床疊架，手續太煩，委實令人不敢「領教」，希望予以改善。蔡議員並指出：市民興建房屋，向市府建設局土木課申請許可時，先要繳一筆「樂捐」，方能領到建築執照。（匡陽）

政治風險大可攪不可攪
鄉鎮長吃官司的不少
南投兩鄉長曾因官司疲於道路
結果判罪者在職判無罪者丟官

（本報記者台北航訊）政治可攪不可攪，鄉鎮長亦大不易爲，南投縣鄉鎮長吃官司的不少，疲於道路，苦不堪言。該縣且有兩鄉長案情相若，判決不同，判決有罪者仍在職，判決無罪者卻丟官的，有幸有不幸之事件發生。

南投縣鄉長因案疲於台中道路者，新近有二人，一爲名間鄉鄉長陳啓裕，一爲國姓鄉長何連。陳鄉長係因涉嫌在一項堤防工程中虛報工程費二千餘元，案經台中地檢處提起公訴，初審判刑六個月。但適於此時，國姓鄉長何連，亦被檢舉僞造報銷單據六百餘元，亦被地檢處提起公訴。惟陳鄉長虛報工程費之款二千餘元案，據辯稱：曾將該款送入公庫，擬以作爲不能報銷之公家用途。縣府亦於此時查悉國姓鄉公所出納員劉朝信僞造報銷六百餘元，而該款亦係用於公家。當時認爲兩案情節均屬輕微，乃將情報請省核示，是否可以准予停職？去年十一月間，省府令下：「仍依法停職」。但不久，何鄉長由台中法院判決：「國姓鄉公所採購物品，須經請購人估價，負責人主計員蓋章後，再經被告蓋章，支付憑證亦須經驗收人、保管人、經手人、審核、主計、秘書、鄉長等蓋章，層層負責，何連爲主管，雖於最後蓋章，然既無積極證據，足以證明其與被告劉朝信同謀，殊難令負刑責，而應諭之爲無罪之判決。」而宣判無罪，其出納員劉朝信被判刑六個月。

名間鄉長陳啓裕被初審判刑六個月後，他不服判決，上訴於高等法院。縣府則仍以兩案情節輕微，取觀望態度，其後陳啓裕案高等法院仍維原判，但有「姑念爲圖利公庫，准予緩刑兩年」之但書，縣府乃再以瀆職罪圖利公庫，是否可予免職之疑義，層請行政院解釋。而國姓鄉長何連，則因檢察官不服無罪之判決提起上訴，縣府無奈要遵從省府前令予以停職，於是情形成爲「判決有罪者仍在職」，「判決無罪者卻丟官」了。起初何連因爲抗議處理不平，曾一度拒絕移交，結果終於在各方的勸說下，已將經管印信公物點交與派往代理鄉長之縣府民政局視導吳積萬接收。

何連認爲縣府對他的處理有欠公平，他說：不談其他縣市，單談南投縣，從國姓鄉說起，本鄉前鄉長張春貴涉嫌瀆職，冒領旅費等，檢察官提起公訴，初審判罪，二審又判罪，縣府未曾報省予以停職，三審終獲昭雪。集集鎮前鎮長石條金涉嫌貪污案，官司也打到三審，縣府在案情未確定前，亦未予以停職。名間鄉長陳啓裕瀆職案，經判決確定，處刑六個月，緩刑兩年，但縣府仍爲其層請行政院解釋疑義「是否應予免職」。去年底仁愛鄉長林敏彥涉嫌官商勾結，盜伐國有林木案，經檢務官在一個月前提起公訴，縣府亦未予以停職。過去鄉鎮長一、二審判罪而未予停職者，指不勝屈。總之，一審判決無罪，而仍被停職者，全縣只有我一個，全省也只有我一個。

何鄉長慨嘆，他雖然競選鄉長勝利，但因無政治背景，就職之後，麻煩就多了，鄉公所內若干職員與他作對，由於人事一凍結，又不能報請更動，於是工作難以推動後終日如坐針毡，先後被[illegible]圖以種種花樣向台中地檢處檢舉貪汚不法者六案，其中五案不起訴，僅此一案雖被起訴，但亦經刑庭推事判決無罪。至於被向[illegible]處，中央省縣政府投書密告的更多，使他終日疲於道路，焦頭爛額，窮於應付。

在國姓鄉選舉何連能擊敗政敵而登上鄉長寶座，據說是由於他的甚得人心。此次縣府在其判決無罪後仍予停職，鄉人多感不平，日來有擬義聯名陳情中央省府，有關機關准予復職者，但均爲何氏婉拒。他說：他已看穿政治風險大，可爲不可爲，不必說，只有一年零八個月的任期，不夠打三審官司，就是可獲復職，他亦要提出辭職，回到他的醫生崗位去了。（吳越・十八）

寶島點滴

△只有六十個會員的新竹縣道教會，因爲選舉理事長發生糾紛，勞動「張天師」三度法駕光臨調停，還是無「法」可施。

新竹縣道教會選出的九名理事，其中五名爲職業道士，除鄭玉田、吳馥如、李翹楚，許中南等四人爲普通信徒，其中吳馥如有意出任理事長，而且已佈置妥當，獲得多數理事的支持，但是全國道教會則希望新竹縣的理事長，能夠由一位社會聲望較隆的人士來担任，並屬意前屆縣議長現任工業投資策進會總幹事的鄭玉田出任，張天師及立法委員趙家焯曾兩次來竹，希望促成，但鄭玉田本人無意於此，已予謝絕。

道教會原定十六日舉行理事長選舉，張天師偕趙立委特趕來參加，想說服多數理事能投鄭玉田的票，並勸導吳馥如退讓，結果因爲協議無法達成，理事會遂告流產。如何演變，尚不可知。

△宜蘭農田水利會會長林奠邦，在其五十年度的年終考績表上，大大的自我標榜一番，列舉其任內做了所有的大小水利工程外，並說自己品德學識兼優，似乎無絲毫瑕疵，自

自我考績打一百分
不甘解聘滿口牢騷

吹自擂，因而自己爲自己打了一百分的滿分，創下各機關所有公教人員考績的新紀錄，送請縣府覆核。

縣長林才添雖然並不認林會長有甚麼太大的缺點，但仍然認爲尚有不夠努力的地方，如該會歷年被積欠的會費，迄今仍有一千餘萬元，未能收回。因此，林縣長日前在該考績表上大筆一揮，核減掉十五分，成爲八十五分了。

△以鬧家務出名的基隆市第一夫人林番王市長夫人朱鳳娥，日前以一頓火辣辣的怨懟，將從台北來督導她辦理基隆市婦聯會主委移交的婦聯總會副總幹事呂錦花，弄得悵然而去。

全國婦聯總會副總幹事呂錦花，日前偕同該會組訓組長抵達基隆婦聯會，準備督辦現任主任委員朱鳳娥移交給新聘主任委員蘇劉雪梅，但朱鳳娥並不到會，一行人乃趕往市長公館，要朱鳳娥服從命令辦理移交。

朱鳳娥竟大光其火，以激動而憤怒的語氣指責呂錦花，表示：在林市長當選就職之後，她一直就不願意接任婦聯會職務的，但總會卻定要她做。她說：爲了不違背總會的意思，她接了這項職務，一年多以來，自認雖無很大貢獻，但也沒有什麼過失，可是總會卻突然來一個解聘，究竟是根據甚麼？

又說婦聯最近解聘幾個職員，一方面是限於經費，但最主要的是她們根本不把主任委員放在眼內，連婦聯會任何公文也不給她看，除此以外，我沒有什麼錯誤，退一萬步講，縱使有錯誤，總會應以上級立場來糾正我。但卻憑一面之詞，不明不白的來一個解聘。

朱鳳娥最後表示：到目前爲止，她沒有接到解聘的命令，她是從報紙上知道的。婦聯會是一個團體，不是說交就可也交得出的。呂錦花等無法，祇好怏怏回到台北。（昌・四、十八）

採訪線外

中研院長人選難產
永和建堤教訓良多

▲被選爲中央研究院候選人之一的吳大猷博士，有電報給蔣夢麟及另一學術人士，表示他不願意担任中央研究院院長。他所說的最大理由是對行政工作無經驗，怕做不好，因而不願做。

現任加拿大國立科學研究院物理部門主持人的吳大猷，幾年之前，雖然學術界都很佩服他對物理學的造詣，社會人士卻對他不免生疏，直到他的學生楊振寧與李政道得了諾貝爾獎金，大家才開始認識到他。據說胡適之先生生前就曾表示，吳是繼任中研院院長的理想人選。當局在中研院院士所選出的三位院長候選人中，顯然亦最屬意於他。但他卻至今還沒有接受的意思。

又中研院長另一候選人的王世杰，我已表示不願繼任此職。這就使得院長人選至今難產了。

▲曾經引起最多糾紛，包括請願，打架的永和建築提防工程，已經開始全面施工了，是一個很好的消息，值得大書特書。至此，除了希望工程進展順利，能于風季來臨之前完成此項建設之外，無論政府與民間，都需要從這曾經引起最多糾紛的工程，得到教訓，包括：

（一）工程計劃要特別斟酌，一方面要造福，唯恐不大，另方面要犧牲唯恐不小。

（二）任何工程都得付出代價，政府固然有爲民興利的責任，國民亦未可祗要政府建設，卻連最起碼的借款利息亦吝於付出，以致費時失事。

（三）祗是有利大衆的建設，就應該推己及人，力促其成，萬不可乘機大敲竹槓，延誤施工時日。

▲台北發生的一樁電影小生因忿於家庭和諧安寧秩序被破壞而揮刀斬傷武俠小說作者的案件，輿論儼然是同情那殺人的影星而不值那位盜友之妻的武俠小說作者的，有一家報紙的特寫標題爲：「有血有淚的悲劇，沒情沒義的小說」，足可覘知輿論嚮背一斑。

但無論如何，因氣忿而採取直接行動，總不是好事。且那個電影小生，明知妻心已另有所屬，卻勉強欲維持已經顯出缺口的殘餘愛情，其苦心孤詣，固然值得同情，其實，與其勉維殘局，曷若忍痛慧劍早揮之爲愈；最低限度，那位電影小生果能早些答應實際已與他同床異夢的妻子的異離要求，此一兇殺案，亦就可以避免了。（安）

真的應該查辦辦
建築拖官何所事
一拖執照達兩年

（本報記者台北航訊）台北市政府工務局建設課審核股長洪自茂，審核建築執照，竟留難兩年之久。這件案子發生於四十八年春季，當時市民趙柏宏、何耀庭二人合夥經營宏發營造廠，並於四十六年在內江街建了一幢四層樓房，於四十八年春季完工，當經民防指揮部及台北市工務建築管理課分別派人查勘，民防指揮部認防空設施合格，而工務局查勘員洪自茂則表示「沒有意見」。於是房主趙柏宏便執着警方合格證明向工務局申請發給建築使用執照，以便脫售。但申請書報上之後，卻如石沉大海，使用執照一直不下來，而房屋因之不能脫手。趙柏宏屢向工務局有關單位催請，結果沒有下文。後經採悉：使用執照之所以遲遲不能發下來，是因爲那位洪股長沒有將其申請書簽呈上去。經趙柏宏不斷去催請，但得到的洪股長的答覆卻是支吾其詞。趙柏宏無奈，但他又不肯走後門去請，所以一直拿不到使用執照。後來是因爲被共晚報在「一染缸的傳奇」文中透露出來，才將這一拖了兩年之久的建築使用執照發出。現在省府建設廳要查辦這一「建築拖官」，真的應該查查辦辦了。（燕謀）

南越剿共整套軍事方案

一爲封鎖邊境　二爲主動出擊　三爲確保交通　四爲堅壁清野

本報西貢通訊

爲對付在南越境內爲數大約兩萬名的越共遊擊隊，美國與南越政府，已設計一整套的軍事方案，其重點計有下列這幾項：

（一）爲封鎖邊境，斷絕北越共軍的繼續滲入。這又分爲海路與陸路邊境兩方面：海路方面爲派出輕型艦隻以及飛機，經常巡邏十七度以南的越南海岸線，防止共軍以機動小艇及帆船伺機滲入。担任巡邏責任的，名義上是南越政府海軍——美國先後已以六艘巡邏艦移交南越，執行任務，實際上則美國第七艦隊的部份艦隻，負起了此項使命，他們隨時以偵查所得，通知南越官方，由南越去出面堵截，幾月來已頗有收穫。

其次陸路方面，包括南北越分界的十七線，南越與柬埔寨邊界及南越與寮國邊界。所採用的辦法，除以大軍駐紮邊境，防止共軍滲入外，又以一種化學藥劑，用飛機灑在各邊界的森林上，使這些森林起火焚燒，使共軍無法匿跡其中，儘可能減少北越共軍滲入的機會。

（二）爲採取主動出擊戰術，對付共黨遊擊隊，而非如以前南越所慣常採取的在各衝要地區駐兵，游擊隊來則打之，不來則不加理會的被動挨打戰術。爲配合此主動出擊戰術的運用，在美國援助與指導下，南越軍已使用新式雷達偵察器，偵察共黨游擊隊的蹤跡，然後以快速的運輸工具，集中兵力，主動追剿共黨游擊隊。這種反游擊戰，曾經在中越的廣義省與西南部水草平原區的高嶺，迭收戰功，一舉殲滅共黨游擊隊三百餘人。

（三）爲確保交通安全與暢達，藉以打破越共游擊隊圖以鄉村孤立城市，進而以鄉村吞沒城市的毒辣陰謀。確保交通安全暢達之法，一如在邊境所實行的焚燬森林，使共黨游擊隊找不到藏身掩蔽之所那樣的，在公路兩旁各五十公尺地區，從去年底開始，用化學藥劑使草木自動燒光，這樣共黨游擊隊要破壞交通及襲擊公路運輸，在五十公尺以外，他們就非現身不可了。

（四）爲普通的建立戰略村，防止共黨游擊隊有裹脅民衆，勒索民衆的機會。這是師法英國以往在馬來亞剿馬共所行之有效的方法，亦就是中國古代所使用的「堅壁清野」的方法。南越的農村，居民房屋多是分散的，較大的村莊不多，共黨游擊隊行同匪盜，他們的補給，多是就地取材，向農民勒索，農民因爲官軍保護不了他們，在共黨游擊隊殺人放火的淫威之下，亦祇能唯共命令是聽，悉索敝賦的給他們種種供應，使他們解決了補給問題，而且共黨游擊隊亦因之很容易找到潛伏滲透的地方，兵源問題亦因之可以隨時得到補充，他們脅迫農民參加，農民就不得不參加了。

戰略村建立的辦法，是把比較重要的村鎮民居，加以集中，在四周設置障礙的鐵絲網、壕溝及圍牆，祇留一二進出口，使農民出入。戰略村四周又建有守望的堡壘，在戰略村中又實行宵禁，嚴密檢查身份證，使共黨游擊隊無法混入。一有警報，一面抵抗共黨游擊隊的攻襲，一面則通知附近駐軍，立刻馳援。這樣，不但減少了共黨游擊隊潛蹤匿跡的機會，并亦使其物資補給與人員補充均不再像從前的容易。在戰略村內的農民，他們亦就肯認眞抵抗共黨游擊隊，再不幫助共黨游擊隊了。

戰略村的辦法，去年首先在中部的廣義省和南部的永隆省試行，在試行之後，效果顯著，現在已經決定要在全南越普遍推行，計劃中要建立一萬多個「戰略村」。[illegible]村聯合專責委員會」的機構，負責推動建立戰略村事宜。爲建立這種戰略村，美國已撥出七千萬美元的經費，以協助建立這些戰略村。實際，這是一個很費錢費事的工作，七千萬美元，未必足夠。

上述這四種打擊越共游擊隊的辦法，已開始實行，但其中若干，特別是最後一項的戰略村，距離完成之期，還遙遙遠，因此，在這四種辦法中，有的已大大的生效，如封鎖陸路邊境及確保境內交通安全。所以，儘管估計南越境內的現有游擊隊，僅約二萬名光景，但因爲他們既有游擊根據地，且實際已活動於全南越農村約一半的廣大地區，要把他們徹底消滅，還得大費手腳。（明泰）

中共解決不了吃飯問題

中共的「人代」與「政協」都是爲解決起碼的吃飯問題的。但老百姓不合作，問題如何解決得了？（公）

已先後相繼閉幕的中共「人代會」與「政協會」，確實都是爲了解決最起碼的吃飯問題的。這看來非常的笑話，却實在悲慘得很。而更慘的却還是中共其實就不可能解決得了這個最起碼的吃飯問題。

有幾項無可爭辯的事實證明中共這次的「人代會」與「政協會」都只是在爲吃飯問題做其最後的救亡圖存的掙扎：

（一）這兩個會都始終是在悶聲不響的情況中進行的。這種大大的違背中共以往傳統作風的表現，充分說明中共所面臨的問題的極端嚴重性。特別是連續三年的「自然災害」所引致經濟問題，百孔千瘡，已糟到不能再糟，爛到不能再爛。一個政權，竟然使得老百姓人人餓肚子，遑論其他？這極糟與極爛的眞相，中共絕對沒有膽量讓外間知道，所以它就祇能關起門來打主意，一語不發，紋風不露了。

（二）這兩個會，當然「人代會」較爲重要。「人代」十九都是中共的幹部，「政協」則多的是「外人」。「政協」純然是中共手中的猴子戲而已。然而缺席的「人代」就有兩百人之多；這其中除了少數已死掉的之外，不是「外人」，便是「問題份子」，他們其實是不准出席者，絕非自動不去開會的人。在共黨統治下，誰還有缺席的自由與膽量？港澳的那幾個嘍囉，這次就不十九都被摒諸門外？這是爲了不放心他們，担心他們把眞相走漏了！「政協」這次有八百多特邀與會者，那是爲了原有的猴子還不夠多，中共爲了要解決吃飯問題，特地再多找出一些猴子來，耳提面命，勒令他們爲中共政權的存在而賣力賣命。

（三）作爲中共政權之「國會」的「人代會」，論理應該是管理「國家錢袋」的，是應該審議與批准預算決算的。但這次却根本沒有這回事。這極可能顯示，由於連續三年的「自然災害」，把中共的所有方案也，計劃也，還有預算也，全部打亂了。極可能，由於而今五六億老百姓連飯都沒有得吃，中共政權已經今天不知明天事，連預算都根本無從談起了。中共政權而今是起碼的吃飯問題都弄得手足無所措，還談什麼預算不預算？

（四）周恩來的「政治報告」，其對內部份，就完全是一個簡單的如何解決吃飯問題。它所吶喊的「加强農業陣線」，「增加農業生產」、「合作」、「團體」、「百花齊放，百家爭鳴」，其目標祇是一個，即解決吃飯問題。中共是再沒有臉面亦實在叫不出什麼工農建設大計與成果來了。

中共能夠等而下之的解決得吃飯問題？不可能的！解決問題需要人，即需要老百姓合作。但老百姓，不但餓吃夠了，當亦上得多了，誰還願跟中共合作呢？老百姓不肯合作，中共如何而能解決吃飯問題？中共連起碼的吃飯問題都解決不了，它還能存在多久呢？

香港與大陸

長沙人民搶糧倉　守倉民兵亦搶糧

農村自由市場不要共幣　大家實行物物交換辦法

長沙人民因爲不顧饑餓，曾經强搶糧倉，守糧倉的民兵不但不加制止，亦趁火打刧，各自搶了一些糧食送回家去，後來共軍開到，卻亦沒法追回已被搶走的糧食，終於不了了之。

這消息是約一個月前從長沙逃出來的某君說出來的。據某君說：被搶的糧倉，是長沙縣長壽庵區的糧倉，那糧倉經常是由民兵負責看守的。參加搶糧倉的人，有好幾百，被搶走的糧食有兩萬多斤。那些看守糧倉的民兵，起先亦企圖加以制止，却先是被搶糧的人喝住了不敢動，繼之他們認爲有機可乘，亦加入夫搶糧，送回各自家中。共軍聞訊開到，搶糧的人始一鬨而散。

某君說：共軍明知搶糧倉的就是附近的居民，所以他們會挨戶勸告，要人民把搶得的糧食各自交出完事，不予深究。但人民不理會他們，祇是否認會搶糧食。共軍本來有力量挨戶搜查，不難把被搶的糧食搜回去的，却顯然唯恐搜查會逼出更大的亂事，不敢採取這行動，事情就如此作了。祇是共幹因此不再信任民兵，把守糧倉的責任交給了共軍。

某君還說，自從公社解體之後，共黨每戶分配一小塊地，稱爲自留地，准許人民自由種植蔬菜，同時又准許人民自養鷄鴨猪隻等。因爲有自留地以及自養的家畜，於是也就有了自由市場。自由市場起初也是以共幣交易的，後來人民發覺有了共幣却買不到自己需要的任何東西，於是大家都不要共幣，實行物物交換。物物交換對人民是各得其所，但因此農村的物資均就地消耗了，再沒有物資運到城市了。共幹乃實行自由市場，搜購東西，但人民不要共幣，不賣東西給他們，因此不得頗爲嚴重，共黨並不准自由市場存在了。但是，據某君說：公開的自由市場雖不存在，地下的自由市場却仍然存在，並且還是實行物物交換的老辦法。（華）

遜君續夢

第四回：掩面向黃泉，貳臣遺恨　低頭拜白虎，末帝驚魂

至於撫順集中營的共幹，內心裏也有一種自卑感，面對着宣統皇帝，總是充滿敬意，更不敢虐待他，所以溥儀的生活比較一般勞改犯要好得多。

「特赦」剛剛宣佈，由北平來了公安部兩名高級幹部，持着羅瑞卿和謝富治的手令，要集中營把有關人犯開釋，並把溥儀馬上帶回北平。

溥儀當時不知是吉是凶，惶恐萬狀，到了北平之後，被安置在北京飯店，羅瑞卿就趕去向毛澤東報告，毛澤東聽說宣統皇帝來了，也不知應該怎麼處置，馬上又叫田家英打電話把活曹操找來。三人見了面也商量不出一個可行的儀式。

羅瑞卿記得演義小說上都說見皇帝要行三跪九叩大禮，主張叫宣統皇帝照行一次。

毛澤東搖搖頭：「那樣不大好，傳到外國會讓人見笑。」

活曹操道：「主席熟讀資治通鑑，記得晉朝懷愍二帝見劉聰、劉曜，北宋徽欽二宗見完顏與乞買是行的什麼禮，我們能不能仿效一下。」

毛澤東連說道：「記得很淸楚，都是行的三跪九叩首大禮，現在實在不能仿效了。」

活曹操笑道：「既然這樣就不如從簡吧！乾脆來個三鞠躬算了。」

毛澤東想想也只好如此，無可奈何點點頭。

活曹操轉過臉向羅瑞卿說道：「你派個人去見宣統皇帝，把主席的德意告訴他。」

羅瑞卿回到總參謀部，一時想不起派誰合適，就搖了電話和謝富治、李維漢商量。

李維漢在電話上笑道：「這個任務最好是派余心淸了，他是典禮局局長，將來要他領導宣統皇帝行禮的。」

一句話提醒了羅瑞卿，馬上把余心淸找來，告訴他「黨」的政策，要他去見宣統皇帝傳達。

余心淸接到這個任務，不敢怠慢，連忙趕去北京飯店見溥儀。民國十四年鹿鍾麟「逼宮」時，余心淸也隨着軍隊進宮趁火打刧，所以他見過溥儀，但是溥儀却不認識他。不過，看見這個老傢伙戴着八角帽，一臉「黨相」，知道是一位幹部，連忙起身招呼。

余心淸坐下先介紹自己的身份，然後說明來意。溥儀聽說叫他去朝見毛澤東，不由得連打兩個冷戰。他被囚在撫順集中營十年，集中營到處貼滿毛澤東的畫像，揚着血盆大口，好似在嚎啕大哭，溥儀每次看見就連忙低頭，不敢正視。照片尙且怕，現在要他去見眞人，如何不驚。可是，余心淸說明是黨的意思，不去也不成，只好悽然答應了。

當時選定九月二十八日舉行儀式，到時間毛澤東坐在後心殿慈禧太后坐過的龍座上，所有高級幹部及民主黨派觀禮人員到了幾百人，擠得水洩不通，余心淸帶着溥儀上殿向毛澤東行了三鞠躬禮，羣衆一齊鼓掌，就算大禮完成。周恩來趕着過來向溥儀握手致賀，溥儀想起四十九年前隆裕太后抱着自己在這裏下遜位詔書的情景，和現在對比，不由倒抽一口涼氣。正是：此處雖將宣統地，大家都有下場時。（九四）

窄門

熊徵宇

「疲乏的等待與叫喚的期待使我不能按捺，我悟到我有太多愚蠢的矜持與狂妄的豪俠！

「生命是行爲，行爲不能存在的時候，生命是沒有意義的，所以我想到死的自由和自由的死。

「當然，你會責備我這沒有理性的思想，但是人是在更有理性的時候才會死。有些人，也並沒有變得更有理性而死去。雖然人類創造了永生、上帝與復活。

「你是理解生死的，不要爲我悲傷。我慚愧使你這樣感觸我們的友情。

「現在，我才深切的體驗到釋迦牟尼死在菩提樹下，蘇格拉底甘於就死，以及那些勇於爲人類獻身的人們的偉大，他們握住了毀滅的意志創造了光和熱，給生者以無比的期許。而我這卑微的生命，卻只能像春蠶那樣終結；我沒有愛人，也不愛自己。但是在這個物理文明的世紀裏，又有誰把肉當麵包，血做酒呢？

「自殺誠然是變賣生命，但不一定是悲劇，那如一個沒有說完的故事的終結。我覺得，這世界也是正在積極作自殺的準備。

「也許我對死生物我的眞義並沒有瞭解，但我也不想瞭解。你接到這封信的時候，我已在另一個世界。我們的祖先在那裏，許多人也會來。」

我不曉怎樣說我讀信的感想，那情緒不是傷痛，不是悲悼，而是一種久遠的說不出的記憶，一個衝擊過來的浪花和遺忘了不可收拾起來的埋葬！

我想不到滌生竟會把自己的生命這樣拋棄！

難道「死」的境界就是他所說的「不泯的太陽的滅，不眠的月亮的睡」麼？於是我想到我們這一代的青年人，都是從抗日戰爭的苦難中長大，又在與共產黨鬥爭中成熟，在精神和心靈上所經驗的一切，確實太愴楚了！而理想與現實之間，時時發生尷尬的不和諧，因而產生心靈與意志的不和諧，於是，很多人各自有其認眞而沒有名目的奮鬥。

滌生是這個時代的廣大負荷者，他雖然對人生的態度不夠澈底，但必竟是認眞的。他沒有悲壯，只有蒼涼；悲壯是一種完成，蒼涼是一種啓示。

但是這啓示的意義究竟是什麼呢？我說不出！我只有悲傷！

（九・全稿完）

唐太宗（十七）

李仲侯

貞觀三年，太宗對司空裴寂說：「比有上書奏事，條數甚多，朕總黏之屋壁，出入觀省，所以孜孜不倦者，欲盡臣下之情也。」又十三年魏徵上疏諫節儉之道，太宗對他說：「朕得公疏，反覆研尋，深覺詞強理直，遂列爲屛障，朝夕瞻仰。又錄付史臣，冀千載之下，識君臣之義」。由於他重視諫奏，凡言事正確者，他都能放棄自己原來的主張，接納臣下的意見，眞是說得上從諫如流。當時諫官的職位權責亦儘量的提高，貞觀元年，太宗詔令宰相入內平章國計，必使諫官隨入，預聞政事，有所關說，必虛己以納。他不但自己從諫如流，而且告誡臣下，亦須隨事聽取他人的意見，貞觀四年太宗對執政說：「朕常恐因喜怒妄行賞罰，故欲公等極諫。公等亦宜受人諫，不可以己之所欲，惡人違之。苟自不能受諫，安能諫人？」太宗這種側身勵行，謙以受物，聞善必改，是值得後人效法的。

至於太宗之知人善任，殆亦古今所罕觀。我們看圖在凌煙閣上的長孫無忌，趙郡元王孝恭，杜如晦，魏徵，房玄齡，高士廉，尉遲敬德，李靖，蕭瑀，殷志玄，劉宏基，屈突通，殷開山，柴紹，長孫順德，張亮，侯君集，張公瑾，程知節，虞世南、劉政會，唐儉，李世勣，秦叔寶二十四位功臣，那一個不是英才蓋世，國士無雙？此外如戴胄，劉洎，李綱，杜淹，王珪，岑文本，杜正倫，于志寧，張玄素，溫大雅，溫彥博，褚遂良，李百藥，姚思廉，顏師古，孔穎達，高季輔，馬周等人，均屬一時俊彥，並皆柄用，懋續豐功，有聲於時。這批人中，有相才，有諫臣，有武將，有封疆大吏，有詞翰名家，眞是濟濟蹌蹌，蔚爲大觀，後世人才之盛，莫之與京。

太宗爲政，首重親賢人遠小人，他對魏徵說：「王者爲官擇人，不可造次即用。朕今行一事則爲天下所觀，出一言則爲天下所聽。用得正人，爲善者皆勸；誤用惡人，不善者競進。賞當其勞，無功者自退；罰當其罪，爲惡者戒懼。故知賞罰不可輕行，用人彌須愼擇。」

漫談六畜

漁翁

三字經云：「馬牛羊，雞犬豕，此六畜，人所飼。」始養之則曰「六畜」，將用之則曰「六牲」，此周禮之所謂「膳用六牲」也。六牲，不僅僅在膳用，且幫助人類生計，至深且鉅，特分別寫在下面：

馬，芻食之畜類，能負重行遠，頸長而有鬣，蹄極堅壯，齒有乳齒永久齒之分，故相馬者必先齒。古之善相馬者，首推孫陽，因稱之爲伯樂。韓愈雜說有曰：「千里馬常有，而伯樂不常有，故雖有名馬，祇辱於奴隸人之手，駢死於槽櫪之間，不以千里稱也。」馬不僅負重行遠於平時，一遇戰事，尤賣力不少，古人所謂「射人先射馬」，足見古戰爭中馬之重要性。又漢高帝罵陸賈曰：「乃公居馬上得之，安事詩書？」以得天下，歸功於馬。

牛，反芻類之家畜也，體肥大，性馴而力強，農家多畜之以助耕。其肉與乳，皆爲滋養品，皮脂骨角，亦工業原料品。雖世人不願作牛後，而卻爲執政者所重視，漢書：「丙吉爲相，出逢死傷不問，逢人逐牛，牛喘吐舌，使騎吏問逐牛行幾里矣。或以譏吉，吉曰：「方春少陽用事，未可大熱，恐牛近行，用暑故喘，此時氣失節，恐有所傷害也。三公典調和陰陽，職所當憂。」蓋我國以農立國，牛爲農業上最重要之角色，過去州縣官，每逢立春日，用牛於野，以爲民倡。同時，在舊曆書上，開宗明義第一頁，即有牛象，足見牛之功能，不在馬下。

羊，亦反芻類之家畜也。有綿羊，山羊兩種。綿羊毛長而蜷曲，牝無角，牡有小角一對，捩折如螺旋，其毛可織呢絨之用。山羊，古稱吳羊，毛短，色多白，角向後彎曲，毛亦可製筆。戒庵漫筆云：「造筆羊毛，天下獨出嘉興，硤石弟一，秀水等縣次之」。羊性合羣，故「羣」字下爲羊，羊又好義，故「義」字上爲羊。如人離羣而無義者，曾羊之不若矣。宰羊時，羔羊聞噑而淚下。羊肉可作羹，有美味，昔中山君以一杯羊羹而亡國，足徵羊羔美酒之風味爲難得而可貴也。

雞，雌雄皆有肉冠，雄者羽毛美麗，鳴管發達，以時而鳴。雞肉及卵，有滋養之效。古時無鐘，祖逖聞雞鳴而起舞，至今猶傳爲美談。雞口雖小，但爲人所重視，鄙諺曰：「寧爲雞口，無爲牛後」，蓋以雞口雖小猶進食，牛後雖大乃出糞也。又「國策」載：「孟嘗君好客，有能爲雞鳴狗盜者，客脫孟嘗君於難」，是則雞鳴可以起舞，可以解危也。

犬，俗名狗，猛好鬥，視覺聽覺嗅覺皆銳敏，故善於守夜，雖臥易醒，又能蹤跡禽獸，以助田獵。今則更以犬作戰場之用，經多方訓練，教導者，俗稱爲狗官，雖不雅，稱其爲伴一也。古以獵犬爲走狗，史記袁盎傳：「盎居家，與閭里浮沉，相隨行鬥雞走狗」。諸都刺有「呼鷹走狗，清時樂」之句。漢高祖得天下，以蕭何爲功人，餘爲功狗。韓信被戮後，但人以「狡兔死，走狗烹」而諷之。

豕，俗謂之猪，體肥滿，每輾轉於汙泥中，以冷其身體，歲產子二次，每次至十餘頭，故繁殖迅速，爲肉食之常品。六畜中，以豕爲最蠢者。據太眞外傳載：「唐玄宗嘗與安祿山夜宴，祿山醉臥，化爲一龍而猪首，左右遽告帝，帝曰：「此猪龍，無能爲」，終不殺。認爲此人愚如猪，無所作爲，故不放在眼下。後安祿山反，始悔不殺此猪首龍身之怪物也。

六畜雖有益於人類，但仍不免視爲禽獸，以畜性呼之者，爲人所不能忍受。民十六年，長沙舉辦農民協會，葉德輝用農會兩字冠首成聯以諷之曰：「農運宏開，稻粱菽，麥黍稷，盡皆雜種；會場廣濶，馬牛羊，雞犬豕，都是畜生。」雖葉因文字而賈禍，但此聯猶傳爲今日之口頭禪。

海嘯雲談薈

今文觀止（一）

葛諸侯文

在中學生時代，曾受國文教師的指導，常常閱讀「古文觀止」，竭力模仿各名家的文章格調，學而時習之，不亦樂乎！因而習與性成，對於現代作家的文章，亦留心省覽，樂於觀摩焉。

最近台灣文壇上，爲着東方精神文明與西方科學文明問題，太興論戰之師，戰況熱烈，得未曾有，而戰術（文章）亦五花八門，蔚爲奇觀。我對於論戰雙方的見解和主張，自慚學殖荒落，不敢贊詞，但對各位戰士的文章，不論長的短的，皆仔思拜讀過，試以誦習古文觀止的心情，談談這些「今文觀止」。

我看了首先出陣的戰士李敖先生所寫「播種者胡適」，以及「給談中西文化的人看看病」這兩篇大作之後，曾對當時在香港旅游的台大教授余又蓀兄說，這「李敖」一定是殷海光仁兄的化名，理由是那文章的命意遣詞，具有濃厚的俏皮而又犀利的氣質，咄咄逼人，似非殷兄莫屬（吾友劉百閔兄亦有同感）。繼而又蓀回到台北即函告我以李敖並非殷海光，乃是一位如假包換的青年學人，使我爲之啞然失笑。我是生長在好吃辣椒的地方——湘南一個盛產「朝天辣椒」的山區——素性喜歡帶有刺激性的事事物物，尤以文章爲然。所以，對於陳獨秀那種筆下「撾着四十二生的大炮」的文章，頗爲欣賞，以其氣壯心雄，卻不流於尖酸刻薄也。李敖先生的作品庶幾近之，祇惜其不無失之過刻而已。

老友徐復觀與鄭學稼的性格都不平凡，原屬伯仲之間，但表現在文字上的風度卻迥然有別。徐文的火氣甚大，有如跟朋友聊天，一語不合，馬上就面紅耳赤地吵鬧起來，甚至破口大罵，在所不惜的樣兒，窃以爲過矣！鄭文常常帶點文藝性，不像他平日對人談話時的直質樸素，偶爾有罵人的地方，亦罵得相當藝術。例如他錫李敖以「文化界的維辛斯基」這一綽號，就比吳稚暉先生當年譏張東蓀等爲「玄學鬼」，來得文雅些。他原是研究蘇俄共產黨史最勤力的人，所以三句話不離本行，創造「文化界的維辛斯基」這個新名詞，藉以形容對方羅織成辭，故入人罪。不管事實是否如此，但他這種藝術性的諷刺語，受之者並不感覺難堪，旁觀者即不禁要發生會心的微笑，恍似讀魏晉人的作品，有些雋永意味呢！

李敖在「看病」的大作中，說「徐復觀已飛奔道統的寶座，趕過熊十力，推開錢賓四，哄走牟宗三」；又說「徐復觀不駕崩，他們的好戲還有得瞧呢！」我認爲這亦是一種雋永的幽默語意。然胡公秋原指其爲存心詛咒別人死去，我卻不是這種看法，即「東海」徐公（復觀執教東海大學，故云。）亦未必有此想像吧？

六必居

・道南・

明代的嚴分宜（嵩），書法冠絕當代，北平貢院「至公堂」的匾額，徑尺大字，蒼勁絕倫，即爲嚴所書。待嚴勢敗後，主管官決定更換，結果請許多名家執筆，竟沒有一人比嚴寫得更好。在無可奈何之下，僅將嚴的題名塗掉，仍舊掛在上面。

北平有一家醬園，名叫六必居，字也是嚴嵩寫的。因爲這店舖是六家合夥，起初託人請嚴題匾時，嚴信筆寫了「六心居」三字。可是請託的人一想，六個人六條心，那麼買賣不就完了嗎？再三拜求改題，嚴提筆在「心」字上，撇了一撇，就成「六必居」了。到北平的文人，常常要去光顧六必居一下，倒不是想買醬菜，而是想看看那塊名匾，嚴字的珍貴可知。後來名氣太大了，店主怕祖傳之寶遺失，非常担心。

嚴嵩是二十七歲中進士（孝宗弘治十八年，一五〇五年），以對策敏美，被選爲庶吉士，進翰林院深造。他的詩辭古文，造詣之深，較明代顯赫一時的七才子，並無遜色。惜因德行之累，五百年來，得不到士林重視。嚴氏後裔，明末時曾將他之遺稿，編爲「鈐山堂集」，刻成一副木版，每十年印刷一次，分贈各親友以及訪客。

山川風物

傷感

馮吉煌

霏霏細雨掩蓬門，水遠山長誰與論；
一角雲鬟香吻在，新醅未潑已銷魂。

×　×　×

十二春來枉自忙，天涯落拓鬢蒼蒼；
寶刀名馬今何在，濁酒新詩且自狂。

內備警台報字第〇三一號內銷證

自由報

THE FREE NEWS

第二三〇期

中華民國僑務委員會頒發
台教新字第三二三號登記證
中華郵政台字第一二八二號執照
登記為第一類新聞紙類
（本週刊每星期三、六出版）
每份港幣壹角
台灣本售價新台幣貳元
社長：雷嘯岑
督印人：黃行富
社址：香港銅鑼灣高士威道二十號四樓
20 CAUSEWAY RD 3RD FL
HONG KONG
TEL. 771726　電報掛號．7161
承印者：田風印刷廠
地址：香港灣仔高士打道二二一號
台灣分社
台北市西寧南路壹壹零號二樓
電話：三〇三四六
台郵撥儲金戶九二五二

從美國遠東戰畧態勢看中國反攻大陸（下）

郭甄泰

丙、美國之遠東政策與戰畧。

國家政策為戰畧計劃之骨幹，一切戰畧計劃之準繩，嘗須追隨政策，不能獨立存在。政策上有一定之目的，戰畧計劃始能有一定之方針，戰畧計劃與政策上之目的，若萬一不能調和，即所謂政畧與戰畧不能一致，則其結果必致漏洞百出，招致敗亡之禍。美國現在之遠東政策為維持現狀，扶植與國，因之其軍事戰畧為劃界圍堵，嚇阻防禦，分述如下：

（一）美國遠東政策。美國現在對全世界各國均以維持現狀為目的，遠東自屬不能例外。北韓併吞南韓，北越併吞南越，固然反對，南韓想統一北韓，南越想進兵北越，亦不贊成，一切均以維持現狀為目的。同時對於友邦則運用軍援經援予以扶植。美國過去為扶植亞洲友邦軍隊，曾耗資一百億元，每年維持費亦需要十億元。關於軍援方式，一為軍事援助，美國每年約費二十億元，從前此項美援係用以協助歐洲軍現代化，現在則逐漸減少，轉用以更多的噴射機，戰艦，雷達和武器運往亞洲。一種是「防衛支持」，每年約七億五千萬元，是給予「貧窮」國家，不能完全擔負其軍事預算的。亞洲國家美國軍援的自一九四五年七月起，計為：中華民國二十二億，南韓十五億，日本九億一千六百五十萬，巴基斯坦九億，南越五億五千萬。非律賓三億五千萬，泰國三億二千五百萬，寮國八千五百萬，高棉七千五百萬，總計共在六十七億美元以上，另外並有大批經援。

（二）美國遠東戰畧。二次大戰後，國際局勢丕變，美國太平洋之門戶，不復在夏威夷，而伸張至於中國海岸。日本，南韓，琉球，台灣，非律賓等島嶼雖均非美國領土，但無異為其守門之據點，因之對於遠東之勢，不能不採取防守主義，其主要戰畧為維持麥克阿瑟防禦線，此線自阿留申群島畫一弧線，延長至馬利亞納群島，包括日本，沖繩，非律賓。因為此線如能堅守，美國即可以北自海參威，南至星加坡，封鎖整個亞洲大陸，即可以飛機轟炸大陸沿海各都市，與蘇俄之西北利亞及其南方衛星國之交通線，補給線，凡蘇俄現在將來所能佔領之海口，首都，工業中心，均將受空軍之威脅。惟其目的，僅為防禦，手段則限於圍堵。當一九五〇年時，麥帥擬揮軍越過韓國邊境，進攻我國東北，完全消滅遠東共產勢力，此時蘇俄尚無原子彈，中共新敗之餘，一舉即可成功。日本前首相吉田茂認為：「實為一種最特出而卓越，而且在歷史上得大書特書之看法」。但杜魯門堅持不准，並因此而將麥帥免職。其原因即為此項戰畧違反美國之遠東政策。一九五八年八月中共砲擊金門之役，在台灣海峽集中空軍與砲兵，空前強大，陸軍除原在當地葉飛兵團外，尚有從韓戰調回的前「四野」九個軍，此外尚有傘兵和海軍陸戰隊，並於開始四十八小時內射擊了十萬發砲彈，顯有大舉之勢，美國遂又集中太平洋區域海空兵力巡邏台灣海峽，核子武器，大部出動。但其目的仍僅為嚇阻圍堵，中共一行龜縮，美國即偃旗息鼓，全師而退，恢復原有態勢。現在甘迺廸總統執政後，對遠東政策仍無變更，韓國之三八線，南越之十七線，台灣海峽之金馬，仍為其「到此止步」線，態度雖甚堅強，但其目的，仍為圍堵，戰畧仍為防禦。據美國官方人士稱：「估計在美國防衛在遠東之非共產國家之一項新戰畧擬出之前，最少將再費時一年」。由此可見美國在最近期內，尚不至對亞洲安全問題進一步扮演較積極之角色。

丁、我們如何反攻大陸

反攻大陸為我全國同胞一致之願望，但如何反攻，則條件甚多，實為一複雜而難解決之問題。愚意反攻大陸戰畧，應採用：「首先建立一灘頭陣地，並保持此灘頭陣地至三個月，以期引起大陸人民軍隊連鎖的反應。」基此，發生四個問題：一、國際環境，如何變更？二、灘頭陣地，如何建立？三、灘頭陣地，如何保持？四、連鎖反應，如何引起？謹貢意見如下：

（一）國際環境如何變更。遠東軍事自由集團以美國為中心，共產集團以蘇俄為馬首。美國現在並非不欲消滅中共，亦非不欲中國反攻，實係恐反攻失敗，引致美國下水。蘇俄現與中共分裂，既裂之後，甚難彌縫，中國反攻雖非蘇俄所喜，但蘇俄如能坐山觀火，採取消極態度，不予援助，則中國反攻成功之希望，即已達到一半。現在對於美國應辦到下列數事：

1修改中美條約，加入對於人道主義之救民反攻，予以諒解，並予以物質經濟上之援助一項。

2軍援攻擊武器，如轟炸機，原子砲，坦克等。

3借給輸送艦艇，以便運兵及補給彈藥等軍需品。

4撥給大批糧食藥品以資放賑救濟。

5協同維護台灣海峽天空及海上之安全。

（二）灘頭陣地如何建立。建立灘頭陣地，為反攻之第一腳踏石，甚為重要。對此應注意地點與人數兩方面：

（1）地點。地點宜在廣東，福建二省任擇一處，如選擇二處，則宜以廣東為主，福建為副。廣東交通僻遠不便，在戰畧上不適宜於大兵團作戰，中共既未駐有重兵，在歷史上，亦無人用為決戰之地。大軍在此登陸，我方有供給運輸之便，敵人則有遠征疲憊之苦。加以廣東民性強悍，人民對於北方中共幹部派駐廣東，頗有反感。國軍一旦登陸，望風響應，揭竿而起者，必將風起雲湧，蔚為洪流，可以斷言，可收先聲奪人，引起連鎖反應之效。

（2）人數。人數不能過少，過少則無作戰能力，不能發揮戰果；亦不能過多，過多則供給不便，難以維持，應以五萬至十萬人為度。

（三）灘頭陣地如何保持。保持灘頭陣地應注意運輸，空權，斷絕敵人補給線及分散敵人兵力四方面。

1運輸。灘頭陣地，一經建立，軍事根據地與戰畧中心間之運輸，在現在情勢下，主賴船艦。日俄戰爭時，一師一日所需之糧食及彈藥等，約為七十噸至一百噸。第一次歐戰時，一師兵力一日之補給，平均約需五百噸，即為往昔之五六倍。今假定以輕師團二師，重師團一師，追擊師團二師，共六師編成一登陸兵團，兵員約五萬人，則需要坦克車五百輛，一日份糧秣一百噸，彈藥二百噸，器材預備品及衛生材料五十噸，計約為四百噸，均須每日由後方運至戰線。加以兵員之補充，傷亡之撤退，所需船隻數目，極為龐大。如無充分準備，則此項灘頭陣地，在作戰上即不免發生齟齬。

2掌握空權。台灣海峽空權，固須掌握，戰地空權亦須有大批戰術空軍掩護，否則無法作戰。

3斷絕敵人補給線，敵人採取守勢，須有二倍於我方之兵力，千里懸軍遠戍，補給線主賴粵漢，滬粵等鐵路，我方必須利用飛機及游擊隊，全部予以破壞，使其補給線不能暢通。

4分散敵人兵力，中共平時擁兵二百五十萬，加上民兵後備兵等，約可出兵一千萬人，較我方總兵力超出四五倍，雖因缺乏遠戰兵種，全線十分之八，阻山面海，除東南亞外，無法採取攻勢，但守則有餘，外殼狠硬，我方大軍登陸，如不用原子武器，此項硬殼甚難打破。在灘頭決戰，我方雖可能打勝，但次一戰，因為共軍還可調集大量兵力，國軍則消剩不多，後援難繼，自不能作孤注一擲。因此對於敵人兵力須設法使其分散。例如印度如肯出兵奪回其喀什米爾高原一萬二千平方里的土地，則可牽制中共兵力三十萬。越南方面，越南如可出兵相助，亦可以牽制其兵力二三十萬。內部各省，義軍紛起，可牽制其兵力數十萬，東北亞公約組織如能成立，亦可牽制其兵力數十萬。總期能多方設法，分散其兵力，使其首尾不能相顧，難以集中。

（四）連鎖反應如何引起。反攻大陸成功與否之關鍵，主視人民與軍隊之連鎖反應是否能以引起，及引起是否迅速，究應如何號召，策動，茲事體大，容俟另文予以研究。

反攻大陸，祇許成功，不許失敗。美國態度如何，既關重要，其他國際環境之轉變亦未可一蹴而及。時機雖到，條件未備，故仍須以慎重態度處之也。

漫畫天下

南池

餓民：先搶他的槍才取他的糧！

同病相連

自由談

混亂的民主思想

印尼的蘇卡諾政府，效法共產政權的作風，以命令解散政黨，改造議會，實行個人專政獨裁制，而美其名曰「指導的民主」！阿根廷的軍人以武力政變手段奪取政權，放逐行政元首，解散議會；否認人民普選出來的地方行政首長，而號稱為「反法西斯派」——即指前任該國總統貝隆一派人的潛勢力。此外如土耳其，南韓，叙利亞各國，皆實行軍事獨裁專政的體制。若依純客觀的民主憲政思想來觀察，這都是不足為訓的現象，適與反共運動的理論和利益背道而馳。

我總以為美國的輿論界，以及那些素來強調美式民主，生活的政客學者們，對於上述各國的軍人專政獨裁情形，必然大事抨擊，認為是「不遵循美國政策的政府」（哈里曼對寮國政府的評語），不值得予以援助的。可是，事實上大謬不然，美國朝野上下人士默然無弊，而白宮當局亦照樣地給上述各國以軍經援助。在另一方面，又以對華外交白皮書的方式，把十餘年前美國一些左傾親共份子如戴維斯，謝偉志等，指中華民國政府為「法西斯政府」，為「迫害民眾，統制思想的不民主政權」這類干涉內政的批評文字，輯印專冊，向外宣傳。這使我輩素來尊崇民主憲政，相信美式政治生活的人，在思想上陷於極端迷惑混亂狀態，無以自解了！

體察美國當道發表「一九四三年對華外交關係」專書的用意，不外是對現在台灣的中華民國政府暗示其不滿意——即認為不夠民主政治的水準——否則何必多此一舉呢？但美國對於上述各國比咱們國家更不民主的軍人專政獨裁政權，何以又引為友邦，樂於援助，而不聞有所指摘呢？唯一的解釋，就是我國平日對於美國過於信賴，對美國朝野人士的意見特別尊重，致使他們隨時抱着一種求全責備，尋瑕覓疵的藐視心情。止謗莫如自修，求人不如求己，而今而後，希望我們政府當局知恥奮勉，努力於自強自立之道，不要將國家民族的命運，完全寄托在別人身上，庶幾有豸！

馬五先生

採訪綫外

▲浙江大學校董會決定在台，復校，先辦化學研究所。浙江大學的化學研究所經擇定設在新竹縣的青草湖，所址佔地兩公頃半，經與地主談妥條件，正趕辦過戶手續中，今年秋天便開始建校工程。

新竹縣現在已有清華大學的原子研究所，交通大學的電子研究所，經濟部的工業聯合研究所三個學術研究機構，現在浙江大學的化學研究所又設在新竹，另外新竹還在爭取將來的中央大學物理研究所亦設在新竹，如果眞成爲事實，一縣之中有這許多學術研究機構，不必說在中國是向所未有，甚至全世界亦再找不出這樣的盛事來。

浙大化研所即興建　新竹縣城學術機構中心

一知半解鑄成千古恨

▲轟動台灣的影星刀斬武俠小說作者案，女主角的紀翠綾直承與該武俠小說作者蕭敬人通姦時，曾說她與蕭通姦之事，如果發生在美國，根本不算什麼。言下大有恨生在中國，因此才使得社會大衆人言嘖嘖，不直兩人所爲。紀的這番話，引起她丈夫的朋友美國人湯姆士上校的強烈反應，說她這觀念是錯誤的。在美國，有夫之婦紅杏出墻，同時會受到輿論的指責與法律的制裁。

由於外國若干電影明星之流的愛情多變，性生活不檢點，一般半新不舊一知半解的人，於是以偏概全，以爲所有外國人那是如此。好的不學學壞的，觀念既然錯誤，行爲於是不檢點，而還以爲自己是「新派」，致一失足成千古恨，可憐亦復可歎。

駕車闖禍逃走最羞辱

▲據台北市警察局統計：去年一年內，台北市共發生車禍大大小小九百五十三宗；此數比之民國四十一年，增加了百分之四百三十五。該項統計又說：截至去年底，台北市人口爲九十三萬四千四百九十三人，甲種車種車輛一萬六千一百三十五部，乙種車輛二十二萬九千九百二十五部（軍用車輛不在內）。

台北市警局指出，台北市車禍其所以如此猖獗，對於妨害交通者的處罰甚輕微，爲其原因之一。據說：在遠東主要城市如東京、香港、馬尼拉，星加坡，其妨害交通規則的罰則，均遠較台北市爲重。好像超速行車的罰則，要重到五倍到八十倍，軍輛超載的罰則，要重到四倍到四十倍，闖紅燈，夜行不開燈及任意停車的罰則，要重到四點四倍到六十倍。

其實車禍猖獗固然了，台北往往而發生車輛闖禍之後畏罪不顧而事，才是最堪羞辱的事。（衛）

台灣海峽的夏威夷
澎湖列島亟待開發
發展方向爲漁業與觀光事業　資本很重要經營管理亦重要

（本報記者澎湖航訊）在記者未來澎湖以前，曾經被「傳聞」所誤，以爲澎湖是個「有草無木」的不毛之地，風沙之島。當接受馬公中學聘約之時，又經高校長描繪「馬公有小上海之稱，人情島之美」。初到馬公，印象很好，稍涉鄉里，便覺亟待開發！澎湖列島的地位，在台灣看來，是外圍，跳板，前哨，中途站，十分重要；但依自然環境的比較，澎湖列島，的確可以建設成爲「台灣海峽的夏威夷」。這是記者的「新聞眼」，而政府與地方人士，也已開始注意。但是問題的癥結，尚未被徹底挖掘出來。因此，建設的計劃，比較空洞。

建設澎湖，以目前來說，分爲兩方面：一是發展澎湖的漁業，一是觀光事業。這兩件事，不但都可以做，而且必須做。不做的話，解決不了「澎湖」的「窮」。兩年來，澎湖的漁業，一言以概之：「魚賤，傷漁」；澎湖的漁民，窮苦困難的情形，一般人實在不太了解。觀光事業，雖然沒有什麼大辦法或遠景，但是，澎湖的交通阻隔，影響了澎湖的貧困，實在太大了。今日澎湖的市面，可以說是外來人在維持，一旦情勢改變，澎湖本地的情形，將更加冷落了。這也是問題癥結之一。

政府對發展澎湖，已是很重視了。上自總統副總統巡視中及省政府專案小組調查；不但明確，而且具體。總統對澎湖地方建設，提出十點指示：

（一）加强綠化澎湖，嚴禁民間伐林，指示民間應一律改燒煤灶。
（二）多鑿水井。
（三）整修澎湖孔廟。
（四）多建公廁。
（五）改善牛欄猪舍。
（六）整頓村容。
（七）整理公墓。
（八）撲滅蚊蠅。
（九）注意牲畜保健。
（十）修建西嶼跨海大橋。

這十點指示，一方面是澎湖實際問題，一方面是民生建設要舉。

四月十五日返台，在澎巡視四天的陳副總統，便召集地方首長，舉行簡報，對澎湖地方建設提出重要意見，歸納起來爲：

（一）以兵工力量，致力地方建設。
（二）以地方人士力量，發展遠洋漁業。
（三）以克難精神，綠化澎湖。
（四）發展澎湖畜牧業，種植牧草，改良土壤。

這四方面的指示，可以說很具體，很實際。

四月五日省府委員侯全成等一行十四人的發展澎湖漁業專案小組，在澎湖調查兩天半，一整天的座談會，聽取地方人士的意見，透露政府若干措施的計劃，可能解決澎湖漁業的若干問題：

（一）優先成立漁會信用部，貸款漁民。
（二）改裝澎湖運輸，解決魚產的運輸問題。
（三）籌建製漁罐頭工廠。
（四）調整鰮魚產銷價格。
（五）修改漁業法，以利澎湖漁民。
（六）建設冷藏庫及冰廠，以利漁品保藏。

這些措施，對激發澎湖漁業的步上軌道是很重要的。但是，今日的問題，是需要有一個開發機構和一筆開發資本。

發展漁業，和觀光事業，目標是正確的，工作是艱巨的，因爲這個季風之島，一年有六七個月的風季，而造成了澎湖的一種特性。大凡在澎湖較有才財的人，一有辦法，便向高雄發展，鑒於環境的惡劣，把資本投入較易賺錢，而生活安逸的地方去，不願來建設桑梓。雖然不能一概而論；但有這個傾向。現在旅居高雄的澎湖人士約有十萬人，這數目和現在澎湖居住的人口數相等。雖然，這些旅高澎湖同鄉的上層人士，也在高呼建設澎湖，事實上，總有些隔海搔癢罷了。除了資金之外，人才方面，也有這種現象。在澎湖的年青人，除了風季到台灣去賺錢外；還有一種心理在作祟：本地人不去台灣的被認爲是沒出息不中用。外地人來到澎湖工作的，被認是沒辦法，無可奈何，才貶到這裏來充軍的。這是澎湖建設最大的心理障礙。也由此引起澎湖現居人士的消極心理和短視眼光，以及澎湖地方行政人員不能積極振奮起來，大刀闊斧的去做。

基於建設澎湖，開發澎湖的呼聲，地方人士和地方政府，再三要求省府及中央，在錢上面多加補助。過去也是藉補助而建設了一下。李玉林當縣長的時候，比較有辦法，請得較多的經費，馬公的建設基礎，就在這裏。近年來，却不甚理想。徐詠黎縣長晉省要求與建西嶼大橋，縣府要求增設港灣課，以及第二漁港新生地要求自國有財產局劃歸縣府等，都可以看出，縣府及地方人士，希望今日澎湖地方，更有些力量，可以從事開發和建設。

其實，要建設澎湖，應該由中央或省，縣地方人士，及商業投資，籌組一個三對等的「開發公司」，來統盤籌劃執行，才是比較理想的。資金問題，以三對等方式籌措，經營和管理，不要流於公營事業的浪費和私人企業的唯利。人工的取用，無論兵工，民工，都應該付以代價，使駐軍居民收益增加，就是間接繁榮市面。工作對象，首先是發展交通，無論如何六級風七級風必須維持空航海航。其次是改善自然環境和土地，然後才說得到發展漁業和觀光。今日漁民生活的惡劣，無從發展遠洋漁業；澎湖地區的荒蕪，目前實無光可觀，除馬公，林投，通樑之外，一下就看完了。

以列島的地勢而論，建設澎湖爲「台灣海峽的夏威夷」，是當之無愧的。但這一開建工作，必須再加艱苦奮鬥，才有希望！（陳知青）

「今日武訓」
台南殘廢老丐張抗　乞得錢來捐給學校

（本報記者台南通訊）一個以乞討爲生的殘廢老丐，儼然「武訓興學」的精神，以其平日積蓄貯存起來的零碎金錢，湊合成一張鈔票後，便拿去捐獻給台南縣甲中國民學校。此一感人肺腑的事蹟被發現後，消息不脛而走，平靜的台南，也因爲這一佳話轟動起來了。

此一「今日武訓」的殘廢老乞丐，其名叫張坑，已五十八歲，住台南縣下營鄉甲中村一〇五號。他由於自幼家境貧困，父母又相繼病故，且雙目失明，致淪爲乞討，一日三餐，均感窘困。本年三月，他獲悉該鄉甲中國校興建校舍而發起捐獻後，他好善不後人，實踐武訓精神，居然將自己的窘困忘得一乾二淨，把從人家乞討得來的零零碎碎的錢，慢慢地積成一張十元的鈔票後，便拿去獻捐給甲中國校。他這種苦行爲善捐資興學的事蹟，博得當地社會人士的一致讚許與敬佩。

在記者前往訪問他時，他卻說：這事不值一談，根本沒有什麼了不起之處。他的大道理是興學乃每個國民應盡的責任，他雖然生活苦些，卻亦不能忘去這項責任。他說：他的討乞生涯，誠然並不好過，往往還得受盡鄙夷，但當他把辛苦得來的一點點錢捐給學校時，他便覺得很快樂，死了也值得。

他的這些話，太感人了。（燕謀）

影星斬武俠小說作者案
丈夫子女如陌路　世道人心可問乎

（本報台北航訊）影人魏平澳，以演「反派小生」著名。五十一年四月十四日，因恨其友武俠小說作者蕭敬人，妨害他的家庭，于是日凌晨，將蕭連砍五刀，重傷。送台大醫院急救，事後，魏被捕，由警分局訊後，移送台北地檢處檢辦。據魏在分局供稱：「六年前，伊與台中女子紀翠綾結婚，已誕子女各一。五十年夏，因拍戲，與同鄉蕭敬人相識，自是之後，在生活上，對蕭甚多幫助。無有想到蕭暗中竟與其妻相戀。去冬，紀母告知他，其女與蕭有曖昧行爲。起初，伊還不信，迨後，其妻頻向之鬧離婚，蕭又時時藉故追隨其夫婦一起，每乘渠演劇時，即與其妻發生關係。渠會向蕭屢提警告，蕭皆否認，使他精神上大感痛苦。

十三日，伊在台中喝了酒，乘夜快車于十時許回抵台北，竟不見其妻。經探悉其妻與蕭會到圓環一家旅社幽會。一氣之下，帶着兩個月前所買的一把尖刀，前往景美鎮蕭家，蕭拉之出，兩人邊走邊談，伊拔出尖刀，要求蕭與其妻斷絕往來。蕭不答，竟奪刀，遂相鬥，至附近稻田中。伊之右手被扯損，怒而砍他數刀，以用力不大，既見蕭倒地，廼舍之回家。」云云。

是案發生後，魏平澳扣押台北地檢處，由檢察官漏夜偵訊。訊畢，魏以家有子女，無人照料，要求保外。謂有影人穆虹等可保。法官謂汝有妻，可以照料。但當傳其妻時，僉云其妻紀翠綾不在此，而在台大醫院看護蕭敬人。法官聞之，亦感意外，廼偕穆虹等，照顧魏之六歲小女，與四歲小兒。

此一富有刺激性的地方桃色新聞，以台省聯合報記載最爲詳細。第一天刊出地位，幾佔第三版全面。其中特寫一段，標題是：「有血有淚的悲劇，無情無義的小說。」文內有一節是這樣寫的：一個多月前：魏早晨有外景戲，故意把鬧鐘撥早半小時，鐘響了，即匆匆起床，穿衣外出。其時，蕭在外廳睡，蒙頭未醒。紀睡房內，亦擁衾高臥。魏虛掩樓門，下樓一幌，旋即逕返，悄悄登樓，猛地打開房門一看，不禁怒火中燒！原來愛妻好友，居然滾在一床了。又一次，在三個星期前，魏在台中演劇，住省都旅社，紀忽來找其夫，要在其夫住房對面之房住下。當天晚上，蕭又來，即在此房住下。魏以登台在即，忍而未發。即提早半小時出去，旋即折回，從自房衣鏡看見其妻由對房中溜出，滿面通紅。

筆者按：在昔時，有夫之婦，而且生有子女，與人通姦，是要受刑責的。而且甚重。現在，民主時代，夫在而與人通姦，有無刑責，或告訴乃論，我非法律家，恕不具論。（編者按：依法此爲告訴乃論案件，又魏已將蕭、紀控訴矣。）不過，從新聞消息來說，本婦與人通姦，本夫證之，本婦之母亦證之，本人更直承不諱，這是罕見之事。更而甚者，本夫因本婦與人通姦，而致殺人犯罪。假使被殺之人而死，在昔是要抵命的。在此情況之下，本夫被逮，本婦不但毫無體卹之心，視如陌路；反之，更投入所謂「相戀者」之懷抱，日夜在傷者床前侍候，把自生之兒女棄置不顧，七年相愛之丈夫，等于路塵。這在毫未接受教育之愚婦，或山地姑娘，情尚可原。廼竟出之受過高中教育之女子，而又爲書香之家的女兒，人心世道至此，尚可問問乎？無怪其父母兄弟，都不直其所爲，法官亦驚歎意外也。（周讚如．五十一年四月十六日寄）

大陸上人民的生活近況

——人為的飢寒疾病交侵——

凌霄

（本報訊）近數月來，由大陸逃到海隅的難民，時有所聞，從他們的言談中，得悉華南——粵閩一帶——同胞的生活概況頗詳，但其他各省的情形是否相同呢？記者最近遇着兩位來自川贛地區的難胞，跟他們談談，有幾點事實值得報導：

大陸上發生飢饉的原因，基本是人為的，繼之以兩年的旱潦，如是乎普遍發生了餓莩載道的慘象。據說：「在人民公社」未實現之前，曾經有兩年（一九五五—五六年）大農豐收，雖然大部分的糧產都給中共政權收去了，一般人尚勉强可以過活。既而共黨强迫農民實行「深耕密植」方法，乃把耕地層的磽質泥土翻掘到上層來，原有比較肥沃的部分被推至底層，反而失去了作用，而人造肥料又缺乏之，以致構成減產現象，再遭到水旱災侵之侵襲，當然歉收。如四川成都平原因有都江堰的水利建設，素稱「天府之國」，不愁旱澇的，但在一九五七年竟發生水淹川西壩的人為災害，農產品全部化為烏有了！其他各省區的災情更嚴重。可是，北平秧歌王朝根據各省共幹「超額完成」的糧產僞統計數字，認為糧食很多，即把米糧不斷地輸出海外，或換取外滙，或贈送「兄弟之邦」如阿爾巴尼亞等。這樣一來，大陸五億以上人民每天應有糧食配給額，只好急遽地減少，減到連煮粥充飢的可能性亦不存在了。大家起初是以番薯替代，然番薯亦歉收，最後只有向山野間採取水草與樹葉樹皮以求活命之一途，而鼓脹病、水腫病乃普遍流行，除却騎在人民頭上的共幹以外，無一倖免於難者。

大陸上的西藥固然缺乏，中藥亦空空如也。原因是共黨把歷年來搜刮民間的藥物，大量輸出海外販賣，而原有產藥地區如四川等省的人民，皆於種植藥材得不到實益之故，皆不願從事採藥工作，且將藥種亦剷掉了。所以，素來出產中藥最多的四川省，現在竟看不到一片比較重要的藥材，例如當歸、貝母、川芎……等等。大量出產藥材的地方既買不到中藥了，其他地區的情形更可想見，而人民普遍害着的鼓脹、水腫疾病，自然無藥可醫，徒喚奈何。大陸民衆還有一種到處流行的色盲症，這亦是營養不良的結果，據醫學家言，人們常年不吃魚類，便要發生色盲症的。內地同胞根本沒有飯吃，自不能談到「食有魚」的話。

我國的絲棉，在過去是居於輸出物品之列的，現在呢，到處找不到一兩絲棉了。這項物品的生產來源是藉桑葉以養蠶，再由蠶繭得到絲。自共黨政權成立後，農民以其胼手胝足而獲得的絲棉，必須賤價繳交中共政權，於心不甘，相率把桑樹砍掉，而絲棉即宣告絕跡了。既沒有桑樹，自無法養蠶，到一九五六年間，共黨又强迫農民種植桑樹，尤其在養蠶的地區如蘇浙和四川一帶，雷厲風行，嚴限某區非種植若干數量的桑樹不可。共產黨處事就是這樣無知無識的蠻幹，農業如此，工業亦然，幹壞了又回頭，反正以人民為芻狗，備受災難的只是一般民衆，與共幹不相干。至於衣服問題，每人每年只配給兩尺五寸的粗布，聊作為補綴舊有破爛衣裳的窟窿亦不夠用啊！

綜觀上述情形，大陸同胞都是過着無食無衣，疾病交侵的悲慘生活，而這些慘狀又多半是由於共黨胡行妄為所釀成的。這就是所謂社會主義建設的大躍進，可恨亦可鄙也。

香港與大陸

湖南省衡陽人馬君，兩天前接到他父親自家裏來信說：現在共產黨為了要大攪春耕，把許多學生亦驅到農村去「加强農業陣綫」了。那些十幾歲的中學生，男男女女都有，他們一方面心裏大不願意做，再方面亦實在並不怎麼會做，但被學校中的共幹監視着，非要他們學做不可，尤其那些女學生，能做什麼呢？看她們在田裏攪得一身泥污，氣喘吁吁的樣子，實在可憐。

馬君父親的來信，主要是催他多寄回糧食包的，另外還要他無論如何要寄兩噸肥料回去。馬君說：多寄點糧食包回去，還不打緊，他這兩年來就亦每個月都要寄糧食包回去的，有時月寄兩次，有時月寄三次。但要他寄兩噸肥料，這需要港幣六百多元，非他能力所能担負，但既然他父親來信說非要不可，很使他為難，兩天來曾到處向朋友張羅，却還沒有什麼頭緒，心裏很感着急。

為了要認真攪好春耕 大陸學生與公務員亦被驅迫下鄉耕作

據馬君的父親來信說：共產黨這次攪春耕，確實表現得很認真的樣子，不但學生被驅到鄉下來了，連一些公務人員，亦被共黨勒令到鄉下來耕田了。學生與公務員都被驅來助耕，農民同胞更不消說，現時被共幹們督促得很嚴厲，已很難再如以往的多有偷懶怠工的機會，這就使得農民同胞大吃苦頭了。

來信說：做工本來是本份應為之事，祇是糧食配給並不因要大攪春耕而有所增加，一個月的配糧，僅足吃十二天稀飯，要認認真真的耕田揷秧，怎麼行呢？也因此，所以馬君的父親要他更多寄糧食包了。

談到寄肥料的事，來信透露目前大陸肥料，確實非常缺乏，這問題不解決，即使秧揷下田了，收成還是絕對不會有大希望的。共幹因為知道馬君家平常有糧包收入，乃勒令他的父親，非設法弄回兩噸肥料不可。共幹說：能有兩噸肥料寄回，他家可立刻得到二百斤米的額外配給。他父親的來信，就承認是為了可得到兩百斤米，所以要他無論如何要設法寄回肥料。言外之意，他父親如其不因兩百斤米的誘惑太大，根本不會真要他寄肥料。這亦就是說：大陸同胞對於是否可使收成好一點，其實全不關心。

來信中並提到以往共產黨要攪機械耕種，他們看不起耕牛，許多耕牛都被運出口換外滙的笑話。據說：曾被宣傳為「寶貝」的耕作機械，起初的操作，還將就過得去，不久機械毛病百出，修理亦成問題，結果因為耕牛不足，共產黨竟要老百姓代牛耕田，由三個人合拖一把犁，苦不堪言，怨聲載道。（續）

向核彈抗戰

陳知青

六、原子核彈的原理

（一）原子的結構

前三節簡單的把防禦核彈的電子科學方面的辦法，介紹了一下；以下將核子彈科學方面的防禦方法，作一簡單的介紹。現在核子科學對於核彈戰爭的防禦，消極的辦法，約有「太空中子雲」，「死光中子彈」，「輻射强光炮」等三種。

在介紹「太空中子雲」的防禦方法之前，我們還得將核彈的原理和原子核的結構，先加以解釋：

先說原子的結構。

原子這個名詞，首先已在化學中熟悉的，但自二次大戰原子彈投下在日本長崎和廣島之後，才為普通的新聞名詞。其實，最早要算到公元前四世紀，當時的自然哲學家棣摩克利托假定，他說一切物質由原子所構成，原子是極微小而不可再分割的物質單位。

這一觀念，到十九世紀，電發現以後，逐漸打破。原子並不是最小的物質單位，不但可以分割，而且還可以一分割再分割。因此，把「原子」叫做小宇宙。他的內容，非常複雜：——這就是今日所說的原子結構。

電子——是原子的外圍，經過許多實驗，到一八九七年湯姆生發現了電子。它是原子活動單位的外圍主要份子。

原子的兩大部門，除了外圍的電子柵外，就是中間的核心，我們叫做原子核。原子核是原子的實質部份，一個原子，外表是空洞的，幾個電子在外表飛跑，從電子到原子核是一段眞空的空間。他的體積，為原子的一萬億分之一，但它的質量，差不多就是原子大部份。

原子核中主要的成份，叫做核子，核子普通分為質子和中子兩大類：

質子——是原子核的主要角色，一九一九年羅塞福發現證明，質子是原子核中重要的核子。帶陽電，電荷和電子的陰電相平衡，質量是電子的一千八百倍。

單由一個質子做核心，外面圍繞電子，就能造成一個氫一原子（H一），這是質子的重要性。到現在為止，所發現的一百零四種的元素裏，有一個通性：原子核有幾個質子，原子外圍就有幾個電子。所以做氫彈的氫原子，祇有一個質子在核心，也祇有一個電子在外圍。做鈾原子核彈的鈾原子，有九十二個質子在核心，也有九十二個電子在外圍。

中子——是原子核的次要主角。一九三〇年起至一九三二年查德威克所發現。它的質量大致和質子相等，稍微重了一些，但是不帶電荷。除了氫一原子沒有中子之外，其餘原子的核裏，都有多少不等的中子。中子決定了原子核的重量，也決定了原子的重量。所以二重氫的核，是一個中子和一個質子構成的。

（十五）

瘟君續夢

第五回：深壑難填　反顏奴抗主　片言起釁　轉瞬德成仇

就當毛澤東在國內志得意滿，不可一世之時，外面的麻煩却接踵而至，變成了百上加斤，使搖搖欲墜的毛澤東王朝，更加深了危機。

重大的麻煩還是來自蘇俄，當一九五八年底，周恩來去蘇俄出席聯共二十一屆大會時，當面向赫魯曉夫懇求援助，赫魯曉夫是准了，批交米高揚和庫西金兩人處理，本來已沒有問題。可是蘇俄本身同樣農業失收，工業停滯，和中共的困難只是五十步與百步之間，要蘇俄大量援助中共，自然做不到，結果變成了口惠而實不至。中共最初還眼巴巴望，以為「老大哥」的援助不久即將到來，誰知左等不來，右等不來，赫魯曉夫又發表一句怪論，毛澤東覺得忍不住了。

原來美國一位專欄作家阿爾索普，在美國據說擁有五百萬讀者，平時頗留心中共與蘇俄問題，恰在這時去蘇俄遊歷，會見了赫魯曉夫，兩人在克里姆林宮促膝長談世界大勢，由西歐談到遠東，談的十分熱烈。突然阿爾索普問道：「你們十年來對中共的援助，數字十分大，比起我們對中華民國政府援助，要多了幾倍。」

赫魯曉夫聳聳肩膀，苦笑一下。

阿爾索普繼續說道：「最近一年來，你們對中共的援助幾乎斷絕了，不知是什麼緣故。」

赫魯曉夫仰起脖子灌了一杯伏爾加，瞪起銅鈴大眼向阿爾索普說道：「什麼緣故都沒有，就是我們被他吸乾了。」

阿爾索普笑道：「你們同中共是兄弟之邦，互通有無是好應該的呀！」

赫魯曉夫「哼」了一聲：「兄弟之邦也要算賬啊！你同你的弟弟都是專欄作家，你們兩個人每月在報館拿的錢也分得清清楚楚，何況我們是兩國，光借不還，我們自然就不借了。」

阿爾索普當時掏出筆記本把赫魯曉夫的話全部記下來，回到美國發表了。

中共外交部新聞司對這樣重大消息不敢遺漏，連忙翻成中文送上去。周恩來看了大吃一驚，悄悄帶着這則新聞去見毛澤東。毛澤東一看氣得暴跳如雷，馬上打電話把在北平的政治局委員都找來，大家坐定之後，毛澤東把阿爾索普的專欄交給大家看一遍，許多人有的驚，有的氣，有的低頭沉思，只有賀龍瞪着大眼發呆。

毛澤東勉强忍住氣，看着劉少奇、鄧小平說道：「赫魯曉夫是什麼意思，專在美國人跟前放我們的冷箭，這樣攪法不是對付我一個人，而是對付我們全黨，你們感到沒有。」

劉少奇不敢答言，毛澤東接着說道：「赫魯曉夫說我們把他吸乾了，我願意同他找到一起，斬上猪頭三牲賭咒，到底誰吸乾了誰？我們經西伯利亞鐵路日夜北運的糧食，日用品，比一條血管流的還平均，十年來把我們的物資流乾了，不然我們不會這樣窮的。」

大家都不敢開口，毛澤東喝了一口茶又繼續說道：「不錯，算起賬來，我們是欠他們的，那是因為我們負担了朝鮮戰爭的軍費及利息，才積壓這麼多。」

（九五）

滿清稗政實錄之三

黃寶實

清承歷代之制，內外機關歲計出入，皆無預算。內而各部之超支及臨時費用，多仰給于『攤派』與各省官吏之『報效』，且以『報效』之多寡，衡其人之賢不肖，其窮通亦于是乎卜之。外官州縣乃至末流小吏，雖有薪俸，其幕府胥役及一應開支，則概賴丁漕或錢漕平餘，亦稱規費平餘；皆正稅之外，浮取于民，以防折耗，故又稱羨餘火耗。要其實，胥屬橫徵暴斂，朘百姓以求生。丁漕或錢漕之豐儉，一視地方之貧富，丁庶饒者則平餘多，謂之優缺，或逕曰肥缺，咸趨之若騖。（如廣東香山，有望城十萬之稱。謂一經委署，即不到任，亦可垂手而得紋銀十萬兩。）地瘠民嗇者，正供且不足，遑論耗羨？臨其事者，往往賠累虧欠，窮愁潦倒，以至客死他鄉，則又皆視為長途。自年羹堯田文鏡倡耗羨局部或全部提解歸公之議，于是耗羨平餘，儼同正賦。及李鴻章袁世凱徐世昌輩更將州縣經費劃為公費及養廉二門，公費即機關行政費，養廉即首長給予也。至光宣年間，普遍清理地方財政，羨餘『合盤托出』，寬訂公費，優予養廉。宣統二年，度支部並編訂宣統三年中央及地方歲入歲出總預算，奏准實施。財政甫見規模，而武昌首義之槍聲作矣。茲錄王慶雲紀耗羨歸公為滿清稗政實錄之三。

『今日之耗羨，同于正供，軍國之用取焉，官之養廉取焉，地方公費取焉，非前代進羨餘充私藏之可比，故不可以無紀。案火耗起于前明，國初屢有厲禁。禁之不能，則為之限，限之不能，乃明定其額而歸公。其變法也以漸，要皆不得已也。康熙四十八年，聖祖諭曰：「所謂廉吏者，非一文不取之謂；若纖毫無所資給，則居常日用及家人胥役，何以為生？如州縣官止取一分火耗，此外不取，便稱好官。若一概糾摘，則不勝參矣。」

（上）

唐太宗（十八）

李仲侯

徵對曰：「知人之事，自古為難，故考績黜陟，察其善惡。今欲求人，必須審訪其行，若知其善，然後用之。設令此人不能濟事，只是才力不及，不為大害。誤用惡人，假令強幹，為害極多。但亂代惟求其才，不顧其行。太平之時，必須才行俱兼，始可任用」。魏徵曾諫太宗說：「為人君者，在乎善善而惡惡，近君子而遠小人。善善則君子進矣。惡惡則小人退矣。近君子則朝無秕政。遠小人則聽不私邪。小人非無小善，君子非無小過，君子小過，蓋白玉之微瑕；小人小善，乃鉛刀之一割。鉛刀一割，良工之所不重，小善不足以掩眾惡也。白玉微瑕，賢賈之所不棄，小疵不足以妨大美也」。又說：「君子小人貌同心異。君子掩人之惡，揚人之善，臨難無苟免，殺身以成仁。小人不恥不仁，不畏不義，惟利之所在，危人自安。夫苟且危人則何所不至？今欲將求致理，必委之於君子。事有得失，或訪之於小人。其待君子也則敬而疏。遇小人也必輕而狎。狎則言無不盡，疏則情不上達。是則毀譽在於小人，刑罰加於君子，實興喪之所在，可不慎哉」！這兩段對話，都是千古用人不刊之論。聖君賢相，契合無間，如見其人，如聞其語。

貞觀時官吏黜陟賞罰，不論親疏仇怨，均以人才為準，太宗確能以天下之才為天下之用，廓然大公，不涉私愛。魏徵，王珪都是他的仇讎；褚亮，李百藥，拔於降虜；馬周，劉洎擢自庸眾；張玄素，孫伏迦均起於胥舊。委以政務，責其成功，惟才是與，不計關係。他初即位，諸將爭功不已，淮安王神通曰：「臣舉兵關西，首應義旗，今房玄齡，杜如晦等專弄刀筆，功居臣上，臣竊不服」。上曰：「義旗初起，叔父雖首唱舉兵，蓋亦自營脫禍。及竇建德吞噬山東，叔父全軍覆沒。劉黑闥再合餘燼，叔父望風奔北。玄齡等運籌帷幄，坐安社稷，論功行賞，固宜居叔父之先。叔父，國之至親，朕誠無所愛，但不可以私恩濫與勳臣同賞耳。」諸將乃相謂曰：「陛下至公，雖淮安王尚無所私，吾儕何敢不安其分？」遂皆悅服。

非非想

漁翁

想，心有所欲而思之，事物未至而意之也。非非，謂非所當非也，荀子：「是是非非之謂智」。語本佛經非想非非想，今以人之心思奇巧者，曰「想入非非」。

但是，非非想，與佛經本義有別，楞嚴經云：「識性不動，以滅窮研，於無盡中，發宣盡性，如存不存，若盡非盡，如是一類，名非想非非想處」。按非想非非想處，為無色界第四天，諸天之最勝者也。非想，言非有想，非非想，言亦非有此非想也。

今世所作非非想者，凡事物不能獲得，而夢寐以求之；如覆水難收，水底撈鹽，以及牛生蛋，馬生角……等稀奇之事，縱有所欲，而想不到手，謂之「幻」，謂可覩之物非實有也，如海岸及沙漠蜃氣，幻為蜃樓海市之類。

白居易詩：「幻世如泡影」，謂世事多變幻也。

古之帝王，得天下後，食珍饈，衣錦繡，環肥燕瘦，羅列左右，享盡人間之樂事，然終不免於一死，於是秦皇漢武，求長生不死藥，後之王侯，亦往往做而效之，可謂想入非非者矣。

其次世人認為八仙飄揚於天空，永不磨滅，引為羨慕，於是有運氣煉丹，丹成而可入仙界。古詩云：「王子失求仙，丹成入九天，山中方七日，世上幾千年」。因此，給人間作念念不忘的非非想！

又其次，成仙不成，而有願成佛者，佛為釋教之祖，梵語，亦作菩提，修己度人，不生不滅，永為善男信女所崇拜，遂又引起世人作成佛成祖之想念！

還有一般人，以長生不死，事不可能，成仙成佛，又屬幻想，祇求解決衣、食、住、行四大需要，過那優越生活，以不虛度一生為已足，此乃常人之見。而騷人墨客，想找一方寸幽雅地，吟風弄月，優游以卒歲。所以人心不同，各個人之想象，亦因之而異。

筆者入港十有二年，過去稿費所得，泰半用之於馬票中，結果，拋石入海，毫無所獲，曾成一絕云：「此間跑馬已成風，春夏秋冬有富翁，個裏明知希望少，也曾幾度試窮通。」此乃百萬分之一的希望，今後再也不作如是想！

思入非非，而見諸吟詠者，莫如胡大川，字作舟，以孝廉名，作幻想詩十五首，其中有兩首最差稱人意者，寫在下面：

「生不願為上柱國，死不願作閻羅。閻羅點鬼心常忍，柱國憂民事更多，但願百年無病苦，不教一息有愁魔。悠悠乘化聊歸盡，蟲背鼠肝皆太和，」「賺得蒼州十樣錢，表將心願達青天。好花常令朝朝艷，明月何妨夜夜明。大地有泉皆化酒，長林無樹不搖錢。書成卻待凌風奏，鬼怨神愁夜悄然。」讀之，可使憂者喜，病者愈，如孝廉者，亦可謂饑寒逼腐儒，顛倒作奇想矣。

宋末詩人王中，字積弱，生丁亂世，詠干戈詩，末云：「安得山中千日酒，酩然直到太平時」。傳千日酒，為中山仙人所釀，據博物志載：「劉玄石於中山酒家酤酒，酒家與千日酒，忘言其節度，至家大醉，家人以為死，權葬之。酒家計千日滿，乃憶玄石，往視之，云亡三年已葬，於是開棺，醉始醒，」俗云玄石飲酒，一醉千日。今日世局擾攘，較宋末為尤甚，流亡海隅者，何一不作王中之非非想！可是，終有一天，將賦元亮之歸去來辭：「乃瞻衡宇，載欣載奔。」大家高唱首杜子美聞官軍收復洛陽的還鄉詩：「白日放歌須縱酒，青春作伴好還鄉」。還不是非非想，在不久的將來，一定可副吾人之願望。

海嶠藝談

今文觀止（二）

諸葛文侯

黃陂胡秋原兄第一次為着文化界發生東西文化思想的爭端，答復「文星雜誌」編者徵文的那封信，命題「超越傳統派西化派俄化派而前進」，可謂長招牌了。我讀到原信第一段末尾「此種辯論，恕不參加」二語，覺得他這種超然態度很有份量，且對他在這段四千多字的文章中所持的理由和見解，也有同感。可是，接着他說「仍覺意思不甚清楚，再說幾句」，這一說就說了一二萬言，而且把原來聲明「恕不參加」的宗旨整個推翻掉，變成介入論爭漩渦中的當事人了！在胡秋公的本意之中，或許還是抱着「超越前進」的觀念立言，殊不知自己的文章裏有前言不符後語之處，撇開內容不談，專就文章的體例來說，不能不使讀者有些迷惘吧！至於「再說幾句」的義理，我個人雖然也很贊許，那是另外一回事。

古文中的姚氏文章叫作「桐城派」，準古以例今，那末，胡秋公的長篇大論，很可名之為「黃陂派」，而其主要特色即為「先生之風，山高水長」。一封信寫到兩萬多字，一篇文章寫到七八萬字（並不是寫書），能說不是「長哉乎言之也」的特殊格調嗎？秋原自稱「我的文章不長」；又說「研究學問不能怕看長文章」；這意思我不敢有所譽識。只因區區不是研究學問的人，而日常生活又很忙碌，看一篇學術性的長文章，所需時間和精神，即等於讀一本鉅著，實在沒有這樣的餘暇和氣力了。我想芸芸眾生之中的一般知識份子，像我這類人士的數量，說少點亦要佔着十分之七八，如其一篇長江大河式的名作，多數知識份子都沒法細心欣賞，豈不辜負了作者的苦心孤詣嗎？至於不寫長文章的人是否即係在學問上氣力日衰？不讀長文章的人是否盡係僅知ＡＢＣ的懶漢愚夫？這類說來很嚕嗦，本文祇限於談文章的格調，存而不論可也。

每個人說話各有他的格調，寫文章亦然（寫文章和著書立說有別，不宜混為一談）。譬如老友任卓宣（葉青）兄的文章，就跟他對人談話的格調是一個模型，他總是基於三段論法的原則，一層一層地分辨下去，既不說俏皮話，也少有火辣辣的刺激氣味，祇是娓娓然敘述他的見解，大可稱之為「講壇派」作家。居浩然先生的文章（我對不認識的作家稱先生，對熟朋友稱兄，的禮也），體裁不長不短，詞句不蔓不支，在最近這次的論戰中，除了「恭賀新禧」那篇文章的格調有欠結實以外，我個人對他所寫的其餘各篇，都覺得不錯。這並非指文章的內容，而是對其文章的結構和立言態度，有此觀感耳。

有人說台灣是「文化沙漠」之地，這話不能成立，祇看這次參加對胡適思想論戰的正反兩方面所寫出的文章，洋洋大觀，淵博而豐富，也就足以反證了。不過，「淵博」云云，應由旁觀者來鑑定才是，如果寫文章的人而立意自炫其淵博，那格調就低了。若再有「你讀過了某某書幾行幾頁」這類自命通儒的調調兒，文格更低，不足觀也矣！（完）

大庾嶺

·道南·

大庾嶺居五嶺最東，古稱「東嶠」，又稱「台嶺」，秦時稱「塞上」。秦始皇分兵五路南征百粵，其中一路即循今江西南昌下庾嶺，進入粵北。後來趙陀割據嶺南建南越王國，曾封鎖粵北各處隘口。大庾嶺上的「橫浦」關也是實行封鎖的隘口之一，「橫浦」大概就是大庾嶺最早設立的關隘了。劉邦立國之初，曾派將軍梅鋗駐軍大庾嶺，嚴密監視着南越，因此大庾嶺又稱「梅嶺」。漢武帝時，派庾勝兄弟在這一帶戍守，庾勝駐軍嶺上，故稱「大庾」；他的弟弟駐在大庾以東約四十里的地方，那裏便稱「小庾」。

大庾嶺雖然自古就是北方入粵孔道，但攀緣渡嶺卻是困難，到唐時才大加開鑿，主持鑿嶺工作的是唐代名相張九齡。開鑿的地段，即今粵贛公路所經梅關一帶。

那時張九齡的主持開鑿大庾嶺，對於南方的開發有着偉大的貢獻。公元七一六（開元四年）年他上書唐玄宗，建議開鑿大庾嶺路，得到准許。他不辭勞苦，親自「緣磴道，披灌叢，相其山谷之宜，革其拔險之故」，規劃出新的道路，並趁農暇，徵集民工，順利地完成了這艱險的工程。

大庾嶺自開鑿後，能讓車馬通行，嶺上自古就盛開梅花，所以有「南枝既落，北枝始開」之說。

山川風物

壽于右任院長八十晉四

·邵鏡人·

秦嶺鍾靈秀，挺生蓋代人。
駪駪美髯翁，眾星仰北辰。
其清石可漱，其剛玉不磷。
稱觴當春日，百花照眼新。
百花隨春謝，惟松堅無倫。
公壽如青松，動葉八千春。

內僑警台報字第〇三一號內銷證
自由報
THE FREE NEWS
第二三一期
中華民國僑務委員會頒發
台救新字第三二三號登記證
中華郵政台字第一二八二號執照
登記爲第一類新聞紙類
（本週刊每星期三、六出版）
每份港幣壹角
台灣零售價新台幣弍元
社長：雷嘯岑
督印人：黃行奮
社址：香港銅鑼灣高士威道二十號四樓
20 CAUSEWAY RD 3RD FL
HONG KONG
TEL. 771726　電報掛號．7191
承印者：田風印刷廠
地址：香港灣仔高士打道二二一號
台灣分社
台北市西寧南路壹壹本號二樓
電話：三〇三四六
台郵撥儲金戶二九二五二

不許毛澤東再拖下去

·方南·

自從中共舉行了「人代會」和「政協會」，欲蓋彌彰，自暴其醜，已把無可掩飾的危機公開出來，當然值得我們注視和研究。而中共的危機增加一分，也就是自由中國可爲之機增加一分，如竟不能乘時有所作爲，自白放過機會，當然是太可惜了。

綜觀近事，有如下幾點該受注意：

一、中共這次「人代會」完全沒有宣佈什麼，只於會後把周恩來一篇報告草草發表，便算對內對外辦了交代。毛澤東居然一聲勿出，其他頭目也沒有片言隻字透露。這不消說是因內部有了嚴重爭執，才會如此。周恩來仍替「三面紅旗」說幾句支撐的話，便是毛澤東未被鬥倒的證明。但由於周恩來不諱言經濟發生危機，藉口三年天災，昌言側重農業，也等於把毛澤東原日要走的路線改變，從事實指出毛澤東的不是。這又可見得，毛澤東確會陷入苦鬥，好不容易才靠周恩來做他的盾牌，播受由內外兩方射來的箭雨，最後還替他暫時維持面子。「人代會」之所以始終是一幕啞劇，毛澤東之所以禁制口舌，只推由周恩來一人出頭說話，對內的原因是：經濟總崩潰的趨勢已如石轉懸崖，急滾直下，不容再由毛澤東胡鬧下去，此時決不許毛澤東再有話說；對外的原因是：免使他和赫魯曉夫衝突到底，再把中共和蘇俄的裂痕擴大。照此看，毛澤東還回在剃刀邊緣上面跳舞，不被鬥倒是萬分僥倖，大概中共羣酋也會在拖頭發抖當中想到：這時毛澤東如倒，整個政權怕也隨而垮台了。毛澤東很可能是靠他們這點心理才勉强維持這個局面的。

二、那麼，毛澤東和北平羣酋還有救亡的良策麼？良策決不會有，有的還是下策。就對內來說，周恩來所提的「十點計劃」，已被看作挽救經濟危機，和對農民聊示懷柔的「救急仙方」了。毛澤東本以爲一手可以扼盡士農工商四民的胃囊，純靠軍隊和特務統治全國，到這幾年才發覺知識份子和農民出的毛病最大，這兩者如聯合起來作反，怕連軍隊也靠不住。因此，看中共最近爲了救亡，要出的諸種手法，對農民是放寬一些控制，自動把「人民公社」的鐵籠子打開一個缺口；對知識份子多做些籠絡工夫，甚至把孔子和杜甫一類古人也重新抬出，恭奉一番，迎合大家「思古的心情」；同時對海外華僑厚着臉皮賣笑，加强「統戰」，減輕由這方面給國內的影響力。這樣三管齊下，目的只是爭取時間去整黨整軍，免由目前的「士變」「民變」牽連到「兵變」罷了。試看「政協會」繼「人代會」而舉行，所謂「僑務工作」忽忽被大吹大擂，以及不斷對外賒購糧食以維持軍隊給養，形跡顯明，均可索玩。就對外來說，可分兩方面，對蘇俄這一方，採的是「拖」字訣。毛澤東目前不拖不成。對內要拖，對外也要拖。他料準俄共裏面也有人要做好做歹，不願看到赫魯曉夫和他把局面鬧到全翻，這中間儘有討價還價，互爲牽制的手法可以賣弄。他只望自己能在內部站穩不倒，耐得起鬥爭，還好拖長時間以待蘇俄發生內變的一天。還有對美國及其西方國家，毛澤東便儼然視今天中國大陸之在整個世界，卽是當年贛南，或陝北之在整個中國，而以今天的北平爲「新延安」。他樂於看到全世界不停爆發各種新動亂，像美國的終於在寮國退卻，像印尼的終於出兵攻打荷屬西新畿內亞，像印度潛伏的左翼勢力仍是那麼雄厚，像阿爾及利亞的必將崛起於非洲，像拉丁美洲各小國屢生內鬨……都會在毛澤東眼裏熠熠生光，使他自以爲仍具有良好的「革命」條件，只恨自己一時本錢太少呢。他仍想多把賭注押向這方面，對西方國家表示强硬到底，希望時間拖得更長，本錢積得更大。不管本身內部有多大困難，對這些動亂地區的支助是不會減少的。毛澤東置身「新延安」的窮窰洞裏，牽蘿補屋，剜肉補瘡，左欺右詐，東挪西騙，看着他的「革命遠景」，像一個患了夢遊病的人，半夜裏走到深池前面，逐步摸索，還會有什麼前途？他還會拖出一個奇蹟來麼？

三、毛澤東弄成這個狼狽樣子，主要原因是害了窮病，如果不是一窮至此，周恩來決不至於公開認窮。歷來救窮之道，怎也離不了「開源節流」一句老話。他對外既不肯節流，這是爲了「世界革命」，對內更不能節流，這是爲了要養更多的軍隊鎮壓人民。至於開源之說，亦屬廢話，那怎還能有救亡的希望！照周恩來所說的「十項計劃」看，大半是不只無用反而有害的爛藥方，其中最不好的是：要把城市不需用的人才人力驅赴農村，幫助農民生產。這必會令到大量青年知識份子再嘗「下放」的滋味，迫使他們和反共的農民結合起來，或者令到各大城市增加更多的「黑戶」罷了。近一年來，大陸各個城市共幹，都已重視「防黑」，甚於「防特」，爲的是黑戶破壞城市秩序的猖獗，確已到了防不勝防的地步，比「特務」尤爲可怕。因此，我們可以預料，到了「十項計劃」認眞實施之時，自必如火上添油，亂上加亂，像最近粵東各縣連迭發生的「民變」「兵變」事件，勢必有普遍蔓延的可能。再說農業生產提高這一宗大事，也不會照毛澤東周恩來想的那麼簡單呢！他們目前雖已把「公社」的鐵籠子放鬆，准許農民有一塊自耕自用的小地，但正如一位美國專欄作家在澳門訪問幾十個難民以後所下的譏評：當共幹指責那些農民把自己的糞溺私用，爲這塊小地的肥料，怕因此會令到「公田」失肥而減少生產時，整個農產問題的嚴重性便已完全顯露出來了。農民要先顧「私地」才顧「公田」，乃是天經地義，試問在肥田料全面奇缺的情形下，毛澤東怎還能望有一造以至一年的好收成？更不必說再有什麼天災了。我們不妨肯定地說，大陸農民業已第一次嘗試到反共的勝利果實，再不會像從前那麼馴伏了。「人民公社」的鐵籠已變成紙籠，共產黨也會漸被看成紙老虎了。將來反共的知識份子將必以青年爲主，這批由共產黨孕育出來的反共青年，逐漸和反共農民結合起來，由點而成線，由線而成面，當然會和共軍裏面正在求變的力量串連起來的。幾百萬共軍的士兵大多來自農村，以十萬計的青年軍官必定會和反共青年知識份子發生聯繫的。毛澤東最怕這一聯繫逐步形成，卻一直沒法作出有效的阻止，如今他雖越看越覺心焦，越來越感不妙，但照他所開的藥方來說，除了越弄越糟，還有什麼？

根據以上所說幾點，我們便該切望自由中國乘時奮起，多動快動，休再墨守成法，讓毛澤東再拖下去。西方輿論，已有明顯轉變，從前英美觀察家很少會說中共政權將會在大陸垮台的，現已有不少人改變論調，認爲確實有此可能了。美國前任駐華大使莊萊德卸任回國以後，也開始公開鼓吹了。一位著名的專欄作家且曾言甘願以五博一的打賭，斷定中共內部將會出事。這都是前所未有的好現象，但最後仍須自由中國自己眞正有所作爲，才可以提前結束中共在大陸的黑暗統治，早把毛澤東送上斷頭台去吧！

大陸「再革命」「再解放」的培養、催生、引發、保護、促進、達成，每一個階段都有其特定的工作與任務，自由中國責無旁貸，不容諉卸，過去猶可說是培養重於發動，現在怎也應該說是到了催生和引發的階段吧！難道好意思諉卸受了美國限制，長此毫無動作和表現嗎？事在人爲，要有革命精神才有辦法。現在應該是重振革命精神的時候了。

漫畫天下

這架「老爺車」躍不起來！

他吹得一口好喇叭

自由談

甘廼迪的胆識

馬五先生

美國決定在西太平洋島上試爆核子武器的前夕，蘇俄出席日內瓦裁軍會議的代表佐林，悻悻然宣稱美方若實行核子爆炸，俄國卽退出裁軍會議。但美國按照原定計劃試行了，俄帝卻默然無聲，赫魯歇夫反而表示願意遵循美總統甘迺廸的意見，作爲高層會議的談判基礎。前倨後恭，令人可哂。

共產黨所謂「和平鬥爭」的本質，就是粵語的「呃，嚇，拆」三字訣。始也昂然以和平之神自命，要別人必須依從它的主張行事，纔有和平秩序可言；否則便以戰爭相恐嚇，聲言要毀滅敵方；再不得逞，卽使用挑撥離間的技倆，試圖分化敵方陣營。如果這三種魔術都無效，它立卽嬉皮笑臉，表示其「百煉鋼化爲繞指柔」的醜態，毫無所謂了！

共黨這種本質，咱們中國人經驗最豐富，瞭解亦最深刻。西方的政治人物中，法國總統戴高樂頗悉此中三昧，他對日內瓦裁軍會議，認爲那是徒費唇舌的無聊舉動，根本置之不理，拒絕參加。他對柏林問題，始終採取强硬態度，說俄帝如其眞有戰爭的決心，縱將西柏林奉送給它，亦復無濟於事。現在事實證明戴高樂的認識十分正確，而英美那些患着恐俄病的政客與專家們，祗是自我嚇阻罷了。

甘廼廸先生這次不待英首相麥美倫到白宮晤談，毅然下令實行一連串的核子爆炸，可謂有胆有識。假如是艾森豪當國的話，至少亦非宣佈延期試爆不可的。自由世界構成今日這樣混亂頹唐的形勢，讓俄帝任意敲詐勒索，咄咄逼人，杜魯門與艾森豪二人的責任最大，而英國人的自私自利主義，亦不可恕也。

記得美海軍中將約伊，當年代表美國歷久從事韓戰「板門店和談」之後，認定跟共黨談判問題時，必須一手拿着大棒，不許他們胡鬧，庶幾可望有成。現時美國舉行的核子試爆工作，不管是一根大棒子，就看甘廼廸是否胆壯心雄，繼續揮舞，使俄帝有所忌憚，不敢隨便亂來？企予望之！

樂觀心情跳躍紙上
于右老生日賦詩

不寐盼天明　天明雨放晴
江山須自造　指日見昇平

（本報記者台北航訊）台灣近年祝壽之風很盛，達官貴人固然大祝其壽，李四張三對生日亦看得甚爲嚴重，如其別人不給他祝壽，往往他亦會大排筵席，自壽一番。把台灣每年花在祝壽上的錢做一個統計，其爲數必定大大的可觀。

由於祝壽風盛，自然而濫，魚目混珠，許多壽都無非浪費金錢而已。當然，這其中亦有例外，有些人的壽，確實是可祝的，當祝的。監察院長于右老四月廿四日的八秩晉四大壽，便應歸入這當祝之列。

于右老自己，倒全無要人家替他祝壽的意思，卻大家公認應該替他熱鬧熱鬧。台北市八十四個文化團體聯合起來要給于右老祝壽，就可以爲其證明。而且郵局爲了于右老的壽，還特別發行「元老記者郵票」，做爲紀念，更是全世界各國所未有的事，廿三日各文化團體爲壽于右老而開的中外記者招待會上，當于右老接受「元老記者郵票」的敬禮時，于右老笑呵呵的發言，說這並不是他個人的光榮，而是全體記者的光榮。

于右老雖不鼓勵大家爲他祝壽，但當大家一定要對他的壽有所表示之時，他亦全無避壽的做作，但他對於花錢的節目，比如擺壽堂設壽筵之類，他堅決辭謝；反之那些不花錢的節目，如送他壽詩壽聯以及到他寓所「恭喜」之類，他接受的，不但接受，他而且以自己花錢做的生日蛋糕招待來賓。

于右老在壽辰那天，他自己還是一如平日的去辦公，又會到飛機場迎接來華訪問的韓國國家再建最高委員會義監察委員會委員長蔡命新將軍；蔡將軍的這項職務，依稀近似于右老所担任的監察院長。

壽辰那天上午六時，于右老的青田街寓所，前來「恭喜」的人，便絡繹不絕，整日達一千多人。蔣總統伉儷與陳副總統伉儷，均會親往祝賀。陳副總統伉儷是上午九時半到的，其時于右老已辦公去了。副總統伉儷流連於滿壁詩壽聯者廿餘分鐘，然後簽名而去。蔣總統伉儷是下午四時二十分鐘到的，于右老適在寓所，他親爲接待，歡談十多分鐘。那天，蔣總統著長袍馬褂大禮服，蔣夫人著的是旗袍，她手抱一包禮品，恭恭敬敬的送給于右老。

詩人的于右老，在生日做了一首詩，題爲「不寐」，樂觀的心情躍然紙上，詩曰：

「不寐盼天明，天明雨放晴。
江山須自造，指日見昇平！」

（達）

伏法的泰共首要招供
泰共受中俄共控制
泰共且為中共份子所組織
其始領導者亦爲中共份子

（本報曼谷通訊）被泰國當局認定係「泰共中央第一書記」的乃鑾·汪攀，已於四月廿四日下午六時，在暖武里府挽欖監獄執行死刑，乃鑾計身中六彈，立即斃命。

乃鑾於被行刑之前，會寫遺書三封，分致其母其妻及其弟，然後於猛吸香烟之餘，假充英雄，高聲亂叫，大有「二十年後又是一條好漢」的樣子。

乃鑾伏法之日的上午，泰國國務院院長乃少立元帥，會現滋聲聽，提訊乃鑾達三十五分鐘。據說乃鑾當時已變得罪無可宜其長見頗爲頑劣。事後乃少立元帥透露：乃鑾於被禁獄中之時，居然還寫信給他的同黨，滿紙馬列教條，要亦足見其受毒之深。

乃鑾係二月廿三日在素攀府被捕的。而二月廿三日那天，亦就是泰國政府正式宣佈不參加東南亞公約軍事演習，認爲那無益於事，而徒然浪費人力物力。泰國政府當時這一宣佈，在曼谷外交界，有似投下一顆政治炸彈，許多人担心東南亞公約說不定會因之而壽終正寢了，因爲曼谷人們早就知道，爲了寮國問題，乃沙立元帥所領導的泰國政府，大不滿意於公約組織的優柔寡斷，畏首畏尾，完全拿不出辦法來的紙老虎作風。當時曼谷外交界甚至有人疑慮泰國是否已經決定改塗易轍，趨向中立之政了。好在亦就是在那天，泰國警方在好幾個府，包括京香二府及素攀府在內，大捕其共黨份子的消息傳出，外交界纔比較的放下心來，發覺前途還儘有可以挽救的餘裕。

爲時僅僅三天，華盛頓邀請泰外長乃他納前往訪問的消息傳來了，而經過乃他納與甘迺廸，魯斯克的五天談判，由乃他納與魯斯克出名的共同聲明發表了，聲明很簡短，但強而有力：美國既強調泰國一朝被侵，立刻來援，還強調美國來援，不一定非要在東南亞公約國都一致的同意之下，始見諸行事。這造成了乃沙立元帥在外交上的一場大勝仗，同時亦挽救了岌岌可危的東南亞公約的生命。

且說泰國警方於二月廿三日大捕一次共黨份子之後，三月一日，續有一次拘捕，兩次一共捕獲了三十八名共黨份子，其中最重要的一個，就是乃鑾·汪攀。人們早就料定，乃鑾此命休矣！如今可不其然。

在四月廿四日乃鑾伏法之後，國務院辦公廳新聞局於當日晚間，會通過所有的泰國廣播電台，發表了乃鑾的罪狀公報。這公報很長，其中有幾點，頗值得注意：（一）乃鑾曾經供認，泰國的共產黨，最初是由中共所組織的，連領導人亦是一個中共份子。並說現在泰共黨中，中共的力量，還依然存在。但究竟泰共組織開始於何時？那個作爲領導人的中共份子是什麼人？中共在泰共裏面還存在的力量究有多大？卻沒有明白的交待。這是乃鑾沒有招認出來呢？還是泰國官方故意把它隱而藏之？據推測，以後者的可能性要大些。

（二）乃鑾供認，他「於佛曆二四九二年加入泰共爲黨員，同年潛逃出國到某共產國家受訓，佛曆二四九五年潛返泰國省親，不久復潛逃出國，赴另一共產國家受訓，至佛曆二四九九年，重返泰國」。按從同時被捕的乃鑾的妻子於被捕時所招供，乃鑾第一次出國，係到中共區受訓，第二次出國，則是到蘇俄受訓。這儼然說明，在泰共裏面，不但有中共的力量，亦有俄共的力量，換言之，泰共是由俄共與中共所指導與所控制的。

（三）關於乃鑾在泰共的地位問題，儘管在公報中沒有正式的指乃鑾爲「泰共中央第一書記」，但在乃鑾被拘捕的這兩個月中，泰國官方的好幾位大員，都認乃鑾爲泰共的「曼巴溫」，有如俄共的赫魯歇夫或中共的毛澤東。祗是社會人士對於乃鑾是否泰共「曼巴溫」，則不無疑問。畢竟乃鑾自己所招供的他的身份是什麼，卻未見公佈，殊莫能明。

（四）乃鑾伏法了，其餘三十七人如何呢？公報亦沒有交待。好像乃鑾的妻子，她儘管把一切罪過都推在乃鑾身上，說她自己並不知道乃鑾究竟幹些什麼，但有許多事實證明：她亦並不清白，曼谷輿論且認爲她在泰共中的地位亦相當重要。（越）

美國恢復空中核試
香港輿論一體支持

（本報訊）對於美國的恢復空中核子試爆，香港輿論可說一體支持的；就是少數那些以不作左右袒爲標榜的報紙，雖強調「這不是好事」，卻亦指出美國是不得而爲之，因爲蘇俄是始作俑的破壞了自動不作核爆之諾言者。

香港輿論之支持美國恢復空中核爆，倒亦並不一筆抹殺掉美俄雙方如此競試原核武器之結果，其所帶來的輻射塵，難免有一天會危害到人類的健康；且強調：第一，爲維護武裝競賽下的和平，美國確實有在原核武器的準備方面對蘇俄保持優勢地位的必要，最低限度有保持平等地位的必要。然則，要達此目的，既然蘇俄已經破壞諾言，實行恢復核子試爆於先，美國除了亦斷然恢復空中試爆之外，就實在找不到其他可行的選擇。

第二，香港輿論之認爲美國有在原核武器方面對蘇俄保持優勢地位或最低限度保持平等地位的必要者，其用意，絕非希望美國有了這種地位之後，以之發動戰爭，打垮蘇聯集團，使人類得有機會實現真正的和平，繁榮而康樂的「新境界」，因爲大家都意識到，不論原核大戰由那一方面發動，真的發生了原核大戰，那摧毀力太可怕了，那必然是全體人類的一場浩刦。反之，香港輿論相信，美國如其在原核武器上對蘇俄保持優勢地位，或最低限度保持平等地位，卻正可以發揮嚇阻作用，使蘇俄不敢輕舉妄動，致陷人類於原核大戰的那個大刦難。

第三，香港輿論了解到美國甘迺廸政府的處境，在蘇俄已經破壞了自動停試的諾言，並自核爆中獲得許多利益的情形下，如其美國甘迺廸政府還瞻顧徘徊，畏首畏尾的不亦恢復空中核爆，則首先就有虧職守，有負美國人民的付託之重。進而，由於美國在自由世界居領導地位，甘迺廸政府如其居然讓蘇俄在原核武器上超過美國，則大之它們會不顧一切的闖下大禍，小之它們亦可以手握原核優勢，肆意向自由世界勒索敲詐，無所不用其極，此其結果，蘇俄更得勢，自由世界將民無噍類矣。所以，無論對美國一國，對整個自由世界，香港輿論認爲，甘迺廸政府此舉，都是勇敢的，明智的。香港輿論並進而希望，爲了整個自由世界甚至整個人類的利益計，今後甘迺廸政府在冷戰的其他方面，也能像這次毅然恢復空中核試所表現的勇敢與明智的作風，掌握主動之權，節節的壓迫蘇俄集團，使其不得不拆毀鐵幕，解放目前已被它們所奴役的那十億之衆的無辜而慘苦的人民。

第四，香港輿論進而指出：美國於此次毅然恢復空中核試之前，曾經做了許多功夫，希望蘇俄能夠簽訂有保障的禁試協定，蘇俄卻始終規避，不肯接受，所以，美國已經算是仁至義盡，可告無憾於天下了。同時，香港輿論還指出，驗於蘇俄的拒絕簽訂有保障的禁試協定，顯見蘇俄心腸別具，十分可能，蘇俄的另一連串核試，又快就開始了。是則，美國還不於此時毅然恢復空中核試，更待何時？

（軍）

坐言之後貴能起行
甄試未免多此一舉

探訪線外

▲教育部的部務會議，決定於五月份舉辦一次「大陸來台失學青年學力甄試」；經甄試合格者，取得與高中畢業相等的資格，可以「同等學力」，報考大專學校。據說這項甄試舉行之時，除「年齡的限制」之外，對學歷的審查，將儘量放寬，至甄試科目，則已決定爲國文、英文、數學、史地、理化及三民主義等六科。

對於大陸來台失學青年而言，這決定亦得算是「德政」之一。但這種甄試的合格者，既然只取得「同等學歷」去報考大專學校，則爲什麼不直接允許他們去報考，而要多此一舉的來這項甄試呢？只要他們能夠考取得大專入學試，不亦就證明他們有此「同等學歷」了？

再者，大陸來台失學青年，除了「年齡的限制」應該讀大專的而外，還有應該讀高初中的，這些人同樣需要德政的救濟，亦有什麼決定沒有？大陸來台青年不只有失學之苦，亦還有失業之苦，對於他們，又有什麼決定沒有？

▲全國性民意機構代表和國際性宗教慈善社團首長三十多人，對大陸逃港同胞被港府遣返之事，商獲三項決定：（一）籲請港府就人道立場、法理觀念及志願遣返原則，停止將逃亡者遣返大陸。（二）建議政府循外交途徑，向英國方面洽商，停止類似事件重演。（三）商請港九救濟機構，和香港有關方面密取聯繫，隨時給大陸逃港同胞以緊急救濟。

頗有人對這些代表與首長的這些決定，表示滿意；同時亦有人對於這些代表與首長的僅有這些決定，認爲還不夠眞正解決問題，徒託空言而不繼之以有效的行動，確實不能算是已經「繳卷」了。

▲套購肥料漏稅圖利案，經省警務處查證八個月，經傳訊涉嫌疑犯及關係人達一百零八人之多，將移送法院辦理，對台肥公司人員之涉嫌作弊部份，並將繼續查證。

單就已被傳訊者的陣容看，其中諸色人等俱備，且有幾個是現任議員，這案子的規模已夠壯觀了，雖稱之曰駭人聽聞，可也不其實，有如此大舞弊案發生，算不了什麼，任何國家，都有這般案件的，重要的在於能夠儘速依法辦理，不縱不枉，各得其理。（露）

——亂搞「三面紅旗」自作孽——
農業問題將制中共死命

葉秋

根據本報記者訪問三位新自武昌逃出的同胞所獲得的消息，大陸過去的這三四年，由於中共亂攪「三面紅旗」——總路綫，大躍進，人民公社的結果，首先是農業歉收，工業亦隨之半停頓了，中共政權的經濟情況，確實混亂不堪，風雨飄搖。而由於農業歉收，大陸同胞陷於饑餓，其程度且一年厲害一年，其中特別是農民同胞，生活最爲慘苦。農民同胞在大陸，數逾五億，他們吃不飽，當然不滿意，當然會怠工進而破壞生產；何況，即使他們事事聽從共黨的指揮，無條件與共黨合作，但爲了吃不飽，而力不足，做起工來，效率自然要大打折扣。於是形成了惡性循環，即因爲農業歉收，而大家挨餓，因爲大家挨餓，而農業更歉收，因爲農業更歉收，工業更無從談起，大陸整個經濟，漆黑一團，情形嚴重，得未曾有。

中共把大陸農業連續三年大歉收，歸因於「自然災害」，宣稱遭遇到了百餘年來未有的大天災。實際則完全不是這麼一回事。

連續幾年大歉收的眞正原因，乃是由於中共亂攪人民公社攪出來的。換言之這完全是中共所造成的亘古所未有的大人禍。

中共於一九五八年開始大攪人民公社，要把人民原來已所餘無多的私產，包括一點點自留地，三五隻鷄鴨猪隻，以及「家」，在公社的名義下，統統毀了。大陸同胞氣不過，先是把那點點還可以自由處理的鷄鴨猪隻宰而食之，一家如此，一鄉鎮一市縣如此，各省如此，整個大陸如此，這一來，肥料大大的成問題了，農業於是歉收了。中共去年才說出來的一九五九年大陸遭遇到了百餘年所未有的「自然災害」，就是由此而來。

接下去，各公社都普遍的不夠吃，其勢亦唯有減少配糧之一途。而第二年，不但肥料依然大缺乏，新的問題更接踵而來，許多地方，連種子亦沒有了。不但穀種沒有，連其他如黃豆，蠶豆甚至各種菜蔬的種子，都吃光了。勉強湊合若干，但爲了肥料不足，再加上農民同胞一方面吃不飽而怠工，破壞，一方面亦因吃不飽而工作的效率降低；此其結果，又是一年的大歉收出現了。在許多地區，一九六〇年的歉收程度，較之五九年，尤有過之而無不及。中共宣稱一九六〇年收成畧好於一九五九年，是騙人的話。

一五六〇年如此，六一年還是如此。中共沒辦法，祇好繼續在減少配給上做工夫。同時，亦實在因爲紗紙包不了火，它們在一九六一年，才不能不承認大陸有「自然災害」之事，才不能不把「面子」放在一邊，允許海外華僑寄回糧食包去救濟親人。至於一九六一年的收成，即使不比六〇年更壞，無論如何亦並沒有稍微好轉。

中共的配給，各地方畧有不同，各種身份的人亦畧有差異，但除了共幹黨人，除了軍隊，普遍都不夠吃，則是事實。比如長江以南地區，城市公民每人月配米二十三斤半，十一歲以上小孩十九斤，油二兩，肉半斤。農村更少，每人只有十九斤米而已。這連吃兩餐粥亦不夠的。至於布的配給，一九五九年還每人每年有八尺，六〇年每人祇有三尺五寸，六一年每人亦祇有三尺。一年就祇得有這點點布，夠做什麼用？中共所喊的「新三年舊三年，補補縫縫又三年」，其實何只如此！好在如今大陸的同胞，大家所關心的，祇是如何不被餓死，穿是無從談起了。除特殊階級之外，大陸同胞十多年來沒有一個人不是穿補補縫縫了許多次的東西的。

說到餓死人，三四年來，大陸實在不知道已餓死了多少人！大陸同胞由於挨餓，十個人中，至少有八、九個人害營養不良的水腫病，那些比較上年紀的人，因爲受不了這種折磨，都死了！誰能說這些人不是給活活餓死的呢？

雖中共現在宣稱要把農業放在第一位了，事實上亦非如此不可。它們如果再不把吃飯的問題解決，中共的控制花樣再嚴密些，鎮壓的手段再殘酷些，亦將很難維持得住，不鬧出大亂事來。但今年一如前三年，種子成問題，耕牛成問題，農民的氣力成問題，特別是肥料的問題，嚴重得很；這問題不得到解決，歉收是必然的。農業問題可能就要制中共的死命，槍桿與口號都絕對改變不了這一般的現實。

向核彈抗戰

陳知青

六、原子核彈的原理

（一）原子的結構

觀念，打破過去舊觀念。我們要知道原子核彈的基本原理，在於一個觀念：「一點點的物質，會發生極大的能量」。這種能量，叫做「放射能」，或稱「輻射能」。這種性質的物質，叫做放射性元素。自十九世紀末葉，物理學家，已在研究X光線以及種種的放射線了。

三重氫的核，是兩個中子和一個質子構成的。這種簡稱爲氫二，氫三的原子，就是氫原子核彈的原料。鈾二三五原子，除了九十二個質子之外，有一百四十三個中子。鈾二三八，有一百四十六個中子。鈾彈要提鍊成鈾二三五才能使用。這些中子數目不同，（重量不同），而質子數目相同的原子，稱爲同位素。

原子核裏面，除了主要的質子和中子之外，另還有許多質點，是在原子核受到別的質點撞擊之後所產生的。不關緊要，這裏從畧了。但是，有幾種現象，和核彈有關的：

阿爾法射線——凡是核子，從原子裏解放出來之後，都帶有放射性的射擊力量，我們叫它「放射線」。阿爾法質點所產生的放射線，叫阿爾法射線。它是兩個質子和兩個中子團結在一起的單位，也就是第二號元素氦的原子核。它帶有兩個質子的陽電荷，它的速度，有快、有慢，最快的每秒鐘能射一萬英里，具有殺傷力；但也有慢的，在核彈爆炸中，也是放射線的一種。

培他射線也就是電子射線，帶陰電，速度極大，接近光線的速度，達光速的萬分之九九五。在原子核彈的變化中，常常會放出很多的電子射線來，殺傷人們的。

伽瑪射線，是最強的射線。照原理講，是由電子和一個相反的陽電子撞擊而完全消滅了物體產生的強烈射線。但原子核彈爆炸時，就有極多的伽瑪射線，殺傷人們。

此外質子和中子，都變成了射線，對人類一樣有放射性的爲害。

（二）質變能的理論

我們要了解原子核彈的原理，首先要明白一種新的科學

一八九五年，愛因斯坦才十六歲，他有一種奇異的想法：「假使一個人能夠跑得跟光線一樣快，每秒鐘跑十八萬六千英里，情形將會怎麼樣？」他經過十年的努力，去研究這個問題，到一九〇五年，他發表了「特殊相對論。」

相對論，提出了好多原理：比如說：一個人如果跟太陽跑得一樣快，在身體上，變成沒有了。在年齡上，他永遠不會老，不會死。也就是說：時間，空間會縮短，而成爲零；時間會延長，而成靜止。物質的重量加重到無窮大。

相對論中的「質能互變轉換」的原理，成爲原子核彈的根据。依照 $E=MC^2$ 的公式，一點點的質量M，能夠轉換成爲極大的光速C平方的能量E。這樣，就說明了原子核彈所產生的高度的放射能，和爆炸時的高熱。（十六）

香港與大陸

大陸人人反對公社　但無人敢公開反對
中共亦還無意取銷公社

據一位自江西吉安輾轉逃亡到香港的某君說：海外報紙許多都說中共在大陸攪了三四年的人民公社解體了，實際並不然。人民公社依然存在的。他說，海外報紙也許因爲許多人都不在人民公社吃大鍋飯了，於是認爲人民公社解體了。但這其實是一項誤解。

某君說：現在大陸，無論城市或農村，人民公社這個荒天下之大唐的組織，還是存在的。不但現在還存在，將來亦看不出中共會自動的把這個東西取消掉。他說：吃大鍋飯祇是人民公社原來許多個規定之一而已，不能因爲現在大多數社員都不在人民公社吃大鍋飯了，便誤認人民公社解體了。何況大鍋飯實際上還是存在，祇是吃大鍋飯的人，比較起初攪人民公社時要少一些而已。

他敘述現在吃大鍋飯的人減少的經過說：在中共初攪人民公社時，確實規定大家都非吃大鍋飯不可；及後，爲了大鍋飯難以避免的毛病，比如分配到炊事組做事的人，近水樓台，他們多吃了一些，他們揀較好的吃了，都是極可能的。其餘社員於是不滿意，認爲沒有吃夠他們的份子，好像每餐出米八兩的人，說他們所實際得到的，祇有六兩米的飯之類。這些意見「反映到上級」後，「上級」於是決定，准許不願吃大鍋飯的人，可以自炊自食。許多社員於是自已煮食了。祇是，爲了公社的組織仍然存在，而有些人擔任的工作，不容許他有自炊自食的餘裕，這些人就仍然吃的是大鍋飯。

某君說：大鍋飯缺點確實很多，好像味道不好便是其中之一。但他認爲，大鍋飯還不是公社的最不受人民歡迎之點——人民是根本討厭公社這個組織的。某君強調：大陸同胞今天的最大痛苦，在於有做的，無吃的，配給的糧食太少，大家根本不夠吃，無論吃大鍋飯或自己煮來吃，總之是不夠吃。某君說：大陸同胞私下都不滿意人民公社，並都認定除非取銷公社，農業絕對攪不好。但沒有人敢公開反對人民公社。中共亦還無意取銷人民公社。（宿）

虛君續夢

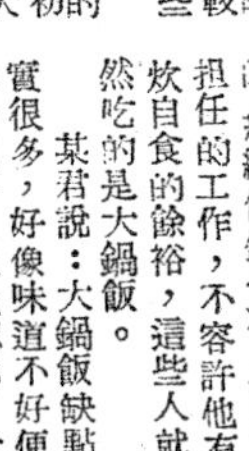

第五回：深壑難塡　反顏奴抗主　片言起釁　轉瞬德成仇

局勢發展到此，形成僵局，劉少奇使個眼色給董必武，要他講話，老狐狸想了一下，陪笑說道：「赫老爲人，說話向來沒準，主席何必爲這事生氣。」

毛澤東把烟蒂向痰盂一丟，憤然說道：「現在不是生氣的問題，我要知道的是蘇聯到底最近有沒有援助，假若物資照樣運來，他無論講什麼我都不理。」毛澤東說到這裏，瞪眼看着李富春。

李富春咳嗽一陣，看看劉少奇，又看看周恩來，畏縮的說道：「援助是有的，並沒有完全斷絕，只是種類少些。」

毛澤東臉色比較好看些，點着一枝烟，一口氣吸掉半截，問道：「最近都運來一些什麼東西呢？」

李富春嚥着喉嚨說道：「運來的有俄國毯子，水果乾，阿拉木圖的葡萄乾，黑海的魚子醬。」

毛澤東越聽眼睛睜得越大，勉強按着性子問道：「有沒有機器呢？」

李富春點頭：「有。」

毛澤東緊張的情緒又緩和一點，問道：「是重工業的機器，還是輕工業的機器？」

李富春撫着胸口說道：「是食品工業的機器，用來製俄國麵包的。」

許多人聽到這裏，不由得笑出聲來。毛澤東把烟頭向痰盂一擲，從轉椅上一躍而起，指着李富春罵道：「你個癆病鬼怎麼敢同我開玩笑，你看我日子過得怪舒服是吧！」

李富春站起來苦喪着臉說道：「我那裏敢同主席開玩笑，我講的句句都是實話。」

毛澤東坐下向全場掃射一眼，長嘆一口氣說道：「六中全會時，許多人說蘇聯斷絕援助是因爲我，只要我一下台，馬上一切援助就源源而來。現在事情已過了半年，什麼援助都沒有，到底是什麼原因，你們也要給我一個交代。」

劉少奇說道：「關於援助問題，周總理上次去莫斯科會和赫老當面談過，據說已經得到圓滿解決，不知何以又生了枝節。」

周恩來見劉少奇把責任推給他，不敢大意，連忙站起身說道：「我同赫老談的只是原則，細節是由富春同志去辦的，還是請富春同志報告吧！」

毛澤東一轉將責任推到李富春頭上，眉頭又皺起來。

李富春膽戰心驚的站起來說道：「蘇聯的援助並沒有斷絕，問題是我們要的他們沒有，他們有的對我們並沒有用處，才形成這樣一個局面。」

毛澤東一拍桌子：「你應該同他們講啊！要他們生產對我們有用的東西。」

李富春苦笑道：「已經講過了，蘇聯對外貿易部的人員說，他們是計劃經濟，製造什麼機器都是很早擬定的，不能爲我們開工。」

毛澤東還想向下問，突然電話鈴響，田家英請周「總理」聽電話。（九六）

滿清稗政實錄之三

黃寶實

時各有耗羨，每兩多不過一錢，獨湖南加至二三錢。上擇廉介大吏如趙申喬、陳瑸巡撫偏沅，令禁所屬。六十一年陝西虧空事聞，總督年羹堯奏秦省火耗有加至四五錢者，請酌留各官用度，其餘俱捐出彌補。上諭「斷不可行」。有「私派錢」。高字郎位；諭曰：「向來耗羨，州縣任意徵求，經巡撫諾岷、田文鏡倡爲提解歸公之法，各就本省情形，酌定分數，以外不許絲毫濫征。未然提解以前，尚爲私項；提解以後，恐不肖官員，視同正課，又于耗羨之外，巧取殃民。着各督撫嚴飭有司，耗羨一項，可減而決不可增。倘多取絲毫，即題參重治。」乾隆四年，從孫嘉淦、陳世倌奏，免直隸、江南錫賦耗羨，仍以河南耗餘撥補。五年；令督撫將各省必須公費，分晰欵項報部核奏，自後各省耗羨，掌于戶部湖廣司。取之有定徹，用之有定款。于世廟云，「將來府庫充裕，提解不行，火羨漸省」者，卒無有議及者矣。它如關稅之有盈餘，鹽課之有雜費，昔歸私囊，後充公幣，亦耗羨之類也。竊以爲司榷之吏，以繭絲爲職，當國家豐亨，民間財利充衍，取其餘以奉公，亦不足深責；獨怪夫當時制國用之臣，耗羨之入，既立爲歲額，其出也，即定爲歲需。取之惟恐不足，用之之罪滿重，州縣用度不敷，略加些微，原是私事。朕曾諭陳瑸加一火耗，倘可寬容。瑸奏此聖恩寬大，但不可說出許其如此，其責深爲有理」之論。夫責人以公義，而不恤其私情，非聖主所以使下。顧朝廷以一分者徵示其意，而大吏竟以數倍者昌言之。不特不可禁，而亦不可限，其勢不至歸公不止。提解歸公，始倡于雍正二年。世宗論曰：「州縣有大小，錢糧有多寡。地廣糧多州縣，火耗已足養廉；若地小糧少州縣則不能。惟不定分數，遇差多事繁，酌計可以濟用。或是年差少事簡，即可量減。又或偶遇不肖有司加增，而清廉者自可減除。若酌定分數，竟爲成額，必至有增無減。凡立法行政，孰可經久無弊。提解原一時權宜之計，將來虧空清楚，府庫充裕，有司皆知自好，則提解自可不行，火耗亦可漸省。」蓋年羹堯之議，至是始行。後乃酌定分數，而各省養廉各項公費，實取諸此。先是江南加耗五分，後遂增至一不留有餘，取快一時，罔顧後慮。使後之人主，欲蠲餘利以予民，而經費已定，不可復減。天沴人事，偶有不齊，則國與民，俱受其困。嗟夫，此誰之過興？」（淸朝續文獻通考卷一百四十五，職官考祿秩。）

按慶雲，閩縣人，卒諡文勤，爲道咸間名臣。著熙朝政紀。曾國藩稱其「謀慮老成，操之有要」。此篇敘雍正乾隆年間事，則耗羨之由來尚矣。（下）

唐太宗（十九）

李仲侯

用人不疑，疑人不用。普用人者，首重杜絕讒邪，必使奸狡小人不得構陷正人，離間人與人間的正常關係。如任讒妄小人，顚倒黑白，淆亂是非，以致信而見疑，忠而受謗，則正人不安於位，政治何由清明。魏徵爲秘書監，有告其謀反者，太宗曰，魏徵昔吾之仇，只以忠於所事，吾遂拔而用之，何乃妄生讒構？竟不問魏徵，遂斬所告者。太宗嘗曰：「朕每防微杜漸，用絕讒構之端，猶恐心力所不至，或不能覺悟。前史云，猛獸處山林，藜藿爲之不採。直臣立朝廷，奸邪爲之寢謀。此實朕所望於羣公也」。此可見太宗對於正人君子之信用不疑，亦曠古罕觀。

太宗嘗說：「朕覽前史，見高祖功臣獲全者少，意尤之。及即大位以來，常欲保全功臣，令子孫無絕」。他保全功臣，不但寵之以厚祿，委之以重任，託之以腹心，他對於功臣的疾病死喪亦極關懷，飾終之典亦極優飫。舉個例，太宗出遊，[illegible]疾篤，上微赴[illegible]，[illegible]與入殿，至御床側乃下，相對流涕，因留宮命太醫治之。問其小愈，則喜形於色。加劇則憂悴。將死見遺疏哭之甚哀，親幸其第，握手與訣，悲不自勝。能如此，故能得人之死力以成帝業。他體恤部屬，並不計位之高低，貞觀十九年征高麗次定州，凡到一士兵，帝均親到州城北門撫慰之。有從卒一人病不能進，詔至床前，問其所苦，即敕州縣加意醫療之。是以將士莫不欣然用命。及大軍回次柳城，詔集前後戰死者骸骨，設太牢致祭，親臨哭之盡哀，三軍無不灑淚。兵士觀祭者歸家以告，其父母皆曰：「吾兒之喪，天子哭之，死無所恨」！又如太宗征遼東，大將軍李思摩爲流矢所中，帝親爲吮血。李勣遇暴疾，驗方云鬚灰可以療之，太宗乃自剪鬚爲他和藥。凡此種種，不論其出自內心或係一種做作，總屬於難能可貴。

談人性

漁翁

人生的天性，原本盡善，因受習俗所染，漸漸地惡化起來。古人有言，「入芝蘭之室，久而不聞其香；入鮑魚之肆，久而不聞其臭。」換言之，就是與善人相處則爲善，與惡人相處則爲惡。所以孟母三遷，擇隣而處，出鮑魚之肆，而入芝蘭之室也。

古之學者論人性，各有不同見解：孟子道性善，荀子道性惡，墨子主兼愛；雖所見不同，歸納起來，旨在教人去惡從善，注重於四維八德之進修，以養成良好的人格與人品，以合乎做人之道。

人格乃人與獸之分。人之所以異於禽獸者，以其有格在。三綱五常，即人格之所繫。有了人格，再談人品。人品乃人與人之別，由善惡以定君子與小人。習俗移人，賢者不免，故又不得不注重於教育上之訓導與政治上之維繫，以誠其意，而正其心。

孟子說：「惻隱之心，人皆有之。」認爲人類都有一顆不忍害人的心。古代聖君賢相爲了有不忍害人的心，因而有不忍害人的政治措施。本着一顆不害人的心，施行不害人的政事，那麼，治理天下便很容易了。

孟子見梁惠王說「王何必曰利，亦有仁義而已矣。」他的學說就是以仁義兩字爲中心。仁是惻隱之心發端，義是羞惡之心發端，二者又孕育在人人皆有不忍人之心裏面，這便是他主「性善論」的本旨。他又認爲羞惡之心，重於惻隱之心，把義字看得比生命還重要，他說：「生吾所欲也，義亦吾所欲也，二者不可得兼，舍生取義！」後來一般義士仁人，如文天祥，史可法等，都受了孟子「舍生取義」的教訓，而成爲一代民族英雄。

荀子論人性，主法制與禮樂相濟並用，以爲欲成「人治」，必先掃滅「人妖」。他說：「性者，天之就也。情者，性之質也。欲者，情之應也。以所欲爲可得而求之，情之所必不免也。以所欲爲可而道之，知所必出也。」人有情欲，不必去棄絕或壓抑它，因爲人還有心，能思慮審度而節制之。仁義道德，是後天習得的，所謂「誠心守仁」，「誠心行義」，才能使仁義道德成爲人的第二天性，才不會彼此爭奪殘暴，犯分亂理，而歸於太平。

墨子的根本思想，以「兼愛」爲主，把別人看作自己，沒有人我之分。所著「兼愛篇」的大意，認爲人與人之間不相愛，損人利己，便會發生亂事。父子兄弟之間不孝不慈的紛亂，由於不相愛。盜竊和賊匪的產生，也都由於不相愛。假使人與人間相親相愛，決無不孝不慈，和盜竊賊匪之事發生。所以聖人治理天下，首先消弭人與人之間的仇恨，勸導互愛，以求天下的太平。

孟子，荀子，墨子，都生於社會動盪，戰爭頻仍，思想紊亂的戰國時代，孟子以惻隱心腸去感化羣衆，荀子以法與禮去達成人治，墨子以兼愛去消弭人與人間的仇恨；歸根結蒂，無非首求國家郅治，進而促進世界於大同，雖見有差異，卻殊途而同歸。

這足見，人爲萬物之靈，如不講人格，即同類於禽獸。不講人品，勢必墮爲下流。如果父不父，子不子，兄不兄，弟不弟，即荀子所謂「人妖」，就要用法制去達成人治。推墨子之兼愛說法，使彼此不憎恨，不搶奪，不侵犯，庶可化乖戾爲祥和，臻爲郅治。

我自由祖國，際此世局擾攘，應把孔孟一貫道理，灌輸於每一角落，使人明順逆之分，遇必要時，即「殺身成仁，舍生取義」，亦在所不惜。如此，才可挽回叔季之人心，保持優良之天性，以完成戡亂建國之神聖使命。

海嘯雲談薈

談以貌取人（一）

諸葛文侯

以貌取人，昔賢所戒，根據我個人的若干事實經驗，信有徵也。

愚友晉省王恩恭敬卿（民國十年在日本介紹我加入國民黨的同志），民國十六年秋間，供職南京國府外交部，攜家卜居城內距公解不遠的「棣溪山莊」。一日，我走訪王氏於其寓所，見一年如五旬左右的婦人，頂髮已禿，裹足而布服，出來應接，謂敬卿不在家。我認定她若不是王兄的母親，亦係一位長輩無疑，蓋王兄此時不過三十零歲的壯年人也。即掏出名片一張留置桌上道：「請老太太告訴敬卿，我來訪問了。」她默然無語。

次日清晨，王兄氣急敗壞地走到我家來，進門即說：「你闖下禍事，害苦了我！」愚茫然不知所謂，他繼續說道：「昨天你怎末稱呼我妻爲老太太？她認爲你存心侮辱，罵我濫交歹友，昨夜向我又哭又鬧，吵個不休，我再三解釋，怒氣猶未息，你非跟我一道去當面謝過不可！」我答應照辦，但詢王兄何以與太太的年齡懸殊若是？他啞然答曰：「這是風俗習慣問題，咱們北方人娶妻叫作「娶媳婦」，妻的年紀八成兒都要比丈夫高過五至十歲之間，內人年長我八歲，又因生育兒女幾個了，而且操持家務，以致頭髮暑禿，顯出衰老的容顏，引起了你的誤會。這事我固然十分諒解，但她不是如此想法呀！」旋與王兄同去伊寓，當面喊了幾聲「大嫂」，再三道歉賠不是，這纔沒事，然我嗣後卻不敢到王宅了。

民國廿一年春間，我奉內政部命令，赴北平監試高等警官學校學生畢業考試，該校教務長鄂人王揚濱，年齡已在五十以外，對我招待甚殷，禮貌上應該到他的住所去拜訪。當我進入客室時，有一少艾婦女很客氣地接待我，但謂王先生出去了。我照例留名片一張，聲言「請小姐交給王教務長罷。」她欣然色喜，堅挽我坐坐，如是她敎女工人倒茶敬烟之外，還拿出一大盤糖菓來饗客，臨辭別時，又敎工人替我雇好車子，給清車錢，恭送我到大門外。次日我赴學校向王君道謝，說是「昨天到府上叩訪時，令嬡招待殷切，實在可感。」王君笑頷之，答言「那是我內人！」我也不禁大笑，却不便再問他跟太太的年齡何以有若父女輩呢？

我經此一怒一喜的婦女實鑑之後，瞭解到一項心理作用，即對着不熟識的婦女們，凡屬稍爲年長的，稱呼她一聲「少奶奶」，年輕一些的稱之爲「小姐」，絕對不會「撞板」（此係粵語），千萬叫不得「老太太」——那怕她是年登大衍或花甲之流，亦不好加以「老」字的稱謂。這與少年男子好作老成狀，以及文人好穿軍服作「將軍」狀，軍人好搖筆寫字吟詩作儒將狀的下意識作用，是一樣的啊！

山川風物

千人洞

道南

古今游山玩水的人，對於洞似乎都有特別的愛好，大概因爲它能發人幽思，給人們一種奇異的感覺吧！而名山大川，也總有幾個古洞，供人不惜披荊棘，總得要去探訪一下。

杭州的西湖，中外馳名，這是盡人皆知的，沿着碧綠的湖水，環繞着的一圈青山，其中甚多古洞，若爲遊客必到之處，如紫雲洞，煙霞洞，石屋洞，黃洞……等等，但卻有一個洞——千人洞，卻罕爲外人所知。而且，千人洞還是上列諸洞中最突出，最深幽的。

據傳說洪楊之亂，有千餘人，扶老攜幼，躲到這山洞中避難，因爲此洞狹長，面積很大，地位又很隱蔽，但不知怎的，被「長毛」邏騎尋到了，就派兵圍在洞口，但也不敢進去，最後終於想出了一條毒計，堆起柴草在洞口燃燒，因此，這千餘人都活活地燻死在洞裏，因此得到了一個定名「千人洞」。

洞在南高峯的山腰，三角形的，洞口被遮滿了蔓生着的枯草，正中卻又有一塊嶙峋的巨石擋着，有似屏風，洞口又成爲「人」字形。這洞口是位在矗立在危崖側壁上面，並非在地面，倘若沒有老僧導遊，常人決不容易發現，所以平時人跡罕到。

寄舊衣

姚琮

一寒竟至此，且贈舊綈袍。
怨府徵求急，雄心遠近操。
頻年悲虎穴，何日展龍韜？
策杖倚閭望，江城海月高！

內備警台報字第〇三一號內銷證

自由報
THE FREE NEWS

第二三二期

中華民國僑務委員會頒發
台教新字第三二三號登記證
中華郵政台字第一二八二號執照
登記為第二類新聞紙類
（半週刊每星期三、六出版）
每份港幣壹角
台灣零售價新台幣弍元
社長：雷嘯岑
督印人：黃行奮
社址：香港銅鑼灣高士威道二十號四樓
20 CAUSEWAY RD 3RD FL. HONG KONG
TEL. 771726　電報掛號．7191
承印者：田風印刷廠
地址：香港灣仔高士打道二二一號
台灣分社
台北市西寧南路壹壹柒號二樓
電話：三〇三四六
台郵撥儲金戶九二五二

中國學制革新問題

·林介山·

現世正在急激的改變中，舉世的教育也正在改變，一九六〇年七月份有七十八個國家的十五位教育部長，十一位外交次長，三十一位教育局長及教授，在日內瓦舉行教育會議。會中聯合國文教處透露有三十五個國家要修改學校課程，並且，大家以為，今後中學教育，不再是為士子而設，而應該為廣大群衆而設，除純粹的知識傳授外，應該增加人格培養和社會研究，以及實用的手工業的訓練。國際教育局主任皮亞傑教授以為：「要設法達成的，是人文教育與科學間的適當平衡。」英國代表國長阿爾科克則强調「人格發展訓練的重要性。」

中國文化兼收並蓄，教育目的在使大家能「透徹生命之所在，從而了解生活的所在」，這幾乎是無可爭論的「放諸四海而皆準」的說法。中國傳統的中庸思想，猶如陰陽二面，而道生於一，印證當前人類教育趨勢，如阿爾科克所强調的德育領導，與皮亞傑所理想的「適當平衡」，尤當可信。

人類有身心兩面的需要，一為生活，一為道德。教育即為充實二者而設，前者注重科學知識，後者注重德育訓練。惟使人類適別於一般動物，德育應佔首要部份，正義仁慈方能伸張，物慾獸性方能被抑制。

今日的中國教育體制及系統，是民國十七年第一次全國教育會議修訂形成的，距今凡三十年，今年二月在台北舉行的第四次全國教育會議，主題即在「如何革新學制」，也實在有適應時代轉變的需要。

行政院副院長王雲五，當時在會議席上就當前教育問題，提出五項意見檢討，那就是延長義務教育，改革學校系統，加强職業教育，修訂中小學課程，提高高等教育水準等項。

但民國肇建以來，中國學制可說大致並無改變。如民十一年的壬戌學制與民十七年的戊辰學制比較，二者的學齡年度及初等教育均完全相同，僅中上教育畧有更改，並由全部的美式學制精神，加上民族的色彩而已。

現制之需要改革，一方是不適合國情；一方是高、中、初三等教育漫無訓練的中心，而學年過長，學科重複，形成浪費教育，早為通人所詬病。改制是一個切切實實的問題，決非「聞名不如見面」的學者可以隨便担當其任務。改制必須顧到實際的需要，顧到教育的效果，以符合客觀環境的利益。其中包括三大課題：即學制學科與課文內容的檢討；教育目的及其實效；教師地位，資格及其待遇等。

我主張「用縮短中小教育學年來搶救浪費的時間和金錢；用重整課程內容，上課方法，升學標準，來補救無效率與不公平的教育。」我以為幼稚班祇是「家庭輔助教育」，並為小學的預備班，一年訓練已足，結業證明書應證明其性格的傾向。

小學是「國民基本教育」，目的在使人人能迅速應用本國的普通文字及有寫作，閱讀的能力，又為升學與應世的基礎。為配合這個教育目的，小學語文科應採用五千個通用基本字為訓練對象。就我研究所得，共需九個學期（即四年半）即達成目的，但須重編小學課本，並須依據順序，字劃，韻律，虛詞，實用，及風格各方面編纂之。其餘一個學期完全着重筆法及文章風格的研究。合共五年，不分高初小。結業書證明該學生的個性傾向及偏專的志趣。

中學是「通才訓練教育」，目的在為社會培育優秀的中級人才，並為高等專才訓練之預備班。本班採分科結業制，並改變上課方法，有如大學上課一樣，實行「上課走班制」。例如（一）學校設有中學各級課室，但學生無一定的教室；（二）學生一律稱中學生，無中一、中二……之分，因中學生上課，係就其各科程度的標準而上課：國文程度達中三標準者，即上中三國文；英文程度有中五的能力者，可上中五英文，餘類推；（三）學校就中學生修業各科之標準程度，先後發給分科結業證明書；彙集各科證明書換發「中學全科畢業證書」；（四）中學分科結業證明書可用為直升大專有關科系深造之合法文件；（五）中學生全科畢業證書應認為社會中級優秀人才之文件，有被優先錄用資格。本班四學年結業，不分高初中，史地採用綜合教法，精編課程，避免重複及簡縮不必要之科目。

大學院及研究院仍比照舊制，但嚴格其學風，充實其設備，使合乎國際水準。

設各種職業輔導教育，主要是兩年制之初級專業訓練，小學畢業生可直升。初專結業者如繼續深造，可直升大學有關學系。設一年制之師資訓練，中學畢業生可直升，結業有任為小學教師資格。設「眞才考選委員會」，以補學制不足的設施。目的在（一）使自修生得有資格證明；（二）使成人教育資格獲致補救；（三）使高級學位有統一的考驗。設學校，家庭，社會三聯中心，以補教育行政不足的措施，並使教育行政部門及學校當局直接受到切實的補導。

至整個學制，我主張信任各級結業證件為升學標準，反對各階段教育的入學試。

我建議改進中學上課方法的原因，主要是舊制有太多缺點，如（一）程度參差不一；（二）天才勤惰被規定同升班同畢業；（三）强迫作非志趣學科的學習；（四）作非劃一標準程度的畢業等；因而構成不公平、水準低，無效率的學制。新制「分科結業」方法，可提高水準，使天才勤學者獲得鼓勵，怠惰者受到落後畢業的警誡，且可調整課程，增加效率，減少浪費，以補救舊制的缺失。

每一階段的教育，必須事前、定其訓練的目的，、施，而後可以見效率。亞里斯多德要訓練高貴的人，杜威要養成社會有用的人，尼采要培養成超人，羅素要養成有優良人性的人。今日我們要進行研究改制，請問我們準備要養成怎樣的人？是西化？是國粹？是科學抑是道德？還是道德與科學並重？小學結業生可達到什麼目的？中學生成為怎樣的人？大學又是什麼？每個學程的階段，都不容含糊。惟有明確的決定，才可談改制。

中國現階段仍急需向「教育普及」與「經濟均等」二途發展，自由民主政治方能充實與穩固，故教育不宜侈談高調，如何用最少的時間，獲致最大的效果，這是在反攻復國後最切實的需要。我建議的新制便是針對上述方針，主張作全面性的改進。小學要求强迫性義務教育，目的在使國人儘速一致獲有起碼的教育；中學則要求有各科水準平衡的優秀幹才，以應社會建設之需；大學可憑「分科結業」的速度，大量培養高級專才。整個體制在不違反個性發展與公平原則下，以適應現階段的需要。新制比舊制減少四年，可使青年作早四年服務社會的機會，家長減輕四年的負担，尤其是那些兒女衆多的家長，就可將舊制應負担兒女的教育費用，減輕多了。這樣，新制不特比舊制更見效率，而且對社會福利，也是一大貢獻，這對於我們復國後的艱苦建國初期，無論從任何角度來觀察，似有考慮採用的必要。

他「誠意地」舉手
毛「大野人」

自由談

自欺欺人的陋說

四十年前，我國的一般軍人，對着社會人士每有一句口頭禪曰：「我是軍人，不懂政治。」表示謙撝之意，而實際上他們經常在干預政治。當時國父孫公曾訓誡軍人們，說是軍人聲言不干涉政治則可，却不能說「不懂政治」，因為軍人亦是國家的公民一份子，豈有民主國家的公民而不知政治為何事者!?其言深合邏輯，尤屬不刊之論。

詎料時至今日，有些在海外辦報的親共投共人物，居然以「本報不談政治」來作烟幕彈，企圖淆惑世人的觀聽，遂其統戰陰謀。還有些從事教育工作的高級知識份子，亦以標榜「不談政治」來自鳴清高。這比四十年前的軍人們所謂「不懂政治」的說法，更是無謂，而且可哂之至。

報紙上任何一種新聞紀述，都是政治性的消息，辦報而號稱為「不談政治」，寧非當場撒謊的胡說八道嗎？藉着這類讕言以期掩護「統戰」的醜惡面目，眞是豈有此理！至於教育事業，乃係「百年樹人」的政治大計，如果不談政治，那你所培育出來的學生，就是些不辨菽麥和不知人間何世的白痴漢無疑，誤人子弟之咎，百口莫辭。所以，幹教育文化工作的人，最大限度祇能說不作政治活動，絕對不能以「不談政治」相標榜。尤其是自命為研究中國儒學的士大夫之流，更不可避談政治，孔孟在生時，周游列國，先後懷大道以遊說於諸侯之間，無一而非政治性的言行，孔孟的信徒而諱言政治，不亦傎乎！

人類自有團體生活以來，便已成為亞里士多德所詮釋的「政治的動物」了，即出家的和尚，隱逸的道士亦無例外。否則過去就不會發生要求政府保護寺廟財產的事情，現在龍虎山的張天師亦不必逃難到台灣來啊！

隨時干預政治的舊時代軍人，而自稱「不懂政治」，本身幹着與政治關係極深之任務的時代知識份子，而揚言不談政治，是誠所謂欲蓋彌彰的自欺欺人之說，陋矣！

馬五先生

（本報記者熊徵宇台中航訊）從今年正二月起，台灣朝野就充滿了反攻大陸的「春訊」。這雖然是由於劉承司駕機起義來歸，給沉悶了十三年的台灣投下一粒巨大的石子，但也實在是國內外客觀形勢的要求：反攻大業，不能再拖！

於是政府先後成立了戰地政務局和經濟動員委員會，在反攻的行動上，有了部份的準備。而民間報紙，也紛紛撰文激厲，發表了許多關於反攻的「民意」。請纓有路，人心喜悅！

但在這種上下備戰的莊嚴氣氛內，却有少數「大員」，仍然昏迷沉逸，追求享受，不避天下耳目，爲所欲爲，引起了廣大民間的普遍反感，認爲這些大員，是不顧國土的「王者」，不理綱常的「貳臣」，不求勝利的「英雄」！

指責何如是之嚴？乃在高爾夫球，乃在一種精神觀念，一種潛在的心理意識！我們且看兩件闢建高爾夫球場的事件：

一件發生在陽明山，一件在省政府的門口台中縣。

備戰反攻鼓吹聲中
高爾夫球場故事
大人先生追求享受逸興湍飛
可惜的是非其時也非其地也

陽明山闢建高爾夫球場，是去年秋初就爲社會所知道的，有幾家報紙，曾撰文抨擊，希望閒得緊的大員們，找點別的東西玩，不要爲了只顧少數人的玩藝，佔據國家可以生產的近百甲土地！同時呼籲那幾位有權力的先生們把過賸的精力，用在光復爲大家着想的方面去。

高爾夫球場竟是少數人才能玩得起的，撇開需要八十多甲的場地和上千萬的經費不說，就玩高爾夫的個人來講，一套傢伙，要一萬二千以上，打一場球，光是「球弟」的打發就得兩百塊錢，還有繳納會費等等在外。絕對不是差不多的官員玩得起的。而一般市民，祇能臨風仰望！希望大員們，不要搬出總統的「樂」、「育」兩篇的理論根據來做擋箭牌。總統所提的樂育，乃是儒家思想的獨樂樂不如衆樂樂；育吾育以及人之育。不是叫少數人不顧生產只管玩。

並且一再強調，八十甲以上的土地，可以生產多少東西；台灣每年的人口，增加三十五萬，寸土尺地，皆能養民。千萬糟塌不得。高爾夫不是不能玩，而是玩非其時，玩非其所，何況台灣還有兩個場地可玩：一個是淡水球場，非常麗大，有十八洞的設備；前兩年，岸信介在那球場玩過，曾經讚不絕口，認爲比日本所有的球場好。（一）

涉嫌貪污竟利用女職員陪酒
台中建設局長等被起訴
起訴的為貪污部份陪酒事無下文
社會及女職員家長僉望弄個清楚

（本報記者熊徵宇台中航訊）半個月前，台灣省政府的大門口，發生一件很轟動的事情：台中縣政府建設局長劉國泰，因爲涉嫌瀆職貪污，利用色情攻勢，携帶縣府女職員三名，陪同調查案件的司法人員大吃「花酒」！事經義員尤世景，在縣議會公開提出，首開本省議員發言涉及司法界的先例，於是引起台中地檢處首席檢察官重視，公函縣議會要求提出具體證據，以資澈查法辦。這樣，往往返返，尋尋覓覓，攪出一件「有志一同」，「集體貪污」的公訴來。

這件事，現在還是開端，結束的時間似乎還早，有些曲曲折折的過程，台灣報紙的報導不夠充分，記者將採訪所得，詳爲報導，藉有助於這案件的參攷，同時也可以使我們看出一些省政府在人事制度方面不夠健全的地方。

劉國泰携帶縣府女職員陪同司法人員吃花酒的事件，是四月十一日才公諸社會的。那天台中縣議會舉行第五屆第四次大會時，縣議員尤世景，在議場公開發言質詢，抨擊這件事情，說建設局長劉國泰，携帶縣府文書股女職員三人，陪同調查案件的司法人員，在台中縣政府斜對面鳳麟酒家吃花酒的目的，在於把那宗貪污的案件，轉到另外一位他們希望的司法人員的手上去辦。這一非法活動，當然有其文章。

這消息，第二天（十二日）就在全省見了報，於是馬上引起台中地方法院檢察處首席檢察官梁挹清的重視，他立刻着手調查，認爲司法人員接受邀宴就犯了法，而清清白白的女職員，居然被人請去李代桃僵的陪鬼酒來，不但有辱官箴，也違背了人情常理，影響社會風氣，荒謬絕倫，太不像話！於是，一方面公開透過報紙，對社會表示：要澈底查辦。一方面，公函台中縣議會，要求提出此一事件的縣議員彙集具體資料和根據，以憑法辦。此外又派一位姓劉的檢察官，到縣議會聽取議員尤世景發言的錄音，並且調查當天的開會情形。

這樣台中縣議會又抄了一份發言紀錄，送到地檢處，用爲處理上的參攷。於是縣政府方面，也採取了行動，着令人事室主任楊定國調查這案件，並限三天查明眞相。楊定國認爲三天的時間不夠，簽請縣長延長調查時間爲一個星期。

在這一個星期內，台中地檢處又透過發言人顏大暉，對新聞界發表了一篇很肯定的談話；說：

「該處辦理案件，因基於業務關係或法律因素，變更人員偵辦，事所常有，關於台中縣土木課人員汚嫌瀆職案，亦不例外。至於台中縣議員質詢所提縣府一職員投書，係因縣府建設局長劉國泰在酒家宴請後，故將該案轉請另一法官承辦一節，顯非事實。梁挹清首席檢察官，除已命令檢察官調查司法人員有無接受宴請情事外，並已函台中縣議會提出具體事實，以憑辦理」。

但是，縣政府在調查期滿一個星期後，結果是「事出有因，查無實據」。而建設局長劉國泰，却對各報駐縣記者發表一則聲明，認爲尤議員所稱進行非法活動，完全出於誣陷，所謂命令文書股三位女職員到酒家陪同司法人員吃花酒，更屬無稽，純屬有意損害名譽。

於是，這案子，就在這些狀況下沉靜下來，雖然那些側面的，也可以說是幕後的發展非常活躍。

直到四月廿五日，台中地檢處宣佈公訴，由偵查的檢察官金淵潔宣稱：台中縣政府建設局長劉國泰，土木課長鄭家修，公路組長徐大川，行政組長林春福等四人，被控購買水泥收回扣瀆職案，因承辦建築工程，向嘉新水泥公司購買水泥，包價格原爲三十九元，劉等乃串通每包浮報一元七角，作爲回扣。第一次向嘉新水泥公司購買水泥四千二百包，第二次又購買四千三百零五包。應得之回扣，當由嘉新公司台中營業所主任高德義，付與劉國泰等收受後，當即按比例分配，劉得百分之四十，鄭家修得百分之三十，徐大川得百分之二十，林福春得百分之十，均飽入私囊。後經人密報，由縣府移送法辦。

這樣公訴，才算把這「有志一同」，「集體貪污」的事實眞相攪清楚。但是三位女職員陪同上酒家事，却沒有下文！

社會上的許多人却認爲，這件事情，必需要清清楚楚，如果有其事，如何處理？如果無其事，縣議員尤世景如何交代？尤其是在文書股服務的女職員的家長們，希望地檢處能把這事攪清楚，否則凡是在文書股的女職員都難清白，不好做人。他們認爲，雖然議員在議會發言，對外不負責任，但這事，既經地檢處的介入，並曾着手調查，就該要弄清楚：上酒家的司法人員，倒低是那幾位？劉國泰何以把他們的子女當成酒家女？都得有個處理。如若全無事實，他們就要向尤世景算賬。地檢處也不能含混了事。

有些了解台中縣政治圈子裏情況的人士說：劉國泰一定不會判罪，因素很多，主要的是劉國泰神通廣大，和台中縣長何金生有不平凡的關係，不能讓他坐牢。這些關係，說來話長，記者不願多談。但據記者所知，劉國泰當台中縣的建設局長，時間大概是一年多，有過很多過程，劉原來是縣政府的機要秘書，第一次報向省政府請求委派建設局長，未獲省府同意，原因學資不合。他的學歷是：東北佛教學院畢業。佛教學院，和尚居多，省府當然不能委以建設局長之職。但是後來，再度報向建設廳，幾經曲折，就攪準了，也算是一件官場的新聞。

佛教學院能比照一般學院嗎？能正式任命爲政府官員嗎？聽說有些記者不敢寫，拿不出證據來的內情哩！這案有多麼微妙的關節，現在才是開端，多彩多姿的發展，可能還在後頭。

採訪線外

立院有人反對表決器

（本報記者台北航訊）立法院也爲「西化」「傳統」問題，展開一場小型辯論。起因由於耗資千萬的立院新議場，原設計的會場中須裝的電動表決器，迄未裝妥。記者探詢此中原因，原來是有立委反對。反對的原因，則爲電動表決器裝好後，不但表決時一目瞭然，而尤其每一立委缺席或退席時，其號碼均於該電動設備上顯示。所以有些經常缺席的立委，便反對裝電動表決器了，否則他們的面子是不大光彩的。他們主張維持原始辦法，即以人工清點出席及表決人數的辦法。但另有些立委則主張裝電動表決器甚力。此一「西化」與「傳統」派之爭，迄仍未解決。

多年以來，立委除照特任官支薪之外，另外尚有鉅額「出席費」可拿，待遇之優厚，較之一般公教人員，相去豈可以道里計！至如該院最近醞釀的「自清」運動，「扒糞」運動雖剛剛開頭，其所已揭露的兼差、護航、特權、特惠等，已經洋洋大觀了。立委「得天獨厚」有如此者，「經常缺席」之立委，仍復大有人在，眞是莫奈其何了。

張君勱望民社黨團結

▲民社黨主席張君勱，近迭獲該黨重要人士函電，對該黨此次糾紛內情，已逐漸了解。他在分別致函該黨在台領袖戢翼翹、侯金城、蔣匀田、郭虞裳、孫亞夫、王世憲等函中表示：「團結應先由各方表示不爭開始。」同時他對該黨內部糾紛告同仁書內，指示兩點：「一、黨內糾紛惟有大家另定對外目標，即爲國爲民之大目的。二、與其貌合神離，日鬧家務，以資人笑柄，不如請同仁同意於立即解散。」可見這位創造民社黨的黨魁內心的沉痛，以及他熱切希望該黨內部團結的悃誠。（匡影）

新任中央研究院長
王世杰答應做一年
年後吳大猷或允出任艱巨

（本報記者台北航訊）七十二高齡的憲法學者王世杰博士，終於接受總統任命爲中央研究院院長了。

本報前經報導，對於出任中研院長事，王世杰曾經舉出種種理由，幾度推謝，其理由之一，便是他年逾古稀，不適宜於担任這項繁重的工作。另外的理由，還有他正負責管理故宮古物，已夠忙了，不能再担任中研院長。

關於中研院長人選，當局原來最屬意於年富力强的吳大猷博士的，但吳大猷堅決辭謝，半個月前吳自加拿大發回來的幾通辭謝電報，據聞說得非常懇切，當局不好意思再逼他。中研院院士會議所選出的三人候選中的朱家驊，健康又不夠好。所以，雖然王世杰一再推謝，終於還是推之不掉。

當局爲要王世杰出任艱巨，費力不少，陳副總統及總統府秘書長張岳軍，曾幾次到王世杰在長安西路的寓所勸說，好不容易才把王世杰說得首肯了。於是總統的明令就發表了。

但據本報記者獲悉，王世杰的允任中研院長，說明是暫時性質，以一年爲期——只是這算不算「條件」，却還不很明瞭。王世杰在總統明令發表之後，他就曾公開表示這職位應由更年富力强的人來做。有一位學術界人士對本報記者透露：王世杰所說的年富力强的人，指的就是吳大猷。

台北有人推測：也許在一年之後，吳大猷可以回來了，王世杰就準備到時舉賢自代（當然仍得經由院士會議選舉），把重任交給吳大猷了。當然這祇是推測而已。

又，王世杰已經決定辭卸行政院政務委員的職務，致全力於中研院的工作。（由）

烟酒帶頭漲了價
百物價難免亦漲

（本報記者台北航訊）公賣的烟與酒，又實行漲價了；各種烟酒，有漲得多的，亦有漲得少的，總平均則超過百分之二十。

據公賣局負責人的說法，這次烟酒漲價，有三個原因：第一是爲了政府財政的要求，第二是烟酒原料早已上漲了，第三是公賣局要更新設備，需要籌一筆錢。

但大家都明瞭：這次烟酒漲價，主要是因爲政府財政的要求，是政府下令要公賣局漲價的。其餘兩原因，都不重要，只是陪襯而已。

烟酒非人人生活必需品，漲價因未必影響民生。祇是值得顧慮的，有了烟酒帶頭漲價，台灣物價難免要普遍上漲，這可就大有影響了。（堅）

濾清共產毒素，壯大反共陣營

——對反共自覺運動成功後的新希望——

仲偉庭

政府自遷台以來，生聚教訓，勵精圖治，三軍日漸茁壯强大，百萬雄師優越精銳，戰力超過國際勁旅。工業發達，社會經濟日漸繁榮。一千一百萬軍民的團結奮鬪，使國力日漸增强。軍中士氣的高昂，民衆精誠的團結，華僑忠誠的愛國，盟邦刮目相看，備致推重。使我們海內外同胞建立起光復大陸復興國家必勝必成的信念。國際人士也確認我們當前的軍力，不但足以粉碎共軍再犯金馬的任何的企圖和行動，而且也有攻入鐵幕摧毁中共僞政權的必勝把握。

中共自從八二三侵犯金門陰謀一役慘敗以後，就轉變了戰畧，利誘脅迫返國投資的僑商，回國升學的僑生，以及反共義民，混入反共陣營作滲透顛覆的活動，或利用廢物與分歧份子合流，或利用死子變活子煽動叛亂，或歪曲輿論，積非成是，無視法律的尊嚴，否定法律的效力，在民主自由的掩護下，進行顛覆政府的陰謀。如鼓勵不良少年犯罪，嗾使歹徒搶刧縱火姦淫詐欺，挑撥民衆的是非，離間同胞的感情，瓦解我們的團結等活動，都是中共運用滲透顛覆的陰謀動作。

政府爲了澈底粉碎中共的滲透統戰陰謀，解救被中共欺騙脅迫的人們，特發起反共自覺運動。此一措施，也就是發揚人性，訴諸良知，明辨是非，劃分敵我的一個行動。特自民國五十一年三月一日起至四月三十日午夜十二時止，在這兩個月期中，給曾與叛徒交往，或已受叛徒脅迫欺騙的在台人士，有一個向政府表明心跡，効忠國家的良機，也就是政府再度向這批執迷不悟的涉嫌人士發出仁慈的呼喚，希望他們自覺自省，棄暗投明，表白自己，洗刷嫌疑的機會。

此項運動推行以來，自認涉嫌的人都紛紛勇敢的向治安機關自動表白，數百人士都以「坦誠的表白」與「大胆的舉發」向政府說明受騙的經過。這是很可喜的消息。甚至有很多涉嫌人士爲了向社會表白心跡，均自動出來向新聞界說明被中共脅迫經過，藉以洗刷罪嫌，也就是他們堅決反共的表現。如台籍青年黃維旺，反共義民李賓龍等都是忠誠愛國，堅決反共的鬪士。這些事實值得大家大書特書的。從此證明我們同胞的良心未泯，同時也足以證明漢奸必亡，暴政必敗，光復大陸一定成功的保證。

因此我對這項工作推行成功後有三個希望：（一）希望政府將這個運動的成果拍成影片，會同願意向海內外同胞說明受中共欺騙或脅迫經過的人士，到台灣鄉村及海外作巡廻宣傳，使海內外同胞認識中共的毒惡，瞭解中共的陰謀，藉以團結反共救國的力量，粉碎中共的統戰陰謀。

（二）希望政府清潔反共陣營，將那些反動份子及分歧份子或姑息主義者濾清出來，繩之以法，絕對不能讓他們在我們自由陣營中發育滋長。

（三）處理案件要絕對實踐公正廉明，不要讓那些挾嫌誣告陷害好人的歹徒趁機做不道德的詭詐報復活動，以便做到是非分明，不能讓良民受累，而引起社會不良的反感。

總之這次推行的反共自覺運動是成功的，收穫是豐碩的，只要我們保持這個成果，繼續努力，將有更豐盛的收穫，使我們這個反共陣營更壯大；使我們復國的前途更光輝燦爛！

向核彈抗戰

六、原子核彈的原理

（二）質變能的理論

陳知青

愛因斯坦的理論，當時一般人忽畧了，有的不懂，有的不信，但是各國科學家們，都在暗中摸索，漸漸的發現原子核以及放射性的秘密。最近發現鈾原子的分裂現象的，還是納粹德國的科學家哈恩，以及斯特拉斯曼。這時，愛因斯坦已被排猶太運動，從納粹德國逃到美國，執教普林斯頓研究院，成爲美國的公民。一九三九年八月二日，愛因斯坦知道德國鈾原子分裂的消息，才寫信給羅斯福總統，積極研究原子彈，才推動了有名的曼漢頓計劃。另一方面，意大利核子物理學家費爾密，也從意大利逃到美國，一九四二年十二月二日，才在芝加哥大學，首先[illegible]試驗用的石墨鈾原子堆。一直到珍珠港事變之後，才有曙光，而成爲軍事秘密。

爲什麼原子核破裂會產生那末大的放射能呢？在相對論來說，也是知其然而不知其所以然的！因爲相對論所用的公式，還祇是物質變成能量的公式。物質究竟從那裏來的基本問題，還未完全明白。相對論的理論，是在一個運動的系統中，質量的變化隨着速度的不同而改變，於是，時間與空間相對，不能絕對劃分。質量與能量也相對，質量可以化成能量，能量也可以化成質量。這後來的一個觀念，到愛因斯坦死掉爲止，還沒從事研究。

另一方面，也是用科學的方法，找到了放射性物質，而使原子核破裂而產生巨大的放射能。這也就是說，結合成一個原子，有重大的「核力」在維持原子的存在。打破了這種核力，而解放出相反的放射能來。

天然的放射性元素，可以說，原子核內的核子（中子和質子合計）超過兩百個以上的，就能在自然界發生磷光式的放射能量，如居里夫人發現的鐳錠（核子數在二二六以上），鈽（二四二）鈾（二三五）等。而人工放射性元素，是用人工的方法，將某些核子打擊原子核使他發生放射性，這種方法，也是原子核彈的原理。

因爲原子核是質子的陽電的，因此，用質子，或阿爾法質點，也是陽電的打進原子核附近，便會同性相斥，而反彈出來。因此，必須用加速器，把質子加强衝力。另外用中子做子彈，比較容易打進。原子核被打碎了，一方面解放出放射能，一方面又團結成另外較小的原子核。（十七）

香港與大陸

大陸十歲以下兒童已不識花生爲何物

他們沒看見過當然更沒吃過

在香港，再窮苦的人，沒有吃不起花生的，亦沒有什麼人連花生都沒有吃過的。但在現在的大陸上，十歲以下的中國兒童，却已經不認識花生爲何物。他們如果拿到花生（有殼的），亦不知道那是可以吃的東西。眞要他們吃，他們會連殼去咬，不曉得需要先剝開花生殼，再吃花生。

這話是剛從大陸出來不久的某君對本報記者所說的。他說時唉聲歎氣，搖頭不已。他說他到香港後，看見滿街都是東西，要什麼有什麼，眼睛都亮起來了！再想到在大陸時的什麼都沒有，什麼都看不見，眞是兩個世界。

記者對他說：香港的花生，大部份是大陸出產，由大陸運來的。他說他亦已經知道這回事。但在大陸上，却已經七八年沒看見花生了，更不要說吃花生。十歲以下的兒童是絕對認不得花生的。

他說：共產黨剛來的三四年，雖然清算這清算那，鬥爭這鬥爭那，對於生活必需品，倒是很放任的，可以說完全不加管制。之後，開始有管制了，許多東西都看不見了，比如花生，市上就沒有賣的，買不出來了。好在花生亦不是非吃不可的東西，大家看不見花生了，却亦並不注意它。因爲那時候，大家的生活享受雖越來越簡單，飯還是吃得飽的。加以，那時生活享受雖簡單，却除統治階級的共產黨人之外，大家都一樣，所以也還心安理得。

近三四年，管制更嚴了，配給亦一減再減三四減，一般人沒有一個吃得飽了，慘不堪言，不知道究竟死了多少人！他說：三四年來，在大陸上，樣樣都要配給，樣樣都得憑證購買，沒有證，什麼都買不到，人民幣可說已實際成了廢物。有的人手上就有的是人民幣，但買不到東西，同樣的要捱餓。

他說：從香港匯一百元港幣到大陸，共產黨並不是結你折合四十多元人民幣，而是給你如次的購買證：米五斤，油八兩，糖八兩，肉八兩，布五尺。你可以隨時拿證去換回這些東西。換言之一百元港幣就買得這些東西。以香港市價說，這些東西，六七元港幣足之夠矣，其餘都給共產黨賺去了。但在大陸上的人，能得到這些東西，却認爲如天之福，看得很貴重了。（驥）

馬來亞人士關心聯合民主黨政見

（本報吉隆坡通訊）林蒼佑醫生等新成立的聯合民主黨，在醞釀之初，由於林蒼佑是前任馬華公會會長，以及由於馬華公會前此脫黨人士大概都參加了，大家認爲，這或許是馬來華人對抗馬華公會的一個政治組織，結果並不盡然，其中亦有的是巫族人士。這使得馬華公會的掌權人士爲鬆一口氣，但却使得馬來亞執政的「聯盟」——巫統、馬華公會及馬印國大黨三黨聯盟，不無感到威脅。東姑．阿都拉曼雖諷刺新黨的創建祇是幾個人不甘寂寞，心血來潮之舉，還說這樣的黨不會有前途。要亦可反證「聯盟」對新黨不無戒心。目前人們更注意的，是新黨的政見畢竟如何——林蒼佑等人是因爲爭取馬來華人在教育上與巫人的平等待遇以及馬華在「聯盟」中更多席次失敗，而終於退出馬華公會的。他們要另組黨已經醞釀好幾年了。（杰）

瘟君續夢

第五回：深壑難填　反顏奴抗主、片言起釁　轉瞬德成仇

周恩來聽了電話，走進來雙眉緊鎖，面色沉重。大家知道又沒好消息，毛澤東搶着問道：「又出了什麼事？」

周恩來苦笑道：「外交部接到劉曉的急電，赫老已經動身去美國和艾森豪威爾談判東西兩大陣營和平共存的問題。」

毛澤東冷笑道：「東西兩大陣營包括不包括我們？」

大家聽了都爲之一怔。

周恩來陪着笑臉說道：「他們談的是整個世界問題，甚至連太空探險都包括進去，自然有我們在內了。」

毛澤東把烟蒂仍進痰盂，憤然說道：「這樣就好辦了，他要和平，我偏要掀起戰爭，在他們談判期間我就命令福建前線部隊大力轟擊金門，過去怕國民黨乘機反攻，現在我不怕了，最好國民黨軍隊打過來，丟了一省兩省都無所謂，先把這罈子水攪渾了再說。他們談判眞是有了結果，我就向中南半島出兵，越南、老撾，必要時連泰國、緬甸一把抓。事情再鬧不大，就由西藏出兵打紅頭阿三，到時候赫魯曉夫就急了，我曉得他偏愛尼赫魯，因爲他兩個同半個名字，都不是好東西。」

毛澤東一段話，轟的劉少奇目瞪口呆，周恩來面色蒼白，在場的人都不知所措。只有賀龍得意萬分，把袖子拉得高高的，擺出一付打架的神氣。

活曹操勸道：「主席何必大動肝火，大家還是商議個辦法才是。」

毛澤東說道：「林老，我並沒有動肝火，我是就事論事。二次大戰期間，日本和英美宣戰，事先也徵求汪精衛的同意。今天赫魯曉夫去和美國談判和平共存，爲什麼不打我們一個招呼？人人都罵汪精衛是漢奸，汪精衛比我們才份高得多，我們求爲漢奸而不可得，還攪啥玩意的革命，建什麼鬼怪的國家。乾脆就和赫魯曉夫拼掉算了。」

董必武苦着臉說道：「主席冷靜一點，我們全面和蘇聯鬧翻究竟是不妥當的。」

毛澤東冷笑道：「董老，你放心，一切問題我都考慮清楚了。赫魯曉夫決不敢用原子彈炸我們，想謀害我，他活着一天我再也不去莫斯科；從內部顛覆，收買幾個壞蛋幹掉我，老實講他是作夢。我們仰仗他的只有經濟援助，但是已經分文沒有了，我爲什麼還要怕他。」

毛澤東說到這裏，又點着一根紙烟，悠然噴個圈圈說道：「他箝制不了我，我到有辦法對付他，第一步我破壞他的和平共存政策，在國際上使他失去聲望，第二步我要以身作則鼓動東歐兄弟國家反抗他，第三步可以替莫洛托夫，馬倫可夫等人打氣，從內部來跟他們鬥爭。到最後就不知誰勝誰敗了。總之，我這一次是和赫魯曉夫幹上了，這叫做睡在担架上看書，走着瞧吧！我們黨的同志，願意同我站在一起的，都是我的忠實夥伴，願意去抱赫魯曉夫粗腿的，我也不理。」毛澤東說到這裏又向劉少奇，鄧小平掃了一眼。

劉少奇看着事已如此，裝胡塗也不成了。當時挺起精神說道：「這件事情應該先禮後兵，先通過外交途徑和尤金大使談談，如若沒有結果再採取強硬辦法，到時候我們絕對舉黨一致擁護主席。」（九七）

滿清稗政實錄之四

黃寶實

清代銓政之濫，一曰捐，二曰保。捐者，白丁捐爲監生，生員捐爲貢生，是謂出身捐。官品可捐，頂戴可捐，州縣可捐，道府亦可捐，是謂官品捐。大抵皆視出身階級之大小，及指缺之肥瘠，以定出貲之多寡。

保者，有河工，有軍功，有賑案，有慶典，皆由總督或欽差大臣出保舉，無出身者予出身，有品級者予超擢。吏兵兩部且爲之制定納貲規格，往往「拔茅連茹」。蓋賣官鬻爵之制，清室最爲完備，任庸登進之門，亦最爲方便。

玆錄李慈銘于光緒十八年官御史時之奏章，爲滿清稗政實錄之四。

「治國之要，惟賞與罰，馭臣八柄，二者爲先。罰固不可稍踰，賞亦豈可或濫？臣溯康熙乾隆兩朝，享國長久，慶典武功，縷指難盡。其時內外臣工，雖屢逢恩詔，論功行賞，而班序秩然，未有越等者。今則外官之道員，多至二品，其封皆至一品矣。知府同知多加三品，其封皆至二品矣。牧令大半四品，簿尉大半五六品，其封率至三四品矣。甚至一捐班之丞倅，或貪緣出洋，或掛名海運，一保兩保，已道員而紅頂矣。此猶言在外者也。內而翰林之編檢，預名一典禮之末，即加侍講銜，其優者加花翎，有京察者保，簡放後加二品銜，且駸然而冠珊瑚頂，以七品而換二品矣。六部之主事，得一小事之議叙，則加四品銜，其優者加花翎，或三品矣。夫宥人竊位，則志士傷心；倖者冒功則勞臣奪氣。爵賞者人君所以進退賢愚，人臣所以奔走吏士。得之太易，則人不知恩；予之太驟，則士無由勸。遂至尊卑不別，等級不明，長僞士之浮囂，惑小民之視聽，甚非所以尊朝廷清流品也。蓋倖門不塞，則士習無由端；流品不分，則人心無由正。人心日壞，士習日陵，小臣以此爲能，大臣以此爲市，而欲求官吏之守法，天下之致治，是猶背日而求景，北轅而圖南也」。下畧（清朝文獻通考卷一百四十六，職官考，封階。）

按慈銘即越縵堂日記作者。

唐太宗（二十）

李仲侯

太宗曾說：「國之匡輔，必待賢良，任使得人，天下自治。故堯命四岳，舜舉八元，以成恭己之隆，用賛欽明之道。士之居世，賢之立身，莫不戢翼隱鱗，待風雲之會；懷奇蘊玉，思會遇之秋。是以明君旁求俊乂，博訪英賢，搜揚側陋，不以卑而不舉，不以辱而不尊」。又說：「智者取其謀，愚者取其力，勇者取其威，怯者取其愼，無智愚勇怯，兼而用之」。「不以一惡忘其善，勿以小瑕掩其功，割政分職，盡其所有」。「有輕才者，不可委以重任。有小力者，不可賴以成職。委任責成，不勞而化」。這些雖都是原則性的理論，後世當國用人者，皆可奉爲圭臬。

貞觀之治，是一代政治天才集體所表現的卓越傑作，把他們的才能和努力都發揮到了最高度，所以他們的成就，也無可與之倫比。貞觀廿二年太宗作帝範十二篇以賜太子曰：「君體，建親，求賢，審官，納諫，去讒，戒盈，崇儉，賞罰，務農，閱武，崇文」。且曰：「修身治國，備在其中，一且不諱，更無所言矣」。又曰：「汝當更求古之哲王以爲師，如吾不足法也。夫取法於上，僅得其中，取法於中，不免於下。吾居位以來，不善多矣！錦繡珠玉，不絕於前；宮室臺榭，屢有興作；犬馬鷹隼，無遠不致；行遊四方，供頓煩勞。此皆吾之深過，勿以爲是而法之。顧我弘濟蒼生，其益大；肇造區夏，其功大。益多損少，故人不怨。功大過微，故業不墮。然比之盡美盡善，固多愧矣。汝無我之功勤而承我之富貴，竭力爲善，則國家僅安；驕情奢縱，則一身不保。且成遲敗速者國也，失易得難者位也，可不惜哉！可不愼哉」！這是太宗最後一段自我檢討的文字，也是千古爲君之道的典範，所以詔其子者，可謂至矣。而功高百王，猶不自滿，殊令人景仰無已！

（全文完）

人性的證書

汶津

現代有許多偏激的思想，最嚴重的一種是企圖用「性」來解釋全面的人性。我不知道這種妙想是不是會有一天成爲流行的觀念。我只發現人性是複雜、變幻得不容易捉摸的。

在一個鄉下的閱覽室裏看到一份有關柏林問題的專輯畫刊，描寫去年八月十三日開始德國人民的特殊動態。面對那道鐵絲網下的圍牆，如果忘去那些繁亂的政治關係，我們只可以說它是反人性的。只此一語已經足夠，足夠使一位七十三歲的老太太跳窗而下了。其中有一幅最感人的是，一位青年人用鐵錯，把鐵絲網絞斷一個口，把他的情人自「另一個世界」迎接過來。我從來沒有見過那麼美的一對情侶，尤其當他們超越了有史以來最惡劣的政治手法的阻障，而攜手同享。在他們的旁邊，有一位年青的東德警員，「旣有槍，也有良心。」他玉成了這件好事，他担待着一份罪責。故事的標題是：「人性的證書」——這不只是一張照片。

前天我會在台南市火車站的公厠門口，看到一件再小沒有的小事，然而却那麼感人。火車汽笛突然一聲長嘯，連我都猛地心跳起來，這樣只見一位小姊姊極快速地往前一傾，把她坐在櫈子上的小妹妹的雙耳護住。他完全忘記了自己耳鼓上所受的壓力！那小女孩哭了起來，姊姊又輕輕的撫弄她，而把她的餘驚驅散。我站住了好幾秒鐘，看她早熟的母性流露在臉上。走在街上，我還久久地思索着這件單純而富於啓示性的事。

最近發生了一件情殺案，雖然人未死去，却揭開了一幕醜聞。最後男主角之一的母親發表了一篇談話。我不知道這篇談話（我所見到的是報端的文字）是否出自她自己的親筆，親口，即使那是代書先生的手筆，我也要敬佩那位能夠這樣維護人性人情的「作者」。她求社會上原諒她的管教無方（？），她希望三個「孩子」在犯了錯誤之餘仍有重新做人的機會。她並不偏愛她犯過的骨肉，但她也沒有恨。那也正是一份「人性的證書」。

我們每天在人羣中生活，遇到無數的人。有些可能不了解人性，但如果你眞誠的作一番反省，人性是永難否定的。有人把人性看作獸性的一種，這種自貶甚至還有科學作後盾。但人跟獸不同是有目共睹的。當某些獸性的行爲發生在世界的某一個角落時，全世界的人類不總是會情不自禁的引起公憤嗎？固然人性也不是神性，但人的本能的趨向中，自有一種向上的，或向心的潛力。也許可以說那是文化的累積。至少，從在搖藍裏開始，人就遠離着禽獸了。

參加戰鬥的人們也好，從事政治的專家也好，你們會得到「人性的證書」嗎？這不是任何其他的人所能頒授給你的。你自己是給予者，你自己是得主。沒有這樣的證書的話，即使有許多小的勝利，也無法保證你最終願望的建成。豈眞以爲只有多愁善感的文人才談人性？每個人都該注視它。我們反共不正是反「反人性」？如果有一天我們發現（多麼不幸！）自己的人性證書也已毀去，那麼你的良知將有權反對你自己。上帝知道：在今天，人性的證書是使地球上一切繼續生存的唯一保證。

談以貌取人（二）

諸葛文侯

對日抗戰時期，一般公務人員能有一套印度卡嘰布的中山服裝，算是華貴而高尚的服裝了，雖揖讓周旋於名公鉅卿或外交使節之間，亦復怡然自得，毫無寒傖之感。

抗戰結束還都之年（民國卅五年）十月間，愚友黃少谷兄以「和平日報」總社社長，會赴上海公幹，即身著黃色卡嘰布中山裝，且係新製不久者。當他由上海乘坐滬寧路火車頭等臥鋪位回京之夕，適與上海聞人杜月笙同一房間，臨開車前的半小時左右，到車站恭送杜氏的親友甚衆，少谷不便擠在車房內，亦不宜下車竚候，乃趨立於車房前的走廊窗次，以待開車後再進房裏去。詎料這時上海社會的風習，只有公司行號的跑街，或鉅商富賈的僕從是著中山服的。一些到車站來送杜氏的人，皆視少谷爲杜氏的隨從人物，有的尙未登車，即向着立在車窗前的黃社長，用命令式口吻詢問道：「喂，杜先生來了沒有？」少谷祇好答以在裏面。有些走上了車廂的，竟以名片一張揭示少谷曰：「請你交給杜先生，我來送行的，不打擾他了。」這時少谷却窘極了，旣不能接受對方的名片，又不便生氣說「我不是杜先生的副官」，迫不得已，急忙走到另一節車廂的走廊以避之，心中却十分納罕，覺得這般人爲甚末把他看作杜氏的當差呢？後來經熟悉上海情形的朋友說明原因，他纔恍然省悟，從此再也不穿中山裝赴上海了。

去年十月初，我在台北跟陽明山第二次會談人士，集體赴台中參觀故宮博物院，吾友任卓宣（葉青）同坐在一輛卡車上。參觀完畢後，行到半途休息，在下車之際，我聽任兄滿頭烏髮垂垂，臉色晰白無縐紋，如四十許人，認定他的年齡至少亦要比我小十歲左右，乃拍拍他的肩膊道：「老弟，你先下車罷。」他回首笑謂：「你叫我老弟？請教你是那年出生的？」答以干支之年，他又問是那月？我說某月。如是，他亦拍拍我的肩膊道：「對不起，老弟，我比你早出生了半年哩！」我碰了這次釘子，即問他有何駐顏之術？他說：沒有甚末法術，平生對於功名富貴和一些事情的利害得失，皆淡然無所容心，如是而已。」

除了上述以容顏，衣著來看人的錯誤觀察以外，還有就是不能憑着在交際應酬場中花錢的方式，鑑別人們的貧富程度。一般的情形，表面上花錢很疏爽，表示滿不在乎的模樣者，實際都是些窮漢，而斤斤計較，耗費一文錢亦感到心痛肉酸的，他準是個富有之輩。推而至於政治人物，凡是擅長於對着長官面前表演忠貞言行，在稠人廣衆之中，善呼「萬歲」口號者，臨到危難關頭，十九都是些「五色瓶」——搖變——的本質。這類例證，古往今來，滔滔皆是，我們試閉目回憶現時在大陸上常呼「毛主席萬歲」那羣降虜貳臣的文武人士，即思過半矣。

以貌取人者，在社交上必然失望上當，在政治上更要失敗遭殃，可不戒哉？（完）

山川風物

鎭海寺

・道南・

鎭海寺在山西台懷縣南一里許，面臨淸水河的五台山中麓，聳立在楊、松、柏、楸的蒼翠繁茂樹林中。在此地面前經過時，風景之美，簡直令人聯想起唐李陸道的「九成宮避暑圖」來。

走上山坡，踏入寺門一望，便可以看出這是一座整齊的出色寺院了。正殿前面豎了一塊康熙五十年所立的「御製鎭海寺碑」。

鎭海寺的創建經過，在「淸凉山志」這一類書上並沒有詳細的記載，相傳是因爲佛殿下有一泉眼，湧出大量的泉水來，所以寺名鎭海。毗隣的一座房子叫永樂院，院內有乾隆五十一年示寂的第十五世章嘉呼圖克圖的豪華墓塔，這是一座建在有欄杆環繞的方壇上的喇嘛塔，台座部份刻了佛像，雙輪則施以金色裝飾，其規模與北平西黃寺的班禪喇嘛塔相似，雖然雕刻頗佳麗，只微嫌過於繁縟，在手法上比班禪喇嘛塔差得很遠。

後樓上有幾尊青銅歡喜佛，安置在玻璃櫥中，都有大淸乾隆年製的欵識。鎭海寺是歷代章嘉呼圖克圖的避暑盛地，陳設豪華富麗。

屛東道中

姚琮

地利富三熟，躬耕可送窮。
焚山鳩喚雨，沃野竹防風。
雲樹連天碧，春潮浴日紅。
吟遊增感慨，歌哭與誰同！

漁父吟

漁翁

漁人夜傍香江宿，欸乃長嘯聲滿谷。日泛孤舟釣綠楊，得魚獨侑一樽醁。醉酩酊醒後復酩酊，洗卻胸中愁萬斛。四時看人間僕僕忙，此心不與隨流俗。春夏與秋冬，惟愛梅蘭和菊竹。覺得仙源好避秦，清風明月展書讀。縱然鬢髮白如霜，不改廬山眞面目。世事滄桑隨遇安，一簑烟雨一茅屋。而今長作釣魚人，富貴榮華我不欲。

內僑警台報字第〇三一號內銷證

自由報

THE FREE NEWS

第二三三期

中華民國僑務委員會發給登記證僑台報字第三三二號
中華郵政台字第一二八二號執照登記爲第一類新聞紙類
（每星期三、六出版）（半週刊）

每份港幣壹角
台灣零售每份新台幣壹元

社長：雷嘯岑
督印人：黃行當

社址：香港銅鑼灣高士威道二十號四樓
20 CAUSEWAY RD 3RD FL. HONG KONG
TEL. 771726　電報掛號：7191
承印者：田風印刷廠
地址：香港灣仔高士打道一二二號

台灣分社
台北市西寧南路[illegible]二樓
電話：三〇三四六
台郵撥儲金戶九二五二

可怕的社會上反淘汰作用

——應該及早予以疏導糾正——

·雷嘯岑·

所謂「反淘汰作用」，是一種極端妨害社會生計、羣衆生活和國家生存的反常現象，越是亂離之世，這作用就更容易滋生。例如人們每因私慾而動則仇殺陷害，官吏專圖享受而公然肆行貪污，商旅爲着暴利而悍然販毒干禁；乃至於市場上之劣幣驅逐良幣，擾亂金融，刺激物價；會議場中之愚魯頑鈍份子，遇事言語囂囂，積非勝是，致令眞知灼見之士相率緘口結舌，羞與爲伍：這些都是反淘汰作用，可使整個社會釀成「封閉」狀態，而國危矣！

近年來，海內外的華人社會中，這類現象所在多有，尤其台灣方面格外顯露。究其所以然，乃導源於變態的社會心理，而以政治環境的影響爲最鉅。這決不是偶發事件，必須設法疏導糾正，庶可免「魚爛」之災。

現時的反共救國之役，比較十幾年前的抗日戰爭，更爲艱鉅，而人心卻迥異往時。在抗戰八年中，千千萬萬的淪陷區域的人士，亦跟今日違難到臺灣的各省同胞一樣，大家隨着中央政府往大後方集中，各爲生活而茹苦含辛，努力奮鬥，每個人的勝利信念極其堅强，希望亦很大。儘管常聞有前線戰爭不利的消息，政府號召長期抗戰，而國際環境亦諸多逆轉形勢（如英國封鎖滇緬路之類），然大家的信心決不動搖。一般生活情況，有些且視今日在臺灣的別省人士尤爲困苦；由於希望甚大的精神鼓勵，一例忍受！滿不在乎。所以當年的社會就表現着「開濟」狀態，人人感覺前途光明，希望無窮，循着正常的生活途徑，勇往直前，很少發生反淘汰作用的惡劣現象。今也不然，內陸的數百萬軍民同胞，聚集臺灣省境逾十年了，社會環境固然安定，謀生之道亦不比對日抗戰時期更艱困，政府對於救濟難胞的工作，尤爲積極。可是，經過了十年生聚教訓之後，「沼吳」的行動，受着各種因素的阻礙，仍在宣傳階段之中，而社會環境越是安定，許多人的惰性觀念卻隨之增長。目前無論是在朝在野的各色人等，下意識地多認爲臺灣這寶島是絕對安全的，縱使我們自己不願保守，友邦美國亦必不肯放棄，第七艦隊便是「泰山石敢當」！對於光復中原這回事，相率淡然置之，不以爲意，覺得能夠反攻復國，打回老家去，固所願也。否則此生能在臺灣安居以終其身，不受共黨的奴役折磨，亦屬幸運，反共救國的前途遙遠，讓兒女輩去奮鬥罷！因此之故，一般人的變態心理乃暗長潛滋，與日俱增，構成了南宋時代那種「錯把杭州作汴州」的人生觀，唯一急務，就是如何獲致個人的生活安定根據而已。如是乎，凡是在政治上有辦法的，祇要遇到機會，享有權力，便不惜肆行貪污，無所忌憚，如某些曾經在對日抗戰時期爲國家服務，潔己奉公，從無貪污行爲的人物，現時亦有以貪污聞的了！同時，政府機關又施行一種保障既得利益的人事凍結法令，不發生新陳代謝，進賢退不肖的效能，更增高一般公務人員的惰性觀念，而政治上卻表現着暮氣沉沉，絕無壯濶活躍的開拓景色。另一方面，有一種情形，跟過去對日抗戰時期原是相同的，即外省人士的生活情況，絕大多數越過越窮苦，政府所在地的人卻相反，自然而然的日益優裕繁榮，隨意揮霍，形成强烈的對照現象。這對於羣衆心理的刺激作用很大，因而引起一般人由羨慕，頹喪，嫉妒，乃至於積成怨恨的情緒，由來者漸，豈偶然哉！

基於上述情形，可見社會各階層人士，因爲政治環境的影響，除却少數的政府當局而外，大家都以解決生活，追求物質享受爲第一義，把反共復國的大業等閒視之，信念旣不堅强，希望即相應減退，一方面是心理上的戰鬥防線逐漸脆弱，癱瘓，而精神的潛力便爲物質享受慾所掩沒；同時就釀成不正常的心理變態，滿懷抑鬱、愁悶之思，無可排遣，意志消沉，心情激越。另一方面，眞正能夠奠立生活上之安定基礎的，在千千萬萬由大陸來到臺灣的人羣中，少之又少，百分之九十以上，皆在精神苦悶，與物慾誘惑的交織心理狀態中，極度不安，慢慢地從失望，悲觀而欄於憤世嫉俗之境，人性的善念機能漸告停息，惡念油然湧起，而貪污、橫暴、仇殺，以及「劣勝優敗」的一切反淘汰作用，即隨時隨地發生了！試看報紙刊載出來的這類時代悲劇的主角，都是在內陸生長的流亡者，有些還是高級知識份子，便可實證這種反淘汰作用，是受着政治環境影響的說法，十分正確。即如政府連年來大力號召節約運動，而社會上的浪費奢靡風氣如故，亦係反淘汰作用所使然的。若要糾正而消弭之，還須從改造政治環境着手。

改造政治環境的基本策略，就在提高社會大衆對於「反共必勝，救國必成」的信心，使他們的精神振作，希望濃厚，認定光明的前途，指日即可到達，任何艱難困苦生活，都是黎明之前的片刻暗影，無所容於心。這是移風易俗的重大問題，而且與現實政治互爲因果，決非幾篇文告或講演詞所能奏效的事，必須以行動來激勵人心，促進社會大衆向上發展的勇氣才行。最簡捷有效的方法，自莫過於軍事反攻大陸，反攻的號角一響起，現存那些抑鬱、愁悶、憤慨的心情，必然隨着號角之聲而消散，一切個人日常生活上的不平情緒，政治上的恩怨意氣觀感，皆將自動的置之度外，而在救國救民的共同利害下，各盡所能，義無返顧，這就是「生於憂患」的道理。假使軍事反攻的有利時機猶有所待，則內政改革實屬必要。首先就得表現「與民更始」的作爲，給愁歎咨嗟的人心注射興奮劑，這可從積極和消極兩方面着手：

積極的措施，是使海內外人民在政治上有參預反共救國大業的均等機會和相安的環境，不致發生「無路請纓」之嘆。民國十五年以前，國民革命政府偏促廣州一隅，不及現時台灣的形勢與力量遠甚，但那時各省嚮往革命運動的人士，皆以能到廣州參加革命行列爲榮幸，今也何如？只看看一般知識份子，無論是青年學生也罷，壯年或老年的官吏富賈也罷，大家想法子乘桴浮海，遠走異域，一去卽不願復還的情形，已可概見了。同時行政機關又以「人事凍結」法令，凍結着新陳代謝的作用，而使沒法出國的智勇猶力之士，報國有心，効力無門。台灣那末多的大專學校，每年畢業學生亦以千數計，誠不知國家作育如許的英才作何用途？社會上充滿着精力過剩的高等游民，將產生何種後果？靜言思之，吾爲此懼！談到經濟上，台灣的土地改革確是成功的，但這祗是安定了本省農村社會人民的生活和生計，與兩百萬以上的別省流亡人士沒有多大的關係。這羣流亡之民，政府固然無法一概贍養他們，但在工商企業上予以均等發展，自力而自由營生的機會環境，卻爲義所應爾，今也何如？主管當局公開承認經濟上有特權階級存在，而一些民意代表利用權力機會，兼營工商企業者所在多有。如此這般的現實情況，能說不是激發反淘汰作用的因素嗎？

消極的措施，卽在建設廉潔的政治生活，使一般官吏砥礪廉隅，有所不爲，而由名公鉅卿們，以身作則，虛僞不齒，策之上者也。我們回憶當年在抗戰期間，身居黨政高位，煊赫一時的陳果夫昆仲那種簡樸的日常生活，實有隔世之感啊！有政治生活，卽難免有貪官污吏，猶如有室家居處，卽有臭蟲發生一樣，殊不足怪，問題是要能執法相繩，議親議貴，無所瞻徇，竊鉤竊國，厥罪維均。對日抗戰時，中樞的兵役署長陳澤沛，因貪污而明正典刑，川省的教育廳長楊廉，成都市長楊全宇，亦以貪污而逮捕到重慶首都棄市。今也何如？台灣報紙上隨時刊載着大小貪官污吏的犯罪事情，監察院常常提出貪污官吏的彈劾，糾舉案件，幾曾見有用重典懲治過一人呢？有辦法的官商人物，非法弄錢，恣意享受，輿論莫可如何，台諫黯然神傷。沒辦法的芸芸衆生，觸景生情，妒恨交加，惡念潛滋，物慾煎迫，如是乎仇殺，情殺，販毒的反淘汰作用，應運而生了！

爲政之道，應以政理爲本，政術爲末，如治水然，疏濬至上，築堤最下。今日要想消弭社會上的反淘汰作用，除改造政治環境以糾正惰性偏激的人心以外，一切美麗的宣傳詞令，堂皇的官樣文章，都是廢話一堆，毫無用處也。

拍錯馬屁

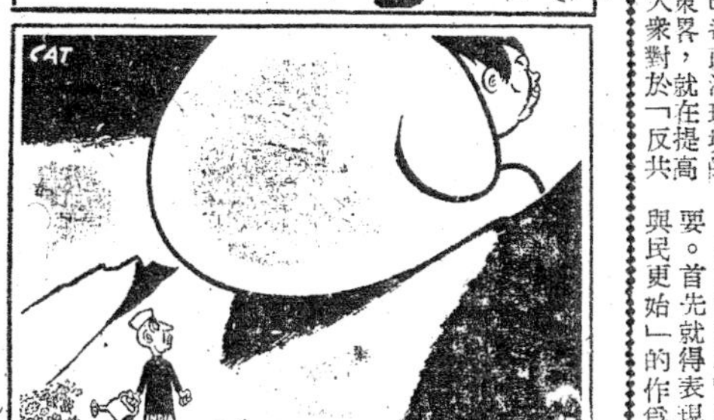

盛臀難當

自由談

小人之尤

印度的尼赫魯最近對中共申申而詈，指爲侵略者，且聲言不惜兵戎相見。尼氏若將過去十年來，在國際間爲毛共作假助勢的那些言論和主張，回顧一下，內心深處不知亦感到有些慚怍否？

八年以前，我聽着尼氏那種經常頌讚毛共如神明，鄙視中華民國如敝屣的醜惡嘴臉，實在忍耐不住，曾爲文予以痛闢，最後說是「總有一天，我們會聽到尼赫魯站在喜瑪拉亞山的高峯上，向着自由世界發出S．O．S的慘呼之聲」。現時他大言炎炎地要跟毛共作戰，實係基於「乘人之危」的卑怯心理，認定毛共此時不能向外作軍事擴張，樂得「車大砲」。假使毛酋偶然發了瘋，眞教戍屯在西藏的卅萬饑軍進攻印度，他如其能夠抵擋得住，而不向外面高呼求救的信號，那才怪呢！他一生以投機起家，欺善怕惡，嘴裏高談和平共存，譴責戰爭行爲，自己卻悍然出動陸海空三軍的全力，進攻一個印度洋岸的彈丸小島——葡屬「果亞」，洋洋自得，這眞是政治小人之尤者矣！

據說，尼赫魯瞧不起中華民國的心情，是從二次大戰末期滋生的。那時候，他曾到重慶訪問，跟咱們中樞的若干大員多所接觸，他認爲這些大員盡是些華而不實的官僚主義者，回到本國後，卽說戰後亞洲的領導者不是中國，印度應該當仁不讓。所以，近十餘年來，他在國際間總是以「亞洲發言人」自居，加之以美國當道常常對他垂青，說印度人口衆多，不容漠視。如是乎，他更感覺飄飄然，不可一世了。

知恥近乎勇，尼赫魯因爲瞧不起他在中國所見到的少數官員，便輕視咱們整個的國家，這種恥辱，我是永遠不會忘記的。但不悉當年在重慶曾與尼氏周旋過，現在猶健在台灣的官兒們，對此作何感想呢？同時亦希望今後政府對於接待外賓時，愼擇人員出場周旋，莫再教些丟人失格的大員瞎混於其間爲上。

馬五先生

備戰反攻鼓吹聲中
高爾夫球場故事
大人先生追求享受逸興湍飛
可惜的是非其時也非其地也

（本報記者熊徵宇台中航訊）（續上期）而同時，台北舊南機場的球場，也有九洞，足可逍遙。何必一定要再在陽明山闢設哩！一旦反攻回到大陸，有的是平原，要多少，設多少。

但是這些書生之見，有權力的人是聽不進的，「我自為之」，「照做不悞」。於是，有關方面就批准了由台灣高爾夫俱樂部出面申請的所需經費台幣一千萬元，並且指定由陽明山牧場撥租土地八十甲以資開闢。

於是輿論成了「愚論」！我就在一個宴會場合親耳聽到一位大員和另一位大員說：「新聞界的朋友，實在是很寒酸，建一個像樣一點的球場是什麼了不起的事哩？英國玩高爾夫玩了五百年，並沒有把國家玩垮，蘇格蘭的聖安亘斯球場，反而稱霸世界；人家有能把一個球場保持二百年以上的光榮歷史。美國也並不因為有個奧古斯塔球場而貧窮」。

那位大員答道：「這玩藝的功用，就在：戶蠹不樞，流水不腐。新聞界的朋友，大概不曉得：玩高爾夫的人是不會老的」。說罷相顧大笑。

當時我也神往，想到那兩個球場的明媚風光，以及那些國王，王后和那些高貴集團士紳們的優美風儀和那些美麗動人的故事。

但是這種高貴的玩藝，不能為民間大眾所接受，本年四月十四日，陽明山牧場管理委員會的委員們，在會議中一致的堅決反對撥租土地。他們所持的理由是：「以免妨害陽明山區放牧。」放牧是要生產，他們沒有別的理論。但是那高爾夫球場的闢建，是不是就被這個結論所否定？那就要看「大員」們的興趣了，若果他們一定要在那裏玩，就只有飭令牧場緊縮了。

第二個闢建高爾夫球場的事件，攪得更不「高貴」！四月十二日，台中縣議會的議員們，為了討論興建豐原高爾夫球場，縣政府應不應該補助經費的問題，引起一場激辯。從議員們的辯論中，可以看出個中妙處。

不主張補助的議員楊秋澤、曹謝欽認為：高爾夫球是高級人士享受的娛樂，在當前財政極端困難的時候，地方建設處處要錢，不應該浪費人民的血汗來補助興建高爾夫球場。林樹榮和林錫爵議員也認為縣府補助興建高爾夫球場四十四萬元的支付確實不當，他們要求大會追回這筆錢。

但是溫木川議員認為縣長何金生所稱高爾夫球場興建後，可以促進地方繁榮，確實具有遠見。同時他說：「今後台中縣需要上級政府補助的地方很多，將來高爾夫球場完成後，要員們到球場來消遣，對於爭取補助也很方便」。所以主張大會通過補助。

林水金議員說得更妙，他說：「央豐公路拓寬工程負担，省政府本來規定台中縣負担三百萬元，後來因為興建高爾夫球場，核減為一百五十萬。以生意眼來計算，賺了一百五十，萬開支四十四萬，算起來還賺一百零六萬哩。」

從這幾位議員的話語中，使人們明白了是怎末一回事，也使人們有太多的感觸。輿論的指責是過份嗎？在這舉國備戰全民奮鬥的今天，我們畢竟是需要球場？還是需要戰場呢！

（完）

大陸同胞逃港有如潮湧
經沙頭角來者日逾百人
其中多數重被遣返共區

（本報訊）從五月一日傳出有百多名共軍分兩批逃入香港的消息後，中港交界的新界，身聲倍增，成為眾所注目之地，其中尤其是沙頭角，是大家矚目的焦點。傳說中的那百餘名逃入香港的共軍，有一批就是從沙頭角跨界進來的。

沙頭角是香港東北邊境的一個小市鎮，東南邊屬香港管轄，西北邊便是共區了，其界線是一條中英街和新樓街。中共未蟠據大陸之前，那裏的居民，來往自由，進進出出，全無限制，此刻則已不能隨便走動。港區的人，自然誰都不願進入共區；共區的人要來港區，首先要得到中共的允許，也還要得到港方的允許。港區由警察設崗駐守，共區除設有堡壘外，又還有武裝部隊，經常巡邏。

中英街自西而東，南街屬香港，北街屬共區。以往，街兩面房屋是相向的，與普通的街道一般無二。現在則港區的房屋，多數都「前軍作後軍」，把屋背向着共區了。港區中有的茶館，其後進伸出手去便是共區，從玻璃窗中眺望共區，可一目了然。新樓街又位於中英街之東，直達海傍。但新樓街只是半邊街而已，祇港區有建築物，與共區之間有一條約六尺寬的溝渠為界。

沙頭角因為是交界地帶，雙方都被劃作禁區的。除當地居民外，香港人要到沙頭角的港區，亦得先經警察批准。以往要得到批准，亦不很難，這幾天卻大不容易了。沙頭角的中港兩區，港區頗為繁榮，共區則十多年來都顯得蕭條冷落，死氣沉沉。

從沙頭角起，中港邊界長達幾十里，數過去計有打鼓嶺、文錦渡、羅湖、落馬洲、后海灣等小市鎮。這自東而西的邊界，東部多山，西部為平原，大陸同胞逃亡暴政，為求沿途多得掩護，所以取道沙頭角的人，要多得多。沙頭角中英交界地帶，並沒有特殊的障礙物，只要你不怕共區武裝部隊開槍打死你，跨界入港區看來並不很費事。

就因為百餘共軍逃亡入港的傳說，本報記者特別到沙頭角調查了半天，發現邊界線上的港區部份，空氣確實較之往日緊張得多，除邊界站崗的警察大為增加之外，舉凡區內交通要道，都設有臨時檢查卡，檢查來往車輛，看有無自共區潛入的人，又還有三五成羣的警察，在公路上往來巡邏。沙頭角居民這幾天來所談論的，就正是有關共區同胞逃亡入港的事情。

據沙頭角幾位居民對本報記者透露：幾十名像共軍裝束的人從沙頭角共區逃入香港，確有其事。這些人都立刻被香港警察帶走了。至於他們是否已被遣返共區，則不明白。傳說中的共軍集體逃港，沙頭角祇是其中一批，另一批據傳說是從落馬洲逃進來的。香港政府新聞處對於這項傳說，不承認，亦未否認，祇謂政府對於邊境非法入境事件，向不公佈消息云云。

沙頭角幾位居民又對本報記者透露，除那批貌似共軍的幾十人之外，幾天來，從沙頭角逃入港區的大陸同胞很多，或謂每天都有幾十人，或更謂每天都要超過一百名。究竟確數若干，無法證實。但這些人，大都被香港警察抓到，經過盤查後，又給遣回共區了——從共區逃過來不難，難的是避過香港警察的耳目，能夠在香港居留下來。

據沙頭角居民對本報記者說：那些自共區逃出來的同胞，一則因為他們的服裝醜陋，再則因為他們一向就營養不足，面黃肌瘦，在逃亡途中又必然會經吃過許多辛苦，故總是顯得疲憊不堪的樣子，香港警察很容易就能夠把他們辨認出來。又說：沙頭角港區居民對於逃出來的同胞，當然同情，在可能範圍內，誰都願意給他們幫助，甚至設法掩護他們的，但這亦有其限度，因為如被香港警察查出，會被提控，遭受懲罰，所以大家感到對這種事是心有餘，力不足，徒呼奈何。（理）

（寶島雜綴）

舞禁開放密鑼緊鼓
男性山胞嘆結婚難

▲桃園縣山胞議員高時運，在議會沉痛指出：山地少女嚮往平地繁華生活，因而紛紛下山尋找出路，大多流落花街柳巷，因為她們愚昧無知，容易吃虧上當。這樣一來，使山地青年男子面臨討不到老婆的厄運。甚至一些中年婦女，也有很多下山，使一些已結婚的山胞也遭到妻離子散的痛苦，把原本美滿的家庭，弄得支離破碎。

高議員說：這是一個不容忽視的問題，他已用個人名義，連絡全省的山地民意代表商討對策。

▲台灣的舞禁要開放了，台灣省政府基於發展觀光事業的需要，已由省府法規整理委員會將有關法令予以修改，正式向中央提出建議，將目前徒具形式的舞禁開放。今後開設舞廳，並不只限於重要都市，其他縣市政府亦可接受業者申請。

但有一項附帶條件，開設舞廳每年必須向政府繳納「特別年費」，繳納的標準是：台北市二十萬元，其他四個省轄市（台中，台南，高雄，基隆）各為十五萬元，至省轄市以外的縣市則為十萬元。繳納了年費，各縣市政府即可據以核准申請開業。

▲監察委員曹啓文的廉潔守正是著有聲譽的，這次各國最高審計機關，定於五月十八日在維也納舉行第四屆國際會議，曹委員及審計部兩位官員，將代表我國，前往出席。曹委員平日衣著極其樸素，此次出國，為了適應國際酬酢及「以壯觀瞻」計，據說決定多方籌措，勉力置一套像樣的衣服。

日昨曹委員說：「在這一兩天內，我將要把自己所養的八十幾隻羊，賣給一個農場，得來的錢，作為旅費。這叫做『傾家蕩產，以壯行色』」。曹委員前往維也納的來回旅費，當由國庫開支，其所以要「傾家蕩產，以壯行色」者，乃準備作會後自費考察之用。此與目前一般官員因公出國，多作環球旅行，所有吃喝玩樂，悉由國庫開支的「成例」，其格調之高下，殆不可同日而語了。

曹委員因其平日的「放羊」，乃能有今日的「放洋」；倘非有羊可放，他幾乎放不了洋。

▲鳩工多時，耗資七百多萬元的彰化縣議會新建議事堂隆重落成。據說，這是全省各縣市議會中，最漂亮的議會大廈。新廈落成之日，彰化縣有署名「愚百姓」者，透過彰化記者公會，贈以賀聯：

「防堤急，教室荒，豪華殿堂為先；行民拳，動民血，英雄用武有地」。

作這付對聯的人，不失為有心人，他指出雨季即屆，堤防修建刻不容緩，教室不夠，甚多學童未能好好上課，而豪華的議會大廈，卻已經蓋起來了。而下聯勉勵議員諸君動口不動手，卻也是語重心長。

（吳越）

（株訪）（綫外）

反攻復國許看表演
皮之不存還爭什麼

△五月一日開始徵收的「國防臨時特捐」，副總統兼行政院長陳誠，事前苦心策劃，開征之後又盡量解釋做工夫，確屬辛勤備至。據陳揆透露，當立法院通過政府編製的特別預算案及國防特捐條例後，他去向蔣總統報告，蔣總統聞訊，極表欣慰。而同樣值得欣慰的，還有國防特捐開征以來所得到的各方面的熱烈支持，說明老百姓對於反攻復國大業，寄望殷切之至，誰都願為反攻復國盡其本份，增加若干負担，吃一點苦，甘心樂意。要看的是政府今後的實際表演如何。

陳揆於國防特捐開征後所做工夫，犖犖大者計有（一）開征之日下午邀集工商領袖近百人開座談，（二）一日晚邀宴全體立委，（三）二日晚邀宴全體監委，（四）另定期邀宴全體台省議員及台省全體省委與廳處長。

△民社黨的團結運動，又有了新的醞釀，曾任該黨代主席現刻靜居台中的戢翼翹，成了中心人物，郭虞裳，蔣匀田，孫亞夫等，曾聯袂往訪就商，希望由戢氏折衝各方，登高一呼，使該黨各派能夠捐棄成見，和衷共濟，完成團結。目前雖未知已經有否成功的條件，但據說希望是確實有之的。

這當然是好消息——對民社黨以及對整個國家都是好事。實在說來，大局如斯，觸目驚心；皮之不存，毛將焉附。該黨各派畢竟有什麼大不了之爭呢？祇需要大家能夠把眼光放遠一點，把自己的所謂權位觀念沖淡一點，有什麼一定團結不起來的問題呢？

△曾經一度幾乎要裝不起來的立法院電動表決器，終於決定要裝了，祇是表決器中顯示席次號碼牌，則經決定予以「省署」。這一來，在經費上可節約十三萬元光景，猶其小事，那些經常缺席坐領乾薪的立委，亦可因此而避免「一目瞭然」，不好意思，這才是焦點所在。

然則，這總算面面俱到，皆大歡喜了？

（和）

亂攪人民公社三四年來 大陸農產品怪事百出

——稻穀祇能長到二尺高—— ——蓮花白盡都結不起苞——

（本報訊）香港許多人最近接到的大陸來信，除了要求多寄糧食包，多匯錢外，還有一個很普遍的要求：寄回肥料代金，每噸港幣三百元，起碼一噸，多多益善。能獲寄回肥料的人，都可得到中共的實物獎勵，如發給購米證，購油證若干斤，若干兩等等。

中共致大力於向海外僑胞勒索肥料，開始於大約一年前。年來已經有好幾次攻勢」加諸海外僑胞，中共的術語叫做「運動」，即是發動在大陸的僑眷寫信出來要求寄肥料，目前正又是中共的一次運動，所以香港許多人都接到催寄肥料的家信了。

本報記者爲此，特地訪問了幾位新近自大陸逃出來的人，證明大陸這幾年，肥料確實成了大問題，大陸農業生產連續幾年歉收，與肥料問題，確實分不開。而肥料之所以成問題，卻又與中共亂攪的人民公社，分不開來。

據他們說：因爲大陸普遍缺乏肥料，無論糧食與蔬菜的生產情形，都極其惡劣，怪事百出。以湖南而論，從前湖南產米之多，全國馳名，「湖廣熟，天下足」。中國人誰不知道？但這幾年來，就由於肥料大成問題，在湖南的稻子，接近成熟時，原來可生長到四尺高的，差不多矮了一半，祇能長到二尺上下高，這安得不減產？湖南是這樣，其他各省，亦大都相同，所以普遍的糧食歉收了。

再就蔬菜而言，好像大陸各地普遍都有的蓮花白，這幾年來，就由於肥料大成問題，各地的蓮花白，都是不結苞的。農民同胞無論怎樣加工培養，日夜淋之以水（因爲沒有肥料，只好淋水），結果雖有的長得相當高大，卻無論如何結不起苞來。不結苞的蓮花白，當然不成其爲蓮花白了。蓮花白只是蔬菜中一例而已，其他蔬菜，亦就因爲缺乏肥料，都無法長得好，收成大大的打折扣。

據他們解釋：大陸肥料的突然大成問題，唯一原因，在於中共攪的那個人民公社。原來，大陸農民耕種五穀菜蔬，其肥料來源以往全靠（一）人的糞便以及大家所飼養的家畜的糞便，（二）爲綠肥，包括大陸若干地區以往所種的苕子等等。苕子既可以之飼養豬隻，豬隻的糞便是肥料，而苕子的近田土部份是不加收割便予翻耕種稻穀的，它本身就成爲一種肥料，以往苕子田所種稻子，亦就是出產最多的。但在中共攪人民公社之後，大陸同胞被弄到一無所有，大家氣極了，把原來屬於自己的鷄鴨豬隻等家畜，都宰食了，家畜的糞便沒有了，肥料已少去一大撅。加以成立公社後，中共認爲苕田之類是沒有出產的浪費，幾乎沒有了種苕子的田了，於是肥料又少了一大撅。

但嚴重之處還不祇此。更嚴重的是大陸農業生產普遍歉收，形成了中共所宣稱的「自然災害」之後，中共或許由於不明白所以造成這種「自然災害」的原因，又或許是他們雖然明白，卻沒有認錯的勇氣，而祇是在減少糧食配給上做工夫，誤認節約是萬應靈丹，卻不知，因爲減少配給而弄得大家都吃不飽的饑餓狀態之後，人的糞便雖照樣有之，卻爲了大家吃的東西不夠營養，便出來的也就「清湯寡水」，再沒有肥料的價值了，肥料的問題，就更嚴重了——化學肥料固然好，但大陸化學肥料生產額，估計祇能解決百分之一的需要，中共政權又沒有錢向國外大購化學肥料，過去三年的歉收，就如此這般造成的。

他們又說：關於攪人民公社攪出來的這個大禍事，中共起初可能確實不懂得，從約一年前開始，中共懂得了，但又不免故意張大其詞，他們在大陸宣稱肥料是歉收的唯一原因，而忽視其他。這其實是過猶不及。他們說肥料問題確不失爲連續三年「自然災害」的主要原因，但絕非唯一原因，大陸農民同胞的故意怠工、破壞生產以及因爲吃不飽而力不足，都是「自然災害」的造成原因。這些原因，與中共攪人民公社，不把人當人，都分不開。中共現在强調肥料問題要解決，卻不肯徹底把造成肥料問題的人民公社大暴政取銷，再加上人人吃不飽（人且吃不飽，誰還有力去養家畜？）他們怎樣亦不能眞正解決肥料問題；大陸農業的繼續歉收，是必然之事，無可救藥的。

（菴）

香港與大陸

中共駐守香港邊界的武裝人員，以往是民兵，現在卻換成中共的正式部隊了。這些駐守香港邊界的中共軍，還時時換防，最多駐守一個月便被調走了。

把守香港邊界民兵 已被正式共軍代替 幷一月一換藉防逃亡

這是上個月剛從廣州逃到香港來的一位青年學生對本報記者說的。這青年僅廿二歲，原是在廣州一間中學讀書的。他說他之所以要逃亡，是爲了在學校差不多並沒有讀書的機會，時常都被中共驅去做這樣做那樣，卻完全得不到報酬，加以生活太苦了，他說再不逃亡，難免要被餓死。

這青年這次逃亡到香港，據他說已經是第二次。他第一次逃亡到香港是八個月前的事。那次，他先從廣州乘火軍到石龍，下車之後，白天藏起來，晚間轉彎抹角，翻山越嶺，經兩日到達羅湖邊境，忍饑耐餓又兩整天，僥倖避過民軍（那時還是民軍把守邊界）耳目進入香港；卻被警察捉住，送回大陸，被中共關起來勞改半年之久。他說：在勞改中，最慘了，每天至少要做十六小時的工。他說：好在他當時總算捱過了，又加以當時「表現積極」，勞改六個月終被放出，又才有這一次逃出來的機會。

但這青年卻不肯透露他這次逃來香港時的經過情形，他只說是用另一個方式才逃出來的，並說他不願意公開者，是因爲要給那些還未逃出來的同胞留一條逃亡求生的路子。他說他是兩個月前知道把守香港邊界的民兵換了共軍的，還知道他們多是北方人。但共黨也還是不放心的，所以這些共軍最多祇能駐防香港邊界一個月，就被另外調來的共軍接防了。

據這青年說：大陸同胞沒有人不想逃的，他並認爲，就是中共的正規軍，亦未嘗不想逃，問題祇是他們能逃的機會，比人民還要少。他說他在受勞改時，先後同他在一處接受勞改的，就有九百多人，那些人就都是曾經逃亡未得成功的。他又說：在他讀的那個學校的同學，他可以肯定沒有幾個人不想逃，儘管彼此都不敢輕易洩漏自己想逃的心事，因爲担心被別人告密，要受檢討，受監視以及更大的處罰，但大家相處久了，彼此的心事，其實還是可以揣摸出來，說出來或不說出來，其實完全一樣。（了）

向核彈抗戰

陳知靑

六、原子核彈的原理

（三）鈾原子核彈的原理

鈾原子核的情形：鈾元素現有的同位數，鈾二三四，二三五，二三八，三種同位素是天然放射性的，鈾二三三，二三七，二三九，是人工放射性的。他們的結構，每一原子核必定有九十二個帶陽電的質子，其中子數，依次是一四二，一四三，一四六，一四一，一四五，一四七個。

經過多次的試驗：以鈾二三五和中子的反應，能夠產生原子核分裂的反應。鈾二三五，有一四三個中子，打進一個中子時，剎那間變成了一四四中子的鈾二三六。這種原子核極不穩定，立刻發生分裂。

爲什麼要選擇鈾二三五作爲原子核彈的原料呢？二三五是純粹的鈾，存量極少，或者要從鈾塊中提煉出來。普通，中子的射線是自由無阻的，開始速度很快，我們叫快中子，很容易被其他雜質吸收。快中子和鈾的原子核相碰，不被吸收，也不能使鈾發生分裂，而成爲中等速度的中子，對於鈾二三八不能發生分裂，因爲他含有雜質的原子，而祇能使鈾二三五發生分裂。

中速中子再經過距離，又消失了能量，而成爲慢中子，他不能打入鈾二三五原子核，而卻能被鈾二三八所捕獲，而產生其他的元素。鈾二三八捕獲一個慢中子，就變成一四七個中子的鈾二三九，這是不穩定的人工放射性同位素。在二十分鐘的生命期內，天然放射性的原理，它那增加的一個中子，放射出一個高速的電子，而變爲質子。中間有了九十三個質子，一四六個中子，蛻變爲錼二三九新原子核。錼，又是不穩定的元素，經過二日的生命期，又放射出一個高速的電子，蛻變爲九十四個質子一四五個中子的鈽二三九。而鈽二三九，經中子的打擊也一樣可以分裂。所以鈾原子核彈的總名下，還有幾種。鈽彈也是一種。

另外一種釷彈，也是這一體系的應用。釷二三二有九十個質子，一四二個中子和鈾二三八相同，不能直接分鈾。它捕獲一個慢中子之後，變成釷二三三，在一四三個中子中，射出一個電子，轉變爲質子，而成九十三個質子，一四二個中子的錼二三三。這是一種像錼一樣的不穩定的過渡性原子核，他自然放射出一個電子又變了一個質子，而成爲九十二個質子，一四一個中子的鈾二三三；這種鈾二三三，和鈾二三五，鈽二三九一樣，能起分裂作用。

（十八）

瘟君續夢

第五回：深壑難填　反顏奴抗主　片言起釁　轉瞬德成仇

毛澤東面色緩和些，說道：「既然如此，你負責去和尤金談談好了。」

劉少奇笑道：「這是屬於外交範圍的事，還是派外交部長去吧！」

毛澤東冷笑一聲，指着陳毅說道：「派他去嗎？我怕他到地方只顧偷看女同志，不記得談正經事，就糟了。」

一句話說得大家都笑起來，陳毅紅着臉也跟着笑了。

劉少奇也覺得事體太大，恐怕別人說不清楚，當時也不再推辭。散會後直接驅車去找尤金。

尤金接到蘇聯外交部通知，赫魯曉夫動身去華盛頓與艾森豪威爾總統會談，也有點着忙，恐怕要引起中共的誤會。看到劉少奇突然來訪，也就猜到七八成。坐下未等劉少奇開口，尤金就搶先說道：「少奇同志，這次赫老赴美的事，希望你同毛主席多多解釋，千萬不要誤會，我可以保證決不會損害到中國的權益。」

劉少奇苦笑道：「大使同志，赫老去美國，事先爲什麼不打個招呼。你知道毛主席的氣量最小，他懷疑赫老要出賣他，差點氣瘋了，立誓要出頭擾亂，破壞赫老的和平共存政策。」

尤金聽了，十分吃驚，連忙問道：「他怎樣破壞，他又沒資格去和艾森豪威爾見面。」

劉少奇笑道：「他這個人成事不足，敗事有餘，搞亂的辦法多得很，他要炮轟金門，出兵南越及老撾，最後還要和印度開戰，這樣以來，赫老的和平戰畧，豈不是整個破壞了。」

尤金萬不料毛澤東敢想出這種主意，一時驚得目瞪口呆，反過來問劉少奇應該怎麼辦。

劉少奇說道：「他說的這些話當然是放空炮，未必眞敢作。不過，他這種人有點牛性，逼急了眞會狗急跳牆的。今天他最惱的就是赫老不給他面子，事先不同他商量，我看赫老回來時，若肯在這裏停一下，當面談談，什麼問題都沒有了。」

尤金想想十分有理，連說：「就這樣辦，我馬上打電報去外交部，把少奇同志的意見轉呈赫老。」

尤金電報打到莫斯科，蘇聯外交部長葛羅米柯已隨赫魯曉夫赴美，部務由副部長庫滋涅佐夫代理，此公和毛澤東是個死對頭，接到電報冷笑一聲：「好傢伙，又想造反了。等着瞧吧！」說過就把電報發了。

赫魯曉夫在美國十分得意，和艾森豪威爾從白宮談到大衞營，商量如何促進世界和平，決定在一九六〇年五月召開高峯會議。一切剛安排妥當，突然接到庫滋涅佐夫電報，不由得吃了一驚，恐怕毛澤東眞是鬧出這樣局面，他在美國將沒有臉面見人，高峯會議也必然吹了。赫魯曉夫脾氣雖然不好，可是也善於見風轉舵，硬不來的時候，馬上就軟下來。當時告訴葛羅米柯，要打個電報給尤金，要他當面告訴毛澤東，準於九月三十日到「北京」訪問，慶祝中共「建國」十周年。

（九八）

萬壑千岩

萬壑千岩圖，爲涿縣名畫家胡佩衡之傑作，該圖高僅二寸許，長約四丈之手卷，爲墨筆山水，全以漁山石谷兩家爲法，筆意古遒，而氣魄萬千，雖不能直追夏珪長江萬里，但是極得石谷之神似，堪爲精品。民十七，在故都中山公園展覽，有一德人出資銀幣五百元購去。此卷在商務書館有珂羅版影印成本，是近代畫家所少有。

佩衡原名錫銓，後改名字冷庵，晚年題書齋曰石墨居，爲民初名畫家。其畫山水初宗吳漁山王石谷，晚年筆意類似石溪。故人用筆圓轉如解索，挺拔如斧劈，深得仲圭山樵之妙者。當時南有吳馮（吳湖帆馮超然），北有蕭胡（謙中佩衡），而蕭胡之長，不假人情，地位，全仗功夫渾厚挺拔，非南方可擬。佩衡勝於他人之處，即著作甚多。首著山水入門一書，由商務出版，餘續著佩衡畫存，計五集，每集有冷庵畫譜一卷，闡明畫理寫法，言簡意賅，足爲循此作畫之途徑。又著畫準叢談，專論畫扇，尤爲詳盡。其時多人痛斥石谷魔臺，胡又著石谷畫法抉微，分拆研究石谷之優劣，尤爲嘉惠後人。

民十六，胡氏創辦中國山水畫函授學社於北平，此爲創舉。其函授之法，極爲科學化，從一樹一石，而至成幅，分節分目而授，從學者甚衆。其弟子朱龍厂，頗得神似，畫法追踪古人，有黃鶴山樵之韻，而循石谷爲法，風格既逸，筆意蒼老，將來可列藝苑。

憶玉軒雜綴　·秋林·

帆影樓

無錫廉泉，字惠卿，又號南湖，清末，曾官至中書舍人。夫人吳芝瑛，爲桐城派文學家吳摯甫女，家學淵源，文章特深。夫婦均有雅人深致，在西湖花港築墅，曰小萬柳堂。墅內植柳百株，春暮三月，柳色瑯綠，獨擅湖中之勝。後以負債累累，不得已以售歸南京蔣蘇龕，抵還宿逋，改名蔣莊。今之遊湖上者，知有蔣莊，而不復記憶小萬柳堂矣。

芝瑛夫人與秋瑾烈士交甚厚，秋瑾遇害殉國，芝瑛與石門徐自華女士爲其瘞於西冷橋畔，幾遭不測。幸有端午橋陶伯那鐵良三人力護而免。夫婦爲避難計，來海上，僦賃於帆影樓中。（未完）

報人蘇眇公二三事

[illegible]上樓小品

黃葉村人

蘇眇公，原名郁文，字監亭，眇公，其報名也。福建海澄人。清諸生。少與許卓然、張幹之諸先生，同盟革命。其後，張爵至上將，功名藉甚一時。許奔走革命，爲敵閥所忌，結連省內反許者，買兇狙殺于廈門太史巷，亦哀榮一時。而眇公則數奇不遇，抗戰時，竟以貧困，病死故鄉海澄，可慨也。

眇公初主福州羣報筆政，以蔣黃案，著文觸怒當道，拘黃軍棍，眇公原羸弱，由此得病而不自知也。後主廈門廈聲報，又以金小寶案，爲警廳長史某所拘。獄急時，人或告眇公父，曰：「獄急矣！非何某，莫能救眇公者，盍電何一試」？蓋何即何海鳴，時方輔小徐（樹錚），正炙手可熱也。眇公父亟入獄告其子，眇公力阻之；其父以愛子情切，卒以眇公名電何，何啓徐樹錚，徐告段執政（祺瑞）段電閩督李厚基，眇公迺得釋。顧自是，眇公羸疲入獄，一受軍棍，仍不能不嘔心瀝血以爲生，遂染阿芙蓉而不能自拔。

民十六，東路軍入閩，張、許荐眇公任海澄縣縣長，眇公辭不就，語人曰：「我不能爲五斗米而向軍人與市儈折腰也。」蓋軍興伊始，一連長可面叱縣令不爲怪，而縣長又須向地方紳商籌欵辦軍差，殊不易爲也。眇公文，逼近竇還，詩宗定菴，書法何道州。嘗旅滬辦中報，鍛羽，轉而賣文鬻字，亦不售。其鬻字詩云：「詩是仁和字道州，文居何等問時流。年來一語深深味，藝到能精轉不售」。可謂慨乎言之矣。

余辦「新聞畫報」時，眇公數以詩文投寄發表，惜皆未爲存稿。抗戰勝利後，余返故鄉，聞眇公已歸道山，求其遺文不可得。已而其故人糾果老人，以眇公手抄詩一冊付余，曰：「君眇公舊同事也，知眇公深，剞劂之責，願以托子」！余唯唯，正與徐子振華商討間，而大陸各省已紛紛變色，倉卒出走，不僅眇公詩卷未攜出，即歷年所存之報，以及書畫，古物，家具，亦盡歸無何有之鄉，豈不可慨也乎？（未完）

預言雜寫

漁翁

我國歷代預言家，指不勝屈，著名的預言，有下列七種：太公望之「乾坤歌」，諸葛亮之「馬前課」，李淳風與袁天罡之「推背圖」，李淳風之「藏頭詩」，黃蘗之「禪師詩」，邵康節之「梅花數」，劉伯溫之「燒餅歌」是也。

卜吉凶，相貴賤，雖不可必信，但亦有言之成理者。根據過去術數家之預言，往往所言無不合，特分別簡介於下面：

太公望，爲周初賢臣，姜姓，呂氏，名尚，初釣於渭濱，文王出獵遇之，曰吾太公望子久矣。故稱「太公望」。世傳兵書有六韜六卷，而以爲所著「乾坤歌」，爲最膾炙人口。乾坤爲八卦中之二，黃帝堯舜，垂衣裳而治天下，蓋取諸於此。八卦以乾坤喩夫婦，故後之卑命家以男命爲乾造，女命爲坤造。太公所歌，有關天地之氣數，較其他預言，來得大中至正，今之談天說地者，引爲先進。

諸葛亮，字孔明，隱於隆中，明術數之學，先主三顧始見之。所作神數之書甚多，而以「馬前課」爲最著稱，係占法之一種，俗傳以掌作圈，中書馬字，四周任意作畫，以奇偶定吉凶。占法最簡，立刻可成，故又名之曰「馬前數」。

李淳風，袁天綱，均唐太宗時人，李明步天曆算，於占候吉凶，若合符契。袁精風鑑，自謂術勝君平，四庫存目，有袁著九天元女六壬課一卷，爲宋元兩代術數之士所依託。推背圖一書，爲李袁所共識，預言歷代變革之事，至六十圖，袁推李背止之，故名。

按推背圖第三十七象庚子從卦：「漢水茫茫，不統繼統，南北不分，和衷與共。」頌曰：「水清終有竭，倒戈逢八月，海內竟無王，半凶還半吉。」所謂「水清終有竭」，指清室滅亡；「倒戈逢八月」，指武昌起義的時間；「漢水茫茫」，指起義地點；「無王」，指帝制廢除，「不統」，指宣統不能統治也。凶似山字，吉爲袁之半，乃指孫中山先生爲臨時總統，旋又讓與袁世凱，以驗卦象。至藏頭詩，雖爲李淳風所作，但未見有若何靈應，爲推背圖所掩，而名不稱焉。

黃蘗，唐宣宗時人，在今江西宜豐縣西北一百里之鷲峯山修道，此地泉石奇勝，宣宗微時，嘗與黃蘗偕同觀瀑布，且促膝談道。所作「禪師詩」，本禪門五宗之義，謂任心於一境，冥想妙理也。蓋禪師即和尚之尊稱，獨孤及文：「聞生禪師，偉以教尊」，雖過於虛無漂渺，却含有一種規誡意，亦不可厚非也。

邵雍，字堯夫，寓洛四十年。宋神宗時，以著作郎徵之，不至，名所居曰「安樂窩」，號安樂先生。最深易理，雖著有皇極經世書，擊壤集等，但不及梅花數之爲人間所樂道。按梅花數，爲古占法，其法，任取一字畫數，以八減之，餘數得卦，再取一字，以六減之，餘數得爻，依易理以斷吉凶，其流傳不在推背圖下。

據梅花詩有云：「漫天一白漢江秋，憔悴黃花總帶愁。」按武昌起義，爲仲秋，民軍旗幟，皆用白色，督戰時總司令黃克強，以漢陽衆寡懸殊而受挫，頗感不快，果應驗前兩句云。

劉基，字伯溫，明太祖精天文兵法，定天下，基謀爲多，太祖常呼老先生而不名。一日，太祖身居內殿，忽食燒餅，方咬一口，內監報劉基進，太祖以碗覆之，始召入。基入禮畢，帝問曰：「先生深明數理，可知碗中爲何物？」基掐指輪算，對曰：「半似日兮半似月，曾被金龍咬一缺，此食物也。」開視果然，帝以天下後世之事相問，基以歌語對，故名「燒餅歌」。所論由明而清，經過之事實，絲毫不爽，如「八千女鬼亂朝綱」，指魏忠賢當國；「奔走煤山上」，指崇禎崩於煤山；「雨水草頭主」，指滿人入主中華。可是從光緒後，無註解，關於現在與將來，還待後人作證明。

在七種預言中，流傳於民間者，以推背圖，梅花數，燒餅歌，爲最著稱，雖今日科學昌明，而此風猶未稍替，足見術數家之言，印人之深，有如是者。

海嶠叢談

現代笑林廣記

諸葛文侯

過去在國民政府治下，以領兵勦共起家，晚年又靦顏投共，屈死大陸上的武夫衛立煌，當毛共政權僭立之初，他攜其子女玉帛和嬌妖妻妾，流亡海隅作寓公，誰也沒有料想他會投共的。可是，他在「富」極無聊之餘，居然甘作降虜貳臣，其故安在呢？一言以蔽之曰：權勢無知。且看他當年在香港所表現的幾點生活動態——亦可說是現代「笑林廣記」——即可證明了。

衛氏擁有的鉅額財富，以美鈔爲大宗，來源是他在抗日戰役中担任「遠征軍總司令」時期，盟邦美國政府每月補助遠征軍軍餉若干萬元美金，作爲提高官兵待遇之資，實際上，這筆補助費多半都成了衛氏的私有物，而且原封未動，每百元或五百元一張的，疊成一紮而庋藏箱篋中，隨身攜帶，不離左右，他信守着「財不露白」的古訓，不願儲存銀行中也。美國在二次大戰時對於海外所需用的一切欵項，都是行使特別印製的新鈔票，這類美鈔限制流通於異域，不許運回本土，衛氏密藏的大量美鈔，即屬此類。經過長期間保存未用之故，鈔票即不免受潮，新出籠的紙幣，油墨亦未乾透，再受夏天的熱氣蒸發後，每疊新鈔皆黏結成堆，不易揭開了。衛氏既不欲求教於人，又以謭陋無知，心痛成箱美鈔若喪失作用，如何是好？乃於某年夏間，與其少婦韓某，在郊區寓所的臥房中，緊閉門窗，把大堆美鈔取出來，用電熨斗逐次烘燙，亦不許兒女們參預其事。他的大女兒暗裏瞧見這些怪象，後來忍不見容於姨娘，才向外間洩露這種秘密情形的。

衛氏在海隅旅居時，閉門謝客，六親不認，爲的是害怕別人向他借錢。每當夏季，香港的居室內，即有一種狀似「偷泥婆」的蟲豸橫行於其間，粵人名爲「甲由」——音讀「夾雜」，衛氏深惡之。曾斥資委託「清潔公司」，使用藥劑從事犁庭掃穴的滅蟲工作，蟲患果告肅清了。既而他跟人經營各項商業，但所遇盡是些念秧者流，覷其孽錢甚多，欺其無知無識，存心作弄誆騙，因而多所損失，他爲之痛心疾首，侘傺寡歡。一日偶聞人言，香港的甲由蟲與財神攸關，凡屬沒有這種蟲類出現的人家，必然窮乏無疑，因爲這些蟲專喜偷食營養豐富的食品也。如是乎他想到自己迭次經商破財，是不該清除這種家家戶戶皆有的蟲類，不覺懊悔之至。又斥資託人尋購一些「夾雜」蟲，放置住宅內，讓牠繁殖，冀免繼續失財之災，聞者大爲駭笑焉。

衛氏既然六親絕緣，愛財如命，何以又會受商人詐騙呢？知道這還是源於騃鈍無知，在跟他接觸之始，商人阿諛的手面，即表現豪奢，如汽車，冰箱，收音機之類，盡屬世界名廠，尤其對他的少婦韓氏餽贈更多貴重品。他這樣就使衛氏相信這些人必不會向他借錢，大可合夥求財了。等他入殼之後，稍弄法術，而衛氏的資本即化爲烏有矣！

楊貴妃故里

·道南·

山川風物

楊貴妃的籍貫，傳說甚多，四川灌縣有貴妃池，或謂楊貴妃誕於此，小時常墮此池，故名之曰楊妃池。池在導江縣前。至於她之原籍，據史書記載，則爲弘農華陰人，後徙居蒲州永樂之獨頭村。

但另據「嶠南瑣記」所載：「楊貴妃容州雲凌里楊山人，小名玉環。父亡，母葉氏，懷孕十三月生妃，有異姿，都督部署楊康求爲女。時楊雲琰爲長史，又從康求之，攜至京，後選入壽王宮，時年十四，明皇召入內，號曰太眞。」

唐代的容州，就是現在廣西的容縣，在這記載裏，也詳細記述了楊貴妃的鄉里，並說到她的生母是葉氏。她本身姓楊，第一個養父也姓楊，第二個養父又姓楊，殊爲巧合。

這本書是明人魏濬所撰，他是萬歷進士，曾任湖廣按察使，後又巡撫湖廣。他是到過兩廣的，相信或不至於杜撰。

按高力士與楊貴妃的關係亦不尋常，因爲高力士爲高州茂名縣人，今茂名縣西有高力士宅，嘗手植柳樹二株，高百尺，宋時尚存。容縣語屬高州系。今容縣距城二十里有楊妃村，村有廟，或稱之爲望母廟，亦有稱之爲太娘廟的。

內警台報字第〇三一號內銷證
自由報
THE FREE NEWS
第二三四期
社長：雷嘯岑
督印人：黃行
20 CAUSEWAY RD 3RD FL HONG KONG
TEL. 771726　電報掛號 7191
承印者：田風印刷廠
地址：香港灣仔高士打道二一二號
台灣分社
台北市西寧南路壹壹柒號二樓
電話：三〇三四六
台郵撥儲金戶九二五二

今日的宗教及其有關問題

·張健·

宗教在二十世紀是一種特殊的存在。「物權」的突飛猛進，使宗教的效用引起懷疑；但連本世紀第一位大科學家愛因斯坦也相信宗教，並且認爲那是人生必然的歸依。在某些國家，如美國，宗教活動的盛況仍不減當年，但宗教的信念實已日趨稀薄，宗教對世人究竟還有多大的信仰力？它果能醇化我們這些受過原子塵洗禮的人類嗎？而在素無全面性宗教信仰的中國，基督教的勢力也在上、中等人士（按當以知識分）間流傳不已；佛教的信仰則依然存在於若干知識水準較低的人羣中，雖然眞正有心倡導，闡揚其教義的，多半是高級的知識份子。因此，今天來看此一問題，所觸及的界說卽甚廣泛。

中國的儒學，有時被人稱爲「儒教」。這在稱呼者的心理上，大約有兩種動機，一爲以西方文化的內涵來討論中國文化，覺得「宗教」一項下不能有所闕漏，然諸如佛教、道教，又不能代表全面的中國宗教信仰，乃以宗教許儒學，或以孔子爲「教主」。一是不明瞭中國文化、社會之特殊背景，遽以爲儒家乃另一種表現形態的宗教。若就此等觀念加以批判，我們可以說，先決條件是宗教的定義如何？標準又是什麼？如果宗教的定義是最廣義的，如勸善規過卽是宗教，或指示一種人生態度，道德態度就可列入宗教的範疇，則儒學亦可以視作一種宗教。但自一般、嚴的觀點看，宗教的要素是：一、創始人；二、人格神；三、教義；四、「彼世」（如天堂，西方極樂世界）。當然還可以另加一項信徒，但此畢竟是後起的。在前四項中，創始人一項在原始宗教中往往是難以分明的，甚至可以說根本是不存在的。因爲那是整個原始社會共同的「創念」。但對於一較有規模，或世界性的宗教來說，那是不可或缺的，而且往往是整個宗教之一大核心。如釋迦之於佛教，耶穌之於基督教，默罕穆德之於回教皆是。儒家若被認爲也是一種宗教，在這一點上當可通過。但其他三點則不然。「人格神」往往是創始者的最高理想的反映，或是其本身人格的神化，因而每與其創始者有着親子的關係，如耶穌之於天父，默罕穆德之於「阿拉」，只有佛教的佛可說是，似同實異。孔子之作爲儒家的領導者，他雖一再的說「天也命也」，「吾誰欺？欺天乎？」似乎是個有「天」道觀念的人。但他既未明示其徒衆以天的性狀，能力及神通，甚至更避此而不談。這那裏是一個宗教「教主」的態度？事實上他根本不願發展他的形而上的思想，更談不到倡導一種形而上的信仰了。如果以後世纖緯之說及陰陽之學來附會作儒學的宗教色彩，那麼老莊（甚至黃帝）又何嘗不可視爲道教的祖師？儒家的經典中沒有一般宗教的強制性，沒有十誡或不殺生等教條可資宗奉，且必須宗奉者。中國人重常識甚於神意。「彼世」呢？孔子是根本不談的，他說：「未知生，焉知死？」後儒也沒有在這方面多下過功夫，和其他宗教的熱中於此，甚至把彼世」分劃嚴格的差等，加以具體的描寫者大不相同。因此嚴密的說，儒學並不是宗教。

但我們仍不妨承認儒家在某些方面的確發揮了宗教在其他民族中所有的作用，甚至更有成效，且無流弊。在中國歷代的演進中，儒家雖時或居於學術壟斷的地位，致不免對其他思想的發展有一種相對的抑制作用。但中國既無類似西洋宗教戰爭的變亂，亦能在以儒學爲主的思想中，吸收外來的思潮，如佛學之盛傳於中土卽是一個顯例。所以中國文化能日益滋潤厚實，而中國人民亦賦有和平安詳的性質，儒學大師如孔、孟等，也往往成爲民間供奉，景仰的偶像。由此看來，就客觀方面說，儒家不是宗教；就人民的主觀心理說，竟亦不妨以一種特殊型態的宗教許之了。

不幸的是：儒學在近百年來，由於時勢之大轉變，正如承受了一次大風暴，與整個民族文化一樣地遭遇了空前的浩劫，世人竟以爲儒學是「愚民政策」的工具，是「吃人禮教」的大本營，譁然要打倒他！可是，狂呼打倒，卻拿不出一種新的力量來遞補，只是一般理智成份遠遜於情緒力的狂熱，結果這種惡性的狂潮，幾乎席捲了以往種種，所有好的，壞的，一股腦兒都被決盪了。儒學一衰微，而整個社會秩序與穩定性亦告動搖了！

我們既不能以一存在現象的眼前盛衰來判斷它的得失，因此我們對宗教的觀察，也不能因今日歐西世界之基督教向全世界各地方推展而加以特別的稱許。我們倒要先來看看東方的佛教。佛教無疑的也是一種宗教信仰，但它除了「信」之外，更可以說深具「智性」。佛教雖有許許多多的經典，但佛教徒是不執著於經典的，至少在大乘是如此。這一點就較一般宗教有所超出，有所不同。也因此，佛教乃能成爲一種高深的學問，耐人尋味探索不已。

佛教信仰的歷程，每視人的慧性而定，所謂「慧根」，其本身雖帶有宿命意味（其實人的稟賦本是先天不同的，科學亦可證此，決非迷信之談），但其最後的作意，只是循不同途徑以臻於「悟」道而已。如由「漸」的功夫而皈依，或由「頓悟」而超脫，其方式異，其結果卻同。但皆不必有所執著，抑且不可有所執著。尤其後者，更是以心靈的大解放，大自由爲歸依。這是何等崇高的精神現象！

人們往往由於佛教之輪迴觀念而誤解其教義的眞諦。而輪觀念極可能被視爲個人意志自由之一種否定，因之它正如罪的觀念對於一般基督徒一樣，絆阻了佛教思想作超級的昇華，其實不然。我們知道在宗教教義中往往使眞理與至善的標的成爲一而二、二而一的內涵。在此一意義上，我們正不妨大胆地將輪迴的動向假設爲一無限度之螺旋的紋理，如吾人所受於前世之輪迴者頗爲卑下，而今世若能及時把握向上之意志，輔以不解的修養，則猶如沿螺紋而上旋；反之，則雖受於前生者較爲優越，亦可能沿此螺紋而下墜，乃至不知伊於胡底。輪迴之說毋寧是予人的心靈以一種道德上的責任感，有如是的因，必造如是的果，欲得進道的頑果，必先於肇因時運用本身的一切智慧，修養，使其免於失墜之處。在此一領悟下，所謂的「業」，只應視作消極意義的存在，而不應認爲係全盤控制人類歸趨的生命根本。這是自高一層境界說。若夫大千世界的芸芸衆生，固未必能一一解脫，而易爲塵俗蔽其本體之明，則輪迴一說，至少亦具有一種有力的警惕作用，使人不致遽然沉淪。

另有一種誤解，以爲佛教根本爲出世的宗教，與我們入世的人生觀相背馳。其實眞正的解脫，眞正的涅槃，必是能超乎凡俗而又返歸人世的，不然，一味的出世，反而說明了其所謂解脫，只是經不起考驗的一種對塵世的逃避。此點卽使是部分佛教徒也容易忽視的。而就另一觀點看，佛教教義中更包羅了我們日夕所追求的種種理想，如博愛，如平等，如自由，而基督教卻僅能包羅前二者罷了。這並不是說要以佛教來否定其他現存宗教的價值，而是寓着「取法乎上」的意旨。

不論佛教也好，基督教也好，其他宗教也好，在今天都面臨着極大的考驗。佛教已如前論，基督教的教義較易概括：神愛世人，世人亦應奉神、互愛。但基督徒們果能徹底的實踐此數誡嗎？不然。戰爭之層出不窮，便是一大明證。近世紀來，人與人，民族與民族之間的仇恨、對立，尤使基督教義瞠乎其後。故基督教應有一番整頓，不應以傳道之廣汎自詡、自滿，而應力求信徒內在的誠篤，並能表現於日常行事之間，且一以實之。（最忌對親友大行基督教義，對異類——如美國之黑人，又是另一副心腸。）至於佛教，在世人知識水準日高、智慧亦可望日趨增益的年代裏，可能是一種最具潛力的宗教。但它一方面必須強調其入世精神，一方面亦須將其相當的義諦通俗化，如基督教所爲的。但所謂通俗化，並不是說要讓許多人燒香唸佛，那正如上教堂當作例行公事一樣，是毫無裨益的。眞正的宗教是啓發人心的一種覺悟。如眞能拔心研佛、向佛，則既不致走入虛無，亦不會唱口號似的說出「無神論」（眞正無神論亦有深蘊的義諦；只是今人說此，往往是鄙棄宗教之可笑的藉口）。至於儒學，卽不以宗教視之，亦當有所振發，使能配合時代精神。若能不爲先儒所拘，又不離仁者本色，加以重建、倡導，則異日對世界貢獻之大，仍當以此爲首屈一指也。

「吓，這傢伙眞打不死！」

「坐下來談判」的好處

自由談

一封信的感想

十二年來已經音訊渺無的親戚，日前忽由上海投書於我，且公然寄交「香港時報」轉遞之，而不怕背上「暗通反革命份子」的罪狀，以致墜入「勞改」的煉獄中，不亦怪哉！

然而，開緘閱讀來信後，卻恍然大悟，毫不足怪。原函直切了當地說是：「多年不通音信了，現在初次寄信便對你有所請求，實在不好意思。只因女兒快要分娩了，而且是首胎，爲着下一代的健康計，希望你給我們寄些猪油，白糖來，但高貴的煙草和罐頭食品卻不要寄」云云。

憑這封信的語意，可以省悟幾種情況：一是毛共素來藉作對外宣傳標本的上海市居民，亦餓得發慌，而且腫病流行（原函說他的太太正患着肝腫病），不可終日了。二是大陸上的共幹們，大力慫恿人民向海外親友索寄食物與肥料以拯饑荒，安撫人心，雖公開投函敵人的報社亦無所禁，爲達目的，不擇手段。三是大陸人民祇望能得到一些續命的營養料，苟延殘喘，至如香煙，奶粉之類的奢侈品，不敢作此享受之想，同時亦知道這類奢侈品必爲共幹所沒收，結果徒增煩惱與罪咎而已。

我讀罷來信之後，不勝憮然，基於人性的惻隱觀念，決定如囑購寄其所需求的食品。可是，再憶及陷身大陸上的衆多親屬戚友們，一例在飢餓垂死的境況中，呻吟掙扎着，又安得如許的財力物力來博施濟衆呢？思之潸然泣下矣！

根據自大陸逃出來的人士所述事實，內地的饑饉之災，完全是共黨造成的。回顧過去毛共大吹農產豐收，一畝田生產十萬斤稻谷，一顆葡萄有十六兩重，「一年等於廿年」生產收穫等類神話，證以今日哀鴻遍野的飢荒情形，有不髮指眦裂，恨不得滅此民賊魔鬼而朝食者，非人也！西方的政客們昕夕指望着大陸上飢民起來推翻共黨暴政，又讓他們的工商業者到中國大做其生意，大賺其金錢，卻不知大陸人民一個個餓得奄奄待斃了。我們的政府若再不及時反攻以解救民衆倒懸，其將何詞以對國人耶？

馬五先生

兩視察團實地研究後
建設澎湖圖案有了眉目
目光要遠大計劃貴切實
即知而即行何事不成功

（本報記者陳知青澎湖航訊）經過經長楊繼曾，交長沈怡率領的金馬澎湖視察團及農復會主委蔣夢麟率領澎湖社經建設視察團來澎實地考察研究之後，建設澎湖的圖案，已開始有了粗枝大葉的眉目，今後如能再經切實的計劃，並從而脚踏實地的做去，則「建設澎湖為台灣海峽的夏威夷」，將不復是紙上談兵的空想了。

由經濟部長楊繼曾，交通部長沈怡，率同物資局長張仁滔，漁管處長劉永懋，援華署顧問葛維廉，美援會秘書長李國鼎等一行二十八人的金馬澎湖視察團，於五月二日乘專艦自金馬來澎，六時半抵馬公，即巡視馬公白沙湖西等地，並會同九時半專機飛抵的農復會澎湖社經建設視察團，於金龍頭貴賓館，舉行「簡報」，藉以了解自卅四年光復以來澎湖地方建設的進步情形。

澎湖縣政府提出請求支援經濟建設報告書十大計劃綱要，澎湖區漁會提十五點要求，分別於二日三日考察後兩次座談會中作初步的研討。

二日下午座談會，由楊部長作結論。他說明這次兩個考察團是奉陳副總統之命，特來了解情況作為計劃和開發的資料。怎樣消化計劃，着手進行，還得切實研究。他對縣府提出的西嶼大橋計劃，大馬公都市計劃，都希望詳細設計，注意經濟價值和民衆受益。依照經濟學的尺度，大橋或海堤是否有經濟價值，很值得詳細考慮。築壩塡海的大馬公都市計劃，新生浦地一二〇甲是否能照一千五百元一坪售出，也須考慮。西嶼鄉電化，造一發電廠五百萬元還可辦，每年賠五六十萬元怎麼辦？交通最重要，離島交通船百噸也是維持問題。高馬線的澎湖輪，現在台航每年賠二二〇萬元（席間沒有詳細的資料，據記者了解高馬航客成本八十七元，今票價四十、六十元，平均每客要貼補四十元左右）這交通船今後如何補貼？深水井水源頗成問題，都要詳細調查。

這是楊部長以經濟學的目光來看。一般地方人士，認為澎湖過去十年來的建設，都是為了民生，一直是政府補貼的；今後的開發，也應加以補貼。

記者認為各樣開發事業應該通盤計劃，要問全部潛力如何？開發價值如何？那裏要賠？那裏可賺？那些是民生必需？那些次要？再分別按步就班來開發，才是建設澎湖為民生主義模範縣的眞意。將風沙島建成為綠島，那才值得努力。

座談會結束，在閒暇時間，記者們紛紛對楊部長提詢此行還有什麼可以做的？楊部長對馬公虎頭山和菜園兩個煤礦很感興趣。他初步看到煤層較厚，熱度四，八〇〇度，比金門泥煤三千度好，差台煤五或六千度也不遠，因此主張澎煤自給，將設法實地戡察協助二煤礦的新式開採，大量生產，解決總統要澎湖改良燃料保護草木的意旨。

另外，他對澎湖特產文石珊瑚海樹，也感興趣。他認為，漁業之外，必須找副業。文石已聞名遐邇，應有銷場。但記者上次赴望安時，已發現此一問題，乃和同業盧脩共同提出意見，如今已無法用手工開採。這一兩年的產量是爆破後的餘物。應注意新法開採。楊部長認為意大利有文石，得參攷其開採法，並與手工藝中心研究加工及銷路問題。

（未完）

經張君勱沉痛呼籲後
民社黨團結展露曙光
戢翹翼邀三派懇談已有結論
青年黨部份人士亦奔走團結

（本報記者台北航訊）中國民主社會黨，自從本年三月全代會流產之後，糾紛鬧得令親者痛，仇者快，如黨部的爭奪，頗近乎去年十二月的青年黨情形。原為蔣勻田領導的八常委派召開全代會，不料在開會的前夕，該黨的中央總部却被另一部分號稱民社黨團結委員會的人馬所佔据，使該黨全代會無法召開。

八常委派因鑑於黨部被人佔据，全代會無法舉行，黨內不能團結，會將經過情形，電告該黨主席張君勱，且作出聳人聽聞的建議，即請張君勱將該黨中央總部遷往美洲，請張氏親自主持黨務。

張氏獲悉之後，在最近，才沉痛的致函該黨在台各領袖，大要為兩點：一是放棄個人成見，達成團結。二是如不能團結，與其貌合神離，常鬧家務，貽人笑柄，則不如解散。書中並指明請在台的領導人代主席戢翼翹，負責促成該黨團結。

果然，張氏的一封信，已起了很大效果，由戢翼翹邀約各首腦人物協商，團結已見端倪。戢翼翹於四月底先邀請向構父派與劉政原派進行協商，得有成果；五月二日，蔣勻田等復受邀前往台中，為團結問題進行懇談。

五月二日在台中戢翼翹家中舉行的商討，出席者，包括該黨四位副主席蔣勻田、王世憲、孫亞夫、郭虞裳，秘書長王漢生，副秘書長楊毓滋，顧問金侯城，中常委于國霖，發言人曹浪平等。會議由代主席戢翼翹主持。据悉，此次民社黨謀取團結的會議，甚為圓滿，對黨內團結均極表信心。並於會中制定召開第三次全國代表大會團結辦法。

据出席該團結會議人士透露：該黨團結辦法主要有三點：（一）該黨三方面共同推定人員商量團結及召開全代會的細節；（二）請佔據中央總部人員撤離；（三）團結委員會秘書處撤銷，恢復以前狀態。

由此顯示，民社黨各派人士已大致捐去成見，開始顯示出團結的一線曙光來了。戢翼翹並有將於五月六日自台中來台北，與該黨三派人士共同集議，可能會後發表團結宣言之說。

自由中國另一在野黨的青年黨，最近亦有部份人士在奔走團結，奔走者据悉有近由香港來台的崔宗瀚及王世昭等，上月下旬（廿五）曾假立法院召開了一次座談會，商量團結之道。但据熟悉青年黨內情人士表示，該黨內部團結還不夠樂觀，如該黨舊派部份人士，對奔走團結者所提團結辦法，表示不作任何考慮云云。但望這說法是不確實的，或不是不可以改變的，就好了。（燕謀）

兩次在閒晚一次在白晝
台北鬧市連出搶案
原因何在值得深思檢討

（本報記者台北航訊）台灣治安，素以良好著稱，以前不要說搶刼案件不多，就是一般的盜竊案都少有發生。近年以來，不但盜竊案迭有增加，搶刼案也所在多有了。以往，搶刼案件仍以鄉鎮為多，像台北市這樣的繁華首善之區，還是很少發生的。可是最近兩三天內，台北却接連的發生三樁搶刼案，有的是在夜晚，有的竟然發生在白晝，而且發生的地點都是繁華熱鬧之區，歹徒可謂胆大包天。這畢竟意味着什麼？值得有關方面的深思和檢討。

四月二十八日凌晨一時許，台北市近火車站及警察五分局的熱鬧區懷寧街，發生搶奪案一起。失業工人吳湘於凌晨至該處尋找擺麵攤的朋友，於行經懷寧街四十號門前，見有三人毆打一人，他上前勸阻，被其中一人打記耳光，並把他推入該處走廊下，叫他把錢拿出來；之後又被另一人在右眼角打了一拳，並且叫他蹲在地上，命令他快把錢拿出來。他將口袋裏所有七十元取出握在手裏，要求留十元買飯吃。他們不答應，又打他一拳，即把七十元搶去，分頭逃逸。被害人吳湘就近向市警五分局報案，由分局刑事組會同公園路派出所派員在新公園一帶進行搜查，至上午九時，拘獲涉嫌疑犯孫自洋、張育誠二人，餘在逃者正由警方加緊追緝中。

第二件搶奪案件，發生在第一件的同日下午九時，地點在台北市東門鬧區的新生南路。被害人是中年婦女黃慧卿，於廿八日晚九時半左右，她步行回家，行經新生南路一段一六〇巷內時，突然有一個騎脚踏車的男子，乘黑夜暗巷，由她身後竄出，把她的一個黑色手提包搶走，旋即加速逃逸。她手提包內有現款一百元及其他零碎東西。台北市警第四分局據報後，刑事組立即偵騎四出，展開查緝，尚未獲得嫌犯。

第三件搶案歹徒尤其大胆，居然在很熱鬧地區，中午白晝營業時間向銀行業伸手搶去新台幣一萬元。台北市第一信用合作社，社址在延平北路二段一三三號，正是繁華地區，卅日上午十一時許，行人如鯽。出納小姐郭照月正在櫃台內清點鈔票，櫃台內放置着已捆紮好的十元卷一萬元，突被一男子自櫃台外伸手搶去。該男子於得手後，衝出合作社大門，向寧夏路方面逃奔。郭照月小姐於被搶後，急得花容失色，驚駭得呆了半响，才叫出一聲來，大呼捉强盜。合作社內駐衛警員林桂同聞聲奮起急追，由延平北路追至寧夏路口時，適有寧夏路派出所巡邏警員王榮富迎面而來，當與在後尾追的駐衛警員合力將搶刼疑犯唐忠智擒獲，帶回市警一分局處理，日內移送台北地檢處法辦。（吳越）

華僑銀行人事困擾
新董事長選不出來

（本報記者台北航訊）海外華僑回國投資，在台北創設的華僑銀行，自創業以來，內部的人事問題即糾纏不清；最近該行召開五十一年度股東常會，又為了改選第二屆董事及修改章程等，觸發人事糾紛，益見暗潮洶湧，連續舉行了兩天近乎流會的股東常會，却到現在尚未能將新任董事長推選出來。

這家擁有資金新台幣一億元，在自由中國僅有的一家純民營商業銀行，經政府核准，於四十九年六月即已成立，但為了協調人事，延到五十年的三月一日始告正式開業。該行辦理的業務，除了一般商業銀行的業務外，並經政府特許經營外匯業務。在人事上的安排是：由旅菲僑領蔡功南擔任董事長，常務董事黃秉心兼任總經理，協理吳長炎兼任秘書室主任，協理王祝康兼任營業部經理。黃秉心原任台灣產物保險公司總經理多年，王祝康原任台灣銀行營業部經理，都是台灣金融界的老人，對於本省的工商，金融情形，了解透澈。這個人事安排，對於該行業務的開展，原可大有作為。但不幸王祝康不到幾個月便以不耐人事的困擾，回到台灣銀行去了。黃秉心也在七個月以後辭去了總經理職務，從五十年十月一日起，改任駐行常務董事。總經理一職由董事長蔡功南兼任，直接負責管理業務。有一段時期，蔡功南去了菲律賓，該行就眞正的成了羣龍無首的局面。

最近該行召開股東常會，發給出席股東的資料，也印上「機秘」字樣；至於該行業務情形，對外界來說，更是諱莫如深。董事會向股東大會提出了增設二名副董事長及修改章程的提案，有的股東大為反對，認為增加了兩名副董事長，等於多了二名在辦公室看報的大員，不知做起事來，將更是一國三公，不知所從。但最後修改章程的提案，總算在股東會中通過了。但要經濟部核准後才能實施。股東會並改選了第二屆董事廿五人，監察人九人，但董監事聯席會議，却遲遲未能舉行，董事長的難產，自屬最大的原因。

該行現任董事任期到今年五月廿五日止，新舊任董事將在廿五日交接。在未來時間中，該行修改的章程是否能為經濟部很快核准？董事長及副董事長的人事安排如何協調？都將要有所決定。希望從那時起，這家民營銀行，能夠步上順利發展的坦途。（匡謬）

逃港百餘「共軍」
實係「前進」技工
他們復被遣返共區了

（本報訊）五月初盛傳在中港邊界分兩批棄械逃入香港的百多名共軍，刻據本報自關係方面獲悉：那些人並不是共軍，而係三四年前被中共騙入大陸的技術工人的一部份。當時因他們所著服裝有類共軍，致被訛傳。這些人逃入香港之後，被香港警察截獲，經過詢問，復被送返共區去了。

據說這些人當時係奉中共命令以卡車運送建築器材到中港邊界，他們是早經蓄意要逃走的，當他們的卡車抵達邊界時，駐守碉堡的共軍，起初還以為是運糧食來的，很高興的出來歡迎他們，他們却誤會逃亡計劃被識破，因而落車即發足狂奔，越過邊界，共軍雖經鳴槍嚇止，亦未收效。

關係方面向本報記者透露：港方之所以很快就把他們遣回，係為他們幾年前曾「前進」得不得了，硬要回大陸，所以不歡迎他們再來。（能）

中國立命的根株

林介山

要能立國安天下，必有所以「立」，所以「安」之道。此即古人所謂「國於天地，必有與立」的見解。

每一國家的立命，都有其自身的根株。此種國家立命根株，可以去蕪存菁，灌溉滋榮，不容動搖毀損。否則，國家立命無所憑依，終致飄蕩、徬徨、萎化，而漸趨死亡。

我國的立命根株爲何？已故伍憲子先生說：「我們國家能在世界上存在五千年，世界無論何等强國，祇管科學技能比我優勝，然高度民族文化，比我總有遜色，這就是我們國於天地所以能立之道……此高度民族文化，能培養成民主人格，能提挈起愛國精神。假令喪失之，則復國力量無從造成，西方民主政制移到中國，不能生根……」（見「人生雜志」第四卷十一期）。

我國的高度民族文化，即儒學提倡以人類因素爲中心的「一以貫之」的「仁」——中庸哲學，並依此而發展爲實踐倫理的方法，與民本主義的思想。

中國先秦諸子百家，爲中國文化的精華，唯儒家兼具各家之長，永垂不朽。蓋春秋末葉，有倡霸道集權的法家，有主張清靜無爲的道家，有求名立身的功利主義，有以自苦爲極樂的兼愛主義……總之各以「偏」爲「全」，各走極端，各有所失。

孔學精華的「仁心仁政」的「仁」，被公認爲中國傳統思想的王道精神的主流，孟子並附以「義」理，使不致變質爲「婦人之仁」，韓愈原道篇釋爲「博愛之謂仁」；子思中庸篇釋爲「仁者人也」。「義」被解釋爲「理所當爲之事」，「正義的行爲」。凡是不合乎人道的爲「不仁」；不公道的爲「不義」。故「孔曰成仁，孟曰取義」，便爲崇高的人生規範，即是做人價值的所在。

「仁者人也」，中庸把含有公「義」行爲的「仁」稱作「人」。意示惟「仁者方是人。」蔡元培先生稱「仁」爲總攝諸德，完成人格之名（見蔡著「中國倫理學史」第三章）。因「仁」乃「中庸」歸納所得，「中庸」僅爲「仁」的演繹術語。就「仁」的推論邏輯，「人性」就應具有融和貫通多方的完全觀念，而中庸思想，也就可稱爲「人」的思想」。

「仁」是二人，亦即「人」之所以爲的人」，不獨利己，而且要利他。「人」造端乎夫婦而發展爲「人倫」，便成「四海之內，皆兄弟也」的互愛平等的論據。故顧個體又要顧集體，亦成爲人類的當然義務。明確此一由個體到集體的諧和關係，構成「人」的定義，從而確定做人的責任與本份，實爲孔學所獨創，而爲中外古今諸聖哲所未逮。孔子曾殷殷告誡「己所不欲，勿施於人」；又確立一條由個人的誠意正心修身齊家以到達治國平天下的倫常之道，即係依循「一以貫之」的「人」道法則，發展爲實踐「人格與人權」的方法。以今日視之，人類世界的一切作爲，離開了人的因素都非正道。美國大詩人惠特曼說：「忽視了人，萬般都無足貴」。涵義亦正相同。政治家若不爲滿足人類身心需要而工作，就失去了政治的意義。故中庸此一思想體系——仁者人也——使不獨爲儒家「一以貫之」的達道，可補中國諸子學術之短，且放諸四海而皆準，其理論直至東西學說雜陳，科學昌明的今日，綜合反證，尤具有正確的價值。

西方學者有所謂折衷派，以古希臘哲人亞里斯多德在其所著的倫理學中，解釋「中道」的意義爲「過猶不及」，最與孔學中庸相通。折衷主義，不是調停，而是批判，不是折半，而是融通。它首先要對兩方面的主張，一一加以分析，剖辨其短長，抉剔其利弊，比較其異同；然後將其缺點袪除，而融和其優長各點，以另成一獨特的新系統（見謝扶雅著「當代道德哲學」第一六三頁）。若借此作爲孔學中庸的解釋，雖庶幾近似，但仍未接觸到博大精深的儒學中庸的核心，而顯現其足以傲視西方文化的高貴處。（一）

香港與大陸

中港交界的深圳河，是許多大陸同胞逃亡暴政者都要經過的地方，但這一關不是容易過得了的，主要是共軍的槍彈常常把企圖逃亡者射殺。這些年來大陸同胞之死在深圳河中的，不知凡幾。

上個月剛自大陸逃出的。君，東莞人，現年僅二十一歲某他就親身經歷，一連在深圳河發現過好些具屍體，談起來猶有餘悸。包括上個月這次成功的逃亡在內，某君已經有過三次逃亡的經歷。在深圳河發現好些具或沉或浮的屍體，就是他第一次逃亡時最使他驚心駭目的遭遇。

他說：那是在去年中秋節假期中的事（某君是東莞某某中學學生），他好不容易摸到中港邊界的勒馬洲，他知道渡過深圳河，便是香港了。他乃實行游泳過河。但他剛一涉水，就踏到一具沉在水底的屍體。他怕極了，趕快游出去，但僅僅游出二三尺地，他的左手又接觸另一具屍體，是飄浮在水面的。他更怕了，乃向右斜游，却不料立刻又接觸到一具屍體，也是浮在水面的。他定睛一看，還不只一具屍體，是好幾具。這一來可眞把他嚇壞了，他趕快折回頭，上岸，又回到東莞去了。

逃亡暴政未成功　深圳河中死屍多

東莞一中學三百多學生　逃亡之餘只賸十幾人了

他第二次逃亡是去年十月間的事，那次十分順利，他是從文錦渡偷渡的，一下子就成功的進入香港境內了。但却給香港警察抓到，第二天便被遣返大陸，中共把他送入東莞集中營，進行勞改四個月，再把他放出來。

他上個月第三次實行的逃亡，這次總算天從人願，完全沒出岔子。某君說：大陸太苦，實在活不下去，是他逃亡的主要原因。某君還說：他讀的那個某某中學，本來有三百多同學的，但都相繼逃亡，到他上個月作第三次逃亡時，學校裏僅賸下十幾個同學了。這些人是否都平安的逃離大陸？其中是否有人死在深圳河裏？在他都是很大的疑問。

據某君說：因逃亡不遂而被送入集中營勞改的，以東莞來說，每天就有好幾十個人，大家亦見慣不驚；完全不把它當一回事了。大家的心理：這次逃不出，下次再逃。他又說：在他讀名的那個某某中學，義算是讀書，實際有三分之二的時間，是被中共驅去田間勞動，這樣書沒讀到。苦却吃夠了，所以大家都有機會便逃亡。

某君說：在他這次離開東莞時，當地每人每月配給谷子十六斤，油的配給是每月一兩，火柴每月五支。他說十六斤谷祇能碾成十二斤左右的米而已。這一點食糧，叫農民怎樣能夠維持生活？（許）

向核彈抗戰

陳知靑

六、原子核彈的原理

（三）鈾原子核彈的原理

鈾二三五的分裂，可能成爲好幾對的中等原子核：

（一）鎖一三七（質子五六，中子八一）和（克）八三（質子三六，中子四七）。放射出三個中子，和二億萬電子伏特的放射能量。

鈾二三五有九十二個質子，和一四三個中子，分裂結果，祇成爲一二八個中子，相差十一個中子，放射出三個中子，還差七個中子，這就是變成放射能量的物質。但是，依照公式計算：

中子質量是相對單位一・〇〇八九四，七個中子計七・〇六二五八。

$E=M\times C^2=M\times 931MeV=7.06258\times 931MeV=6576MeV$ 應有六十五億七千六百萬電子伏特的能量，而實際產生的二億電子伏特的能量，祇是七個質子中的三十分之一，這裏除了能量逃逸和質量欠缺的解釋，無法滿意。本人爲了這個問題，研究過很多年，而另外有一種新解釋而成新的理論。

（二）鍶八七（質子三八，中子四九），氙一三一（質子五四，中子七九）。

這個反應，一樣的相差十一個中子，產生同樣的結果。

（三）鈰一四〇（質子五八，中子八二），硒七八（質子三四，中子四四）。

這個反應，少的中子十三個，照理說所產生的能量更多。事實上，還有問題。

（四）鋯九一（質子四〇，中子五一），碲一二七（質子五二，中子七五）。

這個反應，也相差十三個中子。

以上四種反應的結果，有時候不一定產生三個中子，也有：

產生兩個中子的時候。那末（克）元素便多了個中子，成爲（克）四八，或者氙一三二，硒七九，碲一二八。

或者產生一個中子時，（克）、氙等原子核，再增加一個中子。

原子核彈和原子爐的方式不同，原子爐可以控縱，用一種緩和劑，普通用石墨或鎘硼，吸收中子，使中子停止打擊其他鈾原子核，而停止連鎖反應。原子核彈相反，不但不用緩和劑，而且加以設備：（一）使鈾二三五，完全純粹，不使產生的中子被之吸收。（十九）

瘟君續夢

第五回：深壑難塡　反顏奴抗主
片言起釁　轉瞬德成仇

毛澤東接到赫魯曉夫要來訪問的消息，心情爲之一快，馬上把全體政治局委員召來，宣佈尤金的通知，大家都十分高興。

九月三十日赫魯曉夫的座機到了北平南苑機場，毛澤東、劉少奇率領重要官員及民主黨派首腦全體出迎；赫魯曉夫比較上次來時又胖了些，下機時滿面春風，表情十分愉快，兩人臂彎着臂，鑽進一輛汽車，直開「主席官邸」。

進了客廳剛剛坐下，赫魯曉夫笑着說道：「毛澤東同志，我這一次去美國會晤艾森豪威爾，完全是向你學習的，結果十分圓滿，所以特地趕來向你道謝。」

陳伯達把這段話翻出來，毛澤東不禁愣了一下，連忙問：「赫魯曉夫同志，你太客氣了，你有什麼事要向我學習，眞不敢當。」

赫魯曉夫咧開大嘴笑道：「我們馬克思，列寧主義的信徒，從來是不講謊話的。我這次去華盛頓和你一九四五年去重慶目的完全一樣，都是向對方進行高級統戰。你那次去重慶統來了國民黨的張治中，邵力子，我這次去華盛頓，不但爭取了美國的進步人士，就連千萬富翁伊頓都轉變到我們這邊來，你說是不是一大成功。而這個成功就是向你學習來的，當然要多謝你。」

赫魯曉夫一席話說的毛澤東心花怒放，覺得渾身都在放鬆，半月來對於赫魯曉夫的積怨，一掃而空。

劉少奇和周恩來坐在旁邊不敢開口，互相交換一個眼色，都在佩服赫魯曉夫的手段厲害。

赫魯曉夫和毛澤東談了一個晚上，說的毛澤東心服口服，衷心贊助赫魯曉夫的和平戰略，保證不在中南半島及中印邊界鬧事，也不出頭反對高峯會議，一切聽憑赫魯曉夫安排。

第二天就是中共「建國」的十周年，天安門外驅使五十萬人參加慶祝，就中共來說，到是一個盛會，全世界共產黨到了七十六國的代表，坐頭把交椅的大頭目，除去赫魯曉夫之外，尚有捷克的諾沃提尼，越南的胡志明，北韓的金日成，外蒙的澤登巴爾，其他東歐各國也都派出第二號頭目，阿爾巴尼亞共黨第一書記霍查未來，由總理謝胡率領一個代表團參加。

十月一日十時，「慶祝典禮」開始，五十萬人似螞蟻一般，密密麻麻的排成蛛網似的黑線，面向着天門，天安門上面站着一羣煞神，中間就是赫魯曉夫，穿着一身西服却未打領帶，襯衣鈕扣兩個未扣，露出胸前黑毛，站在天安門上，舉起從美國買回的巴拿馬草帽，左右揮舞，兩邊站着毛澤東和劉少奇，恰成左輔右弼。這次大會，赫魯曉夫大概是有意告訴中國老百姓及全世界的人，誰是最高統治者。

天安門的大會，一連開了四個鐘頭，散會後，巨頭們都返回官邸休息，老百姓還要舉起紅旗，作熱火朝天的遊行。毛澤東回到官邸，還未坐下，李富春跟着進來了。低聲問道：「主席和赫老會談是否談到經濟援助問題？」

（九九）

帆影樓（續）

帆影樓，在滬西梵之渡邊，地瀕蘇州河，每日往來船隻如梭，故名。無錫名畫家江南布衣吳觀岱，爲作帆影樓圖紀其事。圖由文明書局以珂羅版印行，士林珍視。

南湖曾游日本得其印刷術歸國，始辦文明書局，以精印四王畫冊與商務書館影印畫冊相對抗，引起狄平子之奮袂，遂即辦有正書局，專影印宋元以來之書畫法帖，定名曰中國名畫集，出版至三十五本之多，是民國以後，美術的大發展。南湖以受李經邁托印李文忠集事，手續不全被累，官既罷斥，賠墊無着，四王名畫，悉以典售償款，經濟大枯。而芝瑛夫人以病侵尋，亦殞歿而逝，南湖投北平西山潭柘寺爲僧，未曾披剃，不久圓寂。

憶玉軒雜綴

台商有三郊

清康熙雍正間，台灣一省的商業，形成兩大派。向島外貿易者稱外郊，在島貿易者稱內郊，皆爲鉅商所經營者，多是閩南人。由蘇萬利、金永順、李勝興等經理其事，向島外發展貿易。嗣後分蘇萬利爲北郊，金永順爲南郊，李勝興爲港郊。港郊即內郊，北郊南郊總稱爲外郊。北郊範圍，自福建以北，至天津大連。南郊範圍，向閩南泉漳，以至汕頭香港，及廣東沿海。三郊總括全台商務。三郊之中，另包括許多郊商，而三郊之長之長，即爲各行商之總領袖。

嘉慶十一年，蔡牽作亂，擾掠閩台沿海。三郊募義民數千，協助平亂，得以保全業務，始覺悟羣力之重要，乃創立三益堂服務，組保甲，練義民，設多防，置公秤，調解糾紛，救濟災害，恤助貧病，成效滋著。鴉片戰爭結果，南京條約成立，英人勢力侵入台灣，復開鷄籠（基隆）滬尾（淡水）安平（台南）打狗（高雄）四處爲通商口岸，外洋輪舶雲集，粵商隨之而至，三郊之交通工具及資本，弗如遠甚，事業遂一落千丈，不能與之爭衡矣。

日佔台灣後，三郊商業既已衰落，成立三郊聯組會，承管田園房產，而收其利益。民七，地方人士爭管公產涉訟，久不決。民廿九，台南州知事一番瀨佳雄，僞言和解，以高壓手段，强迫蓋章於日人作成之文件，遂將三郊所有產業，改歸商工會議所據有，後來悉由該所予以標賣，遂蕩然無存，於此可見日治時代之專橫，三郊亦因此而湮沒。

報人蘇眇公二三事（續）

黃葉村人

近以年老多病，腦筋健忘，多不復省記，僅憶其某年「重九感作」一首云：「遲暮低徊入戟門，簿書鞅掌易黃昏。豈徒北海知劉備，亦似虬髯避太原。十載東南波不起，滿城風雨夢重溫。綈袍舊誼分明在，愴念前修一斷魂。」此詩作于眇公重入張幕府時，蓋感存傷逝之作也。

眇公有論詩詩二十絕，其論石遺老人云：「海內詞宗數石遺，詩壇名宿共交推。豈知樂廣從辭令，一到臨池便不支。」此詩曾刊厦聲報副刊，時石遺方遊厦；有欲爲眇公介紹一晤者，眇公曰：「已論之矣！何必多此一舉耶？」卒拒不見。

初眇公旣得釋，眇公父命爲書謝何，眇公曰：「何爲北洋系，爲段，非爲蘇某人也！」竟不謝。其後，段氏下野，何返里，在報刊上發表有「檢點青衫作才子，也應橫絕大江東」之句。眇公意不謂然，亦賠以句云：「垂死春蠶猶縛繭，再來秋雁（何字一雁）已無聲」。其骨鯁類如此。

花香月上樓小品

楹語

楹語，長句有長句之勝概，短句有短句之雋永，但長句須磨琢而後工，短句成於自然；春蘭、秋菊，各有擅場，不能一概論也。余舊居有樓，藏書畫不少，爲平居燕息之所。蘇監亭兄爲題額曰：「讀書枕畫樓」。數日，撰聯未得；一日，伯禽兄以「邯鄲投枕圖」一長軸，贈予，懸諸榻前，余曰：「得之矣！」遂題聯云：「不見呂仙來授枕；徒聞黃石有傳書。」東廂一室，爲余寫作處，自題「我思古人室」。旁懸聯云：「莫忘昨日思來日；難得今日勝古人」。監亭兄之與余訂文字交，殆由此二聯，與「關羽用刀」一文也。

所居前廳爲朋輩燕坐處，廳前石階，列紅葉八盆，春秋爛熳如錦。廳中四壁，滿懸「紅軸」，人物，有：鄭䳄林先生之「紅線盜盒」圖，「紅葉題詩」圖。吳伯滔先生之「紅拂虬髯」圖。林嘉先生之「夜盜紅綃」圖。花鳥，有吳伯滔（海上名畫家，吳待秋先生之尊人）先生之「紅梅白鷴」。任伯年先生之「紅蓮鴛鴦」。朱夢廬先生之「紅豆杜鵑」。盧谷和尚之「紅蓼野雉」。皆海上當日一時之俊也。廳前「紅葉書堂」橫楣，爲蘇二庵兄所題，聯則余所自撰，句云：「紅葉不花無俗氣；書堂有韵勝絃歌」。繇今思昔，蟲天一覺，爛泥塗屋；蕉窗半枕，春婆說夢；誰實爲之？孰令致之？不能不歸之於造化矣！「人皆有貴」，余欲何言？

紀念母親節

漁翁

母親節，規定在每年五月的第二個星期日，今年的母親節，爲五月十三日。此節創於一九一九年美國人安娜茄維氏，迄今四十三週年，已逐漸發展而爲世界性的節日。

母親節雖創自美邦，其意義却合乎我們中國「老吾老，以及人之老；幼吾幼，以及人之幼。」的倫理觀，發揚光大，可有裨於人類幸福。

韓非子說：母親愛子女，比父親要加上一倍。因此，子女對母親之依念，較父親也加上一倍。我國人有因疾病痛苦，往往呼母而不呼父，此乃天性使然，要亦足見母愛之深厚。

在我國歷史人物中，受偉大母愛而卓然不朽者，所見不鮮，而以歐陽修爲最著稱。歐幼年喪父，家貧不能入學，賴母畫荻作字，教之讀書，終於成爲有宋一代大文學家與政治家。

據其所作「瀧岡阡表」云：「修不幸，生四歲而孤。太夫人守節自誓。居貧，自力於衣食，以長以教，俾至成人。太夫人告之曰：汝父爲吏，廉而好施與，喜賓客，其俸祿雖薄，常不使有餘；曰：毋以是爲我累。故其亡也，無一瓦之覆，一壠之植，以庇而爲生。……」

他如孟母的「斷機」，侃母的「截髮」，岳母的「刺背」，結果，或爲聖賢，或爲豪傑，飲水思源，何一非出於賢明之母教使然耶！

我國儒家，以人爲本，最重視者，三綱五常。倫常觀念在吾國千百年相傳勿替，即秦皇之暴，亦不使母子分散，骨肉流離，而破壞固有之家庭組織。

母親對於子女，慈愛而劬勞，欲報之德，不外乎一「孝」字。孟武伯問孝，孔子說：唯其疾之憂。子游問孝，孔子說：不在乎養。子夏問孝，孔子說：不在乎酒食。孟懿子問孝，孔子說：不違背禮法。

歸納起來，孔子論孝，貴尊敬無違；在乎精神，而不在乎物質；在乎內心，而不在乎外表。孝順爲齊家之本；家齊而後國治，國治而後天下平。治天下以孝，爲孔子一貫之道。

紀念母親節，應將孔子所詳釋的孝義，發揚而光大之，使人人親其親，長其長，人人本此孝治精神，宜傳於全世界，庶可化干戈而爲玉帛，易癉癘而爲祥和，以促進世界於大同。

余不幸，少年喪父，賴母撫育與教誨，以至成立，雖未如孟母之斷機，歐母之畫荻，而優良之德性，與恩愛之溫情，有超異尋常者。余應縣令試，倖列前茅，寄書稟母，附詩一首，末云：「寄語慈親堪慰處，榜頭第一是兒名」。母聞後，復書誡之曰：「滿招損，謙受益，古之明訓也。學問無窮，爲政不易，爾毋以此而自足。須多讀曾文正公家書，慕曾文正公之爲人，以虛懷若谷去立身處世，則爾之前程爲更遠大也。」此書珍藏至抗戰時而遺散，手澤不存，引爲恨事！

余母年逾古稀，以無疾終。時兄主法院，余護縣篆，均遠在千里外，平日定省多疏，彌留時又未在側，恨抱終身。故余四十述懷有云：「棣蕚連翩情更篤，椿萱棄養恨難塡。」以至親之母，育我教我者，歷歷如在目前，而余未報劬勞於萬一，「樹欲靜而風不息，子欲孝而親不在。」尤其今日流離海隅，對春祀秋嘗，又未祭之以禮，撫今思昔，寧無感慨萬千！

海嶠閒談

漫談麻將牌（一）

諸葛文侯

世界上各地區的人，都有一種大衆化的消閒娛樂玩藝，而這類玩藝且賦有輕鬆的賭博性，纔能夠引人入勝，樂此不疲，無論智愚賢不肖，皆優爲之。另一方面，這種娛樂品亦象徵着該民族的文化造詣程度，如歐美社會的橋牌，中國的麻將牌，即其例證也。

我們中國的麻將牌，究竟是那位天才人物發明的？創於何時？其中演變過程又如何？這是屬於考據學的問題，我是外行，不敢瞎扯淡，現代的考據大師胡適之先生又已逝世，無從請教了。我只覺得麻將牌比較世界上任何民族的消閒娛樂品更爲高明而雅致，其構造之巧妙，組織之繁複，運用之靈活，花樣之繽紛，遠非西方社會的橋牌所能企及，眞是嘆觀止矣！余致力麻將娛樂，凡四十年，其目的在求個人之消閒解悶。除此以外，舉凡中式西式的任何娛樂技藝，不管是優良的或不良的嗜好，皆屬一竅不通，沒有談論的資格。我亦不是道學者流，外表一本正經，譴責別人玩牌或跳舞爲「玩物喪志」，而自身的秘密生活却多見其爲「缺德帶冒烟兒」的情形。竊本「事無不可對人言」之義，談談麻將觀感罷。

如果要想測驗一個陌生人，或者泛泛之交的朋友品性爲何如，最準確的方法，即莫過於跟他打四圈麻將。人們在任何場合中，總不免有所矜持，每將自己的眞性情予以某種程度的隱蔽，唯有在打麻將的時候，自然而然的具體流露出來，絲毫不爽。譬如爲着一文錢的輸贏而斤斤計較者，就千萬不可跟他發生銀錢往來的事[illegible]；爲着一和牌的勝負而張脉僨興，如臨生死關頭者，即休想跟他共患難；每逢手風不順，居於劣勢難局之際，即肝火大發，任意胡攪，方寸凌亂者，其人必不足以當大任；偶被別人攔了和，輒忿然形諸詞色，視爲仇人寃家者，得失心極其深重，對人對事，絕少同情互助的道義精神。凡此種種情況，在我數十年來的事實體驗中，歷歷考證，不差累黍，茲述兩例，以概其餘焉。

有一曾經跟我玩過麻將牌的西洋留學生，歷歷大學教授，他在牌局中稍有失敗，即面紅耳赤，額汗涔涔然，雖沍寒天氣亦復如是。某次，教授手持一副大牌，聽三筒絕張，枱上殘存待取的牌快要完了，但大家警誡着莫再放出生張，適輪到吾粵人名書家陳君出牌，他詳審枱上的廢牌已見有兩張三筒，乃擲出三筒來，某教授歡然得和，大呼「你是廣東的第一個好人」不置，表現感激涕零之狀，恰與其平日見義忘義的個性若合符節也。

吾友湖南「蕭三爺」同茲兄，往年亦好玩麻將牌——現在宣告退休了——朋輩稱之爲「牌聖」。他不但對於輸贏無所介懷，偶有大牌被上家攔和了，亦微笑無聲，把自己的牌向枱中推散之，背後若有觀戰者，他只是回頭相顧一笑而已。凡與蕭三爺共過事的人，皆能證明他這種落落大方，和易可親的性格，並非我個人的阿好溢美之詞啊！

五台顯通寺

道南

山川風物

五台山是文殊菩薩的道場所在地，也是我國佛教盛地。

五台山在山西省東北部，其中大部份現屬五台縣。山高處拔地一萬六千尺以上，但山頂斜度很緩慢，全不似我們想像中的普通高山那樣巍峨險峻。山頂上就有五個主峯，峯頂沒有樹木，但綠草叢生，恰如堆土爲台一般，所以叫五台。又因夏天裏有時也會飛雪，雖在三伏天仍不覺炎熱，所以也稱淸涼山。

關於五台山的佛寺總數，古時號稱三百多間，近世則謂台內台外合計起來，共有百寺。當然所謂百寺也並不是正確的數字。這些寺院最密集的地方，在以台懷鎭做中心的那一帶。在這個寺院中心地區內有一座顯通寺，此寺規模宏壯，算是五台山名勝之冠。

相傳顯通寺是後漢明帝永平年間所建。關於此寺的由來，還有一種神話式的傳說，即印度的迦葉摩騰，竺法蘭二菩薩，曾用天眼透視出，此地是文殊菩薩的住處。顯通寺初名大孚靈鷲寺，滄桑屢易，曾改爲永明寺。顯通寺的定名，還是康熙以後才改的。

內僑警台報字第〇三一號內銷證

自由報

THE FREE NEWS

第二三五期

中華民國僑務委員會頒發
台僑新字第三二三號登記證
中華郵政台字第一二八二號執照
登記爲第一類新聞紙類
（半週刊每星期三、六出版）
每份港幣壹角
台灣零售價新台幣貳元
社長：雷嘯岑
督印人：黃行富
社址：香港銅鑼灣高士威道二十號四樓
20 CAUSEWAY RD 3RD FL HONG KONG
TEL. 771726　電報掛號：7191
承印者：田風印刷廠
地址：香港灣仔高士打道二二一號
台灣分社
台北市西寧南路壹壹本號二樓
電話：三〇三四六
台郵撥儲金戶九二五二

台灣之隱憂亦就是我們人人的痛事

・吳本中・

筆者生茲亂世。過去執教倫敦，遙望祖國，輒若有所失，心惴惴焉，惶惶焉，胡不歸乎？對自己國家，不拔劍起舞；乃寄人籬下，以安，以逸，以老，以終乎！故到第三年暑假開始，即買舟東航，志在看看「自由祖國」的中興氣象，掬誠以自己的身心貢獻於國家。數載來，自愧無報效，但憂國心切，對內政，外交，人心，士氣，社會的深處，隨時默察深研。金門前線，全台建設，都市施政，以至窮鄉僻壤，筆者在前後五、六年間，均曾實際體驗觀察過，決非如導遊觀光，或集體行動，徒看外表而已。

作爲一個現代人，而不關心國事，逃避政治現實，但是糊塗而且這就是罪惡，就是早晚要禍己禍人的。要知道：眞正的幸福要眞正的自由，是我們自己流汗流血爭鬥來的。有什麼樣的人民就有什麼樣的政府，政權是由人民蛻化來的。我們非要先怨我們自己不成。起來吧，奮鬥！

第一個隱憂就是喊了十餘年反攻，而行動毫無。動生力，在物理學上如此，在軍事政治上亦如此。最好的操練，就是眞的打一打——不論是大打或小打。水不流則腐，器不用則銹，數十萬大軍，十餘年靜止（除金門挨打外），這種情形，恐不能再繼續下去了！固然，正式反攻，茲事體大，需要統籌一切，環顧中外，掌握良機。吾人姑不問十二年的內政外交所爲何事？即以最小限度言，亦可學當年復興法國之戴高樂，不斷向法國大陸沿海的突擊戰術，或如滿清努爾哈赤，不斷進襲山海關一帶，使明朝困憊不堪，卒致傾覆明祚。突擊戰並不必一定守住灘頭，或深入內地，主要是「以少擾多」，「出其不意，攻其不備」，能留即留，不能留即退，以最少犧牲，取最大效果，政治性宣傳性重於實際戰爭性。軍事效果何妨等於零；政治影響係無限計數。海內外人心必爲之一振，不求團結而亦必全世界中國人大團結矣。抗戰前馬占山孤軍在黑龍江與日本打，其敗也，必然在中國人心目中，雖敗猶勝。淞滬戰役，我軍之潰退亦意中事，然敢打，即雖退猶進。這就是我們中國人的勁氣。大陸海岸線如此之長，島嶼如此之多，風雨之變，雲霧之幻，晨將之候，難道說我們海陸空健兒竟無機會一顯身手乎？筆者此意已熟慮心中有年，三載前曾以書面上達於兩位最高公僕，近與法國武官長談兩籲後，復函懇某要員轉達。經其覆以「戰機之抉擇與把握，最高統帥想亦根據政治及軍事因素有所熟慮」。

第二個隱憂是政治社會甚至文化學術等各界，基層[illegible]漸見腐蝕，樓閣雖在，而棟樑或已蠹蛀，經得起暴風雨嗎？即使幸而能返大陸，這種風氣要得嗎？是否可以復興中華民族呢？一個社會基於種種因素漸變成反常狀態，或全社會表現着歇斯底里亞神經病；[illegible]大家爭相拉攏，其有正人君子焉，居敬存誠，恥於招搖闖騙，植黨營私，他就是時代棄兒，沒人理睬。至若分屍，槍殺，學府之地，伏屍纍纍；廟堂之上，女人任意哭賊，更足證法治不靈，是非不分，形成漆黑一團的景象。昔[illegible]浩嘆：「不黑不白不痛不癢」之風。今日之台灣政風與社會情況[illegible]一種虛浮習氣，外賓稍一發出客氣話或「外交詞令」，微讚台灣「有進步」，則感到飄飄欲仙，自我陶醉；偶遇眞正忠烈愛國志士直言不諱，忠耿批評，則勃然色變，衷心有說不出之反感，以爲故意苛求與政府爲難，甚至量以「他們的」尺度，扣以「不忠貞」或「爲匪張目」的帽子。夫「進步」者，即使是眞有進步，乃比較之言。在我儕志在光復祖國，重造中華，創一千萬年燦爛康樂中國者而言，「台灣十二年」餘的一點「進步」，在比例表上幾等於最低點（不說等於零），進步乃是自然，當然。不進步是反常，是大大的不應當。我們在國際場合爲中國人自己的面子，未有不以鄭重尊嚴態度向外人，告以自由中國之種種努力，然不能虛誇，免引起反作用。要知：人之聰明，雖不如我，然人之視己，如見其肺肝然，虛讒終非常事。而「言忠信，行篤敬」，雖蠻貊之邦行矣。筆者稚年負笈法，英，亦及美國，後屢次出國，繞環球一週半，深知其奧妙。譬如以英人對我方友誼言，政界莫過 William Teeling，學界當推港大某教授。秋林於前數年第二次訪台後，拘膝長談，告以「台灣人士清談，見面比較不輕自空言反攻，逞強，自勝」。足見友善如彼，亦不輕信我們「空言宣傳」。渠更言：「我時常想，台灣若無美援，將如何？」[illegible]

渠雖明言各種難題，但僅以「我希望」「我相信」等「外交辭令」結束談話，並無鴻謀相告。其實，我們自己困難，惟我們自己可解決，外賓何有於我哉。對情報處長之言當時，筆者心中十二分不舒服。即駁以：「大英帝國接受美援比我們多！「自由中國」與香港不同」；我們六十萬大軍，我們是在戰線上，對外！[illegible]許多派出使節，大話如「學人」，有虛浮「亂講話」的毛病，[illegible]使人暗笑輕視，莫過於此。

[illegible]問我們有什麼資格可[illegible]

[illegible]

大話之一

大話之二

漫畫天下　南池

[illegible]

自由談

幼稚

美國對於南越的反共戰役，不惜大力支援；且以「八千子弟兵」實行參戰，可謂勇矣！但溯究南越共禍之所由來，實係當年美國對越戰負邊府之役，臨時退縮，且聲言以「痛苦的決定」參加越戰和談協定，承認越共竊據大半部安南領土的非法政權，引狼入室，妄冀苟安。今日又驚呼「狼來了」，不能不協同越人從事於驅狼的工作，事倍而功半；可哂孰甚耶？

美國對於寮共挾着中俄共的後援以醜亂，視爲無足輕重，再三強迫寮國當局跟共黨組織聯合政府；且以停止軍經援助相威脅；國務院綜持遠東事務的大員哈里曼，亦公然說出不屑援助不遵循美國政策的政府這類橫[illegible]。如今寮共快要進攻首都永珍，可能席捲全寮了，美國又不免驚慌起來，既派軍艦巡弋暹邏灣，更遣陸軍千名赴泰國協防，用意是在維護泰國的安全，而準備放棄寮國了。

寮國一旦淪亡，不特[illegible]越的共禍日益猖獗，沒法[illegible]清，泰國亦在共黨的幾面威脅中，岌岌可危，至於高[illegible]之投入共黨陣營中，殆爲[illegible]所必至，無可如何。這樣[illegible]來，美國爲着維持其所謂「威望」起見，即不得不在南越和泰國作長期而絕望的防共「游擊戰」，卻幻想與[illegible]謀皮——希望俄帝制止中越、寮各個共黨適可而止[illegible]

[illegible]和平共存，可兩執其耶？

[illegible]

馬五先生

[illegible]

一九六二年五月十五日於香港

（本報記者陳知青澎湖航訊）（續上期）二日下午及三日上午，各團會分農林漁牧等八組至澎湖四個鄉鎮考察，楊部長沈部長於三日下午三時飛返台北。三日下午由農復會主委蔣夢麟主持一次很圓滿的座談會，下午四時返北，留一部份專家繼續考察一兩天。農復會方面對澎湖的協助：

一、漁業方面。協助淺海養殖魚蝦牡蠣蛤類。派員赴日研究魚產加工。漁會貸款三千萬中優撥澎湖區漁會。建議減免漁網等進口稅等等。

二、水利方面：決定先在西嶼助建深水井一口，如水源不成問題，將在虎井再建一口。逐步發展，解決飲水。

三、農貸方面：希望藉宣傳使農民利用貸款，並信任農會而增加存款。

四、旱地作物：主張澈底執行離島隔離種植甜瓜及西瓜。沈宗瀚委員很風趣的說，他看到馬公的農民，西瓜甜瓜合種，雜交的結果，變成「傻瓜」，甜瓜不香甜，西瓜也壞了。隔種以後，可以外銷。

五、畜牧方面：李崇道技正主張養育嬰牛推廣本島。至於猪生產量每年過剩一千五百頭，已由物資局收購。發展牧草，也都在計劃中。

六、森林方面：見有合適的萱草，銀合歡，木麻黃的試種外，應注意新的樹種，設法造林。

兩視察團實地研究後
建設澎湖圖案有了眉目
目光要遠大計劃貴切實
即知而即行何事不成功

七、農業推廣：鄉鎮將增設指導員，男女各一；女指導員除指導農婦耕作外，並兼輔導農村家政。

八、農村衛生：決定十二村里增設急救箱。兆局長報告已有兩套，請求試辦診療所一所。

蔣主委的結論：科學不敷衍，祇有忠言，請大家信任專家，切實照計劃執行。經費可以請同行的各機關協助。他本人是Cnair-Man祇會做在椅子上的外行而已。蔣主委這幾句話，使全體與會人員均有諧和之感，並亦得到了鼓勵。美援分署顧問葛維廉說得好：請你們相信中國專家。外國專家祇能協助參攷的。美援計劃雖然改變，但凡是實際有效而有經濟價值者，美國一定協助。美大使館秘書梅葉說：澎湖有潛力，應繼續努力，詳細計劃，隨實際而修正。

美援分署顧問佛雷利用中國話「表演」，他說：澎湖比金馬好得多，雖風多，水少，但是要用克難精神，克服困難。而且要用新的方法，解決問題。過去進步已很多，今後應更加努力。

美援分署企劃處處長旆許伯提出三點意見：（一）計劃重要，資本不成問題。（二）計劃要實用。（三）建設計劃要以人民的需要和興趣爲依據。

綜合此次考察的結果，中央方面的決定，和友邦人士的鼓勵，我們大家應該有所認識：即目光必需放遠大些。「建設澎湖爲台灣海峽的夏威夷」，這是記者提出的，但不是口號，而是可以實行的，但我們的計劃必須要通盤的籌劃，而且要切切實實。

據澎湖縣長徐詠黎報告光復以來地方建設概況說：

澎湖見分六鄉鎮，九十三村里，人口男五〇・一七六人，女五〇・四六四人，合計十萬零六百四十人。國民教育入學兒童已超過百分之九十五。漁業生產量三一、二八九噸，年總收入二億餘。漁業人口三三、五九二人，平均年收益六、〇三七元。農業以高粱、地瓜、花生、蔬菜四大類爲主。造林一千二百八十一公頃，道林一一、九四一公尺。漁港廿三處，新建六處。柏油路縣鄉道九十五公里。光復十七年來，澎湖建設，可稱突飛猛晉，從前則只是荒涼的風砂之島而已。（完）

公務員對百姓非常驕傲
警察怎可要作之君師
立委陳祖貽提出很平實的質詢
反映民主與公平尚待痛下功夫

（本報記者台北航訊）立法委員陳祖貽，日前在立法院向行政院提出質詢時，舉出諸般不公平事實，都是很平實的小事，而爲老百姓所經常感受者，故亦眞正是老百姓心坎裏想要說的話。值得報導。

陳祖貽認爲現在公務人員尤其是下級公務人員，對「民主」「公平」這兩個觀念，還有加强的必要。

陳祖貽說：談到民主，我不强調人民對政府爭取個人的自由，與言論的自由，因爲這是在比非常時期常常有所爭論的。

我現在只提出消極方面的，如公務員對老百姓的態度，及對有關人民權利的制度規章等，實有許多是應該改善的。

說到公務員對老百姓的態度，他說：幾乎各級機關，尤其是稅捐人員，警察人員，乃至公營事業幾關人員，對老百姓的態度，都非常驕傲。又對警察教育的方式，也該重新考慮的，我看見警察學校教育學生「作之君，作之師」，像這種種口號，當然可以引致警察打老百姓的。攪的不好，憲兵又打警察。這樣攪下去，是不得了的。

在制度規章方面，他說：我覺得高級行政首長都有心把政治整好，對老百姓的利益不是沒有顧及，但是辦法不夠完善。舉例來說，建築國民住宅本是很好的事，但是結果房子蓋好沒有人要，這是什麼道理？因爲訂辦法不爲民衆考慮，處處只爲政府着想。恐怕政府的錢虛費，當然是應該。但如結果老百姓得不到實惠，又何必訂出這個辦法？而且與建國民住宅的執行人員，起初想在地皮上賺一筆錢，蓋房子時再偷工減料，因此成本很高，起碼要幾萬元，當然普通的老百姓買不起。如老百姓有幾萬元，自己造起來還要便宜些，又何必買你的呢？又如銀行小額貸款，也是限制很嚴，結果老百姓又是借不到，所以現在老百姓都說：向銀行借款除非有特殊力量支持或是買關節，否則休想借到一文！這個問題在那裏？就是草擬辦法時不是以民爲主的過失。政府自然有一種說法：「是顧慮投資的安全，保護國家的財產」。執行的人員也有一種說法：「我是依法辦理，沒有辦法幫忙的」。但是我要問：老百姓拿不到東西的辦法，等於高懸一塊肉要叫老百姓吃，而老百姓實在吃不到的，豈不是等於騙人！所以我覺得此後如要眞正表現民主，是要從許多制度規章表現出來，就是說從事實表現出來。

談到公平問題，陳祖貽舉出「人皆曰不可」的唐榮案說：譬如老百姓借款二萬、三萬借不到，而以前的揚子木材公司，及唐榮工廠都是一借幾千萬，結果都是倒賬，收不回來。若是給一千個老百姓倒了，也不過幾千萬而已！這是何等的不公平呀！又担保的辦法，我們政府最喜歡用舖保，這也是表示對人權不尊重，而且不切實際的。我記得以前在上海的時候，有幾家銀行五百元至一千元的小額貸款，只要兩個有正當職業的人担保就行。我覺得這個辦法很對。一個人沒有犯過法，有正當的職業，不一定比一家店舖差。至於假如說中國的老百姓都靠不住，那嗎整個民族都垮了。所以現在的許多辦法，應該有所改善。

陳祖貽又舉其他不公平的例子：現在簡單的違章建築都要拆，而違建的洋房却仍保留着。尤其是沿河一帶，水災來時，政府在拼命搶救，而過後老百姓想把房子弄高一點點避水不都行！待遇的問題也是一樣，我不反對有的機關高一點，但是要公平。又設備方面，公營事業機關都是洋房，室內有冷氣。但是看看我們的法庭怎麼樣呢？房子固然簡陋狹隘，連幾架新的電風扇都沒有！試問：法庭是怎樣莊嚴的地方，法官的工作是怎樣的辛苦，政府不可以替法院裝點冷氣嗎？古人說，不患寡而患不均，意思就在這裏。（吳越）

反攻決策應天順人
浙籍布商隱名獻金

（本報記者台北航訊）本月一日政府公佈國防臨時特別捐徵收條例後，即時獲得各方面的熱烈支持。

行政院陳兼院長，曾於當日中午收到基隆市某布商一封情文並茂的擁護函件及萬元支票一張。

這位不願透露姓名的布商在函中說：「某原籍浙江，自經營貿易行失敗後改業小型布店。每聞大陸同胞被共匪暴政壓迫，內心常存不安。今晨報載，總統明令公佈征收國防特捐、立法院對所提原案未作任何修正，順利通過，至爲興奮。除衷心擁護外，附具新台幣支票一萬元一紙，作爲充實反攻大陸準備金。上列之數雖少，如海內外同胞均同此心，必可集腋成裘，萬事可成。」

由於捐款人謙虛爲懷，並請勿公開姓名，故已由行政院將捐款發交財政部列收國防臨時特捐專戶存備用，並立即函覆嘉獎。

擁護政府反攻決策，表示愛國赤誠捐款一萬元的布商，雖然他堅決不願透露姓名，但終於還是被新聞記者查出，係基隆市仁三路五十號天福綢布莊的老闆鄭朝仕。他說：爲了擁護政府反攻決策，他才盡些微力捐款一萬元，這不過是拋磚引玉之意。他說：一旦反攻號角一響，他還要多捐錢，盡一份心意。（匡謬）

（（寶島））（（雜綴））

漁民醫院一場糊塗
議長聯會於法無據

△一向專門以「爭取待遇，謀取福利」爲目的的各縣市議長及副議長聯誼會，於法無據，且影響社會視聽，浪費公帑，再度被省府令禁止舉行。否則所提一切任何建議，概不予以考慮，有關費用開支亦不准報銷。

省令中指出：各縣市議長、副議長不得舉行聯誼會，早經省府於四十三年電飭遵照在案，近閱報章，各縣市議長及副議長，又有所謂聯誼會之召集，並作無法令依據之集體主張，殊有未合。

查各縣市議會有其法定職權，縣市議會議長及副議長對於地方興革意見，自應提出各該縣市議會，爲合法之討論，經多數通過，方能代表議會之意見。

△聽說省府大員蒞臨高雄視察，漁民醫院兩位醫師着慌，連夜遷出家眷，又四出急拉病人。高市漁會附設漁民醫院發生如此趣劇。

漁民醫院，由於人謀不臧，已成名存實亡，一榻糊塗狀態，平時漁民不敢入院求醫，兩位承包醫師索與携帶妻子兒女遷進居住，把病房變爲眷舍了。二日聽說省府派員來高，這兩位醫師着慌了，除連夜將妻子兒女遷出病房好，並四出强拉病人充場面。消息傳出，譽爲一大趣聞。

△台灣省養女保會護負責調解婚姻糾紛組長黃韵琴，她自己竟也鬧婚姻糾紛，誤與有婦之夫結婚。她在結婚那一天，龍鳳花燭被大婦搗毀，其新婚夫婿並被告了重婚罪。

台北市政府主計室副主任吳中鈞，因常去同鄉黃謙若家走動，而認識了黃家這位現任養女保護會調解婚姻組長的女兒黃韵琴，兩人日久情生，過往甚密，吳的大婦陳芸却被矇在鼓裏。吳向市府請求配給宿舍一所，想另成一個家庭，把陳芸仍留在原處。

吳中鈞不顧一切要和黃韵琴實行結婚，兩人具名發帖，邀請親友喜宴，家中高懸喜帳，室內燃點花燭，居然賀客盈門。其大婦陳芸聞悉，到派出所報案後，親赴現場加以阻止。陳芸一進門，見新娘黃韵琴濃裝坐於床頭，其夫亦衣冠楚楚，不由大怒，打了起來（陳芸並有診斷傷單爲證）。事情鬧到警局，吳某與黃女均承認是結婚的。陳芸越想越氣，乃具狀向台北地檢處告發吳某重婚罪嫌。

△六日零時五十五分，台灣大學內發生搶刦案一起，被搶者化學系二年級學生王明星，涉嫌搶刦的竟是三名僑生，他們於搶案發生一小時後，被警方在臨近台大的基隆路三段教育部僑生宿舍內捕獲。這三名國外來的因品行不端已被學校開除的僑生，計爲陳世部（旅韓僑生）、陳炳炎（旅泰僑生）、王樹功（旅韓僑生）。王明星被搶去的手表也在陳炳炎腕上發現。（昌玫）

民社黨團結運動
宣告獲初步成功
本年秋可望開全代會

（本報記者台北航訊）民社黨的團結運動，已經得到初步成功，由該黨三派六代表共同簽字的「團結公告」稱：「茲爲尊重本黨主席張君勱先生呼籲全黨團結之精誠，並順應全國人民反攻復國之需求，全黨同人自五月十一日起捐棄成見，共同籌開全國代表大會，重振黨務。特此聲明，至希亮詧」。

簽字於「團結公告」的六代表爲向構父，孫亞夫，王世憲，蔣勻田，郭虞裳，李緞。主持該黨此次團結運動的該黨元老戢翼翹，頗感快慰。

據悉：該黨全代會即由上列六代表負責籌備，有希望於本年秋天舉行，屆時張君勱亦有可能回國參加。（陸）

中國立命的根株

林介山

中庸思想究是什麼？就我研究所得，以時代的新觀點爲分析的基礎，中庸當有如下的解釋：

中庸思想是由多元思想化合統一而獨立的一種思想，以完全觀念爲基礎，既活潑而又不活潑，既沉滯而又不沉滯，是唯心與唯物二元綜合哲學的統一，從而淨煉爲一嶄新的元素，決非諸家學說的拼盤。正如南非史末資的「全化論」解釋「水」的「全化」一樣：水乃一分氫二分氧化合而成。氫與氧原均爲燃燒體，但化合後卻變成可澆熄燃燒物的水。因此，水不能說是含有火的成份，而係不同於火的性能的另一種新的獨立體。中庸思想的獨立性，應作如是觀，它是水，平實，庸和，但「可以載舟，亦可以覆舟」。

從科學實驗證明自然有「全化」的趨勢，亦等如證明中庸思想的正確性。愛因斯坦最後的研究，曾顯示他有將宇宙促進於一元的企圖，要製訂一個太初的定律。前英國科學協會會長甄氏（T. H. Jeans）以爲：「心與物即使不曾證明爲屬於同一性質，至少已被發見爲同一系統」（見民廿六年三月份「東方雜誌」）。美國康普敦教授曾說：「科學非僅以試驗管與原子盡其能事也。科學之任務，又在人與事事物物之各得其所，以解決人生問題」（見民廿二年一月份「國風」）。俄國生理學家巴夫洛夫，研究所得，以爲「人類情感與健康最有關聯。」他並預言：「人類思想的重要階段行將降臨，那時生理與心理，客觀與主觀，靈魂與肉體，如非統一，其對立部份亦被解決，或自然消滅」云云。除如相對論證明時空並非各別獨立，乃係互相關聯；動與靜，則爲互相牽引。量子論證明「質、能、量」，係有統一之源，三者不分。社會學家認爲個人意識與集體意識，雖然各別獨立，但集體意識不容離開多數個人意識的因子而存在。從政治經濟思想言，今日的社會，是關聯着經濟和政治，經濟串連着政治和社會，政治又貫繫着社會和經濟；三位一體，綜合研究，才是問題的中心。從哲學言，哲學上的「智、情、意」，係互爲表裏，互相關聯與適應，其至高的境界，亦爲綜合的統一。

我把孔學中庸作如此綜合統一性的科學分析，視之爲人類至高思想的法則，爲辨別是非正邪的準繩，除印證人生的事實外的並係依據儒學的解釋，及由悟覺中庸全篇要旨的啓示而來。例如曾子說：「夫子之道，忠恕而已。」「忠」是出己的誠，「恕」是對人的諒，而「忠與恕」係歸結於「仁」。「仁」便是總攝「忠與恕」的一元。中庸開篇說：「天命之謂性，率性之謂道，修道之謂教……致中和，天地位焉，萬物育焉。」即是要「天地位」而「萬物育」，主要在能有「性、道、教」三位一體的「中和」。這就是「仁」的內涵，中庸的眞義。「仁」是「忠恕」的原動力，「推己及人」的人類高尚行爲。中庸把「仁」解作「人」，此「人」不同於西方民主主義的「個人」，亦不是共產主義的「超人」，而係「親親而仁民，仁民而愛物」的「人與人」，「人與物」，「人與天」間相依存的「人與人類因素」（我在三月十日自由報發表「中國文化思想與人類前途」的文章裏稱「人」爲「神、人、物三合一的綜合體」便是此義）。爲實踐以此種人類因素爲中心的中庸學，獨特的中國倫理制度便由是而生。

中國倫理學有時是被稱作「人倫哲學」或「倫常制度」。因它不是純粹的倫理學，係完全以關聯人類因素諸問題爲中心的，培育人生價值，人性尊嚴，人格獨立，及發揚人權的制度和學問，是一種實踐倫理。

史家稱西方的文明來自二途：一是以公正爲德目之首的，以個人主義，發揚個性，尊人權，重法理爲質的希臘倫理。一是以愛爲德目之首的，以集體主義，發揚超我，尊人道，重信念爲質的希伯來倫理。前者發展爲今日的民主自由主義，後者被利用變質爲共產主義。中國的實踐倫理係以「仁」爲「人生的大本」，含有道家自然主義對個人，與墨學普世主義的博愛，便成爲兼攝希臘與希伯來二者文化之長；其發爲政治的思想，我們叫作民本主義。

（二）

香港與大陸

本月初五、六開始，偷渡中港邊界進入香港的大陸同胞特別洶湧而衆多，其數字打破以往十二年的紀錄，香港警方爲之忙得頭昏腦脹，且顯然感到十分棘手。前途如何，實在值得密切注意。

因爲香港官方嚴密的封鎖消息，究竟每天偷渡而來的大陸同胞有多少人？爲什麼突然有此現象？港方的應付策略爲何？偷渡者是否盡都復被遣送回去了？社會人士完全攪不清楚。社會人士所最感關切的，卻亦正是這幾個問題。

據本報記者採訪所得，從本月初五、六開始的一連七天來，每天偷渡中港邊界來到香港的大陸同胞，少的時候有六、七百人，多的時候竟達一二千人，合計已經接近萬人之數。而且今後是否繼續如此？誰亦說不上來。

共軍數百逃抵港

有的並携槍械來

七天中偷渡者近萬人

在這些偷渡者中，確實以老百姓爲多，但共軍與民兵亦確實有之。這些共軍，並非本月初曾經盛傳的分在兩個地方繳械逃到香港的那百多人（本報上期曾發表，那百多人並非共軍，實爲幾年前被中共騙回大陸的香港技工），而是後來逃到的。他們中有中共正規軍，亦有民兵，而且有的居然把槍械都帶來了，還有把「喊話筒」亦帶來了。共軍與民兵之外，又還有共幹，還有公務人員。

據本報記者採訪所得，港府爲了突然有如此衆多的人逃來本港，其應付辦法，除了動員大批警察增防邊界之外，英軍亦動員參加工作了，所有新界「禁區」，等於已進入戒嚴狀態；新界其他各地，亦增設崗卡，日夜檢查車輛與行人，並時有搜山之舉，目的都在於抓到那些偷渡入境者。

由於如此嚴密戒備與檢查，偷渡者確實少有不被截獲的。據本報記者採訪所得，這些被抓到的偷渡者，係被分爲兩類，分別處理。計：

（一）老百姓是一類，先把他們集中關起來，如粉嶺的警察學校，就關的是這些人。偷渡而來的老百姓中，以中共已允其出境而港方尚未允其入境的爲多，其餘則爲逃奔自由，逃避饑餓的老百姓。這些人都一一經過詢問，視其實情，加以處理。但這些人十九都被重行遣回大陸了。

（二）共軍、民兵、共幹，公務員以及其他有政治性的人物，又是一類，這些人都被集中關在粉嶺的一個軍營裏面；人數已接近五百，十之七八爲共軍與民兵，他們因爲奉命駐守邊界之便，所以得有機會逃入香港。共軍中許多都是北方人。這些人到現在還被關起來，將來如何處理尚不可知；但大概不會把他們遣返大陸的，爲的是他們如被遣回，準定是死。

從偷渡的老百姓突然如此衆多以及連共軍民兵都有機會便集體而逃，一方面似說明大陸饑餓更嚴重，中共已故意放寬出境申請，以節糧食；另方面則顯然說明：中共內部問題嚴重，連它們「保江山」的武裝部隊亦確實靠不住了。

（道）

向核彈抗戰

陳知青

六、原子核彈的原理

（三）鈾原子核彈的原理

（二）使鈾的體積達到最小的臨界體積，使新生的中子，必須通過其他的鈾的原子核，再起反應而不會逃走。（三）用減速劑石墨或重水，使中子減速成爲慢中子，正好可以不斷的和鈾二三五起作用。

所謂連鎖反應，就是打入一個中子進鈾原子核後，分裂之後，產生三個中子；這三個中子又打入三個原子核，分裂而生九個中子；再打擊九個原子核起分裂……這樣下去，越分裂越多，而產生極大的放射能量。

原子核彈於一九四五年七月十六日在美國新墨西哥州沙漠試驗成功。同年八月六日第一顆投於日本廣島，九日，第二顆投於長崎。這種原子核彈，所裝的鈾或鈽原料重自四．四磅至二二〇磅。裝在原子核彈的中部，分隔爲兩塊：頸部裝以炸藥，尾部裝入中子信管。當彈投下爆炸之時，炸藥推動鈾原料兩塊接連，使中子從信管中射出由石墨的緩和，而發生鈾的分裂，而起連鎖的放射分裂，產生巨量的能量。他的破壞威力，相當於兩萬噸的黃色炸藥。爆炸中心的強度，相當於太陽的溫度，約在攝氏五千度。放射能量，相等於一噸鐳錠的放射能。

至於此後的多少噸級，就看鈾、鈽、鈈原料的多少而定。大致上鈾原子核彈，因爲體積的關係，祇能做到這麼大小。在分裂性的原子核彈方面說，可以選擇「重原子量」的那些元素，來作新的發展。雖然，氫彈已經成功，但在戰爭上說，原子核分裂彈，自有它戰術上的功用。

這種新的方向，一般軍事上，爲了氫彈的大能而忽畧了；蘇俄的鈷彈，是原子核彈，外殼以鈷作成，放射後，鈷六十是放射性元素，所以傷害性甚大。我們要防禦鈷彈，對原子彈的研究，還是不能放鬆的。

（二十）

瘟君續夢

第五回：深壑難塡　反顏奴抗主　片言起釁　轉瞬德成仇

毛澤東點點頭：「談是談了，他說這些都是細微末節，將來交給尤金辦理就成了。」

李富春道：「主席要注意，我看赫老有意打太極拳，他在此地盡量說好話，一到莫斯科可能全部不算，到時候我們怎麼辦？」

毛澤東嘆口氣：「富春同志，你的話雖然有道理，但是，在我的立場來說，亦有困難。我不能作個乞兒，一個勁伸手向他要，必須要他自己肯援助才成。」

李富春苦喪着臉說道：「我們困難情況，主席可能還不太清楚，對內來說，我們生產的糧食連一半也不夠，又要援助一些友好國家，還要支付貿易協定規定的數額。前天和先念同志召集有關部門同志統計一下，明年度糧食相差太多，非向外國購買不可，否則連部隊和幹部都會挨餓。」

毛澤東聽說部隊會挨餓，在圈椅上坐不住了，站起來走了幾步，低聲向李富春說道：「富春同志，我們是老弟兄了，當年在長沙攪新民學會辦湘江評論的老同志，只剩你們夫婦還在我身邊，我說一句心腹話，無論如何要讓部隊吃飽，人民餓死完都沒關係，官兵一挨餓咱們就完了。」

李富春撫着胸口，十分痛苦的說道：「我目前要向主席請示的就是這一點，買糧食不能向社會主義兄弟國家買，就連中立國家也有限，只有向資本主義國家動腦筋。到時候蘇聯會不會又干涉。」

毛澤東冷笑一聲：「我想不會，他要干涉就請他賣糧食給我們好了。」

李富春咳嗽一陣，接着說道：「可是資本主義國家假使不賣給我們，怎麼辦呢？」

毛澤東大笑道：「那倒是不會的，你向資本主義國家去買一口棺木，明白告訴他們，棺木是留作埋葬他們用的，只要今天有錢賺，他們還是會賣的。只要你有錢，買他們的腦袋他們都賣。」

李富春苦笑道：「可是，我們現在就是沒有外滙了，連定金都付不出，請主席向赫老談談，希望蘇聯能借一筆現款給我們。」

毛澤東愕然道：「今天還打主意向蘇聯借錢，成嗎？他們是不是有外滙？」

李富春很有把握的說道：「他們外滙頭寸雖不充裕，幾十億美金應該有的，只要肯借五億元給我們，暫時難關就渡過了。不過，主席同他談的時候要謹慎一些，赫老這個人實在滑得很。」

毛澤東點點頭：「我明白了，你放心吧！」

晚間毛澤東設宴招待赫魯曉夫，飯後舉行第二次會談，毛澤東看準赫魯曉夫已有酒意，笑着說道：「我有一件事，和你商量，假若你不同意，我就放棄。」

赫魯曉夫連問：「什麼事，你只管說。」

毛澤東笑道：「我們今年糧食十分缺乏，據估計差一半還多，勢必要向外購買。可是，兄弟國家糧產都不充裕，中立國家太小，無濟於事，只有向資本主義國家購買，你以爲可不可以這樣作？」

（一〇〇）

憶玉軒雜綴

·秋淋·

六稚齋

民卅六，余客鷺門之翌年，榕城吳子基兄來書相告，山陰朱龍厂兄服官警界，不日將移住鼓嶼。龍厂精詩畫，善詩詞，謙謙君子也，可與君游。抵任或將來訪，幸望有以盡之。越一週，龍厂蒞止，相與縱談，知其虛懷若谷，不自矜滿，而才學豐富，非似軍旅中人，自幸得茲益友，殊慰。

龍厂為名畫家胡冷庵佩衡之得意弟子，習山水，取法漁山，上追石田山樵仲圭。學之不久，入西冷畫社，為西冷八友之一。中國畫法辦理函授者，肇始於胡冷庵。龍厂之成功，多半為胡所函授，得力在於自化，因天分既高，輒能澈悟其變化，故用筆圓轉如解索，挺拔似斧劈，深如其郛。廿年來浸饋於斯，藝事日精。因是鷺門之愛好者，競相爭請，既揚名於榕，復著譽於廈，入閩之士，無不知之。龍厂嘗作畫繪巨松如龍，朋輩見之，幾亦疑為是龍，因即自署曰蒼髯龍菴。

當其寓居彰化，每於警務之暇，輒寫畫以自遣。因善撫琴，在未作畫時，偶撫七絃琴，焚香默坐，能作高山流水之音，古趣盎然。台省警界，如此雅人，恐無其儔，洵出類拔萃之藝術家也。他在琴畫之外，復善揮書，寫詩，塡詞，近在寓居，自額其室，曰六稚齋。其意謂一生學力，所能琴畫書詩詞，僅有其五，尚缺一項未能，是為六稚，誠自謙也。

余寫塵海偶錄，皆山川人物飲食之事，賞者極寥。龍厂見述故都一蕭（謙中），抵書來詢，是否為余手筆，復寄請教，因獲其念奴嬌詞，有云：「細數聚散因緣，風萍烟絮，幾度同為客。偶記鴻泥皆舊夢，何事撩人吟魄？沽酒敲詩，煮茶談鬼，不辭爭歸得。萬塵如海，一鐙須對頭白！」其言確切，實是妙筆。

劉家的瓌寶

古語云：「懷璧其罪」。是指春秋時卞和得玉事。但是因古物而遭遇迫獻，釀成大獄者仍多，無非由貪之一字而起。明嚴分宜欲得王氏清明上河圖，而羅織其罪以殺之，即平劇中之「一捧雪」故事，為較顯著。近代狄曼農為黃鶴山樵青卞隱居圖，亦幾遭禍。緣曼農[illegible]江西，家藏希世兩寶，為青卞與五老兩圖。臬司某，亦好古，以勢迫狄獻青卞，曼農不敢拒，以五老圖呈之。臬司不滿，責令再獻，狄遂掛冠，揚帆而遁。上司擬責以棄官罪，幸藩司力為疏解而罷。茲所述者，為四川劉聲諱之獻岳書文跋也。（未完）

花香月上樓小品

齊天大聖

黃葉村人

清末，余居廣州。廣州民居多築有神樓，以供奉神佛和祖先。所謂神樓，皆築於正廳之上，以木間架成之。早晚注香時，須梯而登，事畢撤梯，其常也。富厚之家，且特製楠木櫥，中放神佛塑像，右安祖先靈牌。最奇者，神佛像中觀音大士，關公之外，更有「齊天大聖」，毛首毛面，使人見之殊怪。蓋「大聖」者，即西遊記中之孫悟空也。尤奇者，每家之「大聖」香爐，必倒插一玻璃製之事物，其型下圓而底平，中空，上伸一柱，亦中空，粵人名之曰「玻璃乒乓」，蓋兒童玩具，吹之可以作「乒乓」「乒乓」之聲者也。詢其用意，砸知粵俗好賭，其時廣州賭禁大開，「番攤」、「闈姓」、「白鴿票」……無所不有。人有買「闈姓」、「山票」等者，多將票面欲買之字點出，壓於香爐底，而於早晚燃香時，注意有無乒乓聲響，有則照字購票，無則再點。事實上，香爐枝炷，火氣下蘊，氣從乒乓孔入，時時會作聲，非有任何神異也。以為神果有靈，間亦有中者，因而信之極虔。實則，孫行者，何許人也？齊天大聖，又誰封之者也？亦不過唐人自援，自欺欺人而已。

廣州大石街有塾師何少石者，忠厚長者也。一日，從街口「社公」壇過，見一漢子手提一猴面小木偶，擲於壇上，且行且罵曰：「供汝七八年，竟無一次靈應，眞眞豈有此理」！何心知為賭徒，俟其遠去，拾歸，滌淨後，供諸神樓中，早晚炷香，朔望則獻以菓品，如是三年，從未向此猴面人身之偶像有任何要求也。何夫婦年近五十，尚無子。一夕睡醒，聞神樓上插於「大聖」爐之「玻璃乒乓」頻頻作響，初猶以為偶然耳。側耳細聽，似有人吹之使然者，始大驚。亟喚其妻醒，共燭之，則見一猴，以左手執乒乓而吹，右手則拍腿而和。大驚！以為「大聖」顯靈，夫婦跪地膜拜。猴子見人至，驚而跳下，頸繫鐵鍊，被樓板扣住，倒掛而嗥。諦視，知是眞猴，已斷尾，疑是人家逸猴，不知由何而至？於是繫猴，梯而登，見樓頂天窗破損，猴乃從窗而下者。神櫥下有布包一，攜下解視，則燦然皆珠玉金飾也。夫婦深以為異。乃幽猴于內室，密訪失猴及物者。（未完）

鼓掌的時機

汶津

「掌聲雷動」，「掌聲如潮」……是記者們經常差遣的詞句。幾乎在每一個公共場合中，萬能的雙手都要參加這種撞擊運動。古時代的人們似乎並無此癖，老殘遊記上寫明湖居聽書一段，有兩處類似的文章：「台下叫好的聲音，不絕於耳。」「台下叫好之聲，轟然雷動。」古人比較有君子風，因此動口不動手。但是彼一時，此一時，我們不妨研究研究鼓掌之道吧。」

鼓掌的「能手」們每有優越的先天條件——掌心皮層較厚，細胞組織也特殊些，因而不鼓掌則已，一鼓則必然像放連珠砲似的，不可收拾。有些仁兄心裏存着「禮多人不怪」的古訓，到處熱心地鼓掌，但似乎不太了解鼓掌的時機。這就不免愧為新時代的新國民了。

最上乘的掌聲等於是會心的微笑，那是一種靈魂的藝術，運用之妙，存乎一心，大可不必考究它的時機。但還有更多的掌聲顯然是「外鑠」的。有大亨焉，在某次宴會上心血來潮，訓話半小時，當其餘音繞樑之際，你若躬逢其盛而不知鼓動雙手，則不免愧對生身父母。有名流學者，專題演說數（還是不要說實數的好，以免冒瀆）小時之後，你發覺自己只聽懂了他的方言國語三到五句，此時不鼓掌，也將使你終生遺憾。有晚會焉，號稱[illegible]時伊始，你正襟危坐於硬板凳上，舉腕表而諦視，短針業已踰「八」，而台上猶鴉雀無聲，此時若不知開風氣之先，「雷動」一番，又不免辜負主人的雅意。

至於有人說新亭故事，說災民情狀，會堂可以稍息。有些場合只宜沉默，只宜低徊，此際若摻入了掌聲，破壞了整個情調，你便是罪人了。更有一種使自己汗顏的掌聲，無以名之，姑稱為「搶鼓」，當台上的演奏者稍稍低沉其音，正待另起高潮的當兒，竟有迫不及待的聽眾慨然出掌，干擾清音。由於古道熱腸而不選擇時機，遂成為一夕的笑柄，未免不值。

有一種演說使人懷疑主講者有接受掌聲狂。每說一段，便砌入若干驚歎句，然後及時煞住。此一煞非同音樂中的休止符，而是暗示聽眾來個高調的「伴奏」。如果你正好忝為座中一客，不妨鼓足平生之氣，使雙掌播出清脆美妙的聲響，藉以助興。於是那位主講的名流必然喜形於色。重新滔滔不絕的說下去了。歸途上，你心裏一定會有實踐了「日行一善」的喜悅。

有時正當飢腸轆轆，而說教者精力愈為強旺，未免有「天將降大任於是人也」的感慨。忽然耳聞一聲「完了。」不禁喜極欲狂，於是掌聲賽似錢塘潮，而且賓主盡歡——講者以為收效良多，此心堪慰；聽者則急馳飯廳，解決民生問題去也！

至於數人小聚，老友長談，說得眉飛色舞之際，又何妨放浪形骸，高歌一曲，鼓掌若干。至此則時機云者，未免太嫌迂腐了。

附記：本文寫成後的第二天，我參加了一次中非文藝座談會，主要是菲律賓文藝訪問團的畫家曼納沙拉等的報告。在這次座談會中，我發現了一個有關本題的新竅門。原來在客人報告到某一段有關的光榮事蹟時，全場必須鼓掌助興，這可能也是一種不成文法。奈何在場的不一定都能聽懂貴賓所用的語言，結果在若干處掌聲乍起，卻只是寥寥數聲，於是等到加以翻譯以後，不得不再追加一次。就這種特殊情況而論，看談鼓掌的時機也只能是亡羊補牢了。

海嶠叢談

漫談麻將牌（二）

諸葛文侯

外國人亦受到玩麻將牌的傳染者，以日本人最早，而且最認眞，美國人次之。三十幾年前我在日本讀書時，每見日人所設立的「麻將俱樂部」墻壁間，貼滿了「研究心得」的報告文字，內容都是敘述自己和了一次有番數的大牌，從開始出進張子的次序說起，一直到和牌為止，洋洋大觀，有若學校教師的講義然。這在咱們中國人看來，殊屬淺薄可笑，但他們卻津津樂道之。這也表現着日本人對於一切學問之道，總是從基本工夫上，按步就班地勤力學習，必求甚解，決不剽竊忽略，他們今日在科學技藝方面，居於亞洲人的首席地位，良有以也。

我國的麻將牌暨「牌九」，其建構與運用之中，皆含有高等數理知識，純具科學性，絕非歐美社會的撲克，橋牌那類玩藝所可企及。咱們的民族在娛樂小品方面，既有這樣高級的文化智能，而科學卻至今遠落人後，這決不是中國人的智慧越過越衰弱，大概是儒學那套鄙視「奇技淫巧」的傳統觀念，阻滯了科學思想的發展吧？

打麻將和下棋，跑馬的意義無殊，然世俗皆視玩牌為賭博性的不良嗜好，而以其他的玩藝為高尚娛樂，眞是莫名其妙。下棋又何嘗沒有以財物來博勝負的？跑馬更是十足的賭博行為。香港市民在家裏以金錢賭撲克，單雙、字花等等，是犯法之事，必須查禁，但在馬場賭跑馬，雖一斥數萬金，不特不受禁制；且博得官民人等一律稱讚為「豪客」。這亦有如現時咱們政治上的一些官兒們，對於玩麻將總是期期以為不可，有時候還教警察到民家去抓賭——抓打牌的。但他們卻不惜集資千萬元來設置一所賭高爾夫球的場地，而美其名曰高尚娛樂，更託詞於英美人士皆嗜好此道。實則若就浪費財力物力的觀點而論，一座高爾夫球場的建造費和道具設備費，駭人聽聞，如以台幣計算，縱教全台北市的居民個個玩麻將牌，玩上一年亦不會有偌大的錢財損耗吧？硬說打高爾夫就是高尚娛樂，應由達官貴人來提倡，打麻將便是低級趣味，官府即可查禁，這道理殊覺可哂也。

人類的任何一種消閒娛樂行為，若從道學的觀點而言，都有玩物喪志的作用；若從節約生活的角度來設想，皆在浪費之列。人除非絕聖棄智，離羣索居，老死不相往來，鷄鳴犬吠之聲不相聞，否則決不能毫無一點消閒娛樂的嗜好。我就不相信世界上眞有不染任何所謂不良嗜好之人。表面上滿口道德仁義，好似聖人復生之徒，暗地裏單騎入花叢，或欣賞脫衣舞者，比比皆是。打麻將實係一切不良嗜好中之貽害較輕的，只要不沈湎於此，曠廢正業，庸何傷乎？

訂正：上期本文末段有「見利忘義」一句，「利」字誤為「義」字，特此訂正。

山川風物

龍隱巖

·道南·

桂林龍隱巖，在漓江東岸七星山南麓。范成大之桂海虞衡志記該巖謂：「龍隱洞，龍隱巖，皆在七星山脚，門高可百丈，鼓櫂而入，仰觀洞頂有龍跡夭矯若印泥然，其長竟洞。舟行僅一箭許，別有洞門可出。巖在洞側，山半有小寺，即巖為佛堂，不復室。」可見該巖在宋時，尚在江水中，至明代則已變為陸地。

龍跡在巖頂，遊者仰觀，長十餘丈，鬚、角、鱗、爪畢現，夭矯如生，印在石山，有非人工所能致。或係萬千年前，有如世所謂恐龍大動物，在此蛻化，故留此奇跡，而有此奇觀。

該巖石刻甚多，巖之兩壁及巖口，題刻幾遍，且大半係宋代遺物。石刻中最有歷史價值的，是宋元祐黨人碑。該碑原係蔡京所書，刻在巖口，雖已千年舊物，現字體尚甚完整。黨人第一名即為司馬光。

巖外尚有平雲三將題名碑，碑高而巨，係記宋狄青平儂智高之功。距巖不遠，有一小丘，名望城岡，傳即狄青平儂智高兵過桂林時駐兵之所。

巖內的舊寺佛堂尚存，不過只是木造的。在抗戰時期，是避日機空襲好去處。

屏居

·姚琮·

難得嬰兒百不知，投閒轉覺老相宜。

堦前春草無人問，惟有書聲出敝帷。

內傳警台報字第〇三一號內銷證
自由報
THE FREE NEWS
第二三六期
中華民國僑務委員會頒發
台報新字第三二三號登記證
中華郵政台字第一二八二號執照
登記為第一類新聞紙類
（半週刊每星期三、六出版）
每份港幣壹角
台灣零售價新台幣貳元
社長：雷嘯岑
督印人：黃行書
社址：香港銅鑼灣高士威道二十號四樓
20 CAUSEWAY RD 3RD FL
HONG KONG
TEL. 771726 電報掛號：7191
承印者：田風印刷廠
地址：香港灣仔高士打道二二一號
台灣分社
台北市西寧南路壹壹零號二樓
電話：三〇三四六
台郵撥帳金戶九二五二

從香港難民問題說起

·李宗谷·

近來香港當局爲着應付從大陸上蜂擁而至的難民問題，胼手胝足，焦頭爛額；每天還要對這羣餓得發慌的「不速之客」，招待一次餐食，然後將他們遞解出境；且因此而招致國際間的批評、責難與怨懟，無暇辯解。這眞是一項「不能逃避的高度厭惡的職責」——英國代表馬紹爾在聯合國救濟難民機構會議中所說的——我們住在香港的人，固然深切地瞭解港政府這種不得已的應付方法，但認爲這樣不能解決問題，而來日方長，後患無窮，若不從根本大計着手，很可能成爲冷戰中最奇特而極其困擾的難題，使自由世界又吃一次敗仗哩！

我們根據過去的事實經驗，認定這是毛共政權有計劃的實行「以鄰爲壑」政策，是對自由世界的一種「靠害」行爲。當民國卅七——八年之間，中華民國政府厲行勦共時期，毛共即將其所竊據的蘇北一帶地方人民，凡是認爲不可靠的「階級敵人」和窮苦無告的老弱羣衆，均趕到上海、南京各都市中來，藉以擾亂國府治下的社會秩序，增加執政當局的困難，且減少共區的糧食消耗。這是政治和經濟的雙層魔術，共黨慣爲之。日前報載消息，粵共對於一般民衆申請赴港澳的通行證，一律照發。但在上海等地方的老弱婦孺們，雖有親屬在海外可以照顧的，亦不許其離境。即此可知毛共的用意所在了。

站在中國人的立場，我們當然希望香港政府基於人道主義，以及英國素來保護政治難民的傳統政策，對於逃出人間地獄的饑餓同胞，一例援之以手，讓他們進入「生天」，免於死亡的威脅。可是，若替港政府設想，蕞爾海隅小島，居民已在三百萬人以上，再要源源而來的激增人口，不特食住皆成大問題，即飲料水亦時有不濟的危險，深圳方面雖有淡水可以購入，但共產黨是不講道理，不守信用的，它隨時可以假借某種口實，對本港搗蛋顚亂。香港當局懲前毖後，實有不能容許大量難民入境的苦衷在。假使英國政府亦如美法諸國一樣，今日依然是中華民國的友邦，對於處理這項問題，雙方當局自可密切合作，協同籌劃，事件的嚴重性即相應的減輕得多了。無奈英倫當局爲着商業利益暨保障香港安全計，急不暇擇的搶先承認毛共暴力政權，結果英國在中國大陸上的原有資財完全化爲烏有，商業利益亦僅止於少數的軍用物資交易，而香港竟招來目前這種沒法排遣的難民入境糾紛。英國在國際政治外交上，素以老練著稱，這回却得不償失，大上其當了！當年對毛共政權極示親近的工黨政府諸公，不聞有關於香港難民問題的「高見」發表，大概是不無懊悔意念吧？

如何應付潮湧般的難民入境問題，原係消極措施。共黨政權存在一天，凡是跟它比鄰而又不同政治制度的國家，除非實行共產革命，向它看齊，忝附「兄弟國家」之列，否則你無論怎樣地遷就巴結它，企圖苟安共處，終歸是自尋苦惱，禍至無日的！假使英倫政府當年對韓戰不拼命的阻止美國採取戰勝策略，不以全力反對麥克阿瑟元帥的戰略計畫，毛共早就消滅了。並且亦不致引起俄共的參戰行動，因爲那時俄帝尙未能製造原子武器，而史達林不久即告暴斃，今日已有確切的事實足以證明了。現在若論消極措施，我們認爲紐約的國際救濟難民委員會會長赫維爾的六點建議，比較於事有濟，那就是：（一）香港停止遞解難民，至少以六個月爲期；（二）由英國召開一次國際會議，凡屬可能願意協助減輕香港當前危機的國家，均邀請其派代表出席；（三）中華民國政府負責在一九六三年年底以前，將十萬難民赴移台灣；（四）美國國會應通過參議員哈特提出的法案，增加中國難民赴美國的數額；（五）聯合國救濟難民高級專員應受命集中注意於香港局勢，並予以物質援助；（六）世界各地區的自由人士，應參加緊急及長期計劃，協助救濟中國難民。

以上六項辦法中，要中華民國政府在一年多的時間內，徙置十萬難民於台灣，自係相當吃力的事。但這些不堪奴役饑餓而逃出大陸的難民，都是中華民國的兒女，我們政府負有照料的職責，應該而且必須盡其在我，努力這項救濟工作，庶足以激勵國際間的同情與援精神。至於聯合國救濟難民機構，顧名思義，責無旁貸，中東巴勒斯坦的近百萬難民，聯合國早就設置專門機構和人員，負責收容救濟多年了，而其事業之煩劇，耗費之鉅大，且視今日救濟香港難民，超過倍蓰，我們尤有理由要求一視同仁，無所軒輊。

不過，這六項建議即令見諸實行，而毛共旣是以驅使饑民來「靠害」自由世界爲目的，它若將六億人口中的百分之一的人數，故意驅策出來，亦就可使自由世界不勝其救濟之苦。如廣東一省即有五千萬人民，毛共若放出十分之一，便敎自由世界的救濟工作，難乎爲繼呢！所以，基於整個自由人類的利害禍福關係，還得從積極措施着手，而其唯一有效的方法，就要英美兩國改變現行的重歐輕亞政策，在精神與物質上，援助中華民國政府實行軍事反攻大陸。就目前的情勢來說，軍事反攻的各種條件皆已具備了，中國政府渙汗大號，申討叛逆，並不需要別國派兵參戰，名正言順，天與人歸，失此時機，必貽他日噬臍之憂。美國旣可以派軍參預越南的反共戰爭，亦可以派軍進駐泰國，協防共黨侵略，並不怕因此而直接對毛共作戰，以致引起俄帝的不平，對於中華民國政府自力勦共，決不需要美軍參加的這回事，乃多方齮齕阻碍，而託詞於避免引起全面戰爭，其誰欺乎？事實上，今日危害亞洲的惡勢力只有毛共集團而已。沒有毛共存在，東南亞絕對不會發生如目前的動亂局勢，毫無疑問。英美惑於重歐輕亞的不健全政策，對於亞洲方面的共禍，始終採取妥協姑息作風，慢慢地已經嘗到惡果了。如美國今日派軍近萬人參預越南，泰國的反共工作，而當年聯合參謀會議主席雷德福上將對越南奠邊府之役，僅主張美國以少數空軍助戰，即可擊潰越共的計劃，却因英國反對之故，不予採納，相反地且攪出一幕讓越共奄有半壁江山的日內瓦和談悲劇，貽禍至今，美國又不得不劍及屨及，派大軍介入東南半島的反共戰爭了。孰得孰失，昭然可覩，這不是姑息主義的惡果嗎？

毛共的釀亂行爲還多着，它最近又跟巴基斯坦簽訂協定，承認喀什米爾是巴國的領土，這明明是利用自由世界內部——尤其是英美間——的矛盾情況而擴大之，它可以乘機坐收漁人之利。將來英美在印度與巴基斯坦的外交行動中，勢必產生若干無法協調的歧見，徒然給毛共造機會。「慶父不去，魯難未已」，不將毛共消滅，亞洲只有日趨動亂，狼烟處處，戰火頻發，終致美國疲於奔命，英國嗒然若喪，最後禍及己身，祇好奮起從事大戰以圖存之一途。

他也怕「人海」了

非走向戰爭不可

自由談

何不化零為整？

立法院最近通過了一項「罰金、罰鍰、裁判費、公證費提高標準條例」，這是對於舊有法令不合時宜之處，加以補苴罅漏的工夫，未嘗不好。不過，像這樣的缺點，舊法令所在多有，認眞檢討起來，實在不勝枚舉。我認爲與其消極地從事零碎補救，不如積極地作全面審核，分別修正或廢止之爲愈也。

現行憲法頒佈實施已經十多年了，我們行的是憲政之治，但是，作爲民衆生活軌範的法令規章，依然是訓政時期所製訂的那一套，甚至卅年前軍事委員會在勦匪區域內頒行的特種法規，以及對日抗戰時期所行使的非常法令，旣未經政府明令廢止，必要時即可自由援用。此外，還有舊時「官選」立法委員所立出的某些極不合理的法律——如做過一次立委後，即具有律師，會計師的當然資格之類——早已爲世人所詬病，亦照樣通行如故。這那裏談得上是憲政之治呢？

老百姓對政府的法制漠不關心，也無從過問，號稱爲代表民衆預聞政治的知識份子，又多不求甚解，得過且過。所以，咱們提倡科學與民主生活將近半世紀，而科學與民主的實質仍在虛無縹渺間，但聞一般士大夫常鬥口實是非而已。

我建議立法院：將民國卅八年以前所頒佈的一切法律，不問是否經過了立法程序，也不管是那個機關製訂的，一體仔細審查研討，該存的存，該廢的廢，應修正補充的即分別修補之，而以適合法治憲政生活爲原則。這項工作若由現有的各個委員會負責進行，三個月即可蕆事。在審議時，亦可邀約其他四院——尤其是行政院——派員列席，對於有關的法律表示意見，藉資參考。這是一項最重要的時代任務，與民更始，其命維新，蓋盛事也，企予望之！

馮五先生

台省經濟欣欣向榮

人口雖多而青年　是負担亦是財產

（本報記者台北航訊）台灣省的經濟發展，有優厚的條件，亦有困難的因素。台灣省的經濟，雖確實有其困難，這些年來的發展，仍然着實可觀。循此努力下去，還會有更大的發展前途。台省經濟發展已獲得的成就，可從下列三方面看出：

（一）爲出口增加。台產品去年度的出口價值，較之民國四十五年，增加了百分之四十，平均每年正以百分之八的速率增加中。而值得高興的，在出口中，工業品已達總數的百分之五十二，農產品降爲百分之四十八。這說明台省經濟的眞正邁步進入了工業化之門。隨着人口的增加，農產品本銷會加多，工業品的出口，勢必逐年遞增。

（二）爲工業生產值逐漸追上農業生產值，不久並將超過農業生產值。近四年來，農業生產值增加百分之二〇點三，平均每年增加百分之五點〇七；工業生產值增加百分之五七點六，平均每年增加百分之一四點四。民國四十五年農業生產淨值爲八十五億六千萬元，工業生產淨值爲五十三億一千萬元，計爲一百對六二之比；但民國四十九年，農業生產淨值爲一百三十七億八千萬元，工業生產淨值爲一百一十二億一千萬元，計爲一百對八十一之比。照此增加率推算，再過一二年，工農業生產值可相等了；過此則工業生產值會出現超過農業生產值的新局面了。

（三）爲公民營事業生產比重的轉變。在民國三十八年，公民營事業生產淨值爲百分之七十二點五對百分之二十七點五；但至民國四十六年，民營事業生產淨值增爲百分之五四點七，公營事業生產淨值則減爲百分之四五點三了；而民國四十八年，民營事業生產淨值更達百分之六二，公營降爲百分之三八。估計以此速度，五年之後，公民營生產值將達百分之二〇與八〇之比，民營佔絕對的優勢地位。

台灣省因地理位置關係，天然的災害多，土地又貧瘠，山多地少，資源甚爲缺乏，同時人口又多，都是經濟發展的困難因素。但由於以往的建設成就，台省的交通系統，電力供應系統，灌溉系統以及郵電系統，都很有了規模，成爲台灣省經濟發展的有利條件。而台省的人口，平均年齡只有二十二歲，頗年輕，亦是一項有利條件。據統計：台省目前人口平均每戶八人，其中一人管家，二人直接生產，一人間接生產，二人在學，另二人爲小孩。是一種欣欣向榮的樣子。（生）

台灣青年最可喜的好風氣

埋頭學問不亂搞示威游行

中華民族必將復興此爲主要理由

×（美洲）（通訊）×

嘯岑社長先生濱右：近閱貴報第二二八期「旁觀筆戰的感想」，與第二二九、二三〇期「今文觀止」兩文，爲之神往。現正託台北友人代覓李敖、鄭學稼諸先生大作，俾獲捧讀並評量其見解。昔福祿特爾曾有云：「我完全不同意你的見解，但我完全同意你有發表你的意見之權利。」弟對此次筆戰亦持同一態度。茲再有數點奉瀆如下：

（一）科玄問題：自培根、笛卡兒以降，即爲學者爭論不停之主題。以法國而言，十九世紀大部分論辯之勝利者，屬科學派，雖有名之文學家思想家如泰納Taine、拉南Renan等人均屬於此派。其大本營爲高等工藝大學。聖西門、孔德、馬克斯等最初均相信法國將變爲第一社會主義國家，使天國降臨地面。但十九世紀末年以迄現代，柏格森、馬理唐Maritain、馬賽爾Marcel等學者議論抬頭，玄學派力量大振，科學派之主張祇降爲人民大衆間之一種信仰而已。以美國而言，則「進步」觀念乃其傳統信念，雖超越派哲學家如愛默孫，詩家如惠特曼等均抱此種思想，杜威博士更集其大成。今日在政治界當權者與在著名學府中之社會科學家，大多屬科學派，亦即主張「社會工程」者。然在思想上伊等實處於守勢，玄學派亦即所謂新保守主義者之聲勢甚張。最近「進步教育」之大本營，哥大師範學院院長費雪博士已放棄甚多進步教育之信條。弟以爲此種論辯仍將繼續，直至美國本身受到空前之打擊後，然後科學派方肯承認其錯誤。蓋智慧生於憂患，物質進步並不引導精神文明之進步，此點爲吾人與科學派見解之基本歧異。

（二）台灣目前農村中對科學技術之應用，已甚可稱道。例如猪之「人工輸精」，優良種子及除蟲劑之應用，乃至農會之各種活動，均足證明農民有高度智慧，無頑固態度。至台糖、台電、中油等工業之應用新式機器與技術，亦爲人所共知。本年三月聯合國遠東委員會在日本開會，檢討一九六一年亞洲與遠東各國經濟情形，台灣成績僅次於日本，而在印度、菲律賓等國之上。台灣之困難重重，吾人在貴刊與其他刊物中所見甚多，但並非由於對科學技術之不肯應用，而另有其他原因。就中如準備反攻大陸而財政上收支不敷，各方對政府當予以諒解。但人民因收入增加而生活放逸，生育子女過多，則有賴於科學以外之道德上的自我節制。

（三）台灣目前有一點爲舉世各國所不能追及之特長，即爲青年學生之埋頭學問，而不從事示威性之游行與宣傳。在五四運動之前二年，我等在北平之大中學生已舉行示威游行。第一次爲反對高徐濟順鐵路協定向馮國璋總統之請願，弟及內子均追隨羅志希、段書詒、許德珩諸先生之後而參加。此後越鬧越兇，而至以罷課向學校要求不收講義費（見蔣夢麟先生「西潮」書中）其時弟已來美求學。弟幸而爲儒家學者之後人，中間一度猶豫而未參加共產黨，至今迴想猶不寒而慄。西方現在則美、英、法、西、葡等國，南美之巴、阿、墨等國，東方之日本、印度、印尼等國，（蘇聯古巴等受獨裁者驅策者不必論）其青年學生均已追隨我等前輩者而失足，此後十年將愈鬧愈兇。一線光明在我國學生中覺悟者之大聲疾呼。吾人對張其昀、錢穆、王道以及執事等諸先生有無窮之希望。

（四）蓋廿世紀之青年放浪橫佚，爲其主要特徵之一，凡純正西方學者無一人不知，而以「兒童世紀」或「青年崇拜世紀」以諷刺當前時代（請參閱「人生」第二七七期弟對學佛致投思想之介紹文）。台灣香港青年之信從其父母、師長之純正教訓，而從事學問，爲弟認爲中華民族必將復興之主要理由。弟特別敬佩若干青年如韋政通、劉述先、蔡仁厚、周羣諸兄，以及貴刊之岳蘅先生。伊等中必產生現代之岳武穆、文天祥、曾國藩等人物。弟所企盼者爲青年學子中多有以上甘心求學而不求聞達之人物，如所有青年均學科學工程而抱功利與實用觀念，則人類必將無前途之可言矣。手此敬上順頌

綏安

弟顧翊羣敬啓　五月九日

再者弟去歲十月在國防研究院之講詞，已登載於該院三月一日之「研究通訊」，敬請台端於閱後予以指正。

省議員樂觀澎湖建設

郭雨新建議養殖漁業

（本報記者陳知青澎湖航訊）（遲到）台灣省議會水利考察小組召集人省議員張振生，率領省議員郭雨新、郭國基、王雲龍、徐灶生、梁許春菊、陳林雪霞暨水利局第六工程處處長朱鎔堅等一行十七人，於五月一日乘民航機抵達馬公，下榻澎湖旅社，即時巡視馬公市街，漁港及水利開發地區，下午三時，在縣府禮堂，舉行簡報，由縣長徐詠黎主持，報告本縣自卅四年迄今地方建設進步概況。

會中，澎湖籍省議員郭石頭，以台語向各省議員拜託，設法協助建設澎湖。省議員中，梁許春菊爲澎湖籍人士，爲過去一般人所不知。四時散會之後，領隊張振生議員，郭雨新議員，朱鎔堅處長，紛與記者交換名片，並約記者晚間九時於澎湖旅社敘談。

記者按時前往，郭雨新暨郭國基、王雲龍、徐灶生、郭石頭諸議員均在，郭雨新首先對本報報導及建議建設澎湖表示同感，並對記者所揭櫫目標——建設澎湖爲台灣夏威夷，認爲頗正確。郭雨新說：「你這個意見很好，我很有同感。定期飛機和輪船，是必須的。到夏威夷、澎湖一定辦得到。到那時候，不怕澎湖沒有米，觀光旅客自會送米給我們。你看，日本、夏威夷，不是都沒有米嗎！」又說：「我認爲你說十萬澎僑在高雄、台南的，他們應該盡力建設桑梓。他們都是有錢的，到今天我才知道省議員梁許春菊是澎湖人，我們要她投資。」

關於漁業方面，郭雨新發表他的意見說：「發展澎湖的遠洋漁業，說起來不容易，必須資本家來投資，還要等開發公司組成以後，才能實施。我從日本實地考察回來，得到一個要領，以今日貧苦的澎湖漁民來說，不但要發展近海漁業，並且要發展人工漁業。」郭議員並提出兩項計劃：

一、人工繁殖海港龍蝦。龍蝦是台海特產，水產珍品。現有龍蝦，靠出海捕捉，極不容易。日本業已研究成功龍蝦人工受精法，我們應該利用澎湖六十四個島嶼的每一個海港，來繁殖龍蝦，人工受精，不一二年，澎湖龍蝦產量大可驚人，漁民生活就可以因而改善。

二、人工繁殖海港鮑魚。同樣的，鮑魚爲目前海鮮珍品，而日本也已發現鮑魚的食料，爲一種海上浮游動物，可以在海港繁殖，而獲得珍貴鮑魚的增產量，改善澎湖漁業的現狀，而化費極少。

郭雨新這兩項意見，他說得頭頭是道，記者雖對此尚無研究，亦認爲值得當局注意，作進一步的研究，果如所言，當然應該立刻動手去做。

電視節目的爭論

這還祇是第一回合

（本報記者吳越台北航訊）教育部堅決反對台灣電視公司以每天兩小時的廣告節目由日本富士電視株式會社供應，因此，台灣電視公司便將教育部偶然疏忽在教育實驗電視廣播台播出的日語節目據爲口實，反擊教育部，說教育實驗電視台能播出日語，何以反對該台與日方的合作？台灣電視公司與日方合作條件，在立法院審議中已爲此兩小時節目時間問題，曾引起了激辯，今後還要召集會議繼續檢討。

台灣電視公司與日方合資興辦電視合作條件，在立法院審議中時，立法委員們在該院經濟及教育委員會專案檢討會上，幾乎一致反對給予日方兩小時的節目時間。原來，在電視公司與日方的合作條件中有一項協定：公司電視廣播正式開播後，以每日不超過二小時之廣播時間供給日本播放電視廣告，由日本保證每月給付電視公司四百五十萬日元折合美金的外滙，作爲廣告時間的購買費。立法委員反對的理由，是認爲如由日方控制時間，易生不良影響。比如趙文藝委員說：現在市面上到處都充滿了日本的黃色唱片與書刊，靡靡之音充斥，日本的黃色電影也源源走私進口，我們有外國電影與書刊進口檢查辦法，都不能堵住不良刊物及影片進口，難道我們以檢查的辦法，就可以限制日本人不會在兩小時的電視節目上，玩弄花樣嗎？

教育部長黃季陸在立法院亦表示，他反對未來的台灣電視公司每天播送兩小時的日本廣告節目。黃季陸說：當經濟部以草約徵求教育部意見時，教育部的意見是「依據草約，其播放日本節目之時間，每日可長達兩小時，揆諸現行定類限制日文書刊及日本影片進口之政策顯有不合。爲適切國家當前處境及台省特殊情形，在國家教育方針上，教育部礙難同意」。黃季陸並且表示，如果能將此節目改爲教育電視節目，該公司因此而減少的營利收入，教育部願加補救。

教育部並不是一個有錢機關，自己的教育實驗電視台都沒有辦法充實，怎麼忽然會有這樣的大手筆出現？據說是因爲日本要獨佔本省的電視機市場，此間電器商要想打開公平競銷的局面，正向各方呼籲，準備在進口大型電視機時，每架捐獻台幣五百元來支持教育部向未來的電視公司購買兩小時的電視節目費用。（上）

大陸同胞逃港遭遇

台北朝野備感關切

（本報記者台北航訊）大陸同胞大規模的逃亡到香港後被香港捉起來遣回大陸的新聞，週來此間報紙亦大量刊載，很引起朝野各方的關切，許多人見面都以此爲談話資料，唏噓歎息之聲，到處可聞。但直到現在，當局還不曾拿出具體可行的辦法，來解決這個問題。據傳說：政府正在爲此大傷腦筋，且傳說政府已經有外交行動在進行之中，大概是可信的。但實際，這問題太大，政府再困難，亦其實非想出辦法不可，要不然是說不過去的。（育）

中國立命的根株

林介山

『民惟邦本，本固邦寧』（尙書）；『民之所好好之，民之所惡惡之』（中庸）；『民爲貴，君爲輕』（孟子）；這是中國民本主義的由來，也就是中國本土的民主主義。

民本主義孕育於「仁」政，溶治「情、理、法」於一爐，包含個人與國家的契約，而結於「選賢與能」（禮運篇）的領導，其政治理想，在於建立一個和平的人文世界。所以主張「重德輕財」，「尊師重道」，以發成「安貧樂道」的君子風；主張「忠孝仁愛信義和平」八德，以培育個人人格，再統攝於「天、地、君、親、師」，使構成『君子之道，造端乎夫婦，及其至也，察乎天地』（中庸）的一整套由個人到社會的倫常體系。

歐美現代民主自由政治在於建立一個法治的社會，重視個人自由與發展，祇有夫婦一倫，別於中國社會的五倫。特別自工業革命，西方國家形成資本主義社會以後，小家庭制度更是自然的產物。但父母兒女之愛，是天倫之愛，並不是物質滿足，卽爲人生的極致。人類既被公認爲感情的動物，則孔學展佈五倫的溫情與互助，交織成人類社會的綱，便順應天道自然。且在農業社會，經濟與人口流動不大，超家族的社會福利建設還未有完善的推進前，一個使老人感覺有歸宿，兒童感覺有溫暖，失意者感覺有慰安的家庭，就尤感需要。孔子把握人性至情，把握天倫之愛的家庭制度，爲治國平天下的基礎，結上「敬」於偉大自然的天地，「忠」於衞我的國家，「孝」於生我的父母，「尊」於教我的師長等四道，便發成普天之下，都莫非恂恂儒者，謙禮厚道之士。此爲和平世界基本需要的條件，爲物質文明世界所欠缺者。若以此作爲民主主義與民本主義比較的消長，我們不妨以體察東西方社會有素的林語堂先生的一段話看看：

「這樣的社會（指中國），也不是沒有他的可愛之處的。例如尊敬長老，常是很動人的，羅斯教授曾指示老年人在中國是最顯揚的人物，比之西方的老年人，遠爲尊崇而受人敬視，至於歐美的老年人，他們總覺自己過了有用的時期，而眼前是無報酬的白白受着兒孫的豢養……。好好受過教育的中國人沒有會無故冒犯一個老年人的，恰如西洋君子會有意得罪女人一樣。有些這樣的優美習性已經消失，然大部份仍存留在中國家庭裏。這就是老年人大多寧靜沈着的原因。中國是這樣一個國家，那裏讓老年人生活於其間，滿覺得舒服安適。著者（林語堂）敢斷言這種普遍敬老情操千倍優於世界各處的養老金制度」。（見氏著「吾國與吾民」）

林氏自然尚未具體而微刻劃中國老人那種弄孫作樂的怡然自得；那種千里遊子趕返家園對父母晨昏定省的溫暖；也並未描寫歐美老人孤獨地在公園曬太陽那種失去天倫情趣的寂寞。但他那最後一句『敬老情操千倍優於世界各處的養老金制度』，已經對我國實踐倫理的家庭制度，做了適當而崇高的估價。

西方德謨克拉西的民主主義來自古希臘的文化，係偏於唯物求知的科學倫理發展。雖經阿里斯多德中和德謨克利圖的唯物論，和柏拉圖的唯心的理想王國，但還是與純以人性爲實踐倫理的孔學中庸不同。美儒Irving Palbitt對此東西方兩個早期的中庸學者分析說：『孔子和阿里斯多德，雖然都以中庸爲教，但對人生觀全面的觀察則不同。阿里斯多德所致力的，除人文學問外，並究心於自然科學，他是知識學問的泰斗；孔子卻是道德意志的完人』（見「學衡」三十八期譯文），這就說明東西中庸的異同，成就的不同。以人倫爲中心的東方中國社會，是到處顯現純樸，和平，禮讓的高貴人性；以物理爲中心的西方，卻又顯得兢兢逐逐，堅甲利兵，社會繁榮的蓬勃氣象。

人類生活不僅依靠物質環境，尤有賴於道德文化的調節，以防止唯物獸性，墮於魔道。當前美國物質文明的發展，高度已達世界之冠，但精神文化卻遙落於物質發展之後，有識之士自覺此一不均衡發展的危機，並已發現中國固有的道德文化，正是平衡這種危機的最佳方法。所以美國的兩百所大學中，都設有研究中國文化的學系，或研究中心。

（三）

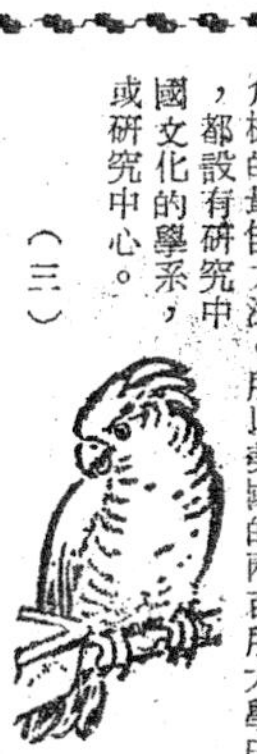

香港與大陸

進既不得退亦不能 梧桐山屍骨處處

問題如不能及早解決 梧桐山將變成萬人塚

近來有如潮湧般自大陸偷渡港境的同胞，少的時候每天有好幾百，多的時候有千幾兩千。香港政府就證實，五月的頭十一天，偷渡入港被捕復予遣返的，就接近萬人之數。

這些偷渡入境的同胞，顯然百分之九十以上，都被香港的警察與軍隊的重重崗哨關卡所捕捉到了；而且，凡是被捉到的，除非有特殊的原因，否則絕難逃彼重行遣送入鬼門關的厄運。香港的中國人，對於這些苦難同胞的極其悲慘的遭遇，無不聲聲歎息，卻又欲救無從。

據本報記者採訪所得，大陸同胞之突然有如此大規模的逃亡陣容，主要原因爲，他們所携盤纏，又眼看用罄，不能不出之以實行非法偷渡之一途；（二）中共對於那些逃亡暴政、逃亡饑餓的同胞，亦突然採取了睜隻眼閉隻眼的態度，大家感到有機可乘，於是羣起加入了逃亡的行列。但中共顯然並不是完全不理會同胞逃亡，他們在這大陸已經捱餓了三年，且眼看今年的春耕收成又必欠佳，再繼續捱下去，必被餓死無疑；次要的原因，則爲(一)中共放寬出口申請，拿到出口准證在深圳等待進入香港的人，愈聚愈衆，卻還不知道何時能入得來，有些被它們認爲不能任其逃亡的人，依然被監視得很嚴密，有些人並且在邊境被中共截住，抓回去了。

實行逃亡暴政與飢餓的同胞，他們大半都先逃到邊界屬於華境的梧桐山，再伺機偷渡進入香港。據他們說：在梧桐山伺機偷渡的同胞，當以千計，其中的許多人都已候機會候了好幾天，吃的東西沒有了，又受到日曬雨淋以及蚊蟲之類的襲擊，好多人都病倒了，甚而死掉了，未病的亦已力竭精疲，步履維艱。他們說：梧桐山屍骨處處，已經死在那裏的人，大概總有好幾十個，而如其再進進不得，退又不能，唯一的結局，便是死在梧桐山上，使梧桐山變成萬人塚。

（程）

唐榮債信何時了？

林庸公

如果時間還沒有沖淡過去的話，大家應該還記得唐榮鐵工廠一段光輝的日子，一段在台省光復後的黃金時期。當時，一談起唐榮，誰都會以稱羨的口吻，說他是天生的財多星，命運裏註定是要做中國的鋼鐵大王。然而曾幾何時，唐榮居然垮台了。它垮得非常出色，使社會各方均爲之矚目，尤其在前去兩年中，省內報刊隨時都可以看到唐榮的重大新聞。唐榮的沒落，是由於其經營不善，是由於沒有按照企業的經營方式，沒有運用現代化的工廠管理技術所致。事實上，這正還顯示了家族式的工業，已經是趕不上時代了。

唐榮鐵工廠股份有限公司，於五十一年二月一日正式成立，簡稱唐榮公司。這個新公司的前身，也就是民營的唐榮鐵工廠，專營鋼鐵工業，基礎原甚良好，歷史亦頗爲悠久，嗣因廠方在其本身資金不裕的情況之下，儘量擴充業務，舉債從事多方面的企業投資，導致財務週轉不靈，使原有鋼鐵之產銷，陷於停頓，殊可惋惜。政府基於輔導民營工業政策，乃根據國家總動員法頒佈救濟令，於四十九年十二月十四日起，委託中華開發公司組織監察小組，駐廠清查資產負債，並維持營運；該小組於五十年六月三十日結束，由唐榮公司救濟案處理小組接管，繼續維持生產工作，以及處理財產，收取債權，清償債務，改組公司等事宜。處理小組於五十一年一月三十一日結束，並於一月二十日召開增資改組臨時股東大會，通過公司組織章程，產生董監事，新公司於五十一年二月一日正式成立，因新訂資本額中，大部份爲省屬機關所投資，依法隸屬於省營事業單位範圍。

新公司成立後的主要產品仍爲鋼鐵製品，年產量約十萬噸，佔省產量百分之五十以上，除供省內需用外，尚有賸餘份外銷，爭取外匯。公司內部共分煉鋼、軋鋼、鋼鐵加工、水泥製品及機械製造等五大部門，總公司之下，並設有台北機械廠等十一個附屬工廠，公司規模頗爲龐大。

新公司成立後，營業仍有虧損，其每月平均虧損數字，如不將民間借欵利息計入，約爲五十萬元，此純爲營運上的虧損。如從減低生產成本，節省費用開支，審愼經營，收支力求其平衡，或亦並非難事。但如將民間借欵利息計入，則每月平均虧損達六一七萬元，可知新公司所負担的民間借欵利息，爲造成虧損之主要原因。過去唐榮鐵工廠時期所負舊債三億九千萬元之中，本年須攤還者約一二、七〇五萬元，平均每月須清償（按十一個月計算）一、一五五萬元，其加之於營運上的困難，尤屬嚴重。以目前新公司的情況而言，欲求以營業收益，償還舊債，殊不可能。

（上）

瘟君續夢

第五回：深壑難塡　反顏奴抗主　片言起釁　轉瞬德成仇

赫魯曉夫一拍腦袋，說道：「當然可以，我們有許多地方勢不能不和西方國家打交道，只要能討到便宜，什麼生意都可以作。你放心，毛澤東同志，我絕對支持你向資本國家買糧食。」

毛澤東苦笑道：「說來十分慚愧，一九五七年底我在莫斯科高呼東風壓倒西風，立誓要在十五年以內趕上英國。可是，到今天資本國家卻越來越富足，外匯逐日增多，而我們卻日漸萎縮，資金及外匯短少，這樣看來，和平競爭，對我們確實不利。」

赫魯曉夫搖頭說道：「那倒不一定，我們的外匯雖說日漸增多，因爲我們的經濟政策比較正確。」

毛澤東笑道：「那就好極了，朋友有通財之義，何況我們是兄弟國家，老大哥的外匯充裕，對我們是有很大幫助的，就請老大哥借五億美元外匯給我們買糧食，過了現階段的難關，一定本息奉還。」

赫魯曉夫萬不料毛澤東當面向他借錢，不由愣了一下，回頭對葛羅米柯說道：「我頭昏的很，不曉得怎樣回事。」

葛羅米柯笑道：「大概是酒喝得太多了。」

赫魯曉夫拍拍前額，說道：「你們今天酒席太豐盛了，尤其是那一瓶拿破崙時代的白蘭地，我在法國也未曾喝過，你們如若有存貨，可否送幾瓶給我們？」

毛澤東被他氣的一句話也說不出。

赫魯曉夫站起身，歪歪斜斜的說道：「我的頭好似巴斗一樣，實在喝醉了，我很愛的毛澤東同志，我們明天再談吧。」說過扶着葛羅米柯，一溜歪斜走了。

毛澤東送走了赫魯曉夫，坐在圈椅上只是出神，停了幾分鐘按鈴叫田家英打電話找李富春。

李富春曉得毛澤東今晚和赫魯曉夫會談，現在就打電話找他，大概借欵已有眉目，興匆匆的趕來，見了面，毛澤東把會談經過說了一遍，李富春登時冷了半截，坐在沙發上一句話也說不出來。

毛澤東問道：「富春同志，赫魯曉夫一定不會借欵給我們了，你另外還有沒有辦法張羅到錢。」

李富春閉眼想了一時，慘笑道：「蘇聯不肯借，向東歐兄弟國家去借欵也不會成功，唯一的辦法只有變賣自己的財產。我們這幾年還存了一部份黃金、白銀，可以運到瑞士或英國去拋售，換出一筆外匯，留着將來買糧食時定金用。」

毛澤東笑道：「有這樣好辦法，何不早說，省了我去赫魯曉夫賠笑臉。還有什麼好賣的，一齊運出去賣掉算了。」

李富春說道：「黃金白銀之外，還有過去存貯的白金和黃銅，都是重工業不可少的物資，賣掉了就不能攪工業化了。」

毛澤東擺擺手：「必要時一樣的賣，工業化遲一遲再說，先把部隊肚子裝飽爲上，只要有兵有槍，就是本錢，任何東西丟掉了都能奪回來，沒有兵，什麼把戲都玩不成了。」

李富春苦笑道：「我們存貯的此類物資究竟不多，就算全賣了，也不能派多大的用場。」

（一〇一）

滿清稗政實錄之五

黃寶實

滿清憑八旗勁旅得天下，雄健一時。入關以後，額設綠營制兵，多或六十餘萬，少亦五十餘萬。以八旗拱衛京畿及所謂盛京，根本重地，以綠營分駐直省要地，防守鎮壓，未嘗不『建威銷萌』也。及承平日久，漸就腐敗。『缺額扣餉，積習』（光緒二十八年諭），旗綠各營，莫不歲糜鉅餉，幾竭政府歲入之半以養之，而不能收一日之用。更因八旗子弟，坐食口糧，生齒日增，游惰成性，遂成爲清室一大負担。撥地屯種，發帑救濟無虛日，卒無以挽回『天潢貴冑』之厄運，而練勇新軍之議起矣。練勇如湘軍淮軍，所以翼佐『中興』者，新軍則正推翻滿清之革命種子所寄者也。茲錄薛福成論經制之兵，爲滿清稗政實錄之五。

『本朝經制之兵，旗綠各營，歲餉用銀約二千萬兩，幾去歲入之半。然綠營之不可用，乾隆以來，聖訓屢及之。厥後楚淮諸軍，剿滅內寇，皆以勇營著績。近雖節次裁汰，留防之勇，尚需歲餉一千數百萬兩，而綠營餉仍難去，是養兵費加倍矣。邇者西洋種族，紛至沓來，恃其船堅礮利，日肆侵侮。中國欲圖自強，于是不得不修礮臺，購火器，不得不設船政與機器局，不得不練水師，造鐵甲船，不得不遣使分駐各國，以結外援，而詗敵情。綜計歲費亦不下一千數百萬兩，而綠營勇營餉仍難去，是養兵費又加倍矣。今如去綠營，則數百年之舊制，似難驟改；如去勇營，則所留實多百戰之途，今皆分扼要隘，彈壓土寇，撤之師更虞單弱。各省所廢，無可裁減，似非盡虛辭揣覆也。顧福成于竊極思變之時，審度事勢，必不得已，或者裁減綠營乎？昔胡文忠公有言：「凡染官場與祿營習氣者，文武兩途，萬無可用，只宜屏棄」。蓋以二百餘年之流弊，積重難返，雖欲整頓然而無由。夫勇營固不無窳弱之弊，然或易一將而壁壘更新，或募一旅而旌旗變色，非若綠營之不能振作也。至各省綠營，近來發餉，八九成者，有六七成者，雖尚未能盡裁，若再普減兵額二成，每歲可省餉三百萬兩，普減三成，每歲可省餉四百數十萬兩，以十年計之，則四千餘萬矣。得此一項撙節，尚可稍紓財力」。（下略）（清朝續文獻通考卷二百三，兵考兵制）。

又光緒二十一年廣西按察使胡燏棻條奏「粵捻事平之後，綠營之無功效，已可顯見」；及二十二年湖廣總督張之洞奏「中國各省綠營；久不可用」；又三十二年巡警部尚書徐世昌奏「綠營久稱腐敗」，皆直斥綠營之無能，而主張裁減者也。（同書）

花香月上樓小品

齊天大聖（續）

黃葉村人

先是，市有弄猴者，日以爲戲，夜每縱猴作賊。是夜，猴入邑中鉅富伍某家，伍有妾，正檢取珍飾，擬偕所歡私遁，猴入遽攫之走出。妾喊賊，家人紛集，則猴去已遠。于是告官，並懸重賞購猴，及弄猴者。事聞，何乃躡失主家，自陳經過。失主派人至何家察勘，取猴及物歸，見無絲毫損失，以爲長者，酬之鉅金，不受。益義之，聘爲家庭教師，歲饋三百金，何遂安之。未幾，弄猴者在旁邑就捕，自承教猴作賊狀，官論之如法。恐猴再作賊，欲殺之，何不忍，願入貲贖歸，保證終其身禁錮不放，官許之。何遂携猴歸。何雲浮縣人，每一二年，輒還鄉掃墓一次，其常也。

逾歲清明，何還鄉，室惟老妻，留猴不便，乃携之返雲浮。何之祖墓在東山，山岡崖猴。是日携猴祭墓畢，欲返，猴伏地向何叩首，意似表示懇留。何笑曰：「爾欲留此成家耶？我不汝阻！但汝能終身高臥此山中否」？猴又叩首。于是解鍊縱之。猴臨去，頻回首顧盼，並舉手示意。遲二年，何復回雲浮，方登山，見其祖墓早有人燃香並壓以冥鏹者；正思疑間，驟見一羣猴子自山林中踴躍而下，有携鮮菓者，有持山花者，既近，則前猴赫然在焉，廼挈其「全家福」來爲稱主人叙舊也。何大喜，相抱持逾時不忍釋。蓋一別兩年，猴已取婦生二子一女矣。于是，享以酒、肉、雞，珍重而別。時何年已五十餘矣，回鄉後，其婦忽有娠。臨蓐之夕，何忽夢猴來，一驚而醒，則婦正產子，遂名之曰「齊聖」。其家續供「齊天大聖」，數世不衰。

柯賢英半夜銷魂

柯賢英，廈門人，曾爲泗水華僑鉅子王振煌記室，翩翩書記也。賢英善琵琶，每彈「山險峻」（曲名）「阮郎歸」（詞名），人莫能及。時廈門有名妓番婆者，歌曲爲廈門第一，尤擅「南詞」。南詞者，即廈人所稱「御前清曲」也。當是之時，市中每有大讌會，必敦請賢英、番婆，無則闔座不歡。如得賢英撥琵琶，番婆唱「昭君出塞」或「文姬歸漢」，則一曲甫終，戶限爲穿，餘音猶繞梁三日也。

番婆者，原籍東寧，自幼鬻爲人童養媳，教以歌舞，居然成藝。時廈門稱中國之「巴爾幹」，富甲天下，北發每遂携之來廈，一唱成名。富商鉅賈，爭拜裙下者，有如「過江之鯽」，而番婆輒冀士視之，莫得而染指也。惟善賢英，有終焉之志。賢英亦愛之。惟使君已有婦，而番婆亦愿下之，謂：「非賢英不嫁」也。（未完）

送春

漁翁

春爲一年之首季，乃布谷播種之時節，「不有耕耘，何有收穫」？此古人所謂「一年之計在於春」也。

夏炎熱，多寒冷，秋蕭瑟，皆爲人間所視爲不愉快之時節。惟其春也，不寒不暑，羣花競放，衆鳥爭鳴，明媚之光，和緩之風，融洽之氣，美麗之景，普天下俱表現「無邊光景一時新」。領略之餘，足以啓茅塞，提精神，快心志。尤其暮春之際，綠滿原，白滿川，鶯歌蝶舞，蔚爲大觀，韓翃所詠「四時最好是三月」！信然。

可是，「光陰者，百代之過客」。三月過去，又入夏季，即有夸父之追日，魯陽之揮戈，亦莫能留此大好風景也。所以古之詩人有送春之作，如唐代賈島詩：「三月正當三十日，風光別我苦吟身；共君今夜不須睡，未到曉鐘猶是春。」以三月晦日春盡，四月初一即入夏，不忍春花別去，雖無計可留，而猶夜不成睡，把酒以送青春，認爲曉鐘未發，明朝之夏未至，猶是今夕之殘春。此與蘇軾所詠「春宵一刻值千金」，後先呼應矣。

宋王逢原賦送春云：「三月殘花落更開，小簷日日燕飛來；子規夜半猶啼血，不信東風喚不回！」按三月春色已暮，花殘已落，而復有開者；小簷之燕，日日飛來營巢，子規之鳥，當三更而悲鳴，甚之血流而方止。此言春去難留，雖子規悲啼之切，而不能挽回已去之春光也。

因此，在春去之前後，均爲騷人所關懷，韓愈云：「草木知春不久歸」，即晚春之作。葉李云：「不知春去幾多時？」此寫閉戶讀書，見楊花之落，方知春去多時矣。此外傷春感春思春之載詠，流露於字裏行間者，不一而足。

猶憶民初，余肄業中學時，有留學歸國之傳某作「春睡醒」一詞，譜以曲，長達三百言，作爲中小學音樂之課本，一時盛傳於大江以南各省，與「葡萄仙子」後先媲美。詞中大意；寫春景宜人，入後作非非想，記得是：「我欲結同心，齊口乞天帝：自是後，一歲一春，大好留光，增作三百六十日。何必春去夏來，夏去秋來，秋去多來，作此繁劇？做一個萬古長春，可算得天國新製；那時人，不是神仙，也應喚作神仙婿」。此乃最後一段，意在使夏，秋，多，皆變爲春，換言之，一年三百六十五日，都有青的山，綠的草，鳥兒歌，蝶兒舞，萬紫千紅，永不落去，免得一年一度迎送之善愁。亦可謂顛倒作奇想矣。

今日流亡於海隅者，迎春送春，已踰春風十二度矣！在此十二年中，恍如黃梁一夢。「春歸人未歸」，是遊子思親之苦，尤其令流離瑣尾者爲最難堪處，觀此情景，誠不免有望國懷鄉之感！

春暮矣，楊花點點，飛入硯石，柳絲條條，繫於堤畔，留之不得。惟一的，希望明春，再到人間，多帶喜訊來，把明媚之光，和緩之風，融洽之氣，美麗之景，普遍於全世界，使憂者以喜，病者以愈，由黑暗而見光明，以副全人類之願望。

蓬飄海角之我，年復一年，而未有歸期，不覺垂垂老矣。讀李白「明鏡悲白髮」句，感慨萬千！當此春去人間，愧無所騁，詩以送之：

四月清和夏日長，芭蕉倒影入池塘。十年詩欠三生債，滿架花飛一院香。海上風雲隨氣變，枝頭蝴蝶送春忙；子規夜半啼聲急，聽罷低徊思故鄉。

春去人間漫寂寥，欲留無計望雲霄。一腔離緒憑詩遣，滿腹愁懷待酒消。往事那堪搔首憶，今朝猶是感身遙。明年此日塵氛淨，好向天台訪石橋。

海嘯樓談薈

漫談麻將牌（三）

諸葛文侯

大陸上的毛共政權，宣稱社會主義生活中的新社會人民，絕對沒有牌賭行爲，而舊有專門製造麻將牌以及其他賭具的商店，亦勒令改業或關門了。但是，據最近纔由大陸上逃來海隅的人告訴我：一般共幹們照樣約乘暇在家裏打麻將，他們只是不公開行事，且不當場結賬，揚言並不以金錢賭輸贏云。這是掩耳盜鈴的鬼話，決不足信的。至於普通民衆連飯都沒得吃，每天還要作奴工十幾小時，又置身於暴政淫威之下，自然毫無消閒娛樂的心情和能力了。

過去馮玉祥治軍最嚴，部屬若有牌賭情事，一經發覺，重則槍斃，輕則坐牢捱軍棍，至少亦要當衆罰跪的。禁令煌煌，不稍寬假。但我當年服務馮氏幕中時，就跟他的砲兵團長皖人張健侯等，每逢星期日，常赴民家秘密玩麻將牌，而民國十六年以後，馮軍的將領到南京來，亦無一不是此道中的能手，如劉驥（菊村），鹿鍾麟（瑞伯），劉郁芬（蘭江）李鳴鐘（曉東）韓復榘（向方）這些大將們，都不愧爲麻將牌的健將，沒假那位道貌岸然的薛篤弼（子良）亦樂此不疲了。這些朋友皆在馮軍中干役近廿年，韓向方且係伙伕出身的，他們平日如果絕不玩牌，又何從精通此中三昧呢？

我說這些話，並非頌讚牌賭行爲，祇是證明人類的日常生活，每多矛盾現象，不可以常理來評判其是非利害而已。吸烟飲酒，誰都知道這是有碍生理的不良嗜好，而吸烟且可以招致不治之症的癌疾，然人們相率吸飲如故也，表現着「民不畏死，奈何以死懼之」的英勇精神，奈之何哉！王道不外乎人情，打麻將如其眞有禍國殃民的嚴重關係，政府自可嚴刑峻法以繩之，否則如對烟酒朋友然，止於勸誡足矣。記得民國十八年夏間的一個星期日，革命軍總司令部參謀長朱紹良（一民）先生與三數朋友，正在南京龍橋家皖省主席陳調元（雪暄）家中玩麻將消遣之際，忽報蔣總司令駕臨陳宅，牌局恰在客廳旁的小房間內，主人出迎總座到客廳談話，牌局馬上收拾，餘衆蟋屈房內作閒談狀。繼而蔣公走進來看看，他瞧着那種景象，心裏明白大家是在幹甚末事，却不揭穿，只笑詢朱參謀長：「你的香烟癮還是那麼大嗎？」——那時朱將軍吸香烟每天只用一根火柴就行了，其程度可知也——朱答謂：「我戒掉了——」蔣公囅然道：「你如果能夠戒香烟，我就可以戒飯！」說罷回身辭別主人而去了。假使他當時觀破眞情後，扳起面孔斥責大家不應該賭牌，指爲玩物喪志的不良嗜好，當然理由充足，這可置辯（若是馮玉祥一定一場樣）。但如此大煞風景，無，試問對世道人心以及軍紀政理，裨益又安在耶？以他吸香烟來暗示玩牌的行爲，而用幽默詞令表示告誡之意，可謂恰到好處。

遼陽古蹟

・道南・

遼陽離開瀋陽約一百二十里，是一座古城。它在禹貢時代被稱爲襄平，到秦時改爲郡縣，歷經漢、唐、宋、元、明各代，遼陽總是在東北佔着一個很重要的地位。滿清初起的時候，清太祖曾一度建都於遼陽，後來再遷往瀋陽。

遼陽現時城郊，據說是唐時修建的，規模較之瀋陽還要濶大。不過遼陽城缺少一些現代建築物，但亦因此更顯出它的古樸與寥廓。

在遼陽城郊附近，還有著名的古蹟白塔，據說也是唐代的建築了。這塔有十三級，原來塔上供有金佛三尊，日俄戰爭時被人盜去。日本人並且在那一帶造了一所白塔公園。

遼陽城郊風景最好的地方，還要算是千山名勝。那裏有古刹名廊錯落於松林萬山間，每年春秋佳日，遠近仕女，多往遊山。其中有所謂「七步緊」，「八步緩」，「天上天」，「一步登天」，都是東北著名的勝境。

高麗門外有河水一灣，遼陽人稱之爲「太子河」，與遼河相接，這裏的風景也很幽美，遊人雲集。

山川風物

自由報

內僑警台報字第〇三一號內銷證

THE FREE NEWS

第二三七期

中華民國僑務委員會頒發
台教新字第三二三號登記證
中華郵政台字第一二八二號執照
登記為第一類新聞紙類
（半週刊每星期三、六出版）
每份港幣壹角
台灣零售價新台幣貳元
社長：雷嘯岑
督印人：黃行驚
社址：香港銅鑼灣高士威道二十號四樓
20 CAUSEWAY RD 3RD FL
HONG KONG
TEL. 771726　電報掛號．7191
承印者：田風印刷廠
地址：香港灣仔高士打道二二一號
台灣分社
台北市西寧南路壹壹零號二樓
電話：三〇三四六
台郵撥儲金戶九二五二

爲邊界緊急事態敬告香港有力人士

·左舜生·

目前香港所遭遇的大陸飢民入境問題，以我所了解，恐怕是香港有史以來所碰到的最大難題之一；即以當年日本武力進佔香港來比較，也僅有此嚴重，而無此複雜。

我們要求得問題的解決，或先求得這一緊張情況的和緩，都必須先對問題的本質有明確的了解，或至少對問題的可能變化，先作多方面的推敲。

第一，這個問題的延續性，決不是很短時期的，而是帶有半永久性的。這個道理很簡單：周恩來在『人代會』所發表十項整理經濟的原則，我會有專文分析，我知道以大陸目前仍在繼續推行的辦法，以及十多年來他們對大陸破壞的澈底，周恩來的所謂十項原則，幾無一字一句可以兌現，而只能徒託空談。換言之，中國共產黨既不肯澈底放棄他們的基本做法，今後三年五年，他們便只有繼續製造飢民，而決不能減少飢民。現在大陸的飢民，已經不是以幾百萬計，幾千萬計，而是以幾億計，這眞是亙古無比的一股洪水；香港不幸，正處在這一洪水汎濫的邊緣。過去大陸人民，多少還抱有幾分希望；以爲去年天時不好，今年或許好些；以往中共對他們百分之百的高壓，百分之百的搾取，現在情形變了，也或許能稍稍放鬆；再加上，海外親友，對他們十分關心，過去有若干小款，不斷的滙回大陸；近年有大宗粮包，源源的寄回大陸；這對於維繫他們這種希望，當然也起着一定的作用。可是，等待復等待，這一切一切的希望，大部已經落空，或快要落空：天時不僅不會好轉，而且過去從不被水淹的地方，現在忽然有了水；過去從不發生旱災的地方，現在也遭了乾旱；共幹不能看見農民田裏生產任何東西，也不許人民掌握任何物資，有即加以所謂『收購』，實際等於搶掠，共產黨向人民搶掠，不自今日始，也決不至今日止，以共產黨近年在大陸推行一切一切的荒唐辦法，他們除向人民實行搶掠以外，也別無其他良策；別人的所謂飢餓輸出，還是相對的，中國共產黨的飢餓輸出，則是不折不扣的；他們已經抱定宗旨：只許他們的黨員，他們的軍隊，以及若干直接爲他們服務的人員可以吃得飽，至於其他絕大多數人民的餓死，病死，勞動折磨而死，他們是在所不恤的！試想想：今天大陸的人民已經完全陷於這種狀態，他們除逃亡以外，還有什麼其他辦法？但這還只能說明當前香港這種嚴重情況的一方面。

第二，當大批飢民向香港湧進的開始，我已察覺這可能是共產黨一種有計劃的行動。他們其所以這樣做，說他們只是怕干涉羣衆自惹麻煩，這還是看得太簡單，今天大陸人民的憤怒，確實已經到達了爆炸點，不轉移人民這一股怨氣向外宣洩，這對他們政權的威脅實在太大；他們要以武力向外侵略造成第二韓戰，他們知道他們的軍隊已經十分不穩，可能立即向他們倒戈，於是他們乃想出這一着向香港『飢餓進軍』的惡毒辦法，據連日報紙所紀載，飢民所口述，這次大批飢民之得以迅速集中香港邊境，不只是出於共產黨的縱容，而且是出於共產黨的指導！香港如果不加阻止，大量予以容納吧？你容納十萬，他們可以來五十萬；容納五十萬，他們可以來一百萬，兩百萬，五百萬，……以至於無窮！這正是他們『人海戰術』的一種活用！如果加以阻遏，甚至因雙方的偶或不愼而造成慘案吧，共產黨更是『製造慘案』的專家，他們還會在飢民的後邊拋擲手榴彈，開動機關槍，樂得使事態擴大；到了事態擴大以後，他們又必然振振有辭，惡人先告狀，向世界大肆宣傳，說香港已動用武力，對付飢民！我們對當前香港政府的處境，眞是萬分同情，而不知何以善後？

第三，共產黨這一「飢餓進軍」的目的，還不止於上面所說的這樣單純：他們現在正有事於東南亞，自印度邊境包括泰，寮，南越，星馬，……無一而非他們擾亂的目標，而這一帶地區，又確與香港的安定與繁榮不可分割；他們以武裝擾亂東南亞，以徒手饑民搗亂香港，雙管齊下，他們認爲可以發生一種牽掣作用，使反共的方面備多力分，然後他們才可以在東南亞得心應手，暢所欲爲。就整個世界說，美國自然是共黨攻擊的第一目標，就東南亞一局部來說，英國在這一區域的潛力，他們也斷然不會忽視；「星星之火，可以燎原，」鑒於香港當前的狀況，英國確已到了考慮基本國策的時候了！

上面乃是就幾個重要觀點加以簡單的分析；急則治標，我們治標的下手方法怎樣？

一、中華民國在台北的政府，乃是爲了大陸六億待救的人民而存在，決不單是爲了保護台灣一千萬的人民而存在，無論如何困難，也必得賭乾坤一擲，立即提出一個具體而有效的辦法：征用，租用，乃至暫停客運，必須每天有船隻開到香港，至少運載兩千饑民前往台灣，姑以一月爲期，人數不超過六萬。能以這一着支援香港政府，然後政府才能取得向世界呼籲的資格，向聯合國呼籲的資格，向海外僑民呼籲的資格，也才能取得與香港正式商談第二步辦法的資格。不然，便可能引起舉世的議評，認爲我們的政府太不負責，也太無能力；何況留居香港三百萬的僑民，也是支持政府反共的一大力量，正受着共黨的威脅，更不能置之不顧呢？

二、香港有力人士，以時局迫不及待，更應立即成立一臨時組織，應一本人道主義與自救精神，超越中外，政治，宗教，地域，任何關係，以人力，物力，思考，支援香港政府；政府也應該對此項組織的開會派出負責代表，共同商討，以求僵局的打開，緊急事變的應付

永遠是那麼一回事

他也在「救火」啊！

自由談

重歐輕亞的邏輯

美國對於解決寮國問題的方案，至今說來說去不外三點：即組織聯合政府，一也；以「南塔」爲停戰線，實行和談，二也；轟炸供應寮共軍用品的中共地區，如滇桂等省，三也。前兩點是行政當局的主張，已在進行中，後一點是軍方人士的意見，不過說說而已。

這完全是照抄過去對中國國共之爭，以及處理韓戰問題的老文章，即如今日美國以停止經援來壓迫寮國當局贊成聯合政府的行爲，亦跟當年杜魯門以停止對中國政府的軍經援助，來助長中共叛亂勢力的作法，如出一轍。經驗原係人類處理事情的寶鑑，所謂「前事不忘，後事之師」，美國政治人物的大腦似乎迥異常人，他們對於處理世界重要問題，乃不惜覆轍相尋，樂於失敗的嘗試，毫無所謂，不亦怪哉！

若說美國朋友不認識俄式共產主義的本質與作風，他們決不肯承認的，許多「遠東問題專家」和「權威作家」們，隨時發表研究心得，談得頭頭是道哩！然而白宮當局何以不鑑於屢次失敗的教訓，而對亞洲共禍始終採取誤人誤己的姑息政策呢？一言以蔽之曰：重歐輕亞。

美國當局的內心裏，早已決定放棄寮國的，但爲顧全面子和保持其所謂「威望」起見，不便乾脆聲明撤手退縮，只好拿出「聯合政府」這味陳腐的藥方，死馬當作活馬醫，明知無效，然可以藉「維護世界和平」的口實，避免出賣弱小民族的責任，詎不懿歟？白宮現在派遣美軍赴泰國協防，用意亦祇在防範寮局惡化後，影響泰境的安全，致使泰國有改變外交政策之虞，而東南亞公約即告瓦解了。這對於美國的威望，打擊甚大，不能忽視的。

假使美國眞有消除遠東共禍的積極政策，而不怕從事局部戰爭的話，對東南半島的反共鬥爭，幷不需要美軍遠涉重洋來參戰，祇要改組東南亞公約體系，使中華民國參加於其中，以亞洲國家爲中心，發揮集體防衛力量，美國僅予以財力物力的應援，則區區越寮的共禍，不足平也。中國大陸上的毛共政權，此時百孔千瘡，亂象環生，它若敢於以大軍入寇東南半島，正是自取滅亡，實可斷定。

東南亞各個新興之邦的軍隊，都沒有作戰的能力，這是事實。祇有台灣的幾十萬大軍，能征慣戰，是共軍的唯一尅星。可是，美國竟使其凍結於台灣一隅，不加運用，說是避免引起大戰，而情願自己派兵介入東南亞區域的反共陣營，且不怕跟中俄共正面衝突了。因此，我們很有理由作出一項預測的論斷：萬一中共眞要以大軍入寇泰、寮、越等地區，美國唯有作「痛苦的決定」，挽着俄帝的衣角，要求和談。這是重歐輕亞政策的必然邏輯啊！

馬五先生

在中共導演主使下
大陸同胞逃港愈來愈衆
證明遣送辦法非善策

（本報訊）上月底開始「有顯著增加」的大陸同胞逃亡香港事件，雖然香港政府採取的是嚴密關防即捕即遣的手段，却不但未能稍抑如潮似浪的逃港洪流，反之更有波瀾愈見壯濶，情況益趨嚴重之勢。

對於所謂「非法」入境事件一貫諱莫如深的香港政府，本月十二日為此特別發表一次公報，十六日又發表第二次公報。首次公報中透露：五月頭十一天，逃港大陸同胞被捕者約達一萬人，差不多平均每天達千人之數，已經很是駭人聽聞了——香港中英文各報紙原來所作的估計，統統比這數字要小得多——但香港政府的第二次公報，更透露五月的前半月，軍警共已逮捕「非法入境者」約二萬五千人，平均每天超過一千六百人了。

根據（一）被捕的大陸逃港同胞異口同聲的說，他們之所以逃亡，固然主要係由於饑荒嚴重，再不逃確難免終於會被餓死，却亦由於中共向他們示意，將不再如以往的阻止他們逃來香港，所以他們才大家集隊而來，希望從此得入生天。（二）這些逃亡客又異口同聲的說：當他們進抵邊境準備越界之時，駐守邊境的共軍，非但不干涉他們逃亡，甚至催逼他們趕緊越界，有的人還曾經得到共軍的指點，在何處何時何等情況下越界，較易逃避香港軍警的耳目達成逃港的目的。（三）事實上，每天要有如許衆多的人跨界而來，就至少證明是中共鼓勵大陸同胞逃了。否則，假定中共一如以往的嚴密把守邊境，每天能否有三五個人逃得過來，都大成疑問。過去十二年的情形，便是如此。

這足見，這次的突然發生大陸同胞浩浩蕩蕩的「非法」逃來香港，完全是中共所一手造成的。中共之所以要這樣做，則不成問題是因為大陸糧荒已達到或即將達到山窮水盡的地步，驅趕某種數字的饑胞出境，既可以減輕口糧負担，亦免得因為大家餓得太兇而釀成大的亂事。而逃港大陸同胞的陣容所以愈來愈見浩大，亦正以此故。

此種情勢，就更加證明，香港政府現在採取「即來即送」辦法，其顯然有乖於人道固不待言！且長此以往，終難免會因為「非法入境者」的益見其衆，而遭遇到捕不勝捕送不勝送的困難。比如，假使中共每天放出三二萬人（此在中共，輕而易舉），又將如何？

當然，要香港不再遣返逃亡者，非得國際性的大力支援不可。時機迫促：必需趕快設法了。（秋）

參加大阪商展失敗的內幕
自誇成績優良。實際一塌糊塗
騰笑國際。終被外人翻開底牌

（本報記者台北航訊）本年四月五日起在日本大阪舉行的「第五屆大阪國際貿易博覽會」，我國參加展出的「中國館」，成績一塌糊塗，給予其他廿八個參加博覽會的國家及當地的人士極惡劣印象。

此項於四月廿五日閉幕的大阪博覽會，台北首先獲得的消息是：「展出成績至為優良，觀衆踴躍，甚獲好評。」這是一貫報銷式的敷衍文章，向上級交代了事，乃是以往的原版照印下來的，不料這一次卻出了敷衍塞責的漏洞。這是由一位商業鉅子透露出的令人痛心的消息。

這位不願透露姓名的人士指出：這次在大阪舉行的國際展覽會，「中國館」陳列的產品太陳舊太丟人了。如果不是幾立立委因公在日本，乘興參觀大阪展覽會回來報告，大家尚被蒙在鼓裏。由於我國每次參加國際性展覽會時，中國館設計及佈置都頗冠冕堂皇，主辦者拍回幾張照片寄回國內報紙登出，國人見了，自然相信展出「成功」。但館內陳列的產品是否為國內最新穎最精良的東西，並贏得國際參觀人士的激賞，就另是一回事了。

這位商業界人士又特別指出：歷年以來，我國參加國際性展覽會的業務，大部份是由政府有關單位所主辦。正因為如此，這些有關單位便視國際展覽會，為出國遊歷的好機會，專員幫辦之類的官員，便輪番被派出去辦理展出，而不問他們是否內行，這樣豈有不失敗的？

該人士並說：這次參加展出之商品，主辦單位均是把以往在外國展覽過的東西，或者是在駐外的經濟參事處所陳列的東西，東運西搬，予以展出。以致包裝損壞，顏色變樣，非但不能收宣傳之效，反而貽笑國際，這次在大阪的展出，正是如此情形。

此次在日本大阪展出的「中國館」，係由經濟部與中國生產力中心及貿易中心所合辦，當國外的不良反應傳達台北之後，有關方面於是互推責任，並圖予以掩飾。記者昨日（十三）就有關中國館在大阪國際商展展出情形，詢問中國生產力及貿易中心高總經理時，他說：「此次展覽係由經部主辦，我不好講話。」

高總經理會於上月在大阪國際商展展出期間，前往日本參觀，記者要他就此次參觀所得發表一點觀感時，他苦笑了一下，似有難言之隱的說：其他事情我可以發表意見，這個事情我不好講話。我此次去參觀，並未詳細看過，只是去巡覽了一番而已。據我看來，大致還不差，還是很好云云。但是他卻向經濟部提出召開大阪商展檢討會的要求。

此次參加大阪國際商展的失敗，最主要的原因，是沒有新產品。據有關方面透露，此次運往大阪展出的產品，多數係以前在各國展出過的東西，展出以前亦沒有周詳的計劃。當展出之前一個月，才派人籌備，商品運到日本的時候，離開幕的時間，只差一兩天，所以佈置方面也表現得因陋就簡，如紡織品就來不及燙熨，亂縐縐地掛了出來。「中國館」內待接觀衆的人手也不足，外國人要向我們訂購貨品，也沒有一個專辦的人負責，其原因是沒有大廠商參與其事，主辦的人，全是些「遊歷專家」。

參加這次展覽會的日本及外國各廠商，共三千六百家，在此次展覽會中，共賣出價值五千五百五十萬美元以上的商品，但我們售出的金額幾乎等於零。再看其他廿八個國家展出的東西，則均為他們最新的出品。日本以地主的身份，更是傾其全力來辦這次展覽會，因為他們了解這是一個良好的宣傳機會。

這次我國參加展出的商品，其種類包括罐頭食品、樂器、油漆、保溫瓶、錶帶、蔗板、紡織品、窗簾、領帶、燈泡、縫紉機、手電筒、電器開關、枱燈、冰箱、馬達、汽車胎、膠鞋、鈕扣、味精等上列製品，許多是陳舊的東西，包裝亦不美觀，處處與外國商品相比較，自然相形見絀。如果我們懂得外人之心理，多展出一些代表性的東西，如絲緞、旗袍料，或者古色古香的傢具，桌几，手工藝品之類，反能獲得別人的歡迎。

我們每年花費龐大的經費，到處參加國際性的商品展覽會，其目的在開展國內產品的外銷市場，建立良好的國際信譽，馬馬虎虎的擺，那就非徒無益，反又害之了。

此次參加大阪商展的失敗，主辦單位及負責人，仍照舊向政府報告一番「展出成功」，照片洋洋大觀，以為可以交代了。不料在大阪商展閉幕後，日本一個民間團體，對於我國自我吹噓，似乎不予諒解，居然不厭其煩地向我國機關寄來一封批評與責難的長函，因而真正內幕乃被揭穿了。

電視節目的爭論
這還祇是第一回合

（本報記者吳越台北航訊）（續上期）電視公司對這問題的解釋，說我方對日方所提供的廣告與節目，有審查取決之權，並且用採的節目，一律均改配國語發音，事實上與國內製作節目並無太大區別。

至於部份輿論的意見，則以為這是一個心理問題。其他外國語及日語的影片能在台灣上映，電視節目只要在內容上通過審核，就沒有什麼區別了。對於電視接收機，卻一致主張開放進口，自由競銷。

此一電視兩小時節目之爭，尚在各方激辯中。這第一回合的交手，似乎教育部佔了上風。但教育部的一個不慎，卻授予電視公司反擊的機會。

教育電視台於五月一日播出一節日語說明的插花節目，這是向來未有的事，以致引起社會的評論。

該台解釋此事經過，說是該台插花節目，邀請張純水女士表演，原係企求國民家庭生活美化，推行社會教育而辦理，並非經常性；上演時，張女士因國語能力不足以解說，乃用日語說明，由該台人員譯成國語。後查張純水女士原為日籍，嫁給我國國民，已改入我國籍。

台灣電視公司總經理周天翔卻據此反擊，他說：「現在教育部的示範電視台已經首先採用了日語講解，國語傳譯的節目，使本公司深為興奮，今後將有所適從」。他並說：「教育部曾一再公開表示，堅決反對日方供給本公司的兩小時節目，而教育部所辦的教育電視台在示範節目中，現在卻以事實說明可以直接播出日語國語對照的節目」。

教育部社教司長兼教育電視實驗台主任委員劉先雲，自此事件發生後，深恐影響教育部對電視節目的政策，除向黃部長報告經過外，並引咎請求處分。但他認為由此可以試探出大家對日語節目是反對的。他說：教育電視實驗電台現在尚在實驗期間，本省接收機數量也極有限，這一偶然的播出，便已引起社會和輿論的重視，如果是經常性的甚或是非教育性的話，社會的反應，就更可想而知了。他對這次社會和輿論的反應，感到欣慰，他說這些關切，有助於電視節目的改進，是一個良好的現象。

電視公司與教育部第二次的交手，似乎教育部又屈居下風了。（完）

美軍開泰勉強實現
泰不滿美對寮政策

（曼谷通訊）泰國國務院長乃沙立元帥終於同意美軍開入泰境，美軍並已自海空兩路先後兩次到達，且經大部份進駐泰西北的烏隆府。

乃沙立元帥的同意美軍開入泰境，實際是很勉強的。在美國提出此項建議以至泰國表示同意的那幾十小時之中，曼谷曾經迭有傳聞，說是泰國可能會拒絕美國的此項建議。此一傳聞，確實有根有據，並非空穴來風。

原來，在共軍破壞寮國停火協定相繼攻佔寮北軍事重鎮的孟新及南塔之時，美國馬上作緊張狀，華盛頓高級會議頻頻而開，並傳出美國決定要來一次「威力的展示」。當時，泰國當局以為：美國年來的「撤退寮國」政策，或許會作一百八十度的轉變了，曾經滿懷高興，認為美軍將會空降寮境，藉以嚇阻共軍的囂張氣燄了。泰國一貫就極力主張，東南亞公約不能漠視寮局，應該以實力阻止寮國的被赤化。現在美國因寮國停火協定被破壞而要做「威力的展示」，則美國開兵入寮，正屬必需之舉，泰國當然高興。

殊不知，華盛頓所吹噓的「威力的展示」，居然不是進兵寮國，而是開兵入泰。美國此一建議向泰國提出之時，原任援越軍司令現經被任為泰越境美軍總司令的哈金斯上將，曾奉令前來曼谷，當時華盛頓儼然以為：泰國將會很高興的同意美國的建議的了，結果證明美國想得過於天真。

泰國的其實並不樂意美國這項建議，主要係因為泰國看出美國此舉，純然只是一種姿態，其意僅僅在於企圖藉此壓廹促成寮國成立聯合政府而已；美國的「撤退寮國」政策，根本原封未動。而所謂寮國成立聯合政府也者，在泰國視之，充其量祇是寮國的被分期赤化。而寮國赤化，泰國邊境暴露，安全將受到重大威脅。

據說泰國當時曾經表示，欲保泰國安全，應採積極措施，美軍開入泰境，無論如何祇是消極的防守。而以當前的形勢估計，泰國本身軍力，足夠自固吾圉，殊無美軍開入的必要。哈金斯上將曼谷之行，其所以經過一天工夫還得不到泰國對美國建議作肯定的答覆，原因就在這裏。

現在的結局，應該說明係由於泰國並未能把美國說服，使其改變對寮政策，不得已而求其次，才終於答應美軍開入泰境的。據說：為了是否同意美國此一建議，在國務院會議中，曾經有過長時間的研究討論。

由於美國的努力，東南亞公約的大部份國家，已同意派遣象徵性部隊，開入泰國協防。國外曾有訛傳，說這乃係出於泰國的要求，泰國當局很乾脆的否認其事，說是如果公約其他國家派來軍隊，泰國將不反對，泰國亦可說是歡迎的，但泰國並未如此要求。（越）

如何營救逃港同胞
僉盼政府劍及履及

（匡謬）

（本報記者台北航訊）行政院副院長王雲五在立法院強調：政府對於處理大陸同胞逃港復被遣回問題，責無旁貸。但畢竟如何劍及履及的盡到責任，却無下文。此間人士亟盼政府趕快的拿出辦法來。（啓

中國立命的根株

林介山

在一九五八年，美國國會更通過以國家的財力，推進東方及中國語文文化的研究。一九六一年十二月三日紐約卡尼基基金會宣佈撥出八萬五千美金，指定作為研究中國現代社會之用。這又說明並反證中華民族文化對人類社會確具崇高的價值，正如孔子所强調，這乃是「不可須臾離」的道。

日人賀長雄說：「倫理乃中國文明之精華，為西漢以來二千年政教之基。」德國人費希禮說：「孔子集羣聖之大成，故孔道根本之深，不惟在已往，且有功效於將來；不惟深入於中國國民之人心，且有功效於世界。」美人李佳白說：「孔學原理，為人類共通之原理，不但中國當行，外國亦當行。」英人羅素說：「中國學術在二千餘年前已燦然大備，整理復興，影响極大，最後中國必為世界文化之重心。」

各國權威學者對我國本位文化作如此推崇，完全是基於我們本身具有這樣的價值。反而我們自己那些「月亮也是外國圓」的若干學者及野心政治家，完全忽畧我國固有道德文化對人類貢獻的所在。特別自五四以來，國人失去「中道」，由於盲目崇外拜「新」，誤解「自由」「進步」意義的結果，强把西方產物的民主主義與共產主義代替本位文化，遂終令整個大陸淪於赤化暴政，人民失去鄉里憑依，流亡失所。在中國的自由區，也因有西方民主與地道民主兩種思潮的衝突，形成政治不安的局面。此種媚外政治與媚外文化可能造成誤國誤民的傾向，外國學者早為我們提出忠告：

德皇威廉曾說：「凡取法他國，仍需勿忘他本國。中國有中國之文化，著於世界，務當保存。」日人松本說：「能為中國立不朽之功，樹不拔之基者，儒也。中國無儒，則聲名文物之美，又何得洋溢乎世界哉？今醉心泰西文明，誹議儒教，喪心病狂，無有過此。是亦知中國國粹，東洋文明，非儒教無以發皇光大。」

「打倒孔家店」最大的錯誤，主要是對片面的科學精神估價過高，而忽畧以新觀點對孔學的人文精神作解釋，大科學家愛因斯坦由「相對論」而尋「統一場界」，中庸亦猶陰陽兩面，道終於一。中外古今哲學科學，並無衝突，其昇華處，都趨一致。思想片面而不完全，有區域而非放諸四海而皆準，這種思想不成為思想，這種文化也不是高度文化。孔子被稱：「聖之時者也」，「苟日新，日日新，作新民」，正是歷久而常新的聖哲。我真不明白，我們中有些人竟不以有這樣的高超的文化為傲，但求驚世駭俗，以鳴一己於時。一國的文化，正是一國立命的根株，若令外國文化取代，便斷喪國脈，等於亡國。

其實，我國文化確有為泰西文明所不及的地方，如果說，要借助他山之石，就僅是那些比我較有系統的唯物論——瘋狂求知的希臘式的科學精神；和比我更具體的唯神論——獻身犧牲的希伯萊式的崇敎精神。除此之外，我們沒有理由不把好的東西保留與發揚，而去盲目崇新，投降比我們較低的文物。而且，中國文化並未忽畧「神」明與「物」性，她不過把「神」「天」視為道德至高的象徵；把「物」「財」視為下乘的需要；而把這個人類社會的「人類因素」的中心，串貫聯繫獨立構成一個有別於「共黨的非人」與「西方的自我」的世界而已。所以，「希臘式的個體主義和希伯萊式的集體主義，都失之於偏激，絕非中道，將不能作新世界秩序的根基」（見謝扶雅著「當代道德哲學」第二五八頁）。這是對的。那麼，中國的傳統文化便不獨為我國立命的根株，亦必然可為未來世界立命的所在。

中國文化原是兼收並蓄的多元文化精粹的合一體，最近學者們在為「國粹與西粹」爭辯不休，一時使人目迷五色，無所適從，影响「國是」，動搖國基，實非明智。萬物同原，最高的「全知」智慧亦是同根。中國文化既以「完全觀念」為基礎，自不拒絕外來的有價值的理念，且追根溯源，必亦異途同歸。故學者們以其中明辨自學心得，勿如從理論發凡到實踐體系的闡揚，對國人及時代的需要，當更有貢獻。

今日的思想界，除科學領域，比於古人較有進步外，人文範圍，僅限於解釋，但如何實踐中外聖哲的理想，則我們今日的時代任務。

中國立命，與天地為一體，非盲評腐說可撫觸。惟大衆同環境同意識，國人才有救，世人亦才獲福。我寫本文動機就在這裏了。

（完）

香港與大陸

從大規模的「非法」進入香港的大陸同胞口中獲悉，饑餓是逼使他們甘於別井離鄉的最主要的因素，他們之不惜吃盡苦頭，逃亡來港，無非為了希望能夠免於餓死而已。

這些十九屬於廣東省籍的「逃亡客」，他們中有的目前每個月的糧食配給，竟有少至九斤谷者。九斤谷磨礱成米，尚不足七斤，這教他們怎麼能夠維持得了健康？他們異口同聲的說：由於春耕眼看又必然歉收，再不逃亡，確實祇有死路一條了。

據本報記者從這些「逃亡客」的敘述所得到的統計，廣東各縣目前的糧食配給，雖然並非完全一律的，却

廣東省各地配糧 多為月穀十二斤 尚不足維持三分一飽

以每月配谷十二斤者較為普遍，有的地方更少至每月配谷九斤，另有少數地方，每月尚得配谷十六斤，比較算是最幸福的了。十六斤谷約可得十三斤米之譜，以農民同胞的終日辛勞，又無菜餚，勉强不餓肚，每月至少要四十斤米，故月配谷十六斤者，每月祇有十天的食糧，另外二十天是無米下鍋的，他們把十三斤米分為三十天吃，經常都祇能吃到三分之一的飽而已。至於大多數的廣東同胞每月僅得配谷十二斤者，就連三分之一的飽亦不可得，其苦況實在不是住在香港的人所能想像的！不幸的是這些「逃亡客」因為係「非法」入境，他們多又重被送回大陸去了。

（展）

唐榮債信何時了？

林肅公

解決之道，除業務上亟待改進，以增加收益之外，而如何謀求債務之清償，實為根本問題之所在。茲就該公司對目前現狀所擬議之解決辦法錄后；

一、請政府主持延續唐榮公司救濟案未完事宜，召集有關機構組織債務清償財產處理兩大任務之專責單位，主理其事，統籌規劃三億九千萬元債務之償還及一億五千萬元財產之出售。

二、請政府洽商金融機構以長期低利貸欵，按債務償還時期絡續借作償債之用，其貸欵之收償來源：

（甲）一億五千萬元不動產之出售，扣除增值稅後之淨值五千四百萬元，土地增值稅八千七百萬元，希望由省府呈請行政院豁免繳納。

（乙）新公司營業盈餘除提付股息，營利事業所得稅及法定公積金外，剩餘額掃數撥作清償借欵之用，在各年度預算內編列當年度清償之計劃。

新公司為了應付償債及生產資金之週轉，目前可能籌得的財源，還是極為有限。在龐大的債務三億九千萬元數字中，該公司可作償還債務的財源，則僅有九千萬元。另外唐榮及其家屬繳供抵債的財產，所作成之時價價欵新台幣一億五千萬元，均未依法過戶，新公司尚未辦理變更登記，是項財產因唐榮等本身債務而被法院查封執行者，已有多起，影响公司權益；但其主要關鍵，仍為增值稅問題，因為該項財產一億五千萬元，係唐榮及其家屬之私有財產，如過戶與新公司時，似係一種買賣行為，必須課繳稅捐；如再由新公司作價抵償債務時，似又須繳納增值稅，是以該項財產過戶出售，將繳稅兩次，但在處理辦法中，對於此項過戶所須繳納之增值稅等，並未指定財源。這項財產，即使可以不必繳納增值等稅，完全可以用於償還舊債，再加上可作償還債務的財源九千萬元，合計亦不過二億三千萬元，仍不敷所需甚巨。因為新公司須清償的債務達三億九千萬元，其不敷償債之財源，則唯有洽請金融機構，以長期低利貸欵，按債務償還時期，陸續借作償債之用，除此有效辦法之外，似乎是別無他法可想。

新公司所負的這些債信，何時可以了清？省政府曾迭經召集有關單位會商，現尚無具體結果。看樣子政府對唐榮之改組公司，正如同背上一個沉重的包袱，這包袱雖然是背得非常吃力，可是還得努力背下去，不能把它丟掉不管；因為鋼鐵工業正是發展一切輕重工業的基礎工業，如果政府不設法扶植，任令其自生自滅，這是有悖國家發展工業政策的。所以，無論是民營或公營鋼鐵工業，政府均須大力培植，為其解決最大的困難。目前省產鋼鐵過剩，價格下跌，鋼筋售價，據聞已跌至成本以下，今後更有待拓寬省內市場，獎掖需要鋼鐵製造成品的工廠，同時更須打開國際市場，向外銷售。年來我鋼品之國際市場，每況愈下，其原因係日本對東南亞低價傾銷，使我無利可圖；如何挽回此一不利趨勢，也要多動腦筋了。

（下）

盧君續夢

第五回：深壑難填 反顏奴抗主　片言起釁 轉瞬德成仇

毛澤東笑道：「你不用急，慢慢想想，咱們可賣的東西很多，譬如古玩字畫，特殊產品，只要能換錢，一律拿出去賣，最好有人販賣猪仔，假使能賣人，一切困難就解决了。」

正在談話，田家英拿了一張帖子進來，說道：「剛才蘇聯大使館派人送來請柬，赫老今晚請主席吃飯。」

毛澤東「哼」了一聲，順手把帖子丟到傍邊。

李富春問道：「主席今晚見了赫老，談不談貸欵的問題」？

毛澤東嘆口氣：「我沒有臉再去向他張口借錢了，你未曾看見他當時的那副鬼樣子，眞眞把活人氣死。」

李富春苦笑道：「這不是賭氣的事，主席常說大丈夫能屈能伸，主席也曾向老蔣低過頭，今天怎不能向赫老賠點小心呢？」

毛澤東搖搖頭：「你不知道內幕，赫魯曉夫如何跟蔣先生比，蔣先生是人，他是鬼，人容易伺候，鬼怎麼招呼。我過去就錯在把伺候蔣先生那一套工夫拿來對付他，那知上了大當，我現在算是徹底明白了，對他只能硬，不能軟，一軟必然吃虧。」

李富春不知毛澤東打什麼主意，不敢開口。

毛澤東接着說道：「他今天請我吃飯，我自然有辦法將他一軍，如若我佔了上風，他就要借錢給我們。」

李富春笑道：「萬一他佔了上風呢？」

毛澤東攤開手道：「那就只好認命了。」

晚間赫魯曉夫請客，中共政治局委員，重要部門負責人，「民主黨派」首腦都到了，吃的俄國大餐，喝的是伏特加，赫魯曉夫高興得很，到處找人碰杯，一仰脖子就是一杯伏特加，毛澤東看了暗暗驚心，恐怕他又借酒裝瘋，可是又沒辦法攔他。

好容易捱到吃過飯，退到套間休息，在座的蘇聯方面只有赫魯曉夫和葛羅米柯，中共這邊也只有毛澤東、劉少奇、周恩來。大家剛坐下，毛澤東突然說道：「赫魯曉夫同志，有一件事，屢次想問你，見面總是忘記了。」

赫魯曉夫迷糊着醉眼問道：「什麼事啊！」

毛澤東笑道：「你們這次訪美，議定要同艾森豪威爾開高峯會，不知由那幾個國家的元首出席。」

赫魯曉夫一聽這幾句話問得不善，登時酒醒了一半。連忙睜開大眼說道：「這個問題，前天一下飛機我就告訴你了。」

毛澤東微笑道：「你告訴我要開高峯會，並未說明是那些國家。」

赫魯曉夫冷笑一聲：「當然是蘇、美、英、法四國元首了。」

毛澤東陪笑道：「這個問題你上了艾森豪威爾的當了，高峯會議總共四國，他們佔了三國，形勢是三對一，舉手表決你固然吃虧，萬一言語衝突打起架來，他們三個人中間兩個將軍，你更不是對手。你怎麼不要求中國出席，我要到了，日內瓦形勢就不同了。」

毛澤東還在向下說，赫魯曉夫急了，連忙擺手說道：「毛澤東同志，你誤會了，我可以按着馬克思經典起誓，我在大衞營曾向艾森豪威爾提到邀請中國出席的事，但是，他說這是談的柏林問題，與遠東無關，不必中國出席了。」

（一〇二）

劉家的瓌寶（續）

同光間，彭雪琴購某收藏家，藏有岳武穆所書李華弔古戰場文手卷，後有文天祥長跋，雙忠手跡，璧合珠聯，確是珍品。彭請借閱兩月。迨其解組歸隱，居西湖退省庵，將雙忠墨蹟勒石，拓片分贈同袍，此卷聲光陡增，海內皆知。

民初，劉榮譯任四川財政廳事，後兼巡按使，購得此卷。會因他案而被緝，乃北上投宣武門外細瓦廠蔣雁行家暫避。陸軍有三蔣，人稱爲龍，是百里爲龍頭，百器爲龍腹，雁行是龍尾也。蔣受劉託，爲力向有關方面解釋，三月始得除緝令。劉無以報，舉卷相贈，而雁行則視作寶品也。

民十二，吳子玉開府洛陽，五十稱壽，雁行以吳好古物，將卷交琉璃廠二友山房，重付裝池，派人賚送洛陽。時康南海因吳壽往賀，並有贈聯：「牧野鷹揚，百世功名纔一半；洛陽虎踞，八方風雨會中州」。吳亟稱賞，並邀其鑒別文跋，康見眞蹟，盛稱爲壽禮中之冠絕。吳遂電雁行邀其來洛。雁行南行，往查家墩司令部晤值，適蔣百里以病辭參謀長缺，乃以雁行遞補。是劉家的瓌寶，成爲蔣氏之官階，與往事有不同也。

懷玉軒雜綴

爛柯一綫

崑曲中有「痴夢」一齣，是朱買臣所休的妻子，在夜間夢寐見朱的種種表情，整個劇本，名曰爛柯山。平劇中有汪笑儂編的馬前潑水，是買臣得官，其妻來求重溫破鏡，結果買臣以水潑地，表示「覆水難收」。兩齣互映，非常深刻，令人有糟糠之妻不下堂的感慨，警世勸人，具有意義。然不知究竟爛柯山何在。

民廿一，奉命赴杭衢觀察，先赴衢州，杭江路已通，當日抵達。主持衢行者爲後來進農行的朱閏生，觀察既畢，閏生見告，城之西南有小景，名爛柯山，占地不大，但有清氣，盍勿一遊。頓然觸及買臣事，因於假日，約守愚同往。出城步行約八里許，抵山腳，草木葱蘢，一片翠綠，與陽明山附近類似，惟無建築物。半山之腰，有一小廟，供祀觀音，僅二三間，香火不盛。據導遊之小童言，山頂有一線天，往空瞭望，常有奇景。余等引起發幽之興，但無走道可尋，祇可緣山壁揉升，由童領先，紆曲轉折方始達嶺。

抵山巔，遙望衢城，已在半山中，江水襟帶，宛如一條白線而有光，依稀可辨。尋覓良久，得一小洞，俯身傴僂而人。（未完）

柯賢英半夜銷魂（續）

花香月上樓小品

黃葉村人

居頃之，賢英、番婆已論婚娶，番婆以金飾珠玉值鉅萬，寄賢英婦，而隻身返東寧，謀脫籍事。番婆既歸，賢英夜無聊，偶至其誼姊妹阿珠者家，越晨，竟以暴斃聞。官來驗，屍身全黑，疑中毒。時日籍浪民，在廈橫甚，珠之假母特「日警部」爲靠山，指係「色風」，若驗，須剖解。賢英家畏事，且人已死，對象又爲日籍浪民，勝無所得，負則後患無窮，遂歸番婆所寄金飾，舁屍還葬，聞者傷之。

賢英畢業廈門同文書院。同文書院最初爲菲律賓華僑首富葉崇祿（又名清池）者所創辦，發起人爲美國人韋荼聲。其後，韋氏歸國，改名同文中學，廈門富商黃奕住、耆紳林爾嘉，繼續支持。賢英死時方任同文書院庶務，同學多抱不平，卒以事主懦弱而止。余當時正編廈門某報副刊，有悼柯賢英七律二首云：「雲雨荒唐已可疑，嘵君一死更離奇；當前緣業誰能識？此去恩怨倘自知。半夜游魂銷短夢，百年春恨付哀絲；傷心更有南飛燕，辛苦營巢未可期」。「少日豪情唱惱公，交期不盡客場中；水邊人去琴猶在，花底魂歸曲已終。刦黑成灰都莫白，守雌垂死可知雄；思君淚落泉台遠，逝者如斯恨靡窮」。

賢英死後，番婆曾輟業數月，後爲假母所迫，復出張幟。余友蘇、謝二君，賢英摯好也。賢英在時，蘇謝常從遊，爲番婆師，字之曰「玉霞」。不久玉霞亦解作悄語，有句：「夜半雨聲聽更惱，斷人腸最五更時」。賢英見而愀然！未幾，賢英遂卒。玉霞後歸一吳姓商人爲小妻，閒爲大婦所制，鬱鬱不得意，旋以病死。後此南曲中，賢英琵琶，與番婆之「出塞」、「歸漢」、「杏元和番」，遂成絕響。

多難的五月

漁翁

五月，以陰曆推算爲仲夏，若以陽曆計算之，則爲春末夏初。在陰曆五月五日，謂之端午，乃春秋時代大政治家和大詩人——屈原抱石投入汨羅江上以殉國之日，同日又爲東漢孝女曹娥之父被江潮所淹沒之日，這一忌日，猶永遠印入國人之腦海中，認爲五五是一災難之季節。

今則改用陽曆，而災難更千百倍於昔日，所謂五三、五四、五七、五九、以及五月三十日，皆來自日本之侵略，這恥辱，更令吾人所不應忘記也。

五三：民十六年，北伐軍進抵山東省境，日本勾結北方軍閥，出兵山東，阻我前進。十七年，我北閥軍克濟南，日軍即於五月三日侵入此地，乘我不備，用機槍大砲，屠殺我軍民，並捕我交涉員蔡公時，嚴刑拷死。日軍佔領濟南及膠州路，至翌年始退，該處民衆受難而死者，不可以數字統計，謂之「濟南慘案」。

五四：是由於日本帝國主義和國際姑息主義，強權主義所激發的「民族自覺運動」。在第一次世界大戰結束之翌年，即民國九年，巴黎和會決定將德國在我山東之一切權益，全部由日本繼承，我代表抗議無效。消息傳來，北京學生三千餘人，舉行示威，遊行請願，北京政府派兵鎭壓，激動公憤，搗毀曹汝霖住宅，毆打陸宗輿、章宗祥諸賣國賊。當時學生被捕者七人，因此，風潮擴大，各地蜂起響應，成爲革新的「五四運動」。

五七：當民國三年，第一次大戰發生之際，日本乘機佔據我膠州灣及濟南，於次年一月十八日，向當時的總統袁世凱提出二十一條件，旋又增爲二十四條，五月七日，以最後通牒迫袁於四十八小時內承認。時袁正謀稱帝，恐有影響，故於五月九日簽字。在二十一條中，無一不是喪權辱國之滅亡符。雖然袁政府被迫承認，而如火如荼之民氣，猶激盪而不可遏止。

當時全國學校，高唱一曲「國恥歌」，末云：「五月七日惡耗，爲奴爲僕眼前到；這國恥，幾時消！」等沉痛語，聞之，莫不有敵愾同仇之感！以日本於民四年五月七日提出最後通牒，袁政府依照四十八小時之通牒承認，故曰「五七國恥」，又稱「五九國恥」，其實乃一件事也。

五卅：起於民國十四年，（一九二五年）日本在上海之棉機工廠，因剝削工資，毆辱工人，經一度罷工，答允改善待遇，始復工。奈復工後，又不履行諾言，且壓迫更甚於前，於是引起二次罷工風潮。迨五月十七日，正在交涉間，廠方竟槍殺工人顧正洪，傷多人，並誣以擾亂罪名，因此，更激成公憤，學校罷課，商界罷市，工部局又以強悍威力，大肆逮捕，致演成五月三十日的南京路之大慘案。事後爲不忘記這一國恥，有五卅中學之設，培養一般愛國青年，作雪恥圖強打算，亦越王十年教訓之遺意也。

由於上海之五卅運動，進一步又發展爲全國性；如六月十一日的「漢口慘案」，六月二十三日的「廣州沙基慘案」，七月二日的「重慶慘案」，七月三十一日的「南京慘案」，凡此，皆由五月三十日之慘劇所導致。

自後民二十一年的「九一八」，日軍佔我東北各省，民二十六年的「七七」，發動蘆溝事變，實踐：「欲吞併中國，必先佔領滿蒙，欲征服世界，必先佔領中國」。在八年抗戰中，一筆一筆的血債，爲我們永遠不能忘記，不應忘記的。

多難的五月，一年一度的又來臨了，在這風濤澎湃的月份，我們應由恥辱而刺激，由刺激而奮發，有生之日，毋忘五月之羞，不死之年，必雪百年之恥。

海嘯室談薈

漫談麻將牌（四）

諸葛文侯

關於人們玩麻將牌的故事軼聞，不知凡幾，有些甚至影響到人生的窮通禍福以及生死，足資鑑戒焉。

吾國近代政治名人段芝泉（祺瑞），平生除了嗜好圍棋以外，即喜歡玩麻將牌消遣。他的政治地位很高，奉陪的人必須當時的名公鉅卿纔行。相傳他初作內閣總理時，某夕臨時赴中國銀行總裁梁士詒家擬玩麻將，主人會以電話向各方面邀約配角，始終三缺一，沒法成局，最後梁氏說：「我行內到有一個職員可以湊合，但不知總理是否同意？」段答言無所謂。梁氏即將行員李思浩約來，李聞命殊惶恐，梁告以「段總理同意了。至於輸贏一事，不必操心，輸去若干，由我負責支付就是。」李祇好遵命入局，心情却很緊張。初時段亦不跟李交談一語，只對其他士位有說有笑。李係寧波人，深嫺麻將技術，遇此榮幸機會，當然小心翼翼，總以能使段總理心情愉快爲上。在某一回合中，他推測段總理手中是一副大牌在聽和了，而且料定是聽「白板」。如是，他聲言「我全手牌都是生張，只有擲出么頭，或許可望不放砲」，即將白板發出，段氏和了滿貫。迨洗牌時，段乃問及李氏的籍貫資歷，稍示親切的意態。梁士詒頗贊許李氏機警肆應的才智，嗣後每逢段總理來作麻將娛樂時，即命李氏敬陪末座，從而漸受知遇。後來李氏在官場中蜚黃騰達，位至財政總長，溯其基本原因，實肇端於奉命陪要人玩麻將之役也。

對日抗戰時期，中樞最高統帥倡導戰時生活，申令禁止文武公務人員從事賭博，否則軍法從事。湖南省主席兼第九戰區司令長官薛岳，奉令即轉飭所屬文武機關一體凜遵。某年農曆正月，湖南祁陽縣商會的委員和士紳某某等，在縣城內的私人住宅舉行春茗，且以麻將消遣，該縣縣長雷孟炎（他是我的小同鄉）聞訊派警前往抓賭，把那四個玩麻將牌的商會委員和士紳抓來，竟援用最高統帥部的通令，呈請省府核准，一律予以槍決了！當時在縣府担任司法承審員職務的李志清，亦是我的同鄉人，會向雷縣長力爭謂打麻將與賭博有別，不能因此殺人，且解釋所謂「軍法從事」的法意，亦非專指死刑而言。但雷氏不聽，李即辭職回家，說是避免將來連帶遭禍，蓋以雷氏如此胡行妄爲，料其他日必無好下場也。此事發生後，該縣各界人士大譁，聯呈向省府控訴雷縣長草菅人命，非法濫殺，然省府置不究問，嗣以民情激昂，乃將雷氏調任湘西重鎭晃縣縣長。所以，當年湖南人流行兩句民謠云：「薛長官可愛，薛主席可殺」，就是指的這類事情。至於雷孟炎，原係一個不學無術的荒唐漢，性情輕浮狂妄，言過其實，稍有知人之明者，必不會信任他的。大陸淪陷前夕，他在臨武縣長任內，又裹脅地方民團，自封爲「人民解放軍湘南軍區司令員」，公然投共，未幾即爲共黨所殺。

新聲律啓蒙

頌台灣文壇近事

瀟湘散人

新對舊，腐對酸，國粹對洋裝；青年對老漢，武器對文章；揮彩筆，掉花槍，「推開錢賓四」，「哄走牟宗三」；話不投機動肝火，語無倫次「扯卵談」；文化郎中正在多方看病，「過河卒子」忽然一命歸天！

註：「推開」「哄走」：偶句，照鈔作家原文。「扯卵談」是湖南諺語，以「卵談」與「肝火」對仗工穩，故襲用之。有兩篇大作的題目是「給談中西文化的人看看病」，「還要給人看看病」，故云。「過河卒子」是胡適之先生自稱的綽號。

贈李敖

五十一年五月　君匋

賣書竟是讀書人，力敵淸貧困此身；
怒向文壇刈鬼怪，敢違世俗表天眞！
冷言寄託家邦意，熱血蘊涵日月新；
國運前途頻冀盼，何時冬盡告回春？

讀友人李敖所作「老年人和棒子」「給談中西文化的人看看病」兩文後，感而書此以贈。

自由報
內僑警台報字第〇三一號內銷證
THE FREE NEWS
第二三八期
中華民國僑務委員會領發
台教新字第三二三號登記證
中華郵政台字第一二八二號執照
登記爲第一類新聞紙類
（本週刊每星期三、六出版）
每份港幣壹角
台灣零售價新台幣貳元
社　長：雷嘯岑
督印人：黄行靈
社址．香港銅鑼灣高士威道二十號四樓
20 CAUSEWAY RD 3RD FL
HONG KONG
TEL. 771726　電報掛號．7191
承印者：四風印刷廠
地址：香港灣仔高士打道二二一號
台灣分社
台北市西寧南路壹壹柒號二樓
電話：三〇三四六
台郵撥儲金戶九二五二

中美外交上的一點陰影

宋文明

最近不久之前，美國所發表的一九四三年對華外交文件，曾引起了各方極大的注意與討論。不管美國選擇發表這一文件的時機有無特殊意義，但這一文件的公諸於世，確給現時在台的中國政府以極大的傷害。雖至今爲止，我們還未看到中國政府方面對此作過何種表示，想來也絕不會完全無動於衷。甚至就是中國政府爲此發表一嚴厲聲明，擇其重要各點加以反駁，在人情方面亦不算過份。

這一文件的所以傷害中國，主要就在這一文件所包括內容，從頭至尾，都是在揭中國的瘡疤，在暴露當時中國政府的各種缺點。如其中所述貪污橫行，農民反政府暴動，飛躍的物價指數，政府的專政與法西斯傾向，以及一般民氣與士氣的消沉等等，有些根本不爲當時人民所能聞，有些即使少數人所知，也通不過嚴格的戰時新聞檢查。如今和盤托出，確屬相當驚人。但就我個人的瞭解與感受來說，我覺得這一文件傷害中國政府最大者，還不在上述這些貪污，專政，暴動等說法，而是在於所稱政府中的某些官員經常與日本及汪組織暗中維持往還一事。這一文件中至少有十處以上，曾提到有關這種往還的各種說法。我個人深切相信，這種說法完全爲無稽之談，完全在於那些美國外交官根本不瞭解中國反日六十年的歷史背景，以爲任何戰爭都難免沒有敵對雙方的私下秘密往還，所以也以小人之心度君子之腹，致對於某些人物的行踪，便任意繪聲繪影，妄加各種揣測。不過，這種說法雖完全不是事實，但既黑字印上白紙，而又成爲一個大國的外交文獻，則這種說法就難免不影響現在及後世一般人的觀感。所以自這一外交文件發表以後，不論中美兩國政府是否將採取其他步驟，以沖淡其影響，而這一文件對中國所造成的損害，則是永久不滅的。在未來許多年內，中國政府將爲這一問題而感苦惱，中美兩國的邦交，亦將爲此而留下一個不愉快的創傷。

假若美國對華外交文件的發表僅止於斯，這種傷害還不算過份嚴重。可是事實上，美國既然決定要發表歷年以來的中美關係文件，那麼發表了一九四三年這一文件之後，緊跟着也要發表一九四三年以後各年的文件。因此，一九四三年這一對華文件的發表，祇是這種困擾與不斷爭論的一個開端，而不是它的結束。從此之後，每隔半年，一年，或兩年功夫，美國總要發表這樣一件對華關係文獻，每發表這樣一個文件，便多引起一次爭論，中國政府的面子多受一次損害，中美兩國的外交關係，亦多蒙上一層不愉快的痕跡。因爲在美國看來，既有必要發表一九四三年的美國對華文件，亦便沒有理由拒絕發表一九四三年以後的文件。若僅發表一九四三年的文件，而拒絕發表其以後的文件，可能更要引起別人對美國此番動機的懷疑了。

從過去二十年來的中美關係來說，一九四三年固然是一個中美開始密切合作的關鍵年，而一九四三年以後的各個年頭，同樣也是非常重要的。如：一九四四年爲中國軍事情勢突呈逆轉的一年，也是史廸威與中國政府的關係趨於破裂的一年。一九四五年爲中國舉行政治協商會議的一年。一九四六年爲馬歇爾元帥調停中國內戰的一年。一九四七年爲中美關係開始惡化的一年，也是魏德邁訪問中國的一年。一九四八年爲徐蚌會戰的一年，也是中國內部政治紛爭達於高潮的一年。一九四九年爲失掉大陸的一年。一九五零年爲韓戰爆發與台灣中立化的一年。一九五一年爲簽訂對日和約而拒絕中國參加的一年。如此等等，直到今天，可說中美兩國關係始終停留於多事之秋。因此今後美國假若要逐年發表這些年代的中美外交文件，毫無疑義這將會一連串地對外公開中美關係上更多的秘密，內幕，及驚人事件。尤其自馬歇爾來華調停至一九四九年共黨控制大陸諸年，爲中美邦交上風波與變化最多與美國對中國最感不滿的年頭，所以這些年的資料，對中國政府的指責與批評，也可能要比其他各年更爲嚴厲，更具破壞性。

這些文件的勢將嚴重損害中國，一如上述；但要說美國蓄意如此，那也並不見得。既然美國在主觀上並不想傷害中國政府，何以又要發表這些傷害中國政府的文件？這一癥結就在於中美兩國對這種文件看法的差異，而這種差異又由於兩國政治情況的不同。從美國來說，這一文件發生的時間，距今已有二十年之久。在此期內，美國的政府不僅已由羅斯福而杜魯門，而艾森豪，而甘廼廸，相繼換了四任總統，而且由民主黨而共和黨，又由共和黨而民主黨，政權轉移亦不祇一次。因此以今天的甘廼廸政府，來看二十年前羅斯福時代的往事，就像我們的漢朝人物看春秋戰國時代一樣，祇把這種事情作爲一種歷史紀錄來看，根本就沒有什麼私人情感成份在內。縱使羅斯福的作法有何錯誤，也不會影響到民主黨甘廼廸總統的新政權。可是就中國立場來說，這二十年等於完全沒有變化。除了這一政府的行政首都曾由重慶而還南京，而廣州，而重慶，而台北以外，政府本身始終還是那同一個政府。因此這一文件所說明的二十年前的事情與各種作法，對中國並不是一種歷史紀錄，而仍然是一種政策，仍與這個政府的聲望與地位具有息息不可分的關係。任何一種事情，祇要與現實利害發生關係，就不可能保持單純。美國這一文件所以在中國引起風波，也就因爲它與中國的現實太有關係。假若美國現時的政府仍爲羅斯福的政府，美國就很可能仍不發表這一文件。同樣的，假若中國現在的政府不是二十年前的同一政府，那麼美國發表這種文件，此時此地也不會引起特殊注意。所以認眞來說，美國因發表這一文件而招致任何不良後果，其責任既不在美國，也不在中國，而是由於中美兩國國情的不同。

這一事情的本質雖屬如此，但這種文件的繼續發表，其所加於中國的損害，仍將是有增無減。尤其我們要注意到的，美國政府既決定要繼續發表這一歷史階段的中美外交文件，那麼其他有關中國問題的半官方和個人資料，也有可能從此陸續公諸於世。例如馬歇爾的留華日記，杜魯門與艾奇遜的回憶錄，均直接間接牽涉到中國問題。過去他們所以不願發表這些資料，就因爲這些資料不是與國家機密有關，就是關涉到某些人的名譽。現在當美國政府本身已經發表了正式的檔案，則這些私人資料亦就沒有再繼續保密的必要。其中特別是馬歇爾的個人文件，佛州軍校着手整理已達數年之久，很可能在短期內就要問世。除此之外，凡在美國對華文件中所提及的那些人物，有的爲了作自我辯白，有的爲了想賺一筆版稅收入，也有可能加入這種歷史漩渦，提出他們的個人資料及看法。如此一來，在美國內部有關對華問題的論爭，可能就要繼續一個頗長的時間，而這種論爭，對於中國當然也可能是一種損害。

總之，美國發表一九四三年的對華外交文件，是中美關係重趨不幸的一個開端。從此之後，每隔一段時間，在台中國政府即將遭受一次公開的指責，中美關係亦將遭受一次新的波折。假若中國政府肯提出要求，美國或許有可能延緩公佈一九四三年以後的各種文件，但絕不會延緩太久。所以今後中國在對美國的邦交上，就必須要強化自己的神經，練習冷靜與忍耐，發成一種對任何批評均能置如罔聞的態度，以渡過這種風波時期。否則，若一聞美國過去所作的那些批評而即感不安，那麼未來若干年的歲月，對中國政府可能就是不太好過的。

這個「沒臉孔」的傢伙！

不倒何待？

自由談

談「分清敵我」

馮子先生

政治行爲之是非得失，在當時殊難作出正確的價值判斷，因而其所依據的理論基礎，問題尤多，唯有後世歷史家纔能夠予以比較公允的裁判。等由准此，我要談談目前國人所強調的「分清敵我」之說。

所謂敵我的界說，就吾人今日反共救國的義理與利害言，只有共黨以及一般甘心從賊的同路人，才是勢不兩立的仇敵，此外都屬我輩中人，即在一致團結，共同奮鬥之列。必如是，乃可望實現反共救國的願望，事理極其淺明，無待贅述的。如果一面號召反共非共力量大團結，同時又將敵我的界說混淆不清，凡屬對庶政得失有所異議者，亦視同敵人，成爲鬥爭的對象，那不特與團結運動背道而馳，自毀長城，即在政治理論上，亦表現着莫大的矛盾性，無法自圓其說哩！

作爲一個領導全民的政府當局，對於治下的人民，雖然犯下於法難容的嚴重罪行，亦應該以「廉得其情，哀矜勿喜」的心情來處理，決不宜視之爲勢不兩立的敵人，這才是治國平天下的正道，可以放諸四海而皆準，百世以俟聖人而不惑也。若認爲這是平常時期的作風，非所語於當前反共救國的非常之役，因爲當前的敵人是靠着劃分敵我的階級鬥爭魔術，來維持它的生存的，我們即須以其人之道，還治其人之身，才有制勝的希望。這道理說來話長，非短文所能盡，但既然如此，那就至少亦不必再談「團結反共力量」的調調兒，庶免自相矛盾，而給世人以不良的印象。

假使分清敵我的觀點，擴大到反共非共人士的領域中，勢必對於普通一般的羣衆，皆以有色眼鏡來觀察，稍有不順眼的言行，即不惜採取對付敵人的手段，嚴予打擊，甚至對於素來視爲自己同志的人，那怕他過去是百分之百的忠誠無二，祇要一點看不順眼的地方，也就與敵人等量齊觀，才算是符合「分清敵我」的義理！

分清敵我的理論和行爲，果眞是這末一套的話，則反共陣營內將佈滿着「衾影干戈」的景象，及其弊也，對內是化有用爲無用，對外是化友人爲敵人，這對反共救國前途的利害得失孰多，祇好待事實來證明，留作歷史家定讞之資了。

（本報記者台北航訊）台灣省省議會分組審查五十二年度台省地方總預算，民政組審查預算時，在台北市選出的姚多聲議員的動議下，決定將民政廳所列第三屆省議員選舉辦理經費「保留」了。

台灣省第二屆省議員任期，明年三月屆滿，依法應進行第三屆的改選，這筆選舉經費，循例由省府編列預算，送請省議會在審查全年預算中審議。這項預算的編列，省府係按各該縣市選民人數作為計算標準，全省五個省轄市是按每人七角；其餘縣市按每人六角計算。本案在省議會的分組審查中，係歸民政組審查。

在民政組審查本案時，台北市選出的省議員姚多聲，向組會提出動議，說是省議員的任期，中央已在考慮將原定的三年延長一年，改為四年一任；如此一來，本屆省議員任期要到五十三年才屆滿，五十二年不再進行改選。故省府編列明年的選舉經費，已無必要，應該予以「保留」云云。此一動議，確實算是詢謀僉同，因此決定將民廳所列第三屆省議員選舉辦理經費「保留」了。

這決定勢將使台灣省政府感到為難，因為省府本身既無權決定不辦理選舉，中央也沒有直接或暗示給省府說要延長本屆議員任期，按正常情形，省府只有積極籌備辦理明年三月舉行的三屆省議員選舉；如今，選舉經費卻被議會凍結了，叫省府拿什麼錢來辦理選舉呢？

台省議員任期延長之爭

省議會民政組剔除選舉預算　果經大會通過將予省府難題

對這項似乎帶有某種意義的決定，省政府方面雖然不好意思批評，但省議會中有些議員卻亦搖頭了，他們笑一笑說：開玩笑！開玩笑！

站在省府立場，當然民政廳對這筆經費，還要繼續爭取。因為即使中央要修改議員任期，又決定將本屆任期延長，民廳也只能事後積餘下這筆錢，卻不能在未奉中央命令前不準備辦理選舉；議會方面，在綜合審查預算或大會審查時，大概也會恢復這筆錢的。當然亦不必然如此。畢竟如何，尚待下回分解。

據悉，關於台灣省議員任期應否修改為四年一任，中央確曾考慮，考慮的理由是想配合縣市長四年一選的時間，同時進行，藉以節省政府辦理選舉的人力財力。但據另一種傳說，則是說縣市長與省議員的選舉同時舉行，便只能使一人有一個機會，免得那些不受歡迎的人，競選這個不成又去競選那個。但據說中央考慮的結果，趨向於仍維持現狀。因為台省各縣市議員任期已決定仍維持三年一任制；而中央立法委員任期根據憲法規定也是三年一任（現在不能改選，是有事實困難並經大法官解釋），中間級的省議員恐不能例外地改成四年。又據通常理論說法：民意代表任期短一點，可以有新陳代謝的好處。

即使中央對四年任期制重予考慮，但用行政命令延長本屆議員任期的可能性也極少。法學人士認為這不但是不應該的，而且是不可能的。

也許省議會民政組是想在「或者」的情形下，少列一筆錢，但卻因此給省政府出了個難題。

在這次省議會的分組預算審查中，還出現了一個新名詞：「個別審查」，就是許多小組都是虛幌一槍就散了會，議員各將預算案帶回家去看。他們說：反正開不開會還不是照案通過。

這次在民政組提出「保留」動議的台北市選出的姚多聲議員，本業律師，還會畫幾筆國畫，不久前他曾舉辦一次畫展。（吳越）

政府張臂迎接難胞　香港人人眉飛色舞

寄望香港政府立即停止遣送

（本報訊）副總統兼行政院院長陳誠宣佈政府決定把自大陸逃亡出來的同胞掃數接到台灣安置的消息，在香港得到所有的愛國的中國人的熱烈歡迎。其實還不祗中國人歡迎這個好消息，外國人，包括英國人在內，都同樣的熱烈歡迎這個好消息。香港政府大員，更必然的有如釋重負之感。

當然，這還祗是一個原則的決定，如何接運法，茲事體大，尚有待於實際的安排。而由於中英之間目前沒有邦交，亦相當的增加了進行實際安排上的困難。由中國政府此一宣佈以至開始實際進行接運，還有許多工作待做，所費的時間，少些說，也還要好些天。但畢竟，因為中國政府此一宣佈，在情在理，香港政府不該不合作的。逃港的大陸同胞既然有了出路，二十天來在香港所造成的緊張情勢，應該可以逐漸的緩和下來了。大概亦正由於接運工作有待於詳細磋商與安排，所以，香港原來所採取的對「非法入境者」即來即捉，即捉即遣的辦法，亦尚在繼續進行之中。加以，從大陸逃港的同胞，香港政府十六日所發第二次公報，透露每天達一千六百餘人者，目前卻有愈來愈見規模浩大之勢。且由於無人明白中共畢竟準備放出若干早已餓得發昏受苦受難已達極點的大陸同胞出來，所以，將來畢竟有多少人要被接運到台灣去，簡直無法作出正確的估計，但卻必然是一項「大工程」無疑。

中國政府的此一宣佈，其所以獲得普遍的歡迎者，因為此舉確實表明了政府為國為民與肯負責任的態度。尤其，在香港的人，不論中國人或外國人，都十分了解，台灣亦其實地狹人稠，本身亦正遭受到人口衆多的壓力，政府此一宣佈，就更加顯得政府不計困難肩負責任的大無畏精神，確實值得稱道。此亦所以，對於政府此一宣佈，香港所有的愛國的中國人，無人而不為之眉飛色舞，感到光榮有份。

反之，在政府未作此宣佈之前，香港的中國人，其情緒卻頗為複雜：大家一方面同情大陸同胞的悲慘遭遇，誰都不願見到他們千辛萬苦的逃亡出來，得出生天，卻又立刻被抓了起來，重行把他們送入地獄去。香港中國人這些天來自動的掏出錢來，購買食物，放下自己的工作，老遠的跑到「禁區」邊緣向那些受苦受難的同胞投送麵包，餅乾等等的熱烈胞愛表現，便十分的動人心魄。

另一方面，香港的中國人亦個個明瞭，香港究竟地方太小了，要對逃亡而來的大陸同胞打開大門，實行來者不拒，由於根本不知道將有多少同胞會到來，事實上是做不到的。對於香港政府所採取的即來即捉即遣的硬性辦法，情感上雖大不謂然，理智上卻無可指責。大家在那時候，真的是徨徬，焦急，苦悶，不知道如何是好。

現在好了！我們的政府張開雙臂歡迎這些苦難同胞前往台灣了。大家如今所熱切盼望的，是香港政府立刻停止再遣送這些「非法入境者」，並趕快的與中國政府進行接運的安排，讓他們早一些去到寶島，安身立命。

對於政府此一明智的決定，此間一家晚報的短評，頗足代表在香港的中國人的反應，短評說：

「國府在海外兩千萬僑胞焦慮盼待，新界難民如大旱之望雲霓，整個自由世界的關切之下終於宣佈全部接納香港難民了。喝酒的當為這好消息浮一大白，不喝酒的至少應該歡呼三聲。好——即使國府這宣佈遲了半個月的光景，然而遲點來好過不來——仍然好。「國府此舉極其明智，也可以說是還台十三年來最明智的決定，好！「國府好比一家之主，因為遭遇變故，不得不棄家於不顧，暫避別處，十幾年後，家小中有些人日子難過，聽說他在外頭混得不錯，前來投奔，這一家之主無論處境如何，能夠說是家裏房子太小，近來米價又高，難以照料，非常抱歉嗎？沒有的事！當然是大家有粥吃粥，有飯吃飯，沒有地方睡就打地鋪！

「國府現在的辦法，正是這樣！

「現在國府終於答應接納所有的香港難民，並且請巴西和願意接納中國移民的其他國家放寬入境限制，問題是基本上可以解決了。救災如救火，我們希望行動必須趕緊才行！」（思）

五月二十二日開始　港當局改變辦法　用火車遣送難胞

（本報訊）五月廿二日開始，香港當局改變以往用軍車遣送逃港大陸同胞返回共區辦法，而改為用火車遣送，由粉嶺上車，直趨羅湖。香港當局此一改變，顯在避免以往用軍車遣送以致發生不愉快的事件。

據本報記者採訪所得，廿二日一早，警方已將粉嶺火車站至逃港難胞集中營——警察訓練營一段路，實行全部封鎖，不許任何人進入。逃港難胞則由集中營排隊步行至粉嶺火車站上車。廿二日一天中，由上午十時半開始遣送，每小時一班，每班有三等卡車廂十輛，全日共開五班，計共遣送六千七百餘人進入共區，可能是一天之內遣返大陸逃港難胞之最多者。

所有遣返難胞的火車專車每一車廂的窗戶，均完全關閉，車廂內及車廂與車廂間，均有警察看守，藉防難胞跳車逃走。全日經過良好，未有事故發生。

廿二日新界方面，由於警方改用火車遣送難胞，居民已無法與難胞接近，成千購備麵包、餅乾、水果等食品準備餽贈難胞的香港居民，因為不知道有此改變，他們在上水聯和墟馬路上守候竟日，卻不見遣送軍車經過，無不怏怏而返，大感失望，但亦無可奈何。

有幾位基督教的外籍牧師，他們廿二日就攜同大批食物，在聯和墟守候多時，而終於無法完成心願，感到異常的遺憾。其中有一位外籍牧師說：他在教會辦理救濟工作，已十多年，曾到過歐美許多國家，他就從未見過有一個地方是不准許救助難民的。

由於「禁區」擴大，香港居民已無法上山得與難胞接觸，如今再加上連食物救助亦不可得，一般相信，這些天來因大陸同胞洶湧逃港以致形成的新界各地如上水，粉嶺的人頭擁擠的畸形繁榮狀態，將逐漸的不再存在，相應的大陸同胞逃來港境的真實情況，將愈益不容易為外間所知了。

按：廿二日這天，正是在台灣的中華民國政府負責當局，宣佈決定把逃港難胞完全接運到台灣的消息傳到之時，但香港何時才會停止遣送這些萬苦千辛逃亡出來的難胞重回共區呢？現在還沒有消息。香港的中國人，對此特別感到關心，香港的中國人，並一致的以為，香港政府現在再亦沒有充份的理由，還是我行我素的對於逃港難胞採取「即來即捉，即捉即遣」的辦法了。（擇）

內部標購外藥糾紛

全部均屬台廠能製造者　藥界大譁要求參加投標

（本報記者台北航訊）內政部藥品供應處，委託中央信託局招標採購藥品，其所指定的全部外國藥品，均為本省製藥工業所能製造者，但竟然不採購本省的出品，藥業界甚表詫異。藥業會為此，特於十八日列舉理由，向外貿會，經濟部工礦計劃連繫組，內政部藥品供應處，及中信局等機關，提出陳情，請求該項招標，應准本省藥業商參加投標，方為合理。

藥業會鄭重指出：本省製藥工業，逐年以來，在政府指導與扶助下，產品多已達到國際水準，內政部藥品供應處曾與本省廿餘家製藥廠訂有代銷合約，藥業界另更積極努力於擴展外銷，爭取國際市場。

乃現在內政部藥品供應處，竟捨本國出品的藥品不用，而要全盤採用外貨，不但徒耗寶貴外匯，與政府一貫提倡愛用國貨運動，顯然背道而馳。更有為藥業界所不解者，在招標單內，竟列有內政部曾堂皇公佈限期管制進口維生素等四類名單內的藥品在內，殊令人大惑莫測玄妙。而且該限期管制進口辦法的限期，已於五月一日屆滿，而貿易商四月廿四日至卅日間向外貿會之申請，一律均被退回，是則該批招標藥品於五月廿一日開標，勢必又提出申請結匯，豈非政府損威信。

另據製藥業人士稱：該四種藥品限期管制進口的辦法，為防止藥商投機抬價，獲取不法暴利，規定凡該項藥品供求脫節，價格波動時，政府將進口供應。但目前，該四種藥品存貨充裕，市價穩定，且有走疲的趨勢，實無需進口該四類管制藥品。然則此舉又為了什麼？因此，本省藥業界主張：該四種管制進口的藥品，無需向外採購；而此次標購的其他藥品，則應准本省藥廠參加投標才對。（匡謬）

改進社會新聞的報導與處理問題（上）

包遵彭　楊孔鑫　劉象山　唐昌晉　沈宗琳　胡傳厚　張樹勳　宋念慈
程其恆　王集叢　周培敬　劉業馥　周西村　方國希　李世傑

社會新聞與人同在，包羅萬有，很難下定界說。但習慣上，我國一般讀者心目中的社會新聞不外兩種：即人情味新聞和犯罪新聞；而興之所鍾，則後者又甚於前者。基於讀者這一心理，報紙每日接觸的社會新聞雖如汪洋浩瀚，對於犯罪新聞却形成偏愛，以至於記敘唯恐不詳，不肯稍落他報之後。

據報學半年刊登載的一項統計顯示，民國四十七年四月，台北六家日報新聞版面中犯罪新聞所佔的篇幅百分比是：

聯合報	一三．四一
徵信新聞	一三．〇四
公論報	九．〇〇
新生報	五．八四
中央日報	五．四二
中華日報	四．七九

這一現象，較外國所謂「刺激報紙」尤有過之。美國這類報紙的犯罪新聞報導通常亦不過佔新聞總量中的百分之四至八而已。

當前時代的苦悶，社會的變遷，生活的艱難，人心的險惡，使犯罪事件與日俱增。報紙的任務在反映社會現象，今社會現象既如此之糟，則欲報紙面對現實而視若無覩，殆屬空論。不過無論如何，報紙在反映社會現象的同時，即令不能處處做好勸善規過的啓發，至少亦應就事論事，不加渲染，不予誇大，乃屬天經地義之事。可惜的是連這一點也非常令人失望。

以近事而論，魏平澳案是一個最好的例子。面對這個尋常已極的刑事案件，不僅報紙普遍犯了誇大渲染的毛病，甚至有些達到違法的程度；即司法方面，也開創了聞所未聞的惡例，而留下了不可磨滅的污點。

魏案的事實，據報紙報導是其妻背夫與人通姦，激使他動刀刺殺姦夫重傷而後被捕。老實說，這類刑事案件的發生，隨時隨地，所在多有，習見之事，焉足爲怪！雖說某乃一電影演員，其殺人犯罪行爲，究與人無異。則報紙對於這種情節平常，行爲平常的案件，無論從何觀點出發，予以輕描淡寫的報導，向讀者交代，有何不可？乃不此之圖，大書特書，一發即成報界相互競爭不可收拾之局，甚至案情尚未經過法院審訊之前，即由記者們旁敲側擊，繪聲繪影，宛若目擊者然。而女方在醫院探視傷者，更被視爲大好題材，大肆描繪，唯恐她不被社會公認爲當世第一大膽淫婦。另一方面，對於殺人者，則又將一己之私的或多或少的同情，隱約寓於字裏行間，以至於引起探監者車水馬龍。台中發動對魏的捐欵援助，律師們自告奮勇爲魏辯護等等：好像這個殺人犯大義凜然似的。却沒有稍微想想，報紙如此作法的教育意義，將不是懲惡，而是鼓勵犯法！鼓勵殺人！

有的報紙更爲此案刊出名律師的所謂刑事責任相對論，藉爲殺人犯應該減刑的口實，而爲淫婦姦夫應該重懲找根據。另有一些報紙，公然發爲社論，而堂哉皇哉打起保護婚姻制度，維持善良風俗的幌子。究其內容，則又卑之無甚高論，不過指名指姓的譴責通姦者一番而已。

一個刑事案件，在未經法院偵審判罪之前，報紙對於當事人之記載，應保持客觀的態度，不可以未經判定的罪責相加，這是通例。至於偵審中的案件，報紙之不能評論，更見諸出版法的明文規定。而今天的魏案，這一切都給徹底破壞了！我們認爲要改進社會新聞的報導與處理，對於政府與報人這次應該是一個考驗。報人應該從道德與教育的雙重責任下深自反省；政府更應該就報紙違法之處繩之以法。否則空談改進，永遠無濟於事。

現在再看看司法方面對這案子又是如何的小題大做，和藐視法律尊嚴至何程度。

香港與大陸

對於逃避暴政與饑餓而如潮似浪的「非法」進入港境的大陸同胞，香港的中國人，備極關懷與同情，紛紛給予各種形式的救助，並予食品餽贈，充分表現了同胞愛，有的雖因此而遭禁被控受罰，亦樂意爲之。

此種救助逃港大陸同胞之事，首先見於居住新界接近「禁區」的居民，他們救助的方式，起初爲以食物贈送已經逃入港境尚未爲香港軍警所發現、拘捕者，之後則擴及於已被拘捕者，其辦法爲當軍警卡車將被捕同胞重行遣回大陸之時，沿途贈以餅乾，麵包等食物。其後居住香港或九龍的中國人，亦聞風興起，紛紛購備食物，遠道前往粉嶺，上水一帶，進行餽贈，情況異常熱烈。每天自動加入此救助行列者達數千人之衆，形成此一帶罕有的繁榮狀態。

香港軍警起初對於此種救助熱潮，不但不加阻止，

港人救助逃亡客　充分表現同胞愛

但應共體時艱維持秩序

且往往而給予可能範圍之內的方便，頗得各方之稱道；但其後，由於逃港大陸同胞規模愈見其浩大，香港軍警爲執行政府的「即來即捕，即捕即遣」的政策，以香港中國人以種種方式救助「非法入境者」之事，難免有礙於軍警的拘捕，遣送行動，除一面將禁區擴大，絕對不准未獲特別許可者進入之外，往往對於在遣送途中餽贈食物之舉，亦不表示歡迎，甚且實行予以攔阻；馴致日來頻頻發生「違警」及鼓噪之事件，緊張場面迭出，殊爲不幸。

此種情勢之造成，在軍警爲奉行命令，無可指責，在居民則爲人道人情及同胞愛的自然流露，亦屬情有可原。唯願今後軍警於執行法令之時，能夠保持良好的和善的態度，居民亦能儘量避免犯禁，不過份情感用事，共體時艱，互諒互尊，藉以維持香港秩序於不墜，方爲大衆利益之所寄。（敬）

難民？饑民？非法入境者？

林介山

近月來大陸難胞，向香港逃命者，如洶湧狂潮，席捲中英邊境。這突然而來的浪潮，使港府手足無措，也突然作了非常的措施，一反以前容許「政治庇護」的辦法，實行出動大量軍警，加强邊防，並搜捕逃港難民，遣返共區。

這事雖經港府以「事實上有困難」爲理由，並以「顧全香港治安」；「顧全港人福利」；「避免香港因人口過多的壓力致於淹沉」爲解釋，但仍爲中外輿論多所責難。而且香港絕大部份的正式居民，似亦未因「顧全港人福利及社會治安」爲理由的措施而表示感謝，相反地，他們却用行動來表示對這個措施作沉默的抗議。例如他們不惜冒犯接濟「非法入境者」以至於被拘罰的法令危險，相率出錢出力，聯羣結隊，深入邊境救助難胞。

這個問題的背景固然相當複雜，不是憑感情衝動可以解決的。

我們把逃港的同胞一律稱爲難民；亦有人稱爲香港難民問題；有人稱爲香港的中國難民。香港報紙初由大字標題「難民」，迄今幾全部改爲「飢民」；港府却不稱難民或飢民，而稱爲「非法入境者」。如此相互所稱名詞不同，顯見相互所持的觀點亦自不同。

難民一名詞在國際上的定義是相當廣泛的。軍政大員，百萬富翁，爲求「政治庇護」的理由，他們是被稱爲難民。年前香港的影星李麗華即曾以政治難民身份進入美境。一般來說，人身受到政治廹害，被廹離開故土，生活無所憑依，稱爲難民。

英國因「事實上」承認了中共政權，就不好意思承認香港有難民的「事實」，它祇好把難民改稱爲「貧民」。但兒却有個很大的矛盾，在一九五九年至一九六〇年度的香港財政各項實際收入統計中的第十四項，有「難民年捐欵」一項的收入，數字爲六二三．六二八元；在一九六〇至六一年度財政收支預算表中歲入部份的第十四項中，有「世界難民年捐欵」一項，數字爲三．七七〇．六〇〇元。如果說，香港祇有貧民而無難民，就不應收取這項「難民捐欵」。而所謂貧民也者，作爲一個良好的政府，就應該有義務爲其治下的貧民解決困難，即不應該將難民欵用在貧民身上，就嚴格的語意來說，僅此一字之差，便已於法無據。如果說，這是「事實上」的難民，那末這，既已有據承認在先，爲什麼又否認於後呢？

雖然迄今爲止，中國難民尚未被聯合國列入難民救濟法案之下，但事實上中國難民問題的性質，也逐漸被公認爲具有國際難民的性質。因爲反共鬥爭已非一國一族的事，在自由與奴役的劇烈鬥爭中所蒙受因政治，經濟，生活的損害者，都無疑義地具有國際性質。

有人以爲無國籍的才是難民，逃港難胞不是難民，因爲他們不歸於大陸，即歸於台灣，總有一個國籍。那是說，逃港難胞，祇是中華民國的事，與別國無干。我以爲這是一個很大的錯誤觀念，且無形中予人以「兩個中國」的印象。白俄也是俄人；不歸於俄共政權，便歸於反俄共的組織；中東難民也各別有其國籍，救濟云云，亦可說是「閣下自己之事」，與別國無關。果如此，這個世界又何貴乎有國際的組織？人道人權何必叫得震天價響？（上）

瘟君續夢

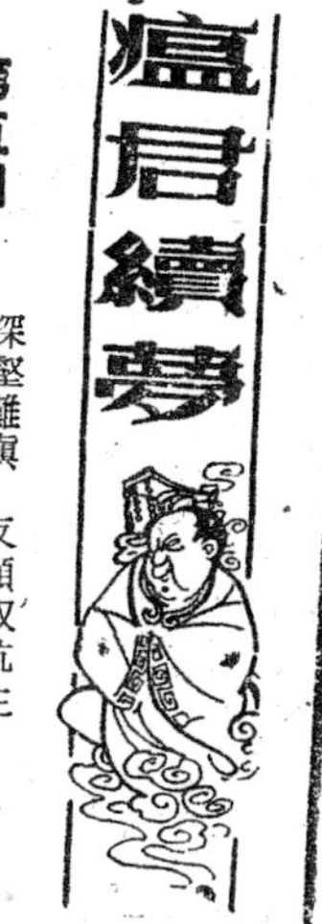

第五回：深壑難塡　反顏奴抗主　片言起釁　轉瞬德成仇

毛澤東陰陰笑道：「既然這樣說，中國自不受高峯會議的約束，我們在遠東想怎麼作就怎麼作了。」

赫魯曉夫說道：「我當時也堅持這點，以爲世界問題少不了中國，應該邀中國元首出席才是。你猜艾森豪威爾怎麼說？」

毛澤東憤然說道：「他當然是不肯了。」

赫魯曉夫笑道：「他到沒有拒絕，他當時考慮一下，十分小心的說道：『我要和蔣總統磋商一下，看看他肯不肯到日內瓦開會。』」

「什麼」？毛澤東登時從沙發上跳起來。劉少奇和周恩來也都連忙站起來，神情十分緊張。

赫魯曉夫打個手式要他們坐下，微笑說道：「毛澤東同志不必緊張，請容我說完。我當時指出台灣不能代表中國，因爲台灣土地只佔中國領土一百三十分之一，台灣的人口也還不到中國人口的六十分之一。高峯會議該讓北京出席才是。」

毛澤東長長出一口氣，緊張情緒稍爲鬆弛，問道：「你的話正確極了，艾森豪威爾該沒有話說了。」

赫魯曉夫搖搖頭：「他的話可是多得很哩！艾森豪威爾聽了我話，十分有把握的說道：『二次大戰時，法國被德國佔領，戴高樂在倫敦組織自由法國，那時他這個政府沒有一寸土地，也沒有一個人民，可是各盟邦包括蘇聯在內，都承認他是法國合法政府，何況中華民國政府是依法選出的政府，今天尚有效統治着一百三十分之一的領土，擁有六十分之一的人民，我們怎能不承認它的合法性』。」

毛澤東搔搔頭，看看周恩來。周恩來也是面色青白，十分緊張。

赫魯曉夫說道：「我當時反駁道：『那是戰時，現在是平時，應該以力量作准，誰的力量大，誰就是合法政權』。」

毛澤東一拍手：「是呀！這個世界誰有勢力誰就有理，你這句話駁得好極了。」

赫魯曉夫連連搖手：「毛澤東同志，你不用恭維我了，我這個理論，爲自己惹來大麻煩。艾森豪威爾說道：『依照你的說法，蘇聯就不該支持北韓，北越和東德，這三個政權比起它們的對方都是少數，尤其東德的人民都快跑光了，早應說併入西德才是』。」

毛澤東氣的咬牙切齒又站起來，赫魯曉夫擺手要他坐下，接着說道：「我當時無話可說，只好請他想辦法，解決中國出席問題，確定北京政權的合法性。艾森豪威爾當時說道：『解決這個問題，目前有三個原則可循。第一，看看誰代表中國出席聯合國。』」

毛澤東眼都氣紅了。赫魯曉夫說道：「我當然不承認這一點，要他說第二個辦法。他說：『那就看全世界國家承認那方面的多，誰得到多數國家承認，誰就是合法政權，就有資格出席高峯會議。』『我也不知道你們那方面得到多數國家承認，就抬頭看下我們的外長，葛羅米柯同志連忙搖頭，我知道又不成，就要他提出第三個辦法來研究。誰知道第三個辦法更離譜。」（一〇三）

爛柯一綫（續）

約行二十步，纔可容人起立，仰首覘視，透露一線曙光；較兩湖飛來峯的稍寬。山內蘊氣，冉冉上升，令同煙霧迷濛，見一線之缺口，幻成忽藍忽紫忽紅的三色，餘無所得，此殆陽光遍射而成，似不足奇。問之小童，云有人在此看到上坐老翁，或鬚嬰孩艷麗，皆以爲異，何以君獨不見？其言或是故意渲染，而余等殊爲失望，徒呼負負，若達巔的吃力，內無大樹可攀，實非易易。迄今卅年，此景記憶猶新。

憶紅軒雜綴

古廟蕭翁

民十五年以前，故都畫家迭起，多半以山水著名，有林琴南、金拱北、湯定之、胡佩衡、蕭厔泉、蕭謙中等。至大筆花卉而寫實者，僅齊白石一人。在齊之前，有陳衡恪字師曾，爲名詩人陳散原之子，不幸早卒。在齊之後，有陳半丁，惟其所作之畫，尺幅較小，氣魄不及白石，因此談花卉蟲鳥，無人能與齊相敵。琴南、拱北、定之生活尚安，並不專以鬻畫爲事，此中惟佩衡、厔泉、謙中則多半仰給於此，尤以謙中爲奇僻而怪異。

謙中之奇，在於自奉極儉，卜居宣內石駙馬大街迤西之破廟後院，幾乎是與僧爲緣。陋屋三間，書桌一張，籐椅三四，磚坑一座。室內有兩大櫃櫥，一櫃分三層，所存放的宣紙有區別。上層爲最後交件，底層則較提前，惟中層爲立即應送者。另有一櫃，皆古人名畫拓印本，及自己的精品。他約山水，多半用赭黃着色，類似黃鶴山樵筆法，而愈大愈長則精氣更爲充沛。每幅畫潤，大件至少四五百，小件亦不低於三百，皆用銀幣計算。以盛名所召，每月收入總在四五千，年以五萬計，是他的預算估計。求畫必須先付潤資，約期交畫，從不爽約，無潤不應。當時生活，其半年畫潤，可建精巧小式西洋房一幢，一年則可造銀行的二層大樓，其所獲可知其厚矣。

蕭翁旅平三四年，其積儲已相當可觀，但並不加修飾，添置衣服，依然布衣一襲，布鞋一雙，猶如鄉曲。他有奇癖，每週必將所收潤金，除了日用必需款項，送存西交民巷大陸銀行，入活期儲蓄帳，行中同人見其祗存不取，越存越多，後知其爲畫家，對其優待作畫，他表示潤金缺一不可，除非是分文不取的贈送，但無交誼者免開尊口，行中僅有爲其記帳者，得有一幅，餘皆取潤。他的畫與琴南、拱北有異，概無長題，且不寫落上款，僅寫四字，如溪山春色、或秋霧歸旅之類，蓋仿古人作品也。

花香月上樓小品

陳總爺殺媳案

黃葉村人

余讀袁簡齋書「麻城獄」一事一文，未嘗不廢書而三歎也。無怪袁子一行作吏，即挂冠歸，蓋有感於官吏可爲而不可爲也。滿清季世，福建有「厦門獄」，雖無麻城獄之錯綜複雜波譎雲詭，然淫刑迫供，雖有幹吏，莫能爲之力！亦晚清一大慘案也。今事過六十年矣，回首舊遊之地，若不表而出之，則後世必鮮有知者，寧非天地間一大缺憾耶？

陳總者清代把總也。台灣人，乙未割台，爲隨板橋林氏內渡厦門四總爺之一。四總爺者，即高扁（民初曾任新編軍師長）、賴乾（後改名賴忠，任新編軍團長），其一已忘。陳總家在厦門外清蚶殼井，其左鄰有邱姓，先世以剿匪功，世襲男爵。陳妻來自外島，以爲總爺妻，勢莫大焉，而不知其夫實居下中之位，官階祗八品耳。因是常與左右鄰口角，喧賓奪主，積怨之來，已非一日矣。陳有子貌不揚，性亦愚蠢，有媳：「王不池」。不池者，即當地諺語「唔池」，乃「棄之」之意。本爲童養媳，尚未與其子圓房者也。

不池年二十左右，貌僅中姿，然白皙少艾，而陳妻則奇妬，覩陳隨時假以顏色，疑其夫與有私，益虐遇之，時加打罵，驚擾鄰里，間有排解者，陳妻輒不加禮，有時且閉戶謝客焉。一夕鄰右聞鞭撻與哭喊聲甚悽厲，夜深，戶閉，莫由入。鄰里咸憤！將近五鼓，喊聲始止。天曉，聞其媳已暴斃。于是，議論沸騰，集其門者數百人；好事者，率衆入，揭其衾，見死者傷痕纍纍，血污狼藉。衆大譁！少頃，舁棺者至，羣衆阻其入殮，擊登聞鼓，以陳總姦媳不遂，其妻助虐，共殺媳，訴於官。

清季，厦設海防同知，爲親民官。同知之上，有興泉永兵備道。時適厦防同知[illegible]，道委鼓浪嶼會審公堂長[illegible]珊代理厦防廳。

（未完）

卜課紀趣

漁翁

凡預兆皆曰卜，古以龜爲之，謂欲知事之成敗，灼龜以取兆也。今則卜吉凶，相貴賤，雖不可必信，但亦有言之成理，事出巧合，有不期然而言中矣。

卜筮之名，有六壬課，文王課等。所謂六壬課者，以五行始於水，故稱壬，天一生水，地六成之，故曰六；其占法有六十四課，原本於易，其有天地盤吸神將加臨，則又近於遁甲九宮之法。所謂文王課者，即京房管輅等占易之術，以錢代蓍，以單拆重交，定卦爻之陰陽動靜者也。伏羲作八卦，文王演爲三百八十四爻，其筮法，以卦爻爲用神，故名之曰文王課。

今之星相家，皆奉六壬文王兩課爲圭臬。而文人騷客，往往玩牙牌神數，以爲消遣之品。按牙牌神數，爲諸葛公所手創，以象牙及骨角竹木爲之，一面刻點數，自一至六上下重之，共三十二張，名曰牙牌，又稱骨牌。以十四點爲一開，一二三或四五六爲三開，巧合爲四開，五數同爲五開，一至六不相同爲六開；占之，有十二開者曰上上，十至十一者曰上中，八至九者曰中平，五至七者曰中下，一至四者曰下下。以上上課爲最吉祥，上中次之，中平又次之，中下與下下，爲最劣矣。凡失意政客與文人，往往藉此以消磨歲月，或作非非之想。

民國十七年，魯滌平主湘政，爲擬甄拔眞才計，舉辦縣令考試，規定資格：凡在舊制中學卒業，辦理行政事務四年以上者，亦可應試。余友鄧某，家貧好學，舊中業竟，困於經濟，即輟學，在軍政界服務有年，潦倒省會長沙，一籌莫展，聞縣令考試，資歷尚合，因報名以求一試。

在考試前夕，用牙牌課卜之，得「名落孫山」句，以所占不佳，猶疑不決。經友人引合璧事類：「孫山應舉，綴名榜末。朋儕以書問山得失，答曰：解名盡處是孫山，餘人更在孫山外」」之語而勸之曰：「今卜雖『名落孫山』，尚無一『外』字，且今日重主義與憲法，而三民主義，五權憲法，均係孫中山先生所手創，君名落孫先生之夾袋內，必可入選，請毋猶豫爲。」鄧最迷於卜筮之學，雖友曲解，而認爲甚出吉祥，即決定於翌日入場矣。

應考者三百餘人，試題：「以黨治國論」，並擬：「視事佈告」。鄧學有根基，對公牘亦嫻熟，下筆千言，斐然成章，但文已草就，爲時間所迫，騰寫不及，焦灼萬分，自忖與其龍頭蛇尾，不如潦草以完卷，於是改用草書行之，自知不恭，復於文末附註云：「鄙人不善楷書，字過潦草，乞閱者諒之」等語，可謂滑稽之至！

考試委員評鄧卷時，以其文辭與公牘均佳，雖字過於潦草，而縣令不在書法，遂錄取之。揭曉後，名列十七，依次派充，有援引者，得優缺，而鄧一介寒儒，候至一年，始奉委三等縣之藍山。

藍山偏處湘南，民雖純樸，而歷年爲土匪陳官保所擾害，縣令一年數易，人民一夕數驚，咸視爲畏途，而鄧既乏要員爲之噓植，祇好卸命而去。幸到任後，而官保被官軍擊潰，該縣趨於安謐，在職三載，政簡刑輕，一解昔日寒酸之氣。

民十九年余視察是邦，鄧以問卜應試事爲我言之如此，以友曲解課語，竟弄笑成眞，亦趣事也。同時，該邑管獄員黃某善星相學，謂鄧目前雖頗有所獲，但始終爲一赤貧之寒士，余亦不問所由，姑妄聽之。後鄧解職後，以其俸金，不置田園，在長沙市購一樓房，以租金爲生活。迨抗日戰爭進入第二年，（民二七年十一月十三日夜）長沙大火，付之一炬，所有房屋器具衣服等物，均歸烏有，致仍趨於困窮，果如黃吏所云。

海嘯樓談薈

漫談麻將牌（五）

葛文侯

因玩麻將而喪失生命，並且死事甚慘的，在我的朋友中，亦有一人。湘人虞學瀚，曾與愚同時留學日本，他肄業「慶應大學」兩年後，立志投筆從戎，改入日本陸軍士官學校，畢業回國，于役軍旅之事，雖文武兼資，而殊不得意，多任運籌帷幄的參謀職務。他本來嗜好玩麻將牌，由於事業少所成就之故，意志不免消沉，寖且沉湎於此道矣。對日抗戰中期，他在國軍某集團軍總部任參謀，駐防湘西鄉間一市鎮時，前線戰事沉寂，鄉村又少有其他的娛樂玩藝，祗好跟友輩打麻將，常晝夜不歇，一連數天繼續奮鬥着。某日黎明，實在感到精疲力竭，支持不住了，姑且停手，擬回住所安息。但心神恍惚迷離，走到外面時，忽失足墜入路旁一個深邃的糞坑裏，無力自拔，又沒有同伴，雖呼救而無應者，時方天曙，路上行人亦少，他竟淹死於其中，嗚呼慘矣！

亦有因玩麻將牌而救全性命的，如曾在本欄談過的台大力學教授丁觀海先生，民國卅八年夏間他在上海已經購好太平輪座位，定期舉家避地到台灣，但以跟朋友們早已約好的麻將牌圈數尚未完畢，不能結賬，只好臨時轉讓船票於別人，俾守信用。詎太平輪出海後即告沉沒，全部乘客無一生還，然丁先生得免於難，且因此而寬弛了禁止打牌的森嚴閫令，寧非幸運哉！

至於心臟衰弱的人，在牌桌上偶以神經過度緊張——或和一副大牌，或被別人攔和一副大牌，立刻昏倒桌下，終致不起者，時有所聞，去秋有一位立法委員黃君，就是在牌局中忽然喪命的。所以，凡屬心臟有毛病的朋友，最好不彈此調，另尋娛樂之方。因爲打麻將的刺激性孔多，而人性總難免不無得失之心，尤其是牌風，有時處於劣勢之下，好像故意捉弄人，使你啼笑不得，氣量狹隘的，必感覺消受不了。玩牌原是爲的娛樂，如其跟牌認眞生氣，豈非自尋苦惱嗎？我認爲凡是受到牌風不順的種種刺激而泰然不以爲意者，其人即有作宰相的資格。人類生活中，最具勢利性，獨佔性，而毫無理性與公道可言的情狀，就是官場和牌局，能夠受得了官場中那套趨炎附勢，捧紅踏黑的惡氣之人，在牌局中一定心氣和平，滿不在乎。不過，我卻情願受牌風惡劣的悶氣，而不願看那些官僚政痞的損象醜態，因爲牌風無論怎樣惡劣刺激，決不傷害人格，而官場中的勢利作風，常常給人以肉麻的表演和難堪的侮辱，非稍有人格者所能忍受也。

山川風物

梁山泊

道南

山東省西部的梁山附近，相傳是水滸英雄聚集的地方梁山泊。因此有人指點着微山湖，說是古代的梁山泊。但也有人說，梁山泊在濟寧以北，微山湖決不是梁山泊。例如樂史寰宇記說：

「梁山在壽張縣南三十五里，本名良山，梁孝王嘗獵於此，改爲梁山。山南爲古大野澤，禹貢所謂『大野既豬』也。宋謂之梁山濼矣。」

梁山泊由於水滸的渲染幾乎婦孺皆知，清諸城邱海石過梁山泊詩有云：

「施羅一傳堪千古，卓老標題更可悲；今日梁山但爾爾，天荒地老漸無奇。」

到了清初梁山泊已是平平無奇的去處了。阮葵生也說他「道經東平，土人指點梁山，區區一曲，本非險絕。蓋盜暫集萑苻，旋即流突，傳中所言皆誕妄也。」

前人說是梁山泊的淤淺，由於金陵黃河的改道。吳幼清即主此說，元和郡縣志：「大野澤在鉅野縣東五里，南北三百里，東西百里。」

可見，在唐朝，大野澤還是很廣大的。自從漢武帝元光三年，河決濮陽瓠子注鉅野，下迄五代，晉開運，宋咸平天禧熙寧，金明昌，元至退，決水者凡六次，大野澤遂涸爲平地，今已不見其遺跡了。

內僑警台報字第〇三一一號內銷證

自由報

THE FREE NEWS

第二三九期

中華民國僑務委員會頒發
台教新字第三二三號登記證
中華郵政台字第一二八二號執照
登記爲第一類新聞紙類
（半週刊每星期三、六出版）
每份港幣壹角
台灣零售價新台幣弍元
社長：雷嘯岑
督印人：黃行寬
社址：香港銅鑼灣高士威道二十號四樓
20 CAUSEWAY RD 3RD FL HONG KONG
TEL. 771726　電報掛號．7191
承印者：田風印刷廠
地址：香港灣仔高士打道二二一號
台灣分社
台北市西寧南路壹壹零號二樓
電話：三〇三四六
台郵撥儲金戶九二五二

反攻復國天予人歸論

阿公

近閱香港各報，連日具載「共軍携械逃港」，聲言「來台投誠」。人數有紀載「四百餘人」者。共匪「非法越境進入香港人數，每日有一千七百名至三千名」。星島日報並謂「大陸邊境準備偷渡入港軍民，由於匪共警戒放寬，估計已有四萬人」。（台報轉載）此匪共窮凶極惡，山窮水盡，土崩瓦解之象徵，不止無法控制大陸反抗羣衆，實已無力控制昔日之親共人士，至此可以斷言。

因此迴憶四十九年蔣公連任第三屆總統時，本人撰有「以周易占自由中國之復興」一文，曾刊香港自由報。其後友人問我，反攻究應何時？乃告以「按之歲運，當在壬寅」。中共「甲午年進攻越南，實犯歲星，可取吳越春秋，燕秦紀事讀之」，（符秦與慕容燕）非杜撰也。茲將當時占象節述於后，以供讀者參詳焉。

台灣占象爲「水地比」卦䷇。比卦卦辭：「比，吉也。原筮元、永、貞、无咎」。卦之所以爲比者，上求比于下，下求比于上，人求比于我，我求比于人之時也。又：「不寧方來。後、夫凶」。後、緩也。夫、剛強之夫。時至不寧而後于人，雖剛強之夫，不能免于凶。此與今昔之處于共黨鐵幕者切合。

「象曰：比、吉也，輔也，下順從也。……不寧方來。上下應也」。蓋以人之臨難相視，與物之切比無間，莫如水之與地，故以水地比象之。

「初六，有孚比之。終來有他吉。」（孚誠信也）。

「象曰，比之初六，有他吉也」。初言其終，他吉言其終能以誠信相終始，且有不可意想之象，勸之也。

「六三，比之匪人」。

「象曰：比之匪人，不亦傷乎」。六三失位，居剛用柔，三失位則失貞，用柔則寡斷，有比非其類之象。戒之也。（其象耐人深思）。

「九五，顯比。王用三驅，失前禽。邑人不誡。吉。」顯，鮮明也。一如國民政府之以反共求比同。五，君位，亦即今之元首位。三驅，言其久也。（其象與蔣公之三屆連任同。）失前禽，象其已往放棄大陸，失我羣衆也。邑人，衆人也。指大陸同胞言。誡之爲義敕也，命也。不以敕命誡衆人，引申則有引咎屈己從人之象。此其所以吉也。

「上六，比之无首。无所終也」。首，始也。无首，戒之以其始也。上六以柔居柔，居比之終，剛斷不足。故反復言之。

附註：卦象伏羲設。卦辭文王設。爻辭周公設。象辭孔子設。象者意也，故得象忘言，得意忘象。（王弼語），比之取象於坎者在此。坎，憂勞之象。家國靡不興於憂勞，而亡於安樂，歷歷不爽也。

比卦綜師卦䷆。（比卦䷇。綜者，卦象上下易位也。）師，用兵之象也。

師卦卦辭：「師貞，丈人吉。无咎」。貞，師貞，師得其正也，又必得智信仁勇兼備之丈人帥之，吉无咎。

「象曰：師，衆也。貞，正也。能以衆正。可以王矣。剛中而應，行險而順，以此毒天下，而民從之。吉。又何咎矣」。剛中，指九二丈人言。毒，訓「治」訓「役」。餘義明顯，無庸註釋。

師卦「上六，大君有命。開國承家」。象其反攻必勝，復國必成。承即復之義。易其神矣乎！上六，師之終，故以開承象之。

師卦䷆錯同人卦䷌。（錯者，六爻皆變也）。

同人卦辭：「同人于野。亨。利涉大川，利君子貞」。同人，同于人也。同于人者，同其大公也。同于大公，則同人之義盡矣。野有曠義遠義外義。同于野，象其無私也。無私則公，公則衆，衆則可以涉大川之險。其象爲台灣海峽。險雖在前，可以涉矣。利貞，誠辭，勸之也，戒其同于私也。

「象曰：同人。柔得位得中，而應乎乾。曰同人，同人于野亨。利涉大川。乾行也。文明以健，中正而應。君子正也。唯君子爲能通天下之志」。柔得位得中，指六二言。乾，指九五言。九五亦得位得中。故云利涉大川。乾行也，所以別于六二也。易之義理謹嚴，乃至如此！且中正二字，正與蔣公名諱相應。是豈吾人臆度辭說所能道其一二，謂非數可乎？

比卦䷇錯大有卦䷍。卦辭：「大有。元亨。」爲卦離上乾下。離上高而明。乾下行而健，所以致大有。亦窮則變，變則通也。

上九爻辭：「上九自天祐之。吉无不利」。

「象曰，大有上九，自天祐也」。象上九，變之終也。象其復國之後，生民樂業。國家永寧。

象數之理，既如上述。而事會之來，無有終極，仍當取證於人事，而成天人交殆之局。平居深念，約有數端。

（一）、人情：

今大陸民生臨於絕境，相率抵死逃亡，匪共似已無力控制。控制亦苦然法安頓，再事勞改。與其養癰遺患，曷若聽其所之。近據港報所載，內地越境難民，「每日有一千七百名至三千名」。如此積纍之下，數十百萬，不難立至。香港當局尚可採取遣返外交政策。在吾人則有同胞之愛，鄉土之誼，骨肉之親，迎拒皆非至計，又將何以善處。此天人交殆之一。

中共經濟，早已山窮水盡，勢將愈陷愈深。一旦土崩瓦解，秩序混亂，生機頓絕，幅員數萬里，人口五六億，收拾更爲不易。五胡五代之亂，尚有江南一片乾淨土，足致中原文物，自此衰歇，貧乏至於今茲。興念及此，不於寒而慄。此天人交殆之二也。

（二）軍事：軍事自以計算兵力之強弱，與後備之衆寡，準備之豐嗇，與接續之久暫。此敵體軍事之常識，盡人而知之者也。但未可語於台灣之與大陸。何以故？假令中共之兵力補充接續果足恃，而台灣又須一一作相當之對比，竊恐反攻之說，終是畫餅，轉不如端拱無爲，俟河之清爲得計。若以此世此勢而論，正楚項羽率八千子弟，渡江而西；漢光武突騎數千，破王莽兵百萬之時。則軍事應有之要求與準備——不過一二次會戰之把握勝利，與士兵服裝數十萬套，寒帶裝備數萬具，亦足支解中共而有餘。何以故？嬴秦王莽之罪惡，猶不如毛澤東百分之一二。以此順人心，瞻未來，或較楚漢爲尤易。此天人交殆之三也。

（三）善後：反攻復國負荷之重，重在善後。善後之難，首在救濟，繼則農工復原。其間先後緩急，息息相因，不容少事「推拖」。蓋以今日中國之大難，民生之困苦，物産之傾竭，爲廿年來所未有。異日[illegible]計支出之龐大，恐非財經當局，墨守陳案所能了辦，取畢一隅所能勝任。茲就計度所及，提供甲乙節畧二則如左。

甲、善後預計。

上項預計，暫限美元五十億。擬以內陸粵漢、平漢、北寧、平浦、滬寧，及國有設備健全之工廠，發行股票，售與民營，不限國籍。

上項資金，除善後支出外，它項不許動用分文。此項資金存儲友邦公私銀行，遴聘品德廉正人士，組織保管委員會，政府人員不得參加。

大局安定後，由政府協同保管會，聘請專家，從新估計資産分配之，而以顧全私人正當利益爲原則。設無須動用上項資金時，仍按照票額並銀行利率發還有股票者。

乙、軍費預計。

上項預計，暫限台幣三百億。擬以台電、台糖，省有台鐵及國有其它產業，發行股票售與民營。

上項資金，存儲台灣公私銀行，專供反共軍費之支出，平時不得動用分文。設無須動用該項資金時，仍照票額並銀行利率發還持有股票者。

餘依甲案辦理。

甲乙兩項，遇有預計不足時，則由國庫發行大陸通貨，審愼協濟之。未盡事宜不具及。

以上擬議，難免不爲持重者所非笑。要知體大事艱，非氣魄滂薄不足以當之。千頭萬緒，非提綱挈領不足以振之。「大公之下，至私存焉」。猶慮不足！若以勸募及他道出之，無異造五鳳樓，而用籮桶匠，取之盡錙銖，用之如泥沙，寧有濟理？此天人交殆之四也。願國人深長思之。

五十一年五月於礁溪

漫画天下

作何感想？

蝶兒只有一個？

自由談

可哂的嚇阻政策

美國當局最近忽然渙汗大號，出兵赴泰國駐防，又要求「東南亞公約」成員亦採取一致行動，好像泰國已在遭受共黨的軍事侵略之中，危如累卵，非有集體防衛的緊急措施，淪陷即在目前了！

實則泰國四境平安，內部亦無共黨從事大規模的叛亂，只是湄公河對岸的寮國方面，發生了間歇性的反共小戰而已。美國何需乎張皇幽渺，惶惶如臨大敵，且要求國際友邦共同出兵呢？

嗚呼噫嘻，我知之矣！這是美國使用所謂「嚇阻政策」的陳舊手段，企圖安定泰國當局的心情，教他們不要改變外交政策，以致美國在亞洲大丟其臉耳。回憶去年今日，甘廼廸總統聲稱美國決不放棄寮國，必要時不惜出兵參戰的豪情壯志，證以現時壓迫反共的寮政府與共黨講和的行爲，令人有如隔世之感。

假使中、越共將來於席捲寮國之後，眞要傾全力進攻泰國的話，那些現時派遣象徵部隊到泰國協防的所謂盟邦，必然紛起主張和談，不是把泰國劃分爲兩半截，就強迫組織聯合政府，而美其名爲維護世界和平，以免蘇俄出面干涉，觸發全面大戰；同時美國亦即振振有詞地宣言於世曰：「美國不願在錯誤的地區，跟錯誤的敵人從事錯誤的戰爭」，說來何等漂亮！

所以，美國今日像煞有介事地調兵遣將，進駐泰國，實際是巫師畫符嚇欺人鬼的玩藝，巫師在夜行時看到一抹陰影，即以爲魔鬼在前，嚇得魂不附體，急忙逃命，「鈴鈴都丟埋」。夫是之謂「嚇阻政策」，好不笑煞人也麼哥！

「人爲刀俎，我爲魚肉」，世界上的弱小民族國家正遭遇着這種命運，而其癥結就是「懷璧其罪」——有豐富的資源，使強權主義者垂涎欲滴。如是乎那些號稱爲大國的友邦，時而自作多情，硬要來保護你，時而反臉無情，棄你如敝屣，一是皆以它們的私慾私利爲本，甚末自由運動，正義公道等等說詞，放屁放屁，眞正豈有此理！

馬五先生

軍界耆宿談時事觀感
贊許陳院長的聲明
主張實行局部反攻

（本報訊）日前記者晤及旅港的國軍宿將張向華將軍，品茗對談，由香港難民問題談到反攻大陸的軍事計劃，表示了他個人的見解。他認爲最近行政院長陳辭修先生對香港所謂「非法入境」的大陸難胞，聲明無條件一律予以救護收容云云，甚爲得體，亦很有氣魄，殊堪贊佩。香港政府由於外交關係，未便作肯定的反應，無怪其然。但這是一樁超越政治立場的人道主義問題，相信英倫當局不會漠然置之的。此事在毛共方面深感丟臉，而又沒法自圓其說，它只好暫行禁止難民逃亡，以免釀成內部意外的災禍，假使上帝要敎它們潰滅，今年再來一次災荒，毛共政權即將不打而自倒無疑也。

說到國軍的反攻問題，張氏認爲若採取大舉的行動，數十萬大軍浩浩蕩蕩地出發，內在外在的條件當然很多，尙待研究充實，自須謀定而後動，但局部反攻是絕對可行的。他主張國軍祗要以五六千人空降大陸各個邊區，不必携帶重武器，只用卡賓槍和手榴彈，從事游擊戰，即可使毛共受到制命的威脅，因爲現在大陸上的人民，沒有一個是願意擁護毛共政權的，國軍空降後，一定博得民衆合作支持，不成問題。在三五年前卻不能採用游擊戰的反攻方法，現在大陸的形勢不變，毛共政權已陷入百孔千瘡而爲全民所厭棄的環境中，國軍游擊部隊登陸之後，即能與民衆打成一片，甚至共軍亦可能有倒戈合流的哩！

記者提到「中美安全互助協定」問題，說是如果美國不同意我方局部反攻，她就可用種種手段阻止或壓迫我們的行動，有如最近對寮國的辦法，停止軍經援助，又將何以善後呢？張氏認爲寮國決不能跟台灣相提併論，美國可以放棄寮國給共黨手中，滿不在乎，台灣卻是美國國防上的重要據點，沒有台灣，菲律賓和沖繩島馬上保不住，連日本亦岌岌可危的。我們爲了自己的生存利益，必要時即須表現自力更生的勇氣與決心，一味地舍己以從人，徒然喪失海內外的人心而已。（胥）

政府明智決策震懾中共
大陸逃亡潮暫被閘住
廿餘日來逃港同胞約九萬人次
「政治人物」近二萬獲得庇護

（本報訊）由於「非法入境者」接連三天「顯著減少」，原來設在粉嶺警察訓練營的臨時收容所，已告關閉。臨時收容所係爲了「非法入境者」「有顯著增加」而設立的；「非法入境者」「有顯著增加」開始於四月底，則不妨假定，臨時收容所係於五月初設立，計爲時凡二十五天。

畢竟在這期內有多少「非法入境者」？目前尙缺乏官式的統計公佈。一般的估計則是平均每天四千人。這估計如其接近事實，則「非法入境者」當有九萬人次之譜——有的是再而三、三而四的「非法入境者」，意在碰機會，希望能夠不被香港軍警抓到——這數字是可觀的。

在這期內，是否所有的「非法入境者」全被重行遣回共區了？同樣的尙缺乏官式的統計公佈。但據本報記者獲自有關方面的透露：被遣回或不被遣回，其標準視乎其人的身份，是即屬於老百姓的，全被遣回了；屬於政治人物的，都還未被遣回。後者將來的出路如何，目前還不明瞭，但將不會被遣送共區，要爲定論。

所謂政治人物，其成份倒亦相當複雜，約畧的分起來，計有民兵，公務員，共黨幹部等等，理論上自然還包括共軍及警察，但香港政府否認其中有軍警。這些人確實是不能被遣回共區的，否則必然會受大罪，包括送掉性命在內。這些政治人物，差不多在四至五個「非法入境者」中就有一個，所以其爲數即使不到兩萬，亦接近兩萬，相當的可觀。有理由可以相信，這些人纔眞正是中共希望香港把他們遣回的；但香港不會這樣做，理由是他們是「政治難民」，給他們政治庇護了。

從這次的居然有九萬人次的「非法入境者」的事實看，顯見最低限度是中共以鄰爲壑，故意讓這些早已餓得發昏的大陸同胞逃來香港就食，以減輕其粮食負担。且說不定還有更惡毒的政治陰謀在內。即使這些人終於被香港軍警捉到了，重行把他們遣回共區了，中共卻亦收到了轉移民忿的「陽謀」，因爲如果中共阻止他們逃亡，他們會更加痛恨中共，很有可能會因此逼成大規模的亂事，而逃出來又被送進鬼門關的結果，就有機會使得大家「認命」，死了逃亡的心，服服貼貼的任由中共繼續的加以奴役。

同時從居然也有兩萬之譜的「政治人物」逃了出來成爲「政治難民」，就亦顯示，在中共容忍或鼓勵老百姓外逃的「陽謀」之下，實在出了偏差，連那些中共絕不願意他們亦逃亡的「政治人物」，居然亦乘機搏亂，實行開了小差。此一事實，非但說明二十多天來中港邊界的華界那一邊的混亂狀態的嚴重程度，還說明素稱組織嚴密的中共那個統治機構，其實已經生銹了，發霉了，腐爛了，朽壞了。這就確實證明，假定國軍能夠在這時候跨海反攻，不但大陸老百姓將聞風揭竿而起以革中共之命，就連中共那個統治機構裏面的共組份子，亦會立刻陣前起義，掉轉槍口對付中共。

這次大陸同胞二十幾天如潮似浪的逃奔香港，出於中共的明示，暗示，縱容與鼓勵，是不成問題的。見在，由於中共重行嚴密關防，逃亡的「人海」暫時又被閘住了，——但亦確實是「暫時被閘住」而已！姑不論中共前此之開閘是出於被動或主動，由於大陸飢荒日甚一日的基本因素之存在，有極大極大的可能，不久之後，又會有第二次的「人海」湧來。對於這一可能性，香港以及整個自由世界各國，應該早爲之計，藉免再蹈這次臨時抱佛腳而手忙足亂的覆轍。

又如今中共之所以突然又重行嚴密關防，與其謂爲是由於香港政府即來即捉即捉即遣的辦法有以致之，無寧應歸功於中華民國政府所宣佈的決定把逃出來的大陸同胞全部接運到台灣加以安置的決策，一下子把中共嚇退了。政府這一決策，確實非常明智，威力甚大。亦唯有把所有逃奔自由的大陸同胞收容安置，才是解決這問題的正當道路。今後再無這樣的事情發生則已，否則最好的治標之計，就應該這麼去辦。至於治本，當然唯有反攻大陸一舉把中共那個罪惡滔天的暴虐政權推倒之一法了。（情）

一年出差三六六天
數字游戲無獨有偶

（採訪線外）

△省府財政廳有五位專門出差辦公的官員，他們在一年中出差的天數，平均每人爲三六六天半。這是省議會財政審查委員會日前審查財政廳預算時，發現的一個笑話。

財政廳第六科所編五十二年度稅課業務費項目下，列有辦理田賦征收及土地賦稅勘查的經費預算，人員共計五名，出差天數計一、八三二天。當省議員審查時，即用五人來除這一、八三二天，所得答案是三六六、四天。

省議員們說：他們祇知道一年中只有三六五天，從來沒有聽說過一年的時間會有三六六天半的，希望財政廳在編列官員們出差預算時，先把日子攪淸楚。

△台灣在政治上有一項很誇耀的事，就是說我們的敎育發達，就學率高，這確是事實。但受惠的人民，可會想到過，政府對學生，用了多少錢？這是一項很有趣的統計，從這項統計中，可以看出政府對敎育事業所下的本錢和各級學生平均每人每年所耗的費用。敎育廳官員說：這是根據上年度省敎育廳的決算計算出來的。

大專學生五千二百十二元，師範生四千六百十九元，省中學生一千一百九十三元，省職學生二千三百十一元，省小學生七百二十五元。

從上面的統計看來，似乎小學生花的錢最少，但因這是指的每一個學生的花費；在整個學生人數中，以小學生佔的數字最大，所以個人的預算雖小，但在整個預算數字中，耗費在小學生的總額，遠超過其餘的學生。

△省府民政廳編列明年第三屆省議員選舉經費卅餘萬元，日前在省議會民政組審查會中，由省議員姚多聲的動議而被「保留」後，國民黨台灣省黨部認爲這是一個笑話，於是多方進行疏通，省議會民政審查會廿二日又予以恢復，但附帶決議仍要求政府籌將省議員選舉與縣市長選舉合併舉行。換句話說：還是想把這一屆的任期延長一年。

△當省議會發現「數字游戲」的時候，無獨有偶，台北市議會在討論蔬菜市場事業預算時，也發現統計數字不實的笑話。

台北市蔬菜場送到市議會討論的事業預算，在事業計劃中指出，每年經由蔬菜市場供應到台北市的蔬菜，約爲六千三百萬公斤。有議員把這個數字，與台北市一百萬市民來平均計算，每一市民每天只吃到蔬菜「半兩」，這個數字眞是「笑話」。因之，蔬菜市場受到議會指責。

在二十二日市議會的討論中，議員們指出，台北市民每天決不只吃半兩蔬菜，市場的事業預算數字，大有問題；據說其原因是場外交易，較場內交易要多，是市場管理不善，才造成這種怪現象。蔬菜市場的業務應該改進，由此可見。（吳越）

改進社會新聞的報導與處理問題

（上接第三版）

報紙可以爲一個殺人犯引起社會注意，而得到社會的捐助；對於「一個崇高神聖的殉職警員，卻輕輕放過，沒有爲他呼籲捐募子女敎育基金，任何一個有良心的報人，能不引以爲憾！

所以今天要改進社會新聞報導，首先要依靠報人樹立正確的道德觀念；何者應詳，使其最富敎育意義，最能激發良知；何者應畧，使其不致引起人們污穢殘忍的印象。基於這一要求，一張報紙的社會新聞編輯和記者的選擇，就非常重要，其得人與否非僅關係一張報紙的地位，而且對社會也必然有深遠的影響。是以我們認爲担當此等新聞工作的人選，應具有強烈的道德觀念、高深的學養、和豐富的經驗。

總結起來，今天改進社會新聞報導和處理的大原則，第一是必須得人；第二是對人人事事的觀察必須敏銳深刻，以選擇其富有敎育與人情味的一面，而擯斥其反面；第三是有善必彰，惡不必揚；第四是報紙從發行人到編採人員，必須瞭然於本身的神聖責任，盈利固然重要，作爲社會的導師更重要。

記得四十五年八月間，台北市編輯人協會曾邀請許多專家學者舉行社會新聞座談會，其中一個學者說：「今日的社會新聞，是報導影響犯罪，抑或犯罪影響報導呢？以我的見解是犯罪應予報導，但犯罪技術應少加描述，以免給人以啓示。色情案應少描寫，繪聲繪影的過度形容，更應杜絕；並應剷除主觀見解的評語，以客觀的立場報導事實是應該的。」一位律師說：「法律是維護社會制度的，社會新聞的過火報導，則正與法律的尊嚴牴觸；所謂有聞必錄的盾牌，就法律觀點言，亦屬悖謬之至。」另一位敎育家說：「揭發社會的黑暗，在理論上可以促成社會的改革，但一味着重消極的指摘，又足以造成社會的不安。」

這些言論早已爲報紙的社會新聞指出一條坦途，問題只是報人如何自省自勉，以達到這種期望而已。

平心而論，報紙如能對社會新聞中的黑暗面，稍作自律的處理，一切也就必然改觀了。美國名報人史東曾經自豪的說過：「我們的報紙上所有文字，是任何一位青年女子都可以在大庭廣衆之前，高聲朗誦而不感侷促的。」

我們誠懇希望今天台灣的報紙迅速做到這種地步，特別是在社會新聞方面。（完）

同胞熱烈擁護
政府明智決策
人人興奮踴躍捐輸
民心可用該反攻了

（本報記者台北航訊）政府宣佈要把大陸逃港同胞掃數接運台灣予以安置的明智決策之後，一方面，政府積極的進行接運與安置的緊急安排，另方面，民間的反應異常之熱烈，人人興奮莫名，踴躍捐輸，如火如荼，絕不因英國的表示暫不接受我政府之建議以及中共恢復以暴力阻止大陸同胞逃亡而稍受影響。凡此表現，顯示民心確實可用，現在確實已是我們發動軍事反攻以拯民水火的最佳時機。（行）

改進社會新聞的報導與處理問題（下）

包遵彭　楊孔鑫　劉象山　唐昌晉　沈宗琳　胡傳厚　張樹勳　宋念慈
阮其恒　王集叢　周培敬　劉業馥　周西村　方國希　李世傑

四月十八日，台北中華日報刊載最高檢察署檢察長趙琛對台北地檢處指示偵查魏案的原則之一說：「魏平澳刀傷蕭逸案發後，紀翠綾不去探望本夫，反而到醫院垂淚看護姦夫，不離病榻，復向記者公開表示：喜愛姦夫，與其連續通姦，並聲言不要兒女，而不惜與結婚多年的丈夫離婚，改嫁情夫。誠不知人間羞恥爲何事？民法上因姦離婚或受判有罪者，本不得與相姦者結婚。如魏平澳對於妨害家庭部份提出告訴，承辦檢察官立應即傳訊紀翠綾及蕭逸(蕭敬人)到案偵查，並應命其具保或限制居住，將其起訴時，對於妨害家庭部份，應從嚴辦。並應要求刑庭科處重刑。」

我們沒有親見這個「指示」的原本，不知報上是照原文抄登的還是臆述的。但看文字語句，似非記者之筆，而且法院方面迄今亦未作任何否定，那就可見其眞實性之不容懷疑了。

依據日期，這一指示是發在地檢處尚未公開偵審魏案之先，其中所謂「姦夫」及紀女之「誠不知人間羞恥爲何事」，如非趙氏根據報載作不負責任的人云亦云，便是出於想像，而目的顯然是企圖使法律迎合輿情。這種行爲，出自常人，尙且爲正人君子所不取，何況趙氏乃最高檢察長！

其次，指示中有一句是「如魏平澳妨害家庭部份提出告訴」，這句話出自最高檢察長之口，並公諸報端，有極大的暗示作用。不管是告知魏某你應起訴！而且趙氏還指明了起訴的結果，將是「應從嚴辦，並應要求刑庭科處重刑」，則魏某有了這一保證，原無意起訴的亦必起訴無疑。而事實的發展，也正若合符節，接着魏某果然起訴了。趙氏如此這般的指示，眞是令人咋舌。

司法方面對於魏案的小題大作，不合法理之處，還不止此。監所也顯然會爲魏某大開方便之門，把所長室竟變成了犯人的會客室。這樣的寬厚仁慈，如果經常對每一個犯人都軒輊無分，那看守所便連旅館也不如了。若是對魏某獨厚，則正可以反映出它的紀律廢弛與腐敗。

一個進行偵查中的普通刑事案件，最高檢察長這種指示是否有其法律上的依據，姑不深究，最關重要的一點，就是趙氏這種「畫蛇添足」的指示，無論如何不應公諸報端，不然的話，以往發生過多少姦殺案，何以趙氏從未有什麼指示公諸報端，若謂輿情如此，便不得不然，是曲法以阿世，此例一開，還有什麼法治可言呢？

因此，魏案偵審過程中司法方面的種種，也顯然和報紙一樣犯了無可饒恕的錯誤，一樣應該受到制裁，庶幾法治上的污點得以洗刷。

問題回到新聞方面。報紙對於犯罪新聞的報導，迄未有樹立任何被公認的格式，一憑記者的經驗才智去信筆交代。我們認爲像魏平澳這種案子，報紙如能給讀者一個純客觀的報導，那就夠了，用不着加油加醋來張揚一個家庭的穢事！須知「隱惡」是我們講恕道的傳統；所謂「有聞必錄」，那只是報紙不負責任的藉口。在法院方面，保密有責，未正式宣判以前，對案情亦不應該向外洩漏。

今天台灣的社會正如前述，生活艱難，人心苦悶，動輒挺而走險，捨法律而不求。報紙是社會教育的工具，如果長此不厭求詳向社會人心灌輸形形色色的犯罪印象，而無所自律與選擇，則從倫理與道德觀念去衡量未來的社會情況，其不每況愈下，乃屬奇蹟。

所上係以近事爲例，證述今天報紙如何在肆無忌憚的處理一些社會新聞中的犯罪新聞；以及法院負責人員如何在阿附輿情，以致損害法律本身的尊嚴。這些地方就是社會新聞報導必須求得徹底改進的地方，絕不容忽視。

社會新聞觸目皆是，除却犯罪新聞而外，題材實在太多了。與魏案發生的同時，南港有一鐵路警員，爲搶救一穿越軌道的兒童，竟不幸以身殉職！這樣悲壯感人的題材，無論從何觀點出發，都比魏案重要，是值得向社會表揚，而在報上大書特書的。但是事實適得其反，這條新聞在社會新聞中所佔的地位，遠不及影劇人探監之受到重視。不僅未曾向讀者交代這個忠勇殉職的警員的生平，以期激起社會的同情與敬仰，而且普遍的輕描淡寫，一筆抹殺了它的教育意義。以言處理社會新聞，這是公道的嗎？

（下轉第二版）

香港與大陸

廣州工廠機器開始拆卸北運

兩個月前開始，中共就在廣州進行壓縮城市人口，其爲時遠早於周恩來在「人代會」的「政治報告」。廣州原本有人口一百五十萬，據說至低限度要壓縮到九十萬，亦卽要把六十萬人從廣州趕走。

廣州原來也是共區的工業城市之一，但近三四年來，由於中共攪「三面紅旗」，攪得烏烟瘴氣，特別是把農業攪得大歉收，影響所屆，許多工業由於原料不繼，早經入於停頓或半停頓狀態。現在中共吶喊要增强農業戰線，要把提高農業生產放在第一位了，壓縮城市人口也者，就是要把部份城市人口趕到鄉村去從事農業生產。

因此，中共在廣州的工業，原來已停頓的不必說，原來僅半停頓的，現在也大部份關了門，職工均在被壓縮之列。這些天來洶湧逃亡「非法」進入香港的大陸同胞中，就有的是原來住在廣州的工人。而且，不知道爲什麼，廣州不在少數的工廠的機器，已紛紛被中共拆卸，運往北方或四川去了。據從廣州逃出來的人說：這是因爲中共担心國軍反攻大陸所致。

（衡）

難民？饑民？非法入境者？

林介山

自由的中國人，從來就祇承認中華民國是自己唯一的祖國；中華民國政府是我們唯一的合法政府。不管外人如何說法，我們的國家，就是我們的國家；我們的同胞有難，我們自然責無旁貸，而且從來也未否認過這種應負的責任，我們自當盡力而爲。但，自由國家最高貴的精神——人道與人權的實任，豈能漠然置之嗎？

單從人道的觀點來救助饑民，自然是簡單得多，所以各報刊大部把難民改稱「饑民」的心情是可以理解的。因爲把被困在中英邊境山嶺間的難民視爲饑民，我們公開展開「拯救饑餓」運動，就不會觸犯法章。殊不知這還是觸犯了法章，因爲港府早已聲稱這是「非法入境者」。港府用「非法入境」這個名詞來構成法律的責任，藉以對消「難民」的政治性，及「饑民」的人道性。由於這兩個名詞的不同觀點，各報刊雖强調「饑民」問題的作用，亦復無濟於事，因爲展開拯饑救餓的對象是這批「非法入境者」，也就犯了接濟「非法」者的行爲，爲法律所不許的。

「救濟」既變成「犯法」，所有對那些被困在中英邊界山野間的同胞的救濟工作，便受到微妙的法律限制而不能展開。並且，最近港府還把原有的禁區擴大，並於十九日晨頒佈緊急命令，促請各界人士注意一九五八年移民條例第四十節中的規定：「任何人士如協助，唆使，勸導或招致違犯本例的規定；或根據本例而訂的細則，或違犯本例規定而收藏進入或逗留本港之入境者，可被罰欵兩千元以及入獄一年。」

最近因逃港難民狂潮而觸犯「擅入禁區」，「接濟親人」，「同情難民」而被拘控的「人道犯法者」已有多起。又雖經在邊境加强障礙物封鎖工作，亦仍未能阻遏逃亡的狂潮。顯見這個把難民遣返共區的辦法，並不是一個最妥當的辦法。反而被共黨利用爲嘲笑那些企圖投向自由的人的資料，代表文明人類的耻辱，並使自由國家常常侈談的人權人道失去光彩，尤其暴露自由國家的弱點，除了效法極權國家的「鐵幕」方法之外，似乎也沒有更明智的措施來對付這批無告的逃亡者了。

我以爲對於强力阻壓逃亡狂潮最值得非議的地方，是「措施過急」，並「不容有緩衝及喘息過渡」的考慮。平情而論，港府站在執政責任的立場，自不免對於突然而來的逃亡羣衆，發生敏感。在其未完全明瞭難民背後的數目及理由以前，將不會改變目前的措施。同時，又因爲認定這是「非法入境」的行爲，邏輯上也就不便容許「救濟與同情」，以致造成正義與法律的矛盾。法律原爲保障善良的人與事而設，但當前此一「非法入境」的法例，結果乃成爲對付善良者，人道者，仁慈者，及無告者的工具，我們堅信正義終必勝利，因此亦相信這個「矛盾」必然受到修正。如研討容許港人救濟難胞的技術；如暫緩拘遣難民出境，使集中於難民營，徐圖善後之策；如由中華民國政府有關部門及全港僑團全力協助港府解決困難，並積極向國際呼籲援助等工作，即係消除矛盾的有效策略。

我們不願意說到中國人根據南京條約是有自由權進出港境那類不愉快的話，但我們相信，較佳的而又兼顧現實與理想的方法，會受到明智的當局採納吧？

（下）

瘋君續夢

第五回：深壑難塡　反顏奴抗主　片言起釁　轉瞬德成仇

毛澤東冷笑道：「他的第三個辦法大概是要我和蔣先生打一架，誰打勝了誰去日內瓦吧！」

赫魯曉夫咧開大嘴笑笑，說道：「比打架還糟，他當時說道：『我們美國是民主國家，處處都講究選舉，最好等日內瓦會議開幕後，由英美法蘇四國領袖投票，蔣總統與毛先生誰得的票多誰出席』。」

毛澤東實在氣極了，坐在沙發上只是喘氣。赫魯曉夫說道：「其實這個辦法到不如打架還有一半希望，投票可說一成希望都沒有，你固定只能得一票，麥米倫十之八九是棄權，必然形成二對一局面，我如何敢答應投票選舉，但是我也想不出對策。毛澤東同志你知道我是礦工出身，參加革命後一直辦黨，從來未辦過外交，假若當時是周恩來同志，也許有更好的辦法。」

毛澤東氣得一句話說不出，周恩來只是搖頭苦笑。

局面僵持了幾分鐘，赫魯曉夫起身伸個懶腰，說道：「這個問題，我們都用腦筋想一想，也許能想出更好辦法。今天都疲倦了，還是提前休息吧！」

主人自動送客，客人也不好賴着不走。出了蘇聯大使館毛澤東就破口大罵，劉少奇和周恩來不敢開口，上了汽車各自還家。

毛澤東回去越想越氣，坐在圈椅上獨自抽了半甁茄力克，總是想不出對付赫魯曉夫的辦法，坐到天明，實在疲倦極了，剛剛睡下，蘇聯大使館來電話，赫魯曉夫要來辭行，今天回莫斯科。

毛澤東正作一個夢，夢見蘇聯已恢復援助，大批物資源源運來，由集二線沿平綏路直放北平，比史達林時候還多。毛澤東作夢正作得開心，突然床頭電話鈴响，田家英在電話上報告，蘇聯大使館的通知，赫魯曉夫卽來辭行。

毛澤東又急又氣又疲倦，勉强掙扎着起身，洗了一把臉坐在客廳裏恭候，這時劉少奇、周恩來、鄧小平、彭眞都陸續來了。看見毛澤東一張鐵青的臉坐在那裏不開口，大家都不敢講話，一座華麗的客廳，頓時變成萬曆皇陵地下宮殿。

又停了幾分鐘，赫魯曉夫來了，一進門就咧開大嘴打哈哈，逐個握手之後，轉過來向毛澤東說道：「我今早接到莫斯科長途電話，催我趕快回去，柏林方面又吃緊了，恐怕萬一出了事，沒人作決斷是不成的。所以我馬上就要走。關於你要同我談的問題，可以同尤金商量，只要行得通，我沒有不答應的。」

本來毛澤東看見赫魯曉夫，連一句話也不敢講，只是陪着乾笑。現在一聽說柏林吃緊，頓時精神來了，連問：「柏林發生什麼情況，是不是兩方哨兵正式開火。」

赫魯曉夫看看毛澤東，微笑道：「未曾打起來，不過西德已在邊界挑釁，阿登諾希望能鬧出點事，可以破壞高峯會議，不過，我知道他必定要失敗的。」

毛澤東不再開口，大家一齊陪赫魯曉夫開到飛機場，各國共黨首領在北平的全到了。等到赫魯曉夫飛機升空之後，毛澤東走去和胡志明說道：「胡大哥，今晚來我處吃便飯，有事同你談談。」

（一〇四）

憶玉軒雜綴

·秋絲·

天安擎柱

故都內城宮殿，氣象萬千，極絢麗、偉大的壯觀，確是五代（遼金元明清）之偉構，令人歎爲觀止。皇城正中朝南之天安門，高近二丈，歷代帝王受朝在此。相傳遜清乾隆平定準噶爾，凱旋歸來，御臨受降，有一番極盛景況，由郎世寧繪圖，名爲「受降清番」，將當時景物，描寫無遺，千軍萬馬，精神抖擻，士氣百倍，栩栩如生。民國以後，凡是大典，也祇天安門外廣場，可以容納，其幅員之大小，較之上海跑馬廳，約大二倍餘。而現在則已成宰殺民衆，鬥爭清算的行刑場，無辜鮮血，灑遍此莊嚴神聖的名勝，吾民何辜，遭此毒刦！

宮殿以外的建築物，最異者，當爲天安門外的兩根擎天石柱，高約二丈餘，是一塊石頭琢成，並非拼湊。柱頂有帽，全柱雕刻，有雙龍紋繞，龍首向上吐鬚，異常精細光潤。據說雕柱之工，動員石匠近百，約二年方始完成，此宛如天然的精品，誠鬼斧神工。遊覽經過其地，見陡然筆立，無不驚奇。門下有石橋四條，通入城內之午門，而進太和殿。滿制逢農歷元旦，帝君必須臨太和殿，受朝臣來賀，因此殿前的丹墀，不下數十塊，可知人數之多。大陸沉淪十載餘，異日反攻回都，此柱是否無恙，猶是疑問！

歇浦勝境

上海爲遠東的最大商埠，也是吾國最繁華的都市，不過熙熙攘攘，往來如織，祇有紙醉金迷，很少清雅的境地。市內公園，雖有幾處，如外灘公園，僅足眺覽浦江帆影，沿江水。兆豐公園偏於滬西，占地雖大，草木亦多，但無靈奇的建築物，未能生雅趣，祇淺草如茵而已。法國公園亦復如之，所惜歐美氣息，收入眼底，不能一洗塵慮，繫人留連。實則比較勝境，僅城南半淞園，江灣葉園爲差堪小憩。

半淞園在城南高昌廟附近，其名甚雅，原爲滬南沈志賢氏別業，由陸費伯鴻計劃建築者。民十，自平南歸省親，承朱劍芙兄約同往遊。入園，見水木清華，一泓碧澄，無洋式之樓台，有茅茨之草堂，兩邊左右廊，荷拖小池，曲折有小橋，兩岸後緟假山，堤多水亭，夾植杉柳桃杏，綠蔭夾巷。游憩之區，題名均雅，如江上草堂，羣芳圃，又一邨，楊柳渡等。渡頭有艇，藤椅紅欄，十五六歲幼女執槳呼客，頗似白下湖景。（未完）

花香月上樓小品

陳總爺殺媳案（續）

黃葉村人

董筱珊者，湖南人，與陳總有金蘭誼，命將屍先殮，厝半山塘（鄭成功殺鄭聯處）待驗，而故延宕其時日。屆時，羣衆不期而集者，近萬人，途爲之塞。驗時，屍已腐，仵吏初報無傷，羣衆大譁，瓦石如雨點下。仵吏亟改報：「私處有剪刀傷……」，旋又報：「不致命」。于是，瓦片投擲益厲，有喊打者，一時秩序大亂，驗官及吏役，疾避入半山塘齋堂，由兵役護歸始免。羣衆無所洩憤，轉至陳總家，毀其屋，始散。至此，事益擴大，有發揭帖，攻訐官吏受賄包庇者。時東南各省正鬧革命，大吏恐釀民變，檄興泉永道，愼重處理。興泉永道郭則澐，調同安縣知縣陳文緯，來廈審理。文緯酷吏也。至則調閱案卷，曰：「此易了耳」！于是開大堂公審，羣衆空巷而至，先提陳總，詰姦媳及殺媳狀。陳不承，指係自殺！問「何因自殺」？答「其妻毆之，故自殺」。笞之數百，仍不承。於是，請「大刑」，上「鸚哥架」，死而復活者再，仍無詞。迺提陳妻，先鞭背，不承。再以猪鬃穿乳頭，聲慘厲如鬼叫。陳總覩狀，長號曰：「圖奸媳，不從，因而殺媳；皆我爲之，於婦無預也」。於是釋其妻，命陳畫供。案結，陳總「杖斃」，陳妻「杖贖」。至陳總受刑日，羣衆復空巷至，吏提陳出，已狼狽無人狀，笞未及千，已斃。觀者有歡呼陳青天者，有掩面泣下者，亦有不忍卒覩，逡巡散去者。專制時代之刑法，迄今書之，猶有餘悸，然則當日身受之者，其慘酷爲何如耶？

民初，有李蜉蝣，周空空者，在廈演話劇陳總殺媳。余亦往觀。當演至陳妻被猪鬃穿乳時，台下一婦人，忽大呼「天呀」！倒地昏絕。一時秩序紛亂，灌救逾時方甦。詢之與婦同來者，迺知婦爲陳總妻，婦已淪落爲私娼，與其女爲二游俠少年扶之來觀也。余驚江雜詩云：故事新臺聽未忘，哀絃急管又登場；江山已改昔時面，人物何堪再斷腸？肉鼓吹殘春燕老，猪毛穿破乳花香；笑他冷眼旁觀者，弔死傷生爲底忙！

滿清稗政實錄之五補

黃寶實

綠營之窳敗，順治建國之時，已開其端。嘉慶四年諭：『朕恭閱世祖章皇帝實錄，內載戶部侍郎林起龍條奏軍營綠旗兵制，據稱……「今天下綠旗兵幾六十萬，而地方有事，即請滿洲大兵，是六十萬之多，仍不足當數萬之用。推原其故，總緣將官赴任，召募家丁，隨營開糧，軍牢伴當吹手轎夫皆充兵數；甚有地方鋪戶，命子姪充兵，以免差徭，其月餉則歸之本營。又馬兵關支草料，多有尅扣短少；至驛遞缺馬，亦借營兵應付。是以馬皆骨立，鞭策不前。又器械如弓箭刀槍盔甲火器等項，俱鈍敝朽壞；至於帳房窩鋪雨衣弓箭罩，從未見備。又春秋兩操之法，竟不舉行，將不知分合奇正之勢，兵不知坐作進退之法。徒空國帑，而竭民膏，雖有百萬之衆，亦屬何益？」』（下畧）

又九年諭：『軍機大臣會同戶兵工三部議駁御史體德奏，請增改軍需則例一摺，所奏甚是。……揆厥所由，皆因武職大員，不能實心辦公，隨時整飭，遂致隸名營伍，步伐茫然。一平居無事，往往令本標兵丁充作僕隸廝養之役，或兼習手藝，在署傭工，而于訓練操演，轉視爲具文。屬且有事徵調，其能知紀律陷陣衝鋒者，寥寥無幾。勢不得不募民充勇，以供調撥。是非惟兵不能衞民，而轉率民於充兵，則大非立制之意矣。』（下畧）

又十九年諭：『御史孫汝奏剔釐營伍積弊一摺，國家設兵衞民，歲糜左藏，建置督撫提鎭，以統轄標營，分佈備員，責以訓練，原期一兵有一兵之用。乃積漸廢弛，叢生弊竇，而兵丁缺出，自應即時挑補；若利其缺曠，侵蝕餉乾，則營兵即至缺額。更以工匠裁縫廚役等項，侵占名糧，甚至以厮役優伶充數。額兵之內，又復有名無實，尤爲營伍鉅弊，必應痛加革除』。（下畧）

道光五年諭：『御史楊煊奏近來外省營伍，凡遇年老病廢革退等項出缺者，懸缺日久，並不招募。每屆操演之期，則挪移彼營之兵，充此營之額。皆由該管將弁等不能細心經理，因循廢弛，以致積弊相沿，使國家有定之兵額，日就荒廢，殊于營伍大有關繫』。（下畧）

又十三年諭：『御史俞焦奏稱，營汛分防，各有定額。邇來各營積習，或以虛名坐扣丁糧，或以家僕濫充伍籍，並有離汛貿易，雇替當差，宜覈兵額以杜虛冒。馬步等兵，遴行甄拔，入營之始，遴選務精。乃市井游惰，亦得投充，衰懦不免姑容，弱稚藉供厮役。遂至掛名冊籍，規避差徭……遇事徵調，弁兵臨陣恇怯，甚至沿途滋事。皆因平日誡令不嚴，罔知節制，宜申軍律，以肅戎紀。』（下畧）

咸豐元年禮部侍郎曾國藩奏：『兵伍之情狀，各省不一。漳泉悍卒，以百千械鬥爲常；黔蜀冗兵，以勾結盜賊爲業。其它吸食鴉片，聚開賭場，各省皆然。大抵無事則游手恣睢，有事則雇無賴之人代充。見賊則望風奔潰，賊去則殺民以邀功：自康熙以來，武官即有空名坐糧。雍正八年，因定爲例。提督空名糧八十分，總兵六十分，副將而下，以次而減，下至千總五分，把總四分，各有名糧。又修製軍械，有所謂公費銀者，有所謂賞郵銀者；紅白各事，亦皆取給於名糧。故自雍正至乾隆四十五年以前，綠營兵數，雖名爲六十四萬，而其實缺額常六七萬』。（下畧）

以上俱見清朝續文獻通考卷二百十二，兵考直省綠營，于綠營之腐敗情形，可謂揭發無遺。而例定『空名坐糧』，直是官准『喫空』矣。

海嶠譚薈

漫談麻將牌（六）

諸葛文俟

前面談到人們在玩麻將時時流露眞性情的事象，不失爲觀人的秘訣。茲再述當代一二名人在牌局中的恢詭作風，以實證吾說之不謬。

●

現時幽居在大陸上的軍人唐生智，一生好亂成性，胆大妄爲，一派獷悍氣質，「不可嚮邇。」他酷嗜麻將娛樂，「不可一日無此君」，但其令人側目惡心的個性，亦充分表現於此道之中。他的技術很精明，允稱高級程度，每逢同場的某家有大牌在手時，他即故意折下不能發出的張子，一面遞送到小牌聽和的某人座前道：「你和！」同時又將自己的牌攤開給衆人看，表現是有意放和的。再指着持有大牌的人說道：「他是一副大牌，不信，大家看看罷！」說着隨手將那人的十多張牌翻倒桌上，確屬算無遺失，這樣常使受之者啼笑皆非，他却洋洋得意。對日抗戰時期，他在重慶跟四川軍頭劉錫侯的經理處長徐次衡打麻將，某一回合中，當大家都要聽和之際，他料定徐氏是聽四七筒的清一色，乃大聲說道：「有人在聽四七筒的滿貫和，誰要發出這兩張筒子，我不認帳！」大家祇好戒嚴。繼而他的牌亦攪成單吊四筒了，旋自摸一張四筒，却不攤牌，而先將下手徐氏的牌翻倒云：「徐狗子（徐氏的混名）你是不是聽四七筒？」視之果然。他然後翻出自己的牌，獰笑道：「老子單吊四筒，自摸了！」其野性難馴有如此者，難怪他當年在領兵執政的時候，總是攪風攪雨，唯恐天下不亂哩！

亦有因打麻將而惹出莫大的煩惱，終致不能安居樂業者。川人吳某，出身軍事學校，亦曾留學西洋，過去在大陸上歷任警界高級官員，曁省保安處長。民國卅九年大陸淪陷後，他避地海隅，經營一爿川菜館，得暇即約朋友在餐館樓上玩牌。一夕，正在雀戰方酣時，忽一警察前來干涉（在香港玩麻將，素來當官而行，百無禁忌。），他的太太在樓下向警察說好話，請予原諒，並擬給以茶錢。吳在樓上聞及，即出至樓梯口，大聲喝道：「我是在德奧學習警政的，又作過高級警官，人民玩牌，除非有左鄰右舍出面正式檢舉，警察即不能隨便干涉」。態度殊嚴厲，來警覩狀，無言退去。俄而大隊警士乘坐衝鋒車馳至，將吳某帶到警署，却不即時訊問，讓他在犯人候訊室等到天亮時，乃有警吏出來指着他大開一頓教訓，但不裁定其責任，只限定他每星期必至警署報到一次，聽候問話，且警告他不許再玩牌，否則拘究。如此困擾了幾個月，嘗盡精神痛苦滋味後，才告恢復自由生活。他受此大刺激，深感海隅非久居之所，急忙收拾店務，遠走歐洲去者。

中國式的飲食，早已流傳到全世界的大半地區，有同嗜焉。中國的麻將牌，將來很可能繼踵本國飲食業之後，成爲全球文明社會人士的消閒娛樂品。這兩種事情都表現着高等文化的性能，決不會沒落（Black Down）的。（完）

山川風物

百花塚

·道南·

當明亡之際，孤臣孽子，屢起勤王之師，但皆無成。餘則多保持忠貞之志，或浪跡江湖，或寄情詩酒，隱蔽身份，冀圖伺機一逞。同時琵琶門巷中，也有不讓「全家白骨成灰土，一代紅妝照汗青」那位陳圓圓專美的。百花塚就是其中不可磨滅的壯艷史詩之一，與陳圓圓在昆明湖畔的「梳妝樓」，遙相輝映。

百花塚，位在廣州白雲山下小梅坳內，是明末珠海一位名妓張二喬的埋香處。人多稱二喬爲張麗人，所以百花塚又稱爲張麗人墓。二喬能文，能詩，又能畫，是具有多方面才藝的一位奇女子。

二喬當淑世，眼見國破家亡，因與廣州南園諸子陳子壯、彭孟陽等過從甚密。原來那時的南園詩社，是一個反清復明運動的秘密組織，二喬與彼輩往還日久，復國之志益堅，且常流露於文字間。當時文人受她感召的不少。終因大勢已去，二喬飲恨以歿。彭孟陽因把她遺骸，葬於白雲山下，舉殯之日，遠近文士前往執紼者逾百人，各在墳前植一樹，以留紀念，故名百花塚。

內僑警台報字第〇三一號內銷證
自由報
THE FREE NEWS
第二四〇期
中華民國僑務委員會頒發
台教新字第三二五號登記證
中華郵政台字第一二八二號執照
登記為第一類新聞紙類
（半週刊每星期三、六出版）
每份港幣壹角
台灣本售價新台幣貳元
社長：雷嘯岑
督印人：黃行寬
社址：香港銅鑼灣高士威道二十號四樓
20. CAUSEWAY RD 3RD FL
HONG KONG
TEL. 771726　電報掛號．7498
承印者：田風印刷廠
地址：香港灣仔高士打道二二一號
台灣分社
台北市西寧南路壹壹零號二樓
電話：三〇三四六
台郵撥帳戶九二五二

關於大學科學教育的幾點意見

王先銘

大學科學教育為近來朝野人士極為重視的問題，這是求進步的現象，大家應該誠懇地提出意見，互相研討。我在大學裏教物理學，一時想到幾件事情，對大學自然科學教育有相當關係，特地寫出來，表示一個從事大學科學教育工作者的一些看法。

一

台灣各大學有關科學各學系現在所開設的科目，大概都包括教育部規定的必修科目，另加各校規定的必修科目，在第三學年及第四學年開設一些選修科目，規定學生在本系開設的選修科目中至少須選讀多少學分，甚至規定某一選修科目為某年級學生所必選，學生依照這些規定選課，實在已沒有多少選擇選修科目的自由。

大學課程究竟應該由教育部建立統一標準，或由各大學自行規定？這個問題我們應該有相當的認識。今日科學發達，各科科目內容日趨豐富，專門學術精深的研究已不是學生在大學四年內所能勝任的，那是大學畢業後繼續研究的工作；大學四年中，學生只能學習基本科目，瞭解該學系學術要旨，建立畢業後深造的基礎。根據這個看法，教育部可以將各系重要的基本科目統一規定為必修，此種必修科目須斟酌學生學習能力而規定，不宜過多，但是，必須充實其內容。那一個科目應列為必修？其內容如何？須請專家商訂。各大學可照此規定開設必修科目，似不宜額外增加，以免加重學生課業負担。選修科目可由各大學自行斟酌其所有的人才，設備而開設，如某校聘有某項專家，不妨特別開設其專長科目，這樣因人設課是有益無害的。就基本必修科目而言，教育部應要求各大學達到統一標準；關於選修科目，教育部可向學校提供意見，學校應有充份開設的自由，這樣既可使各大學達到一定水準，並且各大學得自由發展其專長，以期造成某一學科的學術中心。

大學裏許多學系現在常限制學生選讀他系或他院所開設的科目，限制的辦法便是不承認學分。學生除應照章學習本系必修科目外，選修科目可由系主任或導師視學生興趣和能力而指導其選讀。如果學生希望選讀他系或他院開設的科目，只要不妨礙學習本系必修科目，似宜讓學生自由選讀，並承認其學分。各科學術時有相通的地方，往往可以互相發揮，有廣博學術修養的人常易得到更大的成就。

二

有關科學各學系一年級課程幾乎沒有多少差異，這是相當合理的，因為學生不宜專門過早，必須有相當廣博的基礎，然後才能專習一科。一年級所列科目只可看作預備科目，不能算是各學系基本科目。各學系基本科目大多列在第二學年及第三學年，可能因為先後次序關係或他種原因，少數基本必修科目尚須列入第四學年。如果照這樣排課，第二學年及第三學年大部份的科目對於所習學系非常重要。

多數學習自然科學的學生現在都有出國深造的計劃，他們在大學求學期中經常在準備參加留學考試，因此大部份時間都用以復習一年級預備科目。比如就物理學系來說，許多學生在大學四年中常在英文、微積分、普通物理學等課程上用工夫，頂多再唸一點簡單的近代物理學。對於物理學系基本必修科目，如力學、電磁學、熱學、光學等，許多學生往往未能認真學習，因為這些基本科目都是留學考試所不常考的。這些學生雖然物理學系畢業，實在沒有足夠的物理學基本學識。

要使學生對本系各種基本必修科目認真學習，首先必須充實教材內容，同時應使學生多作習題，多做實驗，並且嚴格考核其作業及考試成績，務使學生對每一基本科目都能學到相當程度，否則必須讓他們重修。

如果舉辦適當的留學考試，似宜酌增考各學系主要的基本科目，一方面使國內學生不致因準備留學考試而忽視本系基本科目，另一方面出國留學生或可因此也能具有所習學系的基本學識。

三

自然科學的實驗課程，是教學生親手做一些有代表性的、以往科學家所做過的試驗。這種課程一方面幫助學生驗證、瞭解學術上的基本原理，另一方面訓練他們大學畢業後從事研究工作的方法和技術。

過去常有學生向我說：「研究所入學考試和留學考試都不考實驗，如果我們在實驗課程上少花費一些時間，便可多有一些時間讀書，可能有助於準備考試。」我常向他們解釋，我國科學所以未能迅速發展，以往不重視實驗課程也許是一個相當重要的原因。

自然科學根本就是實驗科學，如果自然科學教學不配合實驗，決不會有良好的效果。就物理學系的情形來講，台灣有些大學二年級以上實驗課程大都缺乏適當的設備，自然無法認真教學。教育部對各學系必修實驗課程應有的設備，可約請專家商訂標準，然後盡力籌措經費充實此項設備，使各大學在這方面都能達到一定的標準。這是一件目前急需推進的工作，應列在充實研究設備之前。

某一科目及該科目的實驗似可分立為兩個科目，由同一教師担任，但是，學生的成績考核宜分別辦理。即使某一學生某種科目可以及格，如其實驗工作未達相當標準，必須令其重修實驗課程。

自然科學是以自然界為研究的對象，自然科學上的成就都是經由觀察、實驗再加以思考得來的，專讀書本是不夠的。目前我國很多學科學的人好像還是只注重讀書本，恐怕就是因為在學生時代沒有養成重視實驗的習慣。我們應該針對這個毛病，加強有關科學各學系的實驗教學。

四

有關科學各科目台灣出版的中文書籍很少，教學用書以及參考書多用英文原著。大多數學生閱讀英文自然沒有閱讀中文方便，不容易澈底瞭解，至少閱讀進度一定緩慢得多。要解決這個困難，只有籌印中文科學書籍，目前可以先從編印基本必修科目的書籍做起。

這種書籍最好由教育部約請學驗豐富的大學教師編著，當然也可用翻譯外國名著的辦法。無論是自己編著或是翻譯外國書，編著者或譯者必須有充份的時間，集中心力去做這份工作，千萬不可倉卒出之。從前某書店約請一位大學教師翻譯一種大學用書，該書店急於出書，要求譯者於一年內完稿，結果，譯得相當草率，不適於學生閱讀。科學作品說理精細，文句往往較為複雜，如果直譯過來，譯文可能較原文更為難懂。現在報刊上有些翻譯的科學文章，其中有些地方需要拿原文對着看，才可以完全明瞭。如果翻譯的科學書籍有這種毛病，不單白費譯者的精力，更不知要浪費多少讀者的時間！

就大學科學教育而言，實驗指導書也很重要的。教育部可先就基本必修科目的實驗，約請專家編輯此種指導書。書名可在科目名稱後附加「實驗」二字，如「有機化學實驗」，「電磁學實驗」等。

充實大學各年級學生實驗設備，編印基本科目用書及其實驗指導書，恐怕是發展基本科學目前最迫切的工作，希望能早日着手去做。

五

大學助教的任務是很重要的，他們協助教授督導學生做習題，做實驗，考核學生學業成績，使教授在這些工作方面少花費一些時間，多有一些時間準備教材和研究進修；同時助教也應該用一部份時間自己研究進修。這兩方面助教的工作，對大學的發展都有很重要的作用。

（下轉第二版）

唯一的辦法了

這救生船太小

自由談

人頭畜鳴

馮五先生

這次香港邊境發生的難民洶湧入境情形，以及那些難胞們個個飢餓得發慌的慘狀，有目共覩，誰也不能不惻然於懷的。

可是，呆在海隅這紙醉金迷的資本主義社會中，從事造謠惑衆的中國赤色文特們，對於這種轟動全球的人類悲劇，居然故作聾聵，而在他們的所謂報紙上沒有半點消息記載，這已經令人懷疑他們究竟是人抑是鬼了。因為即使下等動物見着同類有此慘狀，也會心酸難忍的，兔死狐悲，物傷其類，理固然也。

詎料赤色文特們殘忍無人性的表現竟不止此，其中有一個專門替毛共政權做狗腿子，尚未具有共幹資格的文特，過去他隨時在報上寫文章，說香港是「魔窟」，教華僑青年子弟都回到大陸去。然他自己卻死七八賴地呆在這魔窟裏，過其腐爛生活，而以「我的石灰質太多」這類無聊之詞來掩醜遮羞，以致臭名四播，為社會大衆所不齒。最近他對於大陸難胞每日有數千人「非法入境」，旋被港政府押解出境的悲慘事實，又在報上替毛共作側面的詭辯，硬說這些難胞個個面色紅潤，並非飢民，他們之湧入香港，不過是「游埠」「探親」的性質，用不着大驚小怪的！人之無良，乃至於此，翻遍古今中外的史乘紀錄，有此前例嗎？

似此非人的邪說，如果是出於共黨份子之口，那倒不稀奇——共產黨徒的本質，就是沒有人性的。今乃倡說於一個只是替毛共政權作走卒，而且自命為高級知識份子的口中，這就令人感覺毛骨悚然了！作為一個讀書人，政治思想儘管各有所好，生活方式亦不必相同，但起碼總要有些良心血性，纔得附於人類之列，以示與禽獸有別。像上述這一赤色文特，廉恥喪盡，人性泯滅，真是千古罕有之奇聞怪事。孟子說：「人之所以異於禽獸者幾希」。我們瞧着赤色文特這種表演，說他是人，還是獸呢？唯有視之為人頭畜鳴而已。

距離原有鐵絲網約十呎 港邊境趕建「人工牆」

共軍防逃益嚴密形同鬼門關 「漏網之魚」據說亦約二萬

（本報訊）由於中共重行拉下鐵幕，藉暴力阻止大陸同胞逃奔自由，曾經擾攘約達一個月之久的中港邊界，差不多又完全恢復了以往的冷清清的平靜的局面。

在邊界屬於中共區的那一邊，共軍日夜荷槍實彈，嚴密把守，軍車往來巡邏，到處都充滿了殺氣騰騰，愁雲慘霧的陰森森冷漠漠的氣氛，好像是現世的鬼門關那樣的；大陸同胞要想偷渡過來，甚至比一個月之前，更加困難了。

在邊界屬於香港區的這一邊，人海狂潮的暴風雨，固然已經成爲過去，但「後事」卻還不會辦完，這「後事」包括（一）那些已經「非法」進入港境的大陸同胞，還有若干匿藏在邊境山區的樹林裏，草叢中以及岩洞內，香港的警察，還在繼續的加以搜索，連日多有發現，從數十到一二百名不等。這些人被捉到後，都先被押赴就近的警署內，加以調查，然後零星的或整批的加以遣送回中共區去。

（二）新建的加高了的鐵絲網，尚未完全竣工，刻正積極進行中，做「工事」的工人，數達四百名之衆。這新的鐵絲網，多半都係建立在原有的已經殘破的鐵絲網之後約十呎光景，隨地形而變，有的近一點，有的遠一點，形成阻止「非法」進入的第二道「工事」，香港報紙有稱之爲「人工牆」者——「人工牆」這名詞，是去年德共政權在東柏林爲防止人民逃走而建立的水泥磚牆之後才興起的，但香港的這個「人工牆」，不是爲了防範香港人逃走而設，反之是爲了阻止中共區的同胞逃來香港而設。自由世界而有此種「人工牆」，要以香港爲始。

對於大陸同胞這次的洶湧逃港，共區報紙，至今未刊隻字，其用意顯然在於不要大陸同胞知道有這麼一回事，而激起更大規模的逃亡潮。唯一例外的是廣州的「工人日報」，爲了掩飾被共軍強迫押回的大量逃亡未遂者，竟刊載一則消息，說那些人是由香港偷渡逃回大陸的；還說那些人其所以要從香港逃往大埠，係由於香港謀生不易，乞丐滿街，盜賊橫行，再不願過這種「非人生活」了云云。

據本報記者自這次僥倖未被香港軍警捉到達成逃奔自由願望的好幾位「漏網之魚」的大陸同胞獲悉：在五月十五日至廿二日期中，他們親眼看到，自廣九路的石龍至深圳這一段，沿途都是成羣結隊的逃亡客，其數字絕對超過十萬之衆。這些人，在中共重行放下鐵幕，不許其逃亡來港之後，畢竟把他們如何處理了？現在還未獲進一步的消息，有可能是被驅回他們各自的來處了。按在以往，凡被抓到的逃亡者，都要被罰「勞改」四至六個月；但這次，卻是中共鼓勵他們逃亡的，難道中共翻臉不認賬，還是要把他們送去「勞改」？！——當然，整個大陸，早已就是一個最大的集中營了，大陸同胞早就過的是「非人生活」了，勞改不勞改，其實相差無幾。

本報記者又獲悉：在五月二十日光景，逃亡潮已經波及到湖南省境，自衡陽以南的粵漢路沿綫，亦到處可見逃難人羣，身負乾糧，向南行進。那時的粵漢火車，每到一站，都緊閉窗門，藉防這些人羣的湧入。每一列火車上，都有武裝共軍警戒，如臨大敵。據說：從那一羣羣肆無忌憚的逃難人羣的行動看，中共對他們，已經失去控制力，儼然「無政府狀態」。對於這些人，中共畢竟又怎樣處理，顯然亦不是全無麻煩的。

五月廿五、六兩天，香港會降沛然大雨，尤以晚間爲甚。當時，那些已「非法」進入香港邊境而尚未得出生天的大陸同胞，數字尚以千計，他們在樹林、草叢或岩洞之中，遭遇大雨，其苦況概可想見。雨過之後，深圳河中浮屍纍纍，有說達二百餘具者。在其他山谷中，亦在在有屍體發現，但無確實的數字公佈，確屬人間慘劇。

根據有關方面的透露，在這次由中共明示，暗示，縱容與鼓勵大陸同胞如潮似浪的逃奔香港期中，大部份固然被香港軍警所捉到並遣返共區了，至於「漏網之魚」，亦所在都有，其數字在一萬五千至二萬之間。這些人，由於尚未領得香港身份證，尚不能算得是香港正式居民，他們將來是否能順利的領得身份證而不被追究，尚未可知。香港的社團，已有爲他們請命，希望從寬辦理的了；在情在理，還應該是不成問題的，但望其眞能不成問題才好。（經）

關於大學科學教育的幾點意見

（自第一版轉來）

現在許多助教都在忙着出國留學的準備工作，沒有時間從事所習學科的研究進修；即協助教授指導學生做習題，做實驗等工作，也無暇做得很週全。目前有關科學各學系的助教，普通只須做一兩年，便可找到機會出國，在這一段很短的時間內，他們剛把指導學生做習題，做實驗的工作弄得熟習，便要離開助教的職位了。學生得不到有經驗的助教指導，自然課業很受影響，尤其對實驗教學影響更大。

從前昆明國立西南聯合大學算學系和物理學系的助教不少是由研究所學生兼任，那些研究生担任一半助教工作，待遇也較助教署低，研究所畢業獲得碩士學位後便可担任教員（國立西南聯合大學有此職位，列在講師與助教之間。）講授科目。

要想助教們安心做他們份內的工作，在國內必須讓他們學術上有進修的機會，職位上有升等的機會。我們可以發展基本科學研究所，如數學研究所、物理研究所等，並且早日籌設授予高級學位的工作。欲求上進的助教們，一面担任助教工作，一面可以在研究中讀學位，得到高級學位後可充任大學裏相當職位的教師。這樣既可使助教安心本位工作，也可以附帶部份解決大學裏科學教師缺乏的問題。

六

大學二年級以上基本必修科目都有豐富的內容，不是唸得懂一兩本原文課本的人就可以講授的。他們必須對該科目具有淵博的學識，同時還要密切注意該科的發展情形，講授內容應該隨時革新，不可年年都用那一套老教材，所以大學教師除了需要準備教材的時間外，必須有充份的時間研究進修。大家都知道：最優良的大學教師是自己不斷地努力求進步的人。

現在台灣的大學教師待遇微薄，爲了補助生活費用往往在本校或他校兼課，因此每週授課時數多超過應授的時數，且有在同一學期中担任三種或三種以上的不同科目。此種現象不是影響學生課業，便是影響教師健康，或是二者都受影響；至於教師研究進修，當然更談不上。

就目前科學發展迅速的情形看，教育部規定的大學教師每週授課時數，恐怕要算大學科學教師可能任課的最高限度，只可減少，不宜超過。政府如能設法改善大學教師的待遇，似不應該讓他們額外兼課，以免減低教學效率。

大學教師在同一學期中教授的科目似乎不宜超過兩種（實驗、專題研究、論文等課不在此限。），每週授課時數也不應該超過政府的規定。爲培養專家起見，各學系主要基本科目的教師應以少更動爲原則。我在大學求學時，曾受教於一位專教理論力學三十多年的老教授，他雖口才不好，但是，講課時句句話都指點到學理的重點，聽他一年講課實在受益不淺。

七

在結束這一篇東西以前，我想再提出一件事：在我們的學術機構裏目前應積極培養一純正的學術研究風氣。這件事是關係整個高等教育的，但是，如果沒有純正的學風，科學教育也是做不好的。

純正的學術研究風氣是由多數品格高尚的學人孕育出來的，這種人具有高尚的德性，不慕榮利，集中全部心力探求眞理。大學應該延聘這樣有品有學的人担任教師，領導學生，培養純正的學術研究風氣。民國初年北京大學校長蔡元培致吳敬恒函中有這樣一段話：「大約大學之所以不滿人意者，一在學課之凌雜，二在風紀之敗壞。救第一弊，在延聘純粹之學問家，一面教授，一面與學生共同研究，以改造大學爲純粹研究學問之機關。救第二弊，在延聘學生之模範人物，以整飭學風。」蔡先生此種主張實在是培養純正學風最有效的辦法。

品格和學問雖然是兩件事，如果我們向深處去看，便會覺得沒有好品格的人是不會有眞學問的。品格高尚的人是不受金錢或名位誘惑的，政府應該謀求學人生活的安定，但是，卻不是用金錢或名位買他們做學術研究。以金錢或名位獎給器物的發明人，可能因此發明日多，有益於工業進展；學術上基本原理的發現，好像很少是由金錢或名位獎勵出來的。我們明白這個道理，拿出促進學術發展的正確辦法，國家長期發展科學自然會有優良的效果。（完）

台北市第六合作社 違法經營地下錢莊

亂攪胡攪得烏煙瘴氣

（本報記者台北航訊）台北市第六信用合作社，發生集體舞弊經營地下錢莊巨案，又發現少數高級人員中飽達一百餘萬元之鉅，以致該社搖搖欲墜。爲求彌補掩飾，該社又向合作金庫貸款，負担利息，每月近十萬元之鉅。

此一案件的內幕，是該社的理事們，巧立所謂「互助會」的名目牟利。合作社本來就是合作互助的，該社理事們在合作社內，成立所謂「互助會」，此等「互助會」當然無法律根據，未曾向主管當局備案，成爲合作社內一個於法無據的「私生子」，亂攪胡攪，烏烟瘴氣。

該台作社內的這個「互助會」成立以後，其互助之辦法，即合作社准許客戶用空頭支票，向該社抵用現鈔，而向客戶收取利息。又將所收來之利息，作爲「互助會」的收入，而並沒有作爲合作社的收入，換言之，即是以合作社之現欵，去換取客戶的空頭支票，列在合作社的賬上，利息則成了「互助會」的財產。那末「互助會」收進的這些利息又怎樣分配呢？是由理監事以特別辦公費，交際費，聚餐費等名目開支，再有剩餘下來的，則成爲員工加班費的支出。

在「交際費」中，如一千元一張的禮卷，一買就是幾十張。支付省府財政廳檢查員的晚餐車費，一筆就是二千以上。招待市府檢查員一頓晚餐，就是九百二十元。招待社會處檢查員的一頓晚餐費，也是一千元。

而其中最大的一筆支出，是這項利息又居然成了理事們在合作社的「股金」。更妙的是，用空頭支票的客戶，又包括了該合作社的理事。如此一來一往，一往一來，一位理事，用空頭支票向該社抵用現金，交付該社利息，又成爲了這位理事的股金。所以一名理事，加上空頭支票，便可以用合作社的錢，而同時又增加了他自己在合作社內的股本了。依照政府法令規定，與合作往來的，僅限於社員；而該合作社的此項空頭支票抵用現欵的客戶，卻超出了這項法令，而有了理監事的親戚。

此一舞弊案的暴露，是由兩筆倒賬而來的：一筆客戶林正宏，倒閉了二百萬元以上。這位客戶，並非合作社的社員，而是理事兼副理又兼司庫的林再興的保證人。林再興又是理事主席陳富裕的總角之交，故得不合法的身兼此數要職。還有一筆爲陳寶斗，倒閉了十九萬五千元。這位女客戶，則是理事主席陳富裕的親戚。

二百餘萬鉅欵，由於是空頭支票抵用，自然便於倒閉。可是倒閉之後，理監事們又由該社經理負責賠償；而經理又以這種空頭支票抵用現欵的辦法了事。據說這是理事會的決議，他不過執行決議，認爲應該由理監事賠償。

另一方面，合作社因被倒閉鉅欵，又向合作金庫借了三百多萬元週轉，每月負担鉅額利息，於是虧累日增，搖搖欲墜，遂有由市府督促改選理監事之事；但理監事雖然改選出來了，而所欠債務仍未能淸了，於是內部發生問題，於是也才轟出了所謂「互助會」的非法組織，涉及信用合作社經營地下錢莊的集體舞弊嫌疑案。（匡謬）

台北公論報改組

前省議員黃成金任社長

（本報記者台北航訊）由政壇紅人所經營的公論報，未及一年，五月二十六日起又改組，由前省議員黃成金出任社長了。該報社址亦由台北市南京西路張祥傳的公館，遷入台北市的廸化街了。

改組後的公論報，蔡水勝任董事長，張祥傳任發行人，黃成金任社長。據說：該報未改組前，員工的薪水已發不出了，有辦法的人乃紛紛求去。這張多難多艱的報紙，在過去一年中間，沒有能夠建立基礎，其發行業務的反不及李萬居時代，可是蔡水勝已經到山窮水盡之途，實無法也無能爲力再經營下去，所以不得不改組，以減輕其負累。今後該報是不是走上光明之途，這是本省人士所關心的。（禧志）

如何觸發大陸革命，配合國軍登陸反攻？

林介山

逃命香港的大陸難胞，曾有如洶湧狂潮，日甚一日，不可遏止。此一逃港狂潮行列中，包括有共軍、民兵、學生、工人、農民及共黨下級幹部，反映中共政權屆臨總崩潰的前夕，香港以密隣大陸，便首當其衝。此一殘酷現實，也說明我們在忍耐等待十三年的今日，正是最佳的反攻復國的有利時機。

四年前的西方專家認爲中國大陸人民起而聯羣抗暴，以推翻中共暴虐政權，是一種狂妄的想法。但今天來說，連最保守的英國輿論，也認爲有此可能。四月八日哈里曼在華盛頓電視中說，中國人民會起來革掉毛澤東的命；五月十二日紐約「今日新聞」社論建議我國發動反攻大陸，以誘敵行動打擊寮共的支持者——中共；華盛頓郵報於五月上旬一連發表三篇文章，都強調中國大陸人民起來反抗中共的可能性。

對反攻大陸問題的一般疑慮，是：（一）登陸作戰開始是否獲得順利推進？是否能得到大陸各方人民響應？是否中共政權於瀕臨危亡之時，蘇聯軍隊還是袖手旁觀？

這種種疑慮實在不成其爲疑慮，因爲中共自經過三反、五反、肅反、反右鬥爭與勞改清算諸殘暴運動，已在全中國大陸各地埋下火種；而人民公社的毒害又觸怒了五億餘的農民，使來自農村的民兵成爲其基層的隱患；所有這些直接間接被廹害者及其家屬，必然起來響應爲反攻復國，也爲他們復仇的國軍義師，現在所欠缺的，就是如何能事前點燃各地零星的怒火，使勢成燎原，觸發大陸全面反共革命，以配合國軍登陸反攻的軍事而已。

蘇俄絕不會如對付匈牙利革命居然揮軍進入中國大陸以拯救中共的危亡：在蘇俄本身利益打算，蘇俄不容其軍隊在大陸被國軍膠着以消耗其應付歐洲北約的主力；在自稱民族大義的中共，亦無法容許俄軍入境，致觸發更多共軍將領起義以加速其政權的敗亡。有此二者，實行反攻大陸，亦祗是「打小戰」，不會如別具野心的西方政客，指爲可能觸發大戰那樣嚴重。

我們不能就表現數字來看反攻大陸兵員和共軍的數目對比，那是不正確的。我們用全大陸人民爲反共的基礎，可知反攻力量是綽綽有餘的。因爲六十萬國軍的任務，主要不在與共軍主力死拚，而在發揮全面摧毁中共政權的效用。此種效用有三：（一）以登陸國軍爲統一領導全民反共的司令台；（二）以登陸反攻的事實作爲全國反共軍後援的保證；（三）以登陸國軍吸引共軍集中，使後方零星之反共力量得以聯結一致，以配合全面反攻復國的戰略。

年來中國大陸人民，已不斷在內部起來作反暴革命的事實，並不須延至今日才被西方證明認爲有可能。但其所以中共政權仍未被革掉命的原因，就是欠缺上述：（一）無後援支持給養；（二）統一領袖與號召；（三）被中共切斷交通，零星而難聯結等三個因素。故直至今天爲止，中國大陸人民革命雖已被公認成熟，但仍難以自己起來革掉中共政權的命。祗有國軍乘時作一次果敢的登陸作戰，才對這三個欠缺因素有所補救。

農村兒童福利事業在台灣

·林嘯嵩·

聯合國國際兒童福利基金會遠東區署長肯尼先生，去年曾先後兩度來台考察兒童福利事業，對台省農村所舉辦的農忙托兒所，以極有限的經費，而能有相當良好的成績表現，備加讚揚，認爲這是最切合農民實際需要的工作，同時由於這項工作的實地展開，已使台灣農村更向現代化的里程邁進了一步。肯尼特別表示願意由該基金會撥出經費，協助我辦理現有農忙托兒所在職人員訓練，並就各地現有農忙托兒所，儘可能的充實其設備，以供東南亞各國模仿；並經指派兒童福利專家，來台與省府研商步驟，擬具計劃，決定援助這項農村兒童福利工作的進一步展開。

農村與城市是兩個對立的名詞，農村代表樸實，城市則代表繁華，因此農村社會與城市社會是有其差異性的。同時這兩種社會在各種生活表現上，前者似乎是傾向於精神方面，而後者則着重在物質方面。也可以說，農村是依循自然法則的，是靜美的，和平的，適於發展精神生活；城市是改變自然現狀的，由種種色色的人羣，形成各種不同的生活方式，正是一個追求物質生活的社會。講求物質生活文明的社會，是具有高度生活水準的，在衣食住行各方面，都遠非農村所能企及，這確是事實。尤其農村人民居處散落，每於舉辦羣體性的事業時，往往無法集中活動，凡是在城市裏推行極易的工作，要在農村裏推行就會發生嚴重的問題，甚至於行之不通。就以農村的育幼院及農忙托兒所而言，在各項設備與保育人員的保育技術方面，却應適合農村的實際環境和需求，不能完全依照城市的方式來進行。所以台省第一期兒童福利服務計劃，便是針對農村的現實狀況而擬定；此項計劃，已經在聯合國國際兒童基金會理事會通過，該會決定協助台灣發展農村兒童的福利工作，現在台灣省政府正在積極籌辦中，據悉此項第一期協助台省農村兒童之福利服務計劃，共包括四項工作重點：

（一）設置一個有系統之訓練中心，由基金會協助訓練所需各項人才，並負担膳宿旅費及講師鐘點費用，於兩年內訓練完成各農忙托兒所保育人員，育幼院所之社會工作人員，及各縣市局政府主辦社會福利業務人員，合爲三百一十三名，以作實際推動農村兒童福利工作的基幹。

（二）在二十二縣市內，各設置示範性之農忙托兒所一所，由基金會援助風琴、玩具、繪畫、康樂、衛生保健及縫紉機等設備，供作辦理農忙托兒所之示範，並供作受訓保育人員實習觀摩之場所。

（三）現有之農忙托兒所，按實際情形由基金會先予援助風琴，急救藥箱等，嗣後並逐步擴充。

（四）由基金會供應本省各育幼院，托兒所以及農忙托兒所食用之奶粉，魚肝油丸，健素，肥皂等，以增進兒童營養，達成兒童心身保健的目的。

台省農村兒童的福利工作之所以能獲得聯合國國際兒童基金會的協助，乃是由於台省近年來辦理農忙托兒所極有成效之故，這是值得引以爲榮的事情。

（上）

香港與大陸

壓縮城市人口壓出問題

許多人弄得兩頭不到岸

這問題可能給中共造成大麻煩

中共正在大力進行的壓縮城市人口的工作，在中共，這是實偪處此，但却無法做得順利，而且因此却逼出了新的問題，中共不把這問題解決，很有可能要發生大的麻煩。

這消息是剛剛告一段落的大陸同胞洶湧「非法」進入香港而僥倖未被香港軍警捉到的一個漏網的廣州同胞，對本報記者講出來的。這位廣州同胞今年祗十九歲，他原來是一間中學的學生，他們那間中學，就爲了中共要壓縮城市人口，被停辦了，中共要把全校的員生，掃數趕到農村去。中共所擬定的辦法是：

（一）無論教員與學生，如其原來的家在農村者，各自回家，參加農業生產。

（二）無論教員與學生，他們原來的家雖不在農村，但在農村有親戚處能夠自行前往投奔者，可自行前往，參加農業生產。

以上兩種人，均立刻被取銷在廣州的戶籍，要他們到農村後加入農村戶籍。

（三）無論教員與學生，其原來的家既不在農村，農村又無親戚可自行前往者，亦必須到農村，其去處由中共予以安排，其城市戶籍亦同時被取銷。

某君便是屬於第三類。他被指定的去處爲番禺縣的一個公社。中共在趕他到農村之時，祗給他兩天的口糧，說是到了農村公社之後，就有新的戶籍口糧給他了。據某君說：原來住在廣州的人，無論做什麼的，由於農村的食糧配給比城市更少，誰都不願意下鄉，但在中共的淫威之下，加以城市戶籍被取銷了，又誰亦不能違抗，更不敢違抗。

但是，某君說，他奉令到了番禺那個農村公社之後，那個公社的共幹却不願收留他，社員們尤其不願讓共幹收留他，理由是他們早就在挨餓了，多有人到來，將更加不得了。他於是陷入城鄉兩頭不到岸的苦境。他說：像他這樣的人，不知有多少，甚至那些在農村有家的同學，他們回家，亦同樣的不受歡迎——不是家裏的人要趕他們，而是同一公社的其他人不歡迎他們回來。

好在就在此時，發生了中共鼓勵百姓「非法」進入香港的事，某君早就希望能夠到香港了，他於是跟着大夥兒向香港作「飢餓進軍」，而且雖然一路之上，吃盡苦頭，總算很僥倖的，居然未被香港軍警捉到。據某君說：他所親眼看到的在石龍至深圳路上的希望進入香港的人，多得很，有好多個萬。

（衡）

宦君續夢

第五回：深罊難塡　反顏奴抗主　片言起釁　轉瞬德成仇

晚間，胡志明來了，在座的只有李富春一人。幾間舘子送來一桌「團結菜」，田家英站在傍邊打開兩瓶上好茅台。喝了幾杯酒，毛澤東說道：「胡大哥，我最近遭遇了一件難題，非破釜沉舟幹一下不可，希望你能支持我。」

胡志既放下酒杯，捋着山羊鬍子說道：「潤之兄，我和你等於一個人，沒有你的支持，我的革命也不能成功一半，老實講，我今天所有一切，都是蒙你所賜，你的困難就是我的困難，我那有不支持之理。你到底遇兒了什麼難題，請說出來。」

毛澤東微笑道：「我打算跟赫魯曉夫拚了，你敢不敢支持我？」

胡志明聽說毛澤東要同赫魯曉夫鬥爭，不由得一楞，連忙問道：「你同赫魯曉夫之間發生了什麼事，你們兩人一鬥，我們人民民主國家豈不要分裂？這個後果你考慮到了沒有？」

毛澤東嘆口氣：「這些問題我都考慮到了，可是，赫魯曉夫太對不起我，從經濟到外交，無一處不同我搗蛋，我實在忍不住了，除去同他一拚，沒有辦法出氣。」

胡志明沉思一時，緩緩說道：「潤之兄，我剛才說過，我絕對支持你，但是支持的方式恐怕和你想像的不同。你同赫魯曉夫鬧翻了，我在表面上只能守中立，平時我可以擺出調人姿態，緩和你們之間的衝突，到了緊要時我一定站在你這邊。我擺出守中立的姿態，還可以拉着印尼的艾地，印度的高士甚至金日成，野坂參三，宮本顯治這批人和我站在一條線，這樣就削弱了赫魯曉夫的力量，比較向你一面倒，更有點用處。」

毛澤東一拍大腿：「胡大哥，你到底比我大了幾歲年紀，實在是老謀深算，思慮精詳，眞非我可及。」

胡志明笑道：「潤之兄，太過獎了，我的才具比你差的太遠，不過，傍觀者淸，你若是肯接受我的勸告，我還有一點意見。」

毛澤東連聲說道：「胡大哥你請講，你的意見我絕對接受。」

胡志明看看毛澤東態度十分誠懇，捋着山羊鬍子說道：「依我看，你不必正面和赫魯曉夫鬧翻，這樣就沒有轉圜餘地，你何不找別人打衝鋒，你在背後支持，豈不是更好些。」

毛澤東搖搖頭：「胡大哥，你的意思很好，只是作起來十分困難，誰肯打這種衝鋒？老實講這個破法我也想到了，我以前和國民黨作戰時，善用人海戰術，每攻一地，專門驅使老百姓走前邊，消耗敵人子彈，等到對方子彈打完了，我的部隊再一湧而上，就打勝了。不過，對付赫魯曉夫不能靠人多取勝，必須要找一個打衝鋒的，可是這個人却找不到。」

胡志明笑道：「據我知道，阿爾巴尼亞最近和蘇聯處的很壞，蘇聯給他們的援助全部停止，霍查恨赫魯曉夫入骨，只要你肯支持，他眞敢同赫魯曉夫翻臉的。」

毛澤東連拍幾下大腿，說道：「一點不錯，霍查以前來信向我訴過苦，我竟然忘記了。只是，霍查這次爲什麼不來，却派了謝胡呢？」

歙浦勝境（續）

園廣百畝，有廊有門，花香撲鼻，春秋佳日，遊履近千。前人有詞云，「左右清源映帶，東西樹竹交加，却從澹雅勝繁華；畢竟名園無價！」蓋紀實也。所惜日寇侵華，全毀於兵燹，此園壽命，亦僅廿載。現僅瓦礫一堆，濁水半池，為之惋歎不已。

江灣葉園，聞為葉澄衷後代所有，其建築年份較近，門口則似私家住宅的閘子，為避煩囂，並不宏壯，求不為人注意。園中亭台樓閣，應有盡有。但多是鋼骨水泥的西式，即一橋一磴，莫不皆然，建築質料固然甚堅，但雅趣索然，不脫西人的氣息。所植樹木甚多，而洋種花卉更盛，各種鮮艷異色，奪人視目。堆砌假山，較半淞園為多，而玲巧似過之，約有蘇州獅子林之半，為一奇觀。如此園情景與半淞園相較，則貴婦與村姑也。論天籟，趣味較濃，故而遊者大多西裝革履，摩登女郎，挽手同行，兩首並貼，從無有穿唐裝長褂，足登雲履者，是風雅之儔，不如半淞園之為多也。

憶玉軒雜綴

兩華的名卉

前記歙浦的勝境，祇言其景，未談特異的花卉，良因洋場十里，花肆固多，但用西式的栽植，祇可供外僑的欣賞，與豪家的擺設，未能值得多看。實際要看名卉，尚須尋之郊外鄉村。要數龍華的桃花，法華的牡丹，穠艷特甚，芬芳馥郁，流連不盡，甚至一看再看，不忍即歸。

龍華的桃花，本不足為奇，而好在極多，妙在一條夾道的花徑，約有四五里，兩旁花開，遙望一片紅霞，有如錦幄，人行其間，如穿入繡雲的走廊。等到夕陽將下，天際紅霞，照在花容，歸去香車，半載佳人半容花，流風遺韻，有如人間天上。所以去看桃花，欲賞風韻，必須安步當車，則花光人影互映，才可引起微妙的會心，特別的情味。故莘莘學子，多各跨單車，雙雙儷影，度柳穿花，笑語生春，行歌相答，最是入味。若飇輪疾駛，則摧殘花枝，零落不堪，紅塵飛揚，大煞風景，粗獷鄙俗，不足以言賞，徒然一窩風的看其他尋花的麗色。陽明山看櫻，亦彷彿有此意味。龍華桃花既好，而產桃亦夥，所以水蜜桃遂甚著名，以其大似粉拳，入口即化，與肥城奉化，同擅三勝。

曹采藻女史有詩云：「每逢穀雨春和候，祇聽人人說法華」。是法華的牡丹，相當的名貴。（未完）

北海微瀾（一）

曩者，吾嘗撰「辛壬之際物換星移」一篇，曾在新華宮裏，為讀者諸君，義務導遊。舉凡瀛臺陳跡，寶月前身，石室荒唐，玉佛法相，一一筆述，以告遊人。續餘夢於春明，補偶聞於天咫，愧疏精考，敢詡詳瞻。後以篇幅所關，步出禍華，戛然而止。北海非奢，竟未涉足。比來朋好，囑續成章，不令名區，向隅獨嘆。近又幸得獲觀閩侯陳蒓衷先生所著「燕都叢考」（民國十九北平出版），其於故都之宮闕苑囿，壇廟城池，經廿載之搜羅，有明確之記載。因直取書中「北海」一篇，錄存於此，即以續我前篇之未竟。不敢掠美，敬為蒓衷先生義務宣傳可也。

燕塵識小

無員生

「北海之南為承光左門。由門而北，駕石橋（名曰積翠堆雲），過橋即永安寺。牆之東緣山而升，有亭曰振芳。再升有亭曰慧日。稍西有穹碑二，一為順治八年建塔記，一為雍正十一年重修記。再升迴普安殿之東廊。寺牆之西緣山而升，有亭曰蓬壺挹勝。再升為悅心殿；每值臨幸塔山，視事於此。殿後為慶霄樓，樓上下各七楹，南嚮。清高宗每逢臘日奉太后觀冰嬉於此。殿東為靜憩軒。轉石屏，入牆門，接普安殿。殿後躡石磴層蹐而升，為善因殿。殿後即白塔；其下為藏信礮之所。（清時設信礮總管一員，五品官。八旗各一，專司監守。）此塔山之南一面也。

由慶霄樓西折而下，有二道。其一循樓西南，不數武有室一曰「一房山」，其房疊湖石而成。由房南間石巖盤旋而下，為蟠青室；室皆迴廊環抱。由悅心殿西角門出，山半有亭曰揖山。其下有石橋，南北有坊各一。過樓又南北有坊各一。橋之北中正為琳光殿。其一循樓轉而北有亭曰妙鬘雲峯。歷石磴而下有殿曰水精域。再下為甘露殿。殿前即琳光殿。再轉而北，長廊二十五楹，左右環抱相合者為閱古樓，嵌三希堂法帖石刻。樓後有亭曰烟雲盡態。稍北為畝鑒室。此塔山之西一面也。

六藝與智仁勇

漁翁

六藝者，禮、樂、射、御、書、數也。周禮保氏：「養國子以道，乃敎之六藝，一曰五禮，二曰六樂，三曰五射，四曰五馭，五曰六書，六曰九數。」孔子以六藝為施敎之主旨，有至理存焉。

禮者，理也，凡事合乎道理，謂之禮。又云履也，謂因人所踐履，定其法式，大而冠婚喪祭，小而視聽言動，皆有節文也。古人以祭祀為吉禮，冠婚為嘉禮，賓客為賓禮，軍旅為軍禮，喪葬為凶禮，稱之曰五禮。其次「非禮勿視，非禮勿聽，非禮勿言，非禮勿動」，人各守禮，即無爭奪侵畧之事發生，而致天下於太平。

樂，乃五聲八音之總名。易曰：「先王以作樂崇德」。所謂六樂者，即雲門，大咸，大韶，大夏，大濩，大武也。六種皆樂舞。雲門，黃帝之樂；大咸，堯樂；大韶，舜樂；大夏，大濩，大武，夏商周三代之樂也。今日之國慶大典及民間婚喪宴會，莫不依古樂以行之。

射者，以弓激矢使及遠之術也。古習戈矛，今操槍炮，而其動作則一。周禮司兵：「掌五兵五盾」。鄭司農云：「五兵者，戈、殳、戟、酋矛、夷矛也。」跑馬習射，為古練兵之法。今則步，馬、炮、工、輜，無一不孕育於射字方面。

御，駕馭車馬也。論語：「執御乎！執射乎！」禮：「習射御角力」。蓋於技藝游戲之內，寓講武之意也。屬於體育者曰射，屬於技術者曰御。越王勾踐的「十年教訓」，不離開一御字，即所謂明恥教戰，以御於家邦也。

書，以文学記載事物之謂。論語：「子張書諸紳」。凡十三經，念四史，以及諸子百家之學，皆謂之書。古人云：「幼而學，壯而行」。又云：「有書不讀子孫愚，子孫愚兮禮義疏」。可見書不僅使人明禮義，知廉恥，且由格致誠正而修身，而齊家，而治國，以至於平天下。

數，計也。禮云：「問國君之富，數地以對」。數學之法，約分四種：用心計則曰心算，用籌計則曰籌算，用筆記則曰筆算，用算盤計則曰珠算。今日科學昌明，用代數，幾何，三角，以測量土地，及製造各色新式武器，而稱雄於世界，在六藝中，要以數為惟一部門也。

上述六藝，歸納起來，不外智，仁，勇三字。仁為禮樂，智為書數，勇為射御，即今各級學校所注重之德，智，體三育也。

說文：「仁，親也。」注云：「親者，密至也。」仁從二人，即至少有兩人以上之相處。人與人間，十目所視，十手所指，方能表現每個人之道德罪惡。若天地間僅一人在，則寡廉鮮恥，亦目無所視，手無所指。故仁，即禮樂之所繫，道德之所歸焉。

智是學問，即書數之代名詞。論語泰伯：孔子曰：「學如不及，猶恐失之。」學如不及，故「日知其所亡，猶恐失之，故「月無忘其所能」。為學要具有如此毅力。孔子又云：「我非生而知之者，好古敏以求之者也。」好古敏求，乃給青年求學者之榜樣。總之，孔子施敎，除培養德性以外，還灌輸其智能，以符合學以濟世，敎以興仁之本旨。

再談射御，乃今之體育科。孔孟雖屬文質彬彬之大聖，而却具有非常勇氣，孔曰：「方今天下，舍我其誰！」孟曰：「彼丈夫也，我丈夫也，吾何提彼哉！」他們主張文武合一，有文事者必有武備，使彬彬與赳赳治為一爐也。

海嶠譚談薈

回憶之回憶

諸葛文侯

偶閱黃膺白（郛）夫人所寫「亦雲回憶」未刊稿，其中述及民國十五年多間，馮玉祥從蘇俄回國重領西北軍，致函黃先生聲言他自己和全軍皆加入國民黨，並有八個字的根本方針，語甚突兀，嗣後亦無機會聽其解說云云。所謂「八字根本方針」是何內容，黃夫人並未寫出，諒係有所忌諱。是時我也恰在庫倫遇着馮氏和于右任先生同自莫斯科回來，曾聞馮氏一席話，他雖然沒有談到「八字根本方針」之說，但可以窺見他的思想行為之一斑了。

我於民國十五年八月終，隨同李協和（烈鈞）先生暨民黨前輩皖人張秋白（此時他在馮氏幕中綜持「平滂鐵路」籌備事宜，官銜名為「督辦」，現居台北的皖籍國大代表凌鐵庵是「會辦」，實際乃空銜也）由張家口到了庫倫，準備繞道海參威回滬。適馮氏亦歸自俄京，相與盤桓數日，他曾邀約李，張二先生和我在旅第餐叙，馮在席間侃侃而談他今後的治軍計劃：一是全軍集體加入國民黨，二是信奉三民主義，努力革命，不再談基督教義，三跟蘇俄合作到底，不怕「赤化份子」的惡名。最後他說：「孫中山先生可以利用蘇俄的援助來革命，咱們何嘗不可以呢？吳秀才（指吳佩孚）張鬍子（指張作霖）罵我是「赤化份子」，今後咱就要給點顏色他們看看啦！」他又問及蔣總司令過去的經歷，頗有輕蔑之意。李張二先生表示贊許他的革命精神，我是年輕小夥子，唯有洗耳恭聽，不敢贊一詞也。

次日，協和先生告訴我，馮氏擬邀區區重返他的軍中作秘書，張秋白先生亦有同樣的傳語。我對李張二公表示遜謝，理由是不相信馮氏真能革命，證據就是他說全軍加入國民黨，這完全係一種假把戲。古今萬國的政黨，決沒有這種吸收黨員的辦法，革命黨更不能接受這類對主義思想毫無認識與訓練的黨員，否則非攪垮不可。我認為馮氏的表面言行都是假的，他今日可以視其虔誠信奉的基督教如敝屣，他日亦可以鄙棄三民主義，我的個性不適宜作他的僚屬。李先生却以莊重的詞色語之曰：「他若永遠的作僞下去，也就變成真的了，你何必固執己見呢？」我依然婉拒之。越民國十七年春，馮氏保薦其秘書長何其鞏（克之）任北平市長，是時李協公担任國府常委，我作國府秘書，李公欲然語我道：「你看，假如你當年跟煥章（馮氏別號）一道去工作，這北平市長即非你莫屬了。況且有我在中樞，加以煥章的關係，政治上還愁沒有出路嗎？」我說士各有志，並不羨慕這類官運。嗣後證明馮玉祥的「革命」行為，無一不是與三民主義相違背。他的思想體系，就是不擇手段利用別人，以滿足自己的領袖慾望，決不甘居人下的。詎料國民黨當時甘受馮氏利用，認許其全軍盲目入黨的假動作，後來又規定凡在政府機構服務的文武公職人員一律視同黨員，總且讓一些素來反革命的軍閥官僚頭目，先作中央黨部的執監委員，再補辦入黨手續。革命黨有如此作風，我想這亦是神州陸沉的基本因素吧？

山川風物

嵩山中嶽廟

道南

中嶽廟在登封縣東八里，位於太室山東麓黃蓋山下。秦時曾在此處建太室祠，規模不大。漢武帝元豐元年擴建。到北齊至唐代，逐漸發展，範圍日見其大。宋以後，歷代均有增進。清乾隆兩次遊中嶽，重加修建，悉按北平故宮圖樣，如廟內大殿、天中閣、崧高峻極坊以及寢殿、碑亭、峻極門等處，均彷彿故宮風格。

廟內全部建築，共佔地五百四十畝，自大門至最後一進御書樓共十餘進，在全國廟宇中，這規模也是第一等的。

中嶽廟現存文物，計尚有廟門南邊的太室闕，有銘文和形象上生動的浮雕，建造於後漢元初五年。廟門外的兩個翁仲石人，高僅三尺，清石圓雕，直到現刻雖已經歷一千八百年的風雨侵蝕，石質外層，多有剝落，但其古樸之趣，依然可見。

廟內雷神殿之南，有北魏文成帝太安二年（公元四五六年）造的「嵩高靈廟之碑」一座。此為登封現存的最古一座石碑，惜碑面曾遭日軍破壞，剝落殊甚，惟上下部字跡尚完整。

中嶽廟的古柏亦有名，計漢柏有六十餘株，宋柏約二百餘株，最大者可五、六圍。

自由報

內僑警台報字第〇三一號內銷證

THE FREE NEWS

第二四一期

中華民國僑務委員會頒發
台教新字第三二三號登記證
中華郵政台字第一二八三號執照
登記爲第一類新聞紙類
（半週刊每星期三、六出版）
每份港幣壹角
台灣本省價新台幣弍元
社長：雷嘯岑
督印人：黃行靈
社址：香港銅鑼灣高士威道二十號四樓
20 CAUSEWAY RD 3RD FL
HONG KONG
TEL. 771726　電報掛號·7191
承印者：田風印刷廠
地址：香港灣仔高士打道二六一號
台灣分社
台北市西寧南路壹叁柒號二樓
電話：三〇三四六
台郵撥儲金戶九二五二

從難民說到「難生」

·淵明·

「難生」這個名詞，乃是落難的青年學生之簡稱，並無其他出處。專指那些南洋各地的學生，當初因憧憬於「共產天堂」的美妙，「我們祖國」的溫煖，甘心受人慫恿，呼朋引類，不惜背棄家庭，回絕學校，又向當地政府宣誓，絕不再返，而抱着滿懷的熱忱，萬千的希望，前往大陸，及至親身經歷，受盡折磨，不但無書可讀，而且飢寒難擋，加以共幹的凌虐，環境的恐怖，才發覺到昔日所聽宣傳，全係謊言，當前所過生活，不啻地獄，遂又不惜放棄原有信仰，千方百計的逃出竹幕，及至到達港澳，既不能重返原地，而又無路可走，遂爾流落，自屬難民之一種，故特撰「難生」一名詞以畧資識別。估計此種「難生」之徬徨顛困於港澳者，當不下數千人。筆者謹向台灣中華民國政府建議：請將這批「難生」予以收容，繼續敎育，儲爲國用。

近來難民問題，似稍沉寂，但問題本身，並未解決，不但未會解決，而且醞藏着無限的危機；試想，中共只要微放鬆邊界管制，就弄得香港政府焦頭爛額，台灣中華民國政府緊張萬分，甚至倫敦日夜焦慮，華盛頓多方籌策，而許多專家更提出許多方案，雖然還未見有若千方案實行，除了留港高等華籍難民有五六千人藉此或者可以提前赴美，算是特別倖運以外，其他大都還在建議階段或商談之中，有何成效，勢難預卜。

民間相傳，說是這一塲難民之災，乃是某被遞解出境之高級職員所策勦，聊欲藉此以作報復者。這一說自然有若干人相信，然未免過於簡單，顯與極權政制不符。豈有如此大事，竟由地方生的少數人士主持，綿延如斯之久，人數如此之衆，乃至國際震動，轟世側目，而北平的共幹們，居然蒙在鼓裏，完全不知之理？

又有人說，此乃中共「投石問路」之計，乃一變相的「人海戰術」之試探，看看香港政府有何對策，自由世界作何反應。這一說似乎比較有理。自韓戰以來，美英各國對中共心存顧忌，力求安撫，彷佛把它看着是負固的餓虎，唯恐它乘機撲出，故既防台灣海峽之爆發戰火，又恐越、寮、緬、泰、之難以招架，因之以中美協防條約束縛台灣，以圍著嚇阻政策，協助南洋，八九年來，成效如何，大家心裏有數，不必細說，只看越國分裂，寮國危殆，就可了解。但今日的中共，已非韓戰時代的中共，可以說中共已被韓戰拖得精窮，並揹上一身爛債，隨又犯上許多嚴重錯誤，再與蘇俄分歧衝突，更造成無數的人爲天災，現在的中共，絕無再表演第二個韓戰之力。既不能以「人海」對「火海」，必須另出奇謀，於是試用難民戰術，因對難民不但不能使用「火海」，就是徒手衝突，也會引起大禍約，只要看看難民年齡，老弱很少，壯丁極多，就可明瞭。果然，經此一試，舉世騷然，此後不難再見第二，第三乃至無限度之攻勢，因爲中共的難民，至少有五、六萬萬，試問當今之世，地球上有那個國家可以吃得消？

更有人說，中共意圖敲詐勒索，要自由世界無條件的送糧與它，而又絕不能過問用途，故畧施小技，以套引他們就範。這一說似亦有理。中共尅減人民配糧已久，人民要國外親友寄糧包油糖等物救急亦逾三年，但它從不承認飢荒，紅十字會要往大陸救濟，亦遭拒絕，並且不斷以糧食或金錢接濟古巴，北韓，北越，及阿爾巴尼亞等國，它雖然迭次向加拿大，緬甸等國購買糧食，但只維持軍隊與共幹，並未配給人民，而美英各國迭有表示，很明顯的說，只要中共正式請求，可以考慮接濟。然中共偏偏悶聲不響，拿足了頑童架勢，內心也許萬分想要，姿態則裝着毫不在乎，而尤其不顧接受任何條件，更不能讓自由世界的人自由進出大陸，直接發放災民，因爲如此一來，等於踏進了他的後台，豈不是一切西洋鏡都戳穿了嗎？因此他最好的戰畧，莫如採取難民攻勢，弄得自由世界沒有辦法，然後反而要去求他，其結果必至倒轉來還要接受他的條件，這自然是中共的如意算盤。

以上三種說法，除第一種外，二三兩種，都有相當的可能性存在。至於目前暫又恢復邊界管制，可能是基於兩種因素；一是顧忌台灣，蓋陳副總統的表示，具有大氣磅礡的精神，中共恐怕難民眞個都運到台灣，那對它是絕對不利的。其次是它還想繼續欺騙僑胞，尤其是南洋一帶的青年知識份子，如果難民不斷蜂湧而出，對於他的這一政策也是不利的，所以星加坡總理李光耀前幾天經過香港時說：

「香港的好處，就是在與大陸爲鄰，香港人可以從籬笆透視大陸，於是獲知大陸民生的實況，而星馬則因山河遠隔，以及腦海的幻境，於是就會覺得前途的美麗。我們爲政者目前的問題，就是要時時將這些實況，告訴給我們的國人。」

從李氏的談話中，可以反映出南洋一帶對大陸情況的隔膜，因之現在的南洋青年仍多數繼續左傾，致李氏所領導的政權，也遭受威脅，同時在港澳兩地，就造成了許多「難生」的遭遇，而深深值得注意。

當年中共席捲大陸後；跟着就參加韓戰，居然與美國打了一個平手，南洋僑胞，一部份人頗感興奮，而多數青年，更鼓舞熱烈，認爲「祖國」從此強大，可以眞正躋入一等强國，當不致再受某些國家的歧視甚或欺凌了。加以共黨地下份子，乘機誘惑，百般煽動，於是青年學生紛紛回國，而當地政府，勢難防阻，旋在無可奈何之中，乃改訂移民法令，其主要之點，即凡在五十歲以下者，如回大陸，即不能再返，以資限制。而申請出口證者，仍繼續不絕。

那時南洋情況，也甚民亂，工人公開唱前進歌，跳扭秧歌舞，學生則常鬧風潮，刁難教師，甚或驅逐校長，罷課遊行，種種搗亂，不一而足。而當地政府當時對於華僑學校多半是採取放任態度的。臨時要管，也無從管起，因之極爲焦慮。筆者於一九五四年即民國四十三年抵南洋執教時，即經過幾度風潮，可說是紀律廢弛，學風蕩然。而又經常有學生要求回大陸轉校，照以往之例，從南洋回中國讀書，是通行無阻，等於在一個國內轉校一樣的。因南洋的學制，那時全部是中國的學制，各種課本及教授方式亦復相同，因之學生也是照例要求轉校。及至筆者經管此類事時，乃不發轉校證，只發退學書，並且要先由其家長親到學校簽字才能發給。及至家長到校，乃加以勸導，盼其約束子弟，不要輕舉妄動，也多少有些效力。然而也竟有不要學校證件，即逕自上船而去的。這些現象直至政府採取津貼制度，加强管理。才畧爲好轉。而台灣大量容納僑生，予以種種優待，再加反共之士漸掌校權，導向正軌，遂爭取青年不少。

「形勢比人强」，這幾年來，不但赴大陸者銳減，而用種種方法進而復出者爲數甚多，其中由南洋來內青年學生，則只好流落在港澳。因之星加坡總理李光耀這次經過香港，一下飛機，就有記者問他：「以前返回大陸，現又從大陸到港的馬來亞星加坡學生，因不能再返星馬，羈旅香港問題，應如何解決？」李氏答稱：「他們可依照正當的移民局手續辦理，我以一人之力，不能兼顧。」

李氏的答復，顯係一句官話，因移民局的正常手續，就是不能再回星馬，況且是那些學生本人當初領出口證時宣過誓或簽過字的，南洋各地的移民法令多係如此，而記者所問當然係法外如何通融之意，於此可知這個問題之不簡單了。

筆者在南洋時深爲這般青年痛惜，而又覺得其情可憫，其心可原，並且情勢大可有爲，曾建議於當地政府，說是與其花費許多金錢人力作空洞的宣傳，不如讓這些流落港澳的學生再返故地，現身說法，功效當逾越百倍。當時頗有贊成的人，但當局因事體重大，又牽涉法令，終於未能實現。

現在筆者謹致向台灣中華民國政府當局獻議；認爲這批青年學生，理合由台灣收容，繼續敎育。這些青年，都是僑生的精英，華人的後代，一當日基於愛國熱忱，一時迷惑，誤入岐途，旣得其情，則應矜而勿喜，且幼稚心靈，創鉅痛深，飢易爲食，渴易爲飲，稍加撫慰，莫不効命，況人數亦不太多，又與一般難民有別，但由敎育部僑委會派員調查連絡，即以普通僑生中等或高等學生資格全部登記，准其分批赴台，特設班次先予以補習考核，然後再分別挿入正式學校班級即可。

果能如此，則華僑家長必感洽肌髓，其影响力之大，當不可思議。而這批青年在學成之後，其爲國効力所生之功效，更當逾於恆常矣。

漫畫天下

同病相憐之一

同病相憐之二

自由談

可憐的奴隸相

馮子先生

正在大陸上的飢民冒險犯難，有如潮湧般逃入海隅後，又被遞解出境之際，毛共的說謊機器——「人民日報」，詳細刋出所謂「民主黨派」紛紛舉行座談會，討論「解放台灣」問題的情形，其中以「民革」的幾個人渣如張治中，黃紹竑，翁文灝等人的言詞，最是出色當行，令人聞後不忍發笑，而覺得一副奴隸相，可憐極了！

如張治中聲稱他對台灣同胞的悲慘生活，深切關懷云云，這不是白晝見鬼嗎？他厚着臉皮說出這類無聊的話，旨在沖淡大陸難胞集體逃亡這項悲劇慘狀的影响力，替毛共政權對大陸上的民衆撒謊遮羞，企圖弛緩人民反飢餓、反迫害的憤恨心情。不用說，這是毛共統戰部導演的一幕醜劇，張治中之流有如豢養在猴戲班裏的猢猻，只好穿着紅綠衣飾，聽受玩猴兒戲的班主命令，跳跳蹦蹦罷了。所以，我對他們的作態胡說，祗是認爲可憐。「欲出奈何天，除非身死日」，既已踏上賊船，有甚末辦法不遵從賊子的驅策呢！

可哂可鄙的乃是共產黨徒。他們眼見着大陸人民因飢餓難忍，大量向外逃亡的情況，無計可施，也無詞可解，唯有使用造謠說謊的絕技，嗾使降虜貳臣們揑稱敵人方面的情形更壞，以期詐騙國內民衆。至於在此縮地戲天的科學萬能時代，全球任何地區發生的重大事情，皆無法掩蔽的道理，在共產黨人的心目中，是不暇顧念的。因爲他們素來沒有廉恥與是非觀念，但知大言不慚，欺世人以無知。譬如三年前，他們大吹大擂地宣稱其生產能力「一年等於廿年」，如今不到四年的時間，大陸上餓莩載道了。但他們並不感覺羞恥，反而說台灣同胞的生活悲慘。這便是共產黨人的特質。即此可知凡屬稍有廉恥是非之心的人，就永遠沒有作共黨份子的資格。

大陸難胞的逃亡高潮，目前雖被毛共暴力壓抑住了，但這是紙包着火的現象，大爆炸而火延崑岡，玉石俱焚的時日決不會太遠的，只是利用張治中之流出來說謊欺騙，作用乃等於零。毛共這種作法，跟那病入膏肓者醫藥妄投的手段一樣，自速其死耳，宣傳云乎哉！

民意代表兼任公職波瀾

蘇振輝輕描淡寫提一句　黃朝琴王顧左右而言他

（本報記者台北航訊）省議會在質詢省府人事行政業務時，省議員蘇振輝，曾提到民意代表兼公營事業董監事問題，他的話本來說得很平常，但因爲有些報紙的記載附加註解，就使得大家特別注意起來了。

當時蘇振輝說：「自從大法官解釋後，省議會已率先響應，議員們都已辭去公營事業的董監事了。」有的報紙紀載稱：「蘇振輝說這話時，許多人都不由的望到台上坐着的黃朝琴議長，只見黃正扭轉頭與秘書長講話，蘇振輝之言似未入耳也」。

報紙爲什麼有此紀載？因爲黃朝琴以省議會議長之尊，至今仍兼任着公股佔優勢的第一銀行董事長之職。顯然黃朝琴當時是故意「王顧左右而言他」，以示未聽見蘇振輝的話，所以也就不必有什麼過不去，別人問到，更可以說「我根本就不知道有這話」爲辭，輕輕一筆帶過。

按民意代表兼任公營事業的董監事，以往是頗不在少的，其中最爲人「十目所視，十手所指」的，則有兩個人，其一是立法院長黃國書，他兼任隸屬於台灣省政府管轄的台灣省合會儲蓄公司的董事長，其二便是省議會議長黃朝琴的這項兼職。這「二黃」都位居民意代表兩大機構的要津，他們的兼職，自然最引人注意，所受到的抨擊，亦最爲衆多，但他們以往充耳不聞，「好職我自兼之」如故。

好像黃國書以立法院長的崇高地位，論階級當然在省主席之上，但卻跑去兼任那個省屬機構的董事長，不但要接受省主席之指示，省府的主管廳亦成了他的上司，事事要提報告，那是夠屈辱的了，夠紆尊降貴的。新近，由於大法官會議正式提出解釋：說明民意代表不得兼任公營事業的董監事；黃國書纔實在不好意思，把那個省合會儲蓄公司董事長辭掉了。大法官的解釋，與憲法具有同等的效力，黃國書不辭掉那個兼職，說得嚴重點，簡直就是違憲了。

然而，「二黃」中的黃國書雖辭卸了兼職，黃朝琴卻還沒有加以理會。那天蘇振輝的那幾句話，也許祇是順帶一筆，並非有意跟黃朝琴過不去，只是經報紙那麼一紀載，倒顯得蘇振輝是話中有骨了，這是一面；另一面則是黃朝琴，他連聽亦不肯聽，自然並沒有立刻辭去兼職之意。當然，黃朝琴兼公營事業職務，是不合理不合法的，除非他不做民意代表則已，否則只好辭去兼職。（重）

實施「越化」辦法之後　越南僑校已面目全非

越文授課鐘點大大的增加了　華僑成年人亦不得不習越文

（西貢通訊）在越南的華僑學校，現在通稱爲華僑學校的，而今已面目全非了。

越南的華僑學校，無論在都城西貢或其他首郡，都很受到越南教育當局的注意，而尤以在西貢的十五間華僑中學及七百一十三班小學爲然。

過去，華僑學校課程着重於中文教育，但自從實施越化辦法之後，乃逐漸轉向越化課程方面發展，在這個過渡期間，華僑學校以及學生的特殊情形，越南教育當局是體認的。譬如以華僑學校的越文程度來說，過去由於學校教育，家庭社會環境的關係，懂得越文的學生不多，而一般程度上亦比較差；但是經過了這幾年來的變化，學校的越文投課鐘數漸次增加，因爲必需符合越南政府教育部所規定之課程之故，學生的越文程度逐漸提高至與一般越南私立學校（華僑學校都是私立的）的程度，這一點可以從連年來華僑學生參加越南中小學會考的人數增加，得到明顯的證明。

另一就是教師的越文修養方面，也因環境的需要，在越南教育部督促之下，不能不積極進修，懂得越文的人也漸漸多了起來。

對於華僑學校的內部組織，可以說，現在大部份都能做到符合教育部的規定，如一般學校所必需辦理之各種薄冊等，都依照教育部規定以越文辦理，其課程也完全力求合於教育部的規定。同時，各華僑的幫立學校，還將走上另一個新的階段，就是由下學期起開始「統辦」，刻下教育小組正在加緊商討統辦有關細則，預料各項問題將在越南當局的指示下獲得解決。

另一方面，越南教育當局除發展私校教育，促進華僑學校實現越化課程，與各私校保持接觸外，並嚴厲執行下列兩法令，以維私校的聲譽及地位：

——依照教育部一九五九年五月六日第GD/TT二一三號通知，執行第五七一四號諭令第二條款，請地方行政機構關閉從來都不申請開辦許可證之學校。

——執行教育部之提議，對於不正當，多次違犯私校規制及固執不肯改善之學校，必要時採取取締措施。

還有，私校及平民教育局積極採取許多有效辦法，「去維護學生及其家長的權益」，因爲「學生能否獲得良好教育，家長能否選擇健全的學校予子女就讀，均有極大的影響」。

越南教育當局除將合法的學校名單公佈，俾各生家長週知，以利選擇之外，還注意各私校每班所收容的學生人數，絕對禁止太過擠擁，以免既有害學生的學業，亦不利於學生的健康。前些時候，越南學校爲應付過量的學生，曾以麥克風作爲講授，但這種情形經過當局的制止後，已不復存在。

對於學校所發的學業通訊冊及學業證明書，當局亦採取許多有效的措施，以使該證明書與各生的學業進展實況相合。另外，爲使學生免受無辜的損失起見，教育部着令各私校，凡是永久或暫時取消班額，皆須向該局呈報以利檢查，同時，如發現係因收入過少或其他的不正當原因時，當加以制止。至於清貧學生免費方面，鑒於實際需要，曾向教育部請求准予增加數額，但卻尚未現實。

無可否認的，近年來華僑人士學習越文的風氣甚盛，諳識越文的人數也日益增加，這多少是受到越南當局舉辦掃除文盲運動的影響，但究其根源則應該說，它是由於社會環境的迫切、需要所致。許多人爲了與當地人士的生意來往，日常生活接觸的關係，都需要撤去語言的隔膜，即譬講越南話，於是學越文，懂越文被認爲是必要的了。

在西貢（包括堤岸），學習越文的地方就是夜學。幾年來，隨着環境的需要，許多學校都應時而生，在學費應宜爲號召之下使到許多華僑人士在工餘之暇進修越文。另外，越南平民夜學之設立，對於西堤華僑人士學習越文，亦盡了力的，因爲目標是「將來一定要提高至與越南人同等程度。」（狐）

難民潮中完成選美

嚴肅工作此其時矣

（本報台北航訊）一個月來，從「共產主義社會」逃出，被「資本主義國家」趕回去的中國黃帝子孫，千千萬萬受難的我們自己的同胞，織成一幅盡人世間悲慘的畫面。

在台北，衣香鬢影，燦爛的燈光下，一連三夜，選出了入圍的小姐廿八名，複選出十五名，最後是三位本年度中國小姐的推出，然後加冕，定期放洋，與全世界各國的美人爭妍鬥麗，角逐世界小姐的名位。

筆者無意將此兩者作爲強烈的對比，指責選美絕對不應該舉行，那未免過於偏激，跡近煮鶴焚琴，太煞風景。但此時此會，看着與聽到，總不是味兒。

選美是「自由世界」承平期的點綴，不妨認是飽暖之餘的最高「藝術境界」的表現，身爲流離失所，亡國亡家的人們，實在不好說些什麼。本來，「太空時代」了，人類在不久的未來年月裏，可能與月裏嫦娥打交道的。但登高一望我們這個地球，擾攘衆生，栖栖皇皇，不但還有些落後地區，落後民族，更還有約十億之衆的不甘屈伏於共黨暴政下的無衣無食的人民，其中六億多還是我們的同胞！「天地不仁，以萬物爲芻狗」的嘆息，能夠說是多餘的麼？

顯然，如何解救鐵幕中的這些不幸者，是自由世界的職責；而如何解救大陸上水深火熱的同胞，當然是我們目前當務之急！自由世界與共產暴政集團，畢竟誰消滅誰，誰埋葬誰，端視彼此的努力如何。事在人爲，物競天擇，無所謂僥倖，更沒有取巧的機會。是則，如今在選美之餘，我們應該面對此莊嚴沉重的本分工作了，該有所認真盡力了，時乎時乎不再來，再不容我們苟且偷安了。

香港的中國難民問題，不自今日始。調景嶺的一羣人的心情，我們不難了解。國破家亡，寄人籬下，忍辱含垢，他們想的什麼呢！至於希望大陸同胞，揭竿起來推倒暴政，那又豈是很現實的？時至今日，大陸同胞人心思漢，是絕對不假的，而我們遺棄他們的日子未免太久了！不可以竟使他們抱恨終身，南望王師年復年，今之大陸那些少壯者們，也許已漸漸不認識我們了。

那些衝出鐵幕，眼前啼飢號寒，茫無歸宿的難胞，該如何及早設法把他們接運來台安頓，是要得緊的。更要得緊的是：經過十年生聚十年教訓的我們，該和那些難胞「換防」，打回大陸去了！（楊柳青）

北市又一個合作社出事

主事人被控告僞造文書

（本報記者台北航訊）台北市第十信用合作社理事主席蔡萬春，暨林春士，許江富等三人，涉嫌背信、詐欺、僞造文書等罪被控，台北地檢處檢察官吳天惠於五月二十五日傳訊被告等後，認爲被告蔡萬春等罪嫌重大，乃諭命被告林春士交三萬元舖保，蔡萬春交二萬元舖保，並責令隨傳隨到；至被告許江富，則因另案早已在押。蔡、林二人，係台北市金融工商企業界的聞人，彼等涉嫌僞造文書詐財事件，頗引起此間社會人士的注意。

蔡萬春等爲什麼被控？什麼人控訴？這是大家所急欲瞭解的。話得從頭說起：

遠在三年前，許江富因承建台北市南京東路市民住宅，會商之於東光鋼鐵公司前董事長林春士，用東光鋼鐵公司的名義，開兩張圓鐵提貨單證明書，每張均爲一百五十公噸圓鐵，這是四十九年七月間的事。許江富拿了這兩張提貨單，乃至第十信用合作社貸款一百萬元，以提貨單證明書作爲貸款的抵押品。未幾，許江富因涉嫌台北市南京東路市民住宅案被治安機關逮捕偵訊，且經基隆地檢處提起公訴，送由地院刑庭判處徒刑三年。可是，許江富向第十信用合作社以三百公噸圓鐵所抵押的貸款百萬元，爲期僅兩個月，期滿許江富未能還清這筆債務；同時，東光鋼鐵公司董事會改組，董事長改由甘南清担任。而第十信用合作社理事主席因許江富下獄，乃憑東光鋼鐵公司的三百公噸圓鐵提貨單，向東光公司索討一百萬元，但東光公司新任董事長甘南清則認爲，前任董事長林春士在移交時，所有賬冊上，根本沒有這筆買賣，故指出應由林春士私人負責清償。因此，第十信用合作社理事主席蔡萬春，乃向台北地院民庭提起自訴，控告東光公司董事長甘南清，要彼「償還債務。」

至此，甘南清乃訴請台北地檢處，偵辦許江富、林春士、蔡萬春等有共同僞造文書詐財的罪嫌，案經地檢處受理後，即積極展開偵查。當時蔡萬春、林春士交保的經過，台北記者會連夜追踪這則新聞，但不知何故，這新聞竟未見報，所以成爲漏網的消息。（楷志）

對已「非法入境者」　港政府通情達理

表示不追究其如何入境

港共報準共報銷路大跌

（本報訊）上月大陸同胞洶湧逃港期中，避過香港軍警耳目僥倖達成逃奔自由願望者，日來正擁擠於港、九兩個指定地點領取身份證，九龍的那個領證處，更擁擠得厲害，有數以百計的人，是先一晚露宿在那裏候領身份證的。因爲實在人太多了，若干人雖坐候整日，猶未輪到，祇好第二天再去。

對於這些人的領身份證，輿論及社團曾担心香港政府追究他們是怎樣進來的，會紛紛爲他們請命，希望從寬辦理；香港政府果然通情達理，聲明不加追究，並特別簡化其手續，普通需去兩次始能完成手續者，這些新客人卻祇需去一次便辦完手續，四個月後身份證便可到手，成爲正式的香港居民了。在香港政府此種通情達理的處置之鼓勵下，畢竟這次有多少「漏網之魚」，將可得到一個正確的統計。

由於此間七家共報及準共報對於此次大陸同胞逃港潮居然隻字不刊，大爲讀者所不滿，其銷數普遍大跌。據英文南華早報消息：其中有一家晚報，每天減少一萬二千份發行；另一家日報則減少一萬份發行。南華早報又說：其他非共報紙，由於每天均大量報導難民消息，圖文並茂，則銷路陡增，其中五家較著名報紙就合共每天增銷二萬六千份。南華早報接近香港政府，該報所刊這些數字，當有所本。（紀）

如何觸發大陸革命，配合國軍登陸反攻？

林介山

顯明的，為扭轉我們的逆運，安定亞洲局面，我們準備為自己創造光輝歷史，為千載後世子孫的幸福而流血，現時要作一次勇敢、壯烈的敵前登陸，已是不能避免的了。

但是，登陸任務不是正面死拼，而是在發揮指導，支援與聯繫的作用，整個力量基礎，是繫於全民的響應。因此，國軍實行登陸作戰之前，如何觸發大陸全面革命，到處點燃火把，使準備投降的投降，準備起義的起義，以期反攻號角一響，即四面八方風起雲湧的起而作戰，一舉克敵，如摧枯拉朽，造成事半功倍形勢，以減少傷亡與破壞，保持元氣，又成為當前極端嚴重的主要課題。

這個課題就是現時就應立即展開的「心理攻勢」的宣傳戰，使全中國大陸人民加速作心理上的準備，隨時投入全面反共的戰火，要鼓舞全民堅強的勇敢的起而「予及汝偕亡」以配合國軍作戰，以懲罰中共毛澤東暴力集團，把它推倒。這個「心理攻勢」的宣傳戰，估計要動用二十架快速的「敢死隊飛機」，載上數以億萬噸的用布料印上簡單文字的宣傳品，要在一夜間散佈於全中國大陸的每一塊土地上。這種簡單布質宣傳品，應分為多種，包括（一）有關起義共軍的獎勵；（二）有關配合國軍反攻方法的指示；（三）限於懲罰中共首惡；（四）鼓舞各地人民蠶起反暴；（五）聲明國軍不日登陸；（六）所有反共組織將獲投合法的名義及軍械糧食的支援；（七）鼓勵各地共幹配合反共民眾保持地方治安秩序，準備就地投降戴罪立功；（八）其他有關足以動搖中共軍心及基層的標語，以及可以有力號召民眾一致起來摧毀中共政權的辦法等。

此種「攻勢」在沿海區迅予傳佈並不困難，但此種攻勢還必須深入帶到大陸心臟及邊區，目的在全面迅即燃起火頭。故將不惜犧牲若干「敢死隊的飛機」，及用多方面的傳訊方法，滲透冒險，以期達成任務。此種攻勢的成功，必然加速中共政權的敗亡，減少不必要的傷殘，甚而，有可能國軍祇是作象徵的登陸，以為此種攻勢的號召，或已奇跡地可令中共政權，由於全民起來反暴的結果，未致動用國軍主力部隊，經已整個崩塌下來。

能無需攻城略地，不戰而屈人，是戰略上的上上策。一枝良佳的攻心宜專的奇兵，是勝過最佳裝備的億萬部隊，尤其對付已是百孔千瘡，軍心民心均失的中共暴力集團，在此反攻復國前夕，更為需要。

目前全中國大陸人民，由於「餓火焚燒」，已起來作本能上求生存的鬥爭，上個月的逃港難民狂潮，是有力的證據。如果當局能及時投以此等饑胞以糧食與武器，使之集中上山，參加反共游擊，因勢利導，亦不難形成為觸發大陸全面反共革命的武器。

我們以全中國大陸的人心為反攻復國的基礎，中美條約問題變成次要，但對我們的後勤的補充及對收復的區域的善後與救助，顯見現時就要計劃籲請我們海外的全體僑胞同時盡最大的力量，盡做中國人的本份。中國是中國人的中國，中國的事情，就讓中國人盡最大的責任吧，自助人助，華僑的起而支援，義所應爾，敢必不成問題。（下）

香港與大陸

中共放寬出境申請 廣州治安江河日下

中共為了減輕糧食負擔，上個月曾經縱容甚至鼓勵大陸同胞逃來香港。此舉在中共，是大大的丟臉之事，一下把中共以往的美麗謊言都揭穿了。副總統兼行政院長陳誠宣佈決定把逃到香港的同胞接運台灣安置之後，中共駭怕了，乃重行在中港邊界放下鐵幕，增加武裝共軍，嚴密把守，因而暫時結束了大陸同胞洶湧逃港的浪潮。

中共前此的縱容甚至鼓勵老百姓逃亡，出於不得已。它現在的重行阻止大陸老百姓逃亡，同樣的亦是出於不得已。為了減輕糧食負擔，中共固然不再如上個月那樣大規模的讓大陸同胞逃港了，但它卻認眞的繼續放寬大陸同胞申請到港澳的條件。現在，無論在廣州的人，在其他外縣的人，如其他申請到香港或到澳門，中共已極少不加批准的；不但條件大為放寬，批准的速度亦增加了。單是在廣州一地，中共每天就批准好幾百人出國到港澳的申請，有的給予單程證，有的給予雙程證。

祗是，以香港而言，單是拿到中共准予出境的證件還不夠，必需還得香港准其入境。香港每天最多祗允許大陸有五十個人進來。因此，目前在深圳等候進入香港的人很多，卻大家都不知道何時才輪到機會，來得了香港。

這些天來的廣州，由於中共要趕幾十萬人到農村參加農業生產，卻因為一方面廣州的人不願意到鄉下去，另方面因為鄉下亦不願意城裏的人大量湧來，弄得許多人都皇皇如喪家之犬，今天不知明天事。

中共要趕廣州人下鄉，是為了增強農業戰線的。中共原來亦曾閉門造車的訂出一套「壓縮」城市人口的辦法，卻往往而杆格難以實行，打亂了中共的整套辦法，如何善後，很成問題。假如找不出解決之道，可能或者使中共的所謂「壓縮」城市人口成為具文，否則，如其中共假裝看不見廣州有許多人不遵命落鄉，以及另有許多人雖遵命落鄉而不為鄉下人所歡迎而祗得重行返回廣州，這些失業的人今後怎樣苟延殘喘的維持往日半飽的生活，絕不是簡單的事情。此刻中共的表現，卻正是假裝看不見，讓這些人自生自滅。但自滅容易，自生卻就難了。

無論城鄉，中共的管制，向來嚴密。任何職位都在它們控制之下。一切都成了公的，無所謂私了。連老百姓的身體，也是公的，他們自己並不能決定自己那個身體放到那裏去。是以，那些原來住在廣州的人，現在要被壓縮的人口，他們的職位被取銷了，沒有了收入，連少得可憐的配給亦沒有了，他們要賴在廣州不走，怎麼樣活下去呢？現在的廣州，這種人就實在不少，棲棲皇皇，不知如何是好，因而廣州的治安更壞了，偷竊搶盜之事，每天不知道要發生多少。長此下去，實在是一種不了之局。除非中共能夠想出法子把這些人安頓下去，要不然，他們為了求生，當然什麼事亦能夠做出來。但中共能夠想出法子安頓這許多人麼？（覽）

農村兒童福利事業在台灣

·林嘯嵩·

凡做一事之不求人助，而人自助之，凡舉一善之不欲人知，而人皆津津樂道而樂聞之，這是何等令人快慰。的確台灣今天有許多革命性的社會運動或措施，已成了一種社會進步的象徵，使國際人士稱譽為是亞洲的模範，這種稱譽的內涵，雖然是包容了不少「客氣」的成分，但能夠贏獲這類評語，亦殊非偶然，尤其絕非倖致。

筆者過去曾參加好幾次的農村考察工作，也曾居留鄉間執教於農業學校，因此有機會接近農民，瞭解農村的實際情況。台灣的農村是在寧穆安靜中，充滿了新生的朝氣，尤其自政府實施耕者有其田政策以來，已掃除了農村貧富懸殊的現象，過去的佃農和僱農都已做了自耕農，他們工作勤奮，對於農業生產工作感到莫大的興趣，這種積極從事生產的情形，與農村今天的經濟繁榮，具有密切的關係。今天台灣的農村，是相當富裕的，每個農家都過着相當高水準的生活。

耕地植穀的生產工作，大部份都是用體力的戶外活動，的確是相當辛苦的，白居易的詩：「鋤禾日當午，汗滴禾下土；誰知盤中餐，粒粒皆辛苦」！在春耕夏耘秋收冬藏的季節性農忙期間，農村沒有一個人不是很忙碌的，尤其在每年的春夏之交，所謂「鄉村四月閒人少，纔了蠶桑又插田」。這時農家的男女老幼，為了他日豐厚的秋收，眞是忙得不亦樂乎，每個農家的成員都恨不得多生一雙手來，來應付田間的緊急需要。因為這個時期中，農村裏幾乎是沒有剩餘的勞動力了，所有農家都急切需要有人來代領他（她）們的嬰兒和幼兒，使他（她）們可以安下心來，在田間埋頭工作，而沒有內顧之憂。因此，農村的育幼院與托兒所便應運而生了。

不過據筆者在農村實地看到的幾處育幼院與托兒所的情形來說，大都還不免因陋就簡，沒有規模，同時還有一些兒童保育工作上的技術問題，仍有待積極與澈底的解決。如何纔能使這些托兒所育嬰院變成農村兒童的樂園，並進而擴展深入於僻遠的農村，這纔是今後推行這項工作人員的一個共同努力的總目標！

台灣的農忙托兒所，自民國四十四年開始籌辦，迄今已有七年的過程，其收托的對象，均為農民子女，其目的在使農村婦女於農忙期間，免除子女的拖累，得以從事農事工作，增加農業生產。今年全省共舉辦這種托兒所四百一十三所，收托兒童一十二萬六千八百三十五名，直接受惠農民共達十萬戶以上。從這項統計數字看來，已經是很有可觀了，所希望的是台灣省政府對這項農村兒童的福利事業，更積極的擴展，使其普及於全省整個農村，因為這才是「新農村社會」眞正繁榮進步的一大特色與象徵啊！（下）

虛君續夢

第五回：深壑難塡 反顏奴抗主 片言起釁 轉瞬德成仇

胡志明說道：「這個問題我也問了謝胡，據謝胡說，霍查就是不肯和赫魯曉夫見面，所以派他作代表。」

毛澤東大笑道：「果眞如此，事情就好辦了。胡大哥，我能攪的赫魯曉夫焦頭爛額，你站在傍邊看吧！」

晚飯後，胡志明告辭回去，毛澤東越想越得意，叫田家英打電話馬上將周恩來找來，把胡志明說的情形一五一十告訴他，要他去找謝胡打氣，只要阿爾巴尼亞敢硬頂蘇聯，一切後果都由「中國」負起。

周恩來聽說毛澤東眞要和赫魯曉夫一拼，不由呆了一陣，停了一時，小心翼翼地說道：「主席可以相信我，無論到了什麼地步，我都是站在主席一邊，不過，這個問題實在太大，一旦發動就沒有迴旋餘地，一定要硬拼到底，這麼大的責任，最好由全黨負起，何不和大家商量一下，取得一致行動。」

毛澤東曉得周恩來的脾氣，生平看風駛船，非有全勝把握，決不肯下賭注，當時點頭道：「你的話很有道理，不妨和劉少奇，林彪這批人談談，不過，原則上是非幹不可，誰不同意儘可站在傍邊，我們決不攀他，但是，任何人要出頭阻撓是斷然不成的。」周恩來唯唯連聲，恭恭敬敬退出來。回到「總理官邸」，連夜打電話召全體政治局委員開會。

劉少奇自從昨晚在蘇聯大使館參加宴會之後，回來就心神不寧，不能入睡，坐在沙發上只是發怔。現在接到周恩來電話，知道又發生了新事件，馬上坐車趕來，其他的人也都陸續到齊，只缺陳雲，彭德懷，張聞天，另外還有一個消息傳來，說林彪因病未來。

大家坐定之後，周恩來把毛澤東的意見說出來，全體政治局委員及候補委員都嚇一跳。

朱德嘆口氣：「毛潤之不是瘋了嗎？他怎麼專作不能作的事，今天局面所以這樣壞，種因在人民公社，硬把責任推給蘇聯是不公道的。何況我們現在已經是泥菩薩過河，自身難保，還要去同蘇聯搗亂，只有使自已垮快些。」

大家沉默了一陣，林彪接着說道：「政治，經濟方面情形我不清楚，只就軍事觀點來看，我們同蘇聯鬧下去，決不是辦法，現在軍武器損壞了無法補充，只能東拼西湊，從舊的廢料上打主意，空軍尤其嚴重，我們現在至少有一架飛機沒有配零件，普通都是把一架不能用的飛機拆開了作零件用，於是飛機越來越少，因為七拼八湊的關係，性能也越來越差，簡直不敢出動，恐怕碰上敵人飛機就會吃虧，這樣情況再延續二年，空軍部門就可以取銷了。」

鄧小平說道：「少奇同志，我看這個問題我們決不能再遷就老歪了，他這樣蠻幹下去，最後只有把我們整個黨推下深淵，要大家給他陪葬。」

劉少奇長嘆一聲：「各位同志講的道理都十分正確，但是我們現在處境却十分困難，反對老歪，馬上就變成彭德懷第二，跟着他走，最後正如小平同志說的，大家同歸於盡，給他陪葬。」（一〇六）

兩華的名卉（續）

其來源則據傳西鎮李氏自洛陽移植百株，種在縱溪園中。其後李園成廢墟，花遂四散。花農分種栽培，肩挑市販，無址可尋。其後東鎮有王沛別墅，李氏的旋園，西鎮有香花草堂，王家的天香畫室，才漸次復舊觀，惟所存不過十分之五六矣。其花有雪塔，太平樓，朱家，紫馨，紫羅蘭，平湖秋月，綠蝴蝶七種；尤以綠蝴蝶爲絕品，祗北平崇效寺尚有。因此往法華看牡丹，必須沿村尋訪，逡巡流連，方可眞遇，否則無從徧覽，是全仗於花農的導引。後來曹氏祠，黃家花園，均在漕河涇，雖一叢取勝，但未能魏紫姚黃，遍園皆是。故寓上海，必須去一賞此名卉，可免走洛陽，去北平的旅程。

憶玉軒雜綴

錦城的華西

國內的大學，皆有其優美的環境，方始可以孕育特出的人才。舉例來講，北平的清華燕京，上海的聖約翰交大，江灣的復旦，眞茹的暨南，杭州的浙大，武昌的武漢，蘇州的東吳等，皆距離城市很遠，四周水木清華，非常幽靜，才可引起學生的智慧好學，不作太保的獷悍浮行，台北許多學校即缺乏此條件，因此辦學校絕對以鄉村而交通便利爲宜，茲一談成都的華西壩。

成都爲山脈盆地，一片平原，水沃土肥，氣候多天雖冷但很少風沙，酷似北平，夏季甚涼爽，四川全看以此爲最佳。往昔蜀漢建都，五代後蜀設治，古跡之多，文物之盛，亦爲大西南之冠。明清兩代，江南遊宦，輒多移家久居。成都市郊華西壩，風景宜人，義即有華西大學之設，抗戰時期許多大學遷設於此，絃歌賴以不輟，更蔚成强力的學府，造成不少的人才，較之昆明而有過之。華西大學占地甚廣，房屋建築，頗爲美觀，不亞於平郊的燕大，東湖的武大。校舍既寬大，後來遷設者借用，無須添建許多，即可開課，此爲優點。其遷往者有齊魯大學，金陵大學，金陵女大，約計學生有六七千，頻添生氣。淺草如茵，樹木葱籠，衡宇鱗比，一片氤氳，很夠靜雅。至於燕京大學則設在祠堂街，光華大學在青羊宮，四川大學在望江樓，即薛濤井所在地，各校環境，也均山明水秀，古跡斑爛。抗戰時，文化發展的一股大力量，確在成都。成都又名芙蓉城，亦稱錦城，杜甫詩：「丞相祠堂何處尋，錦官城外柏森森」，蓋咏此也。

燕塵識小

無竟生

北海微瀾（二）

由閣古樓轉而東，有亭曰邀山，又東北曰酣古堂。西嚮，倚石爲洞。循洞而東爲寫妙室。室之東開爲樓，緣梯而降爲石洞。循石洞東行數百步，再穿石洞而出，有小厂三間曰盤嵐精舍。再轉而北爲環碧樓，由樓繞廊而下爲嵌巖室。山上有一亭曰一壺天地。又西有房爲摺扇形，曰延南薰。循洞門北行數十武亦達摺扇形房。至房而西有亭曰「小崑邱亭」。西有平台石柱曰銅仙承露台。又西爲得性樓，樓下爲延佳精舍，稍北爲抱冲室。樓左右以山廊歷樓而下爲鄰山書屋。與畝鑑室之北墻相通。其東爲漪瀾堂。堂止中北嚮者爲碧照樓。樓長廊六十楹，左右環繞，極東曰漪晴樓，極西曰分凉閣。碧照樓之左爲遠帆閣，亦北嚮。閣後爲道寧齋，與鄰山書屋相接。由漪瀾堂而東有堂曰晴欄花韻，堂前有台與堂相對。又東爲紫翠房即順山房。又東爲蓮華室。相對有小室，額曰眞如，內供梵王像。此塔山之北一面也。

由瓊島春陰石磴拾級而上爲看畫廊。繞廊而上曰交翠庭。庭之下廊之側攀援石洞而出者爲古遺堂。與堂相對者爲鬱影亭。自堂攝梯以下仍緣石洞而出者爲見春亭。亭南爲智珠殿，東嚮，供文殊佛像，清高宗御書額曰般若香台。殿前過樓而東即陟山門。此塔山之東一面也。

承光殿之東與蕉園門相對者爲桑園門。入門循池東岸而北數百步，過陟山門，西有水殿藏御舟。東有門西嚮，俗曰狀元府，不知其所始。門內循廊躡山而北，山巔有堂曰雲岫厂，北嚮；曰崇椒室，西嚮。又循長廊曲折北下有軒曰濠濮間。北嚮，臨池，有石梁北接石坊。坊北有門，入門爲春雨林塘殿。殿有軒曰空水澄鮮。池北相對者爲畫舫齋，廻廊四面，臨瞰方池。池上兩廊各有室，東爲鏡香，西爲妙觀。齋之左爲古柯庭，庭東爲綠意廊，廊北爲得性軒。庭後有室曰奧曠，西嚮。齋之右爲小玲瓏室。水殿北爲龍王廟，廟後有橋，南北坊各一。

端午雜綴

漁翁

一年一度的端午節，又告來臨。我國向以陰歷爲主，按夏正建寅，五月爲午月，所謂端午者，即五月之開端而曰五月五日也。據周處風土記：「仲夏端五，烹鶩角黍」。故又稱之爲端五，亦曰端陽。端午之有節令，由來已非一日，及至民國建立，定是日爲「夏節」。

唐代僧文秀詩云：「節分端午候誰言，萬古傳聞爲屈原」，是端午節爲紀念二千二百年前的大詩人——屈原。屈原所作楚詞二十五篇，開我國詞賦體吟咏之先河，飲水思源，而又以「詩人節」稱之。

戰國時，大政治家孟嘗君，生於五月五日。又東漢時代孝女曾娥之父，亦於是日爲江潮所淹沒；但日久均爲人所忘記；惟有愛國詩人屈原之忌日，猶永遠印入世人的腦海中，競龍舟，裹粽子，成爲最熱烈之令節。

屈原，原名「平」，別字「原」，後人爲尊崇起見，稱字而不名。又號靈均。生於春秋時楚之秭歸，即今湖北宜昌西北之秭歸縣。初爲楚懷王左拾遺，後任三閭大夫，行高志潔，尤嫻於辭令，不僅能詩歌，且明於治亂，爲當代特出的政治人物。

時楚逐漸衰落，面臨秦國侵畧之危險，楚邦人士，泰半畏秦而主妥協，以圖苟安。惟屈原忠誠耿耿，爲着抵禦强暴之秦，力主聯絡各國，用合縱法，以拒侵畧，惜不爲懷王所採納。襄王立，聽信讒言，放屈於湘沅間，度過九年之流亡生活，聞秦兵攻下郢都，乃有「哀郢」之作，知國事已不可爲，行吟澤畔，顏色憔悴，遂於五月五日黃昏時，抱石而投入湖南湘陰縣所屬之汨羅江中。在未自殺前夕，所賦「懷沙」一首，已成爲其絕筆。

屈原投江後，當地民衆，出動船隻，四處呼救，奈茫茫大水，一望無涯，不見屍首，遂相會於武陵城（今常德縣）招魂。今該縣東門外，尚有「招魂亭」遺址。據荊楚歲時記：「屈原以五月五日投汨羅，故武陵以此日作競渡以招之」。後之人，因用競渡方式去紀念他，漸漸普遍於全國及海外，而形成今日之龍舟比賽。

又傳屈死後一年，其姊女嬃，以粽子投水中而祭之，意在使魚類飽吃粽子，而不傷害其弟，今秭歸城有「女嬃廟」，可以爲證。於是後人做而效之，今五月五日，家家戶戶，遍裹粽子，源出於此。

風土記載：「俗以菰葉裹黍米，以淳濃灰汁煑之，令爛熟，於五月五日及夏至啖之：一名粽，一名角黍。」角黍即粽子，起源於漢朝。據續齊諧記：「屈原五月五日沉江死，楚人哀之！以竹筒貯米投水，裹以楝葉，纏以綵縷，使不爲蛟龍所吞」。凡憑弔屈原者，由竹筒貯米投水，演變成筒粽，乃是食譜上一種變化。

端午節還有一風俗，即懸掛鍾馗像。相傳鍾馗是捉鬼的，他的畫相最凶惡，宋以前，掛於除夕時，以祛邪魅，其後又改懸於端午。又是日各戶門口，掛菖蒲以辟邪。李咸用詩：「柳眉低滯泣，蒲劍銳初抽」。

此外民間於是日以艾葉消毒，用夏古草燒水洗澡，免生瘡疥。據荊楚歲時記：「五月五日，四民並蹋百草，採艾以爲人，懸於門戶上，以祛毒氣」。因艾氣特濃，有消毒避臭作用，懸艾枝和燒艾葉，合乎科學，若雕成艾人，則又近於迷信矣。

海嘯雲談薈

楊幹才將軍殉國記（一）

諸葛文侯

自從民國卅七年冬間，國軍兵團司令黃伯韜在討共戰役中殉職以後，戍守各地區的國軍將領，戰鬥意志多趨消沉，遇敵驚潰或投降者比比皆是，獨有川軍楊幹才師長在安徽蕪湖至宣城一帶，與共軍惡戰不屈，壯烈犧牲，表現着爲國捐軀的軍人精神，足以廉頑立懦，垂訓後世，然其臨危授命的經過事實，世人鮮有詳悉者。愚與楊將軍雖不熟識，曾聞當時身歷其境，目擊其情的皖省友人縷述內容，謹記端末，藉供史家採擇焉。

先是，民國卅八年三月間，愚于役上海中央日報，聞老友李師廣（明揚）奉李代總統宗仁之命，潛赴蘇北晤共酋陳毅，囑共軍勿急遽渡江，以免戰禍延長，塗炭生靈。師廣回滬後，並不赴南京覆命，愚詰詢究竟，彼謂：「據陳毅表示，自武漢至淞滬之長江沿岸國軍防線，祇有蕪湖一據點將發生激烈戰鬥，其他各地區，僅憑數百條黃金，即唾手可得，不必加遺一矢也」。愚謂何以知其然耶？師廣說：「他們認爲駐守蕪湖的楊幹才所部，即係川軍楊子惠（森）的舊有部隊，幹才又係子惠的族侄，當然聽他叔叔的話，楊子惠原是死硬派，現任重慶市長，所以料定楊幹才必然要頑抗的」。愚聆師廣言，疑信參半。既而距南京伊邇之皖境繁昌戍軍八十八師忽然叛變，而江陰炮台司令戴戎光亦以降敵聞，乃知師廣所說，信有徵矣。隨即摒擋冗務，襆被離滬南走粵。未幾，楊幹才將軍戰死於蕪湖至宣城之線的「灣芷」地方的噩耗傳出了！一切情形果不出敵方所預料。旋得悉楊將軍殉難經過實況，愚更佩其忠義之質，允稱軍人模範，不能忘也。

楊將軍所部隸屬「華中軍政長官」麾下，初奉命防守蘆港至蕪湖一帶，繼以戰界關係，縮短防線，全軍集中蕪湖，總部設在城內，月餘未見共軍來犯。楊以軍人而雅好文藝，喜與騷人墨客往還，時有當地紳耆高鐵君——人稱「高三爺」，綽號「高三瘋子」，以其遇事剛正敢言也。—歷州縣守令，頗著政聲，平居亦愛寫作詩詞，鄉望崇隆。楊將軍對他優禮有加，詩酒過從，尊敬備至，彼此情投意洽，無話不談。迨共軍紛向長江南岸進犯之際，蕪湖商會人士以保全商埠爲理由，挽懇「高三爺」向楊將軍商洽，可否將戰場移至市區以外？楊謂軍人職責乃在保衛國家與人民的安全，苟利人民而又不妨害戰畧，敢不從命！但據情報指出，共軍已在蕪湖上下游各處强渡，本軍雖欲撤離市區，亦已措手不及，與其在郊外遭受截擊，倉皇應戰，即不如背城借一，較爲得計，實逼處此，別無他途可尋，我公（指高鐵君）共將何以教之乎？高亦瞭解楊將軍言出至誠，無可非議，唯唯告退，而將交涉經過告諸商會人士。

康有爲故里

道南

康有爲是南海人，此所以人稱康南海也。他的原籍爲西樵，後遷南海官窰象台村。象台村這個村莊並不算大，却很美麗。它背靠着巍峨高聳的象岡嶺，面對着清澈見底靜靜地流着的河水。

象台村右側面是有名的官窰古鎮，左側面是金山古寺。村子裏綠樹成蔭，翠竹成林。

康有爲曾在金山古寺留下了他的詩句。詩云：「歲歲春明十丈塵，故鄉一日得閒身。廿年未了山中約，三宿甘爲乘下人。大海潮來龍聽法；諸天花散佛聞恩。靈山山色還清靜，坐看風帆過幾巡。」

康家在這個村子裏是個大姓，康有爲的嫡系親屬已沒有什麼人在故鄉了。他的太太還健在，刻居台灣。前年因病入台大醫院，以藥醫費無着，當局曾有贈遺，于右老且還爲之發起募欵。

山川風物

詩人節

吉庭

五月榴花遍地香，韶華過眼又端陽；
欣逢海上詩人節，濟濟聯吟興倍長。
當年澤畔苦行吟，寫罷懷沙抱石沈；
孤憤滿腔何處訴？汨羅江上有哀音。
一年一度哭靈均，我亦天涯寄此身；
九野水流滄海遠，教從何處覓詩人！

自由報
內儀警台報字第〇三一號內銷證
THE FREE NEWS
第二四二期
中華民國僑務委員會頒發
台教新字第三二三號登記證
中華郵政台字第一二八二號執照
登記爲第一類新聞紙類
（半週刊每星期三、六出版）
每份港幣壹角
台灣零售價新台幣弍元
社　長：雷嘯岑
督印人：黃行躍
社址：香港銅鑼灣高士威道二十號四樓
20 CAUSEWAY RD 3RD FL
HONG KONG
TEL. 771726　電報掛號：7191
承印者：田風印刷廠
地址：香港灣仔高士打道二二一號
台灣分社
台北市西寧南路壹壹零號二樓
電話：三〇三四六
台郵掛號金戶九二五二

大變動中朝野應有的努力

王厚生

今日大陸的實際情勢，可以譬喻是一個爛透的蘋果，表面上，中共政權還沒有垮台，實際上，中共的統治已整個開始動搖。

上個月，大批的飢民湧進九龍，尋求自由與生存，雖然，香港方面的情形已見緩和，但澳門方面顯然緊張起來。據可靠消息，大陸各地到處有飢民羣衆竄動，尤其以大城市和交通要道爲然，因此，搶刦和動亂已遍及整個大陸。這是大陸定有大變局之前的現象，我們爲大陸同胞們的遭際悲哀和焦慮，也爲中共暴政行將崩潰而感到欣慰。

大陸情勢演變到此地步，已無可救藥。假使共產黨有辦法，不會有今天的形勢。假使毛澤東的「三面紅旗」還有半文價值，大陸的農業和工業生產何至於此！農業歉收已連續三年，致有今天的大飢荒。中國歷史上似乎還沒有這樣大規模的嚴重飢荒吧。今年農業生產的失敗已成定局，因爲根據中共自己的報導，旱災水災已侵襲許多產糧的省區。現在是青黃不接時期，飢民到處盲目流動，尋找食物。到了應該收割的時節，再因旱災水災而造成歉收，後果該是多麼可怕。

今年，大陸上將要有大變動。這一大變動，可使中國出現全新的局面，可使我們老百姓眞有翻身的日子，眞正的「當家作主」。目前，大陸上已有許多大大小小的變動，我們了解的還不夠。不久將來，可能發生的變局必將震撼全世界，共產黨的鐵幕竹幕再也不能封鎖住消息了。這樣的大變動是累積歷年來許多大大小小的變動而形成的，亦是我們所預料的，這就是我們今天努力的基本認識和首要目標。

我們中國的變局很可能發生三種情形：

第一，大陸上民衆的自發力量，加上幡然醒悟的中共幹部、軍隊、民兵，結合而成爲一種具備武裝力量的反共勢力，先以某一地區爲根據地，發出反共的號召，要求各省響應，並提議在一定時期之內，請各省推派反共代表集會，共商國家的今後大計。假使，有這一情形發生，將引起國際間的重視，而各省民衆之熱烈擁護參加，也是意料中事。

第二，大陸上的饑民實行大暴動，組織起來，武裝起來，殺共幹，刦糧倉，並向其他有糧各省進軍，形成覓食大軍，到處流竄，而以「北京」爲最後目的地。這一支覓食大軍，可能在理想、領導和組織方面不夠健全，因而容易招致反感和反擊，造成大流血和不堪想像的混亂。這時，中共的統治是垮坍了，有思想和組織才能的人必然崛起，創一局面。現在台灣的中華民國政府因責職所在，不能袖手旁觀，必發揮其一切力量，重返大陸，必以最誠懇的態度和最開明的作風，呼籲國人，共濟時艱。

第三，是我們一再呼籲和想望的，即現在台灣的中華民國政府在結集朝野和海內外的力量後，對大陸主動地發出各種方式的反攻——政治的文化的思想的經濟的和軍事的反攻，將台灣現有的各種力量，投進大陸的變局裏面，發揮最大的反共作用。這樣做的最大好處是盡可能的促使中共政權提早崩潰，並避免大陸上反共同胞們的過多犧牲，在政府，是實踐其責職，亦所以抵贖失去大陸的前愆。現今，大陸內外的一般心理是殷切地期望政府採取反攻行動，就是因爲想到政府負有無可推諉的反攻責任，抑且具備實際的反共力量。假使，政府對海內外的這種民衆心理沒有足夠的了解，加以疏忽，則民衆在失望之餘，將在心裏上發生反感，使政府今後的一切號召失去效用。所以，在時機上，政府應該善爲把握。

上面所說的三種情形，有共可能性，卻無必然性。因爲任何政治變局，牽連的因素太多，我們無法在現時預見將來的一切發展事象。話雖如此，我們應抱的基本態度是：盡一切可能，發揮主動的創進能力，而不應被動的受未可知的因素所嚇阻，裹足不前。歷史是人創造的，將來種種，視乎我們今天的努力。客觀的形勢固然應該重視，主觀的努力尤屬重要。只要我們努力做去，對大陸的變局，一定能發生決定性的影響作用。

現時，我們已知大陸將有變動，但怎樣促使其變？如何加速其變？是當前的課題。我們相信大陸同胞反共意志很强烈，但我們實無理由要求他們在暴政下採取行動。我們身居自由世界，尤其我們的政府移建於台灣島上，對於促使大陸的變和提前變，應負起最大的責任。局勢演變至此，倘政府不能好自爲之，乃是嚴重的錯誤。我們在野的人士，一方面是催促政府負起責任，另方面是盡其在我，就各自的工作崗位，發揮全力，助成大陸的大變動。我們儘管在野，手無寸鐵，但決不可妄自菲薄，有許多地方，在野人士所能發揮的作用還比政府的大。要說明這一點，是不很困難的。我們中國是個大局面，大陸是我們國家解決問題的場所，在這一場所中，有着衆多的力量和因素，因此，有無數的問題，唯有靠在野人士的努力，才能有效。

當前，我們可以努力的工作多得不勝列舉，政治上，在野人士的號召決不在政府之下。思想理論上，我們的自由較大，伸縮的幅度較寬。至於文化、經濟諸政策，情形亦類似。

國家今後的局面，很難逆料，中共政權崩潰之後，一定時期的混亂，大概是不可避免的。我們是以農立國的，土地問題是最大的困難。爲了促使中共的提前崩潰，應瓦解中共的軍隊。士兵從農村中來，應號召他們携帶武裝回鄉，協助親友捍衛土地的獨立耕種權，打殺公社的管理共幹，重劃阡陌，確保私有權。工廠的公股應歸工人所有，「國營商店」應歸店員所有，務使國家的財富在變局中不受損壞。服務於鐵路、機場、港口碼頭、礦場、電台等之員工似應暫行宣佈自理，等候向爲民衆所擁護的政府辦理移交。專科以上學校由教授與學生自治會商同管理。各級政府似應徹底進行改組，革除和嚴懲死硬的共黨分子，支持和重用反共有功的共黨覺悟份子。號召反共的各省和人士似應立卽籌開國是會議，共商復國大計。輿論開放，言論自由，教學和研究自由，集會自由等等。

這裏，僅僅說了一個梗概，一個方向，設想得並不完全，也不周到。但希望全國有志之士，苦思焦慮，設計促使中共政權總崩潰之方法，並爲今後的國家問題，籌想一些可以切合實際的辦法，以免臨事慌張。總之：在今後一年間，是中華民國復興的大好時機，稍縱卽逝。政府當局固宜劍及履及，以行動來安撫和集結海內外人民的向心力和敵愾心情，在野人士亦應各盡所能，爲打倒毛共政權而唯力是視。國際友邦同情我們，應援我們，自所企望，否則我行我素，自力更生，亦不宜多所瞻顧。「需者事之賊也」，我們必須記住這句古訓，纔可望達成反共復國的歷史任務！

漫畫天下

相君之背

永遠在轉

自由談

哀曾昭掄

根據共酋周恩來的談話，留在大陸上的著名學者曾昭掄，因爲受不了毛共羣魔的殘酷鬥爭，業已自殺了！

曾氏原係「民盟」的幹部人員，以學者而參預政治活動，卻未担任過行政職位。「民盟」又是對毛共最忠誠的啦啦隊，曾氏在政治上與人無爭，何以竟被凌辱致死呢？唯一的解釋，就是他以偉崇眞理的學者態度，對於毛共近年來攪得天怒人怨，四海困窮的「大躍進」政策，有所批評，再加以湖南人那種「不信邪」的倔性，決不願抹煞良知，隨便向權威低頭獻媚，顚倒是非。如是乎，他在共黨不斷地蹧蹋折磨之下，戴着一頂「右派份子」的「欽賜」大帽，憤而自殺，以示其讀聖賢書的氣節焉。

周酋說他跟「毛主席」對於曾氏之死，至今「抱歉不置」，又表示今後要尊重知識份子的意見。這種貓哭鼠的假慈悲，用意是在和緩大陸人民反飢餓、反迫害的大亂形勢，想要知識份子替共黨從事出突從新工作，挽救毛共政權的崩潰命運。假使難關渡過，共黨運用唯物辯證法的魔術，眉眼一橫，對一般知識份子又不妨以「抱歉」的心情，實行淸算鬥爭了。人們如不健忘，回憶當年毛共正在高唱「既往不究，立功受賞」的「寬大政策」之時，周酋恩來忽然聲稱他聽到人民的輿論，說是「天不怕，地不怕，就怕共產黨講寬大」，隨卽大開殺戒，使用「三反五反」以及「反革命運動」等名目，血洗了整個大陸一次，屠殺的「階段敵人」在一千萬名以上。這筆慘劇，卻知周酋今日對於鬥死曾昭掄的「抱歉」表情，不値一哂了。

共產黨的特質，卽是好話說盡，壞事做絕。他要利用你的時候，作揖下跪，叩頭喊你做「爺爺」都不在乎。利用價値卽告消失，哼！他就祭起辯證法的法寶，對你加上無數的罪名，恣意淸算，反臉不認人，這時候，你叫他「爺爺」也不理了。誰如對共產黨人的言論乃至於他們所頒訂的法令條約等等，寄予千分之一的信心，那就表示他對共產黨的認識尚在幼稚園階段，其能倖免於曾昭掄的下場者，鮮矣！

馮五先生

黃色影片被罰糾紛內幕

國光戲院不服停業三天處分 向新聞局提訴願刻暫緩執行

（本報記者台北航訊）行政院新聞局所屬電影檢查處，最近處分一家放映「黃色」影片的戲院停業三天，但這家戲院却不服這項裁決，向新聞局提出訴願。這是電檢處處理類似案子以來，從未有過的上訴事件。現在社會的注意力集中到了新聞局，要看該局如何處理該案。

事情的經過是這樣：台北市國光戲院，月前放映一部名為「世界女人夜生活」的影片，擅自加入禁演的「黃色」片段，被電檢處查覺，裁定影片商處罰金三千元，國光戲院停業三日，並定在五月份執行。影片商已經接受這項處分；但國光戲院不服，向新聞局提起訴願。因而暫緩執行。

國光戲院原屬於國防部總政治部，承包與商人經營。嚴格說來只算是國防部的福利社，但現在却對外營業了。由於該院是由商人經營，因此該院如有違規行為，當然只是商人的責任，絲毫無關於軍方的聲譽。戲院方面這次却抬出一個大帽子來扣人，說是該院停業會「影响國軍福利」。這話過兩天就被眞正的國軍將士加以指責了。一家公營電台，在早晨的特定節目中，由節目主持人報告了兩封聽衆投書，大意是說：「如果我們的福利是靠賣脫衣舞的黃色電影收入而來，我們寧肯不要這樣的福利」。

戲院方面辯說：影片是向片商租來的，戲院只要是有准演證的片子都可上映，至於那些底片是被禁了的，戲院沒有去電檢處參加檢查，當然照片商提供的片子放映，責任在片商而不在戲院。

但據電檢處處長屠方義告訴記者：一般來說，責任是在片商，但這件事戲院也有責任。原因是片商此次從香港買進「世界女人夜生活」一片時，自知其中一些鏡頭不能通過檢查，於是先在香港就將該部份剪下，另行帶來台灣，而將潔淨部份寄入，由電檢處會同片商向海關提片檢查，當然通過發給准演證。普通加入「黃色」鏡頭，都是加入在正片中，這樣戲院還可諉稱是片商加入，戲院不知這是違禁影片。但這次的「世界女人夜生活」，片商怕加入正片放映被檢查時不易迅速掩藏，便採用機動方式，將「黃色」鏡頭單獨一卷，挿入正片換片間隙放映，映完就拿走。

屠方義談到這次查獲的經過說：國光戲院這次放映「黃色」鏡頭，怕電檢人員的檢查，把放映室都鎖上了。這是不合規定的；因為放映室不得加鎖，以便檢查人員隨時進入。檢查人員只好在放映室外遠等候，不得其門而入。此時恰有該院一女職員擬進入放映室，室內聞熟人呼門，才將門啓開，檢查人員遂乘機進入，那卷「黃色」影片剛從另一架放映機上取下，準備藏入櫥中，當場被查獲。

屠方義說：如果國光戲院不是事先知道這是不能上映鏡頭的話，為什麼要把放映室加鎖，防備檢查人員進入？戲院為什麼又另外加放映機專門放映這卷？這還不夠證明戲院與片商是串同了的嗎？按電檢法第廿一條的規定，「其責任在放映人者負連帶責任」。何況影片商已經接受處罰，便是承認在國光上映的事實，不知國光怎樣還能辯解？當然，戲院自有權上訴。

根據規定，新聞局對於訴願應在三個月內裁定。是非如何，到時自有一個交待。甚至，戲院方面還可訴願到行政院。最後，卽使電檢處的裁定並無錯誤，而再來執行的話，早已事過境遷，已經失去懲罰的意義了。不過，站在民主法治的立場，要政府少犯錯誤，人民權益多得一些保障，人們毋寧是贊成這樣訴願制度的，誰敢保證電檢處的裁定就一定是對的呢？雖緩何傷？（吳越）

黃季陸自喻為廚師做菜 立委說放辣椒先問主人

（採訪）（線外）。

△在立法院說過「一個皇帝要打倒，一百個皇帝更要打倒」的教育部長黃季陸，日前又在立法院對所謂民主政治中的主人與僕人間的分寸，加以解說，引出一場精彩的對白。

前天立法院因大學夜間部之事，引起立委對教育部的嚴厲質詢，教育部的意思是要停辦目前的大學夜間部，另行一種改進辦法。立委們認為大學夜間部是立法院通過辦理的，不能隨便停辦。並且要黃部長繼續向行政院爭取大學夜間部的經費，如果爭取不到，黃部長應該辭職。

黃季陸說：「立法委員代表人民，是主人；我是當差的，是僕人。主人的意見，僕人應該執行。譬如主人吃什麼菜，有權點叫，但這個菜如何做法，是僕人的事情。如此說法，可能有兩點意思：一是君子遠庖廚，一是要信任僕人。換句話說，主人有主人的身份，不必亦不可事必躬親，否則處處干涉僕人做事，事情反而會做不好。其次，有許多事主人是知易行難，而僕人却可能是專家。所以，信任僕人，讓僕人秉照主人的意思，用最好的方法去完成任務，才能維持合乎分寸的主僕關係。」

立法委員說：菜的做法僕人雖然有權，也得問問主人是否要放辣椒。如果主人不吃辣，僕人偏以燒四川菜能手自居，那也是吃力不討好的事；如果僕人有意與不吃辣的主人為難，更是刁難主人，僕權泛濫了，那便非糾正不可了。（呂玫）

△女學生怕什麼？這是一個很有趣的問題。

根據一項徵文比賽調查所得，一般在中學就讀的女學生，怕訓導員檢查頭髮。至於在專科以上讀書的女學生，大多數怕沒有男朋友，或者怕男朋友變心。但不論中學女生或大專女生，她們都怕公共汽車上突如其來的怪手。

這項徵文比賽，是中國廣播公司「百年樹人」節目所舉辦的，徵文題目就是「女學生怕什麼」？

在參加徵文的二三二份答案中，多數女學生怕的對象有八種：1怕公共汽車上的怪手，2怕學校訓導人員檢查頭髮，3怕沒有男朋友，4怕男朋友變心，5怕別人說她愛漂亮，6怕胖，7怕陌生人寫信給她，8怕沒有人注意她。

美洲來鴻

顧翊羣

嘯岑社長先生道右：近一週來，美國人士對中國難胞逃港被押解返大陸事件，紛紛議論。初有華盛頓郵報發表羅斯福時代助理國務卿賽域爾氏來函，主張承認中共政權，俾克將美國糧食運往大陸接濟。繼有二百知名之宗教與學術界人物在紐約時報大登廣告，請甘迺廸總統採取以下兩種行動：（一）核准美國商人出售糧食予中國大陸，（二）與「聯合國糧農組織」商洽，盼以糧食俾克在大陸施賑。

對於此種建議，弟曾致函陳孝威先生，指出其結果將使美國變為伊索寓言中救毒蛇之農夫，並論美國左派知識分子尚不如呂不韋門客之見解，蓋後者主張富強國家應效法湯武之伐暴安民也。

然最足令親者痛而仇者快之言論，為政論家李普曼氏（Walter Lippmann）前日發表之論文。伊謂美國人民均贊成接濟糧食予中國災民，甘總統對記者之答覆（云中共尚未開口求接濟）可用間接外交途徑向中共政權示意。但卽使中共不來請求接濟，美國亦可假手聯合國之一機構，使其利用國際紅十字會等團體前往放賑。伊繼發表論，謂美國對華政策，經過十年之經驗，現已生長成熟，而放棄自台灣反攻以光服大陸之看法。美國正在應用自韓戰得來之經驗於寮國，而企望其成為中立國。蘇俄亦正在努力防止美國與中共交戰，因蘇俄甚懼被迫而與美國從事戰爭。伊之結論謂中共政權正進行三種動作：（一）北向壓迫蘇俄，（二）西南向壓迫印度，以及（三）威脅東南亞，其結果可能導致一種防阻其力量膨脹之大團結。總之李氏不肯指斥中共政權殘民以逞之政策，不許自由中國反攻除暴，而祗以維持現狀為能事。

李氏青年時加入美國社會黨，現為美國號稱自由主義者之領袖，著作甚多。伊在哈佛時原為實驗主義大師詹姆斯之信徒，其後思想迭次轉變，近廿年來認實驗主義所推翻之自然律（卽自古相傳之道德律）應重行恢復。然伊在政治上之種種主張，如美國應將權力集中於總統，憲法賦予國會及各州之職權應予削減，對蘇聯應委曲的求妥協，雖犧牲柏林甚至西德亦所不恤，對古巴加斯特羅不應懲罰，以及對美國愛國者如麥克阿瑟杜勒斯等人攻擊不遺餘力，均與道德律之涵義相違反。

伊向來為美國左派之「樂隊總指揮」，筆桿高舉後，羣蛙便齊聲鼓吹。所作曲不外為（一）重歐輕亞，（二）力求與強梁之共黨政權共存共榮。以上所述之論文實乃一種試驗氣球，試探公衆之反應程度，以為左派政客製訂美國國策之張本。

然事實上過去美國政府並未曾實行伊之主張，否則今日全世界共黨版圖當更為擴大，此為純正學者如張伯林，卜克廼等人之公論。

弟以為近來世局日益緊張，證實自由世界共產世界與中立國家三者之政治經濟社會等方面危機之深刻化。美國甘總統月前對鋼鐵企業譴責與辣手對付，引致最近全世界股市之大波動，使赫魯高喊「資本主義卽將自我埋葬」。弟仍認甘氏係一漢武帝式之英主，惟經驗不足，為左派所包圍，而所圖輒左。然將來局勢更惡化後，甘氏為爭取主動起見，仍可能一反左派所主張之政策，而接濟自由中國以糧食與武器，俾中國大陸得到昭蘇。目前共產世界內部之種種矛盾，日趨明顯化。美國如變被動為主動（魏德邁等之主張），則蘇俄自將轉採反攻為守之政策，使國際均勢恢復，而粗得安定。如實行李氏等所主張而長此牽延下去，則共黨以蘇俄為過去之延安，以東南亞中東非洲南美等地為過去華北東北打游擊戰之鄉村，而將歐洲與北美諸國作為北平天津南京上海等都市，先予孤立，再設法佔領（以上議論為反共專家卜因翰氏James Burnham之看法），屆時全世界便將共產化矣。手此敬上順頌著綏

弟顧翊羣拜啓　五月卅一日

再者今日廣播云：周以德先生已決定不退休，今秋仍參加國會衆議員之競選，此乃好消息也。周氏在華府歡送莊萊德大使席上講演，除力斥左派政策之失當外，並謂美國左派以「無能」「貪污」等種種名詞，加諸中國政府，但此為所有政府之通常現象。中國政府在任何困苦艱難之境況中，始終不賣朋友，則表現中國傳統而當世最稀少之美德。全場為之鼓掌如雷云。（完）

在台僑資工廠 現有二一八家

產品外銷八百餘萬美元

（本報記者台北航訊）據經濟部及僑委會等有關單位調查，華僑回國投資所設的工廠，計共二一八家，去年這些工廠產品的內銷金額，曾達新台幣七億八千餘萬元，外銷金額為八百餘萬美元。各廠納稅金額為一億三千餘萬元，員工九千餘人。目前這些僑廠的經營，具有下列困難：（一）由於國內貿易商獲准與僑廠同有進口出售物資的權利，致僑廠進口出售物資無利可圖。（二）僑廠資金缺乏而國內利息高，借貸不容易，故資金週轉，頗為困難。（三）外銷產品退稅時間太長，原料進口稅高，致生產成本增高，影響外銷。

又，經濟部華僑及外國人投資審議委員會，於五月十一日召開第四十六次會議，通過下列華僑投資案五件：（一）勝利針織廠股份有限公司生產各式厚薄尼龍外銷。（二）立豐織造廠股份有限公司生產女尼龍背心等外銷。（三）中興溶劑製油廠股份有限公司生產白絞油、椰子油、豆餅、豆粉、椰粕等內銷。（四）澳華企業有限公司，開採煤礦。（五）九龍窯業股份有限公司，生產鉗鍋耐熱餐具，化學儀具及高紋玻璃杯等內外銷。

僑務委員會為確實輔導華僑經濟事業之發展，現正籌備派遣兩個技術考察團分赴非、泰兩地，實地於技術上輔導僑民籌創新興事業，或改進舊有事業。各團由僑委會分別聘請工商管理、化工、電氣、機械、及漁業專家一人至二人組成，約于六月底出發，分赴兩地，在各該地區之大使館及僑團密切配合下，會同華僑工商界人士，研究當地之投資環境與經濟發展計劃，就僑界之實際需要與能力所及，協助僑胞發展經濟事業，必要時並將就地舉辦各種技術講習，以實現輔導僑胞轉移商業資本從事工業建設之計劃。（幸）

英法兩國的綜合外客嚮導機關

木公

為了誘致外國遊客，加速我國觀光事業之發展起見，除加强國際觀光宣傳，從事憩宿，交通設施的整備以外，對於初履我國國土的外國遊客，積極提供良好的服務，使之對我國發生一種親切之感的接待工作，尤屬刻不容緩。

我朝野注意發展觀光事業，瞬逾六年（自台灣省觀光事業委員會成立，台灣風景協會諸公接辦台灣觀光協會時起）；但迄至今日止，除鐵公路局在火車站內成立服務中心以外，尚未見有專為外國遊客便於詢問的綜合嚮導機關出現，可知喊叫發展觀光事業與靠觀光事業而活躍的人們，其見解為如何了。在今日，即如美國各主要都市及觀光地區，亦設有負責達成前述任務的所謂 Visitor's Burtau 的機構，歐洲各國與亞洲若干國家，亦設有種種不同名稱的同樣性質的機構。

茲謹將英法兩國的外國遊客綜合嚮導機關，簡單地介紹於下，冀供我國有心發展觀光事業的人士，作一參考。

英國旅行協會在倫敦聖·傑姆斯街，設有綜合問事處，專事一般事項的嚮導與觀光資料的提供。問事處備有倫敦市及其近郊，願以私人住宅廉價供應外國旅行人士住宿者的名冊，並代為奔走接洽與嚮導。再關於倫敦以外地方的私人住宅，可由其所屬之市鎮村公所，予以指導介紹。此等私人住宅之憩宿費用，供備早餐者在倫敦為一星期約合十四美元，倫敦以外地方附帶三餐者，住宿一星期約為廿二美元，殊為低廉。

再，在倫敦有由英國旅行協會，英國廣播公司（BBC）與郵政部共同設計舉辦的所謂觀光電話服務。撥動自動電話號碼至ASK六二一一號時，則在倫敦正在舉行的各種娛樂節目，如戲劇、展覽會、音樂會、運動比賽以及各種行事，均可立即瞭然。此種觀光電話自清晨七時起，至夜晚十一時止，竟日轉動着娛樂的錄音盤。如再撥叫其他號碼時，則有操法蘭西、德意志、西班牙語言的嚮導出現。撥叫WEA二二一一號時，則可收聽倫敦地方的天氣預報，此亦與前者相同，係由上述三機關舉辦。

此外尚有所謂民間機構的英語使用同盟的組織，總會設於倫敦的西端，對於來自美國及英聯邦各國，使用英語的遊客提供種種便利與服務。此一同盟係採會員制，現擁有六萬人左右的會員。一方面對於非會員亦提供種種便利；但其最主要者，是爲倫敦各級旅館的預約，及私人住宅出租房間的介紹等事。其在倫敦以外國內各地，所設立的四十六個分會，亦各在積極活動中。

其次法蘭西的外國遊客綜合嚮導機關，有其所謂France Welcome Service的組織。此一機關，係在法國觀光局的指導下，由巴黎觀光委員會加以經營，財政上接受市參議會，賽恩斯地方議會及巴黎總商會的援助。一九六〇年度以約計三〇萬美元的預算，由處長戈多蒙氏主持接待外國遊客的工作。問事處的總管理處設於巴黎香雪樹街凱旋門附近。巴黎全市共有問事處八處，另於其他大都市設問事處八處，乃歐洲同樣嚮導機構中之最大者。且其八處地方問事處中，有六處係以電視廣播機，與總處保持直接聯繫。嚮導所需之費用，自然免收。

（上）

香港與大陸

△毛共最近在北平召開的偽全國「人代會」經過情形，對外嚴守秘密，雖然諱莫如深，但據由大陸來到海隅的附共人士偶然談出一些內容，證以近日報載共酋周恩來在「人代會」的政治報告中，表示共黨對一般知識份子過於虐待的「歉意」這項消息，已可窺見一斑了。

據說：這次「人代會」對於生產「大躍退」的原因，爭論甚烈，結論歸咎於幹部的思想行動偏差，尤其不該虐待知識份子。因此，大會決議今後對於這些久被凌辱折磨的知識份子，一律改稱爲「精神勞動人民」，以示與一般勞工具有同等的社會地位。同時又由毛共的中央黨部通令各級機構——特別是產業部門——的主持者，務須「尊重」知識份子的意見。沈尹默，黃炎培之流，當時受寵若驚，私相告慰云：「我們總算亦有翻身之日了。」周酋恩來在會議中，且指出著名學者曾昭掄之自殺，是由於共黨對曾氏過份殘酷鬥爭所致，說是「本人和毛主席至今抱歉不置」。

中共面臨魚爛土崩邊緣 又施陽謀安撫知識份子 毛周對曾昭掄自殺表「抱歉」

按照這些情況，證明毛共政權已面臨着魚爛土崩的邊緣，不得不對於廣大的「階級敵人」——即知識份子，暫示安撫之意，以期消弭內部的危急形勢。等到事過境遷，共黨的猙獰面目，不愁沒有重大的口實，再行顯露出來，沈尹默等人欣然自慰，徒見其幼稚無知而已。

記者近來陸續接到上海親戚的來信，盡是求寄食品和布料。來信說他們一家四口人之中，三個都有工作，但個個害着水腫病或肝臟發炎症，醫生診斷是營養不良的結果。又說，他們一家四口人，每年每人配給二尺五寸布，合起來亦不夠做一件衣料。他們每個人的汗衫，背心，短褲等，已經三年未會新製過，破舊得沒法再補綴了。所以，希望記者趕快寄給他們一些食油，麵粉，汗衫，背心，並且吩咐不要買上等貨（理由卻未說明）。信內說到上海亦缺乏火柴，但在「自由市場」尚可買到，不過是要論根數購買的。

另有一個新近從湖南來到海隅的人，說粵漢路南段，上月中被水淹沒了一星期，交通完全癱瘓了。長沙和衡陽市區，常有在街上搶奪食物的事情發生。各個所謂公私合營的商店中，買不到日用必需品。婦女們出賣肉體給共幹的行爲，到處可見，誰也不認爲奇怪，且以能尋得買主爲幸運也。（凌霄）

△在上個月的逃亡潮中，已「非法」進入港境但尚匿居新界的大陸同胞，據估計尚有千數百人。這些人，因爲尚未得進入港九市區，且隨時尚有被警察捉住被遣返大陸的危險；新界人民自治團體的鄉議局，正爲他們請命，希望港府網開一面，不予追究，准其一如已進入市區的「新來客」，得以領取身份證。港政府據說將予考慮。

（實）

天南風光

——三兄弟逃洪水的故事——

朱淵明

南中國海的正南面，有一個大島，那就是著名的世界第三大島婆羅洲。婆羅洲又分爲兩部份：南面的名叫「加里曼丹」，是印尼的領土，面積甚大，幾乎佔了全島的三分之二；北面的三之一地區，則分爲三邦，那就是「北婆羅洲」，「汶萊」，及「沙羅越」了。

我們現在要談的故事，大部份都是以沙羅越爲中心。沙羅越的土地面積在三邦中算是最大，約有四萬七千平方英里，說起來比台灣的土地面積還要大些。可是人口到目前爲止，卻不過七十四萬；其中華人有二十四萬，約佔三分之一，馬來人十三萬，其餘都是土人，約有三十六七萬；另外有極少數的西人以及印度人，印尼人，緬甸人，錫蘭人等。

華人自有華人的風俗習慣與文化。馬來人都屬回敎徒，也有阿拉伯式的風俗習慣與文化。只有土人的風俗習慣另成一格，文化也最落後。英國人統治沙羅越約與統治香港同時，已經有一百廿年以上了。但到目前爲止，土人大多數還不知道穿袴子。男子多用一條腰巾圍在腰上，兩頭各剩若干，即以一端穿過兩腿而像帷裙似的垂一截在前面；後面的一截，結打得很大，看起來好像雄雞的尾巴。此外全身多裸，很少穿衣服的，一則是天氣炎熱，二則也便於顯露他們全身所刺的花紋。女子的傳統衣服是一條家製的黑色棉布裙子，或花花綠綠的紗籠，上身赤裸，但卻很少紋身的。

土人沒有文字，更不知曆數，儘管與華人相接逾千年，與馬來人相處已數百年，又受英人統治一百餘年，華人有農曆年，馬來人有回敎年，英人有陽曆年，各過各的年，而又彼此互相拜年。置身沙羅越，每年至少要過三個年，全都放假。惟有土人不知其年，故到今天也無法過他們的年，雖然他們也有過年的時候，那只是在他們糧食豐收之後，任由各個村落的酋長指定一天過年，於是全村男女老少大吃大喝，通夜跳舞作樂，青年男女乘機戀愛；如有嘉賓蒞臨，他們必竭誠歡迎，盡醉方休，臨睡時還有少女侍寢。假定你旣去向他們拜年，又不吃他們的東西，也不飲他們的酒，那末，你的腦袋是很可能被他們留下來的，如果是在幾十年以前的話。

（一）

瘟君續夢

第五回：深壑難塡　反顏奴抗主　片言起釁　轉瞬德成仇

劉少奇一席話抓住重心，大家相對無言。停了半晌，李富春說道：「毛主席一定要同赫老拼命，主要理由是怪蘇聯沒有援助，他不知道眞鬥起來，吃虧的還是我們，赫老眞下毒手的話，絕招還在後頭哩！」

朱德連忙問道：「他還有什麼絕招，會不會像對付匈牙利一樣，直接出兵鎭壓。」

李富春搖搖頭：「那是屬於軍事範圍的事，我從來沒有過考慮，現在只談經濟方面的問題。我担心主席眞是激怒了赫老，他下令把幾萬名專家全數撤走，我們正在建設中的三百多項工程，勢必全部停頓，那就眞眞無法收拾了。」

李富春的話一說出，果然全場震驚。

鄧小平說道：「此時同蘇聯決裂，必然是自討苦吃，稍微有點常識的人，都應該知道。老歪任意胡爲，分明自知不久於人世，硬拉我們陪葬，怎麼可以。我看還是請恩來同志轉告他，就說全體政治局委員都不同意，請他改變主張，加强對蘇友好。」

周恩來搖頭笑道：「我剛才勸了他很久，好話都說盡了，他執意不肯。現在要勸他，只有富春同志去比較合適，把蘇聯要撤退專家的可能性告訴他，也許他會回心轉意。」

李富春苦笑道：「總理同志，怎麼光拿我這種朝不保夕的人打衝鋒，讓我多活幾天對你沒有害處啊！」

大家哄然笑了起來，周恩來氣得一句話也說不出。

朱德笑道：「我說一句公道話，假若再去勸毛潤之，只有恩來老弟你還比較合適，因爲他是要你傳達意見，無論政治局委員同意不同意，你都應該回他個信。」

周恩來陪笑說道：「老總還不十分清楚，毛主席要我和大家商量，但是卻不准任何人反對，我回他信怎麼說？明白說出某幾個人反對，這幾位同志馬上就遭殃，勢必要和彭德懷同志作伴；若是告訴他全體政治局委員都反對，他也未必干休。現在不必研究他同赫老拼不拼的問題，先研究我們是不是要同他拼一下，我再去回他信。」

劉少奇嘆口氣：「我剛才就說過，我們現在已經是進退兩難，跟着老歪走，禍在將來；不跟他走，禍就在目前。」

彭眞冷笑一聲：「那也不見得，我們乾脆和他拼一下，敗了自然是大禍臨頭，勝了總可以死裏逃生。」

劉少奇「哼」了一聲：「你知道什麼？同他拼敗了不必說，勝了也是一場災禍。」

彭眞愕然道：「這話怎麼講」？大家都不懂，一齊瞪眼看着劉少奇。

劉少奇慢條斯理的說道：「各位同志仔細想想，鬥垮了老歪，誰敢接他的手，這一盤殘棋怎麼下？有他在，一切責任都由他負，他倒下去誰負責任？」

大家相顧凜然。停了半晌，還是周恩來說道：「依我的看法，目前只有順着毛主席的意思，拖下去再說。好在由霍查出面，一步也未必就找到我們頭上，也許赫老爲了孤立阿爾巴尼亞，會增加我們的援助呢？」

李先念問道：「我們指使霍查同赫老鬥，蘇聯一定斷絕對阿援助，到時阿爾巴尼亞怎麼辦？」

（一〇七）

煙雨樓景

憶玉軒雜綴　·林秋·

故鄉嘉興，位於滬杭路之中心，雖無特殊風景，但亦有淸趣境地與古跡：西門外運河轉角，有三塔寺。北門外鴛脰湖入口，有杉青閘。東門外有朱買臣墓，蘇小墓。更有著名之南湖，一出車站，即可瞭望。湖中有煙雨樓，據湖之中，將湖切開半個湖面，遂分東西，因此又名鴛鴦湖，簡稱鴛湖，畫家潘雅聲父子，常用此名。湖雖不及武林之西湖爲大，但四周開豁，雖無山巒，水光明朗，樓台突兀，城雉連堞。南門外之眞宇塔，與杭城六和塔相似，聳立湖濱，岸上風光，反映湖心，逗人心曠神怡。尤以傍湖人家，粉牆黛瓦，疎柳三五，翠竹六七，舟過其傍，別有好看風味。

游湖旅客，多半在夏日，騷人雅客，鉅賈名媛，紛至沓來，皆是雇有絲蓬船，停泊湖面，大家拍曲擫留，其聲悠揚，愈遠愈入味，暑氣全消，幾疑不在人間。其摩登份子，方城作嬉，劈拍不絕，間或引吭奏出中西歌曲，甚至動絃索，開唱平劇越曲，則另有其趣。因每船有三艙，極寬敞，既可小飲，又能竹戰，甚至午寐，尋樂者各盡其欲。至於菜肴果實，魚蝦極鮮，鰻爲尤佳。菱藕充斥，更是甜嫩香潤。且菱是無角，爲唯一特產，較之山塘嫩菱，是有過之而無不及。迨及秋初，桂花飄香，湖蟹漸肥，南湖所產，較之陽澄，並不遜色，似乎蟹雖不大而特鮮。因是從端午以後，迄中秋前夕，是湖中最熱鬧的季節。

談到煙雨，則遊湖最好春暮秋仲，更宜逢雨，在樓遠眺，一片煙雨迷茫，籠罩四周，幾乎在海上蜃樓。這樣景緻是西湖所無，確是別有滋味。煙雨樓有五間，其中一有樓，餘爲平屋。樓外有三亭，幾經燬滅，民七重建，雄壯勝過原有之樓。樓亭均懸有匾額，有名曰淸暉堂，亦方壺，八詠亭，來許亭，觀音閣，寶梅亭等。來許爲紀念遜淸知府許瑤光，因他修葺煙雨樓，所費白銀約二千餘兩。寶梅是懷念彭玉麟，以彭氏曾登此樓，爲寫匾額。淸高宗六次南巡，自海寧歸來，曾駐蹕於此，日期爲乾隆四十五年春二月，贊賞樓台風景，有詩云：「素稱雨意復煙意，漫數處州還沔州」之句。煙雨樓頭，尚有潭璞淸秀的船孃，多是小家碧玉，布衣布裙，姿色不施鉛粉，完全天眞，不是都市之以脂粉爲准砌，樸實可喜，與無錫則不同，較江山者爲秀。惦念舊時遊地，期待光復神州，將一訴我的離情。

燕塵識小

燕貞生

北海微瀾（三）

過橋而北即先蠶壇，東爲觀桑室，室後爲親蠶門，門內即親蠶殿。殿後爲浴蠶池，池北爲後殿。均覆以綠琉璃瓦。由壇西折而北爲荷沼。其北爲鏡淸齋。齋東爲抱素書屋。循書屋東廊而下爲韻琴齋。齋二楹西嚮。左有亭曰碧鮮，南嚮。鏡淸齋西爲畫峯室，爲沁泉廊。廊西四面皆山，山上有亭曰枕巒。東廊有石橋，南即抱素書屋也。橋北躡磴而上，爲罨畫軒。循軒東廊而南，爲焙茶塢。

由鏡淸齋沿堤西南爲西天梵境，有琉璃界坊，南臨太液池，榜曰華藏界。北嚮榜曰須彌春坊。北山門榜曰西天梵境。入門爲天王殿，左右石幢二，左刻金剛經，右刻藥師經。殿後爲大慈眞如寶殿。殿後歷級而登，有大琉璃寶殿。殿四週廻廊六十七楹，四隅各有樓相接。西天梵境之西有琉璃牆如屛障，即世所稱「九龍碑」是也。牆北爲眞諦門，門內爲大圓鏡智寶殿。殿後有亭曰寶網雲亭。亭北及左右屋宇四十三楹，皆貯西藏經板之處也。

大西天經廠之西，循池行數十步爲澂觀亭。亭之後有殿曰寄瀾淨心，又曰浴蘭軒（今爲蔡松坡圖書館）。軒後爲快雪堂（今爲蔡公祠）。堂五楹，即淸高宗嘗閱王右軍所書快雪時晴法帖處也。堂建於壘石中，多刻御題詩句，兩廊均置石刻法帖，護以闌干。

由快雪堂東行又數十步，臨池有五龍亭。五龍亭後石坊二，南嚮榜曰性海，北嚮榜曰福田。其北爲闡福寺。

殿之北爲普慶門。入內南北有坊二座，南曰大輪駐，曰滿萬曇霽。北曰聚諸佛法，曰現大吉祥。左右浮圖二，中爲萬佛樓。樓三層，左樹寶幡竿，右立石幢，恭鐫乾隆庚寅御製萬佛樓瞻禮記詩。樓之東曰寶積樓，西曰鬘華樓。左右各有門，西門內構八方亭，樹石塔，鐫貫休畫十六應眞像，並勒御製贊語于上。門內爲澄性堂，外環以長廊。前有池，後有山，山後有鏡瀾軒。軒西南爲致爽樓。正西有圓光門一，門有室曰澹吟室。軒東南爲湛碧亭，正東爲涵約池。又有亭曰妙相亭。亭後即眞實般若殿。萬福樓西有門樓通衢。即陽澤門道也。

談廢話

汶津

閒來讀莊子，寓言篇說：「言無言。終身言，未嘗言；終身不言，未嘗不言。」釋卷回味這兩句看來玄虛的妙語，不禁有所會心。言出於口，但是否能表達什麼，或爲世間添加些什麼，則不是「言」本身所能担保，更不是口腔或聲帶所能負責的。回頭想一想，我們一生的言，有多少是經得起回憶的考驗的？有些話說了也罷，但聽者藐藐，說是世間知音難得也好，說是言者不中，又何嘗不可呢？於是字典中有「廢話」一詞。

天下本有許多絕對浪費的事物。老美的棄糧於浩淼大洋之中，不過是較惹人注目的一例罷了。上帝爲人造一條盲腸便是浪費「原料」。何況凡俗之民，長了一張可以吃飯亦可以撒謊的嘴呢？有人對說話是生而有癖好的，一天不說，比絕食三天還難受。「天何言哉？」這種話只有向哲人去說。否則略有小慧的人還會跟你抬槓：「吾非天，何不言哉？」然則明知其爲廢話，人們還是天天說，刻刻說，也沒有看到過報紙的廣告欄上登出個「鄙人說話過多，特此申明作廢」的啓事。難道這些芸芸衆生還以爲他所吐出口的都是金玉良言嗎？君不憶古訓有云：「一言既出，駟馬難追？」但大部份的小市民們說完了話就好像焚去了字紙一樣，完全心安理得，一了百了。

偏偏有些廢話還有負作用。特快的人原是信口開河，有心的聽者卻竟耿耿於懷，甚至半夜三更在胸中翻滾起來，恍若氾濫成災。許多「心病」都是這樣起來的。所以「解鈴還是繫鈴人」往往就是專指那些好說廢話的人。

有個故事是反證廢話的實用性的。一個鄉下人學官話，日誦夜習，睡夢裏也唸唸有詞。恰好樑上君子光顧，夢中的主人遂以君子之禮接待：「你來了嗎，請坐請坐。」「要什麼拿什麼。」「你走了嗎，不送不送！」終於以空城計「送」走了不速客。這畢竟是笑料而已。其實人與人之間相處，確有許多「必要的廢話」，如見到面說：好；吃過飯嗎；好久不見。其爲廢話也一目了然。但人們已說了不知多少年了。這和吃飯一樣，大概是終生不「厭」的，而且也根本不容你不說，其中多少已賦有一份責任感。除非你老兄另作出世之想。這正如一條小尾巴在某些動物來說，似乎具有裝飾性一樣。據說人類的尾巴是在進化中消逝的。我不知道是否有一天我們會開化到不說一句「廢話」而依然和諧相處，一如人相忘於道術一之不得，相忘於言語總可以吧。但回頭一想，原始人就近乎如此，恐怕未免又要招開倒車之譏了。並非一切語言都可歸入廢話類。有人主張除了親身勞力的人以外，都是虛而不實的「舌人」之流，當然是可鄙之尤。但教育能完全脫開語言嗎？雖然身教的重要，無人能在情理範圍內加以反對。談情說愛，爲什麼不用別的兩個動詞？原來，心心相印雖有不可言喻之妙，如無口舌襯配，「心聲」的十足交流畢竟有些技窮吧。情人的典型談話，正可以說是百份之九十九的廢話，另外的百分之一，其用在互相了解云。其實說這段話也早是多餘的了。

「吉人之辭寡，躁人之辭多。」王羲之內三位公子便這樣的被人品定高下了。其實多說話未必是惡兆，但人的內涵有限，濃而爲些許的語言，則說來便覺有條有理，啓人深思。偏偏不自量力，一舉而欲傾城傾國，滔滔不絕，除了有心演戲以外，只有惹人反感。就以論語與孟子來作比較，孟子雖然不是不學而辯的人，但比起他的先輩來，未免就嫌「辭多」了。而孟子的氣勢是夠旺盛的，讀他一段文字，如一口氣喝盡一大瓶黑松汽水一樣，但孟子某些方面的說理，性究竟遜一籌。孟子一生說了不少廢話，大概不算厚誣古人吧。

將來我們應該開辦一所語言學校，不只是學習應對之道，更要研究如何少說廢話，節省精力來作其他有益的計慮。

海嶠叢談

楊幹才將軍殉國記（二）

諸葛文侯

是時共黨潛伏在蕪湖市區的「地工」人員已拋頭露面，聞高鐵君對商會所言駐軍撤防不易等情，即向商會保證，祇要楊軍不在市區作戰，共軍決不向蕪湖至宣城一帶進攻，讓楊軍退去，如楊師長願意和談，則根本毋須撤防也。高三爺聽信共幹之言，譬稱「我爲本市十餘萬市民免罹鋒鏑之禍，試再向楊將軍請命吧」！隨即馳晤楊氏，轉述前情。楊謂：「本軍守土有責，豈能不戰而退？至於和談之說，非所願聞。但爲保全市內人民生命財產起見，本軍可撤赴郊區以與敵人相周旋，成敗利鈍，所不計也」。即日，揮軍出城，未遇共軍襲擊，次日正在蕪湖至宣城之線佈防，共軍忽來犯，擊之潰走，楊乘勢追擊前進，至灣沚，大部共軍嚴陣以待，惡戰乃告展開。灣沚地區多係田疇曠野，缺少崗陵，鏖戰一晝夜，楊軍傷亡孔多，又無應援，而共匪源源增援不息，楊將軍知無制勝希望，一面督率官兵作殊死戰，一面修書致高鐵君，命一弁兵突圍遣回蕪湖遞送之，原函大意謂：「幹才基於愛民之義，接納我公勸告，不在市區作戰，現被敵軍要擊於灣沚，苦戰已越兩日，孤軍奮門，勢無倖理。戰死沙場原爲幹才之素志，誓率全軍官兵，戰至最後一人，以盡軍人天職。但有兩事奉託我公：幹才死後，願瘞骨於蕪湖市區，不必運回四川；遺屬懇我公顧念舊誼，賜予照料。」高三爺接閱來函後，愴然流淚，即尋共幹痛斥其欺騙言行，謂共產黨如此不講信用，焉能博得人民的同情！楊將軍因聽信我高某之言而陷入死地，我雖不殺伯仁，伯仁由我而死，可恥亦復可恨也。此時共匪眞面目尚未顯露，仍對高氏佯爲保證電請前方共軍停止攻擊，囑其放心。

越日，楊將軍戰死消息傳來，高氏聞之大慟，指戟共黨非人類。旋命商會派人赴前線，將楊將軍遺骸運至蕪湖，且舉行追悼大會，高氏親撰挽聯十餘副，分別以自己及其他個人或團體名義致送之，皆爲咒罵共黨者。共黨表面不敢阻止追悼會，但暗中警告各界人士勿參加，言在使高氏自討一場沒趣。詎知高氏所居蕪市郊外之「疏園」，周圍盡屬貧民棲止，因高氏平日對貧苦人民多所接近賙濟，衆皆感戴，即「高三爺」爲楊師長開追悼會，相率蒞臨者千餘人。屆時高氏担任大會主席，致詞大罵共黨背信虐民諸罪惡，旋決議擇日公葬楊將軍於市郊之梅花山，安葬之日，民衆自動前來執紼者數千人。共黨親此情形，乃知高鐵君在當地之潛勢力殊不可侮，必須加以剷除，但暫時隱忍不發。次年（民國四十年）藉「懲治反革命」運動，召開人民公審大會，乃將高氏當衆判處死刑而殘殺之。

諸葛文侯曰：自對日抗戰結束後，國軍高級將領在討共之役中殉職者，有張靈甫，劉戡，黃伯韜，楊幹才諸人，而以黃楊二將軍死事最壯烈。幹才臨危從容赴義，尤爲難得，吾故樂爲之記。（完）

雜詩

姚琮

春秋無二言，三家有異辭。吾道本一貫，知之者爲誰？
原遠流益分，夢蝶莊炫奇。述作貴平實，傳疑易生悲。
邪說紛起日，洪水橫流時。迺知文字禍，有甚露布馳。
未見宮牆美，莫嗤堂室卑。立異容媚俗，逆情枉求知。
人生不過百，小知無所施。墨曾暇煖突，孔猶無常師。
欲窮己所有，首搜古所遺。古今鎔一爐，將進無盡期。
淺俗誤庠序，簡陋壞藩籬。誨盜與誨淫，施曹空爾爲。
百罪身可贖，論臺悔未遲。垂老終屈強，何以釋羣疑。

壬寅三月廿八夜作

黃葉村人

花落春仍在，（借用俞樾句）松蒼氣更饒。壯心銷白髮，生日問前朝。謝客窮無礙，著書富可聊。詩成新雨歇，弦月起中宵。

生日

前人

生日年年去復回，病除戒酒不擎杯。蠅頭逐食難爲蠶，蝸角爭名易化灰。阮籍倖留雙白眼，老娘休笑倒繃孩。百年碩果隨天落，種在塵埃不結胎。

自由報

內僑警台報字第〇三一號內銷證

THE FREE NEWS

第二四三期

中華民國僑務委員會頒發
台教新字第三二三號登記證
中華郵政台字第一二八二號執照
登記為第一類新聞紙類
半週刊每星期三、六出版）
每份港幣壹角
台灣零售價新台幣弍元
社長：雷嘯岑
督印人：黄行奮
社址：香港銅鑼灣高士威道二十號四樓
20 CAUSEWAY RD 3RD FL
HONG KONG
TEL. 771726　電報掛號：7191
承印者：田風印刷廠
地址：香港灣仔高士打道二二一號
台灣分社
台北市西寧南路壹壹壹號二樓
電話：三〇三四六
台郵撥儲金户九二五二

論美國援外政策的利弊得失

・李宗谷・

美國參議院最近以全體三分二的大多數表決，停止對共產國家——特別是南斯拉夫和波蘭——的經濟援助，即剩餘農產品的交易亦所不許。白宮當局表示異議，甘迺廸總統在記者招待會中，曾爲這項援外政策竭力辯護。如是，參議院又以全體三分二以上的絕大多數投票，決議取消上次通過的原案中關於剩餘農產品這項限制，事實上就是對南，波這兩個共產國家照樣予以經濟援助，將原案整個推翻了。因爲美國對於南斯拉夫的軍援早已停止，南，波接受的美援，就是剩餘農產品這項經援而已。美國參議員如此出爾反爾，行同兒戲，所爲何來呢？這是值得注意的問題。

美國援外政策的動機

二次大戰後，美國對西歐實行「馬歇爾計劃」以扶助英法諸國的經濟復興，頗著成效，因而得出「貧窮是培育共產主義的溫床」這一結論；根據這種結論纔有「四點計劃」的援外政策產生，而其對象是所謂「落後地區」。東歐那些俄帝附庸國家，由於史達林的嚴厲禁令，都不敢接受美援。這是美國援外政策的原始意義。迨南斯拉夫共產政權頭目狄托，跟史達林反目交惡，南共政權被踢出於「九國情報局」之外，英國首先見機而作，給南共以軍援，美國繼起對南共實行軍經援助，而所謂「狄托主義」的名詞乃應運而生，用意是在拆俄帝的台，希望鐵幕世界發生內鬨，陷俄帝於孤立，同時即增加自由世界的安全感。至於對波蘭共產政權的經援情形又不同，那是由於波蘭人民發生過兩次反共暴動，西方國家皆袖手旁觀，不予應援，美國在最後東德波茨坦大暴動之役後，艾森豪政府曾經運送了一些食品到西柏林轉發給暴動地區的刦餘人民，繼對波蘭戈穆卡政權予以少數的經援，而且只是限於剩餘農產品。這是美國援外政策的第二種意義。隨着韓戰結束之後，美國對於落後地區的援外計劃，逐漸擴充爲爭取國際中立主義者的香餌，如印度，印尼都是以「中立主義」面目，博得美國的軍經援助，艾森豪總統且公開贊許中立主義，說美國亦是依中立主義發展起來的。這是美國援外政策的第三種意義。

綜觀上述三種美援情形，只有第一種「馬歇爾計劃」會見功效，其他都沒有產生預期的後果，尤其是南斯拉夫和波蘭這兩個共產政權，拿着美援來跟美國搗蛋，不特對內實行共產暴政如故，人民毫無自由生活的迹象可尋，即在國際上亦處處跟美國過不去，每逢聯合國大會時，南、波代表對於美國的意見總是站在反對地位，而以狄托爲倡導者的所謂中立主義集團——連印度，印尼在內；對俄帝自由試爆超級氫彈，破壞裁軍談判的行爲，視若無覩，然一聞美國恢復試驗原子武器的聲明，即發出譴責反對的言論。若干年來，美國對南、波這些共產國家實施軍經援助的代價，究安在耶？以言拆俄帝的台罷，狄托始終表明他祇是跟史達林個人不睦，史魔去世後，他對俄帝親近不違，所謂狄托主義，徒見其爲西方國家的一種幻覺而已。以言激起鐵幕人民的反共意志和行動罷，勾牙利的史事可鑑，南、波人民再亦不見有反抗暴政的動態了。常聞美國人指稱其對一般反共國家的經援，有如投金錢於鼠洞中，毫無成效可言云云，實則美國大力援助南、波這些共產政權，那纔眞是把金錢拋擲在汪洋大海之中，連一點聲響亦聽不到哩！

美援的主要目的

美國援外政策的主要目的，是經濟的，旨在扶助自由地區恢復及發展其生產力，以保持國際間的自由市場，不爲俄帝所壓縮，而使美國的工商企業得有廣泛的出路，同時又不致發生原料補給上的困難，且其科學化的生產技工人才，亦不愁無用武之地。一舉而數善備，互助互利，不亦宜乎！可是，這種援外計劃，由於資本主義發展的矛盾律從中作祟，進行並不順利，英國率先倡出「要貿易，不要援助」的口號，銳意自力更生，法國亦以苦幹精神，力圖擺脫美援的壓力；只有所謂落後地區，以及直接慘受共禍威脅的弱小國家，才對美援發生依存關係。所以，中東地帶之由動亂而獨於中立形勢，東南亞半島之共禍勃發，危機四伏，北非方面之變亂叢生，深究本源，實係西方美英法幾個資本主義國家間的經濟發展矛盾律所使然的。因爲美援所到之處，美國的工商企業勢力隨着跟進，在自由競爭的原則下，壟斷獨佔，勢所難免，從而由經濟問題孳生政治歧見，各有所圖，亦各有所私，乃把整個自由世界引入反共極權奴役運動，視爲次要問題了。

美援的作用既是以重商主義爲基準，則其運用方法亦不能不採取商業技術，而以不蝕本爲前提。例如過去美國會議員曾有人抨擊對南斯拉夫的經援爲失策，而主管當局即根據每年在南國銷售農業產品的收入數字，跟經援的支出額比較之下，說是並無多大的損失。又如台灣的電力擴由美援項下撥給了一部分資金，作爲擴充設備費用後，美方即認爲台灣的電費太低廉，全球所未有，要求中華民國政府實行加價，理由是不加價就要蝕本。同時又將經援中具有贈予性質的款項，一律改爲借貸性，自然構成了將本求利的商業行爲。最近中華民國政府因下年度的美援協定，遙遙無期，爲防避青黃不接之患，舉辦「國防特捐」，向國內人民想辦法，而美方怵然興憂，即派大員到台灣查詢情由，說驚心我們對大陸將有反攻的軍事行動，連累了美國，又害怕台灣的物價騰踊，以致引起「外人投資」事業——即與美援有關——的損失。這不是十足的商業觀點嗎？

美援政策與和平共存

美援的基本作用，是在維護美國的經濟利益，已如上述，即如美國在海外遍設軍事基地，且援助當地自由國家充實武備的目的，亦是以「圍堵」爲主的消極防衛政策，也就是爲要保護國際自由市場而佈署的防禦力，祇要俄帝不擅啓戎端，對美國內防禦綫實施武力攻擊，美國即永遠不會採取以實力打擊俄共集團向外侵略的行動，只有對於接受美援而直接受到共禍威脅的友邦，亦以安全互助協定來束縛其軍事行爲。過去韓、越之戰與現在寮國戰役的結局，都是從這種邏輯演繹而成的答案。乾脆一句話：祇要能夠和平通商，縱使共產主義淹沒了新大陸以外的全球地區，美國還是主張和爲貴的。俄帝深切地瞭解此情，乃奏出「和平共存」與「貿易通商」兩支俚曲，藉以迎合美國的願望，即逗得英美政台人物心花怒發，如醉如狂的手舞足蹈而團團轉。

俄帝所謂「和平共存」的眞諦，就是和平進攻，實係戰爭的另一手段，亦即易鯨呑爲蠶食的辯證擴張策略。它認定本身的經濟發展前途，並無資本主義國家那種矛盾對立的痼疾潛在着，而其科技能力亦可以製造核子武器了。唯一顧慮的一點，只是武備居於劣勢而已。美國既然棄長用短，嚮往和平共存生活，恰是俄帝所樂從的。俄帝相信它除却經濟一元化的優越條件之外，還有一種視而不見的潛在武器，那就是「社會主義」的思想潛力，只靠着「反殖民地主義」這句口號宣傳，即使西方國家沒法招架。所以，赫魯歇夫揚言「埋葬資本主義社會」，又說美國下一代人都將生長在「社會主義社會」中；理論上並非無的放矢之談。反觀美英方面，除了比較優勢的武力而外，還有什末可以制伏俄帝的能耐呢？美國在海外遍設軍事基地的圍堵政策，僅能「圍堵」俄帝有形的武力進攻，却無法「圍堵」共產主義的思想攻勢。不特此也，美國的援外政策，由於運用失當之故，且誘致一般受援國家的民族獨立思想，普遍抬頭，對西方國家滋生離心力，而間接對俄帝則有莫大的裨助，這就是所有接受美援各國皆對美國發生反感——至少不表示感激——的癥結所在。

改變以商業利益爲前提的現行美援政策，停止對共產國家的經援措施，糾正以布施主的心情來運用美援的錯誤方法，必如是而後可以談「和平共存」問題，否則終將一敗塗地，決無倖運！

漫画天下

毛澤東的悲哀！

農民再也走不動了！

自由談

讀史有感

中國的歷史人物，曹操實在是個傑出之才，他的學識與智能，遠在諸葛亮，孫權這些併世英豪之上，文武兼資，氣宇恢宏，即在三國以後佔有歷史紀錄地位的若干政治人才之中，亦很少有像他這樣的角色哩！

後世寫歷史的人，因爲曹操有篡奪漢室統治權位的企圖，證之爲「亂世之奸雄」，再加以羅貫中撰著的一部「三國演義」，處處描繪着曹操的奸雄面目，戲劇家又將他在舞台上的臉譜，攙成白粉雜黑花的形色。如是乎，曹操在後世社會大衆的觀感中，乃變成十惡不赦的亂臣賊子了！因此，我認爲陳壽所著的三國志尚比較公正可信。

最足以表現曹孟德雄才大略的地方，就是他那種不講私人恩怨，化敵爲友的用人和駕馭人的決決風度，使一般異己反側之徒，皆樂於歸附効力，寖且成爲忠實幹部，如張郃等大將，都是些降人貳臣，即其例證。他在官渡戰敗了優勢政敵袁紹之時，部屬從袁氏處搜到許多曹幕文武官員通敵的信件，主張逐一查究，他說：「當紹之強，孤且不自保，況他人乎？」即命一律焚燬，拒不省閱。這是何等恢宏而誠信的氣概，豈是奸雄成性的草味人物所能同語者？

曹孟德晚年，奪取帝位的一切條件都已具備了，但他權衡當時整個局勢發展的利害得失關係，認爲幹不得，而聲言「吾其爲周文王乎！」孫權對他上表勸進，他說：「是兒欲置余於爐火之上。」他若非智慧過人，思慮深遠，未有不被環境支配壓迫，悍然黃袍加身的！如此的奸雄作風，我覺得縱使他眞是「亂世之奸雄」，亦殊可佩也。

孟子說：「盡信書，不如無書」，尤以歷史爲然。我們讀歷史，但求瞭解當時的事情發生和發展經過，及其所導源的社會背景。至於臧否人物，卻不能被寫歷史的人牽着鼻子走，亦不可用現在的觀點以衡量古人。職是之故，對於修撰史書的方法及其人才，必須審愼選擇，不好亂來，否則災梨禍棗倘屬小事，淆亂是非，貽誤後世的流毒甚大，可懼也夫！

—馮玉先生—

為防黃片傷風敗俗
電檢處工作也不容易做
片商為賺錢花樣很多 又要防工作人員受誘

（本報記者台北航訊）一部電影片要經過些什麼樣的檢查才能到觀衆面前放映？什麼人有權決定我們看那些片子不可看那些鏡頭？那些看來傷風敗俗的鏡頭怎樣逃過電檢處的剪刀？走私片是如何漏過電檢處的？

記者爲了這些問題，特別去訪問電影檢查處的處長屠方義。屠方義說：片子寄到海關，由片商申請會同電檢處去提片，以防止片商將不良鏡頭剪存，以後再加接上去。片子到了電檢處，經大致檢核不錯，便發給片商，然後再由片商正式申請檢查。

美國片進口，不必電檢處會提，因爲美商保證不進口不合水準的影片；加以八大公司出片多，如有不合格的，掉換容易。其他地區影片，一律都須會提。本來國語片無須會提的，但以前有片商把日本片接上一個國語片頭，以國語片申請矇混進口，到了台灣再換上日片片頭，用「張冠李戴」的方法，走私日片進口。因此，屠方義去年五月到職後，便新定下國語片也要會提的辨法，才算是堵住一個日片走私的漏洞。

電檢處有四位檢查委員，專門負責檢查影片。一般人花錢買票看電影，是爲了娛樂，電檢委員看電影却是一件苦事。屠方義說：連看幾天，眼睛都會看腫。該處四個委員現在採用輪班的方法，兩人一班看；重要的片子四人看；更重要的開會審議。如涉及其他問題，就邀請有關機關會檢；但這種情形是很少的。

電檢處每天上午檢查兩部新片，做要修剪的記號，下午修剪或複檢舊片。該處爲顧慮片商購片不易，有的是買斷了，如不能上映，又不能退片，損失太大；所以常常替片商設法，建議片商去修剪內容，或者改換字幕詞句，總希望能與法令符合，減少片商的損失。

影片如根本不合上映規定，更發還片商不發准演證。如修剪去一部份便可上映，便將修剪部份扣留，發給准演證。被修剪部份待該片拷貝離台時，再發還隨片「遞解出境」。電檢處扣留修剪部份，是爲了防止片商再接上去放映。

檢查委員能精通各國語言，看得懂各國的片子嗎？不然他如何聽得出對話有無問題？自然檢查委員對英、法、國、台語片能聽懂是不成問題，但對那些較冷門語言的影片，他們就不檢查嗎？不，電檢處有個規定，凡是申請檢查的影片，除了是國、台語之外，一律都要配上中文字幕，這樣便不會有看不懂的影片了。那些冷門語言的影片，雖然有與中文字幕不符的問題對話，就算檢查委員查不出來，那些冷門語言在觀衆中又有幾人能懂？只有少數人能懂，就有不好的影響也不大了。

台灣還是日本片最好的市場，歐美影片在台的賣座始終趕不上日片，因爲城市鄉鎮，到處都是日語片的天下。以前日本六大公司的台灣代理，片商都爭奪得不得了，在日本無所不用其極的拉攏日本人，日人也就奇貨可居，台灣本來只有廿四部的配額，他却要片商接受下七八十部，片商爲了獲得代理權，也就不顧事實的承受下來，但進口只能廿四部，多下的便動腦筋走私進入，這就是往年日片走私猖獗的因素。

電檢處是一個接觸複雜的工作，因此容易受到片商的誘惑，過去幾年各種風風雨雨的事件，都對電檢處不利。人們眞希望電檢處能如屠方義所說的：遵照政府政策，確定原則，依法處理。（吳越）

發生在華僑服務站非而車站
廣州反共暴動眞相
發難者為各省流亡到穗飢民 死警察十餘共市長曾生受傷

（本報訊）廣東飢民向香港逃亡的狂潮業已暫被遏止，但飢民立即在廣州掀起反共大「暴動」，此事雖有兩家香港日報及夜報揭載，而語焉不詳。本報記者現由一封從廣州寄來的家信，證實果有此事，並悉：此次暴動，並非在車站（廣九鐵路位在市東之車站）發生，而是爆發於市中心區之華僑服務站（負責招持歸僑的專門機構），發難者乃由各省流亡到廣州的飢民，激戰當中，死共警十餘人，中共市長曾生所乘吉普車被推翻，且因此受傷。目前由各省流到廣州的逃亡份子，勢如潮湧，常在各街道店戶簷前住宿，極爲擁擠，絕非廣州共警所能控制。此輩並無「糧票」，在無法買米求食的絕望情形中，只有湧向華僑服務站鬧事，軒然大波，遂由此而起。查各大城市被驅下鄉生產的居民，照例取銷戶籍，不發糧票，但下鄉是死路一條，結果自然要潛回城市，成爲「黑戶」。此等黑戶，原日已有不少，經常幹出各種破壞與搶劫事件，層出不窮，故遠在六個月前，廣州共幹奉到上級密令，已有「防黑重於防特」的措施。當粵東河源縣發生第八級地震之時，廣州及各城市亦遭受嚴重影響，地震之後，人心惶惶，搶劫之風最盛，記者曾接來自南海縣，佛山市友人來信，中有「連夜附近搶劫頻繁，喊聲四起，憂不成眠者三夕」之語。此已爲共黨對城市失去控制的確證。最近中共實行「人代會」決議的新計劃，「壓縮」各大城市人口，估計至少增加黑戶五百萬以上，前後合計，更有千多萬「沒有飯票」的黑戶，於是形成一個流竄大運動，而以廣州爲尾閭（因廣州可通香港），廣州是在原有困難中，增加外來壓力最爲嚴重的唯一城市，因此秩序特爲紊亂。本來，共黨控制人民最毒辣而且是最有效的辦法，便是不許「民戶有存糧」，要任何人都靠「糧票」而生存，誰不服從驅使，便以「取銷糧票」爲威脅，此法起初是有效的。但被取銷糧票的人逐漸遞增，由幾十萬而幾百萬幾千萬，結果便成爲亂竄亂動的洪流。如套用「義勇軍進行曲」（今天是中共的國歌）的名句他們正在高唱着：「起來！不願做飢死的人們起來！」「起來，沒有糧票的人們起來！」敲響着毛澤東的喪鐘。（記者按：上述兩句歌詞，政府負責對大陸「心理作戰」的有關當局，應該注意運用。）記者並從家信獲悉：東莞一縣逃來香港被遣回去的飢民，返抵原地，例要扣除一月糧食，故除飛信香港親友求救以外，便只有挨三十天餓，活活餓死。接近香港的東莞、惠陽、海豐三縣，共幹大部逃亡，已漸成眞空，非共黨所能控制。海陸豐是中國第一個殺人王彭湃在三十年前起事的地點，惠陽是目前中共紅員曾生（中共廣州市長）組訓共軍的搖籃，如今首先鬧出反共大暴動與逃亡潮的地方，正是這一個角落。合而觀之，中共失去對廣東各縣市的控制，沒有三份一也有五份一的地區了。事實上，匈牙利式的抗暴大運動業已起來了。廣州還盛傳粵湘邊區坪石一帶有一枝反共義勇軍，曾經打劫粵漢路運糧專車，使粵漢路中斷者數日。又傳湘贛交界山區有共軍一師已正式起義，北平毛朝已派出六個師進行包圍。

（曼谷）（通訊）

痛心寮局靠人不如靠已
泰積極根除地下共黨
力圖澄淸內部自求多福

寮國局勢危急聲中，美國爲了逼成和局，開兵入駐泰國，同時還想方設法約要東南亞公約其餘會員國亦派出象徵部隊，以示敵愾同讎。直至現在，英國與澳洲已經各派出一中隊空軍來泰，紐西蘭的象徵部隊亦快就到了。另外菲律賓將派若干非軍事人員到來。巴基斯坦與法國則暫時還不準備有所行動。

一向大不滿意東南亞公約對寮國採取一筆勾銷的後退政策的泰國，近些時來的表現，似乎已經接受了在寮國成立「中立而獨立」的聯合政府的主張，雖然曼谷有識之士一直認爲，不但聯合政府未必眞有機會成立得起來，就算勉强成立了，那亦必然受共黨的控制，成爲分期投降分期赤化的局面，所謂「中立而獨立」，在共產集團爲掩耳盜鈴，在美國領導的自由國家，祇是白日夢囈而已。

曼谷有識之士亦淸楚認識：美國把寮國一筆勾銷，固然是悲劇，這悲劇且一定會直接威脅到泰國的安全；祇是就泰國自已而論，美國這次能夠主動的派兵來泰，至少可以說明，美國到現時爲止，還不願意泰國亦被關入鐵幕。則泰國如其不能趁此把內部整刷淸楚，爲自保之計，就危險了。當然鑑於寮王室政府之被美國始亂終棄，泰國亦未嘗不怵目驚心，担心美國會以對今日之寮國者，他日亦以之對付泰國。

泰國內部，表面上國泰民安，但實在亦不是沒有問題的。比方泰國的地下共黨組織，儘管幾年來迭有破獲，其首惡元兇，且均予明正典刑，最近的例子，如在素攀府捉到的乃鑾（泰官方至今認乃鑾爲「泰共中央第一書記」），便已被槍斃了。但，畢竟地下的泰共組織，還有多少呢？殊爲值得躭心。此其一。

其次，與寮國隔湄公河爲鄰的泰國東北部，還有與緬甸爲鄰的泰國北部，在泰國是較貧瘠地區，泰共多年來便在這一帶極力發展，去年這地區，還發現過有寮共所支持援濟的泰共武裝存在；另外在這地區，還有好幾千親共的越僑尙待遣送，在在都是可慮的。若不能及早認眞把已有的毒化份子清除掉，現在發生於南越境內的共黨之禍，同樣在泰國亦是可能出現的。此其二。

泰國當局目前的做法爲：（一）藉駐泰美軍鎮懾共產集團，使其不敢擅越雷池一步；（二）藉美國的經濟援助，一方面修建東北部的戰略公路，他方面進行地方建設，改進民生，爭取人民的向心力，減低其被共黨煽惑利用的機會；（三）與馬來亞更加强的合作，加緊剿滅泰馬邊境森林中的約五百名馬共殘餘；（四）加緊在全國查緝搜捕地下共黨份子，毀滅其組織。

在最後這一點上，五月廿六日，泰國又在彭世洛府掃蕩了共黨的一個組織，捉到了三十一名共黨嫌疑份子。彭世洛府位於泰國中北部，距曼谷三百八十九公里，與曼谷有鐵路及公路相通。

這次破獲的共黨組織，最值得注意的，爲被捕的三十多名共嫌男女，都是華人，有的已經取得泰籍，有的則還是華僑身份。這個共黨組織，係以一個名爲「建民學校」的僑校爲中心，曾當場在校長辦公室內搜出中共的五星旗等。

「建民學校」設於彭世洛府市郊的「菜園村」內，該村有約一百戶人家，全爲客屬華人，是一個以園藝爲主，養猪爲副的農村。據公佈，這學校早就爲共黨份子所控制，該村居民亦多有受了毒的。該校並已先後偷送幾十個學生回大陸「讀書」，有的早經「畢業」回到泰國了。那裏不但是一個區域性的共黨地下組織，泰國中北部的共黨份子，還時常把它作爲聯絡中心。泰國警方對該校暗中注意已三年於茲。（處）

（採訪）（線外）

反攻復國中國人事
嚴懲貪污大公無私

▲省議員對於延長任期問題正賡續努力中，他們經過一次協調會議之後，已商得具體結論，準備透過省政府向中央政府提出建議。

省議員們以爲，照現行法規規定：省議員、縣市長、縣市議員、鄉鎮長、鄉鎮民代表及村里長選舉，係分六次分別舉行，不但勞民傷財，且增加地方許多困擾。因此，他們主張修改現行地方自治法規，把上述六種選舉，合併爲（一）省議員與縣市長，（二）縣市議員與鄉鎮長，（三）鄉鎮長代表與村里長，分於三次舉行。果眞如此，現時任期三年的省議員，便可以延長至與縣市長一樣爲四年了。

▲在立法院重被提起的「戡亂時期貪污懲治條例」草案，六月四日由司法、法制兩委員會開始審查時，支持本案的立委很多，顯示確有成爲事實的可能。

四日審查會中，名律師江一平提出頗爲聳動的建議，主張把懲治貪污的範圍擴而大之，不但包括公務人員，且包括各級民意代表。江一平說：「最近各級民意代表機關，社會上風風雨雨甚多，如果不將各級民意代表包括在內，恐不能使社會折服」。

江一平這主張，被輿論認爲切中時弊，而且眞正的大公無私；特別是公務員，他們將不會因此還有什麼話好說了。但畢竟立法委員們能否接受這一主張，倒是一項微妙的考驗「戡亂時期貪汙懲治條例」草案中，規定犯者可處死刑，這種「嚴刑峻罰」，果眞成爲法律，適用範圍又擴及民意代表，（立委當然包括在內），那些極其少數有毛病的立委，有此「雅量」麼？

▲一度被認爲只是謠言的我國開征國防特捐，使得美國人大不高興，實行扣住對華經援，致使形成「中斷」現象，現在證明確實就是這麼一回事。

證明其事的爲美國國際合作總署主管遠東事務的助理署長詹諾，他公然承認他這次訪華，目的之一，就是要調查中國爲什麼要征國防特捐。他還公然說見在已明白一切，所以經援在本月份便可以簽字了。

這事情，台北有許多人是眞正「大不高興」的。這些人以爲：好在中國人確實愛國，對國防特捐熱烈支持，形成了力量，否則經援豈易得哉？並以爲：反攻大陸，復國建國，是中國人的本份，別人不容干涉，亦實在干涉不了。（盛）

英法兩國的綜合外客嚮導機關

木公

巴黎問事處之一最大特長，即爲在市內配置有廿五名，空港配備有五〇名的嚮導小姐，專司嚮導工作。此等小姐年輕貌美，穿着漂亮的天藍色制服，伊等月薪一五〇美元（約合台幣六千元），決不兼營副業。至其錄用資格，必須爲良家婦女，受過相當教育，最低亦能以連英語在內的兩種外國語談話，年在廿一歲至卅歲嬌艷的女性爲限。

問事處總管理處係一九四九年成立，全年對廿萬的內外遊客，提供服務，其中有美國遊客五萬人。除聖誕節以外，每日均自晨九時至夜半止連續服務。一九六〇年對訪問巴黎的特別遊客，約三萬五千人提供其服務，曾爲這批人從事各種周旋七五〇〇次。例如：去市政府訪問，乘市內及郊外的公共汽車旅行，參觀凡爾賽宮，觀察產業設施等等。上述服務件數中，有七四件屬於美國遊客。

問事總處所經辦的主要工作，係爲旅客在全年皆呈客滿的市內旅館，尋覓房間，並代爲預定一事。處內備有將近一、三〇〇家觀光旅館的檔案。此等旅館的房間使用狀況，以廿五架電話機，在一日的廿四小時內隨時向其報告。因而類似在無論如何亦難覓得房間的情形下，如能委託此等問事處，多可獲得價格約合其理想的房間。

問事總處並以電視廣播機與設有地方問事處，各都市市內及其周圍一〇〇公里以內的地方旅館，辦理房間預約的工作。旅客不須支付手續費，僅付少數訂金即可，且此欵可於支付旅館帳時扣除。

問事處辦理此等所謂嚮導業務之同時，旅行業者亦在問事處內設置辦公桌，派專人辦理實際的旅行業務。此外大銀行亦設櫃枱，專辦金錢兌換業務。牆壁間掛有巴黎周圍，法國全境以及近鄰諸國的公路地圖，有關汽車旅行的情形，可以一目瞭然，並向外國汽車遊客售賣汽車折扣券。

此種問事處，不僅提供有關法蘭西的旅行情報與嚮導而已，並購有全世界五十個國家的種種情報與記錄。再關於供外客利用的設施與機關的名稱，有四、〇〇〇個寫在廻轉式的卡片上，乃一翻閱此種卡片即可解決旅客任何希望與問詢的設計。

過去十一年間，即由戈多蒙氏充任該處處長，戈氏爲一極熱心工作的人，曾說明其所懷信念如下：「余認爲對於旅客所提出的問題和希望，僅答覆一遍即使其離去，倘嫌不足；非瞭解每一旅客的希望，使之自心之深處感覺爲一滿足的接待不可。設能如此，則這些人們纔可變成法蘭西的朋友，由此更延伸而成爲對我國最好的宣傳」。

除此種問事處以外，尚有法蘭西政府在巴黎歐百樂街與與香雪榭街所設立的問事處，而且在此有配帶可以外語談話，外國語別臂章的婦女五十人。每一地下鐵路站與公共汽車站站傍，均懸掛市街大地圖。另有以少許費用即可雇得以英語或他國語言作一切嚮導，法蘭西所特有的萬事通問事處。自然其報告時間的電話亦不缺少。

×××　×××　（下）

香港與大陸

中共這三四年來在大陸攪人民公社，因爲太過違反人類多年來生活的傳統，老百姓表面上雖不敢反抗，卻眞正恨在心裏，相率以怠工對付它。這是中共的算盤所未曾打到的。大陸接連三年的「人爲天災」，農產歉收程度破中國有史以來的紀錄，致全國均成餓莩病夫者，老百姓的怠工，亦爲主要原因之一。

據在上個月逃亡潮中逃抵香港的潮籍青年某君說：在人民公社中，所有社員都是儘可能不做工的。他們怠工的辦法，非常簡單，即在有共幹監視之時，大家都做，共幹走開了，大家都不做；有的人聚起來說短道長，有的人則倒頭便睡——睡在田裏。

人民公社勢必垮於人民　連續三年人為天災　百姓怠工亦其主因

因爲大家心裏都非常明白，公社成立之後，一切成了公的，連家亦給毀去了，多做少做，生產多生產少，對於百姓，全是一樣。又何必拼命去做？共黨起初，根本不懂得這一套道理，它們曾經挖空心思，想出許多辦法，比如「奪紅旗」，比如「挑燈夜戰」等等，以爲老百姓的勞力可以無條件無限制的爲它們貢獻出來。豈知老百姓早就看透了它們那一套，知道即使奪得紅旗，亦無非是那麼回事，對於老百姓本身的生活條件，完全沒有幫助，大家表面雖仍「鼓足幹勁」在奪紅旗，實際彼此都不起勁，結果是紅旗的紀錄，一次比一次低。

至於「挑燈夜戰」，口號叫起來好聽，卻就爲了誰亦不肯多做，到頭來所得，祇是「挑燈」是眞的，「夜戰」並沒有那回事，往往是成了「挑燈夜睡」。個個都就那樣就地睏其大覺。

共幹後來對於老百姓怠工的事情是完全明白了的。但明白又有什麼用？

這還是說的剛成立人民公社的頭一年的情形，到了農業生產歉收了，本來可以吃飽的，祇能半飽了，後來祇能三分之一飽了四分之一飽了之後，老百姓更加不肯做了。有的甚至明白的告訴共幹，因爲沒有吃飽，沒有力氣做工，硬是不做。共幹也沒法子可想。實際到後來，連共幹亦洩氣了，灰心了，懶得管了，有的共幹並且完全明白中共那一套攪法根本不行了。這次逃亡潮中，共幹乘機夥同逃出的，就實在不少。

這位青年說：如果中共不能澈底把那個人民公社放棄，它儘管在小節目上做若干讓步，比如給一小塊自留地，比如准許大家自己煑食，不必一定喫大鍋飯之類，依然不可能使大家眞正有熱情去致力生產的。至於因爲食不飽，營養不足而生病的人，他說：農村中就沒有一個人沒有病的。（影）

天南風光

——三兄弟逃洪水的故事——

朱淵明

因之，最不識相的事，除了不吃土人的東西及飲土人的酒以外，就是詢問他們或她們的年紀了。雖然目前獵人頭之風已被禁止，而這兩點習俗卻依然存在。假定你一定要問他們年紀，那一定使你大喫一驚。

筆者有一次乘船往「加帛」去旅行，順便去拜訪住在那裏的大酋長朱加先生，頗承優禮，除了讓他的公主由我們攝影以外，還以茶點相享，又請我們喫榴蓮。筆者有意與他拉交情，乃戲認他爲同宗，他先不懂什麼叫「同宗」，經翻譯的朋友詳細解釋後，他乃大樂，縱聲而笑。筆者又說：『許多人都要入英籍，但我不改籍則已，如要改籍，必定歸化我們的老宗兄，請求配地一方，亞答屋一幢，徜徉於山水之間，以乘運待化，實行作一個葛天氏之民，不知老宗兄肯收留否？』這位大酋長聽後更狂笑不止。

筆者原與這位大酋長常常相遇於「古晉」及「詩巫」的各種典禮場合或宴會席上，本來熟識，再經這次拜訪與暢談，乃益歡洽，遂故意詢問他的年紀，他毫不遲疑的答道：『我還年靑，今年不過一百八十歲罷了。』筆者不禁桀然，連忙說：『不錯，不錯，非常年靑。不過我們既是同宗兄弟，將來我一定樂意追隨老宗兄的年齡而長期活下去的。』

這位朱加大酋長道：『實在說：我們達亞人與華人及馬來人的祖先，原來是三兄弟，這三兄弟都非常聰明，各人都創造了許多東西，又各別發明了文字，全使用得非常順利。誰知有一年，大雨不止，洪水漫天而來，田屋牲畜，一掃而光，三兄弟逐步退到山頂，看看形勢不對，乃互相商量說：「目前財產已盡，逃命要緊」。三人一查身邊，各人發明的文字都還帶着，遂互約道：「什麼都可以丟掉，惟有這文字不能丟掉，務須保存」。於是三人分別泅水而逃。大哥華人老練精到，將文字頂在頭上，逃離洪水後，文字遂完全保存至今。二哥馬來人較爲粗心，將文字揹於背上，泅泳時不免受水浸濕，逃脫後解下竟粘在一起，難以拆開，旋晒乾勉強分拆，那些文字已多糾纏不清彎彎曲曲，遂變成現在形狀的馬來文。惟有三弟我們達雅人，年紀輕，經驗少，逃時將文字塞在腰中，在長期泅泳中，竟不知失落在那裏去了。所以至今我們達雅人遂無文字』。

筆者趕忙說：『華人、達雅人、馬來人，原爲三兄弟一點也不錯，所以現在都說是兄弟民族。至於文字，重新創造不易，目前兄弟們還存在的文字，任由達雅民族選擇，學習一二種就行了。此外也還可學習英法等國文字』。

這一次訪問的最大收穫，可說就是聽到這個有趣的三兄弟逃洪水的故事。（本篇完，全文未完）

瘟君續夢

第五回：深壑難填　反顏奴抗主　片言起釁　轉瞬德成仇

周恩來苦笑道：「毛主席要我同謝胡說，一切都由我們包下來。」

李先念冷笑一聲，說道：「總理同志，這個財政部長我看還是請毛主席自己作吧！他有胆量敢說包下來，他一定有辦法籌出足夠的財物，叫我當財政部長，我是包不起。」

李富春眼看李先念把話說僵了，恐怕周恩來發脾氣，當時勸道：「所謂包下來，不過是一句空話，何必認眞。去年我到廣州，陶鑄曾經宣稱要把香港人的一切食物，日用品全部包下來，結果他連香港人吃的水也包不起，不用說糧食了。共產黨員說話就是這樣，說一句算一句那能當共產黨員呢？」李富春一口氣把話說多了，又掩着胸口咳嗽起來。

李先念圓睜怪眼說道：「富春同志，你囉嗦半天，說的都是空話，陶鑄要把香港人的生活包下來，說過不算可以，香港沒人敢到廣州去找他。我們對付阿爾巴尼亞完全用騙術是不成的，到時候阿爾巴尼亞一定要纏上來，因爲我們不包它，它們就無法生活，這就等於多添了一個債主，而且永世也還不清，大家想想這個包袱背到身上如何得了？」

大家雖然覺得李先念的話有道理，可是，誰也不敢附和，明知道這是毛澤東的既定政策，反對也沒有用，徒然引起毛澤東的反感。

停了半晌，劉少奇下個總結說道：「這個問題，目前反對也反對不來，只好請恩來同志和謝胡詳細談談，只希望阿爾巴尼亞擺出一個姿勢，蘇聯就能讓步，是最理想了。萬一赫老也挺到底，最後弄假成眞，只有大家同歸於盡了。」

全體政治局委員看見劉少奇如此消極，也不敢再插嘴。

第二天，周恩來出帖子請謝胡吃飯。這個謝胡原是霍査的死黨，從阿爾巴尼亞政權成立以來，霍査任總理，謝胡就任公安部長。共產政權的公安部長，簡直就是閻羅王的化身，謝胡自不例外，阿爾巴尼亞人民死在他手裏的也有幾萬人。阿爾巴尼亞只有一百四十萬人口，若按比例來算，謝胡的「成績」也不弱於毛澤東和羅瑞卿。

一九五三年史達林暴斃之後，馬倫可夫實行集體領導，黨政分治，霍査任阿共第一書記不能再兼總理，就把總理職務讓給謝胡。這次慶祝中共建國十周年，霍査怕碰上赫魯曉夫，就派謝胡做代表團長。謝胡到了北平之後，被安置在北京飯店，因爲共黨大頭目到的太多，毛澤東，周恩來自無暇招待謝胡，偏巧謝胡鄰房住的胡志明，兩人無事閒談，謝胡就將阿爾巴尼亞目前所受蘇聯的壓力，詳細告訴胡志明，並且表示要向中共求取援助。

胡志明對阿爾巴尼亞處境很同情，但是也愛莫能助。

謝胡愁眉苦臉說道：「我到現在也未見到毛澤東和周恩來同志，將來回到地亞那怎樣向霍査交代。請胡伯伯幫忙，替我安排一個會晤時間。至於中國方面肯不肯給我們援助，其責任並不在我，我只是盡力而爲。」

胡志明拍胸口保證，一定安排謝胡和周恩來會面時間，那知毛澤東找上門來，胡志明輕輕幾句話就把問題解決了。

清制三奏本

滿清覆滅明室，入主中華，在統馭之法，由康熙定下一種「奏摺制度」，以期不受臣僚的矇蔽，也可諳悉邊疆，不能說不是良好的辦法。規定文書表章，分三種方式，是題本，奏本，奏摺；交由文武百官去運用來作報告，如何分別：

「題本」——凡軍國大事，錢糧刑名，都用題本上達，必須用楷書細字繕寫，外臣應送至通政司轉送內閣，由內閣簽擬意見。內臣逕送內閣，一樣簽擬以後，再呈送帝王批諭。

「奏本」——凡私人事件，須用奏本，仍應工楷繕寫，但可由幕客代辦，其處理程序與題本相同。

「奏摺」——對於人與事的密奏，但必須親自繕寫，字體不拘，尤其主要是分別敍述與介紹。康熙規定此摺所報告，應附於請安摺並呈。雍正接位，予以改革，凡督撫的奏摺，可逕送宮門呈遞。督撫以下的官員，可逕交其指定的大臣轉奏，不須經過內閣的公開簽擬。

奏摺須盛裝於加鎖的摺匣內，再開始傳送。此摺匣及鎖鑰，均由內廷負責設計、製造，極為秘奧，各匣式樣鎖匙，不完全一式，頒發給有權密奏事務的官員使用。其處理程序，包括擬判，繕校，用印，封發等過程，皆須親自處理，雖父子兄弟朋友同事，不能洩漏內容，否則便犯洩漏機密的懲處。獨雍正對於摺匣的開啓，及如何處理，皆親自硃批，傳到後代，均如此辦理。

懷玉軒雜綴

神相胡紹陶

民廿五，余客居江漢，時有精於鑑相者，名胡紹陶。其相館設後城馬路之清芬里，而家住法租界，年已六十餘，每日由法租界步行至館，約有五六里，頗能健行。相館規定，每日上午祇看十人，過午不相，多則不應；而相金不等，如凡達官，則有索二三十元，普通民衆，十元五元而已。請其看相，必先就坐陽光下，片刻，方始評斷。來客或有晚間雀戰，睡眠不足，便晨即往，常被所斥，告以眼力無神，睡眠不足，改日再來。余曾偕友往相，見被拒者，有四五人之多。

紹陶相面時，即受相者對坐，口吸淡巴菰，蔡數次後，開言告相金數目。眼光特銳，凝視有頃，遂開口，亦不容受相者啓問，即將你的妻財子祿盡數之，寥寥十餘語，約一刻即止。時值日寇空襲甚烈，敵機常來，胡往往神色自若，但有時倉皇起立，並囑客趨避，若預知有禍兆者。（未完）

燕塵識小　無負生

北海微瀾（四）

蒓裳先生述北海景物至此為止，而續為之按曰：

「按北海自民國六年以來，即有改為公園之議，荏苒數載，至民國十三年始實行開放，定名為北海公園。以園城東首之承光左門為其正門，並于西不壓橋之南闢一新門，為其北門。其南面之桑園門暨東西之陟山、陽澤二門，迄未開啓。園中除畫舫齋為公園董事辦事之所，靜心齋為政府留待賓客之地，快雪堂為松坡圖書館外，餘若漪瀾堂，五龍亭，濠濮間想各處，俱闢為品茗設肆之區。每當春秋佳日，夕陽西下，新月纔升，和風送涼，金波曜景，遊人士女，三五羣集，或打槳中流，或吹簫踏歌，或賭棋於別墅，或放飲於池頭。西湖秦淮，殆不是過。其天王殿、闡福寺、小西天等處，則荒涼寥落，游踪較少。民國十六年，直魯軍會於天王殿設陣亡將士追薦道場，雖一時鐃鈸喧天，燈燭滿水，然為時亦暫，不足動後人過去之思。若夫時屆嚴冬，萬籟蕭瑟，游人既多斂足。而近年漪瀾堂、五龍亭左右，各設冰塲，為滑氷之戲。事實滑冰，不知者乃以為歐美高風。青年之人，趨之若鶩。化裝競走，亦足以傾動一時。較之他處人造之冰塲，夐乎勝矣。」

無負生曰：讀蒓裳先生此稿，眞如重返春明，再遊北海。其間所述漪瀾堂，道寧齋，積翠堆雲，濠濮間想，皆吾四十年前，屐痕所至。某歲仲春二月，東風日暖，獨坐長廊，極目四望，眼見「吹皺一池春水」，始識名家造句之工。一別燕都，此樂不可復得矣。蒓裳先生撰此叢考，參證圖書，上自元史、明史，下迄故宮政、故宮圖說，不下百種，取材之富，記述之詳，信必傳之作。上文所引，僅屬正文，附註若干，尤為精審，不遑備錄矣。讀者試取坊間圖照，如瓊島春陰，銅仙承露，西天梵景，快雪時晴諸景，對照參觀，不啻身在畫中矣。（完）

（附啓）拙作「燕塵識小」在自由人以迄本報刊布，歷時八稔，積稿十餘萬言。頃經整理，編為一二兩卷，合印一冊，委託台北市重慶南路一段七十七號三民書局經銷，每冊定價新台幣十五元。海內外讀者諸君如欲快睹全文，請逕向三民書局購買可也。

無負生謹啓　五一、五、四、

談適應　汶津

天下的事物，往往是無獨有偶的。沒有配偶，安得子孫？沒有偶然，何見必然？於是其中便有不少瓜葛。大家庭中，婆媳、姑嫂、妯娌的關係，往往都是大問號。人和人氣質、習性總多少有那麼點兒不同，就說口味吧，你愛辣，我喜甜，說不定還有小舅子偏願吃苦瓜呢。誰讓誰？以年齒論？以輩份論？還是看地位？現代的個人主義比較與敬老、夫唱婦隨等傳統美德有一段距離。因此適應這個問題也就複雜起來了，這也猶之乎世運會中的十項全能比賽。——寸有所長，尺有所短。

在鄉下的生活中，食水帶鹹，初嘗時只覺越喝越渴，繼而一想：人生不就是愈走愈變調麼？也就坦然了。嗣後水味未變，而味覺卻安然無所不適了。此地又是蚊蠅繚繞，對食、住都是莫大威脅。但久之就揮手自若，不為所擾了。甚至細蠅停在臂上小息，也不知不覺了。這些適應，心理上固然不能完全無礙，主要的還是生理上的特殊應變。

但人和人的關係大不同於人和井水，或人和蚊蚋。對那些，我們不妨以高級生物的地位自持，不屑與之計較（非不能也！一張報紙的藥粉即可使頑蠅數百同歸於盡，蔚為京觀。）如果遇到一個和我同具五官四肢的「人」，甚至個子還比我高上兩寸，居然要想我讓他三分，犧牲平素的習慣，愛好，那就未免瀕於「是可忍，孰不可忍」的邊緣。

有一種適應是折中性的。你讓一半，我虧一面。彼此彼此，以作補償。雖然心中仍有小恚，臉上卻不得不微露笑容，表示人到底是最有尊嚴的動物。等而下之，巧取豪奪之餘，還要為受委屈的弱者糊個花臉的面具，以作補償。其實，人都是願意適應的，壞在只想適應自己。

歷史上有志的失敗者，往往就是最善於適應敵手的。越王勾踐是一個少有比匹的好手。為夫差嘗糞的事蹟也不雅，先不去問它，蓬首垢面，充敵國下隸的那份韌勁，就不是凡夫俗子所能夢想的。

異性之間的適應有時可能顯得別致些。異性相吸該是最大酵素。上帝造人，常在異中求同，同性戀之所以不正常，就是不能領會莊子所說「大同異」的緣故。（有些國家默認同性戀為合法，吾人似不必去理會。）但在此類的適應中，也還有「小同異」存在。譬如熱戀中的男女除了如膠似漆外，更不免三天一小吵，五天一大鬧，不休不歇，甚至非此不樂。文學作者為了適應人性中這種不可解的矛盾，所以常愛把水火不相容的詞兒，人兒，事兒合在一起，此之謂「戲劇」。

我讀歷史，覺得適應力之高下與其人的歷史地位有極密切的關係。藺相如比廉頗更有名，原因便是當初避廉將軍鋒芒的氣度；諸葛亮七擒七放，再加為司馬懿塗脂粉戴巾幗的傳聞，就可讓後人想像此公內味道了。韓信胯下之辱，在後代的口碑聲中，好像反成了光榮的歷史。項羽就差在這點上。垓下一敗，便唱些洩氣的歌，自刎烏江，連美人，烏騅都繫不住他最後的雄心。幾千年後西方的達爾文先生吶喊了：「適者生存！」

眞正的「全能」適應者必是九段的通才。因為非十八（十八何足以限之！）般文藝武藝件件皆通，這變化多端的宇宙是絕難適應的！這種人也只有求諸想像中。有人說孔子最不迂拘了，——不像後世的腐儒——，如他老人家活在二十世紀的六十年代，一定會開汽車；不但此也，他還會是核子能專家呢。

但眞的成為核子專家，就能適應今後的世界嗎？這問題如果解決了，咱們大家都可以高呼「萬歲」，像幼稚園學童一樣的輕鬆愉快了。

但既不能「知難而退」，甚至和尚廟的同人們也在參與俗家活動了，適應之道焉能輟而不究？「適應學」應迅速成為專科，有志之士盍不興起！

海嘯樓談薈

談我國的方言（一）　諸葛文侯

我國由於幅員遼濶，而且是大陸國，再加以商業落後，交通阻滯之故，在一省一縣，乃至於一鄉之中，即有若干種迥然不同的方言流行。幸而文字是統一的，對於文化發展方面，並無妨害，祇是人們出門旅行時，在某些地區——如福建廣東諸省——感覺困苦而已。

中國的方言多屬有聲無字，像我家鄉的土話，就比閩粵的方言更不容易用文字寫出來，完全是一種原始苗猺民族的語言，別處人一句亦聽不懂的。卅年前，敝同鄉有位保定出身的軍長李雲杰，他的部隊自各級官佐至士兵們，全是清一色的鄉里子弟，每當作戰時，在前綫用電話傳達命令，指揮攻守方略，常以土話行之，絕對沒有被敵人竊聽得知的危險。這可說是方言的好處。民國[illegible]年春間某夕，我在上海著名的娛樂場所「大世界」[illegible]芳會唱之際，坐在前方的兩位廣東客人，跟鄰座別省籍的聽衆忽然吵鬧起來，彼此攘臂要動武，那兩廣東人很[illegible]然地說：「一句三字經——丟那媽」，當時在後面與[illegible]同排併坐的幾個廣東人，聞聲即奮起踴前，口中唸着三字經為同鄉人助勢，對方見着說三字經的人並不孤弱，全武行乃未演出。這也是方言之賜。民國廿三年（一九三四年）李濟琛陳銘樞等在福建攪「人民政府」失敗潛逃之日，一批從龍之士如王禮錫，梅龔彬，彭芳草……等等都是外省人，半句福州話亦不懂，而他們又是最後撤退的，坐着一輛軍車出發時，先到飯館果腹一餐，以防途中飢餓，詎料司[illegible]乘此吃飯機會溜走，這[illegible]乘車者旣不能說本省方言，又沒法另行僱用司機，亦無人能夠自行駕駛，而中央軍的便衣隊已進入福州市到處放鎗，大家感到陷身於絕境中，無可逃避，只好各攜行[illegible]，同到原有寄宿處，束手待俘，閩經日本領事館[illegible]訊派人搭救，方纔脫險。這便是方言之害了。

在我國各種方言之中，確屬獨具一格，自成系統，而又對其他省區的人發生若干同化作用者，唯有粵，滬兩種語言，福州話雖然亦有同樣性質，但不及粵語滬語的影響力遠矣。這大概是源於商業上的關係吧？至於北平話已有「國語」之稱，構成了普遍化的性能，因而直，魯，豫，晉，皖，與東北和西北各省的語言，亦應的使別省人可以瞭解大半，決無格格不相入的現象。川滇，黔，桂等省的語言，號為南方官話，十分之九可以通行全國的。

各省的方言對於外籍人都有一種綽號式的稱呼，如北方稱兩廣兩湖與福建等地區的人為「南蠻子」；四川人對於夔門以外——由長江流域北上以及外各省的人，統稱為「下江人」或「腳底人」，而稱陝甘寧一帶的人為「老陝」；廣東人稱呼一切非粵籍者為「外江佬」（香港稱之為「上海人」）；這是就地理關係而言。此外，則有稱天津人為「衛嘴子」，呼山東人為「垮子」，稱湖南人為「騾子」等等，都是象徵該地區人民的特性，不含侮辱輕蔑之意。

梁任公故鄉

·道南·

山川風物

梁任公啓超是新會茶坑鄉人，那裏有一個坭子山，近有五個鄉，茶坑鄉其一也。坭子山雖不甚高，但因位在銀州湖畔，登上山頂或坭子塔，可南望崖門，碧波千頃，遙帆如梭，頗雄壯而佳麗。

銀州湖是潭江和崖門海（西江出海的一支流）的交叉處，為台山、開平、三埠輪船必經的一條主要航道。四邑往來的人，沒有不知道銀州湖與坭子塔的。塔高七級，矗立山頂，環塔有茶坑、天馬、大洞等五個鄉村，合稱「五環鄉」，這一帶都是新會著名土產葵扇，甜橙，柑，桔的出產地。從往來的輪渡上，縱目坭子塔邊一望無際的葱綠田疇，確極秀麗之致。坭子塔建築於萬曆年間，原名為凌雲塔。

內僑警台報字第〇三一號內銷證
自由報
THE FREE NEWS
第二四四期
中華民國僑務委員會頒發
台教新字第三二三號登記證
中華郵政台字第一二八二號執照
登記爲第一類新聞紙類
（本週刊每星期三、六出版）
每份港幣壹角
台灣零售價新台幣貳元
社長：雷嘯岑
督印人：黃行賓
社址：香港銅鑼灣高士威道二十號四樓
20 CAUSEWAY RD 3RD FL HONG KONG
TEL. 771726　電報掛號．7191
承印者：田風印刷廠
廠址：香港灣仔高士打道二二一號
台灣分社
台北市西寧南路壹叁柒號二樓
電話：三〇三四六
台郵撥儲金戶九二五二

中共「十項任務」的失敗

金達凱

當前大陸所發生的經濟與政治危機，爲中共建立政權以來最重大的一次危機，也是歷史上少見的最嚴重的局面；能否渡過這一難關，當是中共命運與其前途的一項決定性的考驗。

爲挽救此項危機，中共除在政治上改變左傾冒險主義路綫，恢復右傾機會主義路綫，安撫右派份子，對附庸黨派再度提出「長期共存，互相監督」口號，對知識份子再喊出「百花齊放，百家爭鳴」，及對資本家延長「定息」期限，以緩和統治者與被統治者之間的尖銳矛盾外；在經濟方面則提出「國民經濟調整的十項任務」，這即是注意經濟計劃的綜合平衡，加強農業，減低重工業的比重，縮小基本建設範圍，疏散城市人口，清理物資，將人力和物力着重使用于農業以及輕工業的生產方面，並加強對外貿易，使瀕于崩潰邊緣的經濟，能有某種程度的好轉。這是目前中共救亡工作的基本動向與基本內容。

但是從近月來的情況看，中共的這些辦法，並沒有收到絲毫效果，而且更加重危機的發展。關于政治方面的問題暫置不論，現僅就經濟問題作一觀察。大致說來，目前大陸經濟上的新問題有下列數項：

第一，是「加強農業」的失敗。農業生產的好壞，決定于自然氣候，生產資料，耕作工具與技術，以及農民的生產情緒等因素。而當前大陸農村，除農具缺乏，種籽不足和退化，以及農民生產情緒普遍低落外，僅以自然條件來說，自春季以來，又發生全面性的災害。二、三月間，東北、華北、西北、黃淮流域到長江中下游，數次出現寒潮與霜凍，春麥大受影響。一月至五月，華北、華東、華中、西南地區又發生大面積的乾旱，其乾旱程度，超過前兩年，如廣西全省今年春季至立夏期間的降雨量比一九五一年到一九六〇年同期的平均雨量減少百分之五十到六十。因此春收作物減產，春播計劃未能完成，秧不能插，再加上其它災害的侵襲，中共自己也承認「夏收作物的減產已成定局」。同時由于缺苗和種籽退化的影響，秋收也將成問題。這種連續性的全面性的歉收，是中共經濟的又一次重大打擊。此其一。

第二，是「下放城市人口」造成人民的大逃亡。中共爲減輕飢餓人口的壓力，及因工業原料的不足，近月來將一般工廠停工，將工人和城市人口下放農村。每一城市人口約減少百份之二十至五十，尤其是自一九五八年「大躍進」時期進入城市的人口要一律離開城市，以目前大陸城市人口一億一千萬至一億二千萬人計算，疏散百分之二十至五十，這就要將兩千四百萬人至六千萬人遣至農村，但農村人口已極擁迫，飢荒情況尤甚于城市，農民對下放者既不歡迎，而工人和城市居民下放後，其生活更難解決。因此農村人口又倒流城市，或乘機向海外逃亡，這次廣州市居民及廣九路沿綫各縣農民之大量湧至香港邊境，即是中共下放人口所造成的惡果。在沿海省份人民的大量逃亡及內地各省人民忙亂移動的情況下，共匪人心已普遍動搖，社會秩序發生混亂，生產事業陷頓或發生解體。這對中共經濟也是一大打擊。此其二。

第三，是「清理物資」的反效果。「清理倉庫，使積壓的物資用于當前調整工作最必要的方面」，是中共挽救經濟危機的重要任務之一。目前其商業、糧食、水產、外貿、工業等部門正在展開所謂「三清一改」（清理庫存、清理在運商品、清理資金、改善經營管理）的工作，並由各地「人民銀行」通過信貸關係，督率各個企業處理積壓物資，歸還銀行貸款。換言之，由銀行的收縮貸款，逼着企業賣掉東西，以償還銀行債務，變相籌集資金。這也是「清理倉庫，核定資金」的基本用意。

但是「三清」的結果，發生了兩種反效果。其一，是各企業部門在處理積壓物資中，不分商品性質、用途、質量和殘廢程度，一律採取削價的辦法拍賣。而這種大減價拍賣的結果，使成本受到一定損失，從而也造成中共在資金方面的損失。其二，更嚴重的是，許多部門和企業單位，採取「一報了事」的作法，把有賬無賬的懸案，和在途中的貨物，倉庫的商品都報了損失，或不該報廢的報廢，或粗略估計，多報損失；有的把「三清」當作「卸包袱」的手段，將別的費用擠在損失項內報銷。還有不少單位隱瞞庫存，渾水摸魚，私分商品，乘機撈一把。這些現象，與中共的「清理物資」的目的完全相反，是其失敗的第三點。

第四，是「完成對外貿易」的失敗。年來因外匯的枯竭，對外貿易的下降，使中共在資金方面發生極大困難，這也是大陸工農業生產的衰退原因之一。因此，周恩來在提出的「十項任務」中，對外貿易也列爲重要任務之一。同時不顧民間飢荒的悲慘事實，繼續大量搜括，甚至不惜犧牲糧食作物耕種面積，增加經濟作物面積，以供其出口。但是由於生產的全面衰退，自然災害的繼續蔓延，以及農民生產情緒的低落，今年的輸出既無法增加，反而有大幅度的下降。

以與歐洲的貿易情形來說，年來中共與英國、西德、法國、義大利等的貿易額均不斷減低，如英國原爲中共在歐洲貿易數字較大的一國，然近年來其貿易數額逐漸減少，尤以最近數月的跌幅爲大。據倫敦英商「中國協會」本年六月五日發表的報告：今年頭四個月，英國輸往中共的貨值爲三百二十二萬零九十八英鎊（港幣五千一百六十六萬五千五百六十八元），而去年同期則爲五百一十四萬六千三百零七鎊（港幣八千二百三十四萬零九百一十二元），一九六〇年則爲一千零四十七萬七千零七十二英鎊（港幣一億六千七百六十三萬三千一百五十二元）。以今年與去年同期比較，下跌了百分之四十；與六〇年同期比較，下跌了百分之二百以上。中共輸往英國的數額，今年一月至四月爲七百三十八萬九千一百零四鎊（港幣一億一千八百二十二萬五千六百二十四元），減去其中輸出的白銀，實際貨品價值只有四百三十萬七千四百零六鎊（港幣六千八百九十一萬八千四百九十六元）。而一九六〇年同期則爲九百八十八萬三千四百一十六鎊（港幣一億五千六百一十三萬四千六百五十元），也跌了百分之二百五十。

再就對本港的輸出情形看，據南華西報根據官方統計，今年一月至三月份，中共對香港輸出之食品和副食品（包括糧食、糖製品、肉食及肉類製品、水果菜蔬、牲畜），下降了百分之六十，計一月份輸出貨值爲六千五百萬港元，二月份爲四千一百萬港元，三月份僅有一千九百萬港元。又中共本年四月至五月在廣州舉行的「出口商品春季交易會」，其各種貨品比去年同期交易會的供應量平均約減少百分之四十。是則中共所強調的「努力完成對外貿易任務」，已根本不能完成，以致外匯更爲枯竭，僅購買糧食一項，即無力應付。這是中共經濟危機無法克服的第四點。

前舉四項，爲中共經濟調整的「十項任務」的主要內容，也即是它們當前救亡工作的主要辦法。而現在事實證明，這些辦法都行不通，都遭遇不同程度的失敗。由此可以想見在今後一段時期內，中共經濟上的困難將更爲增加，而因經濟危機的加重，又將影響其政治危機的深化，因而中央與地方之間，領導階層與各級幹部之間，共黨與人民羣衆之間，以至軍隊都將發生嚴重的問題。而人民基於求生的本能，不甘活活的餓死，除了逃亡而外，也必將採取更積極的行動。所以中共政權的前途命運如何，在不久的時間內可以看出一個結果。

自由讀

寮國已矣！

寮國三親王合作組織所謂聯合政府的協議，已告實現了。美國自甘廼廸總統以次的政府大員們，一致稱讚此事，而認爲這是俄帝不讓中共侵略東南亞的反證，眞是自說自話，妙不可幾。

寮國有三四萬名美式裝備的軍隊，而毫無作戰的勇氣與能力，只見寮共攻城略地，如入無人之境，除非美軍直接參戰，即難免於赤化之虞。然美國既不願「在錯誤的地方，跟錯誤的敵人進行錯誤的戰爭」，又不願公然撒手，撤出寮國，使東南亞地區險象環生，岌岌可危，以致美國在遠東的威望一落千丈。唯有藉聯合政府這項把戲來掩醜遮羞，敷衍一時。換言之，美國對於寮國這個缺乏戰鬥能力，而又沒有甚末貿易利益可圖的蕞爾地區，視同雞肋了！

但在俄帝方面，這樣的形勢恰恰符合它那蠶食政策的利益，投資輕微而獲利鉅大，赫魯歇夫向西方國家表示：如果能夠按照處理寮國問題的精神，繼續協商其他的國際爭端，「和平共存」的願望即不難達成了。這是他的由衷之言，決非宣傳詞令。俄帝利用它的國際第五縱隊到處醞亂，乘機竊發，自己裝出第三者姿態，只是暗中以一些軍火支持第五縱隊，還有意想不到之妙用可觀，何樂不爲呢？

同是寮國人，何以拿着美式武器的政府軍都不能作戰，而擁有俄式武裝的寮共部隊，却能征慣戰呢？很顯然的事實，寮共部隊大半部是中越共化裝的。只有哈里曼之流閉着眼睛說瞎話，指稱寮國聯合政府實現的癥結，是中俄共內部分裂的結果。

寮國已矣！且看自由地區今後繼寮國而淪亡者又是何處？夫是之謂「和平共存」！

馮五先生

反常惡例成了家常通例
偽造報銷與浮報旅費

（本報記者台北航訊）最近一週來，省議會對各機關宴客「偽造報銷」以及各單位「浮報旅費」一事，屢加嚴厲之指責，除了翻出「一年出差達三百六十六日」的笑料之外，前天（五日）省議員陳愷又舉出一件公然舞弊的事實，據稱：去年七月間，台灣省環境衛生實驗所在台中市沁園春宴客八桌，報銷了四千〇七十五元，所附宴客名單中，有陳議員的名字，另外尚有許多位議員的名字，但均未參加宴會，而竟被列為「報銷」的客人，他要求主計處要對此案件嚴加審核。

這件事情，表面似乎離奇，其實，這種情形在各關機以及各公營事業中，已經是司空見慣的家常事。

何以說如此怪事很普遍呢？這是因為政府為防止浪費而規定了酒席「報銷價格」，在台北市每桌酒席費用，不得超過四百元；其他地方，則不得超過三百元為限，若超過此一限度，便不准報銷。政府這規定，用意良善，但因與實際的物價水準不符，一桌通常酒席，連同各種用費，當在千元左右，如果按照上述規定標準宴客，將有失請客的雅意，不但不能達到請客之目的，尤恐反而遭到誤會。因此今天眞正按照政府規定數字辦理者，百不得一。為了合法報銷，只有「虛報」桌數與偽造賓客名單之一途了。

還有是「浮報旅費」問題。這些年來，有些機關的職員，每年出差日數竟超出三百六十五天的奇跡，已發現過好多次。最近有位省議員，會把省屬各廳處的出差費加以分析，發現機關愈窮，出差的次數愈多。這是因為大家把出差費當作變相的增加待遇，窮機關因無別的花樣，只有在這上面動腦筋。這是惡例卻亦已成為常例。事實是：

第一，每當會計年度開始，旅費充裕之時，大家懂得出差三昧，爭先恐後，儘量找機會出差，沒有公事也得藉故找個名目。而等到年度快終了，業務上雖有出差必要，但因旅費早已用光，只好作罷。

第二，目前旅費標準規定，荐任人員每天食宿費為五十元，委任為四十元。眞正出差的人員，如具實報領，均不敷應用，非但沒有好處，還要賠錢。此所以守法的人員，均不願出差，藉故推諉。

第三，假藉出差之名，爭取變相待遇。此方式有二：一是所有食宿費用，由下級單位招待，造成下級機關為接待上級人員而不堪其苦；一是浮報天數，甚而根本沒有出門，呆在家裏坐領出差費。（燕謀）

魚與熊掌不可得兼
黃朝琴面臨選擇
據說他不會捨棄第一銀行
果其然也誰將繼任省議長

（本報記者熊徵宇台中航訊）本報六月六日，在第二版航訊中，報導過由於大法官會議最近正式提出解釋，說明民意代表不得兼任公營事業董監事，因而立法院長黃國書辭去台灣省合會儲蓄公司董事長的職務，而省議會的很多議員，亦隨之紛辭兼職，惟獨省議會議長黃朝琴仍然沒有放棄執台灣所謂私家銀行牛耳的第一銀行的董事長，悖於法理。而目前，在大勢所趨的環境下，黃朝琴已面臨選擇，不能再拖，而黃朝琴對於這個有關他個人和台灣整個政壇風氣與法制的問題，卻不正面表示，令人莫測所以。

於是臺灣的政治圈子內，對於這位臺南籍的政壇老將就引起許多臆說：一說是黃朝琴不可能放棄第一銀行，因為這家擁有龐大資本的銀行，在日據時代原名「商工銀行」，是間具有相當規模官商合股的銀行，民國三十四年，黃朝琴以外交部臺灣區特派員名義衣錦還鄉，就兼任臺北市的市長，而着手改組商工銀行為第一銀行。由於黃朝琴當時和現在，一直是政治圈子的紅人，由市長而省參議會議長，而中常委，而省議會議長，十七年來，一帆風順，有助於第一銀行資金的充實和業務的發達，所以這銀行在金融界，立於不敗之地，確實可數第一。這個龐大的事業黃朝琴怎能放棄？

另一種說法是自從光復後，第二年，黃朝琴離開市長職務，當選省參議會議長，歷經臨時省議會，而省議會，十六年來，一直是黃朝琴「把舵」，對政府和民間也有其不可抹煞的貢獻，但也因為私人財力雄厚，議壇捨我其誰的潛在意識，這幾年來，在處事待人方面，未免形之老大。於是，前三年，上屆省議會還未正名以前的臨時省議會中，就有「不信任」風波的產生，後來雖然經過擁黃派和有關當局從中週旋，沒有形成事實，但是可以看出黃朝琴的人望，早已在本省各縣市的政治圈子裏發生動搖，若果再擱下去，收場或不光彩。就因前說，據所知，大部份的省議員都是尊重議長的職權，而非有敬意於黃朝琴，所以今年春天，省議會舉行二屆四次大會時，就有好幾位不怕得罪人的議員，對於黃朝琴放棄不算舊的車子不用，又不經過大家的同意，化四十五萬元臺幣購置新型設有冷熱氣的座車，而做成提案，當面攻擊。

可以說，黃朝琴在省議會的聲望低落，乃在貪圖享受過多，做大家願望的事太少，缺乏議長應有的政治風度和遠見。政治地位和財富是容易腐化人的。所以竟有人說，黃朝琴最熱心於是酒家女的姿態，而非民主的精神。

執這種觀點的人們，認為不是黃朝琴願不願意再擔任議長，而是情勢許不許可他繼續做議長。

但就目前全臺灣在政治圈子裏活動的人物們來看，可以繼黃朝琴主持議會的人，確實又為數不多，也可以說太少，有的學資力不夠，有的政力不足，有幾位的政治觀點，不是當局可以信賴的；於是，數得上的人，可能就太少。據中央方面有位大員和記者在閒談中說到，黃朝琴下一屆是不競選的，他回到一銀行。中央方面可能委以中央銀行副總裁之職，因為他畢竟是個兜得轉的人物。這說法，不但是有根據的，可能還相當權威。

至於繼任的議長人選，中央方面已經考慮到，現在省議會副議長的謝東閔。謝是彰化人，出身廣東中大。但以記者幾年來在省議會所觀察，覺得謝為人忠厚，處理議塲的手法，沒有黃朝琴明快。但在目前，委實沒有比他更理想的人。至於謝果扶正，屆時副議長人選，就情勢論，可能是工礦公司的董事長許金德和農林公司董事長蔡鴻文。這兩位先生，當選過三、四屆的省議員。

本屆省議員任期，還有一年，這些話也許言之過早，但記者的報導，姑為存照也。

立委不出席會議風益烈
百三十委員僅六人到會

（本報記者台北航訊）反對在立法院議塲裝置表決器及立委坐位號碼電動器時，經常在家睡大覺而不出席會議的立委們，獲得了反對的勝利，座位號碼免裝。如此，諸公仍可在家中高枕無憂，大睡其覺，因為既然力主免裝號碼器獲得勝利了，出席不出席沒有人知道，也落得提心吊胆，惹人非議了。

當然，這些　經常不出席的立委們他們的反對理由，冠冕堂皇，而且亦言之成理，持之有故，那就是「保持一點自由意志的表決權」。實在，也還要「保持一點自由意志的不出席會議權」也。

可是，經常不出席的立委們，勝利是勝利了，但是問題也便隨之而來了。據某立委透露，近日立法院裏，具有影響力的立委六十餘人，日前會秘密舉行了一次座談會，就「如何鼓勵立法委員踴躍出席會議」一事，交換意見。

這次座談會，乃是一些比較能盡責的立委，鑒於立法院開會時，立委諸公的席位上，寥若晨星，太說不過去了，於是而有此一次座談會之舉行。這次座談會，沒有發通知，也沒有召集人，完全採取自由參加，自由發言方式，在一手咖啡一手香烟的氣氛下進行。據說與會立委均對立法院越來越冷落的會議情形，表示了憂慮，他們認為此種現象如不扭轉，歲月可能要將立法院推向「癱瘓」或「關門」的邊緣。結論是希望大家儘可能出席會議，把立法院的架子撐持起來。

不料，緊接着這個座談會之後，立法院司法、法制、教育、內政四個委員會七日上午舉行聯席會議，審查行政院函送審議行政院電影事業管理處組織條例，會議原規定三點鐘舉行，但是等到四點半的時候，僅僅到了六位立委，因不足法定人數，而被迫流會。這四個委員會共有委員一百三十人，出席會議的僅有六人，不到廿分之一，這就像是有意給那個值得讚揚的座談會來一個大大諷刺。

以前不久，立委諸公有一個「自清運動」，此事結果如何，尚待分曉。除了「自清運動」之外，還有需要來個「自振運動」，大家振作起來。做一天和尚，總得撞一天鐘，不然，眞的「癱瘓」了立法院，使立法院「關門」，不但對國家不好，對立委自己，難道不也會造成損失？（匡謬）

三大案「問題」分析

（本報記者台北航訊）台北司法大厦在五月卅一日的這天，宣判了三件轟動社會的案子，一是八德滅門血案，高院二次更審，三度宣判該案嫌犯穆萬森無罪；一是公路局購料集體舞弊案，被告有八人獲判無罪，其餘羅大乘等十五人，獲得減刑之處分；一是電影演員魏平澳殺傷蕭敬人，以及魏妻紀翠綾與醫師謝陳玉露墮胎一案，台北地院判處該被告等分別徒刑。此三案的新聞報導，已詳台北各報，無庸贅詞。茲就這三件案子中的「問題」加以分析：

八德血案主嫌犯穆萬森，因另案殺死其情婦呂翠華（依銘）而判處死刑，已經確定，但即因八德血案未了，緩予執行，以死囚而於本案出庭應訊，這在我法治史上，尚少先例。其次是八德血案三度獲得平反，從死刑判無罪，在我國司法史上也是一件大事。再次是高院在當日早晨七時開庭，由調查而辯論到宣判，先後僅僅八十分鐘即了，實在快速得驚人。再次是審訊穆萬森的那天，司法大厦戒備森嚴，會調用一百多治安人員協助，其緊張氣氛，也是鮮有的盛況。

公路局購料舞弊案，發生之初，社會轟動，新聞報導之熱烈，在在有案可稽，甚至有人傳說內容如何如何嚴重。如果把當日的新聞報導和現在的結果比對而觀，相去何啻霄壤。本案被告廿三人，一審都分別處刑，但這次高院審理的結果，判刑者已由廿三人減至十五人，且這十五人都獲得減刑，最高刑責，亦僅二年半而已。從本案，有人推測，幾乎同時發生，案情亦大同而小異的台北市公車案，將來在高院審結後，也定多獲得減刑的機會。甚至更有人推測，這兩件會經頗為轟動的集體貪污瀆職案，到第三審確定時，所有被告可能處分緩刑或無罪。但這當然是「大胆的假設」之說，姑且存查，容後事實證之。

魏平澳欲報「奪妻之恨」，不循法律途徑而採取刀傷蕭敬人的血案，結果被判刑三年六月。其妻紀翠綾亦判刑六月，蕭敬人以妨害家庭罪判徒刑一年，替紀翠綾「墮胎」的醫生謝陳玉露，也被判刑四月。

魏案發生之初，台北有幾家報紙，會競刊此一新聞，記者們為求「驚人」與「轟動」，各顯神通，「導演」新聞的新過程與新發展，其進步與自由，即號稱民主如英美國家報人，恐亦自愧不如。台北社會新聞記者，竟為了報紙的利益，而故作驚人之筆，導演新聞，這有益於社會嗎？新聞記者如此作法，犯罪案件怎不層出不窮呢？

魏平澳刀傷蕭敬人案，不少新聞記者的報導，實在過份主觀了，誇張渲染，連篇累牘，大做其文章，議論橫生，自為法律，愛之欲其生，惡之欲其死。這些報導，是否影響了審判呢？姑舉一例：在魏案辯論庭時，承辦本案的檢察官，為了支持他所公訴紀翠綾有「墮胎」的罪嫌，會將某報記者一篇「訪問記」在庭上朗讀，說紀翠綾對新聞記者也說過「墮胎」的事實云云。這該怎麼解釋呢？（褚志）

邊境嚮集飢民羣
傳中共將再開閘

（本報訊）此間已經轉了好幾天的中共又將「開閘」放出「飢民入潮」，一直未有實現，在邊境上亦還看不出有將實現的跡象。但這傳說，是自廣州以迄中港邊境，到處飢民，伺機「偷渡」。中共對於這些飢民，束手無策，且驅之復來，為緩和此一情勢，所有就興起此一傳說，還是來自大陸逃出來的難民，繪聲繪影，像煞有介事。此間的觀察，中共的再開閘並非沒有可能，甚至大有可能，只是短時期內還不可能。（樂）

儲安平遭『黑整』了！

凌霄

當大陸尚未淪陷之前，在上海刊行「觀察」雜志，專事煽動內亂，爲毛共助勢作倀的文人儲安平，於一九五七年五月間「大鳴大放」之際，他在北平「光明日報」以總編輯資格，發表一篇指斥「黨天下思想」的言論後，迄今闊時六載，渺無音訊，而最近在海隅的一張共報上，刊出降將軍宋希濂與其新「愛人」的照片，那位宋氏婦，竟赫然即是儲安平的第二任太太（第一任太太在抗戰時與人通姦而仳離了。）等情據此，儲安平或許早已魂歸極樂天，與蕭軍，胡風等命運相同，永遠宣告失踪了！

據由大陸上傳出的確實內幕消息，毛澤東心目中最痛恨的「民主人士」有兩個：一爲梁漱溟，次即儲安平。梁氏係著名的學者，又爲「民盟」的領導階層人物，毛酋不便將他弄死，只在大庭廣衆中加以辱罵，（詳見周鯨文所寫的書）讓他「向隅而泣」，自生自滅罷。儲安平的聲望與學問皆不如梁遠甚，然毛酋對他的痛恨心情，卻比對梁氏更爲深鉅，原因就是儲安平的鳴放言論中，指稱毛酋爲「老和尚」，說是「最近大家對小和尚——指一般共幹——提了不少意見，但對老和尚沒有人提意見」。然後舉例譴責毛共排斥黨外人士的各種事實，詞意十分刻薄而毒辣。毛酋認爲這小子狂妄囂張，竟敢公然侮慢「元首」，是可忍，孰不可忍？但又不願採取對梁氏那樣的作風，既太便宜，且將增高儲安平的社會地位，乃示意親信共幹，實行「黑整」方法。如是乎，儲太太亦就只好蟬曳殘聲過別枝，一變而爲宋太太了。

儲安平是江蘇宜興人，筆下很不錯。對日抗戰初期，曾在湖南「藍田國立師範學院」担任國文教員，繼到桂林「立報」任主筆，最後轉徙重慶，他的第一任太太曾在「中央日報」作副刊編輯。這時候，他對政府和執政的國民黨並無惡感，言行亦與李公樸，章乃器之流有別。他之所以走入反動路綫，起因於老婆與人通姦，他爲着此事，曾向當時的黨國要人葉楚傖，邵力子等申訴委屈，終以男女間的私生活問題，政府和黨部未便處理，從此他就憤憤然挺而走險了。

他跟上海文匯報主持人徐鑄成是小同鄉，毛共竊據大陸，僭立僞政權的初期，在北平以「光明日報」總編輯兼上海文匯報通信員，於「鳴放」運動之際，把北平方面攻擊毛共「黨天下」的一切言論，擷取精華，彙成通信，每天在上海文匯報連續刊載，有聲有色，對毛共的打擊甚爲沉重。等到毛共實行反右派份子的「陽謀」時，徐鑄成所受到的折磨亦就迥異於儕輩，雖未如儲安平之宣告失踪，但至今蟄居在上海過其「向隅而泣」的生活，皇皇若喪家之犬，可說是間接受到儲安平的連累。

儲安平的第二任太太嫁給宋希濂，亦不是自由結合的，而是毛共的「配給制」。宋係被俘的降人，久經勞改奴役生活，幸保蟻命，偷息人間，自無成家立室的勇氣。毛共基於統戰魔術，故意把儲太太配給宋氏，表現其凌辱知識份子的洩忿心理，又可以裝出照顧降虜貳臣的寬大姿態。如果儲安平尚活着，毛共即不會演出這種惡作劇。即此一端，亦可見共黨好話說盡，壞事做絕的本性了。

上海工廠十九關門

工人死亦不肯下鄉

中共至今還拿不出辦法

香港與大陸

上海的工廠，十個中早就有九個停工了，沒有停工的，亦大概都實行減產，入於半停工的狀態。這是新從上海逃到香港的黃君向本報記者透露的。

據黃君說：上海工廠十九停工的原因，是大陸連續三年農業大歉收，這些工廠由於沒有原料，逼得不能不停工。所以，農業歉收使得大陸老百姓人人挨餓，固然是中共當前的嚴重問題，因農業歉收而影響到工業停擺，對於中共來說，問題同樣的嚴重。

中共到現在才發覺，農業生產確實是大陸經濟的根本，農業生產沒有攪好，而要高談工業，實在是騙人的廢話。中共的「人代會」吶喊增強農業戰綫，要把增加農產品放在第一位，第二位是輕工業，重工業被安排到第三位去了。這與中共前幾年的做法，剛好倒轉過來。

但中共吶喊要增強農業戰綫，它實際亦確實想這樣做去，祇是論其成效，到現在，還不過是一句空話而已。主要的原因，是中共還不肯徹底認錯，不肯真的放棄那個最大的暴政之人民公社。它這一「思想的關」過不了，一切的一切都無從談起。

比如中共現在要壓縮城市人口這回事，據它們說：壓縮城市人口是爲了增強農業戰綫的。而實際，大陸的農業人口，至今超過五億，攪農業的人力，無論如何並不缺乏。問題祇在農民同胞的「生產情緒」。大陸上的農民同胞，就爲了中共亂攪那個傷天害理，把人視同禽獸的人民公社，大家根本不願意做，實行過一天算一天，生產多少，全不關心。橫順餓肚子就餓肚子，百姓的生活固然慘，共產黨卻亦因此陷入了絕境。大陸農民同胞的心理，簡直就是「予及汝偕餓」，先攪垮中共政權再說其他。

大陸農民同胞這三四年來，爲了在農村的生活太慘太苦，實行擠向城市，造成了城市人口的大膨脹。年來爲了原料不繼，工業十九停頓，中共順水推舟，以爲它可以憑命令把這些擠向城市的人口重行趕落鄉村，中共並還企圖把那些實際已無工可做的工人亦趕落鄉村，但就上海的情況看，中共這算盤，難望打得通。

據黃君對本報記者說：上海的工人，對於中共要他們落鄉的命令，拒不服從。工人們宣稱：（一）攪農業他們根本不在行，到農村去幹什麼？（二）工人階級是「革命的前鋒」，「工人當家」了，他們要求中共說話算數。他們總之不願意下鄉，死亦要死在工廠。

中共對於上海工人此一反抗行爲，至今還想不出辦法來。連那些在工廠中的共幹，以往總是帶頭鬧這個運動攪那個運動，這次亦起了反感，他們同樣的亦不願意下鄉。

至於那些沒有組織的份子，在中共壓縮人口的壓力之下，他們採取了消極反抗的辦法，實行到處流竄，中共稱之爲「盲流」。黃君就是「盲流」流到廣州，再逃到香港來的。（識）

天南風光

——沙羅越的大海龜——

朱淵明

「今古奇觀」上「轉運漢巧遇洞庭紅」的故事中說：文若虛在海外一荒島上，偶然發見了一個大龜殼，好奇的把它帶回福建，遇着一個識貨的波斯胡，竟以五萬銀子購下，文若虛從此發了大財，而波斯胡更因此獲得百萬以上的利益，蓋因這個龜殼有廿四支肋骨，每一肋骨內藏有徑寸大的夜明珠一顆也。

吾人幼時讀之，認係神話，誰知並非完全虛構，世上原有這樣大的烏龜，雖然夜明珠之說難以證實，但大龜的生殖，確與當地人民帶來了很大的衛生價值與經濟價值。這大龜的出產地區，就在沙羅越的三個小島上——「大達浪達浪島」，「小達浪達浪島」，及「沙丹島」。

筆者初抵古晉時，見馬路旁有幾個攤子，在賣白色的小蛋出售，活像一個個乒乓球，詢之朋友，知爲龜蛋，遂戲爲一試，亦無異味，惟蛋黃如沙，顆粒較雞鴨蛋爲粗，蛋白永遠都似膠質液體，無論烹煑多久都不變。至於蛋殼則係軟體膠質與石灰質的混合物，一掐就會破的。據醫生說：龜蛋的營養價值很高，要超過雞鴨蛋三四倍，而價格則較雞蛋便宜。

沙羅越的人，稱這種大龜爲海龜，最大的真有普通圓棹面那麼大。其雌龜的生產能力更其驚人，每一海龜每年可下蛋二十次，每次每龜可下蛋至少一百粒。你不妨把一百個乒乓球堆集在一起，看有多大面積，從此就可推知那海龜的肚皮有多大，而海龜的體積也就不難想像了。

烏龜是笨拙的象徵，在華人的意識中，還象徵着畏縮，懦弱，與無恥的含義。海龜也不例外，特別是它的交媾與下蛋的過程，更顯得特別笨拙。據沙羅越博物院院長湯。哈里遜氏說：在沙羅越的這三個小島上，常年每個月都有海龜上岸生蛋，也經常可以看見海龜在海中交尾，除了是暴風雨的日子才偶然停止。

住在這三個小島附近岸上的人們，只要聽到海龜喘氣，就是海龜正交尾。在天氣好的時候，一對一對的，更其活躍。那時雄龜踞在雌龜的身上，高高露出水面，雌龜初似不滿，隨波逐波而泳，有時一個翻身，竟把雄龜甩脫，然後雄龜又不知費多少氣力，纔再爬到雌龜身上。如是者屢，好不容易才對準位置，擺正姿勢，實行輸精，大略一二小時，說不定已經環繞小島二三週，才見雄龜失去姿勢，那時想係交媾完畢，或者是作暫短的歇息，均未可知。（未完）

瘟君續夢

第五回：深壑難塡　反顏奴抗主　片言起釁　轉瞬德成仇

謝胡接到周恩來的請帖，再三向胡志明道謝。

胡志明笑道：「你的姓在中文上翻譯成謝胡，謝是道謝，胡就是我胡志明，可見萬事都是前定，不必客氣，趕快赴宴去吧！不過，可要小心點，周恩來軟硬工夫全會，我們都不是他的對手。」

謝胡滿懷興奮去周恩來的「官邸」赴宴，到地方又見到李富春和李先念，是周恩來特別請來的兩名陪客。

席間周恩來問起阿爾巴尼亞同蘇聯的爭執。謝胡得到胡志明的指示，拼命倒苦水，周恩來和二李聽了十分動容。

謝胡說道：「蘇聯表面上口口聲聲說社會主義兄弟國家，實際上卻把我們當成賊，我們駐莫斯科的大使館，牆壁上被安裝了測聽器，我們咳嗽一聲，蘇聯的公安人員都要紀錄下來呈報給赫魯曉夫研究一番。」

周恩來笑道：「咳嗽有什麼好研究的？」

謝胡說道：「他們研究是不是暗號，恐怕我們藉咳嗽和反黨集團通消息。」

二李聽了不由笑起來。

謝胡又說道：「我們大使館人員平常不敢出去，只要走出大門，馬上就有幾個便衣公安人員跟隨。有一次，我們一位文化參事在馬路上買了一包紙烟，公安人員立時過來要打開檢查，以爲裏面有秘密文件。」

周恩來點點頭：「這種情況是普遍的，並非對付你們一國如此。」

謝胡說道：「蘇聯一方面怕我們在莫斯科作間諜活動，另一方面派駐在我們國內的外交人員，卻肆無忌憚地和反黨份子聯絡，鼓勵他們推翻以霍查同志爲首的黨中央。我們抓到了證據向蘇聯大使館抗議，他們理也不理。」

周恩來說道：「你們應該私下找他們大使談談，不必提正式抗議，一動公文，就把局勢弄僵了。」

謝胡搖搖頭：「蘇聯大使眼裏那有我們的政府，遇到問題從未到我們外交部來過，只是把我們的部長傳到大使館交待一番就算了。」

周恩來看看二李，三人相視苦笑。

謝胡說道：「蘇聯大使這種作風，對兄弟國家都是一樣，我們原不必和他計較，只是一言不合，就拿斷絕援助作爲威脅，時刻造成精神緊張狀態，害得我們大小幹部都不能安心工作。」

李先念問道：「蘇聯口頭說斷絕援助，實際上究竟斷絕沒有呢？」

謝胡哭喪着臉說道：「早就斷絕了，從今年起，我們就未曾得到蘇聯絲毫援助。不但如此，赫魯曉夫並且下令把派到我國幫助建設的蘇聯專家都撤走了。」

李富春聽到這裏驚呼了一聲，回頭向周恩來說道：「總理同志，我早就說過蘇聯最後會來這一手的，你現在相信了吧！」

謝胡苦笑道：「這還不是最後一手哩！赫魯曉夫最惡毒的手法是命令蘇聯專家把建設計劃及工程藍圖全部帶走了，害得我們大小工程全部停頓。」（一〇九）

神相胡紹陶（續）

某次，孔庸之（祥熙）穿藍布長掛往相，其所答告，是一生吃著不盡，官至極品，得力在有極賢的內助，幫夫運很大等語。孔爲之微哂。交行董事長胡筆江往相，氣色極好，胡斷其中秋一關，必難逃脫；問其是否因病，紹陶搖頭搿非，不肯明言有橫厄。後來胡遭桂林號之禍，人皆驚爲神相。

胡名旣噪，戶限爲穿，其時有人擬請其過江，爲今總統一相，酬兩百元。胡婉却以要相者請來此談。後有人告之，胡云不必去相，中國不亡，微笑之。當馬當已危，尙未失守之前二月，胡已收拾相館，率全家避居入川，在渝名噪一時，公卿大夫就教者，約以千數。其後不知所之。

憶玉軒雜綴

退庵夢憶

退庵夢憶圖，是閩侯名家林琴南玔手跡，高約五寸，長四尺餘，橫幅手卷，爲青綠山水，並有長題絕佳。此圖因葉玉虎娶有如君，似名曰蘭，甚寵幸之。不幸紅顏薄命，葉甫貴顯，任總長未久，此姝得羸弱症而殞殁，玉虎頗傷悼之，乃倩琴南作畫，以留紀念，並自加誌跋，以明屋中少婦是誰人，甚珍藏其幅。

現在投共，酈蹋故都，老境彌苦之葉玉虎恭綽，在民十年間，爲交通系之健將，而自討平梁燕蓀不貳之忠友也。自討平復辟之亂，論功行賞，葉氏獲任交通總長。其後兩度出關，鼓其如簧舌，掀起兩次奉直戰爭。第一次戰敗，葉被通緝，且令憲警搜抄其家，衣飾被掠，書籍圖畫亦多散失，夢憶圖適在其中，情形極爲狼狽。葉被緝之第二年，同人紀文屏在宣武門內荒貨攤發現此圖，紀君祇知其爲青綠山水，色澤甚鮮，携來問余欲購否，索值三十元。余知爲葉氏物，因屬文屏合購之。文屏不知其情，卽告以待機會，也許得十倍之利，始得成交。

越年半，奉直再戰，馮軍倒戈，遂獲全勝。芝泉執政，葉又重任交長，值其五十壽，交通銀行同人謀致禮物，以爲祝賀。余以夢憶圖示之，該行同人一致贊成，遂重付裝池，盛以錦匣，再斥五十元送去，交行酬潤五百元。葉覩物大悅，時畏盧林氏亦在座，更爲軒渠，會賦詩以紀其顚末。文屏分潤兩百，主張吃全聚德烤鴨，遍請全行同人廿餘人，大家饕餮，亦不過每人負担三四十元。此卅八年前事也，彷彿猶在目前，而葉氏則龍鍾蹣跚，晚節不堅，實可哀矣。

也談麻雀牌

花香月上樓小品

黃葉村人

麻雀牌，始于何時？創造者何人？論者衆矣！然皆莫知其緣起。聞之先輩：清同治初，宮中人已有玩之者，亦猶之「陞官圖」，其初祇是京中仕宦之家，新年之娛樂遊戲。漸而普及于民家，京外各省也。大抵創之者，亦爲京中翰苑閒曹，因牌面所刻之數字，及筒子，索子，廼代表官品，翎頂與補服也。

最初之牌，一至九萬，「萬」皆作「品」，不作「萬」。其後流行津滬漢粵，商賈玩者尤衆，製牌者遂改「品」爲「萬」，失原義矣。索子，象徵翎管也，故一索刻麻雀，亦有刻孔雀者，代表花翎也。筒子，象徵補服，一至九皆畫圓圈，「雲」狀也。九筒排成方形，補子也。一筒，最初之牌，共刻五圓圈，象徵頂戴，五重圈者表示頂戴有五種，卽紅、藍、晶、白、金。（按紅頂有珊瑚紅、朱紅之分別，藍頂有深藍，淺藍，鴨蛋藍之不同，須官場中人，始克辨其品級。）

顧名思義，「麻雀牌」，乃爲正名。而近時在文字上，說話上皆稱「麻將牌」。乃江浙人音之轉，而麻雀之流通及嗜玩，亦以江浙人爲較普遍也。但，閩粵人則始終仍名之爲「麻雀牌」，不知所謂「麻將」也。余父執福公海，滿州人也，淸光緒間，補廣東赤溪同知。家有麻雀牌一副，全牙質，乃京都人所刻者，中發白作「貴壽富」，分三色：貴字紫色，壽字金色，富字綠色。有花牌八張，四人物而四花卉。人物爲漁樵耕讀，漁刻嚴子陵，樵刻朱買臣，耕刻虞舜，讀刻顏回；花卉爲萱草，荷花、菊、臘梅，分春夏秋冬也。旁各刻詩一句，「春遊芳草地」（萱），「夏賞綠荷池」（荷），「秋飮黃花酒」（菊），「冬吟白雪詩」（臘梅）。字極細，雕鏤亦工。以此推測，此種玩藝，當日必創之仕宦讀書人，非普通市儈所能爲也。此一牌之値，在當時已非百金以上不辦，故不易普遍。其後傳至江浙，投機商人乃易以牛骨牛竹之次品，而僱寧波籍工人爲之，其値較廉，于是雀風丕盛，遍及全國。其始麻雀牌之竹製品，有銷流至美洲，南洋各埠者。迨後，外國製之化學品，塑膠品，代之而興，轉而倒流中國。因之我國原有之「竹雀」，已逐步被淘汰，甬人手工藝，亦受打擊。時至今日，欲求六十年前之「牙雀」牌，恐怕找遍全國亦無一副矣。（未完）

失印故事

漁翁

印，印信也，用木或金石爲之，上刻文字以爲信也。舊制親王以上稱寶，郡王以下官員曰印，秩卑者曰鈐記或圖記，欽差官曰關防，私人所用曰圖章，亦曰私章小印，以昭憑信。今之機關團體，沿古制用印，關防，鈐記，圖記之分；四方形曰印，長方形曰關防；印與鈐記，用於文級機關，軍隊則用關防，民衆團體，多以圖記行之。

左傳：「[illegible]與名，不可以假人。」古者，官不離印，如失掉印，卽丟了官，足見印信之重要性。相傳昔有八府巡按，奉命履任，方抵洛陽，而印信爲盜所竊，不能到差，盜竊印後，爲洛陽縣官所拿獲，見有巡撫之印，喜出望外；巡撫之父，爲吏於縣署，知印落縣令手，密告其子設法以追還之。

迨巡撫抵洛陽城時，文武人員，均郊迎數里外。因巡撫等於今之省府主席，洛陽縣令，自亦在接迎之列，暗忖撫台失印信，將何以爲政！而撫台抵達後，卽宣佈除洛陽縣令暫留有要公相商外，餘皆回衙理事。同時，密令役在城郊放火，據報火警，巡撫卽策馬親去搶救，而將空印箱交洛陽縣令暫護。洛陽令知撫台已明白印落其手，不璧還，將受嚴厲之處分，於是將印放入空箱，待撫台返衙奉完之，彼此心照，均在不言中。此故事經編成劇本，傳爲趣聞。

民初，有某縣令，年少爲官，不慣偏促於尊嚴之衙內，時微服郊外，涉足於花柳叢中，環肥燕瘦，綠酒紅燈，荒唐百態，不可以言語形容。衙內有典獄官之妻，年方二十，秀麗顯慧，色態俱優，該縣令見之，幾拜倒石榴裙下，屢欲染指而不可得。一日，獄官因公下鄉，其妻獨宿於房內，縣令以有機可乘，於夜靜更闌，叩其門，該婦問爲誰？答曰：「縣太爺」。——淸稱縣官爲縣太爺，民初此俗未改變也。

該婦佯爲不信，乃云：「官不離印，果屬縣太爺，請示之以印。」縣令爲色所迷，不顧名器之不可以假人，卽由臥室內携出銅符一方，（縣印以銅鑄成）自窗外投入，滿擬接印後，必啓門相迎。無如印入美人手，竟不一言而匿去，候至五更，知已無望，乃悵然而返，且以好夢未成，又失去印信，將何以爲政？而爲之忐忑不安矣。

正愁眉間，忽科長入室，見縣官，行坐失常，料有心事，問之，初不便言，一再質之，始吐出昨夕叩門失印事，並求解救之方。科長足智多謀，沉思下，爲之獻策云：「卽調獄官回署，謂縣長先準備行裝，某鄉發生匪警，須親率隊淸勦，縣事，其代拆代行，待獄官交署門時，卽將空印箱面交，不出其不璧還也。」縣官依計行之，至薄暮，見獄官歸，在門口交以印箱，囑其代行縣務，乃率員兵多人，倉皇策馬而去。

典獄官入署後，科長卽囑員司携文件往代理縣官處蓋印，啓之，空空如也，乃大驚，此印爲何不翼而飛！且翌日縣太爺返署索印，將何以歸趙？正憂戚中，其妻至，問爲何而致不快？答以奉代縣務而箱空無印。妻恐夫受精神上之刺激，乃告以縣官叩門投印事，以事旣如此，祇好將公文印行交發，待縣官回署索印，原璧歸趙可矣。

上項趣聞，曾盛傳於民初，其經過方式，乃不脫「洛陽失印」劇之窠臼。該獄官以縣長貪色缺德，不可相處，又測知此計出於某科長之所爲，其人陰而險，更不可以共事，遂掛冠去矣。

海嘯雲談薈

談我國的方言（二）

諸葛文侯

中國每逢大亂一次，人口卽發生一度大遷徙，文化亦隨之產生交流突變狀態，而以語言的演化情形爲尤甚。據方言學家考證，廣東話蘊藏着古音最多，原因是自漢末歷唐宋以迄元明約若干次中原大亂之役，黃河與長江流域的人，都向南方流徙，粵省旣有相當廣袤的陸地，又瀕臨海洋，卽自然成爲流人的集中區域，許多知識份子乃將中原文物亦流傳到此間了。這如同四川的情形，經過張獻忠之亂，眞正的四川人未遭殺害的，都向松、理、懋，或雷、馬、屛、峨這些苗民所居的山澤間逃亡，但其規模不如中原人士向南粵一帶流徙之鉅大，所以，現在的四川人，原籍皆屬外省。這次共黨竊國的大亂，中原文物又大量流到南方——由廣東至香港，而共黨更以暴力强迫移民，如海南島就充滿了內陸以萬計的「勞改」民衆；廣州以及全省各地區的駐軍和政治人員，亦盡爲北方人。這樣的結果，文化必然發生變化，首先就是語言方面演變敏捷，現在外省人聽粵語，或者廣東人聽外江話，比較十年前就普及多了。還有二百萬以上的大陸人，流徙到台灣已逾十年，將來外省人對於福州話，亦不像過去那樣完全莫名其妙了。經此文化大交流之後，對方言的影響是很深鉅的。

目前在華人社會中，表現着集方言之大觀景象者，殆莫過於香港，報紙上常有夾用各種方言撰寫文章的，雖然有些是囫圇吞棗，並不成熟，例如滬語「像煞有介事」這句方言，每見有把「像」字去掉，寫成「煞有介事」的文句，就說不通了。這句話的主要形容詞就是「像」字，抹却此字，便教人不知道說的是甚麼意思哩！香港市面各商店的招牌上，都是中英文併列的，在這些市招的英文譯音中，發現各種方言的妙諦，琳瑯滿目，美不勝收，一望卽知其主人的籍貫所在。例如九龍有家洋服店名曰「力的」（Lea er Tailor），看了這英文拼音，便知道是北方人開設的店舖，因爲「力的」二字的音讀，只有按照北平話發音，卽與「Leader」的拼音極其切合，了無遺濾。香港有家鐘表店叫作「金時」，英譯爲「Kum Sze」，不用說，這店主一定是廣東人。又有取名「泰安」的商店，英譯爲「Tai A」，這完全是上海話的發音，非滬人莫屬也。以上三種市招的英文拼音，若不用地道的方言來衡量，而照普通話的發音以讀其漢字，無論如何亦不會拼成那樣的幾個英文字母，實可斷言。此外亦有以潮州話、福州話的音韻來譯成英文招牌的，這些情形粵港所在多有，毫不稀奇。粵語中有許多字的音讀，跟普通話完全不同，如「遺」讀作「挖」，[illegible]而「屈」讀作「遺」，皆是也。這或許亦是古音持續下來的關係吧？

徐文長故居

·道南·

徐文長是山陰人，名渭，別號却很多，他是一位大文學家而兼藝術家。他的故居青藤書屋在紹興的市前觀巷，是一座二開間的房子，內有徐文長親題的匾額，文曰「一塵不到」，下署「天池」二字，蓋有「徐文長」一印。

青藤書屋有一個天池山人五十小像和徐文長所作的自嘲文石刻，西側壁上是淸道光時代阮元所作「陳氏重修青藤書屋記」，兩柱掛有木刻對聯。聯云：

「未必玄關別名教；
須知書戶孕江山。」

青藤書屋台階下有一個方形的池寬約十尺，據說池下通泉，久旱不雨，池水永不枯竭；而如雨水過多，池水亦不溢出，所以叫做「天池」。池中有石，刻「砥柱中流」四字。天池西有青藤一本，藤大如虬松，枝幹盤曲，傳說這是徐文長手植的。徐文長自號青藤老人與天池山人，卽本此。

阮芸臺所作的「陳氏重修青藤書屋記」，文中曾說及除青藤書屋外，還有酬安堂，櫻桃館，柿葉居等勝跡，但已湮沒了。

不過那株青藤樹已不是明朝的原物，陳老蓮曾在此住過，時青藤猶健在。老蓮死後數年，一晚大雷雨，青藤被雷殛死。這株樹是後來補種的。

山川風物

內僑警台報字第〇三一號內銷證

自由報

THE FREE NEWS

第二四五期

中華民國僑務委員會頒發
台教新字第三二三號登記證
中華郵政台字第一二八二號執照
登記為第一類新聞紙類
（本週刊每星期三、六出版）
每份港幣壹角
台灣零售價新台幣貳元
社長：雷嘯岑
督印人：黃行富
社址：香港銅鑼灣高士威道二十號四樓
20 CAUSEWAY RD 3RD FL
HONG KONG
TEL. 771726　電報掛號：7191
承印者：田風印刷廠
地址：香港灣仔高士打道二二一號
台灣分社
台北市西寧南路壹壹叁號二樓
電話：三〇三四六
台郵撥儲金戶九二五二

由忠貞問題談到團結運動

·孟廣樸·

昔人有言：「疾風知勁草，板蕩識忠臣」，在人慾橫流，天下大亂的時候，政治上講究忠貞問題，實為事所應爾，理有固然。尤其是現階段反共抗俄之役，原係一場劇烈的思想戰，若不注重忠貞問題，危險更大。所以，今日我們談忠貞，乃是一種原理原則的立國方針，決非政治手段，手段可以因應環境而隨時變換，原則卻非堅持不可。否則政府任何措施，乃至於當局者的言論主張，皆不足以引起社會大衆的信心，民無信不立，可不懼哉！

忠貞的標準

今天衡量各界人士的忠貞尺度，就是反共的文化思想。人們從思想發出言行，即可覘驗他對於國家民族和政府當局的忠誠意志為何如？若就政治觀點來談忠貞問題，只有廣義與狹義的界說，而黨派觀念不預焉。凡屬自國共鬥爭以來，始終跟共黨立於反對地位的海內外各界中國人民，都是中華民國的忠貞之士，一視同仁，無所軒輊，這是廣義的說法。當大陸淪陷之際，曾經惑於共黨的欺騙宣傳，認識不清，貿然從賊，事後幡然悔悟，迷途知返，且以行動來表示反共意志，無所瞻顧者，亦不失其為國家民族的忠臣義士，這是狹義的論斷。至於這些人對現實政治偶有不同的觀感和主張，對政治人物，或有臧否的見解，都不在衡量忠貞標準之列，這是與反共思想無關的事。「反對」與「反動」的意義截然有別，對某項政治措施表示反對意見，其動機是希望進步，有如「事父母幾諫」的心情，還是愛護政府的，即不涉及反共思想問題。反動的目的是要推翻政府，構成叛亂行為，即令他依然標榜反共，亦復不可寬恕，因為這種行為危害國家民族的生存，間接幫助共黨發展，實與反共思想背道而馳，烏乎可呢！

這就是忠貞的標準，亦是政府領導羣倫以從事於反共救國的最高指導原則。

鑑別忠貞的條件

有人認為在大陸淪陷之際，即隨同政府轉進到台灣的，便是十足的忠貞份子，其他遠離海外的各色人等，殊有逃避反共責任之嫌，不能相提併論。這是錯誤的偏見。先到台灣的，並不見得他就是國家民族的孤臣孽子，看看已正法的參謀次長吳石暨其他若干文武高級官吏等，皆犯下通共叛國的罪行，足資反證了。至於「逃避反共責任」之說，更不成話，因而海外華僑社會中乃有人反唇相稽，指為「包辦反共事業」，兩者皆不通之論，徒逞意氣而已。政府用人行政，必須考慮到忠貞問題，這是應該的，但鑑別忠貞的條件，即就嚴格的觀點設想，亦與是否到台灣不相干，主要條件不外兩點：一是個人的思想言行有無一貫的體系？二是過去的政治生活史迹如何？而這些思想言行和政治史迹的範疇，皆以反共鬥爭為依歸，關於共黨以外的黨派觀念，以及政治上的恩怨是非之見，必須一律揚棄。準此以鑑別忠貞，乃可以昭示大公大信於天下，準此以用人求才，必能集中智勇辯力之士，共赴國難。這不是手段，而是原則，不能漠視，不可通融，否則真正的忠貞人士將望望然去之，而暮四朝三，投機取巧之輩即大行其道，將如王安石譏孟嘗君傳所云：「雞鳴狗盜之徒出其門，此士之所以不至也」的情形，而與提倡忠貞主義的意旨適不相侔，甚且構成相反的後果。

政府以忠貞主義申儆國人，旨在集結反共力量，達成救國任務，固屬未可厚非，但有時候不免有以此為運用政治手段的地方，這就不足為訓了。譬如有些思想言行和政治生活史迹，素來跟共黨或「民盟」方面沆瀣一氣的人物，偶爾對台灣表示一點親近的姿態，或者對政府當局稍露推崇的詞色，即視為不可多得的忠臣義士，爭取唯恐不及，優遇唯恐不隆，而不問其思想言行是否有一貫的體系，政治生活的史迹是否具有純淨的成分。這類人士當然可以、也應該爭取的，但這是屬於政治手段問題，卻不好與忠貞之士同日而語。同樣情形，有些素來對國家民族和政府都是忠心耿耿，誠篤愛護的反共人士，偶有批評庶政得失，臧否政治人物的言論表示，即視為大逆不道的異己者，甚至以「匪諜」相看待。似此將原則與手段混為一談的作風，自難怪我們隨時提倡忠貞愛國主義，經年號召團結反共力量，而始終沒有顯著的成效可覩呢！

如何團結反共力量

誰也贊成反共力量大團結，誰也希望對反共救國的時代任務有所貢獻，能夠還我河山，重歸故國。可是，由於政府强調忠貞問題，而又未能堅持原則，每每流於政治手段之故，在朝與在野的人，即各有一種看法，也各有一套想法，疑忌猜測，不一而足，大家沒有互信，自然不能奠立共信，所謂「各行其是」，所謂「第三勢力」之說，就在這樣環境之下產生的。實則聲言「各行其是」者，亦不過止於「言」，並沒有「行」；所謂「第三勢力」，亦僅是張之以「勢」，卻未見「力」之所在。若就上述忠貞標準的義理來觀察，這些人都是中華民國的忠臣義士，無可懷疑，因為他們決無否定中華民國政府存在的意念，即是一致團結的對象，政府只要以恢宏豁達的氣度，合乎理性的政治手腕，對他們進行團結統一工作，必可獲致預期的效果。這是屬於爭取反共的人心和人力問題，談不到忠貞與否的話，過去但聞團結之聲，不見團結之效的癥結，即在此也。今後若欲取得團結反共力量的實效，必自改良作風起，舉其概要，不外數端：

古今中外的執政者，總不免任勞任怨，有時候雖枉受求全之毀，亦不便向外申述，如對日抗戰前夕，民間囂然指摘政府被親日派刦持，不願抗戰，當局者唯有忍氣吞聲，埋頭作抗日準備，而不能加以辯解，即是顯著的例證。

今日國家所處的危難境遇，比對日抗戰時期尤為艱苦，而社會大衆所受到的顛沛流離生活，亦遠甚於抗日戰爭之役。在野人士對現實政治有所不滿，作作批評，發發牢騷，殆屬意料中事，只要他的思想言行一貫是反共的，而其政治生活史迹亦純淨無疵（這是指過去到現在並沒有親共投共通共的行為而言），皆應一例優容，犯而不校。如果一聞逆耳之言，便不問一切而視為不忠貞的問題人物，那就不必從事團結運動。老實說，今日對於政治現狀真正感覺滿足的人，恐怕少之又少，而不滿現狀的心理，原是社會進化的動力哩！

在進行團結運動中，應該因時因地因人而採用不同的方法，切忌頤指氣使，動則表現着統治階級的詞色，訑訑拒人，例如前年第三屆國民代表大會召集之前，有在台灣担負黨政幹部職務者，曾到海外與本國的一般知識份子接觸，有人談及蔣總統連任問題，他就扳起面孔答道：「這是事實問題，台灣並沒人談這類話，海外的人何以斤斤於此耶？」憑這種態度來攪團結運動，結果只是化友為敵罷了！這位幹部先生何以如此不諳悉政治手段，而作出失態的詞色呢？此無他，胸中滿懷着以忠貞份子自任的心情，必表而出之，乃無暇顧及所言的影響如何了。

忠貞問題與團結運動，並無矛盾性，不特沒有矛盾，且在反共救國的大前提之下，相輔相成，統一起來，可以發揮「人盡其才」的宏效。不過，前者注重原則，後者講究手段；手段不妨變換，原則卻須堅持，如是而已。

漫畫天下

南施

這轎子難抬

他要的是大炮

自由談

變政先變俗

馬五先生

報載：內政部根據去年八月陽明山第二次會談的結論，成立「出版事業管理處」，將原來由該部警政司暨台灣省新聞處掌管的同類業務，一律集中於新成立的機構，頗有革新政務的氣象，甚盛事也。

不佞係從事於出版事業之人，去秋亦曾忝列陽明山會談末座，欣聞政府改革庶政，自感興奮，興奮之餘，竊願有所陳情焉。

簡化機構，集中職權，這是為政之道的起碼條件，人人皆能知之，亦能言之，問題只在「徒法不足以自行」啊！就我國現有的行政機關以及一切法令規章而論，應有儘有，琳瑯滿目，敢說是超過現代的任何一個頭等法治國家。可是，談到行政效率，那就不免自慚形穢，誠不知其自居於何等了！譬如一種報刊申請入境銷行，即須取得六個「有關機關」的同意，而這六道衙門依法都擁有否決權，此其一。俗言「不怕官，只怕管」，一個主管機關對於處理公務的心情，並非基於為民服務的公僕觀念，而以顯示權威為前提，愛理就理，不愛理就擺上一年半載再說，天生權於予，人民其如予何？此其二。「人事關係」之說，成為處理政務的最高指導原則，有人事關係的，條條大路通羅馬，遇事皆能得到「簡迅」的結果，沒有這關係的，祇好束手持命，延頸邀恩，不知何年何月，才見分曉，此其三。試問這些情形，是否合乎法治主義？

所以，機構無論怎樣改變，皆屬次要問題，蜘蛛網式的法令規章不予簡化，推拖延宕、擅作威福的官僚作風不加剷除，改來改去，還不是「猶吾大夫崔子」嗎？表面侈談法治，實際專重人治，自民國肇造以來，一切舊事物舊風氣都被革命的洗禮滌盪無存了，唯有政治上的人治而兼官僚主義這項傳統惡習，不特依然如故，且有發揚光大之象。

革命先革心，變政先變俗，有心求治者，念茲哉！

最高法院檢察長下令
八德血案 真兇務須破獲
輿論主張追究冤獄責任

（本報記者台北航訊）司法史上的「奇蹟」——穆萬森，因殺死歌女呂翠華（伊銘）案，已於七日被執行槍決，但他牽涉的八德鄉滅門血案却是伸雪無罪了的。那麼迄今五載的沉冤，究竟眞兇是何人？目前仍是一個謎。輿論界於是要求（一）治安當局重行偵查，追緝眞兇。（二）切實追究濫用酷刑，造成八德冤獄的責任。

八德血案在四十五年發生於桃園縣八德鄉葉震家中。案發當夜，葉震留居台北，家屬婦孺五人，一夜之間，橫屍血泊，全被殺死，一時成為最轟動的大案子。

此案發生後，當時由刑警總隊偵辦，穆萬森，秦同餘等六人先後涉嫌被捕，移送法院偵審。穆萬森經新竹地方法院於四十七年五月廿三日判決死刑。但穆萬森却在司法史上成了一個「突出」的被告，他於上訴高等法院後，原判被推翻，從死刑而獲得無罪的判決。檢察官不服上訴，最高法院，經發回更審後，第二次又獲判無罪。因此檢察官乃再度上訴，最高法院亦再度發回更審。

就在第二次發回高院更審開庭的前夕，穆在基隆市海軍聯誼社，當衆連續刺殺背棄他的姘婦呂翠華十二刀死亡。因之他一案未了，又背上另一件殺人血案，而這件血案却在八德鄉血案未確定之前，被最高法院定讞的。但司法行政部為使八德鄉血案能獲得結果，向社會交待，乃延緩他的死刑執行，並命令高等法院從速審結八德鄉案。因此穆萬森乃打破了司法史上的紀錄，以一個已確定的死刑犯身份，出庭為另一件殺人血案的被告出庭受審，高等法院的第三度審判仍宣告穆萬森無罪。但却因為殺死呂翠華案，穆萬森終於被執行了死刑。

最高法院檢察署檢察長趙琛，認為八德血案既非穆萬森所犯，則眞兇究為何人，懸案務必偵破，乃於昨日下令高檢處即會同警總及憲警各治安機關，澈查偵查，務期水落石出，破獲眞兇。

這兩天台北各報，紛紛對八德案冤獄責任加以批評，聯合報的社論尤其坦率嚴厲。該報認為：由於穆萬森的無罪，「而負責偵查破案的前刑警總隊，主持初審的新竹地方法院，一則用酷刑逼供，故入人罪，一則粗浮顢頇，率爾定案，竟致造成本省前所未有之冤獄，實駭人聽聞，兒戲人命」云云。

按穆萬森迭次在法院供詞，指證當日刑總偵訊人員，嚴刑逼供，榜掠苛毒，聯合報稱為：「歷代酷吏之流毒，不意竟見之於今日實行民主政治的台灣，使人為之齒冷」。

該報社論堅決主張澈底追究造成八德鄉血案的責任。社論說：「我們必嚴厲追究：是誰在濫用酷刑？是誰在違反政府三令五申之厲禁而運用刑求？又是誰在違背憲法之明文規定而蹂躪人權？因為這件冤獄，關係法律尊嚴，人權保障，政府威信，人民視聽者太大了。」該報主張「對於當時負責偵查本案的刑總人員，不但要追究造成冤獄的刑責，而且同時應受失職的嚴厲處分」。

台北市徵信新聞報在一篇社論中指出：法院對刑訊責任不加追究，是刑訊不能絕跡的原因。該報說：「我們曾經指出，刑訊事實一經證實，就必然應該發生刑訊責任追訴的結果。因為刑訊也是一種罪。在公堂上揭露，並經法庭認定的刑訊，等於法庭已認定了罪之存在。存在而不追究，乃是刑訊之所以始終不能絕跡的原因。」

輿論除了要求追究冤獄的刑訊責任外，並且要求當局以全力迅速偵破八德鄉血案，使眞兇無所遁形，使案情水落石出。（吳越）

多采多姿的美式生活
總統用過的粗話不為罪
聞招考女警察羣起反對
新愛爾蘭州要攪「白化」

（本報舊金山航訊）美國前任總統杜魯門在職時，華府有位記者在報上批評總統小姐瑪嘉理的歌聲欠高雅，杜老總大冒其火，詈罵那位記者為SOB（Son of BitCh即「狗娘養的」之意），又寫信給那位記者，說要打崩他的鼻子，一時傳為莫大的笑柄。詎料事隔多年之後，杜老總這句罵人的粗話，竟在法律上享有特權了。日前三藩市的交通警察在馬路上干涉一個違章開快車的市民，要抄牌送到法院去，那市民不服，對警察罵了一聲SOB，警士更不依，將他捉交法院究處。法官詢明情由後，僅處該市民以違章開快車的罰金，至於無禮辱罵公務人員一節，法官認為無罪，理由是當年杜魯門總統用此粗話罵過新聞記者，並未受罰，總統既可以用這類粗語罵人，普通人民當然亦可以照罵無忌云。法官如此幽默杜魯門，也有原因，即杜氏常常口不擇言，倚老賣老，上次大選時，他大罵投尼克遜選票的人都應該打入地獄（Go to hell），頗為時論所譏評。這次三藩市法院的法官對於辱罵警察一案，故意引杜總統的前例為證，讓新聞記者發表在報紙上，直接給杜魯門以難堪，間接就是替尼克遜報一箭之仇。次日有人問尼克遜對此作何感想，他只是笑笑而已。

今年三月復活節之夜，三藩市發生歹徒刀傷青年婦女的眼部腿部至於殘廢的事件，隨後又有深夜強搶婦女皮包的事情連續發生，市民要求警政機關增設夜間巡邏警士，然原有的警士人數不夠調派，擬招考訓練女警，而社會人士又羣聲反對，說現時已有不少的公共事業崗位，被女人佔去了，她們應該回到家庭料理家政，管教兒女，不好再作警士。何況女人作事很細心而認真，如果讓她們來管理交通事宜，將使市民因為違犯交通規則而隨時被罰，多所損失。此事尚在爭持辯論中，結果如何，殊難懸揣，這亦是美式生活的特徵也。

美國白種人對黑人歧視，素來強烈，而以南部地區為尤甚。新愛爾蘭（New Irland）州的白人，最近組織了一個會，主張「白化」該州，把現時住在該州的黑人，一律「免費出境」，歡送他們到東部紐約，芝加哥，西部三藩市，洛杉磯等地方去。目前已有一家黑人被歡送到三藩市來了，當那位黑色婦人帶同兒女抵步時，有新聞記者在場拍照，黑婦人大怒，會用手提皮包毆打記者。我想黑婦人此舉，乃是發洩她心中對白人的積憤而然的。號稱頭等文明大國，而有此人種歧視劣性表現，可嘆可恥！（漢生六月八日寄）

立委驚訝高爾夫球場故事
提出質詢請下令停止興建

（本報記者熊徽宇台中航訊）本報五月五日所發表的「備戰反攻鼓吹聲中，高爾夫球場的故事」之報導，已引起立法院的強烈注意，要求行政院下令停止興建陽明山高爾夫球場，藉以符合政府十多年來，一再強調節約，號召民衆過戰時生活的主張，以免海內外同胞有所失望。

此一質詢，是立法委員王長慧在六月十二日的院會中提出的，她說：「正當海內外同胞慷慨激昂，不惜忍受加重生活負担，支持政府為適應財政上的調度困難，和加速反攻準備而開征國防特別捐稅的時候，看到這則通訊，眞是使人觸目驚心」！

王長慧立委，曾就本報所報導的關於陽明山部份的內容說：「有關機關已經批准了由台灣高爾夫俱樂部出面申請的所需經費一千萬元，並且指定由陽明山牧場撥租土地八十甲以資開闢。」令人驚訝！

她說：政府正在提倡墾牧事業，台灣可牧之地又並不多，怎能忍心把業已開墾的牧場改闢為高爾夫球場？而同時，台灣高爾夫俱樂部出面申請的一千萬元，是那一機關批准的？是補助費抑或是貸款？如果是「補助費」，從何種款項開支？如果是「貸款」，又根據那一種條例？

她說：陽明山牧場管理委員會反對撥租是項土地，政府是否允予考慮？

王長慧立委說：政府十多年來，一再強調節約，號召民衆應過戰時生活，而掙扎在「傷心嶺」死亡線上難胞的血淚，目前還在繼續的拋洒，為了不使海內外同胞過份失望，陽明山的高爾夫球場應即停止興建。

她說：以色列的工業和科學以及國民所得都比我們為高，但他們却厲行節約，而越南政府最近更以嚴厲的法令，糾正和限制奢侈荒唐的生活。希望我們政府今後應以事實作宣傳，不要再空口教人：「毋忘在莒」！「臥薪嘗胆」！

王立委的這則質詢，六月十三日的台灣各報，都以顯著地位刊載。本報在五月五日報導中所敍述者，非僅陽明山球場，還有台中縣豐原球場，這球場內是弄得滿城風雨哩。

（綫外採訪）

△日本大阪國際商展在今年四月五日舉行時，我國工商界曾受邀組團前往參觀，當時各工商團體報名參加者十分踴躍，人數有百餘人之多，後經報內政部核准者三十人。

該團到達日本之後，部分團員祇是掛名參觀日本商展，實際遨遊東瀛，大多也忙自己的私事。甚至連開幕典禮也不去參加，當然更無所謂參觀商品展覽會了。事情眞相的慢慢被揭露出來，始引起了經濟當局的注意，函達內政部，指出該團部份團員行為之不當。等由准此，內政部答稱：以後此類團體出國人數決定減少，並且嚴加約束云云，宣告了事大吉。

觀展其名遨遊其實
花酒花賬動口動手

△日前省議會省政質詢，對衛生部門進行詢問時，有議員問起衛生處的報花帳，進而指出省議員吃花酒，竟將「花帳、花酒」攪在一起，幾乎由「質詢」變成了「自清」，也算意外的發展。在十一日的省議會宣佈：今後拒絕政府官員的邀宴。

但就在此宣佈之後一天，省公路局便請議員試乘豪華客車，於十二日晚上夜遊八卦山，歡聚一宵。議員們究竟有些覺得不便，結果，公路局雖仍開了豪華新客車送議員上了八卦山，却改變名義，說是省議會議長作東的。

△省議員在為「花酒」「花帳」動口之後，又動起手來。議員蘇振輝，因賓占岸說他吃花酒報公帳的事發生後，心頭不高興起來。據說會後在餐廳中，蘇議員又聽到黃議員在談他吃花酒的事，於是兩人始而爭吵，繼而便打了起來，幸而其他議員一擁而上，將二人勸解拉開，未得痛快的打一頓。（匡謬）

△教育部頃重申前令，嚴格禁止我國學齡兒童就讀外僑學校，並規定所有現在外僑學校肄業的我國學齡兒童，必須於下學期開學前轉入我國相當學校。

教育部之令文中規定三點：（一）外國人在我國境內所設立之教育其本國僑民之學校，今後不得招收我國之學齡兒童。（二）現就讀外僑學校之我國學齡兒童，一律於下學期開學前轉入我國相當學校就讀。（三）各地方教育行政機構，應利用本年暑假期間，積極輔導外僑學校之我國學齡兒童轉學。

教育行政當局，類似這樣禁止外國學校招收我國學童的規定，「三令五申」，已好幾次了，不但外國學校照收中國學童不悞，就是中國人的學童家長，示把政府命令置若罔聞，相應不理。說來亦令人寒心。（吳越）

來函照登

貴報五月卅日刊登「省府財政廳有五位專門出差辦公的官員，他們在一年中出差的天數，平均每人為三六六天半」一則，茲說明如下：本廳第六科辦理土地賦稅及田賦災歉勘查等經常業務人員為五人，惟是項業務因需實地抽查，每因有季節性與緊急性關係，除需派本科辦理其他業務人員前往勘查外，並需調派其他科室人自協同辦理，故原列勘查經費並非主辦人員五人所支用。貴報所載恐易引起誤會，用特函請惠予披露，至紉公誼。此致

自由報社

台灣省政府財政廳啓 六月八日

台灣公路局車輛
開始有冷氣設備

（本報記者熊徽宇台中航訊）台灣省公路局的交通車輛，為應發展觀光事業要求，經步入冷氣設備階段，達到國際標準。省公路局長林則彬，於六月十二日中午借同該局公共關係室主任周民覽有關單位主管多人，在台中市舉行記者招待會，邀請各報駐省記者參觀試車。

這種置有冷氣設備之汽車，新自西德購買回。林局長說省公路局已有計劃，自行仿製，為了改善本省觀光旅客之交通，而逐漸遍及各綫長途車輛，藉以適應本省熱季的氣候。只是在原則上，應要求如何能不因裝有冷氣而過份增加乘客的負担。

悼念曾昭掄先生

唐思堯

拜讀貴報六月九日馬五先生「哀曾昭掄」一文，謹就所知，畧抒哀思！

曾先生品端學優，生活簡樸，爲人富正義感，性稍偏急。對於化學，造詣湛深，中西文亦佳。抗戰前及抗戰期間，主持北京大學與西南聯大化學系，極受學生和同事之尊敬。

余與共事世界科學社，主編「科學時報」，編譯科學叢書，他與薩本鐵先生，每於審查稿件，討論計劃時，常有卓越見解，精闢議論，爲編輯委員會諸多同仁所敬服。

民國三十五年，曾氏隨北大復員返平，爲科學社事，雖常見面，但因社規所限，從不談及政治問題。曾記是年傅作義將軍由綏到平，傅斯年先生希與一談，余設宴招待，傅宜生辭別後，孟眞言：「昭掄近在師大講演，對政府有所批評，據黨政人士言，似有受人利用，作反政府宣傳活動情事。希余勸導或設法使之出國，免受野心政客利用」云云。旋薩本鐵約余與曾氏便餐，余即乘機勸薩曾兩兄赴美，考察戰後科學發展及化學工業，爲中國學術研究、工業改進之需。曾氏表示先走，余即以科學社名義，送了十萬元旅費，約合美金兩千元。曾氏赴美爲時年餘，大陸淪陷時，竟爲匪甘言所惑，仍回北大任敎職。據崔書琴先生致送之大陸學人資料，誠如馬五先生言，曾氏未任政僞職。自書琴去世，大陸學人消息，也就毫無所知。今讀貴報，始知曾氏誤上賊船，死於非命，深爲中國學人悲哀！

余濫竽文敎界數十年，與文人學者相處甚久，深知一般學人特性，多是富良知，崇眞理，講是非，不計利害。平日布衣蔬食，安貧樂道，不求聞達，對於政治，偶有不滿，亦僅口頭說說，文字批評批評而已。縱或言之未當，但其用心，可說絕無惡意。只要政府稍予尊重，善爲疏導，不僅無害，而且有益。昭掄之死，以及大陸學人現在遭遇之悲哀，固是共匪巧言欺騙，有以致之。但政府過去在大陸有些措施，亦有值得商討之處。否則毛家班決不致有今日殘民以逞的機會。所以，余備位立法院，職司言責，每遇大陸問題，無不力主光復國土之後，除罪大惡極匪首外，對陷身匪區之各界國人，均應不咎既往，期爲國家保全元氣，而在政治上免再種下新的危機。

馬五先生讜言高論，素所敬佩！不知以爲然否？

天南風光

——沙羅越的大海龜——

朱淵明

雌龜到生殖期必須上岸生蛋，那是笨拙無比的。初上岸時，徘徊於沙灘上，如果當時無人看見，它就將沙灘挖一個坑，自已躲在坑中從容下蛋；如果有人看見，它們就朝椰林裏亂爬，或竟鑽入石頭堆裏，尋覓自以爲是安全的地方。那時看見的人們必然暫時走開，等它將蛋下完掩好走了，然後再去扒開，取其大半，盛以籐籃，留下少數，仍用沙將餘蛋掩好而去。

一定有人懷疑：像這樣笨的大海龜，如果人們拾其蛋又食其肉，豈不很快就會絕種嗎？據說：世界上原有若干地方都有這種海龜，可能大半都被人們或別種動物食光而絕種。惟有沙羅越的不同，因爲它是被當地土人，尤其是馬來人認爲神的，其情況有點像印度某些地方認爲牛或蛇是神一樣，不過牛與蛇都會闖禍成災，但海龜對於人類只是有益無害而已。故在沙羅越，若果有人殺了一隻海龜，可能闖下大禍。而經官民嚴密保護的結果，這些大海龜每年替沙羅越下蛋兩百五十餘萬粒，估計可值港幣五六十萬元。這些收入，都歸博物院長專案保管，全部撥爲馬來人宗教及慈善之用。

不但如此，每年還依例替這些龜公龜婆舉行一次祭禮，稱爲「祭龜大典」，土名叫作「西馬」（SEMAH），時間是五月間，大概在馬來禁食節過後的二三個星期內舉行。這個時候舉行這種儀式是最好的季節，適值沙羅越的雨季剛過，大批海龜還未上岸之際。同時也是一種最妙的野餐機會。

在「西馬」祭典中，還有許多插曲：先是祈禱，許多馬來人在沙灘上公開祈禱，祈禱畢即唱歌、跳舞，然後會食、大鑼大鼓，敲打不停，如此週而復始，在典禮的兩天中，眞是熱鬧之至。最後必還來一次「大蛋戰」，就是以龜蛋作武器，互相擲擊，這是象徵海龜間的戰鬥的。原來老海龜在島上生蛋已久，認爲這島是它的家鄉，但小海龜從岸上孵出爬到海裏長大後，也要到岸上來生蛋，於是老龜小龜之間就要發生一塲戰鬥，但結果總是小的把老的趕下海去才止。

於是「大蛋戰」開始，也總是年青的向年紀較老的挑戰，首先用蛋擲去，那龜蛋雖然殼軟，一碰即破，擲到臉上或眼上，也很難過。近年有些十八九歲的青年，又發明了兩種戰術：一種是「圍攻」，即以幾人同時圍攻一人，一聲口號，同時將蛋從四面八方擲向一人，這人自難閃躲。另一戰術是「實彈」，就是將龜蛋先裂一小口，讓蛋白蛋黃流出，然後灌之以沙，使之仍如原形，那擲力就大不相同了。這兩點業經當局發覺，已擬定規則，委派裁判員，加以管制。

祭龜大典的最後節目是「離居」。各種儀式完畢後，即有人沿島插上旗子，密密排排，密得連海龜也不能上岸，所有客人都乘船離去，即當地人亦三天之內不得回島，只有一個看管龜島的頭人，用一個盆子，內盛香料焚燒，並向海龜報告，這香味已使沙灘溫軟，空氣和諧，水味香甜，海龜們可以盡量上岸生蛋了。（本篇完，全文未完）

香港與大陸

▲最近從上海來到香港的江蘇人郭君，他原是在上海一家「公私合營」的紡織廠担任技工的。因爲工廠已經關門，而毛共近來對於申請出境旅行的限制，亦已放寬，凡是要來港澳的，每請必准，不像過去那樣嚴格了。

據郭君告訴記者，上海所有大小各種工廠，不論是「國營」或「公私合營」的，現在只有兩家勉强開着三分之一的工，其餘一律關閉了（編者按：郭君所言此節，較上期本報所刊黃君的透露，更進一步）。關閉的原因彼此相同，就是沒有原料！毛共決定將上海市的人口疏散一百五十萬人赴鄉間幫助農民生產，許多工廠裏的工人，亦在指定下鄉之列。過去每逢共黨發出這類號召後，工人多爭先報名响應，表示「跟着共產黨走」的前進思想。這次可不同了，工人們聲言「我們從來未曾幹過農業工作，死也要死在工廠中」，拒不服從（編者按：郭君所言此節，與上期本報所刊黃君的透露，完全相同，共爲鐵一般的事實無疑）。那些負責指導的共幹，亦就懶洋洋地不再說甚末，表示無話可說的苦悶心情。其他各界人士，更害怕下鄉去無工可作，而原有在上海的戶籍和糧票又註銷了，勢必兩頭落空，亦相率裹足不前。毛共壓縮都市人口的計劃，乃完全不能實現，亦不敢採取高壓手段，情勢頗爲混亂云。（凌霄）

滬工廠僅兩家開工　其餘全都關門大吉

長沙配米每人每天五兩

▲老家在湖南西部的鄧君，週前接到他家屬的來信，說他在端午節前匯回的拾元人民幣已經收到，又說因爲有這拾元人民幣的僑匯，共黨特准他的家屬購買下列食品：（一）肉二兩，（二）食油二兩，（三）黃白糖二兩，（四）糧食一斤（糧食未註明爲米或其他雜糧）。但這些東西，都得另外拿錢去購買的，「價錢亦比普通貴些」，貴多少則未經說明。

共黨准他家屬購買上列這點點東西，顯然已被看得非常之寶貴，因爲來信說「將慢慢的買，因有效期可到明年五月三十日」。這點點東西的准購期，竟長達一年之久，又似乎顯示價錢很貴，非他家屬能夠一下子買得起的。

鄧君家屬的來信還說：這次端午節，共黨准許該地人民每人配購下列食品：（一）肉二兩，（二）糖一兩，（三）粉絲一兩，（四）鹽蛋二個，（五）鹹魚三兩，（六）糯米三兩。因此，在端午節，該地人民總算喫了一點肉，過了個節了。

另據老家在長沙鄉間的李君，新近接到家信，說長沙人民現在每天的配米爲五兩，即每月爲一百五十兩，還不到十斤米，許多人連三分之一的飽都沒有了。

（闕）

瘟君續夢

第五回：深壑難填　反顏奴抗主　片言起釁　轉瞬德成仇

李富春嚇得渾身標冷汗，連說：「總理同志，這可不是鬧着玩的，我們要深切考慮。」

周恩來擺手不讓他說，轉過臉問謝胡道：「你們一年需要多少援助？」

謝胡陪笑說道：「總理同志，我們全國只有一百四十萬人口，沒有北京城內三分之一的人口多，我們所需要的眞是微乎其微，貴國隨便從工農業躍進半步，我們十年也用不完。只要中國肯幫我們的忙，數目方面應該不算一回事。」

周恩來微露笑容說道：「謝胡同志，你放心吧！毛主席要我轉告你，你們的問題他包下來了，請你算一算究竟需要多少東西，列一個預算，要錢就找先念同志，要物資就找富春同志，毫無困難。」

謝胡大喜過望，連忙過來和二李握手，千恩萬謝。李富春和李先念面面相覷，一句話也說不出。

周恩來又問道：「你們同蘇聯鬥爭，明明是以卵擊石，絕無勝利可能，你們偏要打這種必敗的仗，究竟是什麼意思。」

謝胡聽了周恩來的話，呷了一口茅台，眉飛色舞說道：「我們鬥赫魯曉夫可說是穩贏，我們是個弱小國家，人口不到蘇聯的百分之一，領土也不到蘇聯的百分之一，我們失敗了，蘇聯也丟人，等於一個大力士打倒一個三歲兒童，人們仍然譏笑大力士；假若打和了，赫魯曉夫的威信就失完了；今後如若有幾個兄弟國家跟我們走，赫魯曉夫就可能被馬倫可夫集團推翻。」

周恩來不料謝胡有這一套辦法，連連點頭，表示佩服。

李先念插嘴問道：「你們同蘇聯的鬥爭，將會形成一個什麼局面，考慮到了沒有。」

謝胡笑道：「必然是一個僵持局面，我們當然打不敗蘇聯，同樣蘇聯也打不敗我們，蘇聯不能像對付匈牙利一樣，出兵鎮壓，內部顛覆找不到可用的人，經濟封鎖我們現在不怕了，他還有什麼辦法。」

這一次宴會賓主都十分愉快，臨分手時，周恩來說道：「謝胡同志，今晚談話千萬要守秘密。」

謝胡笑道：「那是自然，不會守秘密還能作共產黨員嗎？」

周恩來執着謝胡的手悄悄說道：「萬一將來事情敗露了，希望謝胡同志千萬不要提到我。」說過又用力搖撼幾下。

謝胡豁然頓悟，連說：「我明白，我明白，總理同志請放心好了」。

送走謝胡之後，李富春問道：「總理同志，我們當眞把阿爾巴尼亞全包下來嗎？」

周恩來縐着眉頭，十分不耐煩的說道：「剛才的話你們全聽到了，怎麼現在又提出來問。」

李先念說道：「總理同志不要誤會，我同富春同志最担心的是我們將來包不起時怎麼辦！」

周恩來笑道：「你們這樣胡搞，自已沒的吃了，還能接濟朋友嗎？」剛說道這裏，辦公桌上電話鈴响了，周恩來聽過電話神色大變，馬上着警衛員打電話找陳毅和彭眞。

（一一〇）

憶玉軒雜綴　·秋塘·

慘絕萬人坑

余客汀州，因與廈門大學常有接觸，得識薩校長本棟。薩校長確是艱苦耐勞，其俸給收入，不過維持半月生活，其餘全賴在美出版的著作，給與版稅，月約美金三百元。他是數理學權威，有許多定律，是國際學者所驚服的，不幸勝利後幾年，卽在美逝世，現葬廈門學舍。

廈大校長宿舍在山巓一凹坡中，甚簡陋。某次，承其招飲，宴罷已近午夜，與盧新銘將軍同歸，行至中途約里許，見有一很深的土坑，距上面的窄狹行道，約有四五丈，當詢盧將軍，是否開山鑿穴所炸之坑。將軍喟然歎曰：此萬人坑也！十年前，殆是枉死城。余堅請詳告，始悉其事。

當共匪踞汀，對民間檢查特嚴，日夜有巡迴隊，經常在街巷刺探談話，夜間則尤甚。凡深巷僻街，更有盤旋駐聽者。凡有聞及談話，卽叩門詢查，十戶難有一家倖免。次日，天尙未明，卽來拘捕，其罪狀名目繁多，統而言之，皆曰反叛。實則其中頗有許多曲折，或涎其妻，或謀其產，無非儘量搜括陷人入罪而已。

捕獲偶語，其行刑方式亦多，除用槍決以外，有「倒拔洋葱」，「活烤羔羊」，「活埋露首」等等（容另記述）。所殺之人，卽投入該坑，畧敷浮土，以示掩埋，實則任其暴腐而已。次日所殺，如法泡製，堆疊其上，日積月累，竟成屍山。秋冬之季尙可勉強。春夏間，則屍腐發臭，二里以內，均能嗅到此味。後來中央軍克復汀州，地方人士環請掩埋，中央軍對於堆積之忠骸，謀以改葬西門外，另行築塚，計動員士兵三四百，挑載送埋，得有六七十担，葬事經一週始完成，誠不勝其慘絕。

邨畔老伎

揚州北門外，有湖甚小，名曰瘦西湖。稱爲瘦者，以其較西湖，畧有具體，不足以相擬也，而此名殊雅。湖中勝景，當乾隆南巡時過揚，當地鹽商，悉多富有，爲逢迎計，就圓月橋洞外之右側，建造亭台樓閣，廣植花卉，漏夜動工，費時三月，始告完成，極花木之盛，玲瓏之觀，長約三里許，一片畫棟，眞可以媲賽西湖。不幸洪楊倡亂，付之以火，片瓦無存，祇留一帶青塲，荒蕪蔓草，留人以憑弔而已。因此僅有五亭橋，小金山點綴，要無足看。

（未完）

花香月上樓小品

也談麻雀牌（續）

最初之牌，取三十六天罡，七十二地煞之數，（一品至九品爲天罡，一筒至九筒，一索至九索，爲地煞）祇一百零八張。繼加東南西北，續後又加中發白，及花。余少時所見者，已爲第二時期之產品矣。搓雀之法，各地亦異。最盛行者搓十三張而厦門多搓十六張，兩台花，比較熱鬧，而不太快見輸贏。近則愈來愈新，既不計碰和之和數，而別增名堂，五光十色，莫非在貪，全失游戲之意。而精于此道者，一牌和下，某也一台，某也一番，如數家珍。使人淸爽的頭腦，亦爲之發昏，何苦來哉。

談到麻雀在香港之興起，以至有人因此而發大財，乃在抗戰時期。當日因逃避日寇而流竄香江之中國難胞，何止百萬，在百無聊賴之餘，狡黠者，則走入「偏門」。愚拙者，則「飲鴆止渴」。冀獲苟延性命。于是有人倡爲「麻雀學校」，公開學習，而大發橫財。亦有人「賣身投靠」而養活妻子。綜計抗戰八年，共禍十二年，由「雀校」而發大財者，不外三二人，間直接養活妻孥者，多則萬，少則數千而已。然而傾家亡身，敗名損節，門毆傷殺，林林總總，正不知其幾何也？可不畏哉！

黃奕住富不忘本

黃葉村人

福建華僑，以晉南同籍爲最多，亦最富。如舉世知名之黃仲涵，黃仲訓，黃奕住，前者爲同安，次晉江，後者則南安也。此三人，仲訓以典庫及買賣地產起家，而其本身則爲秀才。其發祥地在安南，在原籍未聞有任何建設。廈門鼓浪嶼日光岩，（又名晃岩）鄭延平故壘原址，則有其大廈一座，狀如城堡，使人望而生畏。內圍可住千人；但吾人偶過其地，門可羅雀，恐居之者，不過十人也。中共入據廈門後，不知演變如何矣。

仲涵，同安灌口人，在昔之荷屬爪哇（今之印尼）以糖業起家。富可敵國，（指荷屬）但對祖國亦未聞有任何貢獻。生平亦未聞返國。黃氏乃一多妻主義者，故兒女衆多，妻妾亦多外國籍。世界名人像贊，有其鼎鼎大名，儕于「糖大王」之列。我國前駐美大使，外交界老前輩顧維鈞先生，卽其女黃玉蘭之夫婿也。仲涵生平如何？這裏不必詳述。

（未完）

預言研究

仇　嶷

嶷幼承家學，悉遁甲陰陽五行之事。及長，習工程於德國，以數理參證我國一般人認爲迷信之星學，乃識此學實爲由天文演進之科學。於是以業餘命相家九疑山人設硯於陪都及京滬之間，爲人道休咎，以作實驗，無不中者。庚寅年避禍經香港，會於上海日報刊出嶷所作關于命相風水卜筮測字學之文章及隨筆。自南下就職馬來亞，久未談此道矣。近於自由報閱讀關於預言之稿，引起嶷之興趣，擬將推背圖由第三十九象至四十三象逐一註解，送刊自由報，藉以證實古人所言之預言之無應驗歟？抑無不驗歟？

第三十九象爲日本於第二次世界大戰入侵我國之事。所以列入者，蓋事有始末，能信其始，故信其末矣。迄第四十三象爲中共崩潰之事，更爲舉世之人之所樂知者也。

第三十九象

讖曰：鳥無足，山有月，旭初升，人皆哭。

圖畫一鳥，無足，而坐山峯之上，太陽自山下升起。

劉基評語：十二月中氣不和，南山有雀北山羅，一朝聽得金鷄叫，大海沈沈日已過。

九疑山人曰：鳥字去足加山爲島，山字加月爲崩，太陽旗所指之地，殘害人民，故皆哭也。謂日本雖起而侵畧，終必崩潰。十二月中氣不和，謂日人於丁丑年十二月發動攻勢，以十二月十三日下金陵，欲與我國政府求和未果。

南山有雀北山羅，謂日人原欲早與中國謀和，而南進南洋之圖也。一朝聽得金雞叫，民國三十四年適爲乙酉，是歲八月復値乙酉月建，酉肖鷄，謂日本於酉年酉月投降也。

第四十象

讖曰：一二三四，無土有主，小小天罡，垂拱而治。

圖畫三童子各捧一日輪。

劉基評語：一口東來氣太驕，脚下無履首無毛，若逢木子冰霜渙，生我者猴死我雕。

九疑山人曰：一二三四，謂中國於日人侵畧時分爲四區，卽重慶政府及傀儡之滿州國北京政府與南京汪僞組織三處也。小小天罡，指上述三傀儡。垂拱而治，聽命於日本也。

一口合爲日字，謂脚下無履首無毛，日人不着履而短髮也。乙木死於酉，日居東，屬木，八月秋肅花木凋零，應於乙酉年降之，而生之者爲沐猴之傀儡？死之者爲兩次投原子彈之飛機也。

第四十一象

讖曰：天地晦盲，草木蕃殖，陰陽反背，上土下日。

圖畫一武士，脚踏白日。

劉基評語：帽兒須戴血無頭，手弄乾坤何日休，九十九年成大錯，稱王只合在秦州。

九疑山人曰：此象應毛共竊據大陸之惡行，鬼哭神號，天地爲之昏暗，故曰，天地晦盲。壯丁抽盡，田畝荒蕪，反而草木蓄殖，人民幾食草木以生矣。假名土地政策，以擊敗國民政府，故脚下踏白日也。五星旗起而代青天白日旗，是陰陽反背也。毛共初倡秧歌花鼓舞，人皆束帶作古裝如圖畫之武士，士兵皆戴血字式之布便帽。不知安民求治，反而殘害人民，顚倒乾坤。然至何日始止呢？繼之曰，九十九年成大錯，稱王只合在秦州，謂九九爲數之極，待其至罪惡滿盈之時，人神共憤，羣起而逐之，屆時雖有武備亦無能爲力，惟有逃奔西北，重回延安，以圖苟延殘息。

第四十二象

讖曰：美人自西來，朝中日漸安，長弓在地，危而不危。

圖畫一美女抱琵琶，旁伏一兔，左二弓。

劉基評語：西方女子琵琶仙，皎皎衣裳色更鮮，此時渾跡居朝市，閙亂君臣百萬般。

九疑山人曰：婦人指美國爲聯合國盟主，手弄琵琶以調和國際危局，一面談裁軍，一面試驗原子炸力。圖中長弓象徵武備，設防於各國。兔指辛卯年（一九五一年）朝鮮之保衛戰。於是朝鮮台灣日本皆賴之以安。美艦及駐軍保護之，故云危而不危，蓋戰大亂然，隨時有大戰之可能也。然世界各國莫不受共產之禍，致國內無安寧之日。再至兔年（卽一九六三年）必有大戰發生，按癸卯年屬金，癸屬水，卯屬木，戰禍當在歐洲與亞洲也。

第四十三象

讖曰：君非君，臣非臣，始艱危，終克定。

圖畫一老臣護其幼主奔逃。

劉基評語：黑兔走入青龍穴，欲盡不盡不可說，惟有外邊根樹上，三十年中子孫結。

九疑山人曰：黑兔青龍指由癸卯年至甲辰年，此兩年中，大陸一切人力物力已至山窮水盡之時，毛共因人民革命，飢荒遍國，衆叛親離，由俄共護之逃往國外，苟延性命。蓋由延安始迄丙丁之歲（卽一九六七年）前後凡三十年而已。

當時大陸各省變亂，各自爲政，一時成爲無政府狀態。故曰，君非君，臣非臣。初期至感艱危，然終能安定，重新統一，成爲世界強國，且爲盟主焉。

海嘯樓談薈

談我國的方言（三）

諸葛文侯

學習方言的主要條件，就是發音準確。我認爲粵語的發音比較其他各種方言更困難些，稍有差池，即使對方感覺茫然，甚至鬧出笑話。曾有外籍朋友在香港尖沙咀碼頭僱汽車回到銅鑼灣住所，司機問他甚末街道？他初以普通話答言「奇士域街」，司機聽不懂，繼乃操其半生不熟的廣東話說道：「就係金魚菜舘附近」——這是一家規模宏壯的粵菜舘！結果那司機把車子開到銅鑼灣警察局門前停住了！原來廣東話稱呼警察機關爲「差舘」，對飲食店稱爲「酒家」，很少說「菜舘」這一名詞的。這位朋友惶惑之餘，祇好下車步行而歸，走過香烟店前，他掏出港幣一元二角，仲手說道：「好彩一包」。這是美國香烟Lukye牌，外省人叫作「紅吉士」，粵人名之曰「好彩」。距料店主接過港幣後，遞給他火柴一大包，弄得啼笑皆非，原因是他說「好彩」二字的發音不準確，對方聽成「火柴」了。

我初次到台灣時，在台北市逛逛商店，聽得各個店舖裏的男女職員，都能說一口發音很正確的國語，我以爲他們是內陸人士，實則非也。他們在小學時期，一律用注音字母學習國語，所以發音很正確。因而想到十年前我初來香港之際，曾在九龍一家販賣洋文書籍的店中，見有一部用英文撰寫的「廣東話讀本」，其中拼音極準確，大概是專爲洋人學習粵語而寫下的。這本書定價港幣廿四元，當時嫌貴未買，如今遍尋不可得了，實在可惜！用注音字母或英文拼音方法來學方言，乃是很優良的工具，有事半功倍之效用。

除了發音以外，對於方言中的某些特殊名詞和意義，必須徹底瞭解，不好隨便不求甚解地使用。例如我們國語稱「粥」爲稀飯，意義亦很明顯，但粵語卻祇能說「粥」這個古字，否則給人笑話，因爲廣東方言稱呼人身的臀部爲「稀飯」也！粵語中的古字不一而足，有些字並不常見，非查字典卽不容易知道它的意義和音讀。如「黐」字（讀如棲的上聲，靠緊之意。）卽其一例，「黐埋地」（靠攏些）這句話，說來很普通，寫出就感覺太生疏了。

用漢文寫成方言讀本的，我看到川人劉師亮寫過一本「新聲律啓蒙」，他把四川話的一切諺語，解釋很淸楚，如「么師是夥計，啥子卽甚末」；「話不投機×打卦，事皆無謂卯彈琴」之類，外省人一讀卽懂，川語的發音又不困難，因而易於學習。用上海話寫成書的，祇有民國初年出版的小說「九尾龜」，此外很少見了。我盼望粵，閩，滬三種方言能有專書刊行，這是一項極有意義的文化工作，何幸如之！

（完）

山川風物

黃道周故里

·燕　謀·

道周先生故里之福建漳浦銅山，地處僻壤，少爲人知。民四年，閩省巡撫許世英出巡其地，邑紳馬兆麟等請設縣治，許察其地位重要，乃將漳浦之古雷及詔安之銅山、五都劃出而設立東山縣。東山縣有海港，深可泊四五千噸船艦。

東山勝蹟頗多，風景幽雅，氣候亦宜人。道周先生讀書石室在塔山，夏秋泛舟其地，眞似仙境。他如風吹動石，三忠臣碑，虎洞滴玉，龍潭九仙等古蹟，在在引人入勝。明末除道周先生外，同時尙有陳士奇，陳彬，林日瑞巡撫三人，李自成張獻忠之亂，陳士奇皆爲國盡忠，殉職於蜀中及甘肅一任所。鄭延平抗淸之役，以之爲根據地；三面爲陸，一面大海，形勢險要，當時有金（金門）厦（厦門）南（南沃）銅（銅山）四屛障之稱。抗戰時期，敵僞曾兩次登陸，但均遭擊退。大陸淪陷，中共擾閩疆，東山失守後，忠貞善良之慘遭殺戮者，爲數甚衆。

內僑警台報字第〇三一號內銷證
自由報
THE FREE NEWS
第二四六期
中華民國僑務委員會頒發
台教新字第三二三號登記證
中華郵政台字第一二八二號執照
登記爲第一類新聞紙類
（半週刊每星期三、六出版）
每份港幣壹角
台灣洽售價新台幣貳元
社長：雷嘯岑
督印人：黃行富
社址：香港銅鑼灣高士威道二十號四樓
20 CAUSEWAY RD 3RD FL HONG KONG
TEL. 771726　電報掛號．7191
承印者：田風印刷廠
地址：香港灣仔高士打道一二二號
台灣分社
台北市西寧南路壹壹壹巷二號二樓
電話：三三〇三四六
台郵撥儲金戶九二五二

三處戰火。三種手法

·方南·

寮國「聯合政府」能否組成，到今天仍是一個待揭的謎。但無論如何，西方國家如以爲蘇俄眞的希望寮局從此安定，藉以阻止中共在東南亞佔取優勢，那便是一種極爲錯誤的想法，而這種想法將會把亞洲局面引向無可挽救的絕境。

亞洲目前有三個地方燃着戰火，都與蘇俄有關，但蘇俄却用三種不同的手法去埋藏火藥與燃點火種。

第一個顯而易見的是：印尼敢於向荷屬新幾內亞發動戰事，完全倚靠蘇俄的鼓勵和幫助。目前大家都知道，新幾內亞土人並沒有傾向印尼，而印尼也沒有兼併該一地區的任何可成理由的藉口，但它居然認眞動手，悍然進兵，這是蘇俄屢次公開鼓勵，以及實際協助軍火所導致的。由這一事實可以看出：蘇俄正要在亞洲製造混亂，並不期望它有一個安定的角落。

印尼與荷屬新幾內亞的衝突，已被導演爲東方新殖民主義者對西方舊殖民地主義的淸算。手法原不新鮮，大家一看便懂。但在印度與中共的另一衝突事件，蘇俄却使用極爲巧妙的手法，作着深沉而長遠的打算，如僅從表面作淺薄的觀察，便很容易上它的大當。

蘇俄曾經鼓勵印度向葡屬果亞進兵，那已是很久以前的事，其手法與鼓勵印尼進攻荷屬新幾內亞相同，姑不置論。它目前出售軍火與印度，好像有意支援印度抵抗中共侵略對尼赫魯表示一貫的好感。這如被解釋作蘇俄與中共不睦，借此以爭取對印度的未來支配，那便是大錯特錯了。

我們如非健忘，當憶及蘇俄曾經陰誘日本軍閥侵華，却叫中共參加抗日陣綫，造成中日兩國的長期戰爭，旣利於中共乘機擴大，亦利於它自己最後出兵囊括一切。這種一反一鬪一縱一擒的手法，由帝俄以至蘇俄都是慣用的。印度目前的處境，和中國抗戰前的處境大致相似。它內部正在需要安定建設，但外來的壓迫却使它必須走上備戰的途徑。中共恰好代表了當年的日本軍閥，是造成印度內部亟須備戰的一種壓力，而印度沸騰的民氣也使執政的國大黨絕不能對中共示弱的。蘇俄抓住這個時機去替尼赫魯撐腰，賣軍火給印度，表面是和中共鬧分裂，其實是從長遠的策略上，把印度導向長期抗戰，更把印度的國大黨當作昔日中國的國民黨，不許它有安定執政以從事建設的時機，其最後目的是把國大黨拖垮，或者使之分裂，斷送了尼赫魯殘餘的政治生命。誰都可以預料得到，印度國大黨如果有一天分裂與垮台，其情形必與中國國民黨在大陸敗退時的情形相似。印共及其同路人起而乘亂接收，便會符合蘇俄原訂時間表上的巧妙安排，把整個印度從自由世界割走了。

蘇俄曾藉中日兩大民族的長期戰爭獲得了它自己的最後勝利，把中國大陸赤化的工作完成了；如今再使中印兩大民族來一次長期衝突，其最後結果將是印度的完全赤化。因此，今天蘇俄對尼赫魯出售軍火的「好意」，與其當年助軍火給中國國民政府抗日的「好意」是相同的。

我們應該想想：赫魯曉夫和毛澤東鬧成各不相下，那是另一回事，但在赫毛公開決裂之前，中共不憚使用強大兵力，深入西藏，在世界屋脊上面建立威脅印度的長久基地，決不容說不是基於共產集團赤化整個世界的長遠計劃而進行。其中運棋伏着的深遠奧妙處，怕有莫斯科的幕後設計者才正懂得，而毛澤東也只是暗被驅使的一顆棋子而已。毛澤東這時越是欲罷不能，赫魯曉夫越會運用得左右逢源，深慶得計，若說他因嫉忌毛澤東而協助尼赫魯，自是皮毛之見，太淺太稚，把事情看得太過簡單了。

第三便要說到寮國的現局。在表面看，蘇俄儼然希望寮國成立「聯合政府」，暫符合美國的心願，把戰火壓熄下去。其實，只要美國開始壓迫寮國反共的一方參加聯合政府，並且承認只有組織聯合政府才是解決寮局唯一的善法，便已是蘇俄穩佔最後勝利的開端。它可藉「聯合政府」以亡寮，固然不在話下，還有更妙的是：可藉此以削弱美國的信用與聲望，使東南亞公約組織內部失去「共信」，由逐節分裂而變成全體癱瘓。這種手法和上述兩種顯有分別，但「皮相」的觀察家仍會相信蘇俄在這一地區會有息事寧人之意，異乎中共所圖與所爲。

我們應該看得淸淸楚楚，蘇俄在東南亞三個地區係用三種手法作出三種姿態，却總不離一個目標，這就是長期製造混亂，終於赤化全球。

爲什麼赫魯曉夫到現在仍未失掉信心，誇稱必有一天把紅旗插到美國去呢？他的見解是：在失去亞非及拉丁美洲的廣大地區以後，西方工業國家將等於失去了農村給養的孤立城市，最後必歸於滅亡。因此，他的做法是：把莫斯科在今天整個世界的地位，看作從前中國大陸的延安，由莫斯科向亞非及拉丁美洲各國引發的各個戰役，便等如從前中國大陸各省的游擊戰。只要這種游擊戰能夠長期蔓延下去，到底必會把西方國家拖垮下去的。他相信這些國家終必因逐漸失去市場與給養而萎縮與死亡。

在目前，赫魯曉夫是據此以在亞洲地區製造混亂，深信或遲或早必會把印度弄倒在他手裏去，到了印度全面變色的一天，他便可掌有「傳檄以定天下」的良好條件了。

蘇俄不會因爲和中共在東南亞爭取領導而放棄原定計劃和步驟的。舉一個例：由「新延安」看各國的共黨，皆是「土共」而已。「土共」在那一個角落打家劫舍，殺人放火，都有利於「新延安」推行包圍各個「城市」的大計。「土共」怎樣跋扈也好，只要他有本事造亂，便是對「新延安」大有用處。至於將來大業告成，怎樣將各股「土共」一擊破而消滅之，歸於一統，那是將來的事。毛澤東曾在中國大陸有過前例，赫魯曉夫只視中共爲「土共」中較大的一股而已，此時應引導他去造亂，沒有限制他的必要。何況寮共也不會全聽中共的指揮，視莫斯科爲無足輕重的！

蘇俄透徹明瞭中共內部實況的全部，爲任何國家所不及。他已把中國大陸的地底資源以至地面生產調查統計得淸淸楚楚，瞭如指掌。在中共農業崩潰以及工業力量微不足道的今天，赫魯曉夫眼裏何曾有一個可怕的毛澤東？他只看得起實力，其他都不在眼裏，只要美國仍然受着欺騙，以不許自由中國反攻大陸，作爲他不許中共進攻台灣的交換條件，他儘可放長繩子，讓毛澤東多鬧一點禍，多造一點亂和多吃一點苦，不怕中國大陸會變出什麼花樣來的。

我們不妨相信，美國和蘇俄會對「中國問題」有了這樣的一個默契，鴻溝實已暗劃，便宜只在蘇俄一方。赫魯曉夫或者會忽視中國的「歷史法則」，對於饑民起義引起兵變以致造成全面爆炸的可能性會看得微不足道，或者以爲縱使出現了這樣的一個局面，他仍可以掌握大陸西北與東北形勝之地，再作打算。這是我們中國反共志士必須深入觀察與研究的一點。我們既不能點醒西方盟國同意我們的看法和做法，便只有覷準敵人的心理弱點，依循中國本位的歷史法則而盡其最大的努力了。

近來西方觀察家每多沾沾自喜，指陳共產集團農業失敗，以及蘇俄與中共背道而馳的種種事實，却忘記了敵人仍能在百端困難之中逐寸逐尺向前推進的鐵一般事實，也忘記了美國仍在時刻受騙。我們又怎能不從相反的方向指出這些不是處？

同此一溺．
不勝羨慕之至

自由談

監察院的貪污案

報載：監察委員金越光、陳達元等，最近向于院長報告本院幕僚長利用職權、侵佔貪污的事實十六項，院長大怒，已面飭該幕僚長自行投劾辭職云。有政府組織即難免發生貪官汙吏，猶之乎有室家居處即會滋生臭蟲一樣，並不稀奇。只是專以糾繩愆謬、醇化政風爲職責的台諫尊嚴之地，而有此聳動聽聞的消息傳出，令人不無遺憾耳。

那位幕僚長違法瀆職的行爲，即令確有其事，我認爲亦是現時社會上很普遍流行的反淘汰作用所使然的，他個人固屬不能辭其咎，而整個政治風氣之敗壞，由來已久，誰爲爲之，孰令致之，這才是值得注視的癥結所在。

政府自從遷移台灣以來，特別致力於軍事方面的革新改進，卓著績效，這是中外人士皆一致承認的事實。唯有用人行政方面，依然是過去那一套，法令多如牛毛，權責混淆不淸，這已經不適合於非常時期的需要了。加之以用人既不講究一定的人事制度，又缺乏明揚側陋，立賢無方的求才精神，破格任用的，不外乎自己的親私之輩，內舉不避親之義，發揮得淋漓盡致，外舉不避仇之說呢；在強調忠貞主義的今日，談也弗要談了。凡屬讀書明理，有所不爲之士，他縱然用世心切，不願老死於牖下；但不屑奔競鑽營，自媒自炫，即偶爾倖邀權貴者的青睞賞識，如非出於誠意，優禮徵辟，亦將望望然去之的。

人類生存有時精神勝過物質，這決非空疏之見，咱們在對日抗戰時代，不是曾經實驗過嗎？可是，今日在台灣侈言「臥薪嘗胆」的一般中上級公務人員，却竭力貪圖生活享受，大家靡然從風，恬不爲怪，然法定的薪俸收入又那末菲薄，若不利用職權，非法侵佔貪污，請問如何得了呢？

建設廉能政治，即需要多數獨立特行，有所不爲的人才；這些人才需要執政者誠意徵求，虛心倚任而後可以盡其用；要使賢者在位，能者在職，又需要執政者具有天下爲公的精神。這些條件不具備，就休想改革政風，滌除貪污惡習。因此，我認爲擁有用人行政權力的大人先生們，必須閱讀一些政治哲學和社會學的ＡＢＣ，再看看史乘中的唐太宗本紀，而後可以言求治之道。

馮玉先生

新任美國駐華大使

寇克自謂深深的愛中國

他年少時曾見過國父

（本報華盛頓航訊）新任美國駐華大使寇克表示，從十九世紀開始，他的家族即與中國發生密切的關係，他本人亦深深的愛中國。

這位高年七十三的退休海軍上將，在美國有軍人政治家之目的寇克大使的這番話，是在他宣誓就職之日所說出來的，當時寇克還說：他已經決定要於七月十日到達台北，履任他的這項新職務。

寇克大使的宣誓就職禮，那天係在美國務院七樓外賓接待室舉行的，監誓人是美國務院的禮賓司長杜克，有十幾位國務院高級官員在場觀禮，中國駐美大使蔣廷黻博士，則是被邀請觀禮的唯一貴賓。

美國務卿魯斯克，曾在典禮中致詞，很把寇克推崇一番，說他既是傑出的軍人，也是傑出的外交家——寇克於一九四六年自軍中退休後，曾任駐比利時大使，他在一九四九年至一九五二年担任駐蘇俄大使任內的表現，至今在美國猶膾炙人口——。魯斯克又稱：中國是美國最密切的盟國之一，今後中美合作，關係重大，他表示相信寇克大使必能愉快達成他的重要使命。

寇克大使在典禮中亦講了話，他保證要更加加強中美兩國之間的友誼。

寇克大使所說他的家族自十九世紀開始便與中國發生密切關係，這段故事，他不曾詳細敘述，所以還不得而知。但他曾很以爲榮幸的回憶他於一九一二年一月（按爲民國元年）在廣東，於威靈頓旗艦上見到國父孫中山先生的經過。那時候的寇克，只不過是一位海軍少尉軍官而已。另外，寇克大使亦很高興的提到，他於去年曾以紐約博覽會會長的身份到過台灣，謁見過蔣總統，寇克大使說：他對於蔣總統的偉大領導才能，至感欽仰。他對台灣的印象亦很好。

寇克大使還談到，他很歡喜中國的食物，其中更特別偏愛廣東風味中國菜。寇克又說：他的夫人這次雖還是第一次到中國，但他相信，在到了台北之後，他的夫人將很快就會喜歡中國。寇克大使說他到台北後，將住在市區的美國大使官邸，但他打算在陽明山亦找到一個房子，作爲別墅，備他星期休假之用。

寇克沒有談任何政治性的問題。他說他要到了台灣之後，再研究問題，了解問題，並解決問題。（正）

寮共借題發揮大顯威風

寮國聯合政府擱淺

永珍西方使節團上了一課

富馬運命好不過克倫斯基

（本報永珍航訊）好不容易才獲致協議的寮國聯合政府，出師不利，原訂於十八日在永珍宣誓就職的，卻因爲所謂憲法上的問題，寮共竟借題發揮，節外生枝，寮共領袖蘇凡努馮，居然因此不肯來到永珍，使得聯合政府的就職，受到無限期的阻撓。

所謂憲法上的問題也者，係因爲快要正式下台的寮王室政府首腦邦安親王，在組織聯合政府獲致協議之後，向寮國國會提請辭職，並附帶的報告了聯合政府協議經過，結果，國會通過了王室政府的辭職，並亦通過了組織聯合政府這回事。之後，在寮王華當的詔書中，便有國會通過聯合政府字樣。寮共便因此，大肆咆哮，宣稱那個國會不是它們承認的，詔書如不修改，它們決定下來，寮共領袖蘇凡努馮，且在北越的河內發生廣播，宣稱「對美帝不能存有幻想」，強調寮共「準備隨時作戰」」。

永珍人士，包括西方外交使節團，對於寮共的小題大做，咸感驚異。一般雖不相信寮國聯合政府會因此而胎死腹中，但卻人人感到：寮共而今實在囂張跋扈得可怕，並認爲寮共此舉，可能係故意借此表現先聲奪人，要拿點顏色給大家看看。

寮王室政府，係寮國的合法政府，它上台之時，係經過寮國國會通過的，它下台當然應向國會請辭。寮國國會在聯合政府組成之後，其重要性已接近於零固然不錯，但在現行憲法未廢棄之前，或者在國會被正式解散之前，卻無論如何不能說它根本已不存在。現國會議員多爲反共人士，認眞投票，聯合政府未必過得了關，國會這次屈己從人，實在已經很遷就了。然而寮共卻因此大發雷霆，太可怕了！

而且，在邦安親王把組織聯合政府的事情向國會報告之先，聯合政府的內定總理富馬還是會經同意了的，但富馬現在卻反悔了，富馬說：他在同意之前，「內心」有一項了解，即此事祗關係到邦安政府，而與寮共及他領導的中立派不相干。富馬而且威脅說：問題如果不能於短期內解決，他不幹了。又威脅說：他眞的不幹，「國家立刻就要陷入混亂」。

富馬所謂「國家立刻就要陷入混亂」，是否即是蘇凡努馮所說寮共「準備隨時作戰」呢？

永珍人士以爲，寮共的這一鬧，最低限度第一，使得原來的王室政府這批人感到難堪，顯示他們而今眞的成了「下飯菜」，動輒得咎。第二，更其是使得國會議員們難堪，說不定寮共有心就此把國會「埋葬」掉，連伴食的機會亦不肯給他們。第三，當然也很使得寮王華當難堪。寮共是從王都鑾勃勒邦特地前來主持聯合政府的就職典禮的，而寮共居然故意不來，且其藉口還公然涉及寮王的詔書，認其「不當」。不妨涉想：寮王的感覺當是如何？如今還不過攪聯合政府，寮共便已經不把寮王放在眼底了，將來如其寮共的羽翼更豐滿，寮王的那隻王位，還保全得了？

寮共的這一借題發揮，不消說亦實在給西方國家上了一課：它們的威風多大！西方國家的外交使節團，對於這回事，都不肯發表意見，但據靈過人士的透露，這些使節們，是確實「震驚」的。這些使節們現在也許已經發現：在用盡方法把王室政府壓迫到同意組織聯合政府之後，非但不就是寮國從此太平，反之，以寮共如此其威風八面，顯然說明：由富馬爲首所組織的聯合政府，無非是爲寮國的全部赤化鋪平道路，自稱中立的富馬，他的運命，如是，果將必然祗是列寧的布爾希維克上台之前的克倫斯基而已，也確實可憐也！（濟）

中共禁寄入百貨

內幕祇是爲了錢

要托運公司先給五百萬

（本報訊）中共宣佈自六月二十日起禁止百貨用品自香港寄入大陸之事，連日來會引起此間中國同胞的驚恐，同胞們爲急於接濟大陸餓得發昏的親友，十八、十九兩日，郵局會大排長龍，大家爭着寄運糧食包，怕的是過期將一切不准寄入了。

但據本報記者二十日所獲消息，從郵政局寄返大陸糧包，並不在中共禁止之列。甚至從市上各個「托運公司」寄入小型糧食包，中共亦依然照收無誤，所以各「托運公司」現在亦還接受此種糧包的托寄。但這些「托運公司」證實，大規模的托運，無論共所托運者爲糧食或其他百貨日用品，則確實暫時成問題了。按這些「托運公司」，以往接受的較大規模托運品，包括糧食在內，他們是直接到深圳去辦理繳稅手續的。這些兩三年來的「新興事業」，有的會賺錢不少。

據本報記者從「托運公司」所獲透露的內幕消息，中共此舉，實在是爲了「刮龍」，企圖大大的增收稅項。增收稅項對於這些「托運公司」，實在也無所謂的，因爲反正羊毛出在羊身上，「托運公司」儘可照加無誤。問題係出於中共要他們先獻出五百萬元港幣來，他們一則還在討價還價，再則亦還一時之間湊不足五百萬元來。但他們估計，問題終於還是可以「擺掂」的，故中共所謂禁止，諒必只是暫時性質，不久當即可以恢復。

本報記者又獲悉：從二十日起，寄福建省的小型糧包，「托運公司」不接受了，其餘地區則照舊接受。爲何福建省區獨不接受，還未曾得知當中原因。（供）

泰東所爭一山一廟

泰絕不接受國際法庭判決

東如硬欲接收必引起戰爭

（本報曼谷航訊）國際法庭對於考麥威限山的判決，在泰國引起了忿怒的反應，並亦使得泰國與東埔寨間的緊張關係，益趨惡化。如果東埔寨要想「接收」考麥威限山，看起來必然會與泰國發生戰爭。

泰、東兩國爲考麥威限山的主權誰屬問題，已爭執了好幾年。東埔寨的兩次把泰東之間的外交關係斷絕，主要的，就是爲了考麥威限山的主權之爭。這座現時在泰國手裏的考麥威限山，位於泰國東部邊境，山峯的那一邊，便是東埔寨。

泰、東兩國爭這座山的主權，主要是爭這座山上的一座廟宇的主權。這座廟宇，名叫「卡獸寺」，據說是九世紀之物，更有人說已有三千多年的歷史，已經大部份坍圮湮沒了。寺建築宏偉，具藝術價值，兩國各自認爲是自己的東西。

泰東兩國多年毗隣，在往昔，曾經交戰多次，領土的變遷亦有過好幾次。要講歷史上的主權證據，兩國均可提出一大堆資料，以現狀而論，這座山的山峯那面，即屬於東埔寨現有領土的那面，壁立千仞，從東埔寨境內並無道路可以到達這座古老的卡獸寺。通往這座古寺的道路，全在泰國手裏。泰國亦一向在廟裏派有警察駐守。

國際法庭判決的消息，是十五日傳到曼谷的。一直到判決的前夕，泰國人都很有把握的以爲泰國必然勝訴。十四日的官方消息，就還說在次日判決之後，各廣播電台以及電視台，都準備轉播全部判詞。有的人還準備了其他慶祝的節目。那知消息傳來，竟然是東埔寨勝利了。這消息對於泰國人，眞有如晴天霹靂，深感震驚。

國際法庭判決的消息，於十五日下午七時傳到曼谷。當時，國務院長乃沙立元帥，適扈從泰王蒲眉蓬陛下在泰北及泰東北慰勞進駐泰國的盟國部隊，坐鎮京畿的是副國務院長兼國防部長乃他儂上將。有關當局得到這一消息後，立刻呈報乃他儂上將，乃他儂上將則立刻轉報乃沙立元帥。另外主管新聞宣傳業務的國務院辦公廳新聞處以及國務院的民聯廳（等於我國的新聞局），除一面令知廣播台及電視台勿予轉播外，一面更通知各報館，希望愼重處理，能夠署而不登，就最好。

乃沙立元帥當夜在清邁府接到這項消息時，據說他十分激動，整夜寢不安席。第二天（十六日）一早，乃沙立元帥的電報到了，要於當晚召開緊急閣議。泰王及乃沙立元帥一行於十六日下午飛返曼谷，人人表情凝重，也沒有任何記者敢問到這件事情。

緊急閣議於當晚七時半開始，一開就開了四個半鐘頭。原來的消息，是說閣議後發表公報的，但到十一時二十分鐘，各電台突然播放三軍進行曲。依照往例，政府得於電台公佈重大消息之時，必先播放三軍進行曲，所以當時整個曼谷都緊張起來，人人尖起耳朶，注意聆聽。跟着播出的是政府的一項簡短聲明，內容有二點：（一）泰國尚未接到國際法庭的正式通知，亦未見到判詞全文，須待進一步的消息，再作處斷。（二）從十五日下午三時起，沿泰東邊境，東方有增兵行動，且公然挖掘戰壕，顯係備戰。

十七日的消息，從十六日午間開始，泰國亦增兵泰東邊境，軍車絡繹於途，但政府只說已在考麥威限山增加警察力量，未及其他。同時在曼谷民間，自從十六日知道國際法庭的判決後，民心顯示了悲憤激越的情緒，將遊行示威抗議之聲此仆彼起。泰國是禁示遊行示威的，但據警方說，人民如爲此而有所表示，只要無越軌的行動，警方將不加干涉。

到十八、十九兩日，泰國的立場已更加明朗了：（一）副國務院長兼國防部長乃他儂上將表示：「考麥威限山屬於泰國，無人可以改變此一事實。泰國將爲此戰至最後一人」。（二）內政部長乃巴博上將說：「吾人決不許東埔寨人進至考麥威限山。吾人守土有責，寸步不讓，有死而已」。（三）外交部宣佈：泰國出席東南亞公約組織代表理事會代表團及出席日內瓦寮國問題十四國會議代表團，均已奉令不參加會議，直至另行奉到命令之時爲止。

泰國之不會接受國際法庭的判決，是決無疑義的。乃他納外長已指出：國際法庭庭長爲波蘭人，波蘭係共產國家，此一裁判，當然不公正。又說：當東埔寨把兩國爭端提交國際法庭時，會得到前任美國務卿現爲律師的艾契遜的協助——泰國之杯葛上述兩國國際會議，顯即由此而來。問題是更趨複雜了。

據此間所獲金邊消息，東埔寨對國際法庭的此一判決，大喜過望，東統治者施亞努王子表示，他將「剃髮坐關七日七夜，爲此裁定而示感恩」。但東埔寨硬要拿考麥威限山的話，看來非打仗不可。（喬）

是我們反攻的時候了！

楊柳青

從大陸同胞的洶湧逃亡，說明鐵幕之內，確實問題嚴重。鐵幕之內問題嚴重，則說明正是我們反攻的大好機會。

我們切不要想入非非，像某些專家或政客那樣的曲解大陸同胞逃亡爲共產黨的「饑餓進軍」，意在予自由世界以「困擾」；尤不可本末倒置鑽入牛角尖裏，說是應該「防匪」「防諜」。否則眞就未免令人寒心，要發爲長嘆了！

匈牙利事件發生之際，所謂自由世界，其始茫然無知，繼之則才足無措，轉眼之間，讓俄共的血腥鎮壓克奏膚功。前事不忘，後事之師，但直到如今，自由世界以及我們自己，對於這次大陸同胞的洶湧逃亡，卻一直沒有什麼有力的反應！

中國人固然不就是匈牙利人。然而，反抗極權暴政，爭取自由民主，特別是飢火中燒而冒死求生，則人同此心，心同此理。然則，這次大陸同胞浩浩蕩蕩的衝出鐵幕之事，值得我們認眞認識與重視的，豈不很明白的就是簡單的一個概念：是我們反攻的時候了！

「十年生聚，十年教訓」，是一句古老的格言。我們困居台灣，卻已經十年以上了。該準備的，應該已有充分的準備了。「在安定中求進步，」我們在各方面，這十多年來，該是大有進步了。但爲什麼還在等待呢？再等待下去，如何得了呢？

早在青年節，總統文告和演講中，就有我們隨時可以反攻之語。然而爲了中美條約的束縛，當西方國家記者們紛紛向甘迺廸提出此一問題時，甘迺廸的答覆，卻是「並無所聞」！筆者曾一度就教於一位高級軍方人士：我們有無適當準備和打算？得到的答覆，頗爲肯定。但最後是報以苦笑——顯見意在言外，這是「外交問題」。

是的，外交問題，我們吃這個虧已經太多了！

韓戰爆發之際，我們可以出兵，也是我們反攻的一大機會，然而第七艦隊擋在台灣，我們成了一個被保護的嬰兒，無法動彈。麥克阿瑟元帥最後且因政略戰略之不見諒於美當局而被罷職。我們中國的利益，更無論矣。

從大陸時期杜魯門時代的白皮書之發表，以至今天「新境界」的總統甘迺迪之執政，對於我們中國的一切措施，好像最近發表的一九四三年中美外交關係文件，突然召回莊萊德大使，新任大使之遲遲任命，姍姍其來，本年度美援之青黃不接等等，令人無任惶感，頗有「敵乎？友乎？」之感。我們大陸同胞的洶湧逃亡，局勢固然不變了，但人家的利益，不同於我們，漠然視之，無動於衷。

大陸整個淪陷之後，我們已是由「有」到「無」。窮人是應該不怕事的，俗語所謂「人一個，命一條！」我們固不能挺而走險，不經意的孤注一擲，然而，民心已無法忍耐了。中國的問題，不能從第三次世界大戰中去尋求解決，誰不知道？中國問題仍得我們中國人自己去解決，誰不知道？天助自助者，流血流汗與冒險犯難，就有成功的幾會，道理更淺顯而明白。然則，我們也就該自己有所抉擇了！

「養兵千日，用在一朝」，大陸同胞的洶湧逃亡，證明他們已再不能忍受了，我們爲何還不急起直追？要成功，犧牲是在所難免的。天下絕無懦夫懶漢而可以成大事業的。守株待免，將是何等結果，誰不明白呢？假如說我們動而闖出禍來，我們也該承當。我們的希望是從「無」返「有」。偏安之局之必然自取滅亡，歷史的教訓太多了！

香港與大陸

廣東沿海各山區 有反共青年活動

是政黨組織且擁有武裝

△據新自廣東海豐逃到香港的青年學生黃君對本報記者透露：廣東沿海的海豐、惠陽、陸豐、惠來各縣，由於飢荒慘重，人人挨餓，因饑餓致死的人，已不計其數。這一帶的同胞，早有一項共同的感覺：要避免被活活餓死，唯一的希望，便是逃到香港或者澳門來。他說：上個月如潮似浪的衝出鐵幕想進入香港的同胞，這幾縣的人便多得很，少些說亦有三萬之數。

黃君是海豐縣汕尾港中學的學生，這次同他一道逃到香港來的，尚有其他六人，他們都是同一校的學生。他說：他們是被共黨勒令到鄉間參加農業生產的，因爲工作過於沉重，特別因爲吃不飽，實在忍受不了，乃實行夥同逃亡。他們是本月十二日深夜，乘大雨之際，冒險偷得「漁民公社」的一條船漁，急駛出海，途經虎頭門，三門關等處，居然順利的來到了香港，得過安逸自由的生活。

黃君並透露：近來在大亞灣沿海一帶的山區，包括筆尖山、大安洞、八掛山、烏禽嶂等地，時有反共份子的踪跡，他們而且有「黨」的組織，有一個名叫「聯合同心行動黨」，有一個名叫「青年愛國黨」，這兩個黨的黨員，不但進行口頭的反共宣傳，且居然散傳單，貼標語，他們而且還有武裝組織。比如本月五日晚間，就有「青年愛國黨」黨員三四十人，一律配帶槍枝，多爲短槍，衝入海豐縣的「梅隴鄉人民公社」，勒令公社社長拿出糧食，然後揚長而去。

據黃君說，這些反共份子所組織的黨，其黨員大部份都是青年，其中且以學生爲多，有的是大學生，有的是中學生。他們每有行動，必在夜間。又說，連共黨份子亦多有參加在內的，包括各縣的區鄉鎮的「黨委」、「黨書記」，以及人民公社「社長」，生產組「組長」等。駐在惠陽縣的共軍，不久前曾把新莊鄉的「黨委」、「書記」、「社長」等全加拘捕，就因爲這些人都是「愛國青年黨」的組成份子之故。（源）

△原籍長沙的某君，兩個月來曾兩次匯欵回去，一次爲港幣五十元，另一次爲港幣六十元。但他的家屬來信說未曾收到。他於是持單往詢交匯的銀行，銀行卻已有收欵回條，其上且蓋有「公社」的圖章，顯示銀行是付了欵的，但欵子是由公社收了。某君已將情函知其家屬，要他們向公社討欵。他說：如果討不到，今後將再不匯錢回去。（周）

燕塵識小

前「王」「崇」祀

余貞生

北平城內，牌樓甚多，所以崇瞻觀，誌方位也。其在中城則一入正陽門數步，東西各有一坊。東在東交民巷西口題曰敷文；西在西交民巷東口題曰振武。皇城墻外又有四坊，在東西長安門外者各一，東向者題曰東長安街，西向者題曰西長安街。以上四者，東西相對。其在東西長安門之外與皇城平行而南向者亦有兩坊，在東題曰「履中」，在西題曰「蹈和」。（逛中央公園者，一一出闕門而西即出西長安門，不過十步，往南一轉，穿一牌坊，而達司法部街即此處之「蹈和」坊。往年吾經其下，數千百次，蹈和兩字至今依稀在目。東面「履中」坊則吾民元二年間住南池子時，出城必經之地，今則渺茫矣。）

東城入崇文門而北數百步，至東長安街東口外，有坊曰「就日」，俗稱東單牌樓。循大街一直往北，又有坊四，南北兩坊題曰大市街，東曰履仁，西曰行義。是爲東四牌樓。

西城入宣武門而北數百步，至西長安街西口外，亦有坊曰「瞻雲」，俗稱西單牌樓。循大街往北經甘石橋，缸瓦市而北，亦有四坊，南北兩坊亦曰「大市街」，東曰「履義」，西曰「行仁」，是爲西四牌樓。

東單西單兩牌樓，已於民國十五年拆卸。理由是「年久腐朽，勢將倒塌」。其後遂未重修。馬路上少一障礙，交通自然方便，然古迹從此湮沒，終嫌得不償失也。

以上略談北平城內牌坊，不過聯想所及，非正文也。

西四牌樓南北大街俗稱西四大街，東街曰馬市，西街曰羊市，民十至民廿寒家賃居此街之南。（長女敬理生於此宅，今年三十九歲，有兒有女，宜室宜家。又喜同在海隅，頗知孝養，暮年風燭，庶幾無憂矣。）對門路北一巨宅，財閥周作民居之。周宅之東百步，有古廟曰廣濟寺，名刹也。（聞戊戌狀元夏公同龢晚年禪隱於此。）周宅西百步曰馬市橋，過橋始爲阜成門大街，白塔寺在焉。

過白塔寺而西百步，路北有廟題曰「帝王廟」。四十年前，我因所居密邇，亦曾數入觀，（當時似已改爲民衆教育館之類）見其規制崇弘，惜正殿塵封，不克入內瞻仰。殿外亦有碑碣，而又未遑細讀。四十年來，舊痕在目，幸於順天府志中獲觀此廟詳細記載，欣喜逾望，錄入燕塵。後之覽者，或有取焉。

順天府志（原文無句讀不分段，改從今式，以便閱讀，無負生註）：

「歷代帝王廟在阜成門內大街，南響。廟門三間，左右門各一。前石梁三，內景德門五間。崇基石闌，前後三出陛。中十有一級，左右各九級，左右各一門。景德崇聖殿九間。重檐崇基石闌，南三出陛，中十有三級，左右各十一級。東西一出陛，各十有二級。兩廡各七間。燎爐各一。殿東御碑亭一，後祭器庫五間，均南響。景德門外東爲神庫，神厨各三間，宰牲亭井亭各一。西爲承祭官致齋所。東西鐘樓一。圍垣周百八十六丈三尺八寸。廟門外東西下馬牌各一。凡正殿門廡均覆綠琉璃。門楹塗丹，梁棟五采。（無負生註：乾隆十八年奏准帝王廟正門額書景德門請增崇聖二字。）（一）

瘟君續夢

第五回：深塹難填　反顏奴抗主　片言起釁　轉瞬德成仇

二李曉得又出了麻煩事，好在與自己無干，趕快離開，就在這時彭眞來了。

周恩來見了彭眞，縐着眉頭問道：「國慶前夕，招待兄弟黨及外賓的晚會上，怎麼把阿聯得罪了。」

彭眞笑道：「總理同志，當時你也在場，怎麼忘記了。」

周恩來說道：「當時客人很多，我那有工夫理會到阿聯的代辦。」

彭眞陪笑說道：「事情經過是這樣的：我們建國十周年慶祝會，亞非中立國家大部份都派出代表，連巴基斯坦和約旦都有私人團體參加，只有阿聯未予理會，因此，陳毅同志和我商量，打算羞辱阿聯一場，給納薩一個教訓。」

周恩來搖頭嘆口氣，問道：「你們怎麼安排的？」

彭眞說道：「事有湊巧，這次慶祝大會，敘利亞共產黨總書記巴格達什來了，我們就從他身上打主意。」

周恩來忽然想起，問道：「巴格達什在埃敘合併之後已經逃到蘇聯去了，這回怎麼請了他。」

彭眞說道：「我們發請帖的時候是疏忽了，不料請帖寄出去，他居然收到，就隨同蘇聯代表團一起來了。」

周恩來一聽事情扯到蘇聯身上，曉得內情更複雜，只是當着彭眞，不便說出來。

這時陳毅匆忙跑進來。周恩來十分不高興，瞪眼問道：「你去了什麼地方，到現在才趕來。」

陳毅陪笑道：「同幾個外賓去北京飯店喝茶，不曉得總理找我，所以來遲了。」

周恩來無心同他多說，回頭看看彭眞，問道：「巴格達什當時怎樣說？」

彭眞笑道：「當大會司儀請敘利亞共黨總書記致詞時，阿聯代辦就表現得十分緊張。巴格達什一開口又大罵納薩，指納薩是個暴君，併吞了敘利亞。這時阿聯代辦就站起來走了。」

陳毅在傍邊聽明白了，知道談的是阿聯的問題，插口說道：「西藏發生叛亂時，阿聯曾經罵過我們，現在借重巴格達什罵納薩一頓，正是投挑報李，也替我們出口氣。」

周恩來哼了一聲：「這口氣沒有出，麻煩跟着來了，阿聯代辦已經走了。」

陳毅繃着臉說道：「走就由他走了；那一次南斯拉夫的代辦也一怒而回國，我們未理會，過了不久他又回來了。」

彭眞說道：「我看這件事應該不會太嚴重，那天發言的是巴格達什並不是我們，西方國家常說言論自由，我們怎能禁止巴格達什的自由，不准他說話。當時阿聯代辦若站起來罵巴格達什一頓，我們也不會制止的。」

周恩來苦笑道：「事情那會這樣簡單。納薩決不是善男信女，若在平時，他也沒有辦法，現在就不同了。我們正同印度衝突，納薩一定去和尼赫魯商量，他們兩個若聯合一致對付我們，就麻煩了，亞非中立集團大部份都聽他們的話。」

周恩來說到這裏，只見龔澎捧公事夾走進來，雙手遞給周恩來。（一一一）

邨畔老伎（續）

圓月橋畔，有類如酒帘之茶座，名曰綠楊邨。邨外種植垂楊，約有二三十株。暮春三月，碧綠如茵，一片翠色，極饒鄉村清趣。侵晨小坐，異常清靜，並有花香送鼻。店中所售之茶，其葉皆新焙，頗有香味。傍晚則遊人四散，晚霞垂照，其味與清晨不同，而清靜則一，所以遊綠楊邨，必須在晨晚爲佳。

邨外橋邊，每日午後二時起，有一老伎，年約五十以外，坐砌石踏上，手擊鼙兒，唱揚州小曲，循環不斷。過橋遊客，憫憐其老而窮，輒投以一角二角，作爲周濟，一日之間，竟可得七八銀元，賴以溫飽。余曾以之詢揚城友朋，據告此伎幼時相當走紅，走馬少年，所擲纏頭無算。因其不甚安居，鴇兒慾壑已滿，即爲嫁於鹽號夥友，身價甚徵。但其大婦奇妬，約定期以兩年，如獲麟兒，可長居，否則逐其下堂。未一載生女，大婦不滿，誣其與廝僕有染，百端以計陷之。越年半，又育一子，遽取其子，以重金遣僕先行，而礁定私通，逐出門外。伎乃淪落街頭。初時其夫尙暗中周濟，及死後遂斷，卒至賣唱於橋畔，何其酷也！

憶玄軒雜綴

袁殯僭儀

項城袁世凱，因逼隆裕遜讓，宣統詐亡，投降民國，應入貳臣之傳。如果在就任大總統後，能勵精圖治，尙可有功家國，奈何甫任四年，即謀叛國，洪憲稱帝，又落奸佞不赦之列。雖才智捷敏，千古以後，總是罪人。懷梅庵有述：袁於民國五年六月六日謝世，即發公報「袁大總統上午十時四十分逝殂，停柩居仁堂，遺令以黎副總統繼位」。國家元首，可以命令行之，殆任何民主國所獨有，足見其思想封建。七日袁氏入殮，頭戴平天冠，身穿祭天禮服，依然皇帝格局。不知當時臣僚，是否承認其爲民國總統，抑洪憲帝君，乃有此服裝？如爲帝君，遺令由副總統繼任爲不合。倘是總統，則帝王服裝，是誰所主？總之極爲僭儀，思想陳腐極矣。

尤有甚者，廿三日大祭，黎派段祺瑞（國務總理）往祭。廿八出殯，派王揖唐（代表何人）致祭。舁夫三十二，抬出居仁堂，過新華門，黎行一鞠躬退。既出新華門，舁夫增至八十（比帝王差廿八人），全體閣員，清室代表，各使節參加執紼，由東安門繞至中華門，經正陽門抵達西車站。武官穿各軍制服，文官穿大禮服。舉殯時，全城各廟宇撞鐘一百零一下，上車開行，鳴炮一百零一響，儀式隆重，儼然帝王。黎派蔣作賓赴彰德行祭。入葬，又派河南巡按使田文烈督造，名曰袁林。亦醜劇也。

黃奕住富不忘本（續）

三人中惟南安之黃奕住先生，可紀也。奕住出身剃工，人謂：宜爲賢者諱，余曰：「不必」！清代雖視剃頭爲賤業，然剃頭出身者，如有學問，仍可入學考秀才，不列于身家不清白之內。嘉慶之宋芷灣（湘）中解時，猶替人剃頭，即其一例。況民國建制，天下平等，一時之否泰，非終身之榮辱；只要自己有志，荷戟老兵，可與賢士大夫，爭千秋百世之榮。聞奕住先生榮歸時，曾以其「剃担」陳諸祖祠，以示人生創業之艱難，豈無見耶？按奕住之得人敬重，不在其財之富，而在其行之可取。其能以數十年血汗之所積，取諸異國，用諸本國，如投資銀行，電燈，自來水，電話等類。又如極力促成步閩鐵路之繼續完成。若非日閥費擾，沿海交通建設暫止進行，黃氏之貢獻于國家社會者，尙不止此也。反觀其他，取于斯，還于斯之鉅富，如印尼等地同胞之鼎鼎大名者，不爲當地政府所控制，摧殘，亦受匪共操持挾制、何有于國家民族哉？

奕住生前，筆者曾以漳廈鐵路問題，往訪二次。黃家在鼓浪嶼，地名球埔，即大宮後。一連建大樓三座，如品字形，黃自住中樓。其人衣着樸素，足拖布履，舉動不脫勞動工人形態。在談話間，偶見几上爲茶所濕，即自起取破帛抹乾。筆者問：「黃先生何不憚煩也？」黃微笑曰：「見到即做，是我生平習慣。若喚人，等到他來，又去拿抹布，一來一往一復，水流而下，則地毯髒矣！吾寧自動也」。其愛惜物力，與既富而不變的生活精神，直使人長印腦中，近三十年而不忘也。

花香月上樓小品

徐炳勳其人

黃葉村人

徐炳勳，廈門人，曾一度任廈門某報編輯。其後入「全閩新日報」。全閩新日報者，日人在廈設立之機關報也。該報初由日籍之閩客籍人江某主持，原始性質如何？不願下判語，惟該報自改歸「台灣總督府，台灣善鄰協會」接辦，改派謝龍潤爲「主幹」後，其爲日人之喉舌，及替日籍浪民張目之面目，已畢露無遺。故廈人鮮有訂閱者，有之，惟日籍民及一部份掛日本籍牌而營非法事業之烟賭等浪人耳。

謝龍潤爲台灣人，自稱日本帝大畢業。其人梟健毒辣，見徐炳勳文筆敏捷，而意志復薄弱，好酒色，易於利用，遂聘爲該報總編輯。炳勳一無行文人耳！爲爭取部份低級讀者，乃闢一欄曰：「雜貨攤」，倩黃天聲主編。黃綽號「赤老虎」，市中無賴漢也。（未完）

廈門探界三虎

周纘如

偵探之爲業，在廈門，民初始有。而在清季，親民之官特以捕盜者，俗稱「馬快」，亦曰「捕役」，其名列於皂隸，視同賤役。然鼠竊狗偷者一入此輩之手，不死亦殘，否則，終身爲之用，有利則分，有罪則受，鞠躬盡瘁，死而後已。

民初，軍閥據廈時代，「密探」、「偵探」之名乃出。其時有韓福海、王慶蕃等，皆箇中之健者。當時建國伊始，刑賞亦重，一二自愛者，尙能保守廉潔，不致殞滅，寖假流品複雜，嗜利與玩法弄權者多，最後鮮有不自食其果者。

林明者，福州人，海軍廈門要塞司令部之密探長也。司令林國賡，始生時，林明母受僱爲乳母，以此因緣，林明得爲探長。一日林五鼓自外還家，見一盜自烏利文鐘錶店出，喝之止！曰「汝手中所持者何物」！盜固識林，不敢隱，曰「金錶珠玉也」。林曰：「隨我來」！盜隨至林明家，盡取其名貴者，僅以一二次品予盜，揮令去，曰：「敢洩者，殺汝頭」！盜抱頭鼠竄去。

時廈門警察廳，廳長楊遂，亦福州人。以烏利文在通衢失竊，警察乃無覺者，未免笑話，遂嚴令警探緝盜。未幾，果得盜，供出贓在林明處，事聞，以面子關係，彌縫了事。林明撤職離廈，直至楊遂去任始返。不久，楊廷樞爲思明縣縣長，林原兼司令部軍法官，林明又夤緣爲縣偵緝隊隊長。當此之時，思明縣有偵緝隊，警察廳有偵探隊，海軍禾山稽查處有緝隊，警備司令部有密探隊，隊長爲胡震。偵探在廈，林林總總，無與比倫。抗戰軍興，林明爲駐軍某部所拘，伏法漳州，罪狀爲何？因余已離廈，未詳也。林狀貌魁梧，與人言，輒微笑，不露邊際，故人以「笑面虎」許之，心實叵測也。

許振潤，廈門人，觀其外表，恂恂類儒者，然熱中險陰，非常人也。初任林明隊探目，以策畫捕斬陳念慈一案，爲林明所激賞，以此有名于探界。實則陳念慈案至今仍是一謎也。蓋念慈與許，同居城內，其箇人家世，許知之甚詳。念慈有叔營質庫，家中產[illegible]，則堂有三棺，無力安葬，妻又懷孕待產，竟以勒索叔[illegible]罪名，被捕槍決，其年纔二十許。先是，其叔[illegible]侄函索千金，[illegible]則享以炸彈」等語。[illegible]楊廷樞善，楊與許設計，林明辦探，伏而捕之[illegible]。論者謂[illegible]，況係親族，[illegible]竟以軍法論處，可怪也。不久閩變發生，東路軍別動隊入廈，有人控許于別動隊，遂被逮，解往漳龍道中，以途中圖逃，被射殺。許死時纔三十許。聞平日事母頗孝，人稱老虎潤，亦曰「青面虎」，以其動怒則面露青筋也。

宋安在，廈門人，世居「二王」（地名），渾名「坐地虎」。凡居二王者，不畏官，不畏任何人，[illegible]警探與[illegible]三大護符[illegible]本浪人報主幹謝龍潤[illegible]懷野心[illegible]抗戰[illegible]追蹤[illegible]船上[illegible]警局長[illegible]副探長[illegible]安登岸[illegible]安遂就逮，未幾被槍斃。

尙有二虎，一爲「野鷄記者」黃天聲，渾名「赤老虎」；一爲「漁業稅棍」柯金針，人稱「海老虎」。[illegible]名於廈者，[illegible]命死，人固不可不顧惜其名與行也。

海嶠叢談

談歷史人物（一）

諸葛文侯

偶在報紙上看到有人述及現代名人戴季陶在生時，極不贊成國民政府對革命先烈黃克強特予紀念尊崇等情。我因此亦聯想到被袁世凱暗殺的那位革命先烈宋教仁，其身後沒沒無聞的景況，更甚於黃氏。究竟黃宋二公有甚末懸德不理於後人呢？這是研究歷史的人應該注意的事，不妨談談。

黃克強先生一生獻身革命事業，處處表現着「赴義恐後，攘利不先」的精神和行爲，事證斑斑可考。他當年以「華興會」首領，在日本東京與「國父孫公晤面，決定合力創設「同盟會」之際，即係由黃氏當衆提議推戴孫公爲總理的。後來同盟會幹部人物如章太炎，張繼，劉揆一，宋教仁，陳家鼐等人，爲着日本政府「資遣」孫公出境這回事，一時引起誤會，曾經主張改推黃先生爲盟主，但黃氏堅決拒卻，聲言非孫公莫屬。民國元年南京臨時政府創建伊始，孫公尙未歸國，各省代表初則推舉黃氏爲大元帥，他謙辭不就，請以副元帥黎元洪兼代；繼而各代表又擬推戴黃氏爲臨時總統（宋教仁首先倡議），他更表示不敢當，仍言非孫公莫屬。迨孫公就職後，他只担任陸軍部長，然以全力籌措臨時政府的經費，當年向日本三井洋行借用貸欵三十萬元，而以南通實業家張謇作保證人，便係黃氏獨力辦理的。這些昭彰的史事，誰也不能否認或予以變造，黃氏固無負於民國，亦無負於孫公，後人何以對他猶有所不慊呢？唯一原因就是流行坊間的先烈陳其美爲國民黨在東京改組問題致黃氏那封長信，而這是民國十七八年間，由國民黨中央黨部印行的，戴季陶當然預聞其事。

夷考當年陳英士寫此長函的動機，是由於黃氏對「中華革命黨」規定黨員入黨要蓋指摹宣誓這項手續，表示不同意，亦有主張革命運動緩進待機的言論，他爲避免跟孫公正面衝突起見，他遂去美國居住。陳氏害怕他要獨樹一幟，不復奉孫公爲革命領袖了，乃有此披肝瀝胆的忠告善道之詞，仍不失其爲同志之愛，實則黃氏並無「各行其是」的意念。他在民黨的聲望，有如副領袖，當時亡命在東京的民黨高級軍人同志，如鈕永建，李烈鈞，柏文蔚，陳炯明等一大羣人，皆隨黃氏之後，聯袂前往美洲，假使黃氏要與孫公立異，他在美國很可以另組革命團體，不愁沒有號召之力。然據李協和先生告訴我：當年黃氏只感覺民黨同志到新大陸者日多，不可無聯絡之所，乃組織「歐事研究會」，表示這是專爲研究歐洲大戰問題的暫時機構，並無政黨意味存在。迨歐戰結束，纔易名「政學會」，依然沒有政黨組織的型態。這都是尙有活口可以指證的事實（鈕鐵老即其一也。）黃氏沒有甚末對不起中華民國和國民黨及其領袖的地方。若以他曾經反對過黨員蓋指摹，宣誓入那類事，認爲是懈德，那就是不許黨員或高級幹部對黨務表示意見。且懷有這種觀念的人，合給史達林，希特勒做信徒，絕對不配談「孫文主義」！

武侯祠聯

・非紫先生・

武侯祠，爲成都名勝之一，杜工部詩：「丞相祠堂何處尋，錦官城外柏森森」。蓋寫實也。祠中楹聯極多，佳作亦多，但能寫出武侯一腔心血，惟遜清陳桐階題者最佳，對武侯事蹟，包羅無遺。其句云：

「蓄欲龍驤虎視，以掃蕩中原，驚風雨，泣鬼神，前出師表，後出師表。」

「時當地裂山崩，求纘承正統，失蕭曹，見伊呂，西漢功臣，東漢功臣。」

祠在成都東門外，約三四里，兩旁柏樹甚多，枝幹參天，既高且蒼，人行其中，氣象森森。各樹年代，皆數百年之物。惟祠額則爲昭烈廟；此蓋工部所云「何處尋」歟？正殿祀昭烈，左右祀關張，俱有生氣。南廡則蜀漢功臣，東文西武，文以鳳雛居首，武爲常山占先。後入殿。祠始祀武侯塑像，固書生本色，古柏翠竹甚繁，其景亦別有雅趣，令人有肅然起敬之念。誠三代以下，伊呂以外，一人而已。

曾記鄭海濱魯有詩寄慨，刻在殿前甬道中，詩云：「門額大書昭烈廟，世人都說武侯祠；由來名位輸勳業，丞相功高百代思。」立意超出常人的觀念，洵是名筆。

山川風物

內備警台報字第〇三一號內銷證

自由報

THE FREE NEWS

第二四七期

中華民國僑務委員會頒發
台教新字第三二三號登記證
中華郵政台字第一二八二號執照
登記爲第一類新聞紙類
（半週刊每星期三、六出版）
每份港幣壹角
台灣零售價新台幣弍元
社　長：雷嘯岑
督印人：黃行憲
社址：香港銅鑼灣高士威道二十號四樓
20. CAUSEWAY RD 3RD FL
HONG KONG
TEL. 771726　電報掛號．7191
承印者：田風印刷廠
地址：香港灣仔高士打道二二一號
台灣分社
台北市西寧南路壹壹柒號二樓
電話：三〇三四六
台郵信箱金戶九二五二

聯合政府救不了寮國

·陳嘯天·

世人今日所矚目的寮國局勢，依然暗雲低迷，並不因中立派的領袖蘇富瑪親王負責組閣，拉攏了左翼的赤色王子蘇凡諾旺，右翼親王邦烏姆等，贊成組織一個聯合政府，便可以廓清寮局政治的陰霾，挽救了寮國的危難。反之，中俄共利用休戰的機會，在中南半島積薪厝火，爲吞沒整個東南亞而從容準備，這不是我們的隱憂，卻是一種可預見的事實。

寮國在中南半島所處的戰略地位，是很重要的；西北有一小部份的領土是毗連中共所佔據雲南省的思茅和車里，其餘全部的東北邊境與胡志明共黨轄下的北越接壤，西邊除小部與緬甸相連外，完全接連泰國，中間雖然隔了一條湄公河，也不是一道天塹，不能飛越的。至於東南的一端，則大部與高棉和小部與南越相界。它的週圍環繞着五個國家，遠離海岸，境內大半部是山地，像這樣的地方，是共黨最合理想的侵略根據地。如果寮國一旦完全淪入共產黨的手裏，那麼，泰國、南越，以至高棉的安全，就成爲一個極大的問題了。何況，北越的共黨對南越的威脅，一直到現在還沒有解決呢！

爲着使寮國不致淪落在共產黨的魔掌，誰都曉得扶植寮國反共強人諾沙旺將軍，培養一支有堅強意志的反共精銳部隊，把共黨的勢力驅逐出寮國境外，從經濟上安定寮人的生計，使共黨無所施其技，鞏固寮國反共政權，掃蕩北越的赤氛，這是確保中南半島走廊，維護整個東南亞，杜絕了中俄共南下，藉赤化亞洲，以強霸世界的野心。可惜作爲民主自由國家領導反共的美國，卻不循這正當有效的途徑去幹，反而在本年一月十四日把對邦烏姆親王與諾沙旺所領導的反共政府每月三百萬美元的援助，停止支付，採用經濟的壓力，殖使他屈從組織寮國聯合政府的主張，這不能不使人嘆惜美國當軸這一舉措的謬妄與無知。

寮國的聯合政府是不健全的，所謂蘇富瑪這一派中立派人物，據筆者所知，他本人是中間偏左的，他對戰鬥寮（寮共）帶着遷就的成份居多；因此，在將來的聯合政府內，寮共是儘可玩弄手法，掌握了實權，透過一種合法的程序，運用美援，以遂行在寮境內孕育共黨的勢力，這是共產黨巧妙的寄生和借刀殺人的狠毒勾當。美國人雖無知，也不至於願意拿自己的錢給敵人以合法的手段套取過來，買鎗礮彈藥來殺害反共的美軍吧？這不是筆者的過慮，如果美國不警惕地慎重處理寮局，遲早這種教訓會到來的。

當前對寮局的處置，三派聯合政府，雖已將內閣的人選定了，鑑於中俄共以至北越胡志明所操縱下的所謂赤色王子蘇凡諾旺，他簡直企圖挾寮王華當以自重，好像過去中國的曹操挾天子以令諸侯的行徑，這種野心已有露骨的表現。據永珍六月十九日美聯社電，寮國中立主義領袖蘇富瑪於星期二日稱：中立及親共派與右翼集團之間，對草擬一項御令，俾使聯合政府得以就職之問題，現仍存有歧見。蘇富瑪告記者招待會稱：中立與親共兩派，對御令中之兩節，刻正表示反對。據稱，此項御令，係由右翼強人諾沙旺草擬者。蘇富瑪稱：此兩節爲：（一）根據六月十二日在瓦缸平原所達成之關於成立聯合政府及由國民議會通過之三親王協議。（二）全國臨時聯合政府將於三派之民政及軍事行政之合併實現時，有效地對三個地區行使其權力，此三個地區，現時分別在中立，親共及右翼三派控制之下。蘇富瑪復謂，渠建議將第一點代之以下列辭句：「根據在瓦缸平原所達成之關於成立之聯合政府之三親王協議，憲法所需要之條件，已藉此獲得遵守」。至於第二點，渠強調聲明反對，並要求予以刪除。

由上面的電訊，反映蘇富瑪極端遷就蘇凡諾旺的無理取鬧的主張，試想內閣而不須國民議會通過，自失去人民公意的支持，單憑三親王的協議，而三個親王中有一個是靠左親共的，另一個是共黨，（中立派顯然已是左派的應聲蟲。）這樣的聯合政府，簡直是變相的共產黨政府。至於刪除了第二點，全國臨時的聯合政府，不能有效地在三派之民政及軍事行政區行使有效的權力，這個聯合政府，有名無實，還配得叫做政府嗎？永珍六月十九日美聯社電又說：一項新的御令草稿已擬就，其中提及國民議會之辭句，已改寫成：「此項御令新草稿，將說明國民議會以全權授予國王，俾下令成立聯合政府，而非直接說明聯合政府根據國民議會之批准而成立」。議會簡直形同廢物，顯然已完全變成寡頭政治，更談不上民主了，削足就履到這樣的田地，也可知共黨勢力簡直在這個所謂「聯合政府」內的氣燄之高張了。這無異把寮國的政權，由自由國家合法承認，斷送給寮國共產黨，把這個國家的版圖淪入鐵幕。而這個代表共產政權的寮國聯合政府，它的一切行政費，是由反共的美國選民抽稅直接負担的。

中南半島這個二十三萬餘方公里的面積，三百多萬人口的寮國，實在是個一窮二白的小國，如沒有美援的支持，他們的行政確無法推行。寮國的經濟既這般可憐，對外的貿易，大大成了問題，寮幣官價算是一元港幣，可換寮幣七元。但黑市一元可換寮幣十四元。寮國的法國銀行透過官僚的勾結，在香港辦貨，例如辦十萬元港幣貨物，運至寮國，經過進口的海關手續，黑市本來可換寮幣一百四十萬元，但因本國的購買力太薄弱了，只得抑價拋售；因外滙黑市已賺了一大筆，那些官僚化身的商人，仍然有厚利可圖。有時，這些「特種商人」把貨轉運至鄰境的泰國，那利錢就更大了。寮國的確需要美援，但美援在官僚的手裏，化公爲私，就變成私產，政治上的貪污腐敗，造成社會的壞風氣，人民更絲毫沒有國家的觀念，所謂「有奶便是娘」，沒有正確的政治意識，兵士今日參加親共隊伍，明日卻是反共的兵士了。寮國內在的社會因素充滿了愚、窮、散、弱的四種病態，共產集團看到也感麻煩。不過中俄共是利用北越就近控制這個弱國，爲所欲爲。寮國的人民多數是屬泰族，他們因爲太貧困，思想簡單，容易受共產嗾使滲透鄰國，四散紛擾。提起寮國，反共陣營，非有嚴密的組織，提高寮國青年的教育水準，以經濟和生產技術扶植寮人的生活，使他們徹底瞭解共產黨的陰狠狼毒的狡計，懍然地感於共產集團對他們的國家侵略的危險，翻然悔悟於自覺自救的必要，才可以配合像諾沙旺強人的反共救國的行動，寮局才有好轉的希望的。

最後，筆者要特別警惕反共的自由世界的領導的大國，勿沾沾然以爲赫魯曉夫或中共頭子們表面贊同以「聯合政府」辦法，和平解決寮局爲得計，這是他們的圈套。當他們在國際間侵略的力量未充足時，常採用「和平」的姿態爲鬥爭的另一面。寮國的聯合政府解救不了危局，共黨侵略的目的是通過進入東南亞的走廊，赤化整個亞洲，以遂其強霸世界的迷夢，他們決不會在中南半島的寮國停着侵略的脚步的。自由世界打擊極權的共產集團，唯一有效的基本辦法，是在於中國反共復國的強大力量早日重返大陸，那麼，東南亞的整個危機，便可以迎刃而解了。

先後厚薄之分

進一步，退兩步

自由談

斥中共的歪曲宣傳

本月廿日夜間十時半左右，大陸上的中共廣播電台，在播送劇曲節目中，夾雜着時事新聞報導，特別指出本報五月廿六日的社論，作爲挑撥中美邦交的口實，可哂之至。

這篇社論原係研究國際問題素著聲譽的宋文明先生寫的，內容是批評美國國務院最近發表「一九四三年中美外交文件」這回事。宋先生認爲這類歷史文獻很多，中國政府也同樣有此檔案，不過我們並未發表而已。美國基於他們的立場和觀念，把這類文卷編輯成冊，刊行於世，可能是例行公事，今後或許還要陸續發表的。作者的用意是在提醒世人不必過於重視此事，而對中美外交前途作敏感的推測，以致形成庸人自擾之象。

然而，毛共電台竟藉此文作其所謂「美帝侵略台灣」的宣傳根據，聲稱「香港自由報說美國將來還要發表這種外交白皮書，繼續打擊台灣政權」云云，斷章取義，歪曲事實，以期配合他們那套「反對美帝」暨在海外進行統戰陰謀的「獨格碼」（dogma），這就是共黨的辯證法則，嗚乎哀哉！

本報的言論思想及其政治立場，自有一貫的體系，世人共見共聞，決不是毛共的挑撥離間魔術所能動搖損害的，聽到上述的廣播宣傳，唯有可憐毛共心勞日拙而已。不過，我們卻替美國當局深爲惋惜。一九四九年杜魯門政府發佈「對華外交白皮書」的結果，除贊助毛共竊據中國大陸，成爲美國的死敵以外，究有甚末收穫呢？現在甘迺廸政府發表「一九四三年中美外交文件」的作用安在，我們真是莫名其妙。假使中華民國政府亦如法泡製，把庋藏着的中美外交檔案，摘要編印成冊，公開發行，藉作事實的答辯，豈非更給敵人以反美的宣傳資料嗎？親痛仇快的事，我們有所不爲，希望友邦當局知所警惕，自重自愛爲佳！

馮子先生

台山胞誕生第一位學士

刻苦奮鬥・多采多姿

他志願做邊疆屯墾員

（本報記者台北航訊）台灣的山胞，現在誕生了有史以來的第一位學士——剛在國立政治大學政治學系畢業的法學士吳文明。

他是烏來山地的青年，今年二十八歲。這位山胞第一位法學士吳文明，他之有今天的成就，可說全是他自力奮鬥出來的。他的奮鬥史，也實在的多姿多姿，至爲難能可貴。吳文明的家世，一直農獵爲業，六口之家，溫飽無虞。但亦祇是溫飽無虞而已，要他家庭一直供給他自小學而中學，而大學，卻無此能力。

吳文明畢業於烏來國校時，成績非常好。他的父母以他已受完義務教育，夠了，要他立刻跟着從事於農獵生涯。但吳文明卻胸懷大志，一心向學，得到他念念不忘的恩師陳廉義的鼓勵與教導，他偷偷的報名參加山地學生獎學金升學考試。他父母知道了，並不公開責備他，祇是要帶他上山打獵去，他沒法子，乃中途假裝頭痛，回到家裏，再跑去應試，居然高中了。至此，他父母爲他的向學之心所感動，也就允許他進入新竹中學的山地班，享受公費待遇。

民國四十三年，吳文明在初中畢業了，成績依舊很好。由於當時還沒有高中山地青年學生獎學金之設，但他不氣餒，乃報考台北省立工業補習學校高級班的夜間部就讀。爲了家庭無力供給他的學雜費用，吳文明於是白天當報童派送報紙，夜間上課讀書，辛辛苦苦的完成其高中學業。

高中畢業後，吳文明曾先在建國補習班補習過一年，在老師與朋友的鼓勵之下，他報考大專，又高中了，被分發到國立政治大學的政治系，而且申請到教育部的清寒獎學金，每天往返烏來與政大間，實行艱苦的走讀。這還不打緊，一年之後，他結婚了，爲維持他的家庭，他只好寄宿學校，利用課餘之暇，（一）繕寫講義，（二）擔任家庭教師，（三）爲一位外籍教授的花園做修剪花木的工作；如此賺得來錢，既讀書，亦維持了他的家庭。此中甘苦，他自己雖無所謂，他的師友，卻無不嘖嘖稱賞，津津樂道。

吳文明雖然一向半工半讀的奮鬥，忙得不可開交，他卻並不因此而放棄課外活動，比如他曾經兩次創辦山地青年聯誼會，便是大費心力之事。據吳文明說：他之有今天，全由政府對他的關顧與師友對他的愛護而來，他今後將實地致力增進山胞技能的工作；大陸光復後，他將用全力於做一個邊疆屯墾員，藉以報效國家。（問）

美國務卿歐洲之行 成敗得失關係重大

西歐成長是『現實』也是『潮流』

（本報巴黎航訊）美國務卿魯斯克這次歐洲十日之行，將訪問法國、西德、意大利、英國及葡萄牙等，單看他所率領的一大羣人馬，已可意味到其確實關係重大。

魯斯克此行，其成敗得失，對於大西洋團結以及美國的本身利害，在在值得重視。他的行程的安排，先訪法國，再訪西德，次及意大利、英國與葡萄牙，也是經過深思熟慮的結果，而非馬虎決定，「亂點鴛鴦譜」。

魯斯克的訪法、德、英三國，其所欲討論的問題固然很多，但共同市場，法國自力建立原核武裝及柏林問題，則爲其中最突出的題目。由於西歐勢力的成長與膨脹，共產集團，固然感受到莫大威脅，同樣的，對於美國，也產生了頭痛與麻煩。法國與美國之間的不快意，近兩個月來，不但雙方報刊有極其露骨的「罵陣」，甚至兩國的最高當局，都有過口舌之爭，彼此的立場，都顯得非常之堅定，很有互不相讓的樣子。

比如關於法國要自力建立原核武裝問題，就實在看不出有可以妥協的機會。在魯斯克啓程來歐前夕，由美國防部長麥蘭瑪拉所發表，而實際是代表美國政策的演講，强調任何一支新組的國家原核武裝，將屬「危險的，靡費的，易於失去時間性及缺乏其作爲遏阻戰爭力量之信心的」，這些話，正是針對法國而言。

美國是絕對不贊同法國自建原核武裝的。麥蘭瑪拉的那些話，客觀的批評，並不是沒有道理。然而，法國人卻不是這樣想法——法國的想法，且大概可以代表歐洲人的想法。而且，雖然美國大力反對，法國是不會改變他們既定的政策的。無論美國高興與否，法國將必成爲第四個原核國家，現在已沒有什麼人能夠加以懷疑。

這問題看起來是純軍事的，實際則政治的意味，非常濃厚，即使說它是西歐國家集團爭取平等地位的努力，亦無不可。美國一直有這樣的觀念：擁有原核武裝的國家愈多，戰爭的危險性愈大。美國一貫的主張：由美國掌握原核武裝，由西歐供應普通軍力。這在西歐視之，太不平等。在純軍事上，由於美國一直把西歐視作防俄的「前哨」，必要時是可以「撤退」，容圖「收復」的。西歐人豈甘心於「前哨」地位？尤其他們怎會願意「撤退」？法國，或者說西歐，如果有了自己的原核武裝，他們就可以不必依賴美國，也可以自力應付蘇俄的侵略威脅。

共同市場問題，則既是經濟的，也是政治的。共同市場五年來的成就，經濟上造成空前繁榮，政治上說話的力量大了。他們再不如從前的非事事接受美國的領導不可了。戴高樂甚至公開說：西歐要在美俄兩大勢力之間，形成一個「第三勢力」。果如此，美國當然感受威脅，大不願意。充其極也，北大西洋聯盟亦未必能夠站得住。

由於共同市場的成長是「現實」，也是「潮流」，英國爲了它今後的生存，它確實再不能置身事外。美國亦極力慫恿英國加入。但法國卻担心英國加入會使共同市場內部產生矛盾，特別是政治上的矛盾，而把「代價」提得很高，這就產生了困難。

美國與葡萄牙間，爲了「果阿」事件以及葡屬非洲問題，葡萄牙極不滿意。亞速爾基地是否還肯供美國使用，問題很大。這基地對駐歐美軍，卻非常重要。魯斯克里斯本之行，能否解決這個問題呢？（維）

熱熱鬧鬧的政治新聞

陽明山第三次會談 民青兩黨團結運動

（本報記者褚志台北航訊）最近，台北的天氣，非常的燠熱，明友們見面都說：「好熱呀！」但幸好，差不多每天下午都有一陣豪雨，雨後卻很是涼快。

就在這些時候，一向冷落的政治新聞，什麼陽明山第三次會談呀！甚至還有三黨聯結運動呀！民青兩黨團合政府呀！再度成爲熱門新聞，「要記」們像煞有介事的，大賣其力，於是新聞報導與大塊的專欄文章，都接踵而出籠，這種多采多姿的報導，正好像這幾天氣候一樣——不定時的陣頭雨，使人有一時涼爽之感，雖然在一時涼爽之後，再來的卻是更熱更悶的天氣。

事實上，商人們所關心的是生意清淡，農人們所關心的是莊稼收成，學生們所關心的是升學與考試，公務員所關心的是待遇調整；其中雖有人注意政壇動態，然而並不很重視它。民生主義弟一，各行各業的人正在爲「生活」而忙碌、奔波，誰有閒情逸致去關心這些政治問題，只有「要記」們才有此雅興。但，話說穿了，「要記」們又何嘗不也是爲了「生活」？

自從聯合報於六月十三日刊載香港一篇通訊之後，此間有兩種不同的反應，翌日，首先是青年黨的陳啓天派和余家菊派成立團結會議協定，進行黨內大團結運動（徵信）。接着，該黨王師會於六月十八日對報界發表聲明；有人說王的聲明是一石三鳥，所謂一石三鳥，係指王的聲明，一方面否認青年黨臨全會的存在，一方面駁斥陳啓天和余家菊所謂團結會議的團結運動，一方面針對該黨在香港的左舜生與李璜的談話。王師會原係李璜的得力助手，爲什麼毫不保留和李璜「唱對台戲」呢？這就耐人尋味了。

青年黨是不是繼民社黨之後做到「團而不結」的局面呢？此間報界紛紛推測，說：「將來充其量出現一個『小康』的局面，距離全面大團結，尚有一段遙遠的路程！」（大華晚報）儘管有有力人士從中斡旋，不一定會團結。青年黨的「精華」仍集中於爲陳、余兩派及王師會所反對的臨全會，因爲政治是講實力的，講現實的，講利害的，而臨全會由地方到中央，在各級民意機關都有不可忽視的力量，據說臨全會人士埋頭苦幹，能夠做多少就做多少，如中南部地方黨務工作，很順利的推動，有幾個縣市黨部正在發動籌建黨部大廈的運動，就是一例。故根據當前的形勢分析，該黨大團結不是不可能的，而是要看大家有沒有「誠」意而定了。

民社黨團而不結，由原有的蔣勻田、王世憲、孫亞夫、郭虞裳、向構父、李緞等六位召集人共同簽字完成大團結之後，徐傅霖派劉政原等六人復又刊登啓事，擁護黨內大團結，但否認李緞代表他們參加團結。繼之爲向構父派的蔡家馨、牛存善也登啓事，給向構父難堪。而在海外的張君勱來信表示，希望金候城、戢翼翹參加六人小組，因此，由六人變成八人，集體領導，籌開代表大會。不料，該黨代表大會正在此間「牛步化」進行時，六月四日，星島日報有一則消息說：民社黨非常代表大會已於五月間在香港召開了，大會決議在海外建立中央總部，並且發表「宣言」。此一消息傳來後，雖港台兩地的該黨若干人士否認此事，但留給社會人士的觀感，卻不大好，大家都當作笑話看。由此可見，民社黨的大團結，確亦不是很輕而易舉的事。」

陽明山第三次會談一再延期，外界盛傳，主要係民青兩黨未能團結所致。可是，政府人士認爲：「民青兩黨的家務糾紛，對此次會談並無影響。」按理說，官方人士的談話，應該澄清外界傳說的，然而事實告訴國人，恰恰相反。這誠如六月十八日大華晚報所說：「值得惋惜的是，自中央政府播遷來台以後，在野兩黨一直處於四分五裂的局面，紛歧錯雜，各派各系咸以正統自居。三次陽明山會談一延再延，也是間接地受到這種分裂的影響。」

民青兩黨的團結問題，第三次陽明山會談何時舉行的問題，報界正在紛紛預測之際，六月十九日的自立晚報，又有「三黨聯合政府與張君勱、左舜生」的消息。該消息認爲：在野黨領袖如不能返國參加陽明山會談，醞釀中的「三黨聯合政府」，勢將受到嚴重影響。又說：近有許多傳說，謂張君勱將出任司法院長，左舜生將出任考試院長等等。

記者會就此傳說，詢問此間民青兩黨較爲接近張、左的人士，但他們反問記者：「這，可能嗎？」的確，這種傳說與事實距離太遠太遠了。

總之，民青兩黨內部團結，陽明山三次會談與三黨聯合政府之說，這些都是受了季節性的熱一陣鬧一陣而已。

毛共禁止百貨進口的眞因

對它經濟上的損害太大了 祇好採用斷腕去螫之手法

（本報訊）最近中共忽然宣佈海外華僑除購寄糧食和副食品救濟大陸上的親友外，其他的物資連同藥品，皆不許進口了。這項措施的眞正作用，乃是經濟上的利害關係。

歷年來，中共想盡方法以爭取僑匯，凡屬住在大陸而有僑外親友匯款到內地的人戶，皆特示優待，多給他們一些糧票或購物證，以資鼓勵。自從大陸發生飢荒之後，加以日常用品亦奇缺，如是，海外華僑競以糧食和日用品寄往內地接濟親友，匯款即相應減少了。初時共黨爲着解救飢荒危機，只好聽之，且讓海外的投共份子專營這項「代運」物資的業務，漁利不少。久而久之，大陸人民由於有錢亦買不到物品之故，都教海外親友不再寄匯，改寄物資，不特僑匯絕迹，而且間接構成「套匯」的現象。例如：在香港購買膠鞋一雙寄入大陸，總計購價、寄費、稅款等，共爲港幣五元，但在大陸的賣價則爲「人民幣」十四元；穿舊了的膠鞋，共黨的「國營公司」尚可以「人民幣」八元代價收購（因爲一切原料缺乏）。因此，一般海外華僑，每月只要購寄五對膠鞋給大陸上的親友，便可支持一個月的生活費用，何必再寄錢呢！不特此也，在印尼與星加坡等地的華僑，他們購寄食品和其他物資回大陸，根據毛共的規定是免稅的，因而毛共在經濟上損失很鉅，然海外許多投機商人卻大獲其利，據說，星加坡的「代運」商店，每家每月平均可做到叻幣廿五萬元（合港幣五十萬元）的生意，利潤至少在五萬叻幣以上。這些投機商人懍於毛共過去所搞的「三反」「五反」的內部惡作劇，再也不肯受騙上當了。職是之故，毛共感覺經濟上的損害太大，乃有不許百貨進口的禁令頒佈。對於糧食和副食品（如油，糖之類），毛共害怕飢民羣起暴動，祇好照舊開放，秧歌政權實在到了百孔千瘡，病入膏肓的垂危狀態了。（凌霄）

促進台產低級菸葉外銷

林嘯松

台灣省產菸葉，自民國四十七年開始外銷，迄今已歷四載。當初外銷的主要目的，在解決省內歷年剩餘的低級菸葉，這種賸餘的低級菸葉，愈儲積愈多，爲了減輕每年因此所負荷的鉅額利息、倉租、保險諸項費用，在這幾年中，公賣局始作多方面的努力，向國外市場拓開了一條新的出路，輸出數量，每年都有增加，已自年銷一七萬公斤，而增至二〇二萬公斤。去（五十）年外銷總值已達一〇〇萬美元以上。同時公賣局因精研改良製造技術與改良配方的結果，使原有存儲的低級菸葉，又皆可滲和於高級菸葉中，予以適當的利用與處理。於是歷年低級菸葉的儲存困難，總算獲致了一項可以解決的辦法。

這種低級菸葉拓展外銷，乃是一舉兩利，兼收併顧，既可解決儲積問題，又可以賺取大量外匯，爲省內經濟開闢了一個新的財源。並且由於以往推銷結果，省產三等以下的菸葉，已爲國外若干菸廠所樂於採用，將來前途頗有發展，預計本（五十一）年菸葉，至少可以外銷四〇〇萬公斤以上，約值美金二五〇萬元左右。（此項外銷金額，尚不包括日本市場在內）至於明（五十二）年省產菸葉外銷量將可達到六〇〇萬公斤之數，且具有相當把握。

觀此趨勢，省產菸葉之外銷，已可視爲外匯資源之一，爲爭取國際市場地位，維持外銷之良好信譽，建立今後在國際菸葉市場的雄厚的競銷力量，並爲增加土地利用效率，爭取外匯，增加營收，則省內種菸面積，似尚可考慮予以適量之增加，始能配合外銷需要。本（五十一）年新菸葉已自三月中旬開始收購，公賣局爲配合外銷需要，自三等以下之各等級外銷菸葉價格，經詳細估計生產成本，並根據其生產成本與往年定價，詳加比較與分析，特擬定本年外銷菸葉每公斤FOB價格爲：三等售價美金〇、九〇元，四等〇、七四元，五等〇、五四元，六等〇、四三元，七等〇、三〇元，至等外菸葉爲〇、一八元。

上列訂價，據有關人士談稱，以上各等菸葉除扣除補助推廣費百分之八及佣金百分之二後，與FOB成本比較，除三、五等菸葉無盈虧外，餘皆薄有盈餘，而且較往年定價平均約增加百分之八左右，其增加幅度，以一般國際貿易慣例而言，已屬頗有可觀了。所謂除三等與五等菸葉並無盈虧之意，即是公賣局從菸農收購而來的上項菸葉，轉售予國外菸商，並無任何盈利；換句話說，也就是既賺不到錢，同時也貼不了本。但這站在菸葉專賣與菸葉外銷的立場而言，這項菸葉外銷，表面上公賣局雖然沒有獲利，而實際上它是完成任務了，而且賺進來的國家外匯，又可以作其他建設或生產事業之用，這種貢獻自然也是有其份量的。（上）

燕塵識小

無貴生

前二王二崇一祀

廟建於明嘉靖十年。（明典彙：嘉靖十年三月，歷代帝王廟成。上親詣廟。）本朝順治二年及康熙六十一年迭奉欽定增祀。雍正二年世宗憲皇帝親詣行禮。七年重修，御製碑文：

「歷代帝王崇祀之制，肇於唐天寶七載。始僅廟京城，止及三代以前而已。明洪武六年始於金陵立廟，嘉靖十年乃建於京師阜成門內。當明初定制時，議禮之臣不能通知大體，崇祀只創業之君，從祀惟開國之臣。自茲以後闕焉。我皇考聖祖仁皇帝秉大公之道，折衷百代，深惟祀典之宜修。康熙六十一年特頒諭旨；命廷臣詳悉從容確議具奏。逮朕紹緒之初，廷議始上。舊崇祀帝王二十一位，今增一百四十三位。舊從祀功臣三十九人，今增四十人。朕遵奉先志，重書牌位，蠲吉入廟，行祭告之禮。仰惟聖祖仁皇帝用意之厚，立論之正，夐乎不可及也。夫三代以上，若夏啓之能敬承，殷之太甲太戊武丁，周之成王康王宣王，頌美詩書，光耀史牒。三代以下，英君哲后，或繼世而生，則德教累洽。或間世而出，則謨烈靈光。胥能致海內之乂安，躋斯氏於康阜。嘉言傳於信史，善政式爲良規。及凡纂業守成之主，即或運會各殊，屯亨不一，苟無聞於失德，咸帝命所寵綏。爰及歷代名臣，亦皆川嶽鍾靈，爲時輔佐。功在社稷，德協股肱。比諸從龍之彥，何多讓焉。而尚論未詳，明禋久曠，其爲缺畧也大矣。夫欽崇往哲，景企前徽，明德可懷，羹牆興慕。睠流風之所被，間歷世而弗諼。若乃擴追遠之鴻規，破拘墟之臆見，自非忠厚立心，寬仁爲量，卓識超於千古，盛德冠於百王，未有能論及此者。然典禮修明，有待今日。則聖祖皇帝之重加釐定，公當周詳，誠千萬世莫及之仁心，而千萬世不易之定論也。廟貌既新，敘述本末。鐫於青珉，用昭示久遠焉」。

乾隆二十年又修，易蓋正殿黃瓦。高宗純皇帝親詣行禮，並御製碑文以記之。

景德崇聖殿中一龕，供太昊伏羲氏、炎帝神農氏，黃帝軒轅氏位。左一龕，供少昊金天氏，顓頊高陽氏，帝嚳高辛氏，帝堯陶唐氏，帝舜有虞氏位。右一龕，供夏王禹、啓、少康、杼、槐、芒、洩、不降、扃、廑、孔甲、皋、發，商王湯、太甲沃丁、太庚、小甲、雍巳、太戊、仲丁，外壬、河亶甲、祖乙、祖辛、沃甲、祖丁、南庚、陽甲、盤庚、小辛、小乙、武丁、祖庚、祖甲、廩辛、庚丁、太丁、帝乙位。左二龕，供周武王、康王、昭王、穆王、共王、懿王、孝王、夷王、宣王平王、桓王、莊王、僖王、惠王、襄王、頃王、匡王、定王、簡王、靈王、景王、悼王、敬王、元王、貞定王、考王、威烈王、安王、烈王、顯王、慎靚王位。右二龕，供漢高祖、惠帝、文帝、景帝、武帝、昭帝、宣帝、元帝、成帝、哀帝、光武帝、明帝、章帝、和帝、殤帝、安帝、順帝、質帝、沖帝、昭烈帝，晉元帝、明帝、成帝、康帝、穆帝、哀帝、簡文帝。（二）

香港與大陸

福建省沿海同胞證實已奉令疏散

△根據原籍閩省的兩位香港居民所接到的家信，中共在福建沿海岸一帶，確實正在疏散人口，因而情形頗爲混亂。但中共此舉，畢竟是就心國軍反攻大陸呢？還是中共要對金門或者馬祖採取行動呢？來信都不會提到，當然由於怕中共發覺會受大罪之故。

原籍晉江的陳君接到他弟弟的來信，要他暫時不要寄糧食包了。來信說：他們將去南安，待到了南安有了一定的住處之後，再寫信給他。來信不會說出他們到南安是奉中共命令疏散，但說他們到南安是「突然」決定的，而且「很快就要走了」。而且「公社裏許多人都要走」，則加上他們根本不知道到南安將住在什麼地方，充分顯示，這其實是奉令疏散無疑。

原籍福州的某女士，接到她母親的來信，同樣亦未說出是奉命疏散的，但她母親的信（一）說好多人都得全家離去，（二）到那裏去還不十分清楚，更明明白白的是中共命令老百姓搬家了。她母親的來信，不但教某女士暫時停寄糧食包，同時還教她立刻匯五六十元人民幣回去，以備急需。

某女士母親的來信中，還提到中共四月起便在趕福州居民落鄉，爲的是「壓縮」人口，但許多人都不願意落鄉，有的人叫落鄉之後，因爲在鄉間不受歡迎，只得又跑回福州。這些人，爲了戶籍被取銷了，沒有配給了，情形狼狽得很。來信說：「這裏情況不夠安定，時常有事情發生，大家都覺得很難過。現在要走了，想想亦就不覺得什麼了」云云。最後，再三叮囑她趕快匯錢，「因爲遲了恐怕趕不上，那將怎麼辦呢。」（繼）

△三天前纔從廣州經澳門來到香港的羅君，向本報記者透露本月初發生在廣州車站的「暴動」經過。他說：當時（本月一日）係因爲有萬幾人排隊在車站，欲購票到深圳，但大家候了許多時，車站人員却宣佈不賣票，「暴動」於是起來了。先還祇是吵鬧，質問爲何不賣票！其後人羣情緒激動起來，突然的，有人用石頭向售票處擲擊，繼之喊打之聲四起，一時情勢緊張，秩序大亂，警察亦束手無策。鬧得兇時，不但趕來解釋理由的中共市長講話沒人肯聽，連他的座車，亦被石頭擊中。後來還是共軍趕到，武力鎮壓，才把人羣驅散的。

據羅君說：共軍當時至少曾拘走了千人光景，其中且有只是看熱鬧並未參加「暴動」的人，亦被寃枉拉走。羅君自己亦是看熱鬧者之一，他說：好在不曾被拉走。（源）

宦君續夢

第五回： 深壑難填　反顏奴抗主　片言起釁　轉瞬德成仇

周恩來打開公事夾在看，龔澎却向陳毅遞個眼色。陳毅會意，聳肩膀苦笑一下。原來陳毅今晚忽動雅興，邀了龔澎、龔普生姊妹及「外交部」幾位漂亮的女同志，一道去北京飯店跳舞，打算玩個通宵，正在興高采烈時，被「外交部」的人員找到，說是周恩來有重要的外交事務等他商量，陳毅不敢不來，臨走告訴大家等他，馬上就回來，那知道一到那地方遇到這個棘手事件，脫不掉身，正在煩惱。恰好龔澎也因爲「新聞司」有緊急公事呈覽，趕回去拿了卷宗來見周恩來。

龔澎一打手勢，陳毅就明白了，可是又走不掉，簡直急得似熱鍋螞蟻一樣。

就在這時，周恩來突然看着陳毅問道：「巴格達什現在同誰住在一起」。

陳毅一顆心正懸在北京飯店，順口答道：「同龔普生及外交部幾位女同志」。

周恩來愕然道：「什麼話，巴格達什怎會同龔普生住在一起，章漢夫那裏去了」。

陳毅才知道講錯了話，頓時臉脹得通紅，一句話也說不出。

周恩來嘆口氣：「打起精神辦點正事吧！麻煩的很哩！」說過順手把公事夾遞給陳毅。

陳毅接過來一看，也嚇一大跳，原來阿聯代辦退席之後，馬上拍個急電到開羅報告，納薩爲人性如烈火，赫魯曉夫他尚敢提名道姓的罵，何況中共？當時召集內閣會議，決定要中共道歉，保證以後不得再有同樣情事，若中共不肯低頭，就將外交代表降爲代辦，並發動所有中立國家對中共採取一致行動。

納薩決定步驟之後，阿聯外交部就把中共駐開羅的「大使」陳家康召去外交部當面把抗議書交給他。

這個陳家康是周系四大金剛之一，也是鄧穎超的乾兒子，自從一九五五年埃及承認中共之後，就當「大使」一直到現在，陳家康名義上雖是駐開羅的「大使」，實際上整個非洲的滲透工作全由他負責，所以這個大使館人員之多，也是空前的，權力之大，除去陳毅之外，誰也管不了他。現在突然發生變故，一旦雙方外交官降爲代辦級，陳家康首先要被驅逐出開羅，大部人員也要撤回，中共在非洲全部工作要陷於癱瘓。

陳家康越想越怕，回到「大使」館就拍了一個電報給「外交部」，另外又打一個私人電報給周恩來，促使中共讓步，否則所受的損失不堪設想。

周恩來等到陳毅看過之後，問道：「這個問題怎麼處理」？

陳毅不敢硬頂，陪笑說道：「我沒有意見，總理同志以爲怎樣辦都好」。

周恩來回頭向彭眞說道：「回去趕快把巴格達什送走，千萬不要再讓他發表任何談話」。

彭眞點點頭，周恩來又向陳毅說道：「你去外交部擬一份照會，對這次誤會表示道歉」。

陳毅苦笑道：「想不到阿聯也騎到我們頭上，再有蘇彝士運河事件，我們是置之不理了」。

正是：人在矮簷下，不敢不低頭。

（一一二）

兩金印拓

民十，客故都，以傅芸子幾度過訪，編印北京畫報，囑為支助，搜羅古物拓片，以壯顏色。聞中行貴州黃君緯兄，家藏金印拓紙，經紹介往懇，蒙示「關內侯印」印紙，硃色極鮮。據告此為漢末曹操贈關壯繆之物，其先人曾任直隸大名府丞，有鄉人在城外舊城泥窪中掘得，特以呈獻。黃君先德即給鄉農紋銀二十兩。當時此印有如黝黑之殘鐵，不過印文可尋。得此印後，遂設法洗滌，並加摩莎，即漸呈黃色，交之銀樓鑑別，審定為純金，約重五六兩。印寬約三寸，上有瓦鈕，旁刻漢建安年份，知為獻帝年號，迨查蜀志，方知關侯之封號。此印迄未帶至舊京，只拓十餘紙，以供欣賞而已。余遂謝君緯而遺芸子，印第二號之首頁有記。

廉南湖當民六寓平市，亦藏有偽洪憲金印樣冊，謂為易實甫所治。（易任印鑄局長）大概此印，是偽洪憲時該局所鑄。印為篆文體，五寸見方，一曰「皇帝之寶」，一曰「中華帝國」。廉氏得拓印有題句云：「莽泉銅雀了無痕，留得殘紅一葉存。秦社已墟清社屋，空餘陳迹吊奸魂」。「形同五代日紛紛，國事如絲孰理棼。舊璽已亡赤璽起，至今空憶蔡將軍」。

憶玉軒雜綴

秋城

七里瀧活鰣

江南的鰣魚，確是妙品，除了長江富春江一帶，沿江各埠均可嘗到。但是離開此區域即無，名貴在此。大概長江流域，自上海迄漢口為止，不過越是西上，則味較差，因魚肉以靠近鎮江者為最嫩，此焦山所以著名也。

鰣魚之鱗發銀光，故特美，魚頗自愛惜，捕獲之後，蟄伏不動，不久即死，絕難養活，所以吃到活鰣，是可遇而不可求，絕對不容易。浙東富春江七里瀧所產，據饕餮家言，勝過焦山，因江水流動較緩，不是焦山之湍急也。再富春的水，有帶青綠色，是水土又有區別。天生萬物，自有其佔優之條件，並未能以科學致之。

民卅四秋，日本投降，聖戰結束，余客閩北，急欲遄返上海，以覲家人，但交通阻滯，浙贛綫至卅五年三月始通衢州，由衢去杭，必須坐烏山船（即江蓬），乘客至多不得過十人，不論人數，以每蓬計算（蓬之大小，約等於板牀之半。）一蓬計法幣一萬，余所雇之船，共十四蓬，計十四萬元。首夜抵龍游，次日到蘭谿，第三日晨入桐廬境，過七里瀧。兩岸峭壁夾峙，青翠蔥籠，村中早炊，江頭微烟迷茫，宛如蒙霧，但清風拂來，精神大爽。（未完）

徐炳勳其人（續）

又以福州文人流氓林佑其為記者，專一蒐集官僚及富家隱秘，以及個人私生活等等，登諸「雜貨攤」。某日「雜貨攤」刊一「白虎」新聞，指市中某某之姨太太為「白虎」，健將。其中禁烟處長某之姨太，未從良前之艷名，赫然在焉。某處長之姨太見報大怒，既廉悉此文為佑其所為，以其曾向某索津貼未遂也。佑其寓所，原與某姨太住宅相距不遠，林每日赴報館，必經由某姨太之門。越日林行經是處，某姨太率傭媼驟出以預備之屎尿潑灌其頂，林莫奈何，狼藉而歸，訴於龍潤，龍潤自知理短，未有動作。而炳勳則咆哮如鳩虎，社論、新聞，肆言無忌，且責警備司令林國賡，袒庇下屬，不能維持治安。其小評標題云：「請林司令滾蛋」！林見報，乃下手令拘之，其部下咸請依照戒嚴令，以謠言惑衆，擾亂治安，交軍法處執行槍決。後見輿論反應不佳，始解法院，繫獄年餘。既釋，已狼狽無復人狀矣。

花香月上樓小品

炳勳既歸，他報無用之者，一度為小學教員，薪津微薄，難以刻苦，復棄去。聲言：將出國赴星洲，另謀生路。知交憐之，為醵資購船票，並贈數百金壯行色。瀕行，餞之于酒家樓，豪華，衆送之登輪乃返。詎送者甫離洋輪，炳勳隨而僱舟登陸，襆被入所歡妓家，將資散盡，始返寓。從此知交多遠而避之，不久下世。

黃葉村人

初，炳勳父某，以教書為業，性拘謹，鄰里多尊敬之。晚得炳勳，見其為文放誕，好結交市井無賴，戒之不聽。嘗曰：「此子必敗吾家」！洎患病將死，囑炳勳曰：「吾故後，葬以薄棺，孝子臨送可也！吾無德社會，勿勞衆傷財，以重吾愆也。」炳勳不聽，反揚言其父遺囑：有「絃歌當哭」之語。故殯葬之日，執紼行列，有「台灣閣旦」，有「歌仔戲」，有「南管」，有「高蹺」，有「八音」，形形色色，不一而足。送者踵趾相錯，觀者亦萬人空巷也。時，炳勳方在「全閩報」任總編輯，趾高氣揚，不可一世。庸知一旋踵間，已鬼瞰其室矣！人生出處，與夫立身應世，一言一行，可不慎哉？其友黃吾曾挽炳勳父聯云：「忝叨兒輩知交，平生宜謦欬常親，一面胡為天亦客」？「聞說彌留遺囑，送死寧絃歌當哭，此公猶是古之狂」！人謂「厚誣其父」，然而，焉知乃為炳勳所詒哉？

閒話螢火

漁翁

夏夜炎熱，放步庭前，常見草野間，閃閃有光者即螢火也。螢為蟲類中頗稱特異之一種，長三分許，雄者體黃頭黑，有複眼，翅鞘柔軟，點綫密佈；雌者無翅，形如蛆。雌雄螢蟲尾端皆有發光器，呼吸時，空氣傳入，生發化作用，放出美麗之光。就水草產卵時，亦發微光，十餘日而成蟲，最易繁殖。無論成蟲與幼蟲，皆食種種害蟲，於農事上，極有稗益。

爾雅：「螢火即炤」，疏注云：「螢火，一名即炤，夜飛，腹下有火蟲」。又詩所謂「熠熠宵行」者，即指螢火也。螢所發之光，乃微茫渺小者，三國志載：「徐庶佐劉備，為曹操所忌，收庶母以致庶。庶臨行時，舉諸葛亮以薦，備問諸葛亮較先生如何？庶曰：『庶僅螢火之光，亮乃皓月之明也。』」後之人，每借螢火作自謙之喻。

可是螢光雖小，而「囊螢照書」之故事，見於晉書：「車胤恭勤不倦，博學多通，家清貧，不常得油，夏月則練囊盛數十螢火以照書，夜以繼日」。好學之士，常引囊螢以自勵，至今猶傳為佳話。

還有所謂「螢苑」者，據維揚志：「螢苑在隋城北七里江都縣大儀鄉；大業末，隋煬帝徵求螢火數斛，夜出遊山，始放之。」今該地尚有「螢苑」遺跡。

酉陽雜俎載稱：「常山有螢火芝，食一枚，心中一孔明，食至七枚，七竅洞徹，能夜書。」此說頗玄異，作齊東野語觀之可矣。

又據袁世凱軼事：「袁少時，就學於塾師，性放蕩而不勤讀，常受夏楚之加，欲思有以報之。一日，師夜歸，經一山谷間，袁先伏於深林下，捕螢數百，藏於小玻璃瓶中，待師至，即漏塗西上，向前霹靂一聲；師不知為何物，昏仆於地，奔歸而病。」袁幼時，作此惡作劇，無怪乎其後假民黨以迫清室，以陰謀而奪取寶座，甚至更改元稱帝，貽害國家，被目為千古罪人。

古之詩人，詠螢火者，以杜工部之名句最多，其五言詩：「重露成涓滴，稀星乍有無。暗飛螢自照，水宿鳥相呼。」七言詩：「巫山秋夜螢火飛，簾疏巧入坐人衣；忽驚屋裏琴書冷，復亂簷前星宿稀。」又王逢詩有云：「十年螢案書連屋，八月龍灣浪拍天。」杜牧詩有云：「銀燭秋光冷畫屏，輕羅小扇撲流螢。」等句，亦皆清麗可誦。

南宋詞家趙立之詠螢曰：「池館收新雨，耿幽叢，流光幾點，半侵疏戶。入夜涼風吹不滅，冷燄微茫暗度，碎影落仙盤秋露。漏斷長門空照淚，袖紗寒映竹無心顧。孤枕掩，殘燈炷。練囊不照詩人苦。夜沉沉，拍手相親，呆兒癡女，闌外撲來羅扇小，誰在風廊笑語？競戲踏金釵雙股。故苑荒涼悲舊賞，悵寒蕪衰草隨宮路。同燐火，遍秋圃。」此詞調寄賀新郎者，後人稱之為「絕妙好詞」。

海嘯樓談薈

談歷史人物（二）

諸葛文侯

宋教仁以「華興會」一份子參預「同盟會」創立之役後，始終為革命運動努力不懈，他對同盟會領導人孫先生，亦與黃克強先生的心情相同，奉之為盟主。清末間島問題發生時，清廷昧於事實，罔知所措，宋氏基於愛國思想，譔寫「間島問題」專文，詳述史事，提出主張，清廷賚為交涉根據，國土幸得保存。民元南京臨時政府開創之始，因孫公尚在海外從事國際外交活動，而黃克強先生適從武漢苦戰回到上海，宋氏主張推舉黃公為臨時總統以應當前需要，這對於革命黨毫無懈德之可言。一個革命黨員對本黨的領導階層人物，有時候贊成某人擔當某項任務，無論他的意見是否妥當，在黨證與人格上，皆屬光明磊落，無可非議的。何況黃公曾為革命出死入生，身經無數次戰役，勞苦功高，在同盟會人物中，像他這樣的角色，尋不出第二個，宋氏擬推舉黃公為臨時總統，亦不是阿其所好，妄冀非份的私心之見吧！

袁世凱繼任總統時，宋氏與陳其美，劉揆一等同盟會老幹部，經孫總理核許，北上參加袁政府，分任內閣閣員，袁對宋氏疑忌甚，思有以羈縻而牢籠之，曾給宋氏以中國銀行支票簿一本，不限金額，聽其自由支取。宋氏原係清寒子弟，但不受袁利誘，僅取用少許現金，聊示敷衍，旋將原摺送還袁氏，聲言生活簡單，不需總統照顧。似此臨財無苟得的風格，豈是那些指摘攻訐宋氏的革命黨人所能望其項背嗎？

宋氏在日本習法政之學，他目擊該國明治維新以來，國力日趨富強的情形，歸功於師法西方國家的憲政制度，因而他急於在本國創進政黨政治，實行內閣制，他把當時無數的小政團結合起來，組織中國國民黨，仍推戴國父孫公為領袖，聲勢浩大，國會兩院議員選舉結果，國民黨員佔有絕對多數席位，他乘機鼓吹內閣制甚力，袁世凱深深地畏懼他將要跨上內閣總理寶座，發揮國民黨的政治主張，大不利於其專政獨裁計畫，而宋氏又非利誘威脅所可制服者，祇好把他暗殺掉。所以，宋氏的死因和價值，實與陳英士先烈之被袁世凱派人狙擊於上海，毫無二致，都是為黨犧牲的。記得自民國十七八年間起，每逢陳英士先生殉難之日，各級黨部皆舉行紀念儀式，表示崇敬先烈之意，體固宜然。但對於宋教仁之死難，不特無人齒及，而政府和黨部，對其遺屬似亦少所照顧，殊令人惶惑不解。

黃克強宋教仁二位先生，對國民黨和中華民國，絕對沒有給人可以訾議的地方。革命精神就是打抱不平，愚恐後世有對黃宋二公信口雌黃，妄事誣蔑者，故略誌所見如此，另外還準備為二公譔寫傳記哩！（完）

二王村

·南道·

距離九龍城宋皇台不遠，有一座二王村，位在馬頭涌道附近，即今日九龍城與紅磡之間。若干年前，那一帶有許多村落，如馬頭圍，馬頭角等，即宋皇台下也有一個「三家村」，自香港政府開拓九龍城區域後，這些村落的居民才紛紛遷徙，而二王村的原址亦早已填平了。

檢閱前人的詩集，可以發現許多吟咏二王村的詩句，如清吳道鎔二王村詩云：

「寒林擁日到虞淵，戎馬艱難瀕海邊；七百年來陵谷變，二王村尙鳥啼烟。」

蘇澤東二王殿村詩云：

「龍馭倉皇草野中，不營降表矢孤忠。高歌白雁家何在，痛飲黃龍事已空。粵海南遷爭寸土，燕雲北望泣三宮。勤王慷慨蘇劉義，曾赴行朝立勛功。」

（原注說：大將蘇劉義率兵勤王入宮。）

在這些舊詩中，我們可以知道二王村，舊即指南宋益王昰及衛王昺之行宮。元史以元世祖至正十四年為開國元年，是歲即宋端宗（即宋王昰）景炎二年，兩皇不並立，元修宋史，記端宗及帝昺事作二王紀。二王的名稱，就是如此而來的。端宗蒙塵古官富場（今九龍一帶）建行宮於宋皇台下，俗稱皇帝行宮，後人遂指為二王村。

山川風物

信陵君

周纘如

三千珠履寂無聲，肉博空留一段情。設使信陵去不返？大梁何處老侯生！

讀崔顥黃鶴樓詩有感

黃鶴不可見，仙人何處游？漢陽千樹老，鸚鵡百年愁。神話莫須有，鄉心一夜浮！大江沉日去、橫槊賦中流。

內僑警台報字第〇三一號內銷證

自由報

THE FREE NEWS

第二四八期

中華民國僑務委員會頒發
台灣省新字第三二三號登記證
中華郵政台字第一二八二號執照
登記為第一類新聞紙類
（半週刊每星期三、六出版）
每份港幣壹角
台灣零售價新台幣弍元
社長：雷嘯岑
督印人：黃行寬
社址：香港銅鑼灣高士威道二十號四樓
20 CAUSEWAY RD 3RD FL
HONG KONG
TEL. 771726　電報掛號：7191
承印者：田風印刷廠
地址：香港灣仔高士打道二一二號
台灣分社
台北市西寧南路壹壹叁號二樓
電話：三〇三四六
台郵撥儲金戶九二五二

所謂「美國的利益」是什麼？

·李樂·

若干年來，美國對於領導自由世界的一切作為，都說是要適合美國的利益。例如強迫寮國成立包括共黨份子的聯合政府；如美參議院自行推翻不以美援給予共產國家的決議案；如華沙的「美毛談判」多年不歇等類勾當：無一不是基於所謂「美國的利益」而然的。究竟這所謂「美國的利益」是何內容，美國當道並未有所解釋，世人頗感惶惑，試就管見所及而論列之。

第一它不是為着軍事上的利益，何以見得呢？見之於韓戰一役。當韓戰發生之際，美國擁有原子武器的絕對優勢，如美總統杜魯門在韓戰發生之前，宣佈製造氫氣彈的消息，而蘇俄出席聯合國代表維辛斯基竟譏其為「神話」，即可證明了。美國若係以軍事利益為前提，那對於韓戰的方畧，自應以摧毀敵人的戰爭力量，獲得最後勝利為第一義，而當時麥克阿瑟元帥之主張使用台灣中華民國的兵力牽制中共，形成犄角作用，更以盟軍的強大空軍實力越過鴨綠江，轟炸中共的軍事根據地等項措施，即屬常識所能瞭解而認為必然的戰畧了，且蘇俄亦不敢蠢動的。然美國竟不惜以「紙老虎」自居，託詞於所謂「警察行動」，接受史達林偽裝第三者的和談建議，使韓戰在不勝不敗，不進不退，不明不白的狀態中宣告結束，徒然犧牲了美國青年子弟十萬人，以及南韓數百萬人的生命和若干億美元的財產，却不知所為何來，古今萬國那有這種戰史的前例可尋呢？

其次亦不是為着政治利益，否則美國過去對於波蘭，東德人民的反共暴動，對於匈牙利人民的反共抗俄革命運動，即不應該噤若寒蟬，連口頭上的言論支持亦沒有啊！尤有是在匈牙利人民跟俄軍苦戰時，美國務長官杜爾斯且聲言美國不便有所置喙，以免俄帝攻訐是美國在幕後教唆匈牙利人民反共的！一派潔身自好，唯恐沾上反共嫌疑的詞色，至今令人不能忘懷。不特此也，美國對於一些標榜中立親共政策，指摘美援附有政治條件的國家，其遷就忍讓，再三要給以軍經援助，誓言不附政治條件，唯恐對方不接受的情形，與其對一般堅決反共抗俄的自由友邦的態度和作風，迥然不同，對前者巴結諂媚，多有不虞之譽，對後者頤指氣使，常作求全之毀。這是基於政治利益的領導方法嗎？

再次更不是為着冷戰的利益。談到冷戰問題，美國始終是跟着俄帝奏出的俚曲而跳舞，永遠處於劣勢的被動地位，事實俱在，毋待贅述。即以最近中國大陸上的饑餓難民集體逃亡港澳這回事而言，亦表現美國的冷戰技能太笨拙了。香港政府之遞解難民出境，原係扰於事實困難——沒有足夠的財力物力來安頓他們——內心上並非毫無同情之念。假使美國認識到這是一樁關係冷戰利益甚鉅的事情，即可向英國政府聲明，願以相當的財力物力，贊助香港政府解決困難，同時台灣中華民國政府又聲明無限制的接受難民入境。這樣一來，中共嚴禁飢民逃亡的命令必然早頒，結果香港的情形還是跟現在一樣，但中共在冷戰上乃嘗到慘敗的苦果。因為大陸人民即知道這是共黨不顧人民死活的暴虐行為，而自由世界是同情他們的，這對中國大陸上五億人民的心理作戰影响，何等深鉅呢！然美國不此之圖，只聞得一些國會議員主張每年多允許幾百個中國難民到美國去，這與艾森豪政府於匈牙利人民反共革命戰役失敗後，宣稱美國歡迎匈國政治難民赴新大陸的領導作風，異曲同工，殊堪浩歎！

然則所謂「美國的利益」云云，只是一句抽象的宣傳詞令不成麼？不然，絕對是有所為的——為的就是商業利益！不錯，今日任何地區的人，都不會贊成世界大戰發生，美國人當然亦不例外，他們嚮往和平生活，害怕戰爭行為，理固然也。但以美國那種高度的科學技術，豐富的生產力，如果她的工業產品和賸餘農產品沒有國際市場予以消納的話，便要發生經濟恐慌，依照資本主義發展的規律，不管人們願意與否，在經濟恐慌之下，戰爭行為即容易發生的。美國經過兩次世界大戰之後，由於本土並未受到戰火摧殘之故，財富雄厚，生產力發達到了頂點，唯一的急務就要尋得廣袤的海外市場。所謂「馬歇爾計劃」和「四點計劃」，就是因此產生的。所以，美國在海外建設軍事基地，給予自由國家以軍援的主要作用，旨在保護各個國際市場，不讓它被俄帝勢力壓縮掉；同時實施經援計劃，藉以增強受援各國人民的購買力，使美國的工業與農業產品，不愁沒有出路。他們隨時強調着「提高生活水準」之說，亦是為商業利益設想的，「自由運動」這類口號，叫叫而已。

美國既是以商業利益為領導自由世界的原則，即自然處處要打商業算盤。由於這項利害關係，對於西方的聯防體系，便不得不緊握着原核子武器使用的獨佔權力；對於其他各地區的反共友邦即必須以「安全互助」條約來束縛對方的軍事行動。這樣才可以保障美國商業在各個國際市場間的安定性，而利潤乃可源源不絕，逐漸累積，克保國內人民的安全繁榮生活，不致有經濟恐慌之虞。明乎此，即對於美國硬要以經援給予共產國家，又給一般中立親共國家以軍經援助的用意所在，不難瞭解矣。最近印度尼赫魯政府埋怨美國以軍刀式的噴射戰鬥機售與巴基斯坦，聲言要向蘇俄購買米格式的同類戰鬥機，而美英兩國當局即竭力勸阻尼氏，希望他改向西方購買的情形，在我們看來，似乎有失世界盟主的身份，然就商業利益的唯利是圖觀點說，就毫不稀奇了。即如台灣中華民國政府最近舉辦「國防特捐」一事，完全是向自己人民課稅的內政措施，但美國當局聞訊之後，急忙派遣大員到台灣來查詢，那位主管對外開發總署的首腦人物，且公然質詢我行政院長為甚末要舉辦「國防特捐」？他決不是害怕我們藉此以採取反攻大陸的軍事行動，蓋此戔戔之數不足以充戰費的理由，美國人比我們更明白。他是耽心因為此項特捐而引起台灣的物價波動，以致影响到若干會有美援資金或有美商投資的工商企業增高生產成本，降低了利潤，打的還是商業算盤。我們憑商業利益的主旨，以觀察美國的一切外交行為，即一目瞭然，決無矛盾混淆的感想了。

綜觀上述情況，我們有理由相信：如果中共稍為改變它的反美態度，表示願意接受美國的糧食救濟，華盛頓的白宮和國會中，一定歡欣鼓舞，說出許多理由來贊成將大量糧食運往中國大陸，因為下一步或許可能打開貿易通商之路，亦未可知也。本報所刊「瘋君夢」小說作家岳騫先生曾指出一項事實：只要有錢，你向資本主義社會的人說是要購買他們店中的一口棺材，即作為將來埋葬他們之用，他們還是樂於販賣漁利的。這跟赫魯歇夫聲言要埋葬西方資本主義社會，而英美當局毫不介意的情理相吻合，並非過甚其詞。站在商業利益的立場，美英對於俄帝的「和平共存」調調兒，當然感覺親切有味，求之不得。加以鐵幕地區到處發生糧食不足的現象，即蘇俄亦所不免，這更使農產品過剩的美國當局心旌搖搖，認為和平通商之大利，不難獲致，而國內的安全繁榮即持續不墜了。這也就是近日美國對於毛共軍隊集結福建沿海地區這回事，何以比在台灣的中國人更慌張之所以然。這便是所謂「美國的利益」的真諦。

以商業利益為基準來領導自由世界，在政治與軍事上，自然處處表現着一廂情願，守株待兔的惰性觀念，唾面不妨自乾，逆來可以順受，祗要有商業利益可圖，任何事情都可以犧牲，即出賣友邦，亦無所謂，這在近代史上已有不少的例證。自由世界的人類命運，將來是否成為美國商業利益的殉葬品，先要看一切嘗受共禍威脅的國家，能否大團結起來，自力更生，至少亦有了不被出賣的本能。有了這種能力，才可以常保住自己的經濟堡壘，商業市場不致為別人所壟斷，而不致扼着自己的咽喉。若寄希望西方資本主義國家放棄商業利益的外交方針，實行真正的「自由運動」，那是不切實際的空想而已。

毛澤東：「這是你們要打仗的時候了！」

假慈悲

自由讀

形勢比人強

過去若干年間，每逢中華民國政府方面指稱大陸上的共軍對台灣海峽有進犯的企圖時，美國方面立即予以否定，說他們並未接到這類情報，表示不信任我方所傳出的消息。近來美國方面率先報導毛共大軍集結福建海岸的消息，認為有進犯台灣地區之可能，而中華民國軍事當局和「匪情專家」，初則說台灣海峽現狀並無變化，繼謂毛共集大軍於福建沿海岸，用意只在鎮懾內部，是守勢，決非攻勢的佈署。過去常聞毛共不斷地絕叫「一定要解放台灣」、「驅逐美帝第七艦隊」等類口號，張脈僨興，不可一世；如今却祗聞毛共呼籲閩、浙、粵各省區沿海岸人民提高警覺，防範國軍反攻大陸，又埋怨美國幫助國軍實行反攻計劃，表現着寢饋不安的心情。這叫作形勢比人強，主客的地位丕變了！

可是，英國紳士的自私觀念始終如一，這幾天倫敦方面又奮調獨彈，囂然主張把金門馬祖這些離島交給毛共，以免發生戰事，他們認為毛共之增軍閩省海岸，為的只是要佔取金馬而已。有人如果反問英國一聲：「科威特島為甚末不交還伊拉克？北婆羅州為何不讓給菲律賓？乃至於香港亦不妨自動交給中共吧？」不知紳士們作何感想也。他們閉着眼睛說瞎話，就是害怕美國在東方介入反共戰爭，分散了保衛西歐一隅的美軍力量。在他們的心目中，祗要保持英美兩國的安全自由生活，而又讓英美對外貿易漁利，縱使共產主義氾濫於世界，亦無所謂的。這叫作昧良心出於無奈，哲學家羅素之願意受俄共統治，此物此志也。

不管國際間對台灣海峽問題的議論如何，也不管毛共怎樣地叫囂，咱們政府應該本着既定的國策，埋頭進行，實事求是。尤其希望「匪情研究專家」免開尊口，鎮靜為佳，一些常識性的「專家」意見，人們個個都懂得，或許更有進一步的瞭解，不說也罷！

馬五先生

監院閉門討論劉愷鍾案

監委們發言很激烈

于院長心情很沉痛

（本報記者褚志台北航訊）監察院秘書長劉愷鍾涉嫌貪污瀆職案，經監察委員于鎮洲等十人提案，要求于右任院長依法召開臨時會議，秘密討論劉案後，監察院於二十一日舉行秘密院會，進行討論，會中決定推于鎮洲，趙光宸，馬慶瑞，金越光，陳達元等五人，組織專案小組，加以調查，提報院會。至於監察委員張一中，利用調查省府浪費不法案的機會涉嫌違法之說，院會認為並非事實。

監院臨時秘密院會中，于院長報告劉案處理經過，並提出劉愷鍾簽呈稱：「調查期間聲請迴避，不到院辦公。俟調查完畢，即行呈請辭職」等語，經已照准。是日院會，監院職員工友一律不許進入議場，新聞記者亦不得在議場走廊上窃聽，所以會議沒有記錄，沒有錄音，但據知委員們發言很激烈，于院長的心情也很沉痛。會後，由副院長李嗣聰，委員陶百川，葉時修等五人，共同草擬一項公報，正式向報界發佈新聞。

據悉于鎮洲委員等十人在提案中檢舉劉案的內容，其中犖犖大者為，一、劉愷鍾利用職權，向電力公司等敲詐勒索，其中曾侵佔台灣鉛業公司房屋修建費六、七萬元。二、劉愷鍾接受台灣合會房租津貼一千五百元達數年之久。三、監委在調查一件浪費公帑案中，發現劉愷鍾與對方討價還價後，竟將該案撤銷，其條件為要求對方租賃房屋一棟，給其居住。四、劉愷鍾自接任後向行政院請領修繕費二百萬元（記者按：包括前秘書長張目寒經手之一百多萬元），此項費用雖經招標估價，將監院大廈粉刷油漆一新，但秀而不實，委員們對其帳目支出並不滿意。五、劉任秘書長後仍接受合會常駐監察人之津貼。六、職員要求復職，院長四次批准，而劉擅自不准。七、劉之子高中未畢業，藉職權透過教育當局以「天才兒童」的特殊身分出國留學。

又據說，某委員在秘密會中指證說：劉愷鍾確會將某案透露給有關方面，因而使查案委員受到干擾。去年十二月一日，王文光委員在檢討秘書處工作時，希望劉愷鍾加強保密工作，因為吳大宇於前一天提案糾彈陶玉田，立刻就被陶知道了：又如馬步芳案送到秘書處，當天晚上十點鐘外交部就知道了等等。

旋乾轉坤此其時矣

台灣海峽密雲未雨

香港同胞期待反攻

（本報訊）香港的中國人對於突然掀起的台灣海峽風雲，很感興趣，亦甚表重視，但並不驚恐，同時亦就無所謂緊張。大家一致的認識為是國軍反攻的時候了。

香港的中國人感興趣的是：中共增兵沿海的消息，首先是來自美國，之後英國方面亦有了間接證實，美國所傳消息的消息，是即中共管制大陸鐵路交通，外國人，即使是駐在中共的所謂外交人員，亦買不到火車票。顯示中共確實在手忙足亂的調兵遣將，臬臬然如大禍之將至。

美國官方對於中共增兵沿海的消息，不但首先發佈，且儼然嚴重視之。而相反，在台灣的中華民國政府，其初的表現，卻意外的沉靜，大有若無其事然之概，同樣亦是香港的中國人所感到有興趣的。因為在以往，如其中共果眞增兵沿海，特別是假使在金門、馬祖對岸有了任何風吹草動，台北總是特別敏感，立刻有消息公佈，往往還發為警告，如中共可能蠢動打金馬之類。而這次卻不然——香港的中國人普遍的意識到：這應該絕不是台北的情報欠靈通，居然讓美國人，英國人佔先了，而以為是「其中必有原故」。

這「原故」正就是香港的中國人所重視的。

香港的中國人所同樣重視的，還有：（一）台北最終還是證實中共增兵沿海，特別是金馬對岸了。副總統陳誠宣佈，單是金馬對岸，中共便增兵七個師，合計那地區中共的地面部隊已達五十萬光景了，其餘「縱深配備」的軍事集結，尚不在其列。（二）同一天，即本月廿三日，中共居然也發為消息，誠惶誠恐的號召大陸同胞準備支援「解放軍」，應付國軍的反攻行動。更說：國軍所積極進行中的大舉反攻的準備行動，不但是美國所鼓勵的，還是美國所參加策劃的。中共這「號召」，自然亦側面的證實了它已經增兵沿海岸這一事實。

中共囊括大陸的這十三年來，它們一向叫喊的空頭口號，祇是「解放台灣」；對於國軍反攻大陸這回事，它們連冷言冷語都極少提到，顯見是根本未把國軍放在眼底，認為國軍根本就沒有反攻大陸的力量。現在卻一反故態，居然主動的放出警報，其意義自不尋常，足示「內有文章」。

這「文章」正亦就是香港的中國人所重視的。

香港的中國人感興趣並予重視的，還有：雖然美國與中共都強調國軍可能快要有反攻行動，台北官方對此一點，卻顯見在儘可能的避而不談，反之祇着重於說（一）中共增兵沿海可能係企圖燃起台灣海峽的戰火，比如進犯金馬；（二）亦可能只是做出欲打的姿態，而希冀藉以造成國際政治壓力，廹國軍放棄金馬。香港的中國人認為：台北官方此舉，乃是故佈疑陣，深藏若虛。這亦即是說：香港的中國人是認眞相信政府確實是積極在準備反攻大陸的。

香港的中國人鑒於中共以往十三年在大陸的種種倒行逆施，特別是近三四年來中共所搞的空前大暴政之「三面紅旗」，攪得大陸遍地飢荒，天怒人怨，認為大陸同胞已到了不能再事忍受的地步，大家的想法：能逃便逃，不能逃則甘心情願與之偕亡，上個月近十萬大陸同胞洶湧衝出鐵幕的事實，便是最現成的證據。先後逃到自由區的大陸同胞，也已經清楚的表白了大陸同胞對於中共政權含恨入骨的心情。所以，香港的中國人，早經詢謀僉同的認定：現在正是國軍反攻的最佳機會。迄亦會紛紛發為呼籲：要政府把握時機反攻大陸，拯救慘苦無告的大陸同胞於水深火熱之中。

現在，事實顯示，政府確實正在積極為反攻大陸而做準備，香港的中國人自然深感興趣，認識到國運正達於開始扭轉的重要階段，香港的中國人，雖然並不一筆抹殺中共的兵沿海，它確實也有狗急跳牆，先下手為強的悍然進撲金馬，燃起台灣海峽戰火的可能性，卻認為它斷無獲逞的機會，甚至無異於自掘墳墓，自速其滅亡。因而香港的中國人，對於此番台峽風雲，完全沒有絲毫驚恐的心理，更當然無所謂任何緊張的表現。香港的中國人的看法：現在驚恐的乃是中共，緊張的亦是中共。香港的中國人所一致希望的，祇是政府能夠更加緊進行準備，而及時的把國軍送上大陸，以掃蕩赤氛，還我河山。香港的中國人期待這一天的到來，已經很久了，太久了！（拔）

香港與大陸

飢荒之下毛共「發明」多

廣州食品聞所未聞

羊城美點怪狀百出

原在廣州做廚師剛逃到香港的某君，透露了一些廣州食品內幕，眞是聞所未聞，亦實在嚇人聽聞。

某君是廣州農械工廠的廚房大師傅，在他手下有二十六人，他們的工作是給該廠九百多名工人辦理伙食。因為他的本領了得，中共的「廣東省人民政協」開會時，他會好幾次被徵調去做筵席。據他說：在廣州較大機構做廚師的，早在兩年前，都已經學會了煮「雙蒸飯」與「打針飯」，兩者都算是共產黨的「發明」，共產黨會為這些廚師開過短期訓練班，「雙蒸飯」與「打針飯」便是這訓練班的必修科之一，非學會不可。某君當然亦會受訓練，深悉其中奧妙。

所謂「雙蒸飯」者，據某君說：其煮法係用特製的三座相連的水坭製成的池，池底為鑌鐵，兩邊兩個池子都放米，中間一個池子則放水，用煤燒水至滾時，兩邊池子中的米亦給烘熱了，然後用中間池子的滾水滲入兩邊池子，繼續的燒，至滾水燒乾為止。這樣煮出來的飯，體積膨脹，達普通煮法煮出來的飯三倍之大。

所謂「打針飯」者，煮法與「雙蒸飯」畧同，所不同的是米被烘熱後用花洒澆水煮之，洒澆一次煮乾了，再洒澆以水，再燒之，至生米煮成熟飯為止。這樣煮出來的飯，也是體積膨脹，可比普通煮法煮出來的飯大到三倍以上。

是以「雙蒸飯」與「打針飯」，有如魔術，喫三碗飯的人，論實際營養，其實祇有一碗飯。為了這樣似乎可以緩和糧荒，共產黨對它們此種發明，甚感得意，吃虧的祇是吃飯的人。

共產黨的「聰明的發明」實在還不僅此，某君透露今日廣州市上的「羊城美點」，還有許多怪狀，亦都是共產黨的傑作，如：

「大飽」——其外皮的質料為木薯粉，內餡則為香蕉皮或者柑皮，做法是把香蕉皮或柑皮的水份搾出，和之以鹽，切成碎粒，以之代肉作餡。此種「大飽」，每個售人民幣一角。

「燒餅」——同樣亦是用木薯粉代麵粉做外皮，內餡則為猪乸菜，烘成之後，外塗糖漿，以之代蛋。此種「燒餅」，論碟出售，每碟兩件，售人民幣一角。

「人造肉蒸」——其所用材料為木薯粉及椰菜頭，蒸之使成「扣肉」狀出售。此種「人造肉蒸」，亦論碟售，每碟為八件，售價為人民幣四角。

「蕉渣餅」——做法為用米磨成漿，將蕉渣炸碎，再加鹽及其他蔬菜和之製成。此種「蕉渣餅」，每個賣人民幣一角。

「西施粉」——材料主要為海草，加鹽、胡椒粉及葱、薑等，煮成糕狀食物。此種「西施粉」，每件賣人民幣二角。

某君說：上列幾種今之「羊城美點」，為廣州各茶樓最普遍的點心，專供人民食用，購食時一律需憑糧票，扣除配糧。這些「美點」，由於材料是假的，其味道與營養價值，自然都不堪聞問，但因為實在沒有其他可吃的，所以大家亦祇好吃之。這些「美點」，並不賣給港澳去的人吃，港澳回去的人，如上茶樓，都被邀到特別座位，以叉燒飽及其他眞正的肉製點心供應，每碟普通的都要賣到人民幣七角，廣州人固然實在吃不起，且除共幹之外，普通人即使有僑匯收入，有能力購食，卻亦是不賣的。（濟）

害怕國軍反攻大陸

廣州共黨棲棲皇皇

一面呼籲人民協助防特

一面搜購黃金準備逃走

（本報訊）為了害怕國軍反攻大陸，廣州的情形已相當混亂，共黨棲棲皇皇，坐立不安，它們大聲高氣的要老百姓鎮靜，實際最慌最亂的，正就是它們自己。

這消息是廿七日新自廣州來到香港的鄭君對本報記者透露的。鄭君說：自從廿三日中共發表新聞，說國軍即將實行反攻大陸後，廣州老百姓表面雖不作任何表示，內心裏大家都是極其高興的。廣州中共當局，自當日晚起，便開始宵禁，由會生任戒嚴司令。又利用各種方式，厲行「壓縮」人口，要把那些它們早認為應該落鄉生產的人趕落鄉去。同時並呼籲老百姓「嚴防國特」擾亂治安，進行破壞。又勸告老百姓不必驚恐提懼，宣稱「政府」有充分力量保護人民，「美蔣匪幫」任何陰謀行動，絕難得逞云云。

亦大概是從廿三日開始，駐防廣州近郊的共軍，軍車絡繹，調動頻繁，有傳說是開往東江，又有傳說是增援海岸綫，究竟如何，則不得而知。同時，從粵漢路有不少新的部隊開到，或謂係從粵北開來，又或謂來自湖南，實情如何，亦無從明白，所知者只是那些部隊都是講北方話的。

廣州中共當局，除呼籲老百姓協助「嚴防國特」之外，它們一項最驚擾市面的所動，便是進行突擊檢查。它們不但檢查各旅店的旅客，還檢查民居戶口。有不少早被取消戶籍要「壓縮」的人口，都被它們查了出來帶走，說是將由「政府」供給交通工具，把他們送走。

因為共黨這些行動，其所造成的結果：第一為「自由市場」的物價跳昇，比如食米，便已賣到四元人民幣一斤。第二為大家都更加不信任人民幣，見東西就買，但實際卻幾乎什麼東西都買不到。第三，最搶手的為外幣與黃金（在廣州所謂外幣，當然是非法祇是港幣一種的），一元港幣可換四五元人民幣，還大家搶着要。黃金每兩炒到八九百元人民幣甚至千元以上。搶購港幣的人是老百姓，搶購黃金的人則是共幹以及共幹的家眷。據傳說非廣東籍的共幹的家眷，大部份都奉令要撤走了。（城）

促進台產低級菸葉外銷

林嘯松

菸葉是一種極其敏感的特用作物，其選擇自然的條件極爲嚴格，台省中南部地區的土壤、氣候等各種自然因子，均極適宜於種植菸草。因此，種菸雖然是必需講求栽培技術，然而菸農所得到的種菸利益，倒確實很大，這項種菸經濟利潤，遠非其他農作物所能與之對抗。例如三、四等則的每甲水稻用地，以之種植水稻，每年收益充其量約值新台幣四、五萬元，但如由技術優良之菸農改種菸草，則其每年收益，當在六、七萬元以上，所以菸草的對抗作物是很少有的。現在公賣局擴展菸葉外銷，表面上的利益雖然是少數的菸農大受其惠，然而直接的好處，則是繁榮了農村的經濟現況。基於此一觀點，政府似乎還可以酌量情形，考慮推廣種菸的面積。當然這只是筆者一項粗淺的建議，究竟有否必要，還有待各方面有識之士詳加討論。

菸葉產量與品質的問題，據說菸草栽植的面積與產量，已經在種植管理上，運用農業科學技術，皆可予以有效的控制於葉產量問題，在今天來說，實際上已經是沒有什麼問題存在了。唯有於葉生產的品質差異問題，還是沒有良好的方法可以作有效的控制，雖然年來省產於葉的品質，已較已往爲佳，但顯然的仍沒有達到理想的程度。公賣局每年所收購的於葉，仍未能盡合需用，即一至三等的高級於葉仍嫌不足，而四至七等的低級於葉則頗爲多餘，故每年尚須進口美援於葉，以及外購土耳其、希臘、西德、英國與菲律賓等自由國家之高級於葉以爲補助。因此在外滙節流上，不免形成了一個漏巵。這個漏洞是必須設法堵住，筆者認爲可以從幾方面來分別努力進行：

（一）從速精研改良製於技術與配方效果，使低級於葉，皆可參和於高級於葉中，一併善加利用。（二）認眞注意自然因素，以改進於草品質，例如土壤、溫度、濕度、日照、風向、雨量等，均須選擇與於草最適宜種植的地區。（三）必須講求種植與管理技術，選擇優良於草品種，配合輪作制度，決定植期早晚以及肥料之施用，病蟲害之防治與收存烤製等，均與於草品質及減低生產成本有極其密切的關係。

總之，提高於葉品質，符合國際於草標準，開拓國外市場，使省內生產的大量於葉，向國際市場如日本、泰國以及美、英（香港）法、意等國銷售，以爭取外滙，充裕國家的經濟。目前台省於草生產量，不僅足供全省全年的需用，且尚餘六個月以上的賸餘存量，這批賸餘於葉，大部都是比較低級品質的，而且每年愈積愈多，如不外銷，勢必使存儲發生問題。因此外銷於葉是合算的，也正吻合了事實上的需要，何況外銷的成功，才是發展省產於葉的正確途徑！（下）

天南風光
——沙羅越的鬥雞——

朱淵明

鬥雞這玩藝，當係中國的古風之一，由來甚久。最早見於文獻的爲「左傳」所載：『季郈之雞鬥，季氏介其雞，郈氏爲之金距。』魏曹植曾作「鬥雞篇」。「鄴郡故事」上說：『魏明帝大和中築鬥雞台；趙王石虎亦以芥羽滓砂，鬥雞於此。』曹植詩亦有云：『鬥雞東郊道，走馬長楸間』。

最著名的故事，莫如初唐四傑之一的王勃，少年得意，於忘形中作了一篇贊頌鬥雞的文章，惹惱了皇帝老子，因此丟官，百無聊賴，遂往交趾省父，雖然神話似的趕到南昌，當衆寫了一篇「滕王閣序」，名揚千古，終於不久就渡海溺死，命短猶遜顏回。這可說是第一個受鬥雞之禍的名人。

及唐玄宗即位，因其生辰爲乙酉，在十二肖屬中，恰恰屬雞，遂特喜鬥雞。據唐人陳鴻祖所著的「東城老父傳」中說：

『玄宗在藩邸時，樂民間淸明節鬥雞戲。及即位，治雞坊於兩宮間，索長安雄雞金毫鐵距，高冠昂尾千數，養於雞坊，選六軍小兒五百人，使馴擾教飼。上之好之，民風尤甚。諸王世家、外戚家、貴主家、侯家、傾帑破產，市產以雞償值。都中男女，以弄雞爲事，貧者則弄假雞。』

以帝王之尊，來弄這種鬥雞的小玩藝，其設備與訓練，自然非同凡響。「東城老父傳」主要的是描寫一個在開元元年出生姓賈名昌的小兒，被玄宗看中了，就派他爲五百小兒之長，在開元十三年：『籠雞三百，從封東嶽。父賈忠，死泰山下，得子禮，奉尸歸葬雍州，縣官爲葬器喪車，乘傳洛陽道。十四年三月，衣鬥雞服，會玄宗於溫泉，當時天下號爲神雞童。時人爲之語曰：「生兒不用識文字，鬥雞走馬勝讀書。賈家小兒年十三，富貴榮華代不如。能令金距期勝負，白羅繡衫隨軟舉。父死長安千里外，差夫持道挽喪車」。』這種民間歌謠，充分代表時代輿論，反映民心，眞可與後來天寶年間「生女勿悲酸，生男勿喜歡。」又曰：「男不封侯女作妃，君看女卻爲門楣」之謠詠，後先比照。誠所謂「玩物喪志」。故陳鴻祖於「東城老父傳」中評說：「上生於乙酉雞辰，使人朝服鬥雞，兆亂於太平矣」。這又是另一個受鬥雞之禍的有名皇帝。（一）

燕塵識小
前一王一崇一祀

無貞生

魏道武帝、明元帝、太武帝、文成帝、獻文帝、孝文帝、宣武帝、孝明帝，宋文帝、孝武帝、明帝，齊武帝，陳文帝、宣帝位。左二龕，供唐高祖、太宗、高宗、睿宗、元宗、肅宗、代宗、德宗、順宗、憲宗、穆宗、文宗、武宗、宣宗、懿宗、僖宗，後唐明宗，後周世宗，遼太祖、太宗、景宗、聖宗、興宗、道宗，宋太祖、太宗、眞宗、仁宗、英宗、神宗、哲宗、高宗、孝宗、光宗、甯宗、理宗、度宗、端宗。右三龕，供金太祖、太宗、世宗、章宗、宣宗、哀宗，元太祖、太宗、定宗、憲宗、世宗、成宗、武宗、仁宗、泰定帝、文宗、甯宗，明太祖、惠帝、成祖、仁宗、宣宗、英宗、景帝、憲宗、孝宗、武宗、穆宗、愍帝位。均南嚮。

歷代配饗名臣：東廡，風后、蒼頡、夔、伯夷、伊尹、傅說、召公奭、畢公高、召穆公虎、仲山甫、張良、曹參，周勃、魏相、鄧禹、耿弇、諸葛亮、房元齡、李靖、宋璟、郭子儀、許遠、李晟、裴度、曹彬、李沆、王曾、富弼、文彥博、李綱、韓世忠、文天祥、宗翰、穆呼哩布呼密、徐達、常遇春、楊士奇、于謙、劉大夏位。

西廡，力牧、皋陶、龍伯益、仲虺、周公旦、太公望、呂侯、方叔、尹吉甫、蕭何、陳平、劉章、丙吉、馮異、馬援、趙雲、杜如晦、狄仁傑、姚崇、張巡、李泌、陸贄、耶律赫嚕、呂蒙正、寇準、范仲淹、韓琦、司馬光、趙鼎、岳飛、宗望、斡魯巴延托克托、劉基、李文忠、楊榮、李賢位。

乾隆四十九年諭：

朕因覽四庫全書內大淸通禮一書，所列廟祀歷代帝王位號，乃依舊會典所定，有所弗愜於心。敬憶皇祖實錄有敕議增祀之諭，今查取禮部原議紅本，則係康熙六十一年十一月內具題。爾時諸臣不能仰體聖懷，詳細討論，未免因陋就簡。我皇祖諭旨以凡帝王曾在位者，除無道被弑亡國之主，此外盡應入廟。即一二年者亦應崇祀。煌煌聖訓，至大至公。上自羲軒，下至勝國，其間聖作明述之君，守文繼體之主，無不馨香妥侑。不特書生臆論，無能仰喻高深，即歷代以來，升禋議禮，未有正大光明若此者也。乃會議疏內聲明偏安亡弑不入祀典，而仍入遼金二朝，不入東西晉元魏前後五代，未免意有偏向。若仰承聖意，而實顯與聖諭相背。朕意若謂南北朝偏安不入正統，則遼金得國，亦未奄有中原，何以一登一黜，適足啓後人之訾議。即因東西晉前後五代有因篡得國，擯而不列，如操丕不得爲正統之例。殊不知三國時正統在昭烈。故雖以陳壽三國志之尊魏抑蜀，而卒不能奪萬世之公評。至司馬氏篡竊以還，南朝神器數易，如宋武帝崛起丹徒，手移晉祚，自不能掩篡奪之罪。其他雖祖宗得國不正，而子孫能繼體承休，則爲守文中主，亦不可概從闕略。況自漢昭烈以至唐高祖統一區夏，時之相去三百餘年，其間英毅之君，節儉之主，史不絕書，乃竟可置而不論？（三）

瘟君續夢

第六回：烽火照邊陲　同惡難濟
樓船橫碧海　大慾興悲

赫魯曉夫到了莫斯科之後，馬上下令免去尤金的「大使」職務，改派烏克蘭共黨中央委員會書記契爾沃年科繼任，對中共來說，又是一項晴天霹靂。

尤金是一九五四年繼庫滋涅佐夫任駐中共「大使」，未來之前原是眞理報總編輯，又是蘇聯科學院的院士，在蘇聯外交官中，算是一個知識份子出身的人物，到了北平之後，和中共要員都還合得來，尤其是陳毅，兩人常常到北京飯店跳舞，一玩就玩到通宵，中共外交部人員對這位大使也沒有以前幾位那樣懼怕，遇到小問題也敢提出交涉，尤金到底是個讀書人，表面上也還敷衍一下。

那知被「大使館」職員抓到把柄，當赫魯曉夫來時，就秘密告了一狀，赫魯曉夫正惱恨毛澤東，聽到報告以爲尤金有喫裏扒外之嫌，回到莫斯科就把他撤了，連帶中央委員也被免去，差一點被判了勞改。

尤金的繼任人選，赫魯曉夫也不再派職業外交家，改派了烏克蘭共黨書記契爾沃年科繼任。契爾沃年科一生就是黨官，赫魯曉夫任烏克蘭共黨書記時，他就在烏克蘭黨部任職，赫魯曉夫秉承史達林的命令主持對烏克蘭大淸算，屠殺了民族主義份子達三十萬人，契爾沃年科就是得力助手。赫魯曉夫榮升到中央任第一書記時，契爾沃年科仍被留在基輔作一頭看門惡犬。現在赫魯曉夫居然放他任駐中共「大使」，中共要員都大起恐慌。

毛澤東也不能自安，就把政治局常委連同幾名重要人員一塊找來商量。

大家坐定後，毛澤東先向劉少奇問道：「赫魯曉夫從此地經過時，並未提到更換大使的事，怎麼到了莫斯科突然來了這麼一手，你知不知道原因。」

劉少奇搖搖頭：「我最近未同蘇聯大使館人員接觸過，沒有聽到任何消息。」

陳毅插嘴說道：「蘇聯大使館人員也不了解，就連尤金本人也大感意外，前兩天我們在北京飯店跳舞，他還告訴我過了年要到杭州去度假，要我在西湖替他找一處房子，他還希望我和張茜能陪他一道去，那知突然有這麼大的變動。」

毛澤東回頭看看周恩來，問道：「這件事情究竟怎麼發生的，你能不能推測出來。」

周恩來連忙站起來掏出白手絹擦擦嘴，陪笑說道：「現在也很難推測，因爲究竟不知道赫老是好意還是壞意。」

毛澤東一瞪眼：「那會有好意，你只向壞的方面推測就是了。」

就在這時，活曹操插嘴說道：「據我估計，不外三個原因，第一、我們同阿爾巴尼亞的秘密，是不是被赫老知道。第二、陳毅同志和尤金過於親蜜，也害死了他，蘇聯對外交官的政策是不願他們和駐在國的首腦發生私人感情的。」

陳毅一聽，扯到他的頭上，連忙分辯道：「我每個月不過同他跳上十次八次舞，說不上親蜜啊！」

活曹操不理會他，繼續說道：「第三，可能是赫老訪華期間，尤金替我們講了好話。」（一一三）

七里瀧活鰣（續）

仰望嚴陵釣台，巍踞山腰，因當時下午可到富陽，即命船家艤舟台下小駐，憶及鰣魚，囑其購食，僅得三尾，計法幣五千，頗覺不昂。請船家洗之，由內子用清蒸紅燒兩法烹食，入鍋時，魚猶在跳躍，製就佐食，竟盡三甌，以抗戰九年，有違此物久矣，大解饞涎，爲之一快。在內地欲吃此物，其時交通阻遲，雖萬金亦不能致一尾。七里瀧鰣，較焦山爲小，惟鮮嫩過之。據說遜淸時代，在初次獲得者，必星夜急足送至杭，以呈督撫，民間不敢嘗之。規律如此鄭重，亦知官方之威矣。

憶玉軒雜綴

竹林寺幽雅

鎮江一稱京口，風景有金焦之勝，北固之險，許多遊客因其富有歷史遺跡，紛至沓來。當三國時代，東吳建都在建業，即今之南京，京口遂爲駐軍重鎮，遺蹟之較著者，有相塉樓，即吳國太甘露寺相劉備之處；試劍石爲孫仲謀與劉玄德比劍之地，今僅存其名，無跡可尋，點綴北固風景而已。鎮江山南叢峯中有竹林寺，寺固六朝時所建，所幸未遭兵燹，依然巍峙，爲可貴也。

寺地幅袤甚廣，禪堂經院佛殿，約有四進，規模不下金山寺。惟有特徵，沿山一帶，徧植翠竹，不下二三千株，環圍寺之前後左右，此寺即在叢竹中，情調甚別緻。山頂多松，一片翠色與竹相映，如有徐風吹來，松搖竹動，其聲脆響，頓生涼意。夏日往游，其味特可滌塵囂。

民廿二，余奉檄駐鎮，每逢夏季休沐之日，輒於侵晨買車往遊，良朋三五，在寺之後堂，品茗小憩，間亦作方城之戲，享受松竹間之清風，既未揮汗，亦無用扇，一股清氣，透人心脾，異常淸幽，殆是人間淸涼勝地，別有洞天，幾乎有超然出塵之念。生平淸遊，此爲第一遭的佳趣。於是逢週末必往，幾有半年，其幽雅備嘗矣。

寺內所製素肴，其味特佳，而價不昂，幾與民九遊靈隱所嚐者相同。素麵更是淸爽不油，口內生津，納胃頗適，是一妙品。鎮江各寺院的素食，當以竹林寺爲較佳，因完全淨素，不是金焦兩處之可葷可素也。寺中規例，禁止喧擾，如有故違，知客將爲勸阻。故來客皆不能叫嚷，以致有周郎癖君子，無從操琴高歌，五陵年少，不能偕麗同行，澈底限制，始有靜境。人間固多勝地，要在自尋其樂園耳。

張之洞人造金魚

張香濤爲兩廣總督時，督署有金魚數缸，異種也。色如霜菊，嬌艷無比。其黃色尤佳；尾有金邊，身畧長於常種，爲美中不足。但在缸中遊行時，尾輒上翹，形如紫燕花迎風搖曳，時稱「金紫燕」，因其嘴部畧呈紫色，故名。時，家大人在廣雅書院任事，張曾以數尾贈書院，別置特製之宜興金魚缸中，其後繁殖，院中花農嘗取以餽贈親友。先大人亦得雌雄二尾，其一灰色，形類蝙蝠；一赭色，脊有斑點如鹿，故名之曰「福祿鴛鴦」。據傳，製魚之法，先取寬度約一尺或一尺二寸之熱方磚一塊，置浸器中浸百日，取出備用。所謂「人造金魚」，硒蠶之變種。俟春蠶成蛹化蛾產卵時，取磚抹淨，置蛹蛾于磚上，上覆以玻璃紙蓋，使蠶放卵於磚上，既畢，將磚貯於陰晦之地，時時加以看護，不使蟲蟻嚼食。俟至三伏日，取木盆置磚於中，盆中注水，以浸及磚面一寸爲度，置日中曝之，水煖則魚出矣。余少時聞其事，會依法嘗試，第一次蠶卵爲甲由所蛀；第二次，因家中人不知貯磚作用，取磚墊物，致蠶卵盡毀。後亦未再試。

良以，浸磚百日，護種子亦須百日以上，經過既已不易，尤其曝卵時，日中，太烈不可；日初上，熱力不足，不可；日將下，陽光力弱，亦不可。故試者甚少成功。其後，張氏調任，其素所雇用之花農某留粵，自營園藝於河南北埭，園中金魚，有此一種，詢以曝法，輒模稜兩可，唯唯否否。不知是否另有秘訣也。

花香月上樓小品

黃葉村人

先師凌念莊

余年十二歲，始就凌念莊先生受業大學、論語。時先生設私塾于廣州老城德宣街，名曰「藏芸書屋」，授徒三四十人，爲街坊私塾中之較具規模者。

先生諱徵，番禺人，書法趙孟頫，得其神韵。先生每歲在文昌廟鬻字，訂有潤格，未到臘半，即截止收件，其名貴可知。開始寫字，例于十一月尾，至十二月杪而停筆。但先生必先時而往，先時而歸，而收穫則較別人倍，蓋其潤格高而件亦多也。（未完）

胡適與紅樓夢板本

非紫先生

胡適之先生逝世已近四月，留給人的記憶，當無窮盡。茲所記爲胡先生逝世前四日的遺墨，此遺墨可說是最後的。此遺墨所談，爲紅樓夢刻本，與老友青石山莊主人韓鏡塘兄印行的紅樓夢有關，原文極長，這裏將此事大概摘記如下：

此事的研討，起源一位金作明君，他早年於共軍南侵時，從家鄉逃出來，參加部隊，輾轉萬里，終於在台灣退役。如今他是合北泰山鄉一家紡織廠的小工，一月收入，不足新台幣一千元。十年來，他幾乎把錢都化費在曹雪芹著紅樓夢各種版本的搜集。以每月百元的代價，租一間小屋，在小屋裏，除榻椅几三件以外，堆滿了各種版本的紅樓夢。他眞是十年來，廢寢忘食的在鑽探。今春，當聚珍版程乙本紅樓夢，由韓鏡塘兄影印問世後，金君產生了許多疑竇，乃向胡先生與鏡塘兄通信。致胡先生的信云：

青石山莊影印的百廿回木活字排印本紅樓夢，據您序說：確是乾隆五十七年壬子程偉元「詳加校閱改訂」的第二次木活字排印本——程乙本——這點我深信不疑。但這個本子的歷史不甚明白。據我所知，木活字排印的程乙本，只有您藏有一部，除外就沒有了。現在青石山莊的，可算絕無僅有。你在甲戌本跋裏說：程乙本向來沒有人翻板過，那麼現存的兩本，應該是同一版的書了；可是不同，在這兩個同是程乙本中間，有着不同的地方。（你的稱前本，青山石莊稱後本）

版幅大小不同：前本是二一點三乘十三點五公分；後本是十七乘二三公分。

裝訂冊數不同：前本是二十四冊；後本爲二十冊。

文字方面有別：程偉元序文裏，前本是以「石頭記」作書名，後本以「紅樓夢」作書名。

目錄：第四回下句，前本是「葫蘆僧亂判葫蘆案」，後本爲「葫蘆僧判斷葫蘆案」；第十八回下句，前本是「天倫樂寶玉呈才藻」，後本爲「天倫樂寶玉獻詞華」。其他還有一些文字不同的地方。你從前曾說過，是有歷史癖的，不知道另外一個百廿回木活字排印的紅樓夢本子出現，是否也注意過牠——本子——的歷史，敬請賜答。

適之先生在二月二十日的回信說：

你喜歡搜集紅樓夢的版本，又晚上做工直到淸晨，這都是我年輕時的弱點，我歡迎一位同好。——

青石山莊影印的百廿回活字排本紅樓夢，是用程乙本作底本影印的。最重要的證據，是卷首的乾隆五十七年「壬子花朝後一日小泉蘭墅又識的「引言」七條，特別是第一條說的「因急欲公諸同好，故初印時不及細校，間有紕繆，今復聚集各原本，詳加校閱，改訂無訛」。這一點大概是你也深信不疑的理由之一。你指的一些不同的地方，大概都是可以解釋的。版幅的大小，我頗疑心汪原放君的記錄不正確。他把公分認作米突，就是大錯了。他所謂本子的大小也是不淸楚的說法。韓鏡塘先生（青石山莊主人）是在工專教工程，他的記錄可信。裝訂廿冊或廿四冊，是隨人意趣與方便的。念四冊大抵分裝四套，廿冊則有時裝兩套。（上）

海嘯樓談薈

畸人胡紹陶

諸葛文侯

朱滌秋先生最近在本報談到著名的星相家胡紹陶，說他憑着人們的氣色以卜休咎，每多奇論，且謂胡氏於對日抗戰時期自武漢入川後，不知所終云。愚亦與胡氏相識，特補述所知，以告讀者。

我初次在武漢認識胡氏，是已故國軍名將黃伯韜（煥然）兄介紹的，時維民國廿二年春間。煥然此時担任陸軍第四十八師徐源泉部下的旅長，他於民國廿一年夏間奉命赴鄂西監利縣進勦共匪賀龍之際，會向胡紹陶請敎此行休咎，胡語以可能負傷，但無生命危險，後來竟不出所料。因此，煥然視胡氏爲神相家，極力慫恿我跟胡氏談談命相，我當時年輕氣盛，不相信這一套，煥然強而後可，他陪我同去胡寓的。胡初次見到我，即表現着老氣橫秋的意態，而以「老弟」稱呼之，却使我發生親切之感，如是每到武漢，必向他求敎一番，他所評述的事情頗多，不必敘次，唯有兩點給我印象最深：一是他警告我終其身不必指望五親六眷有所幫助，相反地，我祗是一生爲親眷勞役拖累而已。又特別叮嚀我莫輕於殺人（此時我在湖北做地方行政官吏兼保安司令暨軍事委員會軍法官，享有殺人權。）說是要爲子孫積德，因我將來的子息無多也。我問他何所見而云然耶？答以「你不必問，日後自知」。迄今事證昭然，適如其說。二是某次我跟一位朋友去請他看相，他對那位朋友的休咎問題，少所談及，只是再三囑咐那朋友跟家中多通信，所言完全不着邊際，迥異尋常，我詫甚，次日當面叩問他是否別有用意？他說：「你千萬不能告訴那朋友，我看他的生命在半年內可能完結哩！」三個月之後，朋友忽告病故了！

對日抗戰中期，胡氏移住重慶（他原係四川人），若干文武大吏皆樂於出入胡氏之門，揖談命相休咎，而行政院長孔庸之對他尤示推崇，常於暇日派車迎接胡氏到私邸洽談。據聞某日胡氏在孔公館會遇見了蔣委員長，瞻仰顏色，我與友人蕭振瀛（仙閣）得此消息後，即往胡寓詢問究竟，他承認有此事，但拒說命相之道。一夕，蕭仙閣聘買「雲土」四兩（胡有阿芙蓉癖）携至胡宅，陪着胡氏倒在烟榻上聊天到半夜，希望他吐露一點對於蔣委員長的命相有何觀感。他說：「我若說委員長人格如何偉大，動業如何彪炳，現在全世界的人都稱讚他，用不着我來贅述了。若說他前途有某些不圓滿的地方，那是對領袖大不敬，非區區老百姓所宜妄言的。」始終三緘其口，諱莫予深。

民國卅一年我由成都移家重慶後，常與胡氏晤談，一日，他忽然語我：「老弟，中國今後還要大亂，我此生難見太平日子！」我說這是國運問題，與命相無關，不見得吧？他啞然道：「像某某人（指一二黨國要人）的命相，我看他還有十年鴻運，國事焉有不糟糕之理呢？」相與慨嘆不已。胡氏於民國卅三年病歿渝市，年逾七旬，蒙莊周所謂畸於天而不侔於人之徒歟？

海瑞故里

·道南·

海瑞，字汝賢，廣東海南島瓊山人。一生剛直、廉潔儉樸，是明代著名的淸官，有聲於時，當地人稱他爲「南包公」。

海瑞的故里朱桔里，在緊靠海口市府城的西北不到一公里的地方。海瑞故居門前有一池塘，人稱海瑞塘。塘和堂讀音相近，所以又有人讀爲海瑞堂，意即海瑞的祠堂。

其實海瑞的祠堂在故居的右側約六七十丈以外的地方，和丘浚、蘇東坡的祠堂一起，稱「三公祠」。海瑞塘長十五丈，寬約三丈，海瑞幼年常在海瑞塘裏釣魚。

海瑞的故居只有二間矮小的房間，一間是寢室，一間是正廳。寢室較窄，海南人叫「兀路瓦」（屋的寬度），正廳寬一些，爲「十一路瓦」，總共面積不超過十五平方公尺，是一所泥地泥牆的小屋。

隆興四年（公元一五七〇年）海瑞被人以「魚肉縉紳」的罪名被彈劾，即隱居在這裏，到萬曆十三年（公元一五八五年）被起用時止，先後鄉居十五年。

山川風物

自由報
內僑警台報字第〇三一號內銷證
THE FREE NEWS
第二四九期
中華民國僑務委員會頒發
台救新字第三二三號登記證
中華郵政台字第一二八二號執照
登記為第一類新聞紙類
（半週刊每星期三、六出版）
每份港幣壹角
台灣零售價新台幣弍元
社長：雷嘯岑
督印人：黃行靄
社址：香港銅鑼灣高士威道二十號四樓
20 CAUSEWAY RD 3RD FL HONG KONG
TEL. 771726　電報掛號．7191
承印者：田風印刷廠
地址：香港灣仔高士打道二二一號
台灣分社
台北市西寧南路壹壹零號二樓
電話：三〇三四六
台郵撥儲金戶九二五五

平議菲對北婆羅的領土要求

·宋文明·

本年六月二十二日，菲律賓政府正式向英駐菲大使皮區爾發出一項函件，要求向英國政府「轉達菲律賓政府的意願，希望兩國政府代表在馬尼拉或倫敦舉行談判，以便對北婆羅的歸屬，法律地位及其他有關各點，予以充分的討論」。緊接着這一函件的發出，菲總統馬加柏臯亦於同日舉行記者招待會，公開宣佈菲律賓這一決定。於是菲英兩國間對有關英屬北婆羅的一項領土爭端，從此便進入了正式化階段。

菲律賓對英屬北婆羅存有領土野心，早在一九四六年即已開始。但直至半年以前馬加柏臯政府上台執政，菲律賓始終沒有作過積極的表示。去年十二月三十日馬加柏臯就職總統的同一天，馬尼拉銷路最大的一新聞雜誌「自由新聞」周刊，才連續兩期登載一篇論文，首次建議菲政府要求將北婆羅歸還菲律賓。本年一月七日，與這一要求最有關的蘇綠島蘇丹後裔，便訪問菲外長柏萊茲，以北婆羅舊日所有主的資格，向菲政府發出呼籲。一月二十日，「自由新聞」又再度撰文提出主張，要求菲政府立即採取步驟。三月十四日，菲自由黨議員奧卡坡在議會正式提出一項議案，要求菲政府經由國際談判或國際法庭，積極進行收回北婆羅運動。並認為菲律賓若不立即採取行動，則馬來西亞聯邦擬議的提出及其推行，可能將會損害到菲律賓的立場，使這一要求面臨更多困難。四月三十日，菲律賓國會便通過這項議案，並即送交政府執行。五月二十一日開始，馬加柏臯總統便召開一連串的內閣會議，商討與這一議案有關的各種問題。於是最後，便作了如上的立場，決定正式向英提出要求。

根據菲方所作的各種說法，特別是菲外長柏萊茲於六月二十二日在舊金山所發表的談話，菲律賓所以向英提出有關北婆羅的領土要求，是由於：（一）按照它們所具有的歷史資料，以及蘇綠島蘇丹後裔所提供的證據，表明一八七八年蘇綠島蘇丹與當時英人Charteiped Co.所作的協定，是一種租借性質，而非為出售與讓與。（二）這種租借照規定不得超過九十九年。（三）在一九四五年四月以前，北婆羅仍由英人公司所管理，英政府從未取得主權；即是在北婆羅公司管理期間，並不像過去其他英人公司在東方的所為，它亦從未執行過對該地的主權。既屬租借性質，而英方又始終未取得該地的合法主權，所以菲方認為北婆羅主權仍屬蘇綠島蘇丹，也就是屬於今天的菲律賓。

可是當菲方提出這一要求後，英國外務部便立即發表一簡短聲明，堅拒菲方這一要求。其中有謂：「由於英政府正考慮將北婆羅合併於一新的國協體國家－獨立的馬來西亞聯邦，所以英政府深感有必要拒絕一如馬尼拉所提出的這類要求」。英國這一態度雖並未百分之百的取銷與菲律賓在未來舉行談判的可能性，但以今天情形看來，這一問題似無任何談判餘地。英國所以斷然拒絕菲方這一要求，亦是由於：（一）就外交而言外交，英國除了斷然堅拒以外，無法採取別的態度。（二）按照英國說法一八七八年那一協定，是北婆羅的永久出讓，而非有限期租借，並有正式文件可資證明。（三）英方認為現英屬北婆羅所轄土地，除了蘇綠島蘇丹所讓與者外，還包括布羅尼蘇丹及其他蘇丹所讓與的土地。而且蘇綠島蘇丹所讓與者，只是北婆羅東岸靠近山打根的一小塊土地，而非今日北婆羅的全部，所以菲方更不能對全區有所置喙。

英國這種說法與菲方所持者，可謂針鋒相對，互不相讓。既然雙方立場相距過遠，所以這一問題一時也不易獲得一個解決。

此外，讓我們再來看統治菲律賓達五十年之久的美國，對這一問題所持的看法。現在美國官方對這一爭執，自始保持絕對中立，不願予以過問或左右袒。但美國外交官員，在私下卻對這一問題作過一次歷史方面的說明。按照美人這種說法，蘇綠島蘇丹在北婆羅的這塊土地，是於一七零四年因幫助布羅尼蘇丹有功而獲得的。一八七八年又以上述協定而交英人公司管理。至一八八五年，當時非律賓的統治者西班牙，與英簽訂議定書，放棄對北婆羅的要求。一八九八年西班牙戰敗後，與美簽訂和約，將整個菲律賓羣島讓與美國。一九三零年，美英兩國簽訂協定，便劃定了菲律賓羣島與北婆羅之間的現有疆界。美國官員這種說法，即在表示不論西班牙與美國，過去從未提過對北婆羅的領土要求。而現在菲律賓這種要求，其所持根據端在一八七八年那一協定。換言之，從政治角度看來，菲律賓不能再對北婆羅提出領土要求；但在國際法上菲律賓能否提出這種要求，就全看對一八七八年那一協定作何解釋而定。

因此，對這一問題作一客觀的瞭解，我們卽可發現菲英雙方的立場各有其理由，亦各有其缺陷。照美國官員私下所作的這種說明，非外長柏萊茲所謂在一九四六年四月前英國並不擁有北婆羅主權一節，顯然是缺乏堅强的基礎。可是英國堅持一八七八年協定為出讓而非租借一說，也是藏有極大的漏洞。就是英國自己現在仍然承認，自一八七八年那一協定後，英國曾答應給蘇綠島蘇丹或他的後裔，每年五千美金的補償。另一位北婆羅的領袖人物斯蒂芬，也於最近表示這種補償仍在繼續照付。既然一八七八年那一協定是屬於永久讓與而非出租，何以直至現在還要每年付出一筆補償費（或出租費）？歷史上有許多以金錢購買大批領土的事實，但很少聽說在無限長的時間內實行分期付欵而購買土地的情形。所以縱使非律賓對北婆羅的領土要求理由並不十分堅强，而英國這種至今仍每年照付年費的事實，却很容易使國際間認為當時它們這種交易一定並不乾淨俐落。在這種情形下，除非未來國際法庭詳細檢察過全部資料，以確定其協定究屬讓與或出租，便無法判定這一爭執中的是非。

由於菲律賓已對英國正式提出了這種領土要求，所以整個東南亞的國際關係，亦由這一事件而開始受到相當大的影響。首先我們所注意及的，由於菲律賓這一作法，它已更進一步與美國疏遠，開始與中立的，反殖民主義的亞非集團更加接近。其次，英國與馬來亞現正商討大馬來西亞計劃，準備將馬來亞、星加坡、及北婆羅洲三區合併而共組聯邦。現在菲律賓既對這一大聯邦計劃中之一的北婆羅提出領土要求，並眼見在最近將來不會獲致解決，所以這一要求的提出，縱使這一大聯邦計劃不會完全停頓，亦勢將要延擱一段長時間。另外，東南亞公約年來已因寮越等國局勢的影响，而逐漸超於衰微，這次菲律賓對英提出領土要求，使東南亞公約國本身又發生如此爭執，則這一公約的功效自將要遭受更進一步的削弱。不過，所幸的一點，就是菲律賓雖提出這種要求，不惜與英國公開為難，但它始終强調這一爭執將由談判，國際法庭，或由聯合國憲章所許可的其他和平手段來解決，絕不會訴諸過激的方式。菲律賓這種信念與保證，也使這一爭執無形中減低了它的爆炸意味。

總之，菲律賓既然經過審愼考慮而才提出這一要求，便表示它有決心要把這一歷史懸案作一徹落解決。既是如此，那麼不論未來解決這一爭執的方式為雙邊談判，國際法庭仲裁，抑或提交聯合國大會去商討處理，而其結果，正如過去其他領土爭執所表現者然，絕不是一個短時間所能解決的，而是需要三至五年的長時期的折衝。因此在未來數年內，我們又會經常為這一爭執所困擾。

漫画天下

南施

誇大的天才畫匠

鼠輩不除，難望收穫

自由談

衰聲

美總統甘迺廸日前發表他對台灣海峽風雲的觀感，語意之間，與其說是警告中共不要興戎啓釁，無寧說是反對中華民國政府對大陸採取弔民伐罪的軍事行動。站在反共的中國人立場來咀嚼他這番言論，雖不便引用「何典」的成語——「放屁放屁，眞正豈有此理」——以相反詰，至少亦感覺太洩氣了！

然而，咱們的外交部發言人，偏是別有慧根，認為這是甘總統「關注」西太平洋地區安全的表示，似不勝其欣慰者然。嗚乎噫嘻，此衰聲也，胡為乎來哉？吾聞之：自侮者人恒侮之，自愛者人恒重之。台灣又不是美國的殖民地或委任統治地，中華民國政府自有討平內部叛逆的權責，對大陸是否用兵，何時動員，如何動法，這都是自己應有的主權，決不能俯仰由人，唯別國的馬首是瞻的。美國當道不贊成台灣海峽發生戰事，是他的自由，我們固不宜限制他發表意見，有所關注。他的意見如果對我們不利，為着顧全邦交計，充其量置諸不論不議之列，當伊唔介事，亦就夠了。明知其為對我無益而且有害的言論，還要自作多情，表示贊許，是亦不可以已乎？

「外國人敲破我們的一個酒盃，咱就要扎爛他的一只飯碗，這纔算是有種！」這是卅年前馮玉祥常常告誡他幕中辦理外交事宜諸僚屬的話，我至今未能忘懷，因而對於菲律賓當局近年來對付美國的態度，不覺暗暗稱贊他「有種」，難道我們今日竟不敢望菲國之項背嗎？

職掌國家外交事宜的官吏，雖然不可隨便口不擇言的談論外交問題，凡屬關係重大的事，最好是少說為佳，要說就絕對不能喪失自己的立場，舍己以從人。像外交部發言人這次對甘迺廸總統談話的反應，我認為除了丟架失格，沮喪海內外的人心之外，毫無意義，無意義的發言，即是廢話，禁之便！

馮[illegible]先生

如此作為．誤人害己
美國拖住國軍手足
香港同胞大不滿意
痛心美國竟甘做中共的保鏢

（本報訊）對於美國對台灣海峽風雲所表現的立場，香港的中國人普遍的大不滿意，認為美國不但完全漠視中國的利益，甚且居然以中共的保鏢者的姿態出現，豈有此理，亦實在的不智極矣。

美國直到現在已連續三次表現了它的立場，每一次所使用的方式雖有不同，但其內容卻完全一致。計第一次為六月廿六日消息自華盛頓傳來，說是廿三日美國與中共又在華沙開一次「大使級談判」，會中，美國大使卡勃特雖警告中共大使王炳南勿得在台峽掀起戰火，同時卻保證說：「美國並不支持中華民國的反攻計劃」。

這消息雖儼然正確，但形式上還是非正式的。第三次卻不同的了，是美總統甘迺迪在記者招待會的正式談話，也說了兩點，（一）如果中共果真進犯金馬，他暗示美國可能採取行動加以應付；（二）強調「美國反對在這一地區使用武力」。祇是措詞遣句略異而已，實際比之保證「美國並不支持中華民國的反攻計劃」，更進了一步；等於是說要阻止國軍的反攻行動了。

關於這一點，第二次的消息正好給它做了完善的註解，那是廿七日「美國官員」的談話，說：「當前美國在遠東的軍事和外交行動，乃在預防中華民國和中共發生戰爭。」又說：「美國之派遣第七艦隊前往台灣海峽，一為保衛中華民國的堡壘台灣，二為挫折中華民國的軍隊向大陸採取軍事行動」。

香港的中國人的了解：這次的台峽風雲，是中共所一手掀起來的，首先是它在大陸上調兵遣將，大規模的向沿海各省增兵（香港的消息：中共這次軍事調動，甚至是全面性的，並非祇是增兵沿海而已），繼之則為於廿三日晚發表消息，張大其詞的說國軍將反攻大陸，還指美國不但鼓勵國軍反攻，甚至還參與擬訂反攻計劃並協助中華民國進行反攻準備。是以，香港的中國人大致都認為，中共此舉的用意，與其說它是意在主動進犯金馬，無寧相信它是另有目的，是即：

第一，減壓大陸上極度不安的情勢，第二，造成緊張狀態，藉戰爭的恐怖離間自由國家，特別是離間中美，使美國公開的站出來阻止國軍反攻大陸。

大陸同胞由於十三年來的中共暴政，特別是最近四年它攪「三面紅旗」的最大暴政攪得饑荒遍地，天怒人怨，大陸同胞已含恨中共入骨，他們除以種種消極手段如怠工、破壞等等對付中共之外，進一步的抗暴行動，已屢有所聞。大陸同胞尤其指望國軍早日反攻大陸，去拯救他們。國軍果真實行反攻大陸，大陸同胞必然群起響應，推倒中共政權，絕無疑義。

有極大極大的可能，大陸各地同胞現在由於實在活不下去，已經到了要紛紛大規模起而反抗的前夕，甚至已經有了這種大規模反抗的行動做了出來。這對於中共政權，是最致命的威脅。中共由於知道中華民國政府正做着反攻的種種準備，它們最耽心的，就是國軍在這個時候實行反攻。所以中共就一面調兵遣將，鎮壓大陸同胞，一面叫嚷「美蔣陰謀」，硬說國軍反攻在即。

這完全是一種新的情勢。香港的中國人確認：為應付這一新情勢，美國所應該做的，乃是上焉者確實協助中華民國政府，早些把國軍送上大陸，次焉者也裝聾作啞，不聞不問，任由國軍選擇時間、地點去摧毀中共。但美國卻不此之圖，反而一如中共所想望的「拖住」國軍，要阻撓國軍反攻。香港的中國人認為這等於甘迺廸做了毛澤東的「帶刀侍衛」，美國給中共做了保鏢起來了。香港的中國人認為，美國這種做法，對中國固然大大不利，對美國，也是同樣不利的。美國如此的協助中共，待其渡過難關之後，它必然又會轉過頭來，毫不客氣的對付「美國帝國主義」。（馨）

「北基二路」成了問題
價值何在？為何而建？
三位省議員作猛烈抨擊
後事竟如何目前還不知

（本報記者熊徵宇台中航訊）耗資一億八千二百廿萬元，需要三年工程時間的「北基二路」，是台灣省政府主席周至柔，在五十年度所提出的六項經濟建設計劃中的第五項計劃。

這是一條高速度的雙線公路，全長二十三點四公里，從台北市的南京東路起，橫跨基隆河，經五分，江北里，北五堵，馬林坑，八堵，穿越獅球嶺的隧道，而至基隆市內的港區，是一條直達的快車公路。這條路完成後，將使全程的行車時間，由四十五分鐘縮短為二十分鐘。

施工單位，為了修築這條加厚加強的路面，特別向國外購買「熱拌機」和「攤平機」，還有一些新式的築路機器，興建這條符合國際標準的高級公路。

這條路興建了一年多，打算在明年六月底完成。

工程進行到現在，卻遭受到省議員的猛烈抨擊，認為這條路是「特權階級的路」，只能供給少數的大人物的小包車走，在經濟價值上毫無意義！

提出這種抨擊的省議員共有三位：台北縣籍的陳天佑，李建和，基隆籍的謝清雲。

他們在省議會二屆五次大會中，六月廿一日質詢交通時，陳天佑憤然說道：「這是一條什麼路？據說慢車不能走，貨車不准走！沿途沒有『招呼站』，當然是說明一般的客車也不准行駛。那麼，很顯明的只能走小包車。小包車，大人先生們才有。難道說這條路是專門為少數特殊階級所興建的？這是大家不能允許的，因為台北到基隆本來就有一條很平坦很寬大的路，用不着化費近兩億的錢來為少數人修路！」他面對公路局長林則彬說：「請負責施工的公路局趕快改變計劃，否則等將來全部完工了再改，又要化費很多錢」。

「不成話，不成話！」李建和說：「這條路沿途經過的村落有五六處之多，沒有一處有招呼站，好像這條路跟他們沒有關係！而有幾處交叉點，下面修得有隧道，形成天橋，連在路面上走都不可能，這像什麼話」？

謝清雲說：「北基二路，不許慢車走，祇許快車走，有何經濟價值可言？這條路是在經濟建設的項目內提出來，就該講經濟價值，要求人員和物資的交通流量。如今規劃祇能走快車，就談不上經濟價值了」。

公路局長林則彬答復時說：「北基二路有四處交叉路與他線連接，後來因為要求能發揮高速行車的效用，所以把原有四處的交叉取銷。至於沿途經濟價值的利用問題，因為興建的目的是以縮短北基里程距離，提高行車速度，減少時間為主，如完全顧及沿線開發，就不能達到高速公路之目的。將來各沿線開發確有需要，再考慮添設交叉道。」

陳天佑不滿意林則彬的答覆，說：「議員是代表老百姓說話。沿途的民衆十萬多人都在罵政府。你們一定要照你們的計劃做，那是你們的事」。

交通質詢以後，大概是二十二日，交通處長譚嶽泉，在中興新村舉行處務會報時，提到這問題，說：「北基二路的原定計劃，周主席有指示，有幾處的交叉道是可以連接別的線的。什麼時候改變的呢？要不是議會提出來，我還不曉得哩」！

林則彬局長在座，他的答覆和答覆省議員的一樣。所以這問題的檢討並不具體。是不是有所更改，添設交叉道，到目前還沒有頭緒。

據記者所知，北基二路的全部工程費一億八千二百廿二萬元，負担是這樣分配的：購地及補償地上建築物部份，由台北市政府負担新台幣三百九十萬元。基隆市政府負担新台幣一千二百六十萬元，其餘款項，則由省府籌撥，並請美援方面撥款予以補助。

台灣省政府為了使這條公路如限完成，經明令征收該路沿線所需要土地，並呈經行政院核准先予使用，然後再行依法辦理征收手續，而沿線公地的撥出，已洽得各有關機關的同意，報請行政院核定撥用。

省政府在興建的意義中，着重於開發新市區，增加新市區經濟的繁榮，便利人員和物資的緊急疏散，以及加速基隆市的發展。

就這些觀點來看，而形成一條孤立的公路，似乎是不合理的，高速度的要求，也必需以利用價值為前題。後事如何，且等分解。

香港與大陸

毛共暴政慘絕人寰
陽江霍亂村村滅亡

去年夏間，廣東南路的陽江地方，發生霍亂症，因為醫藥缺乏，死者纍纍。共幹當初還救中醫師稍施診治，繼以無濟於事，率性聽其自生自滅，疫症乃更猖獗蔓延了。如是，共幹們決定封鎖消息，不許洩露，嚴格檢查郵電，有言及「疾疫」字樣者，捉送勞改營。凡發生霍亂症之村莊，即派民兵或公安部隊，周圍警戒，只許人民進去而不許出來，讓那流行的疾疫把全村居民逐一傳染侵害，歸於死亡，然後實行火燒全村，共幹認為這樣是根絕疫症流行的有效方法。有些居民見其兒女尚未染疾，要求共幹允許小孩們離開本村他往，說是留下一個後代以接香火，但共幹不許可，怎麼辦呢？乃教小孩們黑夜從地面慢慢爬行，避開警戒步哨，潛出村莊，投奔他處。不幸的是，這些逃了出來的孩子，第二天在前途茫茫的亂竄之中，飢餓難耐，見着水塘即掬取水料飲之。詎知水塘中多有死屍棄置着，小孩們飲過這種屍水後，不到兩小時就個個倒斃路旁了！所以，去夏粵省南路陽江一帶人民，死於時疫者不知其數，而且都是一村一村的整個滅亡。由於共黨嚴密封鎖消息，禁止人們談及此項慘絕人寰的悲劇，最近纔有粵南難民陳君逃入香港後，偶爾對記者述及這段淒慘的故事。

另有來自湖南醴陵的難民劉君說：他因饑餓威脅，從本縣坐火車到達長沙小吳門外車站下車之際，即有大群人爭先擠前向他詢問：有沒有破舊的衣服或皮鞋出賣？他們願意給價購買，即破襪子或汗褂褲亦要。劉君詰以何不到「國營」公司商店去買？他們說：「如果有買的話，何必到車站上來找過客談賣買呢？」據劉君在長沙市區看到的情形，日用必需品缺乏到了極點，即下級的共幹們亦多鶉衣百結，蓬首跣足之輩，唯有中上級的頭目依然過着優裕的生活享受。至於一般市民，類多四肢浮腫，面無人色，每天還得勞役十六小時以上，才可望吃到兩餐稀粥。因此，有些四肢原來健全人，故意說患上了腫痛病，請求醫生給他鋸去一腿或一手，藉以避免晝夜從事奴役勞動之苦。一般人民的心理，對於死亡並不引為畏懼，而視奴役勞動的非人生活比死更可怕，所以情願把身體弄成殘廢，以苟延殘喘罷了。

上述這些情形，千真萬確，但過去沒有人敢從大陸上寫信透露出來，最近纔由「偷渡」入境的若干難民據實報告如此。（凌霄）

女的士案與菲國女畫家
你說得出他真的做得出

（本報記者台北航訊）台省最近有一新興職業，是計程汽車僱用女司機。上個月，菲律賓有一個文藝訪華團來台灣，團員中有一位賴果夫人，到各處游玩，她就偶然搭上一輛「女的士」，她就抓住機會，通過她的舌人陳女士，問那位女司機的觀感，後來陳女士便寫了一篇文章，登在六月一日出版的「自由青年」上。這位畫家賴果夫人，很有意思，她首先問了一些別的話後，突然向那個女司機道：「你怕不怕？在晚上乘客又是男人的時候？」女司機答：「他們都很規矩，我們是用不着怕的！」

此外，賴果夫人又奇怪的問：「台灣何以沒有乞丐？她說：「唉！馬尼拉到處都是乞丐啊！」看了這篇文章，覺得台灣大可以引以自豪。可是，曾幾何時，台北就有一位女司機給一個「色情暴徒」，脅迫了一晝夜，而被他蹂躪了！這是否報紙刊物，提醒那些不法之徒去幹呢？這篇文章，自由青年刊出後，聯合報副刊（六月七日）「玻璃墊上」也轉載幾段話。還是賴果夫人給暴徒們來一個暗示呢？總之：「不幸而言中」。尤其不幸的是這個時代，壞人太多了，在未來的事情，最好是不談，否則，學壞易，學好難，你說得出，他真的做得出！何苦來呢？

（黃葉）

越南的山地民族

雷震遠

越南以地勢而論，爲東南亞的要衝，亦爲中國和印度以及中亞和印尼之樞紐。這地區民族的複雜，風俗之錯綜，往往使遊客驚奇不解。這兒有馬來種，印尼種，蒙古種；有越南人，中國人，印度人，寮國人，泰國人，占人，莫人，儂人，卡人以及山地散居的許多部落。爲作一個明確的分類，實在不是易事。這些山地民族，既不是黃種人，也不是白種人，論體型似非洲黑種人，但皮膚却不那麼黝黑，與印度人的棕色皮膚很近似。

越北的少數民族中，有三萬五千餘汰人，居於越北山區的十萬蠻人，屬於中國雲南及廣西之猺族。八萬苗人，爲由中國南移之民族。尙有極似中國人的儂族等。以上這些民族顯然與中國南部各族有關。唯有越中及越南「高山族」來源不同，人數衆多，約一百餘萬，種族還似印尼人，語言則屬克麥及占語。高山族人分散於整個安南山脈並中部高原。

占族在過去曾稱覇一時，屬於馬來人種，並爲印度文化所薰陶，但目下只剩二萬人，留居於藩朗和藩里地區。中越各地尙有不少占人廟宇，孤守着他們過去煇煌的歷史遺跡。

根據人類學家的攷查，越南山地民族似屬於太平洋島嶼民族，與馬來、澳洲以及非洲赤道區的民族是一家人，分居於馬來亞、印尼、松德等地。都帶有相同的色彩，不管他們分散到何處，都容易辨認得出，越南山地民族亦正是這民族的支系。

高山族與蒙古族人有別，而且彼此間互不相容。根據華德博士的研究，約在印支半島的銅器時代的第二期，有一外來的航海民族，北至日本，南達馬達加斯加，定居於英蘇林島及印支半島沿海。其特點是屬於母系民族，有染齒的習俗，一直到如今仍是如此。他們沒有文字，爲此也找不到歷史的記錄，僅靠着他們的祖傳和古者的山歌，代代相傳，直至今日。「人不忘本」，他們還隱約記得自己祖先的出處。

在高山族的各種傳說中，有的說他們的祖先來自海（中國海）的彼岸。另一首民歌說，他們的祖先騎在鯨魚背上飄過大海，經過多日的航行，才到達了越南海岸。其餘幾首是他們尙居住於海邊時的作品。這一切都顯示他們是由水路來越的，他們來自一個遙遠的「彼岸」。

不過高山族並非越南最原始的民族，在他們以前已有某些不知名的種族，遺留下石製的鋤與斧。高山族人民對於那些遺物，不知來源，遂認爲那是天上之物。

然後山族民歌講述占人來侵，人數衆多，但他們也不記得來自何處。他們只有退讓，向占族稱臣，讓出海邊一部給占人；雖然在歌唱中他們仍說：「我們與占人是兄弟之邦」。由歷史的記載我們得知於公元十一世紀開始有印尼人及印度人來侵，廹使占人遷都於廣南（公元一一九二年）。

占人統治高山族，任命各級酋長，設立省、郡……這些名詞迄今仍是占語。同時占人敎他們種稻，並使山族文化提高。自然占人要求他們納稅，如猪隻獸皮等物。就在越南人統治時代，高山族人仍向占族人納稅，再由占人轉納予越南人。占人還廹使山族人在其軍中服務，替占人掌弓，由占人射箭。不過高山族人仍認爲那是一個相當幸福的時代。占人雖視高山族人爲下屬，但是彼此之間十分調和，占人畢竟不是暴虐的，他們已有相當的文化基礎，使山族人受益不淺。並且逐漸二民族聯姻通婚，更減少了種族歧視。

（一）

天南風光

——沙羅越的鬥雞——

朱淵明

根據以上引證，可以假定說沙羅越的鬥雞風俗，是從中國傳過去的。因爲在一千三四百年前隋朝時代，中國卽與婆羅洲有交往，這種玩藝，傳帶過去是很平常的事。就是沙羅越的鬥雞方式，也頗帶點中國古風：一般人感覺有點殘忍的是在雞腿上先綁上一把小刀，然後再鬥，以增加雞的殺傷力量。殊不知這種方式並非沙羅越人創制。在中國兩千多年前已經發明，只要看「左傳」上說：『季郈之雞鬥，季氏介其雞，郈氏爲之金距』。就可知道。何謂「介其雞」？用現代語說：就是爲雞裝甲，讓雞變成「介胄之士」，以增加它抵抗的能力。又何謂「爲之金距？」也就是把鷄的爪趾，綁上金屬物，以增加它的殺傷力量。不過爲鷄裝甲事，現在似已失傳，只剩下爲鷄綁刀，而兩千多年前的金屬物，沒有現代的小鋼刀鋒利罷了。至於殘忍不殘忍，似也難說，因鬥鷄所關不過幾隻鷄命，較之現在西班牙的鬥牛，及英美各國的拳賽，彷彿高明，爲的是鬥牛與拳賽動輙人命交關也。

沙羅越的鬥鷄，流傳已久，無論士人，馬來人和華人乃至歐美人，都參加，而且到處都有，但無形中自以首府「古晉」爲中心。古晉又以浮羅岸道後面的宋慶海球場爲集中地。每天下午五點鐘左右，在球賽完畢後，鬥鷄卽開始，直鬥到日落黃昏，人影傾斜，鷄影糢糊，然後收場。

先是幾十隻鬥鷄，各用長索繫在場外草坪上，一個個耀武揚威，昂首長啼；鷄主則忙於物色戰鬥對手，或者站在自己鷄旁，等人挑戰。那些依靠鬥鷄吃飯的「鷄經紀」，到處撥火，熱心湊成戰爭局面，在兩個鷄主都認爲己方優越時，就只好開戰並且一博了。於是先請「鷄王」——也可稱爲「鷄先生」——看過鷄的量級，按鷄的體重、大小、而分羽量、重量、和纒量，自然要兩隻相差不遠，然後開戰。那些撥火者，爲造成不鬥不休之勢，卽將預備要鬥的雞，公開向圍攏的觀衆介紹，以望獲得更多的博注。我們知道：鬥鷄並非單純爭勝負，主要的還是爭輸贏呵。

（二）

燕塵識小

前王崇祀

無負生

至於後五代如朱溫以及郭威，或起自寇竊，或身爲叛臣，五十餘年，更易數姓，中華統緒，不絕如縷。然周世宗承襲郭氏餘業，憑有疆域，尙不失爲令主。此而概不列入，則東西晉前後五代數百年間，創守各主，祀典缺如，何以協春秋公論？他如元魏雄據河北，地廣勢强；太武道武勤恩政理，講學興農；亦可爲偏安英主，並當量入祀典，以示表章。朕前命館臣錄存楊維楨正統辨，詳晰宣論，以維禎所辨正統在宋不在遼金之說爲是，所以存春秋綱目之義，見人心天命之攸歸。且檢閱孫承澤春明夢餘錄所載明代崇祀古帝王位號原本，不列遼金二朝，今通禮內崇祀遼金，而不入東西晉前後五代，似此互相入主出奴，伊于胡底！是皆議禮諸臣有懷偏見，明使後世臆說之徒，謂本朝於歷代帝王未免區分南北，意在軒輊，甚失皇祖降諭之本意也。至明之亡國，由於神僖二宗，紀綱隳而法度弛，愍帝嗣統時國事已不可爲，雖十七年身歷勤苦，不能補救傾危，卒且身殉社稷，未可與荒淫失國者一例而論。是以皇祖睿裁，將神僖二宗撤出，而愍帝則特令廟祀。褒貶予奪，毫釐不爽，實千古大公定論。乃諸臣於定議時暫將漢之桓靈增入，豈未思炎漢之亡，亡於桓靈而不亡於獻帝乎？從前定議未將東漢全局詳審論斷，轉使昏闇之君，濫叨廟食，所議未爲允協。夫自古帝王統緒相傳，易代朕此旨於通禮廟饗卷首，以昭殷鑒歷朝，垂示萬年以後，饗祀廟廷，原以報功崇德。至於嚴篡竊之防，戒守成之主，或予或奪，要必衷於至當，而無所容心於其間，方協彰癉之義。所有歷代帝王廟祀典，着大學士九卿更行悉心詳議具奏。並着於定議後，交四庫館恭錄皇祖諭旨，並之至意」。

隨遵旨議增祀晉元帝、明帝、成帝、康帝、穆帝、哀帝、簡文帝，宋文帝、孝武帝、明帝，齊武帝，陳文帝、宣帝、魏道武帝、明元帝、太武帝、文成帝、獻文帝、孝文帝、宣武帝、孝明帝、唐明宗、周世宗共二十三帝。又另單議請增祀唐憲宗、金哀宗共二帝。奉諭旨：

「大學士九卿等會議增祀兩晉元魏前後五代各帝王一摺，並聲請唐憲宗、金哀宗應否一體增祀等語。唐憲宗處唐中葉，各鎭節度，憑陵跋扈，僭叛不臣，憲宗命將專征，削平淮西，厥功頗偉，在有唐一代中，尙屬英主。其末年被弒，係禍變猝乘，與荒亂失德召變致衅者不同。至金哀宗，處衰弱之時，國勢已不可問；推其致敗之由，實因海陵淫虐增厲。哀宗自縊殉國，與明之愍帝，事同一例，自應一體增祀。餘俱着照所議行。每歲春秋仲月，擇日致祭」。

（四）

瘟君續夢

第六回：

烽火照邊陲　同惡難濟
樓船横碧海　大憝興悲

活曹操說過，大家想想確實有理，不過，援助阿爾巴尼亞是毛澤東自己惹出來的麻煩，沒人敢說下去。

停了一時，毛澤東問道：「新來的這個傢伙叫什麼名字？」陳毅掏出日記本看了下，說道：「契爾沃年科。」

毛澤東縐着眉頭說道：「怎麼這樣一個怪名字，乍聽起來，好似『氣得我要哭』，但希望將來不要眞把我氣哭就好了。」

大家哄然笑起來。

毛澤東又看着劉少奇說道：「我們怎麼對付氣得我要哭這個小子。」

一聽說毛澤東要對付契爾沃年科，劉少奇不禁大吃一驚，一句話也答不出，只是看周恩來。周恩來也不敢揷嘴，趕快向林伯渠遞個眼色。

活曹操摸着鬍子說道：「蘇聯派來的大使尙未到任，我們就着手對付他，仇恨必然越結越深，最後怎麼解得開。」

毛澤東笑道：「林老，你誤會了，我所說的對付並不是打他兩個耳光或者當面羞辱他一場，我們只是想個辦法，不讓他來，免得將來氣得我要哭。」

大家又笑了一陣，活曹操看着陳毅說道：「我們現在向蘇聯提出意見，就說不同意契爾沃年科作大使，可不可以？」

陳毅苦笑道：「外交慣例，我還不十分淸楚，不過就一般情形而論是不大合理的，好比一個新娘子，還未過門，就說她不守婦道，怎能說得過去。」

大家都笑起來，周恩來只是縐眉頭。

活曹操笑道：「他說話雖然不正派，不過，我們若不以人廢言，倒也不無道理。目前下手擋契爾沃年科的駕，恐怕做不到了。」

毛澤東一見活曹操想不出主意，不由得雙眉緊鎖。轉過臉向劉少奇說道：「辦法到有一個，只是你敢不敢作，以前史達林死後，馬倫可夫派庫滋涅佐夫來當大使，我就是不同他見面，過了一年，馬倫可夫只好把他調回去，換了尤金。這次你不妨把老文章照抄一遍，他來呈遞國書由宋慶齡去接，他來見你也由宋慶齡代見，他到外交部來辦交涉，就由俞沛文，葛步海去應付，相信不到三個月他就滾蛋了。」

劉少奇縐着眉頭說道：「現在問題不在契爾沃年科身上，我們轟走了他，蘇聯還要再派一個人來，總是換湯不換藥，結這個寃仇作什麼呢？」

毛澤東燃起一支紙烟，閉着目在沉思。

活曹操恐怕劉少奇把話說僵了，當時轉圜道：「我們一個勁打主意對付契爾沃年科，實在不是辦法，主席慣用統一陣綫的武器，化阻力爲助力，今天也大可以用在契爾沃年科身上。明知道赫老是派他來作探子的，我們能把這個探子收買過來，替我們效力，用處就大了。」

毛澤東恍然大悟，連說：「對極了！林老，虧你提醒了我。就這樣辦！我們就向契爾沃年科作統戰工作，把他統過來替我們出力，這件工作就全部交由外交部長負責。」

（一一四）

河田熱水魚

民卅一，余奉調閩西汀州，居留三年。旅汀期間，因朝夕空襲，輒往鄉間走避。及朝斗岩宿舍建成，有時即在彼處辦公。休假之日，則多半以郊遊爲安。距汀州東門約三十里許，有一片沖積之沙地，名曰河田。該地原處低窪，每年春夏之間，雨水極多，由山間傾瀉而下之水，夾沙流入，積久遂成平原。

河田中區，有閩西唯一的溫泉，初甚簡陋，剿匪時期，經駐軍長期修葺，用雜木就湯池之上，建屋三間，並另闢更衣室，始差堪遮蔽。泉水極清而沸，其溫度與台灣礁溪的類似，惟因設備差，城內來浴者寥寥，然亦轉覺靜恬。余等同僚，以清靜故，每月必往，則爲吃魚與嚼雞也。

河田有特產爲熱水魚，魚生長在溫泉之熱水中，如用冷水飼養，立即死去，是全國極少，也許絕無的。魚的性質，屬於草魚一類，頗肥大，重則每尾三四斤。吃魚必須在就地烹食，因離水便死；肥且鮮，極爲可口，如携至汀，即大減鮮味，此誠一奇。

除魚而外，尚所發肥雞，每隻至少有五六斤重，其肉極嫩。全國各地的肥雞，似無如此之好者。某次，同遊六七人，竟連吃三四隻，祇吃其肉，其他悉棄，即已果腹。不過携帶回汀，祇養三日，便已消瘦，也是無法離開原地，要吃必須購得即宰，才能領會其妙味。

憶玉軒雜綴

廉夫賣扇

蘇郡書畫家，多出自蘇州、常熟兩邑，人才輩出，文風極盛。而有清一季，入閣拜相，也以蘇、常爲多，武進無錫實有遜之，此豈山水靈秀，孕育毓鍾耶？在明末葉，畫家即唐仇沈文四家，更爲特色。眞跡流傳，將近三四百年，而寶藏無缺。至於吳江名畫家絕少，迄清末始有陸廉夫稍露頭角，其提挈揄揚而致其成名；實受知遇於吳清卿大澂。可見畫家並非能一舉而享名，要有因也。

廉夫名恢，吳江人，微時甚貧。來蘇輒住玄妙觀中，賣畫維生，以所見不多，設意布局，未臻妙境，生涯不佳，輒感掣肘。閒廳研庵主人陸廣南相告，某次歲暮，廉夫以畫事清淡，擬回里度歲，迄廿七猶未行，以渡航川資無着也。即浼觀中好友與老道，將其所畫山水扇面出售，每張祇賣銅錢兩百，即銅元廿枚，值銀毫一角六分，托售三日，僅賣十四五張，約得銀幣三兩元餘，方趁夜航船歸去，如是鬱鬱，約有三年，迄未轉運。（未完）

先師凌念莊（續）

黃葉村人

某年，余爲先生磨墨引紙，既畢事，先生贈以翁張品讀書燈一，名戳一，（往時名刺，字大寸許，以木刻戳，印於五六寸或整尺兩之大紅紙上；名刺之字，多爲名家所書，）王版牋聯一，北京榮寶齋袖珍詩箋一，另筆墨信牋數事，幾等半年之束修。（當年學費，每季銀元六枚）。

先生教讀極嚴，動輒掌責，重則籐條，學生畏之如虎。背一次講茅容故事，講畢，詢學生觀感，以次及余，（余列十六名，第一名爲趙德昌）余答：『郭林宗之賞識茅容，不是賞識他有「果斷」，而是別有見解』。先生愕然，起問怎講？余曰：『茅容挑着一担甑，在路上弄破了，乃棄之不顧而去。郭林宗見而怪之，叫住了他，問他：「甑破了，是很可惜的事情，爲什麼連看也不看，便掉首而去」？茅容答：「甑已破了，可惜也是枉然；還是不看的好，免得更傷腦筋」！云云。我不認爲茅容所說的話，是由衷之言，而郭林宗也不是賞識他這句話，何以見得呢？要知道，茅容所說的話，雖然是對的，但在行爲品德上，就太差了。何則？因爲有果斷，是他自己的事，而他把一担破甑丟在路上，阻礙交通，妨害行旅，是對的嗎？所以，我認爲林宗叫住他，所要問的是這一套，而不是茅容所答的那一套。但他也看出茅容所答非所問，也就將錯就錯的，獎勉一番，勸他折節讀書。其實，他早看出茅容的肩上，雖然挑着一担甑，而茅容的心目中，却念念不忘讀書，所以不知不覺，把甑都弄壞了。今見郭林宗質問他，便隨口答說甑已破了，顧之無益，事實上他是想逃避責任而已。否則「先士器度而後學問」，一個不顧公衆，而只求便利自己的人，也堪賞識？也堪提拔？那麼，郭林宗也不值得稱許爲知人善鑑的郭林宗了』。

先生見我說來如繪，問我是從那裏得來？是不是曾讀過廳史郭林宗傳？我說：『不！我是看聊齋志異裏面有「破甑」的典故，纔後有呂湛恩的注解，寥寥二十字而已。這一種見解，是我自己的心得。』他說：『很好！很好！』

舔今回憶，事過五十餘年矣！文章憎命，白髮徒添，四海亡家，一枝難寄，不僅孤負師親，亦對不起自己矣。余欲何言哉！

閒香月上樓小品

胡適與紅樓夢板本

非紫先生

程偉元序，青石山莊所據底本顯有殘破之處，有鈔補之處，第一葉全葉是鈔補的。但此序文字，確有前後不同的三種文字，如首句即有三本：

程甲本──「紅樓夢小說本名石頭記。」（見一粟編的紅樓夢書錄）

程甲乙本──「石頭記是此書原名」。（常所見本）

程乙本──「紅樓夢是此書原名」。（韓君所藏本）

目錄，你引的例子第四回程甲乙本皆作「判斷」，第十八回程甲本作「呈才藻」。乙本最初是作呈才藻的；韓君所藏程乙本，則改作「獻詞華」，此因爲上句「省父母」末句仄聲，故下聯末句改平聲。──看此幾項文字上的異文，可知程乙本在乾隆壬子詳加校閱之後，還經過一些小小的文字修改。你看如何？──胡適」五一，二，二十。

韓君復金信：承惠教，關於排印紅樓夢，倍加關垂，深謝。茲奉答各點分述：（一）此書經適之先生鑒定，確爲程乙本，與胡先生所藏同版，時期或有先後，無從查考。胡先生之書棄置北平，因當年共匪知該書是胡氏心愛，先將該書看住，藉令胡氏留平。胡氏臨行囑其公子，俟機携書而走。不料共匪不客氣連人帶書一齊看住，致使思杜公子，身滯北平，迄引爲憾事。該書確爲木活字排印本（後名聚珍板），並非抄本，有幾點可證：（一）文字行列不如刻板之整齊。（二）板框四角開口。（三）兼有活字上下反側及左右反轉等事。民初被胡氏發現，甚少知之。拙藏不同版本紅樓夢，幾近三十種。携來台灣僅「東觀閣」本，及「藤花榭」二次刊本」之首冊，餘均存上海友人處。（二）民國十六年，弟供職北寧鐵路，常去北平，而琉璃廠隆福寺街各書店，爲時常消遣之所。見琉璃廠來薰閣有完整原裝程乙本一部，計二十四冊，索價現洋四百元。又在前門外松筠閣有殘本一部（缺兩冊），索現洋一百元。復於隆福寺街某店，有一部改裝的，金鑲玉裝，改爲卅六冊，分六函，索現洋二百元。經過考慮，決定用二百現洋，購回松筠閣的殘本（後來有人鑒定是程甲本），及隆福寺之改裝本。書中間有藏書人印記，但不知舊主人爲何人。此書後來携到上海，因爲川資而售出，一時主意打錯，未曾三部全購，深爲可惜。（三）四十八年曾將紅樓夢首冊，送呈胡先生批校，現印之眉批及圈點，皆胡先生手澤。現就所知，程乙本在全台灣及香港，恐怕只敝存此一部。今爲紀念胡先生對紅樓夢的功績，擬將此影印本售價減低，以求普及，預約在第四函出書前，全部七折（約美金十元）。又各圖書館及研究紅學者，尚可減低，但須直接函鄙人接洽（台北中正路一四三零號工專新村六六號）。

胡先生及金韓二君對紅樓夢的版本，如此發掘，應爲研究紅學的文士，所願樂聞，用摘記其經過曲折。我特別欽佩金君，以在工之身，猶以餘暇，作文藝珍貴的鑽研，使紅學的版本，更有發見，因樂以記述，藉告當世。

（下）

海嶠書談會

聊備一說

諸葛文侯

中國的「易經」這部書，義理湛深，不易瞭解。據近人薛德堉──薛福成的後人──用科學方法研究易經的結果，認爲其中具有高等數學的原理，實與愛因斯坦的相對論學說脗合無間云。目前我所知道的鑽研易經有得之士，一爲現居台灣，曾以易經義理在本報發表時事論文的蒲圻但衡今先生（筆名阿公），一爲僑寓海隅，主持「廣僑書院」之金華張書誠氏。

張氏精通易經與佛學密宗，他認爲自鄭玄以來，中國學人談易經義理者不下數百家，然皆缺乏深刻的造詣，即如宋儒朱熹，亦僅係一偏之見識而已。他亦有易學的著作，然不輕於示人，自謂尚未達到可以問世的程度，仍在竭力探究之中。但他對於現階段的世界局勢和中國前途的未來演化，依據易經的卜筮辭義，曾對朋友有所闡述，殊覺有趣，不妨迻記如此，聊備一說，以待事實之考證焉。

張氏說：從易經中的卜筮辭的義理看來，大陸上的共黨政權只有十五年的存在期間，而打到一九六五年非垮不可，而打垮中共政權的最大助力却係外來的，但不是美國，而是來自東鄰的日本。當中共政權崩潰之際，內部發生叛變，大陸上將出現若干人稱帝稱王的混沌局面。談到世界的未來形勢，他說美俄兩國都不能保持今日這種地位，必趨式微之境，而打倒美國霸權的係日本，打倒蘇俄勢力的是德國和中國人的力量。將來改變世局的方式，不外乎經過一場大戰，然引起大戰的却不是一般大國的著名政治家或軍事家，乃由於某一大國的「阿飛」型元首，漫不經心的把戰火點燃起來，終於不可收拾，大打特打，拼個你死我活而後已。經此大戰之後，現有的世界形勢當然發生變化，但全球人類是否即能實現永久和平生活呢？那却不一定，要看一項基本條件能否具備，那就是咱們中國固有的文化思想──即儒家倡說的人文主義，能否爲全球多數人類所嚮往？也就是人類是否相信忠孝仁愛、信義和平這套倫理學，對於人生的裨益遠甚於西方那套宗教精神，這才是關鍵之所在。

張氏過去從事政黨活動有年──他是「致公黨」的主要幹部，早在大陸爲毛共作走卒的司徒美堂，即是被張氏開除了黨籍的所謂「僑領」。目前他在海隅辦學，不再談政治了。他這些預言式的易經卜筮之辭，自謂知其然而不識其所以然，如美俄兩大勢力將來必敗於日德之說，他就沒法解釋，只是就筮辭的涵義推斷而來的結論罷了。

唐伯虎故居

·道　南·

「繚亂長明一盞燈，準提庵院膽殘僧。桃花死佔仙源福，好色生參佛地乘。酬酒歸人三了語；纏名鎖利一纏藤。書生又過多青愁，不獨唐衢哭六陵。」

這詩是江蘇吳江郭頻伽先生謁蘇州桃花塢唐伯虎故居所作。自桃花塢向左走約有二百餘步，即爲明代才子唐伯虎的故居。

清乾隆間，改桃花塢爲準提庵，但準提庵的名氣總不及桃花塢之響亮。前後房屋有六七餘間，西面有一間小廳，廳外有古松二株，夭矯拂雲，修竹茂林，花影扶疏，下有池塘，荷花數百柄，夏季清香襲人，盛暑全消。此地即唐伯虎當年寫畫吟詩之所。

牆壁嵌有石刻兩方，一爲唐伯虎所寫之詩，一爲墨竹。

至於唐伯虎墓，則在橫塘王家村，「蘇州府志」，「吳縣志」和祝枝山撰的「唐伯虎墓志銘」都有記載。一墓碑上鐫有「明唐解元之墓」六字。墓前有四角石亭，墓道係用金石子鋪築，周圍廣植花木。

山川風物

西悲

夏日晴

西悲豈獨念三吳，人厭芻華鮮飽軀；
粟貴勞來夷變夏，天開老去馬爲駒。
徒埼廣廈杜陵屋，奚補流民鄭俠圖；
休美蘭成無好句，耻隨歸履作嵩呼。

內僑警合報字第〇三一號內銷證

自由報

THE FREE NEWS

第二五〇期

中華民國僑務委員會頒發
台教新字第三二三號登記證、
中華郵政台字第一二八二號執照
登記為第一類新聞紙類
（本週刊每星期三、六出版）
每份港幣壹角
台灣零售價新台幣弍元
社　長：雷嘯岑
督印人：黃行篤
社址：香港銅鑼灣高士威道二十號四樓
20. CAUSEWAY RD 3RD FL
HONG KONG
TEL. 771726　電報掛號．7191
承印者：田風印刷廠
地址：香港灣仔高士打道二二一號
台灣分社
台北市西寧南路壹壹本號二樓
電話：三〇三四六
台郵撥儲金戶九二五三

談中共的『肅清海外關係』運動

．王厚生．

從六月下旬以來，共軍在華中華南各省結集，特別是閩粵兩省，增兵較多，以致該兩省的軍運頻繁，不但民間交通受到影響，被拉民伕更不知其數。目前，大陸各地謠言繁興，自由集市的物價猛漲，人民幣幣值慘跌。在廣州，中共作防空演習，施放警報，人心大為振奮，紛作迎接國軍之打算。近日，中共調查曾接海外糧包之大陸人民，實施恐嚇和監視，使身居海外的鄉親朋友，時為身陷大陸地獄的親朋担憂，而憤恨共黨之殘暴不仁，既握統治大陸人民之權，却無能養活大陸人民，今且對被接濟者進行變相鎮壓，豈能不叫海外僑胞憤懣，誓欲為大陸親友之受變相迫害和活受饑餓之苦，進行報仇。

大陸經濟發生困難，早經中共公開承認，而中共對於海外僑胞用糧包接濟大陸親友，向來表示歡迎，從未加以拒絕，且此種接濟工作，使中共每年贏利可觀，不但海關稅收之數額龐大，即所謂土特產之倒流大陸，其價值更非局外人所能計算。凡此事實，皆足以證明海外僑胞早已代替中共，負起養活大陸親友的責任，而大陸人民之請求海外接濟，全為求生的本能所驅使，假使，中共政權真能完全滿意地解決大陸人民的吃飯問題，真的做到「吃飯不要錢」，大陸人民怎會向海外請求接濟？因此，向海外請求接濟者無辜，罪在中共統治者無能，無法解決大陸人民的吃飯問題。中共應該為此感到羞愧，尤其是毛澤東應該為此作自我批評，痛責自己之顢頇無知，以至弄到今日大陸的悲涼景象。中共統治者那有權利那有顏面去見大陸老百姓？更那能再向大陸人民調查海外接濟之數量和情況？

記得去年十月一日，中共「中央華僑事務委員會主任」廖承志曾向海外僑胞發表談話，他不僅承認大陸經濟的「困難的嚴重性」，且代表中共中央，發出呼籲，鼓勵海外僑胞對大陸親友的救濟工作；他說：「對於海外僑胞寄東西回來支援家鄉建設和救濟他們的親人，是幫助祖國一同克服困難的愛國表示，我對對此衷心表示感謝」。

大家對於中共中央的以上呼籲，是不會忘記的，大家對於廖承志作為「中共中央華僑事務委員會主任」所說的話，是不會忘記的。但是，現在，為什麼，中共中央自食其言？為什麼，中共中央自失信用？廖承志所講過的話，到底有無一文價值？到底算不算數？如果一文不值，如果不算數，中共中央要怎樣講，才值一文？才能算數？大家為了大陸上親友們的安寧，人人有權責問中共中央，人人有權責問廖承志。同時，人們更要直率的向中共中央，乃至全世界人民說一句話，如果大家節衣縮食拿省下來的錢買糧包救濟大陸親友是錯誤的是有罪的，那末，海外這些寄糧包的人願意承担以上的一切錯誤和罪狀，但是，我們不能不再補充一句，犯最大錯誤的最大罪狀的不是僑胞，是中共，是中共中央那一小撮人，追究到底，是荒唐和無知的毛澤東！不是他，不是他推行錯誤的「三面紅旗」政策，僑胞用不着寄糧食包。

閱共黨報紙，知道六月二十二日是何香凝的八十五歲生日，在北平，各方面設宴，為他祝壽，廖承志是他的兒子，還「忙着招待客人」。這個老太婆，連日來，忙於舉杯飲宴，她一定是忘記大陸上的哀鴻遍野了。十餘年來，中共給她的任務是哄騙海外僑胞，她也曾相當賣力。現在，人們倒要問一問何香凝，大陸人民受海外的糧包救濟是犯法的嗎？中共中央不是歡迎和鼓勵海外寄糧包嗎？這種舉動被廖承志解釋為「幫助祖國一同克服困難的愛國表示」，理應受到中共中央（尤其是無知的毛澤東）的「衷心感謝」，為什麼，現在大陸人民凡接過糧包的，中共要迫使他們填表呢？要進行調查呢？要「肅清海外關係」呢？究竟，中共中央那一小撮人要不要臉？毛澤東要不要臉？何香凝做壽，全國僑聯代主席莊希泉、副主席黃長水、莊明理、王源興等也送來「禮物」。這班人，替海外僑胞做了什麼事？他們敢代表歸僑說話嗎？

中共講話不算數，人們雖身在海外，早有所聞，且有充分例子，足以證明。從前，曾知中共在大陸發動一種「陽謀」，即假「百花齊放、百家爭鳴」之美名，引誘大陸上的知識分子大胆鳴放，最後，對敢於鳴放之士來個鎮壓運動，套上「右派分子」的帽子，或送去洗腦，或驅使勞改。難道，中共對於海外僑胞也要抄舊文章，演一幕「陽謀」嗎？中共中央先是通過廖承志的口（鳴放一幕是通過陸定一的口），表示歡迎僑胞的救濟，且捧為一種「愛國表示」，等海外僑胞將糧包紛紛寄去大陸，經相當時間，中共掌握足夠資料，遂對大陸上接受糧包的人民來一次總調查，甚至發動一種「肅清海外關係」的運動。今天，海外的僑胞才知上了中共的大當，所謂「愛國表示」，原來是一個圈套，是藉此調查大陸人民的海外關係！在海外僑胞方面，寄糧包的動機是善良的，完全出之於人情人心和胞愛，在大陸人民，寫信到海外來，請求親友接濟，其動機也無不良，因為，中共統治者既不能滿意地解決老百姓的肚餓問題，那末，求生是人人都有的本能，在飢餓煎熬之下，在營養不良至於患病的痛苦情形下，自然只有求救於海外。就我所知，從海外寄糧包到大陸去的，寄件人和收件人的關係不一定都是十分密切的，從很多的例子中，使我們看到他們之間的關係往往是屬於遠親或朋友，只是出於同情心，才購糧寄去。

即使以海外僑胞的處境來說，中共也是愧無容身之地的。假使中共解決了大陸的民食問題，並將倉庫中任其霉爛的軍糧發給人民食用，則海外僑胞何必要為寄糧包而增加負担，不得不節衣縮食呢？中共中央的那一小撮人，尤其是無知的毛澤東，應該親自到海外來看看，調查一番僑胞所處的艱苦環境。在僑居地，僑胞受到外人的排擠和歧視，為了生活，除辛勤外，還需節儉，否則，更無以立足生存，今為救濟大陸親友，勢須從已經相當艱苦的事業和生活中，或節約，或增加工作，以期能按月省下或賺取額外的錢，為大陸親友寄糧包。這一切的一切，毛澤東應該是知道的，可是，他的錯誤統治却便海外僑胞不得不代中共統治者背上包袱。因此，人們可以說，中共中央平時說了解僑胞的處境等等，全是宣傳，全是謊言，作為僑胞，目前唯一的要求是，中共統治者能夠自負起養活大陸親友的責任，免使僑胞苦上加苦，這才是眞正體恤僑胞的困難，可是，中共中央辦得到嗎？絕對的辦不到。因為中共視海外僑胞為一顆搖錢樹，它要不斷的在僑胞身上打主意。

中共在可見的將來，不可能養活大陸人民，更不可能不使海外僑胞替它背起包袱，而且，更殘忍的，是中共中央不可能不剝削海外僑胞。人們已經明白，中共希望海外僑胞通過銀行向大陸親友滙欵，這明明是對海外僑胞的剝削行為，因為，依照中共規定的滙兌率，吃虧的是海外僑胞和大陸收欵人，如依人民幣的國際價值伸算，海外僑胞的負担或可減輕很多，大陸收欵人也實惠得多。除此以外，中共中央想出許多花樣；要海外僑胞捐獻金錢或物資（如肥田粉、卡車等）。中共一天不打倒，花樣總層出不窮，它既居於統治地位，被壓廹的被剝削的即是我們海內外老百姓。中共此次既發動了「肅清海外關係」運動，使大陸人民遍受迫害，則我們海外僑胞應該立即聯合團結起來，認識到既不能救濟大陸親友，不如對中共採取一種堅決的反肅清的抵制行動，進而，以海外全體華僑的力量，向大陸上的中共政權發動革命運動，將它推翻。唯有將大陸的封鎖局面打開，我們才有眞正拯救親友的機會和希望。

六月四日

這樣的「背水陣」不好擺

聽毛澤東說些什麼話？

自由談

不能再容忍！

經過一八七零——七一年的普法戰爭之役以後的法國，國力衰竭，國勢頹唐，而新興的德國雄視歐陸，不可一世。在第一次世界大戰之前，德國為要在北非插足，掠得殖民地，曾向法國有所要求，然法國外交部長克萊孟梭拒不答應，一日，德國駐巴黎使節對克氏說：「我奉本國政府訓令來跟閣下商洽北非問題，希望在三天之內，得到確切而合理的答復，否則我唯有下旗回國之一途了。」詞氣咄咄逼人，威脅殊甚。克萊孟梭很鎮靜地從懷中掏出錶來瞧瞧，然後告訴那位德國使節道：「現時是正午十二點鐘，再過卅分，有由巴黎直達柏林的特快車開行，貴公使若回國，最好就搭這班快車罷！」

我引述這段故事的用意，是證明弱國的外交言行，對強權國家決不能過於遷就自卑，甘作衰仔，否則強權主義者更要妄自尊大，目空一切的。按照法國當時的國力，當然不足與德國相抗衡，但克萊孟梭就不肯忍受強權主義者的無理威脅，致喪失獨立國家的地位和主權，而德國亦就不致隨便逞強，妄啟釁端。因此，最近英國人曉曉然說是要把金門馬祖交給中共，美國當局在所謂「華沙談判」中，向中共誓言決不贊助我政府反攻大陸云云，都是無端干涉別國內政，妄自尊大的橫話，比較上述德國使節對法國外交部長的恫嚇言詞，尤為可惡到了極點，況且他們這類橫話不知說過若干次了。然未聞咱們政府當局加以嚴詞闢斥，始終表現着唾面自乾的容忍態度，實在令人喪氣之至！

假使對內有這種容忍精神，那我們一定讚美擁護，不遺餘力，而且海內外的一切反共力量亦早已團結凝固，共赴一的，毫無問題了。在外交上，一味地卑屈示弱，決無是處，我認為此時此事不宜長此因循緘默下去，至少應該明白告訴那號稱為領導自由世界反共運動的美國當道：如果你們再要聲言反對中華民國採取軍事反共行動的話，即不妨把第七艦隊撤出台灣海峽，一來免得美國有被牽涉國共戰爭漩渦之虞，二來咱們更不願有此間接庇護毛共生存的不友好的武力擺在領海之內啊！

馮五先生

赫酋恫嚇助毛共抗國軍

港人一笑置之不加重視

認為屆時蘇俄絕不敢動

（本報訊）對於俄酋赫魯歇夫宣稱：蘇俄及其附庸諸單位均將協助中共抗禦國軍反攻大陸云云，香港的中國人大都一笑置之，不加重視；同時並希望我政府亦不加重視，而繼續的實事求是，認眞準備，於最適當的時間與地點，放胆揮軍踏上大陸，一舉摧毀惡貫滿盈的中共政權。

由於蘇俄與中共間訂有所謂同盟條約，赫魯歇夫此一宣稱，香港的中國人並不感覺驚異。反之，香港的中國人認為，設使赫魯歇夫並不敞這樣的宣稱，那倒是不可以想像的。因為大家早就明白，儘管中俄共之間，存在着所謂「理論之爭」，它們到底總是一丘之貉，且兎死狐悲，物傷其類，赫魯雪夫對毛共的立異感到不很愉快，但它必然更怕毛共被國軍所一擊而倒，而影響到它本身的生存。

香港的中國人其所以把赫魯歇夫此一宣稱不當一回事，一笑置之者，主要由於認定它只是宣傳，眞的事到臨頭，它即使想救毛共，亦不敢去救，甚至雖救亦其實救不來。香港的中國人的認識到：

第一，赫魯雪夫此一宣稱，與其說它是意在嚇中國人與中國政府，無寧謂它是在嚇美國，卽希望藉此更使得美國當局堅持其不支持國軍反攻大陸的那個已經不合時宜的政策。香港的中國人認為，固然，赫魯此一宣稱，確實可能把美國嚇住，但却嚇不倒中國人與中國政府。

第二，香港的中國人的認識，反攻大陸是中國的國策，也是中國的唯一出路，而且還是中國人自己的事情。友邦如果肯協助、支持我們反攻，中國人固然歡迎得很，否則，在我們中國人認定到了反攻的時候，我們雖未有友邦的協助、支持，我們還是非反攻不可的。

第三，由於中共在大陸攪得天怒人怨，香港的中國人認定：眞的國軍開始反攻了，大陸的五億同胞，必然蠢起響應，屆時的局面，必然轟轟烈烈，驚天動地。屆時，蘇俄卽使眞的打算救援中共，但它亦必然會被那種轟轟烈烈、驚天動地的局面所嚇住，而不知所措，而不敢動手。再者，在那種局面之下，蘇俄如果眞的救援中共，它就必需準備打大戰，與美國及整個自由世界對壘，香港的中國人認為蘇俄絕不敢挑起大戰的。

另外，香港的中國人雖根本不把赫酋此一宣稱當一回事，但却亦因此更加惋惜美國政策之實在既丟人，亦不智。「新境界」的甘廼廸竟然給赫魯歇夫比低了。（印）

配合鎮壓反共份子

中共嚴懲「逃亡戶」

既開民衆大會加以凌辱　又取銷其公價糧食配給

（本報訊）根據新自廣東省境逃到香港的人士所述說，以及此間廣東省籍同胞所接到的家書，說明中共不但正在廣東省境各地，採取種種血腥鎮壓的手段，對付所謂反共份子，同時並亦開始採取頗為嚴厲的手段，在對付那些平時獲有海外親友寄遞糧食包及其他日用品接濟的僑眷，而尤其對於那些在最近兩三個月內逃出鐵幕的同胞的家屬，被中共稱為「逃亡戶」者，所採取的報復行為，最為毒辣。

有好幾位廣東籍的本報讀者，他們新近所接到的家書，均千篇一律的叮囑他們暫時不要再寄糧食包，特別萬萬不可以再寄糧食以外的日用品。這些家信中並透露，他們已好幾次被傳問話，要他們詳細報告寄遞糧包及日用品的，究竟是什麼人？在海外做什麼等等？為免麻煩計，所以來信叮囑不要再寄什麼東西回去。在這些來信中，雖有的表示希望改為匯款，有的居然叮囑連匯款亦暫時停止，更有的甚至要他們信亦暫時不必寫了。

據這幾位讀者的推測，此種現象，當係第一，受了時局的影響，中共由於正在大力鎮壓反共份子，所以疑心這些平常獲有海外親友接濟糧食與日用品的僑眷，也是「不可靠」的。中共之所以要傳這些僑眷問話，其意當就在於探索出他們的「成份」，要清查他們也是否反共份子。第二，不要糧食包以及不要日用品寄回大陸，而希望改為匯款，則比較簡單，卽中共的目的在於爭取外匯，因為以往，由於大家都向大陸寄遞糧食包及日用品包裹，不但使得僑匯大量減少，且對於中共的經濟，發生擾亂的壞作用。第三，至於有的居然叮囑暫勿匯款及暫勿寫信者，除了僑眷們怕惹麻煩之外，或有可能他們正奉命「疏散」，怕匯了錢去亦收不到。

另據剛從四邑逃出來的人士向本報記者透露，那些從四月底以至五月的大逃亡潮中衝出鐵幕的人，從六月下旬開始，他們尚留在內地的家眷，已經被中共列為「逃亡戶」，把他們與「五毒」並列，除發動民衆大會加以鬥爭，凌辱之外，從七月開始，並取銷了他們的公價糧食配給，他們今後祇能購買「自由市場」的糧食去維持生活。公價與「自由市場」的糧食，其價格相差，少的有十幾倍，多的達三十倍以上。中共如此對待「逃亡戶」，直接的是一種懲罰行動，間接的亦是對那些想逃亡的人的儆誡，另外又還有爭取外匯的意義，意在藉此要那些逃出鐵幕的人，不能不多多匯款回去，贍養他們的家屬。

本報記者曾詢問這些剛逃出的人士：既然中共以如此狠毒手段對付「逃亡戶」，為什麼他們還敢於逃亡？所得到的答覆，為不逃亡將難免有被餓死的一天。又說：他們的家屬亦鼓勵他們逃亡，願意承担一個懲罰。中共的一切凌辱與懲罰，為的是能逃一個就救得一個。他們並向本報記者透露：大陸同胞實際無不想逃亡，那些對於「逃亡戶」的種種凌辱與懲罰，大家內心並不贊成，不過在中共淫威之下，誰亦不敢說出反對的意見，而只好一任中共的安排，說些中共要他們說的話。

中共在廣東省境所正採取的這些對付僑眷和「逃亡戶」的殘酷而惡毒的手段，有甚大可能，係全面性的，並非僅僅在廣東省境為然。（啓）

（（（香港與大陸）））

中共全面軍事調動

主要目的鎮壓同胞

並亦藉此壓縮城市人口

據甫自廣州歸來的何君向本報記者透露的廣州情況，顯示中共這次高叫國軍反攻在卽，而在大陸全面的作軍事調動，主要的目的之一，為對內的，卽在於藉此加强鎮壓大陸同胞，同時並亦藉此澈底推行共「壓縮」城市人口的計劃。

何君說：上月下旬開始，自北而來的中共部隊，確實不在少數，其中有的留在廣州，有的則途經廣州，繼續向東江及沿海岸開去。但亦有中共軍自廣州向北開行的，看起來有如換防；祇是向南開的較多於向北開的，確為事實。

何君又說：自從中共正式發表國軍將反攻大陸的消息後，中共卽在廣州厲行清查戶口，名義是為了「防諜防特」，實際，因為有許多早被取銷戶籍的人被捕捉而去，以及中共曾經在各種集會中公開鼓勵廣州同胞疏散到農村，顯示中共此項行動，與其已推行三個月而徒勞無功的「壓縮」城市人口，確實有關聯的。換言之，中共企圖藉此把許多原來住在廣州的人，都趕往農村去。廣州有許多原來在「壓縮」之列的人口，由於怕到農村之後，生活更加困苦，他們雖被取銷了戶籍，却仍偷偷住在廣州，不肯離去。但這次，在清查戶口中，他們大都被捕捉了，顯見將被中共强迫驅走了。

中共剛公佈國軍將反攻大陸時，廣州同胞都很高興，有的人還居然在公共地方談這件事。其後，中共不准人民「街談巷議」這件事了。祇有在共幹所召集的各種形式的集會中，共幹才宣傳這件事，它們甚至要老百姓對國軍反攻這件事講自己意見，顯示其係企圖藉此探明每一個廣州同胞內心深處的愛憎，作為鎮壓斬除的對象。但據何君說：廣州同胞對於中共諸如此類的陰謀或陽謀，早已領教得多，所以大家在會上，無非跟着共黨的意思說話，所以何君還不會聽說過有什麼人因為講話不小心而引來禍事的。

雖然如此，由於中共這些舉動，廣州同胞這些日子來，確實有了人心浮動不安的顯著表現。大家在見面之時，雖然誰亦不敢多說什麼，怕得是對方把自己不經意的談話作為「立功」的對象，但從其他不相干的談話上，亦可以看出，許多人都對於自己還能否在廣州住下去的問題，懷抱深憂，不曉得自己將於何時也被趕到農村去。在起初，廣州同胞，確實曾經有搶購港幣情事的，現時這種事已比較少了，主要的原因，就是為了怕被共幹知道了要吃大苦頭。

據何君說，廣州人現在申請前來香港或澳門，因為很難有被批准的機會，大大的減少了。何君估計已獲得出境證而目前仍滯留於廣州的人，尚以千計，可能尚以萬計，其中有本地人，也有外地人，本地人自然在等待出境的輪次，外地人則為了中共時常對他們進行盤問，不少人已向後轉，離開廣州回去了。（現）

道德重整如火如荼

義師處處進攻共黨

（本報台北航訊）世界道德重整運動（Moral Re-Armament簡稱MRA）近年來在世界各地展開如火如荼反共運動的高潮，給俄帝匪共感受到終必要在這運動之下倒斃的威脅。這運動不僅能改變我們頹廢的社會風氣，更能澈底消滅共產黨的邪惡思想，給世界人類帶來幸福的前景。布克曼博士創導的這個世界道德重整運動，它却沒有組織，沒有派系，而能容納不同國家的人民，不同的種族，不同的宗敎，既不是普通的社會組織，又沒有固定的經費基金，大家就憑一種意識形態（絕對誠實，絕對無私，絕對純潔，絕對仁愛）的感動力而做出的努力，把共產黨顯得卑鄙齷齪，一無是處。

世界道德重整運動現在全世界各地都有無形然而堅強的部隊，時時刻刻與共產黨展開猛烈的鬭爭。目前在美國有中國的「龍」劇，在南美有秘魯的「鷹」劇，在非洲有西德的「希望」劇，在英國有「旋風」話劇，在中東有印度的「象」劇，在遠東有日本的「虎」劇，在歐洲有「崇高的經驗」話劇，在南非有「自由」話劇，它們正全面的向共產黨展開攻勢。西德波昂大學敎授郭克博士說：「我曾與艾登諾總理訪問過莫斯科與蘇俄談判，發現赫魯歇夫所最驚懼的噩夢，乃是能夠聯合相隔極遠而又極不相同的國家，如日本和德國，甚至聯合東方與西方並聯合黑種人與白種人的一種思想形態，也就是說明道德重整運動是他們共產黨的剋星。」

印度聖雄甘地之孫瑞吉謨罕·甘地說：「喀瑞拉省是印度最大的省份，擁有一千六百萬人口，印度全國敎育水準最高之省份，不料竟在幻想的烟幕下被共產黨征服了。在一九五七年的大選中，共黨所獲得之選票僅佔百分之三十五而已，惟因各民主黨派間之分裂，致令共產黨取得該省政權。喀瑞拉省人民自從領畧到共黨極權統治之可怖，眞正的自由在幾個階段中逐漸被完全毀滅，因在各監獄中的民衆竟達十六萬人之衆；於是，在那位道德重整領袖曼納滋·帕德瑪納彭氏領導下，展開了一個偉大的眞正解放運動，發動民衆，不屈不撓，激昂慷慨地工作，終於迫使該省共黨政府垮台。

世界道德重整運動亞洲工作團日本「虎」劇部隊，曾於六月來台工作一月，他們所演的「虎」劇，係日本一批曾受中共嗾使利用的青年，後來因爲良知的自覺，而痛改前非，集體棄暗投明，爲了剖明心跡，集體編了一個虎劇，巡廻世界各地公演，揭露共匪在日本的陰謀。他們在台的演出，曾獲觀衆一致的好評。離台前夕，他們曾舉行一個意義深長、簡單而輕鬆、幽美而融洽，且富有家庭情趣別開生面的惜別會。

瑞吉謨罕·甘地在結束惜別會的致詞中說：「我們雖然要有形的別離，而實際在無形中是力量的擴張。MRA發源地是中國大陸，創始人卜克曼博士是蔣總統的好朋友，他愛中國，更愛所有的中國人。他不但是個反共的領袖，也是一個堅決反共的實踐者。MRA對抗共產黨方法，不是以牙還牙，而是以眞理對抗武力。誠如大家都知道的，『赫魯歇夫所驚懼的噩夢，乃是能聯合相隔極遠而又極不相同的國家，就是聯合東方西方及黑種人與白種人的一種思想形態，也就MRA的意識形態，是共產黨的剋星。』我們對付共產黨要頭腦有答案，手裏有武器，才能相輔並行，澈底消滅共產黨。因此我們要擴大MRA的意識形態，去摧毀共產黨的陰謀詭計，使中華民國重振聲威，來領導世界走向大同之路，使全世界各地人民都知道中華民族的優秀，中華民國的偉大！」（仲偉庭）

越南的山地民族

雷震遠

就在這個時期，山族人數大增，較之占人發展尤速。由於土地的缺乏（他們這樣解釋），山族人乃向深山發展，而把沿海讓給占人。最先他們居住在安南山脈東麓，繼之向裏深入，到達森林區，開發高原區，直至拉得及斯丁人所占地區。也正因如此，他們逃避了印度文化的侵略，得以保存他們的種族，迄今尚有一百萬人。而占族只剩下了幾萬人而已。

越南民族自中國南下之前，山地民族已經定居於深山中，到現在他們已經是名符其實的「高山族」了。雖然在記憶中他們還保存着大洋與海岸的同憶，但人們早已拋棄海邊的集團生活，進入深山，分散在各地，因此語言上，習慣上，少不了逐漸分化並受其他民族的影響，所幸他們仍保留着他們間的共同特徵。

第八世紀期間，越南人在越北登陸，這爲高山族的一項新波折，越南人首先尅服了占族，高山族同時也受到箝制。越南人的壓廹愈來愈甚，一四七一年占族首都失陷，傳說之中仍留着占人與高山族人，以及占人對越南人的戰爭經過。占人雖降，而高山族仍舊通過占人向越南人納稅。越南人佔據了沿海各地，高山族人留居深山，每年只下山一二次，購取生活必需品如食鹽及鹹魚。這種交易過去與占人做的，現在也只好求之與越南人了。他們亦順便自山中帶着他們應納的稅糧交給占族中間人。他們還記得當時交易的盛況，人們稱海邊的集市爲「查洞」（譯音）。

起初越南也就借用占人來統治高山民族，以後占人逐漸減少，山地人民就直接向越南人納稅了。

法國人較越南人更深入山地。特別是傳教士們早在一八五〇年就着手敎化、訓導、照顧這孤獨冥頑的半原始民族，杜利甫神父所著「巴納野蠻民族」一書，指出在那樣多瘴疾的區域工作是怎樣地艱苦。我們可以說，傳教士們遠較法國政府對敎導山地人民的貢獻更大，如設立學校、醫院、並開發山地經濟。

崑嵩的巴納山乃首先受開發的區域，繼之阿則馬神父深入斯丁族區。三十年後較具規模的開發組織，於一八八〇年由高觸率領進了巴底族區，自邊和順同奈河而上，以至斯丁族區。一八九〇年葉耳山博士自東部沿海深入啇比安高原，才發現今日的大叻和夷靈等地。山居人民並沒有抵抗，人們似乎慣於受外人的干擾，幾世紀以來他們都過着服侍外人並聽從强者的生活。爲此法人進佔各地沒有遇到戰爭，只是氣候惡劣，因瘧疾而死者亦大不乏人。自那時起，西貢、邊和、經夷靈而至大叻的路綫已開闢出來，其他各高原間也有了交通。於是山地民族層層受節制，最高領袖，即最强的山族爲拉得族，散居於大叻和邦美蜀之間。醫院、學校也從此逐漸設立起來。

統治與賦稅是關連的，山地民族過去曾向占人納稅（天然產品），繼之又向越南人納稅，其後又得向法人納稅，起初不過爲數日勞動服務作爲代捐稅；但是開發與造林工作日多，未免有强廹性勞役，因而產生了不少生活環境上的問題，山地人不得不拋棄他們的田園，進入森林區，醉酒與疾病亦隨之加多。最可怕的敵人是瘧疾，造成人命的損失很重，需要很多醫藥，才能改善他們的生活。

自一九五四年七月，吳廷琰總統返國之後，越南獲得獨立與自由，一九五五年十月二十三日大選，吳總統受絕大多數選民的擁護而當選總統。一九五五年十月廿六日越南國會通過憲法，一九五六年十月廿六日經總統宣佈行憲。據憲法第五條規定：「所有人民，不分男女，一律得享同等地位，同等權利與義務，彼此應相親如兄弟，精誠團結」。越南總統及其領導之政府尊重憲法，視全體人民如兄弟，禁止作任何敵視。於是少數民族與所有越南人民完全享有同等權利，不論是高山族或高棉族，來自中國或印度，都是越南的人民。爲此山地民族之人有投票，選舉議員，（最近有二名山地議員爲越共所殺）可入越南各級學校，可任政府各級職位。山地民族地位因此大大提高，雖然他們仍有時誤解政府對高原區的政策，不滿意政府建築國道及其它開闢計劃，不明白該區域對越南軍事之重要，特別是爲防範北部及寮國方面敵人之侵略，高原區之地位首當其衝，同時又是國家農業及林業的中心。高山族似乎是怕他們將因開發而失去他們的原始森林與獵物，共產黨也利用這些機會製造矛盾。不過至今賴傳教士們的開導，山地人民已瞭解越共的可恶以及共產政權對山地民族的重大威脅。

（二）

天南風光

——沙羅越的鬥雞——

朱淵明

那時兩個雞主，已解除了雞脚上的繩套，而把雞拿在手上，又重新檢查雞腿上的鱗甲，說是看看「雞運」，實際上那時已勢成騎虎，無論檢查的結果如何，已是非鬥不可了。於是，各從木盒裏取出長約三寸鋒利之極的鋼刀，朝後灣着綁在雞的右脚跟盆上面。這時，觀衆已經圍成了一個圓圈，紛紛議論，投注者各自以爲必勝。

可是，兩隻雄雞初初對面注視，似乎並無深仇大恨，因之往往戰鬥意志並不堅決；於是雞主便用挑釁的方式，使之對撲幾下。那時，「雞王」早已將決鬥的手式高高舉起，一見兩雞對撲，羽毛抖開，眼睛通紅之際，即將手式下落，雞主同時鬆手，兩雞拉開姿勢，乘隙飛撲，揮起脚刀，互相殺擊，此起彼落，忽高忽低，或彼此扭結，口啄足抓，鬥爭之烈，無以復加。其間人潮推擠，驚呼歡叫之聲不絕；但見雞主額汗如漿，臉靑唇白；下注觀衆，大聲叫喊，緊張萬分，各爲其雞助威。這兩個畜生在幾撲之後，地上見血，雞毛紛飛！直等到一隻雞歪倒了完全失去戰鬥能力，另一隻獲勝之雞必然引頸而鳴。勝負之數既定，這一場血戰才宣告結束，而另一場也就開始。

然而也有鬥到中途，互有損傷之際，忽然受了觀衆的驚嚇，兩隻雞竟然跑開，彷彿不願再鬥的樣子。那時，「雞王」必然主張再鬥，以決最後勝負。但若雞主都不願再鬥，也可造成和局，不過那是極少之事。如果是一隻雞逃，那也算勝負已定，不過多數都是鬥得血流如注，肝腦塗地，非至東倒西歪得不能再站起時，是絕不肯示弱的。「懦雞」總比「懦夫」要少得多呵！

每一場鬥雞的結果，敗者固然必死，勝者也十九受重傷，甚至也有終於不治的。鬥敗的雞主，雞財兩失，自然懊喪萬狀，只好打算挑補再養，藉圖恢復。而鬥死之雞，據說有毒，多數是無人敢吃的；但也有在旁斟慣買去，放血後製成臘雞出售的。

（三）

燕塵識小

無負生

前王崇祀

無負生曰：讀此終篇，不異重溫廿五史簡明提要。而其間予奪進退之迹，亦可得而言焉。桀紂幽厲暴虐亡身，固無論矣。乃若周文王三分天下有其二，以服事殷，雖至德配天，而未踐帝阼。不與侑典，置此之由。始皇力征經營，以有天下，而殘民以逞，竭澤而漁。胡亥昏庸，身弒國滅，父子被擯，亦固其所。秦失其鹿，劉氏得之。降及末葉，鼎足三分。退桓靈而進昭烈，大義炳然。孟德父子，仲達弟兄，咸以權臣，敢窺神器；篡弒之迹，雖孝子慈孫百世不能改矣。東晉偏安，反是中原人心所繫，不失其爲正統。其君雖甚庸弱，廟食未可缺如。南北兩朝弒逆頻仍，得國不以其正，而其間二三明主，亦與蒸嘗。楊堅篡周，楊廣弒父，跡其所爲，且出嬴秦父子下，兩世而亡，非不幸也，擯諸廟外，豈足異哉。李唐崛起隴西，遂一天下，享國既久，亦有明良。唐祚云終，遞爲五代，六十年間，篡亡接踵。石敬瑭稱兒獻地，尤爲千秋之奇辱。勉列兩君（後唐明宗，後周世宗）充數而已。陳橋變作，趙宋雲興，而邊患迭侵，與時終始，徽欽蒙塵，禍尤烈於石氏焉。南渡百餘年，偷安苟活而已。遼金未嘗入主，亦列禋祀，清人追崇，其意可見。元人奄有中原，九十餘載，雖曰異族，未可缺焉。朱明驅逐韃虜，重光漢土，大爲炎漢子孫，揚眉吐氣，惜乎末造，終滅於清。迨議明禪，遂黜神熹而登愍帝，誠以莊烈之身殉社稷，足爲千古人君之極則也。

無負生述竟忽發奇想，以爲清社既屋，帝制同終，遂使歷朝顯爲崇祀之祀典，其禮遂亡，廟亦淪廢。假使清亡以後，袁項城不自亟亟稱帝，南北暫得相安，不復兵戎相見。則其後三五年間，或有亡清遺臣，過帝王之廟，發思古之情，追溯舊典，請爲清代諸帝入祀者，以袁之受恩前朝，事亦非必不可行，則清之九帝（順、康、雍、乾、嘉、道、咸、同、光）何去何存？從祀諸臣孰可孰否？亦將有一番大議論。甚至更製豐碑，再申懷憲，順天府志，或續修，則吾今日秉筆而談「帝王廟」，殆將異乎今之所云矣。此意吾知其甚謬，而不妨姑妄言之。燕塵蔽日，巨浸稽天，舊迹何如，渺不知其所矣。壬寅端午　識於台北。

（本篇完）

盧君續夢

第六回： 烽火照邊陲　同惡難濟　樓船橫碧海　大憝興悲

大家聽了都長長透口氣，劉少奇，周恩來更是如釋重負，只有陳毅愁眉苦臉說道：「派我去作契爾沃年科的統戰工作，這個任務我怎麼能完成。」

毛澤東一瞪眼：「要你去作一件正經事，總是推三阻四，假若派人去蘇聯大使館勾引那個担任速記的女同志，你就要搶着去了。」

一句話說的大家都笑起來，陳毅也不好再說什麼，大家笑了一陣也就散會了。

陳毅回到「外交部」，接到駐印尼「大使」黃鎮的報告，印尼方面又出了麻煩。

印尼是東南亞所謂中立國家中最左傾的一個，因爲總統蘇加諾，總理沙斯特羅阿米佐約都是愛出風頭的小政客，眼看尼赫魯高唱中立，左右逢源，名利雙收，也想東施效顰，就跟着尼赫魯後頭起鬨。一九五四年在印尼萬隆召開亞非會議，印尼是東道國家，沙斯特羅阿米佐約被推爲大會主席，捋着一撮山羊鬍子，坐在主席台上，神氣萬分，雖然這次會議，因爲有許多反共國家代表出席，尤其伊拉克的代表賈瑪利更是雞群之鶴，硬替共產集團起個名字爲「新殖民主義」，最後還把「新殖民主義」的名詞寫入大會閉幕詞中，害的周恩來回到北平幾乎被劉少奇鬥垮。不過，中共同印尼還是攀上交情，印尼總統蘇加諾，副總統哈達，總理沙斯特羅阿米佐約都到北平訪問過，中共歡迎蘇加諾的盛況可以說是空前的，不論大街小巷，只要印尼代表團走過的地方，甚至洗手間的馬桶上，都貼上朋加諾的標語，朋是在印尼語的解釋是加諾兄的意思。

由於蘇加諾一意左傾，引起國內愛國之士的不滿，一部份反共政治家及軍人在蘇門答臘自組政府，聲勢浩大，幾乎推翻蘇加諾的統治。

當印尼革命發生之後，中共派了一個軍事代表團去耶加達訪問，代表團團長是「副總參謀長」楊成武，團員有「國防部辦公廳主任」蕭向榮，其餘却是些「上將」、「中將」，最小的也是「大校」。中共在蘇加諾政權搖搖欲墜時，派了一個軍事代表團去訪問，自含有打氣作用，蘇加諾當然十分感激，開園遊會歡迎中共代表團，蕭向榮面對着良辰美景，旨酒佳餚，一時詩興又發，竟吟詩一首，佳句有「總統遊覽景物園，風和日麗艷陽天」，蘇加諾一看這位「將軍」居然會作詩，頗爲欣賞，散會後就邀楊成武，蕭向榮開談。請教怎樣打敗革命軍。

蕭向榮說道：「據我們知道，你們的叛軍是從台灣得到接濟，總統要想消滅叛軍，必須斬斷這條路。」

蘇加諾愕然道：「叛軍怎會從台灣得到援助，他們無法直接交通啊！」

蕭向榮笑道：「總統不知道，我們在貴國的華僑，百分之八十都是反動的，他們是受了台灣國民黨的指使，接濟叛軍，所以叛軍聲勢才如此之大。」

蘇加諾搖搖頭，說道：「華僑有三百萬人，那些人支持叛軍怎麼查得出來。」

（一一五）

廉夫賣扇（續）

湘撫吳大澂，以母病回籍省視。閒時偶過玄妙觀，見裱畫店糊板，粘有廉夫所作各畫，認爲筆法頗疎淡，有蕭然出世之概，是近於鹿林居士戴醇士前一派，激賞之。命役邀陸往談，約其偕同赴湘，並另給安家費百兩。陸聞其命，感激萬分，欣然而行。抵湘後，大澂即囑徧游衡嶽諸山，每日徜徉山水間，經月餘始歸。大澂即囑寫畫若干幅，其氣息已與前大不同。其後大澂請纓援韓，順道入都，携廉夫隨往，得縱覽古今之精品畫幅，陸氏之畫，以鑽探研究而大改變，着筆極有古人意味，較前精進若干仞，乃自成格局，雅淡入神。離蘇近五年，大澂出關，陸亦南歸，改訂潤格，其扇面潤例，已由二角漲到每頁白銀二兩，身價陡增，爲民初之一名家，生活亦略富饒矣。

憶幼軒雜綴

故都神瞽

台北新生路有仇慶雲者，其目亦瞽，自大陸來此，善摸骨談命，其潤格不一定，有僅一二十元，但亦有一二百元，是就人論值，凡貴顯者其值較昂，富有者亦如之，每日生涯不惡，約可得三四百元。

因仇氏而憶及故都神瞽。當民十年間，余客居北平，城北後鑼鼓巷有王瞎子者，精於摸骨評陑，尤善於批命，定例不昂，至多銀幣五六元，少則一二元，人皆爭趨問津。王寓居在西什庫教堂左側，鄰近北海，室並不大，但雅潔無塵。屋內供文王塑像，燃檀香木，香煙繚繞，極爲肅靜。每日談命摸骨，也均以十人爲度，絕不超過二十人，逾數須次日再來，大多爲上午九時至十二時，下午二時至五時，過時不摸亦不談。旅京之小官徵卒，皆因生活困頓，不惜斥用一二元，以占吉凶。余常介友人往談，故與其相稔。

某日過訪，適其閉目獨坐，相與縱譚。詢其是否生時即瞽。據告，七歲時在庭院嬉耍，忽有二鶴飛啄其目，遂即蹤上屋沿而冲天。得經醫治，以瞳有破損，以致成瞎。十二歲從師聽易經，談哲理，研究天干地支，至廿歲始精通，憑指掐算，漸得門徑，輒多有中。嗣後爲人談批，居然應驗，乃益復研求不倦。至於揣摸，則悉記其師所講口訣，何者主貴，何骨主富，不下有三四十語，每日背誦，默記在心，不能忘卻，始能試行，分毫不差。玉尤善鐵算盤，如有病者來問休咎，先報其本人生肖八字，再以起病日期來作乘除，如盤上尚有餘子，則猶可無妨，倘已除盡無剩，則難逃此厄，也每算靈驗，其技亦神矣。余離故都爲民國十七年，時王年已六十餘矣。

閒話品茶

黃葉村人

飲茶在中國有悠遠的歷史，但是對於飲茶有研究、有興趣、有意味、而又肯化本錢的，還是以閩西南人爲首屈一指。現在，先不說富貴之家，對於「茶道」的如何如何，只談一談廈門小茶肆品茶的風味，便可使人神往了。

那些小茶肆，大街小巷都有，但並不多，幾條短街曲巷，不過一二家而已。顧客多是「街坊」。但汝不要小覷它是小茶店，那裏的陳設，雖然簡陋些，只有三兩張舊藤椅，幾條長板凳，可是顧客中有達官、貴人，有名士、學者，也有一律平等的販夫、走卒，汝談汝的，我說我的，不相干涉。譬如二三知己，進入店內，如果沒有生客，例是一包紙面蓋印信的「小種」茶，跟着「茶博士」來，放在桌子上。隨而汝自己會把茶具擺開，一隻土製的「宜興」小茶壺，大約有桔子般大小，四隻小杯子，一隻「茶洗」，一隻放壺子的「坐盤」；這時，茶博士一轉身，把開水罐從爐子上拿過來，冲在壺內、杯子裏，讓汝自家去洗，洗畢，把水倒落痰盂，然後下茶葉。

說時遲，那時快，當汝洗杯壺的時候，他已經把開水罐貢又放回火炭爐上，等汝弄妥了，他再從爐上拿來冲下，這一切，都是茶博士的學問。有一次，我請一位外省朋友，到小茶店飲茶，他見我洗壺、洗杯、抹桌子、放茶葉，之後，茶博士冲開水入壺，待把壺蓋放下，他又從壺蓋再冲開水，然後，停一會，始斟飲，種種。他問我：何不憚煩乃爾？又問：從壺蓋淋開水，是甚玩意？我告訴他：「汝喜歡吃剝了皮的鹹炒花生，還是帶殼的鹹脆花生呢」？「自然是自家剝的好吃而且有意思啦」！這是他的答覆。於是，我笑了，我說：「那嗎，下次汝再來這裏飲茶時，恐怕汝要爭着洗茶杯了」。說完，那位朋友，也作會心的微笑。

至於從壺蓋上灌頂淋下開水，又是什麼道理呢？原來壺蓋頂是有一隻小眼的，用滾的開水冲，茶面上的骯髒，會從空隙而瀉出來，這名詞喚作「灌蓋」。又，注茶入杯子時，也有步驟的：汝不能斟滿甲杯，再斟乙杯，必須一二三四輪着斟，週而復始，濃淡方一，飲時，先拌杯近鼻，聞一聞，而後飲，一杯三口慢咀慢嚼，是謂品。此「品茶」之意味也。（未完）

花香月上樓小品

神女傳奇

漁翁

世有賢母、良妻、烈婦、貞女，每爲人間所樂道，不曰巾幗丈夫，即云女中堯舜，要皆教育與修養所造成，有爲者亦若是。若夫通神道，悟玄理，飄飄然而超乎尋常女性者，乃天性之所使然，故稱之曰「神女」。

西溪叢話：「宋玉夢見神女，寤而白王，王令玉言其狀，便爲神女賦。後人遂云襄王夢神女，非也。」按神女賦序，言楚襄王與宋玉遊於雲夢之浦，使玉賦高唐之事，其夜王寢，果夢與神女遇，其狀甚麗，王異之，明日以白玉，玉曰：「其夢若何？」王曰：「云云」。後人謂序中玉字當作王，王字當作玉，乃與下文語意相吻合也。

神女之有廟，在四川巫山縣之東，據傳赤帝女曰瑤姬，未嫁而卒，葬於巫山之陽，故曰巫山之女。楚王遊高唐，夢與神遇，遂爲立廟，以「且爲朝雲，暮爲行雨，朝朝暮暮，陽臺之下」，而名之爲「朝雲」。後言男女幽會者，曰「巫山」，曰「雲雨」，曰「高唐」，曰「陽臺」，皆本於此。

古之神女，以董雙成，莫邪，梅姑，麻姑，曹娥，林默娘……等，爲歷代之犖犖著稱者。

董雙成：周朝女子，相傳爲西王母侍女。其故宅在杭州西湖妙庭觀，煉丹宅中，丹成得道，自吹玉簫，駕鶴仙去，邑人立樓上望之，因名「望仙橋」。宋紹興初，道士董行元掘銅牌，鐫字云：「我有蟠桃樹，千年生；是誰來竊去？問董雙成」。蟠桃爲仙家所植，何人竊？惟雙成知之，足見其神化。

莫邪：春秋時吳國干將之妻。吳王闔廬使干將鑄劍，鐵汁不下，莫邪曰：「何以不銷？」干將曰：「先師歐冶鑄劍不銷，以女人聘爐神，當得之。」莫邪聞語，即竄入爐中，鐵汁出，遂成二劍，雄號干將，雌號莫邪。今浙江武康縣西北二十里有莫干山，相傳以此名。吳王敢以人爲爐神，焉往往有用此碎鐵者，倘亦莫邪之遺訣流傳歟！

梅姑：傳秦朝湖人，有道術，能行水上，後爲其夫所殺，投屍湖中，至今常見形於水上，漁人有殺獺者，梅姑輒忿之。俗所謂梅姑娘廟，即梅姑也。

麻姑：東漢時，建昌人。王方平降於蔡經家，召麻姑至，年十八九，好女子，頂中作髻，餘髮垂至腰，手似鳥爪，蔡經見之曰：「背癢時，得此爪以爬背，當佳」。麻姑自言：「接侍以來，已見東海三爲桑田，向到蓬萊，水又淺於往昔，會時略半也，豈將復爲陵陸乎？」今世以麻姑祝壽，取其長生不老也。今江西南城縣西南有麻姑山，高而潤秀，道家謂爲第「二十八洞天」，山中有蔡經之故宅、「會仙亭」所在。

曹娥：東漢上虞人，父盱，漢安二年五月五日，於縣江泝濤迎神，溺死，不得屍。娥年十四，乃沿江號哭，晝夜不絕聲，旬有七日，遂投江而死，五日抱父屍出。元嘉元年，度尚改葬娥，爲立碑，蔡邕曾夜摸其碑文讀之，題曰「黃絹幼婦，外孫齏臼」八字，隱語蓋爲「絕妙好辭」之義也。今所傳之曹娥碑，爲王羲之書，非原石也。

林默娘：宋莆田林愿第六女，始生時紫光滿室，幼悟秘法，預知休咎，時人以爲神，能乘席渡海，鄉人呼爲神女，或曰龍女。父兄遭難，救父尋兄，遇難，乃負父屍歸。年二十，里人立廟祀之。宋元明清，累有封號，後爲天妃，清康熙時加封天后。航海者凡遇風浪，呼之輒應，故航海者祀之甚殷。農曆三月二十三日，爲天后誕辰，上人家家莫不舉行隆重紀念也。

海隅舊談薈

海隅的共黨報紙副刊中，近有談及馮玉祥舊部吉鴻昌其人其事者，除讚揚吉氏爲抗日英雄人物之外，又說他赴歐美考察軍事政治，著有專書行世。把吉氏描述爲文武兼資的賢豪之士，藉以暗示吉氏當年因叛亂罪行被「北平軍分會」委員長何敬之將軍遞究一案，乃係中樞當局忌才妬能的莫須有冤獄。共黨素以變造歷史，淆亂是非爲其宣傳絕技，遇事不惜當面造謠，欺天下人以無知，實在可鄙可哂。我曾于役馮玉祥幕中，亦與吉鴻昌數數晤面，其人斜眼長身，椎魯無文，即中國字亦認識極少，至其才智究爲如何，茲述一事以資佐證焉。

談吉鴻昌

諸葛文侯

自從民國四年五月七日，袁世凱承認日本對我國所提廿一條件要求之後，每逢「五．七國恥紀念日」，馮玉祥必集合全軍講演國恥問題，激勵大衆的民族思想與愛國精神，用意可嘉。民國十四年五月七日，馮在張家口舉行紀念大會時，痛述印度，波蘭各地人民的亡國生活景況，他爲着適應大多數士兵們的理解能力起見，語意力求淺明而動聽，會編造一個例證說道：「亡國之民在戶外走動中，若遇到帝國主義國家的人需要休息時，他就可以教你把兩手撑伏在地上，有如一張櫈子，讓他坐在你的背上歇會兒。假如咱們中國被日本帝國主義吞滅了，你我大家便要挨受這種凌辱，豈不可恥！你們想想，到了這種地步，還有甚麼辦法呢？」此時人羣中忽聞有大聲答曰：「報告督辦，我有辦法！」衆人審視發言者，乃是站在中間位置的團長吉鴻昌也，不覺嘩然。馮謂「你有甚麼辦法，說說看。」吉說：「咱們中國如果被日本鬼子滅亡了，日本人在路上敎我們爬下給他做櫈子坐的時候，我們回頭把他那生殖器一口咬掉，立刻致之於死地。中國有四萬萬人，日本鬼子不過幾千萬人，咱們憑着這種方法，就可以滅掉日本人的種啦」！聽衆爲之嘩然哄笑，馮在台上亦忍俊不住，指着吉氏道：「你就是這種辦法呀！」從此以後，西北軍的文武人士就給吉鴻昌起了一個綽號，叫作「雞咬鳥」（吉雞同音），凡在辦公室內，若有人談某椿事情沒辦法，別的同寅就答以「去找雞咬鳥罷」！當年我亦在張家口馮氏的西北督辦公署担任客卿職銜，曾寫打油詩一首以詠此段故事云：「你有飛機我有雞，人間天上競揚威，將軍奇計施行日，須請牙醫作指揮。」

吉氏確曾出洋游歷過，那是他跟着馮軍大將江西清鄉督辦李鳴鐘赴江西勦匪，他以師長兼任前敵總指揮失敗後（西北軍董振堂一旅人，即在此役投共的。），他辭職不幹，要求中央給資到國外考察一次。他請了一位秘書孟憲承作嚮導，出國半年，同來即由孟氏替他寫了一本歐美考察記，到處送人。實則他始終是個知識譾陋的老粗，共黨的文特們譽之爲允文允武的傑出人才，這不是一大笑話嗎？

盧象昇與楊廷麟

·李仲侯·

明末盧象昇其幕賓楊廷麟，均豪傑士也。廷麟字伯祥，別號機部，江西臨江人，崇禎四年進士。爲文排切疏宕，出入韓蘇間。書法素靖，可以亂眞。廷麟與雲間陳臥子，以文章氣節相砥礪，遊京師，遇黃石齋先生，一見道合。時流寇張獻忠、李自成，裹亂民，東西奔突，中原俶擾，幾無淨土。加之滿清勢強盛，自入朝鮮，俘其國王李倧，勒繳明所給勅印，奉表稱臣；清既屢寇邊，復得朝鮮，益思逞志中原。

崇禎十年春，起用楊嗣昌爲兵部尚書。嗣昌博文史，多識先朝故事，富辯才，酬對敏捷，崇禎以爲能，所奏請無不從。明制：主兵部者，所謂本兵，其權力最大，專制閫外將帥之命。嗣昌議大舉平賊，分各省軍爲四正六隅，稱「十面之網」，因議增兵十二萬，增餉二百八十萬。其嗣昌恇怯，畏懦爲無遠略，徒好作大言，外寬柔而內多猜忌，尤畏兵如虎；時暗與總監中宮高起潛謀和議，爲偷安計。楊廷麟在翰林院，任職編修，見僉王在朝，國事日非，義憤塡胸，乃上疏劾楊嗣昌謂：「南仲在內，李綱無功；潛善秉成，宗澤殞命；遂乞陛下赫然一怒，明正向者主和之罪，諭象昇集諸路援師，乘機赴敵，不從中制，此今日急務也」。（一）

內僑警台報字第〇三一號內銷證

自由報

THE FREE NEWS

第二五一期

中華民國僑務委員會頒發
台枝新字第三二三號登記證
中華郵政台字第一二八二號執照
登記爲第一類新聞紙類
（半週刊每星期三、六出版）
每份港幣壹角
台灣零售價新台幣弍元
社長：雷嘯岑
督印人：黃行靈
社址：香港銅鑼灣高士威道二十號四樓
20 CAUSEWAY RD 3RD FL
HONG KONG
TEL. 771726　電報掛號 7191
承印者：田風印刷廠
廠址：香港灣仔高士打道二二一號
台灣分社
台北市西寧南路壹壹本號二樓
電話：三〇三四六
台郵撥儲金戶九二五五

光復大陸與對美外交

·吳本中·

光復祖國，重整乾坤，建立一個民主自由富強康樂之燦爛中華，這是我們六億中國人的意志，亦是世界上最大的意志，無可動搖而終必勝利者。那一個政府能代表這個意志，能實現這個意志者，就爲全民所擁護。否則它根本無存在的理由，失盡人心，毫無前途。一國政治基於人民的願望，固可因地、因時、因事、因勢而制宜，然絕對不能違反這個人民願望。至於外交，乃一國政治對外的延續與表現，若有逆於人民的志願，甚至影響國家生存與命運，則此不特等於無外交，且直等於叛逆媚外矣。

談起外交，我中華民族近百年來的對外政策，一言以蔽之：「抗俄防日」而已。陸上迤邐延袤我東北以至西南者盡俄羅斯邊界，其政府無論係沙俄或蘇俄，或任何其他政權，皆以我爲侵畧目標。海上一出口就要碰上一個海洋系島國日本，其人民勤奮，必向外發展而後能生存，我們有一萬一千餘公里長之海岸綫，一千一百餘萬平方公里之大市場與活動地區，與日本亦多麻煩。此我國深謀遠慮之政治家與外交家所夢寐不忘者也。至於遠在太平洋對岸之美國，其立國精神與基本利益，原與我無甚大的矛盾，互助合作，不應有什麼鉤心鬥角，爾詐我虞的外交行爲。以敵友論，美國應當是我們的盟國，我們的敵人亦是美國的敵人；以民族精神論，我們是講『世界大同』，美國亦是謀求世界和平。

目前我們反共復國非有美國支持，即感事倍功半，亦猶二次大戰時的自由法國，若無英國力助，美國聲援，則難重登歐陸的情勢正復相同。美國欲保持太平洋西岸安全（原核子時代，太平洋已成美國內湖）進而消滅敵人，亦非賴我們做先鋒，將無能爲力，此亦如英國當年欲重建歐陸萊茵河防綫，惟賴自由法國始可勝利，其理則一。戴高樂需要邱吉爾，邱吉爾亦同樣需要戴高樂，這就是平等互惠之義。爲着法國的主權與尊嚴，戴氏對邱翁有時毫不客氣，爭得面紅耳赤，然無害於雙方精誠合作，打倒希魔，私人交誼，至今不替。今日我們對美亦若是，凡關於基本國策，民族生存，以及國家主權諸大端，我方自應堅定立場，無退讓餘地，眞正朋友是要各見天性的。

然世界局勢既微妙，美國內情亦不簡單。謀國者審情度勢，彼此均不免有所顧慮。中美欲保持互信互賴，而不爲共匪陰謀離間所乘，即須加強瞭解，誠以服人，信以感人，言忠信行篤敬，雖蠻貊之邦行矣。外交上，友國間，非巧言強辯所能爲功，更非施壓力，斷援助，可以服人。我們中國人的傳統文化精神，是不食嗟來之食，貧賤不能移，威武不能屈的！這就是對美外交最簡明的基本觀念。意味着精誠團結爲本，互諒互信爲用，小處容忍，大處不苟，容忍的邊緣到了阻礙光復祖國界限，即以『自反而縮雖千萬人吾往矣』的決心，乾坤一擲，破斧沉舟，在所不惜也。

就事實而論，美國對我們的諒解，亦有可述者。細讀一九五八年八月十一日美國務院分發其駐外使節之對華政策備忘錄，以及艾森豪總統因台峽事件當時向美國及全世界之廣播詞，即可相信無疑。而該年八月二十三日共匪砲轟金門後，美國不斷以最新武器供給我方，如「響尾蛇」對米格十七之殺敵致果等，均足證明美國當局非不明瞭我們是給他們打先鋒仗，我們是爲自由世界而流血。甘迺廸競選總統時，曾大呼金門馬祖乃不能守的岩石，然他進入白宮之後，亦祇好蕭規曹隨了。

美國朋友應當知道：我們中國人的血汗是從五千年的傳統文化中培養起來的，並不賤於美國人的血汗，這不是憑着市儈氣和銅臭味的代價所能買得的！

近十餘年來，中美間亦有些不愉快的事，不免令人遺憾而憤慨。例如那纏綿不絕的「美毛華沙談判」，如美國官方人士竟聲言過我們無反攻大陸，重治中華的希望等等，而其最使中國人無法容忍的政策，即莫過於視台灣爲美國國防據點，但求其『不落入不友好者的手中』，於願已足，他非所問。這種鴕鳥政策且公然條約化，而美其名曰「安全互助協定」，教中國人死守着這一據點，祇准挨打，不准出擊，完全違背國際公法上所謂『攻守同盟』的精神和效用。如果我們不想光復大陸，那就沒有防守台澎之必要，而美國第七艦隊之進駐台灣海峽，即難怪毛共指爲「侵略」行爲了。華沙談判乃日內瓦會議之重複，且爲共匪向金門大轟炸，打出來的！美國本無權亦無理擅自與中共密談有關我自由中國主權或命運的任何事件。在日內瓦美毛『大使級』會議開始時，尚可藉口爲釋放被俘囚在中國大陸上的美國子弟，我們乃採取緘默態度。迨那年「八．二三」共匪無端砲轟金門後，美毛又在華沙鬼鬼祟祟密談，繼乃公然告示全世界，說是以談判有關台灣海峽問題爲目的；本年五月二十三日，共酋用極無賴的敲詐心情，宣稱調動大軍以抗禦『美帝』與我方『侵犯』，美國又沉不住氣，急忙舉行華沙密談，對毛共保證不支持我政府反攻大陸。我們既不是美國的保護國，試問美國憑什麼權力與理由，可以背後同敵人密談有關我主權與生命的嚴重問題呢？

要知道：毛共能夠坐下來跟美國談判問題，它就博得了第一步的外交勝利；糾纏美國不放鬆，消滅其銳氣，進而製造中美間的裂痕，瘓瘓自由世界的反共心理，又是一種勝利的成果。今後我們對美毛談判台灣問題，除輿論界齊聲抨擊外，政府應正式抗議，再不能默爾而息了。至於軍事反攻一節，於情於勢於理，我們自不會瞞着美國，一意孤行的。美方表面採取靜觀態度，最爲得體。一定要強出頭，越俎代庖，片面地替友邦作主，實行吹喇叭筒外交，徒然給敵人以挑撥離間的宣傳口實，所爲何來呢？

最重要的還是中美軍事政治合作的條約問題。如果說『戰爭是政治的延續』，外交乃政治的一面，亦是軍事的助力。戰爭前須有外交佈置，戰爭後須由外交結束，即戰爭時亦須有外交助陣。如此方能打得起，打得好，打得勝，勝利的果實甜如蜜。外交上的成果形諸文字而爲兩方或多方所誓守者，就是條約，所以條約是我們外交上的工具。這個工具若出毛病，我們一定要修改或重訂新約。『工欲善其事，必先利其器』，我們在生死奮鬥中，豈可先行弄壞工具。所以，我們如要反攻復國，就一定非把民國四十三年十二月二日所締之中美防禦協定修改或重締新約不可！八年前締約時的環境與事實，因世變正急，已不可能常與現在及將來事實相符，正如國際公法原則術語所云：Rebus Sic Stantibus，締約時的環境不存在則該約即無遵守之義務，而且，守而無攻的同盟，在現世是不可能存在的。

論及中美安全互助協定，其中第六條有關領土問題，按照條約技術用語，大致應改爲：『……所有領土等辭，就中華民國而言，按法律技術定義，應指中華民國憲法的規定之全部領土；惟就現局勢言，暫指台灣、澎湖、金門、馬祖、西沙羣島及其附屬各島嶼等地……』非但不能把自由中國實際法權所在之任何土地置諸同盟保護之外，亦不可把我憲法所列之偌大國土爲共匪所借據者一字不提。這是舉一個例而已。又如中美外長於同年十二月十日有關條約的換文內規定：『使用武力將爲共同協議之事項。』對這一點，雖然是換文（Exchange of Notes），法律地位，遠不及條約正文，然我們亦應從新酌定，無論如何，在政治上美國亦應同樣接受約束才對，因爲反共鬥爭，政治尚重於軍事。因此，雙方應該協約：『鑒於兩締約國在此條約下所負之義務，及任一締約國在任何場所與任何政權或國家接觸或商談有關任一締約國之軍事，外交、政治、經濟或主權及命運事項，均將嚴重影響另一締約國；茲約定，此項接觸或商談，必先獲得共同協議，任一締約國不得單邊行動。』如是才說得上平等互助的邦交，才不玷辱「盟邦」這一名詞！

總之，自強爲命運之中堅，國必自伐而後人伐之。我們十餘年來早應漸漸擺脫第七艦隊與美援。杜魯門總統派第七艦隊巡駐台峽，當時毫無法律根據，既非由聯合國決議，亦未經主權所在國——中華民國特許。

（下轉第二版右角）

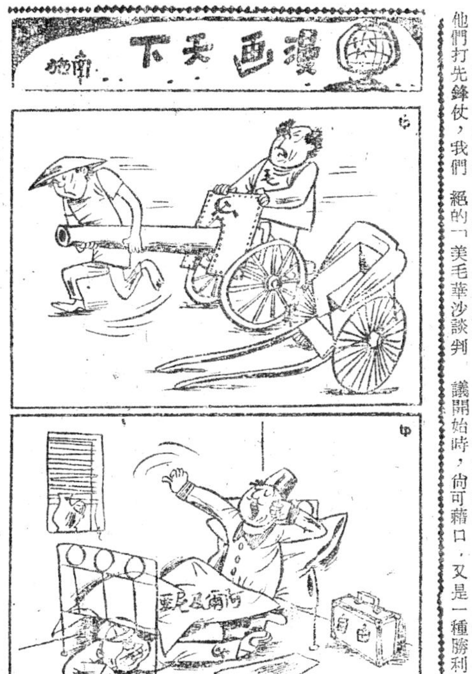

毛酋又一次「大躍進」

提防小手！

自由談

竊所未喻

馮五先生

在咱們中國號稱爲士大夫的讀書人——新名詞叫作知識份子——由於大陸國的地緣關係，產業落後，重農賤商，加以傳統文化思想所謂「士爲四民之首」的觀念，相率以「不事生產」爲淸高榮譽，而以從政作官爲解決生活問題的唯一途徑。世界人類的進化歷程，雖然到了原子世紀，但中國的讀書人十之七八還是以攬政治，作官吏爲營生的不二法門。客觀環境的限制，無可如何，自不能說這完全是讀書人墮落不長進的結果。

可是，攪政治應該力爭上流，一切言行表現着漂亮一點，莫教社會大衆見之齒冷，聞之肉麻，這卻是讀書人責無旁貸的分內之事。不幸，今日一般士大夫從事政治活動的言行，隨時隨地多見其爲自私自利，不識大體，不講節操，一是皆以唯我主義爲本的風範。祇要有三五個士大夫作成員的團體，即不惜爲着爭領袖地位或其他的利祿關係，而鬧得烏煙瘴氣，笑話連篇，甚至鬥爭得你死我活，醜態百出，允符「無所不爲」的評判之詞，是誠何心，竊所未喻！

共產黨人最討厭知識份子的原因，一方面固然是認爲他們讀書明理，不願遇事盲從，同時亦覺得這些人自私成性，言行每每相違，因而恣意凌辱，動則予以奴役「勞改」的處置，且把「知識份子」這一名詞，視爲不足與普通人民相提併論的罪惡象徵。試看毛共最近聲言要將「知識份子」改稱爲「精神勞動人民」，而沈尹默黃炎培之流，即欣然告慰，說是「我們亦算翻身了」的情形，不亦大可哀乎！

自由社會對讀書人是相當尊重，而且應該表示尊重的。區區亦忝附「讀書人」之列，近來在報紙上看到一些攪政治的士大夫，攪出若干令人齒冷肉麻的行爲，本諸「物傷其類」的良知，實不勝其痛惜之情。我不反對讀書人組織政團，從事政治活動，祇希望大家表現得高明一點，至少亦不要妄自菲薄，丟醜失格，則幸矣！

錯誤政策・初步惡果

八千寮入北越軍自南越

壞消息走漏大有內幕

（本報西貢航訊）美國用盡九牛二虎之力以壓迫寮國的反共派與寮共及所謂中立派組成聯合政府的惡劣後果，在南越已經初步呈現，是即在六月份的最後三星期之內，自寮國進入南越的北越共軍，估計達八千之衆。如此一來，目前在南越動亂的越共，已超過三萬之數。

這個壞消息，係由一位在越南中部工作的美國軍官透露出來的，傳出之後，震動西貢。官方也初還想掩蓋，吞吞吐吐的更正，說是「稍嫌誇大」了。但經追問之下，也承認「有好幾千名」。成了欲蓋而彌彰。

顯然的，這位美國軍官的此一透露是出於「失言」。官方（包括南越與美國官方）本來不要公佈這樣的壞消息的。特別是美國官方，他們分明了解到，這樣的壞消息公佈出來，無異於猛打美國當局的耳光，證明他們壓迫寮國反共派組織聯合政府是自毀長城，自己搬石頭築自己的腳的愚蠢行爲；至於因此而害了寮國，固不必論。

但亦有未經證實的傳聞，說是有些官方大員，在先亦頗有人贊同公佈這個壞消息的，祇爲了美方反對，給否決了。這一傳聞，儘管未經證實，記者個人的看法：很可能確有此事。因爲：

（一）南越官方大員，實際也是絕不願見寮國組織什麼聯合政府的。前寮國王室政府總理文翁親王與諾沙旺將軍來越請求支援之時，南越鑒於志同道合，尤唇亡齒寒免死狐悲之義，確亦曾答應盡可能給予支援。

（二）南越官方大員，由於寮國早有「胡志明走廊」的存在，而且早日已經在南越進行動亂的估計二萬五千名越共裏面，有一半以上，便是經「胡志明走廊」而來的。南越官方在事前亦曾警告美國，謂寮國果被壓迫而成立聯合政府，原來在寮國的越共軍，將可抽身出來，放胆的進入南越，而使南越的共禍擴大的。現在果然不幸而言中了。

當然，即使在南越官方大員中，同樣亦有不主張公佈這個壞消息的，他們所據的理由，爲如加以公佈，將難免造成民間的驚擾。後來再加上美國方面不贊成公佈，所以就決定，不公佈了。豈料那位在越中工作的美國軍官，因爲事前未獲知照，他「衝口而發」，以致事情終於被鬧了出來。

美國以「八千子弟兵」投入南越戰場，協助南越進行艱苦的反共戰爭，而同時却在寮國採取迥然相反的政策，其爲大大的錯誤，亞洲國家，早就有此認識了，可惜美國當時，不肯相信。現在美國是受到事實的教訓了，問題是美國當局畢竟知所改悔否！（省）

名目繁多備極殘酷

粵共鎮壓規模浩大　受害同胞無可計數

最可笑穗共竟要百姓貯糧

（香港與大陸）

從好幾位住在香港的粵籍同胞所接到的信件，證實中共正在廣東省境各地進行頗爲大規模的血腥鎮壓行動，受害的同胞無可估計，其中且包括逐漸動搖悔悟了的共幹在內。

中共這種血腥鎮壓行動，大多從六月下旬開始，個別地區有從六月中旬甚至六月上旬就開始的。大致而言，中共係在防止國軍反攻的宣傳下，在中共大量部隊調動集結的威脅下進行的，它們所唱的口號，各地不盡相同，較爲普遍的，計有「防諜防特」、「反逃亡」、「反黑市」、「反貪污」等等。其鎮壓的手段，則包括舉行羣衆大會加以凌辱，驅送勞改，殺害，以及尅扣甚至取銷公價糧食配給等等。

中共凡此種種血腥鎮壓的行動，其出發點，主要雖爲担心國在軍反攻開始之後，大陸同胞起而響應，但另外亦還有其他的因素，如增加生產，如防止大陸同胞的故意怠工甚至破壞，如阻遏「逃亡風」的彌漫與流行，如在城市的「壓縮」人口，增援「農業陣綫」等，有的是消極性的，有的是積極性的。

中共此種血腥鎮壓的行動，普遍展開於廣東省境各地，而尤以沿海岸各縣，整得最兇而最早，顯見與不久以前的大逃亡潮有着密切的關係。中共以爲，四五月的大逃亡潮，非但使得中共的窮相畢露，大陸同胞的慘象畢露，有的地方，就因爲男女少壯同胞的集體逃到香港與澳門，使得「人力」大減，幾成眞空狀態。使中共缺乏奴役的對象，認爲是給它的最嚴重打擊。它們「反逃亡」的手段，是把那些逃亡未遂犯（被香港遣送回大陸的人），先之以開羣衆大會，肆意凌辱之餘，送入勞改營收拾，其言行有被認爲嚴重的，更實行當場槍斃，打殺。對於已逃亡成功者的家屬，即被稱做「逃亡戶」的人，則除被當衆凌辱之外，或驅去勞改，或取銷公價糧食配給，使其自生自滅。

對於「防諜防特」，主要的辦法是暗中拘捕。被拘捕者被指爲「思想有問題」的「壞份子」。被拘捕者的下場如何，別人無法知之。

所謂「反黑市」，包括中共從前允許的自留地的產品，以及海外僑胞寄返的糧食及日用品等在自由市場的高價出售。這些東西，以往價錢就賣得很高，儘管那些東西多半是「倒流貨」，是海外僑胞拿錢購買的大陸輸出品，又經過中共征收重稅，又要付給運費，但中共認爲，這些東西在自由市場高價出售，大有害於它的經濟，所以要「反」之。中共上月中禁止海外再寄日用品返大陸，顯然就是這種「反黑市」運動的釜底抽薪之計。當然，中共禁止了海外寄返日用品，還可逼使海外僑胞不能不多匯款返大陸去，藉使中共增加外匯的收入。

「反貪污」主要是對中共幹部中的動搖悔悟份子而發，「貪污」祇是整肅它們的表面藉口。那些恬惡不悛，繼續爲中共出力賣命，整同胞不眨眼的共幹，即使它們大斂其財，劣跡纍纍，人民恨之入骨，中共是絕不「反」它們的。

最可笑的，是中共居然在廣州推行「儲糧運動」，要廣州同胞儲糧三分之一。比如每月被配糧十八斤的人，中共要他們減吃十二斤，餘六斤儲蓄起來，以備在國軍反攻大陸時廣州同胞也還有糧可食。中共此舉，儼然它是關心同胞生活的樣子，實際則因爲大家早就因配糧不足，在大餓肚子了，那還有糧可資儲存？可惜來函中未說明畢竟如何儲糧法，如其爲根本減配三分一糧食的硬性規定，簡直就是藉儲糧爲名，以削減民食了。（桀）

（上接第一版頭條）

誰叫它來的呢？說穿了，還不是強權政治！還不是我們自己不爭氣的羞辱！關於美國經援，至少，亦應先利用以增產與自足，漸減至最低限度，轉嫁其致命或絕對必需性。筆者很欽佩邱吉爾之作風，第二次世界大戰後英國賴美援復興者甚巨，邱翁最後一次任首相時，即先聘美，實際當然是借錢。他以一半個美國人的身份（其母係美國人），微駝背，圓嘟嘟的緩步登上美國會講台致詞。第一句話就是：『先生們，我不是向你們伸手要錢的』！嗣後英國又提出「要貿易，不要援助」的口號，表現自立自強的精神。中國人的汗血亦是很寶貴的，說一句最低調話，要保守這『不沉的航空母艦』不入『不友好者的手中』，不可以有一點同舟共濟，有無相通的義氣嗎？赫魯歇夫的火箭可以嚇倒約翰牛或山姆叔叔，對於「泰山崩於前而色不變」的中國人是滿不在乎的，他絕不會在現將勢下派兵深入中國泥淖。我們在軍事方面早應自外不斷沿海突擊，自內常常打游擊。毛酋既以『運輸大隊』諷刺我們，我們亦可創用一個外交詞令，對世人說是『運糧大隊』，向沿海及內地搶救我們飢餓的同胞。美艦既可巡弋至青島等地，我們至少亦可北起松滬，南迄廣州灣，不時加以突襲一番。毛共海軍質劣，前幾年某國武官戲謂：『他們再南來，恐怕要暈船了！』我們正可不讓其壯大，而及時摧毀它。假使我們從事於「運糧大隊」的救民工作，都要取得美國同意才行，那將來我們爲慶祝雙十節而鳴放幾聲禮砲，亦可能受到別人的束縛，所謂『革命精神』，固如是耶？

一九六二年七月七日夜

（休訪）（綫外）

兩件不大不小事件

兒童樂園客人捱頓毒打
老師傳道弟子被整發瘋

△在台北近郊風景區，有圓山飯店。樓台亭閣，景物宜人，一向用以招待國際貴賓，以及高等華人等。其下有動物園，內有不少奇禽異獸；又有「兒童樂園」，生意亦殊不惡。後者除一般小孩子玩意外，並有游泳池，音樂茶座；夏日炎炎，尚有納涼晚會之設。跳舞廳一類文明產物，亦在計劃中。因而顧客無分老幼，多擠滿也。

不幸的是，人與人之間，總難免時刻發生些小糾紛。最近的兒童樂園，乃發生「擺平」事件。

「擺平」兩個字，是江浙方面，尤其是上海人習用的一個口頭語。大意是把一件事弄明白之意。後來有人引伸爲風月場中，富家子動腦筋於花花草草，則另有其邪僻的譬喻，自非正解。不料「兒童樂園」，亦有「擺平」事件發生，被擺平的，是一位遊泳客人——用客人一詞，是花錢買了門票來玩的意思。——該客名爲游泳女將凌宗慈之兒張宗樸。彼游泳時，口中念念有辭，批評池水黯綠，太髒，不合衛生，該換水澄清一下。池旁另一泳客，亦有同感，雙方交談甚歡，原系一極普通而平凡的事。但結果竟被園方僱用之人員，引入警衛辦公室中，據說準備予以「偵訊」。這倒罷了，後者並被帶至園中「迷陣」，熄燈以後，擁上彪形大漢多人，飽以老拳。致該客人竟被懲處至遍體鱗傷程度，總算能死裏逃生，跑出「樂園」。

生意人有「和氣生財」之語。昔在大陸，平津一帶的商店，尤其小吃館，表現最爲突出。客人入門至會鈔走出，夥計與老闆，恭送恭迎。如小賬畧多，則高呼「謝」字，並說明數目，且一路應聲，可送達內廚，敲鍋以應。雖或過猶不及，但花錢的人們，喜歡這個調調兒，彼此受惠，其樂固陶陶也。

但茶樓酒館，公共遊樂場所，亦難免闖入一些地痞流氓，酒鬼之類人物，白吃，白喝。故老板亦僱有類似保鑣之好漢，以應付意外，而爲自衛之計，本無可厚非。今則兒童樂園，顧名思義，原是天眞無邪者的遊憩之地，乃居然聚衆毆打遊客，至「擺平」不止，則誠非一般人想像所能及。

此類事在台灣街頭，由於太保猖獗，亦不希罕。三數不良少年爭吵，路人側目，不敢逼視。有人打架，雖路見不平，亦以走開爲上，免得自尋麻煩。明哲保身，古有明訓也。京戲裏八蜡廟費得功說：「什麼王法屁法，殺他滿門二十四口」，頑不畏法，甚且不畏死。此類所謂江湖好漢，亦忒可鄙了。張宗樸一案正在驗傷，準備控訴，且已查出許多園主的劣蹟，靜候法律解決，亦有議員出面奔走焉。

△繼「惡性補習」之後，近來又發生一件防害信教自由，「惡性傳教」的事。有個「省立師範大學畢業」的老師許明星，利用畢業考試物理學一科及格與降班的職務上之權利，欲迫使其佛教徒的學生吳心安，改信我主耶穌。吳心安因爲自動已皈依佛教，不想再崇拜十字架，因而被斥爲魔鬼！

如今，這個「高雄省立女子師範學校」內，正屆畢業，因宗教衝突，而使物理學不及格，迫得留級的「小罪人」，已氣得神經失常。這樣的老師，他一手執聖經，一手執「考卷」，頗有當年穆罕默德的威風。

此事已引起教會注意，省議會亦有質詢。省議員李源棧指出：「吳心安各課成績八十五分，惟有物理不及格，教師應該負責」。吳心安的級任老師，也指證吳心安是個沉默而沒有過壞記錄的好孩子。此學生家長則已提出「妨害自由」「誹謗」與「傷害」三罪控告。這位虔誠信徒的老師，正待法庭的偵查。

「信教自由」，不獨載諸憲法，抑且認眞實行。除了爲了節約的理由，政府想取締台灣民間經常舉行而很花費的拜拜；曾統一拜拜日期，但未收得若何效果外，佛教自行發展，而基督教與天主教等，確屬大行其道，教堂如雨後春筍，而且多妻的摩門洋教徒亦來了。[illegible]

[illegible]（楊柳青）

越南的山地民族

雷震遠

隨着山嶺的脈系，山地民族也分成很多部落，各有生活背景及生活習慣。大家雖同屬一源，可是沒有中心組織。

盤地之中可以種水稻，耕耘頗易，原始森林則需要清除，開荒不易，草棘遍野，雜樹叢生，為適應這些環境，生活方式也隨之而異。在產竹地區，他們可建築輕便開朗的房舍；而在大樹林區，則必需犀伐鋸削，以建木屋。為此由於環境不同而形成不同的生活方式與各種型式的房舍。山地民族沿安南山脈選擇盤地，山谷山坡以及拔海五百公尺以上的山嶺作為村落的基地。隨土地的性質而栽種食物，計有米、粟、蕉、南瓜、胡瓜、番薯、菓品（香蕉、桔子、麵包樹），此外並種植棉花、棉樹、烟草等。

山地又畜養豬、鹿、牛馬、家禽等。西部山地人還專事能服大象。

山區十分富有，蘊藏着大量鑛產（銅、鐵、鉛、銀、硫化鉛等），不過山地人只知採用鐵鑛以製武器和工具，其餘都尚不知利用。

山地人的生活十分艱苦，但風俗淳樸，安份守己，為此社會發展較緩，不似他族之速。

自北部而言，我們可以發現塞當、勒高、巴納等族，環境不佳，遍地森林，不易種植水稻，只能種少許旱稻，以前是靠武力去奪取生活所需。塞當族是最好戰的，而不善於工作，在作戰方面却常以驍勇見稱。這些民族分佈於崑嵩地區，其中很多是天主教友。崑嵩地區有八萬天主教友，九十三位司鐸，七位修士，六十八位修女。大叻一帶的山地人屬拉得族，連同邦美蜀的山地人，是較為開化的民族，邦美蜀已在短短幾年中成為新式城鎮，是山地人的最大中心。拉得區之南有一種皋黑族人，說占語，種族介於儂族和拉得族之間。

苗族也是一個重要的民族，沿西貢至大叻途中，邊和以北地區屬苗人區。苗人之中又分為蘭比安苗，斯丁苗等，可是語言屬於一系，建造房屋方式亦相同，善於織造棉布，紗籠及象牙耳環。

西部是斯丁人苗區，與外人交往最多。以前，天主教的傳教士已將這一地區逐漸開化，革命之後，反而停頓下來，因為人們願急速改變他們的生活方式，反而欲速則不達，並引起反感。斯丁族在地理環境上說，較近於麥克族，他們自麥克族處學得社會組織及生產方法。

苗族為克麥族及印度斯惹族的中間民族，習會種植水稻，這是與其他種旱稻的山地人有別的。斯惹族一如拉得族，都是山地人中較開化的民族。

東部斯惹族、儂族、居如族，都受了占族的影響，他們仍珍藏着當時的文物，作為紀念。同樣南部的勒來族也保留占人的遺跡，與儂人有血統關係。

在最高的山嶺散居着西日族，生活最苦，發展最遲，僅靠少許米粟生活。因為居宅分散，彼此間不能互助合作，社會文化也就無法進步。

山區的形勢是山地人語言變化的重要因素，利於此，則害於彼。據比較語言學家的研究：各部落都希望有一個共同表達的方式，因而形成不同的方言。原始語言，因地區影響而起了變化。據測：山地人在海邊居住時代是有一個共同語言的。筆者得參加邦美蜀市場落成典禮時，吳廷琰總統會親往主禮，筆者與印尼總領事斐西克先生同行，山地人有稍可懂我所說的法文，已屬奇事；可是更可奇的是他們也懂得斐總領事的馬來語。我們會參觀過山地民族語言比較表，發現其中有許多貫辭相同，除少數受了占族及克麥族的影響外，其餘都似同屬一個語系。

山地人的思想程序，完全是東方式，富於具體的表現，以說明各種不同的行為。譬如以法語Porter一辭而說，山地人就有十數種說法，視以手、肩、單數或複數而異，一如中文中的拿、捧、挑、抬等相似。

在度量衡方面，山地人也有他們特別之處，他們不知輕重，一切以長短大小而論。在交易之時也是如此。連一條水牛也是說其角多長，而長的單位是拿人的普通身長作標準，自手指以至手臂，都被利用為單位，計有十五種小單位，例如一指、一掌、一臂等等。（三）

天南風光

——沙羅越的鬥雞——

朱淵明

鬥雞多數是「臘子雞」；即是土人所養的雞。北婆三邦的土人，俗名叫「臘子」，這是華人對他們的通稱，等於叫西洋人為「紅毛」一樣，其間似乎並無惡意。臘子雞確有許多特點：不但姿態雄偉，羽毛美麗，而且生存力特別強盛。凡中國雞或澳洲雞，黃昏以後必然入籠，但臘子雞一到黃昏，即飛上樹，整夜都在樹上度過，天亮後再行飛下覓食，風雨無懼。這恐怕是國人所少見的。又其母雞孵下小雞，破殼而出後，即能隨母覓食，不必要人照料，且不怕雨水，絕不同於中國雞之嬌嫩。故鬥雞多由臘子雞賣出。但也不能說隻隻都能鬥，這是要在雛雞中由名師挑選甄別，入選者，必須先把雞冠剪低，免得長大搏鬥時遮着眼睛，然後每天喂以美食佳肴，例如黍米及青蛙之類必不可少，而維他命及補品，更時須供給。早晚必須解放，讓其自由活動。中午又必須為之冲凉，保持清潔。這種鬥雞，是專門特養的，自然不與普通之雞在一起，夜間也必須使其入特製之籠，嚴加保護，不能任其上樹如飛鳥也。

鬥雞的勝負，不完全決定於雞的大小，因為各有鋼刀一把，似以矯捷者為優。也有說要賭雞主之運氣的，那就難以預卜了。通常的賭注，多在一百元左右，但在詩巫和成邦江的鬥雞中，也有一場達到萬元以上的，這就無怪雞主之視鬥雞若寶了。

在鬥雞場中，自然以華人下注者為多，但也有馬來亞人及紅毛參加。最使他們驚奇的，不是在下注多少，而是在華人的「閒話一句」，絕無翻悔。他們只聽到華人說三百、五百，或者三千、五千，並無其他手續，更不須到律師樓簽字，勝負決定，立即照付。因此，許多紅毛，對華人的這種精神，表示無任欽佩，於是對華人的商業道德，也不免提高若干信心。說起來這種小玩藝也多少不免替國家民族增加一點光彩咧。（本篇完，全文未完）

公道篇

林公

公道社會思想發凡（代序）（一）

沒有任何一個名詞，比較「公道」二字，更見通俗，更見平凡。正因為它的通俗與平凡，才反映它流傳深廣，為全人類追慕，共同發為心聲，代表着，這個人類社會，有所失落，有所欠缺。

「公道自在人心」，正是向所有的暴虐者偽善者的公開控訴，象徵着，這個廣濶大地的人間世，竟無一為無告者主持公道的去處，他們唯有向天呼籲，匯成怒吼。

「公道」無疑是抽象的觀念，雖然反理性者有意曲解，你說公道，我說不公道，但因為「公道」乃為人類本能上的自然需要，因此依據人類身心兩面正常發展的條件，「公道」便也無形有了一個標準。

事實上，在這個世界裏，從古到今，饑餓與無知，仍佔據着地球廣大的圖幅；偽善與暴力，始終左右着人類的命運。這是說，當前科學的技術，道德的力量，社會的制度，武力的擴張，都顯明有了問題，最少亦是證明，現存的東西，不足視為徹底解決世界問題的優良工具，它們不獨應被重新估價，還要創闢新途，重權觀點。

憑藉殘暴武力，不足以鞏固任何政權；即令戰爭不斷爆發，亦難徹底解決世界人類問題。人類問題核心，乃在於社會無平等，不公道，所匯成怨恨的火燄。老生常談的「自由、平等、博愛」，仍是當前這個世界必需要努力實現的目標。

由於毀滅性核子武器的進步，社會更需要公道與平等的鼓吹，人類也更需要謙抑與和平的陶冶；因為科學技術的發展，雖然增大物質的文明，但同時也加劇獸性的競爭，降低人生的意義與人性的價值。至令肉慾壓倒靈智，道德不受尊崇，相率追求勢利，加強自我毀滅的因素。因此，人類如不正視戰爭以外的社會墮落，犯罪，動盪的根源，僅在空喊戰爭危險，全無補益。

人類社會若是保留軍備競爭，保留仇恨鬥爭思想，保留貧困，無知，和各種不公道的制度，那就可肯定，人類世界將永難獲見和平世界的出現。

沒有和平的思想，那有和平的世界？人類本是無所偏愛於某一個人，某一種主義，或某一個政權；人類所偏愛的其實祗是其「身心兩方面所需要與滿足的東西。」那末為什麼我們不以人類的偏愛為施政的標準，而僅侈談人為真理的，自以為是的主義理論？難道這就是當前所謂偉大政治家的唯一成就，和科學家的功績麼？

虛君續夢

第六回：烽火照邊陲　同惡難濟　樓船橫碧海　大憝興悲

楊成武說道：「總統只要調查不願歸化印尼，又不願作中華人民共和國的人，一定都和叛軍有關係。」

蘇加諾眼珠一轉，微笑道：「閣下的話很有道理，我一定命令他們照辦。」

到了第二天，蘇加諾召集內閣會議，這時總理已換了朱安達，外交部長換了蘇班特里奧，這兩個人還算持重，聽到蘇加諾提出監禁華僑，沒收華僑財產的辦法，兩人一齊搖頭，朱安達說道：「目前支持叛軍的當然有親國民黨的中國人，但是並不能說凡是親國民黨的中國人都支持叛軍，例如這次叛亂將領多是蘇門答臘人，可是負責討代叛軍的參謀長芮蘇賢將軍，也就是蘇門答臘人，所以這個問題實在不能一概而論。」

蘇班特里奧接着說道：「我們若是不分清紅皂白，把凡是親國民黨的華僑一律逮捕，抄家，世界輿論將會說我們是一個野蠻國家，上次遞解章勳義事件，就引起國際方面很多責難。」

兩人說過，蘇加諾只是微笑不語。

這時「合作議會」的秘書長亞都干尼冷冷說道：「僑居我國的華人，百分之八十以上都親國民黨，論人數來說，最少也在兩百萬以上，要是硬指出那幾個人通叛軍，總是很難的事。最乾脆的辦法就是一網打盡。」

亞都干尼說到這裏，偷眼看看蘇加諾的臉色，繼續說道：「還有一個最重要的原因，我們討伐叛軍，需要大量的經費，這筆錢出在那裏，最好就是從中國人身上打主意，他們都比較有錢，只要把中國人的財產沒收了，相信支持一場戰爭還有餘裕。」

亞都干尼是前任外長，因貪污太多，曾被軍部扣留過，外長不能再幹下去，蘇加諾就把他調任「合作議會」（實際是御用議會）的秘書長。此人就是中國的張治中，最善揣摩長官心理，所以亞都干尼說過，蘇加諾首先鼓掌贊成，也就算通過了。

印尼政府採納了楊成武，蕭向榮的建議，馬上動手逮捕愛國華僑，不同城市鄉村，所有華僑一律送進集中營監禁，家產能以携動的，都被經辦官吏搶去，銀行存款及房地產，則由印尼政府接收。華僑握有印尼商業命脈，尤其是中小城市及鄉村，日用品商店都在中國人手上，印尼政府一動手逮捕華僑，沒收財產，馬上使全國商業，趨於癱瘓，但蘇加諾不理會這些，仍然一意孤行，準備排華到底。

印尼的初期排華運動，是以愛國華僑為中心，後來經辦人員從中得到好處，有意把範圍擴大，於是，所有華僑都遭了劫，最後連親共的華僑，也一樣辦理。親共華僑辦的報刊，印尼政府不配給報紙，終於逼令關門。

愛國華僑受到迫害，中共派去的外交人員一齊拍手叫好，以為替他們拔去眼中釘。及至親共華僑也受到迫害，中共的使領人員才有點着急。當即向印尼軍方及地方政府解釋，但是印尼方面却不理這些，依然逮捕起來關進集中營。

（一一六）

陳大悲與人藝劇專

懷玉軒雜綴 ·秋潔·

愴血輪先生寫懺梅庵雜記，有記及陳大悲與鬪燕事。余寓故都時，大悲適在平服官，與先君同部，故常相晤值，亦知其辦人藝專門戲劇學校事。大悲一向是旅日學子所辦的春柳社員，對話劇頗有研究。但其作風放浪不羈，似乎對男女社交，極爲隨便，以致劇校成立，不及三年，遂即自動消歇，而瑞燕小姐也已成校長夫人。民十六，國軍抵達江浙，大悲因之南歸，間時即寫小說，來維持其生活，閒亦仍在話劇中去度日。

民十一，北平香廠開闢，新世界遊藝場造成而開張，一時民衆從未見過，相率來遊，門票每人兩角，一日可收入近千五銀元。底層演話劇，即請原來春柳社員辦理：胡寄塵、蘇寄生(即少卿)、胡恨生、朱琴心等來演，大悲時在財政部供職，薪水收入不多，常欠薪作災官，亦廁身其間。話劇演了半年，改唱平劇遂風流雲散。大悲卒業於東吳，對西方戲劇頗涉獵，而有心得，十二年底，即集資萬元，辦了人藝專門戲劇學校，初期招生，學費不貲，報名有三四十人，訓練三月，即行公演。假香廠新明大戲院旁的小型會堂演出，可容五六百人，一週演三日（星五至星期），每週必演。余以先君購券，時常往觀，始見該校且角翹楚吳瑞燕。瑞燕亦蘇省人，國語相當流利，有天才，對戲劇的穎悟力特高，凡任何戲，皆由其任主角，多能精采。尤其嬌軀玲瓏，貌甚秀麗，每一出場，觀者爲之驚異。加以每演配合燈光，設景非常優美，較之新世界所演，高出十倍，因所演之戲，皆歐美名劇，非江南之文明戲也。經此公演，瑞燕芳名大噪，其年僅雙十，正是含苞初放的妙景，偶在公園遇見，則雖隨同大悲而行，慘綠少年尾隨，輒有六七，可知其魔力不小。但人藝戲劇，僅演半年而輟，聞先君所言，是賠蝕太多，校董會不再支持。（賠蝕在於佈景）更加師生戀愛喧騰，外界攻擊，不得不停。余固未知瑞燕竟含恨而嫁大悲，以年齡相差，約近廿歲，是大悲風流放誕造成。

大悲於十六年南歸，未知何所之。余在十七年底歸滬，服務於金融界，每日讀時事新報載有長篇小說，名「人之初」，其間描摹女人，幾有百態，讀者紛紛贊許。該部小說登完，又續寫「紅花瓶」，問之財部中人，據告是大悲手筆，則詭譎陸離，竭力寫時代女郎。抗戰時，余走後方，聞人云其投入敵僞陣營。大悲一生沉汨在女人，終至身敗而喪格，可憫也。

閒話品茶（續）

黃葉村人

談到仕宦富貴家的飲茶，除研究茶葉，泉水，烹煮等等外，還要講究茶具。比如裝放茶葉的茶瓶，必須要純銀或純錫製造的，此種「茶罐子」，是有專門人才製造的，主要特徵，不僅玲瓏美觀，而是把瓶蓋揭開時，會乒的一聲，象有風鼓出。洽倒出茶葉，把蓋子蓋上，如果蓋頸是寸半的話，只要蓋到五分，那隻蓋便會自動地緩緩落下去。用這種瓶子裝名貴的茶葉，永還不會走味。但汝不要認爲有什麼神奇，而只是科學上的技巧而已。

在六十年前誕生的人，都曾見過或是用過這種茶瓶，它的妙處，就是把瓶頸磨滑，瓶蓋瞬也磨滑，只旋分明，如瓷引針，如風吸力而已。但是到了現在，中國的一切，都跟着外國人走，反而把自己原有的百工技術，丟在腦後，退步到不可聞問。我們不妨看一看現時此地所製的「馬口鐵」茶罐子，雖然油得畫得花花綠綠，但不到一兩個月，便生銹而不堪入目了。以較從前那些外表漆過油，寫上字，畫過花的東西，古香古色，清雅奪目，眞有天壤之別。

花香月上樓小品

上面所述，只是茶具的一項，我曾在泉州一世家被請品茶，他首先捧出一隻「雨過天青」的景德鎮出品瓷壺，色彩絕俗，製亦精巧，據說是嘉慶年間物，但壺底卻鐫有乾隆年製字樣。徐徐又拿出四隻杯子，米色，已透光，杯面刻有二十四孝人物，五彩配景，畫工、顏色，比較近代之所謂「洪憲」出品，遠勝多矣。其他是一隻廣東南海石灣出產的陶器茶洗；一隻放杯子的白瓷碟，碟面是五彩牡丹，畫是精品，但無畫工姓名，也是景德鎮製品。那天，客人只有我和一位姓蘇的，當我拿着一隻畫有「爲親負米」，感動强盜的江革杯子，正在一面飲茶，一面出神，看那杯子和畫的人物時候，忽然說了句：「可惜只有四隻」！主人微微一笑不語。我看我們的杯子，一隻是畫王祥，另兩隻是大舜和申生。少停，茶進第三道，杯子便給換了，而我又是拿到一隻「爲親負米」的子路。我說：「眞湊巧！只可惜小人有父而無母」！蘇思昔，我以近七十之年，還是要從百里外負米回家，才有得食，莫非怪事嗎？

意外的收穫

汶津

上帝創造世界的時候，有一份意外的靈感，使祂賦給萬物一種補償的機緣。「得於此者失於彼」，這話教人聽來多少有些悵惘之情，但如果把它翻過來說，不反是對於人們的一種告慰麼？這也許有些像是「朝三暮四」的笑話，然而箇中的奧妙，卻也是值得有心人深味的。

歷史上許多偉人都是有缺陷的。貝多芬的耳朵如果不聾，他的音樂會更「仰之彌高」嗎？天教拜倫不跛的話，這位浪子英雄可能成爲更卓越的詩人？海倫凱勒不瞎不聾，她能對世人有更多的啓示嗎？誰也不敢肯定的說。

得平易些，一場小病可能免除你闖倒在「虎口」的大禍，一股徽愁可能促使你對世界有所省悟。失去了黃金時代，成熟的季節卻降臨於你的靈魂，請問你當何去何從？

一場敗仗使導致一次更徹底的勝利，一廢夫足造成更明敏的智慧。你難免會像大多數年輕男女一樣，在情感的追逐中遭遇到失敗，或面對着沉默的婉拒，但如果你始終是誠摯如一的，你將發現：這一段看來一無所穫的歷程，卻在無形間賜給你謙遜，忍耐，開豁和涵容的美德，你修正了自己的缺憾，平抑了自己的激亢，以美的情思治鍊了心胸中的乖戾之氣——不，請不要用社會新聞版上那些讓人難堪的故事向我抗議；我只是說在當事人是深深懂得人性人情的時候。

讀歷史常常使我們後人迷惑，到底某人是值得反對的嗎？某人又何嘗眞是想像中的完人典型呢？有些功業平庸的人，他的高雅的人品會使多少當代人受到薰染，誰知道呢？同時又有多少人爲了「彪炳史冊」的目的而夫去自己做人的一貫風格？那一種是更值得？當你聽說一位運動名將會是二十年前的小兒痲痺症患者，你不感到驚訝？抑或你會猛然領悟到世情的奇幻？

最誠懇的友情可能從最偶然的一頷首間發軔，最平凡的意念也往往展放爲心園中的奇葩。如果你常常意識到自己是「生活」着，而不僅是「生存」着，你便必然地擁有一種機緣。這一班公共汽車也許容不下你，你可以搭上另一輛，也許是更舒適、更快速、更安全的一輛，也許你會在那裏邂逅一位久訪不遇的故舊。今天失落了一件心愛的事物，如果那過錯並不完全在你自己，你該耐心地守候另一種恩惠的出現。這聽來多像定命論的口吻啊，你說。不，當你走在路上的時候，你不必爲此刻的美景而逗留不前，因爲前方還有無窮無盡的風景。如果人生是一列行進的車廂，你探首，你凝鑒，而無所謂喪失，無所謂獵獲。這難道不是如此平凡，如此自然的眞理嗎？

許多不幸使人乍跳出時代的大不幸。這話太玄虛了？許多人們在憂患中，而赤子之心使一些乳臭未乾的孩子或爲自發的勸募者。我們時代的大不幸只是希望的陰晦，人性的沉泯，同情心的衰退。虛無氣味的製造者太多，淑世自持的人們又太像空谷足音。而一些眞實的故事可以廓清這些。

有時我也想乘風歸去，可是一轉念間，留在世上也許不能自許多憂愁中免役，另外一份可知或不可知的收穫卻永遠使人依依。像莊子那樣把宇宙人世看得裏外通透，絲毫不沾不滯，固然是極使人歆羨的，如果稍稍保留一點，又何嘗沒有「味外之味」？

醉心於果實的人是有福的，但能偶而忘心於花果，該是更有益的。衆醉獨醒也許有一些難耐的孤獨，以及不可避免的悲劇氣息。但當別人醉時，自己能體嘗「醒」的樂趣，別人醒時，自已亦不妨偶而一醉，交錯繁會的人世，原不須執一以求；我們不必扮演太多的脚色，也不妨無視於風雲的變幻開闔；自反而縮，則條條大路通羅馬。，豈僅是羅馬？又何必是羅馬？今天你或許發現異性之間也存有友誼，郎使你不敢保證到明天這份情感毫不變質，那又有甚麼呢？至少，在回憶中，那是實管的。那不同於自欺，有所取代畢竟不等於有所否定。甚至「天地與我並存」，也是先哲從人事中悟出的啊。

怪傑

諸葛文侯

海嶠舊談

第一次世界大戰時，担任法國內閣總理兼國防部長的克萊孟梭，有「老虎」的綽號，大戰結束後，法人且譽之爲「法國之父」，勳業彪炳，馳名寰球，其人其行，確屬政治怪傑，在近代的世界偉人之中，他是使我最欽佩而私淑的。

克氏賦性嶔崎，才華優異，具有獨立特行的倔强氣質，因而他在少壯時期，亦歷盡了許多坎坷抑鬱的生活。他原係醫人之子，青年時爲要實地考察美國這一新興國家的民族性，前往新大陸游歷而以教法文營生，且娶了一位美國太太，後來回國不久，又告仳離，從此他就終身鰥居，不再結婚了。生有一女，性格酷肖乃父。

克氏未顯達之前，作過國會議員，又創辦了一張名叫「自由人」的報紙，由於他反對宗教——天主教——的特權，也攻擊政治上的貪污腐敗風氣，而其言論主張又迥異流俗，不屈服於權威，不置念於勢利，終乃大遭時忌，結果議員不能繼續當選，報紙亦被查封了。但他決不氣餒，另行創刊一張報，取名爲「枷鎖報」，表示他是個被剝奪了自由人權而不甘屢屈的文化鬥士，頗爲社會所重視，「老虎」的名號，就是濫觴於此。嗣後他做過外交部長，亦以剛强作風著稱於時。等到第一次大戰發生之際，法國岌岌可危，許多政客們皆畏葸不敢担當國家大任，而贊成克萊孟梭出任艱鉅，他亦認爲當今之世，舍我其誰，毅然承受內閣總理兼國防部長職位。

他就任後，即將法國陸海軍高級軍官罷免了一大半，另以少壯軍官承其乏。後來曾經擢任至法軍統帥的福煦元帥，就是「老虎總理」破格拔擢的。福煦的哥哥是個老牌的國會議員，亦係虔誠的宗教徒，素與克氏相敵對，結怨甚深。當克氏傳見福煦時，福氏只是一個師長，地位尚低，他聽得「老虎總理」要升任他做兵團司令的話，受寵若驚，悚然答謂：「總理先生，你知道家兄是你的政敵嗎？」克氏說：「我當然知道，但我是要爲國求才，誰管那些撈什子的私事！」其公忠體國，有如此者！

在大戰期間，克氏常常微服簡從，跑到前綫去視察，某次他走到距離德軍陣地極近的地方跟士兵們談話，當時陪伴着他的戰地指揮官頗爲驚惶，即對他說：「這兒太危險了，請總理退下罷！」他答道：「我年逾六旬了，對女人已不感興趣，對男人亦少所許可者，我如果死在戰地，實係最美滿的死法，怕甚麼呢？」另外一位隨侍在旁的當地行政首長是個年輕人，連忙趨前說道：「總理先生，我今年才卅五歲，對女人興趣很濃厚，還是退後爲佳。」克氏笑謂：「好好，我們走罷！」

克氏一生未接受過國內外的一枚勛章，他認爲替本國服務是國民的天職，無勛業之可言；外國贈給的勛章，更無意義，要牠何用呢？他臨終遺言要把屍體竪立着入窆，猶不失其倔强本色，信乎其爲不平凡之人傑也！

盧象昇與楊廷麟

·李仲侯·

時嗣昌正利用譬人周元忠爲媒介，以其善彈琵琶，出入蠡幕中與淸帥善，藉以議和。而廷麟出其不意，竟痛詆之，因之大恚！詭言廷麟知兵，帝即召見，改任兵部職方主事，贊畫盧象昇軍事。

盧象昇字建斗，宜興人，天啓二年進士，隨軍勦流寇升大名兵備副將。崇禎九年秋，流寇北犯，京師戒嚴，詔象昇入衞。未幾代梁廷棟總督宣大山西軍務，大興屯利，行之二年，積谷至二十萬，崇禎諭九邊，奉以爲法。十一年九月，淸兵大舉入寇，京畿驚動，淸軍分路入牆子嶺，青山口，薊遼總督吳阿衡敗死，監視中官鄧希詔遁走，遂深入，抵牛闌山，總監高起潛兵敗，遂由蘆溝橋趨良鄉，連下畿輔四十八城。象昇適遭父喪，家居守制，迭詔促起勤王，帝召對平台，慰勉有加，咨以方畧，對曰：命臣督師，臣意主戰。帝色變，良久曰：和乃外廷議耳。象昇因奏備禦形勢甚悉，帝壯之！而戒象昇持重，命與嗣昌，起潛等議。當是時，帝心知淸兵銳甚，力不敵而恥言和，故委廷議以答象昇。象昇出與兩人議，不合，即日陛辭。廷麟與象昇祗彼此慕名，素不相識，一參其軍，象昇對之言聽計從，極爲相得。（二）

自由報
內僑審台報字第〇三一號內銷證
THE FREE NEWS
第二五二期
中華民國僑務委員會頒發
台警新字第三二三號登記證
中華郵政台字第一二八二號執照
登記爲第一類新聞紙類
（半週刊每星期三、六出版）
每份港幣壹角
台灣零售價新台幣弍元
社長：雷嘯岑
督印人：黃行齋
社址：香港銅鑼灣高士威道二十號四樓
20 CAUSEWAY RD 3RD FL
HONG KONG
TEL. 771726　電報掛號．7191
承印者：田風印刷廠
地址：香港灣仔高士打道二二一號
台灣分社
台北市西寧南路壹叁叁號二樓
電話：三〇三四六
台郵掛號金戶九二五二

正在創進中的甘迺迪主義

——將危及整個自由世界——

·雷嘯岑·

美總統甘迺廸以青年英俊的高級智識份子，主政白宮已有十八個月了。綜觀他的治績：在外交上，對古巴問題鬧出丟臉失格的結果，對寮國問題表現虎頭蛇尾的作風，對台灣海峽問題更顯示其親共媚共的妥協言行，而所謂「康隆報告」及「兩個中國」的設計方案，都先後宣揚於世。在內政上，時而提出「課稅法案」，時又建議減稅，以致金融界風波迭起，鋼鐵業要求加價，股票價格忽告低落。無論對內對外的措施，都看不出他有什麼迴異尋常的方畧，殊感意外。他本人固不是低能兒，而圍繞他左右的智囊人物，又盡係哈佛大學的一般教授們，似不應有此令人失望的現象。實則甘氏雄心勃勃，胸懷大志，他另有一套「新境界」的作法，正在逐漸創進之中，可稱爲「甘迺廸主義」！這種主義如果實現，不特美國將有社會革命的景象發生，不知是禍是福，而整個自由世界必然遭受危害無疑也。

甘迺迪主義的思想背境

甘氏在競選總統時，即以「新境界」的政治思想作號召；他的原始動機，或許是要繼踵故羅斯福總統當年標榜「新政」（New deal）主張的前修，表示其超羣出衆的才氣，藉以博得選民的讚許。等到入主白宮之後，他首先跟那狡展沉鷙的俄酋赫魯歇夫晤談了一次，由於缺乏經驗之故，感到俄帝不是易與的，而美國的核子武器的優勢，又被俄帝迎頭趕上了，認爲美俄爭霸問題，不可能完全靠戰爭手段以求解決，必須另有新猷來肆應，才行。恰好在他左右搖着鵝毛扇子，替他定大計決大疑的「顧問」人員，又都是些不知人間何世的書獃，只憑着書本理論爲替可否之資的哈佛大學派左傾幼稚病者。這般人對於反共問題，跟英國的歷史學者湯比的想法沆瀣一氣，認定共產主義不會徹底消滅，它跟資本主義將如新舊派的宗教一樣，可以和平共存的。同時國務院裏面的重要決策人士，如前任副國務長官鮑爾斯，現任政策設計委員會主任羅斯托等，亦係以「社會主義者」自命的左傾份子，而美國社會上自二次大戰以來，即有一種病態心理潛滋流行着，那就是由於民主黨人經常宣傳共和黨政府是受着大資本家控制支配之說，一般資本家的子弟，每好以開明前進的姿態出現，如華爾街的名人伊頓，如現任紐約州長洛克斐勒，都是這流人物，即甘迺廸本人亦復未能免俗，試看最近公開宣稱曾經聽他父親說過「資本家都是些SOB之輩」（按Son of bitch這句語意，跟我們湖南長沙的駡人諺語「狗婆養的」十分貼切。）的話，殆可想見其思想體系了。

上述各種因素，就是構成「甘迺廸主義」的思想背景。甘氏要以新的社會主義教主自任，先在本國實行不流血的社會革命，進而跟俄帝從事和平競賽——也可說和平鬥爭——一決雌雄，即使他在競選總統時所揭櫫的「新境界」思想具體化而實踐之。

甘迺迪主義的實施方畧

實行甘迺廸主義的方畧，可從內政與外交兩方面窺見其端倪。在內政方面：甘總統強調平衡預算，消除赤字的政見，向國會提出了「課稅法案」與「減稅法案」，前者以大企業家爲對象——包括在海外爲投資的美國私人工商企業在內。目的是要把全國的財富，由個人所有制度變爲社會所有制，課稅額達到盈利收入的百分之九十五，對於在海外投資的私人企業課稅，且須從二次大戰結束後的期間開始計算，即追溯到十年以上的稅率，預計這項龐大的稅收，總額有兩百八十億美元之多，可以完全彌補政府現有的赤字預算而有餘。減稅法案是以一般中小型的工商業爲對象，表示酌盈劑虛的「均富」之義，旨在博得社會多數人民的好感。凡是因爲實行新的課稅法案而發生困難的企業，即由政府予以補助，當然的結果，那企業就得接受政府的控制支配，換言之，課稅的主要目的，是要使一般資本雄厚、規模宏大的企業，走入「公私合營」的道路。這樣一來，華爾街系統的資本家感覺禍至之無日了，除卻把資產設法化整爲零以外，相率對甘迺廸主義進行反擊，如鋼鐵業宣佈自由加價，如紐約、倫敦，巴黎各金融市場的美國股票狂跌，就是資本家有意給甘迺廸總統看看顏色的行爲。當時甘氏曾經疾言厲色地指斥鋼鐵業加價爲「胡鬧」，還致他的令弟現任國家最高檢查長羅拔甘迺廸，對那些鋼鐵業者依法提起控告，後來那鋼鐵業八大家之中，有兩家被政府說服軟化了，一場風波，乃得漸告停息。

在外交方面：甘迺廸主義的原則是「維持現狀，避免戰爭」。他和他的智囊人物暨國務院的重要幹部們，都相信祇要美國擁有強大的軍事報復力量，蘇俄必不敢輕啓戰端，而沒有大戰，美國本土即不致受到俄帝的飛彈襲擊，然後以妥協政策與俄帝折衝周旋，把若干多事之秋的地區所發生的爭執問題，作讓步的談判，以便爭取時間，在國內實行社會革命計劃。明乎此，即知甘迺迪政府爲甚末瞞着西德而向蘇俄提出柏林問題的屈辱建議（雙方承認東德政府合法存在），爲甚末西德愛特諾爾總理不斷地要跟法國總統戴高樂密談協約，聲明對柏林問題採取強硬政策，爲甚末美國再三要阻止法國成爲原子國家，爲甚末美國硬要壓迫寮國當道跟共黨組織聯合政府這一系列事象的所以然了！至於甘迺迪政府最近對中共增兵沿海岸以來，其所表示的親共媚共言論，更是婦孺週知的事。所謂「兩個中國」的陰謀詭計，已非口頭談論之資，而成爲公開的事實了。不特國務院政策設計委員會早已有此決策，而美國出席聯合國代表史蒂文生亦公認不諱，聲言各國代表皆贊成，有兩個中國席位存在。所以，最近會有八位衆議員聯名致書國務院指斥羅斯托爲親共份子，主張撤去他的設計委員會主任之職，而國務長官魯斯克認爲議員們的見解錯誤，說羅斯托是忠誠的人才哩！另據美國報紙透露出來的內幕消息，說新任駐華大使寇克的任務，並非只在「說服」我政府當局不要對大陸採取軍事行動，而是要「監視」我們的軍事行動，因爲寇克是退役的海軍上將，又係甘總統令尊的老友，教他到台灣來作大使，甘總統相信其勝任愉快的。

甘迺迪主義行得通嗎？

美國自建國迄今，歷時不過一百多年，全國民衆十之八九，都是陸續來自世界各地區的「客家」子弟，只有黑白血統的種族觀念，而沒有基於共同文化傳統生活習慣的民族思想，因而文化精神很脆弱。美國人僅是熱忱崇信杜威的實驗哲學，作爲日常生活的圭臬，很自然地流於功利思想｜即遇事爲目的不擇手段的倫理，相對主義是也。所以，美國今日雖然居於自由世界的盟主地位，卻缺乏盟主的風格，總是以自己的尺度來衡量別人，強迫別人爲「美國的利益」而犧牲，這就是甘迺廸主義的根源。然則甘迺廸主義可能成功嗎？答案卻是否定的。

美國一般人民的文化精神雖不深厚，但大家愛好自由生活的意志卻很堅強。甘迺廸主義的本質並不稀奇，實際乃是沿襲英國工黨那套所謂「民主社會主義」的路綫，這在英國早已試行失敗了。任何一種社會主義制度，總是要限制人類的自由生活的，像美國人那種具有強烈的自由意志的素質，而又賦性衝動，英國人尙且忍受不了的政治生活，美國人更不容易同情，可斷言也。現在美國若干曾經爲甘迺廸競選總統而出錢出力的民主黨人士，已對甘氏表示厭惡，一般資產階級人物更不用說了。甘總統提到參議院的課稅法案，議員們拒不審議，卻先行討論減稅法案，前總統艾森豪近亦發表演說，攻擊甘迺廸的財經政策，他是代表共和黨說話的，這可見甘迺廸主義在國內存在着的反對力量之深鉅，要想不流血的實現社會革命，憂憂乎其難哉！美國當局極不願意法國成爲原子國家的唯一原因，就是害怕戴高樂總統不肯爲「美國的利益」而犧牲法國的國際地位，他要自由使用原核子武器，即隨時可能破壞美國維持現狀的對俄帝妥協政策，而使甘迺廸主義對外不發生作用。甘氏最近強調歐美一家，互相倚靠之說，又竭力促使英國加入歐洲共同市場，旨在教英國拉着法國，不爲已甚，然法國卻與西德特別要好，目的即在反抗美國的妥協政策。因此，甘迺迪主義的外在阻力，亦相當重大的。此路不通！

甘迺廸主義縱不能完全實現，但那種維持現狀，避免戰爭的姑息妥協政策，決不會放棄，若干直接受共黨侵略威脅的弱小國家，勢必大遭其殃，而自由世界危矣！

這一步完了！

永遠沒有果實的老樹

自由談

陽明山三次會議

馬五先生

沉寂許久的陽明山第三次會談問題，最近又甚囂塵上了。按照政府原定計劃，第三次會談的中心任務是一般政治事項，而邀請的預會人士，亦多係各黨派以及社會各階層的重要份子。若從團結全國反共力量，及早光復中原河山設想，這種會談自有舉行之必要，問題只在時機是否合宜而已。

回憶蘆溝橋事變發作後，我政府決計對日抗戰之際，亦會約集全國各界重要人士，舉行「廬山談話會」，大家意志溝通，心理上已有了充分的準備，一經當局者宣示其最後決心和計劃，即毫無異議地共赴一的，唯力是視，一切私人的政治成見與恩怨是非觀念，皆一掃而空了。

目前的國難情形，比較對日抗戰時期更爲嚴重，因而政治上的是是非非，亦更見繁劇。假使政府當局於十年生聚教訓之後，盱衡內外形勢，把握實際時機，決計對大陸採取弔民伐罪的軍事行動，那末，陽明山第三會談是必要的，而且應該擴大舉行纔好，非如此即不足以集結海內外的人力物力，克奏反共救國之功。不然的話，這類的會談結果，必卜利少而害多，吾未見其可也。

今日能夠把海內外煩鬱的人心振作起來，把各方面很尖銳的矛盾對立的政治歧見統一起來，唯一的特效劑就是軍事反攻，此外任何理由和方法，都是治絲益棼，決無裨益的。相反地很可能釀成若干更不團結的因素，而爲親者所痛，仇者所快哩！若以政府既經發出三次會談的諾言，不宜失信，這是形式主義的見解，無濟於事。眞正的團結精神，要以事實來促進，才可望堅定不移，注重形式，只是點綴昇平的玩藝，非所語於國運艱危的現階段。所以，我認爲政府如其對反攻大陸的軍事行動尙在斟酌攷慮之中，陽明山第三次會談即以稍緩爲佳！如其眞要舉行，則事前安排與蘊事佈署諸方法，亦須加以改進，或許有所收穫也。

閩共亦正厲行血腥鎮壓

亂拋反共份子的帽子 民兵遭殃的亦就不少

（香港與大陸）中共正在福建進行血腥的鎮壓，其目標為「反共份子」，部份共軍，特別是民兵，同樣亦為中共鎮壓的對象。

上述消息是新自福州返港的商人，某君對本報記者透露的。某君是商人，他這次回福州，卻並非為了做生意，而祇是「探親」——為家人帶返糧食及日用品等。他是六月初旬回去的，在福州住了差不多一個月。為了他的家人在大陸的還很多，他特別要求不要公開他的姓名。

某君說：中共雖於六月廿三日才高聲大叫防止國軍反攻大陸，實際，據福州人所知，中共的大量調動部隊，早就開始了，可能要早於六月廿三日一個月，甚至更要早些。他說：中共在福建沿海的兵力，大有增加，確為事實，但並非是祇調來新的部隊，原來在福建的部隊，也有另調他處的。

據某君說，中共大規模的調動共軍，畢竟是否真的為了預防國軍的反攻，以及中共是否真的會向金門或者馬祖採取軍事行動，他都不敢輕於判斷，但就他所親眼看見和聽到的，似乎說明，中共的調兵遣將，偏重於鎮壓的內部，因為中共確實早就在福建省境進行血腥鎮壓的行動。另外，他說：中共確實亦有藉此「壓縮」城市人口的作用存在，好像在福州，就有許多的人被中共勒令離開了。

某君說：中共在福建的鎮壓行動，其假借的名目，主要為「防止敵特」，另亦有所謂「反黑市」、「反貪污」等。為了「防止敵特」，中共亂抓老百姓，說他們是「反共份子」。中共在福州的抓「反共份子」，方法很簡單，往往，或則是教它們要抓的人前往某地問話，往往一去就不再回來，亦不知道究竟被弄到那裏去了，又或則是公安人員上門「檢查」，把人帶走，亦從此沒有了消息。

某君說：他於六月初旬回到福州之時，由於中共已經在大舉抓人與趕人，福州已經人心皇皇，以後更愈來愈緊張，到六月廿三日中共叫出了防止國軍反攻之後，大家倒反而鎮定好多了。福州人的口裏，雖然不敢亂談國軍反攻大陸的話，卻高興在心裏，巴不得國軍真的立即反攻。

據某君的看法，中共以防止國軍反攻為名，以實行血腥鎮壓內部，固然有許多人遭了殃，但反宣傳的作用更大，中共可能是得不償失。某君說：據他所知，福州及其附近的民兵，被抓走的就很多。福州並有此起彼落的傳聞，說某部份共軍受了監視，或進行整編，足示，共軍特別是民兵，亦在被鎮壓之列。（光）

曼谷有識之士得出的結論

東南亞公約正在死亡中

組成份子勾心鬥角自私自利 不要勝利的圍堵亦大錯特錯

（本報曼谷航訊）經過寮國事件的考驗，曼谷的有識之士已經得出一項結論：「東南亞公約正在死亡中」。

這當然是一項聳人聽聞的結論，有人表示不相信——但這些人的不相信的部份理由，僅僅是由於害怕此一結論竟是事實。而實際，發出「東南亞公約正在死亡中」的這項結論的曼谷有識之士，甚至以為：東南亞公約本來就不曾認真存在過；差不多八年了，東南亞公約只是有這麼一個空招牌而已，從來就不曾有過實際的內容。

東南亞公約的原始發起人是英法兩國。那時候，法國人還陷在越南的苦戰之中。它的原始觀念，是為了保護英法兩國在東南亞的利益的。正因為如此，據說，美國起初對此不感興趣，「怕沾上殖民主義的惡名」。後來，法國受挫於奠邊府，在日內瓦會議中把越南北部犧牲了，且看來連越南南部的統治權亦岌岌不可保，而出現了「實力真空」，當時的美國國務卿杜勒斯，乃改變以往的想法，而遂有了「急就章」的東南亞公約這個東西。亦正因為是「急就章」，在許多方面，卻就使得東南亞公約一開始就存在着弱點，而成了有其名無其實的空招牌。

首先是組成份子的問題。真正的亞洲國家參加的很少，是其一；尤其像英法兩國，其中特別是法國，由於它們在這地區已經沒有多少「利益」可資「保護」，它們的參加在裏面，不是增加了這公約的力量，而是削減了這公約的力量。它們自私自利，勾心鬥角，成事不足，而敗事有餘。

其次是公約組織的問題。包括：表面上是軍事聯盟而實際未擁有一兵一卒；「全體通過」的規定當然造成每一會員國的豈有此理的「否決權」；另外則是當時甚至直到此刻美國還不肯徹底更改的所謂「圍堵」與原核武力的「大舉報復」的軍事觀念。

「圍堵」只是消極的，充其量也，祇能保本，不必論矣。至所謂「大舉報復」，那更是廢話連篇。當韓戰之時，擁有原子武力的，普天之下只有一個美國；美國在那時且不會兌現過「大舉報復」，到後來蘇俄也有了原子武力甚而核子武力了，更那裏來的「大舉報復」之事？

「圍堵」與「大舉報復」破產之餘，美國於是又發明了一個「不在錯誤的地方，與錯誤的敵人，打錯誤的仗」的似是而非的託詞。亦就是這一個託詞，落得今日寮國的悲慘下場，同時亦以事實證明了：「東南亞公約正在死亡中」。

美國民主黨籍的參議員杜門德，對於美國當局在亞洲不敢正視現實的作為，有一針見血的批判，他說：「他們仍實施一種『不許勝利的圍堵政策』；此政策的邏輯基礎，乃是共產黨將自動變為非侵略的與可以和平共處的。然而此政策的結果，卻必然是共產黨繼續擴張其暴政，雖然共產政權一直存在着經濟危機，它們卻必然能夠繼續擴張。相反地區，共產黨已經吞下的，美國從未使其吐出一小塊」。

杜門德又說：「美國曾嘗試把寮國的重要性儘量加以貶低，而出現了今日的寮國聯合政府。然而，聯合政府也者，祇是共產黨實行全部接收的一個合法的工具而已。」

寮國之局已經殆難挽救，固不必論。寮國今日之事是東南亞公約走向壽終正寢的實際證據，更誰亦不能加以否認。而美國本年初與泰國發表的那個共同聲明，等於變相的簽訂泰美聯防條約，而把東南亞公約甩在一邊這回事，也說明美國當局心目中，也何嘗還有一個「生存着」的東南亞公約的存在？泰美聯合聲明，也還並不是美國把東南亞公約看成已經死亡掉的唯一例子。美國今天在南越的作為，誰又能說它心目中還有一個東南亞公約？美國在南越慷慨赴義，披髮纓冠，壯則壯矣，也實在做得很對；但是，為了美國在寮國另是一套的大錯誤，美國在南越所追求的目標，其卒能成功的機會，祇有百分之一，千分之一，甚至萬分之一。

曼谷的有識之士認定，由於寮國之失，另外更由於美國今天在南越所做的，仍然限於「圍堵」，亦即是「不許勝利的」，其結果，往好的方面想，這戰爭將打到天老地荒而得不到輸贏，實際上，幾乎人人可以預斷，到了某一階段，美國就將把越南一筆勾銷，實行「不在錯誤的地方，與錯誤的敵人，打錯誤的仗」了。（驗）

台灣三種地方性怪病

烏腳病血絲蟲病與夏季腦炎

林肅公

（本報台北航訊）台灣的地方性可怕的疾病，下列三者是最突出的：

（一）可怕的烏腳病——烏腳病是種慢性的疾病，尤其以足部為最多。初期症狀均有間歇性跛足、痲痹、冷感、疼痛等現象，繼之局部發紺，肌肉萎縮，皮膚漸漸變成灰褐色，進而發生潰瘍。到了潰瘍程度，醫治就非常困難了；經過手術之後，大都成為缺腿斷手的殘廢者。

患者罹此怪症之後，將受到難忍的長期劇痛，因為肌肉開始潰瘍時，局部神經並不立即死亡，須待數月或數年，才慢慢枯死，方消失其感覺機能。這種痛苦，會使病人日夜呼叫，不能睡眠，身體亦日趨消瘦與衰弱。

尋找烏腳病發生的原因，是當前醫學界一個非常困擾而迫切的問題。此症不獨發生於台灣一地，其他國家也偶有發現。這種病症究竟因何而起？如何可以先期預防？以及如何可以有效治療？這些問題，到目前為止，仍然沒有一個確切的答案。

最近農復會為協助消弭台省嘉義，台南沿海地區流行的這種烏腳病病源，頃已同意補助款項，在該地區設立三所自來水廠，供應消毒後的飲水。農復會此舉係根據台大醫學院及美國海軍醫學研究機構，在台南縣北門學甲及嘉義縣布袋等地，經過多次調查研究後，認為烏腳病感染的病源，與飲用深井水有關，因為這種井水含有過量的鉀，足使血管栓塞，而成為烏腳病，乃建議建設自來水廠，預防病源的感染。

決定建設的三座自來水廠是北門學甲及布袋水廠，業經省公共工程局查勘完竣，現正着手設計中，預料此項建設不久即可完成。

（二）可惡的血絲虫病——血絲虫病也是一種地方性的特殊疾病，在台灣只有澎湖地區有此怪病。據台省衛生處的調查報告，澎湖民衆大部患罹此疾。近年來，曾經瘧疾專家從事血絲虫病源的檢驗與研究，曾解剖當地蚊虫，尋找病源。在捕捉之大量蚊虫中，經解剖化驗結果，發現含有血絲虫病菌之蚊虫，平均約佔百份之十，由此可以大概確定，傳播血絲虫病菌最烈的媒介，當為熱帶蚊蟲。因此，今後在防治與撲滅時，亦將以此種蚊虫為主要對象。

血絲虫病的病情與發生瘧疾之狀況大同小異，雖不一定可以致人於死，但如日久不愈，一有併發症後，則頗有生命危險。平時預防是重要的，患者尤須速予治療。要根絕澎湖地區之血絲虫病，似應分三方面進行：一、對當地民衆普遍進行抽血檢驗：凡屬罹有血絲虫病菌之患者，一律予以免費治療。二、廣泛的進行調查與實驗工作，俾能進一步找出病源。三、設置巡迴衛生常識講演，宣導民衆切實注意環境衛生。

（三）死亡率最高的夏季腦炎——「夏季腦炎」這一疾病，在台灣好像特別突出，是最令人困惱的一種具有地方性的病症。這種病的症狀，是患者突發高燒、嘔吐、噁心、頭痛、全身疲倦，痙攣、神智不清、或者昏睡不醒等。如果情況嚴重，大約過三五日即告死亡，病症較輕的，尚可支持旬日之久。患這種病的後果，患者即使幸而不致於死，其神經系統亦必受到極大的傷害，使人變成思想遲鈍，甚至白痴或半身不遂等現象。如何預防和撲滅這一種不可忽視的疾病，亟待醫藥界的努力。

澎湖漁民海上過節

當前問題魚賤傷漁

（本報記者澎湖航訊）七月一日漁民節，台灣省各地均有慶祝典禮之外，還有「吃魚大會」。澎湖是一個大的漁鄉，全縣居民，十九靠漁吃飯。可是，漁民們為了正值漁撈季節，不肯犧牲漁獲，所以大多數漁民都是在海上慶祝他們自己的節日。

澎湖區漁會，在新建大樓舉行慶祝禮，表揚模範漁民之外，還有其他各項活動。慶祝會於上午十時起，會舉行雞尾酒會，倒亦熱熱鬧鬧。目前澎湖漁業所面臨的是「魚賤傷漁」問題，加強運銷和加工，是當前急務，漁會和主管當局，必須設法從速解決這個問題。

△七月二日上午十一時半，馬公港舉行克難自製四百噸油駁下水典禮。該油駁全長一一〇呎，寬廿六呎，深十呎，吃水七呎，全部由國產材料克難完成。

下水典禮前，縣長徐詠黎，議長鄭大洽，暨各界來賓均前往道賀。典禮於十一時半，隆重舉行，主席報告建造經過；來賓的致詞，除讚譽外，並望善自保養與供應。剪采，擲瓶，下水禮在爆竹聲，鼓掌聲和音樂聲中，順利下入馬公港海面，為各次下水典禮中最為順利者。馬公港有此造船能力，對於海上交通很有貢獻。

△澎湖縣白沙島與西嶼（漁翁島）之間的西嶼跨海大橋，一度被經濟部估其「經濟價值」而考慮起來，大家都對它十分「關心」。問題是在「經費」；同時大橋完成之後，要像台北中興大橋那樣收「受益費」，也不可能。

最近，經費方面已經有關方面儘量爭取中。蔣總統巡澎時，曾認為此橋建築對民生，軍事都有重大價值，指示公路局戡測及計劃。預算以混凝土橋面及木沉箱為基，低估也要四千二百萬元。（陳知青）

越南的山地民族

雷震遠

至於時間則以太陽的方位而定。夜間則以雞鳴為準。月形被視為一月的標準。里程距離亦同時間關聯。譬如說某地至某地距離三夜，意思就是說自某地至某地的行程需宿三夜即四天的行程。

山地人的民歌表示他們是一個流浪的民族，「因着家庭的需要，離棄了日出的家鄉，渡過大海，而抵日落的地方」。很多歌詞中都陳敘他們如何達到越南的經過：先是由沿海地區，繼而飄海航行，遇着鯨魚……他們終於戰勝各種難關，到達了目的地，以後又經過許多磨折，遷居山區。各部落每隔五年或十年十五年要再尋找新的共同耕地，為此所繪地圖每年都要變更，增加新的村落路徑，並除去以往的村落及路徑。

各孤立部落亦有其接觸機會：季節約移動，偶而的會合，交誼的旅行，例習的訪問，二族的通婚，都常使他們有歡聚的機會。在法治以前的越南時代，山地人民每年必下山一次，赴海邊交易。每當旱季，稻已收割，所有男女老少，各負高簍，結隊上路，他們攜帶着他們的織品、皮革、猪鬃，前往沿海各鎮交換衣服、食鹽、缸罐等物。他們順着歷年的老路，自西北而東南越過山嶺，循着海崗，下至平原，或抵藩切，或赴藩朗，或至芽莊。這是以往的大路和要道（如藩切路，藩里路）。整個行程有時需數星期，因為他們的負荷沉重，不過山地人不以為苦，反以為是每年最愉快的機會，最樂道的事蹟。

山地人以前不識錢幣，他們從前的賦稅亦屬天然產品（猪、皮等），一切買賣都是原始式的交易，以物易物。

旱季之時，收穫之後，燒山之前，是一個最適宜的旅行季節；他們成結結隊，自一村至另一村，直到海邊。

有時山地人因收穫豐盛而去苗區買布疋和衣服，並至柬埔寨尋求象牙、罐缸及銅鑼。如果所收米穀不夠時亦可用他們各自的手工品去換取小麥之類的柬埔寨品。直至現今，在富有的山族家庭中，我們仍能看到很有價值的銅鑼，來自柬埔寨或寮國，紀念着他們過去豐收的時節。

那些旅行有時也正是選擇配偶的機會；通常山地人是在本部落，本村鎮中選擇，但有時他們亦可到隣村隣鎮去尋求，隨着當地風俗，或迎取，或入贅。但與中國人，越南人或法國人通婚則被認為背棄祖族，為數極少。山地部落間的通婚，即使他們之間的關係更密切，即如苗人與斯惹人以及斯惹人與儂人之間的關係一般。

地理、政治、文化的各種因素，造成目前山區地圖上的點綫，使彼此之間發生關係，互相影響。湄公河便是一門，連貫着苗、斯丁、巴納以及西北山地各部落，與柬埔寨及寮國一帶也有頻繁的交易與來往。獨木舟亦可載重二百公斤，這是斯惹人在山區行動的路途。至於苗人則慣用大象負載。斯丁人上大勒及保祿，勒來人上諾安，以及巴納人上寨當等地區的道路，幾乎都是與山脈平行的，這就是所謂的「鹽道」。山地人循此道以至海邊，巴納人慣去歸仁，儂人常赴芽莊，葉人、斯惹人、勒來人則上藩郎、番切購鹽。（四）

天南風光

——沙羅越的生活方式——

朱淵明

夏秋之際的香港，時常酷熱難耐，不但白天熱，夜裏也是熱；不但晴天熱，雨天一樣熱。香港不過處在亞熱帶地區，已經熱得如此，若果到了真正熱帶，豈不熱得更加可怕？

沙羅越就是真正的熱帶，它靠近赤道，佔北緯一度至五度之間，但是它的氣候卻不像香港熱得如此討厭。沙羅越有一句口號，叫作：「四季皆是夏，一雨便成秋」。就是說無論怎樣熱的天氣，一下雨就立刻轉涼，有如秋季氣候。不但晴雨可以互相調劑，就是白天與夜間，溫度也相差在五度與十度之間。例如白天有九十度，夜間即可能轉降到八十二、三度甚至八十度。而九十度已經是大熱了，那種日子也是不多的，通常都只在八十五六度左右。夜間則多在八十度以下。故夜眠者大半都蓋薄毯，或抱一個大枕頭，以掩護胸腹，免受風寒侵襲。

香港、台灣、日本、以及菲律賓等處，又常遭受颶風之侵襲，或地震之災害。但沙羅越則絕對沒有。土人們竟不知地震為何事。風風雨雨，自然難免，但掀天動地的颶風與颱風，則從未之見。那面也有氣象報告及廣播的設備，可是從不聽到有什麼「小姐」要光臨沙那的呼聲。而那面的房屋，多半是木頭或亞答葉搭蓋的，過去雖然也有磚瓦建築，但是只有巴黎——市鎮——可見。近來新式建築，逐漸蓬勃，然而廣大鄉村依然如故。那些土人與馬來人的房子，乍然一看，彷彿有點東倒西歪，但卻數十年如一日，居然安若泰山，這也就是拜沒有地震和颶風之賜。

加以出產豐饒，環境寧謐，起碼的生活極為容易，故沙羅越的土人（即伊班族）熱愛故鄉，同時也安於現狀，因之進步很難。雖然英國殖民政府年來竭力推行土人教育，然大體說來，一般的土人之文化水準仍非常低淺，尤其是他們和她們的數字頭腦，大多只等於香港幼稚園初年級三四歲的孩子。例如她們到華人商店買東西，買一件即算一件的錢，絕不會兩三件貨物一併計算的。（一）

公道篇

林

公道社會思想發凡（代序）（二）

「公道是人在地球上最大的好處」（Dandiel Webster語）；「以平等正確的公道對待一切人，不論其地位及宗教，政治的派別」（美總統佧非遜Thomas Jefferson在一八〇一年時就職首次演說語）。要引用這些寶貴的公道話，真是寫不盡，引不完。但這些前人心血，對後者祇是白費：在華盛頓領導反抗殖民地戰爭成功後，今日還有殖民地；在一再世界大戰不久後，今日又面臨第三次大戰的威脅；在這些推進人類漸趨於毀滅的過程中，被稱為人類智慧的學者專家們，做到甚麼？請聽聽羅曼羅蘭在第一次大戰和約簽字的一九一九年六月二十六日時所發表的「心的獨立宣言」的幾句話：

「在他們的知識武庫，記憶，及想像中，我們已找到了很多怨恨的理由，新的和舊的理由，並且是歷史的，科學的，邏輯的與詩歌的理由，他們竭力要使毀滅人間的互解與互愛。如此行為，實是玷辱思想，而他們竟是思想的代表。……他們以之作為一種工具，來謀政治與社會的集合，邦制、國土，或階級之自私的利益……」。

不幸，歷史不斷重演，在我們的時代，又看到太多這樣的「智慧的工具」。當前人類已給拖進死亡的邊緣，但這些「智慧者」們還說這是「智慧的貢獻」。老實說，「這些傲岸與互毀的熱情，我們不要選擇，而要完全棄掉它。我們祇推崇眞理，眞理是自由的，無限制的；眞理不知有所謂種族與階級偏見……」（同上羅蘭語）。

任何偏見都不公道，不公道帶來禍亂與戰爭，戰爭帶來人類的毀滅。我們究要文明毀滅，世界回復黑暗？還是要和平，康樂，自由和幸福？如是前者，就讓我們保留不公道的社會制度，和奉承「智慧的工具」的成就，好加速我們同歸於盡吧！若是後者，我們就要鼓舞革新的勇氣，揚棄功利觀念和政治成見，由個人到社會，都要重新估計，用新的觀點，作一徹底的檢討，來如何申明公道的主張，樹立公道社會制度的風範，以建立一個公道的世界。

古老的霸道方法，及任何武力的儲備，都無可能澈底解決這個世界問題。惟從各個社會階層，就其國情需要，推行切實可行的方法，從事消滅社會不公道不人道的事件，才是根本解決這個世界問題的核心。

我們現處的是一個模稜兩可的，是非混淆的世局，稍不審慎，可能帶予人類的不是幸福，而是更大更深的災害。比如那些中立主義，中間路綫，第三勢力，與和平運動等組織，通常是予人以迷惑之感。善惡之間，原僅相差一綫，我以為凡屬中間性的勢力，如不予人以一個明確的哲學基礎，示人以一個可行，超越而具體的社會制度，則難免被人誤解為投機取巧，動搖依附，失敗投降的集團。道德並無中立：善惡不容折中，所以和平運動工作者不能徒恃消極的呼籲，與主觀的空想，最要的是如何使人類能儘速普遍地從教育中獲得和平的思想，又在社會建設中促進有和平內容的制度，否則便難免浪費金錢與精力，徒予現實勢利主義者以嘲笑資料。

虛君續夢

第六回：

筆大照邊陲　同惡難濟
樓船橫碧海　大憝興悲

集中營裏絕大多數是愛國華僑，一看左派份子也來了，正是仇人相見，分外眼紅，一聲喝打，就把這些親共華僑打得鼻青臉腫，及至印尼警察來拉開，有的已被打的奄奄一息。

印尼排華最初原以大中城市為主，以後新有偏僻鄉村都捲進去，使幾百萬華僑生活陷於絕境。少數親共華僑，平時迷信「強大的祖國」可作泰山之靠，現在一旦受了欺凌，只有向當地中共「領事館」投訴。

中共「領事館」自無法處理，就報到「大使」館。中共這位「大使」黃鎮，是從匈牙利調過來的。過去原是一位「將軍」。

當一九四九年底，中共政權成立之初，世界上也有二十幾個國家予以承認，並且交換了大使，中共當時那有這麼多的外交人才，除去駐蘇派了王稼祥，印尼派了王任叔是兩個文人，其餘全是些「將軍」，因為中共就是這一項「頭寸」充足，至於「將軍」能不能勝任「大使」，也就管不了許多。黃鎮在匈牙利待了五年，到了一九五四年秋間，王任叔在印尼出了問題，被印尼列為不受歡迎的人物，中共只好召回王任叔，就把黃鎮從匈牙利調過去。

黃鎮這個人是老「同志」了，中共在江西被五次圍剿時，他都在場，那時担任紅三軍團五師十三團的團長。軍團長是彭德懷，師長是李天佑，團政治委員是蘇振華。這批人後來都飛黃騰達，李天佑當了廣州軍區的政委、司令員，蘇振華也當了海軍司令部的政委，都官拜「上將」，只有黃鎮被擠去幹這樣一個牛頭不對馬嘴的差使，說來還是吃了脾氣的虧，若把中共大頭目比起水滸傳一百零八位頭領，黃鎮的為人有些類似急先鋒索超，像這樣一個人派出去當「大使」，遇到困難問題沒有不撞板之理。

當各地「領事館」把情況緊急報告給「大使館」時，黃鎮又拿出在國內打人海戰術的老辦法，命令各地領事館「護僑」，這些所謂「領事」，也都是扛槍桿出身，平時就相信槍桿萬能，現在得到「大使」指示，真真去武裝「護僑」，其中首先倒霉的是駐棉蘭的「領事」，他出動了領事館人員，親自到鄉下去「護僑」，被印尼軍警扣留了一夜，隨員都挨了打。

消息傳到耶加達，黃鎮更是火冒三尺，就要去印尼外交部交涉，那知道印尼抗議書來到了，反而指中共駐棉蘭領事干涉印尼內政，限他二十四小時離境。

黃鎮更加憤怒，但是，他又不知道舉出事實和印尼交涉，只是一位蠻橫，第二天親自坐着汽車也去「護僑」，黃鎮自仗有外交官身份，印尼不敢奈何他。那知道印尼也是一個半開化的國家，軍警知識落後的很，他們那裏理會得你是什麼外交官，照樣不准通行，把黃鎮逼回「大使」館。

黃鎮「護僑」不成，招來大麻煩，激起印尼人的憤怒，加上印度駐耶加達大使從旁煽動，印尼人也仿照紅頭阿三的辦法，用椰子葉紮了兩個人像，畫了周恩來同毛澤東的臉譜貼上去，在耶加達遊行示衆一周，然後用火焚掉了。黃鎮打電話同印尼外長蘇班特里奧交涉，蘇班特里奧表示無能為力，因為印尼是個民主國家，人民有遊行示威的權利，他們願意燒掉任何人的像，政府都無法干涉。（一一七）

皕宋樓

皕宋樓者，項城袁抱存克文藏書之別署也。克文行二，字豹岑，一字抱存，別署寒雲，爲袁世凱第二子，母是高麗閔氏，故血統攸傳，其膚白皙，幼時聰穎，世凱甚鍾愛之。迨袁氏稱帝，雖被封爲皇二子，他却反對帝制，曾以詩寄懷，有「瓊樓高處不勝寒」之句，因克定加以媒孼，遂爲世凱所不喜。而其名乃因是傳遍國內，多稱其賢。

寒雲眞是曠世一異才，他於詩詞歌賦之外，喜度曲演劇，復廣藏書，集郵，搜泉幣，集印章扇骨，風雅已極。蒐集宋元舊本甚夥，最珍貴者，約百餘本，特顏其室曰，皕宋樓藏書。凡是古書，靡不收購，因此名滿國內。宋刻元版，善價待沽。當其寓居上海時，古董書畫之販家，羣集其門。但其收藏寡恆，雖有數年，每逢見到古泉，即將郵票出售，棄若敝屣。故其身後所存，祇殘卷若干而已。

憶玉軒雜綴

抱存初受業於揚州方地山爾謙，詩文古泉，皆其薪傳。再師宣古愚，則鑑別其他古物。又從業於李木齋盛鐸，悉研考訂書籍版本。生平事三君，執禮甚恭。他頗擅製挽聯，汪笑儂死，有聯挽云：「國破家亡，幾見人來哭祖廟？世亂時荒，請看我去罵閻羅！」哭祖廟，罵閻羅皆汪氏名劇也。况蕙風歿於海上，袁挽之曰：「比夢窗白石，老宿成家，儘低唱淺斟，一代詞人千古在；溯滬尹缶廬，殷勤共話，恰小樓清夜，十年江南幾回逢！」皆極有神韻，而哀淒也。

袁氏喜風流，常作平原遊，屢問章台柳，偶有所獲，即納歸後房，前後幾有九人，即梅眞，佩文，瓊姬，鳳珠，鶯鶯等，其來處非盡屬倡門，或有小家碧玉，或是船孃，而閒雜青樓。其別緻處：如有求去，則悉縱其行，因其喜阿芙蓉，晝夕互易，而侍姬未必安之。憶及小鶯鶯在平初負名，余曾一見，不及三月，即爲抱存量珠而去。他有一種玩厭即遺的觀念，故及其病歿臨終，身旁僅有一人耳。

當民九之年，溥西園組言樂會，每次彩串，寒雲必來，因得相晤，蒙其贈聯，落款則書袁克文。據方孝吾兄告：凡不識者，皆署寒雲，以示有別。斯亦奇也。

花香月上樓小品

廈門的白鷺

黃葉村人

廈門古稱白鷺洲，亦曰鷺江、鷺門。顧名思義，在古代當是一塊大沙洲，大叢林，爲白鷺棲息與集散之地無疑也。但時代變遷，自清初鄭氏父子割據起義失敗之後，此一片荒蕪之地，滿清闢爲要塞，設提督、兵備道、海防同知于此。于是生聚日繁，來者益衆。尤其五口通商後，英國太古洋行、滙豐銀行、得忌利士行，日本三菱、三井、大阪商船會社、台銀灣行，德國西門子，美國美孚火油公司，英國亞細亞火油公司，荷蘭渣華輪船公司等，如雨後春筍，爭先恐後，紛紛設立。戶口亦由不到十萬增至二三十萬，這塊沙洲，已一變而爲高樓大廈之通商大埠矣。這是清末民初至抗戰勝利後三四年間的情形。共匪入據後，迄于今日，當又是一番形態，暫時不去談他。

說到白鷺，在光緒末年，當以廈門港（地名，即後來之思明南路廈港段）廈防廳衙門鷺羣爲最。友人周維熊，爲廳署稿吏，知其事最稔。據謂：廳之後山，大樹叢雜，鷺巢不可悉數，約而計之，至少大小有二百隻。署中人無敢射殺之者。相傳：鷺愈繁殖，則官升遷有兆，反是則不吉。故歷任同知，皆沿舊習，戒諭親屬，不加侵犯也。清末，任廈防同知數人，如鄞縣趙時棡，叔孺，香山鮑譽林，紹興鈕耕孫、承藩，皆當代書畫名家，趙鈕且繪有「瑞鷺圖」及「吉祥鳥」，以喻廈門之白鷺。其次：萬石岩、雲頂岩、白鹿洞，亦有鷺巢，但較之廈防廳衙門之鷺，則衆寡懸殊矣。

鷺日出而覓食于禾山，廈門港附近之海灘，遠及于石碼、海澄、漳浦等地，蓋沿海多魚蝦出沒，利於得食也。朝日未出，鷺即噪巢，由少而多，嘈雜紛紜，復由多而少，逐漸趨于沉寂，蓋分批出發也。至其歸也，陰則較早，晴則稍緩。既返，則止樹少憩，或喁喁細語，暢敍幽情；或默默無聲，神遊心會；或則集隊同歸，稍停復翔，迴旋上下，兔起鶻落；誠奇觀也。（未完）

談朋黨

汶津

有人類處有派系。例外也許有，簡截的說：不多。人既不能獨處，混在一起就想分分此同彼異了。「和而不同」到底只是一種理想，「結交」之餘，就有屈己和斥人的毛病。一方面是個人人格、個性打了折扣，一方面是樹立了許多莫須有的敵人——那些敵人也許是更宜於認作朋友的。

寫「朋黨」這樣的文字，未免給人歷史專題討論的錯覺。其實身邊瑣事中，在在可以看出朋黨的影子。「張家長、李家長」是一種基礎，「有爲者亦若是」如果稍加曲解，也可以成爲另一種。處世的難處，前人說了又說，却往往忽畧了一個主因——派系或朋黨。

面對這芸芸衆生，你說是衆醉獨醒吧，到頭來你的超然，也許恰好是一種逃避。連聖者如耶穌，都有他的「黨」，甚至還有意無意的使一些權術。但如果所有的黨與都像耶穌和他的十二門徒那樣就好了；這當然是空想，何況就連耶穌的「聖黨」中，也還有不肖而叛主的猶大呢。據史家考查：猶大出賣老師的動機似乎是意見不合，倒不見得只爲了貪那點兒貨財。不管怎麼說，這總是一個範例：即使是君子之交，也難得沒有一點杆格的。

在歷史上看，西洋的黨爭的確包含了宗教，而且很轟轟烈烈，十字軍東征，宗教改革都是大規模的；英王更爲了與元配離異而自創國教。中國雖也有三武之禍，到底寥寥可數，而且時間短暫，空間有限，比起來可眞是大巫見小巫了。但中國的知識份子也是好黨爭的。東漢的黨錮之禍，北宋的新舊之爭，清末的維新之變，曾給予整個民族多少激盪！而且雙方都是理直氣壯，勢不兩立。大概這種情況總是意志和情感佔了上風，說到理智，可能一方面強些，更可能只是五十步笑百步。連帶波及無辜的老百姓，最後連底帳也算不清了。漢末宦官、外戚、士子、軍閥互相攻訐殺伐，犧牲得最多的恐怕還是那些歷代耕織的無名「英雄」吧。

文學史讀到唐代，大有一新耳目之概。可是韓愈就是亂向宰相、尚書上書的「前輩」。柳宗元爲人該是可敬些，却也不免坐了王叔文的黨禍，終生鬱苦不得意。牛、李之爭，連九五之尊的唐文宗也說：「去河北賊非難，去此朋黨實難。」這和王陽明的「破山中賊易，破心中賊難」，正有異曲同工之妙。同樣使凡人（甚至「天子」）無可奈何。

白樂天想超然兩黨之外，只有自求置身閒散之地，這也可以說是「其志可嘉、其情可憫」了。

我常懷疑低等動物是否也有朋黨之爭。最後的結論是：然。小學課本就有紅螞蟻和黑螞蟻大戰數十回合的故事。「螳螂捕蟬，黃雀在後」，不正是今世社會的寫眞？寓言、童話裏的動物，也常是喋喋爭吵的。

黨字從黑，多少是有點不夠光明正大的。所以政黨活動有保密一目；同黨份子常在各色人等雜陳的場合中交換眼色。當官的和當兵的也是一種對立，同位相護。一個人升了官，老同事自然都來恭喜，但不久之後，他便將發現其間的距離愈來愈大，他不得不和另一夥職位相當的人打交道了。「時勢造英雄」，豈不也可以運用到這方面？

利害關係愈複雜，朋黨現象愈熱鬧，這是不卜可知的。在美國那樣的民主國家，許多怪裏怪氣的小黨都可以隨意活動，但能那樣堂而皇之發表黨綱政見（即使近乎謬論」，倒是可以使人鬆一口氣的。只怕是暗中發表，無聲無臭，到時候繁花滿枝，是蘭芝也好，罌粟也罷，反正它已經存在着那兒了，要想「解除武裝」，也談何容易。

有些黨與是習慣造成的。有不少朋友似乎總覺得不攪點小組織，簡直枉生爲人。於是同鄉會、同學會、同業公會，煞像雨後春筍或風捲落葉，叫人無所適從，靠左難進，向右又行不得也。因朋黨而家破人亡，甚至攪垮社稷的固然使人寒心，即使僅僅造成許多失眠症及精神病患，也是夠瞧的了。

要想對症下藥，我們不如努力研究優生學。因爲結羣、分派幾乎是人類的本能。退而求其次，就得藉助於開明的教育了。

海嶠墨談會

言行相悖的政客

諸葛文侯

中國近代的政治名人中，表面上言論最漂亮，態度最和藹，容易博得別人好感的，殆以汪精衛爲第一了。但事實上，他乃是個毫無民主法治思想的舊式政客，試畧舉數事，以明吾說。至於他當年跟共黨沆瀣一氣，危害國民革命，後來又通謀敵國，妨害對日抗戰等行爲，皆不預焉。

民國廿二年汪在行政院長任內，監察委員劉侯武曾提案糾彈鐵道部長顧孟餘有瀆職情事。這原係很平常的問題，是是非非，一經依法澈查，即可水落石出，被糾彈的人亦可提出答辯，並不是有彈劾案就一定要受處分的。可是，汪氏竟在紀念週會上以憤怒的詞色，大罵監察委員，誣枉素具清望的顧部長，說是「本黨決不容許黨員如此胡鬧」，意在恐嚇劉侯武有被撤去委員職位之可能，因爲那時候的立監委員都是通過執政黨中央黨部後，由政府派任的。似此壓廹言官的專橫作風，即在君主專制時代，亦所罕見。顧氏是汪之私人小派系的親信份子，即不許監察委員有所糾彈，衡以汪氏平日的言論風采，不是判若兩人嗎？

民國廿三年南京民生報揭載行政院政務處長彭學沛，利用職權機會，勒令包工建築行政院官舍的商人，替他建造私人住宅一棟，免費贈送，而將建築材料暨工價，一併列報於官舍預算之內。這種事情無論虛實，皆應交由法院偵查訊究才是。但汪氏竟濫用其政治權威，將該報實行封閉，拘囚主持人成舍我歷四十天，且聲明永遠不許他再到南京辦報。這是根據總理遺教或者國家現行法令，所應採取的對待輿論界的方法嗎？實與北洋軍閥的行爲相伯仲耳。

同年上季，新疆省主席金樹仁卸職南來，先赴廬山晉謁各長官，再到南京分謁中樞最高當局，詎金氏抵京之次日，即被汪院長以「擅自對外簽訂喪權辱國條約，及激起回漢民族糾紛致釀成事變」的罪名，加以拘捕，結果金氏並未受到處分，只是枉遭若干時日的牢囚之災而已。原因是汪的親戚兼行政院秘書長褚民誼，於民國十七八年間率領所謂「中法考察團」到新疆時，曾向金樹仁乞借旅費四千元，金氏給以支票，囑到北平某處兌現，褚未能取得現欵，銜恨在心；而汪氏於民國十九年在北平攪擴大會議時，亦曾派人游說金樹仁合流，被金氏婉言拒却了。如是汪褚二人就利用權力假公濟私，以報夙怨。當時南京「華報」曾刊出社論，爲金氏作不平之鳴，汪見而震怒，嚴加追究，嗣知該文執筆者係中央通訊社職員梅川克，汪又召見中央社負責人蕭同茲大加呵責，認爲中央社的人不應該反對政府的措施。幸而不久汪氏即以遇刺下台了，否則「蕭三爺」的中央社社長職務，亦有被汪氏弄掉之可能。

綜觀上述事實，在國民政府治下，還有誰人幹出過這種摧殘言官與輿論的惡行呢？

盧象昇與楊廷麟

·李仲侯·

出都日，帝嘗象昇兵部尚書，三賜尚方劍，督天下援兵。嗣昌送之，屏左右，欲有言，久而不能出口，第丁寧毋輕戰而已。象昇念帝意頗銳，而事多爲起潛所撓，憤甚，疏請分兵，嗣昌定議：宣大山西三帥屬象昇，關寧諸路屬起潛。象昇名督天下兵，實不及二萬。越數日，嗣昌至軍，象昇責以阻師。且曰：「公等堅主和議，獨不思城下之盟，春秋所恥，長安口舌如鋒，恐袁崇煥之禍立見」。嗣昌頳赤曰：「公直以尚方劍加我矣」！象昇曰：「既不奔喪，又不能戰，尚方劍當先加己頸，安得加人」？嗣昌曰：「公毋以長安蜚語陷人」。象昇曰：「周元忠赴邊講和，往來數日，其事始薊鎮監督，受成本兵，通國共聞，誰可諱也？」嗣昌語塞而去。又數日，會起潛於安定門，象昇大言：「非血戰無以盡臣職！」起潛曰：「恐野戰非我所長耳。」兩人始終各持一議。（三）

內僑警台報字第〇三一號內銷證
自由報
THE FREE NEWS
第三五二期
中華民國僑務委員會頒發
台數新字第三二三號登記證
中華郵政台字第一二八二號執照
登記爲第一類新聞紙類
（半週刊每星期三、六出版）
每份港幣壹角
台灣零售價新台幣弍元
社　長：雷嘯岑
督印人：黃行憲
社址：香港銅鑼灣高士威道二十號四樓
20 CAUSEWAY RD 3RD FL
HONG KONG
TEL. 771726　電報掛號.7191
承印者：田風印刷廠
地址：香港灣仔高士打道二二一號
台灣分社
台北市西寧南路壹壹〇號二樓
電話：三〇三四六
台郵撥儲金户九二五二

對台峽局勢的觀察

・林介山

六月中旬以來，中共以備戰姿態，增兵福建前綫，隨着不久恢復炮轟金馬，並傳說已改用米格十九型機巡邏沿海上空，使台灣海峽突見吃緊，進入交戰前夕狀態。

外論一般以爲中共的增兵，祗是一種姿態，實際則另有作用。所謂作用就是（一）防禦國軍反攻；（二）藉此鎮壓沿海省區內部的不穩情勢；（三）在必要時以攻爲守。

七月五日美國國防部高級官員分析中共增兵的動機，強調中共倘不忽畧軍事事實，將絕不會發動台峽戰爭。這是說，中共增兵純係防禦性質。

從常理測，影响國軍尚遲遲未見實行反攻大陸軍事，就因爲有一個中美協防的條約。但若中共竟敢於主動發動台峽戰爭，那末便無形爲國軍解除中美協防條約的限制，而無異自尋死路。所以認爲中共不敢蠢動，事屬可信。

但中共增兵的動機，我以爲並不祗於此。憑中共詭變的特質，其增兵作用還有可能是：（一）試探美國對國軍反攻大陸的態度；（二）利用西方恐共，怕戰，姑息等心理，藉增兵以加濃第三次大戰的威脅，使間接牽制國軍，延緩反攻時間，以求喘息機會；（三）擺起強大姿態，使自由國家發生錯覺，認爲中共仍有控制大陸能力，而拖緩國軍反攻的時間；（四）先行動員大陸，作迎戰國軍反攻的準備；（五）萬一於國軍實行登陸作戰時，中共亦即時以攻爲守，進攻沿海的各離島；（六）藉增兵防禦國軍反攻的態勢，以爲呼應及掩護越寮共進行赤化東南亞的任務等多項。

上述第一二兩點已有事實證明：中俄共於事前默契，佈下圈套，利用美國的天眞幼稚而輕率的言論及行爲，誘使公開聲明向中共保證不支持國軍反攻大陸之後，方由赫魯曉夫強調支援中共反抗國軍，使造成世人一種錯覺，認爲如果國軍反攻大陸，第三次大戰即可能爆發。這個陰謀並發生心理戰的作用；一是對西方的姑息主義，使拉緊美國，永遠不會支持國軍反攻；一是向若干苟安的官員及大陸的反共人士，投下孤立無援的陰影，而散渙民心，摧毀士氣。

就上述的第六點言，當前國軍士氣昂揚，威力雄峙亞洲，爲最堅強之反共陣綫，且有第七艦隊的協防，果中共竟敢於冒險犯難攻台，必然是慘敗。攻堅爲兵家所忌，毛澤東素以不打無把握之仗自命，其增兵當不在主動攻台，而是具有另一種陰謀，自足顯見。較爲可信的，那是在環繞中國大陸的戰場中，中共箭頭所指向的標的，應是最弱的一環的東南亞。北越與寮國是進入東南亞的缺口，仰光，曼谷，西貢等世界三大米市均在寮國傍側，難得美國賠錢製造僞裝中立的寮國聯合政府，使越寮共南侵合法化，南越就已被赤色勢力所三面包圍。顯明，如何利用北越及寮國當前的有利環境以擴張共黨勢力，使共黨國際日夕夢求的（一）糧食供應的產地；（二）廉價原料的供應地；（三）廣大的市場的東南亞，突於一天全面赤化，從而直接間接要脅日本就範，方爲中俄共共同勾結的目的。假設共黨掠奪東南亞計劃實現，自由陣營從此即處於逆勢，中共內部的危機亦可由是扭轉，故云中共增兵乃負有呼應及掩護越寮共進行赤化東南亞的任務。但顯明東南亞赤化問題爲美英及東約等國共同重視，而台峽風雲僅有美國較爲關心，美國並在越南擺下不惜一戰姿勢，東南亞各國亦復如此。這在比重上台峽風雲在各國眼中便反爲次要，祗希望美蘇不介入，使大家不担心。中共把握西方國家怕台峽風雲引起大戰的心理，便乘時增兵，配合赫魯曉夫的口頭支援，加濃台峽風雲的陰影，以轉移西方重視赤化東南亞危機的視綫。大概言之，假如共黨利用越寮共有所竄動，若爲英美阻撓，台峽風雲就必然爲中共加強製造緊張；相反，若台峽對中共有所不利，越寮共也必然有所蠢動。如此這般，中共增兵沿海作用，眞可說是一石數鳥戰畧的運用。中共此種陰詐狡計，是否有所收穫，就全看對台峽有利害關係的中美巨頭的持重程度以爲定。

不過，中共增兵閩省前綫，顯明是反映中共極端恐懼國軍反攻大陸的心理。它必然內部遭遇到某種困難，如經濟崩潰，民心浮動，軍隊不穩等情勢，廹使其不能不藉增兵鎮壓。另一面，蘇聯並不於中共增兵開始時即發表支援中共反抗國軍反攻聲明，而在套騙美國向中共保證不支持國軍反攻之後才見發表，這顯見亦是反映蘇俄有所懼畏，並反映蘇俄並不願意實際支援中共，所以其事後對中共的聲援，不外「靠把口」，「聊備一說」而已。

中共增兵福建前綫以後，使人遺憾的，中美雙方都先後發表過「不持重」的言論。一爲美國不支持反攻說；一爲國軍反攻要取得美國同意說。前者使堅強反共的自由國家失望，影响反共士氣；後者自毁國格與獨立主權立場，影响政府威信。前者與後者的發言，均無助於反共的前途，不利於自由的國家。且此類發言，發與不發，均無必要，何不緘默，以靜待變，豈不更佳？然竟一失在前，一失在後，對如此嚴重問題竟亦輕率如此，眞使人深感「人才難」之歎！

自台峽風雲拉緊以後，對反攻大陸問題，海內外即紛紛展開討論，自亦因此有人持悲觀論調，或持樂觀的態度。事實悲觀是不必，樂觀至於熱望立即打回大陸才過中秋，那也不合事實。因爲（一）颶風季節即將來臨，台峽不會出現渡海登陸戰；（二）中國大陸除人爲天災及主義災禍外，今年再出現兇險之自然天災，計秋收後至明年春這幾個月時間，人民可能在青黃不接與秋收失敗的饑火衝擊下，會到處起來暴動以求自救，如此反攻大陸會更易成功；（三）目前西方的觀點和我們的想望固有衝突，但若冷靜幾個月，澄清不必要的疑慮，對反攻的助力，將會更大；（四）估計中共由天災人禍造成生產失敗的惡果，由今年冬至明年春夏間，將出現最混亂的高潮，大陸反共革命亦必然更有組織地隨處爆發，那當是最佳的時機。

保證反攻勝利的信心，是因有中共增兵的事實而加強。中共既有所恐懼，那就證明其內部確有問題。同時，中共在美國保證不支持國軍反攻之後，仍需懇求赫魯曉夫用口頭撐腰，而不敢單獨向國軍挑戰，便等如證明中共的空虛與戰慄。因此，如果國軍實行登陸作戰，大陸人民必然到處響應，而全面起來摧毀紅朝，已不是一廂情願的主觀願望。

綜合上文分析，由今年冬至明年秋才是最佳的反攻大陸期間。但若過此，政府的歷史交待就有了問題；且諸如聯合國代表權問題，中合國或台灣自治問題，兩個中國問題，都必然地相繼發生。因此，若不把握時機而苟安拖延，便成自殺政策。

中國事除了中國人自己去關懷，去解決之外，沒有一個外國人會係眞正關懷。深入研究英美的外交政策，都是不擇手段以實現其認爲正確的「維持現狀」的目的。他們並不願意出力支援國軍反攻大陸，直搗北平以統一中國，卻在自我打算製造四五個勢力。因此，在某一個時期，中共政權或許是被摧毀，但我們還是一個四分五裂的國家。站在國家民族的立場，對此我們不可謂不値得疑懼與注視。

所以，在反攻大陸高潮出現的現階段，一般因外國的不正確的言行而發生的悲觀或樂觀，都無必要。主要是在政府是否認清交待歷史的任務，交待歷史的時間，和是否有反攻的決心？如果否，一切無可談；如果是，就什麼束縛都管不着；因爲這是國策，這是國運！

苟安會毁壞我們的國運；老狐狸要犧牲我們的國運；天眞會損害我們的國運。國運的好壞全看我們自己的努力。什麼都可以忍受，惟獨任何企圖控制我們的國運的，決不容忍受。這是從台峽局勢觀察得來的一句警告！

漫画天下

南池

提防背後！

分裂的獨立

自由談

冥頑不靈

馮五先生

英倫報紙最近刊出一篇關於中國大陸人民動亂情形的通訊，指出上月廣州市民反饑餓、反奴役的暴動事件，殊爲嚴重，認爲祇要有台灣方面的軍隊一團人登陸馳援，即可獲得民衆的同情合作，使毛共政權趨於崩潰，失此時機，將有噬臍莫及之憂。這是一種具有正確性的權威觀察，殊堪讚佩。

可是，英美政府當局決不作此想。尤其是英國的政治人物，近十餘年來隨時採取親共媚共的姑息政策，而且強要美國一致行動，今日甚囂塵上的所謂「兩個中國」之說，就是由英倫方面首倡的。此外如「亞洲狄托」，如「承認現實，並非贊成共產主義」這類混話，亦係英國政客們的天才發明，我們牢記在心，永遠不會忘却，因而對於上述那項權威觀察的報導，能否引起英國當局的注意，實爲一大疑問。

記得四十年前，當俄共十月革命後，政權尚未穩定，俄人反共的「遠東共和國」對共黨進行激烈的軍事鬥爭之際，英法兩國駐俄代表團，竟暗中接受俄共的游說賄賂，出賣反共的朋友克倫斯基與謝米諾夫將軍等，使反共力量趨於瓦解。事後有位法國記者在報上發表文章，痛責政府當局罪孼深重，貽禍無窮，其中有一段沉痛之言，大意說是：「我們西方人在日常生活中，事事講究安全保險之法，如人壽保險，水火保險等等，皆不惜斥鉅資以從事。唯有對於爲害全人類的共產主義政權，只需要幾船軍火，幾尊大炮，就可以幫助反共朋友消除人類莫大的災禍這回事，却特別吝惜，甚至助共爲虐，自貽伊戚，這是何等可悲可恥的愚蠢行爲啊！」

不幸這類基於正確觀念與慘痛教訓的言論見解，到今天尚未能糾正英美政治人物惰性自私的冥頑不靈之心性，豈勝痛惜哉！英美的政客們只是以坐觀成敗的心情，盼望鐵幕內人民起而推倒共產政權，然後讓西方的工商業者又來貿易通商，賺取暴利。別國的人民是何意思，固不敢說，中國人將來如果自力更生，把毛共政權摧毁了，對於袖手旁觀的西方國家，決無好感，你們即休想再向中國人身上刮龍罷！

鼓勵侵略・出賣弱小
荷印糾紛 殆將造成悲劇
正途爲巴布亞人獨立

（本報星加坡航訊）星加坡人士對於荷蘭與印尼恢復談判西新幾內亞前途的反應，頗爲複雜，但有一項共同的認識是：如其印尼果然從荷蘭手中取得西新幾內亞的統治權，因其所意味的是西新幾內亞的布巴亞人被出賣，那就是歷史開倒車的悲劇，將來後患無窮。

星加坡人士當然並不以爲荷蘭應該繼續統治西新幾內亞。反之，他們認爲，荷蘭早就應該退出了。但同時亦以爲，荷蘭人應該退出西新幾內亞，絕不就是印尼人可以取得西新幾內亞，因爲這完全是兩回事。說得更清楚些：荷蘭人固然應該退出西新幾內亞，印尼人却無理由取得西新幾內亞。原因爲：

印尼與西新幾內亞可說完全沒有關係。西新幾內亞從來就不是印尼的地方，地理上隔開三百多海里，人種上，印尼主要民族的馬來人，是褐色民族，西新幾內亞的巴布亞人則爲黑人，生活習慣，語言宗教，在在不相同。兩者之間的唯一關係，祇是都曾經是荷蘭的殖民地而已。但不能因此而承認印尼人民應該統治西新幾內亞人，猶之乎不能承認西新幾內亞人應該統治印尼人。

星加坡人士認爲，印尼總統蘇加諾領頭吶喊「解放西伊里安」—印尼稱西新幾內亞爲西伊里安，說那是印尼的一省——根本就是冒認財物，意圖侵略。並認爲，蘇加諾所說如不能以和平手段取得西新幾內亞，便不惜以戰爭手段取得之。實際是色厲內荏的恫嚇。印尼根本沒有力量去征服西新幾內亞；它幾次空降的約八百名傘兵，半數以上都被荷蘭消滅了，其餘小半數，亦絕對攪不出什麼名堂來。

但如今事態發展所示，印尼雖不能用戰爭方式取得西新幾內亞，却大有可能憑恫嚇手段而拿到西新幾內亞。果然如此，星加坡人士認爲美國得負責任，因爲這是美國人的觀念錯誤，把問題誤導了，有以致之。

美國的錯誤觀念爲：荷印萬不可爲西新幾內亞而打仗，那是於雙方都不利的，於西方國家也很不利，而惟獨於蘇俄有利。就因爲美國此錯誤觀念，竟橫加干涉，要荷蘭把西新幾內亞交給印尼。所謂「個人方案」，實際就是美國政府方案。這方案，以暴易暴，鼓勵侵略，出賣西新幾內亞人，活生生要把他們做犧牲品。

星加坡人士認爲，西新幾內亞是西新幾內亞的巴布亞人的，應該讓他們自主，獨立，才是正道。否則便是違背公理、正義、自由、民主，是開倒車，是大悲劇。而此風一開，後患無窮，世界將更多事了！（本）

甫經獨立・便起內爭
阿爾及利亞多災多難
現任總理赫達曾訪問中共區
其對手培拉更比他左得厲害

（本報巴黎航訊）

被法國統治一百四十年，與法國打了八年仗，本月初剛贏得獨立地位的阿爾及利亞，內爭又繼之而起了。內爭的兩派能否終於和解，前途未可樂觀，眞的打了起來，無論誰勝誰負，當然都不是阿爾及利亞之福。若使竟由內爭而致外國捲入，尤不知其將伊於胡底。

阿爾及利亞領土達二百二十餘萬方公里，在非洲已有的三十二個獨立國家中，佔第三位。阿爾及利亞的資源相當豐富，法國這百多年的經營，在開發上，亦經有了相當的基礎。不久前，阿南部撒哈拉大沙漠所發現的石油礦蘊藏量頗爲可觀，已開發中，此對獨立後的阿爾及利亞經濟，是一個有生的力量。阿國有人口約千一百萬，百分之九十爲回教徒，法國移民則有一百萬光景。在以往，法國移民是統治階級，他們擁有資金，亦擁有技術，果眞善加運用，對新獨立的阿爾及利亞的經濟建設，應必能做出莫大的貢獻。

阿爾及利亞的內爭，由於阿臨時政府總理赫達與副總理培拉，積不相能。這兩派，是政策之爭，總理赫達主張與法國友好合作，培拉則極力要走埃及路綫，培拉有納塞做後台是顯而易見的。兩派之爭當然更是權位之爭，培拉不甘居於赫達之下，企圖取赫達的領袖地位而代之。而六萬五千名阿國軍隊中，似乎擁護培拉的，比之擁護赫達的，更要多些，最低限度，也是勢均力敵之局，果眞打了起來，鹿死誰手是問題，兵連禍結，自更難免。

赫達是知識份子出身，本來是一個藥劑師，今年四十二歲，於一九五五年參加阿民族解放陣綫。據說：赫達本來以爲阿爾及利亞的獨立是可以藉和平手段達成的，直到法國陸續以四五十萬大軍開到阿境平亂，他於是亦參加了恐怖行動。在阿爾及爾的「傑出恐怖」中，赫達便是其直接領導者之一。赫達外表和易近人，且十分沉着，行若無事，故能瞞過法國的耳目。赫達便亦藉他這些條件，當亦以恐怖馳名的法國傘兵決心要肅清阿爾及爾的恐怖份子之時，赫達順利的逃出阿爾及爾法軍的掌握，歸隊山區。

赫達由於在阿京主持恐怖行動的那一段歷史，以往他亦被認爲是極端激烈派的。尤其，一九五九年，赫達曾領團前往中共區訪問，與中共領袖打得火熱，毛澤東之流曾向赫達大做工夫，宣稱願予阿民族解放陣綫一切援助，要什麼，給什麼，甚而包括「志願軍」在內。有的人於是懷疑赫達是共產黨員。赫達不否認他是一個馬克思主義者，但似乎他至今還不是有了黨證的共產黨員。赫達於一九六一年繼老領袖阿巴斯出任臨時政府總理，與法國進行談判，終於成功。

比之赫達，拉培就是更加左得厲害的激烈派了。培拉而今便攻擊赫達「出賣革命」。培拉本是農民，二次大戰中投入法軍中當兵，以勇敢故，會得勳章五枚。這位四十五歲的老兵，是阿民族解放陣綫的九個原始領袖之一——迄今祇有四個還活着。也因爲如此，法阿戰爭爆發後，培拉便成爲法國目標之一，於一九五六年用詭計把他捉住，囚在法境。但因其在阿解放陣綫的地位，雖在獄中，仍遙領臨時政府副總理，於本年初法阿談判獲致協議，始恢復自由。在阿軍中，擁護培拉的不少，這次兩派鬥爭之公開，便由於阿軍司令柏密定的進軍阿第二大城奧蘭，欲擁出培拉，擠倒赫達。赫達立刻下令免了柏密定及其兩親近左右之職，培拉立即出奔開羅，然後又回到奧蘭。赫達指培拉是冒險家，奸詐之徒，法西斯主義者，指其欲建立軍事獨裁政體。

兩派公開決裂，曾一度派代表進行和談，和談的唯一結果是未曾立刻兵戎相見。但因目前兩派各自據地擁兵——赫達在阿爾及爾，培拉在奧蘭，岐見顯仍存在，是隨時可以打起來之局。培拉並經警告法國，不得插手，否則便是恢復法阿戰。到現時爲止，法國亦確實不會介入阿國兩派之爭，但法國比較喜歡赫達，而不高興培拉上台，自無問題。果眞兩派無法和解，要實行以武力解決，那情勢是難免於複雜化的，外國勢力介入的可能性，就認眞存在了。（能）

（香港與大陸）

上海一床舊的棉被 要賣人民幣一百元
五月初便傳國軍將反攻
共幹大惶恐百姓很高興

新自上海來港的林老太太對本報記者說：上海早就盛傳國軍即將反攻大陸，老百姓非常高興，暗中奔走相告，共幹則誠惶誠恐，儼若大禍之將至，有的共幹對老百姓的態度亦忽然變得和順多了。

林老太太是正式經過申請來港探親（她的女兒女婿住在香港），得到中共批准的。她申請來港，已有四年多，一直未獲允准，本年四月卻突然的得到通知，准她出境了。林老太太是以雙程證來港，她尚有二子二女滯留大陸，但早就分散得天各一方；她是五十九歲的人了，這些年來，卻仍然全靠自己工作，維持生活，她的兒女人人自顧不暇，實在接濟不了她。她現在已經決定不要再回去。

林老太太說：這六七年來，上海曾有過許多次國軍將反攻的傳統，每一次老百姓都滿懷高興，可惜一直不會實現。這次開始於五月初的傳說，情形大有異於往昔之處：（一）爲傳說時間之久，直到她五月底離開上海之時，不但傳說未停止，甚而愈傳愈甚。（二）就是有些共幹對老百姓的態度突變，大家認爲這些共幹的表演，意在向百姓拉交情，免得國軍反攻後老百姓檢舉他們，收拾他們。如此一來、老百姓就認眞相信國軍反攻之事已經呼之欲出。

林老太太說：上海百姓的生活一直都很苦，但以往，有工作的人，總算還吃得飽，至於穿著那是早就不能談的了。到最近的兩三年，許許多多人，都無法再能夠吃飽了。她說：上海市面冷冷清清，與十三年前根本沒得比較。國營公司以及公私合營商店裏，亦往跑空空如也，加以，買什麼東西都要「票」要「證」，實際等於不賣的。她說大家以往還去公司看看過癮，如今是有閒情跑去看看的人也少了。老百姓現在祇是忙着如何能夠使得肚皮不要太過空虛，其他的一切生活享受，想都不再想了，否則徒然使人傷心難過。

林老太太說：在自由市場，倒是認眞可以買到東西的，但價錢實在太貴，如一隻手錶要幾千元人民幣，一床舊棉被，也要一百元人民幣，除了有辦法的共產黨人，誰有這麼些錢呢？林老太太來到香港後，得見家家商店貨物堆滿，價格又便宜，她大開眼界，說是祇有在共產黨未到前的上海市面是這般光景，所以她表示，「我還回去幹什麼」？（咸）

舞禁問題的風風雨雨
省議員郭石頭慷慨陳詞
案子擱置中通過少可能

（本報記者熊徵宇台中航訊）政府將全面開放舞禁，引起省議會的抨擊和立法院的注意。澎湖籍的省議會郭石頭，七月五日在省議會質詢省政時，痛切陳詞，指責省府這個措施的不當。

他面對周至柔主席說：「政府要全面開放舞禁，令人不勝惶惑。當此反攻大業進入有利的階段，政府要積極籌劃的，該是如何加緊軍事準備，如何革新政治，乃竟反其道而行，開放舞禁，這無異是鼓勵社會奢靡。難道說是想腐蝕民心，消磨士氣？我國處境之艱，較之越南爲甚，所負的使命亦較越南爲鉅，而越南早已全面禁舞；我們卻粉飾太平，相形之下，對照強烈。況匪軍大量集結福建沿海，戰事一觸即發，前方戰士枕戈待旦，後方民衆酣歌妙舞，不免使人無窮感慨，不知主席以爲如何？」

這位六十二歲曾任省議員達八年之久的高齡民意代表說：「不久以前，國防部成立戰地政務局，行政院設立經濟動員委員會，而從五月一日起，政府開征臨時國防特別捐，這些措施，都在顯示反攻復國的行動即將付諸實施，海內外的人心也莫不振奮。而現在，大陸各地災害日益嚴重，饑民逃入香港日以萬計，匪幹也參加逃亡，可見暴政已瀕臨總崩潰的邊緣，弔民伐罪，拯救大陸饑餓同胞，正其時矣！而社會奢靡之風如故，不特腐化人心，且足影響士氣。希望政府厲行戰時生活，加速完成復國大業，不知主席以爲如何」？

周主席答復這問題說：「無論過去與現在，在政府的法令中，沒有禁止人民跳舞的規定，所以也沒有是否開放舞禁的問題。過去，政府爲了提倡節約，所以對舞廳的管理，曾經在設備與標準方面，訂定了若干條件加以限制，可是其中的若干規定，如防空洞與停車場等，並不切合實際……」

郭石頭議員，對周主席的這段答復，在表情上似乎不太滿意。但是他沒有再說什麼。

可是這問題馬上又在立法院提出來了；第三天，七日，有警務處長郭永隨同內政部長連震東向立法院報告台灣警政時說：「關於舞廳的開設，本省從未禁止，不過對舞廳的設備標準規定嚴格，畧示限制而已。最近因爲簡化法令，將原來頒佈的四種法規，改變爲「寓限於徵」的政策。原來所規定的各種設備標準予以放寬，而徵收一種「特許金」，以收限制的效果」。

郭永的這則答覆，倒是說出了所謂「開放舞禁」的癥結。據記者所知，所謂全面開放舞禁，就是來自省政府透過新聞的發佈，宣佈過徵收開設舞廳「特許金」，那規定是說，「各縣市如申請開設舞廳，需繳「特許金」：台北市三十萬，其他各市二十萬，各縣則爲十五萬。

由於這種宣佈，於是形同開放。現在，這案子還在省議會擱置中，通過的成份可能很小。

越南的山地民族

雷震遠

「往日，不知從什麼時候起，我們就如此做，從一開始就是這樣」。這是山地人的俗語，他們常用這句話答覆問者。這是他們的傳統觀念，似乎是永久不變。

山地人是富有宗教觀念的，每當他們取用彎刀時，都不忘呼念他們所崇拜的「陽」神，助佑他們的工作。彎刀是山地人必攜之物，一如衣服，總不離身。至於婦人則攜帶一把斧頭，鋤頭也是女性的工具。當兒童達到工作的年齡，父親便在他的肩上掛上一把彎刀，這便是成年的標記，表示他已是山林的騎士了。

山地人愛火也怕火。火是他們取暖和照明的東西，也是耕種必要的工具，因為山林必需在焚燒之後，才能耕種。山地人對火十分小心，為此山林起火是很少見的。鐵是山地人取自天然礦產的唯一物件。銅鑼之銅取自寮國。鉛鐵則購自越南人或中國人。山地人利用火，將崑嵩區順手可拾得的鐵礦燒煉，用鐵錐在石塊上擊打，用原始打鐵的辦法一再錘煉使合用途。

山地人對於打獵有獨到的方法與敏捷，用帶毒的弓箭，迫進獸身，非有命中把握，決不射擊。有時甚至用彎刀也能殺死一隻野牛，這必然猛刺其咽喉要害，方能致此龐然大物於死地。但通常是用陷阱等辦法。他們便如此取得很多獵獲物及皮革。

某些山地人，如苗族人，善於編織布疋，這是一種精細的手工，然後用植物染料染成黑色、青、紅等色。

山地人所編織的籃筐草席也是很出名的，尤其是籃筐是越南最緊密牢固的一種。

山地人的醫術不是一種科學的研究，而是以往經驗的累積，雖然西洋醫學有意毀滅這種舊式的醫術，可是山地人所信賴的仍是他們祖傳下來的醫術，他們深信藥草的效力，可惜的是很多秘方已經失傳了。山地人利用植物的各部做藥，葉、莖、漿、根、瘤等皆有所用。

施用之法也隨病情而轉移，或食或敷或薰……有時便簡單地帶在身上亦可治病，不過一切要尊重祖傳的指示與秘訣。某些病，據云需要光着頭，不可見人，夜中治療等條件。此外尚有很多忌諱，某些東西不可用，某些食物不可服，房間不許他人進入……等。巫師們則專令人祈求某種神祉，而不替人開方，僅有時給家人指出某事應忌。村中的老者，因認識藥草種類及用法，便是山地人的醫生。

山區最常見的病症是瘧疾、赤痢、蛔虫、花柳、皮膚病、肺病、氣喘、痳瘋、眼疾等，此外尚有癌疾。

山地人身體大部很健壯、血氣旺盛。皮膚破傷，洗淨後不會發炎，婦女們平均生育十個子女，其中僅有二三幼兒早夭。

為醫療嚴重病疾，都非祭獻犧牲不可（殺鹿、宰牛）。草藥的施用與效力，證明人與自然有不可分離的關係，肉體由自然而生，由自然養育，亦得由自然醫療。

禽獸只知尋求實際，而人類即使在原始時代亦知尋求美觀，愛好裝飾。

山地人愛好競賽打獵，比賽武功、賽跑、投槍、擲刀、射箭……至於鬥鷄及舞蹈本非創自高山族，而是柬埔寨傳來的玩藝。同時占人也習於舞蹈，舞蹈是一種純正的藝術，趨向宗教敬禮。

山地人向來保守，對於各種習俗、傳說、民歌等中世紀的古董，都不肯放棄。山地人另有一種藝術表現是裝飾品，年青的男女山地人都愛好裝飾，他們歡喜戴寶石，多而且重。鉛絲串虎骨作成頸圈，手臂有重重臂環，每指上有戴指環，腿上再加羅旋形的腳環……。（五）

天南風光

——沙羅越的生活方式——

朱淵明

假定她買一包糖是三毫錢，貨物包好交與她，她就付出三毫；然後又買一包鹽是兩毫，又照樣付清兩毫。以此類推，一件一件的買下去，也一件一件的付錢。華人做她們的生意，錢是有得賺，但也必須要耐煩，而且要懂他們的話。他們或她們又常常拿東西來換東西，實行原始的物物交換制，那就更要多費一番唇舌。他們通常使用的貨幣，是以毫子為主，以一元鈔票為輔，蓋為的便於計算之故。若果用到十元一張的鈔票，那已是了不得的一件大事，一般華人通常都不敢携紅紙到山芭去的（叻幣十元鈔係紅色的）。

以前有一個笑話，說是：『有三個臘子——土人俗稱——一同去替人作工，講好價錢，三人工資共是兩元。工畢，主人照付毫子二十個，這三個土人攜往僻靜處平分，分去分來，分不平均，若每人分七毫，則差一毫，若每人分六毫，則又多出兩毫，弄得三人束手無策。正在困難之際，那面走來一個華人，見他們三個嘰哩咕嘍，知有為難之事，乃與交談，問其所以，臘子們爭着告訴他們不能解決之事，並向華人請教辦法。那個華人就叫他們把二十個毫子交與他，於是他每個臘子分給五毫，留下的也是五毫，他攤出置於掌上，然後說道：「你們三個人自然無法分配，現在我一加入，變成四人，各得五毫，豈不天公地道？」於是三個臘子歡天喜地而去。』

這類事在山鄉僻壤，容或有之，而臘子們住在巴絲和市鎮的則少之又少。他們多喜在江河兩岸搭蓋長屋，聚族而居。每一長屋，多則住三五十家，少則住十家八家不等。一屋必有一個屋長，這屋長對內有排難解紛的責任，對外有代表全屋族人的權力，有時也是政令的傳達者；所以屋長乃是長屋中的權威，也必然是長屋中德高望重的人。

長屋都是用鐵木為柱——鐵木乃婆羅洲特產，入水即沉，釘打不入——柱長約二三丈，離地七八尺高處，綁以橫木為樑。屋頂蓋以亞答葉或鹽柴瓦，樓板多用圓長小木條或竹片與樹皮排列綁扎，很少用木板的。牆壁多用樹皮和亞答葉夾成，也很少用木板的。銜接之處，都用黃籐扎縛，絕少用筍頭或釘鉤的。樓板距地面達七八尺，既可預防潮汐，亦可避免濕氣，又可飼養家畜，如鷄鴨鵝猪之類。（二）

公道篇

公道社會思想發凡（代序）（三）

現在舉世正在遭受到貧窮與文盲二者的困擾，除了共黨與非共黨兩者之間的政治思想鬥爭之外，這個世界顯明還有另一種「無聲的社會革命」在進行。如果說，十八世紀工業革命是資本主取代貴族王朝而興，形成勞資對立，貧富懸殊社會的開端，那末，二十世紀便應是人類歷史發展為公道、福利、均等社會的轉捩。英國史學家湯比氏以為解除威脅世界和平的禍源的最佳方法，是能予亞洲、拉丁美洲、非洲以社會福利。我亦以為，中國雖在本世紀遭受到史無前例的暴力革命破壞，使佔有世界總人口四分一以上的民衆流離失所，但其因負担三代生活所造成的窮困，迄仍未見因有此種悲慘破壞而解除；而在世界每一個角落，正如開篇說，偽善與暴力也還到處充塞着；有些是有自由而沒飯吃，有些有飯吃而沒自由，有些既沒自由亦沒飯吃，這都是赤裸裸的事實，我們不能說是看不到。

就以當前危害人類世界最大的共產主義為例：共產思想全沒有神秘性，它祇是萌芽於不公道的經濟制度，而以更不公道的手段，加諸人類的身上，以滿足其暴虐狂的復仇心理。這是說，共產思想既萌芽於不公道的社會，自必然消滅於有公道的社會。相反，如果今日以後的世界仍容許民族優越感的存在，國際有秘密外交的存在，政府有保留官僚主義的作風，社會仍普遍地存在着各種不公平的制度，濃厚的商業利益取代人格人性的地位，那末，共產主義的思想毒素，就很難完全澈清。美國參院外委會主席惠利於一九五三年五月，就會向共和黨青年集會這樣宣示過：「如果西方與東方的國家沒有同等的同盟？如果歐洲人仍堅持保留坐在俱樂部指揮土人如奴役的時代？如果不尊重當地的人民，理解他們的民族的渴望？這樣，反殖民反西方的忿恨，就可能使共黨席捲這個世界。」惠利這段話雖未顯明「公道社會思想」的字眼，但他談的正是比較「公道」與不公道」之間，對人類影響的實際問題，從而證明「公道」是唯一可以根絕共產思想毒素的武器。

消滅人類禍患之源的共產主義，自為和平自由幸福的需要。但闡揚公道社會思想，推行公道政策，卻是記取一項殘酷歷史的教訓——造成共黨勢力成長的苦果。在中國，有千百萬人的家庭和生命，已隨着不公道社會的歷史罪惡的累積之後，為中共政權暴虐作證的祭品，我們再不願見有不公道的事件了，不論是中國大陸，或是全世界，東方或是西方。（本篇完，全文未完）

瘟君續夢

第六回：烽火照邊陲 同惡難濟 樓船橫碧海 大慾興悲

黃鎮無法可想，就拍急電向北平報告。周恩來也拿不定主張，只好去報告毛澤東，臨時召集一次政治局會議提出。

毛澤東最初聽說印尼囚禁華僑，到不介意，及至聽說印尼把華僑的財產全部充公，插嘴問道：「被沒收的財產總數有多少？」

周恩來說道：「據有關部門統計，大約在十億美元左右。」

毛澤東一聽，登時跳起來，罵道：「十億美元，這可不是個小數目。我上次想向蘇聯借五億美元，當場碰了赫魯曉夫一個釘子，現在莫名其妙地被蘇加諾搶去十億美元，如何能甘心，一定要同蘇加諾幹一場。」

毛澤東說過，全場鴉雀無聲，沒有一個人開口。大家都明白，要同赫魯曉夫或者尼赫魯幹一場，都還做得到，只有同蘇加諾幹不起來，因為兩方面陸地不接壤，水路中共沒有可用的海軍，甚至派飛機轟炸，途程都太遠，除非學二次大戰時日本的神風攻擊隊，去了就不打算回來，否則空軍也不能派用場。

毛澤東發了一陣脾氣之後，也意味到其中的困難，轉過頭向周恩來道：「外交方面交涉，還有沒有途徑。」

周恩來陪笑說道：「外交方面並非沒有途徑，問題是我們要確定一個原則，才好進行。」

毛澤東說道：「我只有一個原則，就是要印尼把沒收華僑的錢退給我們；至於怎麼處理華僑，那是他們的內政，我們絕不加以干涉。」

周恩來苦笑道：「什麼問題都還可以商量，恐怕只有這一條談不攏，因為印尼這次排華，真意就在劫掠華僑財產，充討伐叛軍的戰費，他們現在想向它要回來，根本是洞裏拔蛇，一定談不成功。」

毛澤東冷笑一聲：「那就白便宜了蘇加諾不成。」回頭又看着劉少奇說道：「你同艾地很好，可以給他去封信，叫艾地勸勸蘇加諾，把錢退還給我們，艾地如要報酬，可以給他百分之五的回扣，作為印尼共產黨的經費。」

劉少奇苦笑道：「艾地曾經同我談過，凡是我們同印尼政府的交涉，他決不敢介入，因為印尼民族主義正在高漲，共產黨也不能不打着民族主義招牌，不然革命就不能成功。」

毛澤東從鼻子裏「哼」了一聲，冷冷說道：「艾地實在是個廢料，怎配當印尼共產黨總書記。共產黨怎能講民族主義，你以前寫的『國際主義與民族主義』就說的很清楚。過去每逢國民黨政府同蘇聯發生爭執時，我們都毫不遲疑的站在蘇聯一邊，並未影響到我們革命的成功。」

劉少奇笑道：「我們革命成功，是因為主席領導有方，艾地那有這種才具，所以他只好謹慎從事了。」

毛澤東受到劉少奇的一頓恭維，心情舒暢些，一連噴了幾個烟圈，沒有說話。

劉少奇乘機向周恩來說道：「關于印尼迫害華僑問題，國務院究竟有對策沒有？」

周恩來一看劉少奇擺起「元首」的身份打官腔，不敢怠慢，連說：「這件事已經交外交部擬好覆文，內容只是要求印尼不要再迫害新中國的華僑，此外到沒有什麼對策。」（一一八）

懷玉軒雜綴

唐塑直角

國內名山名刹名塑極多，名盡其巧。名塑而得名僧護持者則甚少。尤其五百羅漢，面貌不同，神態各異，身段眉目，服裝衣褶，亦有區別，非有絕大的慧心，與精細的匠心，並以運用，始無法使塑像能栩栩欲生。此唐開元間塑聖楊惠之，以神工而傳千古，是歷史上唯一的大家也。後之塑者，皆望塵而莫及焉。

讀憨園先生記，始知角直唐塑以外，尙有昆明筑竹寺，樂山烏尤寺，各有五百羅漢。然不及角直塑甚。但爲稽古有存考，因併以存之。角直唐塑在今江蘇吳縣角直鎭之保聖寺，地接崑山，寺有五百羅漢，皆出唐楊惠之手。形態各異，活現如眞，尤以衣褶之工細，更爲神著。相傳開元中，楊惠之與吳道玄同師張僧繇習畫，未幾，道玄聲光驟顯，惠之焚筆硯，毅然發憤改塑像。越兩載，技成，各寺之請塑者紛來，故其所塑佛像在江南者不少。惜所塑或因年久重加修飾，遂失原眞，僅傳角直尙保存無恙焉。或云崑山慧聚寺天王像，亦惠之手筆；該像旁有二女相侍，神態更佳。惠之手創壁塑，作山水雲樹，景物如畫，千古以來，一人而已。

筑竹寺在昆明城外玉案山，唐貞觀年建；後毀，明宣德間重建。寺內天王殿後，左右兩殿，塑羅漢五百。每殿六排，每排三層，分層排列，神態各異，奕奕有生氣。惟無碑誌，不知是何人手筆。察其塑法，似有襲於惠之，但似不及之，爲手技巧妙之有差也。

烏尤寺在四川樂山縣城南烏尤山。抗戰時，因大佛寺住持果靜所介，憨園先生往游，而盛稱烏尤之羅漢，爲蜀中之冠。該像即在寺中半月池後之羅漢寺中，其塑法與保聖筑竹者相同，不過目光衣褶，皆甚板滯，較筑竹尙不如，遑論保聖？但在四川省內，此爲獨一。據考其塑時年代，大概亦是明初所塑，亦已近六七百年矣。全國各寺所有羅漢名塑，亦僅是此三寺爲較勝。而角直之名，則國外均已詳知，不知今日尙葆存否？

東湖的武大

武漢大學的所在地，爲路伽山麓之一片平原，負山面水，別有天地。所有房屋均是白石砌成，而上覆琉璃綠瓦，一派潔淨中見其莊嚴。校舍一排一排的羅列，從廿二年開始建造，到廿七年，已完成的有二十餘幢，星羅棋布，蔚成中部最高學府，其氣象之宏偉，較之今日台大，實爲勝之。（未完）

花香月上樓小品

廈門的白鷺（續）

武昌起義前一年，庚戌，夏六月之某日，晝陰晦，鷺蟄不出。未初，忽有大鳥，類鷲，出現鷺羣中，鳴聲如鶴，衆鷺咸寂。鳥靜止約廿分鐘，署中吏役，紛紛圍視。鳥一聲怪叫，卽振翅起飛，翅如五彩華蓋，頂有肉墳起，非紅而紫，一飛冲天，羣鳥懾之，遂向東飛去！所留者，惟伏卵、哺雛、及殘弱不能飛者，已不及什之一。是夜，子初，颶風忽至，大雨滂沱，百年老檜爲摧，歷時兩日始息。廳署後山鷺巢墜毀，無一存者，卵雛狼藉滿地，方知大鳥之來非偶然也。

未幾，清鼎革，廈防廳廢，一度置思明縣政府。旋又設廈門市，廢縣，禾山設特區。廈防廳衙門，改爲地方法院拘留所。按：末一任思明縣長爲楊某，楊于抗戰時任僞職，後竟被拘留于此，亦異已。三十六年，余返廈，重過舊廳署後山，有「懷舊海防廳白鷺」七絕二首云：「舊地重游夕照西，琴堂花落草萋萋；當年畫鷺人何處？賸有空梁落燕泥！」「風雲變幻鳥先知，三百年來氣運移；物類有情靈鷲至，傾巢東去幾時歸？」

喫薄餅在廈門

黃葉村人

生平最喜歡喫的東西，在北平是「炙羊肉」，在廈門是薄餅。炙羊肉，談者衆矣，茲祇談喫薄餅。

按：「薄餅」、盛行于粵閩兩省。但，廣東人不名薄餅，而曰「春捲」。因喫薄餅，每在農曆之二三月，粵人在淸明，及淸明前後，必喫薄餅。而閩南人則多一「三月三」，謂之三月節。不僅此也，閩南人春夏秋冬四季，經常都有請吃薄餅，不一定及春始吃。故儘管廣東人稱春捲，外省人也稱春捲，而閩南人依然是仍舊貫的「請吃薄餅」。說句公道話，我是廣東人，我不喜歡吃廣州的春捲，而喜歡吃廈門的薄餅。這其中，不僅在配料上，相差太遠，在烹飪上，時間之遲速，煮熬之細膩，亦均粵不如閩。尤其在排場上，閩南人請吃薄餅，另有其三部曲，使人念念不忘。亦如在北平之吃炙羊肉，自炙自食，左持杯，而右執箸，別有一番風味也。較之廣東人之肉絲炒豆芽，捲而食之，或煎而吃之，材料既簡單，煎熬亦不得法，更無所謂「架閣」者，自難同日而語也。（未完）

生命的意義

漁翁

生命爲死亡之對；如到死亡，則所有一切都不相干了。北史云：「人之所寶，莫寶於生命。德之厚者，莫厚於宥死」。所謂宥死者，即善終也，故稱之爲考終命。反之則爲死於非命。考終命，居洪範五福之一。

孫中山先生所手創之三民主義，其重心在乎民生，所謂社會之生活，國家之生存，人民之生計，羣衆之生命；均包含在民生主義之內。民生問題不解決，就根本談不到民族和民權。

居亂世，欲求生命之保全，次焉者爲離亂邦，以避免生命無謂之犧牲。唐代詩人朱灣云：「尋得仙源訪隱淪」，宋朝詩人謝枋得亦云：「尋得桃源好避秦」。此亦大陸同胞的相率逃亡也。可是，僅僅從消極方面去逃避，而不向積極方面去挽救，推其極致世界將無一片乾淨土了。

孔子施教，以「仁」字爲出發點，他說：「無求生以害仁，要身殺以成仁」，以人所以爲人之理，愛人無私也。孟子生平不離開一「義」字，他說：「生吾所欲也，義亦吾所欲也，二者不可得兼，舍生取義。」孔孟視仁義重於生命，這才是生命眞正意義之所在。

宋末文信國公天祥，當其被俘囚於獄中，作正氣歌，有曰：「爲嚴將軍頭，爲嵇侍中血；爲張睢陽齒，爲顏常山舌。」臨刑時，他在衣帶中檢出遺言：「孔曰成仁，孟曰取義。惟其義盡，所以仁至。讀聖賢書，所學何事？而今而後，庶幾無愧！」深得孔孟殺身成仁，舍生取義之旨，故雖死猶生，歷千秋萬歲而浩氣長存。

反之，爲虎作倀，賣國求榮，置仁義忠孝於不顧，像宋末之張宏範，降元後，率異族人命，而追宋帝於廣東新會之厓山，認爲完成任務，居然勒石紀功，大書：「張宏範滅宋於此」！恬不知恥。後人乃於石上加一「宋」字，曰：「宋張宏範滅宋於此」。

明末洪承疇身爲相國，而亦降淸以求榮，且以「滿不點元，漢不納妃」而自豪，然卒列入貳臣傳，爲世世子孫羞。如張宏範與洪承疇之徒，卽活在人間，雖生猶死，遺臭萬年，有何生命意義之可言。

古人云名譽爲人第二生命。而名譽之所自，在乎「忠孝仁愛，信義和平」之八德與「禮義廉恥」之四維。如違背八德和四維，雖生在人間，亦行屍走肉耳。

是以，人之生命，以肉體爲外表，以精神爲內心，精神卽氣節。論語：「匹夫不可奪志也」。諺云：「頭可斷，志不可屈」。此氣蘊藏在心，如果發抒出來，則會充塞於天地間，這便是孟子所謂「浩然之氣」，「富貴不能淫，貧賤不能移，威武不能屈」。本此氣以自立，自强，自存，無論生歟，死歟，要皆能流芳於宇宙，永垂不朽，斯卽如文信國所云「下則爲河嶽，上則爲日星」也。

海嶠雲談薈

擇業不慎的士大夫

諸葛文侯

中國政壇上，近四十年產生了不少的顯赫人物，然其個性與生活方式決不宜於搞政治，而又始終對政治活動感覺興趣的，我認爲顧孟餘先生允屬首選。以顧氏之資質，如果專心致力於學術工作，其成就一定大有可觀。但他從民國十六年以後，即離開學術崗位，投身政海之中，載沉載浮，以至於今，可惜也已。

幹政治生活的起碼條件，就是要對人有熱情，來者不拒。儘管心裏有所好惡，表面上總是休休有容，無可無不可。這套本領，國父孫先生可稱爲集大成的聖手，所以，民國十九年張靜江先生就說過：「中山先生的領袖地位是天生的，別人即非製造不可」，旨哉言乎！等而下之的民黨要人，如汪精衛亦具備着對人熱情的起碼條件，胡漢民先生就差了，顧孟餘氏更不足以語此。他無論是居官或在野，最怕見客——尤其怕見生客，若有人幸而見到了他，又表現着一種道貌岸然，言談不苟的木訥形色，令人不敢親近逼視。客人如其多說幾句話，他就負手起身，閒蹓窗前，露出不屑傾聽，拒人的樣兒。當年他在南京作鐵道部長時，除卻辦公時間外，經常躲在一個秘密的私人住宅中，避不見客，亦不願參預有生疏人在座的社交場合，這完全是孔子所謂「此隱者也」的荷蓧丈人生活方式，怎能夠搞政治呢？

八年前，他在海隅搞「第三勢力」，創立「民主戰鬥同盟」，主持組織部門的職務，依然是一種「生人勿近」的隱者作風。當地政府的政治部因爲他有政治活動，曾經迭次約他去談話，他亦相應不理，結果是派人傳喚歸案，而以極不禮貌的詞色訓斥一頓，連坐位亦不給他。當時恰有一位我國現代名人因護照問題，亦在政治部談話，眼見這幕劇情，出而語人，傳爲珍聞。顧氏受到這種刺激後，憤而遠赴日本東京僑居，仍遙領着「民主戰鬥同盟」的「核心任務」。迨「同盟」的籌備工作完竣，訂期發表宣言正式成立前夕，顧氏對於所擬宣言原文攻擊國民黨種種過失的話，認爲未免過甚（如指摘國民黨貪污無能，顧氏即認爲國民黨人亦有許多廉介之士，他自己就是其中的一個哩！）乃援筆鈎去了一段。詎海隅總部方面，無視他的意見，仍照宣言原文發表，他一怒而聲明退出「同盟」，放洋前往美國隱居，「民主戰鬥同盟」即因此宣告散檔了。

愚至今不識顧氏，但對他的學問及其品格，頗爲敬仰，他所撰寫的政論文章，內容亦不膚泛，而結構殊謹嚴，蓋純然學者典型，決非從政之材，尤其不適宜於組織政治團體，招納各色羣衆以期奪取政權的革命事業。顧氏乃終身用其所短，以致晚景頹唐，謂之爲擇業不慎，不亦宜乎！

盧象昇與楊廷麟

·李仲侯·

象昇出京後，清兵已分三路深入，一淶由水攻易州，一由新城攻雄縣，一由定興攻安肅。象昇即日從涿州進據保定。廷麟短衣縛袴，飛書草檄，參贊戎機，晝夜不離左右。

部署稍就，即命諸將分道出師，大戰慶都，猶未敗衄，而一時列城望風失守。嗣昌乃劾落象昇尙書銜，以侍郎督師。

象昇自擢兵備，與流賊角逐，大小數十戰，賊雖强盛，俱烏合之衆，一敗即散走，故所向披靡。及是時清軍在前，又爲嗣昌所扼，兵力單，餉久乏，將士饑甚，自知必死，晨出帳，四面拜曰：「吾與將士同受國恩，患不得死，不患不得生。」衆皆泣，莫能仰視。旋進至鉅鹿南莊，中官高起潛擁關寧兵二萬，相距僅五十里；象昇以楊廷麟參軍未久，徒共死無益，乃以計激赴起潛軍乞援，因與訣曰：「死西市，何如死封疆？吾以一死報君猶爲薄耳！」廷麟詣起潛，起潛不應。象昇卒僅五千，行至蒿水橋與清兵遇，總兵王樸先引兵逃去，惟虎大威，楊國柱從。象昇勒麾下卒居中，大威帥左，國柱師右，大戰移時，乃休兵。夜半被圍。明日清騎益大至，象昇麾兵力戰，砲盡矢窮，大威請潰圍出，象昇不許，猶奮鬥，身中四矢三刃，手格殺數十人，乃死。一軍盡亡。

廷麟乞援抵起潛軍僅一二日，而象昇竟戰死賈莊。乃求得其屍，抱之痛哭。象昇死時，有馬士讓之，傷不深，故容易得其屍。起潛聞象昇敗，遂倉皇星遁。（四）

贈張叔平詞長

吉庭

叔世投荒久未歸，平居異國已忘機。千秋金鑑今猶在，百忍家聲古所稀。君有文章繩祖武，我無寸草報春暉。他年果得澄淸日，結伴還鄉勝錦衣。

自由報
內僑警台報字第〇三一號內銷證
THE FREE NEWS
第二五四期
中華民國僑務委員會頒發
台僑新字第三二三號登記證
中華郵政台字第一二八二號執照
登記為第一類新聞紙類
（半週刊每星期三、六出版）
每份港幣壹角
台灣零售價新台幣弍元
社長：雷嘯岑
督印人：黃行富
社址．香港銅鑼灣高士威道二十號四樓
20. CAUSEWAY RD 3RD FL
HONG KONG
TEL. 771726　電報掛號．7191
承印者：田風印刷廠
地址：香港灣仔高士打道一二二號
台灣分社
台北市西寧南路壹壹壹號二樓
電話：三〇三四六
台郵撥儲金戶九二五二

論反攻大陸問題

·金達凱·

最近一時期，因大陸局勢的惡化，海內外輿論多希望國軍早日展開反攻。政府方面亦進行有關反攻工作的策劃，如成立經濟動員和戰地政務機構，開徵國防特捐，及舉行各種演習等。另一方面，中共以防止國軍登陸爲藉口，增兵東南沿海地區，毛澤東並以「權威人士談話」方式發出備戰叫囂，使台灣海峽情勢突趨緊張，戰火有一觸即發之勢。然就目前情況觀之，中共既不敢輕啓戰端，而自由中國也因美國的「保持現狀」政策及中美防衛條約的影響，只能採取守勢，反攻問題可能受到約束，一時不易見諸行動。因之沿海風雲不久終將消散。但是自中華民國的立場而言，要解決問題，要改變偏安之局，要阻止「兩個中國」的國際暗流，唯有發揮獨立自主精神，豎立堅毅不拔之志，從反攻中打開一條出路。

一般說來，十三年來國軍反攻大陸的有利時機有三：

一是韓戰期間。

這一時期，中共爲韓戰所拖住，在軍事上，其總兵力七十個軍，有五十個軍投入了韓戰場，三年中犧牲了一百一十三萬六千餘人，損失精銳三分之一以上。在經濟上，自一九五一年至五三年，中共每年支出戰費高達二十餘億美元，已不勝負担。而接近戰區的東北，工業陷於停頓，各方面精疲力竭。加之佔領大陸未久，統治尚未穩固，如果政府當日不顧一切，以數師之衆在沿海登陸，展開局部反攻，以與韓戰相配合，則不僅可相機規復華南各省，並且可提早完成復國的任務。

二是一九五七年至五八年中共實行「鳴放」和「反右派」期間。這一時期局勢的特點，在國際上，是匈牙利發生反蘇反共事件之後，西歐共黨脫黨人數日多，在中國大陸邊緣的九龍也發生反共暴動，整個世界都掀起一個反共高潮。在大陸內部，由于內外各種因素的影響，各省市知識份子、大中學校學生、廣大農民以至共黨黨員幹部的右派，都表露了反共的態度。此時如果把握時機，以實際行動踏上大陸，也可得到各階層人民的迅速反應，加深大陸局勢的混亂，進而可能改變整個的局勢。

但是因顧慮過多，或因準備不及，將這兩個有利時機輕輕放過了。

現在是第三個有利時機。這一時期中大陸局勢的特點：是遍地饑荒，經濟面臨崩潰，民怨沸騰，軍心不穩，這由今年五月，共區人民和共幹民兵的大逃亡，及廣州的暴動事件可以得到證明，用不着多說。這個機會能否把握，固然還有其它條件，然主要當視政府的決心。如果仍是消極地有所等待，等待東南亞局勢變化，等待中共先動手，等待大陸人民起義，等待美國遠東政策的轉變，而讓毛澤東再從容逃過這一關，則今後不僅時機難再，即使再有所行動，也要付出遠超過于今日所付出的代價。

談到反攻大陸，目前有兩種錯誤的估計和一種錯誤的心理。

錯誤估計之一，是將中共的力量看得過高，認爲中共有龐大的人力資源，有強大的陸軍，空軍和海軍的力量亦復可觀，加上民兵組織，在數量上佔絕對優勢。過去國軍人數超過共但時猶不免于失敗，則今後要想反攻勝利，自更困難。這是悲觀論者和海外一般灰色份子的說法。此種觀念的錯誤是忽略戰爭條件的變化和敵我形勢的轉變。今日的情勢已不同于一九四七年至四九年，即以軍隊數量來說，儘管今天中共的總兵力尚維持三百萬人，國軍的兵力僅六十萬人，前者超過後者四倍。軍是由于大陸廣大地區的守備，使共軍投入野戰的部隊相對減少，過去大陸戰爭時期，中共不需要守土，不需要保衛城市，全部兵力都可參加野戰，都可機動使用。而國軍則處處設防，難于集中兵力，以致野戰方面往往處于被動，處于劣勢。現在則相反，共黨須處處守備，從戰畧據點，交通幹綫，中心城市，產地基地，都要分兵把守。僅以海岸綫而言，即長達一萬一千餘公里，其間閩浙粵三省的海岸綫也有數千里，這樣廣濶正面的守備，自需要不少的兵力，因而影響其兵力的集中使用與機動使用，減低其軍隊數量的優勢。再自國軍方面來看，現役部隊雖僅六十萬人，然加上後備部隊四十萬人，可達一百萬人。裝備的現代化程度更遠在共軍之上，僅坦克的數量已有二千輛。以這樣的兵力和高度的火力，在一支優秀戰術空軍和海軍的掩護下，在大陸打開缺口，建立鞏固橋頭堡，逐步向內陸推進，擴大戰果，是有充份可能的。

但是我們也要避免另一個錯誤的估計，這就是將中共的力量看得太低，認爲只要國軍一登陸，則人民望風響應，共黨立即土崩瓦解。這一估計的錯誤，是忽視了中共已在大陸建立了一個統一的政權，對地方和人民的控制還相當有效。因此，不經過艱苦的作戰，不付出重大的代價，以爲一戰即可底定大局，那是不可能的。

因此較正確的態度，是在整體方面，在整個反共事業方面，可看輕敵人，確立勝利的信心。但在局部方面，在一個一個的戰役方面，却不可輕敵，不能存僥倖心理，不可把希望放在大陸人民的接應與共軍的起義方面。共區人民與共軍的起義和反正的可能性是存在的，一萬四千義士的拒絕遣返大陸，志願來台，和劉承司的駕機起義，都是證明。但是要大規模的起義，則須經過一兩次重大的戰役，擊潰消滅一部份共軍部隊，佔領了中心城市，和控制了重要交通綫以後，人民才有脫離共黨控制的可能，共軍建制部隊和地方民兵也才有反戈一擊的可能。而在局勢未明朗化以前，亦即反攻行動未取得優勢以前，過早希望大陸人民與國軍反攻行動配合，那是不切實的，古巴猪灣戰役，反卡軍期待人民接應的希望之未能實現的教訓，是值得記取的。因此反攻行動的成功，係決定于軍事當局對情況的眞實估計，決定于三軍將士的浴血苦戰，特別是要打好第一仗，力爭序戰的勝利，不可過早期待中共內部的變化，而放鬆自身的努力。

其次，說另一個錯誤心理，這就是把反攻的成功，完全寄託于美國的支持援助。認爲沒有美國的支持援助，不僅難于勝利，甚至反攻的行動也無從開始。如實說來，今天美國除遵守中美聯防條約所規定的義務，負責協助防守台澎，以保障西太平洋的安全外，其它是不感興趣的。這從它們的延期撥付本年度經援欵項及在華沙會談對王炳南所提出的保證來看，可以瞭解美國的基本態度。事實上，一二次大戰，美國也是迫于不得已才參加。而韓戰的有頭無尾，寮國問題的讓步，也都反映出美國的政策。因此，過份希望美國對反攻大陸的支持，是不實際的，唯有盡其在我，善爲運用本身積蓄的力量，纔能在艱難中打出新局面。

漫畫天下

慷慨爲懷

沒有用的傘子

訂正：本報上期爲二五三期，誤排爲第三五二期。特此訂正。

自由談

不以人廢言

俄酋赫魯歇夫對美國記者批評美國報紙，說是常常刊出一些連美國人亦不喜歡看的消息，例如百萬富孀徵求某種男人婚配之類。我認爲赫酋的語意未可厚非，只是他所舉出的例子不甚妥切而已。你想：崇尚拜金主義，追求物質享受的美國人，對於富有資財的寡婦徵婚消息，那有不樂意閱讀之理呢？

自由世界的報紙消息，有許多確是不具備「可讀性」的，若就社會教育設想，簡直是有害無益，不足爲訓。譬如那些以結婚爲兒戲的電影明星（如「力大喜禍夫」）即其最著者），她今天跟甲男人仳離，明天又跟乙男人結合，這有甚末新聞價值之可言呢？這些材料祇是合乎低級趣味的「鹹濕」小報需要，不足登大雅之堂。可是，西方的著名通訊社總是不厭其詳的發出這類消息，各地報紙亦競予刊載，不亦怪哉！又如某國公主嫁了人，某國公主在社交舞會中跳了「扭臀舞」，某個早已亡了國的過氣王子或公主跟人訂婚結婚等消息，原與國計民生渺不相關，報紙上亦連篇累牘，爭相紀載，試問新聞價值安在耶？

談到一般報紙的內容，凡是注意於「可讀性」，一本正經以期適合新聞原理原則的，並不見得吃香。若在政治新聞上，隨時造謠惑衆，張大其詞，再用其大無比的木刻字作標題，又加以紅墨印色；在社會新聞上，多刊誨淫誨盜的消息，繪影繪聲，維妙維肖；在文藝作品上，專寫「三劍客」一個跟斗從香港翻到南美洲或月球去的武俠小說，或者研究性生活到肉麻透頂的程度。這張報紙一定暢銷無疑。

所以，赫魯歇夫批評美國報紙的話，也可以適用於整個自由世界的報業，並不過份。我們固然鄙視共產社會內報紙內容單調和枯燥，只是一張傳單，徒然錮蔽人類的智識，但亦不敢恭維自由社會這樣不講究「可讀性」的胡搞亂來的報紙作風，爲着銷路而放棄報人應有的職責，赫酋的評語，頗有相當的妥當性，不能以人廢言也。

馬五先生

何應欽將軍書面談話

龍劇在美演出特別成功

對美輿論產生很大影響

（本報台北航訊）率領道德重整會中國工作團赴美演出龍劇的何應欽將軍，已返抵台北，特發表書面談話，對龍劇演出情形等有所說明。書面談話稱：

應欽去年率領我國工作代表團前往瑞士參加世界道德重整大會，會後中國工作團到德國和北歐諸國演出反共抗俄和道德意識型態的龍劇一百三十四場，獲得極大的成功。

今年三月底，中工團前往美國，四月二日起在洛杉磯開始演出龍劇，五六兩月轉赴奧克拉荷馬和德克薩斯兩州的十個城市繼續公演，前後三個月共演出四十六場，吸引了觀衆五萬多人，在電視和廣播中欣賞龍劇節目的人更以數百萬計。

現在中工團已前往密歇根州麥金諾島參加世界道德重整大會，會後將繼續展開活動，美國日本各大城市及南美各國均爲計劃中進軍的地區。中國工作團中現有三十六人已經工作屆滿一年，正等待新團員前往接替返國，其餘工作屆滿一年的團員均已先後回國，並無一人離團後留在美國求學。

第」第二批中工團團員過去出國的飛機票費，在國外工作一年來一切食宿和交通費用，以及返國的飛機票費，全由道德重整會負担。我政府對於團員個人的補助費用，去年是每人每日五角美金；今年起增爲一元，此外並無任何津貼。

龍劇已在美國民間和輿論界產生了很大的影響，一方面由於龍劇的內容揭發了共匪暴行，加深了美國人對於赤色匪徒的認識，一方面由於中工團團員素質優越，表現良好，他們和美國人民廣泛接觸後，已增進了中美友誼。龍劇所到之地，處處受到熱烈的歡迎，警車開道，市長出迎，高擎我國旗在各城市中心地區高歌遊行的場面，開創了我國歷史的新頁，報紙、廣播和電視對我們更是十分支持。

當龍劇在各地上演時，國際共黨和親共份子也曾用盡方法來抵制和破壞龍劇演出的效果，他們曾在報紙和電視中購買廣告，替共匪和僞蒙宣傳，用心十分險惡；但由於美國人民對我們熱烈的支持，這種詭計毫未得逞。

我龍劇在美國演出的成功，除了由於我總統和國內各界人士多方面的支援外，便是由於我中國工作團團員不眠不休刻苦奮鬥的結果，他們一直是不辭辛勞而戰志高昂的。最後，我深盼國內人士，當他們在國外努力工作時，多多給予他們精神上的慰勉和支持，使他們能夠發揮更大的力量，在反共抗俄的鬥爭中有更多的貢獻。

收青壯安反側用心毒辣

毛共在廣東省全境普遍發動參軍運動

（本報訊）毛共正在廣東省境發動「光榮參軍」運動，其對象首先是學生，其次爲工人，又其次爲農民。

毛共此一「光榮參軍」運動，規模頗大，不但在城市中推行，並亦在全省農村中推行。至於毛共此一「光榮參軍」運動的目標，則尚屬秘密，有傳爲十萬名者，另又有傳爲二十萬名甚至更多者。

毛共此一「光榮參軍」運動，在有些地方宣稱爲參加毛共的正規軍之「解放軍」，但同時在另一些地方，則又宣稱爲僅係訓練之成爲「民兵」。顯見是「解放軍」與「民兵」兩者都要。而以其普遍推行於全省城鄉觀之，要足證其所需要的數字頗爲鉅大。

毛共發動如此大規模的「光榮參軍」運動，一般推測，具有如次幾項重要的作用：

首先爲整肅不穩的「解放軍」與「民兵」——中共由於十多年來在大陸的種種暴政，特別是近四年來推行的最大暴政「三面紅旗」，使饑荒遍全國，民不聊生，天怒人怨，其「解放軍」，尤其是「民兵」」，不但盡都來自民間，對民間疾苦有切膚之感，其中的「民兵」，因爲經常與人民接觸，（毛共採隔離政策，不許「解放軍」與人民交往）對於人民實際生活，知之尤爲深切著明，他們的父老昆弟諸姑姊妹的痛苦，實際亦正是他們的痛苦。至於「解放軍」，雖平時難有機會與人民接觸，他們本身的生活，亦遠較人民爲優裕，雖未必吃得好，吃得飽是不成問題的，但要說「解放軍」對人民的慘苦情況完全無所知與無所聞，乃屬不可以想像者，要說「解放軍」對人民慘苦處境竟爾無動於中，同樣亦爲不可以想像者。本年四五月大陸同胞洶湧逃港的洪流中，便滲雜有「解放軍」，而尤以「民兵」爲數不少，此一事實，即證明毛共的「解放軍」與「民兵」，對毛共的種種暴政，確有莫大反感，信心已根本動搖。毛共這次藉吶喊防止國軍反攻而在大陸厲行的血腥鎮壓行動，其對象，不但是人民中的「反共份子」，亦包括其「民兵」與「解放軍」在內。不穩的「解放軍」與「民兵」被整肅了，當然需得補充，因而發動了「光榮參軍」運動。

其次爲「壓縮城市人口，主要是收容城市中的學生與工人」——中共從本年三月初，爲「加強農業戰綫」而實行的壓縮城市人口政策，推行全不順利，其原因一則是城市配給畧優於農村，城市中人，大家都不願被「下放」農村；再則農村公社本身已苦不堪言，亦不願城市的人再去分潤其糧食。其中特別是城市中的學生與工人，早有消息，他們寧願在城市成爲「黑戶」，亦不願到農村去吃更大的苦。毛共鑒於這項實際的困難，同時既然「解放軍」與「民兵」，非要整肅若干不可，因而隨水推舟，發動「光榮參軍」運動，大量的吸收學生與工人，以之或則補充「解放軍」，或則補充「民兵」。而爲了耽心如此尚嫌數目不足，所以便亦在農村進行此項「光榮參軍」運動。從廣州來的消息說：毛共對於參軍者的年齡，已自原來規定的十八歲起至二十二歲止，放寬爲十八歲起至三十五歲止，顯明便是爲吸收已經失業的城市工人而發；這些超齡的「光榮參軍」者，其出路必然是「民兵」而非「解放軍」，當無疑義。學生們則其勢都將變爲「解放軍」的補充材料了。

最後亦是最毒辣的，爲收聚民間的青壯精華，變相的達成鎮壓「反共份子」之目的——由於四五月間大陸同胞的逃亡狂潮而引起的中共在大陸普遍厲行的血腥鎮壓行動，一方面，大陸同胞固然已有無可計數的人遭殃了，但另方面，中共何嘗不明白，今天的大陸同胞，其實無一而非「反共份子」，中共要鎮壓，實在有不勝其鎮壓之苦，因之，中共乃以「光榮參軍」的法寶，用優厚待遇爲餌，把學生、工人、以及農民中的青壯，聚而有之，使其與一般人民分開。這些人，是人民中的骨幹份子，也是人民中的精華份子，毛共以爲，把這些人安頓了，則即使一般人民厭恨毛共至於極點，亦將祇能心裏厭恨而已，大家是難望敢於有反抗的實際行動做出來的。即使仍有反抗行動，因爲領導之人，力量更必然微弱，毛共亦就較易加以撲滅。（基）

香港與大陸

中山惠陽配糧更減

農村同胞餓得發昏

△經過大陸同胞如潮似浪的衝出鐵幕逃亡港澳的事件之後，中共對逃亡未遂者，固然以加以凌辱、勞改、打殺等等手段加以對付，但對於造成逃亡的主因之糧食不足，人捱餓，中共不但未有改善，不少地區的糧食配給，甚至比之以往更加減少了。比如：

（一）新自中山縣第五區逃出的陳君透露，在他所屬的那個公社，目前糧食配給，每天祇得四兩米，再加上四兩雜糧，如番薯、芋頭等。他說：因爲每天就祇得這點糧食，副食的蔬菜，有時有一點，有時却根本沒有，所以，大家爲了塞飽肚子，不得不找一些香蕉葉，黃狗頭之類，磨粉做餅或者煑成糊狀，和之以食。這類東西，畢竟有無若干營養，固不得而知，吃得多了，連便溺都成問題，所以大家的身體是愈來愈衰弱了。他們公社中，幾乎沒有一個人是沒有病的；而因爲醫藥的早已有名無實，病了其實就是等死，幾年來，因爲捱餓而死的人，已經不知道有多少，特別是年老力衰的人，死得最多。又說：他們那個公社的人，大家都早就認識，除了逃亡的一條路外，要不捱餓以至於死掉，希望太少了。在上次的大逃亡潮中，他們那個公社就一共逃了一百多人。他這次的逃，也就爲了再不逃亡，斷無生望。

（二）另一從惠陽逃出的鄭君更說，他所屬的惠陽縣毛嶺公社，目前已完全沒有食米的配給，每天每人僅被配半斤雜糧，以充饑。半斤雜糧那能夠吃呢？所以大家都祇好挖土茯苓、野芋以及黃狗頭來補充；往往還要吃樹葉，芭蕉葉已經是其中的上等貨了。鄭君亦說，由於吃了這些其實不能吃的東西，有不少人都先後裂腸而死了。同樣，鄭君透露，所有他們那個毛嶺公社的社員，沒有一個人不想逃，但却不容易眞正逃得了，爲的是共幹的監視已愈來愈更嚴密。

鄭君又透露，在他所屬的毛嶺公社，大逃亡潮中完成逃亡的，有五十多人，另有二十三個人則被抓了回去，在經過共幹召開大會把他們着實侮辱一番後，無論男女通通被押走了。共幹說是把他們押去勞改，但押到那裏去了？共幹不肯說，大家亦不敢問。鄭君還說：他可以肯定，他們公社的人內心裏都恨共產黨恨到死，祇爲了手無寸鐵，却又把共黨沒奈何不得。他說：大家未嘗沒有起而同共黨拼命的心，祇是苦於沒有人敢於站出來領導，誰都不敢妄動，否則無異尋死。但鄭君以爲：假定國軍打回去了，他相信大家必然會不顧一切的起而收拾共黨，絕無問題。（陽）

逼迫東約撤消對寮保護

是共黨赤化寮國的陽謀

（本報永珍航訊）此間反共人士，包括寮國的右派，正密切注視進行中的日內瓦十四國寮國問題會議，而尤其注意共產國家必欲東南亞公約明文撤銷對寮國安全的保護之一點。

根據傳來此間的消息，會議前瞻是確實很使此間反共人士担心的。

誠然，就寮國今天的局面而論，東南亞公約已經證明是一個紙老虎，它說要保護寮國，實際它並未履行這項責任。不特此也，如果承認英美法三國是東南亞公約的領導者，則這三國，不但未曾領導公約保護寮國，甚而它們還直接間接的壓迫寮國反共派同意組織聯合政府，爲寮國的全面赤化鋪平道路。很顯明的，英美法三國是早經決定把寮國一筆鈎銷了，甚至可以說它們已把寮國反共派出賣了，則要它們今後還能實行保護寮國不被赤化，斷無可能。

祇是此間反共人士依然認爲：假定東南亞公約不明白宣佈寮國安全已不在公約保護之列，則這個紙老虎也許還能發生萬一的鎮懾作用，使國際共黨今後在寮國不敢過於無所忌憚，爲所欲爲。這些反共人士指出：

共產國家之所以必欲東南亞公約明文撤銷對寮國安全的保護，完全是一項「陽謀」，是即以寮國外交實行中立的幌子，麻醉西方國家，而在寮國內政一切自主的美麗口號之下，任從國際共黨收拾寮國。比方，如果寮共用滲透方式把反共派軍隊吃掉了，固然是內政，誰亦不得干涉；甚而即使共軍要以戰爭方式打垮反共派而掀起內戰，同樣亦是內政，誰亦不得干涉。果眞如此，寮國之最終必被赤化，就確實再沒有什麼可資懷疑的了。（離）

澎湖風光將上銀幕

台電派員拍製紀錄片

內容六輯重點在建設

（本報記者澎湖航訊）澎湖孤懸台灣海峽之中，六十四島，棋佈星列，是漁港，同時是軍港。自蔣總統以至省縣當局，均注意澎湖的經濟、社會建設，因而這一向神秘而不爲外人所詳悉的地區，已逐漸受人注意。

最近台灣省電影製片廠，爲報導澎湖地區民衆組訓，經濟建設，教育文化的進步情況，以加深海內外人士對我建設台灣省的認識和了解起見，業已派定採訪程大器，攝影張敦志、鄭潔濤，燈光楊秀國等，於七月中旬來澎湖拍製紀錄片，以便在國內外放映，加深認識。

這一「澎湖風光」紀錄片，片名尚未決定，內容準備分爲六輯：（一）馬公鎮及其他的介紹，（二）農業經建介紹，（三）漁業介紹，（四）文教及觀光區介紹，（五）澎湖農村示範介紹，（六）交通建設介紹。一般說來，重點在於建設，亦即十餘年來澎湖地方建設的進步情形。（陳知青）

越南的山地民族

雷震遠

苗族人以圓象牙穿進耳朵，穿得愈大愈美。裝飾品的講究，不僅在美，而且在聲，環圈在行動時可發出悅耳之音，頸圈擺動似樂器，聲如玉鳴。

山地人的衣服是很簡單的，男的束一塊布，女的圍紗籠，其餘都是裝飾品：如頭巾、布衣、白帶等。山地人講究的是形態美，整體美，注重綫條，而不注意細節。

山地人團結心很強，習於集體生活和共同享受，其中沒有特出與顯貴的標誌。一切裝飾屬於祖傳，他們也不加改革。

山地人的音樂音調很貧乏，但節拍很豐富，大體而言，也很調和。他們的音樂主題是隨同樣的動作，重復着同樣的字句，十分自然與從容；配着節拍，造成他們音樂的特色。

樂器的種類甚多，但他們最愛銅鑼。一隻好銅鑼的價值會超過八九條水牛。順着二三四五六級數的節拍，連串敲擊，尾音悠揚，好似羣鐘齊鳴。他們也愛好兩面皮鼓（鹿皮或水牛皮製的），響聲一面比另一面深沉。

為山地人，單獨生存等於死亡，他們需要集團生活，以對付艱苦的環境。特別是精神的互助，更能增加他們克苦耐勞的精神。

在技術上說，他們本可各家獨立，各有房舍、田地，狩獵或打漁，不愁不能生活；但是山地人的組織極堅強，循着祖先的習慣，形成一個大家庭，社會領袖就是家長，沒有什麼治政氣味。大家庭維繫家產的共有，不肯分割。青年男女的社交範圍很狹，這可能有害於種族的健壯，某些民族因此衰落下來。

青年男女的湊合，是隨着天性，生活在一起，逐漸放寬那天性的約束，最後交換手鐲便算正式訂婚。結婚之時，則彼此邀請，並互贈嫁妝及禮品。夫妻關係很自由，為了少許單方面的利益，就可另擇新歡。禮品交換之後如欲離婚，自必由請求離異的一方賠償，聘禮未交換之前，則無此需要。但隨便同居亦被視為嚴重的罪惡。各民族有其婚姻制度，有的是男從女，有的是女從男。巴納、塞當、苗族等是父系民族，一切由男人主持，家產的遺傳都是依男族系統。這樣的民族自是女從男，算是女人嫁給男人。

至於蝦來、拉得、儂、蚋來、斯惹等族，則仍為母系民族，分家產有其特殊規定，男女雙方都有各自的私產，（衣服紗籠等物）。這種制度更促使男女離異，家庭遺產由母親傳給女兒。親屬和血系觀念很重，不過都偏重母親一方，父親一方不被重視。太平洋很多地區有這母系家庭的傳統。

我們已講過宗教的影響對於山地人生活的重大關係。山地人如其他各原始民族，宗教觀念很強，他們祈求陽神，無神論在他們心中是不能成長的。他們的一生以及生活方式，都是以宗教為基礎的。神創造了萬物並規定了施用萬物的法則，人為神之僕役，唯有遵從傳統的禮規。這種宗教的終極觀念把一切都宗教化了。說山地人迷信是不大適當的。他們是宗教信徒：神無所不在，人們當隨時隨地服役於神。

一切宗教敬神之禮是以家庭為基本單位的，宗教是山地人家庭的基石，家庭亦是宗教的中心。家中所有的人都參加宗教儀式，全部在家庭中進行，進而擴及家中所有園地，稻田……遵循季節和各種禮儀。每年也有全村共同的敬禮，墳地裏也有特別儀式，另有某些特殊地方被視為聖地，成為廟聖的中心。他們沒有司祭和僧人，祭獻和主禮者是家長担任，由他講解敬禮和祭獻的意義。

山地人心目中的眞神是純善、純美、永恒、至高、並無所不知的。祂創造了一切，生命由祂而出，由祂掌管。

天地之中分善惡二類，互相對立，造成整個宇宙間的矛盾。善神稱為「陽」，惡神稱謂「卡阿」。占人和爪哇人也稱善神為「陽」。

所有山地人都信有靈魂存在，但是難獲得一個明確的概念，他太神象了。較基本的信念是靈魂是神體，具體物件的存在。

有時宗教儀式中心是祭獻，他們通常以水牛為最高犧牲，其餘如鹿、猪、鷄，只不過是牛的代替品。

（六）

天南風光

——沙羅越土人的生活方式——

朱淵明

長屋的正前面多有寬敞的曬台，以供晒物之用。曬台的正中和左右兩旁，都有獨木梯以通下上。這獨木梯，就是用一隻又長又粗的木幹，將牠鋸成若干梯坎，斜靠在屋梁上就成；與雛子用一隻大樹幹所挖成的獨木舟，有異曲同工之妙。初從外面去參觀的人，走上獨木梯或許有點担心，但住在屋中的土人，無論大小男女，莫不行走如飛，毫不在乎哩。

長屋之內的結構，大約可分為三部份：

（甲）內室：這是一家的主要居處。這一長屋若果有三十家，則所隔內室至少也有三十間，這一家人的睡眠與煑食，都在內室裏面，這一家的財富，也放在內室中。他們的財富是以陶甕和銅鑼或銅鉦為代表，除了身上的銀圈，銀鍊以外，凡擁有陶甕和鑼鉦最多的，就是最富的了。

凡屬進步一點的人家，內室也有床架和衣櫥與桌椅之類，甚至也有圓鏡台的陳設。至於廚房，則另隔在內室的後面。灶是長方形的木框，框內塡以泥土，四角各豎一木柱，上搭木架，放置木柴，灶邊安放取水用的葫蘆，水桶及煑食的鍋碗盤等，廢物及髒水，則就灶旁樓隙處或特開較大之洞，隨手潑下，甚至排洩也就洞行之。冲涼設備則沒有，因為土人的河內游泳，就等於是冲涼了。

內屋的門是常關的，他們在門板上端扎一籐條，穿過門旁之柱縫，垂於樓之下端，籐尾墜一重物，如石塊或重木塊之類，則一推，門即開，一放，門即關了。

（乙）走廊：內室前面就是走廊，可以交通全屋。走廊靠柱頭的地方，也築有灶坪，用石塊及泥土砌成之，供晚間生火取光或天冷時燒火取暖之用。宴會時也用來烹飪以饗客。在這灶坪上面，有若干長屋還掛着累累烏黑的人頭骨，用細籐編製的小籃盛着，這表示他們的祖先英勇成績。

（三）

公道篇

林

人類社會的進步，顯現在今日世界的成果，一方是物質文明，一方是殺人的組織。科學家的理想，或許祇是希望原子能用作和平的用途，但人類社會缺乏尊重和平思想的風氣，缺乏和平制度的組織，那所謂理想也必然是變成空想。

人類表現最大矛盾的悲劇，是一方面在創造生產物質，一方面卻又受到物質環境的支配。蔣總統在抗戰時說過一句很深刻的話，那是「物價漲一分，道德墮落一百分。」這反映人生對現實利益是多麼的重視。

人類社會容許放任獸性競爭的思想，悲劇是永遠演不完。或小而小圈子的利益，中而國家民族的利益，大而國家集團的利益，其相互角逐的理論或有不同，然其尋求滿足自私利益的目標則一致。

人類的思想也有部份是放棄對物慾的追求，祇講求謙讓和平道德，陶醉在最高的人文精神的國度的境界的，例如，

公道——中產革命的呼聲（三）

祇講人與人關係的中國，和其他祇講人與神關係的國家，他們的國運和社會，顯見不及得那些祇講人與物關係的國家那麼繁榮與強盛。

但是，今天卻有一個鐵的事實，就是堅甲利兵和金錢，並未能壟有這個世界；中共即把資本論來作為翻轉中國的武器，亦不能解決問題。這又不能不令我們要重新思考，重新估計一切的價值。

憑着人類自私慾望的功利觀點，發為刺激生產的手段，而主張個人絕對自由，反對限制干涉政策，使資本集中，形成少數個人享受利益，多數個人生活發生問題；憑着超人國家的強有力組織，斷絕個人自私慾，剝奪個人自由及一切所有，用強制分配為奴役生產手段，使資本由個人集中轉為國家壟斷，形成超人的絕對權利，構成人類社會因素的人類，反受組織的支配，成為生產的工具。前者使人受到個人資產壟斷的支配；後者使人受到國家資產壟斷的支配；同等在以不公平的分配控制人類的命運，形成沒有公道的社會。

科學技術發展到今天，生產比例追不上人口增加的比例，尤未能滿足人類無窮無盡的享受心理。但李嘉圖（David Ricardo, 1772—1823）的功利主義，和錢文恩（Wm Stanley Jevons 1835—1882）的慾望研究，卻無限止。容許資本無限積蓄，社會經濟便受凍結，政治便受財富支配，多數人便受凍餒。

瘟君續夢

第六回：烽火照邊陲　同惡難濟　樓船橫碧海　大慾興悲

這時，林伯渠突然插嘴說道：「到了眞正交涉無效時，我還有一個最後的辦法，就是接運華僑回國。」

大家都愣了一下，李先念忍不住問道：「林老，印尼幾百萬華僑，都接回來安置在那裏，黨那有這麼多的錢開支。」

活曹操陰陰笑道：「先念同志，處理國家大事，并不是製一張小桌子，只要四條腿安的平穩，桌面刨的光滑就成了。國家大事要向深一層看的，接運印尼華僑回國，收穫就太多了。首先是宣傳方面的效果，大家都可以想得到，不必我再說了。其次華僑回國，一定要帶黃金外幣回來，進了國境，就要換成人民幣，平白替黨增加了一筆外幣黃金的收入。最後再說安置回國華僑的問題就更容易，在新社會裏還怕有人吃閒飯嗎？海南島有的是荒地，把他們調去開幾個農場就是了。」

活曹操話未說完，大家已經鼓起掌來。李先念最初鼓起腮幫子生氣，後來聽說有錢可賺，也就轉怒為笑。

毛澤東笑道：「林老，你的主意雖然高明，不過我仍怕一點，萬一歸僑回來都沒有錢，我們豈不是偷鷄不成蝕把米。」

活曹操摸着五色鬍子笑道：「主席放心吧！俗語說大船破了三千釘，印尼軍警無論怎樣兇，也不能把華僑手中的浮財搶光，除非他們能實行人民公社，又當別論。」

陳毅笑道：「林老，你的法子簡直想絕了，我懷疑曹孟德若活到現在，對你也要甘拜下風的。」

活曹操冷笑道：「太過獎了，我以為呂布要是不死，看見你也要尊聲老大哥，無論如何他對付女人的本領是遠不如你的。」

大家又都笑起來，陳毅紅着臉也陪着笑了一陣。

周恩來先看看劉少奇，然後向毛澤東問道：「關於同印尼交涉，應該怎樣進行呢？」

毛澤東說道：「現在容易了，我們第一步要求印尼把掠去華僑財產退還給中國，如若印尼不肯，我們就實行接運華僑回國，我想印尼還不致阻攔華僑上船吧！」

周恩來連聲應是，回頭吩咐陳毅道：「你回去趕快向印尼提出抗議，不過措詞不要太激烈。」

陳毅回到「外交部」，把幾位「副部長」都找來開會，傳達政治局會議的決定。這一羣「副部長」，除去章漢夫是個黨棍，其餘的全是「將軍」，也都是當過「大使」調回來的，根本就不知天高地厚，聽說接運華僑有錢可賺，也都主張接回來。

章漢夫究竟肚裏有點墨水，當時說道：「我以為接運只是最後手段，我們初步還是要求印尼保護華僑權益，到了最後沒有辦法時，再提出護僑辦法。」

曾經當過駐東德「大使」的現任「副部長」姬鵬飛說道：「對付資產階級份子，萬萬軟弱不得，我們只是空言抗議，印尼不會賣賬的，只有提出接僑，他們才知道中國有辦法，自然就會讓步了。」

姬鵬飛說過之後，另外兩位當過「大使」的副部長曾湧泉、耿飈也隨聲附和，章漢夫一根黨棍，自然敵不住三名「將軍」，果然把接運華僑一項列入抗議書去。（一一九）

東湖的武大（續）

校本部門首，雖有石獅並列，氣派極大，由此拾級而上，一條甬道，直達山腳，自此瞭望，宛如長廊，一覽無遺。武大所有屋舍均好；圖書館尤極富古意，入內閱書，一無聲息，大可啓發性靈。而女生宿舍之潔淨樸實的外表，富麗的內部，有人稱曰皇宮，與上海豪華的公寓相似，爲南京各大學所不及。更有稱者，武大的女生，衣着以清潔大方爲主，並無奇裝艷服。

距校二三里，有東湖，水波極平，且甚澄清。由校在湖濱舖以沙土，建蓋竹棚一排，加搭綠粘。武漢缺乏適當的游泳池，此天然的小湖，遂成羣衆所必遊。夏日游屐恒在二三百之數，夕陽將落，釵光鬢影，笑語清歌，紛呈湖上。

東湖之迤東向南，有卓刀泉，爲漢壽亭侯關會過此，馬以久行而需飲，關侯以刀揷入其地，泉水卽湧出，士卒同飲，得解此困。後人爲建小廟祀之留念，四周亦有花木錯植，小有景物。

憶玉軒雜綴

八卦山巨佛

台灣各地景色，四時皆宜，名勝亦尚不少，如阿里山，太魯閣，日月潭，春秋閣，八卦山，仙宮廟，陽明山，獅頭山等，山明水秀，風景絕幽。但所感不足，是各地的崇樓傑閣，茅亭茨屋不多，在遊覽時際，不無少了發古潛幽的意趣。自從三藏靈骨迎還故國，日月潭增了玄奘塔，是古物也。而在六年前，彰化的佛教信士，爲了點綴名山景色，發下了宏誓大願，在八卦山上，建立一座遠東最大的佛像，經過五年的時間，終於在五十年浴佛節正式開光，足以傲視日本及東南亞，無與倫比。

八卦山高僅九六公尺，山麓爲彰化縣舊城。山頂有亭，可遠眺大肚與鹿港。光緒廿一年，台灣人士爲抵抗外人武力的攫奪，曾在山上浴血奮戰，壯烈犧牲，約有千數。由於這頁悲壯故事，遂永還印在後人的心坎，留下極深的回憶，撫今追昔，不能自已。雖此山非崇峨，亦無古寺禪林，但每當朝夕，輒有徘徊其下，幾似不可分離。

世界號稱最大的佛像，原數日本的奈良大佛，高有六十六尺。而八卦山的巨佛，淨高七十二尺，已取而代之。佛像是趺坐狀，下有蓮台，漆硃紅色。（未完）

喫薄餅在廈門（續）

黃葉村人

何謂「三部曲」？第一請吃「魚翅席」，只須交代一聲，筵席師傅便會送上門來，一點也不麻煩。請吃薄餅，就大大不同了。必須太太小姐，一齊動手，而且在兩天前得先行準備材料，諸如「荷蘭豆」，必須剝去豆仁及撕去粗筋，然後用剪剪之成絲。豆乾也要切之成絲，用箕箕攤開，放置有風之處掠乾。其他如筍、肉、香菇、金針等物，一概都要切絲，非女人細膩之手不辦。最重要的主料，還是海蝦，先洗淨，剝開蝦殼，用槌搗殼，熬湯備用。蝦肉則和扁魚等，先炒一過，混合其他配料，放在瓦器同熬。熬時，要用文火，隨時注入蝦殼湯，保持適中的濕潤；湯過多，卽透餅皮，湯過燥，則澀口，亦非細心而又謹慎將事不可也。

花香月上樓小品

以上所列，祇是主料，還有冷碟的副品，細加臚列，可以排滿一大圓桌。（一）雞蛋絲（蛋煎熟切絲）；（二）滸僥（一種海草，出產地金門，他處少見，此物最能受油膩，先以之墊底，然後鋪料，不致穿底，此乃廈門人吃薄餅得天獨厚也）；（三）銀絲豆芽（豆芽炒熟，另放冷碟，不能與主料同煑）；（四）花生仁炒熟研末；（五）魚子（炒熟）；（六）嘉勒魚絲（炊熟，取肉去骨捏成絲）。其他尚有多項，皆隨時令更易，不必盡錄。此外尚有各種醬、芥末、蒜等。吃時，主料用湯碗熱騰騰捧出，主客左持匙，右持箸，取料傾入薄餅皮上，和以副品芥醬，然後捲而食之。食量宏者，皮用四張捲成，薄餅比啞巴還大，像老鼠偷吃冬瓜，一口一口的咬，而不能塞入口中。據說：「這樣吃，纔夠味道」。但是，筆者每次給朋友請吃薄餅，每捲不會超過一張餅皮，故我吃十捲，不如別人吃三捲。還有一個毛病，是凡請吃薄餅者，蒜泥蒜頭，乃必然之副品，而筆者最忌此物，聞之則嘔。因此，非摯好，可以商請另備一位免蒜者，則唯敬謝不敏矣。（未完）

「匈奴史」序言

謝康

中國民族包含漢、滿、蒙、回、藏等族在內，似單純而實複雜，人類學權威李濟博士曾分之爲八個種族，而匈奴列第六種。考邊疆遊牧民族與漢族關係最密切而轇葛最多者，厥惟匈奴。自虞、夏、商、周、秦、漢、三國、晉至五胡十六國南北朝時代，匈奴與吾華族發生之交涉，史不絕書。卽從文學史之角度而言，由鬼方、玁狁之見於詩經；蘇武李陵贈答與五言詩之起源，尤其是名女人王昭君（嬙）出塞及蔡文姬（琰）嫁匈奴左賢王因而產生之偉大文學作品，可泣可歌，照耀史乘。吾人今日讀文姬之胡笳十八拍，五七言悲憤詩及杜甫之詠懷明妃一首，慷慨悲歌，千載下猶凜凜然有生氣，令人盪氣廻腸，洒掬同情之淚也。就中昭君軼事，幾於婦孺皆知，其作品如上元帝書及怨詩，「劓肝爲句，扶髓練思，論其品流，識者以爲可躋於楚騷之亞云」（吾友潘學增兄語）。「千載琵琶作胡語，分明怨恨曲中論！」少陵名句，其實亦可轉詠文姬，第改作「千載胡笳作漢語，分明悲憤曲中論。」可矣。文姬詩歌，余曾譯爲法文詩，頗得彼邦人士嘆賞。凡此，皆漢匈兩族通婚，血統文化交流中之小插曲，因而構成文學史上之佳話，俱可爲中華民族融合史之考證資料者。下逮兩晉末，永嘉之亂，胡騎交侵，劉琨、祖逖、盧諶輩，感國運之艱難，摛清剛之詞句，慷慨激昂，氣吞胡虜。蓀民族之志節，作長夜之明燈，留佳話於千秋，振頹風於末世。文文山以渡江楫，比諸蘇武節，允矣。諸如此類，皆匈奴寇邊或南下牧馬所給予漢族之刺激，使吾民族詩人所由感發興起而不能已於言者也。向使無匈奴，或有匈奴而不與吾族發生衝突及和親之事，則我國文學史上，必無此等文學作品之產生，又可斷言也。

從另一角度觀之，匈奴族在西元第五世紀中定居於匈牙利以前，來去飄忽，如潮水之排山倒海然，其酋阿提拉（Attila）所統率之騎兵，歐人曾目爲「上帝之鞭」（Scourge of God），認爲神兵，具見其威力之強，堪與後來之蒙古三次西征，後先輝映。歐洲人士至今或不免談虎色變，恒怵於「黃禍」之來臨。然阿提拉以一世之雄，終不免因貪戀女色，死於與日耳曼女郎成婚之夜，則其興也勃焉，其亡也忽焉。此一游牧部落歷史之謎，至今只供讀者憑弔而已。然同一「和親」也，在明妃則「紫台朔漠，青塚黃昏」；而在阿提拉與日耳曼女郎之好事，則不幸成爲悲劇式之結局，中外民族之和平與好戰不同，東西方婦女性格亦或有不同，然匈奴王之遭遇亦有幸有不幸歟？

噫！余因之有所感矣：昔日阿提拉部隊之流裔所建立之匈牙利王國，近年來飽受強鄰赤黨之殘酷鎭壓，幾經抗暴尚未能恢復民族之自由，以視阿提拉，成吉思汗當年橫掃歐亞二洲，盛衰興亡之跡，何可同日語也！憶予於四年前曾撰「匈牙利民族精神及其文學」一篇，附載於拙著「文藝論集」，並爲詩紀之，有句云：「匈人抗暴勢洶洶，民族精神貫白虹。振奮黃魂驚赤帝，撕開鐵幕出樊籠……」同情之心，不覺躍然紙上，詩雖不工，亦自由人語也！

余友林旅芝先生，好學深思，有良史才，於漢武帝，唐明皇及契丹興亡，既分別著成專書，梓行於世矣。近復以其精心結構，資料豐富，考證詳確之「匈奴史」問世，並囑予爲序其端，卻之不恭；抑予甚佩本書著者之治學精神，喜其於邊疆民族史良多貢獻，特稍掇拾匈奴與吾民族文學有關之一二故事，並畧誌個人對近年匈牙利精神之感想於此，爲讀者告焉。

海嶠譚薈

蔣馮初次晤面記

諸葛文侯

民國十六年六月中旬，國民革命軍蔣總司令與西北國民聯軍馮總司令（玉祥），初次晤面於徐州之役，關係革命前途暨國家治亂安危的機運甚鉅。這時候，愚儕革命軍總司令部參議職務，以曾經于役西北軍，總部乃先期派我赴徐州担任聯繫工作，迨蔣馮二公會談告畢方回南京。在這次非常的盛會中，有幾項遺聞軼事，值得談談。

蔣總司令於六月十八日，偕同胡漢民、蔡元培、吳稚暉、李烈鈞、鈕永建、李宗仁等文武要人先期到達徐州。馮玉祥是十九日由鄭州坐專車前來的，同行人員有曹浩森、黃少谷、何其鞏等。當馮氏專車抵站時，蔣總司令與胡漢民等齊赴車站迎迓，蔣公先登頭等車廂尋晤馮氏不得，卽下車詢問「馮總司令安在？」然馮氏身穿跟士兵同樣式與質料的灰布軍服，腰掛一個小布袋，內儲竹箸一雙，小刀一柄，鐵皮飯盌一只，從最後一節敞蓬車上施施然走下來，站在遠處微笑着，旋有人高聲謂：「馮總司令在這兒！」蔣公急趨前爲禮，而由李協和先生從旁介紹如儀。唯胡漢民先生當時目覩馮氏裝束及其動作，頗訝其不倫不類，表情殊不熱烈。

是晚蔣馮及雙方重要隨員舉行會議，次日繼續爲之。經過情形不勝贅述，要點是馮氏贊同南京的反共清黨政策。此時徐州駐有一部分的西北軍，馮請蔣公向其部隊訓話，當場見蔣公御整齊清潔的軍服，於致詞之先，向台下全體官兵舉手行軍禮的姿式，心裏頗有羨慕與忌嫉的矛盾意識潛在，乃於最後致詞時，大聲問台下官兵們：「你們看，蔣總司令的舉手姿式多麼漂亮呀！」實含有調侃的意味。

蔣公到徐州時，隨帶着準備與馮氏「換帖」的蘭譜一份，兩人晤面後，卽將蘭譜送交馮氏，馮欣然接受。但徐州市上買不到印製好了的同樣帖子，他吩咐秘書長黃少谷買一張大紅紙裁成兩半，以半張捲疊成摺，上寫本人生庚暨父母姓名存歿等，權代正式蘭譜罷！距此時市面上連一大整張的紅紙亦缺貨，到處搜尋，僅得殘破的舊貨半張，祗好將就使用了。這是少谷後來在南京和平日報與我閒談國家大事時，順便說出的一段故事。

六月廿一日晨，蔣公決定是日啓節回南京，特往馮氏住所話別，馮妻李德全在座，蔣公以「盟弟」身份對李表示敬意，謂今後吾兄弟二人同心協力，完成革命大業，不知「大嫂」有何見教？德全凜然答道：「你們哥兒倆能夠永遠爲國家同心協力，事業一定成功。我希望你們不要今天拜把，明天又打起來，那就得了！」她這幾句話，竟成了讖語，事隔兩年後，彼此居然大打特打起來，而在個人的情感上，構成凶終隙末的結果了。

盧象昇與楊廷麟

·李仲侯·

嗣昌夙惡象昇，而起潛又懼坐罪誅，諱象昇死狀，散布謠言，或言降，或言竄，嗣昌亦疑其未死，有詔驗視。嗣昌遣部役余振龍往訪賈莊，余渾名貂鼠，素以綫皮爲業，而其人歸白象昇死狀，流涕動色，嗣昌榜笞之，楚毒備至，口無改辭，呼曰：「死則死耳！盧老爺忠臣，吾儕小人，敢欺天乎？」遂以拷死。

由是象昇家人益惴惴，死五十七日不敢殮。至此廷麟叩閽上疏，言象昇死事狀，並訴嗣昌攘蔽欺罔，義憤所積，疏極激切。慈溪馮鄴仙閱其稿，曰：「此疏入，機部死矣！」爲改定數語。後廷麟聞之則大恨，謂緊要一段，竟被刪卻，後世謂伯祥不及一部役耶？嗣昌意廷麟亦死賈莊，後聞奉使在外，則爲不懌者久之。（五）

壬寅六月偕德明書院新聞系諸生遊九龍十一咪半兼呈嘯岑鐵毅二老

遊車軋軋過東郊，指點崖門却自嘲。四海困窮寧暫息，三光失序苦尋巢。惟傾心事滋蘭蕙，待取芬芳化草茅。今又忻逢塲圃，懸知願力不容拋。

香山蔡俊光未是草

自由報

內僑警台報字第〇三一號內銷證

THE FREE NEWS

第二五五期

中華民國僑務委員會頒發
台教新字第三二三號登記證
中華郵政台字第一二八二號執照
登記爲第一類新聞紙類
（半週刊每星期三、六出版）
每份港幣壹角
台灣零售價新台幣弍元
社長：雷嘯岑
督印人：黃行憲
社址：香港銅鑼灣高士威道二十號四樓
20 CAUSEWAY RD 3RD FL HONG KONG
TEL. 771726 電報掛號．7191
承印者：田風印刷廠
地址：香港灣仔高士打道二二一號
台灣分社
台北市西寧南路壹壹零號二樓
電話：三〇三四六
台郵撥儲金户九二五二

毛澤東「救亡」有什麼成就

·方南·

中共在華南地區突然集結兵力的眞正企圖，到今天應該不是一個難測的啞謎吧！政府面對着這一「新形勢」，反攻的偉業應該怎樣開展？新的做法應該怎樣「適應機宜」而釐定？本篇只是依據「常識」而立論，無甚高見，但當務之急，料亦無過於此了。

兩個月來，關於中共集結兵力的推測，大概不外下列幾種：一、伺機進攻金馬；二、預防國軍反攻；三、鎭壓內變（包括閩粵民變，部份兵變，以及黨內鬥爭的不穩形勢）；四、在外交方面進行試探與敲詐。這四種推測都是有理可按的，所以很難斷定那一種爲完全正確。

裁至目前爲止，仍有人認爲毛澤東必須冒險發動一次戰爭，台峽戰事隨時可以爆發。這是就毛澤東個人性格，及其在閩粵備戰的深度而作判斷，未爲無稽。我們不妨「易地設想」，認爲毛澤東是受到形勢的催逼，受到多方面的壓力，才會悍然走這一着，一方面是對內鎭壓，另方面是防範國軍反攻；一方面是進行外交試探，另方面也準備作最後的一擲，對金馬展開自殺式的進攻。

裁至目前爲止，我們可以看到：中共利用「戰時戒嚴」的嚴厲管制，對廣東人民車施鐵腕鎭壓，已收一時治標的效果。此外，它在「華沙談判」也似有很不錯的收穫，取得美國必將阻止國軍反攻大陸的秘密保證。這如在毛澤東個人淺近的打算，必然沾沾自喜，認爲業已坐收三種預期的佳果，使自已仍然站在可攻可守的優越地位，「先機」給國軍的反攻計劃以有力的制壓與破壞了。

我認爲値得注意的事實有幾點：一是中共廣播與新聞機構，曾用「毛澤東口吻」發表「妙論」，表示歡迎國軍反攻，叫國軍看看大陸有沒有人倒戈起義。這是毛澤東流露了「最怯弱的心聲」，表現出他最害怕一宗事就是兵變。二是陳毅說過一句話，指出不論國軍發動或大或小的反攻，也要由美國負責。這「或大或小」四個字實在可圈可點，等於用陳毅的一把口，證明美國已向他們提出保證，決將阻止國軍反攻。但他們也知道反攻方式有多種，設使國軍在這個時候向大陸發動游擊戰，也會使他們應付不來。爲了這，他們便覺得美國的保證還不夠力，非再向美國提出恫嚇不可，要把「小如游擊戰」的責任也推向美國身上，叫美國人一概出面阻止了。三是最近兩週之內，香港幾家僞裝「右傾」的赤報，都用大量篇幅，大吹大擂國軍必將反攻大陸，標題極爲醒目，渲染極爲出色。這便流露了中共的宣傳設計機構，必已獲得高級秘密指示，明知國軍已受美國制肘，不能反攻，便乘機將國軍反攻作爲一種宣傳材料，向此間渴望反攻的僑胞製造「一個必然失望」的熱望，藉以打擊政府的信譽，摧毀海外反共份子的意志。由此，我們可以看出毛澤東及其爪牙業已喘息略定，開始要作出各種陰險深沉的反擊了。

中共自以爲恫嚇有靈，撒謊有術，把諸如此類的宣傳工作做得十分到家。其實，凡是稍肯用頭腦讀報的人，如能好好運用記憶與聯想，憑「常識」去把握事態，據理分析，便可找出很有價値的「情報」。依據上述，我們也應該想想：美國既已給與中共這麼重大而有價値的幫忙，使他們吃上定心丸，再表現出得意忘形的淺薄相，我們本身該怎樣應付才好？我們眞的要完全放棄反攻的打算，符合了敵人宣傳的目標，令到本來大有可爲的人心再歸於死寂吧！

這時我們要有一個基本上的認識，透視如下幾點：

一、毛澤東只能利用軍力上的集結，暫時鎭壓民變，但這對於中共政權的經濟根本危機，不只無助，且必使其加倍擴大。撇開最近的天然災害不說，單說華南各省被置在戰時管制之下，生產必定更加萎縮，民心必定更加浮動，這就會令到毛澤東沒法解開經濟上的死結。毛澤東徒然叫喊人民「支前」，其實他的「前綫」有兩方面，有形的一方是台灣海峽，無形的一方却在廣大農村上面。他決難在長遠的苦拖局面中僥倖得救。

二、以廣州人民兩次「大暴動」事件爲例，民變仍可能繼續發生，而毛澤東萬分害怕的一件事，就是民變與兵變結連起來。

三、毛澤東不只怕國軍大舉反攻，也怕國軍在此時開闢游擊戰場。

四、美國決不再是値得我們信賴的盟友。我們既要不和美國衝突，又要造成「民族自救」的新局，必須效法建國先烈在辛亥革命成功以前的策畧與做法，憑「革命精神」去打開局面。

有了眞正透澈的認識，才會有決心，有勇氣，向無辦法中想辦法，向最難處下工夫。

因此，目前當務之急，無過於引起大陸兵變，使兵變和民變結合起來。一切宣傳應該向這一點集中，一切行動應該以此爲目標。這時大家應該集中心思和力量，向這一點着想和「加工」。

研究辛亥革命成功的原因，可用很簡單的話作一個扼要的說明，這是：當民心與軍心都在急切思變的重要關頭，要藉少數革命烈士的不斷犧牲去「造變」與「催變」。革命烈士一批又一批的死去，一次又一次的失敗。這都不是白死和白白失敗的，如果沒有這，全面的「兵變」不會突然起來的。

據此，這該是要動不要靜，要攻不要守，要創造不要呆等的時候，尤其要有一批又一批的忠勇志士，專爲發動大陸兵變而勇敢行動與壯烈犧牲的時候。

這決不是坐談，或相對欷歔的時候。更決不是整天談「傷腦筋」和「沒辦法」的時候。尤不是怨怪「美國人不夠朋友」的時候。便算是喊口號吧！喊出來的口號也要用行動去配合它，才不會是白喊了，給敵人利用來做反嘲的宣傳材料。

犧牲少數去喚起多數，針對着大陸思變的軍心，和正在蓬勃起來的民心，勇敢地幹下去吧！難道建國革命先烈的精神和氣概，到今天竟已蕩然無存，再不能出現一批後起之英麼？

從前大家希望大陸內部有變，如今眞的變起來了。外面如何？誰去配合它？由外面伸進去的力量，應該和由裏面變起來的局勢配合，這是時機了。沿海共軍佈防雖密，決不會沒有義勇游擊健兒進入的空隙。整個大陸天空都容得飄入汽球散佈糧食與輕型軍火。有許多工作是已經做了仍要千倍百倍加强的，有許多是要從頭動腦筋想辦法去創造的。而這一切一切，都要由自由中國當局的認識，決心，和勇氣來決定。

總括一句話說：欲使毛澤東今天的「救亡運動」失敗，我們也要用盡一切方法，作盡各種努力去催促它，決不可坐待其亡，並且坐視大陸同胞徒作「借亡」之哭啊！

漫畫天下

南地

「不用看了，照直去吧！」

提防圈套

自由談

拍蒼蠅的手法

馮子先生

前些時，在台北鬧得滿城風雨的監察院秘書長瀆職案，經幾位監察委員負責調查審議之後，提出報告書，其中對於該秘書長以「天才兒童」的條件，送子出國肄習繪畫這樁事，特別縷述其經過情形，認有「企圖逃避兵役」之嫌。如果僅以此事爲該秘書長罪，我就要替當事人鳴不平，而大興「上無道揆，下無法守」之嘆也！

若干年來，在台灣的要人子弟，「非法」出國留學的不勝枚舉，如藉「朝聖」名義，集體放洋後，即一去不復返的青年壯丁，乃其最著者。這些人是否有「逃避兵役」之嫌，他們的姓名和身世如何，監察委員爲甚末不聞有調查糾舉的行動呢？再看監院秘書長的兒子劉熙放洋學畫的經過事實，他是呈由教育部長核許，轉請行政院批准的。論法律和政治的責任，教育部長應該是主體，不管劉熙出國是否合法，他的家長決不應負咎的。監察委員不追究教育部是憑那條法令特許劉熙出國留學的，而斤斤指摘其家長「殊屬非是」，無乃「明察秋毫而不見輿薪」乎？

談到出國留學問題，去秋陽明山文教界人士會談時，亦曾熱烈討論過，大家認爲青年子弟能夠不需耗費公帑而到外國求學，亦大佳事，似無禁制之必要。至於所謂「逃避兵役」之說，固非所語於政治上的特權階級也。試問今日住在台灣並未出國的顯貴人家的子弟，究竟有誰個依照國家法令，而於適齡時期自願去服兵役的？法不及親貴，刑不上大夫，這就是咱們朝野間經常高唱「法治」論調的唯一特色，夫復何言呢！

我認爲劉秘書長去職的原因別有所在，而兒子出國求學不預焉。監察委員的調查報告對其他的情節存而不論，而對劉氏的兒子出國留學這點，大書特書，認爲罪無可逭，未免有失公允，此亦拍蒼蠅之手法歟，噫嘻！

中華民國五十一年七月二十五日　自由報　第三期　第二版

（本報記者台北航訊）一個青年警官，由於學術上的成就——他的一本新著受到推重，國際警察學術研究團體已邀請他去出席年會，但他畢竟能否成行，因爲旅費的問題而成了問題。

國際警察首長協會是一個國際性的組織，由各國警察首長共同組成，主旨是在彼此交換工作心得，及增進彼此的了解合作，這是一個著有成效而具有聲譽的團體，每年均舉行年會一次。今年的年會，定於十月六日至十一日，舉行一連六天的年會，地點在美國密[illegible]州內魯易斯城，已由該協會會長美國的[illegible]威立發出通知。

國際警察首長協會年會邀請參加的對象，分爲三種；第一種是各國的警察首長，第二種是由兩個首長聯名推薦的人員，第三種是對警察學術有特殊貢獻者。在這三種資格的被邀請者，以第三種資格最名貴，顯而易見，被邀參加者個人以及他所屬的國家，都認爲是一種榮譽。

國際警察首長年會
我一青年警官受邀參加
陳寒松憑一本書獲此榮譽　旅費成問題不知能否成行

本年度國際警察首長協會年會，我國被邀請參加的警察首長有：內政部警政司長黃佑，台灣省警務處長郭永，中央警官學校校長趙龍文，教育長梅可望，台灣省警務處外事室主任張漢光，台北市警察局長張毓中等。國際警察首長協會年會中還舉行一個國際警察學術研究團體圓桌會議，我國受邀請參加此一會議的是台南縣警察局的一位外事警官陳寒松。陳寒松的被邀請，是因他在年前出版一冊「警察與公共關係」的書，他對於各國警察的公共關係工作，有很詳盡的分析比較，同時提出許多服務的新觀念，使警察對工作的認識上，有了新的進步見解。這是我國不以首長資格而以學術著作受知於國際警察界因而受邀的第一人。

但國際警察首長協會並不負担參加人員的費用，一切往返旅費，甚至開會期中的食宿等費用，都需自理。就由於費用自理的關係，每屆年會我國被邀請參加的首長雖然不少，但能實際花得起錢前往參加的人卻不多。去年是警務處長郭永去的，前年是警官學校校長趙龍文去的，今年據說爲了省錢，將由省警務處外事室主任張漢光，乘美國國務院邀請訪問美國三個月之便，前往參加。其餘的人，都未必有能力去了。特別是像陳寒松這樣的普通警官，要想自備費用前往，談何容易。但像陳寒松這樣有貢獻的人才，被國際學術團體發現而加以尊崇了，我們如果不想辦法送他去參加會議，在陳寒松固然不幸，在國家，也實在是一種損失。（吳越）

祇消極的想關起門來打
南越剿共戰有奇異場面
遊擊專家被派打反遊擊戰
天長地久不知要打到何時

（本報西貢航訊）南越剿共之戰，美國已花了二十億美元，以「顧問」身份派到南越的美國官兵，現已約達八千之衆，今後可能還要派出更多的美國官兵。但這戰爭是怎麼打的呢？要打多久呢？戰爭的遠景如何呢？

不少美國人都認爲這是一場「奇異的戰爭」。這戰爭，對他們來說，還是新鮮的課題，包括（一）沒有前後方之分，可說到處都是前方；（二）不容易辨別敵友，疑神疑鬼，你得隨時提防遭受到襲擊與狙擊；（三）戰爭是游動的，山間，水涯，叢林，沼澤，處處可以是戰場，共黨一打便走，往往而不可捉摸，更絕對難得見一個有形的戰線讓你去痛痛快快的打一場。

就美國軍人視之，這場「奇異的戰爭」的奇異之處，更還有（一）美軍只是「顧問」，而非「司令」；（二）美軍只有訓練的任務，而沒有作戰的任務——美軍所奉到的命令是除非被擊，否則不得開槍。雖然實際上，美軍也開槍的，美機駕駛員就常常開機關槍掃射越共遊擊隊。

八千美軍中，包括受過遊擊戰的特種部隊，屬於空軍的八十架直昇飛機的空中與地面人員，屬於海軍陸戰隊的雙棲部隊，以及屬於海軍的登陸供應的單位。至於亦參加工作的第七艦隊部份官兵，尚不計算在內。

美國官方，無論外交與軍事人員，他們的言論，一直是樂觀這場戰爭的。直到目前爲止，華盛頓的表現，也儼然具有堅定的決心，務必要打勝這場戰爭。事實上這場戰爭，亦確乎關係重大！不但關乎南越的興亡，也還關乎東南亞的安危，甚至更廣大的自由地區的安危。

南越有十七萬正規軍，十三萬自衛隊，這三十萬人馬，可說已全部投入這場戰爭之中。越共遊擊隊畢竟現有若干，西貢與華盛頓都無從有正確的數字，一般的估計，加上六月份最後三星期因爲寮國成立了聯合政府而新自寮國開進來的北越八千部隊，無論如何當在三萬以上。與南越軍爲一與十之比。根據西貢與華盛頓官方的數字，本年以來的歷次戰役，南越軍損失一千八百名，越共遊擊隊則損失七千二百名，爲四與一之比。官方顯然就根據這個雙方損失數字，表示其樂觀的論調；雖然大家都知道，這數字不可能是精確的，也實在難以做出精確的估計。

然而，一方面北越共軍在源源不絕的補充，另方面越共遊擊隊又在南越到處以殘酷手段褁脅民衆，所以雙方實力的對比，絕不可能永遠爲十比一。何況，在這種「奇異的戰爭」中，人數多少並不是決定性的，往往以三十名官兵包圍搜索三名遊擊隊員，自身固不免有傷亡，亦還未必捉得到它們。

根據透露出來的消息：美軍官兵對於這場戰爭的打法，並不滿意，他們的表現同樣亦不能完全令人滿意，於是而構成不少奇異的場面。如：（一）美國特種部隊司令洛遜少將，在來南越視察其部隊之後，曾明白表示對於把他的若干部下分配到訓練單位，而非把他們悉數配屬營級連級的南越軍，認爲用非所長，構成浪費。（二）被稱爲遊擊戰專家的美國特種部隊，他們所受的「書本上」的訓練，到了南越之後，纔發覺許多都與現實環境格格不入，他們要教導的南越軍，在這方面，即使不比他們知道得更多，也比他們所知爲實際，已經有過不少次例子，他們是靠南越軍的搭救而保留性命的。他們是遊擊戰專家，但他們而今打的不是反遊擊戰，所以不在行了。（三）因爲地形等等特殊環境，被視爲利器的兩棲裝甲車派不上用場，榴彈炮亦無所用之。另外，情報的難得確實，軍中通訊的不夠靈活理想，亦往往造成悲劇。

美國軍人是值得贊揚的，他們戰意昂揚，也十分勇敢。問題只是這樣想關起門來打的剿共之戰，本身是消極性的；何況門又其實關不起來？這種長遠而看不出勝利終結的戰爭，三心二意的美國政府，到底眞的能夠奉陪到底麼？（泛）

香港與大陸
偶語反攻便遭拘捕
廣州同胞人人自危

中共在廣州愈益加強其血腥鎭壓的暴行，其程度已到偶語者拘捕的地步，因而廣州同胞人人自危，皇皇不可終日。

這消息是新從廣州歸來的黃君對本報記者透露的。據黃君說，中共在廣州此項血腥鎭壓的暴行，其名目之一，爲鎭壓反革命份子謠言惑衆。而所謂反革命份子謠言惑衆的主要內容，竟然是針對同胞們談論國軍反攻大陸的事情。

記者曾詢問黃君：所謂國軍將反攻大陸的消息，不是中共自己叫出來要大陸同胞警惕的嗎？爲什麼中共又不准同胞談這件事？黃君說他也攪不清楚其中內幕，他知道的僅是：廣州的中共幹部，只准他們自己主動的談防備國軍反攻，比如中共曾經召開各種形式的會議，告訴廣州同胞，說國軍正準備反攻大陸，它們且在會中用徵求意見方式，詢問廣州同胞應該怎麼樣同心協力去預防國軍反攻？以及果眞國軍開始了反攻，又應該如何協助中共，打擊國軍？但它們卻不許廣州同胞私下談論國軍反攻，否則如被發覺，便認爲係反革命份子，加以拘捕。

黃君還說，據他所知，廣州同胞確實已有不少的人，在反革命份子造謠惑衆的罪名之下，被中共拘捕了，估計被拘捕者已以千計，甚至要以萬計。至於那些被拘捕的人，如何被處理了？誰亦不得而知，總之是從此無消息。被拘捕者的家屬亦不敢去問共幹，因爲如果去問，不但不會有好結果，往往還會有更壞的結果。

然則是否廣州同胞如今再亦不敢談論國軍反攻的事情了？黃君表示那是絕對的。他說：在中共初發表消息說國軍將反攻之時，同胞們私下對此，確實談得很起勁，但到了中共實行亂抓人以後，就大家都噤若寒蟬，再亦不敢談了，雖家人父子之間，亦不例外，對外人就更不消說。所以，黃君說：由於共黨如此大規模抓人，現在廣州同胞，確已有如驚弓之鳥，人人自危，不知被抓的大禍那一天會臨到自己的頭上。

又，江西籍的李君，六月初從郵局寄了五包膠鞋、汗衫等日用品回去給他的太太和子女，六月底得到通知，說他寄得太多，一家人不能一下子接受二包以上的包裹（兩磅裝），將予退回。六月底，這些包裹果然掃數給退回來了。之後李君接到家人來信，始知爲了那些包裹，他的家人是曾經納了稅的，一共是人民幣十八元餘。納了稅而包裹卻被退回來，李君爲此頗有怨言，說是共黨這樣做，等於搶刦人民，亦實在是欺騙人民，豈有此理。（咸）

物資局經營不善
省議員大肆抨擊
主張撤消否則更換局長

（本報記者熊徵宇台中航訊）以輔導民營企業開展外銷，調度台灣全省物資供求的物資局，近幾年來，經營不善，一直爲民間商業團體所不滿，所以省議會每次開會，都有議員提出抨擊，指責該局，除了「與民爭利」做些具有壟斷性而並沒有替政府賺取應有的利潤的生意以外，對於省內民營企業的輔導，完全徒具形勢，而所謂拓展外銷，更是「紙上談兵」。拿出來的書面報告，都是皇哉堂也，實際情形，一榻糊塗；高級首長，尤多浪費，所以造成最近七、八個月來，每月虧損達一百餘萬元的現象。於是，更引起代表全省民意的省議會不滿，提出具體事實，要求省政府撤銷物資局，或者請物資局長張仁滔辭職。

屏東籍的省議員蔡李鶯，在七月十一日省政總質詢時，面對周至柔主席，大肆抨擊物資局經營不善，她說：「最近七、八個月，物資局每個月要虧損一百多萬，這樣下去，如何善後？物資局擁有龐大的資金，具有優越條件，何以每個月的虧損這樣龐大？如果說，是因爲某種原因而遭受虧損，那末最多一兩月，就應有對策，何以形成七、八個月的連續虧損」？

又說：「物資局的中心業務，是輔導民營企業開展外銷，如今，連本身的業務都搞不好，還談什麼輔導？難道物資局對國際行情一點研究都沒有？政府付出的龐大資金，不能讓物資局這樣濫用，特別是在這備戰反攻的階段，物資的供求，最爲重要，物資局既然這樣無能，我有兩點建議：第一，請撤銷物資局，第二，請物資局長張仁滔辭職！」

周主席對這二項建議沒有答覆，而列席於省議會的物資局長張仁滔，也沒有說話。這正如蔡李鶯議員所說，端的「如何善後？」

三個國際性青年會議
分別在丹麥芬蘭舉行
其中一個港某出版社有代表

（本報訊）本月在歐洲方面，有三個國際性的「青年會議」先後舉行。一爲在丹麥召集的「社會主義青年聯盟大會」，預會人士都是來自各國的左傾青年團體代表，香港某出版社亦派代表徐某前往參加。據說這會議的性質是反共的，但主張實現社會主義生活，不外是英國的費邊主義那套思想體系。二爲在丹麥召集的「世界青年會議」，由美國人發動的。這會議沒有政治色彩，祗是利用暑假期間，邀約各國青年知識份子集會遊玩，順便到瑞士，羅馬等地區游山玩水，共樂一番，完全是美式生活的玩藝。

另一爲在芬蘭首都赫爾辛基舉行的「世界社會主義青年會議」，由俄共佈置支持，純粹是共產黨的外圍工具。據說在丹麥舉行的「社會主義青年聯盟大會」，準備推派代表前往芬蘭參加該會，旨在觀察眞象，乘機搗亂，然乎否乎？且聽下回分解。（凌霄）

苟安一念禍事重重

從韓戰到越南到寮國　俄帝在亞洲節節勝利

省非

西方國家時常宣稱自從一九四九年北大西洋公約成立以來，有如「泰山石敢當」，已有效阻遏俄共帝國的擴張洪流，自由世界再沒有損失一寸土地。

如其這話專門以之誇耀北大西洋公約地區，還勉強說得過去。但如其所指自由世界也者，也還包括亞洲、非洲以及中南美洲的非共國家，就完全與事實不符。試舉一例，中美洲的古巴，不就已經被翻入鐵幕，被俄共在「美國的後門」豎起了一面紅旗？

亞洲的情況就尤其嚴重。最具決定性的中國大陸的赤化，不正是一九四九年的事？還有曾經是中央公約最堅定的支持者的伊拉克，不也是在一九五七年於一夜之間失去的？！誠然，伊拉克至今還不會徹底陷入俄共之手，但最低限度它已經是俄帝的一個準附庸，應爲無可否認的事實。

其實，不必以北大西洋公約成立算起，從韓戰開始至今，俄共帝國在亞洲的擴展，也就大有可觀，結果所屆，亞洲也就成了岌岌可危的世界局勢中最爲危機深重的地區。而且，從韓戰至今，俄共帝國在亞洲的一而再再而三的前進，差不多都是由美國所經手的。

其一便是一九五三年韓戰的被不明不白的半途而廢。所謂聯合國軍者，死傷達一百餘萬而全無代價，固不必論，且直至現在，美國還不能不派好幾萬軍隊戍守在三八綫上，終年四季都在緊張戒備中討生活。

其二爲一九五四年的南北越分割。西方國家原以爲把十七綫以北割讓給俄帝便可苟安旦夕了，豈料南越共禍立起，美國又不能不出兵去打那奇怪而絕無勝利前瞻的戰爭——可以預料，美國到某個時期，又會發表另一「白皮書」，把南越一筆鈎銷。

再一個便是眼前的在「中立而獨立」的名義下把寮國犧牲了。寮國的已經是俄帝的囊中物，完全不成問題，而今就只待俄帝用或急或徐或武辣或「文明」的諸般巧妙工夫去收拾它了；屆時，只需寮國還是對外「中立」的，它內政赤化，西方國家是決不會理會的；依據日內瓦條約的規定，亦其實不容西方國家理會的。

而，設如西方國家的政策不澈底糾正，第四、第五……還會陸續而來，一直到俄帝把全世界紅一色爲止，蓋可斷言。

天南風光

——沙羅越土人的生活方式——

朱淵明

原來，伊班族同台灣的高山族一樣，過去都有獵人頭的惡習，他們同敵人交戰時，都喜割下敵人的首級，留作紀念。自然，若他打敗了，他的首級，也一樣要被敵人割下留作紀念。因之凡屬青年戰士，割下人頭愈多的，也就愈爲英雄。一旦做了英雄，即可任意選擇族中最美麗的女子做妻子。於是這一習俗，不免無形中鼓勵了獵頭之風。甚至據說過去有許多與腊子要好的人，到長屋去做客人，臨走時若果主人留戀不捨，也會將嘉賓的腦袋留下，作爲紀念咧。

這一風俗，後經英人政府嚴加禁止，現已戢息，走廊上懸掛的頭殼也被取締，留存漸少。不過在第二次大戰期間日軍佔領南洋時，被土人偷襲割下的頭顱不少，現在還多半掛在那裏咧。

此外，走廊上也放着礱谷用的木礱，和舂米用的木臼，及各家燒火用的木柴等雜物。

（丙）外室：走廊前面就是外室，乃腊子家人起坐和做手工的地方，不過同走廊畧微相同，是直通而沒有間隔的，所不同者，走廊乃屬公用性質，而外室則帶點私家意義，雖然沒有間隔，卻也各有範圍，不容紊亂。腊子們都是席地而坐，故外室同內室一樣，均鋪有席子。如果那一家有賓客來臨，主人就會再拿一張較新的席子出來，鋪在原有的舊席之上，請客盤坐於上，然後再拿出銅盤，內盛烟絲，捲烟用的草葉，火柴，和檳榔等物以享客，貌甚客氣。如有單身客人，時間已晚，主人會留着過夜；那就掛起蚊帳，添加枕蓆，由主人陪着睡眠了。

大的長屋，也還有上樓的建築，以便置放鑊、鑼、蓆以及魚籠等物。如果那一家人口太多，未婚男子，也可爬到上樓去睡眠的。

講究一點的長屋，門上和壁上或者樑柱，還常常繪着龍紋及各種圖案的花紋，也相當美觀。沙羅越政府所主辦的巴都林丹師範學院，收錄了不少土人青年，那宿舍內的樑柱，及板壁上之壁畫，全是出於土人學生之手，凡屬參觀者，均莫不嘖嘖稱之。（四）

公道篇

林人仁

公道——中產革命的呼聲（一）

然限止制裁亦無需國家權力集中的必要。人類的自私慾望，永遠與本能相附，其消失不在強制壓抑，而在誘導，尤在於社會安全制度的保障，且與教育程度成反比。故馬克斯自認共產主義爲科學的社會主義，實際並不科學，最少他並未認清人類自私慾望存在這一項事實，並其可能消失程序的分析，而祇基於一個主觀的烏托邦式的空想，先搗亂人類社會，掠奪所有，而後憑資本與機器的壟斷，支配人類，重整世界。

不知，資本主義與共產主義同等重視的機械生產物質文明，只是人類社會的人與物之間的一部份的需要。人類社會的整體，是包括生命的所寄與生活的所需兩大部份，其對象除「人與物」間的物質生活外，還注重於「人與人」間的倫理關係的溫情，與「人與神」間的聖靈修養。所以單純注重經濟力爲統治手段的，並不完全符合人類天性所需要的利益。因之，用資本主義或用共產主義的方式，來作爲統治的手段，也就注定了失敗。

一個公道社會制度的經濟政策，應該不容許個人「太有」，亦不讓個人「太無」，爲了多數人的福利，個人自由應該受到若干限制；爲了全體國民的自由幸福，也不容許國家權力過份集中。這樣，由個體到集體才見諧和。從經濟學分配論說，唯中產革命的運動，才是公道的主張。

中產階級在世界各國是社會的中堅份子，是智識份子，是文化教育界的代表。從古迄今，他們憑着知識、學問、道德、推進人類歷史文化，創造文明，而又很少能身歷並享受其創造的成果。就以現社會的白領階級論，他們大多數並不徵逐於名利場中，祇是沉默地埋頭於他們的工作崗位，憑着他們的知識技能爲社會服務，以博得微少薪酬來維持生活。他們的生活是困苦，甚而沒有像工會一類組織來保障他們的福利，而他們卻是負起最重大的文化和教育的責任，實在是很不公道的事。因此，最近連英國這樣的國家的智識階級也開始不能忍受了，他們開始要求對種種生活的改善，甚而叫喊起革命來了！

越南的山地民族

雷震遠

這是因爲水牛有不同之處，據傳說他們祖先把水牛視爲有靈之物，就是現在每條牛亦各有一個名字如人名，是人類工作的良伴。水牛在被殺之前，左右前後都充滿親切感。水牛被殺後，肉當分食，是山地人共同的「聖餐」。山地人對於出殯也極慎重其事，就如祈禱與祭獻一樣。死於非命，不知屍遺何處是最痛苦的事，被認爲是神的極大的處罰與家庭最大的不幸。

這些原始的思想，是山地人趨向宗教及眞神的要素，同時亦是對抗共產主義的有效武器。不過越共起初是不會表現他們眞面目，直到山地人完全被統制之後，越共才會反對他們的宗教活動。這是山地民族的最大危機，不過山地人的傳統思想與家庭制度也是反共的。

欲使山地人民皈依耶穌基督，也有不少困難。他們敬祖與傳統觀念便是一種阻礙。自一八四九年首批傳教士進入山區傳道的時候，會遇到不少困擾，他們隔離世界太遠，心地窄狹，不肯接受外來的思想。二十年的工作與辛苦才使八百人歸化了。一九三零年教友數字增至一萬七千七百名，而現今崑嵩教區有八萬名教友。山地人過去對陽神的信仰，現在轉向眞天主，生活在光明與幸福的園地裏。即在物質生活上也經教會的協助大大地改進了。

山地人對於教會，也都奉獻着聖教初期教友般赤誠的心。教會除給他們帶來信仰外，尙普遍施予教育及衞生設備，已有不少山地人受了中學教育，不少在越南大學深造。所有民族與文化在自由越南領土範圍內，都該支持越南領土的完整與獨立，保衞自由、團結而成爲一個偉大進步的國家。

（完）

瘟君續夢

第六回：烽火照邊陲　同惡難濟　樓船橫碧海　大憨興悲

印尼外交部接到這個抗議不由大笑起來。蘇班特里奧捧去給蘇加諾看，蘇加諾笑道：「他們既然敢說出接運的話，我們就歡送好了。」說過又簽署兩個迫害華僑的命令。

這一來中共眞吃不消了，許多親共華僑眼見在印尼無法立足，只有去找黃鎮。黃鎮去找蘇班特里奧交涉，印尼方面反說中共干涉內政，黃鎮那懂得利害，憤然說道：「既然印尼不歡迎中國人住，我們就負責接運回國了。」

蘇班特里奧冷笑道：「這倒是個解決辦法，以貴國幅員如此之大，安置幾十萬人又算什麼呢？」

黃鎮以爲這次佔了上風，回去就拍一個緊急電報，要中共當局派船接運華僑。周恩來沒想到抗議上輕輕提到一句，竟而弄假成眞，不由得皺起眉頭，當時把陳毅、李先念、李富春及交通部長王首道找來，把黃鎮電報給大家一看，都嚇了一跳。

李先念說道：「總理同志，接運華僑回國這件事，我看相當冒險，假若華僑携回來的東西不夠他本身的開支，變成了蝕本生意，試問誰負責任。」

周恩來說道：「這個問題並不太大，橫豎華僑回來之後，作工吃飯，有勞動力強的多吃，有勞動力弱的少吃，沒有勞動力的不吃，黨是不必過問的。當前問題是怎樣接運，交通部有沒有辦法。」

王首道苦笑道：「總理講到這裏我還沒有聽明白，到底接運多少華僑，數目不太大的話，可以找鄺任農派幾架飛機去就成了。」

李富春止住咳嗽說道：「首道同志，按照初步計劃要接運三十萬人，鄺任農有幾架飛機，怎能負起這個任務。」

王首道登時跳起來，說道：「接運三十萬人回國，決非我們力量所能辦到，飛機當然不成，海運我們沒有遠洋輪船，總不能用木船接運華僑。所以這件事交通部實在無計可想，總理還是另想辦法吧！」

周恩來瞪眼看着王首道，微笑說道：「首道同志，你已當了部長，要有一些大臣風度，遇到困難要想辦法解決，一味叫苦成什麼話。」

王首道想了一想，說道：「辦法倒有一個，就是要花錢，我們可以向外國租賃海船去印尼接運，不過這筆錢卻要財政部墊出來。」

一聽說要出錢，李先念就急了，搶着說道：「租賃海船是可以的，卻不用財政部墊錢，我們可以叫華僑出錢買票，票算貴些，還可賺上一筆哩！」

陳毅笑道：「先念同志，你當財政部長光打小算盤是不成的，我們今天接運印尼華僑，好比追求一個富家小姐，不要怕花小錢，只要能追求到手，整個身家都是我們的。」

周恩來笑道：「你這一次比仿的對極了，先念同志可以放心了吧！」

李先念無可奈何點點頭。王首道自去和蘇聯、捷克、東德等國接洽租賃海船，不久，接運華僑的工作就開始了。

中共駐印尼大使館接到電報，知道中共已派出輪船來耶加達接運，馬上展開宣傳，許多親共華僑都趕去登記，也確實登記了二十多萬人。（一二零）

八卦山巨佛（續）

蓮台及底台，合佔地近七畝，連座高十四尺。佛身內部分六層，可拾級攀登，以達頂部。將來擬在內部各層塑造五百羅漢，及設藏經閣。外部工程是四十五年三月四日破土，全部建築費，約需新台幣一百五十七萬。所需資金，完全是民間的信士，自動捐輸。塑工皆是信士中的精巧工匠，自動捐工。確是偉大的工程。因資金來自民間，施工時間，不免有挫折，但宗教信心，力量殊大，終於五年之間，完成塑像，從此莊嚴寶相，氣象萬千，為台灣唯一的佛相，也為全國佛教信士，增了一碩果僅有的瞻拜勝地。

佛像的尺度，鼻長五尺六寸，眼長三尺七寸，口長五尺九寸，耳長十尺五寸，兩肩幅濶十三尺二寸，胸圍四十尺七寸，佛掌長十一尺，姆指長五尺三寸。人行其前，不能平視，祇可仰望，洵乎偉大而壯觀，將來永垂不朽，當著名於全世界。

憶玉軒雜綴

淡海的黌舍

前記錦城的華西，而環顧寶島的學府，就校舍的環境，負山帶海，占盡山光水色，要以淡水的淡江文理學院為最合絃歌不輟的地區。首先是地域遼闊，民風淳樸，不尚繁華，無都市誘惑。是凡來此就學，心地寧靜，易啓智慧，為台灣任何一地所不能及，固不下於東湖的武大。

淡江文理學院，位於淡水英專路的山嶺，四面臨空，可以望海，而校舍美奐美輪，一切建築，皆近乎宮殿式，連綿陳列在眼中。園中所植龍爪柏甚夥，一片碧綠如絨氈的草坪，旁綴無數的杜鵑，夾植冬青及各種花卉，讀校園幾成公園化，使成千學子，敦品勵學，實是陶冶性情，鍛鍊體格的好所在。極夠理想，罕有其匹。而對觀音山，俯臨淡水河，極目遠眺，則大陸的福州，依稀可望，置身其間，確有濯足萬里流之概。

該校是三十九年由本省張驚聲君，與元老居覺生所創辦，初在台北博愛路建校，稱淡江英專，後來擴展至淡水。四十七年經教部核准，改稱淡江文理學院，校本部設此，而城區部設台北。現有中國文學，外國語文，數學，化學，商業，以及測量專修六科系。內覺生圖書館，鍾靈化學館，極為雄壯。尤其司令台，更為壯麗，台屋是宮殿式，循石級而上，猶如故都的建築。（未完）

喫薄餅在廈門（續）

第二部曲是：吃薄餅後，主人必另備一桌「茶道」，以為客人清潔腸胃。這一玩意，更有意思，如果主人是儒雅或仕宦，富厚之家，起碼必有其三兩套特色之茶具，壺是宜興、無錫、石灣、德化之上乘佳品，杯及「茶洗」，非明窰即康乾名貴製品，使客人一面品上品之「三引水仙」，一面月旦陶瓷茶具所雕琢之山水人物，評今論古以為樂。之後，胸中油膩漸消，時間已近申初。

第三部曲，便是請吃番薯粥。番薯粥者，即「地瓜糜」也。廈門禾山地瓜，有名的鷄蛋黃也。以之熬糜，潤胃滌腸，當此之時，三引滌腹，渣滓已消，正如過屠門大嚼之後，來一碗火腿燕窩湯，佐以四冷葷，四素碟，小嘗慢嚼，別有一種菜根滋味。三部既完，主人送客，較熟者，主人以「牛皮紙」裹數捲，一聲多謝，歸遺細君，豈不快哉！

自從匪陷大陸以還，已十有二年，不知廈門薄餅風味矣。雖然薄餅各地都有，但除了香港還可以找到未經冰浸的鮮甜海蝦外，其他就不太容易了。何況扁魚、香菇、內地鼠子一般大的多筍，在克難的海島，更加可望而不可即啦。努力吧，收復我們的故土！

花香月上樓小品

黃葉村人

崔顥黃鶴樓詩

唐崔顥題黃鶴樓詩云：「昔人已乘黃鶴去，此地空餘黃鶴樓。黃鶴一去不復返，白雲千載空悠悠！晴川歷歷漢陽樹，芳草萋萋鸚鵡洲。日暮鄉關何處是？烟波江上使人愁。」這首詩，我並不覺得它有什麼好的意味。概括而言之：前四句是一箇「空」字，人沒有，鶴沒有，還有什麼哩？一幢空的樓房而已耳。末兩句呢？是一箇「愁」字。日暮途遠，是愁！鄉關不見，是愁！烟水茫茫和白雲縹緲，更是愁！那麼？還有什麼遠近景可覽呢？不得不借漢陽的晴樹，鸚鵡洲的芳草，來點綴點綴了。可是，漢陽之樹，似有似無，鸚洲之草，根本看不見，總而言之，一片蒼茫，滿目蕭瑟。有什麼興趣哩？然而古往今來，都說這首詩前不見古人，後不見來者，是一首絕唱。李白也為之擱筆呢！

神與貌

汶津

修女們沒有鏡子，因為怕常常照見自己的面貌，不免動了凡心。「取其神而遺其貌」無疑是一種可敬的理想，但很少有人能夠完全實踐。某種拘於外在形態的心理，也許可以用「庸俗」一詞來貶責，可是人性是千載難變的。

常常有人討論男女孰佳，美醜何擇的問題。有些人喜歡變變胃口，發願在下輩子換一個性別，有些人則較有保守精神，或許是有點敝帚自珍。一位中國小姐候選人便曾告訴記者：如果要我選擇，我還是願意當女孩子。譬如我能夠在選美會上翩翩出場，贏得男子們羨慕的眼光，換一個性別就不成了。這當然是見仁見智。至於美醜，似乎沒有挑選的餘地，東施、西施並列在前，你會捨此就彼嗎？然而莊子上告訴我們一個例外的其事。宋國的旅館老闆有妾兩人，一美一惡，但那位老闆卻偏愛醜的一位如夫人，問他其中道理，他回答得妙：「其美者自美，吾不知其美也；其惡者自惡，吾不知其惡也。」這自然是高人之見，但是否能對鄙夫們有所啓發，就很難逆料了。諸葛亮的夫人是夠醜的，但孔明愛她的賢慧。我們忽然覺悟到這多半是和當事人的境界高下有關的。

「吾未見好德如好色者也。」這句話放在今天更是無往而不然。好色豈但是男子的通病，女性也實在難以免俗。史載潘岳（安仁）貌美，每次出門都被婦女們包圍，而且用鮮花投擲他，使他滿載而歸。這倒有點像二十世紀的大明星。據說有時少女影迷的漲潮，在某種場合中往往是銳不可當的，如果該紅（紫）星沒有優良有經驗的護駕人員陪同，難免會被撕破衣服，搶去鞋帽呢。潘岳是文人，身份到底不同一點，他如果腦筋靈活，倒可以乘機開幾家鮮花店。再想想今世也有「名小說家」兼大明星的人物，倒也不得不為潘君的生不逢辰而替古人叫屈了。

有一種統計數字不知是否可信，但總不會是無中生有吧：據說女子所取於男子的，以體力、才智為先。換言之，女性雖也不能辭却「好色的動物」的雅號，但在口味上還不如男子那麼絕對。否則「郎才女貌」一詞就未免太不合科學了。人猿泰山型或畢蘭卡斯脫型的漢子，往往使許多弱不禁風的女孩子砰然心動，這是陰陽相吸之理，原不能貿然以「不合比例」來否定的。但說到頭來，這雖不像專取人的面貌那麼狹隘，還是逃不出「形而下」的範圍。苟欲取法乎上，其在才德乎！

但很使道德重整會的諸君失望的是：那項統計中只說女子愛才，却不曾提到德字。這樣說來，好像人們對異性的人品等等早已視若無睹，難怪世風日下如滔滔之江河了。不過一概而論是危險的，誠實君子雖然不能人人得一意中嬌妻，却也有着不少受青睞的機會。有些女子喜歡男人的下流，並且私下許之為「風流」，但更多的女子（至少在中國）是看不慣「流氣」的。生來不善於巧言令色的中華男兒也許眞該為此額手稱慶。但時至原子時代，人們對於處世戲劇的技藝，早已是日新月異，不可尺計斗量了。因此許多少女的芳心，乃被棋高一着的「票友」們贏去，而那過程，依然距離「形而上」差着一大截。

精神感應，心電相通等說法，對於取神遺貌運動的推展，或許眞能有幾許助益。不過要想讓世人衷心相信，恐怕還有待心理學家的努力。回過頭來說，愛美是人的一種天性，想要完全把它限囿到「形而上」的地步，也未嘗不無庸人自擾之嫌。欣賞異性（甚至同性）的姣好面貌，是沒有什麼可議的，只要你眞能把這當作一種純粹的美感經驗，那也值得祝福。如果進而生巧取豪奪（搶婚時代畢竟距我們很遠很遠了，不過現代文明人的巧詐，却是有目共睹的）之心，就未免有傷造化的美意。假如有一天，人人都能欣賞讀沉思的少女，而對於搔首弄姿的事兒減少一份敏感，我敢斷言硝鏹水之類的銷路必將大不如今，天生麗質的年輕人們也能享有較多的安全感了。

海嶠談薈

死生有命乎？

諸葛文侯

從民國廿一年初夏起，至廿四年秋間止，粵省名人楊永泰氏數歷「豫鄂皖三省剿匪總部」暨軍事委員長南昌行營秘書長職務，對於剿匪區域內——共計十省——的政治、經濟、文教、黨務諸事業，多所獻替，亦著績效，深受蔣委員長知遇，特加倚畀。顧樹大則招風，理有固然，而楊氏霸才橫溢，睥睨當代，對人處事，每以直道相向，缺乏涵容氣度，因而大遭時忌，指目為「權臣」，楊氏泰然自若也。嗣中樞決計將原有剿匪總部所設置的「農村金融救濟處」，改為農民銀行，楊氏對於農行的人事問題，又與某方爭持不下，負謗更甚。

民國廿四年冬，蔣公兼任行政院長後，國府任命楊氏為湖北省政府主席，楊堅辭不就，並向蔣公示意，如必欲以省政相驅策，則願為桑梓服務，舍鄂而就粵。然是時中央以各種關係，殊不宜更張粵省政局，仍囑楊赴鄂，蔣公且謂：「我就任行政院長兼職的第一道關於人事任免命，即係改組湖北省府，君如不奉命，烏乎可呢？」楊不敢堅執己意，然猶徘徊京滬，遲遲不行，似預知其為不祥的任務。

既而戍屯鄂境的國軍將領蕭之楚，徐源泉，上官雲相等，由湖北綏靖主任何成濬（雪竹）領銜，聯名致電中樞，反對楊永泰主持省政，楊聞之竊竊自喜，認為正中下懷。唯楊氏政敵卻大詫，急電請何主任迅赴南京，洽商要事，何到達金陵，即往謁某要人，某謂：「我們費盡九牛二虎之力，把權臣外放，讓他離開君側，少預廟堂密勿，而閣下乃聯合駐軍表示擋駕，無異為楊氏說項，而使吾輩枉費心機也。」何氏聲明原電並不知情，係部屬代為列名者。旋即親自訪晤楊氏，懇切勸駕，說明蕭之楚等通電，事前未徵得本人同意，擅列名字，殊屬非是，今後保證彼等決不致再有干政行為。越日，蕭等亦來電聲稱前電出於一時誤會，希望楊主席不必介懷，早日蒞任云。如此這般，楊氏祇好勉強拜命出發赴鄂，終乃死於非命矣！

楊氏就職後，作風亦告丕變，不若往時之嶙峋自負氣概，而與何雪竹氏寖成肺腑之交，遇事皆能和衷共濟，互信互助。楊又與川省主席劉湘友誼彌篤，劉倚楊為溝通中樞與地方意志的唯一核心人物，川省每有興革事宜，必先諮商於楊，楊氏如不被刺殞命，後來對日抗戰初期，以及劉湘逝世後的政局形勢，又將不同也。

成都「姑姑筵」菜館老板黃敬寧，素受楊氏賞識，楊蒞湖北後，曾由其機要秘書陳芷町等醵資，約黃來武昌開設「姑姑筵」，黃悉索敝賦，東行入鄂淘金，迨至重慶，忽聞楊主席被刺消息，為之抱頭痛哭，裹足不前，旋在渝市重理舊業，殊不得意，一日遇愚，傾訴上述情事，自傷淪落，引為終身恨事焉。

盧象昇與楊廷麟

·李仲侯·

見廷麟報軍中曲折，擬吉時欲中以危法，崇禎察其無罪，僅貶秩謫外而已。象昇死時年卅九歲；雖三賜劍，未嘗戮一偏將，愛才禮下，如恐不及。崇禎十四年，嗣昌督師，兵敗自經於長沙市，始復象昇兵部尚書，加贈太子太師，賜祭賜葬，諡忠烈。

廷麟自象昇死難後，益無聊賴。楊嗣昌兵敗自殺，復起為贛州守，兵敗從城上投濠死。

有彭同者，為廷麟門下士，以諸生拔授職方郎監總兵順慶軍。順慶之復寧都也，在金王舉事時，廷麟已前死。己丑正月，南贛總兵胡有陞破寧都，彭同曰：吾以書生受恩陵不次之遇，不可以不死，與其妻皆自縊。寧都被兵大掠，廷麟之子，亦在掠中。彭同之弟曰彭士望者，亦廷麟門人也，訪知之以三百金贖得，並求得其母子置一處。此兩彭者，亦俠義士也，可謂不負廷麟矣。（六）

內政部台報字第〇三一號內銷證

自由報

THE FREE NEWS

第二五六期

中華民國僑務委員會頒發
台教新字第三二三號登記證
中華郵政台字第一二八二號執照
登記爲第一類新聞紙類
（本週刊每星期三、六出版）
每份港幣壹角
台灣本售價新台幣弍元
社　長：雷嘯岑
督印人：黃行宣
社址：香港銅鑼灣高士威道二十號四樓
20 CAUSEWAY RD 3RD FL
HONG KONG
TEL. 771726　電報掛號．7191
承印者：四風印刷廠
地址：香港灣仔高士打道二二一號
台灣分社
台北市西寧南路壹壹李號二樓
電話：三〇三四六
台郵掛號金戶九二五五

接受美援的地區何以產生反美情緒？

·方士銓·

二次大戰後，美國實行援外計畫，除以物力財力援助自由世界各個友好暨中立國家之外，對某些含有敵意的共產國家，亦不惜予以經濟援助，使它渡過難關。這種見義勇爲，普濟衆生的壯舉，應該博得受援國家朝野人士的一致稱讚銘感，而對美國友好無間的。可是，事實上竟大謬不然。凡屬美援所到的地區，即不免產生反美情緒，那些共產國家由於政治生活方式之不同，始終對美國表示敵意，固無論矣。就是一般自由國家對美國亦嘖有煩言，並且越是接受美援最多的地區，反美的潛在意識，即更濃厚。這種畸形現象，決非偶然的，我們瞻念自由世界的集體安危前途，惄然興憂，不能不加以分析檢討，希望各方面知所警惕，好自爲之。

一

俄帝及其嘍囉們指摘美援附有政治條件，最近中共頭目陳毅在日內瓦招待記者時，亦如是云云。他們所謂「政治條件」的涵義不知是何界說，若指的是反共產極權侵略主義的「自由運動」這回事，那不但接受美援的國家公認不諱，即美國實施援外政策，亦不愧爲自由世界盟主的偉大作風，毫無慚德之可言。接受美援的，原是爲着加強反共力量，促進生產機能，提高生活水準，當然跟美國的政治理想是一致的，無所謂「條件」，亦沒有甚末不可告人之處。若指的是美國在接受美援各友邦境內設置軍事基地情形，這也是基於共同政治理想而產生的集體安全措施，事所必至，理有固然，此項條件正大光明，受援國家甘之如飴，決無異議的。俄援所到之處，即掀起一片反西方帝國主義和殖民地政策的浪潮，這不是政治條件嗎？整個世界形勢，構成了以美俄爲主體的對立鬥爭集團，各個國家民族爲着自身的生存發展，在外交行動上，必然是「不歸於楊，即歸於墨」，追隨領導主體的政治路線，奮鬥前進，因而很自然地接受盟主的軍經援助，認爲這是互助互惠的友好行爲，俯仰無愧。美國對於受援國家的政治生活，要求民主化，這在原則上亦未可厚非，因爲民主生活乃是現代人類所嚮往的，這樣的條件，誰亦不會反對。俄帝及其嘍囉們，藉美援附有政治條件的口號宣傳，企圖激起自由國家的反美情緒，那是不切實際的空話。

然則接受美援的地區，爲甚末又普遍地產生反美情緒呢？夷考原因，在彼而不在此，再明白的說，反美情緒之所以暗長潛滋，既與反共的政治理想無涉，亦與美國在海外設立軍事基地的「圍堵政策」不相干，完全是從執行、運用美援的心理狀態和言行方面，逐漸引起的，而其責任，美方應該負担一大半，何以見得呢？

二

首先是美國當局對於實施援外計畫的作用和目的，太過於強調「美國的利益」之說，因而無形中表示着美援乃是一種恩惠的禮品，亦是購買自由國家民族之國格與人格的代價，大大地刺激了受援者的自尊心。再則一些派在友邦處理美援的美國人員，每以佈施主的面目相向，遇事予智自雄，睥睨一切，決不顧念對方的意見，咄咄逼人，把受援國家看成是乞取「嗟來之食」告化子！誠然，有些產業窮乏的自由國家，是靠美援來維持生存的，但美國也須要這些海外的自由市場，作其龐大生產成品的出路，否則本身經濟上便要發生大恐慌。這種道理與事實，受援國家的人民誰都懂得，心理上對於美援固然具有感謝的意念，卻不認爲這是片面的恩惠，即不願隨時觀看對方那種頤指氣使的顏色、例如，最近美國政府大員哈里曼，對寮國問題發出「決不願意援助不遵從美國政策的政府」這類言論，不特寮國當局聽得刺耳難受，即其他一般接受美援的國家，亦不免大爲寒心，滋生反感的。

次爲美國當局和一般受命在友邦處理美援的官員們，都犯着一種心理上的毛病，那就是不瞭解受援國家——尤其亞非地區——的歷史文化，以及由此而演化的社會結構，總是以自己的尺度來衡量別人，遇事操之過急，責之甚殷。例如就實行民主政治而言，原則上誰也不會反對的。然實行起來，即須針對着實際情形，按照一定的條件和程序，以創進之，決非只是一種模型的產物。可是，美國朋友只知道教別人實行美式民主生活，而不顧及對方內在的主觀條件，動則指摘別人不民主，聲言「把美援投入了鼠洞中」。又說受援國的政府腐敗無效率，要由美國人員來直接處理美援的物資和金錢，表示對受援國的政府決不信任。回憶二次大戰期間，史廸威爾以中國戰區參謀長主持美援事宜，即主張由美方直接分配美援物資給中共，而將共軍隸於他的直接指揮之下，理由就認爲中國政府不民主，無效率，幾使中美邦交瀕於破裂。詎料美國這種作風，至今未改，近來在越南亦以吳廷琰政府無效率爲理由，要把美援物資直接發給各地方政府哩！談到行政效率問題，這與當地人民的教育水準和行政技術關係甚大，像南越、寮國，乃至於南韓，這些剛從殖民地生活中翻身起來的新興國家，固不能憑着西方諸文明先進國家的行政效率標準，等量齊觀，要求過奢，即如印度與南斯拉夫等政府，亦未必比越、寮爲高明吧？然美國對於印度與南斯拉夫政府運用美援的行政效率，從無不滿的表示，這又是甚末道理呢？唯一的解釋，不外是印度與南斯拉夫標榜中立主義，素不遵從美國的政策，美國對它們便不能不客氣遷就。這就證明美國領導自由世界的智能太幼稚而淺薄，自然要觸發一般受援地區人士的慚憤不平之心情了！

美國最不聰明的作風，尤無過於抹煞受援國家的主權，而以享有特權的恩人自居。美軍駐在友邦境內，無論是犯了任何罪行，當地政府皆不能過問，如兩年前在台灣，最近在南韓發生的美軍槍殺當地平民事件，中韓兩國政府即不能依法究處，而美方對於罪犯究竟如何處分，亦不通知中韓兩國政府，我行我素，這與舊時西方帝國主義國家對殖民地的統治方法，又有甚末區別呢？美國的朝野人士，口口聲聲反對殖民地政策，然其行徑乃如此，這能怪受援國家的人民發生反感嗎？還有就是美國官方人士，多指摘受援國家的官吏貪污無能，浪費美援物資，這話我們不敢完全否認，頗有慚恧之感。不過，這其間有些美國人亦不能不負責，譬如在台灣發生的槍殺商民劉自然案，即係由於那個殺人的軍曹雷諾士，偷取美軍物資，勾結當地商人販賣漁利，因爲分贓不勻，而激成流血事件的，另有若干事實，不勝枚舉。有政府組織，便有貪官污吏，美國國內亦所不免，至於在海外的美國人士，幹出貪污勾當的，亦復時有所聞，只顧抨擊友邦的官吏貪污美援財物，而不顧自身亦有同樣缺點，豈得謂平？物不得其平則鳴，何況乎人呢！

結論

上述各項情形，在美國朋友自己刊出的「醜惡的美國人」那本書上，有些是說到了，有些尙未見及，這就是今日一切接受美援的地區，何以產生反美情緒的總說明。要消除這種不友好的心情，並不困難，因爲這不是政策的是非問題，而是執行這項政策的心理和技術問題，把觀念改變一下，技術改良一些，問題便不存在了。改進之道，亦很簡易，即揚棄其示恩市惠的優越感，不要動輒以停止美援作威脅友邦的手段，而表示平等互助的精神，修正一切不平等的美援協定，一般在友邦處理美援事宜的美國人員，言行上稍加審愼，即可化乖氣爲祥和，而美援所產生的效用，必視現在更爲深鉅。「忠言逆耳利於行」，我們希望美國朋友能有聽受的雅量，自由世界幸甚！

漫画天下

南地

羸馬曳重

柏林問題談判一景

自由談

爲淵驅魚乎？

英美人士常說：「貧窮是培育共產主義的溫床」，這原是皮相之談，並未搔着癢處，貧富懸殊纔是招致共禍的基因。

造成社會上大多數人民貧窮的根源，就是生產的無政府態度，讓一般資本家壟斷市場，任意分配，而以剝削搾取羣衆血汗資財爲第一義，致構成「朱門酒肉臭，路有凍死骨」的貧富懸殊狀況，富者愈富，貧者愈貧，因而產生人與人之間的仇恨心理，所謂資本主義的罪惡，即在乎是。

共產主義是以仇恨爲出發點的，這恰恰迎合了資本主義社會中大多數貧乏人民日積月累的憤恨不平心情。大家對於共產主義的禍害倘無經驗，然對於資本主義的罪惡滋味，卻親身嘗受，歷歷在目，忽聞共產黨打倒資本階級的宣傳號召，即不管後果如何，嘗然附和盲從，志在洩憤報怨，固與政治思想無涉。這也就是共產主義何以跟其鼻祖馬克斯的預言背道而馳，只在產業貧乏落後地區得勢發展之所以然也。

我在香港這個號稱爲「東方之珠」的資本主義社會中，經過了十幾年的生活，覺得此時此地的資產階級，經常在拚命地製造社會大多數羣衆的仇恨心理之中，罔顧死活，而政治上亦專心致力於保障少數資產階級的剝創利益，卻不想及自己平日所謂「貧窮是培育共產主義的溫床」這句口頭禪的眞諦安在，何異厝薪救火乎？例如最近一般以房地產業爲漁利工具的業主，利用政府法令的罅隙，任意加租迫遷，激起社會大衆的憤懣不平，紛紛呼籲政府予以管制，迄未聞當局者表示同情，而縱令少數資產階級不斷的製造人與人之間的仇恨因素，不亦怪哉！英國人是最先講究均貧富的社會主義思想之開山老祖，馬克斯主義還是從英國學習而成的。英國本土的社會生計與生活，現時已實行了若干均貧富的措施，何以對於海外殖民地一般資產階級的剝削搾取行爲，竟不加以制裁呢？這是隔隣的共產主義者極所欣賞的事情，有如當年恩格斯寫信給朋友批評德國首相卑斯麥的話：「他替我們創造了若干乾淨的地皮」，爲淵驅魚，後患滋大，仔細想想罷！

馮正先生

香港與大陸

恐怖空氣瀰漫每一角落

穗共時常進行突擊檢查

稍有疑問者往往被拘走

據新自廣州返抵香港的朱姓老太太向本報記者透露：廣州自上月下旬開始，中共時常對民居進行突擊檢查，並時常有人被拉走，恐怖空氣瀰漫每一角落，人人有朝不夕的感覺。

朱老太太是本月初回廣州探親的，她臨時曾隨身帶了不少東西，包括日用品及糧食，但除糧食在深圳繳稅准予帶穗外，日用品如膠鞋，內衣褲之屬，均被擱留，祇好存在深圳海關，於返港時再攜了回來。

朱老太太有個兒子媳婦在廣州，她兒子以往是在廣州開店舖的，但店舖早已經被三下五除二的改爲公私合營，實際則早已從店東變成了「打工仔」，靠勞力拿一點薪工勉強過活——「打工仔」實際是還不會餓死而已。兩年來，由於店舖裏貨物愈來愈少，已經成了半休業狀態，薪工亦往往拿不到手，糧食配給亦一減再減三四減，以往就全靠她另一在香港營商的兒子按月酌量接濟，現在由於日用品不能進口，生活更加成了問題。

據朱老太太說，中共近日在廣州進行的突擊檢查，雖有的在夜晚，有的在白天，更多的則在夜晚的十一點鐘以後。每次檢查，中共都出動大批人馬，聲勢洶洶，如臨大敵。中共人員檢查時，往往且不說明目的何在，而祇是見人便索閱證件，並加盤問，對於稍爲覺得有疑問的人，盤問得更凶，有的甚至被帶走，顯示它們最注意的是人，也就是所謂「反革命份子」。

朱老太太在廣州住了八天，她兒子的家就曾經兩次被中共人員光臨突擊檢查，兩次都是晚間來的。第一次來時，爲了她是「香港客」，雖然六十多歲了，又是婦道人家，仍然被盤問了許久，好在她一切手續完備，沒有出什麼亂子。第二次來時，除了問她什麼時候回港之外，沒多說什麼便走了。朱老太太說，她本有意多住幾天的，就爲了受檢查以及共幹的那句問話可能是「逐客令」，她就再不願住下去了。

朱老太太還透露說：據她所得的印象，中共非但對於「逃亡戶」整得很厲害，卽對於那些平時接受海外親人投寄糧食，日用品的人，還有那些有僑匯收入的人，都特別注意，據說是中共認爲那些人亦靠不住，可能是「反革命份子」。也就因此，她在廣州的兒子媳婦，要她今後暫時不要寄什麼回去，甚至糧食包亦不要寄了，免得惹來禍事。朱老太太表示她當然暫時不會再寄什麼了，只是她想到她兒子媳婦沒有了接濟生活將更加困難，連說：「眞陰功啊！眞陰功啊」！（咸）

毛共印度鬼打鬼

香港反應殊複雜

認爲兩者都不是好東西

讓它們鬥一鬥倒亦無妨

（本報訊）香港的中國同胞，對於毛共與印度的邊境前哨衝突這件事，反應殊爲複雜，於誰是誰非一點，表現得模糊不清，摸稜兩可。大部份人士的意見，認爲兩者都不是好東西，讓它們鬼打鬼的去鬥一鬥，倒亦無妨。這種情況之造成，由於下列幾項因素：

（一）到底大家都是中國人。亦就是這項觀念，才使得香港的中國同胞，很少有爲這件事公開譴責中共的，甚至在有意無意間，還担心中共表現拙劣，有損中國人的臉面。

（二）香港的中國同胞十分厭惡毛共政權是不成問題的，但同時，對於尼赫魯印度，大家亦絕無好感；尤其對於尼赫魯這些年來對於中國政府的落井下石的那種卑鄙齷齪的作風，大家印象深刻，目之爲小人之尤，絕難給予同情。

（三）對於所謂中印邊界究竟是怎麼一回事，很少有人搞得清楚，究竟誰是「侵畧者」，其實莫名其妙，含糊了事，摸稜兩可，無怪其然。

由於毛共與印度都指摘對方首先開火，兩者之一必然是說謊者，但它們誰是說謊者呢？對此問題，香港的中國同胞，就有了兩種截然不同的推測：

其一是認爲毛共首先開火的可能性很大。這些人的此一推測，係根據於：

（一）毛共正遭遇着嚴重的內部困難，它爲着救亡圖存，除了已在大陸加強血腥鎮壓「反革命份子」之外，爲了轉移大陸同胞對於毛共政權的不滿情緒，它有需要製造糾紛，俾從大家的目光一致對外。

（二）大陸連續三四年的人爲饑荒，特別是兩個月前大陸同胞的洶湧逃港，把毛共政權外強中乾的黑幕完全暴露了，毛共對此，憂心如焚，爲求掩飾，它有需要製造糾紛，假裝硬漢，以嚇示其「強」。至其用心，除了嚇唬國際上那些苟安妥協份子，以資繼續詐騙政治利益之外，最重要的，還在於給美國看看顏色，等於示意美國無論如何要阻止國軍實行反攻大陸。

（三）毛共了解，製造糾紛可以，但不能認眞闖禍，自速其亡。尼赫魯印度貧、大而弱，邊境又是蠻荒地區，交通不便，人跡罕至，要大打有其天然的困難，正正就合了毛共的要求。

另有部份人，則認爲有極大的可能，這次確實是尼赫魯首先開槍，其論據則爲基於複雜微妙的國際情勢與尼赫魯趨炎附勢的一貫行徑。

西方國家中難免有樂觀尼赫魯與毛共鬥一場的，不難了解。還有便是俄共因爲與毛共有所謂「理論與路綫」之爭，據說印軍接濟前哨的直昇飛機，便是俄共的產品，而且俄共還已經決定賣二十架米格廿一型機給印度了，而這種飛機，據說毛共還沒有，毛共所有的祇是米格十九型機。此說如果確實，則是否俄共亦有意要假尼赫魯之手，「教訓」「教訓」毛共一番，藉使毛共更對它「一面倒」，百依百順呢？當然，香港的中國同胞也認識到，俄共雖不很滿意於毛共有時而不夠馴順，但它亦絕不會願意尼赫魯眞的壓倒毛共，自無問題。

尼赫魯驚叫毛共「侵畧」印度若干萬方哩土地，不問其眞相如何，但那已經是老早就存在的事實了，乃尼赫魯以往，不但悶聲不響，還極力向毛共奉承賠笑，賣力討好，直到三年之前，由於毛共在大陸搞「三面紅旗」的大暴政，而致饑荒遍地，人怨天怒之後，尼赫魯發覺到毛共並非眞強了，然後臉色陡然一變，叫起毛共侵畧來。憑尼赫魯這種勢利作風，則果眞與毛共鬥一下而能得若干好處，在尼赫魯，他實在是優爲之的。

尼赫魯印度正有一個經濟建設計劃在進行中。這計劃很花錢，尼赫魯除了伸手向美國要錢外，他又在向西歐國家打主意，想籌足經費，藉免其經建計劃遭受困難。尼赫魯政府的財政部長，現時就還在西歐國家爲這事奔走中。尼赫魯可能認識到，西歐這些國家，都對共產集團深惡痛絕，對毛共當然沒有好感，於是他做出姿態同毛共鬥一鬥，可能會贏得這些反共國家的歡心，則借款的事將更加容易談得攏，說不定利息亦可以大大的減輕些。

另外，香港的中國同胞認爲，不論毛共與尼赫魯這次是誰先啓釁，旣然已經打響第一槍，鑒於雙方都示弱不得，今後凡此前哨衝突，還會相繼而來，一也；但同時，不論毛共與尼赫魯，實在都有打不得之苦，故這種邊界紛爭，將祇是長期緊張，却斷難擴大成全面戰之局，二也。（啓）

官員兼企業職位問題

省議員們期期以爲不可

建議引用專人發揮營運

（本報記者熊徵宇台中航訊）台灣省議會對於政府官員，不得兼任公民營事業機關董事長、董監事、經理等職的建議，本報疊有報導；而省議會第二屆五次大會，又有幾位省議員，提出這個問題，質詢於周至柔主席，建議免去各兼職人員之兼職，引用專才，發揮營運。

提出這問題的省議員們，覺得自從大法官解釋政府官員不得兼任公營事業兼職後，雖然有一部份官員已辭去兼職，但是仍然還有許多政府官員的兼職還沒有放棄。提出還有兼職的人名的，以台北市的陳愷說得最爲具體，他說：

比如合作金庫理事長由糧食局長李連春兼任，李局長並非金融專家，而且合作金庫與農會合作社有業務上的往來，糧食局長職管農會糧倉，在職權上容易發生矛盾，所以兼任實非所宜。

又如：合會儲蓄公司董事長，由省府委員劉潤才兼任，大雪山林業公司董事長，由省委楊肇嘉兼任，更是不當。因爲楊委員係監督審核各該單位的業務計劃與年度預決算，與其所兼職務，似非所宜。而且，省府委員原與各廳長平行，省府委員兼任公營事業單位董事長，就必需要接受廳長的指揮，同時在審核預算和重要計劃上，就難免大受牽制。

陳愷議員說：又如勞保局經理俞慈民，兼任人壽保險公司協理暨師大教授，又兼民營第一人壽保險公司常駐董事，這在職務上業務上營運利益和時間上，都不相宜，而在法律上，尤不適合。

陳愷說：其餘各廳處首長或副首長，兼任生產事業轉投資之事業機關董監事者，爲數尚不在少。甚至於，將已開放民營之公司，控制其董監事之選舉，予以指派，使各民營公司，無法發展。諸如以上的這些安排，其經營不善，負債纍纍，當是勢所必然。爲謀公營事業機關之發展，輔導民營公司之進步，就必需從人事改革上先着手，予以專才專職，才能達到發展的要求。

高爾夫球場故事有續集

陽明山牧場管委會突准撥地

陳兼院長聞訊下令查明糾正

（本報記者台北航訊）是發展農牧增加生產重要呢？還是玩高爾夫球重要？從行政院陳兼院長對陽明山牧場管理委員會擅撥牧場公地以興建高爾夫球場，令予查明糾正的明智決策看來，還是吃飯較遊戲爲重要。

陽明山管理局要將牧場劃地供人闢建一座號稱遠東最大的符合國際標準的高爾夫球場的消息，從今年二月就開始傳出了，這座供大人先生玩樂的球場的闢建費，預定是新台幣一千萬元。陽明山管理局長郭大同，在二月間曾發表談話，認爲這是發展陽明山觀光事業的一個途徑。但經立法委員王長慧引用本報記載向行政院提出質詢，認爲在此時此地，不宜浪費這麼多錢在玩樂上面，台北輿論也有過激烈的反應之後，郭局長就再亦不敢談了。因此，陽明山牧場委員會四月間開會否決了該項申請。按說事情到了這個地步，就該事過境遷了，然而居然還有下文。是卽本月十七日，忽然又有陽明山牧場管理委員會秘密開會同意撥地五十公頃的決定。

申請牧場撥地闢球場，雖說表面上是一個姓邱的商人，但在幕後動這個腦筋的人，據說是北縣一位議員。這位議員，有人說他年幼時候，在淡水高爾夫球場當檢球童子，自小而大，耳濡目染，看上了這門生意可做，因此就運用他的政治關係，開始與郭局長談判，要求撥地建球場。在立法院王委員提出質詢之後，他們認爲這一來目標太大，於是想出化整爲零蠶食鯨吞的辦法，所以這次只要求牧場同意撥五十公頃，等到成爲事實，而首先在五十公頃內闢成三個球場，到那時候，等到高級公路開成，一切設備齊全，再來個第二次申請割地達到一百一十公頃的擴建目的。

陽明山牧場管理委員會，十七日秘密集會，否定自己四月間所作堅決反對闢建球場而同意劃地五十公頃，據說是受到壓力之故。其中的一項壓力，牽涉到管理局的五十二年度預算問題。傳說中，台北縣議會副議長白金泉一直在幕後爲這件事作激烈的活動，而這次管理局授意召開會議通過出讓五十公頃牧地，也是緊於有人要挾，如不通過割讓牧場，議會就不通過該局五十二年預算的壓力，因此，管理局也是在不得已情形之下，授意牧場管理委員會召開會議，而終於通過了。單就牧場補償費就提出一百三十餘萬元，如加上另闢公路及高爾夫球場開辦費，就去一千萬元之數不遠了。

牧場管理委員會於通過割地之後，大概自知不洽輿情，於是自我解嘲似的裝上了一條尾巴，就是球場建成後，「不得藉故不准放牧」。這當然是一條自欺欺人的尾巴，試問用機器修剪得綠油油的球場，在高級汽車，侍從，還有警衛拱衛之下，那個牧童還敢踏進去放牧？

由於牧場管理委員會同意割地的消息傳出後，社會反應不佳，其後，陽明山管理局趕緊發佈新聞，說郭大同局長不批准劃地闢建球場；局長不准理由，並不是說鑒於現在克難興邦時期，應該發展農牧事業，不予核准，而是說經通過撥用的鵝心崙牧場，地勢高峻，春季多霧，秋冬又多雨，不宜於建高爾夫球場，所以他不予批准云云。這樣說來，申請人是外行，看錯地方了！

陽明山牧場佔地共四百七十公頃，屬國有土地，撥地須由行政院作最後核定。據陽明山農會指出，台北市郊包括士林、北投、內湖、南港、汐止、淡水等地的農民，每年有二千餘牛隻寄養在該牧場，如一旦撥供建球場，對農民實在是一大損失。（吳越）

使共黨喪胆的日本虎劇

仲偉庭

日本一批曾經遭受共匪欺騙脅廹嗾使利用過的思想偏激的青年，後來因爲良知的自覺，而痛改前非，實行棄暗投明，參加反共大業，用自己的血汗，現身說法。他們首先推代表至柯峯受訓，之後，他們集體編了一個「虎」劇，將被共匪誘騙脅廹顚覆日本的經過，全部向世界宣露，藉以揭穿共匪在「和平共存」僞裝下的猙獰面目。給那些向共產黨低頭的妥協份子，以及幻想與共匪握手言歡的政治掮客們一針淸醒劑，使他們知所警惕，免使自己的國家淪入鐵幕，使自己的人民陷入痛苦的深淵。

「虎」劇計分十幕，第一幕劇情是描寫北平匪僞「人代會」開會討論侵畧東南亞的計劃。第二幕到第十幕都是描述共匪嗾使盲從青年計劃暴動，展開行動，遭致失敗，覺悟悔改以及接受道德重整的經過。使人印象最深的，就是學生暴動的一幕，它啓示世人對共匪毒惡的眞面目有個逼眞的認識。

「虎」劇演員森田（擁有十二萬學生組織之日本學生國際會議主席）說：「我最恨共產黨，在全學聯裏我與共產黨鬥爭。但我本人卻沒有正確的人生觀，所以在執行委員會中，我不能排除一個共產黨員。在柯峯道德重整訓練營內，我找到了我所極需要的東西——一種能治愈仇恨和可以改變人性的思想形態。」

明治大學學生會主席表君說：「我一向以爲共產主義是解答日本的貪污的武器。在全學聯中我以一個領袖身份奮鬥。我努力甚至決意以身許國，而仇恨愈深。但我越努力而國內分裂愈甚。由森田君介紹我認識了道德重整。我看淸楚了自已究竟是個怎樣的人，同時也看淸楚了我的國家。因此，糾正我個人的生活，和家庭中的錯誤。並且改變我的不純潔和欺詐。我做的反共工作是太渺小了。中立主義絕不會起作用的。這就是說：如不選擇道德重整，便會走入共產主義的陷阱」。

擁有四百三十萬青年的日本青年團團長杉山說：「在過去兩年間，我們讓團員接受了一種思想形態，它是超越共產主義的思想——最堅決的反共思想形態；因爲它能使共產黨悔悟。」

日本前首相岸信介說：「若不是因爲道德重整的運動到日本的話，我們早已入了鐵幕。我相信日本「虎」劇能給世界一個解答，並及時拯救世界」。

「虎」劇自一九六〇年十月起在美國、南美、歐洲、東南亞各地演出五百餘塲，到過五十一個國家，擁有一億觀衆。在美國上演時，艾森豪，尼克遜曾被感動上台作證。去年在巴西公演，使巴西免遭共產黨暴動之危險，使共產黨喪胆。曾受毛匪澤東訓練過的南美著名的瑞文士，即最早介紹共產主義到秘魯和智利的人，但自從接觸道德重整後，得到了一種超越的思想形態後，而改變了。他過看虎劇後，說：「拉丁美洲的基本問題並不在開發遲緩與落後，而在貪污及共產主義。我們的國家雖歡迎經濟援助，但僅憑這點，並不能搔到癢處。倘無道德的思想形態，恐反促問題惡化。美國或他國給與拉丁美洲的最好東西，莫如道德重整」。

MRA亞洲工作團巡廻各國所演的「虎」劇，其目的就是貢獻個人心智，去拯救人類自由，免遭共產主義的浩劫。

天—南—風—光

——沙羅越土人的生活方式——

朱淵明

以上乃土人所居長屋之大概情形。說到他們的工藝，他們自然無工業可言，只有若干手工藝。他們只知道用鐵條或廢鐵製成刀，斧，叉等利器，來建築長屋，製造玲瓏小巧的木舟，或挖成獨木舟，又或製成長達數丈可坐幾十人的龍舟，而木槳的製作，則甚爲精緻。這些小舟，小槳，與土人女子所編織顏色鮮艷的涼帽，都被人們購作裝飾品之用。尤其紅毛們，凡到過沙羅越的人，無不採購，分贈親友。此外他們也編魚網，魚籠，鳥籠等。女人還會用野学做紗織布，且有花紋與色彩，雖質料粗劣，而實際則很耐用。又會用黃籐編織涼蓆，乃婆羅洲的著名產品，世人頗爲重視，據說一牀蓆，可供幾代人用咧。土人女子及小孩，又常常用竹篾編成大大小小的各式筐子，拿到華人家中去換取破舊的衣裳，一般人也甚樂與交易。

土人的主要生活資源，自然依靠農業。但提到農業，眞堪憐惜！他們擁有廣大的土地——土人區的土地，政府禁止外人購買，亦禁止外人居住——而不知如何利用。他們只知照着古老的法子，每年於雨季降臨之前，——婆羅洲的雨季，恰與香港相反，約在每年九月至翌年三月——將山上的樹木砍伐，就地焚燒，那就是有名的「臘子燒山」。那時節，遠遠望去，半邊天都是紅的，氣候也特別炎熱。樹木燒得七零八落後，等着下一塲雨，雨後，他們男男女女，人各持硬木頭一支，在灰燼中鑿地成孔，就把谷種撒入；再經過一次耘草，就坐在長屋裏等收成了。

收穫的方法也很特別，男女各帶一個竹籃，只把稻穗割下携回就算了，並不將稻草割下，聽其留存在野，自生自滅。而這塊燒過之地，只能種稻一次，再種就不好了，所以只能改種樹薯，甘蔗，或蔬菜，蕃茄等。等到下次要種稻時，又需另外燒山鑿孔了。因之，土人浪費之土地甚多，而糧食之生產卻很少。雖然很少，那種早稻米卻極好吃，有許多人往往特意到山芭去換或買臘子米來待客咧。（五）

公道篇

林人山

公道——中產革命的呼聲（三）

英國霍勃生（John A. Hobson）早於一九零零年於其傑作「近代資本主義之進化」（The Evolution of Modern Capitalism），「論約翰、羅斯金」（爲批評當時各家經濟學說的書本——一八九八年版）及「分配的經濟學」（Economics of Distribution）出版後，即被確認爲中產階級的改革者的經濟理論家。並由於他攻擊正統學派及新學派，而又被稱爲異議代表。他認爲「在正統派英國密勒與馬紹爾的研究；及激烈派馬克斯與亨利喬治的學說中，俱不能尋得關於日常所見的不平等及經濟壓迫之任何可令人滿意的陳述」。

對於功利主義的經濟學說，霍氏最爲反感，他『指斥李嘉圖以來的經濟學者，祗注重於財富之生產、累積、交換、與消費，』他認爲『此種經濟學不過爲一種商業學。經濟學的目的，不止於財富的增殖，而須注重於勞動的合理的管制與生產物的正當分配，及消費的適宜標準，使社會漸進於健全的社會福利的理想』（見蔣中正著「中國經濟學說」第十三頁）。

各種經濟學的根株，原不出於功利哲學的範疇，即分析霍勃生的學說，亦以享樂的心理學爲根據。事實上，若人類生存不爲生活享受，缺乏自由幸福，人生意義，顯然降低。

且物質爲人所生產創造，自應爲人所享受，生產僅爲手段，享受才是目的，故沒有人願意貧寒，沒有人不願意享受。阿里斯多德指稱的Good Life（優良生活），並不限於種族、膚色、財富、敎育、階級、語言，凡屬圓顱方趾血肉之軀，莫不有此要求。姑勿論如美國故政治家威爾基的說法：「人莫不有理想，且希望其各別的理想實現」，但人類對「優良生活」的理想的追慕，卻是一致的。

人類追慕「優良生活」，是有共同的旨趣，且同等並以自私慾望爲支持追慕的基礎。適在人口蓄殖率超過生活資料生產增加率前，科學技術生產質量仍未能滿足人類的需要前，人類的無盡慾望就必需受到一定的限止。因之，其個人財富的積蓄，必需有一定的規額，而大衆的生活，必需受到起碼的保障。否則，社會多數人的福利，就受到少數人財富集中的破壞。故不容個人「太有」，而又不讓其「太無」的中產階級運動，便應是公道而合理。

晚近由社會學脫胎而獨立的「社會工作」系，其中有若干觀點頗合乎公道的觀點。如（一）不承認共產主義、資本主義、社會主義及其他任何主義，有足以完全解決人類困難的可能，惟社會工作纔能解決人類實際的問題；（二）反對倫理、法律與傳統有絕對的社會標準，僅承認其有相對的價值；（三）個人的福利增加，即等於社會福利增加，故個人的需要，應由社會共同應付之。

上述的「社會工作」觀點，是超然於當前主義思想的紛歧矛盾衝突的時代中，她不以某一個標準來解決問題，而以直接對人類的福利爲衡量。其第三點，且顯出由個體到集體的諧和，但仍以個人的價值爲重點，這可說已把握到人類社會的核心。公道就和這些觀點有相通的意義，她並不決於主觀的絕對觀念，乃決於當時社會人類實際的需要。由此顯見，公道是出於自然合理的要求，在公平的合理分配的經濟學上，惟有中產革命的運動，社會才有公道。（本篇完，全文未完）

瘟君續夢

第六回：烽火照邊陲　同罹難濟
樓船橫碧海　大憝興悲

中共首批輪船運走了萬多人，第二批只有三千多人，到了第三批就空船回來，已登記的華僑都不來了。

原來頭批華僑回到大陸之後，第一步要把携來的黃金，美鈔按照人民銀行牌價換成人民幣，再把人民幣存到銀行裏，動用時要申請，說明理由經「組織」批准，才能支取。華僑一看這種辦法比起印尼軍警的硬搶强奪還要可怕，大夢頓時醒了一半。接着就被分發到國營農塲去，有的在海南島，有的在粤北，有的在福建，都是些荒山野嶺，人跡不到之處，隨便用手一指，就叫做華僑農塲，要華僑自己去開墾，華僑在印尼絕大多數都是經商，耕田本不內行，熟田也未必耕得好，何況生田？沒有收成就沒有飯吃，只好變賣衣服財物，最初是賣手錶、鋼筆，接着就賣衣服、皮鞋，甚至舊面盆、漱口盃，都有人要，靠着變賣衣物，也維持一年半載的生活。但是，大家對於共產黨的眞面目算是澈底認識了，少數能獲准與印尼僑胞通信的，就隱隱約約把生活情况透露出來，印尼僑胞得到這個消息，已經登記回國的再也不肯來了，中共的接運僑胞工作算是告一段落，毛澤東所得的好處倒也十分有限。

印尼廹害華僑問題算是勉强結束，大陸內邊的困難又加重了。由於毛澤東堅持政治掛帥，任何問題都由黨委第一書記決定。担任第一書記的人，都是些黨棍，幾十年來只靠着喊口號，吃黨飯。現在被派到農村去担任人民公社黨支部書記，根本連大麥小麥都分不清楚，只是抱着敎條辦事，但是，農村耕作卻由他們決定，生產只有越來越少，災害卻越來越多，鄉村收成差，中共預定的公糧徵收不夠，自然就影響了城市，城市居民及工廠工人配糧逐月減少，工人吃不飽，體力差，工作效率低，產品質量也在降低。大部份工人都在怠工，只要監視共幹偶然走開，他們就停下來不作。至於計件論値的工人，不能偷懶就想法破壞，破壞的方法有些十分「缺德」，尤其是食物方面，有一次中共和西非幾內亞簽訂一項貿易協定，規定要供給幾內亞一批罐頭食品，罐頭是如期運去了，可是運到幾內亞之後，當地人民買回去打開，其中有的裝了頭髮，有的一罐頭全是沙土，有的竟然裝了糞便，幾內亞人民登時閙起來，當地報紙拍了照片刊出，幾內亞貿易部就向中共對外貿易部提出交涉，中共自知理屈，只有承認退貨，賠償幾內亞的損失，從此中共的食品在西非就斷了銷路。

最奇怪的一件事要算是人肉臘腸了，中國人對於臘腸有特殊愛好，只要有華僑居留地方，臘腸必然有銷路，每年出口數字很大。中共大躍進之後，農村猪隻已經減少，實行人民公社之後，猪幾乎斷了市。臘腸原料發生了問題，中共幹部就想竅門，用死人肉去製臘腸，反正肉已斬碎，人肉猪肉根本分不淸楚，製作過程十分秘密，很少人知道，可是銷到海外時，當地人民切開食用，竟然發現有人手指甲，一連幾個地方都發現了人手指甲，有的還有整段手指，於是一傳十，十傳百，大陸的臘腸馬上在海外絕了市，連帶當地幾間臘腸公司出品也隨着滯銷，這幾間公司趕快大登廣告，邀請顧客隨時到工廠參觀，以證明是用猪肉在當地製造的。（一二一）

淡海的黌舍（續）

一望遼遠，氣象萬千。而招待來賓家長校友的「瀛苑」，純粹歐美格式，房屋如橢圓形，潔淨純白，氣派莊嚴。至於入門的「克難坡」，爲入校必經之路，高至一百三十一級，循階上行，兩旁種有葱綠的青草夾峙，陪襯這雄偉的建築，象徵這蓬勃有朝氣的精神。坡至行盡，校園在目，巍峨壯麗，非常大方。在坡上的圓環中有很高的水泥圓柱，豎立四角，各吊入角形玻璃宮燈，亦甚美觀。

該校雖係私立，但奬學金特多，專爲鼓勵優秀青年，勤讀勵學。凡清寒子弟，能成績優異，皆可獲益，受惠匪淺。其奬學金計有，瀛玫奬學金（居氏），驚聲奬學金，革命抗戰功動奬學金，費氏奬學金，鈕氏奬學金，管氏奬學金，學業奬學金等，每年約計有新合幣三十萬元，由訓導處統籌支配。如在今年暑假，續收新生六百，則全校學生，將超過兩千。

憶玉軒雜綴

兩位淑嫻

在台灣劇藝圈，提到李淑嫻，幾乎是無人不知，那個不曉這一位研究馬派的名坤票，余曾爲她記其事於梨園叢話中。天下事有確不可思議者，台灣這許多的伶票，都在想學馬派子，結果很少成功。連馬氏的姪子，也不例外，照樣無成。而祇有此李女士，得天獨厚，竟能虎賁中郎，得到十之七八，寧非異事？

淑嫻是關外士女，過去也活躍於塵海，適某君，初在花蓮業書賈，因虧耗不少，脫幅北來，服務司法界，頗有藉藉名。閒來無事，消遣於戲劇中，偶或彩串，聲驚四座，於是票友皆奔走相告，曰有馬派傳者。每有會聚，爭相延聘，從不計酬，遂鼎鼎若沸，名傳北基與南高，咸知有這一位能手。吾知馬氏聞之，也必以爲異也。

中國同胞常有同名同姓，無獨而有偶。香港桃源影片公司，招考新人，報名者約有三千。而穎脫驟出，是藝名方心，在三千人中挑選及格，再於初選三百餘人中入圍，複選四十人中，得到前茅，最後參加試鏡，錄取爲六位入選的新人之一。尤其她從影經過，是她姊知其醉心，悄悄的爲之報名應徵。

方心有過人的條件，銀壇奇遇，並非偶然。在桃源決定拍新片，用新人，徵求觀衆，投票選舉男女主角，在八萬餘封選票中，方心竟得四萬一千餘票，獲得大多數的愛護，於是一飛冲天，一舉成名。（未完）

康有爲的別墅——杭州西湖的康莊（一）

丘峻

康有爲氏從出亡海外歸來，自民國九年始，卜居於上海愚園路一七二號的『游存廬』，旁則爲『天游學院』，乃氏繼粤『萬木草堂』而爲在滬講學之所。佔地計共七畝二分，廣植五色桃花，紅梅，及其他名花不少。每於講學之餘，遊目騁懷，自得其樂。惟康氏每月必以初三四日之期，偕妻子兒女等，赴杭州西湖別墅，所謂『康莊』者暫住，作遊湖賞月之舉，至二十日左右，方回滬寓。

杭州西湖沿岸有四所著名的別墅：一爲劉學詢的劉莊；二爲汪裕泰汪莊；三爲蔣炎興的蔣莊；四即康有爲的康莊。

劉、汪、蔣三莊，都正在西湖的邊緣，易爲外人所知，往還亦便，且各莊建築，別致獨具，樹木花卉，各饒韻味，均擅園林之勝，頗易招引遊人，故遊湖者每多往遊觀，藉資休憩。康莊則在南高峯下，稍處偏僻，又非遊湖必經之地，故知之者較少，遊客至者亦稀。但康莊園林之佈置，別具風格，較諸劉、汪、蔣三莊，固各擅勝場也。

康莊在一天山，有人叫康山，又名一天園。園地計三十餘畝，係由當地地保徐永沅介紹，前後費數千元之代價，陸續買來。有謂其佔用官地者，要屬無稽之談。全部地形作『倒貼地木』狀，形勢甚佳，或謂係南高峯走馬金落脈，風水很好。據康氏在其『一天園詩稿』中自註云：『園在杭州西湖一天山，有丁家居山下，故俗名丁家山。今丁家人盡矣，故復名一天山。園地購于丙辰，丁已，以十一次成。今園凡三十餘畝，以庚申春夏，經始屋亭道路。』壬戌，康氏有詩詠之：「一天山裏一天園，地傍西湖負郭村。邱壑自專吾可老，湖山高臥我無言。閉門菜甲漸成圃，避地桃花亦有源。杖徜徉成日涉，神游天外此身存」。

康氏「維新百日，出亡十六年，三周大地，游徧四洲，經三十一國，行六十萬里」，其見聞廣博，超越時賢，觀感所及，涉獵至豐。及其回國，將所得豐富經驗，以經營斯園，意趣超乎流俗，乃屬意料中事，雖建築規模不大，僅有廳房四間，廚房，浴室俱全，另有亭台，分散各處，全園結構，則可謂另具匠心者矣。

從一則軼事說起

汶津

南北戰爭前十年，美國東部有一位司機，病了，「草葉集」的作者便代他開車，高聲朗誦着莎士比亞，來往於紐約百老匯一帶。這是一位曾在布魯克林「自由人報」服務並以詩集受到哲人愛默生讚許的詩人惠特曼。在熟悉他的人心目中，他似乎與美國的自由女神有着同樣的影響力，如果他自己不反對一尊屬於他的銅像的話。

像他，詩人也即是革命家。你可以聯想到八世紀的李白。但另一些詩人卻是半個哲人，半個隱者或浪子，甚至於半個漁夫樵子。寫詩很難成爲一種職業，正如商賈很難成爲一種德業。有些人天賦詩才詩資，卻不願以詩人自視，有些人附庸風雅，無詩而求有韻，前者固然可羨，後者卻未免可憐。天下的事，原不僅詩是如此。

在政治上，有些小丑人物卻能表演得轟轟烈烈，有聲有色。在教育界，若干巧言令色的江湖客也居然能插上一手，以專家自許而毫不臉紅。同時也有一些默默地踏實地努力着的人，只是往往不爲人知罷了。像惠特曼那樣地豪放，那樣旁若無人的氣慨，有時也不免使我們困惑：這世界需要他那一型的狂者？還是更需要另一羣有所不爲但忠於崗位的朋友？

冷靜的看，今天以「革命家」自居的人也委實太多了，不管三教九流，只要有那麼個空隙給他施展，他便不假思索的砍出程咬金的三斧子來。砍完之後，他自己大概名也成了，利也就了，於是便揮手拂袖而去，自若也。想到這裏，一面代人開車一面大聲朗誦莎士比亞的名詩人作風是否值得稱許，也就不難有個定論了。

不過惠特曼能認眞的和一些「勢力雄厚而沒有受過教育的」窮朋友交往，甚至把一世紀時一位斯多葛派的名句讀給一個船夫聽，使人覺得他多少有點「特立獨行」，如果不願隨意爲他安上一個「瘋癲」之名的話。那些販夫走卒到底能有什麼「雄厚勢力」呢？難道是近乎地痞流氓之流嗎？無論如何，他這種作風和二十世紀的「要人」們是大有差異的。當他吟出「我要把博愛密植如森林」時，我們百年後的讀者仍能深深的信任他，而且受到那種磅礴的生命力的感動。他也可能有些故作狂態，但當我們讀了他的「自我之歌」那些作品，我們會衷心地欣賞他，欣賞一個在今世很難找到的熱腸人——和男子漢。

可是我不敢過份的讚揚他的「美德」。因爲眼前便有許多事想找機會裝瘋作傻一番的「英雄豪傑」。他們並不想眞正的勇猛「前進」，更無「接受大地和海洋從未給我們的一切」的那種宏願，他們只想成爲遊行運動的領隊，吶喊比賽的魁首。我很担心他們如果再多讀些惠特曼之流的故事逸聞，會變本加厲到什麼程度。

這也許都只是杞人憂天吧。實際上，有一點事實是大家很少發現的。惠特曼雖然以一個異端、一個革命家的姿態出現在世人面前，他卻很少狂呼「打倒」。固然他對世俗，時有抗議，但對於他，最重要的，是建立起他自己所深信的人生觀，而且以此擊入人們的心坎。他做到了這點。即使他的詩曾受到更多的非難，他也足以無憾了。

他的歌聲，眞正地解脫了文明的腐朽氣，從虛僞做作中挺拔而出，或爲世紀的新生力。但他也不全然是反文明的，他可能招致許多誤會。他在品德上也不免有若干小疵，但他是一把火炬，有所點燃，有所光耀。另外一些「狂人」則是貌同實異的，他們有最高的嗓音，卻在靈魂裏找不到一絲氣性。這樣說來，沉默者毋寧是更爲可貴了。我們不妨說：有惠特曼之志則可！無惠特曼之志者，何不解甲息鞍，捫心自問一番呢？

海嶠譚薈

兩個愚蠢的野心家

諸葛文侯

近四十年間，有兩個煊赫一時，自命足智多謀的風雲人物，皆以玩弄智謀而身敗名裂，爲天下笑，且皆死於非命，此即孫傳芳與馮玉祥是也。

當民國十五年（公元一九二六）國民革命軍自粵省北伐時，孫傳芳以五省聯軍總司令雄據金陵，擁衆十餘萬，奄有江浙皖贛閩這些中原富庶之區。他當時如果跟吳佩孚合作，革命軍就不容易進取湘鄂，問鼎於中原，迨革命軍與奉軍鏖戰於河南之際，他若是協助奉張（作霖）由皖贛進襲武漢與粵北，勝敗之數，殊未可知也。他若贊助革命軍，則其原有地位固不致動搖，即全國局勢亦將改觀的。革命軍出發時所訂戰畧是：「打倒吳佩孚，聯絡孫傳芳，不理張作霖。」所以蔣總司令於進入湘境後，曾以「同學」（日本士官學校）之誼，不斷修書派員到南京向孫游說，虛與委蛇，而孫竟懵然昧於整個局勢的利害得失，不知彼亦不知己，妄自尊大，坐視吳佩孚與革命軍劇戰，擬俟其兩敗俱傷，藉收漁人之利，稱霸中原。既而吳軍慘敗，奉張亦鎩羽於河南，改取守勢，革命軍乃以全力對付孫氏，第七軍擊破孫軍於江西德安後，賀耀組所部由鄂境偷襲九江，孫氏幾被擒，狼狽逃回金陵，而福建已被何應欽的東路軍攻下，浙軍夏超，周鳳歧，陳儀等紛起叛變，五省聯軍體系瞬告瓦解，南京根據地亦很快就喪失了。孫於窮途末路之餘，隻身北上乞救於張大元帥作霖，且願以稗將負弩前驅，然時機已失，無可救藥矣！

馮玉祥統軍二十萬人，參預國民革命之役，於民國十六年寧漢分裂期間，據有陝西河南全境及山東大半部，江蘇的徐州亦在其控制之下。此時他確具舉足輕重，左右大局的勢力，若與武漢政府沆瀣一氣，南京唾手可以取得；若跟南京政府合作，汪精衛唐生智等則不能立足於武漢。可是，他依然沿襲孫傳芳的故智，兩面敷衍，坐觀成敗，寧漢兩地都設有他的辦事處，隨時索取餉械，志在養精蓄銳，別作雄圖。他在徐州與蔣總司令會晤時，既贊成清黨反共，暗中又與武漢方面的「反蔣」人物汪精衛唐生智，程潛，徐謙之流相勾結，讓他們搞出「東征軍」，從事內戰。旋蔣總司令爲避免同室操戈，下野出國，寧漢言和，而孫傳芳復有渡江偷襲金陵之舉，馮氏亦採旁觀態度，沒有絲毫的革命精神和行動，完全不脫舊軍閥的思想與作風。蔣總司令之勢必歸國復職，中外人士莫不瞭解的，馮氏卻見不及此，予智自雄，目空一切，以爲擁兵數十萬，雖合寧漢兩方的兵力，尚不足以與之抗衡，當今天下，舍我其誰哉！詎知世變叵測，莫可究詰，自民國十七年到十九年，兩次內戰結果，馮氏即一蹶不振，衆畔親離，成爲時代棄兒了。

孫傳芳與馮玉祥，皆係舊軍閥材料，滿腦子槍桿主義，慾望大過知識，而不知政畧爲何物，終致一敗塗地。最後一則死於天津佛壇前的婦人女子之手，一則被俄共謀斃於黑海航輪中，莫保首領以歿，可憐亦復可哂也！

盧象昇與楊廷麟

·李仲侯·

廷麟詩好用奇思棘句，拗折難誦，然秀異聳拔，在晚明別具一格。死後吳偉業輯其詩：如寄李尚書云：「朝聞驛使向江樓，虎帳魚文燿列侯。戎服晝銷南浦雨，漢家雲護北陵秋。空同山下看雙節，天柱灘頭領八州。今日傳呼新僕射，臨淮依舊擁貂裘」。過惶恐灘云：「空山夕照深江樹，明月灘聲下石城。愁盡關河極北望，如今虎豹正縱橫」。「鶴撥自石江邊宿，江漢飄零夢幾回。遂逆南州爲異域，知君何處塞函關」。

丙戌元旦云：「黃華嶺外瑞雲齊，白露洲前戰馬嘶。五道將軍臨直北，三江父老望征西。春風斗帳降銅馬，細雨戈船門水犀。此日建康廳拜舞，近臣還解賦鳧鷖」。又一首：「朝元帳下領高班，稽首春風動百蠻。九葉雲雷開萬國，一時江漢擁三山。宮中勝帖盤龍出，仗裏芳樽藉草頒。從此鎬京傳盛事，年年虎豹度天關」。丙戌九日云：「河西獵火照高樓，五嶺風光異昔游。木葉寒雲看戍晚，菊花宜雨漢宮秋。山城野幔開三市，江表輕裘署九州。且晚功成萸釀熟，憑君一笑舊田疇」。均高渾深麗，不愧爲才人之作。而軍書旁午，慷慨戎服賦詩，尤可見其好整能暇。（完）

內備警台報字第〇三一一號內銷證

自由報

THE FREE NEWS

第二五七期

中華民國僑務委員會頒發
台教新字第三二三號登記證
中華郵政台字第一二八二號執照
登記爲第一類新聞紙類
（半週刊每星期三、六出版）
每份港幣壹角
台灣零售價新台幣弍元
社　長：雷嘯岑
督印人：黃行寬
社址：香港銅鑼灣高士威道二十號四樓
20 CAUSEWAY RD 3RD FL
HONG KONG
TEL. 771726　電報掛號．7191
承印者：田風印刷廠
地址：香港灣仔高士打道二二一號
台灣分社
台北市西寧南路壹壹零號二樓
電話：三〇三四六
台郵撥儲金戶九二五二

美國能領導自由世界嗎？

·張六師·

一個國家或民族，在已被共黨腐蝕軟化下，雖有工業經濟，亦不過等於替蘇俄積累而已。而在政治軍事上則無異已變成莫斯科利用的工具。歐亞十多個國家與七億人口之捲入鐵幕，沒有美國的錯誤政策，會有此結果嗎？今日美當局的親共安撫政策無異抱薪救火，其結果爲誤己誤人，中國還可以最後僅存的一線希望替人陪葬嗎？

被國際共黨腐蝕中的國家

共產黨最恐懼的一件事，便是「堡壘多是從內部攻破的」。因此，他們對預定中的敵人，也最重視從內部滲透，顚覆的這一套手法。

美國既是國際共產黨的「首要敵人」，而又是有隙可乘的自由社會和門戶洞開的滲透天地。民衆對共黨政治了解既多模糊，生活享受豐富，而又從無受過共黨任何苦難的經驗。加以共黨的宣傳是以「社會主義」作爲外衣，口中也不離「自由」、「民主」、「和平」等口號，天眞無邪的羣衆，正如「君子可以欺其方」。於是從二次大戰以來，美國即因上述弱點，而被蘇俄史大林所欺騙，從以百億以上美援搶救蘇俄，一直到雅爾達會議，遣還蘇俄降德俘虜，壓迫中國對俄讓步，支持毛澤東搞聯合政府，撤銷對華援助及執行「一筆勾銷」政策，以及留司徒雷登在南京準備與中共建交……等等培養共產黨的傑作，便連串的表演出來。

這些錯誤政策的產生，並不是美國政府有意削弱自己，增强敵人，而是在美國的各階層裏——由政府各部門到民間各角落（包含工商業內部及教育文化與宗教團體內，都有頭上不刻字的共產黨及其同路人，和天眞糊塗被利用的左翼份子，到處游說活動，以削弱、打擊凡不利於蘇俄及國際共黨的力量，增强和便利蘇俄及國際共黨的宣傳，滲透，分化與地下力量。尤其是三十年來莫斯科最忌妒恐懼的是世界上有一個獨立强盛的中國——這也是英、美內部某些人所同樣懷有的心理。儘管在美國也有自華盛頓、傑佛孫、林肯……以來的許多開明、正義、進步人物，但他們多是彬彬君子，決不像背後有共黨策劃、有組織的左傾力量，專會不擇手段操縱團體，包圍顯要，影響羣衆，淆亂輿論，造謠中傷，顚倒是非黑白……。因此，美國的民間正義力量便形成散沙，等於沒有力量。甚至許多有經濟力量而無政治目的的社團，做了培養幫助共產黨的事，他們還不自覺。

美國科學工業的發展，本來是應該爲了美國和自由世界的利益服務的，但只要美國有一項新發明，不久便被蘇俄及共黨所了解，這種發明也就等於爲蘇俄帝國主義者服務，然而美國由政府到社會，對自己內部的敵人，則從不加以嚴密的提防、打擊，在共黨同路人解釋下，還說這是「民主」與「自由」，其情景正如中國抗日戰爭勝利後與大陸赤化前一樣。

自由世界的危機

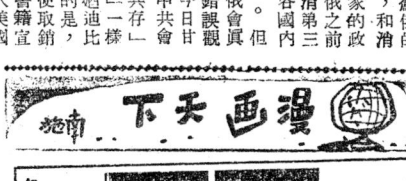

美國把蘇俄從二次大戰的死亡中搶救出來，誰能料到要埋葬美國的就是蘇俄？羅斯福也知道蘇俄的赤化世界野心，和消滅資本主義國家的政策，所以在援俄之前先要求蘇俄取消第三國際，停止在各國內部的赤化運動。但羅斯福以爲蘇俄會眞正改惡向善的錯誤觀念，也正如今日甘迺迪以爲蘇俄中共會與西方「和平共存」，「改變主義」一樣的天眞。而甘迺迪比羅斯福還後退的是，在就任以後，便取銷禁止共黨報刊書籍宣傳品的自由進入美國（並不要求蘇俄集團採同樣措施）。以後對蘇俄的所謂「文化交流」政策，片面自動准許俄人在美自由旅行等，更是蘇俄多年求之不得的奢望，也是對美國最不利的措施。

在蘇俄對美國這天眞無邪的社會裏，一張白紙般的知識份子中，用「思想武器」自由無阻地對「不設防」的各階級羣衆頭腦中去生根發芽，使大衆更嚮往於俄式的「和平共存」和「進步社會主義」天堂，誠如赫魯歇夫所說，「下一代的美國人，必定是社會主義份子」的預言，不是沒有根據的。因爲這一代的美國中年人——尤其是政府和社會中的領導人物，已爲下一代「開放門戶」，「打好基礎」，替莫斯科「無聲進軍」的工作盡了大力，今後只要莫斯科厭惡的人，便也是華盛頓厭惡的人，莫斯科所要想得到的，華盛頓方面一定盡力，（唯一做不到的只是西德艾登諾和法國戴高樂所不同意的事，中華民國則只稍加壓力便也能如願）。

最突出而露骨的莫如莫斯科要赤化中國，美國即有人多方爲之促成，甚至一錯再錯，至今不改。莫斯科要想赤化古巴，美國即有人對卡斯特羅大力效勞，完成任務。莫斯科堅持不許德國恢復統一，美國也就有人背後拼命主張「承認現實」要與俄妥協。莫斯科討厭李承晚、吳庭琰……美國即有人爲之搞內變。莫斯科原只希望搞「兩個寮國」，但美國即有人代搞「聯合政府」，爲赤化全寮鋪路。莫斯科有意在南太平洋點火，挑動戰爭，赤化印尼，威脅澳、紐，打破「馬來西亞聯邦防綫」，美國便有人代印尼効勞，對荷蘭施加壓力，對蘇卡諾加以鼓勵。莫斯科挑動埃及收回蘇彝士運河，美國便有人阻撓英法對納薩進軍。莫斯科要想把外蒙傀儡帶進聯合國，美國便有人說：在庫倫設「聽音站」有好處。……至於在美國領導下的未來自由世界，非洲的「兩個阿爾及利亞」，南美的「兩個巴西」，阿根庭、智利……都在極可憂慮之中發展着，美國的對策又如何？

甘迺廸就職之初，赫魯歇夫希望他能做羅斯福，現在他對俄的表現，已有目共睹。

至於軍事上，美國到處均不願打勝仗——由韓戰、越戰、匈牙利、寮國、南越……都已有事實證明，尤其是對中華民國可勝的內戰，美國都有人替中共「保險」，準備必要時用第七艦隊的武力來替毛澤東効力，以美國人的血，先開對外的第一槍來阻止中國人的反共復國鬥爭，還要美其名曰「維持台峽和平」。居然也要介入與莫斯科併肩援毛的中國內戰。在美國的這項公開宣佈之後，盛傳在台峽由美國規定的A、D、I、Z綫不許中華民國越過的消息也已傳出，從此，莫斯科、華盛頓、北平都可高枕無憂了。

恐共的安撫主義能領導自由世界？

過去二十多年，美國在領導自由世界，這是事實。但成績如何？假如有世界性的民主選舉，目前美國還能當選嗎？只一套「重歐輕亞」政策，美國便已失去亞洲選票了。而到處有條件的經濟軍事援助，干涉及於內政，這還能團結人心？尤其提倡「被奴役國家週」，自稱「當仁不讓」的人，而一心情願地去安撫共黨，這是領導什麼？

在七月十六日阿爾巴尼亞首府地拉那的廣播中，證實阿共頭子霍查與謝胡在逃過赫酋整肅之後，地位已趨鞏固，現與蘇俄仍是團結一致。最近謝胡在阿國就職新總理中曾致詞：「感謝蘇聯中共援助。」並强調阿國與蘇聯社會主義國家間牢不可破友誼，與加強馬列主義原則及無產階級國際主義的團結。」（十六日倫敦路透電）。在這段消息中十足反映出美國內部近三年來對「赫毛破裂」，與「中俄共分歧」寄予幻想人們的幼稚。也反映出最近陳毅在日內瓦承認與蘇聯有「分歧」的話，竟使西方有人引以爲喜之可憐。在戰術上自古以來的「苦肉計」

（下轉第二版）

皆大歡喜

狄托爬向雲裏？

自由談

夠瞧的！

馬五先生

阿爾及利亞剛告獨立自主，幸而脫出殖民地生活了，然兩個搞政治的領導人物，即爲着爭權奪利，不惜同室操戈，大興內戰之師。這眞是親痛仇快的醜惡現象，可哂已極，可恥孰甚哉！

曠觀二次大戰後，亞非地區若干從殖民地生活中翻身起來的新興之邦，十九都是動亂不休，迄無寧日，而其原因總不外乎內部一般知識分子的政治權力之爭，悲劇迭演，罔顧大多數人民的利益幸福。如剛果、緬甸、寮國、阿爾及利亞，乃其最著者，其他的新興諸邦，亦復變亂時聞，相去無幾。這不能完全歸咎於文化素養問題，經濟因素尤佔重要。

凡屬產業貧乏的地區，社會生計與羣衆生活多是艱困的，知識份子唯有以搞政治活動爲謀生之道，對於權力所在，視爲生死存亡攸關，非爭不可。爭而不得，固然決不甘休；得而不能遂意，還是不肯罷手；見着別人的生活比我優裕些，忌嫉心情油然而起，如是乎爲目的不擇手段，無所不爲了！這種情形，不特文化落後的新興民族國家有然，即號稱爲具有五千年歷史文物的咱們中國，亦似乎未能免俗也。

知識分子搞政治的口頭禪，說是代表人民的意志，實則人民所祈求的就是生計與生活的改良進步，誰個掌理政權，皆無所謂的。明乎此，乃知發展生產力，開拓社會大衆營生的各種出路，纔是治國安邦的根本大計，而民主憲政的基礎，也就從此可以奠立創進，眞正趨於實踐化。否則所謂民主不民主的政治制度之爭，骨子裏只是飯碗與飯票之爭，政治權位有我一份，便是民主，沒有我，即爲獨裁，就非反對不可，國家那有安定的希望呢？

所以，剛果與阿爾及利亞的動亂，現在祇是開始，來日方長，好戲還要繼續演出，夠瞧的呀！

香港與大陸

主要由於原料不繼

廣州工廠十九關門大吉

工業購貨券笑話連篇

大陸同胞人人餓得發昏已不再是新聞。正唯其大家連肚子都無法塞飽！有的憑配給只能半飽，有的更祇得三分之一飽，四分之一飽，在食以外的東西，誰都無法顧及了。而在這些方面，大陸同胞亦幾乎慘不堪言。據不久前從廣州逃出來的鄧君對本報記者透露，大陸同胞而今要購買任何物品，除極少數之外，無一而不憑「證」憑「券」，沒有這些「證」與「券」，你就算有的是錢（實際那能有錢？）亦買不到手。至於可以不憑「證」憑「券」可以買的東西，價錢貴得嚇人聽聞，普通人絕對買不起。

比如（一）布，前年每人還可配購三尺，現年每人每年祇能配購一尺五寸布，一年就祇得一尺五寸布，夠做什麼用呢？（二）肥皂，現在廣州每人每月祇得配購半塊肥皂，洗衣服，洗身（沐浴也）就全靠這半塊肥皂，如何夠用？（三）飯碗，每人每年限購一個，比方你是五口之家，就祇能有五個飯碗，打破一個亦無法補充。（四）香烟，每人每月配購三包，每包二十支裝，換言之你每天祇能吸香烟兩支——黃州的香烟，並非菸葉製成的，而是用蔗渣、蕉葉、禾草浸上於骨水製成的，其菸的味道有多少？還可稱為「香烟」否？不問可知。

有所謂「工業購貨券」，可以憑券購買工業品的，然而，在廣州，每人每二月才配給這種「工業購貨券」一張，亦即是每年可獲配六張，但以一百二十公分重量的罐頭猪肉而論，每罐代價為十二張「工業購貨券」，換言之，每人必需兩年纔能夠吃得到這麼一小罐頭猪肉。又如大陸出品的熊貓牌收音機，它的代價是七十張「工業購貨券」，亦即是說一個人差不多要十二年之久纔能夠買得到這一個收音機。

不憑「證」或「券」可以購買的東西，固然亦有，但價錢貴得很。好像在香港三、五元港幣便可購得一件的夏白恤，在廣州要買三十五元人民幣，合港幣六十多元了。問題當然並不在於合港幣多少，而是有許多人每個月的工資所得，還有不到這個數目的，如何而買得起？

鄧君並透露說：大陸由於連續三四年的人為天災，農產品大大歉收，工業亦因為原料成了問題，十九都關門了。以廣州而論，從前年起，就有停工的工廠，去年更多，今年尤多，現在廣州還開工的工廠，十不得一，可以說已經整個破產。（吉）

提高額外配額純係偽裝

毛共要錢不恤民命

目的在加倍剝削僑胞爭取外滙

支票未必兌現可能是一大騙局

（本報訊）毛共自六月份開始禁止海外僑胞以日用品寄返大陸，現在更進一步，藉僞裝的對僑匯戶提高糧食，副食品，日用品額外配給量的方式，榨取僑胞，爭取外匯，充分顯示毛共祇要錢而全不顧恤民命。毛共現時雖尚未實行禁止海外以糧食、副食品寄返大陸，將來到某一時期，它確實有可能這樣做，藉達多多榨取外匯之目的。

毛共為榨取胞僑匯款，在七月一日以前便規定：凡持有僑匯證者，以每一百元人民幣的匯額為準，可獲得額外配給的優待，包括米十斤，油二斤，肉一斤，糖一斤及布疋若干等。在那時候，所有這些額外配購，其價格還高於所謂「國營」牌價。自七月一日起，毛共畧為表面提高了對僑匯戶的「優待」，計為：

（一）仍以每一百元人民幣的僑匯額為準，可獲額外配給米三十斤，油三斤，糖三斤，肉二斤，棉布十尺，針織品一尺。

（二）如其持有僑匯證的人不願配購糧食，還可以之更換價值為四十元至五十元人民幣的副食品或日用品。

（三）上列額外配購的東西，均以「國營」牌價為準，而且不另收費。

很明顯，毛共此種辦法的改訂，其目的在於鼓勵海外僑胞多匯款回大陸，而不歡迎大家再寄實物回大陸。亦就是為了榨取外匯，毛共是用僞裝的較高「優待」的支票在引誘海外僑胞了。關於毛共六月份起禁止日用品寄返大陸，本報前經指出，其用意一方面在於多多取得外匯，另方面亦由於海外寄返日用品雖然對它仍然是大有利的，為了這些日用品流入「自由市場」，售價很高，擾亂了它的經濟，亦為原因之一。

現在毛共表面以增加額外配給為餌，以引誘僑胞匯款，可說明它單是禁寄日用品，尚未足以增加外匯收入；再則顯示毛共外匯確實枯竭，所以不得不另想辦法，僞裝出較高「優待」的支票來，以資爭取，其為要錢不擇手段，彰彰明甚。

首先，這乃是毛共對僑胞的加倍剝削榨取。依據香港的市價，三十斤米不過十八元港幣，三斤油為四元五角港幣，三斤糖為一元五角港幣，二斤肉為六元港幣，棉布十尺及針織品一尺最多不過五元港幣，合計不過值港幣三十餘元而已。但一百元人民幣匯款，依據毛共牌價，需港幣二百三十元光景，等於毛共硬賺了二百元港幣。其剝削榨取之厲害，顯而易見。

而這亦還不是大問題。問題在於毛共如此剝削榨取之餘，能否兌現它所開出的支票？毛共真有那許多米、油、糖、肉、布去讓僑匯戶得到這些實物嗎？確實是很大的疑問。即以毛共至今還不敢禁止海外僑胞寄米寄副食品回大陸，要以足以反證大陸物資不足。是以毛共此種舉措，極可能還是一大騙局。

以往，當毛共還允許海外僑胞寄返日用品之時，儘管毛共從中已得到許多利益，單以征收重稅一項看，其數便大有可觀。乃毛共尚不以此滿足，又想出了此一剝削榨取得更加厲害的新的辦法來，表面上卻還以「優待」的僞裝出之，卑鄙齷齪，莫此為甚。而設使毛共並不能兌現它的那個支票的話，是毛共達到了它加倍剝削榨取僑胞之餘，卻還得照樣餓肚子，僑匯戶是毛共不但在謀錢，且在害命了。

毛共此舉，重重打擊港澳地區的糧包商人，特別是辦理憑單在大陸取貨的存銷糧商為甚。

據消息：目前香港糧商存有大批糧食及其他存銷物品在廣州「中蘇大廈」的，均將為中共追繳過去及未來的甕存倉租，租值為每月人民幣五千元。這些甕存糧商，目前如以存貨計價繳租值，則他們的存貨價值，實已所餘無幾了。

道港有一家福建幫的糧商，甕存了三百萬港元以上的存銷貨物在福建各地，該糧商過去經營福建存銷，是頗有所獲的，因該地是僑匯地區之故。可是最近毛共已在福建推行僑匯配購政策，同將又禁運糧食類以外的物品至福建，因此該閩幫港商甕存在福建境內的三百萬港元物資，將因此遭受中共的凍結了。（理）

美國能領導自由世界嗎？

（上接第一版）

和「唱雙簧」，已是卑不足道的技巧，何況中俄共雙方從來一直到今都在強調「團結如一」。而年事實上中共之事奉蘇俄，聽命不渝，並無證據證明雙方「破裂」。西方最自慰的是俄援工業顧問專家的自大陸撤退，而不知這正是俄對毛加重壓力與剝削的主子約束管制奴才手段，受禍者只是中國被統治的苦難人民，而並無碍於蘇俄管制中國大陸的代理人。在工業顧問調回，黨、政、軍、特顧問專家增加下，這也引起美國無限的幻想。最近連串的「美國逐步承認東德、中共」與「兩個中國」方案，又在地下講價還價，而甘迺廸七月五日更對記者說：「美國為尋求全球和平，今後將與一切好戰的國家磋商」。

好個與「好戰的國家磋商」，難怪本來是談釋放美僑的「華沙會談」，居然擴大範圍談到美國「盟國」的內政上去了。這種美國「領導自由」的作風，除了喪失民族自尊心和反共自信心，崇洋媚美的官僚才願意接受而外，決非三民主義的信徒所能忍受。（甚至埃及、緬甸、馬來亞、印尼、菲律賓、泰國也不會忍受）。所以我們要提醒恐共安撫主義者：如不從速改變錯誤政策，自由世界被奴役之責，應由美國担負。

其實，美國內部的明智之士，又何嘗不知共產黨多年來明白宣佈的教條是「階級消滅，不留後患」，「對敵人仁慈，是對自己殘忍」，「共產主義與資本主義間決無共存餘地」。目前不是他們不想對自由世界征服併吞，而是力量不夠，不得不改變策畧，從世界弱點下手，從西方的內部不戰而勝，他們何嘗停止過一小時的陰謀毒計？

最可笑的是西方的統治者，他們雖把鐵幕內的奴隸主奈何不得，却把渾身解數使盡，對愈馴服的羔羊愈橫眉怒目，不可一世，對愈好說話的人愈欺善怕惡。赫魯歇夫一發橫，比史大林對中共還刻薄惡毒，便事同一理。

我們却深信此一真理，——「奇蹟是人造的」。國父孫中山先生以一平民，無權無勢，無任何背景，無國際支援，却能下決心，有信心去赤手空拳地從事推翻二百七十多年的王朝，屢仆屢起，百折不回。創主義，建學說，竟底於成。這是西方安撫主義者所事前不能逆料的。以後國府的北伐，抗日，最初也是西方國家所不信會有成的，但最後也出西方意料之外成功了。最近塞普魯斯島希臘人的反英成功，以色列的復興例子，都比我們艱苦，其條件均不如我，但成功在人的努力。而我們條件與形勢和環境都比他們優良，可是竟每況愈下。然則還是我們自甘墮落？還是該埋怨別人呢？

中學聯考作文題目的風波（上）

洪霽空

在台灣，每逢暑期大中學校招生考試，試題方面常鬧笑話，尤以國文科為甚。如前幾年某中學的作文試題為「西瓜與汽水」，曾有人在香港自由人報加以指摘，該校不服，也曾投書辯護。但最低限度講，這種題目是毫無意義的。去年南部某地初中聯考作文題為「我家的柑桔園」，試問考生何能家家有柑桔園？前年台北市中等學校聯考的作文題為「台北街頭」，曾受各界攻擊，有些鄉間或外地的學童，根本未到過台北市，一到台北就入試場，如何能寫出台北街頭？就是到過台北市的兒童，也難瞭解「街頭」二字的含義，所以有「站在街頭數人頭」的妙語。去年台北市初中聯考作文題為「唱歌和圖畫」，一般人都認為太艱深，以小學剛畢業的兒童，實在無法發揮含有高度藝術性的題義。但中國語文學會卻挺身而出，為之辯護，說該題並不艱深，而且十分適合。（恕我記不錄原措詞）既有專家的辯護，別人也就無話可說了。

今年北市初中聯考的作文題更妙，這次的作文題為「假如電影院像教室一樣」，簡直妙到毫巔。電影院和教室有甚麼關係？電影院如何能像教室？教室又如何能像電影院？根本風馬牛不相及，如何能相比？現在的青年學生，差不多都愛看電影，對電影院雖很熟習，但要叫他將電影院和教室聯繫起來，比擬一番，恐怕也無辦法。若有少數不看電影的學生，更不知如何下筆了。此題一出，社會譁然，各報亦紛加指摘。但為北市聯考保鑣的中國語文學會的語文教育專家們，又出而仗義直言了，報載中央社訊稱：

中國語文學會十二日說，據語文教育專家的看法，今年台北市立中學聯考的作文題目，比去年較有彈性，兒童如有適當的表達能力，就不愁沒有話說。台北九所市中聯考，十二日上午在台北舉行，國文的作文題目是「假如電影院像教室一樣」。語文學會表示，一般家長認為這個作文題目太難，但據專家的看法，這題目是循去年發展的方向，在命題中將兩件事物貫串起來，去年是「唱歌」和「學畫」，今年是「電影院」和「教室」，去年是「橫列」的關係，今年是「縱貫」的關係。該會說，只要把電影院和教室兩者之間的關係聯繫起來，從任何角度發抒情意，都可以得相當分數。該會認為，作文能力是語文能力最高的一項，過去曾佔三十分，去年起減為二十分。該會說，今年力測驗沒有用「重組」，難度已經降低，如果作文命題再沒有相當的難度，那就沒有辦法正確測出來兒童的表達能力。」

現在要問問專家們：「假如電影院像教室一樣」是甚麼意思？電影院台上映的是電影，台下看的是觀衆；教室是老師在教台上講課，學生在座位上聽講。電影院是民衆娛樂場所，教室是青年讀書重地；如何能一樣？如何能相比？其次要問專家們的，電影院既與教室根本沒有關係，如何能把「兩者之間的關係聯繫起來」？這個題目根本不能成立，還有什麼「彈性」可言？什麼「將題中兩件事物貫串起來」，什麼「橫列」，什麼「縱貫」，請專家們不必賣弄「詞彙」，作文不是數學公式，談什麼「橫列」「縱貫」？一言蔽之，總以通妥為宜，不通妥的任何人也不能為之曲解。專家又說什麼「循去年發展的方向」，好像要把命題人捧成千古未有的大文豪，去年的文章，到今年還未做完，說不定還要發展到明年，如此說來，妙文還在後頭哩！老實說，前年去年的作文題是不妥，今年的作文題是不通。如有人仍欲為之辯護，就請專家學者們做一篇示範文發表出來，給我們見識見識吧！

星馬聯邦運動的暗礁

凌霄

星加坡與馬來亞合併爲一聯邦的進行工作，最近消息迭傳，時而說實現在即，時又謂爲期尚遠，而馬來亞總理東姑拉曼和星加坡總理李光耀，却表示非及早合併不可，倘恍迷離，令人頗感詫異。實則其中存在着若干暗礁，倘待排除，合併是勢所必至的。

馬來亞人口以巫族爲多，華人次之——約佔百分之四十。星加坡恰相反，中國人佔有百分之九七的絕對大多數，擁有工商業的優越勢力，但其生產根據地却在馬來亞方面，星埠不過是市塲而已。所以，星馬在經濟上相依相成，有如輔車，未可脫離，組合聯邦，自屬必要，問題是在政治上。

星馬的民族，除却巫華這二大體系之外，還有些其他的少數種族，語言文字亦不一致。過去在英國統治時期，華、巫、英種三語文平流共進，普遍施行，有如瑞士之通用法、意、德三種語言，彼此相安。當林有福在星加坡執政時，他跟英國談判自治結果，亦規定以華、巫、英三種語言爲「國語」。事實上，在星馬的華人個個都懂巫、英兩種語文，然馬來亞的巫族却不完全如此，因此他們對於經濟勢力雄厚的華人，深有戒心——害怕華人掌握政治領導權，英國人亦有此種意念，乃將馬來亞聯邦政府的行政首長，硬性規定由巫族首領担任，而不採取公民投票選舉制，目的就在防範華人取得政權也。

馬來亞當局急於促成星馬合併，自係出於誠意，但又就心着上述政治問題，如是乎想出種種方法來作護符：一是要以巫族語言爲「國語」，嗣後凡屬中國人在星馬創辦的各級學校，一律要用巫族語文爲教育工具，華文祇當作「第二外國語」；二是星馬合併後的華人公民權，必須經過聯邦政府特許（Aprove）認定，這樣就可以限制華人在政治上的發展潛力。現在共產黨徒就利用這些事情，向星馬的華人大事宣傳，認爲不平等待遇，反對合併之舉。然星加坡總理李光耀却極力主張及早合併，指共黨反對是別有用心。當然，共黨在一般殖民地的活動任務，是要製造動亂，實施顛覆陰謀。星埠的華人最多，而其經濟命脈寄托在馬來亞地區，如果華人惑於共黨宣傳，反對馬來亞當局的合併方針，一定激成華、巫民族間的對立鬥爭。然星埠的財力沒法自給自足，如要鬥爭到底，即須乞援於外方，英國不會同情，印尼更自顧不暇，唯一可能的應援者，只有中共了。

李光耀的見解，是正確的。星馬合併的原則沒有問題，對於合併工作發生阻碍的，就是「國語」與「公民權」這兩種暗礁。最近林有福等聲稱要聯合馬來亞各界人士組織一個大的政黨，用意大概就在消除星馬合併前途的障碍因素。我們認爲「國語」問題並不嚴重，最不容易協調的乃是公民權問題，若將此「特許」公民權列入聯邦憲法之內，未免笑話，否則勢必產生政治糾紛，相激相盪，且可能引起華巫民族間的仇視心情，而對星馬聯邦大不利。同時又舊目近若干年來東南亞諸新興之邦的排華運動，愈演愈烈，更爲散居在東南亞地區的一千多萬華僑同胞，憂心忡忡，希望我政府當局對此問題特別注意，設法爲海外僑胞解除一些困厄，曷勝企幸！

天南風光

——沙羅越土人的生活方式——

朱淵明

有時，他們也在有水的平地上種稻，一樣砍伐與焚燒；好在熱帶樹木蕃殖極易，「有土斯有木」，不愁沒有焚燒的。燒過之後，既然平地上雨後即有水，那自然用不着鑿孔，只把谷種撒下就得。收穫之後，他們必定讓它休息數年，然後再種。若果有人問他們：爲何要休息數年，然後再種？他們也答不出。我想，恐怕還是要等待樹木重生長大後便於再度焚燒的道理罷。

土人生活簡單，他們偶然也殺雞殺猪，但不用滾湯拔毛，而是用火燒去毛的，燒的時候，整個長屋，都會臭氣薰天。若果獵得一隻野猪或野鹿，假定不拿去巴煞售賣，則即將皮剝下，而食其肉。因爲烹飪乏術之故，所以往往有佳殽而無美味，惟有飯是特別香甜，這倒是很講究的。土人吃飯，是盤脚圍生在地板的蓆上，盛飯盛菜都用盤，吃時，用右手指頭撮取，不用筷子和叉，飯後必飲生水一杯，隨後連右手帶飯盤都洗乾淨。

土人有名無姓。例如有一個人名叫「阿蓮」，他的父親名叫「開山」，他那長屋的屋長名叫「山通」，於是她向政府登記時，就須寫作『山通屋，開山子，阿蓮』。

他們的婚姻，也須出五服之外，實行一夫一妻制，大有男女平權之概。雖然也是男娶女嫁，但入贅之風也盛，有女有兒的人，也可招婚入贅，贅婚也可享受岳家家產。婚姻絕不用媒妁之言，完全要雙方同意，父母也不大管制；如果女的願意，也可先試而後婚。普通夜間睡覺時，如果男子有意，即可逕往女子睡處揭開蚊帳求眠，若女子拒絕，男子即須退回，如果一連三晚都被拒絕，第四晚即不能再往；否則就算犯規，女子可以抗議，男子也許受罰。土人多係全家同睡於內室，不過少女另外一帳，故少男求眠之事，女家家人多知，只是不管罷了。戀愛成熟，即可定期結婚。（六）

公道篇

公道的界說（一）

公道是發自人類自然的心聲，爲非理性的偏見的死敵。公道似乎僅是一種難以捉摸的抽象觀念，難以憑科學的分解，決定某種公式，某種界說。因此，人們便以這種錯覺，相互作不正確的爭辯。或基於階級的利益，或基於邦族的利益，或基於小圈子的利益，或基於研究對象不完全的結果，總之，相互間但憑本身所站的立塲，而決定「我的公道」，「你的不公道」。事實上，世人所謂不公道的，不一定不公道，而公道的亦不一定是公道。因爲公道不容有絲毫的自私利益和人爲眞理的偏見或份的沾染，有之，則所謂公道，實亦是不公道而已。

公道雖屬於道德自然律一類的抽象觀念，但並不是不可以用科學方法來分析，以求出其界說。例如，公道既是發自人類自然的心聲，公道便顯見爲關係於人類因素研究，特別關係於個人身心兩面需要的研究。

美國大詩人惠特曼（Walt Whitman）說：「我可以誓言，忽視了人，萬般都無足貴。」是的，公道與不公道之間，是人類社會紛爭之源。我們以多數人類的個人，組成這個人類的世界，假設人類不能生存下去，這個世界也就不復存在。顯見人類因素之爲世界問題的核心，凡有事物的研究，都是爲環繞個人需要問題而發生，可說爲無可爭辯的事實。

但不幸，自有人類歷史以來，從來就未見有學者對人類下過明確而又正確的定義。有認爲「人類爲政治的動物」，把人類視爲組織的工具；有認爲「人類爲自私的動物」，把人類因生活條件缺乏的不正當行爲視爲出於其天賦的本能；有認爲「人類爲聖靈的動物」，又把人類估計過高，視之爲聖爲神，高於萬物，別於禽獸，而忽畧人就祗是人。

政治是被人類利用爲達成滿足身心兩方需要的手段，而不是目的，更不是反爲政治的奴役。人類自私慾望的強弱，是與其享受成反比，越貧乏之物質條件的人，越渴望享受物質；越想望某種需要的人，越對某種想望的自私佔有慾加強；這是社會病態對人類的影響，不是人類的天性完全如此，永遠如此。人類也不是神，他的肉體，證明人類是由物質組成的部份，這個部份也確定了人類有肉慾的獸性，並爲生命的組織，生存上的需要，也確認了物質生活是人類不可少的主題。

對人類的不正確的解釋，而又相互固執其解釋，就流於主觀的人爲眞理的偏見。因此，所謂公道，亦成不公道；所謂解決問題，而問題始終存在，永難解決。

美自泰兩次撤兵　事前未知會泰國

繼七月初一度自泰撤軍之後，美國又第二度的宣佈自泰撤軍，先後計撤出陸戰隊兩千，使駐泰美軍自五千名減爲三千名。美軍係本年五月進駐泰國的，當時係因爲寮共破壞停戰協議，攻佔寮北的南塔等重鎮，美國爲「展示實力」，在協防泰國安全的名義下，開到泰國。另還唆使英、澳、紐亦以象徵部隊入泰，藉示「行動一致」。七月初在日內瓦會議恢復前夕，美國首次撤軍，七月底再宣佈第二次的撤軍；想當然美國是以爲泰國安全威脅已減低了，才有撤軍之事的，這且勿論。然而，美國這兩次撤軍宣佈，泰國官方都表示詫異，儼然美國在決定撤軍之前，根本不會通知泰國，商量更無從談起了。這在曼谷已經成了街談巷議的題目，泰國的「詫異」表示，算是很客氣的抗議了。（通）

瘟君續夢

第六回：

烽火照邊陲　同惡難濟

樓船橫碧海　大憨興悲

中共當局雖然處死了幾名製人肉臘腸的工人，但是大陸臘腸在海外又絕了市。

由於工人的有意搗亂，中共的輕工業產品在海外整個滯銷，對中共的打擊異常巨大，有關幹部層層上報，一直報到中央政治局，毛澤東看了只是搖頭嘆氣，大家商量一下，也拿不出對策。停了半晌，還是活曹操說道：「我看這個問題應該切實調查清楚，究竟癥結何在，光憑幹部的報告是難下決斷的。」活曹操說過，毛澤東連連稱是，當時決定大家分頭到工廠視察，毛澤東去武漢，劉少奇去上海，周恩來去天津，分別作重點視察。

天津離開北平朝發夕至，周恩來搶先一步到了天津，由中共河北省委第一書記林鐵，「河北省長」劉子厚，中共天津市委第一書記萬曉塘，「天津市長」李耕濤等陪同到天津食品出口總公司屬下第一製造廠——專門製造罐頭食品的工廠去視察。

周恩來等人進了大門，早由工廠黨支部書記率同大小幹部及積極份子在門首列隊歡迎。畧微休息下，周恩來率領一批高級幹部就走進廠房，工人們也都放下工作，拍手歡迎，周恩來裝出一副笑臉，走到工人羣中去慰問，身邊只有林鐵和一名保衞局人員。

周恩來從來也未見過罐頭食物的生產經過，眼見一塊鐵皮經了幾道手續，最後變成罐頭，裝進食物，抽出空氣，用錫封上小孔，再包上封皮，就算完成，感到十分有趣。當時就捏着一個罐頭向工人問道：「我們運到西非的罐頭發現其中有些汚穢東西，被對方退了貨，給國家帶來巨大損失，爲什麼罐頭裏全裝上泥土糞便，你們能想出其中原因嗎？」

許多工人聽了周恩來的話，互相望了一眼，想笑也不敢笑。停了半晌一位老工人李發說道：「報告總理，罐頭裏面裝汚穢東西是不可能的事，總理試看罐頭製作過程這樣快，工人手不停揮才能追得上，那有時間放別的東西。再說廠房裏那來的泥土糞便。恐怕是運去出廠之後，破壞份子改裝的。」

周恩來想想倒也有理，接着問道：「罐頭變壞與變形，這個原因在那裏呢？」

李發沒留住嘴說道：「那是因爲抽氣機沒有抽乾淨空氣的原故。」

「哦」，周恩來覺得這次找到毛病，問道：「爲什麼不抽乾淨空氣呢？」

李發遲疑一下，說道：「大概因爲工人吃不飽，營養不足，沒有力氣操作。」

周恩來尚未答言，林鐵在傍邊大喝道：「你簡直睜着大眼造謠，工人怎麼會吃不飽，你聽誰說的，是誰敎你的。」

李發嚇得向後退了幾步，不敢開口。林鐵還不干休，向前追了兩步，指着李發臉上，一定要追問誰敎他說的這些反動言論。

李發眼看賴也賴不掉，只好硬着頭皮說道：「我自己就吃不飽，想想別人也是一樣。」

（一二二）

兩位淑媚（續）

這溫潤的美玉，甫經雕琢，便顯光芒。無怪汪蓉極而淚下，臥不安枕，幾有數夕，其興奮可以知之。

方心亦名李淑媚，廣東花縣人，年僅十九，曾在易通英專肄業。她是富有青春活力，而極好動的少女。喜好籃球，游泳，騎馬，打獵，歌唱。有醉人的媚眼，常掛微笑的容態。天眞無邪，坦白——風趣，給人以甜蜜的印象，如沐春風。桃源公司所拍影片以粵語為主，國語為輔，方心賀蘭馮敏之入選，亦多以粵籍而佔優也。

憶玉軒雜綴

靜幽的東吳

讀書的環境，須在山明水秀之區，方可進德修業，與夫礪品砥節。憑此靈感，孕育英才，是天經地義，無可否認。在台復校的東吳，在士林外雙溪，卽符合這條件，為各大專院校中不可多得者。外雙溪地接陽明山脚，本來山色幽雅，加以山中泉水，潺潺下流，又復匯成一溪，於是遂成青山綠水的環境。東吳選在此地復校，誠得地利之宜，可說眼光遠大。

東吳大學創辦甚早，計為遜清光緒二十七年三月，卽在蘇州天賜莊創設，迄今已有六十年，歷史攸久，可與北大清華交大並駕。蘇州景物，已夠其美，而天賜莊偏在郊區，其環境則小橋流水，無不具有。所以培植成功的人才，確是不少，堪與聖約翰相頡頏。尤其女生之靜雅，眞可說為全國各校之冠，非上海各大學所能及。至於學科，則以法律系著名，校友中如吳經熊、江一平、丘漢平、陳霆銳等，無不蜚聲於司法界。而上海著名的律師，多半是東吳出身，具有權威而著聲譽。大陸淪陷，該校在倉卒間，無法遷徙，盡入共匪掌握。卅九年，該校同學會看到青年學子，在聯考名落，以致失學，情形嚴重。決計先行恢復法學院，初在台北漢口街租屋，開班上課。四十年由校友名律師伍守恭在外雙溪覓得校址，由本省善士捐地千餘坪，在財力物力艱窘之下，賴海內外的校友，教育界人士之力，克服困難，陸續建造校舍，篳路藍縷，十年之中已次第完成校本部法學院大樓，男女生宿舍等。又奉部令准設法律、政治、經濟、會計、外國語文，中國文學等系，莘莘學子，相率投考，蔚成這一股巨大的洪流。該校管理認眞而嚴格，造成學風淳樸，忻忻向學。每次各機關招考人員，東吳畢業生的錄取率約佔百份之八，輿論均予好評。（未完）

康有為的別墅（二）

——杭州西湖的康莊

丘峻

向一天山行，至山下，有池塘七畝，飼養各種魚類，年中生產不少，過年時，儻鯉魚一種，價亦達數百元，甚屬可觀。抬頭一望，首先接觸眼簾者，為木刻橫榜，額曰『一天園』。入門，有廣場，叢植五色桃花，名為『桃花源』。有石路，與『人天廬』通。路為人所贈送之嚴子陵釣臺所產的五彩花石所鋪成，頗覺美觀。康氏曾撰『桃花源』及『人天廬』詩，有序：『西湖邊泊舟處入吾園境，亦三面環湖，吾種桃百餘樹。築亭望湖，夾道桑稻、梅、荷花塘。塘角竹陰菜畦。中堤曰『藕波陌』。廿丈許，遂入『人天廬』。其詩云：

、三面湖波亦半島，百株桃樹又漁舟（吾有扁舟常泊此）。蓬萊婀娜宜忘世，湖水漣漪渺隔洲。夾道荷塘白烟影，小亭篁竹綠雲秋。花開花落春心意，避地避人天與游。——桃花源。

天上人間七往還，而今游戲在人間。民生同惠何忍去？木石與居猶自頑。茅舍權離盤磴道，茂林修竹抗崇山。結廬人境心仍遠，呼吸通天開九關。——人天廬。

自綠淨境上山麓，以木為亭，曰『筠岫亭』，立崖下萬竹叢中。上行至半山，有用木數根粗製之長機，名曰『卻曲磴』。再經百餘級，登山巔，中道為『雲中崖』。康氏曾詠之以詩：

余處幽篁不見天，登山險難磴廻旋。高邱萬竹隔雲雨，峭壁一亭通月烟。緩步躋攀孤樹杪，扶筇曲折出崖巔。豁然別自開天地，盡攬西湖山與川。（此聯集句曰：「全以山川為眼界，別有天地非人間！」榜為『普觀天境』。）

登一天山最高處，係一幅平地，面積為九分二厘，種植紅梅甚多，尙有綠梅，罌梅等名種珍品。主要屋宇全建築於此。其左有『寥天臺』，可攬西湖全景，遠見東海。當時康氏係以九元之值，購買火磚、砂、灰等，親自作成一丈見方，高可四尺的臺基，上砌一方桌，又因名『九圓臺』。旁置一藤榻，一藤椅，另有別種坐椅。每於月明之夜，在此賞月。康氏紀之以詩云：

一天山頂作高臺，呼吸參寥雲四開。三面山環三面水，萬枝松擁萬枝梅。吐吞日月南高下，起滅烟嵐東海來。腹坦西湖杭萬戶，老夫登望興悠哉！

貞婦篇

漁翁

易曰：「女子貞不字」。後通稱女子未嫁而守節者為貞女；謂婦人從一而終，夫死不再醮者曰貞婦。禮云：「禮以治之，義以正之，孝子弟弟貞婦，皆可得而察焉。」

寰宇記載：「嬾道有貞婦石。相傳時有貞婦，夫歿無子，事姑甚孝，抑而嫁之，不從，身歿，所居望有一大石湧出，後人號為貞婦石」。石以貞名，志德操焉。

古之貞婦，載在青史者，不一而足，要以春秋戰國時代為最多。茲舉其犖犖較著者，簡介其身世，以為移風易俗之一助。

貞姜——春秋時齊侯女，楚昭王之夫人也。王出遊，留之漸台之上而去。王聞江水大至，使使者迎之而忘持其符，夫人曰：「王與宮人約，召宮人必以符；今使者不持符，妾不敢從。」使者曰：「今水方大至，還而取符，則恐後矣。」夫人又曰：「貞女之義不犯約，勇者不畏死，守一節而已。妾知從使者行，必生；留，必死；然棄約越義而求生，不若留而死耳。」於是使者歸取符。水大至，台崩，流而死。王曰：「守義死節，不為苟生。處約持信，以成其貞！」乃號之貞姜。後之人，以婦從一而終者，稱為有貞姜風。

伯姬——一作「共姬」，春秋時魯宣公女，成公妹，宋共公夫人。嫁十年而寡，執節守貞。魯襄公三十年，宋宮災，伯姬在焉，有司請曰：「火將至矣！」伯姬曰：「吾聞婦人夜出，不見傅母不下堂。」逮乎火而死。其母自傷行遲，悼伯姬之遇災，援琴而歌伯姬引。伯姬死於火，貞姜死於水，其貞節一，後先輝映。

蔡人妻——春秋時宋國人，嫁於蔡，而稱為蔡人妻。蔡有惡疾，其母將改嫁之。女曰：「適人之道，一與之醮，終身不改。不幸遇惡疾，不改其意。且芣苢之草，雖其臭惡，猶始於捋采之，終於懷擷之，浸以益親，況於人乎？」終不聽其母，乃作芣苢之詩。按芣苢，卽車前子，詩周南篇名，言婦人樂有子也。以物明志，讀芣苢之章，足以矯薄俗，而為夫婦反目者戒。

陶嬰——春秋時魯國陶門之女。少寡，養幼孤，紡績為產。魯人聞其義，將求焉，嬰作黃鵠歌，以明不二。魯人不敢復求。按黃鵠，為樂府吳聲歌曲。後人以婦幼年喪夫，卽謂之黃鵠早寡，以其失偶而聲悽切也。

羅敷——戰國時趙王家令王仁之妻，姓秦，邯鄲人，名羅敷。採桑於陌上，趙王登台，見而悅之，因置酒欲奪焉。羅敷巧彈箏，乃作陌上之歌，有曰：「使君自有婦，羅敷自有夫。」以盛誇其夫，而自明其志。趙王聞言乃止。後人仿作者多，一名「採桑」，亦名「日出東南隅行」，或作「日出行」，則以古辭首句為題也。

高行——戰國時梁人。榮於色，而美於行。早寡，梁之貴人爭欲取之，不能得。梁王聞之，使相聘之，高行曰：「妾聞婦人之義，一往不改，棄義而從利，無以為人。」乃援鏡操刀以割其鼻，曰：「王之求妾者，以其色也；今已刑餘之人，殆可釋矣。」王大其義，高其行，因尊其號曰「高行」。

虞姬——楚霸王項羽姬，或謂姓虞，或謂名虞，亦稱虞美人。常幸從。項羽困於垓下，為詩曰：「虞兮虞兮奈若何！」見史記。虞和曰：「漢兵已畧地，四方楚歌聲；大王意氣盡，賤妾何聊生？」亦自到。英雄美人，並垂不朽。後人以項羽虞兮之歌而名曲焉。

婦寡而守節者曰柏舟，事見衛太子共伯早死，其妻共姜守義，父母欲奪而嫁之，共姜作柏舟之詩以自誓。故後人謂婦守節而稱柏舟矢志，本此。

以上所述，均係漢以前者。關於漢以後之節婦，容再續誌。

海嶠叢談薈

前輩人的風範（一）

諸葛文侯

在國民黨的前輩人物中，我親炙最久，受教最多的就是李協和（烈鈞）先生，他去世已逾十八年，墓木早拱了。我這不成材的後輩同志兼僚屬，今日投奔異域，鬻藝江湖，徒傷老大，一事無成，回憶前塵往事，緬懷長者風範，不禁感慨萬端矣！

先生以豪邁嶔奇之資，在革命陣營中，叱咤風雲，迭著戰功，素為國父孫公所倚畀。平生小德不無出入，而大節磊落光明，嶒然予世人以共見，他有若干卓著風義的言行，決非流俗之所謂要人也者，能夠望其項背的。

他跟那老而不死的投共份子程潛，是日本士官學校同窗好友，且屬民黨同志。民國六年國父在廣州興護法之師，担任非常總統職責，程氏受命為帥府陸軍部長，李公任參謀總長，譚組安（延闓）先生則率領一部分湘桂軍，據有湘南自郴州迄零陵一帶地區。此時程譚二人為着爭取湖南政權之故，彼此極不相能，適北洋政府總理段祺瑞派人南下，經湘南秘密赴粵，擬向民黨重要人物進行游說策反的勾當。該北洋使者行至譚軍防區，卽以「間諜」嫌疑犯被捕，搜其行篋，有段總理致程潛私函一通，譚卽據以轉報孫公，指為程氏通敵之證，粵中輿論大譁，謂程居心叵測，程一時無以自白，深感進退失據。李公挺身向孫大元帥保證程氏忠貞不貳，願負連坐責任，同時通電為程氏辯誣，謂「烈鈞亦曾接有北洋政府要員密通款曲之函件，但期本身志節堅定，有所不為，豈能禁止敵人之飛書投札，譸張為幻耶？若以此為通敵罪證，則烈鈞亦應束身司敗也。」從此物議乃息，而孫公亦信任程氏如故。嗣後李對程氏不特友誼誠篤，久要不渝，卽在政治上亦處處推重程氏，如民國十六年秋間蔣總司令下野後，程以革命軍第六軍軍長，由武漢初至南京，中樞召開黨政軍聯席會議之際，李當場提議請程氏首先致詞，表示尊崇之意，程昂然登台，並無謙遜詞色。

迨民國卅二年秋間，國府曾在重慶舉行盛大的慶典，黨政軍大員畢集，維時程潛貴為代理參謀總長了，在典禮席次中，高據上位，李公扶病由歌樂山趕來參加，招待員將他安置於末席，待之如凡夫。李蹣跚走過程氏面前，程竟視若無覩，驕倨異常，卻忘記了當年李作正式參謀總長時替他救危解困的情誼，兩人的風格高下為何如也！斯時于右任先生瞥見李氏置身於門背末座間，急起趨前，拉着李氏到上座去，且謂「你怎末坐在這兒呢？」李夷然不以為意。愚目擊其情，一面固鄙薄程頌雲的小丈夫氣質，同時亦深以革命黨人不講究歷史與勞績暨黨德之為可悲痛也。今人每慨歎後生之輩溺於勢利思想，不知敬老尊賢之義，其亦思及自身作俑於前，早已汨沒禮義廉恥之觀念否耶？

劉璈抗法前部署

·李仲侯·

台灣自鄭塽降清，於康熙廿二年正式納入清朝版圖，以迄光緒甲午之役敗，日割台，其中二百年間，閉關自守，鮮有外患。至清道光鴉片之戰，始有大隊英艦，曾犯台灣，續有牡丹社事件發生，日本遣副島種臣率師侵台，均旋因和議退兵。惟中法戰役，原由法越戰爭引起，光緒十年法軍提督孤拔，率師東來，先攻陷福建馬尾，毀其師船，乘其先聲奪人之氣，六月法艦突襲基隆，全台震動，聲勢洶洶，遠非前此英日兩戰役所可比擬。當時兵備道兼營務處劉璈，在法艦未到，劉銘傳未蒞台督師以前，負統籌全台防務之責，佈置雖甚周密，籌辦多難應手，爰根據檔案，綴輯成篇，藉明台灣在抗法以前之形勢及劉璈當日籌防之苦心。（一）

內銷證 內備警台報字第〇三一號
自由報
THE FREE NEWS
第二五八期
中華民國僑務委員會領發
台教新字第三二三號登記證
中華郵政台字第一二八二號執照
登記為第一類新聞紙類
（半週刊每星期三、六出版）
每份港幣壹角
台灣零售價新台幣弍元
社長：雷嘯岑
督印人：黃行寰
社址：香港銅鑼灣高士威道二十號四樓
20 CAUSEWAY RD 3RD FL
HONG KONG
TEL. 771726　電報掛號：7191
承印者：田風印刷廠
地址：香港灣仔高士打道二二一號
台灣分社
台北市西寧南路壹壹零號二樓
電話：三〇三四六
台郵機號金戶九二五二

論外交上應興應革的事項

·雷嘯岑·

中華民國在國際間的友邦，除卻舊日早已締結邦交，繼續未斷的全球大多數國家以外，近年來又增加了若干新興之邦。由於大陸上的中共偽政權存在之故，咱們政府的外交工作就更繁劇而艱鉅了。可是夷考現時我們內在的外交業務措施，殊不足以適應這種非常時期的要求，似非澈底加以整飭強化不可。假使反攻大陸的軍事行動猶有所待，我認為政府當前的急務則莫過於外交，所謂「弱國無外交」之說，大家都知道那是不正確的。要加強外交工作，先得健全本身的能力——包括制度，經費與人才——否則無從獲致預期的效果，而以經費與人才兩項，尤為重要。

經費問題

目前我國駐外使節，受着經費的困厄，痛感巧婦難為無米之炊，雖有賢智之士，亦復無所施其技，而經費缺乏，又必然釀成賢者不屑為，為者不必賢的趨勢，終使駐外使節形同餼羊告朔而已。兩年前我在歐陸旅行時，由西德赴比京布魯塞爾，初以人地生疏，誤入日本大使館，見其內部設備之華麗整潔，竊喜本國外交公廨有此規模，引為欣慰。繼知其錯認對象，轉趨中國使館後，目覩內外景色，皆呈現着一片破落之象：外面庭園中，喬木森森，遮蔽太陽，致令室內黝暗無光，墻壁因滲漏而剝落，徐鳩工砍伐一二株，而財力支絀；內面大廳上陳列着一套古色古香的福建產品的傢具，卻不能坐人，一坐便有「身首異處」之虞，亦無力除舊換新；時值深秋，北歐氣候甚寒，但使館內的熱水汀鐵管，結銹層層，聽其廢棄，原因是沒有購買煤炭的經費。當時聽得汪公使的說明，再憶及剛纔在日本使館所見的情形，使我這游人亦感到慚怍難堪，身歷其境的外交工作人員，其心情之惡劣，殆可想見，這樣怎能提起服務的勇氣呢？次則一個大使館的職員，連同大使在內，為數不過五名，這又如何能夠展開外交工作呢？駐比京的使館如此，其他各地的情形（美日兩地的使館例外），亦沒有兩樣，毋待贅述了。似此窮酸生活，即令外交人員坐着不動，飽食終日，無所用心，然稍有事業心的人，誰能堪此耶？據說，從去年起，駐外使領館人員的俸給，業已酌加調整，但辦公費用如不同時增益，充其量只是改善一點個人的日常生活狀況，決談不到外交活動的話。別國的外交使節可以利用交際應酬方法，探得機密情報，甚至結交駐在國的政要，成為本國外交上的助力。咱們的外交官要想隨便舉行一次禮貌上的宴會，且不可能，每逢雙十節的國慶大典，雖然勢不可免，亦得臨時請欵，乃可實現。如此這般的經費預算，而欲外交人員幹出非常的功績，豈非「豚蹄篝車」的幻想嗎？

我認為駐外使節及其僚屬們的薪俸，可按照當地普通一般人的生活指數為支給標準，而辦公費（包括活動與設備費）必須寬列預算以避免捉襟見肘的窘象。談到增加外匯支出，當然涉及政府整個歲出預算的財源問題，困難重重。但如果認定外交工作是當務之急的重要事業，關係國家生存發展的利害甚鉅，那就寧可把某些次要業務的經費騰來挹注，亦所應爾。譬如每年在海外為着文化運動和「聯戰」工作的經費，即不妨將其大部分移作外交用途。因為文化與「聯戰」工作，大可就地取材，給以使命和少數的用費，其效果並不比由台灣特派人員以司其事者為低微，假使為事擇人，不講小圈子主義，或許更有成效可覩也。依此類推，政府在台灣的某些用費，亦未嘗沒有可以撙節挹注之處，再能設法籌措一部分，則增加駐外使館經費問題，當不致十分感覺困難，而外交陣營即可望逐漸加強，課以事功了。

人才問題

經費縱予增加，若不整飭人事，選賢與能，去腐生新，結果依然會重蹈過去在大陸時代的覆轍，一般駐外使領人員，暮氣沉沉，過着廩公生活，惡劣者更做出許多丟醜失格的事，玷汚國家聲譽，烏乎可呢！

整飭人事的要着，首先對於外交界一些「老油條」和「營混子」式的人物，而又素無績業表現，且有劣績存在者（如大陸淪陷時，在海隅担任外交職責的某某等類貪汚腐敗行為昭彰之徒。）不管其資歷如何深厚，背景如何硬紮，皆應一律罷黜，不令其阻塞賢路，重誤國家大事。我國外交和財經界，過去均盛行派系主義，形同小王國，牢不可破，因而人事進退黜陟，總不外乎「籠裏選瓜」的方式，新人極不容易參入的。時至今日，這種誤國殃民的門戶閥閱惡習如不打破剷除，那便是死路一條，無可救藥了。其次是担任外交職務的人，不是一般的「通才」就能勝任愉快的，總得有些「專才」的智能，從儀表、語言以至於學識才幹，均須符合某種程度的標準，僅是一個留洋學生，或者會說幾句洋話的知識份子，決不宜濫竽充數。因此，政府遴用外交官吏，自應側重專才，凡屬對外交業務具有相當知識和技能，而又身心健全，並無劣迹紀錄的，本諸為事擇人之義，應該儘量驅策，俾收適才適任之效。例如現任僑務委員長周書楷氏，我雖素不相識，殊有用非所長之感，而老友黃少谷兄的長才，亦是在內政不在外交（其他類似的情形不少），我想周黃二位對於現有職務，一定認為苦事，這亦就是國家的一種損失哪！不特是派赴國外工作的外交官吏，必須以專才為主，即在國內外交部服務的職員，亦應跟一般公務人員的任用標準有別，不能隨便錄用的。近卅年來，中樞經常設置短期訓練機構，徵調黨政軍的中下級幹部受訓，這是屬於通才教育範圍。實則外交界的中下級幹部，確有設班訓練之必要，過去有些身居公使職位的外交大員，竟至普通儀節都不懂，貽笑坫壇，毛病就是缺乏「專才」的常識，足資鑑戒。總之，主持政務，擬訂並執行政策的部長級人物，固不必限於專才，等而下之的各級事務官，就得講究專才問題，而外交人員更需要這種條件，所謂健全的人事制度，此物此志也。

外交部現行的內外工作人員互調制，應該切實執行，藉以養成善良的政風，如有奉調回部服務而不應命者，立予除籍處分，吊銷護照，無所瞻徇，非如此即不能奠立制度的威信。一個駐外使節或代辦，幹上十年八載而碌碌無所表現，使館變成了養老院，這豈是此時此事所應有的現象？

還有國民外交問題，在當前的國際形勢之下，尤有特別注意之必要。若干跟我們沒有正式邦交，而實際是採取反共立場的國家（如英國與西德），或者跟我們雖有邦交，而內心裏別有懷抱者（如日本與法國），即須致力於國民外交工作，以期有所補救，美國是輿論政治之邦，國民外交工作亦不能忽視。但此事的成就利鈍，完全繫於能否妥為利用機會，以及人選是否適當？在朝的顯貴人物，或知識譾陋，對該國情形素不瞭解的熱中利祿之輩，皆不足以語此，我們過去就每每犯了這種毛病，因而未見有國民外交的絲毫成就，懲前毖後，自非改進不可了。

和平販子耍把戲之一

和平販子耍把戲之二

自由談

腐蝕社會的人渣

最近香港政府把一個國際販毒份子翁某，遞解到台灣去，這是因為台灣方面早已破獲此案，翁某逃脫來港被捕，應予歸案訊究，理所當然。不過，我因此聯想到另外的一些事情，值得檢討。

近十餘年來，咱們本國的若干人類渣滓——如黑社會人物，販毒份子，以及冒充紳士而實係無賴之輩，在海外為非作歹，一旦東窗事發，當地政府要把他們遞解或驅逐出境時，他們即以「反共」的理由，要求到台灣去；而台灣方面亦以其為「反共」人士之故，每加容納，來者不拒。這類人物原無所謂政治思想，只對社會發生腐蝕作用，若在大陸上，早被共黨芟夷盡淨了，他們當然是反共的。如果台灣讓這類的反共份子源源進入，殆無異於藏垢納汚，自貽伊戚，對於反共復國事業，有百害而無一利也。

其次有些被社會公認為「政治垃圾」的士大夫之流，在海外聲名狼藉，穢德彰聞，卻隨時扯着「民主人士」的旗號，於高談政治問題，痛罵國民黨及其領導人之餘，若偶爾對台灣表示一點讚許的言論，或者在報紙上寫點文字，攻擊一下為政府當局所不喜歡的人物，即有人視為瓌寶，極盡爭取之能事，或邀請到台灣觀光，待以上賓之禮，或給以政治名位，讓他在台灣搔首弄姿，自鳴得意。

上述事情，若就團結反共力量的大題目而言，自屬未可厚非。可是，海外許多對反共復國眞正有用的人士，如其未能團結網羅，卻使這類人渣與政治垃圾，捷足先登，而以台灣為安身立命之所，瞻念國事前途，實在危險之至！因此，我覺得今後台灣對於在海外被驅逐出境的中國人，不能隨便允許入境，已經混進去的惡劣份子，必須予以甄別管訓，不復成為社會之蠹。至於一般「政治垃圾」人物，尤不宜濫事收容。為着反共救國的利益而從事團結運動，爭取各方人才，亦須有所鑑別纔行。把破銅爛鐵都收集起來，適成其為政治上的荒貨攤而已，救國云乎哉？

馮五先生

香港與大陸

疑神疑鬼。嚇己嚇人
穗共佈告收繳私人武器
穗氣氛緊張民心不安

剛自廣州回香港的某君說：中共廣州公安局已發出佈告，要人民把私有武器送到公安局去檢查，並暫時代爲保管。某君說，這佈告的意思無疑是中共要收繳私人武器。但他懷疑在廣州還有什麼私人擁有武器。

某君是商人，每年要到廣州幾次的。他這次到廣州，主要也是爲了做生意，祇是據他說，他這次並未曾做到一樁生意。至於爲什麼會未做生意，他不肯多談。某君在廣州是有家的，他的太太和兒子都尙留在廣州，曾經申請多次要把她們接出來，未獲中共批准。他說：他這次去廣州雖然不會做到生意，「探親」的目的總算達成了，他在廣州他的家裏住了八天。

據某君說，對於中共的那個沒收武器的佈告，不但他本人感到有些不可解，就連一直住在廣州的他的太太、兒子，亦認爲奇怪，因爲據她們的了解，在廣州早就不會有什麼私人還私藏着武器了。祇是，中共公安局既有此皇皇佈告的出現，想當然也還有的人擁有私人武器，或者是中共懷疑百姓中還有人私藏着武器。

某君又透露：據他在廣州八天所見所聞，現刻的廣州確實到處可以嗅出緊張的氣氛，比如：（一）壓縮城市人口的雷厲風行，（二）防空演習的舉行，（三）突擊檢查之時時發生，（四）民兵的加強活動，（五）警察的隨時挨戶訪問等等。某君說：現刻住在廣州的人，心理上確實是大大不安的，彼此見面都儘可能不談話，否則談亦談些「官話」，大家都顯得很生疏，絕對沒有親熱的味道，就像彼此毫不相干一樣。

記者曾詢問某君：中共在廣州是否還在整「逃亡戶」？他證實還在整。他說，廣州的幾個人所共知的集中營，早經人滿爲患，那裏面所關的人，據他兒子對他說，大半都是那些「逃亡未遂犯」以及六月初在火車站暴動被抓起來的人。這些人並不是關起來便了事，他們還要做苦工的。有不少的人，早經分別押往外州縣去勞改了。

某君不清楚廣州中共現在是否還接受人民出國的申請，他說：關於這件事，大家都避免談，他的太太和兒子亦因爲己經暫時打銷了申請的意念，沒有去打聽，所以不明白。某君的太太和兒子，在廣州都有工作崗位，但他說她們的收入過少，以往便由他設法貼補，今後自仍繼續補下去。（楷）

菲總統大馬來西亞建議
吉隆坡官方認爲不現實
人口比例懸殊是問題焦點之一

（本報吉隆坡航訊）對於馬來亞政府而言，菲律賓總統麥嘉柏高所建議的組織包括星馬北婆三邦以及菲律賓在內的大馬來西亞聯邦，不但來得突然，且還感到相當的震驚，拒絕不好，歡迎亦勢所不能。

由於馬來亞總理東姑．阿都拉曼還在倫敦，不可能獲得馬官方對於菲總統建議的正式反應。馬來亞一個高級官員私下表示，他們現在最關切的是成立馬來西亞聯邦，雖然菲總統的建議是值得重視的。從倫敦傳來的消息，拉曼的反應亦大概如此。

不妨說：馬來亞官方的想法甚至做法，都是儘先爭取星馬暨北婆三邦的馬來西亞聯邦的建立，至於擴而大之，包括菲律賓，甚至一如麥嘉柏高所說，還歡迎印尼亦加入進去，理想固然不錯，但卻不是現實的。不必講目下馬來亞與印尼絕難聯合成爲一個國家，就是單純加入菲律賓，也就問題重重，斷非朝夕可以做到。

馬來西亞運動是五十年前便有了的東西，當時倡導此一運動的人，其概念正就是把東南亞所有馬來民族統一起來，印尼、菲律賓都在其內。但當時，由於所有馬來民族地區都還是歐洲人的殖民地，分別屬於英國、荷蘭與美國，關係複雜，此一運動，曇花一現，根本無從推動。拉曼於兩年前倡導的馬來西亞運動，雖然亦有人稱之爲大馬來西亞，實際是把它小化了。而就是如此小規模的馬來西亞聯邦，推動起來，已經相當喫力，再大一點，問題更多。

拉曼所致力的馬來西亞，由於拉曼手中握有三件法寶——政治的經濟的與軍事的，原則上容易與英國談攏，客觀形勢有利於拉曼，他順水推舟，成功自無問題，可以說是時勢造英雄。當然，拉曼其人，雄才大畧，在馬來西亞聯邦攬成之後，土地逾十二萬方哩，人口約達千萬之衆，也算得是個大國了。儘管有人說，拉曼攬馬來西亞聯邦，是由於星馬合併華人數壓馬來人的顧慮所激起，但無論如何，若非有拉曼的才具與聲望，要使倫敦同意把北婆三邦交出來，亦殊不是容易做到的事。所以，這亦未嘗不是拉曼英雄造時勢。

菲律賓幅員廣大，約等於拉曼心目中的馬來西亞，而人口則達三千萬之衆。別的困難不必說，單是人口比例上的懸殊過甚（馬來亞本身還不到七百萬人），果眞成立包括菲律賓在內的大馬來西亞，那就將是菲律賓人的天下——其實，要印尼亦加入，才可稱爲大馬來西亞，否則祇能稱做中馬來西亞。印尼有人口八千多萬，又將成爲印尼的天下了。

此間有人推測，由於菲律賓不久前向英國人爭取北婆羅洲的主權，使得菲馬之間，多少有些不愉快，非總統此次提出組織包括菲律賓在內的大馬來西亞聯邦的同時，雖稱仍然要與英國解決北婆主權問題，但總算把問題冲淡多了。非總統的建議，如果其意在此不在彼，馬來亞官方必然是最高興的。畢竟如何，且聽下回分解。（楷）

北基二路如何成了問題
台灣省公路局來函有所解釋

一、讀五十一年七月四日貴報航訊「北基二路成了問題」一文，內有數點與事實頗有出入，茲提出以下各點說明，請代爲披露，俾使讀者有所明瞭：

（一）台北基隆間現有公路，路面狹窄，彎道多達九十餘處，每日交通量機動車達六千六百餘輛，慢車達一萬二千餘輛，快慢車混雜，擁擠不堪，實難適應今日交通量之需要。且附近工商業仍在繼續發展，六堵工業區之設置已開始實施，行見該路將來之交通更將困難。而沿綫房屋櫛比，原有公路逐漸發展成爲街道，如加拓寬，拆除房屋甚多，費用特高，施工亦有困難。再就國防需要與經濟發展而言，台北基隆間交通之重要，更不待贅述；而現有之公路與鐵路密邇並行，一遭空襲，勢將同時中斷，中斷後北基間交通竟無一代替路綫可供使用。政府有鑒及此，乃決定在現有公路基隆河對岸另闢新綫，以求徹底改善，而減輕現有公路之負担。實係考慮到國防、經濟、交通、市政各方面之需要，並經過詳細之調查、研究、比較，而決定者。

（二）公路原爲街道之另一形態，因此市郊公路在本質上常有協助都市擴展之作用，而都市擴展之結果，則又導致公路在實質上變爲街道，人車爭行交通擁擠，情況逐漸惡化。歐美日本各國，爲適應近代公路交通之需要，乃有「限制進出口道路」（Access－Controlled Highway）之產生。因進出口若無限制，則新築之市郊公路不旋踵又復化爲擁擠之街道，交通問題永遠無法解決。此項限制進出口道路，亦即普通所謂「快速道路」，換言之限制進出口亦即快速道路必具之條件。北基二路計劃之初，爲避免上述惡性循環之重演，故在設計上亦採取「限制進出口道路」之精神。在征購土地時路權界較寬，以防止民房沿公路路邊興建。所有與現有之不重要公路或人行小道，相交處均採立體交义，使义路上之人車不得隨處進入本路，但將來再視沿綫地方之發展情形，於適當時機，設置少數連接綫，以與沿綫重要地方相聯絡，原計劃設三處（目前以經費關係尙不能設置）俾使快車行駛通暢而提高行車速度，並使公路之容量不致因行人慢車之干擾而大打折扣。就經濟上意義而言，路綫縮短，行車時間減少，行車費用降低，每年約可節省一千萬元。至於其他利益如行車肇事損失之減少，國防交通之加强，觀光事業之發展等等，則均爲不易以金錢相衡量者。

（三）一般公路交通有所謂「直達交通」（Through Traffic）與「區間交通」（Local Traffic）之分。台北基隆間現有公路與北基二路如何配合運用問題，經檢討後決定：北基二路以「直達交通」爲服務對象，而原有北基一路以「區間交通」爲服務對象，如是北基二路完成後，在現有公路行駛之直達機動車均改由北基二路行駛，則現有公路之交通擁擠情況自可獲得改善，而區間行駛之車輛交通亦隨之加强。對沿綫土地及工商業之開展同樣有直接裨益。故北基二路之興建不僅爲「直達交通」之便利，實亦爲解決現有公路「區間交通」之困難也。

（四）公路之受益人通常可分爲三類即：（1）沿綫地主，（2）行車人，（3）一般公衆。過去公路之服務對象常爲三者之混合。近年由於汽車交通高度發展之結果，發現（1）（2）兩類受益人之利益常互有衝突，公路設計如欲兼顧雙方利益，往往費用浩大殊不經濟。因此近代公路乃有「土地利用服務」（Land Service）與「交通車輛服務」（Traffic Service）之分。前者以市街爲其典型代表，主要目的在於供給沿綫土地以通路；後者則以「限制進出口」道路爲典型代表，以行車人爲主要服務對象，沿綫地主之利益則甚難兼顧。北基二路之不受沿綫地主歡迎自在意中，實由於服務對象之不同，地主與行車人利益衝突之結果，故北基二路完成後，凡台北基隆間直達之機動車輛，不論其爲小包車，客貨車均可行駛。由此可見北基二路之興建，完全爲適應現代公路交通發展趨勢之需要，並非爲少數特權階級而興建，其理至明。

（五）本年四月周主席巡視時曾有研究北基二路與現有公路各採單向行車之指示。經研究之結果採單向行車與別的路綫相連接，並須增添連絡綫，無論就設計標準，行車便利，施工難易，經費需要而言，仍以維持原規劃原則爲宜。如任意添設交义道則將該原規劃之「限制進出口」快速道路之價值完全破壞，而無法達到原規劃之目的。

（六）公路工程爲一公共設施，其興建目標以公共交通爲前題，且須符合國防需要，經濟發展，都市建設與現有之公路之配合等條件。北基二路規劃之初均會逐項加以研究考慮，如云該路專門爲少數特殊階級所興建，與事實不符，易爲一般人所誤解。

二、貴報報導向極翔實公允，對政府政令之推行，社會福利事業之贊助，不遺餘力，以上各節敬請查照披露，以正視聽爲荷。

省議會上質詢「特惠」
攫取特惠者以二姿態出現
其攫取方法分別各有三端

（本報記者熊徵宇台中航訊）省議員郭雨新在二屆五次大會時，就「特權」與「特惠」的問題，向周至柔主席提出質詢，要求割除此一「毒瘤」，依法整飭。

郭雨新說：最近引起社會注意的：一爲監察院所提出美昌印染化工廠貸欵案；一爲台北市議會所提出的水仙花補償問題。這兩個案件，都是運用特殊權勢，威脅利誘，套取公家之「特惠」，是公然危害國家的行爲。

他說：在自由中國，利用特殊權勢，攫取公家之特惠者，可以分爲兩類：第一類是以新興之工商企業的姿態出現；第二類是憑個人的特殊身份個別活動。以新興工商企業之姿態出現者，其套取「特惠」之法方，不外下述三點：（一）配給差額，即由公家配給原料，賺取市價與配價之差額。（二）外匯差額，即由公家配給外匯，賺取官價與黑市的差額。（三）利息差額，即利用公家低利貸欵，賺取利息差額。

郭雨新說：政府歷年雖一再改革，調整外匯匯率，但仍無法消除特殊權勢之操縱，尤其是在低利貸欵方面，賺取利息差額，更爲厲害，致使一般正當之工商企業受到壓迫，而無法獲得正常發展。

他說：「爲政者何以不能澈底追究而任其演變？而致喪失民心呢！」

郭雨新又指出：至於憑藉其個人特殊之社會身份而個別活動者，其攫取「特惠」之方法，亦可分爲三項：（一）以特殊之身份，佔據公家宿舍或公營事業機關之房屋。（二）以自己的房地產，抵押或出售給公家，而獲得超過其實際價值之代價。（三）由公家以購買或補償的方式，而給以超過其所有物原價之一倍或數倍之報酬。

這些「特惠」，在表面上公事上，都可以做到「於法倘無不合」，所以雖然是假公濟私的非法勾當，惟其運用巧妙，存乎一心，儘管社會一再抨擊，仍然無法消滅，以致工商不振。

他要求周主席澈底依法消除，藉以繁榮工商。

中學聯考作文題的風波（下）

洪齋空

（續上期第二版）這個作文題引起的風波不小，除報章雜誌著文抨擊外，台北市議會開會時，也鬧得不可開交。當然也有議員如語文敎育專家一樣爲之辯護的，但絕大多數議員皆認爲不當。因此在將近二小時的爭論中，終於作成二點結論：（一）初中聯考作文命題，今後應注重平實而立意鮮明，以資幫助學童理解並啓發其正常思考。（二）此次聯考作文答案（即模範作文）應請儘速公佈，以釋羣疑。

最妙的是台北市敎育局長盧啓華向市議會提出的說明，他說：「聯考的命題，均經專家推敲研究才予決定，他認爲此題出得並沒有錯，因爲電影院與敎室都是在學童的活動範圍之內，在日常生活經驗中都可以瞭解到電影院及敎室的一般情況，因而加以測驗，相信學童可就電影院與敎室聯想起來，發揮智能，作出答案。」照盧局長的說法，人體器官，在學童「日常生活經驗中都可以瞭解到的」，那末我們不妨以「假如眼睛像鼻子一樣」爲題，經過學童「聯想起來，發揮智能，作出答案」之後，人類將變成妖怪了。人與猪，學童都能瞭解的，假如以「假如人像猪一樣」爲題，經過學童聯想發揮之後，人將不能成爲萬物之靈了，是非黑白，也將無從分辨了。從盧局長的說明中，更可以知道每次聯考的命題，均經專家推敲研究才予決定，決不是草率從事的，這就無怪其他的專家要以理直氣壯的言詞，悲天憫人的樣子，起而「官官相衞」了。我們的專家如此之多而又肯負責任，妙哉妙哉！

除台北市初中聯考作文題出事以外，算術題也弄出兩種答案，爲人詬病。其他地區如基隆市初中入學聯考作文題亦有問題。基隆市的問題，不是命題不通妥，而是不適合。該市作文題爲「雙手萬能」，據一位批改考卷的老師說，他批閱一百份作文試卷，發現一百份試卷內容，幾乎完全一樣，大部考生將五年級國語課本上一篇「魯濱遜漂流記」默寫一遍，所以內容完全一樣。據報載招生委員會曾指定十七位國文老師，每人擬作文題兩個，由主任委員圈選一個，而主委黃某在三十四個作文題中未選中一個，偏偏自己出一個「雙手萬能」的試題。不是說「雙手萬能」題不好，而是該主委沒有想到課本中有此一課，給予考生抄書的機會，以致無法分出高低。

又台中市省中初中聯考，算術及國語試題，部份答案頗爲混淆不清，考生家長紛請設法補救，以免影響考生成績。又中壢省中初中入學考試算術題太難，在七十六個試題中，有三分之二以上考生沒有學過，不僅答不出來，而且也看不懂，以致十四個考場的考生，大多數含着淚珠出場。又花蓮省中初中入學考試，算術題超出範圍，引起家長指摘。又台南縣立玉井初中入學試，考生多爲算術試題的「半條凳子和半個人」所難倒。他如前年大專聯考地理試題不安，經地理課本編者王益厓先生公開責問。去年大專聯考數學題太難，今年大學聯考數學題太易，以及過去歷年常有命題不妥及超出範圍等情形，皆非應有的現象。

筆者於此有個建議：無論大中學招生試題，每科命題人，應由招生委員會推定三人小組担任之，三人小組再推一人執筆，提交三人小組會共同研究決定，然後再提交招生委員會核定。如此集三人之意見，我想不會再有偏差的。現在每年考試之所以笑話百出，似乎皆由一人命題，爲保密起見，不令他人得知。如果命題人選不當或一時有所忽畧，就要鑄成大錯，貽笑大方了。

筆者也是從事敎育的一員，此中道理，畧知一二，對於年來招生試題所發生的種種問題，不能無動於中，爲敎育前途計，爲萬千考生計，因畧抒管見，一加論列。

五一，七，廿四。

天南風光

——沙羅越土人的生活方式——

朱淵明

若少女結下朱胎，而男子中途背約不欲成婚，女方有權向屋長或酋長起訴，男子就必須付出分娩費用。若夫妻中途有歧見，堅持不合的時候，就由屋長或酋長出來按情調解。到了不能調合時，也可判決離異，己有子女和產業的，也由酋長按情節處理。土人對於婚姻的離合，並不看得嚴重。對於兒女的管敎，也稀鬆得很，可以說是放任主義。男女長大能作事時，所得之錢，即作私有。妻子所養之鷄鴨即屬妻的所有權，丈夫不能過問。夫所養的或所獵得者亦然。他們家庭的經濟是分立的。

土人迷信特甚，忌諱又多，他們在做一件認爲重要的事以前，或早晨出門的時候，偶遇鳥叫或聽到不吉利的口語，他們必定改期或退回，以避過不辯之兆。遇着疾病，總是先唸咒語，近來近市鎭的才到醫院診治，但山芭交通不便，故死亡率很高。遇着死了人，在這長屋內的梯頭上即掛青，同時在死人的家門口也掛青。在掛青期內，禁忌外人進內。這禁忌有三天和五天，如果誤犯，是要處罰的，罰一把刀，或一隻鷄，或一二元不等。

土人的活動與娛樂，除了打獵以外，就喜歡鬥鷄和跳舞。鬥鷄前已述之，跳舞，除了女人跳時還有點溫柔曲線之美姿外，男子跳時則多帶戰鬥殺伐的意味，有時右手執刀，左手執盾，跳出種種戰爭的姿態。跳到得意時，忽然大聲吼叫，不知者莫不大嚇一跳；同時鳴鑼擊鼓，喧囂不堪。一般少年男女則如痴如狂，乘機戀愛。這種狂歡的儀式，每年在他們豐收之後的過年節裏面，表現得最充分。如果有人對於腊子的生活感覺興趣的話，不妨前去替他們拜年，他們一定竭誠招待，務使你盡醉方休，說不定還有美麗的少女來奉陪哩。

（本篇完，全文未完）

公道篇

林[illegible]

公道的界說（二）

人，究竟是什麼？而又需要什麼？從生理上分析，人是物質的構成部份，必需要有形而下的物質生活以爲維持的資料，具有獸性的潛意識。從心理上分析，人是靈性智慧的動物，有着形而上的精神生活的幻想，充滿着對眞善美的境界的陶醉。所以，雖然人便是人，人不是神，人不是物，但「人」似僅是一個符號，包含有善與惡的兩重性格，是「半神半獸」組成的一種動物。因此，正常的人生意義，與人性的所在，是神性與物性的諧和。而人類的需要，其目標便僅在兩種東西——一爲精神生活的敎育，一爲物質生活的經濟。前者是心靈方面的自由問題，後者是身體方面的吃飯問題。如果人類對這二者不獲得滿足，在個人便受到不公道的待遇，在社會便未有建立公道的制度。如果這二者不爲人類普遍而均等地享受，所謂人性尊嚴，人格獨立，便無從建基；而所謂民主，所謂自由，便在經濟不均等與敎育不普及的所造成的特殊階級環境下，亦必然變成虛僞。又如果這二者不爲政權號召設施的主題，不爲政治家努力的目標，則我們不知這類政權的存在價值，還有什麼？也不知所謂政治家的任務，究是什麼？

我國儒家學說對人的問題比較中外其餘學說，更有研究。孔子曾對「人」下過一個定義稱作「仁」，如「仁者人也」（中庸）。等於說：惟仁者才是人，否則便是獸。曾子解釋「仁」是「忠恕之道」。「忠」是出於己之誠，「恕」是對人的友善。因此「仁」是「二人」，是由個體到社會的『人與人』間關係和平共處的方法；而「人」，便不能單純祇顧個人利益可以稱作「人」，最要乃在由個人顧到社會集體生活的諧和，才是做人的條件。可惜的是，儒家雖對「人與人」的問題有獨到的研究，但對「人與物」的問題，則比不上希臘的物質文明思想這麼深入而完全；對「人與神」的問題，更祇是提出幾個崇高的觀念，自然更難與希伯來，印度等宗敎思想的國家比較的了。

長遠以來，世人祇知有控有龐大武力的國家，爲着擴張掠奪而分裂了這個世界，而不知相互的動亂根源，係爲一種無比的神秘力量所左右。此種神秘力量，是源自「神、人、物」三種因素得不到諧和協調所發生的衝擊。人類的世界，以人類爲中心，一切都以環繞人類的需要爲對象，應無疑義。但正如上文所說，從人類身心兩面需要的分析，人卻是「半神半物」的混和化合體，並不單以物慾一面爲滿足，亦不單以神靈一面爲滿足。人當得到靜態因子的物質的飽和，卻又發生動態因子的精神的窒塞苦悶的現象。同樣，至高精神的意境，不能完全脫離物質環境的影響。否則，便可能發生精神分裂症。總之，動與靜相吸引，方是循環不息，暢通無阻。神靈與物慾相調和，方爲人生共通的悅樂。但人類的世界，從來就未有過這種「完全」的境界，甚而在思想和認識上，連所謂權威學者們，也還未普遍地獲致透澈的領悟。

瘟君續夢

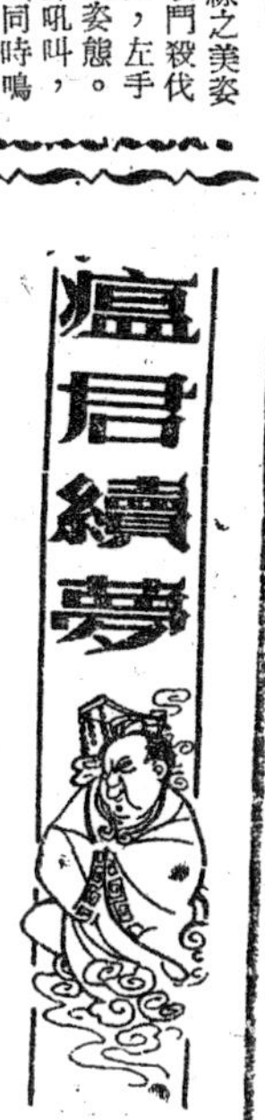

第六回：烽火照邊陲　同惡難濟　樓船橫碧海　大慾興悲

林鐵聽了這句話更是火上澆油，過去打了李發兩個巴掌，罵道：「你這個反動份子當着總理都敢造謠，暗地裏一定有個陰謀活動，你坦白說出來還有那些人支持你，上次運到西非的罐頭，是不是你們這個集團搞的。」

李發只是向後退，怔怔地一句話也說不出。

這時傍邊轉過來一個年輕工人王永貴攔着林鐵，說道：「我們廠裏出品從來未曾運去非洲，西非發現的壞罐頭怎會是我們搞的。」

林鐵已經紅了眼，一看王永貴出頭擋他的路，伸手又打了王永貴一巴掌，罵道：「你們都是一個反動集團，大概你是個首領，所以你敢出來幫腔，好了，這次總算把毒草拔出來了，抓住你們兩個就知道你們廠裏反動組織的情況了。」林鐵說過就擺手叫警衛員過來抓人。

這個廠的黨委書記看見事體鬧大，過來向林鐵說道：「書記不要生氣，李發我一定重罰他，不過，王永貴是青年團員，又是廠房裏紅旗手，應該不會有問題的。」

林鐵「呸」了一聲：「你一點警覺性沒有，這小子一定是國民黨特務，在廠內假裝積極，你被他騙了還不知道，現在交公安人員一調查就清楚了。」說過又擺手叫公安人員。

這時，李發、王永貴及在場的工人曉得這一場災禍躲也躲不掉，一送到公安處就完了，要你招供謀殺毛澤東，不承認也不行，大家想到這裏，覺得乾脆拼了吧！就當兩名警衛人員走過來抓人時，李發攢足力氣，一頭撞向一個警衛員的胸膛，這位「同志」平時只知道伸手打人，舉脚踢人，從來也未遇到反抗，這次實在太出意外，猝不及防被撞倒地上，頭恰巧倒向軋鐵罐的機器上，這部機器是自動的，上面鐵榔頭打下來，登時打的腦漿崩裂，哼都未哼一聲就完了。

另外一個警衛員去抓王永貴，被小伙子攔腰一脚，踢個仰面朝天，他倒在地下就向腰間摸手槍，王永貴比他更快，雙手捧了機器上的鐵塊，照頭上一擊，登時腦漿四濺，和他的夥伴死法一樣，也未哼出一聲。

林鐵一看大事不好，一面擺手叫人，一面就想向外跑，工人卻不容他走了。幾十個工人登時過來包圍住，打成一團，工廠黨委書記及「天津市長」李耕濤拼死命在裏面攔擋，也被打的鼻青眼腫。

周恩來年輕時雖然在上海一口氣殺過顧順章一家八口，手法乾淨俐落。可是竊大胆，富小心，到了今天這個環境，再拼命的勇氣是沒有了，站在那裏只是哆嗦，兩條腿卻似釘住一樣，挪也挪不動。劉子厚也嚇呆了，也不敢動。

天津市委第一書記萬曉塘究竟是公安人員出身，胆氣比較壯些，走過來把周恩來和劉子厚拉出去，這時大隊人員已經來到，趕到廠房把林鐵、李耕濤救出來，卻被打得半死，工人卻乘機跑掉一部份，萬曉塘下令全市戒嚴，搜捕工人。派民航機把周恩來送回北平。

周恩來未回到北平，毛澤東和劉少奇都已得到報告，曉得工廠已不是安全地帶，兩人再也不敢去視察了。（一二三）

憶玄軒雜綴

靜幽的東吳（續）

外雙溪地點頗靜，風景幽雅，無塵囂之煩擾，有超然的空靈。嶺上花開，谷鳥爭鳴，學子於課餘，閒坐草地，欣賞此大自然的天籟，其心境恬安，處慮閒敞，其陶冶造就，安得不佳。余常有所感，台北市之太保太妹，皆學校環境，太近市區，校中所授，下班幾至盡忘，不知教育當局亦計及此否？

指南山的政大

台北近郊的景美木柵，有一個風景區，名指南宮，每年農曆正月，善男信女前往膜拜者，不下十萬人。由山脚循石級而上，有二百餘級，較之南京中山陵爲尤高，以崎嶇不平，非常吃力，余曾往遊，坐憩了三次，始登山巔。指南山麓，遙望台北，隱約可見，並無特別風景，惟一片葱蘢，氣息湛清，可滌胸襟，故遊展不絕。

在壯麗的山麓下，有一片灰紅相間的建築物，即爲在台復校的政治大學。政大選在此處復校，非常合適，因距離市區甚遠，而近名勝碧潭，得山水之靈秀，啓發學子的性靈，較之台南的成功大學爲優。也即余曾主張辦學校，必在郊區，免受外驚，爲主要原則。

政大的建築，夠稱堂皇，首先進校門後，就是巍峨的大禮堂，名曰四維，中有三座安全島。右側爲紀念故教育長陳果夫，特建樓而名曰果夫樓。相對有圖書館，牠的建築型式非常別緻，爲世界最新式的E型。政大較其他各校爲特別的，爲有新聞系之設，是台灣唯一的，小兒謙自美國史丹福新聞學院實習歸來，即被聘爲敎授。而前年所開始建造的新聞館大樓，去秋落成，美國甘廼廸總統特電道賀。該樓相當宏偉，爲該校各館之冠，全省各校難與倫比。

該校學系相當的多，如中國文學，東方語文學——包括韓、俄、日、土耳其、阿拉伯，西洋語文學，敎育，新聞學，政治，外交，邊政，財稅，法律，國際貿易，會計統計，銀行學。而分文法商三院。並有夜間部，是四十九年開始試辦，對有志向學的職業青年，大有裨益。該校設備極完善，共有學生宿舍十四棟，計男生宿舍十八所，可容一千六百餘人，另有女生宿舍一幢二層，約容二百餘人。每一宿舍前面必有草坪，花木扶疏，最宜早晨溫課。後面有一小溪，校園花木繁植，杜鵑、薔薇、月季常開。

（未完）

康有為的別墅

——杭州西湖的康莊（三）

丘峻

從『筠岫亭』至山巔之中途爲『雲中崖』。崖的上面爲『捫天天室』。崖之下爲橫寬廿丈的天然岩洞，曰『潛岩』；蘿絡蒨蘢，甚爲幽奧。『開天天室』後，玻璃三面，俛臨絕壁上，名『水精域』。氏亦曾分別詩以詠之：

高齊崗抗一天山，岩壑橫臨屋四間。前作長廊花樹亞，後憑絕壁水波環。窗中列岫排青入，座上來雲虛白閒。想入諸天化人也，時從碧落如螺鬟。——開天天室

廿二玻窗三面成，俛臨絕壁倚天清。水晶宮裏生虛白，晃漾天中放大明。萬嶺抹烟樓影澹，蘇堤過艇月華生。朝暉莫靄通雲日，春煦秋陰受雨晴。——水精域

抗屋山椒俛石屏，屏橫廿丈樹青青。下開岩壑窅與境，上絡藤蘿不識名。芳草成茵環石徑，小池噴水傍茅亭。玉皇山影雷峯塔，瀉入蘇堤烟水舲。——潛巖

在山南斜垂處，松木成林，中有通路，名叫『松雲徑』，可至『飲綠亭』。斜坡下爲闌外。『蕉石鳴琴』則湖邊矣。景色清幽，綠波在望，觀鶯飛魚躍，賞蘭秀菊芳，心曠神怡，誠不覺置身塵世！優游卒歲，又豈知老之將至！康氏處此，感觸萬千，寄情於詩，用抒胸臆：

一天山突出西湖，三面環湖烟水殊。半島臥波俛蕉石，蘇堤如帶拱吾廬。百松夾徑垂垂下，萬木漫山處處腴。日吸山光飲湖綠，石壇拱杖亦堪娛！（俛視蘇堤，如帶拱抱；正對湖心亭，望湖最勝。）

山林小築觀天性，鵝鴨比隣近物情。魚躍鳶飛參道妙，菊芳蘭秀識時行。山邊射虎看人猛，湖上騎驢觀我生。拄杖雲中日成趣，還舟烟外月皦明。（每月明來園居）。

康氏於戊戌變政失敗，出亡十六年歸來後，經營此一別墅，煞費苦心，規模粗具。私謂民國太平，可以優游其間，以娛晚景。誰料於民十六年二月初五日七十生辰之後十一日，即二月十六日，赴青島，竟遘一病不起，同月之二十三日，生朝忌日，相隔未及兼旬耳！中間，康氏曾一度擬將別墅出讓，曾有陳某者欲承受此一別業，氏慨舉所特有之五契紙悉與之，一別竟無下文，亦不之究。偉人胸襟，可見一斑。迨康氏歸道山，以人手不敷，未遑兼顧，遂放棄管業。今者大陸變色，魑魅魍魎，城狐社鼠，又不知如何登堂入室，鑽穴穿墉哩！

（完）

古今翁媳

漁翁

古人有言：「男女授受不親，禮也。」又云：「嫂溺援之以手，權也。」是則男女間，非到生死關頭，不得接之以手。尤其翁與媳，距離甚遠，有終歲而不得一言，足見界限之嚴密，有甚於尋常者。

俗云：「娶一媳婦，丟一灶屋」。灶屋，即廚房也。蓋女子主內，朝夕在廚司中饋，雖非懸有「廚房重地，閒人免進」之牌，而翁卻至此止步，認爲係森嚴之禁地，殆有故在；俗以淫於子婦者爲扒灰，蓋爲污媳之隱語，膝媳音同，扒行灰上，則膝污也。見「常談叢錄」。

俗傳一年屆知非之翁，以妻亡故，有愛於媳，一日入廚，不便啓齒，用柴棍寫於地上：「五十年來死了婆，不知媳婦意如何？」婦亦知文字，即續下句云：「若是公公不嫌棄，半作媳來半作婆」。寫畢，忽有人來，乃用灰將字扒平。因此，世人以姦媳爲扒灰，也有以扒灰公公稱之。

不但廚房，翁不便入，即一舉一動，一言一行，亦莫不小心翼翼，惟恐遭受物議，尤以姑在，目所視，手所指，更不敢有所希冀。所以古人對翁媳之間，如黃河爲界，各不能越雷池一步，較軍隊之風紀，學校之規律，殆尤過之。

婦稱夫之父曰翁，稱夫之母曰姑，媳對翁姑惟謹，在翁姑未早起時，而媳必先下床，在翁姑未夜眠時，而媳不先入睡。故事相傳：一夕，媳在隔房唱眼閉歌云：「眼閉精！眼閉精！打起眼閉也傷心。惟願翁姑早早死，一睡睡到太陽升。」翁聞之，大怒，但不便直接與媳通話，轉囑其姑以責之，並令再唱一曲；媳無奈，乃改變語氣道：「眼閉精！眼閉精！打起眼閉也傷心。惟願翁姑年年在，大樹脚下好遮陰。」翁姑聞之，轉怒爲喜，令其早睡。

二十年前，正值抗戰，筆者爲某機關幕僚長，有視察柏某，以未携眷，頗感寂寞，寄書稟父，以接眷請，爲父所阻，不得行。該員欲親歸面求，乃備呈請假兩星期，並附粘乃父親筆信，請予核轉。筆者一面代批「暫緩」，一面將乃父之信上寫一聯云：「夫接妻，原爲慰寂寞；翁留媳，未必無嫌疑！」而不使該員知，直寄乃父處。乃父閱之，大驚！恐惹扒灰之嫌，即着人將媳護送前來，該員喜出望外而莫明其所以然焉。

又一素負盛名之扒灰公，爲鄉里所週知，一日，某府壽筵，該扒灰公亦在座，與筆者同席，人笑之，而不動容。適值酷暑，衫因汗濕，脫掛於壁上，有好事者，抓灰播於衫上，灰與汗合，如膠漆然，迨席散歸，其老妻見之，疑有污媳之嫌，翁誓不認，其妻出衫上之灰以示，乃翁爲之愕然！經邀集好事者及當日赴宴者諸人，爲之證明與解釋，一塲風波，始告平息。

古人對翁媳之間，如此其嚴重，而今則不然，不但飲食起居，談笑，無絲毫拘束，且有時授受，亦親之以手，不以扒灰見疑者，風氣使然也。同時「男女授受不親，禮也」，今日男女相遇，互握以手，出於至誠，亦合乎至理，不得以非禮嘲之。抑有進者，西人每於久別歸，見家人：無論妻，女，媳等，一一吻之，以表現家庭之和樂。歐風東漸，我國今後男女平等，翁媳間，亦由戒嚴而解嚴，可以入廚而無所顧忌矣。

海嘯樓談薈

前輩人的風範（二）

諸葛文侯

民國五年袁世凱暴斃後，黎元洪繼任總統之職，立意和平統一，泯除南北對峙局面。他基於辛亥革命之役，李協和先生曾在武昌參贊戎機的舊誼，對李特示推崇，明令授以陸軍上將勳一位的榮銜，藉資聯絡。斯時李公統兵在粵，爲國父孫公効馳驅，迨北廷派員賚送大勳章至廣東交給他，他欣然接收，卻將此繫有紅纓絡的金質大勳章掛在家中豢養着的一頭哈吧狗頸項間，教兒輩牽游市衢，轟動人羣，使北廷贈勛大員啼笑皆非，抱頭鼠竄而歸。但他對於黎氏私人仍不易其尊敬的心情，民國十四年夏初，我隨李公赴天津參預國民聯軍討張（宗昌）戰役時，他到達天津之夕，即往謁候退隱的黎元洪致敬，公私分明，毫不苟且。

民國十三年秋間，李公在廣州爲忌者所排擠，鬱鬱不得志，國父派他作代表，赴日本從事國民外交工作，事實上等於投閒充軍。旋馮玉祥倒戈反叛曹錕，北政府暫改爲「攝政」內閣制，由黃郛担任內閣總理，特任李公爲參謀總長。是年臘月他奉國父電令，自日本神戶隨節北上燕京，愚與民黨京支部同志數人，到車站送行，曾詢李公是否就任北廷參謀總長職位，他笑問：「你看我該就嗎？」一種湼而不淄的革命黨人氣概，流露於眉宇間，令人肅然起敬。他到了北京後，隱居郊外西山，拒與北廷官吏接觸。旣而國父崩殂，馮玉祥初勸他屈就北廷總長職，馮他笑卻之，纔挽其赴張家口担任西北軍總監，他慨然應允，並推薦曾浩森與我二人于役馮氏幕府，他說是要盡力拉攏馮氏參加國民革命行列，完成孫公遺志。後來他到天津，爲直隸善後督辦孫岳，襄贊軍務月餘，亦常以私人友誼，函電江蘇孫傳芳，湖南趙恒惕兩位老同學，懇勸他們信奉三民主義，嚴行國民革命，這些文稿都是我起草的。從不因爲個人在政治上的得失窮通關係，而有違背革命利益的言行。這種磊落志節，是一般革命黨人所能媲美的嗎？

民國十四年初夏，民黨多數中央委員集會於北京西山，旨在護黨反共，李公卻不顧參加，我問他何故？他說：「我是極端贊成反共的，但以居於大多數地位的中委，不能在黨部所在地運用應有權力，爲黨奮鬥，而離開革命根據地，遠走他鄉，聲稱反共，結果必無成效可言，我何必幹此無益之事呢？」民國十六年初，革命軍光復了江西，李公回鄉葬母，譚組安先生提議任命他爲贛省主席，他樂於從命。迨是年五月間，寧漢分裂形勢已經表面化，汪精衞，徐謙等人，乃利用譚先生與李公的深交關係，挽譚親函李，囑其勿與蔣總司令合作，保證省主席地位決不動搖。他接閱來書後，教我擬稿答復，詢以如何措詞，他說：「你祇寫一短簡，說是凡屬不近人情之事，皆非烈鈞所願聞也。」復書去後纔二天，武漢政府的免職命令發表了。當時他在南昌受盡了共黨的凌蠑，踉蹌東下，絕無怨尤之意，其大節不虧，公私判別，又如此者！

劉璈抗法前部署

·李仲侯·

光緒九年十一月劉璈呈復籌佈全台防務情形說：「現在台營勇數不滿七千，兵數四千餘名，內防尚切惴惴，外防亟須另籌，職道已於前議改勇案內，分別詳明。亦知籌防不外增兵，增兵必先籌餉，餉絀則兵難增。論海防於今日，不求角力於水面，只求制勝於陸路。台防最省水路須添得力兵船二號，合舊有宜調換者爲六號，專備探報護運之需；陸路必需添募勇丁九千，合足二萬人；輔以水陸團練，方資分布。然台勇驟增九千，年增餉銀約六十萬兩，合舊支營餉，並添備軍需輪船，水雷及常應支用各欵，總在一百四五十萬兩，就台屬現籌新舊欵項並計，尚難支持一年，此後更難爲繼。

台灣地勢長而狹，遠而迂，其間山溪阻隔，更無定憑。敵來則到處可乘，禦敵則舉難呼應。鎮道雖有統轄之責，難免隔絕之虞，必須量地分管，可專責成。茲擬量分五路，酌派五軍統領，山前自恆春至鳳山及台灣之曾文溪爲南路，統軍五千名；曾文溪至嘉義及彰化之大甲溪爲中路，統軍三千名。此兩路，附近首郡，全台根本，一時難得統將，應歸鎮道分統，仍請憲台分派。自大甲溪至新竹，淡水及宜蘭之蘇澳爲北路，統軍四千名；擬請歸曹提督統之。

（二）

內僑警台報字第〇三一號內銷證

自由報

THE FREE NEWS

第二五九期

中華民國僑務委員會頒發
台教新字第三二三號登記證
中華郵政台字第一二八二號執照
登記爲第一類新聞紙類
（本週刊每星期三、六出版）
每份港幣壹角
台灣零售價新台幣貳元
社長：雷嘯岑
督印人：黃行寬
社址：香港銅鑼灣高士威道二十號四樓
20 CAUSEWAY RD 3RD FL
HONG KONG
TEL. 771726　電報掛號．7191
承印者：四風印刷廠
地址：香港灣仔高士打道二二一號
台灣分社
台北市西寧南路壹壹零號二樓
電話：三〇三四六
台郵劃撥儲金戶九二五二

東南亞赤化責任誰負

·林介山·

東南亞目前雖尚未全面赤化，但檢討當前的局勢，除非有奇跡出現，否則，其全面赤化，似乎已註定，時間亦當不在遠。

要完全絕對負起東南亞被全面赤化責任的，當然是美國。而所謂「奇跡」，亦由美國去創造——因改變政策而出現。

美國以「有錢佬」「君臨」他國的態度，爲了實現自以爲是的荒謬政策，全力干涉他國內政，出賣他國人民自由幸福，而又畏縮觀望，不敢實際正式負起向共黨作戰的責任，實是最使人反胃嘔心的事。

寮國是赤化東南亞的起點，亦將是最有利共黨的基地。且以寮國中立前後的局勢，作爲事例的檢討。

寮國幾乎可說是東南亞的心臟，她的四週毗連着中共、北越、南越、緬甸、柬埔寨、泰國，圍繞着陸地，全無海岸綫，自由國家如果完全控馭着寮國，清理內部赤色勢力，東南亞即可保永無赤化之憂。如果寮國被赤化，就等如授共黨以一把利刄，而在東南亞中心任意縱橫宰割。

當前一件可能是全面赤化東南亞開端的殘酷事實，就是七月廿三日日內瓦十四國會議決定了寮國中立的「形式」。這說明共黨從此在東南亞握有一把神秘的利刄，使自由勢力不能奄有寮國以抗禦共黨的侵畧了。

沒有一個講求實際問題的人，會承認寮國眞能實現中立的諾言，除了美國的天眞和一些別有用心的國家，才寄予希望。

事實上，當前美國寄予希望能領導組織中立的聯合政府的傅瑪親王的背景，早已沒有中立的資格。傅瑪早於一九五六年是寮國的總理，那時他把同父異母的「戰鬥寮」首領「赤色親王」蘇芬諾旺拉攏在一起，並合併戰鬥寮地區使在國民議會十九席中獲得九席。當時美國便已因此停止經援傅瑪政府而迫令垮台，隨後諸莎溫將軍組織一個反共的親西方政府，把赤色親王下獄。至一九六〇年八月，傘兵營長康黎在永珍發動軍事叛變，擁護傅瑪復出。自此傅瑪就以康黎部隊爲中立派的部隊。同年十二月，康黎被諸莎溫擊退北上與戰鬥寮於瓦瓶平原會合，並接受中共、北越、蘇俄的軍用物資以對抗諸莎溫的部隊。又不久，康黎遊莫斯科，自此所謂中立派部隊，實際就是赤色部隊；所謂代表中立的傅瑪，不知憑什麽資料可以獲得這項榮銜呢。

美國當年原是不信任傅瑪的中立，而後斷絕經援瀉垮其政府，支持諸莎溫執政的。但現在卻又因傅瑪與戰鬥寮的合併勢力南下，重施故技，對諸莎溫停止支援每月三百萬美元，以壓迫其交出國防內政，使傅瑪得以順利組織所謂中立的聯合政府。美國對傅瑪，不信於前，而信於後；對諸莎溫，信任於前而遺棄於後。從時間論，前者屬艾森豪執政時期，後者屬甘廼廸執政時期，比較起來，甘廼廸的政策，還比不上艾森豪來得堅定而積極。

並且寮國問題原係屬於該國內政範圍的事，但美國悍然不顧一切的強制干步，寮國今後的好或壞，與今後共黨利用寮國環境而對東南亞高出任何亂子，美國當然要負上完全的責任。

美國似乎亦早已準備完全負起這重責任，例如，所有亞洲人都記得一段使共黨竊笑，使自由人類失望的話，那是哈里曼在離開永珍時說的：「你們這樣堅持，將要負毀滅你們國家的責任。」美國駐寮大使布朗也同樣向永珍政府提出警告：寮國三派恢復組織聯合政府的談判，是高度重要的事情，因此非從速進行不可。但是當時諸莎溫答得好：「我們寮國有許多年間受着殖民地統治的經驗，即使就在那種時代，我們也從未被人頤指氣使，要我們這樣那樣的」（見美專欄作家阿爾索普專欄）。由此，這足以證明，如果美國不準備完全負起寮國興亡的責任和後果，哈里曼之流就不應該有這種說法，也沒有權利作這樣的說法。

不論如何，寮國已在莫名其妙地打起中立的招牌。且還天眞地經由參加日內瓦會議的十四個國家保證「寮國永久中立，並尊重寮國人民的願望。」我們不知寮國在當前局勢和其四週的險惡環境下，如何足以保證其有永久的中立？又如何可能眞正尊重其人民的意願？

自從共黨攻陷南塔、孟新、會晒，並迫湄公河畔後，寮國三分二以上的領土已爲寮共軍所佔有。中立以後，雙方軍隊實際極難統一，寮共必然保留已佔有的豐沙里、桑怒等省區，反共軍則仍將祇限於十七度綫下的沙灣拿吉地區。本來，寮國在中立前，「東約」係以此十七度綫爲寮共發展最後的止步綫，過此，便要受到「東約」國家聯合的反擊，但寮國中立以後，此一十七綫便無形廢止，寮共反藉中立統一的美名作掩護，成爲南侵「合法化」。換言之，反共軍自寮國「中立」以後，不獨無能進入北方統一全國，即十七綫亦不能自保，則所謂「中立寮國」，乃變成『引狼入室』的別名了！

寮共力量進入會晒後，湄公河對岸的泰國地區即見吃緊。在泰國東北區域，離湄公河不遠的達叻隆縣，共黨即憑藉寮邊便利，拿着免費醫藥、毛巾，及其他日用品去誘惑該等村民。泰政府於去年七月即在該地區拘捕了一百七十餘名的赤色嫌疑份子，又在同年十二月因鄉人射殺警察事件，查悉該等暴動組織的軍火、金錢、藥物，均由寮國方面運來。沿湄公河的東北區，那兒則自一九四六年至五四年期間，從越南方面逃入而屬集的親胡志明的越南難民超過十二萬人以上。這些難民經常藉渡河去探親的理由，構成直接爲河內政府服務的共黨特務的陰影。雖然泰國已於兩年前與河內協議遣返此等問題難民，但胡志明故意藉種種口實拖延，顯明是幕後有陰謀在利用這等形勢以爲日後侵犯泰國的張本。

共黨在準備赤化東南亞的策畧是頗見高明。他們並不如美國之直接採取干涉他國內政的令人反感的方法，乃採取迂廻曲折的，利用英美社會注意的「社會工作」的觀點，利用當地土人的需要，作全面滲透的組織，以建立其赤化的基地。例如，在作準備赤化泰國東北的方法，共黨是利用寮共控有地區的便利，橫過湄公河北部，利用泰國東北人民不滿的情緒，爲擴大宣傳爭取羣衆變色的手段。東南亞人民多信仰佛教及尊重王室，所以共黨巧妙地宣傳上絕不提到有關共產黨思想的理論，亦不攻擊王室及佛教，但卻強調「愛護每一條鄉村」，來爲爭取擁護的口號。對付共黨這種表面上慈善同情而幕後進行赤化的陰謀，自然首先當在建立一個強力的反共政府，同時要急速完成各種社會福利建設，否則便有顧此失彼，難於應付之感。

但美國大力促成寮國「僞裝中立」以後，寮國內部固一樣未見安定，且令東南亞各國因失去十七線隔離的實際意義，而有「火燒到身」的危機感。大家公認，寮國局勢之造成，是因有國際共黨的支持，特別是來自其北方的中共方面。寮國取得「中立」地位，正好是拖延時間，使完成種種赤化東南亞戰畧的準備。例如，「中共正沿着他們的南方邊界築路，伸入南亞及東南亞。他們已建築廣大的公路連鎖線，通過世界上地勢最崎嶇地帶的一部份，包括從西藏到印度的一條主要公路……另一條向東延伸，由緬北穿過中國南部，接滇省孟臘及寮北的豐沙里……」又越共電台及報紙於三月十一日及廿三日公佈兩項協定：一項是中越共於三月廿二日在河內簽署的協定，由中共負責修建大陸至河內鐵路。另一項是中越寮共於三月十日的協定

（下轉第二版）

漫畫天下

自由進行曲

他們擺脫不了這個主宰

自由談

假如？

馮五先生

近十年來，東南亞一些新興之邦，盛行排華運動，尤其是那些標榜中立主義的國家如印尼、緬甸、印度等地區，對華僑歧視特甚。這因爲中華民國政府播遷到了台灣，國運艱屯，護僑不易，而大陸上的共產政權原是相信「工人無祖國」思想的，認爲民族觀念係反動的產物。它們祇是設法搾取海外華僑的外匯金錢，而熟視僑胞在異域被排斥摧殘，毫不介意，殆如粵語所謂「你死你賤，好少理」！

聯合國據說是主持正義公道的「世界政府」，亦設置着「人權委員會」之類的機構。但那些操縱聯合國的西方大國，只知欺善怕惡，自私自利，而以「承認現實」爲掩飾之詞，對於各地區的排華運動，從來噤若寒蟬，當伊嘸介事！

希特勒在德國元首任內，倡導「大日耳曼民族主義」，凡是日耳曼民族佔着多數人口的地區，一律要納入德意志帝國統治之下，如併吞奧國，割據捷克的蘇台德省，波蘭的但澤市等等，當時都曾經西方列強承認爲「合法」的措施，英國首相張伯倫且認爲這是他跟希特勒創進了世界和平的傑作哩！

假如中國亦出現了一個希特勒這樣的角色，主張凡是華僑人口最多，工商企業力量最大的地區，都應該列入中國版圖之內，否則武力經營，決不客氣。那末，整個東南亞地區，皆將成爲名副其實的中國領土，並且具有更強硬的理由和根據，因爲這些邦國的統治主，許多都是中華民族的血胤，而夷考歷史，這些邦國之中，有若干亦曾是中國的藩屬啊！如此這般，比較今日俄帝控制東歐各國的行爲，更屬名正言順，西方列強自亦欣然承認現實，毫無異議的。

不過，中華民族是賦有先天的和平性，中國的傳統文化精神，亦是講究信義，鄙視侵畧霸道的。我希望東南亞新興各邦人士，熟讀歷史，瞭解中國人過去和平相處的情形，垂念華僑對各邦經濟潛能的創造功績，不要乘人之危，亂搞排華運動，致貽他日無窮之憂，不勝企幸！

雙方訂立經濟合作協定

西德開始實行經援緬甸

尼溫赴歐據云醫病

（本報仰光航訊）緬甸革命政府與西德政府於七月十二日簽定了一項經濟合作協定。

依據西德緬甸的經濟合作協定，西德政府與緬甸經濟合作：促進緬甸工業，發展建設事業上，將撥出緬幣四千二百萬元作爲協助的用欵，而貸欵在運用上不受束縛，對工業方面所須用的機械，將給予價格、品質、種類等的選擇權。除了上述貸欵外，西德政府並保證在西德輸入緬甸的貨品，在超過五年以上之民商貸欵，准許其達到一億二千元之數目，並給予法律上的保證。此外西德政府並同意，將派遣技術人員五人來緬，進行爲期二年之訓練緬甸技術人員工作。

緬甸民航事業，近年來有長足的進展，國內航綫普遍建立，大城市如曼德里、勃生、毛淡棉等地，每天都有來回班機，次要的城市如密支那、臘戌、八慕土瓦、丹老、景棟等城市，航機每隔兩天來回一次。

最近又由革命政府撥欵五百萬修築全緬各地飛機場，預計在本年十月以前可全部竣工。

緬甸航空公司最近與荷蘭飛機公司簽訂一項購買三架蒲嘉二十七型式友誼第二〇〇號客機的協定，所購的三架蒲嘉式客機，第一架將於一九六二年九月十五日前運抵仰光，其他二架將於一九六三年十月間交貨。每架客機價緬幣三百萬元。

近日來香港金飾商，大量向緬甸採購緬甸玉石，使緬產玉石形成在香港暢銷的趨勢。

根據仰光敏加拉洞海關公佈，在過去一週間，經已向當局報關，準備自敏加拉洞飛機場運香港的玉石，達幾百斤。由於緬產玉石在香港的暢銷，使緬甸從香港獲得大批的外匯。

緬甸聯邦革命委員會主席，革命政府主席尼溫將軍，爲了醫病，特於七月三日晚上乘機前往瑞士，奥地利和英國。

尼溫將軍担任的國家職責，暫時由下列政府內閣成員負責：昂枝准將暫時代理革命委員會主席，革命政府內閣主席和國民計劃部負責人，陣帕准將暫代財政兼稅務部負責人，佐蘇上校暫代國防部和司法部負責人。（張金龍）

「解放軍」人談「解放軍」

毛共中下級官兵多痛恨毛共政權

軍心携貳絕對不堪國軍一擊

香港與大陸

新自廣東淡水縣逃來香港的「解放軍」退伍軍人譚君向記者透露：大陸人民十九皆對共黨恨之入骨，就是共黨視爲命根子的「解放軍」，亦有許多人是恨極共黨的，特別以中下級的官兵爲然。

據譚君說：中共的「解放軍」，士氣非常之低落，因爲他們大部份是被迫參軍，少數亦祇貪圖部隊待遇比較能獲溫飽，他們實在並沒有什麼「階級覺悟」、「社會主義祖國」的觀念爲思想基礎的。所以，許多有點正義感的「解放軍」官兵，內心裏面均仇恨共黨。譚君以爲「解放軍」官兵仇恨共黨的主要因素有三：

（一）共產黨的殘暴政治，使每一個人加倍勞苦之餘，均得不到最低限度的溫飽，另外共產黨還給大家以各種精神上的折磨與打擊。這種事情，「解放軍」官兵都清清楚楚，「解放軍」官兵對共黨的政治口號，兔死狐悲，自然明白它是在騙人了。特別是「解放軍」官兵知道他家裏的人也在過那種非人生活時，他們怎會不生起無限悲憤，而仇恨共產黨政權。

（二）共軍中的大部份中下級官兵，其婚姻問題皆未能得到合理解決。他們大半是未婚的。這許多三十開外的王老五，誰不希望能回家結婚。但「軍政領導」卻不准他們請假回家，爲的是恐怕他們一去不復返。而且，「解放軍」官兵要結婚也實在不是易事，現在大姑娘皆不願嫁給他們了。這是因爲大家對「解放軍」都沒有好感。同時，誰個大姑娘願過那「守生寡」的生活。還有一些已婚的「解放軍」官兵，由於夫妻長期分離，妻子在家裏常有被共幹誘姦和迫姦的事發生，共幹專以「擁軍優屬」爲藉口，給她們「關懷」，卻常常利用機會姦污她們，這亦使官兵對共黨恨之入骨。

（三）一般中下級「解放軍」官兵，其行動極受束縛，外出一定要得到「首長」的批准」，否則以逃跑論罪。而他們的「首長」卻常有數天不回來的事，也祇能敢怒不敢言，一步不能離開營地。這樣形同囚犯一樣的生活，他們當然大不滿意的。

譚君說：「我是當過「解放軍」的，我很了解「解放軍」的內情。共產黨的謊言戳穿了，今天的「解放軍」，上下兩條心，絕對說不上有多大的戰鬥力，果眞國軍反攻，那必然是土崩瓦解的局面。

另一位新來港的劉老太太對記者透露了當年國軍投降共軍的中下級軍官的苦悶心情，他們已受了許多罪，並隨時憂慮共黨借刀殺人的手法。

劉老太太這次是從大陸投奔她一個在港經商的兒子的。她的長子在大陸陷共時，在傅作義部當營長，傅作義「起義」，傅部被共黨整編，所屬少數被裁，有回農村的，亦有到工廠做工的，但大部份都被共黨東調西調，原有部隊已七零八落，等於解散了。

劉老太太說：她臨來港時，其子哭着對她說，在未來戰爭中，他必然會無辜地犧牲的，因爲他許多的同事和部屬，就大都被共黨用借刀殺人的手法殺死了。劉老太太轉述她兒子的話時說，他們那些「起義」軍官，行動上受到許多的約束，精神上特別痛苦，他們被夾雜在共黨的嫡系部隊裏，經常要被「檢查思想」，並進行「交心」，使你痛苦不堪，不知道什麼時候會被弄死。一旦有戰鬥任務發生時，他們這批「起義」的軍人，便又從各單位被調聚攏來，作爲先頭部隊。（如攻打海南島，大陳島和金門時，就是這批人當先頭部隊）。初時他們不知道這種內幕，後來幾經事實證明，發覺了共黨這件陰謀。但他們也無可奈何，因爲在他們後面的有效射程內，就有共黨嫡系部隊在監視着，稍爲有些遲疑或反抗時，立即便被射殺。

劉老太太說，這次共軍在沿海集結，其長子以爲戰爭將降臨了，果然的話，最先被共黨送死的，必是他們這批「起義」的軍人。所以她長子在她離大陸時，痛哭流涕，怕再不能相見了。

劉老太太表示，她這次雖是「雙程證」來港的，但她決定暫時不再回大陸去受罪了。（敬斯）

（上接第一版）

，是越共要在寮共控制區內築路，中越共軍用品由河內循公路轉寮，部份並由寮國輸運南越，供應北越游擊隊以攻擊南越之用。

除此之外，中共把接近印度「麥馬洪線」東端的廣大地區（野人山）劃歸緬甸，以交換緬東閃部及湄公河河曲部的重要基地，由此泰國西北部的清萊區即被中共滲透，而東埔寨之中立偏左政府，在地理與政策上，都絕對有利於中共南侵的工作，何日利用爲打擊泰越的基地，必然亦是不久之事。

中俄越共對赤化東南亞是有一致的策略。他們視東南亞的叢林和山岳的國界，毫無意義。他們藉此種便利來探尋這些複雜國家的弱點來主動地侵擾掠奪。他們知道自己的戰鬥力的弱點，凡是不使他們冒險（如避免東約衝突及美軍干涉之類），而仍有其他代替辦法可以達成其預定的陰謀的，就寧可遲緩一步，選擇較安全的方法，中俄越寮共均一致贊同寮國「中立」，圖謀緩一步而後接收寮國，便是這種策略的表現。

目前共黨圖全面赤化東南亞的陰謀，已有進一步的表現，根據八月三日『非律賓前鋒報』報導：「共產黨集團將對南越有具體的陰謀，其目標爲在南越建立寮國的『三頭馬』體制，組織聯合政府。』現時胡志明已公開表示願望爲：使南越變成寮國式中立以後，即進行把南越、寮國、東埔寨等合併爲一個『中立的印支聯邦』云云。

上述這些資料，都強有力地顯出，東南亞在「寮國中立」以後，反增大危機。美國盲目大力促成寮國中立的原來目的，是使越共撤出寮國，並使之不能假道攻侵越南，不知反使合法化，造成東南亞更大的危機。我們實在不知美國那些所謂「新境界」設計專家們，如何向自由反共國家交待？事實上中立前的寮國所謂中立派的康黎部隊僅有一萬五千人，戰鬥寮一萬四千人，越共據說亦不過一萬人，合共不到四萬人；但反共的諾莎溫軍隊共有七萬人，比起來實仍大有可爲。若使美國不爲自私的利益而確爲自由國家並有反共決心的話，當不壓迫諾莎溫過甚，喪失反共士氣，而致軍事急遽逆轉，失陷南塔、孟新、會晒等重鎮，且必然掃蕩寮共基地，在寮北建立自由反共的防線，堵塞中共進入東南亞的缺口。但今者已矣，說來祇徒增傷感。問題是今後如何？美國能夠認眞改變政策嗎？否則，沒有爭勝之心之志，東南亞能免於整個被赤化嗎？

天高皇帝遠。地小人情暖

澎湖開發建設的行政障礙

（本報記者澎湖航訊）自七七抗戰紀念日開幕的澎湖縣議會五屆五次大會，揭開了澎湖地區行政上的一些「內幕」，使外界對此荒蕪的世外桃源的開發建設，多了一點了解；我們與其諱疾忌醫，讓澎湖「原始」下去，倒不如坦誠檢討，找出病根對症下藥。

在議會中爆炸性的質詢，莫如「主計室財政科墊付書欵七萬九千二百元」的一件事，但這一件「驚人的」瀆職，分贓案，是否是將又不了了之呢？在這人情島上，各機關首長，天天在一起吃喝玩談，誰好意思把別人檢察，起訴？誰好意思調查，偵察？在議會中一次承認錯誤，設法改進，也就太平無事了。

光復十餘年來的澎湖建設，的確進步了。但是，我們仔細算算，這進步似乎太慢了。而行政障礙已成習慣，如不加剷除，澎湖建設多是浪費而緩慢的。我們試就幾件事實，和議員們的質詢，分析這些「行政障礙」的內容，作爲用藥的參考：

（一）建設沒有計劃，拆修跡近浪費：人口增加雖速，但決不應年年改變計劃。自來水廠的地下水管，一年一次的擴大翻修，究竟是怎麼回事？議會大廈於七月四日破土，原議會房屋建築不逾十年，拆成碎石重建，也很可惜。泰鵬公司的文康服務中心市場，幾經拖延，使經營困難；七月初營業以來，還是空空洞洞。舊的市場未能拆遷，新的市場又在計劃了。第二漁港即將落成，舊漁市場又成租屋了。大馬公都市計劃在目前房地產跌價之際，似乎先應注意如何發展漁業，才是基本。

（二）建築缺乏技術，效果不夠充分：就依李玉林縣長任內的大量建築，一般投標比價手續，跡近形式。海外營造困難，建築保養不易，再加上行政和商業上的積習，建築的技術不比本島高明，而費用卻較高昂。故徐詠黎縣長再三向中央及省請求建設經費，而考慮經濟價值及效率，也就麻煩了。

（三）漁民過於貧窮，百廢均屬待舉：澎湖漁民的生活艱苦，地瓜稀飯，經常食料；漁獲工作原始；遠洋漁業，經營失敗；台灣堆漁產非澎民所擅；魚賤傷漁，大有捧了金飯碗要飯之慨。於是地方建設，百廢待舉。地方建設要仰賴政府補助，少有人爲桑梓努力，自然不是辦法！

（四）民衆迷信自私，地方派系對立：一般說，迷信該是漁民的特徵，澎湖漁民的迷信尤甚，將軍澳二所將軍廟，修建均費二百萬以上，而碼頭不肯鳩資修建。其他漁民之修廟熱，也很普遍。貧的道理在此。馬公國小將幼稚班停辦，而馬公現有三個幼稚園，分爲天主、基督、佛教所辦。至於地方派系的南北派，各鄉鎮如此，競爭激烈；所以智者要呼籲「南北和」了。

（五）公務待遇不均，民衆貧富不勻：議會質詢中公務員宿舍分爲五等，某些科長主任，特撥十萬元修建花園洋房，燈紅酒綠，如夜總會；小職員的則十元租貼，實在太苦。據說同爲股長，待遇也不平等。如有這批經費，議員每每喊窮，連交通部的郵船賠遊，都被拒絕，因爲沒有錢！而這些官邸費以及其他的浪費設備，用於最基本的交通多好！民衆貧的太貧，富的卻將錢帶到台灣去了。某星相家來澎，批命，一次二千至五千；若干醫生來澎淘金，暗疾特藥，總能淘去數十萬金。

以上所述五點，不過犖犖大端而已，且差不多的老澎湖，都能如數家珍。在位諸公，無論本外籍者，都應當自檢討，認眞革新，始有前途，決不是請酒，說請，所能安撫自己良心的。中央對開發計劃，業已着手，在澎人士，必須破除「沒有辦法才在澎湖。」的錯誤心理！也必須拋棄「我是老澎湖」的自大心理。振作起來，實事求是，刻苦奮鬥一下，確實的把風砂之島，建設起來，纔是正經。（陳知青）

美報担心美國文明毀滅

——華盛頓來鴻——

嘯岑社長先生道右：最近二月來美國有若干報紙之社論，頗值得吾人參考。茲節譯以下數段，備貴刊補白之用。

一、（五月七日紐約前鋒報）「美國文明行將追踪其他文明之後塵而自我毀滅，因爲公私雙方道德均已崩潰。」以上的話是加州洛杉磯城警察總監派克氏所預言。

唯物質主義，家庭之破裂，無道德以對自我約束，無宗教之虔敬心，大城市的擁擠以及對行爲準則的違反，「都導致全國犯罪增加的速度，四倍至六倍於全國人口增加的速度。」

派克氏說：「我也許看事過分簡單，但我以爲有所謂自然法（註：即道德律）也者，管制個人與社會行爲，而當此自然法被違反後，個人與社會均將遭遇嚴重的困難。」

他承認他的職務係與最下流的人們相周旋，但是他聲稱：「我無法相信我們的社會能長此違反基本行爲規律而仍可倖存。我的結論是：這個文明行將毀滅自身，問題祇在那一天實現而已。」

二、（七月廿日華爾街日報）關於今後十年在拉丁美洲花費數十萬萬美元之「進步同盟」計劃的前途，華府當局業經開始感覺沮喪。秘魯軍人奪取政權是最近的事變，在此以前三月間阿根廷亦發生同性質的政變，其他國家有續發之可能。

當局爲了警告全體拉丁美洲國家起見，已經停止根據同盟計劃對秘魯的新援助。但也許使此等國家感覺驚訝的，便是在同日參衆兩院聯席小組委員會，正在取消有關共產主義的波蘭與南國與社會主義的印度之經援上的限制。

我們認爲：如說軍人主政，便足以威脅進步同盟的前途，乃是錯誤的想法。事實上美國政府內部之混亂與誤解，方是同盟計劃所遭遇的基本威脅。第一，對拉丁美洲之經濟與政治，認爲數年之後便可改造一新，是不切實際的。拉丁國家內部情形彼此不同，加上多年積習，非短期所能改變。

此外美援以政府爲對象，亦足以引起流弊。從經濟方面而言，此方法反足使目標受到阻礙。美政府對拉丁經濟設計之着力，每傾向於助長社會主義及中央集權主義。

我們認爲靈活的外交手腕，加上資金的審愼運用，可以幫助建設起來，經濟與政治安定所依賴的私家經濟生產力。但美國政府之烏託邦式的迷夢與不切實際之方法，則難以挽救進步同盟之前途，此非斥責任何國家之軍人主政所可濟事的。

三、（七月廿四日華爾街日報）百年以前，英國史家麥考萊勛爵有以下之議論：「我久已確認純粹民主制度，遲早會得毀滅自由或文明，或將二者同毀。」他心中特別想到的是美國民主制度，後者他認爲如不在他的世紀便將在本世紀往下消沉。麥氏並非第一位或最後的對民主政治制度搖頭嘆息之人。美國當前搖頭嘆息者甚不乏人。連我們向來對預言或即事類比懷疑者，也難免有動於中了。

麥氏預言過去未曾實現，乃是有原因的。最明顯的便是過去美國並非純粹民主，其名稱爲共和國。代議政府制度，加上巧妙的內部制衡作用，防止了暴民專制之實現。此外又有資本主義制度運行於政治自由之內，乃是麥氏所未曾見及的。且不僅在物質方面擅長，而更有通文字具智見文質彬彬的選民，非古代民主政治所可幾及。

然而，雖有以上的屏障，對麥氏預示之回聲今天已到處聽見了，連國會中也有此等論調了。

對第一次大戰退伍軍人加撥年金之建議，總數達一百十萬萬美元。儘管重要退伍軍人團體，與國會退伍軍人小組委員會主席反對，仍有成爲法案之可能。（上）

天南風光

——沙羅越的首府——古晉

朱淵明

北婆三邦，以沙羅越爲最大，人口亦較多，其首府所在，規模亦相當宏濶，氣象也同樣莊偉。如果你首次乘飛機前往，沿海飛行已久，初睹莽莽森林，綿綿不絕，忽見高峯突起，有如屏障，江流蜿蜒，儼若長蛇，那時飛機盤旋降落，地面上的屋影漸顯，人形浮動的亦漸明朗，即知已到古晉機場。

古晉，原是一句馬來亞話的譯音，如果你不高興那個地名，也可譯成「苦井」的。它在馬來亞人說來，乃「野貓」的意思，故又有貓城之稱。但是我卻不討厭那個野貓地方，而印象且很好，迄今一切如新，雖然目前已有許多改進，絕不同於八九年以前，但是筆者初去時的若干觀感與趣事，則依然保留腦海，頗值憶念。

一入古晉市區，但見到處綠草如茵，紅花似火。郊區及偏僻之處，雖屋宇多屬木蓋，也可以說眞是徹底的木屋，從柱到壁，到窗，到瓦，無一不是用木。但卻絕對不同於香港的木屋，它堅牢華美，清潔爽朗，而且地板離地面最低三四尺，較高八九尺，通風散氣，至合衛生。又大多各屋獨立，前後鄰居左右相距甚遠，各家多有草地一坪，細竹活籬笆，四週環繞，政府規定竹籬必須按時剪剷整齊，不得任其枝節橫生，有碍美觀。於是各宅均於籬內雜植花木果樹，眞個是：有四時不斷之花，有終年不絕之果，如果爲五柳先生所見，誠不知將如何描寫其風光之恬靜與幽美了。

有一種花好像是樹，它原可獨幹長得很粗，細枝四散分開，又好像是藤，它也可以從根長出許多枝幹，攀援依附得既長又遠，如種在屋邊，它竟可以攀滿整個一面牆壁，而且極易粘生，只要斬下老幹，插下土中即活，不過枝幹之上多刺，栽種之時要特別小心。它開起花來，燦爛如錦，一片彩霞，雖然有色無香，但可以長遠盛開，終年不絕。（一）

公道篇

林

公道的界說（三）

例如，（一）在中國，儒家理想以人類爲中心，建立人文精神的國度，確實比較其他離開人類本位立場的任何主義思想爲正確了。但自孔孟以後，除對「人與人」間關係有獨到的研究，與具體組織如人倫制度的表現外，其對「人與神」「人與物」的關係，就未會強調而致力於發皇；其對「人與神」的關係，且祇演變爲玄學清談的資料。所以，人性尊嚴與人格獨立在中國雖受到尊重，但因缺乏物質環境的基礎，人性至情便也漸行流變爲僞善；組織缺乏超人力量的神明思想領導，便也變質爲「人爲的眞理」，而形成寡頭的政治。

（二）由希臘文化發展爲歐洲的物質文明，可說爲對「人與物」問題最有獨到研究的結果。但因錯把「物」視爲這個人類世界的中心，而忽略「人」方爲人類世界的中心，於是在該等社會便祇見有物與物交換的商業利益行爲，缺乏人倫道德的家族制度，而流於力的表現，獸的競爭。其對人性人格之觀點，總及不到在中國表現之謙和，與受到尊重。至工業革命前後，「強力說」更普遍地作進一步的影響，如尼采之超人論，馬克斯之共產主義，何拉之強力說，達爾文之弱肉強食論等等，無不直接間接把人性至情越拖越遠。至以共產主義論，它祇承接資本主義的餘緒。資本主義原是對「人與物」間關係的偏面研究，但還有希伯萊的宗教精神的影響，與羅馬基督的鎖𨈇；共產主義卻又進一步，提倡無神論，要「經濟決定一切」，把「神」、「人」統一於「物」的世界中。於是所謂共產主義的社會，便是全無人性神性而祇有獸性的一類社會組織。以中共的人民公社爲例，它不容有「人與人」關係的家庭倫理制度的存在，並掃蕩人性至高表現對祖先紀念的神性，它祇相信其少數強有力者的統治，祇相信其人爲的「超人」的絕對力量。這種把偏面的「人與物」的問題，視爲全面的完善的理論，可說是歷史上最狂妄的最違反人性的主張。

（三）由希伯萊文化發展爲宗教思想的勢力，及受到耶、佛、哲學思想統治的國家，可說爲對「人與神」問題最有獨到研究的結果。把「人與神」視爲這個世界的中心問題，雖亦是不切合人題的需要，但有一個理由，卻比偏於「人與物」的較爲妥善得多。那是人性思想的昇華，便是神性，神性是以人性爲基礎，包含人性在內。「人性」「人與人」間總需要一個「超人」絕對的權力來統治相處，而後可以避免人爲眞理的自私。因此，「人與神」雖亦是偏面理由，但卻使人類世界向形而上方面發展，而遠離魔道的獸性物慾。

話說回來，人總是人，但他需「神」、「物」二者的幫助，人不能強之變成神，變成物。人類是這個人類世界的主人，神、物二者祇是輔體。把神或物當或爲人類世界的心，是反賓爲主，是不合邏輯，而強調偏面的主張，更是不符合人類身心兩面的需要。這種因「神、人、物，三分了天下」的事實，是人類社會長久以來動亂的根源。於此，亦可求出「不公道」的標準。

「不公道」的反面便是「公道」的所在。至此，所謂「公道的界說」，也已劃出一定的範疇。（本篇完，全文未完）

瘟君續夢

第六回：烽火照邊陲　同惡難濟　樓船橫碧海　大憝興悲

周恩來受了一場虛驚，回到北平又添了新的煩惱，原來新疆方面又出了問題。

新疆本來就是中國一個多事地區，抗戰勝利前夕，蘇聯嗾使伊寧，塔城，阿山三區獨立，建立東土爾其斯坦共和國，後來張治中到新疆組織聯合政府，伊寧方面的首腦阿合買提江，担任了新疆省政府副主席，另兩個頭子賴希木江担任建設廳長，賽福鼎任教育廳長，這一個聯合政府也和所有的聯合政府一樣，終於不歡而散。

民國三十八年西安、蘭州相繼失守之後，新疆局勢日漸緊張，這時新省主席已換了鮑爾漢，兵權卻握在全省警備總司令陶峙岳手上；本來這個總司令是宋希濂，大概張治中怕宋希濂到必要時不聽話，所以呈報中樞調了他的兒女親家陶峙岳任總司令。後來張治中雖然不當新疆省政府主席，大權還是握在他的手裏。

西安、蘭州相繼陷落時，張治中已由政府派去的和談代表團長身份，轉爲中共的開國元勛，毛澤東對他倚畀甚深，據說中共的「五星國旗」，就是張治中手訂的，原來毛澤東擬的圖樣是左上角一顆星，下面三條長條，代表長江、黃河、珠江。大概張治中看出一個大星是太孤單，另配幾顆小星才顯得威風，好似毛澤東只有一個藍蘋不夠氣派，應該多選兩個美女送過去。張治中想到這裏就漏夜進宮向毛澤東陳詞，果然一夜間把中共的「國旗」改了，張治中「得君之專」，魅力之大，使劉少奇、周恩來都相顧失色。

西北情勢整個逆轉，只有新疆仍屹然不動，中共當時實在抽不出大部兵力去進攻新疆，而且中共大頭目陳雲、滕代遠、李先念等人，當盛世才主新時，都在新疆住過一個時期，對於新疆的山川形勢，民情風俗，都有相當了解，假若新疆國軍一封鎖猩猩峽，無論共軍有多少人，總是插翅難飛。所以就決定用和平解決辦法，派張治中去新疆招降，當時國軍士氣旺盛，官兵磨拳擦掌，準備殲滅來犯共軍，忽然張治中來了，大家就知道事情要惡化。果然張治中傳達了毛「主席」的「德意」之後，引起一片咒罵聲，當時有些血性男兒，主張把張治中扣起來用飛機運去廣州。張治中一看大事不妙，事情要是惡化下去，可能就走不出迪化，縱然陶峙岳全力保護，勉強能飛回北平，在毛澤東眼裏也沒有一點份量，今後再想爬起來就很難了。

張治中苦思焦索了一夜，果然想出一個辦法，和陶峙岳又商量一下，次日召集全體團長以上軍官開會。大家到齊了之後，陶峙岳順手把會議室的門拴上，所有衞士都趕出去，房內只剩下幾十個團長以上的軍官，

張治中站起來愁眉苦臉的說道：「各位同志，有一個內幕消息，本來我不打算告訴大家，可是，事情發展到現在，我要再不講眞話，就不能得到大家的信任，原來的計劃不能完成，我既對不起國家，也對不起總統，我張治中就成了千古罪人了。」張治中說到這裏，掏出手絹擦擦眼淚。

與會的人聽了張治中的話都緊張起來，有的人再也坐不住，站起來亂搓手，急於想知道張治中要講的眞話是什麼。他有什麼計劃。（一二四）

指南山的政大（續）

在所有學校中，政大的過程，可說坎坷遭遇，與國運息息相關，憂患與共者，也祗有此一校。他的前身，是中央政治學校，民十六，在南京設立。卅五年改名國立政大。當在抗戰時期，廿六年由京遷廬山，再遷芷江，最後在重慶南溫泉復校。勝利後遷回南京，卅七年政府遷移，又遷杭州、廣州、重慶，後來步行至成都，在川西南之彭山大邑各地，遭遇共匪，發生激戰，壯烈成仁者極衆，實是該校的輝煌史頁。到四十三年七月，方始在台恢復，可云艱苦備嘗。

汪家四兄弟

憶玉軒雜綴　·秋游·

幾年前，余於閒居，常喜讀汪希文先生文章，以其滿腹經綸，均是稗史，所記嶺東三齊，尤爲可傳之作。但不知其爲何家雋士，而淵博如是。不意二年前，希文忽以厭世而自戕，修文赴召，長爲悼念。近今始知其爲南粵汪氏伯序之後人，與精衛同族者也。

汪氏弟兄共爲五人，其弟三者蚤卒，故餘四人。皆供職國府，三位在財政界，一位在司法界，均有名。長名通甫，日本法政畢業，民元，羅文幹任北京總檢察長，薦請任命爲檢察官，約有五年。國府成立，仍任舊職，終身爲司法官。

二名道源，宣統末，奉李準命，迎接胡漢民到廣州，革命告成，胡任其爲都督府參事。民十五，隨宋子文孔祥熙服官財政部有廿年，其間任蘇浙皖三省統稅局事最久，凡六七年。四名蟄庵，歷任南海番禺順德新會高要各縣長多年，係省長李耀漢所委。因其參加討袁屠龍各役，游說李氏皆得成功。民十七，改就財部稅務署第一科長，垂十年。五名希文，民十六，代理部務錢新之次長，任爲公債司科長，宋子文繼任，派爲秘書。孔祥熙主政時期，供職如故。

伯序先生自清末由湖南知縣罷官後，隱居廣州澳門，閉戶著書，先後梓印有微尚齋詩，微尚齋文集，嶺南畫徵畧，晉會要錄各若干卷。及續修番禺縣志四十餘卷。以畫徵畧與縣志均有裨於南粵文獻至鉅。希文弟兄事親極孝，每月俸給，均各寄其父，以作菽水之需，月有港紙四五百。伯序晚景頗可頤養，以視今世之子弟，不可同日而語。爲寫四兄弟，以紀其事。

戊戌變法或叫戊戌變政，又名百日維新，是中國歷史上一件大事，凡稍習過中國歷史的人沒有不知道的。假如此次『變法』，眞能『維新』，變『專制政體』而爲『君主立憲』或叫『君主憲政』，或許就沒有辛亥革命，那今天的中國又不知變成個什麼樣子。可見這次維新運動對於中國前途影響之大。

主持這一運動的人物有康（有爲）梁（啓超）二氏，而其首腦則爲康先生。及其失敗，犧牲者有楊銳、譚嗣同、劉光弟、林旭、楊深秀和康廣仁六人，時人稱之爲『戊戌六君子』。康梁二氏則倖免於難。自茲以往，人莫不知有康氏其人。人第知康氏爲變法維新之首腦人物，或亦知其維新運動的經過及其前因後果，而能詳悉其私生活者，恐怕爲數無多。茲爲畧述康氏之嗜好，想亦爲讀者所樂聞吧。

康有為的嗜好

讀書買書買花睇月光（一）

丘峻

閒來無事，常往康家與老太太談天。一日，詢及『康先生生平有何嗜好』？康老太太隨口答道：『康先生除讀書外，沒有什麼嗜好。有之，便是買書、買花、同睇月光而已。』稍頓，繼續說道：『康先生好讀書，終日手不釋卷，以致每晚睡時甚短，而食亦常不知其味。因爲好讀書，也就好買書，所以見未看過之書即買，雖重價亦有所不惜。如身邊無錢，則典當爲之，務必以購得爲滿足。倘遇善本，更千方百計以求之，必得之而後快。買花亦復如是。如見奇花異卉，或即名花奇種，亦不惜典賣購買，必有所獲而後可。惟不知難爲老娘矣！』

康氏嗜學，讀書成癖，茲簡述其生平學養約概畧：康氏天資穎悟，髫齡含識，飫聞庭訓，兩歲能識字。五歲受學，再遍成誦，能誦詩數百首。六歲讀大學、中庸、論語、並朱註孝經。十歲能屬文，並盡讀諸經。氏日讀書數卷，對掌故尤熟，接諸秀才，抗坐論學。

穿衣說

燕謀

人類老祖宗在穴居野處之時，衣的是樹葉與獸皮。那時可謂是一律平等，人我無軒輊。中國人的衣服，據說是軒轅皇帝發明的，說他的太太會養蠶織帛，這話確否待考。

既後物質一天天文明，人類的衣不但由樹葉獸皮進而爲布帛綢緞，還要用它來區分階級貴賤，式樣顏色都有分寸，不得亂來。過去皇帝是尚金色；高官顯宦乃尚朱紫，小吏與平民只是着青藍色。白居易在他的「琵琶行」中說：「江州司馬青衫濕」。原來唐朝對於衣着顏色，規定極嚴，白居易流年不利，他在江州做「司馬」，是遭貶謫的，否則他早該穿朱著紫了。

衣著以質料色綵而分貴賤，楚項羽不云乎：「富貴不歸故鄉，如衣錦夜行」。眞的，那個又不想「衣錦還鄉」呢。

可是大聖人孔老夫子却不在乎這些，他說：「士志於道而恥惡衣惡食者，未足與議也」。又說：「衣錦尚絅，惡其紋之著也」。陶淵明棄官歸隱之後，葛巾而野服，而人們稱他爲「陸地神仙」。野服者，隱服也，楚詞云：「製芰荷以爲衣」，即隱服之一種。最令人難以忍受的衣服，莫如閔子騫的蘆花袍子，那是遭受後母的虐待。子夏的鶉衣百結，處之泰然，以今人視之，亦忒可憐，而且必然遭人白眼的了。王章倒霉之時，夫妻寒夜中竟臥牛衣焉。

有志於道的人總是不大考究衣著的，除了以上孔子、閔子、子夏之外，尚有子由也是一個不重衣冠的，所以他的老夫子稱讚他說：「衣敝縕袍與衣狐貉者立，而不恥者，其由也歟！」這境界，這心胸，在咱們今天「祇重衣冠不重賢」的風氣下，那裏去找！

水滸傳：海和尚被石秀捉住的時候，先令他表演脫衣舞，殊不知此君脫下僧衣之後，貼身的乃是一件潘巧雲的褻衣！這情形，在我們今日的社會，可不在少呢！

對日抗戰時，吳稚老提倡布衣運動，因爲稚老正是聖人之徒，其操守便足爲世範。惜乎今日克難節約之口號，喊得響徹雲霄，而時裝則競尚白領子的西裝，質料力求外國貨爲高貴，所謂「克難節約」、「臥薪嘗膽」者，早已拋到九霄雲外，至於女士之衣，更是奇裝異服，多彩多姿，更僕難述。寶島士女有言曰：各縣看台北，台北看香港，香港看紐約巴黎。一律向洋人看齊也。

海嘯樓談薈

民國十六年十月間，寧漢兩個國民政府已經合流，譚組安先生到南京就任國府主席了。某夕，李協公儕及春間在南昌接得譚先生勸他跟武漢政權合作的那封信，內有「望兄勿以蓋世英名，竟爲一人之殉」等語，問我原信是否存在？告以這信的文字俱佳，頗有歷史價值，珍藏未棄。他即教我檢出，擬親自交還譚先生。我說，此刻把牠燬掉就是，何必一定送還本人呢？他笑謂：「你年輕，更事無多。我們私下縱然毀滅了這封信，而且對外嚴守秘密，但別人的心裏難免懷疑我依然保存着，作爲示好某方的大好證據，忐忑不安。唯有原件歸還，乃可對朋友表示信義，這是做人的要著。」我悚然領悟，因而數十年來浪跡

前輩人的風範（三）

諸葛文侯

江湖，謀食四方，從無賣友求榮的妄念，就是感受了李公這番言論的敎益。

民十七年春，國府改組後，李公以與胡展堂有宿嫌之故，冠蓋滿京華，斯人獨顦顇，他被排擠下野，隱居上海。迨十九年汪精衛、閻錫山在北平號召「擴大會議」，稱兵反抗南京中央政府時，他們以爲李是被南京方面傾軋歧視的人，一定可以合流，急派員到滬邀他北上，閻氏更以老同學的密切關係（閻李在日本士官學校曾有「丈夫團」的秘密組織），特遣親信某，携款修書，來滬促駕，但李婉拒之。他曾經對我說出不去的理由：認爲要去祇能幫馮煥章的忙，但自己現在不是統兵之人，不便過問他們的軍事行動；若到北平隨時跟陳公博這般後輩人物，爭論黨政是非，太無謂了。何況閻百川的氣宇亦不宏敞，往年孫傳芳就給他起過一個綽號，叫作「廚子將軍」，意思是指百川只能在山西稱霸，有如廚師的那把刀，總是在一塊釘板上揮來揮去而已。汪精衛原是書生，他的性格與作風，當難跟閻馮永相契合，縱或徼幸成功，結果亦必發生內訌無疑，我去了，將來很難處云。可見李公對於出處行藏，並不隨便。

民國廿年李公携家卜居廬山，倡首醵資，修築山麓通往九江的公路，不問國事了。是年冬間，民黨長老居覺生（正）先生及其他同志數人，在上海因政治關係，被淞滬警備司令某拘捕，手鐐脚銬，押解南京，李聞訊，以長電痛責某不應虐辱本黨的前輩先生，政治見解儘管不同，人格却不能不尊重，何得如此無禮耶？某原係李公的舊部，從此即與之絕交了！

西安事變發生時，李公已應中樞招邀入京，繼而張學良交付軍法審判，中央特派李公爲審判長，定讞未幾，我由貴州回到金陵，於謁候李公之際，叩問案情內容。他大笑道：「這是一幕戲劇，別無內容可述，不過，我却叨光晉升了官增，你應該爲我慶賀！」我莫名其妙，他又解釋道：「我原係二級上將，張學良亦爲同級上將，軍人是要講究階級的。因此，國府於任命我爲審判長之後，連夜又補發一道明令，升我爲一級上將，贊符體制，這不是幸運嗎？」公平日與僚屬言談風趣，多類是也。

劉璈抗法前部署

·李仲侯·

後山自花蓮港，水尾，埤南、三條崙抵鳳山界爲後路，統軍一千五百名，仍請歸張副將兆連領之。澎湖爲前路，統軍三千名，擬請就歸澎湖協將領之。現計舊存兵勇約一萬一千餘名，應新募五千名；餘另稟擬就漁團中抽練應用水勇四百、南北路各三百，中路二百共一千二百名外，尚募陸勇三千數百名，暫足一萬六千名之數。兵力先有成算，餉力亦得稍紓。所擬五路統領，因各限於地勢，彼此救應爲難，非嚴其責、重其權，斷難濟事。各路濱海，皆數百里，何處可扼？何處可援？先將所統之軍分半扼守，餘作活營，水陸連環，預爲布置，俾得臨時自爲戰守，絕不求人。

如守處被攻，責令固守待援，準定三日，所備活營責在應援，駐紮之處，離派守各城卡，砲台均不得過一百廿里，赴援定以日行六十里，兩日趕至爲限。此本路自分守後之責成；如本路稍緩，仍當馳援別路之急。除溪洋阻隔另議外，亦定以告急文到，日行六十里爲限。凡援軍能破限赴援者，爲首功；如限者，平等；遲誤者，首罪。本路別路，均照此科斷。（三）

沙田谷村居雜詠

謝康

蜿蜒車輛走蛇龍，傍海穿山一軌通。谷裏青蒼濃欲滴，叢叢煙樹畫圖中。

行人遙指望夫山，絕世容光鏡澀間。只爲藁砧歸未得，長教清淚濕巉巖。

沙田四面亂山圍，煙水蒼茫翠色微。最愛莊園林蔭路，田家風味認依稀。

道風山下幾家村，綠滿階除上屐痕，對面佛庵般若院，萬千竿竹映柴門。

茶肆酒旂兩面分，榕陰夾道綠如雲。游人共上西林寺，爲賞齋厨不茹葷。

門向青山翠黛迎，晚風禾稻亦懷新。鄉居正好習幽靜，況是桃源可避秦。

十里風光一色勻，綠肥紅瘦總宜春。勸君莫謂農家苦，餅果新年對客陳。

海隅逝水惜年華，萇楚歌殘不見家。一自排頭村裏住，東窻日對野枇杷。

壬寅春暮未定稿

內僑警台報字第〇三一號內銷證

自由報

THE FREE NEWS

第二六〇期

中華民國僑務委員會頒發
台僑新字第三二三號登記證
中華郵政台字第一二八二號執照
登記爲第一類新聞紙類
（半週刊每星期三、六出版）
每份港幣壹角
台灣零售價新台幣弍元
社長：雷嘯岑
督印人：黃行寰
社址：香港銅鑼灣高士威道二十號四樓
20. CAUSEWAY RD 3RD FL.
HONG KONG
TEL. 771726　電報掛號．7191
承印者：田風印刷廠
地址：香港灣仔高士打道二二一號
台灣分社
台北市西寧南路壹壹零號二樓
電話：三〇三四六
台郵撥儲金戶九二五二

「沒有境界」的美國「退却主義」

方南

中華民國當前唯一要判斷的主要問題是：美國究竟打算怎樣出賣我們。

目前美國的決策者當然可舉出很多理由，說他們不會出賣中華民國。但，我們也可以淸楚地指出：循美國今天的政治策畧而行，結果非出賣我們不可。

「退却主義」

美國總統甘廼廸自從就職到現在，顯然在推行「退却主義」。所以「新境界」事實是「沒有境界」，沒有人敢預斷他將退却到那裏爲止。

一連串的事實可以證明上面所說的眞確性。例如最近在寮國用非常牽強的手段組成以左傾勢力爲主的聯合政府，以及壓迫荷蘭在談判席上放棄西新幾內亞給由蘇俄撐腰的印尼，更在「華沙會議」當中密對中共提出保證，反對國軍反攻大陸。

美國不只在亞洲推行「退却主義」，在西歐亦是如此。它正力促英國參加西歐共同市場，目的在把西歐迅速培成一個可以獨担反共重責的堅強力量，好讓它從這個地區安全退却。

它雖沒有明顯表白出「孤立主義」復甦，但它的「歷史步伐」在朝着那個方向走，誰也可看得淸楚的。

甘廼廸的一套策士曾在競選期中指責艾森豪政府，說他已把美國變成一個二等國家。現在，由他們執行的政策將使美國變成第幾等國家呢？答案很明顯，歷來沒有一個以不斷退却爲國策的國家能夠僭居一等的。

艾森豪之言

最近，艾森豪曾說過一句話，他在任時最大的錯誤，是沒會使尼克遜成爲他的繼任人。這話只可替他的共和黨爭取民心，若從深遠處看下去，以「重利的商人頭腦」爲主的共和黨政府，和以「誤國的書生頭腦」爲主的民主黨政府怕都是一樣，沒有足夠的氣魄幹出旋轉乾坤的大事業。這個國家已再沒有「殖邊精神」來支撐它在國際的義勇行動，而且也漸漸顯出了「力不從心」的虛怯狀態，命定是要走上退却路綫，打着「沉機觀變」的如意算盤。

認識了美國甘廼廸政府現行政策，認識了美國一貫在退却的大勢，中華民國當局便要澈底放棄「唯美是賴」的依附心理與等待心理。

玩弄於股掌

我們不妨指出：美國連「退卻」的智慧與技術也低得可憐。例如：寮國聯合政府甫成，共黨立即喧叫美國應由泰國撤兵。果然，陳毅才這麼說了一說，曾經大吹大擂開入泰國協防的美軍立即後轉，美其名爲表現他的「機動性」。這是對中共表示「和好」姿態呢？還是給寮共越共打氣？

最近陳毅玩弄美國外交官員，儼有「兒撫而譎弄」的得意姿態。他向美國外交官員送着秋波，說：寮國的事情實在沒有中共多大份兒，幫助寮共軍火是蘇俄的事。那不是視美國官員如愚騃小孩是什麼？美國外交官員愚蠢地在「華沙會議」提出反對國軍反攻大陸的保證，陳毅卻公然宣佈出來了。這是美國外交官員供給他以公開施行離間挑撥的資料。他要借美國人的口來打擊中國反共志士的精神意志，並且借此大大丟美國人的臉。你說他卑鄙毒辣麼？他卻可以自詡高明，暗鳴得意，嘲笑美國人的無能。

我們怎麼辦

連「退卻」也顯得如此顢頇的美國，在在都出力幫中共的忙，肩負復興中華民國使命的志士仁人該怎辦？如不甘被出賣，如不甘讓中共借美國人的手來困死中華民國，便該毅然提起革命精神來，怎愁沒有可行之策？怎愁沒有可做的工作？

中共最近屢次宣傳，國軍如向大陸反攻，不論時間遲早，規模大小，都唯美國是問。這便是要借美國人的手來困死中華民國的公開招認。他們有一個假定：只要美國肯幫忙長期負起阻止國軍反攻的責任，國軍終必有被困死在台灣的一天。因此他們說，他們願意等下去，再等二十年，一百年也行。這等如說：要用「長時間」來「困死」在「小空間」的國軍，堅信大必可吃小，時間必對他們有利。

留心被出賣

這正是「不打自招」，昭然若揭。當他們內部極端貧乏，空虛與騷亂的今天，美國猶且畏之如虎，討好唯恐不及，假使他們勉強度過經濟難關，造成一個足以對美國施展恫嚇的較佳形勢時，誰還敢相信美國不會出賣中華民國？

正唯如此，我們便該把全副精神全副力量對準中共的弱點，發揮我們自已能夠動用的一切武器，包括政治的，軍事的，運用最高智慧，振發犧牲精神，萬不容稍存因循觀望的惰性思想了。

死抱着美國人的脚跟是不成的。透視中共內在的弱點，美國人決不如我們淸楚。中共慣用謊言詭計欺騙美國人，我們該用事實教訓美國人，使他們再在歷史的紀錄上承認一次錯誤。

看幾天以前陳毅向西方人士說些什麼話吧！他把中共三年來經濟的慘敗，完全諉責於天災，說只有共產黨才有辦法應付這種災變，如在從前的政府決不得了。這只表示他們猶有信心把最近「民變」鎮壓下去罷了！陳毅所指的「天災」，事實就是「人民革命」。他相信共產黨是一部最有能力壓平內部革命的機器，從前東歐的匈牙利如此，現在中國大陸也如此。他這樣強作鎮定的表示究竟有什麼意義呢？也不外用來欺騙以美國爲首的西方國家罷了。中國革命志士會相信這種謊話嗎？

發揮革命精神

五十年前，建國成功是怎樣來由的？其後北伐勝利是怎樣獲致的？抗日戰爭是怎樣支撐的？今天悶局要打開，第一取決於精神，第二取決於方法。有了革命精神才會想得出方法來。方法要多想，越想才越精。遭受犧牲失敗也不怕，只要不斷地幹，不斷地纍積，以小勤爲大勤之漸，以小失敗爲大成功之母。史實具在，覆按便有餘師。

至於今昔難易的比較，難的是共黨那一套控制方法比以前任何苛暴政權爲毒辣，易的是大陸民心與兵心思變之急，荒歉災患之重，都屬史無前例。而自由中國在大陸以外可運用的各種力量，亦遠比以往各個革命戰役爲龐大。若竟惕於匈牙利與古巴反共兩役的失敗，不自行根據中國歷代抗暴起義革命的成功史實，詳究得失，別創新法，那便是太過自暴自棄，愧對先烈在天之靈了。

唯反攻是活路

不反攻便要困死，不前便等於慢性投降或自殺。向退一步看是全盤皆困之着。只有進一步看，才覺處處是生機，條條皆活路。敵人滿身的瘡疤都是我們射擊的好目標。敵人指使在退卻中的美國人縛我們的手，我們剛好用機動的前進給他們一個總答覆。難道廻天轉地以至扭轉歷史的偉績，只該等待別人去幹，中國革命志士是與此無關的麼？

天助自助，古語不誣。我們沒有理由坐待中國被人出賣，更沒有理由坐待毛澤東再餓死一億五千萬人去穩定一個業已搖搖欲倒的殘暴而又腐朽的政權。

來源一樣

羨慕之至

自由談

寮國所謂中立政府成立後，一面接受中華民國的大使正式呈遞國書，同時又讓毛共政權派員在首都永珍以「外交代辦」姿態，公開活動。因此，我外交當局除向寮政府提出強硬抗議，聲明決不承認「兩個中國」的搞法外，更對該國總理傅瑪親王所說要重行考慮中寮外交問題的話，表示不滿，要求對方加的說明。我認爲這些都是不切實際的外交詞令，姑且立此存照可也。

大力製造寮國中立政府的，乃是那號稱爲自由世界盟主的美國大少爺，他使用了各種壓迫威脅技倆，纔弄出傅瑪親王的中立政權來，而且自說自話，指爲這是蘇俄不許中共向東南亞地區侵畧的結果。當美國以停止軍經援助的方法，強迫寮國反共政府就範時，諾沙旺將軍和龐翁親王抗不屈從，曾經聯袂訪問南韓、南越、中華民國、菲律賓這些堅決反共的友邦，希望能夠給以財力物力的應援，俾得我行我素，不受美國這種無禮欺壓的鳥氣。可是，這些友邦皆表示心餘力絀，愛莫能助。如是，反共的寮王及其文武幹部們，祇好忍氣吞聲，同意日內瓦十四國會議的協定，勉強成立中立政府了。在這種情況之下，傅瑪身爲中立政權的內閣總理，無論他是自動或被動的心情，對外就得表現着「兩面人」的作風，實逼處此，無可奈何，不管咱們怎樣的強硬抗議，他唯有欿然抱歉，黯然神傷而已。

莫再浪費精神

站在中華民國的立場，當然厭聞所謂中立主義，更痛惡「兩個中國」的詭計，邪說，但這並非寮國創造的，亦不是它所願爲的。我們唯一可採取的對策，就是撤消對該國中立政權的承認，斷絕外交關係，涇渭分明，決不含糊，必要時實行軍事反攻，乾坤一擲，作爲對國際姑息主義者的切實答復。若要抗議，亦唯有向那發揮姑息主義的策源地華盛頓提出，今後不必再跟可憐的寮國多所詞費了。

擒賊先擒王，我們不能熟視江洋大盜，橫行無忌，而枉拋心力於穿窬小偷的監察糾舉工夫，未免浪費精神，太不值得吧？

馮五先生

廣州盲流收容所 幾年整死成萬人

梅縣確曾有人吃人慘事

〔香港與大陸〕

剛從廣州來港的僑眷楊太,向記者透露中共廣州當局如何以「收容所」名義殘忍對付「盲目流入」廣州的同胞的悲慘事實,一句一淚,令人不忍卒聽。

據楊太說,該「收容所」係設在廣州市黃花崗之「華僑新村」。她本人住在該「收容所」側面的第一公寓。她說:該「收容所」方圓約五畝大小,周圍有鐵絲網,內有一廣場和幾座平房。「收容所」設有一前門和一後門,前門就面向華僑新村住宅區,後門則面對小北之荒山,汽車由前門將一批批「盲目流入」廣洲的人運入該「收容所」之後,又由後門用人力板車將一批批骨瘦如柴的死屍或快要死了的人運往廣九鐵路背後之荒山埋葬。

據楊太說,她一則因爲住得靠近,再則因爲曾收容過一名從「收容所」冒死逃出的小農婦,所以相當了解裏面的慘狀。楊太說,被拘往該「收容所」的人,大部份是住在廣州市但卻沒有戶籍的居民,以及那些到了廣州但卻沒有「通行證」的人。她所曾收容的那位小農婦,就是爲了想到湖南丈夫處而在臨上火車時因爲沒有「通行證」而被拘的。

據楊太說,該收容所初成立時,被拘的人,大都只罰餓幾天,然後分別用車押運回原鄉勞改。後來,顯然是由於「盲目流入」的人太多了,不勝其押送,於是而就地施以勞改,榨取其賸餘勞力,直到油盡燈枯,予以拋棄,因而慘事重重。

據楊太說,中共把那些「盲目流入」的人拘進「收容所」後,每天由大批全副武裝的共軍押到車站、農場、鑛場等去做沉重的體力勞動,每天只給他們吃兩餐,每餐僅一小碗飯(二兩半米),而且完全沒有餸的,如此經過十天半月,這些人便已瘦弱不堪,沒有勞動力了,中共便將他(她)們看守在該「收容所」內,供應之食額更少,醫藥全無,不幾天,這些人也就因饑餓或疾病而死亡。便被一批一批的由後門運到荒山去埋葬,實際等於拋棄。在被拘「收容所」時,如發現有企圖逃亡或反抗者,總是當場打殺完事。

據楊太說,這小小的「收容所」,幾年來,慘死在裏面的人,起碼是萬計的。尤其是近月來,被送往該「收容所」的人特別的多,天氣又悶熱,所以死亡者更衆,附近經常有一種令人作嘔的死屍臭味。

另一位由廣東梅縣來港的張先生說:他在大陸曾親眼看到人吃人的慘事,這事就發生在他的家鄉,主角又是張先生的私房兄弟張文×。

張先生是廣東梅縣田羅湖村人。據他說,他的那位私房兄弟,原係自資經營南貨生意的,但自共黨實行「公私合營」後,便完全破產了,被中共遣返農村生產。他那位私房兄弟從此態度悲觀,缺乏人生興趣,往往神經亦有些不正常。他私房兄弟家中有一妻和一位四歲的女兒阿秀。

張先生說:去年四月中旬,正是青黃不接的時候,梅縣每一個人,都餓得眼花繚亂,常有在工作中支持不住而倒斃的事件發生。一天,張文×與妻子同在公社的土地上除草,到中午間,張文×忽叫頭暈,支持不住,便向共幹請假回家去了。是晚張妻放工返家,看見丈夫並無病態,正捧着一大碗肉猛吃。張文×見妻子回來,便說:今天十分好運,回家時拾到一隻死兔仔,所以有這麼多的肉吃,並叫妻子也吃一份。張妻聽到有吃的,高興得很,毫不懷疑的也端上一碗大吃起來。不久,想起女兒阿秀,想叫女兒也來吃一點,但在屋內及附近屋外都找不着,回來詢問她丈夫,卻是支支吾吾,不得要領,這時張妻感到有點驚疑了,便行入房中,猛然發現床底下有一缽用鹽淹過的肉,並有一對手臂在內!這才使她恍然大悟,知道剛才吃的是自己的女兒!她於是便大吵大鬧,但張文×卻若無其事的說:「有什麼好哭呢?遲早都是餓死的」!但張妻還是大吵大鬧不止,卒驚動了公社幹部,並立即將張文×拘送公社,從此便不知其去向。

是晚,公社緊急召開田羅湖村大隊羣衆大會,縣委書記亦親臨該大隊,一再叮囑要大家對此事保密,如有任何人將此事傳揚,其罪將與「反革命」—造謠同論。(敬斯)

姑妄聽之的國際奇聞

——美國要贈糧給中共

(本報美國航訊)美國當局自從大陸饑民洶湧逃出鐵幕的慘狀發生以來,曾再三表示祗要中共向美國乞貸糧食,即將予以鄭重考慮,但毛共置之不理。最近共酋陳毅在日內瓦發表願與西方國家妥協的言論,且跟美政府代表哈里曼晤談,美方認爲這是適合「甘廼廸主義」——姑息妥協——的好現象,必須及時作出一些「良好」的反應,如是乎,國務院大員哈里曼日前又重彈舊調,說美國願意以糧食接濟毛共,卻不須毛共提出申請,而易以「中共不再採取侵略行動」的官腔廢話,作爲贈糧條件了!

甘廼廸政府現在希望跟毛共妥協的猴急心情,昭然可視,問題是在毛共方面能否放棄其一貫的反美立場,而不致發生內部思想上的混亂情勢。但美國當局總想乘機拉攏毛共,進而使毛共與蘇俄分裂,這種一廂情願的單相思病,英美的政治人物已經害着十年以上了。目前由於中國大陸上發生大饑饉,美國大少爺便以爲使用「糧彈」政策即可引誘毛共入彀的。事實上,美方早就秘密進行着對毛共贈糧的勾當,然毛共怵於種種顧慮,對於「美帝」這番好意,感覺不易領受。所以,共酋陳毅在日內瓦乃大讚美國保證不支持台灣反攻大陸的決策「殊堪賞識」,哈里曼與陳毅的互相唱和,另有一種說不出口的心事,橫亘於懷,究竟是甚麼心事呢?

據聞:一個月以前,有一位以商人姿態出現的美國情報機構的幹部人員,曾到香港澳門尋訪素來跟毛共方面有關係的奸商市儈,洽談美方願以糧食販運共區的方法,說是美國雖不便直接跟毛共打交道,但可將小麥交由南美某國(不是古巴)轉運東來,而且不須毛共照價支付現金,別有一種證券可以代用的。這種證券原係中國國民政府在對日抗戰時期,向美國借貸黃金五萬盎斯以維持財經現狀的産物。因爲那時候中國對於海外的交通運輸綫,只有通越印度的「駝峯」這一條國際飛航孔道,而黃金質料笨重,飛機每次無法多運,且事實上中國政府亦不須將五萬盎斯的黃金一次使用掉,乃由中國政府印製了一種收據式的證券,每次需要運輸若干黃金,即發出同數額的證券作爲憑據,美方主管機關——財政部——按照證券所記的數量發給黃金,而在這項證券上簽字,然後再由中國政府收存,作爲雙方核數結帳的法定根據。這項證券是保存在上海中央銀行總行的,大陸淪陷之際,中央銀行既忙於將庫存金銀轉運赴台灣,內部又有共諜潛伏着,倉皇之中,信託局保存的前汪記政府移交下來的珠寶一箱,且未運走(毛共曾將它公開展覽拍賣),這項並非「有價證券」的黃金借貸收據,更未加以重視,大部份落入了毛共之手。這事情,美國當局自然知道,對於此項「廢」物,今乃異想天開,要予以利用一下,作爲結交毛共的禮品——美方把小麥設法運給毛共政權,毛共即以上述「廢物」作爲有價證券抵交美方,實際就是美國的贈予,不過藉此項廢物來掩飾贈糧的醜行而已。究竟這幕醜劇能否演出,尚不可知,但美國社會一部份人士曁衆議員等,近來不斷地呼籲白宮,不要把剩餘小麥供應毛共,此中蛛絲馬跡,確屬值得台灣中國政府當局特別注視的。

(七月卅一日於紐澤西)

〔採訪線外〕

(本報記者台北航訊)高雄市議會議員謝友華(女)在市議會中,提出了一件別開生面的議案,建議政府對於蓄妾的人,徵收「蓄妾稅」。她的理由是:本省蓄妾之風甚盛,家境優裕之富商大賈,多蓄三妻四妾,享盡齊人之福;男性多的是無妻光棍,不但不能供養一個老婆,甚至失業而不能自存。因之她主張,對蓄妾者科以「蓄妾稅」,要稅捐稽征處進行調查,凡市民戶籍上有「同居人」(即妾)之記載者,應按同居人之多寡,予以課徵累進之稅率,其基數爲蓄有一妾者,每月課徵稅金一百元,超出一人者,按此數累進加徵。

此項提案,由兩位女議員苗華岷,蔡逢生連署,並經列爲此次議會的「財政類」第一號議案。觀據察,此議案付大會討論時,將會引起一場饒具風趣的爭辯。高雄市議會中,畢竟是「陽盛陰衰」,男性議員有三十二人,爲「壓倒的多數」。男性議員中,有七位是享艷福者,如議長陳銀櫃,便擁有一妻二妾;副議長王玉雲,擁有一大一小,在此種情況下,謝議員的提案,能獲通過的可能性有多大?

緊張考戰甫經結束

兩項疫疾困擾台灣

台灣每年暑期,學生們大大緊張,本年更是加厲緊張。全省各學校舉行升學考試,形成「考戰」,緊張之極。放榜之日,各報館之「號外」大行其道,暢銷之數,爲以前各種重大新聞所出號外所望塵莫及。

考試之後,幾家歡樂幾家愁,金榜題名者「闔家歡」,「名落孫山」者則全家愁。有因落榜而離家出走者,有因聞名登金榜而緊張過度而昏倒者。

今年隨「考戰」而殺到台灣的,又有所謂「副霍亂」與「腦膜炎」二大魔鬼,分兩路進襲寶島,「談虎色變」,魚商、水果商、冷飲商,以及零食店等,「賠累不堪」,到處注射防疫針者,均大排長龍,醫院生意應接不暇。

台灣發生副霍亂,是一種恥辱,當局現正以全力「戡亂」,以期消滅,然迄至八月初,情勢尚未稍戢,人人都在爲此發愁。(匡謬)

緬甸力謀增加穀米生產

由於水利天災等因素

緬耕種面積未達戰前

(本報駐緬甸航訊)緬甸革命政府農業部與農村發展局,着提高緬甸農作物的產量,決定在全國各地擴大耕地六十萬英畝。谷米的種植工作,仍是緬甸最主要的經濟動脈,現有的耕植面積尚未能達到戰前的紀錄,(據估計戰前總耕植面積爲一千二百八十萬英畝,現在的總耕植面積僅有一千零六十萬英畝)。造成這個現象的主要原因,是各地的河道逐漸淤淺,堤壩多已損壞,加上各種自然災害,影響耕作。

緬甸革命政府成立後,不僅制定加強發展農業的目標,同時重視協助農民的生產問題,如在各地增闢荒地,協助解決農業耕作的機械,消除害虫,供應優良的種子和肥料等。

緬甸谷米的生産,由於去年水災,有些田地遭到損壞,故未能充耕種預定的面積。目前尚須要二十萬噸大米輸出問題,國營産品貿易局已與大米商接洽,務必要補足這不足的噸量,藉以保持緬米在國際上聲譽。

現在緬甸各地都普遍下雨,雨量充足,加上革命政府正澈底地發放農貸,這些條件,應該能保證來年的谷米産量必會增加。

現在來觀察世界的糧食情況,因爲時間尚早,然而根據目前世界大米的生産者告訴,在今年産量將稍減,則在來年大米仍是會吃香的。

今年緬甸的國內食用大米是足夠的。然而現在的米價,則確是普遍地稍爲提高。在這個時候,谷米照例是漲價的。因爲,在此時期,一般米商是喜歡貯存谷米的好機會,所以爭先恐後的採購,亦因此而表面上出現缺米的情況。現在農產局已在進行收購中,缺米的問題,大概就不會産生了。

但假如本年遭到氣候的破壞或由於農民的耕種不夠積極,使來年的谷米産量減少了,而來年的輸出量又不減低,那麼,谷米不敷,國內的食用問題就會産生了。米價也就必會上漲了。

根據上述的情況,緬甸政府之大力鼓勵農業生產,使農民努力耕作,正以此故。(張金龍)

美報坦心美國文明毀滅

——華盛頓來鴻——

像此種情形不違枚舉，各種特殊集團均認爲國庫是可以無底止的需索的，且人數越來越多，幾於無一人不領受某種名稱的補助金了。

此種無可否認的美國之政治與經濟制度之下降，在我們看起來，不應歸咎於全國大衆。地方政府儘管貪污者甚多，但當地民衆仍多肩負責任，爲了子女之前途而建築醫院教堂與學校。

困難所在，係因聯邦政府日益侵佔地方政府與個人的權限。甚多農夫都聲稱他們贊成取消農產品津貼制度，但如其他農人向政府領到津貼，他們爲何不向政府伸手拿錢呢。

聯邦政府不僅使得此種不合道德之事件越來越多，且更有對之加以鼓勵之模樣。不管是白宮抑是國會如此發動，我們祇好賦予他們一個名字。那個名字乃是煽動民衆者。

等到煽動民衆者與大衆願意伸手拿錢加在一起，政治與經濟的制度機構便都無法將情形控制。目前的危機不是從民主制度而來，而是將民主制度顚倒所至的。（羣註：可參看人生二七七期粤佛教授之議論。）

老百姓與制度一直是在防止麥氏預言之實現，我們盼望他們繼續他們的工作。但這並非是說，從華府以至受領津貼的農夫與企業以及任何人家，可以無視於麥氏百餘年前的警告的。

麥氏說道：「一種社會向下流邁進時，不是文明崩潰便是自由消失。不是凱撒便是拿破崙以鐵腕將政府控制。否則共和國在廿世紀將被蠻族侵畧搶劫，好像第五世紀之羅馬一樣；但祇有一事今古不同，那就是：羅馬係被外族如匈奴及曼戴爾等民族搶劫，而你們的打劫人物係來自你們內部的。」

四、最近有數書出版，均是對凱音斯主義不利的。萊特教授寫了一本書「論凱音斯制度」，將其長處短處都寫出來，短處遠多過於長處。米塞斯與他的學生羅斯拔得各寫一本書，前者名曰「經濟科學之最後根基」，後者名曰「人與經濟及國家」。前書說企業家並非市塲經濟之主宰者，眞正主宰爲消費者大衆，他們決定何種企業成功何種者失敗。米氏在書中批評經驗方法，（註：即科學方法，）後者指稱經濟理論是無永久性的，無一種定律既可以解釋紀元四十五年至六十二年羅馬的通貨膨脹，也可以解釋一九四五年到一九六二年美國的通貨膨脹。後書則將一國經濟之種種病症歸咎於政府之干涉。

以上數書實足發人深省。

手上敬上順頌

著綏

弟顧翊羣拜啓七月卅一日

天南風光

——沙羅越的首府——古晉

朱淵明

它開花之時，有些全枝盡花，不見一葉。它原有一個名字，也是馬來亞話，似乎叫「甘榜僕豬」，有點囉唆，因之一般人多只種其花，而不叫其名，也有人隨口叫它紅葉花的，自然不妥，因爲它的花色至少有四種，即紅、紫、黃、白是也。不過紅色最多，紫色次之，黃白兩種又次之。凡屬古晉有空地的人家，差不多家家都有這種花，甚至還「巴殺」人家的天台與走廊上，也所在多有，因爲它也可以種在花盆裏的。一入古晉，眞可說是花花世界，而首先接觸的，則多半是這種花。

又有一種醉芙蓉，也極美妙，各家籬內，多有一叢。晨早花開，其大如飯碗，色乃純白；及十一點左右，花色漸轉爲淡紅色，嬌艷欲滴；中午至一時間，則變爲水紅，慢慢轉爲桃紅，有若濃粧少婦，儀態萬方；至四五點鐘時，全花大紅，近乎發紫，儼有夕陽絢爛，不可方物之概，知已近乎黃昏，不久即蔫萎縮，一日花事畢矣。然此批甫畢，叢中其他蓓蕾，又有綻裂蕊露，含苞待放，以備翌日之紹芳競秀者。如此循環不絕，有若人生之永遠移轉，也等於人羣之遞進不絕。老子云：「四時之序，功成者退」。不圖醉中芙蓉，日日實踐此老哲理，究係衆醒獨醉？抑係衆醉獨醒？只好留持解人。但此中情趣，僅能於悠閑中得之，似非功名利祿之士所能領畧。

初入古晉，乍然一看，很有一點像澳門，但卻比澳門潤大開朗，整個氣氛，復寧靜安閒。雖然市區中心有些街道，也陳舊狹窄，但新式馬路，卻一律坦蕩寬敞。十年以前，兩層樓屋，最爲普通，近年以來，自政府大廈陸續興建，於是商店民居之三、四、五層新式鋼筋水泥樓房，亦如雨後春筍，蓬勃而起。因之建築生意，特別發達，從香港去的建築商，多甚得意。自星加坡前往的也不少。（三）

公道的哲學

中庸　（一）

哲學是思想之源。思想忽畧哲學的論據，可說不成爲思想，最少是稱不上有體系的思想，獨立的思想。

哲學上的智、情、意，雖各有所專，亦各有所缺。晚近思想界趨於綜合統一的完全觀念的研究，認爲唯有以完全觀念爲基礎的思想，才是眞正的思想，健全的思想。

科學思想進到現世紀，已超越地球的研究，發展對高空、太虛、星際的奧秘的探研。但顯明，今人除科學技術比前人有較進步的滅見外，哲學思想即可說全未超越以往的中外聖哲的範疇。談二元哲學未能跳離古代希臘三聖哲的理論；談心物合一未能跳離中國的王陽明，與英國的培根；談自然超脫思想未能跳離印度的佛學，與中國的老莊；談儒學人生美德，更無足論矣；即權術縱橫，也難有勝過春秋戰國諸子。所以近人與今人的思想著作，只屬於解釋或闡揚古人學說的性質，甚而祇是技巧抄錄的轉述，極少發現獨創的作品。

公道社會思想亦並非獨創，她祇是追隨聖哲的指示，綜合歷史因果與自然的法則，擷取一種以完全觀念爲基礎的，包括有智、情、意，三種因素的哲學，使爲公道思想的論據，以構成一個體系。

公道是無所偏之謂。完全、綜合、由相對性的事物求得絕對的價值，便是公道的標準。故公道的哲學，必然是包含有智、情、意，三種因素的哲學。

東西聖哲的不足地方，非在理論，乃在實踐。孔學禮運篇的大同理想如何實行？基督的天堂如何乃能『或就在天如同或就在地』？柏拉圖的理想國度又如何可促之建立？是否可促之建立？一般的民主自由思想運動，要在那種條件下方能順利推進？凡此都足證當前的人類世紀，似不貴乎在再多的空論，乃貴乎有抉擇的智慧，發掘實踐前人偉論的方法。

馬克斯無疑也是提供了一條具體的通路，但他煽發人間仇恨鬥爭的獸性意識，壟斷機器經濟，以科學技術爲重點，爲達成共產王國的手段，這種偏於主觀空想的，完全忽畧人性尊嚴的一面，拋棄謙讓敦厚的美德，毀滅人間互愛的方法，其引導人類走入的將祇是地獄，絕不會是自由幸福的天堂。

這個人類世界如果離開人類因素，必然是不成爲人類世界。人類有滿足本能（先天）與需要（後天）的慾望。這種慾望如無靈性引導及節抑，便形成掠奪，鬥爭的獸性行爲的表現。

人類既顯明包容着靈（善性或神性）與肉（惡性、物性或獸性）的兩重性格，則所謂人性至理，必須是靈與肉交流乃可發揚。宗教劃分善惡二神，而又俯伏於一個全能全德的上帝，科學決定事物的相對性，而又尋求統一的塲界，太初的定律，這就是矛盾的統一，哲學上由二元化合爲一元的共通道理。

軍備競賽拖垮蘇俄

美國勢必奉陪到底

蘇俄不惜悉索敝賦，「要大炮不要牛油」的再度舉行連串核爆之後，鐵幕之內的老百姓生活更苦了，國際大局亦更因之拉緊了。

蘇俄此舉，至少說明下列四事：（一）禁試更加杳不可期。（二）禁試且做不到，禁用原核武器更談也不用談。（三）裁軍談判當然更加顯示祇是徒費唇舌之舉。（四）美國當然也會繼續的進行試爆。

換言之，這完全是軍備競爭的局面，雙方均恐懼在武器上落人之後，咬緊牙關，拼命致力於此。此種情形，尤以蘇俄爲然。

據說，在艾森豪時代，便有一項決策：要藉軍備競賽以拖垮蘇俄。甘廼廸上台後，以「新境界」爲標榜，認爲軍備競賽是兩敗俱傷之事，曾有眞心要達成裁軍協議。但現在形勢所趨，亦祇得奉陪到底了。（晉）

瘟君續夢

第六回：烽火照邊陲　同惡難濟
樓船橫碧海　大憝興悲

張治中繼續說道：「各位同志想一想，你們愛國家的大恩絕沒有我深，截到現在爲止，我已吃了國家三十年的薪俸。說到受總統的知遇，你們更不能和我比，從黃埔軍校當教官起，不過十多年的時間，官居上將，位列封疆，除去行政院長之外，什麼大官我都作過，你們都知道愛國家，愛領袖，難道我張治中就不是人嗎？」

張治中接着說道：「各位以爲我眞替共產黨效力，反對我們自己的政府，那就成爲天大的誤會。不用說我是個人，就算是條狗吧！吃了主人幾十年的飯，也不致因爲主子窮了，就掉過頭來咬一口的。」

張治中說到這裏，眼圈又紅了。許多人也跟着流淚。

張治中又說道：「可是，大家要認清楚當前的環境，西安，蘭州都失了，我們這一支部隊變成孤軍，東面是共軍，背後又駐有蘇聯的紅軍，在這兩大力量夾擊下，我們抵抗得了嗎？當然就軍人信條來說，不成功，便成仁，大不了一死就完了！可是這樣犧牲有什麼代價？一旦政府反攻，需要我們這一股力量，臨時向那裏抓去？諸位的匹夫之勇，豈不是誤了國家大計。」

張治中說到這裏，整編四十二師師長趙錫九站起來問道：「請問張長官，依你的辦法應該怎樣辦。」

張治中目光向全塲掃射一遍，微笑說道：「依我的意見只有暫時與共產黨妥協，以保存實力爲主。俗語說留得青山在，不愁沒柴燒，我們只要有這十幾萬隻槍桿在手，怕什麼？」

張治中說到這裏，一部份人的意思有點活動了，不過，還是有人不肯相信，整編七十八師的黃團長站起來問道：「共產黨的不守信用，任何人都知道，我們同它妥協，誰敢從中担保不會上當。」

張治中拍拍胸脯：「我絕對可以担保，我同毛澤東的交情之深你們可能也知道，民國三十四年他到重慶開會，就住在我家裏，爲了和談，我曾經三上延安，當時毛澤東曾說黨史都要把我寫進去，在毛澤東方面，我是絕對可以負責任的」。

張治中說過這段話，情況反而變了，許多人都在搖頭，剛才的氣氛完全消失了。

張治中一看情形不妙，一拍桌子說道：「各位同志，我若有意騙你們，說過不兌現，就叫我張治中代代男盜女娼，這樣行了吧。」

一看張治中罰了這麼重的誓，大家反而無話可說。這時陶峙岳站起了說道：「剛才張長官講的話實在是愛國家，愛民族的肺腑之言，我們不要辜負了長官的一番苦口婆心，現在我的意見就接受長官帶來的共產黨方面條件。各位同志如有不滿意的，可以離開迪化，省政府備專機送去重慶。大家如若還有不同意見，也可以提出來。」

陶峙岳說過示意他的親信一齊鼓掌，就算通過。不久，共軍王震部由甘肅開到，把陶峙岳部編爲二十二兵團，隔了一年又改編爲新建兵團，專門去戈壁墾荒，過的是奴工生活，大家知道上了當，想找張治中也找不到了。（一二五）

憶玉軒雜綴

汪胡上下床

北客樓主人近寫湘芝零墨，有記汪精衞當年在故都銀錠橋，謀刺攝政王被捕，捕之者爲警察廳內三區署長年德潛，清廷當時賞銀五千兩。年是何人？他字澤川，係乾隆初年大將軍年羹堯之六世孫。

寶琛深慨汪被捕後，曾有絕命詩謂「引刀成一快，不負少年頭」！何等氣慨，直不信其在廿五年後，是叛國的大漢奸。不過從旁邊看來，比如國父在世，對汪始終未以國家大事重任之，今日思之，不無因也。

國父生前，對胡（漢民）汪的看法，是汪的文章，雖生動流麗，但多浮滑虛飾，不若胡之遒健勁嚴。儘管汪爲人聰明，學問亦不甚差，更善辭令，尤其演說，極有聲色，且風度翩翩，談吐風生。然國父離粵，大本營事，悉以委之胡氏。眞是明察秋毫，獨具隻眼。

茲談遺囑，以國父在平逝世，胡漢民遠在廣東，以致臨終易簀，此囑祇好由汪執筆。假如在粵，必非汪氏。不過以此遺囑文字來說，汪也算做到言簡意賅，堂皇冠冕，婦孺皆能記憶，不可謂非妙筆。惜哉，見利思遷，終至叛國，而遺臭萬年也。

生死之交

民國肇定，於今有五十一年，除了神聖偉大的抗戰，其外尚有曾使國脈不絕如縷者，爲雲南起義，討伐稱帝的袁逆，卒使憂愧而死，而共和再造。雖後來有馬廠誓師，平定復辟，但比之雲南起義的蔡松坡將軍，手無寸鐵，一無部旅，以堅忍不拔的大無畏精神，迫令袁軍無門志，推倒了此大奸雄，相去遠矣。功已告成，而松坡將軍終以出師作戰，積勞過甚，使疲乏之身，宿疾加劇，終於逝世在日本。眞是天喪良將，國受其殃。因爲蔡將軍如多活十年，則以後北洋局面，將另有一番氣象。

喻血輪先生寫憬梅庵雜記，有述及松坡之生死交誼，爲蔣百里先生。蔣亦吾國軍事專家，爲參謀系的權威，唯一的人才。民國四年十二月廿五日，蔡將軍自滇起義，百里始終與共，晨夕相處，患難與同，迄其赴日療疾，病危溘逝，均在其側。如此朋友，可說生死全交，爲民國所僅有。在蔡逝世後，語及此事，百里輒老淚縱橫，泣下霑襟，何其眞摯也。（未完）

康有為的嗜好
讀書買書買花睇月光（二）

丘峻

年十二，作詩歌，長官諸生，驚爲神童。十三歲，學於省會，長輩命習科舉文，而氏最惡八股文題。十七歲，得海國圖志，瀛寰志畧，及利瑪竇，艾儒畧，徐光啓等譯著諸書，心境頓開。十八歲後，絕不好八股文，且欲廢之。自此益肆力於說部，詩文，稗官野史，以至文集，傳記，技術。家藏書數萬卷，日坐松下縱讀之。十九歲，詣九江朱子勳禮山草堂，拱手受教，備聽我國數千年學術之源流，治教之正變，九流之得失，古人羣書之指歸，經說之折衷，乃毅然以大道自任，以天下事爲可爲，以羣書三十歲必可盡讀。於是謝科舉，絕仕途，專研宋明儒理學，日讀十數冊，自歷朝經史子集，莫不研究辨難；旁及天文，地理，算術，樂律，無所不誦。

二十一歲冬，以日沉埋於白紙黑字之中，炫博殉名，神明日汨，思得安身立命之所，遂捐書閉戶，徬徨無倚，泣然慟哭，同舍驚以爲狂。乃辭歸西樵山，居白雲洞泉石深處，絕交閉戶，靜坐累月，時與名僧接談，潛心內典，讀佛道之書，求氣魄之靈。以衆生同源，於是戒殺素食，冥心孤往，視本身如土壤，妻子如偶塊，恍悟天地萬物，皆成一體，狂喜歡蹈，以爲證聖矣。頭風治愈而歸，身畔多携釋典如華嚴，楞嚴，法華，金剛，法苑，珠林內外家，名爲治心之用，時年二十二歲冬也。

氏既以人我一體，不可忘世，及初遊香港，覩宮室之壯麗，道路之整潔，警察之嚴肅，乃知泰西治術由來之有自。又北上京師，過上海，入長江，見聞一變，遂盡購津，粵，閩所譯新書讀之。以氏天資聰敏，舉一反三，因有所悟，故見盡釋，思想一新。復結交海內通人，講論典故；每遊必載書數篋，閱畢復出。山鄉無侶，竟日閉戶，俯讀仰思，日新大進。

什麼也不信！

羅蘭

我家十七歲的小下女阿秀，不只一次自鳴得意的對我說：「我什麼也不信！鄉下的拜神拜佛都是迷信，土里土氣，我才不拜！」

是的，她眞的是什麼也不信。她對動物殘忍，虐待它們至死，也不會眨一眨眼；對她那年老的祖父母沒有絲毫敬意，因爲她不相信因果報應之說。她受過兩年小學教育，畧識之無，在衣飾舉止上常表現「力爭上游」，唯恐被人識破她是「鄉下來的」。

幾次，我試圖使她明白，人爲什麼不該殘忍，爲什麼要遵守傳統習俗，爲什麼要有所忌憚；可是，她顯然對我的說法不感興趣，甚且在神情間流露出：「你枉爲都市中的知識份子，思想卻如此落伍頑舊！」然後，她會很含蓄的提醒我一句：「你小時候習慣了鄉下舊式的迷信。」

她說得不錯。我生長在北方鄉下舊式的大家庭裏，那個家庭裏的人不但死讀經書，而且敬神拜佛，唯恐不誠。小下女的話很有知人之智，她一語道破了我之所以「落伍」的原因，因爲她是由矇然無知，一躍而進入了這個核子時代。核子不但破壞了宇宙間空氣的純淨，而且更進一步粉碎了人們本已脆弱的一切信奉。她不懂什麼是科學，但她卻相信個人的至高無上——沒有什麼東西可以令我們在精神上有所戒懼。這眞是可怕的！

陳之藩先生在「迷失的時代與海明威」一文中說：「我們這個時代是個迷失的時代，人們把庵堂建築得美侖美奐，卻把神像拉塌台了！」其結果是，人們在精神上失去了憑藉，對道德的敬意和對善美的憧憬都因而崩潰。破除迷信的結果是撕毀了賞善罰惡的條例，是使人們覺得他們「不爲什麼」而生，「不爲什麼」即是沒有信仰，沒有信仰就是今朝有酒今朝醉，追求今生形體的恣縱而等待死亡。

有位哲人說：「自有人類以來，不知有過多少落日時光，忽然有一天，看看西天落霞，而『呀』了一聲，人類的文明自此開始。」這是說，人類的文明產生於對大自然的讚歎。我們如果仿照他的說法，也可以說，自從有了人類文明以後，不知過了多少年，有過多少廟宇，進過多少香，忽然有一天，朝望者登上了廟堂，一看神像不見了，而『呀』了一聲，人類的文明從此結束。換句話說，人類的文明消滅於對神祇失踪後的茫然。

現代人們因爲親眼見到人造火箭可以直上月球，並可把月球背後的形勢一覽無遺，認爲替他們證明了天堂只是一片虛空，一切神祇均不存在；因此，人類覺悟了——我們儘可胆大妄爲，無惡不作，而不必戒懼着會被居高臨下的神明在冥冥之中給我們做下記錄。以前人們會爲恐怕「只瞞得了人，卻瞞不了神」而不敢「欺於暗室」。現代人卻有人爲他們證明只要瞞得了人即可胡作非爲，而不必怕「上干天怒」。於是，道德法紀乃隨之而蕩然無存了！

現代人對落日殘霞消失了讚美的心情，因爲他們已看破了那只不過是虛空的一片。他們對神祇已經無敬意，因爲他們相信離地三尺並無神明，而只是那冉冉下降的原子塵。

海嶠叢談

前輩人的風範（四）

諸葛文侯

愚當年以後生青年，從李協公游，少不更事，意氣昂然，每對黨國大事，或與李公個人有關的政治問題，好發議論，然李公不以爲狂妄，且常予採納。民國十七年春間某夕，李公老同學兼舊部屬方韻松（聲濤）先生（他歷任滇軍旅長，師長）來晤商某項政治事宜，李不同意，方乃大聲怒詰道：「李協和你眞豈有此理！一個後生之輩的話可以聽從，老朋友的意見卻多方刁難，這是甚末意思？」時區區亦在座，頗感尷尬，但李公輾然應之曰：「我看你今晚又是在那裏多吹了兩口來的吧？（方有阿芙蓉癖）肝火這末旺盛，却不怕給後生之輩瞧着好笑！」方先生回顧愚，亦不覺發笑了，他倆旋即恢復了和諧的氣氛，仔細商洽問題，毫無芥蒂。似此道義之交的風格，實在令我欽佩難忘也。

蘆溝橋事變發作後，中日戰爭序幕揭開，旋京滬相繼淪陷，李協公原在香港跑馬地置有房產一所，乃携家到港居住。迨政府揭出「長期抗戰」政策，他逆料來日大難，適老友李根源招邀他到昆明去休養，他認爲昆明係舊游之地，門生故舊甚多，生活無憂，即將香港房產出售，獲得時價港幣十萬元，僅以小部分現欵留置身旁備用，餘數連同他夫人歷年積存的首飾珍品，一律儲藏在滙豐銀行，留作他日養老之資。越年，太平洋戰事勃發，日軍進攻香港，要把想存在港方的現金和首飾取出，亦不可能了。

迨日軍佔領香港後，派磯谷廉介爲總督，對華人採取懷柔政策。磯谷與李協公原是日本士官學校的同期生，曾登報聲請李公派人到港領取上述存儲在滙豐銀行的金銀首飾，李夫人主張可以照辦，李公慨然道：「抗戰如果勝利，戔戔之物，他日即不愁缺乏；戰爭若失敗，國家且淪亡了，更何有於此身外之物哉？」終置不理。

李公住居昆明時期，雲南省主席龍雲雖係舊識（李當年在滇領軍討袁時，龍氏係唐繼堯的衞隊旅長），殊鮮往還。迨民國卅一年李決定離滇赴渝之際，有人告語他，如能親訪龍主席辭行，龍氏即可贈以相當數目的贐儀，他笑謝之。李携家涖止重慶，貧病交加，以無力設置宅第，借住馮玉祥在歌樂山頂的別墅中，時我於役成都，未遑趨候。卅二年二月某晨，我特往山上叩謁，他在臥室內聽說我來了，急忙走到客廳裏，跟我相對坐下，祇望着我諦視良久不語，繼而連說：「老了！老了！老了！」幾聲，然後細談別後，他很感慨地告訴我：「人老了，又多病，當然沒有價值了。如今顯貴人物在市內有洋樓大厦安居，市外有別業休憩。我生平在政治上既不知營私植黨，又不願同流合污，老來自不免背時，只好向朋友借地方棲息以終天年啊！」我再三慰解，臨別他依依不捨，廻異往時，我心裏預測他的生命力已臨衰殘境況，却不料此一代英豪竟於次年即溘然長逝了！（完）

劉璈抗法前部署

·李仲侯·

惟別路赴援者，必準定固守十日爲責成，庶使各先盡其在我，統視援路遠近緩急，量撥活營若干，但不得撥動守營，自貽缺陷。是路與軍雖分而勢力仍合也……前奉憲批，吳鎭帶兵在前，職道籌餉在後，自係正辦；奈敵無定向，前後亦無定位，週台三千餘里，到處皆屬前衞，恐吳鎭一人，不㢟顧此失彼。職道應在後，而前路分肩人少，不能不自分一路，任投艱險，勉以身先。」

台灣四面環海，中亘叢山，周圍三千里，縱橫約二千里，舊有兵勇僅一萬一千人，五路佈防，形成連鑣並軫之勢，以有定之兵，制無定之寇，佈置縱屬周妥，然究嫌兵力單薄，防地遼濶。道管餉，鎭管兵，原有成例，無如當日鎭台吳光亮怯而寡謀，與劉遇事齟齬，故璈不得不挺身而起，自告奮勇，統馭一路之兵，破釜沉舟，撐持危局。

他認爲政治應配合軍事以應付非常，不得不權時以軍統政，故他又呈明：「各統將籌防內外，必須與該地方文武聯絡一氣，呼應始靈。如該統將與鎭道商定應辦各務，該地方文武敢有張皇遺誤，應由該統將隨時參辦。如所派守援各營官弁稍有違誤，平時聽其撤參，臨警立正軍法，悉由該統領主持，先將各路調派援守情形分條具報，該管鎭道不得掣肘，以重其權。兵力不敷，隨時量加餉力不敷，再請指撥，總以精兵兩萬，分布爲準。倘有一路戰守不力，致令敵人登岸失陷地方者，則罪在統領，軍法繩之。（四）

內僑警台報字第〇三一號內銷證

自由報

THE FREE NEWS

第二六一期

中華民國僑務委員會核發
台教新字第三二三號登記證
中華郵政台字第一二八二號執照
登記爲第一類新聞紙類
（半週刊每星期三、六出版）
每份港幣壹角
台灣零售價新台幣貳元
社長：雷嘯岑
督印人：黃行寰
社址：香港銅鑼灣高士威道二十號四樓
20 CAUSEWAY RD 3RD FL
HONG KONG
TEL. 771726　電報掛號．7191
承印者：田風印刷廠
廠址：香港灣仔高士打道二二一號
台灣分社
台北市西寧南路壹壹柒號二樓
電話：三〇三四六
台郵撥儲金戶九二五二

反攻大陸的戰畧戰術問題

——國軍軍事思想應有的改進

·金達凱·

關于反攻大陸問題，筆者曾在本報提出討論，並經大晚報轉載。但前次所談的是原則性的問題，即應否在當前的有利時機下展開反攻的問題。現在則在技術方面提出一點意見，這就是未來反攻作戰中在戰畧戰術方面應該注意的一些問題。

反攻大陸，是一戰爭的過程。戰爭的作用，是消滅和瓦解敵人，取得戰場勝利，達到政畧的目的。因此，在戰爭行動之前，除了兵員的組織訓練，幹部的儲備，技術裝備的加強，後方勤務的部署，以及經濟動員和戰地政務等有關工作的準備外；還要針對敵人的特點，針對敵人的戰畧戰術思想與戰鬥作風，進行深入具體的研究分析，從而確定自己的戰畧戰術原則，改進戰鬥方法，以尅制敵人特點，發揮自己特點，掌握整個戰爭的主動，奠定勝利的基礎。

就筆者的觀察，近代中國建軍，尤其是國民革命軍的建軍，雖有四十餘年的歷史，內外大小戰役不下萬千次，然而始終沒有在自己建軍的傳統歷史基礎上，沒有根據各種戰爭勝敗的經驗教訓，形成一套健全與本身相適應的戰畧戰術思想。一切都學外人，照搬外國經驗。從術科動作，學科教材，陣中勤務，野外作業，以至敬禮姿式，服裝式樣，都以外國爲彷效的對象。最先學日本，其後學德國，現在訓學美國，而且毫不加選擇的學，毫不考慮本身環境，毫不講究自己的軍事傳統，這是任何有歷史有獨立性的國家軍事所沒有的現象。江西第五次圍勦的勝利，雖歸功于逐步推進，穩紮穩打的碉堡政策；但更重要的，當是廬山軍事訓練，將曾胡治兵語錄與蔣先生的「勦匪手冊」相結合而推行的一種民族軍事精神運動，在軍隊戰鬥精神上所發生的巨大效果。以後戡亂的失敗，亦不是兵員不足，不是裝備和戰鬥技術不行，而是軍人精神上的空虛，甚至可說是精神上的殖民地化，以致一經挫敗，即不能再戰。因此，總結本身經驗，吸取與共軍作戰的教訓，將美式技術裝備與本國軍事特點結合，與民族軍事精神結合，建立自己的戰畧戰術戰鬥原則，是國軍當前的重要任務，是反攻行動前的重要任務。

從近二十餘年來的內外戰爭情況看，國軍指揮機構在軍事思想上有下述五項錯誤：

第一、不區分敵人的性質，不研究敵人的特點，不注意敵人的戰法，而將任何敵人都作爲一個類型，北洋軍閥也好，日本侵華軍隊也好，早期的共軍和後期的共軍也好，都是單純地把它們作爲戰鬥的敵人，都是單純的一打。在作戰方式上，不過是一般的攻擊與防禦的重複。而敵人的特點如何，我們過去失敗的因素如何，現在及今後應如何打法，應如何在敵我條件的變化上，改進我們的戰畧思想與戰術作業，似乎是無關重要的事。因此，在戰場上失去主動，即使在初期是主動的，以後也逐漸變爲被動。這是一。

第二、不重視自己的流血的教訓，不總結本身的經驗，以致戰勝了無法擴大戰果，失敗了則繼續同樣的失敗。以勦共軍事而言，從江西第一次圍勦起，至撤出大陸爲止，我們在戰場上所受的挫折，其原因差不多是相同的，敵人的僥倖得逞，其所用的方法也差不多是相同的。但是二十餘年間，我們很少能眞正針對問題進行深刻的檢討，因而在軍事教育，軍事訓練，指揮方式，以及參謀情報工作等方面，很少能夠改進，以致吃虧吃到底。這是二。

第三，是戰爭觀念的問題。我們過去對共軍的作戰，只着重于收復城市與地區，地方克服了，敵人趕走了，就算完成了作戰的任務，而不重視消滅敵人的有生力量。由于敵人力量的存在，不僅戰爭無法結束，而所收復地區的安全也無從鞏固。並且因敵人的流竄，到處劫掠裹脅，在物資和兵員方面得到了補充，從而更壯大了它的力量。過去勦共之愈勦愈多，就是由于我們只注意土地，而不全力殲滅敵人，所產生的後果。（這中間自還有部隊長的心理因素，怕打硬仗，以免因殺敵三千而自損八百。）這是三。

第四，不注意與友軍協同，尤其是歧視地方部隊，不將地方部隊作爲自己的耳目。以致對敵人情況隔膜，發生戰鬥時形成孤軍作戰，得不到地方力量的援助。這是四。

第五，在戰術上，一般野戰方式，總是平面推進，很少用奇襲伏擊，迂廻包抄，即使採取包圍，也不是用關起門來打狗的方式，眞正做到嚴密合圍；而常是網開一面，以致敵人的主力得以脫逃。這是五。

如果當日我們認眞總結這些經驗教訓，改變一般的戰術思想，改進作戰方法，則戰後大陸局勢的發展，必有不同。而共黨之爲患，決不致因星星之火，成爲今日的燎原之勢。

反過來看，中共之有今日，固然有許多因素，但它們在軍事上的警覺性，對國軍特點，包括部隊歷史，裝備情況，指揮官性情，駐地工事，戰鬥能力等方面的研究分析，根據與國軍交手的經驗，在戰術和戰鬥方法上的大胆創造，使其由劣勢發展到優勢，當爲主要原因。在戰畧上，它們接受了第五次圍勦開始時，亦即閩變發生時，紅軍主力未有乘機突進到蘇浙皖地區去，以威脅國軍後方重地的教訓，所以三十七年當國軍向魯西進攻時，劉伯誠部不逃向華北，却直竄華中，將戰畧防禦轉變爲戰畧進攻。在戰術上，亦根據江西幾次反圍勦經驗，發展所謂「十大軍事原則」，逐步改變戰場形勢，最後達到佔領大陸的目的。

因此，我們要反攻大陸，無疑地要將共軍的一切特點，作全般的研究，例如它的機動性，在野戰中的埋伏襲擊，利用優勢兵力將敵方包圍分割，以及用小部隊向敵方陣地的大胆穿插等，是它們圍點，斷綫，打援的主要方法。在國內戰場如此，在韓戰場亦如此，今後也不會離開這些原則。所以我們絕不能以一般的戰畧戰術爲標準，更不能片面地只注重裝備（海空軍及特種兵除外），而把當前主要敵人及大陸戰場的特性放在一邊。

在此情況下，筆者認爲國軍今後反攻作戰的戰畧戰術，應以打破和尅制共軍上項特點爲前提。而首先一項工作，即在加強對共軍的研究：

一、各級幹部應系統地研究共軍的戰畧思想與作戰方法，陸軍士官學校，軍官學校，參謀學校以至國防大學，都應有此問題的專門課程。

二、一切演習和野外作業，應以共軍的作戰行動爲假想目標。

三、技術兵種也應考慮和實際練習在交通破壞，供應隔斷的惡劣情勢下的如何作戰。

只有在思想上切實完成了這些準備，反攻大陸才有勝利的可能，國軍才可創造一頁空前光榮的歷史。

反之，假定我們還是故步自封，渾渾噩噩，不肯用腦筋去研究敵人，並把研究所得作爲改進我們自己的張本，則我們將來踏上大陸，在軍事上，更難免重蹈以往的覆轍。「知己知彼，百戰百勝」，知彼的工夫，非常要得緊。而亦必需認眞的做到知彼，也才能徹底的知己，才能眞正有把握打垮敵人，完成勝利。

由核爆產生的和平鴿子

此曲只應天上有

自由談

無聊的和平曲

馬五先生

蘇俄於發射載人的太空船進入軌迹之後，即呼籲西方國家不要作高空的核子爆炸，意在希望美國勿亟亟於核武器的競賽，以表示和平共存的態勢。這跟美國在太平洋聖誕島進行一連串的高空核子試爆之後，即要求蘇俄從事誠意的裁軍談判，並提出讓步性的建議案以彰和平思想的作風，後先輝映，如出一轍，都是爾詐我虞的廢話，不值一哂也。

兩個勢不併立的敵人，彼此互相猜忌，暗中拼命發展新式武器，以期征服對方，稱霸全球，絕無共信的意念，卻又拼命搶和平帽子，嘵嘵於世人之前，可鄙孰甚哉！

二次大戰前夕，英德法美各國皆已擁有所謂毒氣戰的軍備，由於美總統羅斯福之嚴重警告希特勒勿使用毒氣作戰，以免互相報復，而德軍乃始終不敢亂來。但世界大戰照樣進行，並不因爲「毒氣僵局」的存在，而趨於「和平共存」之境。撫今思昔，誰能相信美俄對於禁止核子武器的裁軍談判，會有達成協議的奇蹟產生呢？

不過，當年的希特勒但求創造稱霸歐陸的「德意志帝國」，於願已足，他沒有征服全球的野心，亦缺乏相應的思想武器。現在的俄帝，卻有一套以仇恨爲出發點的世界革命理論，聳人聽聞，隨時可以激起敵國內部的動亂，使它得到「不戰而屈人之兵」的績效。所以，它一面傾全力於新武器之發展，同時宣傳「和平共存」，合政畧、戰畧與戰術爲一體，相輔相成，毫無衝突窒碍，確有「埋葬」資本主義社會的可能。美國呢，除了物資豐裕，科技發達，僅在新武器方面奄有制勝俄帝的潛力以外，論思想力量，不堪一擊，論社會結構，缺乏以文化精神爲基礎的堅韌性能，而乃棄長用短，竟想跟俄帝作「和平競賽」以取勝，何其不知彼而且不知己乃爾耶？

因此，法總統戴高樂之拒不參加裁軍談判，專心勤力於發展原核子武器，乃不失其爲睿智的政治家。甘迺廸要求法國停止軍備競爭，徒見其幼稚譾陋而已！

香港與大陸

恐怖氣氛・日甚一日

毛共在廣州胡亂捕良民

軍便裝探員到處橫行

廣州市氣氛現在異常恐怖，時常有大批軍裝公安人員及便裝暗探到處巡邏，凡被認爲可疑之人，便予逮捕。

據一位僑屬張太說：她有一位親戚，因爲身體有病，不能工作，閒居在小北路，生活仰給於香港親友，半月前，他曾對一位小販說了幾句香港如何自由，物價如何低廉的話，不久忽有大批警員湧至，大事搜查後把他逮捕。初時他感到莫名其妙，後來才在大批警員中赫然發現那位「小販」，始知禍之由來。

又據新近由廣州到港之王君說：不久前，黃花崗理髮店有一伙計，在工作時無意中與幾位同事談及此次逃亡潮中，許多人雖未能遂其所願，逃抵香港，但起碼得到一些香烟，麵包和糧食。剛好是時有一位密探在理髮，結果該理髮匠當場被捕，並被罰頸下掛一木牌，寫着：「我做了敵人的傳聲筒」，在街上敲鑼遊行。

王君還說：最近廣州市維新路之公安局，增設了一個警備司令部，調集大批「精幹」軍政人員組成，經常有大批全副武裝警員巡邏，防範百姓不軌行爲。

另甫由廣州到港的大學生王君向記者透露：最近廣州市內，「阿飛」空前活躍，彼等多屬被騙回大陸的僑生。

王君說：有不少僑生，因爲對共黨行爲不滿，深知受騙了，不願繼續受共黨的奴化教育，紛紛退學，情願閒在家中，結果遂淪爲阿飛。

王君說：這些阿飛還有了組織，且組織相當龐大，起碼有數百成員，在東山農村下路一間獨立洋房中設有「總指揮」，頭子是一位原在中山大學讀書的馬姓僑生。這些阿飛的主要活動是欺騙、勒索、毆鬥、和搞女人，他們專欺騙那些出差到廣州之「北古佬」幹部。許多「北古佬」都有的是錢，他們都希望買到「南洋貨」，但他們都不識眞假，致常被這些「阿飛」以假冒眞，騙取大量金錢。阿飛們有時亦公然向那些「僑伯」勒索金錢和食物等。王君說，「阿飛」們常有所謂「狂歡夜」，大吃大喝，男女胡來，搞得烏烟瘴氣。

共黨「公安人員」對阿飛不但奈何不得，有的「公安人員」還和他們取得聯系，討好他們，希望撈一些油水。（敬斯）

美有力僑團同源總會反對港高等華人入美

強調如此做法有失公平

（本報華盛頓航訊）美國的華僑，對於美國政府專挑在香港的「高等華人」以難民身份赴美，提出異議，認爲這樣做太不公平。

提出這項反對意見的，是在美國僑社極具勢力的「同源總會」。是這個僑團的代表余兆中，當他在華盛頓參加美參院「難民問題審查會」的公聽會之時，所提出來的。——在美國國會，現在有一個難民提案第三四六號，這個公聽會，便是爲美國國會討論這提案的準備工夫之一。

這個第三四六號難民提案，其中有一點，是要求美國總統特許五千個中國難民入境，並規定有優先入境資格者，包括「謀求家庭團敍的人，以及一些自由職業者，專門人才及技術人員而對美國有貢獻的人」。同源總會的代表余兆中所竭力反對的，便是規定中的「自由職業者，專門人才及技術人員」這部份。他說：這是對於「高等難民」的偏私行爲，最要不得。

同源總會認爲，美國選擇自香港來的中國難民，應該祇限於「家庭團敍」的那一項目。余兆中說：歡迎那些以「家庭團敍」爲理由的人來美，有幾項好處：（一）讓這些人的家屬團聚在一塊。（二）這樣易於同化。（三）不必求助於政府。（四）家人可自行設法予以安置，不致發生搶奪別人職位的情事。（五）有家人照料，不致發生生活無依以致挺而走險之事。（六）華人的親眷得來美國之後，在美家人可免再匯寄贍養費，可以因此而節省外匯。余兆中並表示他的希望，對於這些人的來美，在經過了安全調查之後，對於申請者的文件，不可以要求過嚴，徒滋紛擾。另外亦不可以索取過高的手續費。

按：對於美國這些年在香港專門挑選「高等華人」以難民身份前往美國一節，香港政府，其實也是不高興的。前些時，有一位英國教授，就曾經發爲不平之鳴，說是美國專挑有財產及有學問有技術的中國難民，實在是自私的行爲。這那裏是收容難民，這簡直是替美國增加財富——有錢佬固然是財富，有學問有技術的人，尤其是財富。這樣的「難民」，什麼地方不歡迎他們呢！那位英國教授還說：這些年來，香港所收容的中國難民逾百萬人，他們是各種成份的人都有，包括老年人，小孩子，貧無立錐者以及目不識丁者。祇有如此不加選擇的收容難民，纔眞正是值得稱道的「義舉」。

如今同源總會的反對專挑「高等華人」來美，雖然立意又與那位英國教授有所不同，但其反對的對象則一；此對於美國政府今後在這方面的作風，可能會有相當的影響。

在那個列號三四六的難民提案中，除了要求特許五千中國難民入美之外，另還有如下的建議：（一）請各國召開中國難民會議，合力解決中國難民問題。（二）請拉丁美洲各國開放門戶，儘可能的收容中國難民。（三）請美總統立即撥用剩餘糧食，救濟逃到香港的中國難民。（四）請美國政府負担香港收容逃出的中國難民的經費三分之一。（五）請開闢太平洋上無人居住的島嶼，以安置逃出中國大陸的難民，其一切經費，由美國或國際難民組織負担。（六）逃出的中國難民之願意前往台灣省投奔自由中國政府者，由美國派飛機或船隻協助接運，並儘可能的以剩餘糧食捐贈自由中國政府，藉以減輕其財政負担。

在那天的公聽會上，余兆中曾答覆美國參議員們的詢問，他强調，不要說五千名，便是放一萬名中國難民進來，華人社會也可以輕易安置他們。他說，根據以前入境的中國難民的安置經驗，華人的雜貨業與餐館業，可以設置新的職位，去安置他們。

那天的公聽會，華裔參議員鄺友良亦出席的，他對於余兆中所說華人社會可安置一萬新難民之說，曾加以補充，他說：美國的華裔人口，祇有三十萬，佔全國人口千分之二，多加一萬，不算什麼。公聽會主席哈特參議員，對鄺議員所舉數字，表示詫異，他說他實在不知道美國的華人數字，原來如是其少。

按：華裔參議員鄺友良，是夏威夷州選出的兩名參議員之一，屬美國共和黨籍，年前曾到台灣訪問。鄺友良參議員爲了實地調查香港中國難民情形，將於本年九月有香港之行。鄺友良在美國參議院，一向便爲中國入美名額之爭取多所盡力。（誼）

東姑談馬來西亞聯邦

暗示他不贊成大馬來西亞計劃

星加坡在聯邦中地位比較特殊

（本報吉隆坡航訊）新自倫敦，爲成立馬來西亞聯邦與英成立協議，「凱旋」吉隆坡的馬來亞總理東姑・阿都拉曼，十日晚舉行記者招待會，談了不少有關明年八月正式誕生的新邦馬來西亞聯邦的問題。

雄才大畧而和易近人的東姑總理，自馬來亞脫離英國獨立至今五年，一直掌握馬來亞政權，成就輝煌，功業彪炳，早已成爲馬來亞不爭的政治領袖。這次他在倫敦談判成功，更使他的聲望倍增，如日中天。在記者招待會中，東姑神氣飛揚，有說有笑，不時還同他所相熟的記者問長問短，嘻嘻哈哈，使人人有如坐春風之感。

東姑在記者招待會中談到的有關馬來西亞問題，重要的有如次幾點：

（一）對於菲律賓總統所提出的組織包括菲律賓在內的「大馬來西亞聯邦」的建議，東姑不曾明白說他反對這項建議，但他實際上對於這項建議不感興趣，卻完全從他的言談中顯示了出來。他好幾次提到這是「大問題」，困難重重。他說：組織這樣的聯邦，必須有關國家放棄若干主權，他說馬來亞不願放棄那些主權，菲律賓亦未必願意放棄那些主權。

（二）東姑說：在明年成立的馬來西亞聯邦中，會有幾位聯邦政府閣員由北婆三邦人士出任，但星加坡人將不會參加這個聯邦內閣，祇是星加坡人將有被這個聯邦內閣委派爲外交代表如大使或高級專員（派去英聯邦國家的使節稱高級專員）的。

（三）有人問他，星加坡人不參加聯邦內閣，是否表示在馬來西亞成立後，星加坡等於馬來亞聯合邦的一州，星加坡的總理，其地位祇等於目前馬來亞聯合邦各州的首席部長？東姑說：「不，高得多，他們有自己的內閣，星加坡內閣的地位幾乎可比馬來亞聯合邦政府的地位」。東姑這解釋，說明馬來西亞聯邦中，星加坡的地位是比較特殊的，就彷彿愛爾蘭對倫敦政府所保有的那種地位。（述）

美國出賣西新畿內亞

留下污點並造成禍害

（本報星加坡航訊）荷蘭與印尼有關西新畿內亞的初步談判達成協議之後，八月中將進入正式談判，實際，所謂正式談判，已祇是形式，除非有絕大意外事件發生，印尼必然可以就此取得西新畿內亞的統治權。從華盛頓傳來的消息，便有說協定將於八月十七日簽字的了。

雖然初步協議未經公佈，但其爲荷蘭受美國壓迫向印尼退讓，無可懷疑。據此間人士的了解，初步談判時係以美國退休外交官賓克所提稱爲「賓克計劃」者爲基礎的。「賓克計劃」原規定以兩年爲過渡時期，在聯合國監督之下，印尼逐漸取代荷蘭的統治權。但因印尼力爭須於明年元月元日之前取得西新畿內亞，結果荷蘭再讓步，據說是定期明年五月便要移交政權。果如是，是連那個「賓克計劃」亦給打破了。

「賓克計劃」中還有一點，是印尼必須保證西新畿內亞的巴布亞人將來的自主之權。這一點，儘管在整個計劃中祗是聊備一格，實際應該算是最緊要之處，這一點如其辦不到，則美國政府幕後安排操縱的這一場買賣，將是最卑劣下流最罪惡滔天的把戲。但這一點在談判中是否認眞注意到？將來又如何保證其實能行？現時尙確切的消息。

假定問題就此解決了，表面上誠然是印尼的勝利，荷蘭的失敗。荷蘭失敗不足掛齒，因爲它早該退出西新畿內亞了。但印尼卻沒有接管西新畿內亞的理由。是以，美國插進一脚去過問這問題，結果卻讓無理由統治西新畿內亞的印尼，以暴易暴，接管西新畿內亞，尙失敗者應該是美國。美國得完全負起出賣西新畿內亞的責任。

再者，美國所幕後安排操縱的這場買賣，將來是由要在聯合國出面的。聯合國事實上在初步談判之時，也已經插進一脚去了，將來聯合國的公開出面，殆屬定論。果眞如此，那將構成聯合國的一項見不得人的紀錄，失敗的不但是美國，亦是聯合國的大失敗。

對於這樣生拉活扯地把西新畿內亞出賣給印尼的勾當，西新畿內亞的巴布亞人，已經向荷蘭提出抗議，認爲荷蘭在談判中向大國的壓力退讓太多，沒有盡到它對巴布亞人的道義責任。並有消息說，巴布亞人已經有了將在澳洲境內成立流亡政府，以爭取西新畿內亞的獨立自主的打算。無論此議是否實現，這場罪惡的買賣爲西畿內亞人所反對，彰彰明甚。這場買賣會引來動亂而非給西新畿內亞帶來幸福，亦彰彰明甚。

曾經有消息，說是印尼已曾向澳洲提出保證，它祇以取得西新畿內亞爲滿足，對於澳洲如今所統治的東新畿內亞，並無染指之心。實際問題沒有這麼簡單。澳洲所統治的新東畿內亞，分爲兩部，一爲澳洲屬地，另一爲托管地；後者原屬德國，首次大戰後由國聯交澳洲代管，二次大戰後由聯合國交澳洲托管。共產集團曾在聯合國大駡澳洲在托管部份施行黑暗統治，而這次支持甚至唆使印尼奪取西新畿內亞的，正就是共產集團，形勢所趨，新畿內亞將來的問題還多。美國全以敷衍妥協爲事，向惡人低頭，而犧牲新畿內亞人，全不顧全民主，自由與公理，公道，將來的禍害正多。（建）

僑生戰訓服務在聯勤

仲偉庭

在市郊松山四四新村，有一羣來自韓國的華僑青年，冒着火傘高張溽暑蒸人的炎熱天氣，不避險阻，不辭跋涉，回國參加戰鬥訓練，服務三軍，這種自我犧牲，獻身爲國的精神，眞是革命的楷模。這批五十一位旅韓華僑青年，放棄了暑假的休閒生活，懷着爽朗的心情，毅然參加這次富有意義的戰鬥服務行列，不僅充分表現了海外僑胞熱愛祖國的光榮傳統，和華僑青年反共抗俄的積極行動，而且振奮了三軍士氣，鼓舞了全國的民心，使海內外青年更緊密地打成一片，結成一體，共同向反共復國的勝利目標，戰鬥前進！無疑的也是給共匪笑臉攻勢統戰陰謀的迎頭痛擊。

她們自從到達這個綠蔭掩映下的柳營，以最奔放的熱情，最勇敢的行動，毫無拘束的與戰士們共同生活在一起，以純眞的熱情，歡樂的歌聲，使這個富有戰鬥氣氛的軍營；充滿了蓬勃新生氣象。白天在靶場戰士教她們放槍，晚上在營房，她們教戰士歌唱，使這個柳營到處洋溢着青春活力。

這幾天來她們在緊張的生活中，散漫的心情是集中了，鬆弛的精神是振奮了，思想也一樣的武裝起來了。她們男的變成了投筆從戎的班超，女的變成了代父從軍的花木蘭，各人都穿上草綠色的戎裝，人人都成了雄赳赳，氣昂昂的革命戰士，大家在新的環境中，安排好了新生活，每天的生活是既嚴肅而規律，又輕鬆而愉快，個個都成了時代的先鋒，革命的戰士，不再是文弱書生了，而是生龍活虎的時代青年的先鋒。大家熱烈親切地生活在一起，學習在一起，上課時努力充實，在靶場認眞學習，休閒時儘情歌唱，充分流露出青年們熱情交流。雖然戰訓是教育的另一課，同時也是生活的一面，不僅是給青年帶來了溫暖，而且也是給青年的技能訓練，增加了她們的新知識，灌輸了她們的新思想，振奮她們的新精神，俾能好好地充實自己，好爲將來反攻復國而努力！

她們每天所學的課程也很輕鬆，上午七時至七時三十分是讀訓，八時至八時五十分是聽名流演講，九時至九時五十分是講兵工保養常識，十時十分至十一時是兵器說明（包括步槍，手槍，自動步槍，卡片槍，衝鋒槍），十一時至十二時是射擊教範（包括射擊術語解釋及射擊軍紀與勤務），中午十二時十分至下午二時是休閒活動，康樂室裏有十五種輕鬆有趣的活動，任人選擇，五花八門，玩意很多，這是一個別開生面的活動。下午二時至五時是預習射擊及實彈射擊，五時十分至六時是課外活動，七時三十分至九時三十分是同樂晚會，有電影，話劇，歌舞，以不同時間演出而娛同學。每週三下午是音樂教唱，注音練習。週五下午是參觀兵工作業。星期日是旅行參觀。所以這些緊湊的課程並沒有使她們困惱，反而她們在幾天與戰士們共同生活中，在工作經驗中與生活意識上，有着豐富的收穫，獲得不易獲致的經驗，因此她們這幾天的生活，過得特別快樂，特別興奮。

台北市議長張祥傳與松山區長溫金波，爲了表示向海外回國的旅韓華僑青年致慰起見，日昨特分別携錦旗兩面，香蕉一百公斤，西瓜四簍，汽水六打，去營地慰勞她們，市議會送的是「功在國家」錦旗一面，松山區送的是「愛國敬軍」錦旗一面，以示致敬。

（上）

天南風光
——沙羅越的首府——古晉

朱淵明

而本地的包工建築，尤其興隆。有人說，整個古晉，像一座花園，實際看來，並不誇大。它雖然處在眞正的熱帶，但氣候並不比香港的夏天更熱，夜間總是凉爽。若值雨季，有時儼若仲秋，老弱多披夾衣，婦女則穿着花花綠綠之毛線衫。雖然旱季較熱，只是雨量較少而已，並非全不下雨。但不論旱季、雨季，空氣中之濕度都相當高，故無論樹木花草，終年如春，從無冬景。美麗的花草，加上五光十色的熱帶飛禽，使人感覺到這個城市到處都是詩情畫意，乃畫家寫生的佳地。

古晉偏處沙羅越的西部，照全邦地形看來，似乎不足代表一國，作爲首府。然其氣魄與形勝，却不愧爲全邦首善之區，非他處所能及。它背山面水，沙羅越河蜿蜒自市西環繞市北，浩蕩向東而出海；出海之處，距市中心僅十八英里。有一條新式公路，直通海口。海口之新式碼頭及倉庫，年前均已落成，故萬噸以上之巨輪均可停泊。而沿海口公路兩旁之民房商店，亦逐漸興建，若干年後繁盛市面可能一直發達至濱海之處。至於數千噸較小之輪船，則仍可乘潮直入市區中心，停於萊巴士總站西面之舊式碼頭處。這些輪船，均可以直通星加坡、曼谷、汶萊、亞庇、納閩、山打根及香港、台灣、日本等處；若通往本邦各地之大小汽輪，則每日如穿梭一般，往來不絕，眞是便利無比。

與星加坡的空中交通，每天都有。又有定期班機，來往詩巫及羅東。香港的直航機，亦每週往還一次。假定你要到倫敦去旅行，只需預先訂票，總共只要花一天半的時間，就可抵達——即今天下午二時自古晉乘機飛星加坡，到後還可從容訪友或購物，到半夜一時轉機直航，至明天的夜半就到了倫敦。這絕非幾十年前的人所能想像。

古晉在十年前，人口據調查祇有七萬。但目前，恐怕已超過了十二萬。自然是華人最多。那面的華人家庭，兩夫婦若果只生兩三個兒女，那眞是平常得很，普通起碼都生半打以上；至於一打以上者，亦所在多有。

（三）

公道篇

林人山

公道的哲學——中庸（二）

公道就代表人性，是靈與肉的結晶體，是上帝，是統一的境界，是由多元化合爲一元的哲學。採研比較各家學說，合乎公道的哲學，應是孔學中庸的思想。

哲學一般係劃爲兩大派系：一爲偏於快樂功利的物質主義；一爲偏於出世苦行良知的精神主義。前者以科學爲重點；後者以道德爲重點。融和兩系的對抗性，採取綜合統一的態度，有中庸派出。

古代學術以孔子爲東方中庸派的代表；以阿里斯多德爲西方中庸的代表。現代則以溫德及杜威爲代表。古今中庸思想又有不同的比較，卽前者以個體爲對象，後者則以集體爲對象。

西方不稱中庸，而稱折衷派。東西方因對中庸解釋不盡相同，看法因亦各異。例如美儒波爾拔特批判孔子與阿里斯多德的一段說話：「孔子與阿里斯多德，雖然都以中庸爲教，但對人生觀全面的觀察則不同。阿氏所致力的，除人文學問外，並究心於自然科學，他是知識學問的泰斗。孔子却是道德意志的完人。」美國另一大儒愛默生則以阿氏的師祖蘇格拉底來比孔子，他認爲孔子所珍貴的是以「人世間的實踐倫理與社會道德」爲中心。事實上亦是如此。今日西方的物質文明，是以希臘文化爲基點；中國獨特的倫常制度，正是孔學的道德文化的產物。但若把這種事實，視作爲中庸思想的結果，那却不是精闢的解釋。因爲精神或物質，僅爲中庸思想包容之一部。例如溫德，原是有名的心理學家，認「心靈」不僅是一個整體，且是綜合一切過去未來的意念。這又類似於中國的程顥、朱熹、陸象山、王陽明等人的學說，和康德的思想，無形偏於道德觀，承認有超人絕對力量的存在。杜威的實驗哲學，自成一獨特的工具主義的哲學體系，正恰相反，不承認有超人的至善，而認創造乃由經驗而來，沒有絕對的權威，祇憑社會的實際生活來作判斷「好或不好」的準繩，否定一切抽象觀念的存在價值，無形以偏於科學分析爲重點，以科學代表一切。但這，似不應視爲中庸思想代表。因溫德偏於唯心的意念，杜威偏於唯物的工具，二者均有所偏。事實上，道德不能包含科學在內，科學不能產生道德的至善，二者有其獨立性與存在的價值。中庸必須具有此種兼收並蓄的恢宏，相互協調相長，眞義乃見。

孔學以一個「仁」字總攝諸德。據解釋「仁者人也」，「仁」是二人，出於己之忠誠，到他人之恕諒，便形成「人與人」間相處之道，由個人到社會的相互契約。「天地不仁，以萬物爲芻狗」，孔學似對「人與神」間關係，與「人與物」間關係未有深入的描寫，但其尊重道德、自然、意志，敬畏神明之心，躍然紙上，其主張「親親而民仁，仁民而愛物」，更是一貫。

塵封續夢

第六回：烽火照邊陲　同惡難濟　樓船橫碧海　大憝興悲

新疆國軍編爲屯墾部隊之後，分駐在吐魯番，石河子，哈密，伊寧等地墾荒，忠貞的將領馬呈祥，葉成，羅恕人等均已出走，剩下的都是一些沒骨虫，唯共黨之命是聽，十萬國軍全部變成囚犯，日以繼夜作着墾荒，挖河，修路，造林的工作。伙食方面最初還能吃飽，到了人民公社成立之後，新疆普遍缺糧，駐在新疆的共幹糧食也感不足，只有把農墾部隊的糧食調去供給，這樣一來，種糧的人反而沒有糧吃了。全體官兵恨死了張治中和陶峙岳，但是，到這時再找他們也找不到了。

張治中因爲與毛澤東有特殊關係，還受優待，陶峙岳留在新疆也受盡欺侮，最初他被任爲共軍二十二兵團「司令員」，與第一兵團「司令員」王震同屬新疆軍區管轄；新疆軍區的司令員名義上是彭德懷，實際上由王震代理，陶峙岳只有受王震指揮。到了王震調走後，新疆軍區司令員又由政治委員王恩茂代理，還輪不到陶峙岳。

到了後來，二十二兵團改爲新疆生產建設兵團，應該由陶峙岳指揮了，結果又不是的，南疆方面由中共第二軍軍長郭鵬管轄，北疆由中共第六軍軍長程悅長統帶，陶峙岳變成了有兵無權的司令，他不由得想起投降之前羅恕人勸他的話：「現在只有兩條路，第一條是打，第二條是投降。不過，我站在你的立場，還是主張打，因爲你成功了也成名，萬一失敗了也是成名。」陶峙岳想起這一段話，不由長嘆了幾口氣，也恨咬牙切齒罵張治中。

「新疆生產建設兵團」在中共指使下，墾荒時強佔水源，使大部農田得不到充足水份，農作物收成大減，新疆農民就恨透了屯墾部隊。不久，中共又指使「生產建設兵團」作工，開設木料廠，麵粉廠，土敏土廠。最後，又命令「生產建設兵團」經商，凡是賺錢的生意都作，屯積居奇，與民爭利，這樣一來，新疆人民更加恨透了「生產建設兵團」，雙方時常發生衝突。

最初還是老百姓和「生產建設兵團」衝突，以後新疆土著幹部也站在老百姓一邊，事情越鬧越大。阿爾泰山裏面住的哈薩克族首先舉起義旗，殺了中共派去的地方幹部，一舉佔領承化，威脅新疆同甘肅的交通。

哈薩克族在北疆舉事不久，南疆喀什也發生了武裝抗暴事件。事情的發生十分偶然，喀什是南疆第一大城，城內有全疆最大的清眞寺，回教徒的勢力相當大，中共平時也頗有顧忌，不敢隨便闖入清眞寺。這一天，回教徒正在寺內晚禱，突然跑進來十幾名公安人員，托着衝鋒槍，如臨大敵。其中一名班長，用槍指着阿訇問道：「喂！老頭兒，我們局裏面逃走一名反動份子，有人看見跑進你們廟裏來，我們要仔細檢查。」

阿訇是一個六十多歲的慈祥老人，當時站起來擺手說道：「在這裏參加晚禱的人，我都認識，絕對沒有逃犯，你們還是到別處去檢查吧！」

阿訇話未說完，一個公安人員已把一名女教徒的面紗扯下來。傍邊跪着的一位女教徒忍不住了，站起來問道：「你們的逃犯是男人還是女人。」

（一二六）

生死之交（續）

民五春，蔡師次四川納谿，已病莫能興。一夕，明月照空，樹影婆娑，蔣於附近覓請一位精於醫理的法國神父至，爲其診斷。診畢，神父出，蔣趨詢病情，神父憂鬱而頻搖頭曰：希望甚微；斯人而有斯疾，其貴國重大損失。蔣爲之泫然欲泣。

七月初，蔡抵瀘州軍次，已全然不能發聲，力辭督辦四川軍務職，舉羅佩金以自代，方再抵成都。八月九日東下，月底抵滬，下榻哈同花園。其時黎元洪段祺瑞電請赴平西山靜養，蔣主張赴日，請福岡醫科大學病院診治。九月九日東渡，抵神戶，各界來訪近千，松坡將軍以手指喉，不能發音，由蔣代答。十一月八日，蔡自知不起，以筆書紙上告蔣曰：我將與君分手，我不死於作戰的疆場，應有遺憾。死後必須薄葬，勿事鋪張，我心可安。旋即薨逝，年僅三十五。後來國家明令國葬於嶽麓，靈櫬過滬，特准通行南京路，示崇敬也。

憶玉軒雜綴

雙照樓三聯

袁愛瓊先生寫秦淮風月長篇說部，幾近卅萬言，正在台北晚報刊載，皆記抗戰期間，汪精衛遺事，繪影繪聲，頗博讀者爭誦。其中記及汪氏末年在日本養病，日本朝野，對他頗示好感，優容備致，蓋猶在夢想欲藉汪氏，遂其侵華夙願。結果勝利來臨，汪氏亦身死東瀛，未獲生還。汪氏文章，尤以詩詞頗自負，自署曰雙照樓。當其謀炸攝政王，被捕入獄，有「引刀成一快，不負少年頭」之句，確是豪語。惜乎三十年不到，已作叛逆，以權位利祿變其志，晚節不能堅，爲可哀也。

當汪氏養痾東瀛，日本四大財閥乞其寫聯以贈之，皆由女秘書單氏代筆，但其贈聯，均嵌其名稱，亦尚可誦。如贈三井的聯是：「三十年勝地重遊，蓬瀛富翁應識我。」「井底中青天一覲，鄰邦好友最宜人。」這是記三十年前留學日本，有與三井似曾相識。而下聯有譏其坐井觀天，不知大體。其贈三菱所寫是：「三弄梅花，當年湖山歸眼底。」「菱覘秋色，故國憂樂到心頭。」三菱並非一家族的代表名稱，而是商標的記號，與三井爲大家族者不同。（未完）

康有為的嗜好

讀書買書買花睇月光（三）

丘峻

二十五歲，開始講學。二十七歲，「中國四庫全書」十餘萬卷，及新出之書，皆閱覽畢」，學問見識，日益精進，著述漸多。始好周禮，繼研公羊，本欲以理義通政治之術，因著政學通義一書，後見閻若璩之攻僞古文尚書，劉逢祿之疑春秋左氏傳，魏源之疑詩毛氏傳等，乃綜合諸家之疑古疑經精神而集思之；再見廖平所著闢劉知堂等篇，對有清一代研究經學有深刻見解之正統學者，所發之議論，一一予以駁難。且認廖平學說爲最新，值其來游南海『廣雅書院』，因與之商榷。

自是而後，專研公羊大義微言，發揮己見，乃發明六經皆孔子所作，謂昔人言孔子述而不作者，實誤也。而易言陰陽該天人，春秋定立憲明三世。孔子之道，因人情而爲禮樂，不如朱子篤守論語，僅修身寡過。氏又發明今文經說，爲欲顯眞理，須去僞書，乃以史記爲主，徧考漢書而辨之；以今文爲主，徧考古文而辨之；徧考周秦西漢羣書，無不合者，雖間有竄亂，或偶有以外雜史有之，則劉歆採擷之所自出也。於是作新學僞經考，孔子改制考，說明孔子爲改制之教主，空文之素王，如去世爵奴隸而平族級；開學校選舉而發秀民；抑君權禁專制而定憲法；戒同姓爲婚而中國人種遂至繁；於是劉歆二千年僞亂之學說破矣。且意謂五經似多僞漢代經學家劉歆以僞書參入，用孔子語氣，托孔子見解，使一種新政制度，獲得人民擁護。由於推論五經多僞作，大多數爲漢人故弄玄虛，因此種大胆『否定論』之發展，而努力之革新運動思想，亦由此而孕育，造成維新運動之領袖地位。

新學僞經考一書，對當時政治與學術思想，影響甚大：蓋使清代學術統治地位之古文經學派，發生動搖；同時引導學者對一切古書，皆須懷疑。

答台灣黃寶實君

——為「介其鷄」問題——

編者按：本報接得台中讀者黃寶實君七月廿五日來信，除指摘本報曾刊載談論「易經」義理，以及解釋推背圖的文字，認爲「其不誤盡天下蒼生者幾希」而外，更指出朱淵明先生在本報第三四八期所寫沙撈越土人門鷄的小品文中，將「芥鷄羽」誤爲「介鷄羽」，大做其「介」字文章，認爲「以鷄羽之多之鰊，不知何以能介？作文不看書，誤人誤己」云云。茲接朱淵明先生答復，企望黃君不吝賜教，特披露於次：

嘯岑吾兄：轉來黃君郵片信，敬悉。拙文「沙羅越的門鷄」，原係小品閒文，無關宏旨之作，聊以應命補白耳。乃承黃君覽及，曷勝榮幸。但黃君所謂『將芥鷄羽誤爲「介鷄羽」，大做其「介」字文章……』之語，不知係何所指？因弟原文並無「介鷄羽」字樣。弟所引左傳只有三句，共十六個字，即：『季郈之鷄鬥，季氏介其鷄，郈氏爲之金距。』竊以照左傳原文，其意可能是季氏介其鷄以增加其抵抗力在先，而郈氏遂金其距以增加其殺傷力在後。若認爲「介」乃「芥」之誤，變爲「季氏芥其鷄」，弟以淺陋，實不知其如何解法？亦不知「郈氏金其距」在文體上又如何對稱？雖然古時「介」與「芥」兩字是可以通用的，故孟子有『一介不以與人』之語。然照「芥」字一般的意義，除指植物如芥菜，芥末之類外，多係代表小的意思，如佛家的芥子可以納須彌，及莊子內的芥舟寓言，此外也還有芥蒂的意思。左傳上屢用「介」字，有幾處似均爲「甲」或「被甲」的意義，如寫齊晉之戰：『……齊侯曰：「余姑剪滅此而朝食」，不『介』馬而馳之。』極力形容齊侯之輕敵及急躁，故終於敗績。又如寫齊景公時慶封被逐，慶子被殺之役：『……慶氏之馬善驚，士皆釋甲束馬而飲酒，且觀優，至於魚里。欒，高，陳，鮑之徒，『介』慶氏之甲，子尾抽桷擊扉三，盧蒲癸自後刺子之，……猶以俎壺投殺人而後死。』竊查古時之甲，似不完全以金屬物製成，如皮革及絲蔴織品，彷彿都可製之。綿織品加厚及綿花縫韌亦可能爲甲。例如清朝的努爾哈赤，即是以十三副綿甲起家的。不過，春秋戰國時代，中國或許還沒有綿花罷了。假定季氏鑒於雞鬥之時，最暴露之處爲胸腹部份，而試束皮革或絲蔴較堅韌之物，爲之掩護，似亦不無可能。因弟在沙羅越所見鬥敗之雞，多數傷在胸腹，甚至肝腸塗地，故在拙作上說：『爲雞裝甲事，現已失傳』，以資存疑。黃君認爲『以雞羽之多之鰊，何以能介』？乃專指雞羽毛部分，而忘卻雞的嘴距並不鰊也。然弟也不敢自以爲是。夫自秦火而後，古籍者衆矣，孰能執一說以馭天下哉？弟誠『不看書』，然切盼博學通儒如黃君者詳加糾正，藉開茅塞，而免『誤人誤己』。是以「季氏介其雞」或「季氏芥其雞」，究竟應如何解釋，方爲正確？擬請轉函黃君不吝賜教，至所企幸。此祝撰安。

弟朱淵明上　五十一年八月六日

六一生朝

漁翁

每從客裏度生辰，回首鄉關入夢頻。甲子週來添一歲，光陰過去又三春。不憐香水鬢眉白，但喜廬山面目眞。聞道兒孫皆長大，縱然飄泊亦精神。

海嶠譚薈

近在台北購來文星書店出版的「中國現代史料叢書」全套，首先選讀尚秉和譔的「辛壬春秋」，窮兩夕之力而畢事，其中所紀述辛亥革命與清帝遜位，創建民國，以及南北統一諸經過情節，詳明簡要，文筆亦佳，允屬治史者不可多得的珍貴資料。據說，這些史實都是作者聞見於當年親預其役的人士所稱述，或當時報紙上所記載的，自非捕風捉影之談，而辛亥迄今，歷時不過五十載有奇，若干當事人現猶健在，倘有謬誤之處，亦能夠及時指正，俾成信史焉。因此，我對於原著「清臣殉難記」中，有一則記述湖南嘉禾縣知縣內蒙人鍾麟死事經過的不實不盡各點，謹以身歷其境，目擊其情的過來人（我是本縣人），

為歷史作證（一）

諸葛文侯

聊予補充印證，或許不是無益之事吧？

原著說：「……嘉禾地褊小，而士紳驚時習，多囂競。九月（辛亥年）長沙軍亂，風聲險惡……初大姓李獻廉恣爲奸惡，大府名捕不能得，麟至獲之，後爲其黨篡去。至是昏夜聚衆稱民軍，圍縣署，麟縛其妻於床，縱火自焚，諭二子出避，即鎗殺其子婦。自咽金屑，懷印出堂皇，叱亂民不止，俄而火及，出佩刀自刎死。方擾攘間，鍾麟二子懼父受辱，出乞於衆，以首觸石階，石破腦死，餘俱自焚。唯三幼孫尚臥，爲僕披出得免。」云云，這多與事實不符。是年我在嘉禾縣城「官立高等小學堂」讀書，體操教員本邑人李雲杰（後來曾任國軍第廿七軍軍長）於春間歸自武昌陸軍小學，向駐防的官軍借得快鎗廿支（無子彈），教練我們這羣小學生以軍事操法，我們祇是覺得好玩，亦樂此不疲。迨秋十月縣令鍾麟殉職之某夕，李老師深宵率領我們一小隊學生軍荷鎗馳入城內（學堂在城外），臨時發給子彈每人二顆，教我們守衛縣府大堂之前，不許裏面的人走出。這時我纔十四歲，不知道這究竟是怎末回事。

走進了縣府大堂前，有羣衆近百人圍攏一堆，大聲吼叫，我持鎗向裏面擠立於衆人之前，即見鍾大令戴著正式冠服，危坐堂皇，兩手各執手鎗一支，口中喃喃作語，但聽不懂他說的甚麼。他有兩個兒子原在長沙明德中學讀書，因長沙兵變，已回來了，我們都認識的。此時，鍾大少爺身穿長袍，要走出縣府，羣衆譁止之，我們亦持鎗攔阻不讓通過，他回身趨至父前，說了幾句話，乃父即以手鎗當堂擊斃之。二少爺覩狀驚駭，急向父親有所陳說，「鍾大令又是一鎗將他打死在大堂上。這時，圍聚在堂前的羣衆譁然哄鬧，而後花園亦傳來羣衆呼聲，且有人以棉花浸潤洋油成簇，燃火從後牆外投入縣令的辦公室前後，秩序大亂，鍾大令乃起身放鎗，把環立在旁號泣的二媳婦，二孫兒，一丫頭，逐一擊倒，然後舉鎗自殺，時已黎明了。（當時我聽着這種悲壯慘烈的情形，心中亦驚悸不已，却不明白何以發生此慘劇？

劉璈抗法前部署

·李仲侯·

兼轄之鎮道，仍照例議。養兵千日，用在一朝，在事文武，具有天良，誠如號令嚴明，誰敢虛應故事」！

至劉璈與鎮台吳光亮意見參差，徒知是直取巧，在光緒九年十二月劉的呈文內可以看出，他說：

「台灣鎮自任中路，則南路自歸職道承辦。查原詳一萬六千人之數，係合兵勇併計，各路制兵，除練兵一千數百名外，餘均難靠。台灣鎮所領中路新招粵勇兩營，水勇三百，屯兵百名，合原統練兵千餘名，並彰化副將，嘉義參將，鹿港游擊所屬各弁兵，皆其統屬操練，諒皆得用，照原擬三千之數，計已有盈無絀。茲准復稱：『台灣各營兵額現存四千五百廿三名，祇有澎湖補足原額七百餘名，恒春補足四百餘名，此外一十六營，或存兵一百餘名，二百餘名不等，兵力實形單薄，其城守，中營，道標三營挑揀左右翼練兵一千零九十七名，安平協標三營，挑練一百九十四名。該練兵尚可守城，兼防海口，本鎮如擬分防中路，似非區區兩營之勇所能敷佈，其格林砲隊勇丁兩哨，皆係粵人，由本鎮奉飭招募訓練，即須帶同前往』。

（五）

內籌警台報字第〇三一號內銷證

自由報

THE FREE NEWS

第二六二期

中華民國僑務委員會頒發
台救新字第三二三號登記證
中華郵政台字第一二八二號執照
登記爲第一類新聞紙類
（本週刊每星期三、六出版）
每份港幣壹角
台灣零售價新台幣弍元
社長：雷嘯岑
督印人：黃行寬
社址：香港銅鑼灣高士威道二十號四樓
20 CAUSEWAY RD 3RD FL
HONG KONG
TEL. 771726　電報掛號．7191
承印者：田風印刷廠
地址：香港灣仔高士打道二二一號
台灣分社
台北市西寧南路壹壹本號二樓
電話：三〇三四六
台郵撥儲金戶九二五二

由軍人統治談韓國悲劇

·宋文明·

自從一九六一年五月十六日韓國少壯派軍人發動政變，推翻憲政政府，建立軍事獨裁；到現在已經過了一年零四個月的時間。在此時間以內，韓國軍政府雖在社會及行政改革方面獲有若干成就，但就整個情形來說，這一軍政府的統治，頗使韓國人民感到非常失望與不滿。

我們不能懷疑韓國這批年輕軍人的愛國熱情與苦幹精神，但由於欠缺處理政務的必要經驗及學養，他們所全力以赴，辛勤工作而獲致的成就，實只限於一些不關重要的表面工作，而在決定國家前途的關鍵性問題上却毫無成就可言。因此，韓國這一軍政府自始至終雖未絲毫放鬆它們的軍事控制手段，而國內的不滿與反抗，却並未隨它們統治時間的延長而稍告緩和。這種不滿與反抗的最具體表現，便是軍政府當局一再所宣布並實行軍法懲處的一些所謂反革命與顛覆政府陰謀。總計這一年多來韓軍政府所公開宣布的這類事件，主要者有：

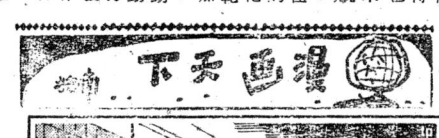

（一）一九六一年七月三日，韓軍政府宣布將前任革命復興委會首長張都瑛及其他四十七名軍官，以反革命罪被捕。

（二）一九六二年一月十二日，軍政府宣布破獲由前獨立黨份子所策動的一項顛覆陰謀，數十人遭受株連。

（三）一九六二年五月二十三日，軍政府又宣布破獲由前總理張勉的民主黨所推動的政變陰謀，遭逮捕者達四十人，其中十六人爲軍人，另有一美人懷特克亦被牽連在內，而遭驅逐出境處分。

（四）一九六二年六月十七日，軍政府又宣布破獲由前憲兵中校李榮煥等所進行的一項顛覆活動，遭逮捕者亦達三十三人。

韓國軍政府所宣布的這些反政府陰謀，有的可能屬於事實，但其中也並不是沒有被誣陷與僞造的成份。就以張都瑛一案來說，本年一月十日韓軍事法庭先將張等六人判以死刑，繼於三月十日上訴法庭又改判爲無期徒刑，最後於五月二日，韓軍政府又將張等六人無罪開釋。從死刑到無罪開釋，這中間相差何等重大，而韓國軍政府竟出爾反爾，一至於斯，這除了證明軍政府的原先逮捕張都瑛爲完全出於個人權力之外，設辭誣告陷害之外，實在沒有別的理由。再以前民主黨份子的顛覆案來說，軍政府的發言人竟公開聲言，由於前總理張勉曾以金錢資助該一顛覆組織，以求政變成功後得以重任總理，所以也被牽連在內。這種說法，實際也是自欺欺人，弄巧反拙。因以張勉個人的從政經驗與認識，他絕不會愚蠢到在軍事統治之下竟以少許金錢鼓勵他人去從事顛覆行動，更不會愚蠢到僅爲了個人未來的總理職位而出此下策。假若韓軍政府確獲有張勉本人與某種顛覆活動有關聯的眞憑實據，而竟寬大到不對張本人採取任何行動，也是不近情理之至。所以一年多來韓國這一連串所謂反革命與顛覆政府陰謀，其眞實性確屬大有問題。

但不論這些事件是否完全屬實，而韓國軍政府既一再宣布這種事件，便表示韓國這一政府並未取得人民的眞正支持，也反映整個政局始終未能趨於穩定。人民既不能支持政府，政府當然也不能信任人民，於是兩者間的關係便不免日益惡化，政府對人民的防範與警戒，也更爲之加緊。在這種情形下，縱使沒有人眞正策動顛覆政府的秘密活動，而政府方面爲了打一儆百，以期先行發生對一般人的嚇阻作用，也有必要將一件小事故特別誇大，加意渲染，設法把它造成一個聳動聽聞的事件。如張都瑛一案，最後雖證明張本人及其五名部屬並未犯有甚末罪行，但利用這些人的被捕及審訊過程，韓軍政府便把潛伏軍中的大部份反對力量爲之輕易消除。至其他各項事件，也都含有這種意味。但就表示：這些事件本身雖並不一定眞有其事，可是却把這類事件可能發生的機會已由此加以預先防止。

韓國軍政府統治這一年多來，不祇與一般人民及舊政界人物的關係搞得非常惡化，就是這一統治集團本身，也是分崩離析，圈子越來越小。當這一軍政府剛行成立時，其用人施政的恢宏氣度，似乎除李承晚及張勉政府的聲名狼藉的官員以外，頗有一種將全國各方人才悉數納入一府之概。如堅持挽留尹潽善總統繼續任職，邀請前駐華大使金弘一出長外交，便屬明顯一例。但曾幾何時，這些人物都在失望與憤怒中相繼離開了政府。直至後來，連原屬這一統治集團核心層的宋堯讚總理，也終於和這一政府宣告破裂，掛冠而去。統治圈子愈來愈小，和政治權力愈來愈集中於少數幾個人之手的結果，這一政府與韓國人民間的距離與裂痕便日益擴大，愈益不能容忍異己份子和輿論界的批評。如最近不久，竟因爲一篇社論的溫和批評，把一家漢城大報的總編輯和主筆扣押起來。隨後總編輯雖很快獲得釋放，但至本文執筆時止，那位主筆先生仍繼續關在牢中。究其實際，這位主筆所寫的一篇有關制憲問題的社論，並未反對軍政府在這一問題上的跋扈作風，而只是要求將這種制憲工作，交由一民選制憲機構去作，不能由軍政府單獨負責辦理。像這種說法，本屬平常之至，竟不爲韓國軍政府所諒解容納，足見韓國各方面的情況已到了相當嚴重的地步。

尤其甚者，韓國軍政府這種統治愈到後來，所犯的政治性錯誤亦愈多愈嚴重。在此，我要舉出兩項非常突出的例證：即第一，本年三月十六日，軍政府下令凡屬過去舊政黨的一切人員，除非事先經軍政府審核合格，均不得於一九六八年八月十五日以前從事任何政治活動。像這種大規模的政治整肅，不論在過去的埃及、伊拉克、巴基斯坦，和緬甸等國，都未曾發生過。甚至戰後盟國對日本的整肅，也未達到如此嚴厲程度。我們知道，韓國自恢復獨立這十幾年來，除了最少數的一些學術界人士以外，韓國的人才幾乎沒有人不參加政治活動。那麼如此嚴厲實行整肅的結果，一個可能是未來的韓國政治完全操諸於退役的年輕軍官之手；另一個可能，更是實行政治上的反淘汰，致一些有爲有才之士由於不顧向軍方低頭，從此完全退出政壇，而實際政權則盡落於一些沒有節操的政治流氓之手。果如是，則今後韓國政治一定會陳陳相因，越來越壞，絕不會有走上軌道的一日。

其次，本年六月五日，韓國軍政府突下令實行幣制改革，並隨這種幣制改革，宣布凍結人民在銀行的存欵，規定除每日提取少量新幣，以維持最低限度生活外，其他概由政府强迫管制，並無條件使用，存欵人不得有所置喙。如此以來，不但各行局門口晝夜排着長蛇陣，每人眼巴巴的望輪到自己提欵以便儘早回家購買油鹽柴米，而且由於貨幣流通量銳減，致全國各地商店關門，行人稀少，整個經濟活動幾陷於完全停頓。這是一種二十世紀的美話，也是一種悽慘的景象，而這種景象除了在三十年代美國大恐慌中曾有過外，其他並不多見。美國當時這種景象，是屬一種歷史性災難；而本年韓國這種景象，却是由於愚昧統治的結果。所幸韓國經濟的這種混亂局面，並未維持很久，一俟由美國出身的經濟計劃專家金顯智出任總理，他立即下令解凍銀行存欵，凡續存者亦照銀行規定，按期付予利息。如是韓國經濟活動，才算逐漸恢復正常。否則，若聽任那種狂暴作法繼續蠻幹下去，說不定韓國現在又已發生新的革命了。

總之，韓國軍政府這一年多來的統治，再度證明了一項眞理，即政治絕不是年輕的軍人所能懂的，也不是全憑熱情所能搞好的。假若叫年輕的軍人，僅憑一股熱情和軍事力量所造成的一點威力，來全權治理國家，並無其他因素爲之平衡，其結果一定是一場大的悲劇。所幸韓國軍政府當局，已一再聲言將照既定計劃，於明夏舉行新選，以便將政權交還文治。果實如此，那實在是韓國之福了。

漫畫天下

東柏林圍牆之內

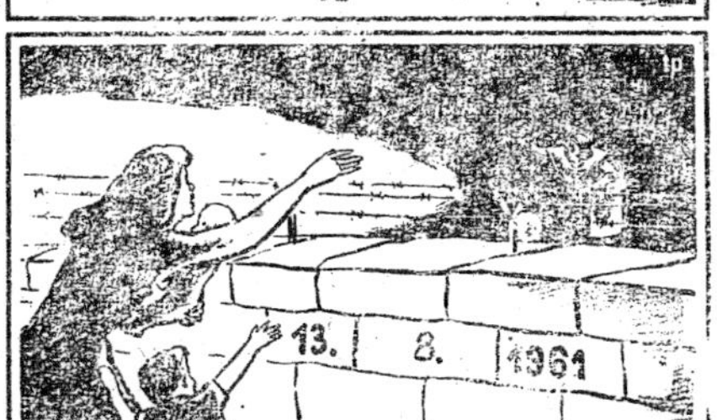

東柏林圍牆之外

自由談

亞洲人，警醒吧！

美國一些自命爲進步份子的民主黨人士，如羅斯福未亡人之流，最近假藉「聯合國研究委員會」的名義，向外發表「報告書」，申述其研究所得，主張美國與中共政權建交，許其加入聯合國，同時亦讓台灣的中華民國仍爲聯合國之一員，即所謂「兩個中國」是也。

美國人基於自身的私利，憑其國際地位與影響力，居心出賣友邦，犧牲別國，這種古已有之的帝國主義行爲，毫不足奇。何況自二次大戰期間的雅爾達會議以來，直到如今，美國出賣中國和其他弱小國家的事情，不一而足，現在再來表演一次拿手好戲，何足道哉！祇要美國本土不給共黨控制，而又可以向海外貿易漁利，享受安全繁榮生活，即令全世界赤化了，美國亦不妨承認現實存在，和平共處，理由有的是，說來振振有詞。

最令人噁心的，不在他們要想搞「兩個中國」這類把戲，因爲這是他們的老大哥英國早已發明的故技，美國不過東施效顰而已。極可笑而又可惱的，是在他們竟敢聽談中國文化，解釋孔子學說，指孔學的「禮運」大同思想，與馬克斯的世界革命主義相脗合，因而反證中國人民可以接受共產主義的統治。似此屁話，眞是臭不堪聞也！

像羅斯福的未亡人，以及民主黨一些左傾份子，乃至於現時圍繞着甘迺廸左右的智囊教授們，十九都不明白中國究竟在那方天，更不知中國文化是怎末回事。就是在美國被稱爲「中國問題專家」的，如拉鐵摩爾等人，亦只在中國的蒙古、新疆邊地旅行了一下，回去胡亂寫些文字在報上發表，即成爲「專家」，被羅致到政府參預對華問題的決策了！

以此膚淺的知識界人士，過問國計民生問題，還要僭居世界盟主地位，支配別國的命運。這不僅是時代的悲劇，且係整個人類的大不幸，災禍之來，將不知伊於胡底。我們有理由警告一般崇尚自由生活的民族及其政治家——尤其是亞洲方面的，趁早攜手合作，自求多福，效法法國總統戴高樂，莫再倚賴愚騃的盟主領導，庶幾有豸！

馮五先生

要怠工亦不可能了
毛共耍出增產糧食絕招
以土地分交農民包種　定額甚高使農民徒勞

（香港與大陸）

剛由廣東梅縣來港的張老先生向記者透露：中共在農村又實行一種新措施，使農民不單要加長勞動的時間，而且比之以前難免更加吃不飽。

張老先生說：中共在檢討過去幾年來糧食減產的原因後，認爲最主要的是農民集體怠工。因爲公社化後，所有土地農具被收爲「公社」財產，收成亦爲公社佔有，農民得每天在田野勞動，按所做之「勞動日」而分得糧食，每人每月約可分得廿五斤穀；無論增產多少，農民都沒有份，要全部當「餘糧」上繳，因此農民都不願積極生產。當共幹在旁監視時，他們假裝勤快；共幹不在時，便立即集體怠工，輪流「放哨」，到蔭涼地方大睡其覺。故此勞動效率非常低，往往在未公社化之前一兩個人可完成的工作，變爲要一二十人始能完成。共幹對此現象也奈何不得，因爲這是農民的公意表現，而且任何公社任何生產隊都是如此。

張老先生說：中共爲了要解決這一問題，最近實行一種新措施：把所有土地分爲若干等級，交給農民獨自管理，農具、種籽、肥料等則由公社負責，而農民須担保在收成後按照所定數額上繳「公粮」，餘者爲耕者享用。張老先生說，由於中共規定的上繳數額太高，幾乎等於通常收成之數量，譬如：一般中等的水田，在通常情況下畝產約四百五十斤穀，豐年可有五百二十斤穀，中共規定農民每畝上繳四百斤。每個農民被交管的田約兩畝，則每人每年最多可得二百斤穀（約一百五十斤米），安得不捱餓？而在這種情況下，農民還不得不拼命勞動，希圖增產，自己亦多分一些，但結果當然徒然爲中共勞役而已。

張老先生說：中共這措施極其毒辣，因爲它既可以迫使農民勞動，農民吃不飽時，它也可振振有詞的「不管」。

記者曾問張老先生，大陸農民還有其他副食品否時，據說，其他副食品是絕少的，除了在一小塊「自留地」種一些青菜外，什麼都沒有了。肉類只有在過年過節時每人可以得到供應幾兩，油每人每月壹兩，甚至完全沒有供應。（敬斯）

剖視「觀察人」週報的謠言消息
——關於「國共默契」之說

（本報特訊）日前「倫敦「觀察人」週報」發表它的「權威」消息，說是台灣的中華民國政府，跟大陸上的毛共政權已有默契，彼此不以兵戎相見，維持現狀以待時勢之推移等情，而香港的共黨尾巴報章，即據以大事宣傳，淆惑觀聽，馴致台北美聯社亦因此項謠諑，特發電訊解釋，迫使中華民國行政院新聞局長亦不得不正式闢謠，實則這是一項由毛共方面製出的陳腐的「隔夜飯」，早已發霉，沒人願意瞅及了。祗以英美人士的「兩個中國」幻夢未醒，而共酋陳毅最近在日內瓦對着西方記者，又大飛其媚眼，表示安協姿態，這正是投合英美人士的胃口，一心以爲鴻鵠將至，認爲「兩個中國」的希望可以實現了。恰好倫敦「觀察人」週報記者布魯華斯（Dennis Bloodworth），爲要採訪「台灣海峽問題」新聞，旬日前，偕同他的華籍太太，從香港前往台灣一行，終以台灣海峽並無特殊新聞可資採訪，如是，他憑着在香港從共黨文工特務份子方面所得的口頭資料，就發出上項「權威」消息了！

原來潛伏在海隅的毛共文特羣中，有曹某者，若干年來就幹着招搖闖騙，造謠生事，以期詐取共黨金錢的無聊勾當，他在前年金門炮戰剛告休歇之際，曾經僞造台灣某要人跟他協商簽訂「國共和談」的條款，向毛共報告邀功，說這是台灣某要人秘密坐船到香港港口外鯉魚門海上，跟他洽談決定的，且有某要人的親筆簽字，像煞有介事。結果共方亦知其爲絕對不可靠，未予理會，但周恩來認爲曹某的情報雖屬十九都不可靠，若在一百次的情報中，有一次是眞的，也就不枉費對他所付出的生活津貼了。因此，曹某照樣在海隅搞其「統戰」工作，而唯一方法就是對台灣的文武大員胡亂寫信，儘管對方素來置之不理，且吩咐左右，凡是曹某的來信，一概不要送閱，但他還是照寫照寄，並將所存底稿呈報共幹主子，表示他的工作成績。英倫「觀察人」週報記者布魯華斯，最近兩次經過香港小住，且與文化界的中國人士多所接觸，聲言他這次到台灣的目的，是在採訪關於台灣海峽問題的新聞。香港這地方是五方雜處的華人社會，而英美人士對中國問題的瞭解方法，凡是國共雙方色彩分明的人物所說的話，皆認爲有偏見，不予採取，他們愛向貌爲「中立」立場的中國人請教，却不明自這類「中立」人士的眞面目。布魯華斯夫婦這次是從星加坡來的，大概在星加坡會有人給他介紹曹某（因爲曹某是星埠某報的駐港特約通訊員），他來到香港後，跟曹某談論台灣海峽問題，曹某一定把國共可能默契和談的理由，大事宣傳，且以共酋陳毅在日內瓦所謂「不妨等十年二十年」以期解決台灣問題的言論作證，又提示他跟台灣某要人常常通信的情形，這樣就足夠使洋人相信不是「偏見」了。繼而布魯華斯到台灣採訪台峽風雲的消息時，並未見有軍事行動的緊張現象，一切安謐如常。如是乎他覺得「國共默契」之說，頗有可能性，而這種情形又正是適合英美當局的妥協苟安政策的，乃以獨得之秘的「權威」報導，把香港共黨文特們向壁虛構的謠言，當作眞實消息而傳播於世了。

英美人士一貫的宣傳技倆，就是將自己一廂情願的想像事項，隨時作現實的推斷，如「亞洲狄托」，「兩個中國」，以及認定蘇俄害怕中共強大，將與美國合作以防制中共等類神話，他們總是一再嘵嘵不休，實行納粹份子戈貝爾所謂「一句謊話說上了一百次，也就變成眞理」的宣傳魔術，「觀察人」週報的國共默契之說，用意亦不外乎此也。（凌霄）

從受騙到夢醒的故事
大陸來港三僑生　一致決定不去了

（本報訊）最近有三個在廈門「集美學校」讀書的印尼僑生，兩男一女，以探親的理由，獲許來香港一行。記者偶晤到他們，因不知其思想究竟如何，乃以試探式的語意，詢問他們幾時回學校去？他們一致表示決不回去了。如是，我再問：聽說大陸人民饑餓不堪，是眞的嗎？他們答道：「一般人民確屬沒飯吃，但我們經常過着飽食生活。因爲集美學校的一切經費，都是由印尼和星加坡一帶的華僑担負的，學生十九係華僑子弟，如果吃不飽，我們就要鬧事起哄，致海外的家長停止對該校的經費接濟，中共爲着爭取僑匯，只好讓我們吃得飽了。」「然則各位何以又不願意回去呢？」我說。他們即以激越的詞色答道：「飯雖然有得吃，可是共黨不許我們有絲毫的言論自由，同學之間偶爾說句笑話，也可能發生嚴重的後果，輕則『勞改』作奴工，重則坐牢失踪。至於思想自由，更不必談了。人生的價值並非專爲溫飽，沒有言論思想之自由，比饑餓更痛苦，所以我們決計不回去了！」這三位青年都是中學生，對共區的生活有此觀感，可見一般大專學校的知識青年，內心上對共黨政權的反感更強烈，而毛共的未來命運，亦可知矣。（凌霄）

覃勤入獄記
口稱冤屈喃喃有詞
于主教一派宗教家口吻

（本報台北航訊）王子犯法，庶民同罪，何況一區區立法委員？古有「刑不上大夫」之說，民主法治時代，不合時宜了。以前有立法委員程秀，監察委員何濟周，國大代表謝掙強和雷震，皆經司法或軍法機關判決確定後，即發監執行。法律之前，人人平等，覃勤涉訟妨害兵役案纏訟多年，經判決後，十日始自行報到服刑。

這位前中醫學院院長覃勤，於十日中午十二時搭乘快車赴台中地檢處報到服刑，于斌總主教及中醫學院董事長楊肇嘉暨親友多人，均曾前往送行。

于斌總主教在車站上對記者說：「這是一個很不幸的判決，我可以證明中醫學院，並沒有逃避兵役。不過法律既然是這樣判決了……」他苦笑了一下，又意味深長的搖了搖頭，繼續說：「中醫學院創辦已經很困難了，要使我們中醫能打開出路，也只有犧牲幾個人了！」他又露出一個無可奈何的微笑：「我不入地獄，誰入地獄？」一個宗教家的口吻，意在言外。覃太太胡克柔神情很黯然的說：「我的先生被冤枉了是小事，但是國法……」她又頓住了，聲音有些哽咽，並表示不準備尋求任何救濟方法了。

覃勤穿灰色長袍，黑鬚垂胸，精神不佳，他仍以自己被判刑是冤屈的，還舉了一個例子說：「听德商職，及私立逢甲工商學院，都曾涉嫌妨害兵役，何以對他們不予追究呢？」他感慨的說：「我當了十四年的立法委員，不能使自己國家的法律走上正軌，這是很遺憾的。」頗有從容赴難之慨。

這是一個頗爲突出的特殊的場面，與飛機場上送往迎來的熱鬧氣氛，又別有一番滋味。

覃案拖延了多載，從顧少魂——台灣報紙經常有贋告歌頌，手到病除之名中醫——因董監事分派之爭控告覃勤起，至新聞記者一窩風採訪此熱門新聞，跟踪追擊，打破沙鍋問到底，而當時的覃立委在心煩意亂之餘，對這些年青小夥子們「無可奉告」，對「少魂老弟」也未當作一回事。立院同僚對覃勤之作爲，似亦不寄予同情，從一般輿論而言，乃對覃勤大多不利。覃氏以立法委員身份，個人憑空創造一番事業，案發後，慢慢打官司，拖至今日，由集資興學，到妨害兵役，以致罷職丟官，身敗名裂。

覃氏五十七歲，一絡長髯，着中國長袍，喜排難解紛，也愛管閒事，中醫師出身，國民黨黨員，任立法委員期間，假如默默無聞，自甘淡泊，當不致闖下這場大禍，惹下牢獄之災。但人是政治的動物，覃勤也有他一套，謙恭禮士，道貌岸然，與人稱兄道弟，一般人一見如故，一般人也許認爲野狐禪，不成正果，言大而誇，跡近招謠，事實也如此。覃勤並不爲當局所倚重，比之「護航隊」一羣，覃是一個唱反調的可憎的烏鴉。覃與省籍人士，頗多交往，以「中央與地方的橋樑」自任，而有關方面，並無意給予此項光榮的任務。他談到「二二八」事件，滿口的「劫收」，「無能」，「霸道」，「官逼民反」，又說一度招致不小的混亂，雖然事件弭平，究竟不是以德服人。覃氏表現突出，比之爲一座火山，難免有危言聳聽之處，而政治的清明，確實爲一根本問題。覃氏常放言高論，批評政府，罵官吏，爲抒不大不小之牢騷，自身又不甘寂寞。其妻胡克柔一度競選市議員失敗，再度競選省議員，當日羣雌粥粥，從黨內提名起，對手有浦薛鳳太太，林紫貴太太，台籍某女士，這些有名有姓，各有來歷的太太們中，而胡克柔脫穎而出，當選省議員得票不在少數，尤以省籍票最多，當然是覃鬍子運籌帷幄，也不算簡單。接着是他籌辦中國醫學院，募欵捐地皮，立案，招生，而竟底於成，傳說覃氏名利雙收，發財了。不料時至今日，「眼看他起高樓，……眼看他樓塌了！」（楊柳青）

越佔西沙羣島
公然視爲己有
我政府應即交涉收回

（本報訊）中國領土之西沙羣島，近年來被越南覇佔，公然視爲己有。西貢的「越南通訊社」於本年七月二十三日所印發第五卷第廿九期有訊稿中，有題名「越南鑛藏的開發概況」一篇，其最後一節，便講到西沙羣島，小標題爲「西沙羣島的鳥糞」，原文云：「西沙羣島的鳥糞亦是國家的重要天然資源，藏量豐富，越南肥田料公司已計劃在新順設立一鑛製鳥糞的最新工廠，經費約一千萬元，且將在來年完成。根據約略的估計，該廠首之一年將可出產二萬四千噸肥料，繼後將可每年出產八萬千噸。目前國家每年需入口七萬噸肥田料，則該工廠的產量可供國家需求三份之二，爲國家節省外匯約二百萬美元。」其冒認財物，彰明昭著。不知我國政府已注意及之否？西沙羣島之爲我國領土，載在史冊，代代不絕書，我政府有保土之責，應即向越南進行嚴重交涉，藉使物歸原主，固今日國家之急務在光復大陸，反共抗俄，但不可因此而置西沙羣島主權於不顧。（敏）

中華民國五十一年八月十八日　自由報　星期六　第三版

僑生戰訓服務在聯勤

仲偉庭

僑生們接到這些禮品，十分高興，特於部隊中山室舉行茶會致謝。席間韓國華僑軍中服務團總領隊呂季直起立致詞說：我原籍山東，自幼在韓長大，韓國歷經戰亂，僑居在那裏的華僑生活環境，遠不如東南亞各地的優裕和安適，但是在經濟窘困之下，對於愛國的行動，我們是向不後人的。今天我這海外的遊子，多年嚮往祖國的心願已經達到了。以我個人來講，看到祖國的同胞，嗅到祖國的泥土芬香，是多麼興奮，多麼愉快，好像是回到了老家一樣。我們這次回來，雖然只五十一人，但卻帶來了旅韓二萬二千三百多個華僑熱愛祖國的心，這幾星期內，我們看到三軍將士高昂無比的士氣，以及祖國政治，經濟，文化的進步的情況，更增加了僑胞們對反共抗俄中興大業必勝的信心，我們將來決定把祖國的進步情形帶回去，轉告全體旅韓僑胞知道，藉以加強他們對祖國的認識。我們這次回國，不僅是向蔣總統致敬，向三軍將士慰問，向全國同胞輸誠，而且也是我們支持政府反攻抗俄到底信心與決心的表現，同時也是僑胞們擁護自由祖國的積極具體的行動。這次我們每個人都學會了一種以上的戰鬥技能，不僅充實了我們本身的技能，而且也增加了反攻的力量，祇要總統下達反攻命令，我們決心和祖國的青年及英勇的三軍將士們，併肩攜手，從四面八方向大陸進軍，貢獻出我們所有的力量，蕩平匪氛，重建三民主義的新中國。

旅韓華僑青年觀光團團長宋敬之說：居留在海外的中華兒女，大家的心永遠是掛念着祖國的！這次接受戰鬥訓練，得到了很多體驗與啓示，我們決定永遠地保持着這個戰鬥精神，而且將它帶到海外去，發揚光大，擴展到每一個僑胞。將來反攻大陸時，我們一定會直接參加武裝戰鬥行列，共同爲消滅朱毛匪幫而奮鬥。

張祥傳議長說：今天集華僑之英俊作，反攻之先鋒，我想祇要是中華兒女，黃帝的子孫，每一個細胞都充滿着愛國的血液，只要反攻的號角一響，無論何地，凡是黃炎子孫，都會起來爲國效忠。

最後這羣海外青年爲了表示向來慰問他們的長者致敬，特假原地舞台上舉行了幾個餘興節目，同學們的節目精彩得出乎意料：首場是大合唱，「我愛中華」，「革命的洪鐘在響」，「國旗」，「睡獅」等，一個接着一個，唱出了明天的希望，敍述着時代的苦悶，慶幸着苦悶中找到了方向。獨唱時姚鴻先的「可愛的陽光」，「印度香火」；劉家昌的「意大利花園」；林秀鳳的「故鄉」；爲晉挺、陳瑞英的韓國流行歌；支支動聽，個個感人，歌喉玉韻，清澈婉轉，獲得戰士們的無數次鼓掌。口琴合奏有慕德振、石祿令的「茉莉花」；姚鴻先、劉家昌的「仁川港」；都有很好的表現，爲觀衆們稱揚道頌。舞蹈有陳瑞英，林秀鳳的「韓國現代舞」，官修嫦的「扇子舞」，王月芝的「陽山道」，林丕玉的「草笠童」和「假面舞」，一幕幕嬌捷阿娜的舞姿，翩翩飛旋，呈現在觀衆前面，觀衆看了都嘻嘻哈哈地渡出爽朗的笑聲。最後陳秀英的「獨脚戲」和其他五個男同學的「雜技」，也都相當精彩，觀衆們「嘖嘖」稱好，大家手掌拍痛了還在拍，嗓子笑啞了還在笑，直至夜深始盡歡而散。

同樂會的餘興節目是從歡欣愉快中開始，又在輕鬆和諧中結束。它使與會的海內外青年及祖國父老留下長遠的依戀。（下）

天南風光

——沙羅越的首府——古晉

朱淵明

人口既衆，地域又相當遼濶，則交通問題，自然異常吃重。好在馬路四通八達，故私家汽車不少，連同運貨車及巴士、的士，大畧近萬輛。而脚踏車之數量，更極爲可觀。當人口七萬時，脚車就達三萬餘輛，幾乎每兩人即有一輛脚車。人口增加，脚車必定比例增加，無論老弱婦孺，出門多踏脚車。甚至十歲左右的孩子，人身與車身相若，也居然能一跳而上；但腿子太短，若坐上車墊，即不能踏到車輪，然而他們或她們竟不要坐，就雙手扶着車把，兩脚站在車輪踏板上，連續踏行，往來如飛。較大一點的孩子，還兩腿分立左右，騎在車身直橫上踏行。較小一點的孩子，連分腿也騎不上，乃從車身直橫之下斜伸一條左腿至車左輪踏板上，畧將車身也歪在左邊，斜踏而進，也一樣駛馳如飛。筆者曾經戲與一個小孩子比賽，想越過他的前面，但終於失敗。這眞使香港慣乘汽車上學或出外的小姐少爺們羨煞，愧煞。

說來也似乎難令人置信，古晉居然還有一條鐵路，從市中心區的輪船碼頭，直通至市南石山，全長共七哩。自然以運石爲主，但也開行小型火車，可是沒有一定的時間，也無一定的速度，如果你中途要搭乘，你不妨站着招招手，只要那開車的先生高興，他也可以停下來讓你上去的。假定正走之間，路軌前面忽然有一條牛橫擋在那裏，開車的先生一定將火車停止，從容走下車去將那條牛慢慢趕開，然後再慢慢上車，繼續前去。這種禮讓之德，眞是大有古風。

最妙的莫過於八九年前之巴士。那種巴士，多半是由小型的奧士汀或福特之類的舊汽車改裝的，車上只有兩旁木櫈，大畧可坐十個八個人，雖然也有起訖站口，但卻無一定的路線，除了在市中心區熱鬧之處幾條馬路以外，一到較僻靜及郊區，則巴士即可任意停止與開行，沿途上下，毫無限制。假定你住的地方離馬路不太遠，而又有路可通的話，你就可以請司機將車直開家門，讓你將所携用品物件，大包小裹，一件一件，從容拿下，然後他再將車開上馬路，繼續前進。

（四）

公道篇

林人山

公道的哲學——中庸·（三）

孔學以「仁」爲「一以貫之」的達道，以人類爲中心，維繫「人與人」、「人與神」、「人與物」間的關係，正爲中庸統攝多元的特徵，合乎公道的標準。故孔學的中庸思想，乃可說爲公道的哲學。

公道的哲學——中庸，有人誤解爲綜合的統一是大拼盆，是炒雜碎，是左搖右擺，是投機取巧，是無獨立主張，是五顏六色的混合體的一類思想。不知這祇是對思想哲學未有深入研究的看法。自然現象有全化的趨勢，是近代思想界一大發現。例如水，是氫一氧二化合而成，氫與氧爲燃燒體，水則是可澆熄燃燒的化合物。因此，「水」不能稱爲燃燒體的產物。這兒要注意的是混合與化合的意義不同。混合是保有原來原素的性能，化合則已消失原有的性能，而變化爲另一種獨立[illegible]。公道哲學的中庸，正是「水的哲學」，經常向下游，而又不亢不卑，可以載舟，可以覆船。柔和平實，獨立崇高。憑中和人生的實現，亦必「天地位」、「萬物育」。西方祇中庸爲折衷，實不正確。一般人把中庸視作善惡的「混合」，或左右勢力的折衷，更遠離「化合」的道理。

南非史末資創全化論，清楚劃分混合與化合的不同意義。相對論證明時空不是各別獨立，靜與動是相互牽引。量子論從原子論與電子學更進一步，說明質、量、能，是同一體。完形心理學否定機械唯物論的分析法，確定心理與生理須作總和的研究，方有正確的答案，且擴展認遺傳學、人種學、優生學亦是同一的課題。社會學的研究，亦已發展到個人與超人間的中和協約。即個人與社會，與民族，與國家之間，不能完全訴於感情，主要在於理智的衡量。超人意識必須具有多數人的意識成份，相反，個人意識也須受到超人意識的節制，否則，更形成政治紛亂的根源。人類問題又證明社會、經濟、政治三者分不開，教育須要結合學校、社會、家庭而後完全，社會是天（神）、地（物）、人三者化合的產物。總之，完美必定產生於完全的觀念。惟「完全」才見公道。中庸是全化的代表，正是公道的哲學。

舊道德的藩籬已逐漸被摧毀瓦解，新道德的標準，很難建立起來。人類思想的徬徨紛亂，歷史上莫如今日。中庸——公道的哲學，就是新的批判武器，不容取巧歪曲。對個人的言行，與政治的措施是否合理，公道的哲學，就是衡量的尺度。

（本篇完，全文未完）

盧君續夢

第六回：烽火照邊陲　同惡難濟
樓船橫碧海　大慾與悲

公安人員嘻皮笑臉的說道：「當然是男人」。

女教徒追問道：「既然是男人，爲什麼扯女人的面紗」。

公安人員不防有這一問，大家都怔了一下。帶隊的組長名叫周子健，是中共社會部出身的人馬，久經大敵。當時一瞪眼說道：「因爲我們得到報告，反動份子化裝女人逃出來的，所以不但要扯面紗，還要全身搜查一遍，看看到底是男是女。」

周子健剛說到這裏，冷不防女教徒伸手打了他一個耳光。周子健平時習慣於打人，不料居然有人會打他。趕快拔手槍，那知女教徒身手比他快，當右手打到他的臉上，左手已插向他的腰間把槍奪過來，其他的公安人員一看組長被打，武器被奪，發一聲喊，都把左輪槍掏出來。周子健平生沒有丟過這麼大的臉，用手一指：「你叫什麼名字，住在什麼地方。」

女教徒冷笑一聲：「我叫巴錦漢，住的地方不告訴你。」

周子健聽說是巴錦漢，不禁頭皮一麻，他知道這個女孩子是牧民中的神槍手，能騎在奔馳的馬上，雙槍打落空中飛鳥，平時想找她參加工作找不到，不料在這裏碰上了，當時就想打主意和解。那知後面公安人員立功心切，突然向巴錦漢打一響冷槍，到未擊中巴錦漢，卻把另一個女教徒擊倒了。教堂登時大亂，全體回教徒起來和公安人員打成一團，當場打死了幾個，其餘腿快的奪門跑了，周子健也想跑，卻被巴錦漢擊倒了。

公安人員跑回公安局向局長報告，公安局長王剛，是公安部副部長王昭的弟弟，也是中共社會部出身，平常對鎭壓民變特別有經驗，當時一面出動武裝公安隊，一面打電話向當地共軍求援，分兩路向清眞寺包圍，到地方反共教民已經撤走了，剩下幾具公安人員的屍體。

王昭一看火冒三尺，下令堆積柴草，要火焚清眞寺，就在這時，增援的共軍到了，這支共軍原是伊寧叛軍改編，過去叛變時是受蘇俄直接指揮的，中共軍到了新疆，蘇俄把他們移交給中共，改編爲第五軍，最初還頗受優待，及至叛軍首領阿合買提江、賴希木江被中共請去北平參加「新政協」，中途被弄個手脚飛機失事，阿、賴兩人跌的粉身碎骨，叛軍失去領袖，中共乘機于以折散，以團爲單位分駐南北疆及西藏噶大克等處，逐漸加以裁減，每團人數不足一半，待遇比起「生產建設兵團」畧高，比較眞正共軍差的很遠，所以同中共感情十分惡劣。

王剛並不了解這種情況，貿然調他們來鎭壓回教徒反抗，已經十分冒險，忽然又要其焚毀清眞寺，這支隊伍雖然有哈薩克族，有維吾爾族，有烏孜別克族，但都是回教徒，如何能讓公安人員燒清眞寺，團長馬上下個命令把公安隊包圍起來，限他們立時撤出清眞寺，否則就以武力對付。

正在相持不下之際，突然市內冒出火光，原來巴錦漢撤走之後，乘公安隊全體出發，率領反抗教民直奔公安局，打開監獄，放出犯人，一把火把公安局燒掉了。

（一一七）

雙照樓三聯（續）

再講佳友又是家族，其實資格比三井爲老，並多有奇特之處，他的活動地區，是大阪而非東京，而其業務，主要的是重工業。贈聯是：「佳此結山緣，明哲保身輕富貴。」「友何得福地，英雄退步即神仙。」此是願日本軍人，瞭解個中意義，早于退讓，不失爲神仙乎？

鮎川是後起的金融家，他因在美國學鋼鐵歸來，故其公司是開放公衆投資，不是三井三菱完全私人資本，不受外資者，爲開明的暴發戶。贈聯是：

「鮎起躍龍門，任憑浪駭濤驚，人盡括目；

川流歸東海，盼到風銷雲散，我亦回頭。」

此似表出汪氏末年心境，已有懺悔意，祗要戰爭結束，他放棄主張，回頭轉來歟？未易知也！

憶玉軒雜綴

戲劇與歷史

五十年來，記述有關戲曲的著作，比較有考據性者，前有海寧王國維的梨園佳話，是同光年代京中伶工的素描。後有長洲吳梅的顧曲塵談，敍述曲詞如何的演變，皆富有價值，爲人稱道。至於將戲劇與歷史，互相印證，互相對照，却未有人注意及此，爲之闡發，遂成爲有些戲劇與歷史距離太遠，淆亂事實，以致歪曲了歷史，令觀者如墮五里霧中，莫明其眞相。究竟戲劇比較通俗，到處皆有，婦孺皆知，而歷史未必個個皆通之曉之，全國士女，能熟讀一部廿五史，恐尚無多人。龔德柏新近寫了一部卅萬言的「戲劇與歷史」，這始有明確的印證。

龔年近望七，寄情於劇藝，覺現在常演的平劇，或其他戲劇，與歷史對照，十之七八，不盡相侔，可是有其效用，起了主要的觀念，是「戲中有的固合於歷史，有的恰與歷史正相反，有的一部份合，一部份不合，故其任務，在解釋其眞相。」這個任務，却是很有意義，以後看戲而看書，不能過份相信戲劇所演出，形成顚倒是非，假使深印腦際，即便中毒甚深。再如今日大陸所演的戲劇，將來安能作爲歷史的小根據？我認爲此書有其正確的價值，舉例來說，漢光武是歷史上開明之君，對於開國重臣雲台二十八宿，無不善待，多是壽終。（未完）

康有爲的嗜好

讀書買書買花睇月光（四）

丘峻

從新估價，不要泥古守舊，與近世科學之存疑求證方法，極相吻合。

嗣後康氏所讀之書，悉以充實革新知識爲本旨，故對方與紀要天下郡國利病諸書，及外國新知譯籍譯本，均搜羅博覽。同年，氏潛心致力改革政制，起草方案，根據禮記禮運篇之旨，提倡孔子『三統三世』之法，『據亂』之後，易以『升平』，『太平』；『小康』之後，進於『大同』。時遭甲申戰起，法兵震羊石，氏避居故鄉之七檜園澹如樓，感國難，哀民生，即著大同書，以爲待之百年。其自撰五言詩序云：『千劫皆煩惱，吾來偶現身。獄囚哀濁世，饑渴爲斯人。諸聖良藥皆，蒼天豈不神！萬年無進化，大地合沈淪。人道只求樂，天心惟有仁。先除諸苦法，漸見太平春。一一生花界，人人現佛身。大同吾有道，吾欲度生民。廿年抱宏願，卅載告書成。衆病如其己，吾言亦可除。人天緣已矣，輪劫轉空虛。懸記千秋事，醫王亦有初。』

可見其悲憫衆生，而欲令天下萬世，人人超度苦難，出地獄而入極樂世界之道也。大同書成，氏之思想，固超越乎時代，而言著述亦可謂登峯造極矣。至氏理想之大同世界，係包涵『博愛』、『主樂』、『進化』三大主義，因不屬本文範圍，畧而不談。

康氏好讀書，也好讀詩；惟不願苦學詩。常云：『與其花費許多精神、時間，去學詩，不如把所花費的精神，時間，來讀書，不知可讀多少書！興來時，詩不妨做，做了便算；何必去苦學古人，去追蹤古人？古人詩固各有其格調，吾人又何必去學它？毋寧我行我素，要如何做便如何做，自己做成個格調出來不好嗎？苦學古人，追蹤古人，又何苦來哉？』人謂康氏不長於詩。

閒話中元節

漁翁

舊曆七月，除牛郎織女七夕相會屬於喜劇外，其餘中元節與地藏王誕辰，都在陰間，故稱「鬼節」。又傳：七月初一日，酆都城放出孤魂野鬼，直至月底，始行收回，這一月裏，到處是鬼，所以稱之曰「鬼月」。事雖無稽，而七月十五日之「中元節」，却散見於羣書。

一年三元，正月望日爲上元，七月望日爲中元，十月望日爲下元，見之於道經。中元施食，本道家法，藝文類聚道經云：「中元日，作玄都大會於玉京山，采諸花果，珍奇異物，幢幡寶蓋，十方大聖，齊詠靈篇，囚徒餓鬼，俱飽滿，免於衆苦，得還人中。比如富人好善樂施，不必循古法，其用七月十五日，則道家中元之會也。」是知中元之有節，源出道家。

但是，佛家仿而效之，亦於是日，有「盂蘭盆法會」之舉行，較道家尤爲熱烈。據盂蘭盆經云：「七月十五日，僧自恣時。」又云：「七月十五日，佛歡喜日，僧自恣日，以飲食安盂蘭盆中。」按盂蘭，梵語作「烏藍婆」，亦云「烏拉緬」，含有解救倒懸之義，事出目連入地獄救母之一幕。

目連，亦作「目犍連」，佛之大弟子，因其母墮入餓鬼道中，目連性至孝，即入地獄，以砵盛飯饗之，但入口化爲烈火。目連求救於佛，佛言：「汝母罪重，非汝一人，奈何！須十方衆僧威神之力，至七月十五日，當爲七代父母厄難中者，具百味五果以著盆中，供養十方大德。」目連如佛言，其母果得脫餓鬼之苦。目連又白佛：「未來世界，凡佛家弟子行孝順者，亦應奉盂蘭盆供養。」佛言：「大善！」因此，後人每逢中元日，即設壇建醮，超幽度亡，演成今日之「盂蘭勝會」。

盂蘭會，在南北朝時代佛教最盛之際，已風行一時，據顏之推家訓終制云：「有時齋供，及七月半盂蘭盆望於汝。」又荆楚歲時記：「七月十五日，僧尼道俗，悉營盆供諸佛。」當時梁武帝捨身同泰寺，上行下效，成爲一年一度最熱鬧之季節。

唐宋兩代，此風猶未稍替。舊唐書載：「代宗於內道場，造盂蘭盆，飾以金翠，所費百萬。」宋孟元老之東京夢華錄云：「中元賣冥器綵衣，以竹斫三脚，如燈窩狀，亦謂盂蘭盆，挂冥錢衣服於上，焚之。」又陸游老學庵筆記云：「故鄉七月望，俗具素饌祀先，織竹如盆盎狀，貯紙錢，承以竹，焚之，視盆倒所向，北則多寒，南則溫，東西則得中，謂之盂蘭盆。」因此，中元節，又名之爲「盂蘭節」。

北方人對七月十五日之鬼節，極爲重視，在這一日，各地寺廟，皆作水陸大醮，建盂蘭會，設孤魂道場，夜間大放河燈，並設燄口施食，以超度無主之遊魂。此種風俗，雖近迷信，但係生者同情於死者之心理，亦未可厚非也。

中元祀祖，起源於宗教，漸次及於民間。據修行記載：「七月中元日，地官降下，定人間善惡，道士於是日夜誦經，餓鬼囚徒，亦得解脫。」此乃道教之所爲。而佛教亦同日開盂蘭盆法會，供奉三寶，以百種供物，超度父母。各地相習成風，雖祀典方式不同，而「愼終追遠」則一也。朱柏廬治家格言有曰：「祖宗雖遠，祭祀不可不誠。」是中元之紀念祖先，乃我國倫理道德之表現，勢將繼續流傳下去，亦未可一例以迂腐迷信目之。

海嘯雲談薈

爲歷史作證（二）

諸葛文侯

縣令鍾麟全家壯烈自盡後，天色已曙，我們一羣學生走出縣府，又被領導至城北一座祠堂內，門口貼有白紙黑字的「安民局」新製招牌，迨走入裏面，即見本縣富紳李國柱（石琴）和若干人士正在開會，李氏對我們聲明：「我奉孫文命令回鄉革命，現在滿人鍾麟已除，別無問題了。」隨將寫好的「安民」佈告一張，派人持赴縣府大門前的照壁上張貼之，再教一位同伴領我們到縣府內清查死屍，以便掩埋。比至大堂上，滿地血迹，橫屍纍纍，但有一婦人伏地呻吟未死，另一小孩哀泣於其旁。原來她是鍾縣令的大兒媳被鎗彈擊中腿部後，倒地昏厥又復甦了，那小孩是她的兒子，幸未遇害。安民局聞訊，馬上將她母子二人抬送至距局址很近的民居樓上安息，並指派我在那兒看守她們。當時我聽婦人不斷地有所說詞，但一句亦聽不懂，如是，回到安民局請另遣別人去料理，我就走回學校去了。越二日，這婦人要求送她母子赴桂陽州州令查某處，以便醫治腿傷，不久，聽說那位查大爺攜同鍾氏婦與其小孩，掛冠逃走了。至於已死的鍾麟一家人，就在城外我們的學校旁曠坪中，挖了一個大坑，予以合葬了事。

原著所謂「大姓李巘廉恣爲奸惡，大府名捕不得，麟至獲之，後爲其黨篡去，至是貪夜聚衆稱民軍，圍縣署」云云。我從來就未聽說本縣有「李巘廉」其人，恣爲奸惡，曾被官府拘捕，又爲其黨羽劫救而去的這種事情發生過。嘉禾地小民貧，文化偏苦，唯有李國柱曾於清末自費赴日本游學時，參加了「同盟會」（他的盟書號繳爲第十號，可見其革命黨人資格之老也。），但他是縣城內李姓大族的富家子，李雲杰（保定軍校出身）就是他的侄兒，他在家時並無「恣爲奸惡」的行爲，更未曾遭官府逮捕過。縣令鍾麟之被迫全家自盡，確係他跟鄰邑宜章人彭邦棟策勵的，李雲杰之担任我們的體操教員，教練我們以軍事操法，亦是他的謀劃（事後知之）。實則鍾令全家自盡之夜，並無所謂「民軍」的組織，而我們這羣荷鎗入城助勢的小學生，當時很本就不會使用快鎗，只是裝樣子嚇人而已，「民軍」云乎哉？所以「辛壬春秋」這段紀錄，可謂羌無故實，而將同盟會老革命黨人李國柱，說成是武斷鄉曲，恣爲奸惡的豪劣惡霸兼匪盜之流，未免厚誣革命志士，不可不辨也。

綜觀「辛壬春秋」作者的觀點，他自稱不偏不倚，一以事實爲主，然其命意遣詞，處處對革命黨隱示不表同情，對袁世凱以及北洋軍閥多有好感，決非良史之才，我還要另行評述的。（完）

劉璈抗法前部署

·李仲侯·

各等由。准此，查台灣鎮任辦中路，原擬兵勇三千，現計所派已逾三千之數，自可毋煩再募。在帶勇客官，以爲兵有積習，多不可靠，必求調勇，尚在情理之中。若現任鎮將，係專管兵之人，即有疲弱，自應趕緊汰補整齊，收效桑榆，以期無負養兵千日，用在一朝之本職。無論守城守口，接應衝鋒，皆當取資於兵，不得舍兵求勇。萬一兵力不敷，則全台制兵皆可聽調，以收指臂相使之效。左右翼練兵千餘，久經吳鎮訓練，隨營中路，自資得力。即該營嘉，彰將備兵，亦可聯絡一氣，較之統屬別官，自爲得用。既得三千餘名，似毋庸以勇僅區區兩營爲詞。至格林砲隊，係專爲防守海口，備換砲台勇丁而設，中路無所用之，且經移撥安平周協將調遣，備防郡城要口，更未便冗調中路，反置閒散。如職道所練楚軍，無論何路何人，皆得調用，令歸一律，違抗者斬。況安、旂兩口砲台砲勇，皆係粵人，亦皆齊整，何獨指砲隊爲粵人，反欲調開，立言亦覺欠順。職道資淺望輕，奉飭統籌調度，本不勝任，業經詳請調簡大員督辦，以一事權，但此時既奉籌度，皆本公平以出之，兵勇既經派定，不使紛更。鎮道皆有地方之責，當此時事孔棘，繁文廳省，所望吳鎮勿存客氣，耐煩整持，共濟時艱」。（六）

內僑警台報字第〇三一號內銷證

自由報

THE FREE NEWS

第二六三期

中華民國僑務委員會頒發
台僑新字第三二三號登記證
中華郵政台字第一二八二號執照
登記爲第一類新聞紙類
（半週刊每星期三、六出版）
每份港幣壹角
台灣零售價新台幣貳元
社長：雷嘯岑
督印人：黃行宣
社址：香港銅鑼灣高士威道二十號四樓
20 CAUSEWAY RD 3RD FL
HONG KONG
TEL. 771726　電報掛號．7191
承印者：田風印刷廠
地址：香港灣仔高士打道二二一號
台灣分社
台北市西寧南路壹壹柒號二樓
電話：三〇三四六
台郵撥儲金戶九二五二

外交人才與國運興衰

·吳本中·

光復大陸之因素須賴七分政治，而軍事僅佔三分耳。此乃人所共喻，上至第一公僕，下至『最末民主國的主人』，均毫無異議者。然七分政治因素之中，其內再應包括七分外交因素，方可有成。是即言光復祖國的成功因素，百分之五十寄託在外交工作上，何以故呢？

試觀戰後法蘭西之復國。法國大陸全失，戴高樂幾等於赤手空拳，寄人籬下，逃至倫敦祗有手提皮包內藏他本人全家福像一幀，軍人備換襯衣兩襲而已，蟄居逆旅，踽踽獨行，回首故國，銅駝荊棘，誠極人生之痛事。最令人佩服而嚮往者：戴氏惟有熱血沸騰，忠義奮發，一心復國，不顧自己聲望如何，憑藉何在，以其至誠，用三寸不爛之舌，說服邱吉爾，始漸漸招致流亡，組織政權，借英、美之力以成立軍旅，終於完成復國大業，考其始末，外交之力實佔重大因素。筆者至今尚與舊日『自由法國』及『戰鬥法國』人士有來往，前幾年在倫敦時，曾至戴高樂當年領導自由法國時寓居之辦事總部一視，不禁徘徊流連，感慨唏噓者久之。此辦公總部爲一座三層樓之英式平房，且係當時一旅英法僑慨然於戴高樂沒有住處，乃以其自開的這座小旅館捐贈給戴氏使用的。再看第一次世界大戰後——一九一四至一九一八年——捷克的復國史事，其開國元勳如馬薩利克及貝納士等，蟄居巴黎一小胡同中，窮困潦倒，艱苦備嘗，其所以能光復祖國，獨立中歐者，均賴外交之力。前者任捷克共和國首任總統，後者在出任第二位捷克總統前，主持該國外交，出席日內瓦國際聯盟大會及理事會爲國際舞台上縱橫捭闔而主要人物之一。

論及外交人才，吾人似可分爲四大類：首屈一指者乃不世出之特才，是大外交家，亦即大政治家。濟弱復傾，至剛至正，於全民族顛危時，輒能隻手挽狂瀾，救生靈於塗炭。如第一次世界大戰時，法國『勝利之父』，號稱『老虎』克里孟梭總理；如第二次世界大戰，V字勝利手勢記號之創行者，年屆八十八齡高壽之英首相邱吉爾，又如上段提過之現任法國總統戴高樂者是也。『老虎』克里孟梭外交大才之發現，並不始於歐戰，多年前，他主張親英制德，在法議會中不斷地奮鬥着，因此其政敵且曾誣之爲『法奸』。蓋克氏高瞻遠矚，深知非與英國親密合作，不足以禦強德；而當時一般法國人之心理，因歷史上『百年戰爭』，中經滑鐵盧之役，以及與英爭殖民地，海外貿易等等，對英國頗懷仇恨之念，故視克氏的主張爲大逆不道。一日當議會羣情激動時，一議員挺身高呼：『這裏有一個叛國賊（即法奸之意），誰都不敢說出他的名，：：：可是我偏不怕他，我說出來，他的姓名是喬治・克里孟梭！』但是克氏雖曾一度爲政友所棄，選民所拒，遭政治上之大失敗，孤寂之餘，創辦『自由人』報，旋且被封（後又出一日刊曰：『被鎖人』），然國家阽危時，終於疾風知勁草，板蕩識忠臣，當德皇威廉第二欲藉卡塞布蘭卡地中海外法德炮艇衝突事件，以染指非洲法屬地時，命令德駐巴黎大使以最強硬態度向法施壓力，以嚴厲詞句告克里孟梭：如法於廿四小時內無滿意答覆，即將下旗歸國！直以斷絕國交，開戰相威脅矣。克氏鎮定如恒，熱視德使，徐出袋錶示德使曰：『現已十一時，巴黎、柏林急行列車將於十二時半開出，大使先生，你要返國，請快回家收拾行李吧！』克氏外交固不屈不撓，至剛至正。然老成謀國，因此事曾三夜不眠，繞室徬徨，熱淚沾襟。筆者於此，僅能談及其外交才幹之一二特點與特性。至其於大戰時如何與英美合作，扶持中歐捷克等國，以及北聯帝俄以毀德，最後在巴黎和平大會爲主席時，玩弄威爾遜總統於股掌之上等情，而讀者或已知之稔矣。

談到邱吉爾，其動業彪炳，亦人所熱聞，惟筆者於此欲指出其外交特點，亦如克里孟梭之至剛至正，絕非如我國人一般所想象者。邱氏對應做而需做者，勇往直前，不顧其他，亦不事隱飾，此則雖處於英國紳士冷靜氣派，政治修明之邦，亦當遭人忌恨。一九二九年至一九三九年，十載長期，邱氏在政府無一官半職，有若時代棄兒。鮑爾文及張伯倫任首相時，固不延其入閣，即麥唐納組全國各黨派聯合政府時，亦獨擯邱氏於門外。然其不逢迎，不敷衍，更不屈己，在外交上識遠見深之處，千百世後亦將爲人所景仰的。值此赤燄滔天，舉世在戰爭邊緣之今日，吾人更應知：邱氏於四十餘年前，即早已洞識機先，預料共黨對人類之災禍，且以行動表示之。第一次世界大戰後，當時一般英國人均仇德，所謂：『把凱撒吊死！』；『教德國賠償！』等口號，均已證明；而對蘇聯則誤存幻想，以爲是『前進』，以爲是實行社會主義，造福人類。惟邱吉爾則大不以爲然。不顧全國反對，世人非議，早在一九一九年四月十一日，於公開演說中已用極激烈之辭句，指斥俄共，認爲：『在歷史上，所有之專制，惟布爾什維克最惡劣，最破壞，最下流。』邱氏爽快指出布爾什維克比德軍國主義更兇惡百倍。他說：『就是強盜亦可能有義氣，還比這般殺人賊毫無人性者強！』邱氏此言出口不到一個月，即公開運用其軍需部長之權，輸供軍械給反共軍隊，二月時且早已親身赴法向美總統威爾遜罄言反共之必要，然威氏答以搪塞之詞。倘邱氏此項反共計劃獲實行，以當時布爾什維克之稚弱情形，實可毫不費力而於其初生時撲滅之。邱氏碰了威爾遜這個大釘子，仍欲盡其所能，實現其抱負，同英卿呼籲組織八千以上志願軍赴俄滅共，因而引起英國羣衆之震驚恐懼與不滿。一九二零年初，波蘭攻俄，邱氏又欲乘機滅共，呈送備忘錄於首相路易喬治，並建議復興德國，以沮共黨之發展，對其口號爲：『和平對德國民族，戰爭對布爾什維克專制。』結果邱氏的計劃非但又未獲實行，數月後蘇俄探得邱氏此項秘密建議書，即予公開發表，工黨大嘩，向國會提出決議案通緝邱吉爾，將欲置之獄中！筆者提出此一段歷史事實，是在證明一位具有眞知灼見，先天下之憂而憂，後天下之樂而樂的大外交家，政治家，是如何有關國家興亡與人類幸福的前途！我們值此大陸六億慘苦同胞，呼天不應，喚地不靈之時，又作如何感想呢？

至於戴高樂之外交，亦如其前輩克里孟梭之至剛至正。這位硬直軍人，甫由上校昇級爲少將、流亡英倫，可謂憑藉毫無。他居然能代表法國民族之尊嚴，昂然與大英帝國抗禮，他並不似『孤臣孽子』或『乞師秦庭』的滿臉哭訴乞憐態度，乃與斬釘截鐵如英國首相邱吉爾其人者併駕齊驅，每遇到對法蘭西主權與尊嚴有關之事，絕不退讓，跟邱老爭得面紅耳赤，理直氣壯，從不自餒，弄得邱吉爾徒喚奈何，退而語人曰：『戴高樂這傢伙！我實沒辦法。』他剛剛組成一支雛形的法國軍隊，必須英皇陛下親臨檢閱，方夠威嚴，適合法國聲譽，結果亦如願以償。美國總統羅斯福後來對戴高樂不甚瞭解，曾諷刺曰：『他一身欲併貞德與克里孟梭兼而有之！』貞德是法國歷史上愛國女英雄，扶王室，攘夷狄，她所用的旗幟爲一雙十字，亦即戴高樂復興法國所借用者。邱吉爾對戴氏比較知己，爲英法兩大民族利益及世界人民反獨裁而合作奮鬥，戴氏感之，故此次重整法國，位晉總統，速即邀邱老抵法，以國賓之禮及最光榮勳章致敬焉。若夫戴氏不念舊惡與西德總理艾德諾爾修好，以抗衡英美，組織歐洲共同經濟體，歐洲議會，堅決的允許阿爾及利亞獨立等等外交行爲，其目光之遠大爲何如者！

上舉三例，可資吾人借鑑，實與國命攸關，我們要復興中華，這類特等人才即不可少，當馨香以求之，熱誠以擁護之。次之；則爲一代表的人才，再次之，則爲『外交事務人才』，終之，則應名之曰：『外交技術專門人才。』以外交學辭彙言，此三類即：（一）Agent Representative，代表一國在外之尊嚴、榮譽及政治、經濟、文化等等利益，我古語所謂「使於四方，不辱君命』等意義頗近之。公使、大使等當知這個『代表性』是神聖的，若無『牧羊北海，窮愁十九年』的精神，徒知喝洋酒、吸雪茄、套外匯者不足以語此也。（二）Career Diplomat，中國人亂譯爲『職業外交官』，殆未識其眞諦，實在此名辭的第三個單字，眞義正解，乃是跑馬地上用欄圈好的跑道，馬必定依照此道跑，方有資格取勝。對於外交事務，從頭到尾，按步就班，熟習過者，如馬之在欄圈內跑完，始能有資格被稱爲外交實務幹才而已。此類人才並不一定有代表一國的才能，出而爲使節。（三）Expert or Technician。此類乃各方面專門人才而用之於外交者，如經濟、文化、商務、海、陸、空三軍等參贊是也。以上這三種人才，欲中華之復興，亦爲不可少者，當國者應羅致之，培育之，庶幾有豸！（一九六二年八月廿日晚）

有飛彈沒有魚

有飛彈沒有醬

自由談

嚴法不能消除貪污

近來中華民國立法院正在審議「懲治貪污條例」，輿論界亦表示贊許和期待的心情，而台灣警備司令部發表了一項破獲官商串同收受日本影片商非法賄賂的貪污案件，這眞是莫大的諷刺，可爲今日的政風太息長嘆者也！

有政治行爲即難免發生貪官污吏，殊不足異。夷考貪污風氣之構成，每以昇平之世與動亂之世爲最甚，此乃由於人心麻木偷惰，紀綱廢弛，上上下下都沒有振作奮發的意志和信心，唯有貪圖生活享受，實行鬼混主義所使然。若在革命時期，行政人員大家懷抱着一種政治理想，認爲前途無限光明，爲着實現自己的抱負而茹苦含辛，視爲義所應爾的常事，滿不在乎。如民元南京臨時總統府的職員，自總長，秘書長以次的人，一律月支薪金十二元，亦未聞有貪污情事發生。即從民十四年到十七年的國民政府時代，公務人員的待遇仍說不上優裕，但很少見到貪官污吏，原因就是有一股革命精神存在也。現時一般政治人物經常侈言革命，號召節約，然貪污之風與日俱增，表現着衰敗之象，其故安在，可以憬悟矣。

專靠嚴刑峻法以期消除貪污行爲，那是不切實際的，袁世凱初任大總統時，曾經頒佈懲治貪污法令，凡受賄五百元的，即處死刑，且將當時的京兆尹王治馨槍決示範。然結果北洋政府內貪官污吏滿坑滿谷，終致成爲國民革命的對象了！天道循環，理無二致，今日在台灣貪官污吏何以層出不窮？這除卻歸咎於人心麻木偷惰，沒有政治理想和奮鬥精神外，尋不出其他的解釋，空喊革命口號，毫無用處的。

治標之法，與其頒訂嚴厲的律例，即不如開放言路，讓輿論界摘奸發伏，隨時實行「扒糞運動」，收效亦將較大。如其缺乏一種誘起公務人員向上發展的精神潛力，又無言論自由的輿論監督作用，而乞靈於嚴刑峻法，彼有權有勢的貪官污吏，連法律亦將負之以趨，爲之奈何？這道理莊子的「胠篋」篇說得很明白，大家何不省覽而三思之呢！

馬五先生

廣州被解散院校師生 上月曾醞釀示威請願
事機不密被捕者不下二百名

被解散院校師生一律下放農村

（香港與大陸）

大陸專上學校紛紛關門，五八年「大躍進」後所設立之院校，十九皆被解散；學生無論畢業或未畢業的，大都被驅回原籍參加農業生產。

來自廣州中山大學的三年級學生黃君說：廣州市「大躍進產物」之大專學校，除暨南大學和廣東師院外，全部均在今年秋季解散。全體師生均被「下放」到農村。

黃君說：中共這種措施，在廣州幾乎引起大規模的示威請願。七月中旬，廣州市宣佈解散的若干院校，如廣東建專、廣東石油學院、中南科技學院、廣東冶金學院、廣東水電學院……等等，均有不少師生，秘密集會，企圖反抗他們的學校之無理解散。這等院校間且互相取得聯絡，選出三十多位師生爲代表，決定號召各校師生參加示威請願運動。但事發前被共產黨發覺，將全體代表和不少積極活動師生逮捕，被捕師生，不下二百之衆。其他僥倖未被解散的院校師生，亦心情徬徨，惟恐有同樣之遭遇。

又據新自廣州來港而畢業於廣州華南工學院的楊君說：大陸大專學校畢業生，率皆無事可做，僅少數醫學院和師範學院的畢業生派往邊區和山區工作。共黨對大專畢業生，祇每人發給人民幣拾伍元，勒令其「暫時」回原籍生產。以俟「國務院」另行分配工作。

楊君說：大陸不僅是今年的大專畢業生不能得到工作，以往數年的畢業生之獲工作崗位者，最近亦多被派調往支援農業生產。一位清華大學機械製造系五年制畢業生，年前被派到廣州市一家機械廠，但報到一年有餘，從無工作可做，每天只派打掃工廠而已，薪金亦只領取百分之二十。另一位天津大學土木工程系畢業生，被命「暫時」回原籍參加農業生產，每天作十四小時的沉重勞動，他等待了一年多，仍未接到「國務院」另行分配工作的通知。

黃楊兩君又異口同聲的說：大陸大專學生，皆無心向學，有親屬在海外的，則千方百計申請出國；沒有親屬在海外的，則抱着「有日和尚撞日鐘」的生活態度，鬼混了事。

大陸大專師生 時常挖苦共黨

另據一位由廣州來港的暨南大學學生黃君向記者透露：大陸高級智識份子，一律不滿共黨的暴政，經常含蓄而幽默地諷刺共黨及其幹部。

黃君說：大陸的高級智識份子，體驗了共黨的「社會主義運動」，不顧吃眼前虧，他們知道不能以直接行動和言論去反對共黨，乃改用含蓄幽默但能使人領悟的言詞，對共黨加以挖苦。

黃君說：「暨大有一位教授在講授世界通史時，會幽默地稱讚希特勒，這位教授說希氏是一位天才，直到今天，希氏時代的措施，皆爲許多先進的社會主義國家所效仿，譬如糧食配給，本是希氏之傑作，他從用了這種辦法，不單可減輕國家的負荷，且是一種十分好的慢性消滅敵對民衆的辦法。毛主席會經說過：「對敵人的仁慈，就是對人民的殘忍」，所以每一個政治工作者，皆應懂得這個道理，否則必然會失敗的。希特勒在念餘年前實行了，不單懂得這道理，且可見他是天才！」

又一位中山大學中文系學生張君稱：中大有一位教授，在講授時，提及莎士比亞說：莎氏之十四行詩中，他最賞讚的是第六十六篇：

對這些都厭倦了，
我召喚安息的死亡——
譬如見到了天才注定了做乞丐，
空虛的草包倒穿戴得富麗堂皇，
純潔的盟約受到不幸的破壞，
高貴的榮譽被可恥地放錯了地位，
強橫的暴徒糟蹋了貞潔的姑娘，
邪惡不法地侮辱了正義的完美。
……

這位教授將該篇十四行詩全文錄出後，極含蓄地對同學們說：這首詩不單「文藝性」極高，而且「思想性」亦極高。更值得讚賞的是有「現實」意義，它鳴放出社會中的不平。

這兩位大學生還告訴記者：大專學生也經常在諷刺共黨，當他們提到吃東西時，他們便模仿着「阿Q」的語氣說：「香港人最不衛生，每天要吃三餐兩點，把腸胃都折磨壞了，又還得每天跑到廁所裏去，麻煩極了。而我們，卻不吃這麼多，少了麻煩，最低限度每天省去到廁所的麻煩」。當這些大學生談到香港人要花錢減肥時，亦諷刺地說：「香港人眞傻，我們這裏的人全都免費減肥，他們爲什麼不來這裏減肥呢？這裏的減肥是絕對有效的！」（敬斯）

為台北市立中學聯考作文題目辯護

張健

在本報讀到洪爾棠先生批評一個作文題目的大文，我所見的只是上半（下半在寫稿時還沒發表），但已了解洪先生的看法，他對今年台北市市中聯考的作文題目——「假如電影院像教室一樣」——是非常不滿的，他認爲那距離通順、聯貫還差了一大截，簡直不足登大雅之堂。

忝爲台北市中一國文教員，本應避避嫌疑，但幸本人正在「留職停薪」階段，而當此次考試舉行的前後，我還遠在澎湖服役，既不知是誰出的題，怎麼來的靈感，事後也沒有同仁告訴我有關的事，只是在報上看到若干新聞，都是有關此題的。總結是：與國文教學有關的人比較贊同，一般社會人士則頗有微辭，甚至忿然指斥的也不乏其人。

現在我願完全憑一己之見來串演一次義務的辯護律師。先請大家注意：這個題目出現的地區，是一個號稱國民教育比率高達百分之九八以上而惡性補習氾濫成風的台灣第一大都市。這個作文題目，我覺得，比什麼「省辦高中、市辦初中」對惡性補習是一個更積極更有力的打擊。理由何在？只須舉一個簡單的例子：前年初中考試出了「雙手萬能」一題，據說有的國民學校的孩子連背（別人的）帶做（自己的）前後已有十多次之多，換言之，他們已能把「標準答案」倒背如流了。試問：這種考試，還有什麼意義可言？如果連作文測驗都必須以死記來應付，這一批「國家未來的主人翁」將來究竟能爲國家做些什麼？但以往那些非常合乎家長們口味的文題，正是鼓勵國民學校的師生共同努力來完成「範文背誦」的神聖使命的。如今，惡性補習由公開而變爲地下化，常識既然免試了，當然可以多勻出時間來「準備準備」作文囉。可是偏偏出了那麼一個「彆扭」的題目！精於「惡補」的莘莘老師們技窮了！

但光是「冷門」的題目並不是擁護的充份理由。最重要的是：它是孩子們所熟悉的事物構成的。教室不用說，電影院也何嘗不然？請記得台北是自由中國最繁華的都市，大小電影院數以二十計，孩子們即使用絕大多數的時間來讀死書（那些小「狀元」們在記者訪問時都自稱或他是從不讀死書的，我們最好相信他們），還是少不了抽個空（即使一、兩個月一次！）跟家人去看一次電影的。因此這題目若出在窮鄉僻壤，我便只有反對。至於是否聯貫得起來？答案是：絕對。天下許多事物都是乍看漠不相關，細想之下自有條貫的。初看到這個題目，也覺得有些「怪」，不好下手，但沒有好一會，我反覺欣然：這是一個值得去想，去作的文題！（我懇切地相信：孩子們在寫這篇文章時如果不是得失心太重，一定也多少有同樣的想法）。同時，請不要低估孩子的想像力，這正是他們之所長，（老實不客氣的說，某些家長比他們差多了！）而給孩子們作文最大的目標就是讓他們發展自己的個性，培養想像力，當然還要把文章寫通。去年的那個有關美術音樂的興趣的題目，也發揮了同樣的作用。（只是據我所知，目前高小爲了升學，幾乎很少美、音的課程，反比不上一般孩子們對電影院那麼熟悉）。

說到這裏，我必須自另一個角度提出一個問題，那就是改卷先生們的觀念。我深信若干改卷的同仁們心中和許多「社會賢達」（連市議員們都熱心地攻訐！）一樣，也不贊成這種題目。在他們心目中，應該讓孩子們做做「立志做大事(偉人)」之類的「經天緯地」的大文章，這才像是「教育」！殊不知做這類題目（「雙手萬能」也差不多）時，孩子們多半是在背大人教的台辭！只有像「假如電影院像教室一樣」這類出乎成人意料之外的文題，才不致使孩子們把它拖拉到和反共抗俄有關的地步。（這也是成人們「潛移默化」的成就之一！）可惜的是，像報載的一個範例，（大意如下）：假如電影院像教室一樣，那眞好笑死了。那銀幕就得掛在天花板上，老師就成了活動的演員……。自然這不是很好的作法，但就孩子論孩子，這才眞是他心裏想的，這才是他誠實的「創作」！然而據說那份卷子的作文只得了六分（滿分爲二十分，只相當於一百分中的三十分！）足見那位改卷先生太冬烘了。其實，只要那孩子能自圓其說，文字也通順過得去，就應該給他及格以上的分數。所以，我認爲，不大刀闊斧的改變舊作風則已，既然敢於作新的更合理的（！）嘗試，就該徹底的做好，換言之，改卷先生們的觀念也該一古腦兒的改過來！

洪先生說出題的至少得公佈一個「標準答案」。我認爲作文而有「標準答案」，畢竟是笑話。但據我親自參加此次考試的小弟說，報上會公佈了好幾個範例，都是由考生試卷中選出的。他並且沾沾自喜，說自己的作文和其中之一甚爲近似。一問，才知是說些「電影上專演一些不好的事，很容易把我們教壞；如果電影院也像在教室裏那樣，把有益的東西教給我們就好了」的鬼話。在「下次不要找我帶你去看電影」的笑語下，我對舍弟這種寫法是不十分滿意的——這未免有些阿戎人之所好！（裝作一個「乖孩子」的樣子）。

總之，這個題目看似不通，卻正是讓孩子們施展自己眞本事的良機。除了這樣的題目，我們有辦法聽到他們「假如電影院像教室一樣，一定關門大吉！」的心聲麼？他們對於那些沉重的書本和「參考書」，還有老師的長臉和教鞭，心底多麼厭惡啊！

讀者與編者

社長先生：讀者之父親，前年返台灣開工廠，因廠務極忙，還未返家。去年接奉其來信，催我辦理赴台手續，在台灣設法讀高中。此事使我非常困難，因去年本校同學四人，赴台攻讀，今年暑假個個回港，且已不想再回校。說是台校不好，不如香港。又同學某君，去年考入本校，渠之令尊係國府在香港辦理之報社負責人，亦令其公子自台來港攻讀，愈使我不明眞象。且據該位同學說：台灣需服兵役，彼不願入伍，故其令尊乃拜托國府官長通融，准其出境來港。何種程度要服兵役？是否人人要入伍？黨國先進之子弟不在祖國讀書而來香港，家父催我返台攻讀，躊躇難決，素仰貴報深知祖國情形，懇請公開答覆，因尚有數位同學，亦對此不明白也。敬請

編安。

讀友盧賢上
八月十五日

盧賢讀友：來函所述各節，深信我你是出於至誠之言。可是，若以台灣大專畢業生依法須受軍訓一次這件事情，而認爲台灣的學校不好，那就是錯覺。「軍訓」並非如普通的壯丁入伍服兵役，乃係接受一種下級軍官的基本訓練，結業後，聽憑各人自由升學，或出國或在國內深造，毫無拘束。一個青年人有機會學習一些普通的軍事知識，實爲人生最有意義的生活過程，你何必害怕呢？令尊在台灣經營企業，他要你到台灣讀書，得叙天倫之樂，這是合理的，而且台灣的學校內容，絕對不比香港差，我敢負責保證：作爲一個中國人的中學和大學教育修養，台方的學校更爲優良而適宜。有些僑生半途輟學，實際是因爲功課趕不上，這是千眞萬確的情形，他們說台方學校不好，未可認信的。至於說海外某一官報社長竟使兒子逃避「軍訓教育」，潛來香港求學，這或許是事實，但此等腐敗官僚的思想與作風，有如家裏渡生的臭蟲，然予以掃除，豈能視臭蟲爲羞恥，少之又少，我們應該引爲警惕子弟嗎？我希望你接受父命，到台灣去選擇一間好的學校，一定成功。

——編者——

拱北關轟然爆炸聲

（本報訊）據澳門消息：八月十九日晚十時，鄰近澳門的三[illegible]拱北關所在地，又傳來轟然爆炸聲，澳門邊境的關閘、馬交、石山，及青洲一帶居民，均爲爆炸聲所震動，紛紛外出遙望共區，卻未見有起火情事，眞相尚未得知。（跡）

台灣的省會——中興新村

林嘯嵩

關於中興新村，似乎還沒有人寫過專欄文字，報導它的種種。其實，中興新村確實具有許多的特點，是值得特別加以介紹的。

幾年來，筆者總想以它作為寫點東西的題材，然而總是提筆茫然，一部十七史，不知從何說起，因此就把這件想做的事情，一直延擱至今。「不識廬山眞面目，只緣身在此山中。」實在是很有道理。筆者雖蟄居中興新村已達五年之久，而對於中興新村的實際情形，自問亦有了若干認識與了解，然而居然落筆還是如此其難。

在省政府遷來中部之前，這裏還是一片荒瘠地區，沒有一幢像樣的房屋，沒有一畝耕耘的良田，在這荒山僻野中，到處都是雜樹蔓草滋長着，滿目荒涼，一片紛零，當時給予人們的印象，僅是一種人烟稀少，與大地空寞。但自省府由台北遷來此間之後，很快就改觀了，變成了一幅新的美麗的圖畫，一切都是嶄新的。中興新村眞像一位艷麗的少女，從頭到腳無一處不美，多彩多姿，風韻不凡。

筆者把中興新村比做一位美麗的少女，這譬喻的確是恰到好處。因為一位姣好嫵媚的少女，原是一個極不懂事的女孩長大的，當她光着屁股在地上爬行學步的時候，當她見了生人就躲藏在媽媽的懷抱的時候，也正如中興新村尚是一片荒瘠未開而不能見人一樣。一個光禿禿的山坡，就像還不需穿褲管的小女孩一樣，雖然她長得頂活潑而有趣，但是誰也沒有工夫來逗弄她，這不免使她幼稚的心靈，感到了世界對她的陌生與寂寞。直到省政府搬遷到來之後，這女孩經已是婷婷玉立了，正是綺年玉貌，楚楚可人，使愛慕她的人愈聚愈衆，現在她已是擁有居民一萬以上的新村了。而且還在大興土木，人口正在有增無已的膨脹過程之中，據說她可以容受人口的限度，大約是三至四萬居民。

中興新村的全長約兩公里，平均寬度約為五百公尺，依山建村，形勢天成。柏油馬路的村道，縱行的主線共有四條，這四條的命名是環山路、光華路、光榮路與環村路。從這四條路的起點到終點，步行大約需時三十分鐘，乘汽車約十分鐘。如欲環村一匝，則約需兩小時的步行時間。

整個中興新村是一個幽靜，美麗而且清潔的計劃新村。這裏隨處都是綠草如茵，韓國草皮修剪得平整而光滑，沒有一根雜草，一塊一塊的就像綠色的地毯。還有好多處有坡度的草坪，傾斜而下，更顯示着自然的美好與無限的生機。

這裏絕不是遠住台北，未嘗識荆的那些人所想像的寂寞的地方，而是一個新型的鄉村化的都會，高樓大厦和寬廣的柏油馬路，都足以說明中興新村具有現代化的都會形態了。

由中興新村到台中市，全線長約二十三公里，直達車需時約四十分鐘。每日往返於這一線的公路局班車次數，常在六十次以上，平均每日的往返旅客，當在三千人左右。而且，大部份的乘客，多為手提皮包的公務人員。有的是由台北以及其他各縣市巡來省府接洽要公，有的是由中興新村前往各縣市視導庶政的省府大員，這樣來回往返，於是這一線的公路，也就變成了「山陰道上」，有「應接不暇」之勢。尤其每屆週末，頗多擁塞現象。這些絡繹於途的人士，卒皆「公爾忘私」的出差者。（上）

天南風光

——沙羅越的首府——古晉

朱淵明

假定車已開行過去百十碼，忽然斜後方竹籬深處，有兩三個花枝招展的太太小姐大聲呼叫，同時打着手勢，叫他停車，那位司機先生耳聽八面，眼觀四方，若居然聞見，他會立即將車倒開回去，停在那一羣人必經的馬路口上，以待太太小姐的蓮步珊珊，從容細步而來。不但她們毫不着急，就是先前坐在車上的乘客，也並無異議，而司機先生則更無所謂，因為那部車子，全部控制在司機之手，只要他高興如此，誰來管他呢？雖然乘客也要買票，但賣票之職，也由司機兼任，及至等到遠遠招手之乘客上車之後，還要經過一段小小騷動，調整座位，等座位調整後，然後太太小姐，慢慢打開皮包，取出毫子或鈔票，輾轉遞到司機之手，司機再將車票軋洞又輾轉遞到乘客之手。如果需要找錢，還要經過一道輾轉傳遞的手續。因為後來乘客雖經調整座位，但先上車之人，自然佔據佳座，並盡量擴大地盤，車中間復堆置許多貨物包裹，後來者，天然只能坐在車後被讓出之地方，詢買票，遞票，或找錢等手續，勢不能不由前面的乘客代為傳遞了。要等到一切手續完畢，然後司機才再開車前進。於是有人加以調侃：說是假如足下搭上這種巴士，忽然中途內急，你儘管可以請司機停下車來，讓你去附近找一廁所大解後再行上車，也不誤事。

雖然這是笑話，但那種雍容不迫的作風與氣度，確實令人有「三代以上」之感。然而現在却大大的不同了，巴士車身既已改良，裝滿可坐到二十左右，一切設備，也逐漸近代化，沿途設站，非站不停。回想當年情調，嚴若隔世矣。

沙羅越的最高統治者——總督，就駐在古晉對河北岸。總督府的房子，大半還是木頭建築，以前的「拉耶」（國王之意）以及汶萊蘇丹統治時代的總督，都是駐在那裏的，到是古色古香，頗有歷史的一幢建築。在總督府附近有警察訓練所，又有野戰兵營，及森林作戰訓練場。另外又有一尊舊式大炮，每天晚上八點鐘，必定轟然一聲的放一次，差不多全市皆聞，於是大家都知道是八時正了。據說這炮聲由來已久，似有「日入而息」或夜間警戒之意，然在目前則變成標準時間炮了。（五）

公道篇

林人公

科學與道德的論辯（一）

東西古代兩大聖哲的孔子與阿里斯多德，雖在表面上是，一為人生道德意志的完人，一為自然科學知識學問的泰斗，但同等却是以中庸為敎，反對過猶不及的言行。至今代相對論證驗下的完全意義，量子學證明質能量有統一綜合的價值，便等於證明了古代東西兩大聖哲思想的偉大與正確。從而也確認了均衡、中庸、綜合、完全，這些觀念是眞正可以代表公正的，是無可懷疑，是可以放諸四海而皆準的。

從相對性事物求取絕對性的獨立統一體，是近代科學哲學探研的趨勢。但那也祇限於已變性的化合體，而非相對性事物的本身。所以，就科學與道德而言，是兩件相對性的事物，科學是科學，道德是道德，科學不能代表道德，道德亦不能代表科學；但人類生活，却不能忽畧科學，亦不容有欠道德，因此，其絕對的意義，當不在科學，不在道德，乃在人類的本身、思想、社會中。

在科學實驗室的試驗管裡，不能製造抽象的道德觀念出來。一個偉大科學家之所以成為偉大，該科學家就必須具有崇高神聖意念的維繫，而後可以貢獻其一生所學，為造福人類而工作。即使不論把「造福」作如何的解釋，但我們起碼總願意去接近「造福」兩個字，而不願把「危害」二字和自己的名字相提在一起的。這是人類的天性，是常情，除非他是患了變態的心理，否則就必然如此。但為什麼呢？誰敎我們遠離「危害」二字？又誰敎我們以能接近「造福」為榮呢？

大科學家愛因斯坦就是一個最虔誠的敎徒，他就憑着某種神聖的假設的凝像，來維繫他不要離開正軌。

科學家可以創造一件物，但不能使這件物附有道德。科學家甚而可以創造一個人，但不能使這個人必然有道德。科學家實在不能憑自己學得的科學知識，來改造自己必然成為有道德之士。所以，科學家或許是科學家，但他是否有道德，却是兩件不同的事。唯物的機構分法，祇可應用於靜態的死物中，動態生靈的活躍，多具偶然突發性。必然性的法則，是難以作準。我們看到有物質文明高度發展的社會，人類的精神苦悶也隨而高漲。物慾無窮無盡，唯道德精神可以弭阻宣洩。科學總與物結緣，不是與道德結緣。科學的發展，也祇使物慾加强，獸性發展，商業金錢氣息加濃，與道德和平無關。所以，患上精神分裂症的科學家，還是不能自救。在他靈智澄明的一息間，他便走去自殺來毀滅自己，以免做出「危害」人類的事情。

今人有視杜威實驗主義為絕對健全的學說，把道德歸入科學的範疇，實是皮毛皮相之論。其實，惟眞正有成就的科學家，才知道科學是否可以產生道德。愛因斯坦生時，並未證明科學對道德有幫助，却證明他需要道德的環境來使他不致走離人生的正軌。

塞外續夢

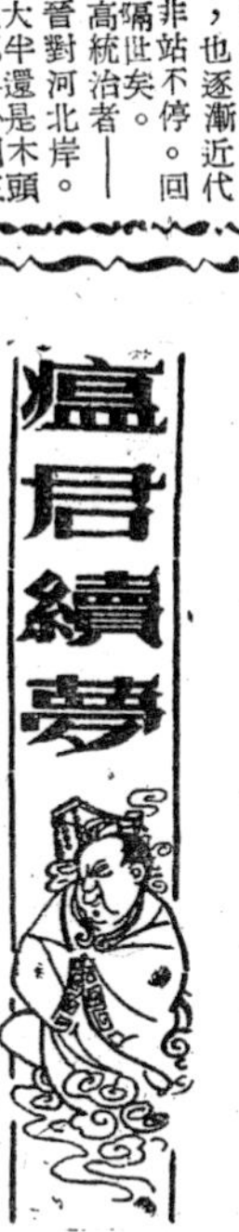

第六回：烽火照邊陲　同惡難濟　樓船橫碧海　大憝興悲

王剛一看公安局起火，以為是駐防的「第五軍」所燒，馬上下令開槍。「第五軍」不料公安人員竟然敢開槍射擊，猝不及防，被打倒十幾個人，其餘的人立時散開向公安人員採取包圍態勢，一面派人回到團部報告，團政委是中共直接委派的漢族幹部名叫常得意，幹了二十幾年軍中政工，相當老練，接到報告，馬上去喀什地委會報告，會同喀什地委第一書記及喀什區的專員一道趕去現場，算是制止了戰爭，第五軍死傷的十多人，由「專區」予以撫卹，王剛改調別的地方任職，內部糾紛算是告一段落。再去追捕巴錦漢，巴錦漢却率部投奔胡三英去了。

說起胡三英，眞是一位了不起的英雄，他是南疆哈薩克族酋長。南疆喀喇崑崙山在和闐，于闐二縣交界處分支，東行一支叫做阿爾金山，蜿蜒三千餘里，崑崙山北麓與阿爾金山南麓中間，有一塊斷絕盆地，東西有七百餘里，南北也有四百餘里，每年從高山上融下雪水，匯聚盆地中央，成為一個大湖，周圍有百餘里，當地人叫做烏宗海，海中有一個島，就叫做烏宗島。這一帶地區原有蒙古族七千多人游牧其間，因地形太過偏僻，一般地圖未載，所以很少人知道這個世外桃源。

由烏宗海經過阿爾金山峽口北行五百多里，治抵南疆平原，再北行渡過一千二百里路大戈壁，到達南疆且末，婼羌二縣。

胡三英部落共一萬五千餘人，有自衞槍三千多支，平時就在阿爾金山北麓，且末、婼羌二縣境內游牧。共軍佔領新疆後，各地國軍及行政、敎育人員，紛紛向南疆逃亡，和胡三英團結一起，胡部陡增至二萬餘人。不久，北疆的游擊隊七千多人，在縱隊司令扎克沁率領下，也開入阿爾金山，各部加在一起，已超過五萬人，其中包括維吾爾，哈薩克，烏孜別克，漢，蒙，甚至連歸化族（白俄）也逃來了。經過各族領袖會商之後，設立了一個「西北反共救國軍軍事委員會」，作為最高發號施令機關，由胡三英任委員長，扎克沁為副委員長。軍委會決定留一半步兵與所有眷屬在烏宗海開墾，游牧，一半步兵與三分之一騎兵在阿爾金山北麓採金，大部騎兵留在阿爾金山北麓游擊，有一個時期游擊隊勢力所達之區，東至甘肅敦煌，西至和闐，于闐，東西直徑達四千里，均受其威脅。

游擊隊最輝煌一次戰果，在民國三十九年九十月間，因為中共根據蘇聯專家的估計，阿爾金山儲藏有黃金五百億兩，對中共自是一個絕大誘惑。不過，要開採阿爾金山金礦，一定要先消滅烏宗海游擊隊。於是中共集合全部力量，在蘇聯協助下，出動大兵十五萬，大炮百餘尊，四套馬水車兩千輛（每輛可以載水兩噸），當時分兩路進兵，一路由喀什，和闐，于闐經過且末東下南進，一路由焉耆沿孔雀河南進，會攻阿爾金山游擊根據地。

這一次中共集合了在新疆的全力，抱有最大決心要消滅烏宗海游擊軍全部。共軍前進時，並未遇到抵抗，全部進入戈壁後，游擊軍軍事委員會挑選兩千騎兵，分路迂迴共軍後路，一舉把水車全部擊毀，食水整個流入沙漠。（一二八）

劇與歷史（續）

[illegible]即編出一齣「打金磚」，緊接在「上天[illegible]」之後，殘殺忠良，把光武說成了昏君，[illegible]戲劇歪曲歷史中之最甚者。甕君也力[illegible]改治盡。

[illegible]書印刷非常別緻，全用蠅頭小楷來寫，[illegible]一位担任，再用照相版影印，某女士所寫[illegible]工整而挺秀，非常美觀，與排版毫無兩樣[illegible]寫得特別，而印得也特別，是最近出版[illegible]中的一種異品，其設計匠心，可說周至，[illegible]可表現毛筆字，比較鉛印來得精美多多。今[illegible]場市上，尚不能多見此印法。全書有一百七十餘齣，雖未完全包括殆盡，（最大[illegible]有六百餘齣）但有很多冷戲，是劇團未曾演過，約三十餘齣，大可按圖索驥，去[illegible]尋。因其每齣之後，均附有唱詞，可見其搜羅的費力。

平津的落子

懷玉軒雜綴　·淑城·

平津的民間藝術，除了在戲園（劇院）唱的平劇與評劇（一名蹦蹦戲），還有一種價格低廉的落子館。余於民八九年寓平，那種落子館的票價，以銅元計算，談不到論角子，講大洋。其中演唱的，都是貧窮而是良家小妞兒（即小姑娘），可是一二十年來，唱的結果，多是嫁得金龜婿，這是以色藝來找對象。可是動態非常文雅，不像貨腰女郎以摟抱來求刺激，真可說禮失而求之野。不管如何貧苦，不作下賤的姿態，偶有秋波微送，眉飛暑展，些些薄笑，也不甚於淫浪，依然規矩自持。其中傑出者，比較以小黑姑娘劉翠仙，皆是一到上海，不復再歸，作名門寵姬矣。

在北平的落子館大本營，多在永定門內的天橋。天橋左傍天壇，右靠先農壇，因地利關係，在先農壇外圍，約有廿餘家，每家至少有五六位小妞，在那裏執牙板，敲皮鼓的唱。多半是大鼓書，有梅花調，有京韻調，有梨花調，有鐵片調，名色很多。每唱完一小曲，伙計（即館內侍役）以盤收茶資，多則投以十餘枚，少則六七枚。不過顧客如須吃好的茶葉，可另行給錢去買，一二小時替你換葉一次，以所購茶葉泡完為止。唱曲的小妞，穿得並非摩登，絕無奇裝怪服，皆是布質衫袴，間有絲質的旗袍，看起來多很大方，絕不刺目。出場後，時常笑靨迎人，一股和氣可喜。（未完）

康有為的嗜好

讀書買書買花睇月光（五）

丘峻

臧然，康氏亦不欲以詩見長者；蓋志不在此也。惟康氏之詩亦有其天分獨特之處，非別人所可及者。

康氏除自己好讀詩外，又好聽別人讀詩，尤其愛聽其夫人讀詩，每遇深受刺激，或深思苦慮之後，心情煩惱，甚至頭昏腦痛之際，必命其夫人梁氏在旁讀詩，傾耳細聽，直至沉沉睡去而後已，亦怪癖矣！康氏去世前之數月，日必誦元遺山（好問）亡國詩若干遍，直至死之日為止。愛國之心，憂國之念，可謂至死不渝！

除讀書，買書，讀詩，聽詩外，康氏又一嗜好為買花與睇花——觀花。心愛之花，務必得之，不計重價。遇手頭拮据，則典賣所藏，得款以購。六十潤壽之年，人謂蘇州木瀆元墓聖恩寺有五色桃花及紅梅，乃出所藏變賣，得百餘金，即往購各數百株以歸。半數栽於上海愚園路一七二號的『游存廬』及『天游學院』。餘半則植於杭州西湖邊上康莊一天園。氏詩有：『閉門栽甲漸成園，避地桃花亦有源。』『三面山環三面水，萬枝松擁萬枝梅。』『三面湖波亦半島，百株桃樹又漁舟。……花開花落春心意；避地[illegible]人天與游。』之句，蓋詠此也。餘時名花異卉不少，頗足供其清玩。某年，滬寓中，曇花含苞欲放，爰分函各方親友，約請來寓，共賞此名貴之花。殊不料親友紛至沓來，而花仍含苞待放，乘興而來，敗興而返，誠趣事亦憾事也。

康氏的另一嗜好，就是睇月光——賞月。每月從初三四日起，至二十日左右止，必赴西湖賞月。賞月地方有兩處：一在一天山之康莊，一在三潭印月之九曲欄干的人行道上。康莊一天園的頂端為平地，曾以九個銀圓，購買火磚，細沙，石灰等材料，親自築成一座寬一方丈，高四尺的高臺，曰『九圓臺』。

緣

汶聿

人和人相遇，「緣」字是最好最更捷的說明。其實只說一個「緣」也就是無法說明的意思。男女姻緣不用說了，友朋聚合，不也如此嗎？考試的時候少一兩分或多一兩分，就可能結識另一夥同窗學友。今天遲出門幾分鐘，或許就錯過和一位老友相逢的時機。一點一滴的小因素，就會改變了偌大的人生。不過，無論怎麼說，我們都已活在這地球上了，總算都是跟世界有緣的！

到軍隊裏結識了不少新朋友，有些值得，有些比較不足輕重，有些純樸，有些也胸懷丘壑。我常為這一年的「義務」慶幸。如果保持以往的生活圈子和習慣，我永遠不會知道某些事，認識某些人，換句話說，我也不會受到某種薰染（我有理由自信那是好的居多）。也許，有生之年，我的心靈中始終會保持那幾個崇高而平凡的靈魂的投影。

緣份不只適用於人，地方也一樣的。

如果我沒有穿起軍裝，我也許永遠沒有機會去風砂之島澎湖一遊，更不會跑到更遙遠的第一線小島——烏坵去「觀光」了。這不是緣又是什麼？這不和認識一個秀逸的女孩子，遇見一個高尚的同道人一樣的值得感激麼？

父子、兄弟之間，說穿了也不只是一個緣字的結合嗎？想得遠了，「緣」是無所不在的。回溯起我能安居在寶島十多年，完成了學業並度過生命中的一大半，也是夠偶然的，僅僅由於父親一念之「中」！否則，也許此刻也難逃「公社」的摧殘吧。是我和台灣有緣？還是說我和我目前的志向有緣吧。（易地而處，誰知自己不早已成了棄地白骨了呢？）

「有緣千里來相會」，是否定了空間；夢裏會見周公之類的逸事，又是超越了時間。世間的確不乏巧合的事，許多悲劇的真正導演，其實還該首推緣份。像狄更斯筆下的那些人物、故事，在真實的人生中會發生嗎？誰也不敢肯定的說個不字。面相卜命者流，如果對於「緣」真有神來之悟，我們恐怕也不能全以胡謅相看待吧。

莊子在夢裏化蝶，在壕上看魚；蝴蝶與魚，不都和他有緣麼？但他不說一個緣字。他主張「忘」。為什麼要忘？還是因為先有了緣。人既然或了形，就和生、死發生了緣份，所以要忘生死；既有了[illegible]，就和是、非生了緣，所以要忘是非。[illegible]有了觀察力和辨[illegible]，就和萬物有了緣，所以要忘物、我。總而言之，「忘」雖然是高一層的境界，它的基礎還是一個緣。

至於常人，[illegible]有那麼開豁，也[illegible]希求那份豁悟，[illegible]難怪老在「緣」的圈子裏兜來轉去了。朝秦暮楚能不能算[illegible]？這種關係太脆弱[illegible]，可憐，甚至還欠[illegible]一夜姻緣」那樣的悲劇性；我們心目中的緣，是比較飄逸，比較耐人尋味的。[illegible]像聊齋故事中的人狐之緣，也要比只[illegible]利是圖的遇合超脫得多！

同樣的花草長在一起，同樣的人物也常聚成一夥。用這樣的觀點看緣份，倒使人放心得很。因為「志同道合」而產生的緣份，總比較有安全感，而且可以變成源[illegible]肉朋友，[illegible]緣就都是容易崩潰的了。[illegible]街上遇到了一個陌生人，[illegible]算不上什麼緣，但第二次，第三次又打了照面，而且互相注意了，這吸引就不同了。有些夫妻最初就是在街頭相逢而演出這一幕的。

有一種人無緣而強求，還有一種則緣疇身而揮之不去。古代的窮小子一旦名登金榜，貴家千金都爭先來招贅，想到當年三餐不繼[illegible]景，心裏豈不知是何滋味？一位中國小姐也是出身寒門，能[illegible]一天嗎？這年頭有[illegible]主」的大公子願意[illegible]科則自己和一方之[illegible]

[illegible]緣」字本不能看得太神聖了，可也不必當作垃圾堆裏破爛那麼呼。讀者先生們，拙文能得各位的青睞（或白眼），也算咱們此生有緣了。

海嘯樓談薈

最劣等的國家元首

諸葛文侯

美國報紙上，最近刊出一種民意測驗式的統計結論，對於開國以來的各個總統先生，依其政績，指出最偉大者有五人，如林肯與兩個羅斯福皆在其列；屬於中等人才者廿人，如杜魯門亦被列入其中的第十名；此外則認為係平庸之輩，而以艾森豪威爾為最劣。這樣的評判，頗為公允。

艾森豪作了八年總統，忝居自由世界盟主之位，卻對自由國家毫無裨助，相反的且弄成許多災害，貽患至今為烈。他當年以「結束韓戰」為競選總統的宣傳材料，當選後，即採屈辱政策，促成板門店和談協定，使南韓人民犧牲了無可估計的生命財產，以及美國青年子弟傷亡了十多萬，究不知所為何來？但這事尚有理由把責任推到前任總統杜魯門身上。最該死的措施計有三項，卻係艾森豪無可諉卸的過失！——也可說是罪惡！——給自由世界種下了莫大的禍根：

一是他對一九五七年英法進軍蘇彝士運河，打擊親俄的納薩政權之役，被俄共一紙威脅性的文書，即嚇得六神無主，竟不惜以斷絕石油供應為武器，壓迫英法休兵，因而招致中東各國實行中立親俄政策的後果，等於把中東送入俄帝的懷抱中。

二是當匈牙利全國人民發生反共抗俄大革命運動時，總理納基再三呼籲美國予以支援。然艾森豪充耳不聞，對於俄軍屠殺匈人，更熟視無覩，即言論應援的表示亦沒有，理由是避免美國有背後支持的嫌疑，唯恐開罪了俄帝，而使美國受到飛彈襲擊。等到匈牙利人民的革命力量被俄帝大軍消滅，革命份子也被屠殺殆盡了，艾森豪纔派遣副總統尼克遜赴奧匈邊境憑吊一番，並聲稱歡迎匈國反共人士到美國去作難民。這便是領導自由世界反共產極權主義的方略，嗚呼哀哉！

三是艾森豪聽得中共頭目周恩來在「萬隆會議」中，說了一句「願與美國坐下來談談」的宣傳詞令，即迫不及待地跟中共在華沙舉行「大使級談判」，說是討論「台灣問題」，卻不徵對台灣享有領土主權的中華民國政府預聞其事，且由其副國務長官胡佛，公然發出「不須中華民國」參加的談話，竟置友邦於「殖民地」之列，表示不惜出賣之意，所謂自由世界盟主的作風，應如是耶？

以上這三項措施，對自由世界是加重其危亡的趨勢，對美國亦並無何等利益之可言，唯一作用，祇是讓艾森豪戴着「和平總統」的面具，暫時騙取本國一般選民的好感，得以安安逸逸地做過兩任白宮主人而已。似此渺小低劣的人物，而僭居於世界盟主地位，能說不是最劣等的角色嗎？他最近赴英法各國訪問，到處得到冷淡的反應，理有固然。美國擁有富強甲於全球的國力，卻沒有一個像樣的政治家，這真是自由人類之大不幸啊！

劉璈抗法前部署

·李仲侯·

由上段文字，可見當日[illegible]各營之腐敗廢弱，也可看出領，道間之不調。那時台灣兵營暮氣深沉，雖經劉璈近三年之整頓，猶難有起色，以致後來法軍犯台，劉璈及劉銘傳所恃以抗法者全賴湘軍及台灣鄉勇土人。其中在基隆，淡水一帶與法軍苦戰，斬將搴旗之傑出將領如曹志忠、張兆連，林朝棟等，均係劉璈親信，平居布衣兄弟之好，結納甚深，故臨陣能出死力抵禦外侮。至今基隆市獅球嶺一帶村名有兆連莊，朝棟莊等，乃後人表示紀念各將之勳績而命名。當日基隆戰事極為激烈，屍橫原野，無人掩埋，後來[illegible]戰場，經地方人士收集忠骨，叢葬於海水浴場，號曰清國人之墓。人民遇有災疫，常往祈禱，香火頗盛。日人據台，屢次平塚，人民輒復立之，直至近年經市長謝貫一於該處建立民族英雄墓，請總統題額，其跡始著，至今市民過其下者咸瞻仰勿置。（七）

內僑警台報字第〇三一號內銷警

自由報

THE FREE NEWS

第二六四期

中華民國僑務委員會頒發
台救新字第三二三號登記證
中華郵政台字第一二八二號執照
登記爲第一類新聞紙類
（半週刊每星期三、六出版）
每份港幣壹角
台灣零售價新台幣弍元
社長：雷嘯岑
督印人：黃行靈
社址：香港銅鑼灣高士威道二十號四樓
20 CAUSEWAY RD 3RD FL
HONG KONG
TEL. 771726　電報掛號．7191
承印者：田風印刷廠
地址：香港灣仔高士打道二二一號
台灣分社
台北市西寧南路壹壹本號二樓
電話：三〇三四六
台郵撥儲金戶九二五二

反攻復國不能寄望於大陸人民革命（上）

·李仲侯·

最近有鄉人由大陸逃港抵台，據告親身經歷大陸的眞實慘狀甚詳。由於共匪普遍推行一窮二白政策，尤其自人民公社解體後，人民眞是室如懸磬，一貧澈骨，終日難求一飽，惟有相率逃跑外出求食。此君亦是逃亡中的一員，他在外流徙十年，北逾天山，東窮魯岱，足跡所至，殆二萬里，所過車站碼頭，都有流亡的人羣麕集，白晝搶掠食物，視爲常事；他有時跑點單幫爲生，窮困時亦加入流民的行列中，攫些野食活命。

他最感驚奇的，是共匪歷年在大陸所推行的暴政，如始初的「五大運動」，後來的「三面紅旗」，總路綫，大躍進，人民公社，及農工商學各業的改造運動，地無分南北，人不分老幼，所感受到的大都一樣，難看出有多少差別。因共匪每一項政策，或一個運動，由中央發出一直貫澈到每一個人民身上，不許稍有偏差。故近自共匪整個的政策失敗後，人民確已做到一窮二白，遍地餓荒，民不聊生，各種生產萎縮，達於曠古未有的程度。

他最近積了一點錢，在漢口設法購得白米數百斤，貪夜運回故鄉湖南華容縣，去看他那離別已逾十年的老母。他母親已是風燭殘年，消瘦得不成人樣，一家人都在饑寒中發抖。華容爲濱湖魚米最富之鄉，昔日何等繁榮，而今則「訪舊半爲鬼」，「積屍草木腥」，左右好些鄰居，入晚都是用簑衣或稻草包作鋪蓋捲。每日能喝到三餐粥水飯內，只有青壯能全日出工參加生產大隊的，纔有此享受。其餘老弱孤獨，則長日處於半饑餓狀態中。他是官僚後代，離別已十年的老母，一看到他，竟大爲驚惶失措，把他藏匿在床底下，不使外人知道。過了兩天，囑咐他趕快向外繼續逃亡。他一到漢口，就跳上了開廣州的火車，正碰上了這次大流亡的人潮，更隨着向香港進軍，他雖並未取得任何出境證，竟安然抵達香港了。

另有一位女同鄉，是益陽人，她是武漢大學四年級學生，去秋下鄉實習，分發武漢近郊，主持一處診療所。她是醫學系內高材生，醫術相當高明，看到凡是來就診的都是一些鼓肚子，患着腹脹或腳腫病之類，一望而知其病源，係因公社食堂長期所吃的，都是些極稀薄的粥水，濕氣自然嚴重，加以一年半幾嘗不到一點油鹽，營養極端貧乏，故患膨脹及腳氣病者特多。她在[illegible]內，檢查過近萬人的身體，敢說沒有一個人的體格是健康正常的。

據他們在大陸各地的觀察，現在大陸的知識份子，自從四十六年被共匪僞裝鳴放運動，誘騙上鈎，陷虎落阱，隨着施行大屠殺，大鎮壓，許多都已消聲斂跡，莫知存亡，少數幸得存在者，都辦過交心悔過，心靈已經麻痺，什麼事都敢怒不敢言，極少數明哲保身的卑鄙之徒，苟全性命於亂世，對共匪[illegible]。至於共匪如今還掛在口頭的所謂反動份子，反革命份子，[illegible]及官僚份子等，早已殺頭的殺頭，[illegible]，特種戶籍，剝奪了一切活動的權利和能力，監視極嚴，個個垂頭喪氣，有如待決之囚。

共匪以無產階級專政相標榜，原以百分之九十以上的農民爲其「立國」基礎，過去大多數貧農，被匪欺騙利用，去打倒中農富農，而今大多數貧農都陷入了饑餓的深淵，求生無術，求死不得，大陸被共匪鬧得天怒人怨之下，他們已普遍覺醒，對共匪厭惡痛絕，再也不肯去聽它那套欺人的謊言了。

據他們的分析，大陸人民目前要起來革命，有兩項困難：（一）是四十七年共匪搞大躍進，到處架起土高爐鍊鋼，那怕是民間壁上的一根鐵釘，或窗門上的一付鐵鏈搭，都被搜括鍊鋼去了，現在民間想尋找一把菜刀作爲抗暴的武器都沒有了；（二）是大陸自全面實行配給制後，每當秋穫，匪幹都將谷子運走，民間顆粒無存。有此二者，人民手中既無寸鐵，每個人的腸胃又被共匪控制得緊緊的，你叫他如何能自動起來革命呢？常看到少數人民爲着餓得發昏，羣起暴動搶粮，只要共匪派兵鎮壓一下，馬上就見烟消雲散了。

他們這次逃出，經過湘鄂各地，並未見共匪駐有正規軍隊。甚至一縣，所賴以維持治安者，不過十多名公安警員。各公社內所駐有少數民兵，各人所持者都是舊式步槍，每人祇准配子彈三發。因大陸現時普遍饑荒，人民都在愁衣愁食，白天須參加生產勞動，晚上還要拖着疲倦的身軀，聽匪幹擺布，去參加各種政治活動，開會鬥爭，弄得頭昏腦脹，縱欲揭竿而起，欲振乏力。然每個人心頭都蘊藏着一腔反抗的怒火，祇要有人去發動領導，就會如山洪出閘般的澎湃爆發，而且一發即不可遏。所以今天整個大陸等如成了一座火藥庫，可惜是沒有人去點火，有如蘇俄最近試爆等於四千萬噸黃色炸藥的巨型核彈，如果沒有人去按動那發火箭電鈕，它是會永遠擺在那兒，不會爆發的。今日呆在台灣的人，總希望出現奇蹟，有朝一日，大陸人民自動起來革命，推翻共匪暴政，歡迎政府回去；或寄托於世局突變，如過去日本失敗一樣，盼望共匪無條件投降。這些都是惰性觀念，絕對不切實際的。

台灣自本年入春以來，反攻大陸之聲甚囂塵上，四、五月大陸饑民數十萬聚廣州，共匪無法控制，成了脫韁之馬，如潮水般湧向港澳，個個抱着死裏逃生的決心，雖被槍桿刺刀無情的一批一批押回去，那一批又一批的轉來，那時共匪的政權已搖搖欲墜之勢，愈益增加了台灣反攻的聲勢和信心，如果國軍那時用迅雷不及掩耳的手段，立刻動員，劍及履及，選擇沿海空虛之處，一鼓登陸，建立灘頭陣地，對大陸這座火藥庫，放一把火，或就會全國響應，雲合景從，大軍到處如秋風之掃落葉，很快就會把共匪政權摧毀的。

無如此機一失，六月中旬共匪集結重兵，佈防閩粵沿海，甘酒迪於六月廿七日宣佈美國立場，反對共匪在台灣區域使用武力；協防金馬，則仍吞吐其詞，[illegible]一字不提。[illegible]蘭大使舉行會談，[illegible]王炳南[illegible]探匪方面態度，[illegible]國軍不反攻大陸之諸言。[illegible]派柯克[illegible]駐[illegible]大使[illegible]中將[illegible]七月[illegible]金門[illegible]防務措施。[illegible]美國[illegible]並非[illegible]反攻，以免惹起戰禍。[illegible]突然陳兵沿海，乃係利用美國畏匪避戰的心理，阻止國軍反攻[illegible]

攻，藉以獲得一時安全[illegible]

，但其主要方法，係[illegible]也不能干涉我們的內政，我們反攻是我們的內政，美國無權反對我們反攻。

赫魯曉夫：「快點滾回後台去！」

「誰叫你沒錢結賬！」

自由談

自侮與人侮

馬五先生

這次印尼主辦「亞運會」，對我國與以色列故意表演惡作劇的行爲，完全是一套預定的陰謀詭計，情節顯然，以色列一面指斥其違悖體育精神和法規，聲明不參加此會，同時要求關係各國在國際體協會議中，決議停止本屆亞運會在印尼舉行。堂堂正正，理直氣壯，即使不能達到預期的後果，然其國格毫無損傷也。

反觀我們體育界的言行，除再三向着印尼對牛彈琴，要求補寄參加證外，我原有出席體協會議的代表，雖遭印尼政府拒簽入境證，還要自動跑去，又被擋駕而歸。似此唾面自乾，有辱國格的作法，眞是咄咄怪事！

國際體育比賽事業，竟夾雜政治作用，這已經是不成玩藝的醜劇了，我們如其表示義正詞嚴的態度，拒不參加，這對國家榮譽又有甚末損失呢？上次「世運會」我們的選手被規定掛着「台灣隊」字樣而參預了，對國家又增加了若干光彩呢？以色列外交部長曾說：「我們雖然爲着準備參加亞運會而耗費了數萬鎊的金錢，但決不喪失自尊心而前往。」難道我們的自尊心竟不及區區以色列乎？

自侮而後人侮之。我們朝野上下人士如不能明恥教戰，憤發有爲，給世人以刮目相看的觀感，而長此苟安偷惰，因循自娛，處此強權主義氾濫的國際環境之下，但求不擇手段地參預一下無關宏旨的亞運會，或遴派一個「世姐」候選人赴長堤去湊湊熱鬧，便覺得是「爲國爭光」的盛事了，那將來類乎這次印尼惡作劇的侮辱事情，敢說層出不窮，夠咱們嘔氣的，試問何以自解？

統一意志，集中精力，專爲光復大陸而奮鬥邁進，此時對於一切與反攻復國無關的表面工作，一概置之度外，這才是自立自強的唯一門徑，祇要我們有辦法，表現着不可輕視的實力，任何國際會議皆將受到很有禮貌的招邀參加，不成問題。這種淺見，如果大家依然明知而故昧之，那就是哀莫大於心死，予欲無言矣！

陽明山三次會談與反攻

有反攻行動團結立現　否則空談無益於團結

（本報記者台北航訊）曾經一度盛傳要在本年暑期中舉行的陽明山第三次會談，至今不見動靜，顯見已被事實所否定了。

第三次陽明山會談究竟在何時舉行？舉不舉行？仍然是海內外人士所關注的事。據關係方面透露：第三次陽明山會談，將作無限期的延期。爲什麼作無限期的延期？據推測，主要原因之一爲在野的兩黨未能團結。因爲第三次陽明山會談，其中心論題係政治性的，正如抗戰前夕的「廬山談話會」，故可以說是國是會議，其基本目標在求海內外朝野之大團結，藉以達成反攻復國的大業。但到今天爲止，兩個在野黨都還沒有首先團結起來，國是會議的第三次陽明山會談，如何會？如何談？

青年民社兩在野黨，至今未能團結的原因，外界人士是莫測高深的，執政的國民黨，據說雖然很關切青年民社兩黨的團結問題，但在促成團結的努力上，未得其要領。也有說在野黨關家務，執政黨是不便於介入的。前些日子，民社黨的全面團結運動，已經很有個雛形規模了，結果因徐傳霖派發生異議，至今還在報紙上登啓事，造成互相指責，「團而不結」之局。

青年黨方面，在七月終曾盛傳由臨全會的王嵐僧和劉永濟，陳啓天和王師曾以及余家菊和劉泗英等三派代表協商團結的，但此一傳聞，刻經證實子虛烏有，雖然該黨各派互相攻擊的刊登啓事及發表談話等現象，確已不復見了。這當然是一種好的徵象，但青年黨能不能眞正完成團結，是無法預言的。

另有一說，第三次陽明山會談之所以形成無限期的延期，兩個在野黨未能完成團結固爲其主因之一，同時兩個在野黨的被認爲最具代表性的領袖，如在美國的張君勱，在香港左舜生，李璜等，要他們參加會議，都尚有困難存生。國民黨決策方面於是以爲，第三次陽明山會談以延期舉行爲宜，否則勉強召開，不倫不類，也毫無意義。

更有人以爲，今日之事，最要緊的是政府有軍事反攻的行動，姑無論大動或小動，都非有不可。有了行動，團結立現，要不然空談而已，空談絕無益於眞正的團結。（匡謬）

成立兩個月‧還是空架子　寮聯合政府一籌莫展

寮共竟說它控制區內無一外兵　中寮關係危急僑胞望堅定奮鬥

（本報永珍航訊）富馬爲首的寮國聯合政府，成立於今兩個月，卻仍然形同虛設，無論在軍事、政治兩方面，都顯示一籌莫展，織的完全是白卷。

寮國人沒有幾個相信富馬和他的一羣是眞正中立的，大部份人士以爲：富馬只是僞裝的中立，他實際已經投共了。另小部份人士則以爲：富馬也許眞正中立，並亦眞正想把寮國弄成「中立而獨立」的國家，但他們同時亦認識到，即算富馬眞心想中立，而由於他本身力量太小的關係，他置身於寮共與反共派兩大力量間，他擠得透不過氣來，把他的中立之志，亦殆難施展，命中註定他將是一個悲劇性的人物，正如同寮國正扮演的悲劇角色一樣。

這即是說：事實上寮國而今是二分天下，而非三分天下，聯合政府實際只是一個空架子，寮共與寮國反共派，各自控制一片土地，形成割據之勢，聯合政府的政令（如其有的話），絕對的行之不通，除非那政令能夠分別有利於那兩個勢力。這兩個勢力是死對頭，利於此，往往不利於彼，表示上的「三頭馬車」又是各自擁有否決權的，此其結果，幾乎便不能有一個由聯合政府發出的政令了，即使有之，亦當然的不可能普遍在全國施行。

聯合政府成立不幾天，作爲這政府的領導者之富馬，更一因嫁女，再因要參與在日內瓦舉行那個決定寮國命運的十四國會議，他出國了。七月下旬，日內瓦會議「功德圓滿」，富馬又有訪美之行，他是本月三日才返回永珍的。在富馬出國期中，聯合政府固然不會做出一件事，富馬歸國快二十天了，就爲了所謂「三派」都有的是否決權，聯合政府依然不會有力量做出一件事。

比如軍事方面，最要緊的事，爲表面上的三派軍隊的整編，如今固然還無從談起，進而寮共軍與反共派所控制的部隊，還時常有衝突開火之事發生，雙方互指對方首先發難，你說我破壞停火，我說你破壞停火，眞相如何老百姓實嗚不淸楚。看來整編軍隊的實行之期，還不知在那年那月，很可能根本就不會有這一天的到來。

在撤退外國軍事人員的問題上，目前也尚沒有眉目可尋。這問題的癥結，在寮共根本否認在它的控制區內，有所謂外國軍隊。如果寮共一直不承認它控制區內有外國軍隊，將怎麼辦？那無權無勇的國際監察人員，對此能有什麼作爲呢？

政治方面，比方與那些國家建交的問題，也就一直做不出結論。此中最爲棘手的，便是富馬與寮共要與中越共建交的問題。直到現在，反共派說這問題還懸而未決，富馬的說法則是「原則上」決定了，但將由寮王所主持的部長會議加以最後批准。究竟是怎麼一回事，老百姓亦莫名其妙。

這問題關係重大，對中寮關係而言，尤其値得重視。中華民國與寮國，是已經正式建立邦交的，但富馬卻公然宣稱要重新考慮中寮邦交，並公然宣稱寮國必定要與中共建交，台北畢竟如何應付這問題呢？在寮國的華僑，因爲富馬的此一宣佈，已認眞憂慎恐懼起來了。形勢之不利於我們是顯而易見的；需僑胞們寄望政府，必須堅定應付，絕不可以輕言撤退，因爲那樣做的話，徒然做開大門，讓中共毫無困難的乘虛而入，絕不是好辦法。（啓）

香港與大陸

申請出國有效武器　麵粉猪油進攻共幹

由梅縣經港赴泰的僑胞黃祺×君對記者透露：目前大陸同胞申請出國的最有效而又最快捷的方法，是用麵粉和猪油爲「武器」，向共幹「進攻」。

據黃君透露：共黨的中下級官員，亦皆生活窮困，不得不想辦法撈點「外水」。目前共黨官塲中貪污舞弊事件層出不窮。黃君指出：梅縣一位副公安局長，就曾半公開地宣佈，祇要有兩桶猪油和兩袋麵粉，保證在一星期內可領獲通行證，並安全抵達香港或澳門。黃君說，該公安局副局長屬下有不少「馬仔」，他們先打聽那些夠「條件」（即可付出這批食物者）的僑屬，隨後便公然到這些僑屬家裏「兜生意」，告以地址，囑有意可前往接洽。初時，大部份僑屬唯恐有詐，皆不敢嘗試，但亦有人冒險的姑妄試之，居然只花區區二三百元，便順利逃出生天了。許多僑屬於是奔走相告，如法泡製，短短兩月時間，該副局長已做了幾十宗「大生意」。

另據來自廣州之僑屬鄧君說：廣州亦有同樣的情況，人們申請來港的途徑，首先是和「專區同志」打交道，隨後便用猪油麵粉和其他日用品去「做人情」，同時亦進行申請，待你「人情」做得差不多時，通行證便也批下來了。

鄧君以爲，大部份的中共公安幹部，其實無所謂「政治立場」，甚至有一些根本就是對共黨不滿的，他們又恐怕國軍會打回來，所以趁早做一點好事，把一些「舊官僚」放走，以討好他們。有一位在廣州河南居住的「管制份子」，便是得到這種意外的批准來港的。他來港前，這個批准他的「專區同志」還偷偷地與他告別呢。（敬斯）

澎湖縣府年終業務檢討

檢討過去‧策勵將來

虛心的檢討善意的建議誠懇的接受

（本報澎湖八月十四日航訊）八一四空軍紀念日，正逢農曆上元節，澎湖各地，統一拜拜的情緒非常冷淡；澎湖縣政府自上午九時至下午六時二十分，舉行了五十一年度年終業務檢討會，縣府的七十餘位官員，做了整整一天工作，意義深長。

會議由縣長徐詠黎主持，他提出四點與縣府同仁共勉：

一、做事要有計劃，切實執行，切實檢討。檢討是解決問題的要素，從檢討中了解優點及缺點，發掘問題，解決問題，藉資改進。

二、我們要善意的建議，虛心的檢討，誠懇的接受。

三、業務要配合時間推動，切實掌握績效，以資迎頭趕上。

四、我們結合智慧，同心同德，發揮力量，切實革除因循敷衍的惡習，做到「革新、動員、戰鬥」，以實際行動和工作表現，完成時代賦予的任務。

跟着，各單位報告議題交換意見，詳細的檢討，發言頗爲熱烈。這一年來的業務，大致推動了不少，也有許多工作，還要加強或繼續的。茲誌檢討議案如下：

一、籌建村里集會場所案；二、改善公墓及殯儀館案；三、加強社會運動案；四、嚴格執行預算案；五、加強國省稅捐及地方稅查徵案；六、强化地方稅查徵業務案；七、國校充份利用學校塲所充實教育設備，改進教學方法案；八、普及國語文教育案；九、清理軍事用地案；十、加寬縣道徵收民地所需經費案；十一、貧困徵屬優助案；十二、後備軍人編訓案；十三、增加警備車輛案；十四、加强消防設備案；十五、充實刑事設備案；十六、改善環境衛生案；十七、加强小兒麻痺症預防注射案；十八、簡化公文手續提高行政效率案；十九、積極清理暫墊付欵案；二十、加强中心業務檢核案；廿一、加强公文查詢處理期限案。

這些檢討案，大致都經過熱烈的辯論。所謂「眞理愈辯愈明」，縣府此次檢討會議，堪稱「革新的開始」。檢討完畢，徐縣長作總結論，可以看出他對於縣府行政上的十點最重要最基本的改進措施：

一、指定專人，檢呈省政公報有關法令，隨時送本人（縣長）核閱。

二、收發室收到重要公文，未「分科」前，先送本人核閱。

三、課徵各稅絕對做到公平合法，稅單不準，重發重複。

四、移送法院案件、事先特別愼重檢查，以免錯誤，影響政府威信。

五、一切會計事項，應切實遵照省令會計制度辦理。公欵之支付，應照處理程序及支付時效辦理。緊急事項，隨到隨辦。普通付欵，不得超過三天，由主計室會知有關單位，切實執行。

六、切實掌握人事動態。——假若問到人事室「某單位究竟有多少人辦公」，而主管人事者竟答以「不淸楚」或「不知道」，似乎說不過去。因此，今後各單位任何人事異動，事先必須登記，各單位應列冊以便查考。

七、公共關係每人都有責任，如何做法，運用之妙，存乎一心，我們要從行動方面表現出來。更應注意電話禮貌。

八、本人對同仁生活特別關懷，如有患病住院者，希其有關同仁，通知本人，以便前往慰問。

九、各業務單位要加強推動，切實做到適應人民需要。

十、時値反共抗俄時期，我們要共體時艱，嚴肅生活，避免奢侈浪費等。

檢討會在炎熱的「七月半」，開了一天，這是一件很難得的事。計劃、執行、檢討，是「行政三聯制」的三聯，檢討是最後一聯。澎湖因爲天然環境困難，天時地利，均不如其他各縣，而保留着「人和」的優勢——人情島。但是近年來，優良的人情味，漸漸的在淡化，而乾淨土的人情島，也慢慢地被本島傳來了許多道德上，精神上的病菌，凡是都市奢華的墮落的那一套玩藝兒，都紛紛的在向這塊乾淨土襲來。誰都不希望鄉村風味的澎湖原始下去，但也不願那種都市的罪惡——流氓，太保，騙子，江湖，色情，——等，黃色文化，黑色文化，灰色文化，侵蝕這塊乾淨土。——這是本縣縣府各工作同仁非常沉重的歷史担子！

檢討所發生的功過績效是什麼？優點，要發揚，要繼續；缺點要改正，要改良。還有困難要克服，隱憂要預防。檢討是爲改進而有，如果祇有檢討，不加改進，就失去了三聯制的意義。希望這次檢討，能夠廓淸各項行政上的積習和預防行政上的隱憂，解決行政上的困難，才是澎湖之福。（陳知青）

台灣的省會——中興新村

林嘯萬

中興新村的交通確實十分便利，它北上草屯、霧峯、台中，直達台北市；南下南投轉車，則可直趨高雄市；東行可往集集、水裏與日月潭，名湖美景，可供遊覽；西經彰化市，可上八卦山，那裏是青山聳翠，風景旖旎，山上建有大佛一座，可供瞻仰，遊人如蚧足山頂，舉目遠眺，則附近的景物，無不盡入眼簾，詩情畫意，有非筆墨所能形容者。

中興新村確實是一個可愛的地方，它氣候溫和，環境清靜，住在這裏的人，很快就會對它發生好感，愈久居便愈覺得它的可愛。現在居住在中興新村的省府員工眷屬，便已無人不深喜這裏的田園之美，與山居之樂。所有眷舍宿舍地區，早都已化荒地而爲綠茵，除荆棘而成樂園，到處都是花卉，到處都是碧林。尤其馬路兩旁，所遍植的鳳凰木，均已蔚然成蔭，姹紫嫣紅，開滿枝頭，聘目四顧，無限錦繡。每當日落黃昏之際，公務員們下得班來，回到家裏，脫了「官」服，在各人宿舍前後荒地，「大興土木」，這時，只見左鄰右舍，藥籬種樹，栽花植草，嬌妻澆水，兒女嬉遊，一派天倫之樂，田園之趣，使人恍如置身於世外桃園的境界。但這種境界，非身歷其境的人，往往不易心領神會。

中興新村的正確位置，是在南投縣的草屯鎮，約在草屯東南二公里之虎山山下，依山建村，形勢天然。新村的四週地理環境，是三面環山，一面平野，舉目地形如袋，而袋口恰好是在台中。因此新村的正面正是一望平原，阡陌交錯，算是南投縣比較富庶的農業地區。這裏居民所採行的耕作方式，均係利用灌溉，種植稻谷，終年是一片綠油油的田壟，空氣十分清新馥郁。

新村的地形，有如一隻女士的拖鞋，聳立在鞋尖上的一點就是公路局的汽車站。車站建築得十分考究，無論就其建築構圖，以及其設計藝術而言，都十分壯觀，可稱爲全省公路車站之翹楚。

在車站裏還設置了一個小型的販賣部，另外還有咖啡室與公路餐廳。村子裏的許多婚喪喜慶之事，大都要在這兒設席宴客，有人說這是公路局的生意經，但沒有這也是缺憾呢。

過了公路局車站，大約三百公尺之處，就是台灣省政府大厦，是一座三樓的麗大建築。主席、秘書長、主任秘書以及整個秘書處人員，都在這大厦裏辦公。大厦的後面建造了一座小型的花園，佈置相當精細，有小亭、有假山、也有魚池，還栽植了不少的桃李丹桂和獵梅，另還有其他花卉。

大厦的前面爲一片綠茵的草坪，栽植於這片草坪上的許多株龍柏，均作V字形象，非常整齊美觀。現在這些龍柏均已高可及丈，長得十分茂盛；還有幾十株雪松也點綴在省府大厦的前面，但由於雪松生長的特性，其選擇自然環境的條件頗嚴，原不宜移植於此，但它們爲了順從人意，也只好在這裏過着憂鬱而寂寞的日子了。它們旣無花香，又無美色，在過往行人中而能熟悉其名者，當屬寥寥，至於它們那凌冰厲雪的姿容，以及其高遠不羣的節操，恐怕亦知音能幾人了。

省府大厦的兩側，則分別爲民財建交以及農林社會人事主計等廳處的辦公大廳，眞是層樓櫛比，機關林立，所有省政府各個單位除警務處、教育廳、新聞處、衛生處，還分別羈留在台北、台中和霧峯三地之外，其餘均已集中在新村裏辦公，因此每個廳處大樓之前，終日皆是車水馬龍，衙門若市，倒另有一番氣象。

在這裏更值得介紹的，還有幾個建築宏麗而規模頗大的機構，那就是台銀、台電、郵政局、電報局、自來水廠以及汚水廠等機構。當你看到這些機構的時候，你也許會從內心裏感到驚奇，因爲這些建築物的設計，也正是工程與藝術結合起來的創作。（中）

天南風光——沙羅越的首府——古晉

朱淵明

總督府附近，巨木參天，蓊蓊鬱鬱，極爲幽靜。地面遍生綠草，依丘陵起伏，剪伐整齊，有如地毯，四望遼濶，甚爲壯觀，等於一個大花園。園中有一小河，流至總督府旁注入沙羅越大河，在小河旁小亭翼然，頗有古意。又有噴水池，銀色水花，終日不絕。池中金蓮無數，不斷開花，復有似芭蕉非芭蕉，似椰子非椰子之紅心半露，綠幹下托的熱帶植物，好似一把一把又高又大的葵扇，挺然直立，搖曳生姿，鮮艷奪目。園中隨處繁花似錦，鳥語清越，漫步其中，儼然別有天地，似乎與世隔絕，而又金吾不禁，毫無警戒，只要你不走到總督府的門口去，竟至可以不見一人，那眞是情侶談心的勝地，渡假休閒的佳境。

殖民地的統治，總督是不大直接管事的，承平時節，多可垂拱而治，只要執其大端，掌握政策就行。眞正的行政長官，則是輔政司及其所屬各機關。這些都在河南岸。南岸與總督府相對處，右邊一排，全是倉庫，貨物沿河迆落，甚爲便利。左面一排，盡屬巴煞，所有肉巴煞，魚巴煞，鷄鴨巴煞，以及青菜巴煞，都聯貫一起，每逢晨早及下午買餸時間，萬頭攢動，熱鬧已極。這兩排大建築的中間，就是渡口，渡船十餘艘，往來如梭，與寬濶河面上一羣一羣的漁船，從容撒網，相映成趣。渡口上面，也有一個小小金蓮水池，四季開花不斷。池之馬路對過，就是大鐘樓以及前越王所建之紀念碑。碑後面，接連都分佈着政府機關，如警察局，移民局，內政部，教育部，市政議會以及財政部，輔政司等等，幾條馬路多是衙署，也就是沙羅越發動機所在，亦即是古晉的心臟。因爲古晉的大商號及銀行，金號，以及做橡膠，胡椒，椰子，等的大莊行，與夫做進出口的大洋行，和航空公司，輪船公司等交通機構，都在這一帶。

衙署中的教育部，就是有名的「四方樓」，那房子的確是四四方方的，實際只有三層，可是它的高度，却等於香港的五層大厦，屹然矗立，好像一座碉堡。（六）

公道篇

林之

科學與道德的論辯（二）

杜威祗是一個教育哲學家，不是科學家。他的實驗主義教育，可說是承自自然主義教育餘緒的修正。自然主義教育，早於十六七世紀間爲培根，拉特克及大教育家孔門尼斯等人提倡。培根主張應用歸納法探索自然，以打破偏見，創獲眞知。拉特克可說是乗培根主張應用爲教育的實驗方法。他認爲任何事物，都需遵守自然的順序和歷程，一切強迫的、強暴的，反乎自然的教學法，都是有害的。孔門尼斯承培、拉二氏的遺緒，由觀察自然而類推教學的程序，發展爲自然主義教育。十九至二十世紀的杜威，大致亦受此源流影響，發展爲獨立體系的實驗主義的教育哲學。

杜威的實驗主義，係無所謂「絕對的實在」。他強調祗講世俗事務，不問世相根源；並認眞理爲相對，存諸實效中，否認眞理乃永恒不易的絕對體。

在美國批評及打擊杜威思想最力的有觀念論教育派權威漢尼。觀念論和實驗論主張正恰相反，中心在本眞理以研究眞理，務期正其誼而謀其利，超脫智慧，磨礪心志，反對祗對純粹知識的追求，而不對靈性道德的探討的教育。他諷刺杜威祗提倡「麵飽奶油教育」，而忽畧人類靈性價值之所在。

由於人類重視現實，特別有物質文明的國家爲然；吾人自不能否認，實驗論雖有觀念論力指爲非健全的思想，仍具有多數強力的影響，自屬事實。但此種影響，是否即爲造福人類社會的觀念，揆諸人生意義，是又不然。今日之英美社會，正充滿着濃厚的商業利益行爲，等而下的地區，更以財富多少來論人格的高低，這顯見此類實驗主義的影響，雖對物質文明社會有所貢獻，但對人文精神，並未因而宏揚。人類生活雖有賴於生活技術的充實，然人類生命，却端賴道德精神的維繫，而後可抑阻獸性物慾的上揚。杜威據稱爲現代的中庸主義者，但從其實驗論的主張看，則可稱爲極端主張形而下精神爲代表一切的偏見主義者。

無疑，道德的解釋，是有多方面的。

小啟

關心人先生：來函暨附周續如君信，皆悉。周君稿費通知單，早已寄由台北本報分社轉發，歷時很久了。周君尚未收到，或許因爲他住在外縣，分社不知其通訊處，以致稽延，已飛函台北分社速辦矣。　編者

瘟君續夢

第六回：烽火照邊陲　同惡難濟　樓船橫碧海　大憝興悲

共軍正在興高采烈前進，滿以爲這次可大獲全勝，忽然得到報告，水車全部被毁，登時軍心大亂，尤其是伊寧叛軍及地方團隊改編的共軍，深知沙漠中缺水的後果，當時顧不得輜重，紛紛覓路逃生。幸而中共炮車均由馬拉，隨帶尚有飲馬水可以分潤，不然十五萬人一定全部乾死在大戈壁中。雖然如此，經游擊隊截擊及渴斃的也損失了三萬多人，輜重全部被游擊隊檢去。經此一役之後，中共對胡三英部算是死了心，只有在且末、婼羌屯駐重兵，遙遙監視，再也不敢碰一下。

巴錦漢領導的反共同民，逃出喀什就逃向烏宗海，對中共來說又多一層威脅，北疆的起義軍民雖被鎮壓下去，南疆的反共勢力却日益強大。王恩茂報到北平，毛澤東感到十分煩惱，就派人去找張治中，商量辦法。

因爲毛澤東平時閒了發悶，就找張治中聊天解悶，張治中接到電話，以爲又是陪「主席」談天。那知道一進客廳；毛澤東皺着眉頭說道：「文白兄，你來得正好，新疆的情勢越來越混亂，南疆的反動武裝日漸增強，外交方面又十分棘手，王恩茂已無法應付，你對西北方面情形熟悉，威望素著，我想派你任我的私人代表，到新疆宣慰一番，最好到南疆和反動軍隊首腦見面談談，只要他們放下武器，我保證旣往不咎。」

毛澤東一面講，張治中心裏就在跳，聽到最後極乎昏倒地上。心裏想你那裏是派我作代表，簡直要我去作替死鬼，我見到胡三英要是還能回來，眞是祖宗有靈了。張治中心裏的話當然不能說出來，當時定定神裝成若無其事的態度說道：「主席派遣，雖赴湯蹈火決不敢辭。不過，我們政府成立已經十年，在主席英明睿智，曠古絕今的偉大領導下，全國人民都過着神仙般的幸福生活，只有新疆少數頑固份子仍然不服王化，若不予以致命打擊，則主席的威信何在，以後豈不更增加了頑固份子的野心。」

毛澤東笑道：「文白兄，我們並不是沒有派兵去打，只是吃了大虧之後，才斷了念頭。」

張治中陪笑道：「歷朝開國聖主，向四夷征討，在最初都曾吃過小虧，如漢武帝對匈奴，唐太宗對高麗，就連成吉思汗征西夏，開始都吃了虧，不過，他們敗了不服輸，再接再厲，繼續進攻，最後終於建成中華大帝國。主席若是放鬆了這批叛逆份子，豈不讓漢武、唐宗見笑。」

毛澤東無可奈何地嘆口氣，說道：「好吧！旣然這樣，我就命令他們用兵好了。不過，這次實在是一塲沒把握的仗，只能到那裏說那裏了。」

毛澤東說過就把羅瑞卿找來，要他給新疆軍區下個命令，限期清剿省內「叛匪」。王恩茂接到命令就派兵去進攻東路哈薩克軍，勉强收復承化，其他各路根本無法用兵，只有採取封鎖政策，想把游擊隊困死。但是，游擊隊却越來越多，除了胡三英一支，尚有廸化南山艾林郡王一支，景化南山烏讚伯酋長一支，綏來東山阿哈若善酋長一支，都是據險固守，待機而動，中共新疆軍區招之不來，攻之不下，只有眼光光看着他們勢力日漸坐大。（一一九）

平津的落子（續）

顧客如有興緻，可以點唱，一塊袁頭銀幣，可點半打，也有更低級的館子，能點一打，不過唱的時候，至多三隻曲子，也有兩隻，就算交差，來個「謝某先生賞」即算了事。角兒的拿份兒（即報酬），也以票房紀錄爲準則，如果一月之間，成績極優，可以因此躍等越級，例如原定第三個出場，能因此延展到最末一位，好角兒總是壓定大軸。所以必須在乎有人捧，而自己也要對玩藝兒細細琢磨，也許一經品題，身價十倍，由天橋而進入城南遊園，或新世界，或劉寶全所唱的落子館裏，彷彿如大學畢業，留美去歐一般。

這些小妞兒唱曲，有個鐵定的原則，就是「賣口不賣身」。所以急色之徒，雖以一廂情願。任你請吃酒飯，或邀友竹戰抽彩頭，終非短期所能成功，要看你的胸襟是否有氣派，心地是否有耐守，必須妞兒點首低頭，方可水到渠成。另有一種軍閥武夫，憑其槍桿暴性，霸王硬上弓，如沈鳳喜的遭遇。更有官場政客，憑詭計密謀，使其墜入網中，糊塗的搭線，此類極多，社會上幾乎到處皆是。固然出道賣藝，其父母的目的，無非找得好嬌客，取得養老金，一生可以活着夠吃，死了有棺。幾千年歷史上所載的女人，皆是走此一轍，即現代情形較前大新奇，但原則都離不了此經，異途而同歸，中外均是如此觀。

憶玉軒雜綴

·秋林·

流亡安置他山石

近今承梁寒老丘斌存諸君相邀，參加了台北粥會，在中山北路美爾廉，一番饕餮。可是佐粥之品，僅鹹蛋花生米辣白菜，與菜心春捲，豆沙小包而已。寒老表示，這會無非是謀大家見見面，談談說說，至於招待，祇有君子之交淡如水。見面談談，是主要的，意義甚大，深韙其言。

在會中聽到水祥雲先生，赴歐觀察歸來，一個簡畧的報告，也使我恍然對東西柏林的現狀——流亡的安置。或許社會人士，對他們的情形，尙不瞭解。而水先生是親眼目覩，百分之百，信而有徵，可供國內人士的參考。（未完）

康有為的嗜好

讀書買書買花睇月光（六）

丘峻

後正名爲『寥天臺』。上面再砌一小方桌，旁置一藤榻，一靠椅，另置坐椅數張。賞月時，康氏躺於藤榻，夫人坐靠椅，而對月亮，或作詩，或製聯，或撰文，口授而命人錄之。並常備清茶，餅食，果品等以助興，必至深夜方休。

有時，興之所至，則携帶草席，茶，果，及點心等，到三潭印月之九曲欄干的人行道上，鋪陳坐臥，或望明月而吟詩作對，或對玉兔而扣欄高歌，無聊時，飲清茶以啖果點，興來時，述古今而談笑風生，其樂融融，狀自得也。惜此處多長蟲，康夫人梁隨覺女士最爲駭怕，每感提心吊胆，幸未嘗一遇此君，必待離此而心始釋焉。康氏深夜言歸，猶感戀戀，其愛月有如此者。『惜花朝早起；愛月夜眠遲』：誠可爲康氏詠矣。

光緒二十八年，歲次壬寅，康氏避居於印度的大吉嶺，爲時一年有半，生活則又大異其趣。初至，即以七十，九十，而至一百五十盧比之價格，購馬三匹以代步。康氏每日晨起，盥洗畢，即與夫人梁氏下圍棋一場。用早膳，稍憩，即偕妻女分別騎馬入山。路寬約丈餘，蜿旋而進，路旁玫瑰，玉繡球等，密栽排列，的是好看。約行數十分鐘路程，上下有五橋，六飛瀑，足供視聽之娛。所以沿途觀山玩水，賞花聽瀑，煩囂自去，逸趣橫生。每聽至出神入化之境，竟於馬上睡去，恬然不覺，亦可謂滑稽之至！如是約三數小時，便循原路回家。午飯後，讀書，看報，拆閱各方來信，分別存答。晚間，有月賞月，無月靜坐，或至鄰家聽松濤，瀑韻，以消餘暇，亦其逃難生活中之一樂也。

（完）

◇　◇　◇

劉璈抗法前部署

·李仲侯·

再我們看劉璈在光緒九年十一月奉命防法辦佈全台防務大概一文，即知那時台灣海防異常薄弱。辦海防除炮台之外，必須籌兵艦水雷，故他在文內提到：「現在台營勇數不滿七千，兵數四千餘名，內防尙切惴惴，外防亟須另籌。」他迫不得已，又說：「籌防於今日，不求角力於水面，祇求制勝於陸路」。但他對海防不是不注重，深知全國海岸遼濶，艦隻缺乏，不便多請，祇言：「台省最省須添得力兵輪二號，合舊有宜調換者爲六號，專備探報護運之需」，還談不上防守作戰。

十年正月稟請撥換輪船案內說：

「竊照台灣地方，孤懸巨浸，設有戰事，尤須與內地息息相通，始免隔誤事機。然大洋中阻，風濤洶湧，非藉輪船，緩急難恃。而輪船戰艦，又非遽其堅利與多備艘船，仍有緩不濟急與不敷差遣之虞。查仓台奉派輪船四隻，實不爲少，奈台灣勢成孤注，不特與內地遠隔重洋，即澎湖亦爲洋面所隔，且台南，台北，山後，山前縣隔滋多，非輪莫濟。（八）

談耐性

汝津

兩千多年前，一位宋人（宋人眞不幸，那時代的寓言中，凡是不高明的脚色都推給他們）把田裏的苗拔高了半截，回家還得意揚揚的向兒子吹噓一番，結果應了「小不忍則亂大謀」的話兒。生物成長，正像母親懷胎一樣，一點勉強不得，性急不得的，那位多烘先生型的人物自作聰明，到頭來怕不免哭哭啼啼吧。

歷史上的忍耐者俯拾皆是。漢初三傑中張、韓的耐性都是有軼事爲證的，可惜韓信的忍耐功夫不能一以貫之，終於死不得其所。蕭何月下追韓信的故事，也未嘗不可用來透視蕭的耐性；而且他職司後勤，居然功德圓滿，渡過許多難關，沒有相當卓越的耐性，能夠如此麼？

欲速則不達；時機不成熟，乾着急也只有誤事。孩子時代不懂這道理，成人雖心裏知道，卻又未必能一一做到。最有耐性的該要算造物主了。祂創造萬物只是按步就班的來，不慌不忙，也沒有意思在一天或者一小時內把所有將要出生的新嬰一齊「放生」。祂一定在心裏這樣告訴自己：「慢慢來，生命應該不絕如縷的誕生。」世人眞該學學這樣的美德。有一張漫畫裏，爲孩子的活躍所包圍的母親對電話裏說：「……也沒有什麼事，無非是坐着等孩子長大。」雖然那位頗爲疲倦的慈母不免有些蓬頭散髮（她在少女時代何嘗不是顧影自憐的「好女子」！）但我覺得她儼然有造物者的氣度。

說起來世間總是女子比男子有耐性些。這個判斷也不知是表示男人們謙虛還是怎的！但在某些人生相中，這是不合於事實的。一曰護士。今世「白衣天使」，部份有時實像美麗的或不美麗的魔鬼，臉長三尺，氣吞八斗，使患者退避三舍之不暇。如果誰也患了曹阿瞞的頭風病之類的怪症，準保可以不必服藥，只要見到護士「小姐」（何等委屈的稱呼！）的趾趾氣勢，就會好了一大半。但是其他的病患卻是絕對不宜於和有些護士們打交道的。據說她們有時替人打針竟像操刀而割，連人類基本的憐憫心都很難找到。而男護士又畢竟太少，因此無法比較。

另一行是車掌。公共汽車車掌中固然也有天性溫柔、修養很好的，甚至受了莫名其妙的委屈也只把辛酸眼淚往肚裏吞，可是不可因而小看了大多數穿制服的守車女士！她們多半有職業婦女的獨立性和優越感，一點點不順眼就可以使她們教訓個半天，或者發罵傀一番。有些顧客一笑置之，有些不免怒形於色，再厲害些的就老實不客氣賜那乘客頓一巴掌了。如此遭毀，女車掌態度卻依然很少改善，往往到站只要沒有人下車，她們就懶得吹笛叫停了。另外一些爲數較少的男車掌，表現得卻出奇的優良。其中道理何在，也是很費猜的。

還有就是女理髮師。女理髮師常常以貌美年輕爲號召，可惜有些醉翁其意只在酒——他是專誠去理髮的。面貌姣好而手藝拙劣，眞是得不償失的事！偏偏女性理髮從業員多是技遜一籌，而耐性更差，高明的男師傅也得一小時完工的，她們只須三、四十分鐘，對於我這種本不甚有耐性而且又不太注意自己「秀髮」的去留的人，當然可以說是氣味相投，但換一些特別重視「身體髮膚」的顧客，情況就不同了。不過有一點美德也不可不略加宣揚。那就是女理髮師們乘「公事」之際閒聊的耐性，那可眞是頂刮刮的，只要來客跟她着實「談得來」。我是一向慣於在理髮椅上噤若寒蟬的，因此今天雖不幸遇到一位女師傅的接待，倒也平白節省了幾十分鐘，趕回來寫這篇文章。

男女之間的事，耐性尤其重要。一定有不少男子，是因爲經歷了追逐異性的太場面才養成過人的耐性的。可是有些痴心人爲了等待意中人的青睞，默默忍耐了十幾年（或幾十年），到頭來機會終於降臨，卻發現對方已經裏外全非了。這又是耐性帶來的辛酸了。

海嶠譚叢

讀史卮言（一）

諸葛文侯

愚讀近代人尙秉和所撰「辛壬春秋」後，會以見證人資格，指出其中紀述吾邑——湖南嘉禾縣——知事鍾麟，恍於辛亥秋武昌革命軍起，暨長沙相繼響應之故，全家自盡諸情節，類多不實不盡，而其全書的命意遣詞，亦失客觀態度，認爲並非良史之才。茲摘舉例證，以明吾說焉。

原書蒐集材料最多，寫作致力特勤的，就是「革命源流」、「民黨死事記」、「袁大總統事畧」、「四川」、「湖北」等篇章，對於辛亥革命前夕的滿清朝政現象，以及革命運動的經過情況，據述綦詳。然缺乏時代背景與社會進化律的基本認識，亦昧於當時國際形勢的影響力，純係描寫表面事象而已。這是由於作者沒有社會科學的知識，不足爲怪，可怪的是作者對於革命黨人抱着一種潛在的敵視意識，處處特示貶抑菲薄的詞色，甚至造謠胡說，所在多有。

例如「民黨死事記」述廣州七十二烈士起義殉難一役，竟有「黃興與胡漢民見事敗先逃，餘志士盡死」的誣詞（見儋輔廷記）；又謂庚戌三月廿九日廣州革命之役，趙聲並不贊成，「興（指黃克强）矯聲令，起事廣州……敗績散走。時趙聲在香港臥病，聞耗痛哭，及黃興至，聲面數其矯令之非，且謂烈士數十人均戰死，君何獨生還耶？與愧憤無地，未幾斃死，腸胃腐裂，類被人毒斃者，疑莫能明也」；又謂廣州起事之際，「以胡漢民乘綠呢大轎，服西裝，扮外國領事狀，黨人舁之蜂擁入督署，大呼謁總督，漢民既下輿，即與黨人齊擲炸彈」（以上均見革命源流下篇）。這些盡屬惡意虛構的誹謗言論，完全與事實不符。三月廿九廣州之役，黃興、胡漢民原係在香港担任「統籌」任務的首腦人物，迨起事的前兩日，黃氏潛入廣州指揮，胡氏坐鎭香港策應一切，並未參預戰鬥行動，何來「乘綠呢大轎入督署」這回事呢？況以胡氏的短小體軀，亦絕不適宜於「扮外國領事狀」也。黃氏於全軍潰敗後，爲遁入一米店持鎗與官軍抗戰，直至彈盡援絕，手指亦被折去一支，方化裝潛赴「河南」民黨機關部，由女同志黃宗漢護之可告就醫的。趙聲當時雖以病未預戰役，亦無反對起義之事，後來也患背瘍炎，始也拒絕開刀，繼以過時化膿無救而去世。凡此各種實情，事後黃興、胡漢民會聯函報告南洋民黨同志很詳明，復有預聞其事的民黨幹部馮自由諸人所寫的徵信錄，作者或許皆未見及，乃以捏誣徇私的伎倆，既謂黃興與胡漢民臨難「先逃」，又暗示趙聲是黃克强憤毒死的，似此居心險惡，厚誣先烈之言，絕對不能饒恕。

內僑警台報字第〇三一號內銷證
自由報
THE FREE NEWS
第二六五期
中華民國僑務委員會頒發
台教新字第三二三號登記證
中華郵政台字第一二八二號執照
登記爲第一類新聞紙類
（半週刊每星期三、六出版）
每份港幣壹角
台灣零售價新台幣式元
社長：雷嘯岑
督印人：黃行憲
社址：香港銅鑼灣高士威道二十號四樓
20 CAUSEWAY RD 3RD FL
HONG KONG
TEL. 771726　電報掛號．7191
承印者：田風印刷廠
地址：香港灣仔高士打道二二一號
台灣分社
台北市西寧南路五五號二樓
電話：二〇三四六
台郵劃撥儲金戶九二五二

反攻復國不能寄望於大陸人民革命（下）

·李仲侯·

宋高宗南渡後，連歲和金人鏖戰不休，故能敵愾同仇，士氣常新。當韓世忠大敗金人於淮楚間，李綱論政猶曰；「有人謂敵人既退，當且保據一隅，以苟目前之安。臣以爲不然。秦師三伐晉以報殺之師，諸葛佐蜀，連年出師以圖中原，不如此不足以立國。高祖在漢中謂蕭何曰：『吾亦欲東。』光武破隗囂，既平隴復望蜀。此皆以天下爲度，不如此不足以混一區宇，戡定禍亂。況祖宗境土，豈可坐視淪陷，不務恢復乎？今歲不征，明年不戰，使敵勢益張，而吾之所糾合精銳士馬日以損耗，何以圖敵！」又言；「願陛下勿以敵退爲可喜，而以仇敵未報爲可憤；勿以東南爲可安，而以中原未復，赤縣神州陷於敵國爲可恥。」政府播遷來台十三了，休養生息，臥薪嘗胆，志在復國。可是我們這十三年來，幾曾正式登陸以一兵一彈嘗敵乎？

或曰昔年韓戰爆發，是國軍反攻一大機會。但那時台局杌隉，根本談不到反攻。又有說：匈牙利革命時，是我們一次反攻的機會。但匈國革命經俄帝鐵蹄鎮壓時，共匪方助桀爲虐，自由國家皆袖手旁觀，亦影響不到我們發動反攻。當年蔣總統與杜爾斯共同聲明，不憑武力反攻大陸後，不到三天，白宮發言人曾對這個聲明有所解釋：「中華民國並非不用武力，在兩個條件之下，是可以用武力：第一是自衛，第二是大陸起大規模革命的時候，中華民國可以出兵用裏應外合之舉」。可惜的如昔年西藏民衆大規模抗暴及最近之廣州暴動，我們都來不及反攻接應，不免坐失時機。現今大陸六億同胞，倒懸莫解，咸抱時日曷喪之痛，卽匪軍幹部雖云溫飽粗足，而見其父母親屬，饑饉流離，坐視莫救，誰不離心離德，乘機思逞？祇要國軍一旦登陸，倒戈起義，自在意中。

十三年來我們隔海聽到共匪的叫囂，莫不口口聲聲要「解放台灣」，「血洗台灣」。惟有最近陳兵沿海，一反過去的狂妄，說這次調兵沿海的理由，「是爲防止台灣反攻大陸」。倉皇部署，畏懼台灣反攻之心理，實已情見乎詞。我想大陸同胞聽到這個消息，莫不耳語相告，欣然色喜，準備簞食壺漿以迎王師；不患國軍之不來，惟患國軍來後應如何以嚮應之。蓋他們盼待王師返旆已十三年，眼已望穿，淚已哭乾。故在今日而言反攻，從大陸民心看，從匪幫弱點看，實均已臻成熟階段，且爲千載不可再失之良機。

現在世界的核子大戰，不獨美國人不願打，連蘇俄亦不願打，暫時只有讓它僵持下去。目前共匪重兵集結沿海，業已有備，如國軍用傳統之正規軍作戰，亦很困難。前面已提及，現今湘鄂等省匪軍駐兵很少，全靠少數民兵和公安人員維持秩序。共匪因施行暴政十餘年，玄黃易色，天地易位，認爲對人民一切控制均很成功，腹地邊區，無需多駐兵力；我們卻正好出其不意，攻其不備，乘間抵虛，可以從他的後門打進去。反攻是要不怕犧牲的，戰爭是要流血的，我們不妨仿照美國最近在越南訓練反游擊作戰的辦法，立卽訓練傘兵若干人，用最新式裝備，不過最少要携帶一個月的糗糧。譬如我們要奪取昆明市，就得酌派傘兵，先在四周外圍，如鶴慶、蒙化、大理等處。如要奪取桂林，則須先佔領外圍柳州、永明、道縣等處建立據點，形成犄角之勢，並組織游擊區內通訊網（頂好能有無線電、直昇飛機，化整爲零，隨時聯絡），將敵人之交通倉庫，一律破壞。桂林則向越南方面，昆明則向泰、越、寮三角地帶，建立游擊走廊，進可戰，退可守，然後縮緊包圍圈，攻奪目的地。祇要在西南方面佔領了一二個省城，形成建國之勢，必如辛亥革命一樣，不旬日間，全國響應，推翻暴政，消滅共匪，直指顧間事。辛亥之役，革命志士，手無寸鐵，振臂一呼，萬方景從。況共匪專制暴虐，千百倍於滿清，何以今日台灣有六十萬大軍，卽作游擊戰之試探亦不敢動？失此不圖，不僅短壯士之氣，且易驕敵愾之心，且使大陸六億同胞，灰心失圖，既無以慰其霓之望，更何以立國！現在蘇俄久已撤退之俄籍顧問，近復大批出現於天津北平間，共匪正極力作垂死掙扎，正計劃向歐亞各國購糧救濟嚴重饑荒，如果天不悔禍，大陸幸得一二豐年，則匪勢必復振矣。反攻是一種革命行動，也是弔民伐罪的神聖戰爭，這種戰爭，不全靠物質或經濟的充實，及軍隊人數多寡的問題，而是客觀環境的成熟和主觀要求的迫切，在前面已反復言之。目前客觀方面，無論從任何角度看：如大陸連年災荒的嚴重，大陸同胞對匪共怨恨已極的憤怒，共匪經濟之崩潰，生產之低落，匪共內部的矛盾和匪軍軍心的解體等等事實，均可認定反攻條件在客觀上的時機，已十分成熟。國軍退處台海十三年，一切準備應早已完成，民心士氣，正達旺盛高潮，在主觀方面，亦是迫不及待。卽從過去的歷史上亦可以取得證實：凡是弔民伐罪之師，一經開始之後，一切軍事政治經濟的問題，均在仁者無敵，義師必克的大前提下，隨着這一革命的勝利，迎刃而解。

美國是我們的盟友，有時是可靠，有時也絕對不可靠。凡人交友，不免夾雜一得有利害問題，試問一生做人，能夠交上死生不渝的至友，又有幾個？美國人反對我們反攻大陸，他所顧慮的，是怕我們沒有辦法。現在美國人想避免世界大戰，不打核子戰爭，祇有中國反攻大陸，世界問題卽可獲得解決，他未始不知道這點，他所最怕的，是拖他下水，只望中國能乖乖的爲他守住台灣這面太平洋的大門，使他在太平洋內湖，自由出入，不把遠東戰火帶上美洲本土，苟安目前，卽爲萬幸。

因時間拖得太久，國際變化無常，美國近亦漸漸在變。自前年國台發表康隆報告後，繼之民主黨外交決策人鮑爾斯發表一篇：「重行考慮中國問題」的論文，明明主張兩個中國。卽最近美國國務院外交政策計劃委員會羅斯陶所提「秘密方案」，無非想促使美國對華政策向兩個中國這條路上走。美國與中共從事秘密幕後外交，亦時達八年，先後舉行會議一一二次，其中陰謀，大堪注意。試問一個盟邦負責的外交官，在未有我國參加的場合，鬼鬼祟祟與共同的敵人拉拉扯扯，其心目中何曾有盟國的情誼和道義存在？還不止此，自大陸發生空前未有的糧荒後，最近甘迺廸討好共匪，異想天開，竟公然暗示願以大量剩餘糧食運濟匪區。主管遠東事務的助理國務卿哈里曼，復在美國之音一項世界性訪問節目中稱：「如果北平政權要求從美國獲得糧食，則此項問題將參以整個情況以及北平對世界其他部份的侵畧傾向，作輕重的考慮」。君臣同調，一唱一和。近日且再進一步的派美國有地位的人士，扮作商人身份，來到香港，與中共匪幫派抵香港內某高級匪幹舉行會談，討論美國剩餘糧食，以一種變相賠予方式，運交中共，以助共解決中國大陸嚴重饑荒。從上面種種跡象看，甘迺廸政府在現情況之下，必不助我反攻，是確定無疑的了。而且，兩個中國的幽靈，至少在一部份美國人的腦海中蕩漾着，如果我們竟被牠們出賣了，我國朝野其何以應之！

時至今日，我們必須向大陸發動反攻，無論游擊戰也好，正規戰也好，才能對歷史有所交代，才可對後代子孫善告無罪。我朝野尤應提高警覺，一面作壞的打算，一面自我作主，大機，拼乾坤一擲，大舉登陸，與大陸六億被難的同胞，共共命運，濟則天之靈也，不濟則以死繼之！今天政府應該毫無猶豫，發揮這種大無畏的精神，領導全民，提立刻向大陸實行進軍。

磨刀霍霍

紅牆後面的兇手

自由讀

取法乎上

根據美國小羅斯福的回憶錄所述，他父親在總統任內時，每逢週末，卽由小羅斯福將其所剪存的各報紙批評總統用人行政的種種言論，給他父親作爲消閒品來瀏覽，認爲很有趣。這種民主生活，不但是有趣，而且值得嚮往健羨也。

政府是爲人民而存在的，執政者是受人民委託服務的公僕，凡屬崇尚民主政治的人，就沒有理由不承認這項定義。民間報紙對於庶政得失，以及行政官吏的成績優劣，隨時有所批評，乃是極尋常的事，亦係他們應有的權利，無論批評是否得當，都是法律術語所謂「不爲罪」的。執政者公餘之暇，把這類輿論當作消閒品予以省閱，至少亦有明瞭下情的裨益，善莫大焉。所以，羅斯福總統的作風，實在高明，宜其被世人譽爲偉大的政治家，永垂不朽。

現任美總統甘迺廸，因爲紐約有家報紙批評他用人行政某些不當，卽一怒而停閱該報，並敕白宮各機構一體遵辦，對該報實行「杯葛」。似此悻悻然小丈夫的氣概，以視羅斯福把報紙上逆耳之言當作消遣的玩藝那種胸襟，其優劣爲何如？自身留給社會大衆的善惡觀感又何如？甘迺廸之所爲，除却損害自己的信譽以外，究有甚末收穫呢？

咱們中國人高談民主政治已歷數十年，可是大家的言行每與民主生活背道而馳，不僅是執政者缺乏培民主政治的起碼條件－－容忍與論批評，卽一般平日以爭取民主生活起家的所謂「民主人士」，一旦置身仕宦之列，亦就妄自尊大，不願聽受民間的逆耳之言，動輒指爲「惡意批評」，而拿出官僚社會所謂「有損政府威信」這項腐敗說詞作盾牌，恨不得把報館一概查封掉，把記者捉將官裏去論罪定刑，以彰「威信」了！

胡適之先生在世時，倡言民主政治需要一點一滴地逐漸創進，這話有道理。我希望執政人物對言論自由這回事，取法乎上，學學羅斯福的作風，却不要私淑甘迺廸，實所企幸！

馮玉先生

〔香港與大陸〕

為收拾「反革命份子」
粵共窮兇極惡濫捕無辜
安排陰謀・誘人入彀
廣州梅縣・均有發生

據一位返大陸「觀光」回來的僑胞黃世×君向記者透露：共黨在大陸正窮兇極惡，不擇手段地捕殺「反革命份子」，有許多同胞，在中共安排的陰謀之下，無辜地被捕，判刑甚而殺死。

黃君說：廣州市內某些街道，如吉祥路，越秀北路，六二三路等，有一天早上，忽然滿街貼着反共標語，一時不少人奔走相告，民衆相率往觀，議論紛紛，當人羣越聚越衆時，突然從人羣中，出現大批持槍便衣警員，將人羣包圍，集體拘往派出所，有圖逃者卽被當場開槍射殺。事後民衆發覺，那些最初發現標語而奔走相告的人，竟大部是那些持槍的便衣警員。黃君說：那次被捕者約一百人左右，他們在派出所裏受到嚴密的查問，最輕處罰者是管制，餘則多被判徒刑，甚至有被槍斃的。

又據一位來自廣東梅縣的劉太說：梅縣各鄉鎮的共幹，在前一兩個月間，曾公開向羣衆宣佈說：國民黨卽將反攻大陸，他們亦將撤離到長江以北堅守，以後將是劃分南北而治了。此一宣佈，以及有些共幹故意與羣衆談論其事，言談間並有歡迎國軍回來之意，有些羣衆不知其詐，隨聲附和。但不久，中共忽然公開要澈底調查「謠言」，許多無辜羣衆，就這樣被共幹所檢舉，而被捕了。

劉太說：大陸同胞實在太慘了，大家不光是吃不飽，還時時刻刻要担心有橫禍臨頭。

又一位從梅縣經港赴泰之僑胞鄭君指出：中共有計劃有步驟地欺騙僑胞，致使許多受騙返大陸之僑胞，都弄得家散人亡。

鄭君說：中共首先表示熱烈歡迎僑胞參加「社會主義建設」，號召他們投資，待這些僑胞將帶回來的財產送到銀行裏投資後，便隨時給予「反革命」或「資產階級」等莫須有的罪名，押回農村，勞動改造，致使許多歸僑因受不了這種精神上和肉體上的折磨，有自殺者，亦有抑鬱而死者。

鄭君曾親眼看到一位歸僑智識份子之慘死和妻離子散之慘事。他說，這位受害的僑胞爲林輝長，早年卒業於廈門大學外文系，旋居星加坡，一貫從事文化教育工作，生活頗安適。一九五七年，因受中共「統戰部」宣傳之影响，全家大小五人「回祖國參加社會主義建設」，初期亦曾受到廣東省「教育廳」要人的歡迎，待他將所有積蓄二萬元人民幣投資到海南島「華僑墾殖農場」，並回到家鄉，欲繼續從事文化教育工作，但曾幾何時，林君在一九五八年的一次「大辯論」中，卻被指爲「反革命分子」，强迫返回農村勞動改造。在此同時，海南華僑墾殖農場亦寄來通知，謂因一次大風暴，將全部農作物損毀，當然他的所有投資，就憑此一紙通知化爲烏有了！

從此林君一家大小便在農村「監視勞動」，與一般五類分子受同等待遇，還得每天早晚到公社向共幹「報到」，受共幹訓話。在這種可怕的精神上和肉體上的折磨奴役下，林君於一九六零年十月寫下洋洋數萬字的遺書，痛陳共黨卑鄙罪惡，而後吊頸自殺了。不久其妻亦被共幹逼迫嫁到江西去了，遺下二女一子，慢慢的亦從人羣中消失了。

鄭君說：像這種慘事，大家內心確實寄予無限同情，卻幫不了忙，亦實在沒胆量幫他們的忙。（敬斯）

美報內幕消息徒令人歎氣
泰反共立場堅定逾恆
轉趨中立說絕不可信

（本報曼谷航訊）美國報界新近透露的一項內幕消息，已在曼谷引起耳語式的談論，結論則多是搖頭歎氣，想笑笑不出聲來。

美國報界所透露的內幕消息說，約三個月前，美國爲了寮局而「展示實力」，開兵進駐泰國，除了已公開的理由協助維護泰國國防安全所遭受到的共黨威脅外，未經公開的內幕理由，爲恐怕泰國轉向，或最低限度改採「中立」的政策。又說：美國很重視泰國在東南亞所處的重要地位，認爲如其泰國果實不保，整個東南亞都不可保。

這儘管祇是消息——未經證實的，亦其勢不可能得到美國官方證實的，其可靠性卻似乎無可懷疑，說得輕鬆點，應亦是：「雖不中，不遠矣」。

當本年五月寮共破壞停火協義，連佔寮北軍事重鎮之孟新、南塔，美國誇下海口，事先表示要「展示實力」之時，泰國政界起初還以爲，美國要開兵到寮國了。豈知結果竟然是把美軍開到泰國來。以當時的過程顯示，相當清楚，此舉不但是出於美國的主動，甚至泰國的同意其事，還十分的勉强。因爲泰國事前事後都認爲，它的國防安全，實際還說不上已經因爲寮共的佔孟新佔南塔而遭受到嚴重的威脅；退一步言，卽使那也算得是威脅，泰國自己的力量，亦儘可應付而綽綽有餘，何勞美軍的不遠千里而來？

實際，泰國事前事後的認識；美軍所應出現的地方，是寮國，而非泰國。畢竟泰國如何又終於同意了美軍的入駐呢？可以理解，（一）那是不得已而思其次，既然美國不肯直接了當的出兵寮國，則美軍開來泰國，多少亦可說得上是「展示實力」，聊勝於美國的根本無所作爲。（二）泰外長乃他納與美國務卿魯斯克，年初曾在華盛頓發表「共同聲明」，說是泰美禍福與共，泰國安全如其遭受到威脅，美國卽使未得東南亞公約的同意，亦將逕行軍事援泰。現在，儘管泰國安全還說不上已經受到威脅；但美國既然硬要開兵到來，至少亦可顯示美國的確言而有信，又何必加以峻拒？

但美國當然祇是「展示實力」一種政治的姿態。且從後來美國兩次自泰撤兵，共一千八百名，實際都是單方面的決定，「先斬後奏」，不問泰國同意不同意之舉，充分說明，美國當時備祇是利用泰國的土地，以遂行其「展示實力」的那個政治姿態。對於美國的那兩次撤兵事實上不能算是先同泰國商量好的，形同要來便來，要走便走之局，泰國人就實在老大的不高興。

至於美國担心泰國轉向或最低限度改採中立政策之事，一般而論，乃是過慮，而且這種過慮，也實在已經不能算是新聞。乃沙立元帥領導的泰國政府，基本上是絕對反共的，其堅定程度，較之美國，其實有過無不及。卽以寮國之事而論，在東南亞公約八國中，泰國的主張，是最激烈的。泰國不但年多前便力主公約國實行軍事干涉，泰國甚至主張，只要美國願意比肩作戰，泰國願意首先開兵入寮。對於美國的壓迫寮國反共的邦安親王政府與寮共及所謂富馬中立派組織聯合政府，更以泰國反對最力，卒以美國自寮抽腿之志已決，泰國孤掌難鳴，也才勉强不作聲了。

這也是事實，在這三四年中，已經好幾次傳說泰國可能轉採中立政策，特別以前年蘇俄多方向泰引誘，甘言蜜語說了一長串之時，傳說最盛。然而到底風風雨雨過去之後，泰國依舊屹立未動。連年泰國的搜捕共黨份子不遺餘力，亦足爲泰國的堅定反共作證。可以肯定，如其美國今後在亞洲對付共產集團有着堅定的表現，而再亦沒有諸如犧牲寮國那樣不光榮的事情做出來，泰國是絕不會走什麼中立路線的。轉向之說，更自始至終便是沒有根據的張大之詞。

曼谷人士對於美國到底認識了泰國在東南亞所處的關鍵性地位，倒是感到安慰的，看來在寮國所發生的那種事，應該有理由相信不致於也在泰國發生。（越）

香港發生霍亂症
官方民間大戒嚴

（本報訊）香港政府醫務處於八月廿三日證實香港已發生本年以來第一宗霍亂症，並宣佈香港已成爲霍亂地區。

香港於去年八月至年底，曾經被霍亂侵襲，計共發現證實的霍亂症一百卅宗，其中五拾五人爲「帶菌者」。患者中死亡數爲拾五人，其中七人發現時便已死亡，八人爲在醫院因救治不及而死去。

有了去年「談虎色變」的經驗，自經官方證實又發生霍亂之後，居民立刻一體提高警惕，小心在意。所幸迄至廿七日上午十時，未再有新的病例發生。卽迄至該時爲止，患霍亂者仍祇一人（已脫離危險），另「帶菌者」四人，因與患者曾經「接觸」而被集中隔離檢查者爲二十八人。

官方於證實發生霍亂之後，經已快馬加鞭的作出如次準備與呼籲：

（一）分在各地區撥四間醫院，完成準備，以救治患者。

（二）設臨時集中營，凡與患者同住或接觸過者，均將送往隔離檢驗最少六天，强迫執行，以利大衆。

（三）禁止若干種冷飲、冷食及未經煑熱的食品售賣。一切生菜不得切開售賣。已腐及不潔菜蔬魚肉不得售賣。蜆蟹之屬不得售賣。

（四）凡有可疑患者，須立卽報警。

（五）普遍注射防疫針。

在如此嚴密戒備之下，應能遏止霍亂症之蔓延，尤其希望確能遏止其蔓延。（道）

俄兩太空船雙飛表演
美科學家認不很值錢
美國自信仍能領先探月球

（本報華盛頓航訊）蘇俄上週剛於廿四小時之內，連射出兩個太空船，各載太空人一，進入軌轍，繞地球而飛之時，美國科學家所最注意的，是這兩個太空船是否「會合」？當時就有的人估斷必然要「會合」。果眞「會合」了，其在軍事上的意義不且談，那將是把人類送上月球的準備中的一大成就。

科學家們的想法和設計，把人類送上月球的艱巨任務，係用下列方式進行的：

（一）是所謂直接進入。方法是建造一個單獨有龐大力量的推送火箭來担任這項任務。此一火箭必需有足夠大的衝力，携帶人員、太空船和回程火箭，直接的由地球上的發射台發射，使其在月球上降落，之後再回返地球。

（二）是所謂間接進入，亦稱爲「會合」進入。這方法是利用較小力量的火箭，將載人太空船和推進機件，分別送入環繞地球的不同軌轍中，然後將它們集合起來，卽「會合」起來，繼續飛向月球，之後再回返地球。

（三）也是間接進入，但方法是直接由地球把一個「太空母船」送入環繞月球的軌轍，然後利用此一「太空母船」作爲基地，發射一個較小的「太空子船」，使其降落月球，然後再返回地球。

美國自己所已經選定的把人類送上月球的方式，便是第（三）種以月球軌轍進入的方法。美國科學家的計劃，是要在一九六六年或六七年，將一艘龐然大物的「音樂之神」太空母船射入月球軌轍，實現送人類上月球探險的目標。

英美科學家認爲，間接進入法亦卽「會合」進入法，不論其從地球軌轍或月球軌轍進入，都比較直接進入法價廉，而且要實現得早些。因爲直接進入法的那一枚巨大力量的火箭，其衝力需把幾十萬磅重的東西直接送上月球，這枚火箭的設計和建設費，很花錢，亦很花時間，美蘇兩國都尚缺乏這樣一枚巨大衝力的火箭。

在以往，美科學家是偏重於認爲蘇俄將採取直接進入法的——蘇俄現有火箭衝力，確較美國所已有者爲大，蘇俄亦就以此自誇自豪，目中無人。但這次蘇俄於不足廿四小時內連續放射兩太空船繞地而飛之後，美國科學家立刻意識到蘇俄原來所走的，也是間接進入法，所以有人推斷兩太空船必然要「會合」了。

但結果，蘇俄這次的兩太空船，並未「會合」，或者說並未能「會合」。畢竟蘇俄這次是根本沒有要兩太空船「會合」的打算呢？抑或是想要「會合」而技術上還有困難呢？暫時尙不明瞭。不過，卽由於蘇俄的兩太空船並未「會合」之故，在科學家眼中，它這次的成就，便不是什麼大不了的。美國太空署長威勃，且因此深信美國將能比蘇俄爲早的把人類送上月球去。

至於兩太空船「比翼而飛」，在科學家眼中，不很値錢，因爲美蘇都早能射人入太空了，能射一個，自能同時射二個三個以至更多個。蘇俄這兩太空人，分別創造繞地飛行六十四週與四十八週的紀錄，則是有貢獻的，它證明人類可在太空「失重」三四晝夜而無恙歸來，將有助於科學家對太空探險之設計與進行。（敏）

台灣的省會——中興新村

林嘯嵩

中興新村有一所頗爲完備的「省立中興中學」，有兩所辦得相當理想的國民小學及附設的幼稚園，這三校的學生，合計起來已經超過二千人了，看趨勢大有再行增設中小學校的必要。

新村裏也設有醫院——省立中興醫院。醫院的各項設備，現已日臻完備，凡屬納入了公保的公敎人員，看病吃藥住院，均屬免費治療。院內各科主治醫師，都係醫界知名之士。至於其他醫護人員，其服務精神，亦值得讚揚。

信仰天主教或基督教的人士，在中興新村也是不會寂寞的，這裏有莊嚴肅穆的天主教堂與基督教堂，建築均十分堂皇，十字架聳立在教堂的頂端，高不可幾，晚間這個十字架的電光閃耀，示人以靈在此的意境，一望而知這是「主」的靈宮，也是信徒們參拜聚會的所在，每個星期天上午，均有成千的男女老幼分別前往這兩個教堂裏作彌撒或做禮拜，雖然這兩個教堂是代表新舊的教派，但教徒們都是以敬以誠，各信其「主」，向來都沒有互相歧視的心理或態度。

「中興會堂」在中興新村的建築物中，算是首屈一指的大厦，不僅富麗堂皇，巍峨壯觀，實際上，它正是構成中興新村畫面美的特寫。在會堂的前面，是一個相當大的運動廣場，廣場內包括足球、籃球、排球、網球等場地，週圍還修築一條跑道，而且也有水泥的看台，秩級而坐，約可容納萬餘觀衆。如在這裏舉行小型的運動會，是相當理想的場地。負有這項工作任務的人員，應加意擴充各項運動的器材與設備，以備將來舉辦運動會時之用。

偌大的中興會堂，除每月供作一次例行的動員月會以及臨時性的會議之用以外，其最大的用處，就是作爲省府員工的康樂活動中心，諸如逢年過節的擴大遊藝晚會，舞會，以及省府員工的婚慶大典，都要借用會堂。而且中興新村唯一的戲院、電影院、圖書館，都設在這會堂裏。還有游泳場，也建築在會堂的左側。整個中興新村的居民，倘使沒有了中興會堂，他（她）們的生活情趣，將因此而受到很大的影响，他們將上那兒去消遣哩？

中興會堂的電影，是每晚換一部，每週至少會有一、二部名片上映。倘使今晚的不合君意，也許明晚就可以讓你欣賞一部滿意的影片，彌補你在昨晚覺得有點失望的心情。

省政府目前還有一項待完成的「虎山公園」興建計劃，這項計劃是配合本省的觀光事業，使中興新村亦納入觀光地區。事實上現在的中興新村與霧峯的省議會，早已是遊人如織的風景區了；尤其台灣銀行去年已興建了一棟觀光招待所，又爲中興新村增色不少。這個招待所完全是流線型的西式建築，不但外觀上美侖美奐，十分堂皇，室內的佈置，亦非常考究，確實是一幢夠水準的招待所了。如果虎山公園能夠提早興建完成，則更可以號召海內外的觀光旅客。

五月二十二日，中興會堂興辦了一間「速簡餐廳」，極受省府員工歡迎，每天在此排隊用餐的人，平均不下三、五百人，不僅單身職員稱便，就是許多小家庭也喜歡在此用膳，蓋取其經濟實惠，亦藉此減少在家庭裏作飯的麻煩。

「速簡餐廳」的經營方式，是在餐廳的入口處先預備好菜飯，有肉類蔬菜，也有米飯饅頭，均用小盤盛着，食客進門，任意選擇，各取所需，然後到櫃台點數，開具應付單據，餐畢離去，憑單繳欵，手續極爲簡便。

全中興新村現有三個消費市場，供應日常生活的必需食物與用品，有菜市場，有雜貨店，有百貨店，有理髮廳與美容院，有咖啡廳和餐館，有糧行與軋米廠，有布莊和時裝店，還有電器行，照相館，西藥房，鐘錶行，糕餅店，金飾店，洗染店，書店，報販……凡屬在城市裏可以買到的東西，這兒無不應有盡有，既不虞匱乏，而且相當便宜。

在這三個市場裏，除第一第二市場之外，另外的一個，是叫「中心商場」，是由省府福利委員會以合作社方式招商承辦的；商場裏的一切日用供應品，均有合理標價，較之一般自由市場所供銷的物品價格畧爲減低，其所銷售的對象並不僅限於省府員工，任何人皆可以照價選購必需的物品。

中興新村是一個很適於人羣活動的地方，也是自由中國第一個新型的社會。這個社會的發展型態，可說是依據國父的民生主義而設計的，亦其實是社會科學化的產物。

筆者最愛中興新村的寧靜，這裏有鄉村的和平樸實與幽美，也有現代化的層樓建築和都市的雛型，這裏能使一個愛動的人不感到寂寞，一個愛靜的人也不感覺到喧囂。這兒有綠色的曠野，有翠拔的山峯，還有一股和生命歌唱的源流。這兒有小橋流水，村院田莊，晨夕散步其間，尤覺無窮樂趣，眞是詩的情調，畫的意境。這種環境，可以使人摒棄對境遇的不滿，忘卻人生的煩憂，將疲乏而苦澀的心靈，從現實的束縛中，盡量的解脫出來，使它溶匯在大自然的懷抱裏，以擴展抱負，計劃未來。當然這程境界頗高，非有相當高度的修養，不能發現這程人生，了解這種生活的意義。中興新村確使筆者越久住越有興趣而越發留戀。除此而外，尤其在地方政治建設的重要性而言，它不僅是台灣的省政中心樞紐，而且在行政設施上，更負有全國模範行省的任務，將來規復大陸，各省的省政建設，都要以台省的建設作藍本。（下）

天南風光

——沙羅越的首府——古晉

朱淵明

與四方樓望衡對宇的，就是郵政電報與渣打銀行相連的那座大厦；那是一座古希臘式的建築，令人有堅實厚重的感覺。這座大厦過去不遠，就是幾年前落成的大教堂，那個地形才妙哩！教堂本身建在一個小山崗上，遠望巍然，從馬路走上去要經一百餘步的石級，石級兩旁，都是草地，間植花木，雖然石級很多，可是走來並不吃力，或許因爲風景太好的緣故。教堂的四週臨空，其內部佈置也相當的富麗堂皇，以目前古晉而言，自然就是最好的了。

站在教堂正門平地上一望，馬路對面，一片大草地，約有十萬以上平方呎，綠草如茵，空空蕩蕩。草地過去沿馬路就是輔政司署大厦，純粹新式，內部全裝冷氣，因有門前的大草地襯陪，氣象格外崇宏壯麗。又有一座很大的回教堂，雖照例屬於古典式之建築，但獨據山頭，圓頂高聳，在市區內只要前面沒有障碍，多舉首即可瞻仰。此外新式建築如沙羅越廣播電台，自成一部，四圍空曠，實最合理想。復有新聞處大厦，歐羅拉大酒樓，以及華僑大厦，朗加大厦，與福建公會大厦等，都各具風格。

另有一座雲南善堂，也是年前才落成的，它是仿照中國寺廟形式建造的，較之古晉原有的寺廟，如上帝廟，觀音殿，及大伯公廟等，堂皇莊嚴多了。

除了以上各種大建築外，古晉還有一座零食市場，也是這幾年才建造落成的，一般稱之爲「夜巴剎」，有點像香港的「大排檔」，但是地盤寬大，四面都是馬路。不像香港九龍的食檔，橫塞在馬路中間或街旁，阻塞交通，使人食時有不安的感覺。

（七）

心道篇

林

科學與道德的論辯（三）

中國老莊的道德觀，與儒家的道德觀，就大不相同，無爲主義是一種自然主義，道德便成爲自然律；孔子雖亦認道德爲超絕永恒的眞理，但却以之爲人生行爲的標準。如孟子之性善論，雖有如西方康德認道德爲善意，屬良知勸機派，但以儒家的根本精神論，不是純個人主義，亦不是純利他主義。儒家主張個人之正心修身養性，乃在爲服務社會的準備，治國平天下才是目的。故儒家的道德觀，可說乃憑倫理制度來實驗反映的實踐道德。

康德對道德的理想境界，是一個「目的王國」，他劃出一個公式是：『無論在你在別人，總須把人當作目的看待，勿僅當做工具』。

杜威和康德恰正相反，他認爲「善」亦是工具，世上的一切，都無一不是工具。所以他的實驗主義，也稱爲「工具主義」。他以爲「創造的智慧」是由「不滿意現狀」而產生，不是什麼天賦、良知、良能之類。因此，杜威主義眼中的社會，無所謂是或非，一切須經過實驗的權衡，才作判斷。對於道德，他以爲生活即已包含道德的意義，無需再要假定道德的目標。所以道德在杜威主義亦入科學範疇，稱爲「科學的道德觀」。

我們且不論道德、正義這類屬於抽象觀念、直覺、動機性質的字眼，是否可以憑科學分析獲得一個正確公式？但最少在其實驗主義所謂「不問世相根源」，「祇問世俗事務」，這個課題上所看到的人生，實在是太過簡單，且近乎現實到可笑。一切事原莫不有因有果。佛家所謂「惡因惡果，好因好果」，從科學方法分析，並無錯誤。所謂「因」，實在是某種動機或意念或理想，若此種意念不屬於「善性」。

塵君續夢

第六回： 烽火照邊陲　同惡難濟　樓船橫碧海　大憝興悲

新疆省的內亂未平，外患又起。原來中共從一九五七年起，驅使「新疆生產建設兵團」及第五軍由葉城到西藏的噶大克修建一條新藏公路。在測量路線時中共小心翼翼恐怕觸犯印度，路線儘量向東移，不料經過崑崙山時遭遇了困難，因爲崑崙山形勢太高，只有喀喇崑崙山口可以通過，但是這條線要經過中國和拉達克的未定界一百多里路，測路人不敢作主，將情形呈報上去，一直報到中共國務院，周恩來就把陳毅、王首道找來商量，王首道雖是「交通部長」，可是修路工作，尤其是軍工一向不歸他管，根本不知道這條新公路在那裏，自然不好插嘴。

陳毅說道：「既然新的路線一定要經過拉達克東部未定界，我看就命他們照修好了，橫豎這是未定界，印度提出意見，我們也有辦法答覆。」

周恩來問道：「要不要告訴尼赫魯一下，免得將來他知道了麻煩。」

陳毅搖搖頭：「那倒不必，這一帶地區據測量隊報告是黃沙遍地，寸草不生，走了幾百里路都沒有人烟，印度方面從沒有人到這裏來過，我們修成了他也未必知道，若是現在通知尼赫魯，他不答應豈不更糟。」

周恩來笑道：「你說的話很有道理，可是尼赫魯總有一天會曉得的，到時候還是要同他翻臉。」

陳毅陪笑道：「那也不一定，憑着總理和尼赫魯的交情，他從一九五一年起，佔領了麥馬洪線以南整個亹隅地區，又在西藏中部佔領了烏熱，波林三多，我們未曾提過一紙抗議。總理還當面告訴他，願意承認麥馬洪線爲兩國邊界。像這種便宜從英國政府到尼赫魯，同中國糾纏了幾十年，自袁世凱到國民黨，沒有一個人會這麼慷慨，尼赫魯難道一點也不知道感激？總理放心吧！決沒有問題。」

周恩來想想陳毅的話也實在有理。就向王首道說道：「你回去派專人到新疆設法趕運修路器材到南疆，命令修路人員用最大速度趕修好。儘管我們預料印度不會找麻煩，也希望能在他們知道之前全線通車。」

王首道回去找到王震，兩人會同下了一道命令，增派勞改「犯人」馳赴南疆搶修，果然到了一九五七年底，從葉城到噶大克的新藏公路通車了。

通車之後，中共駐噶大克的部隊，獲得從新疆南部運來的糧食補給。當一卡車、一卡車糧食由北方運抵噶大克時，印度駐當地商務代辦處首先發現，就向印度政府提出報告。說是中共修了一條新公路，溝通了新疆南部與西藏西北部的交通。

印度政府將報告交給尼赫魯，確實把他嚇了一跳，尼赫魯知道這條公路經濟價值還小，軍事價值太大，這樣使新疆同西藏聯成一氣，蘇聯駐新疆的軍隊，可以通行無阻開入西藏，一旦發生大戰，印度簡直無險可守。現在中立主義招牌可作護符，炮聲一響，中立主義就被丟進了厠坑，一文不值，到時候只有在勞動改造與乘飛機逃亡二者之間選擇一條道路。尼赫魯想到這裏，頓時嚇了一身冷汗，就打電話找梅農來商量。（一三〇）

流亡安置他山石（續）

由於東德全無自由的暴政，人民掙扎在饑餓線上，因此常有逃出鐵幕，流亡來歸，成爲常有的事，於是東德除在與西德的邊緣，早經拉下鐵幕之外，去年「八一三」，又在東西柏林間，築起了一道短牆，長約四十公里，高僅比一個人的高度，厚二三尺。故在西柏林踮高，可以瞭望東柏林的街道，非常冷落，路上往往並未見一個男子，因爲皆迫往充工役了，幾成死城。所見僅是荷槍實彈的軍警，徘徊在道路中。但那邊高樓洋房，也有婦孺老弱，在窗口瞭望。在西柏林的人，間有揚巾招呼，舉手歡叫，笑臉相迎者，她們多是冷酷凝視，一無表情，既不叫喊，亦無歡色，非常呆板，蓋其身已不能自主，下邊有警察監視其行動，未敢有所表露也。

東柏林人在軍警這樣嚴密的監視下，應該無有越牆而走的了，可是百密也有一疏，而在壓迫過甚的情形中，以生死相搏，終於不斷有零星的，或數十的，或近百數人的，時常流亡過來，享受自由空氣。

西柏林人口雖是密集，但是工業發達，每人均有工作，尚嫌人力不夠。例如以汽車來說，率均製造靈巧，車身輕便，極爲省油。如買現貨，也須三星期交件，因爲出品不夠供應。即出製汽車馳名的美國，也來定貨。歐洲各國更多定購者。其他工業，多是供不應求。由於工業的蓬勃發展，造成戰後迅速的復興，現在西柏林任何村落，皆欣欣向榮。

流亡來歸的難胞，如何安置？係先向警察機構申報，配住在招待所，約可容千餘人。隨即由警察發給申請書一份，一二三張，由本人逐項填寫，主要是姓名籍貫年齡學歷，必須詳報。尤其注重在技能，將以前所做的職位，逐項填明，愈詳細，愈有效力。交由警察代爲呈送，大概一星期後分配工作，前往報到（多在西德境）。即使所專長的技能，一時無處可以派充，也儘量覓其接近的廠家，或工作隊，故而能夠材盡其用，人人有其工作，而西德亦更繁榮了。

憶玉軒雜綴

飛君子

畏友陳鴻年近今對於寫劇評文字，已感稍闌，改寫故都景物，形形色色，很耐尋味。余前曾勸高天行亦寫散文，結果他未從所請。要知筆記體裁，是有關稗史也。（未完）

劉銘傳參劾林文欽

十八爺

林文欽號幼山，乃林獻堂之父。林氏世居彰化霧峯，累代業農習武，文欽獨好學。光緒十年台灣兵備道劉璈觀風試士，奇其文，於是年入泮。會中法戰起，劉璈檄全台士紳，募鄉勇，衛桑梓，文欽以佃兵五百，從劉璈於台南籌防守，器械糧秣，悉取諸家，不費官府一錢。已而移駐通霄，助吳鎮光亮扼守中路，並捐巨欵贍其軍。事平，以貲註銓郎中，分兵部。未幾請歸養，雅慕萊子斑衣故事，築萊園於霧峯之麓，亭台花木，境極幽邃。梁任公遊台詩：「人物自是徐孺子，山林不數何將軍」。即詠其人其地也。

文欽自畜伶人一部，春秋佳日，奉觴演劇，蓋所以娛其親者無弗至。又偕其從子朝棟拓地開疆，東入番界，西至舊墾之地，北沿大甲溪，南抵集集大山，延袤數十里，闢田藝樹，其產日進，其財日豐，稱台中巨富焉。

劉銘傳撫台，與兵備道劉璈構怨，參劾劉璈十八大欵，褫其職。慮文欽爲台中巨室，又係劉璈得意門生，不一併劾之，不足以立威，乃借文欽防法之役短少勇丁，扣發夫價，一併予以嚴參，奏稱：「林文欽不能文，係劉璈新進附生。與朝陽之子亦拜劉璈門下。劉璈貪污不法，誅不勝誅，應毋庸再事搜求，以免誅累。」文欽遂被革去候選同知銜。實則防法之兵，均係文欽自給餉項。光緒十九年，文欽舉於鄉，則奏內謂文欽不能文，亦未免厚誣其人。

光緒廿一年割台事起，大府檄文欽兵防日，募勇千名，亦自備餉糈，令族弟文榮統帶，駐彰化。已而下詔割台，文武皆散去，四郊俶擾，文榮率隊分邏各地，故無盜賊患。既見勢蹙，謀內渡，而母老不堪涉風濤，遂匿跡銷聲，居於幽谿，惟日侍慈幃，教子孫以終其身焉。

天助自助

漁翁

古云：「順天者存，逆天者亡」，存亡繫於順逆，理所固然。試展開一部念四史，從三代以迄民國，各朝代之盛衰興亡，都脫離不了這個原則。

書云：「天道福善禍淫」。左傳：「天道遠，人道邇」。殘暴者，天必厭之。仁愛者，天必助之。易曰：「天之所助者，順也。」即漢書所謂以和致和，獲天助也。

鴻門之宴，以項羽之凶暴，而不殺沛公。赤壁之戰，孫劉以弱勢而破曹兵，諸如此類者，不可勝數。史記：「人定者勝天，天定亦能勝人」。言天道定時，非人力所能勝也。蓋機會與氣運，屬之於天，不順天行事，非特不成，且又敗之。

秦皇統一天下後，施行「集權制度」，焚書坑儒，偶語棄市，收天下兵器，行政不仁，民亡載道。元以異族佔領中國大陸，編二十家爲甲，派特務爲甲長，控制、鎮壓，無所不用其極。滿清入關，用漢人佐政，得延祚二百六十餘年，後因慈禧攝政，不知變法，內憂外患，民困日深。均屬逆天者，其亡也宜矣。

中國人，往往認爲萬事萬物，皆由天定，非人力所能強爲。因而失却創造、改革、自強、自主之奮鬥精神。須知機會與運氣，固屬天命，而乘機進取，還賴人事。桀紂雖暴，苟無湯武革命，則桀紂仍不致於滅亡。秦皇雖無道，苟無陳勝吳廣揭竿而起，吾恐二世三世，繼續下去。元朝雖奴役人民，如無朱元璋奔走號召，何有秋節殺韃子之民變發生。清代政治雖腐敗，若無孫中山先生領導革命，經十次失敗而不稍餒，則滿清之亡，決不如此之速。

在天好似一部機器，欲使機器推動，左之，右之，無不宜之者，人力也，所以天時人事，必須相輔而成。

孟子曰：「天時不如地利，地利不如人和。」因爲天有時而窮，地有時而盡，惟有人和，永遠不能變更。人和者，猶言得人心也。如果一德一心，矢勤矢勇，以此齊家，治國，平天下，無往而不利也。

蓋天助，非可坐待者，要自求在我。易云：「天行健，君子自強不息。」有自強不息之精神，自力更生之勇氣，方能克服困難之環境，足以轉敗爲勝，轉危爲安。而登國家民族於康莊之域。

談到自助，我國古之仁人志士，有足借鏡者。如夏少康有田一成，有衆一旅，而建中興大業。越王勾踐十年生聚，十年教訓，卒收沼吳之功。他如晉朝祖士雅之中流擊楫，劉越石之枕戈待旦，宗元幹之乘風破浪，陶士行之運甓習勁，皆從自強方面着眼，也不問地利，一切求諸於我而已。總之，俯仰由人，是不自主之最大病態。在這八方風雨之會，我自由中國，不必希望天助，也不需任何國家所支配；必也，要自主，自決，自強，自力更生，尤其要拿出擊楫渡江之勇氣來。一旅可能興夏，三戶足以亡秦，祇在吾人好自爲之！

海嶠舊談

讀史卮言（二）

諸葛文侯

「辛壬春秋」的「革命源流」篇又說：「河口之役，黨人訛傳孫文在南洋醵資數十萬，及戰敗，乃韋赴新加坡索資，至則爲總督囚禁。由是文（按指孫中山先生）信望漸微，黃興執持黨事。及宣統二年資政院開會，黨人穩健者羣趨立憲派，興（按指黃克強）勢益孤，則倚趙聲以自固」。自從同盟會創立以來，迨民國肇造後，由同盟會改組爲中國國民黨，直至黃克強先生病逝上海（民國六年），黃氏始終沒有「執持黨事」的記錄，這是舉世周知的事實。河口之役是在同盟會時代，當時黃氏經常奔走於粵桂之間，策劃革命的軍事行動，如游說清軍統領郭人漳，調解廣西陸軍小學堂總辦蔡鍔與郭人漳交惡等事，都在這個時期進行的，「執持黨事」之說，寧非囈語！孫總理於河口之役後，在黨內亦無「信望漸微」的情形。至謂清廷資政院開會後，革命黨人之穩健者皆趨入立憲派而反對革命運動，以致黃興勢孤，乃倚趙聲以自固云云，尤爲胡說八道的讕言，連捕風捉影的意義亦說不上哩！綜觀作者的思想是嚮往君主立憲，憎惡革命運動的，所以他在全書的紀述中，每對孫黃二公多加貶抑之詞，而以詆毀黃氏爲尤甚，因爲黃氏係實行家，曾參預廣州與武昌起義這兩次大革命戰役，終於傾覆了滿清王朝，作者的內心深處，猶有餘恨存焉，故爾情不自禁而流露於字裏行間也。謂予不信，請再看他所撰述辛亥武昌首義經過的「湖北」篇。「初湘獨立屢出兵援鄂，故鄂前敵多湘兵，及湘黨人黃興至，宋教仁譚人鳳說黎元洪，以黃興爲總司令，元洪不得已從之，築壇授旗。興書生，突居衆上，鄂軍士多怨望，興乃徵招湖南學生數千人，編爲敢死隊，驅使赴戰。」這段「史筆」的用意有幾點：一是指證黎元洪本不願意革命黨人黃克強總領師干，指揮作戰的，因而黃氏登壇拜將後，「鄂軍士多怨望」了，暗示後來南軍之敗，並非敗於北洋陸海軍的優勢兵力，乃敗於黃氏不受部屬擁戴，而黎元洪亦與黃氏貌合神離也。二是指證黃氏之得任總司令，係因爲「前敵多湘兵」，以及湘人宋教仁譚人鳳徇私要挾黎元洪勉強同意的。三是指證黃氏既不得軍心，部隊作戰不力，乃臨時招募湖南青年學生數千人，「編爲敢死隊，驅使赴戰」，隱然幾刺黃氏以青年學生作炮灰，彰其書生不知兵的過惡云爾。夷考史實，湖南獨立是在武昌新軍起義以後兩旬間的事，當時湖南都督焦達峯派遣過一次軍隊援鄂，但爲數無多，不會超過一團之衆，因爲原有的正規軍並不多也。旣而湖南內部生變，焦達峯及其副都督陳作新皆被殺，等到諮議局長譚延闓被推舉，担任都督後，漢口漢陽已告失守，袁世凱是出停戰議和主張，黃興亦離鄂到了上海，所謂「前敵多湘兵」之說，從何來呢？黃克強化裝入鄂時，宋教仁並未同行，宋當時亦不在武漢，這是有許多史乘可資證明的。作者竟揑誣黃克強是藉湖南同鄉人的力量以攘奪革命軍總司令地位，且不惜驅使湘省學生枉作犧牲，可謂極盡造謠攻訐之能事。

更正：上期本欄「庚戌廣州三月廿九之役」句，「庚戌」係「辛亥」之誤，合亟更正。

劉璈抗法前部署

·李仲侯·

又商輪祇能運送軍需文報，斷不能如兵船可資捍禦。聞兩江有新造開濟快船，行駛靈捷，惟吃水一丈八尺，於江道不甚相宜，澎湖海口稍深，如蒙將該船移駐澎湖，定期遊洋，敵船如欲犯台，緩急皆可恃。——再台澎各口，蚊子船最爲合宜，雖經職道親稟南北洋請撥，不知可否，倘祈憲台俯允咨商，庶邀允准」。

這道呈文發出，各處北回，雖不能作主，尚算敷衍面子，惟接奉南洋大臣左宗棠批示：「合防緊要，所需兵輪布置，係屬實情。該道擬將萬年青商輪與浙省元凱輪對換，是否可行，仰即稟請浙撫部院核示遵行。至開濟快船，已派駐紮江陰，聽候長江提督李軍門[illegible]、崇明、寶山一帶，以重江海之防，[illegible]能調撥台澎。又另稟調蚊子船一節，江南僅有該船數隻，[illegible]撥赴台防。且閩省海防，本由督部堂撥船分內主辦之事，該道何能越界仰求江南代爲借籌，殊非情理，斷難准行」。劉璈這樣一來，不但船沒有借到，還碰上左宗棠一記釘子。這時縱然乾着急，亦有何用。（九）

東段君慎生

吉庭

慎言復慎行，生性更聰明。心貫中西學，協懷水月清。識君嫌太晚，惠我豈忘情。嚼句酬知己，陶然五字成。

悼亡

前人

大難來時各自圖，悔將兒女累鳳雛。聞風那忍絃重斷，望月何堪鏡又孤。廿當年曾共處，幽明此日竟殊途。天涯幾度哭親友，哭到卿前淚已無。

自由報
內僑警台報字第〇三一號內銷證
THE FREE NEWS
第二六六期
中華民國僑務委員會頒發
台敎新字第三二三號登記證
中華郵政台字第一二八二號執照
登記为第一類新聞紙類
（本刊每星期三、六出版）
每份港幣壹角
台灣零售價新台幣弍元
社長：雷嘯岑
督印人：黃行奮
社址：香港銅鑼灣高士威道二十號四樓
20 CAUSEWAY RD 3RD FL
HONG KONG
TEL. 771726　電報掛號．7191
承印者：田風印刷廠
地址：香港灣仔高士打道二二一號
台灣分社
台北市西寧南路金臺李號二樓
電話：三〇三四六
台郵劃撥儲金戶九二五二

自由中國應即變為戰鬥中國

自由之花，需要鮮血灌溉，始能生，始能長。空喊自由無用，戰鬥方可得自由。

·吳本中·

『不自由，勿寧死。』自由勝於死。法國人於兩百餘年前知之；其哲人碩士倡為學說，據為定理；於一七八九年七月十四日大革命爆發，市井小民，賣菜老婆，揭竿而起，此執木棒，彼執菜刀，不約而合，未謀而成，轉瞬間，蜂擁至巴士基大監獄。對此巍巍峨峨，城池堅固，象徵王室專制堡壘，無人領佈總攻擊令而羣衆自動、自覺、自然的不顧死活，不計利鈍，不管勝敗，勇往直前，大加打伐。彼堅甲利兵，制服煌然之王室軍警，在人民怒吼之前，竟無能為力，棄甲曳兵而逃。數百年「太陽王朝」，因以推翻，在人類史上成為最光榮之大革命紀念日。今三色旗飄揚世界，其第一色即象徵自由，固已懿歟盛哉。然其始若非流汗流血，拼命奮鬥，何可得哉！

六億人的自由是世界上最大的自由

我中華民族，六億人的自由，是世界上最大的自由。最大自由之獲得，恐亦需要最大的犧牲與最大的汗血。我們應當有勇氣與決心出此[illegible]。法蘭西民族，論人口不及我們十二分之一，算土地面積不足我們一大行省。他們出了這樣大的偉人與哲士，文化上領導泰西，政治上不但往者稱霸歐陸，即今之戴高樂還不是現時歐洲政治經濟共同體之創建與實行者，美國對之無法、英蘇不收容蘇且則視、法國人民雖亦是古老民族，其文化直承希臘，羅馬之譜系，然絕對不老大而昏昏欲睡，而任人操縱。相反的，這個民族乃仍是生龍活虎，拔劍起舞，自尊自重的。同盟友國不給原子秘密，她自己發明創爆。美國借給的債，現不但早已還清，且能大批購買美國黃金。世界兩次大戰均在法國本土，遭敵騎蹂躪，舉國沉淪，自由國家受害之烈無出其右者。但復興之速固使人欽佩，而志欲樹立世界第三大勢力，左製蘇而右媲美，尤使人驚異。對我們中國民族而言，以人口論，四千多萬比六萬萬，眞是小得不能再小的一位小弟了！別的不必說，祇求我們做老老大哥的，不要『關門睡覺』，十餘年停留在『自由中國』階段，而亦學法國小弟，能雞鳴起舞發奮有為，確實做一個『戰鬥中國』，好不好？斯亦可以無愧矣乎？

不能十餘年停留在『自由中國』階段，應即拔劍起舞，出現一個『戰鬥中國』

考『自由法國』，在開始時，法國大陸淪陷，貝當元帥成立政府與德國合作，其名稱對歐陸法國本土之不自由而言，固極正確，且有對立相抗之義。未可厚非。然這個名詞不足代表積極行動與全民族激昂慷慨情緒，有大動作，大鬥爭，大時代之意義。故不久，戴高樂於正式大規模反攻大陸，復興法國之前夕，即改『自由法國』為『戰鬥法國』（法文：La France Combattante）。此不僅名稱之改變，乃亦實實在在有行動之表現也。我國固有：「名不正則言不順，言不順則事不成」之古訓。坐而言起而行。我們要幹，就要有幹的好名詞以振奮六億同胞。我們非戰鬥，何能光復中華？何能獲自由？所以我們要一個戰鬥的中國！對不痛不癢，不生不死的情形與處境，我們實在悶夠了！我們不要了！

戰鬥中國亦當如戰鬥法國然：第一要明恥負責，寓褒貶，別善惡，泄泄沓沓之風應擯諸於華夏之外而不與吾同倫；『馬馬虎虎』之事將根絕於中國詞典，而非我民族性。戴高樂個人固絕對不馬虎，法國民族當然亦非『不痛不癢，不黑不白』者可比。我們這樣一個大民族又何能再胡裏胡塗下去！我們要『重整中華』，亦如戴高樂所說，法文原句：『Oui! Nous Referons La France。』直譯成中文，即：『是！我們再造法國。』他廣播呼籲散布各處的法國軍人：『法蘭西的兵，無論你們現在何處，站起來！』『終有一天，波爾多政府所接受的奴隸恥辱要雪掉的。我們陸海空三軍的協力，……必能把自由還給世界，光榮還給祖國。』這種鏗鏘慷慨之聲是如何偉大！吾願即時出現一個戰鬥中國，明恥教戰，誓師反攻。

一個明恥教戰，誓師反攻的戰鬥中國

第二要即早實行沿大陸海岸線突擊戰術。此戰，Commando，在自由法國時代，戴高樂自始即不斷採用之。其好處是保持高度士氣，增加人民信心，探試敵偽虛實，聯繫大陸內應。使敵人常被困擾，於蜿蜒千萬里長之海岸線，不知從何防起，重點何在，攻從何來。虛者實之，實者虛之，多者少之，少者多之。或奪得一島半嶼，據而有之，固可；放而棄之亦何妨？能深入即深入，不能深入，則淺出。能建灘頭橋固好，否則棄而去之。出其不意，攻其無備，以少數援多數，以最少犧牲換取最大效果。我海空軍均優於中共，此乃第一前題。因此突擊戰我可長握主動。亦就等於反攻大陸之開始。

游擊戰與沿海突擊戰，雙管齊下，相輔而行。

第三要施行內地游擊戰。游擊戰，Guerilla，與沿海突擊戰不同。然可與前者雙管齊下，相輔而行。游擊戰是由非正規軍，大都以少數隊伍，於敵後滲入，潛藏活動者，在現在大陸情形之下，許多人士均恐尚不容易展開作普遍有效的游擊活動，故筆者數年前即主張先實行沿海突擊而未輕自提及在大陸打游擊。惟亦不能說無此可能，事在人為。尤其近來，大陸饑民逃港，中共處境非常惡劣，似可決定做打游擊戰矣。語云：『民以食為天，』又曰：『拒猛政於虎』。『時日曷喪，予及汝偕亡。』戰鬥中國的大纛高高樹立，人心必將為之大振。他們有了此精神的鼓勵，再加以物質及工具之供給，必將翻山倒海，如水銀瀉地，無孔不入，而漸如洪水氾濫於中國，一發而不可遏止，推翻毛朝易如反掌矣。

一九六二年八月卅日

難怪不得安穩

提防這些沙上蚤子

自由談

乘車感言

馮五先生

日前我雜立在乘客擁擠的香港「巴士」中，忽有人拍我的肩膊，回首觀察，乃是一位全副童軍服裝的青年學生，把他的座位讓給我。當時對這位青年的「敬老」行動，固然表示謝意，而內心上卻感到無限的慚怍和悲傷，不禁自言自語道：我就老了嗎？不，我決不服老！

區區不服老的理由，並非基於所謂「人生七十方開始」的那類空話，而是拿出眞憑實據給人看看的。譬如我現時的職業是辦報和教書，每天坐在氣溫九十度左右的住所內，寫作到深宵三更以後，並不覺得我倦欲眠；或者站在講堂上連續講課三四小時，猶有餘勇可賈；假使我在機關裏混差事，每天辦公十二小時，那算是最輕鬆的工作了。這便是「不服老」的精神作用，敢與少壯朋友較量較量的。

愚友李幼椿（璜）先生每見到我就笑謂：「你個人撐持一張報紙，每日料理社務以外，還要撰寫那末多的文字，眞是一匹『湖南驢子』！我就心你像打牌一樣，鏖戰到天亮後，把本錢輸光纔了事吧？」愚應之曰：唯唯否否！我們湖南人在賭場上屢戰屢敗不服輸，依然屢敗屢戰時，名之為「打本」（別省人叫作「趕本」），這個「打」字即係表現湖南人的民族性——「老子就不信邪」！所以，最近六七十年來，為革命反對帝制和擁護帝室與洪憲皇帝，以及反共產運動暨反共工作的，湖南人都居於重要地位。此無他，「老子就不信邪」的這股「驢子」脾氣所使然也。

因此，我每見報紙上關於某國政府改組後，統計各高級官員的年齡，平均在六十歲以下者，即譽之為「少壯內閣」，而不問其精力是否已經衰老，認為無聊之至。幹政治工作的人，「老邁」固非所宜，「老到」與「老辣」卻係必要條件，老大和少壯的優劣標準，應以精力技能為依歸，光看頭髮的黑白，那是娼門賣笑的規矩，豈足為訓哉！

中阿共軸心己實際瓦解

阿共輕蔑中共痛恨俄共　居然希望西德給予經援

自救且無力更何能助人

（本報巴黎航訊）在阿爾巴尼亞作廣泛之旅行後剛剛回國的一批西德觀察家報導：中共由於內部經濟難題之嚴重打擊，已經被迫放棄其在歐洲立足地阿爾巴尼亞。——此歐洲小附庸國近年來曾與莫斯科發生磨擦而倒向北平。

此批觀察家之獲准進入阿爾巴尼亞旅行，就是中共與阿爾巴尼亞間分裂的一個好例子。因為在此以前，阿爾巴尼亞還是個禁止自由世界人民入境的國家。

本年三月間，阿爾巴尼亞統治者曾與荷蘭航空公司簽訂協約，授權該公司開闢由荷姆斯特丹經阿京至黎京貝魯特之新航線。按照協約，該公司飛機在阿京地倫那每週升降二次，並規定每一班機載客五十至七十名。但此新航線開闢後，定位往地倫那之中共人員，竟無一人。三個星期後，荷蘭航空公司乃終止飛航。按黎京與北平間有飛機來往，中共人員可自貝魯特或西歐前往阿爾巴尼亞。

在今春該航空協約簽訂後與其第一次飛航期間，中共曾突然改變其態度，取消其派遣「經濟顧問團」訪問阿爾巴尼亞之計劃。

此為期僅三個星期之短命航線，光顧者只有德籍與英籍之商人及記者，至於美籍報人則在被拒之列。據阿爾巴尼亞官員們解釋：他們很希望得到西德方面的經濟協助。某阿爾巴尼亞高級官員慨乎言之：「中共無力幫助我們，蘇俄卻又敵視我們，而美國現在則和蘇俄交好，而將我們置諸腦後。」

如任何別的落後國家一樣，阿爾巴尼亞亦甚望能建立其本身之工業基礎，以脫離其赤貧之狀態，而這基礎之建立，實有賴於各富強國家之協助。阿爾巴尼亞現在雖然仍然依附蘇俄，但蘇俄對阿國此種願望並無絲毫幫助。

中共去年曾答允以一億二千五百萬美元信用貸款貸給阿爾巴尼亞，但結果卻以其剩餘產品——巨量之茶葉，紙傘，及拖拉機一百部，果樹噴霧機一百部，代替貸款。於是，雙方間之裂痕便於去年十二月間開其端緒了。

遊客們曾看到極為豐富之奢侈品——如咖啡、糖、紡織品、鞋等在市面商店出售，但其價格很高，除了共黨高階層官員外，無人有享受之能力。阿爾巴尼亞人民對此種情形，都憤慨非常。

中共在阿爾巴尼亞之特務與「專家」，在過去三個月內，已有五分之四（根據某阿國人士之估計）離開阿境。

中共自推行其走向全面性共產主義之「大躍進」運動失敗後，已自顧不暇，即使其本身之人民亦得不到溫飽，還有什麼法子去幫助人家呢？此種影響，已使阿爾巴尼亞陷於極度困難的境地。

目前與阿爾巴尼亞有些貿易來往的國家，只有捷克——此一蘇俄較為堅強之附庸國，所產生之鈾鑛能供應蘇俄集團國家百分九十之需要。為了補償阿爾巴尼亞提供具有甚高價值之原料，捷克在莫斯科的允許下，協助阿爾巴尼亞建立一個港口，一所鐵礦苗調節場，與一所製氧廠，但阿國認為此種協助並非阿國「所迫切需要者」。甚多阿人暗中告訴遊客們說：他們本國政府為了擺脫赫魯曉夫的控制，而與毛澤東勾結，已鑄下嚴重之錯誤。而今，他們對毛澤東私下蔑視之程度正與對赫魯曉夫公開痛恨之程度相等。只要秘密警察的干涉一天存在，他們的個人情緒便一天難以提高。

據遊客們說：秘密警察在阿國對他們的監視，尤甚於他們所訪問過的任何其他鐵幕國家。（谷）

香港與大陸

全由現任及原任共幹經營　廣州黑市交易大行其道

一磅糖精可賣到一百元共幣　廿一石梅花牌手錶五百共幣

廣州已成乞丐世界多至無可計數

大陸「黑市交易」已是一種普遍而又吃香的行業，任何一種物品都有「黑市」價錢，高得駭人聽聞。因為這種生意賺大錢，許多「幹部」皆辭官不做幹起「黑市」生意，有一些高級的和專門負責「反黑」的共幹，都與「黑市」有關係。

據來自廣州市的僑屬林裕×君向記者透露：廣州市在一年前，就已半公開地成立了一家「公司」，專做「黑市」交易，設本相當雄厚，用有數十位「行街」。他們專門向僑屬採購「南洋貨」，然後運往北方及西北「脫手」。林君說：這些「行街」，極力向僑屬表明，和他們交易是絕對安全的，因為他們是有高級共幹的「通水」和做後台。這家「公司」向僑屬採購物品時，所付的價錢很高，如一磅糖精是一百元人民幣，一盒火石（約八千七百粒）是八百元人民幣，一個廿一石梅花牌手錶是五百元人民幣，一盒豬油（兩磅庄）是廿五元人民幣……當然，這家「公司」把買來的物品運往北平、蘭州、西安等地「放手」，可大賺錢，起碼有一倍以上的利潤。

林君說：由於這種「行業」的利潤高，所以此類公司最近有如雨後春筍，紛紛成立，有許多原為共黨機關的幹部皆藉故辭去原職，改而從事這種生意。有一家生意最好叫「益僑公司」的，它的「股東」全部皆是原來負責「反黑」工作的共幹，他們有「反黑」的經驗，當然也有「反反黑」的經驗，何況他們還有一名現任的「反黑」高級共幹在做後台？所以他們的生意特別可靠，手續極簡便，絕不留下任何「手尾」，一般有貨的僑屬也樂意賣給他們。

另據一位由廣州市來港的黃君講：廣州市有許多來自北方的「出差幹部」，也大幹起這種「黑市交易」來，有一個唐山鋼鐵廠的「人事秘書」，出差到廣州調查某案，回去時竟然帶了卅多個手錶和大量的豬油、火石；又一位鞍山鋼鐵廠的技術設計科負責人，月前出差廣州，亦帶回大量豬油，火石和布疋等，可見他們是利用機會在做「黑市生意」，可能還是因為要做「黑市生意」才有「出差」，亦說不定。

一位曾回廣州市探親的潘老太太對記者說：廣州市已成「乞丐」的世界，街頭巷尾，舉目皆是，男女老幼都有，他（她）祇是向人討食物，並不希罕人民幣。

潘老太太說：這些不計其數的乞丐，都是可憐的農民，他（她）們因為在農村餓得實在支持不住了，才扶老攜幼逃抵廣州，以為大城市裏較易找食。由於他們在廣州沒有戶籍，中共的糧食配給沒有他們的份，工作又找不到，所以迫得在街頭上行乞，中共也把他們沒有辦法。潘老太太說：這些「乞丐」一個個都餓得骨瘦如柴，三分像人，七分像鬼，他們見到可以吃的東西，不管怎樣骯髒，都一下子就把它吃掉。

潘老太太說：這些乞丐實在是太多了，無從估計。又說：她現在是六十多歲的老太婆，但從未見過這樣多和這樣慘的「乞丐」。所以自從經過這一次，她吃飯便不會吃飽過，因為每當吃飯時，便會想到那種饑餓的慘狀，就再也不能下嚥了。（敬斯）

東埔寨左傾幼稚病　泰國關切嚴重視之

（本報曼谷航訊）東埔寨元首施亞諾，於一再聲稱泰國與南越侵犯其邊境之餘，進一步的濫發文書，要求召開國際會議以保證其「中立」地位這件事，曼谷官方嚴重視之，同時東南亞公約機構，亦正密切注意其發展。

曼谷官方的意見，施亞諾的亂罵泰國，是他正試圖挑撥起泰東戰爭，藉為中共軍的出現東境，開其道路。而要求召開國際會議以保證東埔寨「中立」地位，則不但意存製造糾紛，實際還有拆東南亞公約之台的用心。此間外交界相當懷疑：施亞諾這些做法，根本就是俄共集團替他設計並導演的，施亞諾只是莫名其妙的在前台戮力表演而已。

曼谷人士都注意到施亞諾對於南越的火氣十足的恫嚇：（一）如果南越再侵犯東埔寨邊境，他準備割斷越東的邦交；（二）如果南越侵犯東埔寨邊境之事繼續演出，東國將考慮放棄「中立」，實行與中俄共結盟。認為就施亞諾目前的表現觀察，確乎有見諸行事的可能，而特別以斷絕越東邦交為然。施亞諾不是早經小題大做的同泰國斷絕了邦交？

施亞諾所要求召開的國際會議，他心目中的參加會議國家，正就是新近協議解決寮國問題的原班人馬，並主張這國際會議也在日內瓦舉行。曼谷人士的意思，施亞諾此舉的真意，目的不但在攻許泰越兩國的「侵略性」，而尤在於故意和東南亞公約過不去。顯見施亞諾心目中這個國際會議真的開起來了之時，他還會一如寮國已經宣告的，也宣告不再接受東南亞公約對它的「保護」。東南亞公約原來有三個要保護其安全的國家，即寮國東國與南越，寮國已拒絕公約保護了，如其東國亦尤而效之，不歡迎東南亞公約的保護，對於東南亞公約的威信實在是很沉重的打擊。打擊東南亞公約，不正是俄共集團最高興見到的事？

問題的嚴重意味，尚不祇此，更加值得重視的為此事果真出現，對於南越局勢的影響。俄共集團早就吶喊南越也應該首先成為「中立與獨立」的國家，進而與寮、東合組聯邦了，則果真東埔寨也拒絕東南亞公約的保護，不正是俄共集團此一吞併整個印支半島的計劃之更推進一步？而如其南越也不保了，整個東南亞所受威脅更沉重，前途如何，實在未許樂觀。

施亞諾這些舉措極可能出自俄共集團的計劃，從它們已經很快便表示支持他的要求，亦可為其說明。至於英美等國，甚至老牌「中立國」如印度，對於施亞諾的要求，則都還未肯定的答覆，祇表示正加以研究。泰國的反應，則為不準備參加這樣的國際會議。

東埔寨在施亞諾統治下，雖號稱「中立」，實際則非常親共，它的「中立」招牌，似乎祇為騙取西方國家軍經援助的。現在，經過寮國被西方國家放棄之後，大概施亞諾認定俄共集團步步前進，聲勢增漲，他於是更見風轉舵，要更加「一面倒」了，所以才有這種打擊東南亞公約的舉動做出來。

曼谷人士對於施亞諾的「左傾幼稚病」是鄙薄的，並認為施亞諾在那裏自掘墳墓。推施亞諾的所作所為，他個人的身敗名裂，固然值不得關心，但東埔寨這個國家，卻可能要葬送在他的手裏，進而為東南亞各國帶來禍事，則就實實在在是嚴重不過的事，很值得關心。（越）

一九六一會計年度　德經援亞洲國統計

（本報波恩航訊）根據漢堡「東亞協會」最近報告，西德聯邦政府於一九六一年所答應的五十五億馬克援款中，亞洲開發落後國家包括巴基斯坦在內，佔百分之四十五。一九六一年西德對亞洲所負的責任如下：（一）印度獲得十億七千萬馬克做為援助施行第三個五年計劃之用，該計劃是由一九六一年至一九六六年止；（二）泰國得援款一億二千萬馬克及貸款一億馬克；（三）南韓分得援款和貸款各七千五百萬馬克；（四）錫蘭分得援款四千萬馬克及貸款一億二千萬馬克；（五）印尼分得援款一億馬克及貸款一億馬克；（六）越南則得援款五千萬馬克。

除這些國家性援助外，西德聯邦共和國還參加聯合國的國際性援助，一億二千萬馬克是做發展工業之用，另外一百萬馬克是個別用途。此外西德對開發落後國家技術援助支出五億二千萬馬克中，百分之三十是流到亞洲國家手中去。

德人直接投資在亞洲者，到一九六一年九月三十日止，共一億三千六百萬馬克，其中二千五百三十萬馬克是給伊朗的。又一千八百八十萬馬克是落在日本手中，雖然日本並非開發落後國家。德國私人投資的主要地方為印度，一共有五千五百九十萬馬克。

依照該東亞協會的報告，一九六一年，西德對東亞各國的輸入比去年減少百分之九點四，總值為二十億一千五百萬馬克，輸出則增加百分之零點五，總值為二十億九千七百萬馬克。西德在亞洲的主要商業夥伴為日本，它輸入德貨比輸出為多；西德和共產中國間的商業特別減縮，它購買減少百分之七十，供應減少百分之四十五。（治）

越南人口壓力沉重

兒童與老人幾達半數
治安影響失業者衆多

西貢航訊

依照一九六零年國家銀行調查，越南每年增加之人口爲百份之二，因此，根據上述的數字估計，約在三十五年間自由越南的人口數字將會增加一倍。甚至還有一部份專家認爲，每年越南人口的增加，在最近期間將是百份之三。

自從一九五四年及五五年間，北越成百萬難民撤退來越南後，由於在這些民衆數字中，有大部份（約佔百份之四十）是出來社會工作活動關係，因此使到越南共和國工人就業及情況受到很大的影響。在都市居住的人數，現在佔全國總人數之百份二十點七，（二百九十一萬二千對一千四百零六萬八千），差不多有百份八十越南民衆是生活在農村及以農爲業。

一九五八年，國家統計院曾經調查居住於西貢的民衆及將之分成三種的年齡：零至十四歲，佔百份之四十二點四。十五至六十四歲，佔百份之五十五點六。六十五歲以上，佔百份之二。各不出來活動及依賴家長之人數，比例約佔百份之八十，因爲越南家庭常多兒女。在各省當中，這些比例數字還比較高，諸如承天、豐盈及慶和三省，其三種年齡數字爲：零至十四歲佔百份之四十五點二。十五歲至六十四歲，佔百份之五十二點一。六十五歲以上佔百份之二點七。因此隸屬比例數字乃超過百份之九十（四十七點九與五十二點一比對）。

一九五五年在國家第一次五年計劃（一九五六至一九六一年）中，各專家曾依照人口每年增加之百份一點二數字，而表示國家應每年創造增加六萬個新工作崗位。故倘若依照實際比例，每年增加百份之二至百份之三數字時，每年所應該創造增加新工作崗位數字是二十萬。而此二十萬新工作崗位中，只是一個供給人口增加而工作崗位增加的數字而已，還未計及現有而失業者在內。

自一九五五年起，工人僱用數字，在不斷地增加着，尤其是各省，根據一九五八年及一九六零年工人調查的結果知道，在十六個經濟事業發展比較有着重大關係之省份中，一九五八年工人數字爲九萬人，一九六零年爲十五萬八千五百人。除了各省外，在西貢的各行業工人數字，經過一九六一年杪調查後知道，約有二十五萬五千二百三十人（一九六零年爲二十萬九千七百八十人）。

依據勞工部一九六一年杪工人調查及研究各行業活動人數爲：開發礦產工業：一千零二十人。製造工業：十二萬三千六百人。房屋：五萬人。水電：二千多人。商業：二十萬六千二百人。運輸：十四萬五千三百三十人。役務：三萬四千七百八十人。農業：四百一十七萬一千五百人（約略數字）。林業：六萬九千人（暫時數字）。漁業：十九萬一千人。營田：五萬五千四百八十人。公務：十萬九千五百一十人。佣人：十萬人。（上述數字有一小部份地方還未得到統計清楚）。

以往，由於地方安寧問題，民衆大多數從鄉村前往城市謀生，但是當他抵達西貢後，由於不能符合都市的工作條件，他們之中有的找不到事做只好暫居於嘉定——一個接近西貢的地方，故在各省寄往內政部之僱用工人問題報告書中，特別有嘉定省，承認有很多失業的工人。

曾經有一間外國工廠需要僱用約一百名前往比較遠處工作的工人，勞工部職業介紹所已經在延鴻戲場，各電台，報章上發表，但前往領取介紹書之人數，只七十五人，而在這七十五人中，只有一半的人正式前往工作。

以上的例子，可以見到工人失業情況之一般。在觀察全國經濟各行業活動之工人中，可知越南人民大多是以農爲業，在全部數字中，農林漁業的比例數字進至百份之七十九。而各行業，包括：製造工業、房屋、水電、商業、運輸、役務（連同公務）等的比例數字，也未佔得百份之十二。

雖然在過去幾年中，政府已經積極鼓勵發展工業，但是，所得到僱用工人數字，竟沒有影響或減少到農業工人生活領域的比例數字。實在，照國家現在這個經濟發展情況，也不可能縮小僱用農業工人須域。而用於工業的，在將來的時間中，政府希望應付每年需要增加百份之二至三的工作崗位數字。顯然必須擴張農業，只有改善及擴張農業，始能解決這大部份工作問題。如果要使各青年對於農業畜牧發生興趣；必須多開設農業學校，勞工部的國際勞工堂經濟發展專員，曾認爲可利用下述各項工作來達到目的。即發展農村小工藝，製造各利用引水入田、蓄水、改善田地等營田資本，建築道路、建設社會；倘若水量充足，農人可把過去的一季工作改爲二季，國家各未開墾土地，可資利用種植各種工業用的樹，因此政府已經注重到很多營田工作，一方面可推進國家經濟事業。

將來實現戰略邑的建設完成，將可保護鄉村安寧，各原本在鄉村前往城市謀生的人，將返回自己的田地工作，失業及僱用問題亦就較易解決了。

天南風光
——沙羅越的首府——古晉

朱淵明

夜巴剎內有許多小食檔，賣粥的，賣麵的，賣各種肴饌，雞鴨魚肉，莫不俱備，又兼賣酒。另有專賣馬來亞人「沙爹」的，吉寧人「咖喱」的。至於牛奶，咖啡，洋西米，紅豆粥等甜品，也莫不應有盡有。雖然都是小食檔，但有車階級、無車階級，都兼收併容，雅俗共賞。東西既精巧，價錢又便宜，故每逢夕陽西下以後，夜巴剎即生意興隆。尤其九點一刻那一場電影散場後，十一點至十二點之間，常有繞遍全場，尋覓坐位不得之苦。因爲雖然是一片敞地，棹櫈如林，但各有範圍，不能逾越，假如你不仔細，坐在一個你不喜歡吃的食檔座位上去，及至叫夥計一問，卻非站起另覓不可。

古晉近年來最好的生意，莫過於電影院，每逢換片，莫不人山人海。戲院也多是新建的，可是全無冷氣，只有風扇，弄得不好，你恰恰坐在風扇底下或正中，一場電影看完，很可能回家傷風。

古晉四郊有許多可以遊覽的地方，如馬當，石隆門，山都望，加拉岸，及峇哥內的國家公園等處。又市內的公園與博物院，和吊橋，更都有參觀的價值。如果讀者有興趣的話，筆者不妨慢慢加以陸續報導。

（本篇完，全文未完）

科學與道德的論辯（四）

其所爲就不是道德（康德稱作意善）。所以「行爲」（果）是否道德，就決定於其意念（因）是否善。杜威主義不問「因」，祇問「果」；再推而遠之，祇問現在，不問將來。把思維邏輯局限於現實存在的環境中，如此人生，如此文化精神，亦太可悲了。

事實上，一個人除對身邊瑣事要能出主意去應付之外，一個人總得對一些超然物外的事物，超越功利的形而上的存在，知所虔敬或欣賞。一個人也總得對着那些傳統的引導人類向上的觀念，作無條件的折服和接受。一個人實在不能憑藉一些科學的精神和態度，就可以解答人生宇宙所有的奧妙。科學常常受到形而上的假設所策動與左右。科學的方法，根本無法解答存在界所有的一切問題。所以，即使在科學昌明的今日，宗教還是具有無上的價值。因爲世俗的人事物，即使如杜威所謂皆是工具，但顯明那都不是有足爲人類追慕的偶像。杜威否認崇高絕對觀念，引致道德意念模糊，動搖人生軌道，這樣的思想，實在害多利少。

話得說回來，科學與道德，在人生的需要上，祇爲相對性的事物，兩者不能偏廢。如果認物質生活與精神生活同等爲人類重視，那就不能否認，科學與道德便是有同等的價值。現時學子有偏於研習科學，鄙棄文哲道德的風氣，對人類社會的未來，並不是好的現象。在作爲全國最高的學術機構的中央研究院，亦幾變成一個「純科學院」，就難怪其他機構政策每持偏見之論。從赤色氾濫大陸的沉痛教訓，我們應要深切正視，不健全的觀念，每是釀成災禍之源。均衡、綜合、統一才是完全的智慧，一切偏面之爭，可以休矣。

（本篇完，全篇未完）

盧君續夢

第六回：烽火照邊陲　同惡難濟　樓船橫碧海　大憝興悲

梅農來到，尼赫魯把報告遞給他。梅農一看中共修通新藏公路，也頗感意外。

尼赫魯說道：「這件事非同小可，當英國統治印度時，爲了阻擋俄國人南下之路，極力控制阿富汗和西藏，作爲印度的屏藩。目前阿富汗日漸親近蘇聯，中國同蘇聯已變成一體，我們已失去屏障，又沒有英人的保護，國防形勢已岌岌可危，唯一倚仗的，就是我們的亞非領袖聲望及喜馬拉雅山的天險。現在中共修通新藏公路，北方運輸暢通無阻，喜馬拉雅山的天險已打折扣，我們的前途就可慮了。」

梅農翻翻山魈眼說道：「我想中國沒有什麼惡意，大概只是爲了發展新藏之間的貿易。我們也常常在邊界地帶修公路，其目的還不是一樣。」

尼赫魯皺着眉頭說道：「是不是惡意，現在下斷語還太早，你回去給邊防部隊下個命令，要他們派出一個巡邏隊，到中印邊界偵察一下，看看中國方面究竟作什麼行動。明瞭對方情況，我們才好作個準備。」

梅農唯唯連聲，回去就給邊防部隊下命令，派出巡邏隊偵察中共新藏公路情況。印度邊防部隊對中印邊區根本就沒有精密地圖，再加上那一帶遍地白草黃沙，特殊地形地物都很少，一支十五人組成的巡邏隊，冒冒失失向前去，一直走到新藏公路的大紅柳灘遇上中共的護路隊，措手不及全數被捉。這時是一九五八年九月，西藏事變尚未發生，中共對印度還算客氣，只是要印度巡邏隊寫下悔過書，保證以後不再侵犯，就驅逐回去。

印度巡邏隊回去之後，報告中共在公路沿線新設許多據點，駐有重兵，每一據點屯積有武器彈藥，力量雄厚。尼赫魯接到報告，有點着忙。又把梅農找來商量，梅農也拿不出辦法，只好拖下去。

西藏事變發生後，中共同印度關係日漸惡化，印度對新藏公路更不放心，經常派出偵察隊沿線偵察，七月間一批六人組成的偵察小組，去西藏西北部偵察，剛過班公湖又被活捉，綁了一夜，趕出去。

這一次，印度國防當局開始感到新藏公路中間一段經過中印未定界，其中一部份還是劃在印度地圖上，尼赫魯抓到這個把柄，十分憤怒，當時把梅農及三軍參謀長召來開會，決計要和中共攤一次牌，爭回領土主權。

印度三軍參謀長也都十分憤激，梅農在衆怒之下，也不敢過於替中共解釋。只有勸尼赫魯愼重。印度軍方得到尼赫魯當面指示，就不理會梅農，回去派了幾批武裝士兵，在中印未定界加强巡邏，並且下命令，只要遇見中共車輛進入印度邊界，准予開槍拘捕。

印度方面採取激烈措施，中共得到消息，也加派武裝部隊護路，準備和印度幹一場。雙方雖然都打算動武，但因爲新藏公路太長，印度派出的巡邏小組並不多，所以也很難碰到一起，一直到了十月二十一日，印度一個巡邏隊七十多人，又巡到新疆省空喀山口以南，正在公路上休息，突然中共一隊軍車由北而南風馳電掣開來，遠遠看見印度兵，軍車立時停下。

（一三一）

飛君子（續）

例如惲毓鼎寫「崇陵傳信錄」，述同光年間，朝廷各項軼事，余讀後，始知先祖詠袁公之如何滿度提學長南四川事跡也，可貴在此。清末民初，此類筆記，浩如淵海，是有人寫。至於台灣，僅見高拜石的古春風樓雜記，喻血輪的綺情樓雜記而已。

鴻年記馬玉林事，活見如眞，因憶及幼年聞先祖母於夏夜納涼，爲談北平的飛君子事。（竊賊一稱梁上君子）當先祖寓平，住宣外馬驢市南端驢駒胡同，當時內城不准住京官，旗籍的住宅。某夜，在院落納涼，忽見一條黑影飛至，院中適架有曬衣的竹桿共四支，旋見一人坐在竹桿上，向先祖母借光。知其欲取火燃烟，乃以紙捻，將兩頭燃火予之，其當東不膂，可頂着。他得捻紙，面有喜色，但不索飲料，爲忌走水也。坐在桿上，不言不語吸烟，旋即如飛而去。家中人皆驚愕異常，先祖母告以決不來偷，爲講義氣也。

民初赴平求學，校中規定有拳師一課，每日下課，必須練拳半小時，先學彈腿，再練蹦跳。其次練拳，叩詢老師李君以飛君子事，據告確有其人，其初練時，就地挖坑，先僅數尺，由下往上來蹤，逐漸增加，以至丈餘，最多至六七，或七八丈，人先輕跳下，旋即一蹤出坑到地。練此者就舊京來說，約有數百。練就以後，即謀在提督衙門，充任偵緝，庶幾捕賊緝盜，在屋上行走，猶如平地。其功夫之深，凡越過人家房屋，絕不可踩破一張瓦片，輕無聲息，其技實可驚人。因知飛簷走壁，非無其人，惟小說渲染，有過甚之辭，不足信者。

憶玉軒雜綴

盲啞稱能

「驚鴻飛燕似仙班，羅袖輕揚度兩關。舞步恍如來上界，樂聲何用伎人間？欣看北市齊俛首，只向高山一額顙。卻待明年重相見，凱歌心奏冠軍還。」

右爲高紫庭先生詠盲啞學校啞部女生。在今年度，台灣省民族舞蹈競賽，於台北信義路三段國際學舍舉行，而啞部女生之宮燈舞，連獲台北市冠軍，全省亞軍。以一羣天聾地啞之初中女生，參加此音樂節奏之舞蹈，竟獲得如許成就，不可謂非舞壇之奇事。其次於全省者，是南投縣立山地農職之山地舞，得冠軍，啞生向其低頭一着。（未完）

秋興八首

用杜子美秋興八首韻　　漁翁

泉聲帶雨出溪林，兩岸迴環古木森。到處秋光皆黯淡，此間景色半晴陰。松風水月添吟興，茅舍竹籬慨素心。獨宿山城眠不得，三更猶聽搗衣砧。

載酒高樓日半斜，空依北斗望京華。十年莫問三湘水，一葉猶浮八月槎。塞上鼙鼙悲戰馬，天涯處處播胡笳。橫秋老氣鱗峋甚，不羨人間富貴花。

抱琴無語立斜暉，四顧青山冷翠微。秋水長天惟一色，落霞孤鶩作幽飛。千戈擾攘千家怨，湖海栖遲萬事違。不欲親朋憐我瘦，此心但願世人肥。

世事桑滄幻若棋，瘡痍滿目不禁悲。恰當暴雨狂風日，正是沉舟破釜時。好向都門呼起兕，莫將鼓角誤遲遲。一樽留待黃龍飲，歸去來兮慰所思。

莫道無錢可買山，此身猶寄自由間。月浮海角雲橫嶺，風折薇花雁度關。每撫孤松明夙志，更從流水滌愁顏。遺民盡在胡塵裏，惟望王師指日班。

似此飄零已白頭，一年又過一年秋。慚無雅句消離緒，幸有芳樽洗別愁。自去自來江上月，相親相近水中鷗。憑誰試展回天力，還我塵寰大九州。

僕僕征塵不計功，閒吟多在五言中。三秋最愛三更月，一枕新凉一扇風。旅雁那堪愁裏聽，落霞遍照夕陽紅。漁燈數點依蘆岸，我亦輕舟訪釣翁。

九疑七澤自逶迤，回首家山恨赤陂。野火延燒千萬里，長條難剩兩三枝。人逢離亂心多變，我到窮途志不移。秋興寫成過夜半，滿天明月照簾垂。

賢母錄

吉庭

世之賢母，載在青史及散見於羣書者，不一而足，其中以「孟母斷機」，「陶母延賓」，「歐母畫荻」，「岳母刺背」，爲最著稱，特表而出之，以爲世之人母者所取法焉。

孟母，孟子之母，仉姓，孟子幼時，其所居近墓，常爲葬埋之事。其母曰：「此非吾所以處子也！」遂遷居市傍，孟子又嬉爲賈人衒賣之事，母又曰：「此非所以處吾子也！」最後徙居學宮側，孟子乃嬉爲設俎豆揖讓進退之事，母曰：「此可以處吾子矣！」遂居焉。前後遷徙凡三次，世稱「孟母三遷」。

說苑：『孟子三歲喪父，母仉氏賢德，孟子既學而歸，母問學所至，曰：「如舊」，母引刀斷其機曰：「汝中道廢學，若吾斷斯機」！孟子懼，乃旦夕勤學，遂成大賢。』三字經所謂：「昔孟母，擇鄰處，子不學，斷機杼」，即是孟母擇鄰督學之故事。

陶侃母，晉朝豫章新淦人，姓湛氏，侃父丹，聘爲妾而生侃。陶氏家貧，湛氏每紡績資給，使侃交結勝己者。世說：「范逵嘗過陶侃，時倉卒無以待客，侃母截髮爲雙髲，賣易酒餚以供客。」逵告人曰：「非此母不能生此子。」後侃由刺史而侍中太尉，而長郡郡公，而都督八州軍事，拜大將軍，爲晉室之名臣。後之人以侃母截髮延賓，傳爲千古佳話。

侃爲尋陽令時，嘗以魚鮓遺母，母知爲公家物品，仍將原甖歸還，並以書責之曰：「爾爲吏，以官物遺我，非惟不能益吾，乃以增吾憂矣。」其教子廉潔奉公有如是者。後侃母卒，得一老人指示，葬於牛眠山汙中，福人葬福地，堪輿家稱吉壤，爲牛眠地者，即指此。

歐陽修幼年喪父，家貧不能入學，母鄭氏親誨之，畫荻作字，教之讀書，令人稱頌母教，多引此事，終於使修成爲有宋一代大文學家與政治家。據其所作「瀧岡阡表」，有曰：「修不幸，生四歲而孤，太夫人守節自誓，居貧，自力於衣食，以長以教，俾至成人。太夫人告之曰：『汝父爲吏，廉而好施與，喜賓客，其俸祿雖薄，常不使有餘；曰：毋以是爲我累。故其亡也，無一瓦之覆，一壟之植，以庇而爲生。』……」人讀之，莫不景仰推崇歐母之偉大！

岳飛，字鵬舉，相州湯陰人，（今河南彰德縣）人，相傳誕生前夕，有大鳥飛鳴屋上，因此名曰「飛」。母賢德，家貧，課督甚嚴，書讀左氏春秋，及孫吳兵法，年未弱冠，能挽弓三百斤，弩八百石，爲有宋一代之名將。

當徽宗宣和四年，眞定宣撫劉韐招募敢戰士，從事抗敵準備。飛應募，作報效國家和民族之工作。在臨行前，岳母恐其意志不堅定，乃於飛之背上，用針刺：「精忠報國」四字，深入皮膚中，並以

海嶠譚薈

辛亥武昌革命軍興之際，黎元洪初未參預其事，他匿居私室，被革命黨人強迫出來担任都督職位，這事實他自己亦從不否認的。迨黃興到鄂，革命軍固然聞訊歡欣鼓舞，表示熱烈擁戴之忱，黎氏亦大爲喜慰，馬上築壇擇期，集合文武部屬，以隆重儀式，投任黃氏爲革命軍總司令。這幕經過詳情，見有若干過來人的回憶錄可資印證，毫無出入之處。然「辛壬春秋」作者獨具慧眼，指黎氏與鄂籍革命軍人對黃興皆不表歡迎，實係莫大的謊話，徒見其爲抱有反對革命運動的不可告人之隱而已。

作者在其「湖北」篇中，初述漢口被北軍馮國璋攻下之後，袁世凱曾派遣湖北道員劉承恩，海軍正參領蔡廷幹渡江說黎元洪議和，理由是清帝已下詔罪己，宣誓太廟，實行立憲，而十九信條，帝室徒有虛名，參政之權，固在國民。語未竟，「元洪曰：愚哉項城，忘國門被逐時乎？今反以德報仇，何夢夢至此……且滿人爲天下公仇，入關之始，暴淫殺，奴役我人民，不耕而食，不織而衣者數百年，項城即忘其私仇，亦不得以公仇爲請。」元洪聲色甚厲，廷幹因不復言。」這段文字把黎元洪描述爲一最激烈的革命份子，虎虎有生氣，殆視黃興之流的反清興漢意志，更爲堅決。詎作者於敘次漢陽失守後的情形又謂：「初元洪以十九信條，清君主徒擁虛名，與共和無異，意欲罷兵，而黃興疑之。元洪老將知兵，謂北軍強悍難禦，欲堅守不戰，以老北師，興謂

讀史卮言（三）

諸葛文侯

民氣方強，可一鼓下也，不用元洪策。及漢陽將失，興渡江[illegible]去。」這又把黎元洪說成是擁護清朝君主立憲政策的反革命人物了！在同一篇著述之中，前後竟有如此矛盾對立的言論，殊堪駭駭。此無他，作者立意要捧黎抑黃，乃不自知其行文時之理智被情感所掩沒，憤憤然自摑其頰矣。實則前述元洪聲色甚厲以斥袁世凱代表之言，根本即與其個性不相侔，亦爲當時環境所不許，決無其事。

作者基於敵視革命黨人之一念，處處讚揚黎元洪「企和平，慮大局」，而對革命黨人訓詆謨不遑，除再三指黃興「敗逃」外，又謂湖南「岳州鎮守使」唐蟒（圭良），聞漢陽失守即「棄職逃」，藉以形容革命黨人多屬恇怯無能之輩。窃查「鎮守使」這一武官位職，是民國二年才由袁世凱政府設置的，滿清時代無此官制，民元各革命省區亦沒有這種制度，作者所謂「岳州鎮守使」云云，乃是虛構的名詞。他寫書時，知道國內有此官職，在即援用之以加諸革命黨人唐圭良，卻將時代因素忘記了，可晒孰甚哉！漢口與漢陽繼失守後，黎元洪頗驚惶，都督府亦已撤至武昌城外數十里地方辦公（見近人所述辛亥武昌革命經過的各種史料）。此時黃興已離鄂，唐蟒亦「棄職逃」了，如是乎，作者乃特別將黎元洪描繪爲一臨危不懼的大偉人，說是：「元洪召諸將集議，或建議退保湖南，或九江再圖大舉。語未竟，元洪厲聲曰：余鄂人也，余去鄂，誰與鄂民共生死，寧枕武昌城死耳，願去者聽！」這亦是聽說當年漢口一戰之後，袁世凱即停戰議和，從此武漢永無戰事了。

劉璈抗法前部署

·李仲傑·

至他在前面籌防大概文內亦曾提到籌餉，「亦知籌防不外增兵，增兵必先籌餉，餉絀則兵難增」。他在光緒十年正月稟請通籌奏請分籌協餉一案謂：「台灣孤懸海外，籌防尤[illegible]，現在[illegible]吃緊，職道籌辦分防五路情形詳在具奏在案。[illegible]，奉調擬勝軍三營，潮勇二營[illegible]，募各軍，不日均可到來，[illegible]，除制兵外，將符原詳二萬人[illegible]，月需餉銀十二、三萬兩。加以採辦軍火，添購輪船機器建造礮臺，炮台，[illegible]，年計非二百萬金不可。潮查同治十三年台灣辦理海防需費較大，經沈前大臣奏[illegible]，於閩海關四成洋稅每年截留銀廿萬兩，並停解[illegible]萬兩，又於月協西征餉銀八萬兩減解銀四萬兩，每年合銀八十萬兩，撥解合灣等因，歷年以來，均未解足。光緒六年以後，僅撥解銀廿萬兩。加之滬尾，旗後海關關稅，全台釐稅[illegible]等項銀五十餘萬兩，年計進款有七十餘萬兩。（十）

內警台報字第〇三一一號內銷證

自由報

THE FREE NEWS

第二六七期

中華民國僑務委員會頒發
台教新字第三二三號登記證
中華郵政台字第一二八二號執照
登記爲第一類新聞紙類
（半週刊每星期三、六出版）
每份港幣壹角
台灣零售價新台幣弍元
社長：雷嘯岑
督印人：黃行富
社址：香港銅鑼灣高士威道二十號四樓
20 CAUSEWAY RD 3RD FL
HONG KONG
TEL. 771726　電報掛號・7191
承印者：田風印刷廠
地址：香港灣仔高士打道一二二號
台灣分社
台北市西寧南路壹壹[illegible]號二樓
電話：三〇三四六
台北郵撥帳戶金九二五五

當前中共與印度邊境糾紛的觀察

・司徒敏・

中共與印度的糾紛，目前仍在冷戰階段。一方面雙方表明不願打仗，同意以談判方式解決問題；一方面又都在增加前沿的軍事活動，不斷發生小型衝突事件，互相指控武裝挑釁，以圖壓迫對方讓步。此種不和不戰而實際又是冷和冷戰的對峙狀態，說明了中共與印度都是紙老虎，不敢進行眞正的戰爭，但同時它們也都看清了彼此的底牌，所以又裝腔作勢，互不讓步。因此，中共與印度的邊界糾紛，可能是一長時期的糾紛，即使舉行談判，也將是長時期的事，一時不會有甚麼結果。

自一九五九年西藏發生反共事件，達賴出走印度，隨之掀起藏印邊界糾紛以來，到現在已歷時三年。又自一九五九年八月二十五日中共軍與印軍在馬及敦地區發生武裝衝突，十月二十一日在空喀山口以南地區發生衝突以來，到最近在新疆的奇普恰普河谷及加勒萬河谷的衝突爲止，雙方前綫哨所與巡邏隊之間的衝突事件不下數十次。其間中共雖企圖談判解決，以維持與印度的「友好」關係。但一九六〇年四月周恩來訪問新德里，與尼赫魯會談不歡而散，談判願望落空。本年六月印度更宣佈一九五四年與中共簽訂的「關于中國西藏地方和印度之間的通商和交通協定」期滿失效，拒與中共談訂新約。這使它們過去在亞非中立主義國家中所標榜的所謂「和平五原則」完全破產，且使雙方關係進一步惡化。

當前中共與印度發生爭執的邊境有三：一是不丹以東的中印邊境，二是西藏阿里地區同印度接壤的邊界，三是西藏新疆同印度拉達克地區接壤的一段邊界。這三個地區的糾紛，一部份是歷史上的懸案，一部份是印度乘戰後大陸局勢混亂之際，特別是乘一九五一年中共進入西藏初期，未能控制西藏之際，實行逐步侵佔而造成的。一部份則是中共爲追擊西藏的反共武力，將崗哨伸入印度邊境所引起。在過去，尼赫魯以爲中共在國際關係上需要印度幫忙，對于鞭長莫及的邊界，將可作爲對印度的酬庸，而不會認眞計較。因此，印度在中立主義的招牌下，對中共入聯合國問題，監督韓國停戰和甄別戰俘問題，以及亞非會議中，對中共無不大賣氣力。同時在一九五四年與中共簽訂藏印通商和交通協定時，將印度在西藏所經營的郵政，驛站、電報、電話等企業及其設備均讓予中共，以換取中共對藏印邊境的讓步。但是中共沒有理會這些，當以武力解決西藏地方政府，趕走達賴，控制了西藏以後，爲建立對南亞的前進基地，和爲建築新疆與西藏間的戰略交通，邊界問題也就立刻成爲爭執的問題。

自然中共對藏印邊境所持的態度，並非眞正愛護國土，並非眞正堅持民族利益，其將東北和西北若干利益的奉送蘇俄，將滇邊大片土地的割讓緬甸，以及與尼泊爾訂立「邊界條約」，也讓出不少地方，這都是它們以國土作爲對外酬庸手段的例證。即就與印度的邊境糾紛而言，中共亦不堅持收回全部土地，周恩來與尼赫魯在新德里會談時，曾提出解決方案，謂印方如放棄拉達克的一萬五千方哩地區，則中共方將不要求麥馬洪綫南部之三萬六千方哩地帶。這就是說，中共僅要求保留西部的，關係西藏和新疆的交通孔道，由喀喇崑崙山出口，到空喀山口，向南到帕里河附近，包括阿克賽欽的一段邊界。而對于東部廣大地區，仍願意送與印度，以作「交換」。從而承認一九一四年西姆拉會議，由英國片面決定，當時中國代表並未簽字的所謂「麥克馬洪綫」。

中共的寧可放棄東部地區，承認麥克馬洪綫，而堅持西部的拉達克地區，顯然地是因爲拉達克地區對中共具有重要戰略價值。這一地區是聯接新疆南部和西藏西部的主要交通要道，控制了拉達克，退而可以鞏固西藏新疆的聯系，進而可以威脅印度的核心地帶，保持向南亞進軍的跳板。

因此，中共爲保持西段邊境的控制，除加強該方面的防守力量，極力阻止印度軍隊推進外，並在另兩方面加強對印度的威脅。

其一、是爭取尼泊爾，與尼泊爾訂立「中尼邊境條約」，並在西藏拉薩與尼首都喀德滿都間建築直通公路，由中共負担建築費。此公路完成，不僅加強了中共與尼泊爾的聯系，更爲對印度的一種威脅。因爲印度一向把尼泊爾視爲它的保護國，年前尼赫魯在印國會宣稱：「印度不能容忍外國影響尼泊爾，因爲任何人控制了尼泊爾，亦即控制了印度的國防」。所以中共對尼泊爾的滲透，與尼泊爾邊界問題的解決，乃是對印度的一種壓迫。

其二、是與巴基斯坦進行邊界談判。中共與巴基斯坦的邊界問題，是在巴基斯坦控制下的喀什米爾區域內，這也是巴基斯坦與印度領土糾紛的主要地區。因之中共與巴基斯坦之談判邊界問題，無異承認巴基斯坦在喀什米爾的主權地位，而影響印度在該區的潛在地位。這是對印度的又一威脅。

在此情形下，印度當局雖向尼泊爾和巴基斯坦分別提出抗議，表示不受中共與它們談判所約束外，一方面繼續試圖向新疆奇普恰普河谷，喀拉喀什河源，加勒萬河谷和西藏的班公湖，斯潘古爾湖等地區推進，在這些地區建立軍事據點，以圖造成控制邊境的既成事實。一方面則于本年七月二十六日向中共發出照會，聲明印度政府準備，一俟目前的緊張局勢得到和緩和適當的氣氛創造出來之後，如一九六〇年周恩來和印度總理會晤時所期望的，在雙方官員報告的基礎上進一步討論中印邊境問題。八月四日中共答覆印度，表示贊成舉行談判。

但是儘管雙方表示願意談判，而談判之如何進行，級別（總理級、外長級、大使級、地方官員級），日期，地點，程序問題均未提及，尤其雙方的立場問題，一時更不易解決。所以當印度提出談判建議時，尼赫魯隨即表示「在目前情況下，不可能舉行任何認眞深入的談判，來同中共求得問題的解決」。這也說明尼赫魯瞭解談判不能解決問題。據新里德消息，印度的建議談判，是因爲邊界即將進入多季，暴風雪使雙方軍隊不可能在空中或地面得到供應物資，衝突的可能性減少。因而談判是在爭取時間，是對前沿陣地和下一步行動的掩護。

再從另一角度看，中共與印度邊境糾紛的不易解決，一方面是中共看出印度在國際關係上的投機，尼赫魯的中立路綫的利用價值現已大爲減低，沒有讓步的必要。同時因印度庇護達賴，暗中支持西藏的反共運動，如果此時對印度屈服，犧牲邊境，則無異提高印度聲勢，增加印度對西藏的影響。因此，儘管中共對緬甸和尼泊爾均作讓步，解決了有關邊界問題，但對印度不僅保持堅定立場，並且還將糾紛加以渲染擴大，以引起大陸人民注意，轉移內外視綫。在印度方面，其敢于抗拒中共，當是對中共情況有較全面的估計，看清了中共因災荒問題，經濟發生嚴重困難，內部普遍不滿，自由中國亦喊出反攻口號，共黨正自顧不暇，加上在西藏邊遠地區交通和供應的困難，中共自不敢眞正向印度動武。同時因邊界問題的存在，可使印度國內黨派與人民，在民族意識的刺激下，對現政府產生團結向心的作用。所以總結來看，中共與印度邊境糾紛，將是長時期的糾紛，不管談判能否舉行，問題是不會很快解決的。

讓步

四國還要開會議嗎？

自由談

試試看！

馮正先生

近兩月來，先有監察院秘書長以觸犯貪贓罪嫌而去職，繼有立法委員劉某又以洩漏國防捐率內秘密規定給商人，實行囤聚居奇的罪名，被法院訊究在案。這表示台灣政壇內中上層政治生活，已呈現着腐爛狀態，將有不可收拾之勢。

我早說過，現有的政治風氣如不改變，一切枝枝節節內對付方法（如懲治貪污條例之類），都不會有多大的效用。基本原因是人心陷溺，昧良鮮恥，趨義唯恐或先，攘利必不落後，而其癥結則在無所不爲的庸才鄙才多久據高位，常佔要津，而一些有所不爲的奇才異能之士，非曳尾於泥途，亦屈居於下位，加之以「人事凍結」令」，乃使政壇成爲「封閉的社會」，有如一池死水，子孑蛆虫孳生蕃衍於其間，終致臭味四溢，妨害社會大衆的生理與生活了！

十年以來，常聞「用新人，行新政」的呼聲不絕於耳，夷考其實，行新政固有之，用新人則罕見也。舉目瞭望政壇上的赫赫師尹，有幾個不是幾朝元老，在大陸淪陷以前，即紆青綰紫，位列三台的呢？如果袞袞諸公都是國家必不可少的賢豪者流，那咱們今日即不致身受國破家亡，流離瑣尾的痛苦了！要改變政風，必須改造政治環境，除舊佈新，形成波瀾壯濶，生機蓬勃的氣象，藉以增進大家反共復國的勇氣和信心，而對於日常生活的菲薄艱困，自然認爲次要，不屑汲汲於追求一時的物質享受了。在這種環境下，貪污頑劣之徒，絕對無從插足活動，發生反淘汰作用的！

然則所謂改造政治環境的有效方法如何？應之曰：第一是用新人，第二也是用新人，第三還是用新人。打破私人派系觀念，立賢無方，唯才是尙，且須適才適任，不能亂來。我認爲今日政治上與其使用巧言令色，好作表面忠貞姿態之輩，即不如驅策一般謇謇諤諤，有所不爲的讜直人物，只要領導有方，一定勝任愉快。不信，試試看！

香港與大陸

來自廣東梅縣的僑屬熊榮×君向記者透露：大陸農村農民，經常發生暴動。他（她）們搶劫糧倉，毆斃共幹，已成家常便飯。但這些暴動，十九都因爲缺乏組織與缺乏後援，而慘被共軍屠殺鎮壓下去。

熊君說：他的家鄉梅縣城郊之水白鄉，自從「公社化」以後，農民生活極端凄慘，物質上每人只有僅能勉強維持不死的糧食；精神上卻經常受到「檢討」、「批評」、「鬥爭」的虐待；肉體上則無分年節的日以繼夜的負着沉重的勞動。農民反抗的情緒，早已到達了爆炸點，一有導火線，立刻即會爆發開來。

據熊君說，今年五六月間，他的家鄉每人每月只配給十五斤穀，農民都餓得發抖，但他（她）們都仍忍饑捱餓勤勞地進行工作，希望夏收後能多得一些供應，因爲「公社」黨委會對他們說過，在夏收後，必然會增加糧食配給額的。豈料夏收完成後，農民並沒得增加糧額，結果發生了事情。原來：在一次夏收結束的羣衆大會中，共幹居然說：「今年夏收，由於大家沒有鼓足幹勁，沒有找竅門去完成生產『指標』，就連基本產量亦未能達到，所以這次糧食的配額亦不能提高。」還說：「大家決不能怪政府；我們唯有吸取教訓，努力生產，爭取在秋季來個大豐收，到時糧食的問題也就解決了。」這共幹話猶未了，已引起羣衆嘩然，有些則放聲大哭。就在這時，忽然有一名被「下放」到農村的中山大學中文系畢業學生熊德欣，憤然站起，向該共幹斥問：「這種生產『指標』是誰定的？統計工作又是誰做的？」該共幹一時無以爲對，乃惡狠狠地命令民兵將熊德欣逮捕。這一來，羣衆更爲憤怒，人叢中忽地一聲喊「打」，大批羣衆隨即擁到台上，拳打腳踢，將共幹們痛毆，當場打死兩名共幹，重傷十多名。此時，該大學畢業生見情況嚴重，知道一場大屠殺將來臨，他乃站起向羣衆演說：「同胞們，今天我們已鬧出人命了，如果我們再如此呆下去，我們將會全部被殺死，就算不被立即殺死，也必被餓死和折磨死……我們何不在死裏求生呢！我們現有十多支槍（從這些被打死打傷的共幹得來），我們可以去打開糧倉，到清涼山（梅縣最大山嶺之一）打游擊！」即時有上百農民響應，他們打開水白鄉的臨時保管所，叫農民們盡量把米穀挑走，隨即熊德欣便領導成百農民，持械沿梅西（梅縣城到西陽墟）公路退入山區，但當他們退到接近清涼山的半坑時，即有大批警員和共軍追到，羣衆見狀大亂，紛紛奔逃，熊德欣領導十多位持槍的羣衆，站好地形，開始向前來之共軍射擊，並大聲向共軍呼喊，說明他們是被迫上山的，並希望那些共軍能同情他們，倒戈與他們一起。但不久，熊德欣不幸中彈斃命，十多個農民亦很快便被共軍消滅，逃散的數十羣衆也被捕捉了。這一場暴動，便就此被鎮壓下去。

熊君說：這次暴動後，共幹對農民監視更加嚴密，尤其是對那些「下放」的智識份子爲然，不許那些智識份子和農民過於接近，稍有些懷疑時，便加以逮捕勞改。

另據一位來自廣州之僑屬說：「廣州治安壞極了，搶劫案層出不窮，華僑新村通往市內的農林下路和執信路，便經常發生搶劫事件。有一次他的一位親戚，因爲在早上四點鐘到醫院去掛號看病，由華僑新村行經執信路，有一大漢手提大斧，攔住去路，勒令將手錶、鋼筆、和所有金錢留下。這位僑屬說：受害者大部份是新近回大陸的華僑，因爲劫匪亦知道只有這些華僑才有「油水」。（敬斯）

共幹食言拒增配給引起
梅縣水白鄉暴動被鎮壓
十餘共幹被打死打傷
民衆犧牲者約達百人

不祥的朕兆已有一大串
西新幾內亞不甘被賣
印尼接管後戰亂難免

（本報華盛頓航訊）美國所安排導演，而由聯合國背上惡名的荷印解決西新幾內亞問題協定，自從該地土著民族巴布亞人在首府荷蘭地亞遊行示威，抗議「聯合國把我們當牲畜出賣」之後，許多人，包括聯合國的官員，已認眞憂慮要出亂子，「西新幾內亞是否會變成亞洲剛果」？已經成了一個十分現實的問題。

問題之所以爲大家所嚴重關切，除了巴布亞人那次的遊行示威之外，還有好幾項不祥朕兆，諸如：

一、在荷蘭地亞的巴布亞人，已經開始有把他們的眷屬送往內地去的，今後採取類似行動的人，還會有許多。他們公開宣稱：這樣是爲了準備迎接「最惡劣的情勢」之到來。

二、巴布亞人的青壯份子，已明白聲言：在必要之時，他們會以遊擊戰對付印尼人，一如在第二次大戰西新幾內亞被日軍佔領之時，他們曾經以遊擊戰對付日本軍隊那樣的。

三、已經有八千之衆的巴布亞人，當荷印協定在美國簽字之時，他們爲了「義不帝秦」，已向澳洲請求政府庇護。

四、巴布亞若干領袖，已經準備在澳洲境內，成立「流亡政府」，爲西新幾內亞的獨立而進行鬥爭。他們那個尚待成立的流亡政府的實際工作之一，便是集欵購買軍火，以接濟將來反抗印尼統治者的遊擊隊。

五、有數約兩千的曾經受過教育的巴布亞人，他們是巴布亞人裏面的精華份子，準備在印尼接管西新幾內亞之前，離境出走，消極的爲了不被印尼人所劫持與之合作，積極的則爲了參加巴布亞人爭取獨立的運動。

華盛頓又獲得消息：自從印尼連嚇帶騙把西新幾內亞爭到手後，有的較爲頭腦清醒的印尼人，倒憂從中來，覺得印尼其實是背上了一個沉重的包袱，今後如何在西新幾內亞維持統治，問題很大。新近這些年，荷蘭爲了西新幾內亞，每年要花三千五百萬至五千萬美元，印尼接管之後，如果打算爭取巴布亞人的歸心，同樣數額的錢，非花不可，但印尼那來的這筆閒錢？印尼獨立十幾年來，由於蘇加諾政府亂搞一通，經濟已接近破產，百物騰貴，民生窘困，以往因爲蘇加諾「收復西伊里安」的號召，大家還可忍受，現在「西伊里安」問題解決了，蘇加諾的統治魔術快要揭穿了，印尼本身已經是不了之局，它如何還能補貼西新幾內亞？果眞印尼接管之後，巴布亞人的日子難過，豈不什麼事情都可能發生？有傳說，印尼當局準備明年五月正式統治西新幾內亞後，如果巴布亞人有不合作的跡象，他們準備大舉拘捕屠殺，以資「立威」，果其然也，發生在剛果的事，就確實會在西新幾內亞重演了。果眞巴布亞人爲反對印尼的殖民地而發生流血慘劇，美國何以爲情？聯合國又將何辭以對天下之人？（周）

美國援華問題重重
目的何在教人糊塗

（本報記者台北航訊）美國對中華民國的軍經援助，愈來愈顯得問題重重，作不平之鳴的人愈來愈多。一般接受美援的國家，普遍的有美援「過少過遲過舊」的感嘆，這還祇是籠統的說法，實際情形比這個還要糟糕得多，往往使得「爲何而有美援」也被弄得模糊不清。

以美國對華軍援而論，確實，因爲美國的援助，中華民國的建軍工作，受益不鮮，六十萬國軍在素質上確屬可稱全世界第一流的精銳之師。但畢竟美國援助中國建軍，其目的何在，卻就使得人們莫得其解。

中華民國的國策是反共抗俄，光復大陸，所以中國建軍的目的，主要在於反攻大陸，此一建軍目的，美國當局絕不會不了解。中國贊同，固然也不是什麼秘密。但如其美國援助中國建軍，僅是爲了防守的，則中華民國爲了本身的利益，固然要防守台灣及其外島，而台灣及其外島又構成美國西太平洋的戰略據點，在美國的利益上，亦實在希望中國能夠有效的防守台灣及其外島。那麼，在此共同目的之下，中國因爲建立六十萬大軍而負起的非常沉重的財政包袱，美國不是不明白，中國也就有理由要求美國適度的分担此項軍事支出。反之，如其美國協助中國建軍目的，並非全爲防守，在適當時期，也還有進攻的目的存在，就更加顯示，美國對華軍援是太不夠了。美國有必需在對華援助的武器、裝備的數量上與質量上，以及後勤運輸上大大增加，藉使國軍眞的現代化，力能有所作爲。

像今天美國對華軍援的規模與性質，不但不能符合中國的利益，因爲中國因此而財政負荷過重，有了六十萬大軍，卻祇能困在台灣；同時這也就削弱了中國自力建軍的力量，永遠需要吃不飽餓不死的美援，亦實在不符合美國的最大利益。

美國對華經援也是如此。近十年來，由於美國的經援，台灣的經建發展得很快，國家生產、國民所得、對外貿易以及一般生活程度，均節節提高，連美國當局亦時時說台灣已成了亞洲最繁榮的地區之一，不啻是自由經濟優秀的標本。

但同時，由於美國經援缺少一貫的目標，審核準則亦含糊不清，手續與程序又往往費時失事，此其結果，在接受經援時便無法把握到能夠做到那一步，經建投資只能一年一年的做短期的計劃，不可能有長期的目標，這對中國經建，實在形成一種看不見但卻很重大的打擊。

甚至，當中國某一部份工業，比如紡織業，有了像樣發展之時，美國卻又限制中國的產品銷去美國，使中國經建遭受破壞。這樣的情勢之結果，是中國固然受到了美國經援的好處，但卻祇是點點滴滴的好處，而且就是這點點滴滴的好處也是不肯定的，無把握的，永遠還要接受遲延與中斷的威脅，而使中國經濟不可能盡情的發展，破綻百出，形成沒有經援更站不住的危機。這樣，正如美國人所說，援助成了「老鼠洞」，又那裏是美國的利益所寄？

已有愈來愈多的例證，幾乎接受美援的美國盟友，由於美國過分祇爲自己打算，使盟友都對美國大表不滿！一個自由世界的領袖國家，只知有己，不知有人，怎麼行呢？以美國對華軍經援助而論，確實美國必需放大眼光，是把援助目的放在更正確地位的時候了。（文）

颶風肆虐香港
死傷五百餘人
無家可歸者逾五萬

（本報訊）九月一日「溫黛」颶風正面襲港，釀成重大損失，據港官方四日下午所發表之死傷統計如次：

一、死亡一二〇人（其中港島十三人，九龍十六人，新界九一人。）

二、假定死亡八人（其中港島一人，九龍三人，新界四人。）

三、失踪三七人（其中港島四人，九龍六人，新界二七人。）

四、受傷三百八十八人（其中港島六十七人，九龍二百七十三人，新界四十八人。）

無家可歸者五萬一千八百七十一人（其中港島一萬六千三百二十一人，九龍二萬九千三百三十人，新界六千二百二十一人。）

六、房屋損失——港島方面：全毀者三座，部份被毀者十二座。木屋全毀者二百八十九間，部份被毀者一百二十間。另四所商店全毀，三所商店部份被毀。九龍方面：全毀者二十座，部份被毀者八十六座。木屋全毀者一千一百三十三間，部份被毀者七百一十七間。另四所商店全毀，二十九所商店部份被毀。新界方面：全毀者一百一十三座，部份被毀者二百二十一座。木屋全毀者四百七十五間，部份被毀者，二百六十四間。另四十五所商店全毀，一百五十三所商店部份被毀。

按：上述損失統計，尚非最後的。

＊＊＊＊＊＊＊＊

「溫黛」颶風之風力，達每小時一百四十哩，在香港爲廿五年來所遭受的最強勁有力之颶風。一九三七年香港所遭受之一次颶風，風力達每小時一百六十四海哩，死傷居民達一萬一千人。

下列爲一九三七年以來香港所遭受各次較強烈颶風之統計：

一、一九三七年九月二日，風力每小時一六四哩。

二、一九五七年九月廿二日，風力每小時一百零一哩。

三、一九六〇年七月九日，風力每小時一百零三哩。

四、一九六一年五月十九日，風力每小時八十九哩。

五、一九六二年九月一日，即本次颶風，風力每小時一百四十哩。

（流）

越東邊界糾紛聲中
談越境東人的生活

西貢航訊

越東邊境糾紛正被東埔寨元首施亞諾加以誇張的宣傳，且威脅要與越南斷交。越境東人生活，於是更受各方面注意，特加以簡要的報導：

越南共和國安江省是南區西部四個省份（永平、巴川、建江、安江）中，最多東裔居民的省份。安江省內東裔居民總數達四萬八千四百九十人，他們集居於下列五個郡內（按全省玖個郡）：知尊郡四萬五千人；靜邊郡二千三百十二人；惠德郡七百三十人；珠富郡三百二十人；安富郡一百二十人。知尊郡東裔居民佔全郡人口百份之八十，廟寺及東裔和尚數量頗多，計寺廟五十玖座，和尚六百四十人。

東裔居民大多數以農業及畜牧爲生，僅有少數担任公務員、教員、警察公安人員或加入軍隊服役。

東裔居民生活方式，大多數已和越南人同化，尤其是建築屋宇，以至裝飾及婚娶俗例更加相似。屋頂尖斜的高脚屋，已逐漸變成雅緻的茅舍或瓦屋。裝飾方面，以前男人穿企領衫，女人着紗籠，頭捲紗花巾，現在則穿趨時的衫褲，且不戴頭巾了。東裔婚娶習俗，男人於舉行儀式後便回女家居住。現在已完全改變，依照越南人俗例舉行婚禮。

然而，東裔越人卻尚存一些特別例俗，如火葬，崇敬和尚，依照棉曆舉行各項儀式，所有兒女尤其是有禮教家庭的兒女，均須送入寺廟修身學道三個月等等，這些習俗相傳的舊例，均獲政府尊重。

東裔居民都是信仰小乘派佛教的，他們對寺廟之尊敬，比愛護家庭更甚。他們常以私有的財產供獻給寺廟，存一百必以七十獻入寺廟，僅留三十元，甚或全數奉獻亦在所不惜。因此，亦可說寺廟是他們生與死的理想之寄托物。對於和尚亦一樣的崇拜，他們聽信和尚教言比父母尤甚，因爲他們認爲和尚是我佛慈悲的現身。他們集中財力以奉養和尚，盛行小乘派佛教，這是受錫蘭佛教經緬甸泰國傳入東國之影响。

一九五四年以前，寺廟及僧人組織的系統，都由金邊高僧支配，當時在金邊有一高僧負責直接與越南各省東裔僧人聯絡有關宗教事宜。

在越東兩國收回獨立主權之後，東裔居民與金邊方面有關宗教聯絡事宜已有變更。於一九五五年開始，佛教組織系統已獲重新規定如下：

每一省由一位德高望重的僧人作精神領導省內各佛教徒，每一郡由一位高僧精神領導郡內各佛教徒。

最近，爲健全傳教組織系統，越政府決定在每一省中組織一個執法委員會，置於省級高僧領導之下。這一執法委員會，有權施行各項佛門的規條以懲罰犯戒的和尚，輕罪者警告，重罪則除去袈裟。

東裔和尚有一特點，就是須在午時前吃飯。若逾午時而未進食者，則均挨餓直至翌日始可用飯。

現在，東裔居民入廟焚香禮拜採用下例之東曆日子：

（一）元旦，增歲儀式。即是西曆四月十三，十四日。

（二）忌辰，紀念先人。是西曆八月尾，亦即是中秋節的前七天。

（三）雨季開季儀式。於農曆六月十六日舉行。

（四）雨季完季儀式。於農曆九月十六日舉行。

此外，每逢農曆月之八，十五，二十三，三十等日，東裔居民仍照舊例進廟拜佛求福，以謝父母恩德，表示孝順。

東裔居民本性少言談，但甚暴燥，嗜飲酒，愛好輝煌的色彩，喜歌舞及好聽音樂。

文化方面，東裔居民大部份通曉東越兩種語言，及大多數會讀寫越文。除越東兩種語文外，有一部份青年亦懂用於佛家經典的梵文。

天南風光
——古晉的公園——

朱淵明

古晉既似一個大花園，則在大花園之中，建設一個小公園，理應繁花如錦，風光綺麗的了。誰知事不盡然。那所謂公園，初次接觸的印象，只不過是一片大草地，在草地的邊沿上種了幾排美人蕉而已。而草地的廣濶，彷彿還不及北面距它不遠處，西人俱樂部私家所擁有的哥爾夫球場。不過，球場畢究空空蕩蕩，除了草地剪伐整潔而外，其他是毫無佈置，私人又不能隨便進去的罷了。

古晉公園，是在大石路與水塘路之間，南有博物館，北有大水塔，東面是一片墓地，乃教會所有，第二次大戰時，許多光復沙羅越的澳洲戰士，犧牲了即埋骨於此。後來又陸續起骨運回他們的故鄉安葬去了。西面有一個圓形的噴水池，可惜好久沒有水噴出來，大概是因爲損壞了沒有修理的原故。當日本軍閥侵佔沙羅越時，到處只是破壞，焚署，但却在這所公園中，乃例外的有一點建設，那就是在靠水塘路的溝邊種了一排松樹，十餘年後的現在，居然綠葉扶疏，蔭覆數畝，遊人至此，如果稍覺疲倦，大可坐在樹下少歇。在北部的亭岡上，建有一個亭子，據說原名叫蛇亭，以前養過不少的蛇，供人參觀，後來就沒有了，或許是供應爲難的原故吧？

此外還有一個西式的涼亭，又有一個中式的小閣，閣中設有一個咖啡檔，閣外的草地上縱橫錯雜的放上許多棹椅，每逢週末或平日夕陽西下後，紅男綠女，即雜踏而來。（一）

亞洲環境的民主政治問題（一）

政治是要講求實效，不是講求形式。一本煌煌巨著的憧憬論，確實使極少數的智識份子嚮往，但大多數的文盲却不管施者的理論如何，他們祇憑受得實惠若干，來作爲判斷的依據。在共黨統治下的國家，他們是有一套漂亮的理論，繪製一幀很美麗的藍圖，但那也祇是理論和圖案，在乞丐[illegible]悲慘現實生活情況下，人民蘊蓄着被騙的憤怒之火，終要燒毀這種理論和圖案，也要[illegible]毀這樣的國家。同樣，在一些自由國家裏，特別是在亞非區域裏的新興獨立國家，雖然殖民[illegible]主義者曾遺下一個完整的議會形式，但欠缺了各黨各族的團結性，缺乏了經濟生產力，也沒有穩定的政府，於是商人走私，賄賂受賄，財經動搖，議會打罵，這樣的議會民主政治，即使有了熱烘烘的投票玩意，到處有歡宴民選議員的熱鬧，但那種關係於實際民瘼的政治如文盲、貧窮、貪污等問題卻無法解決，落而丟下不談，我看這樣的徒具形式的民主政府，也絕不會爲廣大的人民所歡迎。

在亞非凡三十個以上的新興獨立國家中，由印尼而伊拉克而橫過蘇彝士運河，都曾採取了西方體系的民主政制，但亦具同一的命運——壞透了，而又卻有同一的變革循環律，那是始以虛偽的議會民主，隨之政治混亂，繼而以强人統治。比如在緬甸、印尼、泰國、巴基斯坦等國年來國內變革的事實看，在在都顯出鮮明的例子。爲什麼會這樣？爲什麼『一個對於西方如此顯著成效的政治制度——民主政治——竟爲東方許多人所拒絕』（見年前紐約時報語）？因爲「亞洲自由國家的人民，寧在本國領袖欠佳的政績下過活，不願在中共或其他外國人的有效治理下生活」（見美國前駐印大使鮑爾斯著文「亞洲自由國家面臨的重要課題」）。據一九五七年加州工學院刊印的「下一世紀」一書的觀察，認爲其所以如此，是由於『這等國家的人口過擠引致經濟不穩與社會不安，從而誘發革命，構成動蕩局面，當政者爲維持獨立生存，安定社會秩序，進行總攬大權的措施，幾乎是不可避免』云云。

亞非國家政治環境此一近乎自然命定地的轉變是否就是等於從此揚棄民主政治而被稱爲『不民主或獨裁』？我們慣常用到『獨裁』的字眼是否可能引致人們的錯覺？那是說，是否這樣可以把原來『轉變的動機』有所曲解，而增加了亞洲社會的紛亂與彷徨？

本報緊急啟事

九月一日颶風襲港，承印本報之印刷廠遭受損失，陷入混亂狀態，加以四天無電，致本報本期延遲三日出版。情非得已，敬祈讀者原諒。

自由報敬啓

盧君續夢

第六回：烽火照邊陲　同惡難濟　樓船橫碧海　大憝興悲

中共軍由軍車上跳下，立時展開包圍形勢向印軍進逼，印度巡邏隊一共七十多人，自以爲武力頗雄厚，最初還相當强硬，後來看見中共軍有幾百人，一面向印軍採取包圍，一面構築炮兵陣地，機槍掩體，儼然想打一次大仗，印軍不敢撐下去了，放了一排槍就向後撤退。

那知道一放槍，正給中共增加了藉口，馬上槍炮齊發，四圍兜勦，印度兵根本就未經過戰陣，立時四散奔逃，帶隊的官長也控制不住隊形，只好隨着大家一齊跑，一直跑到拉達克的首府列城才算站住脚，檢點一下，整整少了二十名。

當地軍區司令一見事情攪得這樣糟，曉得自己責任重大，在呈報時特別加油加醋，說是中共在空喀山口以南罷好埋伏，專等印軍入網，又說共軍出動約達千名，所以印軍不能抵擋。並且又把中共的武器眩耀一番，說是中共軍隊配有火箭炮，坦克車，差點沒說還有驅逐艦及魚雷艇。

報告送到新德里，親政府的印度時報首先把消息披露出來，整個印度人是又驚又氣又害怕，可憐的印度人既懶又懈再加上迷信，平常把牛同猴子都敬若祖宗，殺雞也不敢，何況殺人，英國統治印度時，軍隊都是在尼泊爾招募廓爾喀人，到現在印度軍隊大部份也還是廓爾喀人組成的，偏偏這次不見的二十名士兵，都是眞正印度人，當然成爲一件空前大事。

印度這時全國上下心理大體都相同，首先是驚訝的事出偶然，如同迎頭打了一個焦雷。憤的是中共不講朋友，自從中共政權成立以來，印度政府裏的尼赫魯與梅農，眞是用盡了吃奶的力量來捧場，現在居然落到這樣下場。當然印度也還有極少數明白事理的人，如甘地的孫子就說：「我們雖然幫了中共不少的忙，但是比較起來，還沒有中華民國幫我們的忙大。我們現在只是怪中共對不起我們，那麼我們又怎麼對得起中華民國呢？這就叫做因果循環，報應昭影。我們現在若不趕快修點善果，再這樣爲非作歹，將來恐怕亡國滅種都有份。」

不過，小甘地的話並沒有多大力量，尼赫魯當然不會想到修德方面去。只是想辦法怎樣抑止中共的擴展。但是印度人民却開始領教了中共的手段，大部份人民慌作一團，以爲中共馬上就要解放印度，尤其是對中共有些了解的人，如印度第一任駐中共「大使」潘尼迦，第二任「大使」梅農，以及去過中共匪區觀光的政客，黨棍，文化流氓，對於中共在土改，三反，五反中殺人情形，不是耳聞，就是目見。過去眼看中國人殺中國人，覺得好似馬戲團表演一樣，十分有趣，潘尼迦還寫過「使華秘錄」，替中共鼓吹。現在忽然就要來到自己頭上，這批「中共通」先着了急，栖栖皇皇，不可終日，經過他們向外一宣傳，印度人民更是亂成一團，一部份回教徒準備遷去巴基斯坦，他們知道巴基斯坦一貫反共，在國際上有反共的友邦支持，中共斷不敢進犯。至於高級印度人，就打算遷去倫敦，因爲印度是英聯邦國家，去英國是不需要護照的。大部份老百姓則希望英國人回來統治，可以高枕無憂。（一三二）

盲啞稱能（續）

此校之舞蹈的編導與訓練，爲胡婉張視兩教師，能使啞生有此成績，已非耳提，必須面命，其辛苦吃力，特爲加蓰，故其功勞甚偉。

余以此事迥非尋常，故爲錄述。査之古今稗史，盲啞之儔，因性靈單純，絕少外鶩，能專心向學，而學必有成。其讀書之用功，更非一般普通學生所可及。台北的盲啞學校收有學生將近五六百人，而經費常感不足。如海外華僑，基於同情的心理，不論多寡，酌予支助，則盲啞學子，更有進步的成就。事屬慈善爲懷，盼予解囊。當蕙香永祝壽康，是爲記。

憶玉軒雜綴

小曼三嫁

近聞人言，卅年前上海名媛陸小曼，猶在人間。但不知依賴何人？能在鐵幕中度生，是否爲紅朝名匪的寶眷？不得而知。但其一生，也是夠到波瀾迭起，享豔髓名，終以嫁徐志摩而得彰，亦紅粉佳人多坎坷，而志摩當年認爲「夢想的神聖境界」，是有愛，有美，有自由，可以追求的，可以培養的，結果皆成幻想，落到虛渺無着。據春中舊聞所記，他在清華執教，小曼發電十餘通，催其南歸。但到上海第三天，小曼因天馬會做戲，正勾起五百年風流孽債，認識了翁瑞午。陸翁之間，即雖稱半祖，也所不避。志摩以爲夫婦是愛，朋友是情。可是小曼愛志摩是學問，而愛瑞午是風流，爲得閨房靜雅，遂起勃谿。偉滯留三夜，即乘機回平，不意在濟南上空觸山遇難，從茲百了。

胡適之先生生前有悼志摩文，記及志摩赴平臨行有詩：「悄悄的我走了，正如我悄悄的來，我揮一揮衣袖，不帶走一片雲彩。」竟是成讖。而梁任公在徐陸結婚時，有訓辭云：祝你們是最後的一次結婚。南北士林爲之駭然。梁在事前函徐，有云：「戀愛神聖，爲少年所樂道，……豈可遇而不可求。多情感之人，其幻象起落鶻突，得滿足，得寧帖，也極難。夢想之神聖境界，恐終不可得，徒以煩惱終其身。天下豈有圓滿之宇宙？最可畏者，不死不生而墮落至不復能自拔，可憮懼耶！」（志摩臨死前情景如此）所惜嚴師諍言，未動弟子的心緒，仍是一往直前而結合。（未完）

官與贓私

燕謀

官與贓私，若有固結不可分的關係，自古已然，也不見得於今爲烈。

考「贓私」之發生，原因固不一而足，但如果說是由於「禮」的濫用，也算是信而有徵的。古代以餽遺貨財，爲「禮」之一體。不但婚喪慶弔，必以餽遺爲盡「禮」的表現，即平居無事「投桃報李」，也講究禮尚往來。論語一書之中，就有餽肉、餽豚、餽藥、餽車馬等等的記載。至於第一次與人交接，非贄不能見面，更是一種頗爲嚴格的規定。曲禮云：「貧者不以貨財爲禮」。即是只有窮到不能以貨財爲禮者，才可以「不以貨財爲禮」。足見貨財本是禮之本質之一，是很清楚的。曲禮：「凡以弓劍苞苴簞笥問人者，操以受命如使之容」。此之所謂「苞苴」，乃餽送禮物所用之包裝。而荀子大畧篇有云：「苞苴行與？讒夫興歟？」則苞苴已爲貨賂之別稱。至今行賄者，仍往往藏珍貴無價之物，於花木米酒之中，以便進獻，殆爲師承古人之遺意，未可以「人心不古」一詞，抹煞一切。恰正相反，今日之贓私，乃正是古禮之遺留。

「官」爲讀書人之專業，而禮又爲讀書人必修之課程。「禮」既因濫用而贓私，則贓私與官發生固結不可分的關係，此爲邏輯之必然。即謂我們政治上的貪汚風氣，由於數千年「禮教」之所賜可也。

後漢書楊震傳云「王密爲昌邑令，夜懷金十斤遺震，曰：「暮夜無知者。」震曰：「天知、地知、子知、我知、何謂無知？」這是假餽遺之名，以行贓私之實的一個「不欺暗室」之人格表現。

北魏有「枉法十匹義贓二十匹罪死」之規定。所謂「枉法」，是指受賄之後，舞弄文法，以出入人罪者而言。「義贓」則專指當時並非有所乞請之餽遺而言。國家以明令規定餽遺爲贓私，元魏殆爲之創始者乎？然魏制設官而不班祿，雖有贓罪之法，幾乎等於具文。至孝文帝時，始頒定祿給制度。同時改定「義贓一匹，枉法無多少皆死」的律條。此一規定，實似根本禁止餽遺無異。後來因爲認眞執行的結果，魏政終孝文之世，大有沉清之觀。

所以肅清貪汚，應有正本清源之道。「禮」尚餽遺，貪汚之本源在焉。此而不廢，任何贓私，都可假餽遺之名以行。任何貪官，均可以廉吏姿態出現了。孔子曰：「禮云禮云，玉帛云乎哉？」可謂感慨無量。可是幾千年來，「禮儀三百，威儀三千」，莫不廢棄殆盡，却唯一保存下來的只是「玉帛」。這使我們眼見今日的貪汚熾風，又有何話可說？

算命與我

閒鶴

家鄉是農村，父老抱殘守缺，極其相信宿命。既然相信宿命，命運本來可以不待籤卜，應有聽任擺佈的宏量。但是人總是不甘於完全接受命運的安排，因而又每每卜以休咎，趨吉避凶，所以要倩人算命。

我長到三歲還不會走路，不會說話，親鄰常疑心我是個白痴，父母却偏愛，認爲我雛鳳非凡，將來不難一鳴驚人。於是時時爲我算命。童年漸逝，負笈異鄉，父母耳提面命：「愼居，節飲食，謹言語，謙讓爲上。」他們說，這是算命瞎子先生之言。說穿了倒是先賢修身養性之道。而且又告訴我：「命中註定，此行當奔波萬里路，遭逢幾次大難，四十以後方能苦盡甜來。中年以前，須尅婦三，五十而後，始能與一老嫗共偕白頭。」

抗日軍興，我參加了軍旅。荷槍執彈，開始萬里行程的第一站。其時父母健在，也嘗爲我算命，而今細節都不復記憶，唯有一語牢記心中：「斯子終必凱旋。」八年以後，勝利還鄉，這翻話倒被兩眼不能見物的瞎子「盲」對了。而今鐵幕深垂，我漂泊於萬里海外，大陸上如果還有瞎子算命這一種行業，大家如還有算命的心情和自由，而且父母尚能殘喘餘年的話，自然又會和我算過多少次命運。但算命瞎子今天在「人民公社」的虐待下，大概祇能瘋言瘋語了。

想起幼年時算命瞎子說的話：「行萬里路」早已被他說對了。「四十以後苦盡甜來」現在則尚未完全證實。然而「中年以前，須尅婦三，」顯然是胡謅而已，迄今而言，我還是一個衣破自縫的「王老五」。但願「五十以後」能夠「與一老嫗共偕白頭」，也算先代德蔭，不致斷絕了祖宗的香火吧？善哉善哉！

「二十年前是一個時代，二十年後又是一番新氣象，白雲蒼狗，變化萬千。再過二十年，我給自己描繪了一個輪廓：那時候山河早已光復，故園重建，祖國已立於萬世不敗之地，我的兒孫繞膝成行，與一老嫗霜鬢厮磨。村前楊柳，田禾飄香，坐對故鄉父老，閒話這一段復國史跡，倒也「不亦快哉」！

我自己從不算命，然而我不識請父母的算命。我不算命的意思是：與其問道於他們，何不自問我已努力了多少？

海嶠叢談薈

讀史卮言（四）

諸葛文侯

「辛壬春秋」作者在其「湖北」篇中又說：「民國元年二月，黎元洪當選爲副總統，時各屬暴民專制，爭攘糾紛，獨元洪顧大局，主張光明，隱然爲各省盟主，聲望遠出南京政府上，袁總統特推重之」。實則黎氏之得被選爲副總統，並非出於袁世凱的屬望，而係民黨人士所推定者。因孫中山先生既已讓位於袁，黃克強素來推崇元洪（曾以大元帥職位讓給黎氏），旨在爭取他加入民黨，以壯聲勢。否則臨時參議院議員三分之二皆係民黨人士，民黨如不同意，黎氏雖欲「備位儲貳」（當時黎氏通電自稱語），亦絕對不可能的。所以後來宋教仁聯絡若干小政團，與同盟會合組爲「中國國民黨」時，亦推黎與黃克強等爲理事，而奉孫中山先生爲總理。這證明當時革命黨人對黎極力拉攏，特予推崇的苦心孤詣，纔使黎氏輕易地坐上了副總統位置，決不是他的聲望「遠出南京政府上」所使然，他有甚末聲望可以凌駕南京的革命政府呢？同時袁世凱嫉視革命黨勢力，亦想利用元洪加以牽制抵消，因而百般誘惑，使他疏遠民黨，恰好湖北黨人張振武，方維等人恃功驕倨，對元洪多所要挾，不遂而密謀驅逐黎氏，黎乞援於袁世凱，將張，方二人誆至北京殺之，此即作者在「湖北」篇中謂「元洪不能治賊也」的論據。張、方都是開國的功勳人物，作史者竟諡之爲「賊」，這不是偏見嗎？

黎元洪之疏遠民黨，除上述原因外，章太炎游說之力亦不鮮。章氏原係同盟會老幹部，因民元光復會與同盟會人士，攘奪浙江政權，光復會首領陶成章在上海被刺之故，他與同盟會化身的國民黨即告絕緣，而欲擁戴黎氏從事政治活動。可是，元洪與袁世凱之間，既有串通誘殺革命志士的同惡共濟關係存在，袁於捕殺張振武，方維二人後，又明令申述是根據黎副總統密電請求辦理的。這樣就使元洪不敢不聽從袁氏牽着鼻子走了。「辛壬春秋」作者抹煞這些確鑿有據的事實，妄加黎元洪以「主張光明，顧全大局」的非份之譽，視爲中國數一數二的偉大人物，這種歪曲的史筆，奚足爲訓耶？

「辛壬春秋」作者指黎元洪曾留學英國，又曾任湖北留日陸軍學生監督，這是我們所未聞的事情，許多湖北的前輩先生如居正，何成濬，張知本等人，從來亦沒有談到過元洪有這些資歷，疑莫能明也。作者在其「湖南」篇中，一仍故技，醜詆革命黨人，他蹧蹋焦達峯，恭維譚延闓，都到了極點，說譚氏「沈毅有爲……及歸湘，爲所劫持，不能盡其材」（譚當時不是民黨人物）。殊不知黃譚交誼素深，黃又在譚氏當年大力支持的長沙明德中學担任過教員，所以民國五年袁世凱死後，湖南省議會一致決議請黃氏出任湘都督，而黃力主譚氏可去復職。黃與宋教仁於民國元年雖曾一度回湘，然滯留時日極短，說不上「劫持」省政府的話，況且他們如要劫持，即不回湘亦可以做到的。作者憑其私人好惡觀念以作史論，謬妄也矣。

劉璈抗法前部署

·李仲侯·

治職道抵伍，至八九兩年，洋藥加征稅釐，年可增銀十餘萬兩，合計不過八十六、七萬兩。按現年應需二百萬出欵，卽照八九兩年最多進欵核計，已短一百一十餘萬兩，誠照部議指撥之欵解足，台餉亦無俟另籌。竊恐解足爲難，別無起辦，設海上有事，商釐必更減色，進欵愈絀，用欵愈難稍緩，不能不通盤籌畫，免致臨時周章……」

査台灣道府兩庫，合計存銀百餘萬兩，除建造炮台營壘，添募新勇，購備軍裝，輪船機器等項，約需銀廿餘萬兩外，只得存七十餘萬兩，以之支持半年，尚可敷衍。惟籌防久暫，未能逆料，不得不預爲籌劃，免誤軍需。査江西湖北兩省，既無海防，籌餉尚易，且現無別省指撥協餉，可否奏請飭行江西湖北兩省，指明於九江，江漢兩關稅銀及鹽釐項下，從本年五月起，每月酌提銀十萬兩協濟臺灣之處，出自憲裁。」

未幾，接到總督何璟批示：「業將該道現稟情形，會同將軍撫部院函復總署察照，並聲明請撥鄰省的餉一層，擬暫緩酌辦理，行同知照在案，仰福建營務處沈藩司査明移知，近來各省同一爲難，如江西欠協閩餉甚多。

（十一）

寄懷員彬學長

陳叔良

同學少年多不賤（杜句），汝尤振翮干雲霄。
卽今竹塹英廉宰，還數石門賢達僚。
四座無聲傾博識，一塵不染見淸標。
祇憐赤遇虛千里，憔悴勞生躋鐵銷。

自由報

內僑警台報字第〇三一號內銷證

THE FREE NEWS

第二六八期

中華民國僑務委員會頒發
港字第三二三號登記證
中華郵政台字第一二八二號執照
登記爲第一類新聞紙類
（半週刊每星期三、六出版）
每份港幣壹角
台灣零售價新台幣貳元
社長：雷嘯岑
督印人：黃行富
社址：香港銅鑼灣高士威道二十號四樓
20 CAUSEWAY RD 3RD FL HONG KONG
TEL. 771726　電報掛號：7191
承印者：田風印刷廠
地址：香港灣仔高士打道二二一號
台灣分社
台北市西寧南路壹壹壹號二樓
電話：三〇三四六
台郵信箱二五二九

中共無能救亡

——兼論其死前「核爆」的狂態

·林介山·

中共政權崩潰的致命傷，係由於年來農工經濟政策一再失敗，加上嚴重的自然災害交織而成。中共頭子雖作種種搶救努力，但對此一崩潰絕症，亦嫌過遲，無能爲助。

我國大陸耕地的總面積共有十六億畝，但據中共先後宣佈受災耕地面積每年竟達數億畝，一九六〇年且達九億畝之多，佔總面積百分之六十以上。

一九六一年以後，從中共的報章顯示，大陸的災區有增無減。福建一省，全省共六十五個縣市，受災卽達五十個縣市，面積共佔全省百分之六十五（一九六二年一月二日新華社）；湖北全省三千萬畝水田，受災佔三分二（一九六一年十二月二十三日人民日報）。類此推算，亦可想見。

今年又比往年更慘，據八月十二日的北平大公報報導，由於南北西方水旱交侵，全國農作物及經濟作物幾全面受到損害。從水旱二災交侵的不正常天氣，大陸各地農田又隨着發生蟲害，現時華北，華東，中南和東北一部地區，先後發現有蝗虫粘虫和螟虫等虫害。據中共農業部透露，受到虫害耕地達四億餘畝，有百分之三十以上之作物因此而減產。單從沿海區及黃泛區的蝗虫災害區，卽達八千多萬畝。

隨着收成減產之後，中共把人民口糧定額減少，且因災區的加大，而逐年逐步削減。至一九六一年農村全勞動力每人每天口糧祇有六市両，半勞動力四両，老弱婦孺一至二両。從此饑荒現象越來越嚴重，人民有工無食，怨聲四起，農民於是普遍地以怠工及破壞生產爲發洩對象。

除此之外，繼水旱二災後，每隨而有疫癘發生，且有草荒及沙荒現象。而虫災及打亂作物之農地，亦必須有賴大量的藥物和肥料，加上農民怠工與不合作，中共號召一切救災及增產的計劃，都不會有效果。

中共報章不斷報導大陸天災慘重的消息，且有過份誇張受災數字之嫌。據一般共黨問題權威專家的分析，認爲中共誇大天災數字之目的，乃在掩護其「人造災禍」的過失，並企圖藉此博取海內外同情，減少壓力。

中共經濟總崩潰的幕後眞相，各方已提出極多事實證明，證明大陸發生歷史空前大饑荒的原因，不是上天的突然肆虐，主要乃在共產經濟理論不正確，中共又把人民的生命財產來作兒戲式的試驗，用到全無常識的乳臭孩子來當執行政策的官吏所造成。

所有全世界有良心的政治家，都一致痛斥中共無知，幼稚，狂想，是中共造成空前饑荒，毀損國力，人力，資源的最大原因。舉例來說：中共曾投下無比的人力財力和物力，來推進昂貴的建設水利工程計劃，據其官方估計，一共用了四百億工的人力來挖掘一千零五十億方碼的泥工，目的在建築或修理六十個大型蓄水庫，一千個中型蓄水庫，四百萬個小型蓄水庫，七萬四千六百哩防水堤，一千五百萬個農塲水池，一千萬個水井和一些運河。結果，中共這些大建設計劃，反爲有害無利。中共自己的報紙就這樣批評說：「水庫有些是無水的。有些水庫有水，却沒有渠道。有很多防洪工程，每年都需要重新施工的，但却沒有進行。有些水電堤壩是裂漏的。有些水壩裝置了機器，也不能生電的」（見一九五九年六月人民日報）。原來中共建設的水庫，是沒有水閘，沒有渠溝的。沒有運河，因爲缺乏這類輸送水源系統的組織，所以在旱季時的水庫雖然積蓄有水，但需要灌溉的田裏，却得不到涓滴的幫助。其次，中共對這類建設計劃，祇知重視數量，造成形式，以爲欺矇海內外人士的手段，所以他們對這類關係民生如此重要的建設的原料和技術指導，便往往未能配合實際的工作需要。例如大工程沒有足夠的鋼和士敏土，小工程祇用土和石，並且還偷工減料，常常還用代用品以代替已經不穩固的建築原料。於是當洪水一來，或雨季積水過多，水堤便被冲塌，水庫裂漏崩陷，汪洋大水無可宣洩，便造成大陸連綿水災的一項重大的因素。

中共自一九五八年夏季起，憑下級幹部的虛報增產的數字，和無知的狂想，竟下令把全國耕地之一半來進行密植深耕，又把不適宜的田野，由經濟作物改種農作物。這麼一來，便把地力耗損淨盡，農糧因不適宜地土而減產或枯萎。而肥料大量缺乏，無能配合農業生產計劃需要，缺量估計達二千七百萬噸之多。而共工業資金貧乏及外匯短缺，致中共無能建廠或從外國輸入，以爲搶救肥料奇缺的方法，亦爲造成「人爲生產失收」的原因。

農民怠工，主因固在有工無食，但共黨經濟理論不容私有制存在，甚而不容有限度的私有，至令缺乏刺激生產作用，消失人們求上進努力的意志，亦是中共生產退縮的幕後理由。生活與自由的給予，是人類生存意志上兩項無可辯論的必需品，共黨經濟陷入違反人類生存意志力的死結，除非中共推翻共黨制度，否則它全無可能挽救生產的低潮。

人民意志的歸趨，會決定一個政權的命運。中國大陸人民的意志，正如共黨所謂「經濟決定一切」這句話，他們當前的意識形態，正受到中共人爲饑饉的刺激，轉變爲忿恨共黨政權，而表現於怠工，破壞，抗暴的行爲，於是任由中共攪出什麼救亡的辦法，由於人民對它根本失去信心，故亦可肯定其必然全無效果。

八月上旬來自華盛頓共黨問題專家分析，認中共目前的經濟情況繼續惡化，糧食缺乏沒有任何改善跡象。且其由「大躍進」整個失敗對人民所引起心理上和政治上的影響，比於經濟危機本身更爲嚴重云云。這亦卽是說，大陸當前的嚴重性，已不祇是經濟崩潰的問題，而是由於饑饉引起的不滿，全國人民已轉爲對中共政權的不滿。這一轉變，是決定中共從此再無可能改進生產方法的死結，亦是大陸必然爆發反共革命的一項最可靠的理論根據。

大陸由經濟危機轉爲政治危機，中共最爲直覺。於是隨着壓縮城市人口，大量下放鄉村，全力搶救生產危機之後，便展開軍事鎭懾行動。例如不久前中共突然增兵福建沿海前線；目前國際傳佈中共可能於不久將來會實行試驗核爆的消息，都可能是由中共計劃製造的一項對國內危機解救的方法，是其垂死前掙扎的狂想。

談到中共將擁有核子武器消息的問題，大致可以肯定，又是一項國際的陰謀——是中共利用國際政治的矛盾，而由國際共黨同路人作有意的傳佈，或最少，是國際的幼稚自由份子被利用，無形變爲赤色第五縱隊的喉舌。該消息的原始來源不過是由美英兩國在日內瓦提出新建議，對「中共核能力的估計」（見路透社華盛頓八月廿七日電）。其後爲記者誇大，使人誤覺爲眞有其事。最初一位美國軍備管制及裁軍署的高級官員預測中共可能於數個月內試爆一枚核子武器，其後渠把時間改爲一年或一年以上。但事實美英兩國領袖認定中共正面臨農工業失敗之際，無能擁有核武器，若中共眞要成爲核武器國家，非經過八年以後無可能（參考八月廿八日紐約合衆國際社電）。綜觀此項消息，內文不盡不實，前後矛盾，此時此地而有此類消息，顯見又是一項中共陰謀宣傳的花樣。

不過，不論中共如何狡猾展開種種「救亡」的花樣，但由於根本已失去民心的支持，與固執於共黨經濟思想的限制，對於這個搖搖欲墜的暴虐政權，註定了必然崩潰，它任何挽救的方法，都已無能爲力的了。

因此，最近因國際政治複雜萬分，似乎於我不利，使一般人對「反攻復國」的熱情，趨於低調，至於間接助長敵人氣燄，直接影響士氣，那却有重新檢討的必要。

漫畫天下

老傢伙的最後打算

一個永遠不熄的火頭

自由談

時事罪言

我胸中蘊藏着一種佛言「不可說」，說出來一定要開罪於許多「親者」的話，但迫於憂國憂民的情操，如梗在喉，又不能長此嘿爾而息，必須一吐爲快也。

我們平日談到現實的反共救國問題，總是對台灣的中華民國政府當局多所責難批評，理有固然。可是，咱們在海外的一般反共人士——尤其是從事教育文化事業的高級知識份子，自己所作所爲，是否又比政府當局更高明而合理，符合了反共復國的利益，俯仰無愧呢？我認爲並不見得！

最普遍的現象，就是大家沒有一點犧牲精神，攘利唯恐不及，赴義相率趨避。卽有了三五個成員的團體，卽有三幾個小派系，互相排擠傾軋，同床異夢，不能合作。辦教育是開學店，招生如同拉顧客，先許下若干優待條件，以廣招徠，聘教師實行應酬主義，無所謂學問品格；賺了錢，幾個主持人朋分，談不到充實設備的話，且因分贓問題而隨時發生內鬨，醜聲四播。攪文化救濟工作，先把公款設置美輪美奐的辦公處所，還要裝備冷氣機，執事者隨便虧空公帑鉅萬，滿不在乎。還有拿着公帑在海外幹報業的，其腐敗貪污的事情，令人聞之不敢相信。最可哂而又可恥的，是官辦的文化機構，過去三年亦未曾開過一次會議，理由是害怕出席人士爲着總統連任問題而發生爭執，試問這是甚末玩藝吃？至於有些憑藉中華民國政府起家的工商業者，表面掛着反共非共的招牌，若稍有涉及私人利害關係的事，卽不惜裝出中立面目，寧與敵人妥協，不顧一切了。

上述各種危害反共復國前途的情形，我可以舉出若干證據，原原本本的寫成一大冊書，只好存而不論，俟諸異日了。我之所以要提出來說說，決非存心爲政府當局有所辯護，而是覺得海外華僑對反共救國之役，具有重要的成敗因素，如果大家再不改變觀念，革新作風，實與國內一般腐化偷惰的官僚份子，伯仲之間，互相媲美，國家還有甚末希望呢？所以，無論你要搞「第三勢力」以至於第七第八勢力也罷，首先應該省察自己的思想與作爲，是否適合反共救國的要求，而能博得社會大衆的同情擁護？

馮五先生

香港與大陸

據一位甫近由廣州到港之張海倫君向本報記者透露：廣州市黃沙火車站的工人，在今年四月間，曾大規模的「休息」兩天半，使停放在車站之物資頗有損失，後來還是共黨使用軟硬兼施的手段，誆騙工人並威脅工人，工人們方結束此次罷工。

張君前係該火車站之搬運工人，但稱：那次罷工事件之緣由是這樣的：四月初，分由各地運來廣州許多各類的罐頭和生菓等物資，都堆集在火車站的倉庫中。一天，張君和其他的許多工人，與往常一樣，遵從「上級」命令，把這些物資搬上車廂，據說運到各地供應民衆的，但正在工作之際，忽見車站的「黨委」陪同數名蘇聯「友人」來到現場，對他們正在搬運的罐頭和水菓作嚴密檢查，結果這些蘇聯「友人」悻悻地離去，站長亦同時「指示」將一火車該等物資「打回頭」，不再搬上該列火車了，工人們皆莫明究竟。後來有一位翻譯前來，才知道那些物資原來皆係運往蘇聯去抵償「抗美援朝」時的債務的，那些蘇聯「友人」則係蘇聯專門派來驗收者。這個翻譯還無意中告訴工人們說：這些蘇聯「友人」，大大的指斥「中國」不夠友誼，說我們不該將許多生銹的罐頭和壞水菓運給他們。蘇聯「友人」並聲言：若再如此，他們將拒絕檢收云云。工人們聽到這些消息以後，立即引起不滿，譁然反對。這時有人高聲說：『我們全國人民連飯都吃不飽，原來就是因爲把物資拿去給他們這些「友人」「還債」去了。他們還不知滿足，還嫌此嫌彼，我們是奴隸咩！』隨後，又在人羣中有人高喊：『我們不幹！我們罷工！』這一喊聲，即時引起許多工人的響應，大家高呼「不幹！」「罷工！」

不滿毛共以物資運蘇俄
廣州鐵路工人會經罷工
俄派專人在穗驗收物資　居然大肆挑剔嫌這嫌那

工人們跟着就在當地舉行羣衆會議，首先由一位綽號叫「大哥榮」的工友，痛陳目今全國各地皆奇缺食糧，更不必講肉類和水菓了，我們無理由在這時將還這些物資運往蘇聯！如果蘇聯眞正是「老大哥」或「友邦」的話，蘇聯應該同情我們目前的處境，應該不必要我們「還債」。另外一位叫楊萬昌的工友提出建議：我們大家去向政府請願，要「上級」和蘇聯談判，不應把該等物資運去蘇聯，該運到市場供應人民。否則，我們全體工作人員即請假回家「休息」。羣衆皆熱烈舉手表示贊成，並立即推舉「大哥榮」等組成廿人的代表團，向站長和車站黨委「提意見」，當時由站長接見他們。站長對蘇聯友人亦表示不滿，但他還是要工友們繼續回去工作，並說他會把工人的這些意見提報「上級」，要求解決。但憤怒的工人不答應，要立即致電給上級，要求答應；在未答應前，全體工人便請假，各自奔回家去了，除非得到該廿人組成之代表團通知，決不復工。事情就這樣僵持下來，兩天半中，整個車站像死一樣的沉寂，最後中共使用「軟」「硬」手法，一方面答應與蘇聯相商，將該等物資留下供應民衆；另一方面提出恐嚇，謂此事件係有「壞份子」指使，工人們如不立即復工，政府將停止一切糧食供應，並把罷工者劃爲「五類份子」。就在中共這種連騙帶嚇的手段下，這些工人們「休息」兩天半後更復工了。張君說：那次工人們雖僅罷工兩天半，但中共的損失，仍不在小，大批水菓都因此而腐爛了。

另據一位中山大學外文系的學生黃君對本報記者稱：大陸高級知識份子和一般民衆，都對蘇聯的「專家」大有惡感。中共政權服侍那些所謂「專家」，如同兒子服侍老子，他們出入都有招待員隨從，晚上更有「女招待員」照顧他們。而那些所謂「專家」者，不少是不學無術之輩，行爲卻極其傲慢無禮，儼欲統治主對奴隸的氣派。（敬斯）

中山縣北溪公社來信透露
青年反共組織活躍粵海
散傳單貼標語黑槍打死共幹　三廠炸彈案死傷共幹幾十名

（本報訊）據本報讀者九龍彌敦道某號某君轉來其所接到的從中山縣北溪公社朋友來信，透露「中國青年反共革命行動委員會」活躍粵海一帶，已掌握好幾縣民兵，他們隨時貼標語，散傳單及「自由安全證」，共幹常被「黑槍打死」，「大快人心」云云。信中並附寄有「自由安全證」及傳單二張，茲將來函錄誌如次（除將信內若干簡筆字改正外，一字不易）：

『××××：最近三廠海關邊上的炸彈案，你們在海外大概也聽說了，幹部、公安人員、檢查員死傷了幾十個，眞是大快人心，老百姓無不稱快。這些瘟神平時作威作福，活該有今天的報應。我們這裏剛一得到消息，馬上有人站出白頭帖，說「炸得好！炸得妙！炸得呱呱叫！」

中山現在到處都有中國青年反共革命行動委員會散的傳單，一般幹部也檢了起來放在口袋裏。有的傳單說可以保證安全，於是做賊心虛的幹部就拿牠來當救命符。看他們眞是一付可憐相。

據說海珠、開平、恩平等縣的民兵，悉被反共革命行動委員會掌握了，要搞暴動，各縣委武裝部想收回槍枝都收不回，現在不知怎麼辦才好。好幾個上面派下來的專職民兵幹部被黑槍打死了，開槍的人找不到。

你們在外面有什麼新消息？如有，不要寄信，可在下次有人回來時口風帶給我們。隨信寄給你一些傳單標語，讓你知道一下故鄉的變化，人心是大不同前了。此致敬禮！

××手啓八・九』

「自由安全證」係「中國青年反共救國團文化工作總隊」所出名散發，兩面油印，其背面尚印有如次文字：

『一、蔣總統已下令國軍展開反攻大陸行動，並控制重要港口，準備向內地挺進！

二、爲便利同胞與國軍取得聯絡，特寄發此證，以便爭取自由及保障安全。

三、執有此證者，可享受下列權利：一如爲逃避共匪殆害，抵達自由地區時，可獲得本團當地組織的接待。二如欲設法投奔自由及希望獲得糧食衣物接濟時，可以化名來函要求，即得幫助。三國軍到達時，出示此證，可作爲反共證明，獲得安全保障。四爲加速消滅共匪，希望即以本團名義，稍極聯絡反共青年，建立反共組織，在國軍未到達前，策動匪軍起義，破壞匪軍交通，報導匪區情況，佔領重要地方。在國軍到達後，支援國軍作戰，肅清潛伏匪諜，推翻匪僞組織，重建地方政權。大家的政治地位，由本團中央負責。

四、本隊聯絡處爲：（原件被藍色墨水筆塗去）』

又兩單面油印之傳單，均爲「中國青年反共革命行動委員會」所發，其一云：『糧食在那裏？在中共的倉庫裏。我們要用行動去開倉分糧，救濟老弱婦孺。』其二云：『八月革命行動——燒廣州黃沙倉庫，炸石角檢查站，炸寶安人民銀行。人是民求生存，爭自由的示範行動。』（敦）

立法院報到的鬧劇
有人漏夜趕「科場」

（本報記者台北航信）九月一日是立法院開始報到集會的第一天，大清早就出現了一種素來罕見的場面，在該院財委會門前表演頗爲精采。原來立法院設有各種委員會，以便審核各項議案的，在各色各樣的委員會中，皆設置有召集人數名，每一會期，照例要改選一次。財委會是主持審核政府各機關的預算收支事項，願意參加的委員特別踴躍，規定全部委員名額共爲九十人，而報名參加的多在百人以上，因此，即以委員報名次序爲基準，滿足了九十人便告截止，後來的祗好向隅了。

凡是熱心參加財委會召集人競選運動的委員，事前就得糾合若干同志或同道們，及早前往立院報到，以免有落後之虞。本屆競選財委會召集人的立委有四位，即舊任的杜均衡，以及新起的于錫來，劉全忠，謝建華是也。他們各有一部分羣衆，爭先恐後的於九月一日未黎明之前，相率馳赴立院財委會報到處門口等候，到午夜四點半鐘，人數已到達九十人的飽和點了，而東北籍立委劉全忠纔倉皇趕來，然已額滿見遺，他是要競選召集人的，如果報名不上，根本就失去了競選資格，關係非同小可。他臨時情急智生，乃從偏門搶步走入人羣的前頭去，登時引起其他挨次排隊的同寅們譁然不平，敎他遵守秩序，他當然不服，如是由互相爭執、吵鬧、拉扯，情勢洶洶，最後把財委會報到處的桌子亦搞翻了，桌上的墨水瓶倒潑，以致濺污到某委員的身上，情況十分緊張而險惡。此時競選人之一的于錫來，覺得太不成體統了，乃首先登台聲明他不忍觀此不良現象，決計退出競選行列，讓給熱中朋友，藉保立法院的聲譽，說來甚爲動聽，其他的杜、謝、劉三位，也祗好跟着聲明不競選，而一場風波，表面幸告平息，但幕後一定另有文章，只看如何演變發生而已。（鏡雄）

古巴赤化前後判若霄壤
國民平均收入減少逾一半　吃的較百年前黑奴還不如

（本報華盛頓航訊）接連發生聳聽新聞的古巴，是著名的「糖之國」，靠糖維生，以往每年最少生產五百萬噸，以特惠價格輸往美國，每年可得五億美元。三年半前，卡斯特羅上台把古巴赤化之後，糖產一蹶不振，據古巴經濟部長著名共產黨人捷華拉說，今年糖產最多能得四百萬噸，因爲這些糖不能再輸往美國，估計僅能賣得三億三千六百萬美元。這比之未赤化之前的一九五七年，減少了百分之四十七之多。

未赤化前的古巴，經濟情況之佳，在拉丁美洲中佔第二位。一九五七年古巴國民平均個人收入，達三百七十四美元，現在則降低爲一百八十五美元，銳減百分之五十還有多，在拉丁美洲二十國中，成爲最後七名之一。

古巴除糖產之外，以往在若干製成品方面，均能自給自足，特別以汽油，香烟，肥皂爲然。赤化以後，因爲這些工廠都收歸國營了，產量大減，工廠亦由以往的盈餘變爲而今的虧損。好像肥皂，從前年產達五萬噸，另產洗滌劑一萬噸，現在的實際產量不淸楚，所知者爲肥皂亦在配給之列，每人每月得配一小件肥皂，每二個人每月得配一小包梘粉，距離夠用差得很遠。

以往，古巴的糧食生產可以自給百分之七十，赤化之後則最多能自給百分之五十。至古巴六百四十萬人，雖然還不像中國大陸的鬧饑荒餓死人，但大多數人民已經吃得很壞，則是事實。曾有人把一八四二年西班牙統治古巴時的情形與而今赤化了的古巴情形相比：那時候，法律與習慣規定，雖從非洲來的黑奴，亦保證每天可得肉或魚八安士，米四安士，油十二安士，蔬菜四磅，而現在，古巴人每天祗獲配肉或魚三安士，油半安士，米三安士及蔬菜八安士。而由於國營商店東西少，要購得不容易，商店八時開門，主婦們卻於晨三時便往輪候，往往結果是尚未輪到便宣佈已經賣完。

迄至本年五月的統計，古巴赤化三年多來，逃出古巴的人，已超過二十萬之數。這些人多是中產階級，其中有若干從前曾思想激進，嚮往「社會主義」，可是嘗受了赤化的滋味之後，乃實行逃亡。其中比較重要的計有：（一）在全古巴五千個醫生中，已逃出的有一千三百人，（二）一千八百名藥劑師中，已逃出的爲三百人，（三）七百名農業工程師中，已逃出三百二十人，（四）八百名土木工程師中，已逃出三百五十人，（五）五百二十名電氣工程師中，已逃出二百人。

但據美國新聞界的看法，除非有相當大的力量從外面打進去，卡斯特羅那個政權仍可以有效的統治古巴，即使古巴人民十分痛恨那個政權，也祗能心誹腹謗，而無奈他何。美國人現在開始明白，一個擁有槍支刺刀而又絕不猶豫使用槍支刺刀於鎭壓人民的獨裁政權，要人民從內部起而反抗以推翻它，是不切實際的想法。（從）

香港風災災民
增至七萬五千

（本報訊）本月一日「溫黛」颱風肆虐香港，釀成重大損失，據官方截至五日下午五時所公佈，死亡，失踪及災民之數字續有增加，茲誌如次：

（一）死亡者一百二十七人——其中港島十三人，九龍十七人，新界九十七人。

（二）假定死亡者八人——其中港島一人，九龍三人，新界四人。

（三）失踪者五十三人——其中港島四人，九龍五人，新界四十四人。

（四）無家可歸者七萬五千人。

按在新界之九十七名死亡者中，沙田即佔七十八人之多。

按又上列數字，亦尚非最後的。至於此次風災之財產損失，官方尚無統計發表，非官方則有估計超過十億港元者。（信）

龍劇轟動歐美實況紀述（一）

自編自演・石破天驚

仲偉

去年七月三日，我國參加世界道德重整運動工作團，由何應欽將軍，董顯光先生，胡軌先生等，率領了五十位優秀青年前往瑞士柯峯道德重整總部，接受爲期兩個多月的生活訓練。他們自從七月六日到達MRA訓練中心起，至七月十九日止的兩週期間，爲了宣揚中華民族悠久的歷史和燦爛的文化，爲了報導共匪在大陸上所施行的共產暴政以及大陸全體同胞所受的痛苦實況，爲了阻止泛濫全世界的共產匪禍，藉此引起世界的醒悟與同情，一致起而協力撲滅爲禍人類的赤燄蔓延，以及爲了將共匪欺詐殘暴統戰的伎倆向世界宣告，這羣深受匪禍迫害的青年，基於救國救世之心，特於七月二十日，編出了定名爲「答案」（The Answer）的二幕四場的話劇；七月二十七日起，由董顯光先生將劇本譯成英文；八月一日開始排演；八月四日夜彩排，由雷諾士和湯姆肯乃迪兩人導演；八月五日晚於柯峯首度演出，布克曼博士親往參觀，到有二十三國代表七百餘人在場觀劇，均大爲感動，因此謝幕竟達四次之多。劇終之後，「安柯」之聲歷久不歇。八月七日起，正式對外公演。由於劇情眞實，表演生動，感人至深，全場均爲之泣下。當時英國，伊朗，義大利，非洲等國代表，紛紛邀請前往公演。但那天，最不幸的是MRA創始人布克曼博士，於該晚十時一刻在德國南部黑森林區之福利登斯達市因心臟病逝。及後日本代表建議我國青年所演的「答案」話劇，爲了紀念布克曼博士推行MRA運動對世界的貢獻，將劇名改爲「龍」（DRAGON），以作永恒的紀念。這就是「龍」劇誕生的由來。

中國青年帶同着他們自編自導自演的「龍」劇，爲欲達成一個崇高的理想，會橫掃歐美大陸，向共產黨及與共黨携手合作的妥協份子展開熱烈生動的思想戰鬥。這一年來，他們先後在瑞士，丹麥，挪威，瑞典，西德，比利時，荷蘭，以及美國，共演出一百八十七場，吸引了三十五萬觀衆，在電視和廣播中欣賞龍劇的人，約有二千萬人。由於龍劇在歐美各國的演出，我國青天白日滿地紅的國旗會飄揚在波的尼亞灣，波羅的海，芬蘭灣，加里灣，北海等隣近鐵幕的地方，在對匪俄思想戰鬥中，贏得了一次輝煌的勝利。也由於龍劇的演出，使西方國家進一步認清了共匪猙獰醜惡的面目。這都是所有參加工作的每一位青年的功勞。

「龍」劇在瑞士魯城，瑞茲，阿爾多，沙嶺，史坦市，聖加倫演出時，受到民衆熱烈的歡迎，各地首長出錢支持演出，軍隊出動卡車支援運輸和提供營房，讓龍劇工作團住宿，營造商捐獻木材，人工在各地足球場搭蓋大舞台供龍劇演出及民衆觀賞之用。瑞士鐘錶大王洛山損，還贈多裝給團員們禦寒。

由於瑞士民間及官方對龍劇熱烈而友好的反應，克里姆林宮藉他傳聲筒——「塔斯社」，對MRA展開激熱地攻訐，瑞士駐北平及莫斯科大使，也親自返國往訪聖加倫市某工業家，施加壓力，欲阻止龍劇上演，而瑞士聯邦政府的某些官員，爲了怕事，也跟着對MRA採取敵對的態度。但共黨的努力，卻歸於無效，反而激起民衆的憤恨，使龍劇更加贏得瑞士各地廣大民衆的支持。各大報紙爲了民衆喜歡龍劇，都競相刊登龍劇的消息。瑞士最有影響力的天主教祖國日報在社論中說：「在非洲南美及世界各地的國際共產黨，派了大批的中央匪幹從事滲透與顛覆的工作。在思想型態鬥爭的歷史上，自由中國的大軍現在首次出現，帶來了對付共產主義的答案，這才是眞正的中國之聲」。英國名政論家彼德霍華對瑞士人民給予率直的激勵：「瑞士是第二個承認中共政權的國家，現在應該變成第一個接受自由中國經由MRA所帶來的答案的國家」。錫蘭反對黨領袖，前財政部長吉野華德看了龍劇後說：「以前我以爲台灣是難民收容所，現在我瞭解自由中國是偉大的國家，有偉大的意識型態。」

天南風光——古晉的公園——

朱淵明

如遇星期六下午演奏音樂的時候，公園裏就特別熱鬧了。

這週末演奏音樂的舉措，據說在戰前卽已如此，實屬一種善政，極能吸引遊人，更增加了公園的無限風光。無論青年男女，老年夫妻，尤其是少年兒童，莫不以週末到公園聽音樂爲樂。執行演奏的是政府警察銅樂隊，他們奉令每週演奏，市民可以毫無代價的傾城而聽。這樂隊的隊員及指揮，多是馬來人，制服絢爛，樂器精靚，有時他們列隊遊行馬路之時，眞是萬人空巷，屏息而觀，尤其當那鼓手在一個拍子交替之際，將那鼓捶迴環旋繞一週的當口，那種輕靈的動作，美妙的姿式，更能迷人心絃，有若干小孩子看了之後，都對媽媽說：他將來長大了也要做鼓手哩。

公園奏樂，是在西式涼亭中舉行的，雖然不臨水涯，並無水的迴壁那麼幽韻，但四面均屬草地，而背景又係丘陵斜坡，則樂聲四達整個公園，也仍覺悠揚宏壯，沁人心脾，於是一般小孩子，眞個手之舞之，足之蹈之，不自覺的跳跳蹦蹦起來了。

古晉雖說到處都有私家園，但自然仍需要一個像樣的公園，尤其是在巴煞人口逐漸密集的狀況下。這所公園，並非很不好，只是尚缺人工佈置。如說草地開朗，在都市中原屬難得，可是置於古晉的草地實在太多了，市民不愁沒有綠色素的眼福。若果這個公園放在香港，自屬不錯；但即使放在香港，也比不上兵頭花園的曲折與美觀，最多只能與維多利亞公園相擬罷了。然而維多利亞公園雖說樸實無華，可是那許多運動場——如足球場兩三個，籃球場七八個。（二）

公道篇

亞洲環境的民主政治問題（二）

這個問題的解答，且以巴基斯坦現任的統治者阿尤布爲例：

一九五八年十月七日，巴基斯坦總統米爾查宣佈取消一九五六年憲法，下令解散國會，阿尤布將軍被授權實施軍法統治。當時尼赫魯指責這個新政權是『明顯的軍事獨裁』。但這種幾乎流於慣性的惡意批評，不久卻有着不同的事實，使攻訐者慚愧。美國「新聞週刊」專欄編者哥頓、海恩納曾著文介紹說：「他的政府最終目標是恢復民主，但必需在人民均能瞭解民主，運用民主時爲之：阿尤布擬定一項方案——基層民主政制，俾使平民熟習選舉的眞義，他在該方案實施之初，親身遍歷全國各地，爲人民解配有關問題。」且「他在掌政之頃，卽明白宣示：「在政治、社會、經濟、及行政上的紛擾現象肅清後，軍法統治卽予解除」。結果，巴基斯坦在阿尤布掌政一年以後，物價日趨安定，外匯與輸出增加，商人不怕貪官污吏，而成百萬的巴基斯坦人湧向各處選舉事務所，作他們有生以來第一次的投票，選舉地方委員會代表……委員會將取代各級地方政府的任務。這一種方式的民主，顯然不是西方式的民主，但這是一種更接近民主方式的民主政治……」現在，在巴基斯坦，「人們在街頭可以輕易地發現巴基斯坦人臉上流露出那種驕傲與充滿希望的神色，甚至最卑下的農夫，也昂視濶步。」

阿尤布之在巴基斯坦統治，曾被攻訐爲軍事的獨裁政府，但今日他的政府不獨爲治下的巴基斯坦人深感驕傲，且亦爲西方人讚揚。阿尤布公開向盲目擁護民主自由的理論者說：「民主政治是一種生活方式，是一種修養的表現，一種由公民責任感所產生的思維方式。民主政治不能硬性做行，祗是慢慢茁長而成。」

事實上，今天亞洲國家還有若干殘餘的王朝，受過殖民地主義的創傷，遭受內亂頻年征戰的蹂躪，貧乏、疫疾、天災、民智閉塞、技術低落，不斷在交相困擾，還加上共黨陰謀的顚覆和暴虐的威脅，亞洲有這麼多的內在危機因素，要走上理想的一如西方施行的民主自由的法治社會的軌道，還需假以相當時日才有可能……要建立一個健全的社會，不能單憑理論的書本去建立，最要乃係憑賴社會實際情形而建立。因爲這才適合一時一地的需要，符合一時一地人民的願望，而後稱得上是民主。否則，祇知放言高論，卻避開人民實際生活環境不談，也不顧存國家民族的處境，這種偉論，站在實際政治的立場，就成爲幼稚與淺薄。

虛君續夢

第六回：烽火照邊陲　樓船橫瀚海　同惡難濟　大憝興悲

由於人心不安，謠言四起，尼赫魯也急得晚上睡不着覺，一連召集內閣閣員開了幾次會議，初步決定向中共抗議，索還俘虜，另外向蘇聯呼籲，請赫魯曉夫主持公道。

財政部長德賽說道：「目前時機如此危急，我們能不能向東南亞公約國家呼籲支持呢？」

尼赫魯一聽說要向東南亞公約求援，簡直比挖了祖墳還惱，拍桌子說道：「寧可讓中共吞了印度，都不能向東南亞公約求援，中共想吞印度，還不是一朝一夕的事，也許要等到我死後。可是，若向東南亞公約求援，我的亞非領袖地位馬上就完了，這個關係何等重大，你們想到沒有。」

梅農說道：「我看總理到不如直接去封信給周恩來總理，請他下令退兵似乎還比較妥當些。」

尼赫魯說道：「這個辦法也不妥，中國是亞洲國家，我是亞非領袖，周恩來不來找我，要我去求他，未免太貶低我的身份了，老實講當代除去艾森豪威爾及赫魯曉夫，沒有任何人再能蓋任我，要我去求人是作不到的。」尼赫魯說過磕磕小烟袋，又閉着眼沉思去了。

潘特說道：「我看目前唯一可行之道，還是向赫魯曉夫求援，只有他才有權力制服中共，其他任何辦法都是空談。」

尼赫魯睜開眼看看梅農，說道：「你告訴外交部起草一個抗議書送給中共，要他們交還俘虜，賠償損失，並保證以後不得再有同類事件發生。」

尼赫魯說過就宣佈散會，回到辦公室裏親自起草一封長信，向赫魯曉夫呼籲，信中先說自己首創的中立政策，大有助於共產集團，並列舉一連串的事實，證明自己如何爲共產黨的和平而奮鬥。其次又說到對中共的協助，如力排衆議邀中共參加亞非會議，歷次支持中共加入聯合國，現在中共不念舊情，肆行侵略，有意推倒他的政府，假若他垮了台，政權也落不到共產黨的手裏，代之而起的將是一個純粹的親西方政府，對蘇聯，對亞洲都是不利的。

尼赫魯本是寫文章的能手，他曾寫過「印度的發現」，專門將無作有，顛倒黑白。這封「陳情表」比較「印度的發現」寫得還要出色。

給赫魯曉夫的呼籲書發出去之後，赫魯曉夫尚未回信，中共的回照卻來了，中共的照會是答覆印度的抗議，首先中共不承認這場戰事，是中共軍開釁，理由是中共軍並無傷亡。因爲印度軍在進攻，所以死傷被俘達到二十人之多。希望尼赫魯約束部下，以後不得再有犯事件。同時附了一個清單，開列中共軍此次損失彈藥數目，本來應由印度按市價賠償，現在念在兩國友好關係上，也不再追究。

最後說到死屍九具，活口十一名，願意交還，要印度趕快派人去領，再遲屍體發臭，卽將代爲掩埋，以免傳染疾病。

印度外交部把這份覆文發表之後，印度眞是舉國大譁，新德里，加爾各答，孟買幾個大城市市民又起來包圍中共「大使」館，「領事館」去擲石頭，但這都無補於事，尼赫魯還要忍辱派人去領回活人及死屍，這一段時期，印度全國鼎沸，人心陷於崩潰境地。幸而赫魯曉夫忽然出面干涉。

（一三三）

憶玄軒雜綴

小曼二嫁（續）

談到小曼的三嫁，初為王賡，繼則志摩，三投瑞午。她父名定字建三，常州望族。民初，任財部參事，與孫仲山組織大中銀行，財政金融兩界薄有名。小曼初與王賡結婚於平市北京飯店，志摩為儐相。王是保定陸軍炮兵科卒業，後任稅警總團長。民廿一，改編為八十八師獨立旅，參加戰役。在一二八戰事，曾因便服赴滬，不慎被日軍所獲，幸未暴露身份而保釋。傳言其在禮查飯店遺失軍事地圖，實是謠諑。後於抗戰時，因公死在開羅。小曼以王為武人，不樂之，結褵以後，感情不融洽，及識志摩，不覺傾倒。志摩亦驚小曼為天人，於是愛眉小札開始。志摩為硤石徐申如之子，原娶嘉定望族張幼儀為妻，民十一年三月，他向幼儀提議離婚，理由是他們沒有愛情，沒有自由，將以自由之償還自由，彼此可重見生命之曙光，不世之榮業。彼此尊重人格，止絕苦痛，始兆幸福。結果幼儀許可。而其父申如不允，仍認為其愛媳。斷志摩接濟，因此不得不在清華，度其清苦生活，用來供養他的「愛眉」。徐陸在北平中央公園結婚，王賡亦來道賀，毫無嫌言，彼此仍歡洽如舊，亦為異事。

小曼因北都撤治，隨父南歸，先在同孚路口雲裳時裝公司，大露身手，聲名大噪。以熱情接近學生，以清雅服務閨門，生涯鼎盛。因為慶祝天馬會成立，唱戲兩夕，小曼必欲唱奇雙會玉堂春，唐瑛的趙寵，以程學不及，擁蕭振飛。振飛以羣英會同學，始薦翁瑞午。瑞午為桂林知府翁印若之子，雅歌集的名票，崑曲小生，皮黃青衣，皆精嫺之。尤有絕技，會推拿按摩，是丁鳳山嫡傳，小曼偶有不適，常為推拿按摩，手到病除。也不問羅襦祖裼，妙手試摸，亦無顧忌。更藉補氣為由，以阿芙蓉勸小曼試吸，一榻橫陳，隔燈並枕。芙蓉軟榻，袒為接近，志摩以為只能談情，不能說愛，總之。某日，為吸烟事，丟擲烟具，誤碎志摩的眼鏡，他即怒而返平，罹比大劫。

在萬國殯儀館殮葬志摩，靈前哭倒兩人，一是張幼儀，一是陸小曼。而弔者無形中也分成兩邊，有個鴻溝，其好友多不忍看而去。小曼新舊文學有修養，自徐去世，始終素服，買了愛眉小扎的版權，每日以鮮花供在志摩遺像前。但她離不開瑞午。瑞午也變賣書畫，來供小曼的芙蓉癖。只要她開口，他無不為其辦到，因此芳閣之中，成為文友的聚所，無非借曲澆愁，以度其寂寞的暮年。

有車為貴

燕謀

在如今的世界中，有車為貴，「車」見人高一級，人則見車生畏，談車色變。祇要牠是車，不管牠是什麼車，步行者遇「車駕」來時，非得恭讓不可，否則牠將毀傷你，送你回老家去矣。或曰：「應該是車讓人，怎麼是人讓車了」？但他不知「人為萬物之靈」，靈者，靈巧也，人豈不該讓車乎？至於車為貴而人命為輕，也就說不得了。而今人讓車，已習以為成文之法了。不管你是誰，祇要你徒步當車，則在「車駕」光臨之時，總得「逃而讓之」，以便其能疾馳而過。當然，就憑車的噴烟氣勢，及牠掀起的灰塵，車已夠其威風的了。如果是下雨天，泥漿四濺，也會使你驚而避之，「市虎」之狠，蓋在斯矣。

在車的世界中，當然也有階級之分，起碼代步的是腳踏車，要讓三輪車，三輪車要讓公共汽車，公共汽車要讓小轎車，商車要讓軍車，軍車要讓「賓」字號「特」字號的車。車的階級愈高，不但不讓行人，而且也不讓行車。

踏三輪車的朋友，本也是窮光蛋之儕，生活是夠苦的了。然而有些朋友，當他搭上顧客在他的車上，往往就不同凡響了。不管你是誰，祇要你是「安步當車」的人，你總得讓他的駕，不然他老遠便按着響鈴，擊着煞車，儼然「廻避」命令了。而如果你竟不讓牠，你的「步」也就不能「安」了，奈何奈何！

神秘與得意

汶津

世間許多不相干的事，可以綴結為友伴。少女時代的心情，也許和一朵含苞欲放的花的姿態有相似之處。神秘？那是不可言喻的。我不知道「少女」一詞的最佳解釋是什麼。「神秘的年齡加煥發的青春」嗎？至少，請不要忽視了她們內心中那一種難以名狀的——得意或矜持。她們知道：自己對世界正擁有一份吸力，而這股吸力的最大來由還是神秘。

那是生命的神秘。我們常用「欲蓋彌彰」的成語來描述一些自寶的故事，其實，如果用它來說明神秘與得意的微妙關係，一定會更[illegible]得多。神秘是絕對的嗎？世上如果真有「絕對的神秘」，也根本不使人無從知悉它的存在。而真正的神秘都不免有些「欲蓋彌彰」的性質。使人可捉摸而不可捉摸，可想像而不可想像，恍兮惚兮，是耶非耶，這就成了「衆妙之門」。在客觀上構成了「神秘狀態」，在主觀上卻萌生了潛意識般的得意心理。

推廣到世情的各方面，政治也好，新聞也好，神秘中每有得意的成份；神秘人物總是值得自負的。東洋的天皇或西洋的公主不用說，等而下之，黑社會首領到底什麼模樣，也是足夠讓一些有偵探小說癖的君子們尋味的。世界愈變愈複雜，神秘早已不是神鬼們所能專利，因此無所為而神秘的精神，在今天也已不容易發揚光大了。

自己的大著放在書店裏或報攤上，有讀者焉，肅然捧讀。你在一旁故作漠不關心，卻不禁暗地計時一番。最好是對方還向你表示一點意見：「這人寫的東西不錯，嗯，饒有意思！」你為了表示「大公無私」或謙虛，不免裝出超然立場，皺一皺眉說：「還過得去就是了，也不見得太了不起。」這時若對方放棄二度發言的權利，也就罷了；若仍覺意有未盡，甚至有點激動地為他所敬重的作者辯護起來，那就更妙了：「唷，你先生口氣倒不小，你倒指點指點看哪裏有什麼毛病，也好讓我開開眼界。」因為你和他總算是初次見面，雖然意見不合，還不得不客套一半。你心裏當然已喜不自勝，但仍不肯中途放棄你的神秘遊戲於是像煞有介事的指出某詞某句用得不安，某篇結構鬆散，甚至指出一兩處手民誤植的標點來加以評論，使對方目瞪口呆，或許還為你的批評才能所折服，竟請教起你先生是否也是「圈內人」來。此際若你不願你的神秘術被他拆穿，不如說一聲：「我還有事，改天再談。」然後揚長而去。但如果你較願接受你的崇拜者的當面致敬，倒也不妨隨手摸出一張印明某某書作者的名片來，讓他一瞥之下，六神無主。這麼一來，你的得意之情準可以繞樑三日而不絕了。只可惜這樣的機遇不是人人所能碰到的。

莎士比亞劇本中的女扮男裝，常是作者的得意傑作，也足以使讀者或觀衆享受一番神秘的樂趣。在軍中就了幾月，我常懷疑木蘭當年怎能代父從軍，立下汗馬功勞而從來不曾被人拆穿的。這真是件神秘到不可思議的事。她的才智一定是超人的。尤其當她回家「著我舊時裳，當窗理雲鬢」之後，再「出門看伙伴」時一刹那間，心中一定是充滿了女性最高度的得意感。這比起「策勳十二轉，賞賜百千強」來，該是更痛快，更過癮的事吧。

可是故作神秘而那種藝術造詣又不甚高明的人，要想得意怕也得意不起來。神秘常是天然條件（如外人的氣質、稟賦）外加主觀的佈弄所造成的。「色不迷人人自迷」，用來喻明神秘感的產生，也可以有幾分生效吧？神秘常由好奇心反映出來，也往往和無知有關。那麼，翻過來想，導源於神秘的那份得意，不也有些虛幻麼？

造物者所擁有的神秘，世人能比匹於萬一嗎？但祂不必覺得得意。須非勒斯峯的神秘是由於它的高，秋毫之末的神秘是由於它的微，如果說造物的神智無所不在，對於祂，這些都是了然無奇的。而謎底揭開之後，製謎者的微笑常會顯得如此短暫。因為人為的神秘畢竟有限，陽光底下藏不住醇濃的奧秘；而得意也會被時間無情的沖洗，到頭來不免失之交臂。如果能坦然些，能克己些，也就少受些幻滅的痛苦。

海嶠墨談

讀史卮言（五）

諸葛文侯

「辛壬春秋」作者認定盛宣懷的鐵路國有政策，是傾覆滿清王朝的重要因素，所以他在原著「四川」篇中，敘述四川紳民抗爭川漢路修築權的經過情形，極其詳明，而以當年巴蜀各地民衆藉「保路」名義，鼓起反抗政府的革命運動，視為單純的官民爭利問題，說是：「川省僻在西南，交通阻絕，素無同盟會黨踪迹其間，徒以激於冤忿，揭竿而起，故亂逾月而省城不陷。及武昌兵起，大江南北踵迹獨立，川人始實行革命矣。」是沒有妥當性的。武昌之變，就不是由爭路問題而起。事實上，大清政權已經變成了一部腐銹的爛機器，沒有絲毫生產能力，稍加震撼，便要分崩析離，無可挽救了。這就是我認為作者缺乏社會科學知識的證據，因而他在「四川」篇中的紀述，亦復矛盾孔多，既說四川省素無同盟會黨份子潛在，又謂尹昌衡「本激烈黨人」，更指稱：「昌衡日本士官學校畢業，當成都未獨立，與黨人董修武、王琦昌、周炯伯等，分率同志攻省城。」且同盟會份子張培爵、楊庶堪、謝持等人，先於成都獨立而在重慶起義的事實，亦為作者所承認的。即可見「川亂」之所由來，並非單純的保路問題了，保路是促發革命的果，却不是因。

在「四川」篇中，我們瞭解了今猶健在的前「四川提法使」周善培（孝懷），當年對於「川亂」的一樁公案，即周氏竭力否認他曾有唆使川督趙爾豐誘捕川紳蒲殿俊、羅綸等人，且以武力對付請願的民衆這回事，吾友左舜生先生最近在報刊上評論近代史事，亦替周善培有所洗刷。然據「四川」篇所述：「初提法使周善培以川人罷市，詣股東會調解，會員詈之，幾遭毆，狼狽返，恨甚。至是與巡警道王棪，候補道饒鳳琪密謀，勸爾豐捕首要定亂。庚辰，遂捕羅綸、鄧孝可、蒲殿俊、顏楷、張瀾、江三乘、葉秉誠、王銘新等，集司道環訊之。」後來清廷將此案交由帶兵入川戡亂的端方查覆，端覆奏屬實，即詔奪周善培與營務處總辦田徵葵等一干人的官，分別加以處分，而將被捕諸人予以省釋，詔令中列周氏為首名，指其「輕躁喜事」。端方入川後，暫駐資州，旋清廷命令他署理四川總督。如是周氏大懼，趙督亦失意，周乃「慫爾豐遣人監視沿途郵電不為達，更致書端幕，以爾豐嚇端方，端懼甚，乃遣隨員劉景沂，弼良（滿人）赴成都調爾豐，爾豐以川局逾危，已釋前嫌，囑速來……端方仍猶豫。田徵葵等更假弼良名電端方以北京失守，兩宮幸晉，詔率鄂兵入陝勤王，端得電大哭，即以牛酒犒軍，傳令北上。」「嗣以鄂軍不願赴陝譁變，端方亦被戕，端的性命，可說是送在革職官吏周善培等人之手。觀此，周善培等先行封鎖端方的郵電通訊，使其不知署理川督之命，繼又捏造北京失守的電報以恐嚇端方，使他率軍離川，用意就是害怕端方接任川督，對周等將有大不利。這類主意與作風，恰與周善培之平日為人相脗合，我認為是可信的。

劉璈抗法前部署

·李仲侯·

前經兩咨委催，僅解一萬，即使奏請指撥，未必遂能應手。而值此搘柱萬難，自亦不能不請。前次奏准由閩海關，滬鹽兩庫酌量撥用，實已撥用若干？究能支持幾時？如何不能兼顧台灣？該司務即詳細查明，將台情形切實聲敘，應如何請撥請減，尅日會同善後局司道，詳候察核無奏，一面飛移台灣劉道，外省協餉不足深恃，務須實力妥籌，撙節動用，免致缺乏之誤潰。」劉璈本因台防緊急而請求各省協餉，所得結果如斯，寧不慨歎。至後來沈藩司咨復，亦僅敷衍了事。台澎周圍三千里，劉璈分五路籌防，東拼西湊，臨事招募練勇漁團，始勉強達成二萬之數，故他說：「各路制兵除練兵一千數百名，餘均難靠」。至台灣兵營積弊已深，糾正為難，他在光緒九年十二月即曾詳明：（十二）

內僑警台報字第〇三一號內銷證

自由報

THE FREE NEWS

第二六九期

中華民國僑務委員會頒發
台敎新字第三二三號登記證
中華郵政台字第一二八二號執照
登記爲第一類新聞紙類
（半週刊每星期三、六出版）
每份港幣壹角
台灣零售價新台幣弍元
社　長：雷嘯岑
督印人：黃行審
社址：香港銅鑼灣高士威道二十號四樓
20 CAUSEWAY RD 3RD FL
HONG KONG
TEL. 771726　電報掛號．7191
承印者：四風印刷廠
地址：香港灣仔高士打道一二二號
台灣分社
台北市西寧南路壹叁柒號二樓
電話：三〇三四六
台郵撥儲金戶九二五二

「姑息」的一課

·方　南·

看最近國際局勢，赫魯曉夫正在向甘廼廸着着進攻，在幾個據點上面施展强大壓力，可憐「形勢仍比人强」的美國，竟連退守也顯得手忙脚亂，更何論乎「圍堵」？甘廼廸何以顢頇至此，美國何以如此不濟？一言以括之，「姑息養奸」應有的果報而已。

就整個共產集團來說，最近形勢並不算好。中共正在鬧窮鬧饑荒，蘇俄農業生產和從前一樣失敗，東歐共產國家仍在鬧糧食缺乏。赫魯曉夫並不能憑兩個升空成功的太空人去嚇倒美國呢！他敢於選擇這個時機向美國大施壓廹，當然必有所恃。這是恃在「明瞭敵情」，自信業已摸清了甘廼廸的底牌，澈底了解他的性格與作風（不管對與不對，赫魯曉夫是憑這種信心去擺出大舉出擊的姿態的。）

共黨五路進攻

在目前，共產集團至少在五個據點展開攻勢。這是在寮國使用僞裝中立的騙術進行兼併；在南越繼續擴大進攻（美國援助南越政府的抗共鬥爭，不論其規模大小，終竟屬於消極的防守性質）；在印尼假手於蘇加諾以實施「統戰」與「造亂」的惡毒策畧；在柏林向西方國家發動最劇烈的挑戰；在古巴作史無前例的進軍。他在五個地區作五種方式的攻擊，有陰有陽，有明有暗，有剛有柔，多釆多姿，亦兇亦狡，而美國乃似伈伈俔俔，束手無策，這的是當代的悲劇歷史奇蹟，創立了弱可暴强，盛反成衰的紀錄。

但這不是無因而至的。人必自侮，而後人侮，美國執政當局既示敵以可欺，敵人如不欺他才怪呢！

我們試作冷靜的觀察，當知甘廼廸自從開始執政到現在，至少犯了三次重大錯誤，由這些錯誤暴露出來的缺點，業已供給赫魯曉夫以足夠的資料，使之據以判斷美國的民主黨政府爲可欺。正因如此，他才敢悍然宣佈古巴爲蘇俄在美洲的保護國，不惜公然披甘廼廸之頰，作十分大胆的越洲大躍進。

美國三大錯誤

廻溯甘廼廸所犯的三大錯誤，我們可作如下的分析：

一、在甘廼廸登位之初，古巴反共戰士曾實施一次反攻登陸戰，結果是失敗了。這無疑是甘廼廸政府願予支持的一次反攻行動，但竟如曇花一現，騰笑國際，這裏面當然潛伏有兩種因素：一是美國新政府的決策人物發生不協調的可悲現象，以致在策劃上、支援上、保密上，都埋伏了失敗的種子；二是甘迺迪在舉事前作了輕率的判斷與決定；在發覺了事情不對時，又沒有表現出貫澈執行原定計劃的決心與勇氣。基此，我們有理由作進一步的推測：蘇俄間諜人員對於美國這一次失敗的實際情況，已有深入的調查，提供赫魯曉夫以縝密檢討的上好資料。這樣，赫魯曉夫才得據以判定甘迺迪性格上的缺點，及其身邊智囊團所能給以影響及制衡的程度，進而毅然對古巴再作深入而穩定的控制。

短視自欺欺人

二、甘迺迪要建立一個中立的寮國，由一個「聯合政府」來執立中立政策，是一種無視客觀事實，出賣盟友利益，放棄堅强反共立場，屈從蘇俄意旨，試圖欺人而兼自欺的愚昧行動。據他自己的解釋，也無非企圖藉此試驗蘇俄對於維持和平的誠意而已。這在赫魯曉夫看來，他已明顯地表現出他是可欺的，在釐定政策的傾向上，也是近於妥協與姑息的。這分明是有隙可乘，給赫魯曉夫以又一强烈的引誘。

三、甘迺迪政府對於所謂「中立主義者」的姑息與獎勵，當以間接協助印尼攫取西新幾內亞爲一典型傑作，但隨之而來的另一轟動國際事件，便是印尼公然爲共黨張目，接受莫斯科的訓令，在其主辦的第四屆亞洲運動大會中，公然排斥中華民國及以色列，破壞奧林匹克傳統精神，罔恤世界輿論。凡屬蘇加諾所用於這一事件的手段與作風，無一而不合乎共產黨的典型，爲共黨國家所快，自由國家所痛恨的。蘇加諾狂妄至此，分明是受了對西新幾內亞擴張勝利的鼓勵，亦即是受了美國姑息主義的鼓勵，設使他能對美國感恩還好，但他始終要對莫斯科感恩，立即以破壞亞運這一事件作爲報恩的表現。這在赫魯曉夫的全盤計算中當然又是美國敗給蘇俄的鮮明例證之一了。

共黨着着進迫

共產黨老是運用「多方以擾，亟恣以疲」的策畧，廣泛地與不斷地進行疲擾運動，一經試探出某一方面的弱點，和摸準了主要對手在性格上與心理上的缺點，便會更加虛張聲勢，大恣恫嚇，然後集中力量在某一點上攫取勝利，並且巧妙地以放鬆其他方面的壓廹作爲交換條件。目前形勢，大致亦屬如此。

回考甘迺迪對赫魯曉夫所曾表現堅强不屈的兩宗事實：柏林問題，與恢復核爆問題，也祇是退無可退，業已被廹到盡頭的一步吧了。赫魯曉夫偏要針對這兩點，緊緊追廹，壯大其進軍古巴的聲勢，可比項莊舞劍，志在沛公，他祇想恫嚇每事姑息的甘迺迪再放過一次對古巴認眞動手的時機，以便他把古巴抓得更緊，建成一個決不輕易陷落的堅强據點而已。

主攻點在古巴

如上所述，蘇俄在亞歐美三大洲五個據點作多種方式的進攻，最主要的一點仍在古巴。他在警告甘迺迪對古巴縮手，祇要這一警告生效，其他方面的壓力是可以稍爲和緩一時的；但再過一些日子，到了整個拉丁美洲烽烟四起，紅寇縱橫奔突之時，任何方面更大的攻勢都會在他主動操縱之下，突然再起的。

美國人大都着眼在古巴這一赤色基地的軍事威脅，其實蘇俄目前對古巴的唯一意圖是使他不陷落。就目前形勢來說，這地方被藉以散佈赤菌的政治作用尤高於對美國進攻的軍事作用。這是共產黨在美洲擴點成線的第一步，到了連線成面時，美國後門休想有一寸安全的土地呢！

我們不知道美國甘迺迪總統對此將有什麼感想與行動。就事論事，我們祇想找出他爲什麼會被凌廹到這個地步的眞正原因。至於他將來變與不變，和能否看出俄共正在沿用中共從前吞浚整個中國大陸的老法子，着着進行吞浚整個自由世界，便不是我們所能逆測的了。

甘艾伯仲之間

有人曾說，前任美國總統艾森豪在職期間，曾經犯了三次大錯：一是在「不求勝利」的原則上結束韓戰，造成美國戰史一個應勝而不勝的奇異紀錄；二是在英法和埃及爲蘇彝士運河發生爭執的重要關頭，給英法以迅雷般的打擊；三是受了赫魯曉夫當面談判的欺騙與侮辱。如果這一說法不錯，我們試拿甘廼迪在這短短年半間一手造成的三大錯誤作一對比，當不免有伯仲之間，同樣誤國的感慨了。祇不知「姑息的一課」引來的惡果，能否使今後的甘迺迪政府清醒一些吧了！

說起來眞是歷史的悲劇，民主國家一心要避免戰爭，但總不得其法，終於還是要應付戰爭，而且當然不免事半功倍。遠者不論，二次大戰前夕的張伯倫，他如其不以慕尼黑協定去綏靖希特勒，反之當時便嚴守立場，絕不出賣蘇台德區，何來二次大戰？戰後的美國領導者，徒艾森豪到甘廼迪，偏偏就又走上張伯倫的老路去了。

漫畫天下　南施

惹禍上身

這門太窄小了

自由談

改革政風的管見

近代學人朱希祖批評滿清王朝末葉的統治情形，說是「政治經濟無正直指導之人，貪庸當道，政以賄成，國計民生，同歸凋敝。」這話確實搔到了清政窳敗的癢處，指出滿朝覆亡的必然律，不愧爲歷史家的公允裁判。

清朝傾覆迄今，不過五十餘年而已。吾人溯徊往事，記憶猶新，稽考前情，歷歷在目。值此亘古未有的國難期間，中華民國政府播遷於海外扶餘，力圖復興，省覽朱氏之言，眞不勝其氣悲前人，行自念也的感慨心情，掩卷於悒，殊難排遣。

政治上的事情，固然不能盡如人意，亦無法做到十全十美，政府遷移台灣十餘年以來，更不能說是依然吳下阿蒙，毫無成就，當朝人物且不乏幹濟之才。可是，因循貪黷的政風，似乎存在如故，不必枚舉例證，只看看台灣報紙上的經常消息，即「心照不宣」矣！誰爲爲之，孰令致之，這就是最關重要的問題，必須研求其癥結所在，而由當局者痛下決心，用斷腕去螫的手段，澈底整飭，滌盪瑕穢，庶可望早奏復國之功。否則泄泄沓沓，積重難返，將不免有如朱希祖所指滿清政象的局面出現，太可慮了！

對於改革政風的工作，吾輩新聞記者祇能貢獻意見，最多加以批評指摘，此外即無能爲力了。這貴乎當道者一念轉移，毅然別出新猷，轉捩局勢，使一般因循貪婪之輩，無從立足於政壇之上，樹之風聲，做勵有衆，則中興氣象，指日可待。實則這問題亦不難解答，祇要在用人方面，信任一些「好事之徒」，讓他爲公務而橫衝直闖，暢所欲爲，祇要不是營私舞弊，他好大喜功亦無妨，得罪巨室更無所謂；在行政方面，屏絕唯唯諾諾，專投上峯所好的表面工作，不看東扯西拉，自欺欺人的虛僞報告，一切拿事實來作證，信賞必罰，毫無假借。如此而政風不丕變，即請拔吾舌，殺吾頭，以爲妄獻芻議者戒，亦甘之如飴也。

馬五先生

（香港與大陸）

大陸大學祇是奴役場所

一年六次運動二次下鄉　從未有安心上過一節課

最近抵港的中山大學物理系學生黃維洋君告訴記者：中共對高等學校，根本不重視「學術教育」，幾乎全部時間是「思想運動」和「下鄉勞動」，「大學」祇不過是中共對青年的一種精神和肉體的奴役場所。

黃君是一九六一年秋季參加統考被取錄到中山大學的，他說：他在中山大學就讀已一年了，但從未安心上過一節課，因為一年來，學校的「政治運動」和下鄉勞動是相繼不停的，每個同學都躭心着可能被套上一個莫須有的罪名，吃更大的苦頭。

黃君說：他進入中山大學一年間，已經歷了六次政治運動和二次下鄉勞動：第一次是在新生報到時的「交心運動」，每位同學都要寫出自己的歷史，寫出自己過去在思想上行動上的錯誤，譬如：曾經買過「黑市」的東西，有過「反動」和「落後」的言論，甚至在思想上曾有對「黨」不滿等，皆須向「黨」交代。而這等「交心」，亦不能避重就輕，要中肯，要踏實。接着就是「安全運動」，要每人都檢舉「反革命」份子，要每人都揭發「壞」份子，揭發的對象包括朋友、親戚、同學、老師、家人及自己，這兩個「運動」是非常激烈的，同學們的精神絕沒有平靜過，不是躭心被人揭發，就是怕被人指為「揭發」不激底，沒有完成「任務」。接着再來的是「神仙會」，即把「大鳴大放」的手法稍為改變，由同學們自由結合為小組，對「黨」和「國家」的各種政策加以討論，進行批評建議。這「運動」原則上雖說是自由發言，但必須有關黨和政府的政策，由黨團員作討論發言記錄，所以每個同學皆躭心自己失言，闖下大禍。之後繼而來的是「毛選學習」，閱章學習，及「革命英雄事跡」學習。這些運動雖不算是很激烈，卻是夠痛苦的，不但要對這些格格不入的東西進行研讀，還要公開你的「學習心得」。

黃君說：大陸高等學校同學不僅經常要受到這種精神上的奴役，每年還要兩次下鄉勞動，一去便是一個月以上的時間，有時出發到山區，每天起碼工作十四小時，而晚上卻隨便躺在破廟裏甚至就睡在山野間。所以，一些同學皆被蛇類咬傷或跌傷了，更有許多同學在勞動之後，精神和體力支持不住，而大病一場。

黃君說：大陸的大學生根本學不到甚麼東西，他自己在過去的一年大學生活中，絕無有任何智識之增加，無非是認眞在精神上和肉體上被奴役了一年。（敬斯）

公民投票決定星馬合併　星加坡解除赤化威脅

但共黨勢必不甘心就此認輸　難免以不合法手段繼續搗亂

（本報星加坡航訊）星加坡公民投票取決是否星馬合併及參加馬來西亞問題，曾經有許多人為之踵足而立，兩手捏一把汗的，結果共產黨及其同路人打了敗仗。此關既過，不但星馬合併及星加坡參加馬來西亞應該已沒有問題，馬來西亞聯邦將可順利於明年八月三十一日以前如期誕生，也應該已沒有問題。

這一戰實在是星加坡榮辱禍福之所寄託，一邊是共黨及其同路人，另一邊是反共勢力，後者由執政的李光耀人民行動黨政府所領導，雙方磨拳擦掌，宣傳、組織、拉票，進行得如火如荼，可說是決生死的鬥爭，序幕既長逾一年，官司且曾經打到聯合國去，總算結果是把共產黨打敗了。

這次的公民投票票上印有三個原則，任由公民選擇其一，三個原則為（一）星加坡在保持教育與勞工的自主權之下，與馬來亞合併及參加馬來西亞聯邦；（二）星加坡合併馬來亞取得一如馬來亞現有各邦的同等地位；（三）星加坡參加馬來西亞聯邦，其所取得的條件不少於北婆三邦參加馬來西亞聯邦所取得的條件。經星加坡立法議會通過，公民於投票時，祇能於此三個原則中任擇其一，空白票亦視作同意票論——同意第一個原則，因為這原則是星加坡政府所提出來的。共產黨及其同路人，亦最反對此投票辦法，認為太不民主，使公民完全沒有表達反對意見的機會。官司所以打到聯合國，主要亦就爭的是這一點。

空白票視同同意票的問題，表面視之，確有不民主之嫌，但它是有來歷的：所有星加坡各個政黨，包括打其他招牌的變相共產黨人在內，他們從來就不會反對過星馬合併及星加坡參加馬來西亞聯邦（當然，他們是表面不反對，而內心則堅決反對的）；反共派於是抓住這時機，一於大家對原則無反對者，所爭的祇是在何等條件下去參加馬來西亞，及與馬來亞合併而已，那麼三辦法任擇其一，已經是民意的充分表現了。

共黨及其同路人會力爭空白票應視同反對票，他們沒有成功。但共黨這一年多來所作的種種努力，便是要公民盡量投空白票。而設使公民投票的結果，竟然空白票成了多數，那情勢就可慮了——空白票視同同意票的那個規定，便未必能夠眞正實行；即使仍然強殖實行，顏面上不好看猶其餘事，極其可能還會鬧出亂子來。

星加坡有六十二萬餘公民，這次投票的有五十六萬餘，超過百分之九十。結果，贊成第一原則者達三十九萬七千六百二十票，贊成第二原則者僅九千四百二十二票，贊成第三原則者僅七千九百一十一票；另外空白票一十四萬四千零三十五票。贊成第一原則的達百分之七十，不必加上空白票，已經是壓倒性的勝利，共產黨敗得無話可說。

共產黨敗是敗了，但要他們就此甘心承認失敗的可能性很少。李光耀於投票揭曉時，警告共黨及其同路人，必須接受公民的意見決定，正是為此。一般預料，共黨還會採取其他不合法的手段，如暴動之類，進行阻撓破壞。好在星馬當局，對此必然已有所準備。

這次空白票居然有十四萬多張，超過三分之一，共黨敗是敗了，卻也認眞顯示它的魔力不在其小。從這次投票，可得兩項現實的教訓：其一，假定星馬再不合併，以共黨的處心積慮，它們確有可能終於把星加坡赤化。其二，祇要實行民主的投票，共產黨人雖長於宣傳，尤長於搞組織，除非它們有槍桿子在手，否則它們要藉合法手段赤化一個地方，是做不到的。現世界大大小小的共產政權單位，便無一而非槍桿子的產物。沒有槍桿子，也就沒有了共產黨的政權。不但星加坡如此，其他任何地區，任何國家，亦莫不如此。（道）

俄共大批人馬登陸古巴之際　美專家竟說俄古關係惡化

甘迺廸謂進攻古巴為愚蠢行為　其決策的理論根據似就在此了

（本報紐約航訊）正在蘇俄以前所未有的大規模軍事人員與軍事物資源源登陸古巴之際，華盛頓的「古巴問題專家」，居然還昧於事實，獨具隻眼，認為蘇俄與古巴的關係，半年之前便「顯著的惡化」了，目前則已到了卡斯特羅政權出現三年半以來，「最為惡劣的境地」，他們得到的結論是：「卡斯特羅政權的徹底崩潰，斷難避免」。

美國的「古巴問題專家」此種「天書」般的見解，見之於紐約特報一篇洋洋數千言的文章。該文所謂華盛頓「古巴問題專家」，雖未指出其姓名，卻顯見（一）那是一羣人，而非一個人；（二）那是政府中人，而非政府外邊的人。這種「天書」般的見解，着重於下列三事，以明其說之並非妄誕。

第一是說古巴的經濟情況極混亂，農產生產已經破產。並說對於這種情勢，雖蘇俄專家，亦感束手無策。由於農業失敗，工業自然亦跟着失敗，通貨膨脹，民生凋敝，與卡斯特羅政權所自吹自擂的經建計劃，形成強烈的對照。

第二是說古巴統治階層間的爭權奪利之日益嚴重化。卡斯特羅的新派共黨與古共總書記羅卡的鬥爭，因為羅卡同克里姆林宮有二十多年的密切關係，卡斯特羅派在爭奪上佔了上風，莫斯科於是而對卡斯特羅很不高興。

第三則是說：由於卡斯特羅政權經濟失敗，而使得古巴人民身受其痛，致使人民反卡反共行動日亟，暴動，縱火，破壞以及示威遊行大為增加，山裏面的小型遊擊隊亦更加活躍，卡斯特羅有手忙足亂之勢，顯示其殆難持久的支撐下去。

上述三事，確屬事實。但其嚴重性顯被誇張了。其所得的結論：俄古關係惡化達高峯，以及卡斯特羅徹底崩潰無可避免，則就明顯的與事實背道而馳。比方說古巴由於農業失敗，於是而工業失敗，於是而經濟破產，確都是實有其事。而且，所有共產政權，由於它們所奉行的主義上的先天的禍根，包括蘇俄自己在內，它們的農業，就沒有一個搞得像樣子的，經濟情況亦無不混亂，人民生活，一律均在水平線下。但如因此而便說蘇俄因為這樣，便發覺援助古巴是「塡老鼠洞」，而大表不滿，甚而說：「赫魯曉夫必然已經認識到，在遙隔天邊建立一個共產據點，是何等代價重大」，打錯了主意，實在乃是孳孳唯利是圖的商人頭腦，對於共產黨是怎麼一回事，幾乎是隔膜至於一無所知的程度。

古共有派系鬥爭，羅卡與卡斯特羅之間，為了權與位，確實面和心不和。但這也是它們所信仰的主義的自然產物，任何大小共黨政權單位，都未能免俗。羅卡在古共坐第一把交椅，政權卻操諸卡斯特羅之手，常識性的解釋，乃是蘇俄所玩的雙軌政策，使他們互相牽制，藉以維持克里姆林高高在上的地位。何能說因為在鬥爭上卡斯特羅壓倒羅卡，便搞壞了俄古關係。

同樣的，所有鐵幕之內的人民，由於他們親身嘗受了共黨統治的非人生活，他們是最為反共的，諸如破壞，不合作以及暴動之事，雖在它們的老祖宗之蘇俄，亦屬家常便飯。但如因此而便做出結論，說某共產政權必然崩潰，其為不長進的懶漢之「守株待兔」，彰彰明甚。

甘迺廸最近曾說進攻古巴是「愚蠢行為」。看了這篇大文，人們現在才發覺他的理論根據。因為，既然卡斯特羅崩潰不免，還跑去打他則甚？但可惜這種「專家」的「天書」，過於遠離事實耳。（禮）

日本的新玩藝在台北　是否「金之輪」第二？

（本報台北航訊）最近台北盛傳一種日本人發明的新玩藝，名叫「電子電療機」。據說這電療機可以醫治人身的百病，從癌症到各種怪疾，都有特效。

方法是教病者坐在椅子上，用兩足踏在電療機上每次十五分鐘，每天的次數不拘，病人踏此電機時，並無任何痛苦，可以照常作輕便之事，例如打麻將即毫無妨碍。它完全是利用電流通入人身血脈之中，糾正細胞組織的不健全發展。為實驗電流的作用，教一人以雙足踏着電療機，另教若干人用手指依次接觸各人的體軀某部分（如臂膀等），然後用小燈泡向着最後一人的手臂上按置之，那燈泡就發亮了。這種電療機，每架購價為美金一百四十元。

現在台北有人以美金一萬六千元買得代理售銷權，正多方從事實驗宣傳工作，湖南籍的文化人周西村家裏，經常有七八個害着怪病——如嘴歪，眼壞，手癱，腿瘓等等——的婦女們，將此電療機作臨床實驗，有一位嘴歪的太太，據她報告已大見效果，經過若干次的電子電療機踏脚後，歪形當經糾正許多了。

一般人認為電療方法或許有些效驗，問題在能否使病症斷根不發？從前日本商人發明「金之輪」，說是可以醫治高血壓症，用之者亦證明確屬有效，但久而久之，高血壓雖能不再增加高度，卻不能回復正常，因而「金之輪」現在亦就無人問津了。這種電子電療機是否又與「金之輪」一樣，沒有根本治療的功能呢？人們頗為懷疑又昂貴，中等家資以下，不敢嘗試，怕的是破費錢財而得不到預期的效果，豈不糟糕？所以這項新玩藝尚無推銷的把握也。（競雄）

港新聞文教影劇界　籌備熱烈慶祝雙十

（中央社訊）中華民國五十一年雙十國慶，快將來臨，港九各界僑團已展開籌備慶祝工作，在去年粮包潮之後，繼之今年五月的難民潮，使港九的僑胞對今年雙十國慶祝的心情，顯得更興奮、更積極起來。

港九新聞、文化、教育、影劇界人士於七日下午六時假中國文化協會大禮堂舉行籌備慶祝中華民國五十一年雙十國慶座談聚餐會，商討籌備事宜，即席推出黃天石為臨時主席，並成立籌備慶祝委會，負責進行一切籌備事宜。

在籌備會中，決定本年慶祝大會地點仍假九龍樂宮大戲院舉行，並借中國文化協會內為臨時辦事處，展開各項籌備工作。

龍劇轟動歐美實況紀述（二）

西德朝野・隆重禮遇

仲偉庭

瑞士是繼英國第二個承認匪僞政權的國家，且其國內共產黨勢力甚大，如（日內瓦市議會議席，五分之一是共產黨籍，九個工會有八個受共產黨控制）。但自龍劇在瑞士上演後，民間反應特好，顯示我們龍劇工作團在瑞士對共黨的作戰確獲得了勝利。

龍劇在去年正當柏林危機達到高潮時，向德國的福樂登市，魯爾區獨特蒙，波昂，美因茲，史突格，法蘭克福，慕尼黑，漢堡，挨森，格森喀亭等地進軍，以喚醒沉湎在物質享受中的德國人民，起而爲正義而戰。龍劇在西德公演受到各階層人士熱烈歡迎與支持，西德總理艾德諾，雖因健康關係正在休息，但當龍劇在波昂貝多芬戲院公演時，他還特別要在劇情說明書上標明是由他支持演出的。當何將軍率領工作團到波昂時，西德三軍總司令福奇將軍，更特別以隆重的軍禮歡迎，甚至派專機到巴黎空運一幅我國國旗到波昂應用，這種特殊的禮遇，自然不僅是何將軍個人的榮譽，而是我們國家的光榮。這些熱情的支持和隆重的禮遇，獲之於沒有邦交的國家，是彌足珍貴的。歐洲最具影響力的德國法蘭克福日報，世界日報等，均以全頁版面刊載照片及文章，報導龍劇在西德各地演出之盛況。有的報紙也將德皇皇侄理查德王子及西德副總理約哈德介紹演講的照片登出，以示支持。另有一家報紙的社論曾這樣說：「正當西方國家領袖面對赫魯雪夫而畏縮不前時，我們的任務是動員羣衆來做西方領袖們的後盾，使他們能堅強地對付蘇俄的威脅。同時我們也要喚醒沉醉於物質享受的西方人民，使他們能及時覺悟而自新，因爲西方人民唯物，自私的生活方式製造了社會的仇恨，不平與分裂，這是共產黨最好利用的情勢。最徹底的反共，莫過於消滅產生共產黨的因素，所以道德的再武裝，是共產黨和非共產黨所必須接受的下一個步驟」。

西德魯爾區是歐洲工業中心，戰後受共產黨滲透，工會幾完全由共黨控制。一九四八年MRA人員深入魯爾區工作後，改變了許多共產黨的領導份子，使他們脫離共黨而參加MRA，逼得共黨各級組織紛紛瓦解，工會裏共黨的票數在四年中由百分之七十二降到百分之八，由於龍劇這次在該地演出的影響，最近該區工會改選共黨所獲的票已減爲百分之三。同時，瑞士商業部本擬計劃擴大對共產國家貿易，也由於龍劇的影響，使許多國會議員公開反對而中止。有一位瑞士商人曾寫信給何將軍說：「他看過龍劇後，決心寧願遭受損失，而放棄與共黨國家交易的計劃」。

二十萬以上的德國人民親眼看了這個龍劇，另外有幾百萬人在電視上看到這個劇，中德雖沒有邦交，但在意識型態的戰場上，我們是最密切的盟友。西德副總理兼經濟部長的約哈德替龍劇致介紹詞時曾這樣說：「無論歷史文化經濟政治和傳統，中德國情況都有不同，但現在有一項兩國卻完全相同，那就是我們與共產黨都勢不兩立，這是不可否認的事實。對共產黨鬥爭，絕不是理論問題，也不是零星的反抗運動便可以成功的。我們必須使利害所在深入到自由民主國家每個人的內心，使人們能切實瞭解共產主義的醜惡狠毒才行。若干國家，因地理關係，距共產黨控制力量較遠，故對共產黨的想法顯得模糊，自金門炮戰及共產黨在柏林築圍牆以後，民主國家都覺悟了，對共產黨才有了進一步的認識。雖然從人種方面看，俄國人是俄國人，中國人是中國人，德國人是德國人，可是各國共產黨則不分彼此，祇要是共產黨，不論中共德共，或其他國家的共產黨，都是國際性的，其目的是一致的，就是要利用所有機會滲透顛覆，置各國人民於共產黨控制奴役之下，失去自由。有人以爲與共產國貿易可使共黨就範，殊不知共產黨的貿易行爲，目的並不在賺錢，而是在宣傳共產主義，利用貿易關係，帶進共產主義毒素。每個人應認淸共產黨的眞面目，勿爲它假冒僞善的僞裝所欺騙。今天自由世界的人們固然需要自由，在莫斯科，北平，華沙，東柏林受共產統制的人們更需要自由。大家處境容有不同，要求自由的價值則相等。我們反共滅共固是自由世界人們的願望，也是鐵幕裏被奴役的人們的企求。但MRA以思想來克制思想，用MRA的意識型態來改變共產黨，比用武力來打倒共產黨，更能爭取成功而獲得絕對的勝利」。

古晉的公園

網球場，羽球場，以其他築有觀衆看台的球場，川面環繞，加上海面的宏濶避風塘堤壩，這公園也就至爲壯觀呵！

總之，古晉有的是空地與閒錢，與其盡力提高少數人的享受，何如計劃一下增加公共的福利，來改進一下公園的佈置呢！（完）

天南風光

—古晉的吊橋—

朱淵明

人類智慧的表現，開始於使用工具，自從會磨石爲刀，斧，鑿，之後，即從事建設，而以剡木爲舟，及編籐爲橋來尅服自然，這兩件事一直到現在還是有莫大的價值，雖然舟與橋的形式及內容，不知演進了多少次。

橋與舟的功用，有聯帶關係；即凡能用橋將被江河隔絕了的空間連繫起來的就造橋，否則就用舟，於是人類活動的面積就逐漸擴大，而交通問題也就逐漸解決。但橋，舟的建造，無論怎樣進化，它的基本原理，還是依然一樣，因此我每次經過古晉的吊橋，就不禁想起了川西，及滇，黔一帶的索橋。

那些索橋的建造，可說是相當原始的了，基本器材，主要的就是竹篾與木條或木板，當地人士，先在河之兩岸，選擇一個適當的地點，所謂適當，既須爲交通要衝，又須兩岸都有繫索之據點，那最好是宏大的花崗岩石，可以將竹索繫於其上，不致動搖，有些地方，甚至將岩石鑿成洞穴，俾竹索纏繞堅牢，庶幾不致移動。有了好的岩石，還要勘察河床較窄狹，及兩岸較陡削之處，以減少懸橋的距離。自然，這利害是相對的，因兩岸愈陡削，施工也愈艱險也。（一）

公道篇

林

亞洲環境的民主政治問題（三）

無疑，民主自由政制在理論上解釋，是言人人殊，彈性幅度極大，正因爲如此，才顯示出她的多采多姿，與對抗性的教條式的共產極權主義，有突出的分野。這種近乎放任而隨自然匯流的彈性的自由意志力，確是民主自由政治的特徵；用之爲消滅共產主義的思想武器，亦確可信爲最有效的方法。但這種民主自由政治的優點，也正是民主自由政治的缺點。自由意志力既是以理性爲基礎，並且是隨其自然而結合，那末民主自由政治就有了先決條件的限制，那就是要有文化水準與教育普及的環境來培植人們的理性，也要有一個昇平盛世使能悠閒地來自由發揮理性的效用。但顯明，在今日亞非這樣的教育不普及，經濟這麼貧乏，還加上一個惟恐天下不亂，煽撥仇恨的共產主義的衝激的動盪環境，歐美民主自由政治的尺度，就很不適宜施行。

除此之外，我們還要認識一件事實，那就是除了有形的戰爭外，思想的戰爭，應該是無形的戰爭。

現時兩大集團的扭纏，終不免會由冷戰演成熱戰，亦即是等於說，有「無形戰爭」的存在，就有「有形戰爭」的到來。

自軸心國家在第二次大戰中潰敗下來，以蘇聯爲首的共產國家即起而與自由盟國爲敵。故自一九四五年以後，自由集團與共產集團的鬥爭，可說是第二次大戰的延續，亦可說是第三次大戰的前奏。

無論是無形的戰爭，或是有形的戰爭，但戰爭總是戰爭。依照共產黨人的說法：『鬥爭是不斷在進行』。因此，我們不能否認，有一種戰爭事實上存在着威脅人類的安全。在一個沒有安全感的世界，自然形成一個戰時的環境，而一種戰時的措施來適應戰鬥的需要，就成爲一國一族的生存問題。

其次政治主義思想，都受到時空的限制，不是放之四海而皆準。某一主義，僅是代表某一個人的智慧，這種『人爲眞理』，見仁見智，信仰或不信仰，並非爲人類所必需。在作爲一個獨立人格而言，我們有權利去懷疑，去否定；在作爲一個偉大的政治家而言，爲了國家民族的實際生活的需要，他是敢於冒犯衆難去修正的。

（本篇完，全篇未完）

塵君續夢

第六回： 烽火照邊陲　同盟難濟
樓船橫鳴海　大愁興悲

赫魯曉夫接到尼赫魯的呼籲書之後，未曾正面答覆，恐怕尼赫魯接到一公佈，又引起中共不滿。當時想出一個聰明辦法，在一次會議上，輕描淡寫的說道：「最近中國同印度發生了邊境衝突，實在是一件很不幸的事。中國是我們的兄弟，印度是我們的朋友，我懇切希望兩個友好國家能以把爭端和平解決，對亞洲，對世界的和平都是有好處的。」

赫魯曉夫談話發表之後，中共感到形勢有點不妙，若再同印度爭執下去，必然要開罪赫魯曉夫，本來已經鬧的不十分開心，今後必然更加重了裂痕。

毛澤東當時召集一次政治局常委會議，陳毅也被召列席。開會時陳毅報告了一遍拉達克地區衝突的經過，周恩來接着說道：「本來我們修新藏路時，也曾預料到印度會反對，但是卻未料到印度會這麼激烈，竟然派兵硬闖我們的防地，其實他那一點兵力，光是對付我們新疆軍區也不足，居然還想把事件擴大，同我們作全面戰爭，未免太不量力了。」

毛澤東嘆口氣：「恩來同志，你怎麼忽然胡塗起來，尼赫魯背後有人撐腰你知不知道。一九五零年我們爲什麼敢發動抗美援朝，都是一個道理。」

毛澤東說過，大家明白他的意思。無人敢插嘴。停了一時，還是周恩來問道：「我們現在應當採取什麼態度，打算用武就要調兵，若是談和，也要確定和談的原則和最後立場。然後透過外交途徑和印度接觸」。

劉少奇看看毛澤東的臉色，轉過來向周恩來說道：「我們現在修的新藏公路，是否侵佔了印度領土」。

周恩來笑道：「這一帶地區情況我沒有研究，不過，看到尼赫魯如此憤激，大概這一段領土是他們的」。

劉少奇又問道：「印度有沒有侵佔過我們的領土呢？」

周恩來未開口，陳毅搶着說道：「多極了，西藏東部，中部，被印度佔去的地方有九萬公里，比起我們公路通過的地方要大二十倍。」

劉少奇笑道：「這樣就易辦了，我們可以拿西藏東部及中部地區來同他交換，二十比一這種生意，尼赫魯一定肯作的，就用這個辦法同他交步好了。」

周恩來連連點頭，回頭又看陳毅。陳毅笑道：「根據尼赫魯的個性來看，這個條件他都未必同意。例如印度同巴基斯坦爭克什米爾，按理本應該劃於巴基斯坦，現在印度佔了全境的三分之二，巴基斯坦想同他就此解決，尼赫魯都不肯，一定要全部才肯干休」。

周恩來說道：「我同尼赫魯接觸許多次以後，我發現尼赫魯這個人相當的貪，他拿到手裏的東西固然是他的，他能看到的東西也以爲是他的，這就難了。」

毛澤東笑道：「可是咱們共產黨人能以想到的東西都以爲是自己的，比起尼赫魯豈不更高一手」。

大家都笑起來，劉少奇吩咐周恩來道：「你給尼赫魯打個電報，要求舉行談判，看看他的答覆如何，再商議第二步對策好了。」

（一三五）

憶玄軒雜綴

台北粥會

元老吳稚暉先生，當年旅居海上，發起了一個上海的粥會，是聚集志同道合的友好，大家在一起，談談說說，把各人的抱負見解，毫不隱諱，坦白的講話，於是形形色色，充滿宇宙間的一切，盡收入會中。至於啜粥，不過是一種形式，並無多少佳肴，來供大嚼大吞，即如最近梁寒操先生所稱「淡交」。本來朋友之間，如果專以酒肉徵逐，那必有其因素，無非遠圖與利用的目的。杯酒言歡，固然也有敦厚交誼，可是往往多有所求。此種聚晤，絕不單純，較之粥會，其清濁何啻霄壤。

狄君武先生為紀念稚老，於三年前，也邀集同好，辦了一個台北粥會，迄今已至四十四次。大家輪流作主，地點並無一定，隨主辦人的意趣，有在郊區，可以縱覽山水；有在別墅，可以飽看花木，有在大廈，可以享受冷氣。而所啜之粥，有白米粥，蓮心粥，桂圓粥，薏米粥，魚生粥，牛肉粥，鹹甜並陳。凡是到會參加的，多半是風雅之士，或政海開明之吏，眞所謂「談笑有鴻儒，往來無白丁」也。但是會中絕無談到國家秘辛，以示不在其位，不謀其政，少說閒話。此會極夠其超然，永無攘奪之心，徜徉於塵海的一角落，殆有古代之流風，非現今鉤心鬥角之所趨。粥會其可稱也，可卜必傳，世世無窮。

台灣的三害

自由中國，物阜民淳，每個角落的生產建設，皆欣欣向榮，蒸蒸日上，逐漸走入現代化。每年糧食豐收，較之光復初期，激增十倍，皆有助於未來的反攻復國。惟仍有三害困擾民衆，一年之中，損耗人民財產，不知若干億。而此三害所由來，是分屬於天，地，人三部。其實除了地的一部，無法預防，有關天，人兩部，皆可以防備與減免，須由人民自已來作決定。此三害，即天上的颱風，地面的地震，人間的拜拜。

（一）颱風，每年必有數次，來自天上，因地處海中，無法可免。全視風向之轉變，有大有小，或至消滅，非科學所能克服。當颱風季節，政府昭告民衆，速整修房屋，或遷避高區。但言者諄諄，聽者藐藐，因民衆生活，所入僅頓以溫飽，並無餘力可以自建房屋，焉能再拋棄原有巢穴，另行遷住。（未完）

台灣與鄭成功

陳雪英

台灣屹峙我國大陸東南大海中，為我國東南的屏藩。而台南則為台灣文化發祥地。故古所稱台灣者，實指台南而言。上古文獻不足徵，如夏代禹貢的「島夷」，殷代夏革的「蓬萊」，史記所載的「瀛洲」，漢代的「東鯷」，皆年湮代遠，似是而非，未可據為斷定。迄三國黃龍二年（公元二三零年），吳主孫權曾遣衛溫，諸葛直，浮海求夷州，蓋已注意到海外新地，且實行派員訪求異俗了。

迨隋煬帝大業三年（公元六零七年）三月，煬帝遣羽騎尉朱寬使流求（即琉球，台灣古名。惟昔時的琉球，是否現在的台灣，中西史地學家各持一說。就實際情況言，自以指台灣」近理）。後三年，又遣虎賁郎將陳稜，朝靖大夫張鎮州擊流球，破之，俘獻萬七千口，頒賜百官。到這時期，已漸由浮海訪求異俗，通而至開疆拓土，俘擄異族了。及唐代，乃開始移民到海外。如唐憲宗元年，進士施肩吾從汾水率其族至澎湖墾殖，即是其一例。到了元至元十八年（公元一二八一年），元師伐倭（日本），遇颶風，艨艟全覆，有被飄至澎湖及台灣西岸者。後十年，到至元二十八年（公元一二九一年）遣使詔諭琉球。翌年三月二十九日，遣楊祥出使，近琉球國，遠望山色起伏，未及岸而還。後來成宗元貞三年（公元一二九七年）九月，福建平章高興遣部屬張浩赴琉球國，擒生口一百三十餘人而還。這是我國屢次經畧台灣的梗概。爾後中土的人，逐漸次與澎湖及台灣接觸起來。

那時的台灣，是個荒島，瘴氣癘疫，彌漫南北，觸者輒病，病的多死。（一）

閒話中秋節

漁翁

一年容易，又是「天上秋期近，人間月影清」之中秋佳節，今人簡稱之曰「秋節」。因恰當白露與秋分間，在三秋之正中，故以此而命名。「月到中秋分外明」，蓋月之有華，出於中秋，以其水天一色，光照大千也。

民間對秋節之熱烈，有過於端午與重陽，其故事亦較其他節令為多，爰寫酬節之小品。

嫦娥奔月：嫦娥又稱姮娥。淮南子載：嫦娥之夫后羿，求請長生不死之藥於西王母，嫦娥竊之以奔月宮，臨行，往有黃處巫卜，有黃卜之曰「吉」！於是吞下靈藥，奔入月宮。羅隱詩：「天為素娥孀怨苦，故教西北起浮雲」。李商隱詩：「嫦娥應悔偷靈藥，碧海青天夜夜心。」蓋以嫦娥竊藥，雖升居上界，而孤枕孀居，如此良夜何，應有悔不當初之感！

玉兔搗藥：玉兔，又名月兔，相傳為月宮內之兔兒，嘗替嫦娥搗鍊丹藥。傅咸天問篇云：「月中何有？玉兔搗藥。」辛棄疾中秋寄遠，調寄滿江紅詞曰：「着意登樓瞻玉兔，何人張幕遮銀闕？」蘇東坡八月十五夜觀潮詩云：「定知玉兔十分圓，已作霜風九月寒；寄語重門休上鑰，夜潮留向十分看。」指玉兔為月亮矣。

吳剛伐桂：據酉陽雜俎載：「吳剛，漢西河人，學仙有過，謫伐月中桂。桂高五百尺，砍之，斧痕隨合。」後人遂指月中黑影？為吳剛伐桂。但在漢以前，有無黑影？有之，又何所指？杭州靈隱山多桂，於中秋夜墜下桂子，為寺僧所拾得，宋之問遊靈隱寺，有「桂子月中落，天香雲外飄」之句焉。

陳後主造月宮：南北朝陳後主叔寶，荒淫無度，寵愛張麗華，造桂宮於光昭殿後，作圓門，像月形，障以水晶，後庭設素罘罳，庭中空洞無其他物，僅植一桂樹，下置藥杵藥臼，命張麗華養一兔兒，與來散步其間，稱為「月宮」。尤於中秋之夕，與麗華登樓玩月，以麗華比嫦娥，可謂想入非非矣。

唐明皇遊月宮：明皇李隆基與楊貴妃纏綿悱惻之宮廷艷史，千百年下，猶傳為佳話。據龍城錄載：開元六年，上皇與申天師道士洪都客，於八月望日夜，因天師作術，三人同在雲上，遊月中，入其門，見玉光雲浮，有一大宮，榜曰：「廣寒清虛之府。」下視王城崔巍，清香靄鬱，若萬頃琉璃之田，有素娥十餘人，舞於廣寒宮大桂樹之下，音樂清雅可辨。明皇素解音律，歸作「霓裳羽衣曲」，給後人作不可思議之幻想。

上述繪影繪形，前人如是說，後人如是傳，且載諸雜記小說詩歌中，成為牢不可破之神話故事。可是，到原子時代的今日，這幻想將成為事實，入月宮，並非絕不可能。自從太空人昇空試驗成功後，月球成為科學家，宇宙探險目標之首一對象。據近代海登天體研究所所長柯爾斯說：「終有一天，太陽將改變它的最後原子反應。」又說：「晚上千百萬的人們，仰望着天空，看見閃爍的光輝，那將是未來一代人的家庭。」如所云然，則上面所說的神話和幻想，將有成為事實之可能。

還有一幕民族革命故事：「八月十五殺韃子」。史載元帝統治中國，將人民分為四等：蒙古、色目、漢人、南人，對南人控制、鎮壓、剝削，無所不用其極。因此，革命暗潮，日趨澎湃，及朱元璋起而舉義，以蒙人監視極嚴，假庵院為聯合地，乃於中秋前製月餅時，藏一紙條，上書「八月十五殺韃子」七字於餅內，中秋之夕，家家切餅賞月，知有密約，相互策應，遂一舉而下金陵，光復漢家山河，成為歷史上有意義之壯舉。吾人值此令節，撫今追昔，寧無有所感動乎！今日大陸，非特遍地氈腥，且也遍地饑荒，死亡枕藉，鬼哭神嚎，吾人其何時殺此「大鼻子」耶？

海嶠叢談

讀史卮言（六）

諸葛文侯

「辛壬春秋」作者以北人從科甲入仕清朝，對於晚清的政情和達官顯宦們爭權奪利諸內容，見聞甚多，瞭解深刻，他所寫的「清室禪政記」，「袁大總統畧史」等篇，特別翔實而盡致，不如其論述革命事業每多逆臆之詞，尤屬研究近代史者不可多得的材料。

作者列滿清末代王朝的秕政暨親貴貪婪無能各情形，反證清祚必斬，使讀者一目了然。例如盛宣懷的鐵路國有政策，當初湖廣總督張之洞與直督袁世凱因嫉忌盛氏權勢熖赫而暗中反對，致釀成川粵湘鄂四省紳民的「保路」風潮，迫使清廷取消原定計劃。未幾，張之洞在內閣大學士任內，卻主張國有政策，且與英法美德四國簽訂借欵築路合同，而清廷亦照樣核准了。川亂既作，清廷初派趙爾豐任四川總督，責其定亂，趙剛到任，又派端方帶兵入川查辦；端方剛進夔門，復有起用岑春熖督川之命，岑以受制於內閣總理大臣慶王奕劻，偃蹇武昌不能行，而武昌革命爆發，岑微服逃回上海，清廷又命端方署理川督。似此措置乖方，章法凌亂，大局焉有不糟糕之理。當時清廷對於起用袁世凱與岑春熖，分成兩派意見，攝政王載灃與親貴大臣載澤是反袁的，內閣總理慶王奕劻素與袁勾結，是反岑的。結果袁氏以會練新軍的背景，應運而起，終將清朝的江山弄垮了！

作者敘述袁世凱利用北軍優勢力量以恫制革命軍，又利用革命軍以要挾清廷，玩弄孤兒寡婦；迨聞革命黨願意擁他作臨時總統的條件，再嗾使北軍將領初則集體向清廷索餉不戰，繼則要求實行共和政制，乾脆請清帝遜位等經過情狀甚詳，而以「微旨」二字為袁世凱陰謀篡奪政權的要訣。據作者指示，這「微旨」是袁氏被詔復起時就決定了的錦囊妙計，而由兒子袁克定四向關說解喻。又串通隆裕太后的親信太監張德威，常以各種假情報入告，實施恐嚇。所以，袁氏於奉命入京之日，即聲稱武昌之變不能專恃武力平復，旋廹清廷將率軍南下平亂的統帥蔭昌召還，繼又將打下漢口漢陽的新軍大將馮國璋，突調為北京禁衛軍總統領官，馮以不悉「微旨」，認為袁氏阻過了他立功晉爵的機會，忿忿難平，直至民元袁氏當政後，即任其為直隸都督，怨望心情才消散了。最後清室被廹到盡頭，召集近支王公大臣及內閣總理大臣開御前會議，決定遜位時，「太后哽咽流涕，各王公大臣亦皆哭失聲。久之，太后謂皇帝曰：爾之所以得有今日者，皆袁大臣之力，」即飭皇帝降御座致謝袁大臣，袁惶恐頓首辭謝，伏地泣不能仰視。」這樣描述袁氏的奸雄狀態，栩栩如活。再看作者述戊戌政變事：「八月詔世凱來都，授密詔回津誅榮祿，剪后羽翼……世凱回津，事洩，榮祿即夜馳赴頤和園上變」云云，袁的奸相更顯著了。

「辛壬春秋」的一大汚點，就是鄒位張鼎彝的評註，除卻一味恭維作者的文字這句是脫胎太史公，那句是媲美范蔚宗以外，別無意義，實為不折不扣的狗尾續貂之作，應該予以刪除，藉免損害原書的價值也。（完）

劉璈抗法前部署

· 李仲侯 ·

「台地本有為之區，防務亦非無可措手，要必豫籌於平日，斯能應用於臨時。職道任事兩年，凡有利弊，靡不隨案指稟，力求興除。祇以遠隔重洋，省垣聞見，與台事不無歧異，以致格礙滋多。台營積弊本深，職道謬秉營務，首重除弊。奈弊除謗興。如奉飭詳定：『汰弱補強，出入點驗，核給存餉』各章程，本為杜弊良法，乃僅得於道統各營核實辦理，此外亦無能為力，徒負全台營務盛名。但此事不過為去虛就實起見，整齊已如此為難，在無事時尚可畧為爭論，求衷一是，若海上有事，則地方軍民存亡死生，類皆決於須臾，操縱稍差，毫厘千里，比時淺有爭執，溷瀆憲聽者事小，而動輒牽制，貽誤大局者甚大」。

我們讀這段文字，看出劉璈早有點牢騷。當日論兵力，則僅有此孱弱雜湊之衆，論海防則除幾處炮台外，僅有陳舊之四艘商輪，以供探報護運之用；論餉糈則不足半年之蓄。欲與船堅炮利集中主力艦隊而來犯之法夷抗衡，實無異乎以卵擊石。

劉璈迭次奉命節制台防，統籌全局，自不免惴惴於懷，若朽索之馭六馬。況近則有吳鎮掣肘，不與合作，遠則「省垣聞見與台事不無歧異，以致格礙滋多」？（十三）

自由報

內僑警台報字第〇三一號內銷證

THE FREE NEWS

第二七〇期

中華民國僑務委員會頒發
台教新字第三二三號登記證
中華郵政台字第一二八二號執照
登記為第一類新聞紙類
（本週刊每星期三、六出版）
每份港幣壹角
台灣零售價新台幣貳元
社長：雷嘯岑
督印人：黃行富
社址：香港銅鑼灣高士威道二十號四樓
20. CAUSEWAY RD 3RD FL HONG KONG
TEL. 771726　電報掛號．7191
承印者：田風印刷廠
地址：香港灣仔高士打道二二一號
台灣分社
台北市西寧南路壹壹零號二樓
電話：三〇三四六
台郵撥儲金戶九二五二

自由中國與中共兩方外交陣容之比較論（上）

·吳本中·

『知己知彼，百戰百勝。』孫武子之言，在軍事上固如此，在外交上又何獨不然。甚至於敵人之長處，吾人可用以轉而制敵者，又何嘗不可學！譬如史稱趙武靈王『胡服騎射』而終以勝敵。不恥學敵人之長，補自己之短，此非『為匪張目』，實乃眞進步之道，所以終勝之也。自己的錯誤，自己的弱點，應先知道清楚，然後毅然改正與補救之，並且把敵人的優點很快的掌握着，進而打擊其弱點，此非大智大勇者不足與言也。

在世界外交舞台上，觀一國之外交陣容，有多種。主要而典型之外交陣容應包括：（一）各有外交關係之國家派駐本國政府所在地的外交使節，即外交術語所稱『外交團』。（二）本國派駐有外交關係的外國政府所在地之外交使節，即大使，公使或代辦使事等。（三）每屆聯合國大會本國政府派任之臨時代表或常川駐守代表所組成之代表團。（四）本國政府執行外交權之機構，在中國稱外交部，在美國名國務院者是也。此乃外交的大本營。（五）特派出席國際間各種重要會議，負有特殊使命之外交代表。譬如，言其最重要者，如現擾攘不清之四强裁軍會議等，如最近日內瓦會議，中共派陳毅出席者等等。（六）還有一類外交使節相當重要，為第二次世界大戰後美總統所樂於任命者，即中文譯稱之『巡迴大使』，或直接代表元首個人之特使，橫渡五大洋，馳騁遍全球，形成一種最新式之外交特別陣容。至若領事人員，在原則上無政治性，乃民事及商務人員。嚴格說來，在國際公法上，不能享受外交治外法權，至於外交優待權乃國際客氣或禮貌問題，領事人員，居駐在國，須視該友國之禮遇程度而定享受之多寡。總之，外交人員十足有代表性及政治性，領事人員則無之。故吾人於此論外交陣容，並不談領事人員。

所有上述六大類有關一國外交陣容者：（一）、（二）兩項乃最典型者亦最普遍者。居今之世，一國尚可不加入『聯合國』而泱泱獨立於世界，然事實上及法律上均不能不派遣駐外使節及接受外國使節駐留本國。國際公法固有『駐使權』之確定，而文明國際間之慣例，交換使節之習，已有數世紀之久。因此之故，更以篇幅所限，筆者論及自由中國及中共在現世外交舞台上之陣容，僅以駐在台北之外交團與留駐『北京』之外交團相比較；再以『秧歌王朝』派駐世界已承認中共政權之國家的使節與自由中國派駐各友國的使節做比較。其餘：（三），（四）、（五）、（六）各項，雖均有其重要性，憾不談及。

先看一看人家是不是熱烈，爭先恐後，多派幾個使節及隨員到我們自由中國來。因為這是常識，不必談什麼外交。如果我們的家，能車馬盈門，高朋滿座，當然這足證明我們家道盛，人緣好，交遊廣。『外交』辦的好吶！否則，我們苦幹警惕之不暇，還好意思，自我陶醉，稍一洋洋得意乎？試看下列事實：

近月駐在台北的各國外交使節清形，按英文字母順序排下，是：

一、阿根廷大使館，臨時代辦。二、巴西大使館，臨時代辦。三、智利大使館，臨時代辦。四、哥倫比亞大使館，大使（不在，駐日本）。五、哥斯達黎加大使館，大使（離華）。六、多明尼加大使館，大使。七、厄瓜多爾大使館，大使（不在，駐日本）。八、法國大使館，公使，臨時代辦。九、希臘大使館，一等秘書（不在，駐日本）。十、瓜地馬拉大使館，大使。十一、教廷公使館，公使。十二、伊朗大使館，大使（不在，駐日）。十三、日本大使館，大使。十四、約旦大使館，大使。十五、韓國大使館，大使。十六、黎巴嫩大使館，大使（離華）。十七、尼加拉瓜大使館，公使（不在，駐日）。十八、巴拿馬大使館，大使（不在，駐香港）。十九、秘魯大使館，大使（代辦，不在，駐日）。二十、菲律賓大使館，大使。二十一、沙烏地阿拉伯大使館，大使（不在，駐日）。二十二、西班牙大使館，大使。二十三、泰國大使館，大使。二十四、土耳其大使館，大使（離華）。二十五、美國大使館，大使。二十六、委地瑞拉大使館，公使。二十七、越南大使館，公使，臨時代辦。

詳細研究此名單，則知在十八位名列特派全權大使中有七位不駐在台北而常川駐在日本國京城東京。又一位是駐在香港的巴拿馬總領事。他們都是兼任駐華大使而已。三位離華。更有僅有大使館的名稱記錄在外交部禮賓司的外交團名冊上，而實際並無大使館辦公及官邸地址者，當然，更無大使或代辦駐在。民主國家，自由陣線內重要如法國，僅僅派來一位臨時代辦，館內亦僅有一位法國外交人員，是一位諳中文的二等秘書兼辦領事事務。筆者與他們的前任及現任（前任者曾在香港做總領事）公使代辦，均在他們的大使館長談過。他們國家駐在一個殖民地的香港的總領事人員數倍於在台北的大使館，而且有常駐文化專員及陸軍武官等。按照外交慣例，一個總領事館所在地，本來不可能派遣武官。法國政府派來香港的武官是用法國駐倫敦大使館名義轉派來港的。這個在香港的法國武官辦事處人員數目，竟比法駐台北的外交人員多一倍了。

再看看在紅都『北京』與中共有外交關係各國派往的使節陣容，根據筆者所獲可靠資料，近月駐守「紅都」的外交團如左：

一、阿爾巴尼亞大使館，大使。二、阿富汗大使館，大使。三、保加利亞大使館，大使。四、緬甸大使館，大使。五、高棉大使館，大使。六、錫蘭大使館，大使。七、古巴大使館，大使。八、捷克大使館，大使。九、丹麥大使館，大使。十、芬蘭大使館，大使。十一、東德大使館，大使。十二、加納大使館，大使。十三、幾內亞大使館，大使。十四、匈牙利大使館，大使。十五、印度大使館，大使（暫離？）。十六、印尼大使館，大使。十七、伊拉克大使館，大使。十八、北韓大使館，大使。十九、馬里大使館，大使（尚未到任？）。二十、外蒙大使館，大使。二十一、尼泊爾大使館，大使。二十二、摩洛哥大使館，大使。二十三、荷蘭大使館，代辦。二十四、挪威大使館，大使。二十五、巴基斯坦大使館，大使。二十六、波蘭大使館，大使。二十七、羅馬尼亞大使館，大使。二十八、瑞典大使館，大使。二十九、瑞士大使館，大使。三十、敍利亞大使館，大使。三十一、英國大使館，代辦。三十二、阿聯大使館，大使。三十三、蘇聯大使館，代辦。三十四、北越大使館，大使。三十五、南斯拉夫大使館，大使。

上列各國駐大陸『紅都』大使館，除英國及荷蘭僅派有代辦使事代表其政府外，餘卅三國一律特派全權大使級代表駐守，陣容特點是清一色，而整齊。對英國及荷蘭，中共還認為是『殖民，帝國主義者』，艾登前在日內瓦與周恩來會議時，曾欲與中共交換大使而未果。這個外交團的全部名單，不必於此複表，國人所應知者，就是其內當然有不無價值的人物。譬如瑞典大使館的前任文化參事係先在倫敦大學東方及非洲研究院做講師，與筆者同時，他最近被聘為澳洲國立大學首任中文講座教授。

還有一點應指出：此三十五國所組成的駐中共外交團，除瑞士、北韓、北越及東德四個係非聯合國會員外，餘三十一個均為聯合國會員國。又新國如索馬里國、阿爾及利亞，甚至寮國等等，為中共所列入為『建立外交關係』的國家者，並未列入。因其情形特殊或尚在未定之局，按外交慣例及國際公法，頗有研討之處也。

將是什麼味道？

這個狗你吃的了！

自由讀

國策必須堅持

兵學家認為凡屬軍隊在敗戰之際，猶能保持原有紀律，進退從容，整然不失常度者，便是最好的部隊，一定勝任「國家干城」的職責，終必建功立業的。這種義理亦可以適用於政治上。在國運艱危的時候，政府當局的一切政治行為，必須從大處設想，表現有所不為的泱泱風度，尤其是外交措施，更應以不亢不卑的態度，肆應於縱橫捭闔的國際坫壇之間，妄自尊大固不可以，妄自菲薄亦決非所宜。果能如此，雖敗猶榮也。

因此，吾國體育界這次應付印尼主持的「亞運會」那些方法，我曾經表示不贊成，即對於政府應付寮國傅瑪政權的外交政策，亦覺得不甚適當，怎見得呢？傅瑪的「中立政府」，原係在國際壓力之下產生的，且經過日內瓦所謂十四國會議的認可。我們既未參預十四國會議，又根本反對中立主義，即不應該隨着國際强權國家的姑息政策之後，貿然予以承認，跟它建交。既已建交，即表示我們對中立主義的政權並不絕對厭棄，而我們反共抗俄的基本國策，也就打了折扣，將何以自圓其說呢？爭取或失卻了一個親共黨合作的蘿爾寮國中立政府的邦交，在反共抗俄的大政方針上，利害得失孰為輕重，這不是很淺明的事情嗎？

咱們大家都不會健忘的一項慘痛教訓，那就是當年要我們政府當局不肯接受美國的主張，因而激起杜魯門政府「一筆勾消」援華政策，以致大陸淪陷，貽禍至今為烈！我國今日對寮國在美國高壓手段之下所產生的中立政權，不但是羞與承認，而且應該堂堂正正地發表一種聲明，闡述基本國策，使世人確認我們立國之道，本末昭然，毫無假借的。這樣，目前雖然不致發生多大的實際效用，然中華民國進退從容，整然不失常度的反共抗俄政策，即為世人所共見，而在當前的外交利益上，亦未必就有多大的損失吧？

承認了國際間的中立親共政權，間接就不啻是放棄了自己的反共抗俄大原則，茲事體大，豈可忽乎哉？我認為政府此時與其對寮國抗議它不應該讓中共在永珍設置外交使節，不如自動撤消對該國中立政府的承認，表示我們有所不為的泱泱作風，更為得體也。

馬五先生

美對古巴犯了連串錯誤

幼稚苟安再加上幻想 後門這把火遲早燒起來

（本報華盛頓航訊）蘇俄於進一步拉緊所謂柏林危機的前後，又在古巴大肆經營，不必談古巴國外反共份子所說有俄軍、中共軍及捷克軍成萬名登陸古巴，連美國官員亦承認，近個多月中，便有蘇俄船隻二十艘開到古巴，運抵的軍事人員三千至五千，軍事裝備不計其數，且「相信」軍事裝備中包括了俄製短程飛彈，已威脅到美國的國防安全。

古巴距離美國祗有幾十哩，自從卡斯特羅不打自招的承認他是共黨份子之後，美國已充分警覺到這是它「後門」的一把火，遲早之間，總會燃燒起來。蘇俄一方面拉緊柏林危機，一方面在古巴做出史無前例的大規模部署，由於祗要西方態度堅定，柏林其實不是問題，更說不上是危機，蘇俄在柏林的動作之爲聲東擊西，已沒有可資懷疑的餘地。事情是要看美國究將如何應付古巴的問題。

美國應付古巴就確實大成問題。這問題，中南美某些國家不願見美國實行以軍事手段加諸古巴，固然有若干關係，但最具決定性的，還是美國自己的政策有毛病。這毛病之犖犖大者有三個：

（一）是美國自己把卡斯特羅擁上台的。卡斯特羅在以游擊戰對古巴前政府之時，美國人後來自己承認，它們曾經給予卡斯特羅政治的與軍事的、經濟的援助。卡在取得天下之前，以及取得天下的初期，一直以自由民主份子自居，美國人太天真，相信了他，於是出了大毛病。這與美國從前相信中共祗是「土地改革者」，正同出一轍。但這還可以解釋爲「君子可欺以其方」，美國祗是認識錯誤而已，美國並非眞正有心要捧一個共產黨人員上台，給自己過不去。問題是卡斯特羅身份暴露之後，美國仍舊苟安爲懷，畏首畏尾，不肯面對現實。

（二）是美國怕事，被赫魯曉夫恫嚇住了。美國畢竟有沒有用一切手段把卡斯特羅弄垮的心意，由於美國始終含糊其辭，不得而知。但就算美國確實曾經有對卡斯特羅下手之意，它却由於赫魯曉夫一句空言恫嚇，而就再亦不敢動手了。美國這個怕事的心理，不但在古巴問題上表露無遺，在其他對共產集團的鬥爭上，亦莫不如此。第二次世界大戰以還，祗見共黨勢力到處擴張，至於已經被它吞下去的地方，不問其或大或小，它從未被廹吐出來過。原因便在於美國怕事的大毛病。

（三）是美國中了所謂不同社會制度國家可以「和平共存」的爛藥，並誤認共產勢力眞是可以憑「圍堵」而能夠逐漸使其自我萎謝，自我失敗的。這個大毛病，比之前二者，更爲根本，也更加是美國的致命之傷。

以對古巴卡斯特羅共產政權而言，美國的手法，完全不脫離經濟封鎖，外交孤立的範圍，也就是所謂「圍堵」的格局。而且，在經濟封鎖上，還網開一面，顯示「宋襄公之仁」，糧食與藥品仍然輸往古巴。美國是眞正以爲，祗需「圍堵」，便可以致卡斯特羅的死命了。尤其美國以爲，祗需「圍堵」，便不虞共產主義再從古巴向拉丁美洲與美國輸出了。實際的情形，當然並非如此。近年來拉丁美洲的許多禍亂，有幾樁不與卡斯特羅的影子息息相關？美國當局顯然亦已經逐漸感到形勢嚴重了。但如果美國的政策毛病不清除，特別是怕事與幻想兩大毛病不能下決心劃而去之，將必然是不了之局，古巴問題祗是共產癌症之一而已。（高）

日欲加強對毛共貿易 台北重視其政治發展

日見利忘義却未必眞能得利

（本報記者台北航訊）「本池田勇人政府宣佈決定擴大促進對中共的貿易之後，中華民國朝野對此均予嚴重看待，曾有消息說政府已經向日本提出抗議。

日本政府此舉，相信必然大有來歷。極可能是日本和中共的幕後折衝已經很有了一個眉目，否則日本不會表現得如此其起勁，如非其把握十足。池田勇人是於接見了以親中共馳名的前首相石橋湛山，經過會談之後，更立刻下令組設一個由政府支持的新機構，以促進對中共的貿易的。顯示石橋對這事的貢獻係重大，可能也就是在幕後鋪路搭橋的人。

一九五八年長崎會上撕旗事件，使日本與中共的第四度貿易協定中斷以後，到前年才又恢復貿易。但以往的貿易，是在「民間基礎」上進行的，卻要竭力把貿易與政治分而開之。但現在，池田居然令組由政府支持的新機構去促進對中共的貿易，則簡直已經脫離「民間基礎」的立場了。中華民國焉得而不大爲重視。

日本人，無論其在朝在野的，談到對中國大陸的貿易，總是眉開眼笑——戰前中日貿易，也確實足令日本人眉開眼笑。即如池田勇人，雖然他高唱外交親西方，但在對中共貿易上，他是一貫大有幻想的：

（一）一九六〇年十二月十六日，那時池田做首相才不多久，他便一反過去物物交換的成例，採取輸入准以單方現金結賬辦法；中共亦指定日本之所謂「友好商社」從事貿易。

（二）一九六一年三月六日，池田復宣佈對中共廢止强殖貿易制度，除特定物資外，原則上同意自由貿易。

（三）一九六一年四月十八日，日內閣議決改組「日中（共）輸出組合」，加以强化。

（四）本年元月，日前外相小坂在議會答覆質詢，竟說同意四年前周恩來所提「貿易三原則」，對中共貿易將在不違背「中日友好條約」原則下進行，並接受延期付欵條件。

（五）本年六月二日，池田在大阪演說，宣稱將不顧美國的反對，「加速」擴大對中共的貿易。

從這些足見，雖然在中國人視之，日本決定擴大對中共貿易之舉，確實令人憤慨，但未必是中華民國政府提提抗議，便可以加以阻止的。但日本擴大對中共貿易，却亦未見得眞是什麼有大利可圖的生意：（一）以往日的成續爲例，貿易斷絕前的一九五七年，日對中共八貿入超八百萬美元，恢復後，第一年之一九六一年，日對中共貿易入超逾一千萬美元，確是蝕本生意。（二）大陸經濟巳達崩潰邊緣，一九六一年中共對外貿易總額減四分之一，連對蘇聯的貿易，本年亦削弱二分之一强，總數僅九億美元了（以往曾達廿億美元）。「一窮二白」，它那裏有能多買日本貨？當然，由於想像中的日本擴大對中共貿易，由「民間基礎」進至政府或準政府基礎，它最爲值得注意的，還在於政治影響。共產國家的貿易，都是政治性的，日本豈有不知？豈容不知？自由中國之所以特別重視，主要抓的，亦就在政治方面。（清）

澳邊共區新爆炸案

四十天來的第六次

另兩次檢獲炸彈未計入 毛共杯弓蛇影停收糧包

（本報訊）據澳門消息：毗連澳門之毛共區域，十日晨又傳來轟然爆炸之聲，此已爲近四十天來鄰近澳門之毛共區內第六次爆炸，另有兩次毛共及時檢獲炸彈，未經計算在內。

澳門關閘及馬場一帶居民稱：十日晨約一時半光景，有轟然巨響自北方傳來，許多人均因此自夢中驚醒。其初尚多疑爲行雷，未以爲意，乃不久傳來頗爲密集之槍聲，始發覺共區又發生爆炸事件。不少人爲了好奇，曾起床向北瞭望，欲知其究竟，惜以其時烏雲蓋月，一片漆黑，致全無所見。但天亮後，此一帶居民，望見有毛共部隊數十人之衆，圍着高沙村附近一處山腳搜索，一般相信晨一時半之爆炸，係發生於高沙村。

溯自七月三十一日，毛共人員宣稱在行走穗澳線之紅星一一五號輪檢獲計時炸彈，並拘獲「國特」伍珠以來，先後巳發生之毛共區爆炸案，已達六起之多。鑒於毛共人員之不斷聲斥「國特」搗亂，顯示其巳感到某種程度之精神威脅，而有朝不保夕，疲於應付之苦。此六次爆炸事件計爲：

（一）八月四日，有爆炸在石角嘴爆炸。

（二）八月五日，有炸彈在拱北關爆炸，據說因此釀成二死與二十六人受傷。

（三）八月九日，有炸彈在石岐爆炸。

（四）八月十九日，有炸彈在鴨仔涌爆炸。

（五）九月三日，有炸彈在橫琴爆炸。

（六）九月十日，有炸彈在高沙村爆炸。

至另一次毛共檢獲計時炸彈之消息，則爲九月九日所傳出，其發生之正確日期，尚未明朗。消息稱：該計時炸彈，係在拱北關從一個年僅十一歲的小童行李中所發現者。並稱：毛共於檢出炸彈後，當將小童拘捕，進行拷訊，並稱根據小童供述，已拘獲一名涉嫌誘哄該小童携帶該炸彈之男子，正進行審訊中。

又自十日起，澳邊共方祗准寄月餅，暫不收寄糧包，亦足證毛共之栖栖皇皇，疑神疑鬼。（端）

香港與大陸

共幹貪污大吃大喝 淡水農民月五錢油

共幹謊報增產辦法極可笑

中共多年來所吹噓的「糧食增產」，實際是農村幹部唯恐受責，有意誇大，亦爲爭取「立功」，企圖得到「上級」的獎勵。其結果是使農民的糧食配額更少。

據一位新近抵港原係梅縣南口公社宮前生產大隊的「調統」組長（專門負責公社收支工作者）黃沐銘君稱：共黨經常發動生產競賽，省與省，縣與縣，公社與公社，大隊與大隊間，皆每年進行評比，優勝者可得物質上和文學上的獎勵，落後者則給予批評和處罰。所以各單位之共幹，相率虛報產量，以圖塞責，更圖爭功。

黃君說：每年到夏秋收時，農村之「黨支書」便召集各共幹開會，說明「上級」所規定的產量數值，如果產量不能達到這個標準，則全體幹部都會受到處罰，相反如果能超過所定指標，則能獲得獎勵。超額越高則獎勵越多。故要全體幹部（尤其是負責「調統」工作的幹部），做好調統工作。

黃君說：他曾負責過宮前村的調統工作，他在「黨委會」的指示下，是這樣做統計工作的：譬如計算一畝水田的產量，是將剛由禾稈除下的全部濕穀是四百斤，再加上各種損失——仍附在禾稈上的穀計有廿斤，「打禾」（即將穀由禾稈除下）時不小心而散失的廿斤，在收割時不小心而跌落在田野裏的廿斤，晒穀時家禽鳥類吃去廿斤，籮底磨擦而損失的十斤，在未收割時被牛羊所吃掉的約廿斤……這樣加起來，便有五百一十斤。而「上級」規定的指標若是四百二十斤（指的是乾穀），這樣便可以向「上級」彙報每畝增產九十斤了。

黃君還指出，這種攪法固非常可笑，却是非常普遍的，亦是每一生產大隊爭取「增產」之一般「竅門」。共幹的這種做法，雖然他們可以不受「上級」指斥，但農民却遭殃不淺。因爲農民的糧食配額是將總產量除去「公糧」、「水利穀」、「肥料糧」、「生產工具糧」、「支援糧」……而定的。而這個「支援糧」數量是有彈性的，數量亦頗高。不增產的地區，原則上是不用繳交「支援糧」的，而「增產」的地區即要「自動」繳交。所以，共幹的虛報產量，無異是將農民應得的糧額多扣去「支援糧」，而這種「支援糧」往往多扣了配額的三分之一。當然農民是更加吃不飽的了。

另據甫由淡水縣來港之農民劉君稱：大陸共幹，貪污舞弊，大吃大喝。有一個村的全體共幹，竟然互相包庇，在一個月內貪污盜竊了「公社」三百多石穀和成十條猪牛。平時這些共幹在開會「研究」生產問題時，亦經常把「公社」所養的家畜和糧食，用作宵夜，所以常常祗有十個共幹開會，便要殺一條猪，甚至一頭牛，以充宵夜之用。

該農民劉君說：共幹如此大吃大喝，而農民却每月只有廿斤穀，五錢油，肉類僅過年過節有一二兩，所以農民皆恨極共幹。（敬斯）

龍劇轟動歐美實況紀述

（三）遠征北歐·共黨喪胆

仲偉庭

北歐原來是歐洲最富庶的地區，這些國家自以爲人民生活安定，不會被共黨滲透，所以龍劇的隊伍首先選擇向這些國家進軍。這些國家早已承認了匪僞政權，駐有匪僞的大使，國際共產黨在這支反共的龍劇部隊進入後，總是千方百計設法破壞，命令當地共產黨徒來搗亂。

譬如在挪威，他們爲了破壞龍劇上演，共產黨不惜採用卑鄙行爲，搗亂劇場，預伏黨徒在龍劇上演過程時，大吹口哨，怪叫狂嘘，擾亂秩序。還有些搗蛋份子從戲院樓上向下投擲白老鼠，企圖干擾龍劇演出。龍劇不但沒有因這些蓄有托爾斯泰畸形的國際第五縱隊共特破壞而中止公演，觀衆因此更一天比一天增加，而那吹口哨，投擲白老鼠，大聲叫喊的破壞份子，每次都被觀衆和警察拖出大門之外，於是報紙上都登出這些醜態的照片，社會人士對之無不唾棄痛惡。反映出龍劇與共產黨面對面直接作戰是有把握贏得勝利的。

在丹麥演出時，共產黨對龍劇有了過去失敗的教訓，更是變本加厲，在戲院裏放臭氣彈，臭不可聞，想以此手段强迫觀衆離場。然而觀衆仍然不理，反而更加深了觀衆對共產黨的認識與厭惡。由此也提高了這些國家政府官員對共產黨的瞭解與警覺，因而許多報紙對共黨暴行作强烈指責。共黨的搗亂，反而爲自由中國做了最好的宣傳。

龍劇內容是描述一個被共匪麻醉了的青年，怎樣盲目地出賣了他的祖國，怎樣在共黨竊據大陸後，參加清算地主，資本家和傳教士的活動，更殘忍的親自鬥爭慘殺了他的祖父母，和人民公社饑餓慘酷的情形；及至他良心覺醒後，又怎樣投奔自由，於台灣安享自由豐裕的社會中，遇見世界道德重整運動，決心以救世的精神，樹立道德的準繩，來改造社會風氣，團結自由世界，澈底消滅無神的共產主義，以求達到人類自由和平的理想。這個劇充滿了缺憾、困惑、失望、悲痛和血淚的教訓。劇中主角王强雖然一時的盲目受匪唆使慫恿失去了理智，做出了傷天害理慘絕人寰的悖逆殘忍事件，但最後因良知的激發，良心的責罰而自覺痛悔，經過千辛萬苦的掙扎，才僥倖地逃出了鐵幕，但他有善良的意志，向上的本能，未被悲劇所摧殘，毀滅；反而藉以往慘痛的經驗，把他陶冶出高尚偉大更純潔的人格。悲劇是人類生命的發揚，他爲了恢宏人性最高的境界，他忍着悲痛的心情，走向未來去追求生命最高的意義。

當龍劇在瑞典上演時，最初三天因共產黨威脅所有報紙不准登載龍劇廣告，全體團員分成數十組冒零下十七度北歐最寒冷的氣候，挨家逐戶的展開訪問，以親切的態度，堅忍的精神，日夜奔走分發工作團的聲明全文，五天之內，他們訪問了二萬五千戶。訪問對象包括國會議員，內閣閣員，工商業界領袖，勞工等的家庭。代表團中女團員任旭蓉等曾敢勇去瑞典總理官邸訪問，由總理夫人親自接見，其後總理下班回來亦加入了談話，當他獲知任旭蓉小姐等係來自無邦交的中華民國時，顯然的他有點不自在，而當他聽說了自由中國的青年已經在他的國家訪問了二萬五千戶人家時，更大爲吃驚。他雖然因政治上的理由婉辭了參觀龍劇的邀請，可是他的心目中，中華民國已不再是一個陌生的名詞了，而中華兒女們勇敢的精神，使他留下深刻的印象。

龍劇以揭露大陸上共匪暴政下的眞相，及共產國際的陰謀，其對匪僞在國際上的威望，自是一個極爲重大的打擊。加之五十位優秀的中國青年都富有單獨作戰的經驗，不僅深具堅決的反共思想，而且富有國民外交的口才與特長，因此講話很使人信賴。

天南風光

——古晉的吊橋——

朱淵明

索橋的主要材料自然是竹，但必須用「慈竹」。「荊竹」，「水竹」，或「大竹」，均不能用。而且過老及太嫩也不能用。必須斬伐正當盛年之慈竹，去其頭尾，將之剖闢成條，先泡於石灰水中數日，取出陰乾，再浸於桐油中數日，庶幾不致生虫，然後編製成索，索之粗細既可任意，長度更可無限。

問題就是這些又粗又長的竹索，怎樣弄過那懸岩絕壁，水流奔放的河岸了。這種工程，必須對河兩岸，都有人負責主持，並集合許多人力物資，事前準備，臨期同時動作，否則絕不成功。那竹索過河的初步工作最艱難，最危險。必須利用竹筏或木筏以溝通兩岸，（這撐筏的自然是最有本事的水手與蛙人。）又須先準備相當粗又極其長，好像船纜似的麻繩或棕繩若干條，其中有一條必須更粗更牢的，一併垂與撐筏的置于筏上，而將繩之一端緊繫於此岸，由撐筏者將繩之另一端携交彼岸之人。——自然是很多人——再由那些人執其繩端，攀岩附壁，牽到岸頂，首將那一條更粗的繩纜，緊繫於預先準備好的岩石或岩洞上，這第一條交通繩就算建立起來了。

交通繩上套有若干鐵圈或篋圈，（最初一定是篋圈）即將篋索貫於篋圈或鐵圈之中，而以預先由筏送過對岸之另一條繩纜，由圈之另一端，將竹索之頭緊緊，以便拉扯；同時將第一個篋圈或鐵圈也繫上，因圈與圈之間，也有細繩連繫着，一經拉扯，圈也要同時滑動的。那時竹索若果是從此岸送到彼岸，則交通繩在彼岸之一端，必然繫於較低之處，以使成傾斜形，則可利用鐵圈或篋圈在交通繩上之滑力，順勢而下，易於奏功。反之，若篋索是由彼岸送來此岸，則交通繩之高低又須對易。（一）

公道篇

政治的存在價值（一）

林

由於受到傳統與習慣的影響，一般人都錯覺地把政治的價值和地位視得太高。我特別强調這是一種「錯覺」，因爲政治在人生的實際意義上，如果會經過審慎的分析，政治的存在價值，就大有問題。

政治僅是對人與人間的一項組織工作，關係於國家民族社會羣體問題的事，可說與個人生活無關。個人之與政治發生關係，是因爲企圖取得個體與羣體間的諧和。但因此個人便被拘束，受到政治意識的侵擾，和被捲入觀念鬥爭的災害中，而形成政治之對個人，竟似是有害無利的不祥物。

中國帝制時代的士大夫，以「學而優則仕」爲榮。一般庸俗的讀書人，在傳統的腦子裏，都充滿着「一子受皇恩，全家食天祿」，「光宗耀祖」的念頭。把讀書自貶爲御用豢養品；把做官看成人上人的神聖職業。即在民國肇基以後，這種庸俗的政治風氣，還是牢不可破。

孫中山先生把政治解釋爲「衆人的事」和「管理衆人的事」，開始打破中國對政治傳統的迷信，否定「官」是了不起，是無上的權威。政治原祇是一種組織，一種社會服務，執行政治的官吏，祇是受命於國民的差遣的公僕。而衆人的「政」事，如何去「治」？或這種「政」事的範疇，是否爲大衆所認可？這種「治」理方法，又是否爲大衆所同意？政治本身乃實權決定，而由衆人之事的主人——羣體去決擇之。

野心獨裁的赤色政權，都不同意把政治作成這樣的解釋。他們講「人類爲政治的動物」。亦即是說，共黨視「人」爲政治的工具，組織的奴隸。否認「人」是政治的主人，政治爲人類達成生活理想的工具與手段。

共黨把政治作如此的解釋，便剝奪羣衆對政治抉擇的自由，把所有人投於黨官的統治下，成爲其組織的工具與奴隸。這種解釋，是和民主政治完全背道而馳，但卻和封建帝制獨裁的政治觀點，完全一致。

政治既僅是一種組織，一種服務，顯然就不是人生需要的實體。政治無疑是廣泛，包羅萬象，代表個體到羣體的契約，但其對人生的實際意義，卻恰正有如金錢之與人生關係一樣。大家清楚，金錢儘管爲庸俗者視之爲「萬能」，但其實金錢祇是一種媒介物，並非爲人類的「生命」或「生活」上直接的需要。人類直接需要的是衣服，是粮食，是屋宇，不是金錢紙幣。相反，人類生活所需的衣服、粮食、屋宇如不獲得充足的供應，幣值的信用就必然因此低降。政治之對人生亦然。人生實際需要是教育的求知慾，以滿足其形而上的追求；是經濟生活的充實，以滿足其形而下的本能上的需要。人生唯能有此種靈肉的交流，身心的滿足，生存才見意義，社會才有實質的繁榮。所謂政治云云，其理想亦當在此。

瘟君續夢

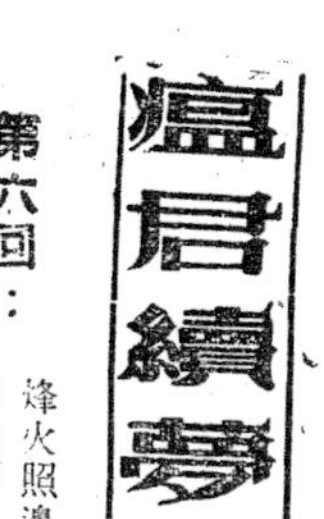

第六回：烽火照邊陲　同惡難濟　樓船橫碧海　大憝興悲

周恩來就向陳毅說道：「少奇同志的話你聽到了，回去趕快以我的名義發個電報給尼赫魯，請求會談」。

陳毅不敢就擱，回去找到「外交部」秘書寫了一封懇切的信給尼赫魯，由周恩來署名，請求尼赫魯晤面談判邊界衝突，地點在新德里在「北京」，甚至任何地方，都由尼赫魯指定。

周恩來這封電報發出去之後，隔了一個禮拜，印度駐中共「大使」館，才慢騰騰地送回來一個覆照，由印度外交部出名，說明印度總理正在準備歡迎美國總統艾森豪威爾及蘇聯元首伏羅希洛夫，無暇接待周「總理」，請原諒。

陳毅接到這封信頓如冷水澆背，拿了去見周恩來，兩人商量一下，也想不出應付辦法，只好呈給毛澤東。毛澤東一看又急又氣，馬上打電話把劉少奇，朱德，林彪，鄧小平，彭眞，林伯渠找來，將印度外交部的覆照傳閱一遍，大家都縐起眉頭。

毛澤東問道：「艾森豪威爾此時去印度作什麼？」

周恩來說道：「他本來是在亞洲各國訪問，不過，此時恰好到了印度，未免太巧了。」

毛澤東冷笑一聲：「他當然看準了時機，去給紅頭阿三打氣，我們有沒有辦法阻止他。」

周恩來楞了一下，不敢接腔。

陳毅說道：「我們同美國又沒有外交關係，怎能阻止艾森豪威爾赴印訪問。」

毛澤東一拍桌子：「誰要你通過外交途徑，我的意思是採取外交以外的辦法。」

劉少奇聽懂了毛澤東的話，問道：「依主席的意思，應該怎麼辦呢？」

毛澤東說道：「我的意思例如發動共產黨員及進步人士示威，可以把艾森豪威爾嚇回去。」

陳毅搖搖頭：「這個辦法做不到，印度共產黨力量太小，只有在凱累拉邦還有法可想，其他地區根本是不成的。假若是在日本，我們就比較有辦法。」

毛澤東冷笑道：「一計不成，再來一計，我們當艾森豪威爾到達印度的，在邊界再製造一次糾紛，以掃艾森豪威爾的興，也使尼赫魯知道他這個後台老板靠不住。」

大家都不開口，劉少奇就看林彪。林彪搖搖頭：「目前想發動一場戰事，在拉達克地區是作不到了，因爲那個地區已經進入冬季，大雪封了公路，士兵都在哨所內不敢出去，不必說打仗了，即使想找一個印度兵都不容易。」

毛澤東向大家掃射一眼，問道：「還有什麼辦法沒有」？

彭眞笑道：「其實艾森豪威爾是訪問印度，又不是訪問台灣，對我們並無太大影響，倒不可過於刺激他，萬一他惱羞成怒，飛去台灣訪問，豈不更糟糕。」

一句話提醒了毛澤東，不敢再談艾森豪威爾的事，轉過臉向周恩來問道：「伏老怎麼也要到印度訪問，首尾不到兩月時間，美蘇兩國的元首都到了印度，尼赫魯會發瘋的，今後談判邊界問題就更難了，你應該要想個辦法阻止他。」

（一三六）

憶玄軒雜綴　·琳秋·

台灣的三害（續）

唯一補救，全恃政府德意，（一）選擇較高地段，增建普通民衆住宅，由民衆申請，分期十年或十五年還淸。庶可謀出幽遷喬之策。其原住處由民衆自行處理。（二）疏濬每個市縣各地的下水道，使其暢流無阻，可減泛濫。尤其河流，必須濬挖。例如台北淡水河，始終未聞有掘挖導引之事，最低限度，必須疏至關渡爲止。萬一颱風來到，則雨量由下水道入河，而河亦能納，冲之歸海。此一勞永逸之事，省市府應規定有預算，在秋末冬初水量較小時際，辦理此工作。一年不能完，則期之兩年，而務期三年有成。否則此患年年必有，事事頭痛醫頭，必無萬全之道。總使如有颱風則可儘量減少民衆損失，此大德也。

（二）地震，十餘年所遭尙微，祗四十五年一次較鉅。但預防之事，也須顧及。筆者認爲凡是興建房屋，請度建築執照，必嚴格執行，以堅固爲主，克難房屋力求減少。再則每個市縣建設，應儘量往郊區發展，俾使房屋不太密集市區，藉可增闢市區的幅員，不屬集於一隅。除此兩項補救外，其他絕無躱避之法，政府當局想亦計及於此。

（三）拜拜，這是人爲的事，而此舉助近乎崇拜偶像。民衆集會慶祝，法所不禁，但是不可過於浪費。因國家在多難之秋，並非承平時代，應保存財力，以固元氣，遇有天災人禍，可以應付。在台的拜拜，一年之中，不知有多少次，有大拜拜，有小拜拜，總之在此區中，家家戶戶，備酒請客，而是流水席，自下午六七時起，以迄十二時不斷。余在五年前，曾往華華，參加拜拜，七時起至十一時，共吃了八九家，多是飲酒吃菜，有高粱清酒，有啤酒汽水，每家吃上五六盃，菜四五色，估計每一家用三千，此八九家朋友，所耗在三萬而一區之中，人家多以數百計，這筆金錢損失，以全台灣計算，至少在新台幣三四億，等於美金千萬。今年中元，適逢霍亂肆虐，政府禁止用酒肉，祗用水菓糖食，民衆省去了不少。

抑有言者，其他都市，凡是每段街道，如需添設，或建築，得許一區住民申請購料，由政府爲其建設（可用兵工代役），據友人相告，日本西德，均增闢無數的街道，蔚然改觀。政府何不曉諭民衆，節省拜拜之費，從事建設，相信三四年即可改觀，而土地增值，衛生改善，兩有其益。希望台灣民衆能自己覺悟，廢除崇拜偶像，而求實際有益者爲何如。

台灣與鄭成功

陳雪英

加以野蓄嗜殺異族，以此頗不合中土人士的生活條件，故中土人多止於澎湖。漢人移住澎湖者，亦日增。澎湖交通漸繁，非設官施政不可，遂於至元中（約公元一二八一年）在澎湖設巡檢司，是爲台灣置吏之始。迨元亡明興，明太祖恐海外孤島，易爲桀傲之徒所嘯聚，乃于洪武五年（公元一三七二年），命信國公湯和巡海上，把移住澎還的中土人，及原有先住民，盡行徙入興泉二屬，並廢巡檢司而墟其地。

嗣後，不逞之徒又常潛聚斯島，倭寇亦常停泊於此。迨宣宗宣德五年（公元一四三零年）宦官鄭和（三保）率舟師航海南洋羣島，遇颶漂至台灣，始稱台灣爲東番。而台灣的名稱，實始於明季有莆田人周嬰著遠遊篇稱爲台員，台音員與灣同。有謂赤嵌和台灣均古著社名者。

明嘉靖四十二年（公元一五六三年）都督俞大猷剿討海寇林道乾，追至台灣海面，並巡哨鹿耳門以歸，乃留偏師駐澎湖。萬曆十四年（公元一五八六年），日本有雞籠係指台灣之議，明廷乃詔海上警備。自是始重視澎湖爲國防上的前線。二十年（公元一五九二年）又置遊兵於澎湖。翌年，日本征韓大將軍豐臣秀吉既伐朝鮮，並有謀取台灣的野心，遣使赴呂宋菲律賓途次，致書於高山國，即台灣南部打狗山蕃族，這亦是日本窺伺台灣之始。二十五年（公元一五九七年），澎湖始設衛鋒兵。到這時澎湖常爲屯駐軍隊的區域了。

先是公元一五一零年，歐人始發現太平洋的大海，在印度洋北方。翌年葡萄牙王拏馬拏伊爾一世，遣安篤賚得，向中國進發。

（二）

談知己

汶津

人生百年，得一知己，死復何恨！這話最初不知是誰先說起的。怎麼叫知己？手頭沒有辭源、辭海，想來還不致把它解釋作「不知己之反」吧。

活着，有時覺得很有趣，有時也不免有乏味之感。人又是最怕孤獨的一種動物，即使處身在大庭廣衆之間，也常有被人冷落的敏感——說是神經過敏也罷。這時，如果有一個和你相識，而且了解你的人突然出現了，你不會高興得跳起來？這恩惠只能說是天賜，在萬千的人羣裏，只有我你是一點靈犀、心心相印的，這種所謂肝胆相照的情緒，常含有濃厚的詩意。感情的觸發是緩緩的，脈絡相通的，好像一脈遠水，一片森林，不論在一起也好，分離在兩地也好，總有不可言喩的依依，也分不清是恩念還是感應，這就是知己之情

可是知己和情侶是不同的。情侶們相互所感到的是一種強烈的需要，知己之間卻是比較平淡，或許也是更爲源遠流長的。知己是一種最少數的人，你可以信賴，可以剖示你的一切——痛苦與歡樂，得意與迷失，乃至你的狂妄，你的荒誕的。

知己是沒有任何附加條件的，一個純然神聖的名詞。「生我者父母，知我者鮑叔」，這正是許多人的心聲。說這句話時，知己者的影子就像是我自己的影子一樣，他的思想，他的事業，也成了我的一部分，即使那是和自己原來擁有的完全不同類型的。

「士爲知己者死」，這中間隱約還有等差的關係。其實眞正稱得上知己的，是超越利害關係，地位高下以及一切習慣信仰上的差異的。當然，兩人往往會有類似的理想和抱負，否則互相的了解和體諒就失去了必然的基礎。但小小的差異却往往造成大大的和諧。

有些好友能夠爲一件事而反目，他們一定還不會企及「知己」的境界。相知是雙方面的事，既不能一面倒，更不能一廂情願。均衡的情緒和心理也許有待培養，但沒有均衡感，知己也就失去了久遠的保障。張耳，陳餘的故事，正好是一個例子。

知己之間應該想不到「犧牲」那個詞兒。爲對方做些什麼，也儘可不分是付出還是接受。那是毫無分別的。知己的朋友也許像手足，像兄弟，也許還不止於此。一句話是說不完的，一百句，一千句也無從說起。有時候，反而是一個微笑、一次對視顯得更爲眞切。

「人不知而不慍」是很高的修養，却也不是絕頂難的。但若心目中的知己者對你的某一方面也無法了解，那就值得傷心了。伯牙、鍾子期都已作古很久很久了，現在的世界又繁雜得不可思議，人與人之間的交往，保持那份單純性已經不太容易，要想纖芥必達，洞察對方的心隱，又談何容易！不過知己之情原是須要雙方悉心培養的，一點點疏忽，就可能前功盡棄。

在知己與知己之間，有許多不容表達的情味，外人是無法捉摸的。這原是一種人生的藝術，也是羣育的一大極致。如果由知己的感情（說是心電感應吧）推廣開去，運用到其他的人間關係上去，那世界一定很快會渡過風暴，而達到萬里無雲的境地了。

知己怕不怕第三者的傷害？這要看程度。如果雙方有了配偶，就可能發生較壞的影響。只要有一方的丈夫或妻子對這份久釀的知己有某種妒意（這原是絕對不必要的）或厭惡，問題就發生了。而在這樣的情況下，第三者受到感悟的可能性是不多的。人本是無法超然於一切的，到了某種進退的關頭，一念之差就會使自己失去最可貴的友誼。雖則人到了中年以後是更需要有一二知己的。

還有一個問題也是不可畧過的。異性之間能否成爲眞正的知己？原則上，答案是肯定的。最近讀柴可夫斯基和梅克夫人的書簡集，就有這種感覺。但其中還是有條件的限制。如果能大刀濶斧的撤開狹義的「性」的因素，「知己」依然是無所不在的。

海嶠譽談薈

運氣與事業

諸葛文侯

曾國藩晚年敎人「不信書，信運氣」，這是他閱歷世故，飽經憂患的悟道之言，確有至理存焉。人生在世，無論貴賤窮通的生活過程，有許多事皆非始料所及，且決非本意所願爲的，每每陰錯陽差，莫名其妙的躬預其役，這除卻歸諉於運氣以外，殊難解釋的。譬如區區在大學時攻讀的課程是政治經濟科，而尤傾心於政治學，對於敎育事業，完全是門外漢，並且個性亦不相近。可是，自從涉足政治界之後，竟兩次濫任敎育行政官吏，另有一次幾乎實現。用非所學，感覺十分別扭，其經過亦殊有趣也。

第一次是民國十六年秋，南京國民政府改組安徽省府，以陳調元任主席，內定楊杏佛與我分任財政與民政首長，楊係國府主席譚組安先生推薦的，我是國府常委李協和先生提出，經譚主席同意的。當國府委員會議決定人選時，照例由主席報告各人的履歷籍貫，首先通過陳調元的主席職務後，譚先生即提出楊杏佛以委員兼財政廳長，大家無異議；次提到我兼任民政廳長，即有人說：省主席和民財兩廳長這三個重要職位，沒有一個本省人承其乏，似有要考慮之必要（陳係河北人，楊是江西人，我的籍貫是湖南）。這話很有道理，當時譚李二公皆不便堅持原定計劃，祗好把我撤開，易以皖人湯志先兄。事後李協公將情形告訴我，頗爲沮喪（湯兄亦是李協公推薦的。）繼而敎育廳長何世楨辭不拜命，乃將此冷門職位套在我的身上，實則我絕未曾夢想到要幹這種素無研究的職業哩！

民國廿一年夏間，我於役「豫鄂皖三省勦匪總部」時，某晨，蔣總司令傳見我，說是皖省敎育廳長朱庭祜呈請辭職，敎育部長朱家驊請求總部決定繼任人選，因我曾在安徽主持過敎育行政，準備派我前去重理舊業，問有「有無把握？」我對此項外行職業，實在不感興趣，即敬謹答曰：「報告總司令，我不是學敎育的，自付毫無把握。」蔣公亦就未勉強我了。最後一次是民國卅一年秋，陳果夫先生擬保舉我担任重慶市社會局長，託人寫信到成都招邀我先回重慶來，而敎育部長陳立夫先生以渝市新設敎育局，一定要我做首任的主管官，如是乎我被廹再作馮婦，又幹了兩年明知其不可爲，爲而沒有興趣的敎育行政事宜，眞是冤哉枉也！

此外亦遇有若干意外的打擊和幸運，都不是自己意想得到的，而平生立意經營，審愼進行的事業，卻一無所成。如民國卅六年春間，把僅有在北平曾被漢奸政權沒收了的一所房子，收回來賣掉，將價款滙到上海作生意，希望發點小財，藉作生活之資。當時幣值不穩定，凡在市廛購存物資，無不利市三倍，唯有我購儲電氣材料，因受日本商人大量走私的影響，結果連本錢亦蝕去了大半。凡此種種，如其不信運氣，而迷信書本上的道理，那就一輩子亦是想不通，悔不完的了。

劉璈抗法前部署

·李仲侯·

他在這樣的環境下，曾屢次請簡知兵大員，渡台督辦，當時省憲批示，督辦非外省所敢擅請，仍飭該道勉爲其難。他詳復曾說：「雖果得爲，勉尙有濟。勉爲不得，爲亦終難。義在致身，他復何恤，惟有盡其心力所能到，仰答君恩憲德於萬一耳」！他此際處於無可如何之境，惟有一再以權緩急，決疑難，定刑賞三大端激勵諸將領，並常以「一人拚命，萬夫難當，沉舟破釜，必置死地而後生也。」等詞，申儆其部下。他對用兵勝負須嚴定刑賞一事尤極注意，光緒十年四月具稟有云：

「前詳不求角力於水面，祗求制勝於陸路者，誠以洋防與內地，變、捻各匪懸殊，彼族船炮堅利，水面本所專長，又皆我所素短，我短彼長，無力可角。彼陸路之長，止在器精令嚴，隊整耐戰，而所短卻在笨直平扳，則彼爲我制。如我能盡其精嚴整耐之長，化其笨直平扳之短，自操必勝之權。堂堂中夏，夫豈乏人，如職道所知王壯武舊部，劉忠壯原統之老湘營，確能擅其所長。」

（十四）

內僑警台報字第〇三一號內銷證

自由報

THE FREE NEWS

第二七一期

中華民國僑務委員會頒發
台教新字第三二三號登記證
中華郵政台字第一二八二號執照
登記爲第一類新聞紙類
（半週刊每星期三、六出版）
每份港幣壹角
台灣零售價新台幣弍元
社長：雷嘯岑
督印人：黃行靈
社址．香港銅鑼灣高士威道二十號四樓
20 CAUSEWAY RD 3RD FL.
HONG KONG
TEL. 771726　電報掛號．7191
承印者：田風印刷廠
地址：香港灣仔高士打道二二一號
台灣分社
台北市西寧南路壹壹本號二樓
電話：三〇三四六
台郵掛號金戶九二五五

自由中國與中共兩方外交陣容之比較論（下）

·吳本中·

語云：『禮尙往來』。『來而不往，非禮也』。是故，往而不來者，亦非禮也。外交上講『互相』，講『平等』。一個民族與國家若稍有自尊心，與別國往來，必定保持這個最基本的原則。否則不但自己國家與民族的尊嚴與威信將消失殆盡，遭人輕蔑，而且事實上亦必不能辦什麼眞正外交工作，浪費國帑，徒養一幫支取外滙的海外寓公而已。外交雖然有時是『面子』問題，盡可能的與多數國家『平等』，『互相』的交換使節；然而卻不要『打腫臉充胖子』或如香火的『一頭熱』。立國於天地間，如果別國對我們冷淡如冰，並不屑派一位使節到我國，對待我們原來駐守的大使如可有可無者，甚至不好意思下逐客令而已者；那麼，爽快調回來好吶！發一位人家『不受歡迎之人』在外國，能發生什麼作用呢？他們政府如果要決定在聯合國不投我們一票，我們派一位太上大使，又於事何補！

根據最近自由中國外交部的資料，再減去於本月七日與我斷交的寮國，共計有五十四個聯合國會員國與我保持外交關係，此外尚有五個非聯合國會員國與我建交，此一共五十九國有沒有好好像樣派來整整齊齊的外交團到台北？我們在此文前段，已經看過詳情，若與中共『北京外交團』比較，便覺可憐有愧。我們何必粉飾虛謊，求其表而不務其實？知恥近勇，在外交上更應知恥必雪，至剛至正。勇於知恥者，始能大有爲也。

下列名單，爲自由中國現在派駐全世界各新舊建交國家一覽表：

1.駐阿根廷大使館，大使王之珍。2.駐澳洲大使館，大使陳之邁。3.駐比利時大使館，大使汪孝熙。4.駐玻利維亞大使館，大使徐淑希（兼）。5.駐巴西大使館，大使李迪俊。6.駐喀麥隆大使館，大使與世英。7.駐加拿大大使館，大使劉鍇（兼）。8.駐智利大使館，大使湯武。9.駐剛果（利奧波市）大使館，大使沈觀鼎。10駐剛果（布拉薩市）大使館，大使沈錡。11駐哥斯達黎加大使館，大使尹葆宇。12駐賽普勒斯大使館，大使陳清文。13駐多明尼加大使館，大使李琴。14駐厄瓜多大使館，大使謝維麟。15駐薩爾瓦多大使館，大使劉增華。16駐法國大使館，公使代辦陳雄飛。17駐希臘大使館，大使溫源寧。18駐加彭大使館，參事代辦廖仲琴。19駐瓜地馬拉大使館，大使汪豐。20駐海地公使館，代辦（前任公使劉馭萬）。21駐宏都拉斯公使館，參事代辦淩大會。22駐教廷大使館，大使謝壽康。23駐伊朗大使館，大使吳南如。24駐義大利大使館，大使于焌吉。25駐日本大使館，大使張厲生。26駐約旦大使館，大使保君建。27駐黎巴嫩大使館，大使繆培基。28駐賴比瑞亞大使館，大使陳岱礎。29駐利比亞大使館，大使陳質平。30駐馬拉加西大使館，大使蔣恩鎧。31駐塞內加爾大使館，參事代辦陳厚儒。32駐茅利塔尼亞大使館，參事代辦定中明。33駐墨西哥大使館，大使何鳳山。34駐巴拿馬大使館，大使馬星野。35駐尼加拉瓜公使館，公使江錫麐。36駐秘魯大使館，大使徐淑希。37駐巴拉圭大使館，大使李迪俊（兼）。38駐菲律賓大使館，大使段茂瀾。39駐沙烏地阿拉伯大使館，大使保君健（兼）。40駐西班牙大使館，大使黃少谷。41駐葡萄牙公使館，公使王化成。42駐多哥大使館，大使張平羣。43駐土耳其大使館，大使郝鎭麟。44駐越南大使館，大使袁子健。45駐美國大使館，大使蔣廷黻。46駐上伏塔大使館，代辦芮正皐。47駐烏拉圭大使館，大使王之珍（兼）。48駐委內瑞拉公使館，公使嚴萬里。49駐哥倫比亞大使館，大使厲照。50駐中非共和國大使館，代辦陳澤溎。51駐盧安達大使館，代辦丁懋時。52駐達荷美大使館，代辦馮耀曾。

上表外，尚有在象牙海岸及奈及爾兩個非洲新獨立國，自由中國未設立使館，在最近獨立之牙買加，台北準備設立大使館，據台北本月八日電訊，外交部即派于彭到牙買加首都京斯敦，將暫行代辦大使館館務。又千里達前幾日獨立典禮，特派李迪俊爲特使往賀，同時中共亦在極力爭取中。

細察上列五十二個使節中，計共『特派全權』大使三十五名，兼任特派全權大使五名，『特派全權』公使三名，餘則因不能遣駐『特派全權』使節，而以九名代辦駐守。外交慣例上，『特派全權』始有權向駐在國元首呈遞國書，爲正式代表本國元首者。『代辦』無此權。而代辦，實際更應分爲三種：一、正式長駐代辦使事，是館主；二、臨時代辦；三、代辦館務。後二者，在原訓上均有臨時性。

關於中共派駐外國的使節陣容，特派全權大使節的外交代表人數已有三十餘位。賽國及阿爾及利亞，與中共即將互相交換委派大使者，筆者尚未計算在內。

試讀下表：

1.駐阿爾巴尼亞大使館，大使羅士高。2.駐阿富汗大使館，大使郝汀。3.駐保加利亞大使館，大使謝邦治。4.駐緬甸大使館，大使李一氓。5.駐高棉大使館，大使陳叔亮。6.駐捷克大使館，大使仲曦東。7.駐錫蘭大使館，大使張燦明。8.駐古巴大使館，大使申健。9.駐丹麥大使館，大使王森。10駐芬蘭大使館，大使張勃川。11駐東德大使館，大使王國權。12駐加納大使館，大使黃華。13駐幾內亞大使館，大使柯華。14駐匈牙利大使館，大使柴澤民。15駐印度大使館，大使潘自力（離任）。16駐印度尼西亞大使館，大使姚仲明。17駐伊拉克大使館，大使張偉烈。18駐北韓大使館，大使郝德青。19駐馬里大使館，大使賴亞力。20駐外蒙大使館，大使謝甫生。21駐摩洛哥大使館，大使張琪良。22駐尼泊爾大使館，大使張世杰。23駐荷蘭大使館，代辦謝黎。24駐挪威大使館，大使秦力眞。25駐巴基斯坦大使館，大使丁國鈺。26駐波蘭大使館，大使王炳南。27駐羅馬尼亞大使館，大使許建國。28駐索馬里大使館，大使張越。29駐蘇丹大使館，大使谷小波。30駐瑞典大使館，大使董越千。31駐瑞士大使館，大使李清泉。32駐敘利亞大使館，大使徐以新。33駐坦干尼加大使館，大使何英。34駐阿聯大使館，大使陳家康。35駐英國大使館，代辦熊向輝。36駐蘇聯大使館，大使劉曉（甫離俄）。37駐北越大使館，大使朱其文。38駐也門公使館，公使陳家康（兼）。39駐南斯拉夫大使館，大使（一九五八年九月十一日伍修權調去後，周敏代辦）。

若按使館數目論，中共比較台北在世界所建立者，殆約少十所。然所應知者，一，原非洲殖民地紛紛獨立，往往在地圖上，如芝麻綠豆般的地方，文化毫無，亦儼然成國，交換大使，我們向他們打拱作揖，勞民傷財，建一所大使館，添了一個駐外使節數目而已，究竟對於我國外交上的實益與遠見如何？二、我們向這類忽然叢生的落後小國，施其巧言令色，卑躬折節的所謂外交，而他們並不想鄭重的派來常駐使節，這是否有虧『平等』，『互相』的原則，與忘了我們自己是世界上第一大民族（至少以數目論），有五千年不斷歷史與文明？筆者祇願言儘於此。至於人事問題，更較微妙難言。好在，我讀者諸君素日均關心國事，認識外交，大都心有所悟，何待筆者明言？所痛心者：回憶在上海法國人所辦的震旦大學主授外交講座，且所造就的人才，幾全數未能被政府擢用，一遇非洲十幾法文國家紛紛獨立，台北外交部徒嘆無法文人才！同時大陸上周恩來之妻鄧穎超的女秘書被派出國較次者，及中共駐瑞士等國用法文大使館高級職員，均出震旦外交學科之門！

總之，我們在外交上，在政治上，所應痛自檢討，深切省悟者有數點：1.切不應當大事不做，小事大做。2.不應當門面事鋪張，不確實事敷衍。3.不應當圖近功標榜，忘遠謀而趨超。4.得人者興，失人者亡，而人才以直勁爲貴，華盧爲陋。外交上更如此。5.我們要學克里孟梭與戴高樂，於法國危難時之至剛至正的外交，而恥於巧言令色拍肩撫背的外交。

一九六二年九月十日稿於『面海樓』寓。

漫畫天下　南施

小偷與傀儡

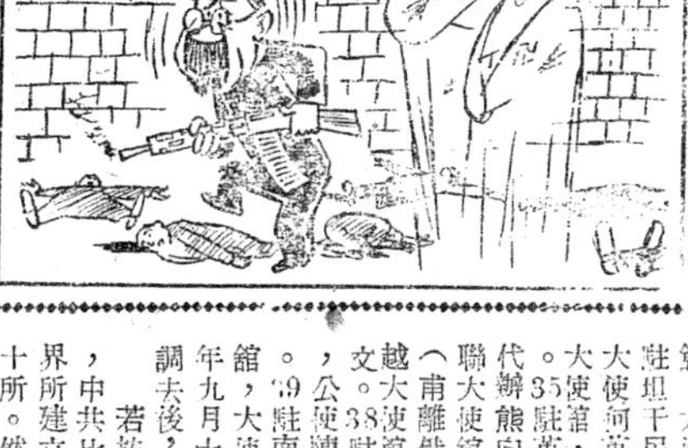

「我們的高材生」

自由談

聯合國的價值

世界和平機構的聯合國，弱點畢露，亂象亦畢露，其存在價值，已根本發生問題。

聯合國成立伊始，祇得五十一個會員國，十七年來，陸續的增加，到本屆聯大開幕之時，出席代表已達一百零四國，同時還有六個新興國家在申請會籍之中，合計已有一百一十國之多，興旺而熱鬧，盛歟盛哉。

但會員單位的暴增劇漲，絕不就是這個世界和平機構的價值亦已比例增加之謂。恰好相反，聯合國這十多年來的事實表現，說明其已逐漸的精神墮落，內容空虛，日趨於下流，名存而實亡。

任何一個組織之存在，必需第一具備崇高的理想，第二保有逐步實現其理想的條件，後者包括參加這個組織的份子都不缺乏旺盛的要把事情做好的忠誠，與精神。這些條件如不具備，可斷言此一組織之絕無前途。三五個人的小型各種結合固如此，以國家爲單位的國際組織，如往日的國聯與今天的聯合國，亦莫不如此。國聯的理想倒確實是有崇高理想的，但它一開始便缺乏實現其理想的必需條件，單祇一個大國否決權，便已使其寸步難行，做不出好事。依據過去的紀錄，在已往十多年，蘇俄便已濫用過一百一十次否決權。聯合國中有了這麼一個心肝別具的壞蛋，已足以把這個世界和平機構，蛀蝕得面目全非，其絕不可能有輝煌的前途，不卜可知。而尤有甚者，聯合國成立之初，雖然做不出大好事，是因其所揭櫫的理想崇高，善是善，惡是惡，是非判然分明，即如蘇俄使用否決權，固使得聯合國形同虛設，有等於無，而忠奸美醜，卻亦彰彰在人心目。其後聯合國等而下之，不但成了演講台，更是一個十足的交易所，縱橫是尙，唯便是圖，公義淪亡，是烏烟瘴氣，好事做不出，壞事卻已屢見不鮮，西新幾內亞問題便是一個現成的例子。作爲世界和平機構的聯合國，竟爾墮落至於此極，亦云可憐可嘆，其存也亡也，無關宏旨也已！

馮子先生

香港與大陸

廣州治安壞　劫搶案件多

餓火中燒·挺而走險　一歸僑被謀殺的故事

廣州市內，由於許許多多人都吃不飽，治安情況異常混亂，謀殺，搶劫，偷騙等事件，時時發生，受害者多係新近返回大陸的僑胞。

剛由廣州來港的僑生陳容X君向記者敘述一件一個三輪車伕爲了餓得發急幹出來的駭人聽聞的謀殺案：一個由花返穗省親的張老太太，當其抵廣州時，已是晚上十時多，這時通往其家石牌的公共交通車已經停開了，三輪車伕又都嫌石牌路遠，不肯前往，不得已，便到附近旅店開房。但行到半路，忽有一三輪車伕前來，並說：「阿婆，你一個人到旅店開房，諸多不便，若不嫌棄，不如到我家與老母同宿一晚，明早我再送你到石牌，這樣你可省却搬運行李之苦，我亦可多做一單上意。」張老太太看他出自好心，亦覺得住旅店上上落落太不方便，遂應允該三輪車伕的提議，並聲言將送一些食物給他。

張老太太去到該三輪車伕住處不久，與其母稍事寒暄便沖涼入其母房內休息。張老太太曾聽到該三輪車伕喚其母外出談話，但她亦不以爲意，認爲他母子祇是商量家事而已。但歷時一小時後，差不多已是午夜時分了，還未見其母入房休息，開始有些懷疑，遂起身行至門口，瞥見他們母子好像在爭論着什麼，並聽到其母親說：「一個老人家又與我們無冤無仇，你這樣做，太殘暴了，將來也必有報應的。」其子却說：「這個世界有什麼殘暴不殘暴可講，我這樣做，是希望得其粮食，能多養活我們幾天。」並說：「我已決定這樣做了，你千萬不要管我。」

張老太太聽到這些，已完全明白一切，登時嚇得不知如何是好，正想逃走，該三輪車伕却已持刀走向房裏。張老太太本能的躲在門角裏，但見該三輪車伕走至床前，舉刀猛向床上被窩上斬去。「呯」的一聲，發覺並無張老太太，遂四處尋找。正在此危急之際，忽聽房外高呼：「殺人啊！殺人啊！」該三輪車伕聽見其母高呼聲，即轉而奔向其母，一刀把他母親殺死！張老太太此時亦高呼「救命！」「殺人！」三輪車伕立即趕到，用刀斬她。幸其時隣居已有發覺，有幾個男女已趕了過來。該三輪車伕顯已發覺，闖下大禍，難逃一死，結果他用刀把自己殺死了。至於張老太太，她所受的傷也不輕，卒由隣舍報警，送往醫院救治，後來畢竟醫治好了沒有？這位僑生陳君表示，他不曾獲得消息。（敬斯）

港華人看國軍U二事件

認中俄共攻擊美國別有禍心　天奪其魄承認U二屬於國軍　强調國機應該繼續偵察大陸

（本報訊）香港的中國人對於中俄共把國軍一架U二機在大陸失事之事，大加渲染，拚命詆譭美國，認爲是胡說八道，十分的可笑。同時並認爲，鑒於中俄共此種極力節外生枝的做法，中共的首光承認那U二機是屬於國軍所有的，未免犯了嚴重的錯誤，而使它及其主子後來的企圖把責任加諸美國，形成很大的破綻。共產黨人以宣傳起家，這次却在手忙脚亂中不經意的犯了錯誤，可以解釋之爲惡人惡報，天奪其魄。

中共宣稱是它的空軍擊落那架國軍U二機的，却沒有說明它的空軍用什麼東西把U二機擊落的。香港的中國人認爲那絕非中共普通飛機的功績。U二可高飛九萬呎以上，是普通飛機做不到的。美國官方懷疑中共有了地對空飛彈，可能是事實。

中共的地對空飛彈，當然是蘇俄所供應的。香港的中國人並認爲可能還是蘇俄人所操縱的。

這是一九六〇年五月鮑爾斯駕駛的U二機在蘇俄被捉到以來，U二機失事的唯一例子。台北的聲明，國軍一共有兩架U二機，是直接購自美國洛歇公司。這聲明暗示，國軍利用U二機偵察大陸，已經差不多達兩年時間。可以相信，中共早就知道這回事，且很爲U二機的偵察所困擾，終於才有蘇俄的飛彈供應中共，並打落了一架國軍U二機。

中共爲此第一次所發表的新聞，十分簡短，祇得一句話，其全文爲：「美製蔣匪幫U二型高空偵察機一架，於九日上午竄至華東地區上空，被我中國人民解放軍空軍部隊擊落」。它的如此承認這是國軍飛機，可憐它實在做得太差了。

既然承認是國軍飛機，俄共是說不出話的，因爲中國內戰尚在繼續之中，中國政府也還有的是戡亂滅共的任務，飛機偵察，自是其中應有之義。俄共能胡說八道些什麼呢？就是中共，它亦沒辦法說中國已經沒有內戰了，互相打得頭破血流都很應該，何況偵察？

國軍擁有U二機，這還是第一次公開出來。國軍的U二機偵察大陸已差不多兩年，這說明，即算美國已下令它自己的U二機不再飛臨俄境，但屬於其它國家的U二，則繼續在活動中。至於美國自己的U二機是否繼續活動，用於偵察俄共的動態，亦祇能以謎視之。

香港的中國人首先認爲，利用U二機偵察俄共，絕不是什麼值得指摘的舉動。俄共鐵幕深垂，自由國家爲了維護和平，偵察是必要的。所謂增加局勢緊張云云，祇是俄共的誇張宣傳。它們害怕因此洩漏了機密，減少其待機侵略的機會，所以才哀亂叫，因爲想要發動戰爭的，正是俄共集團自己。

至於我們中國，香港的中國人認爲；正由於內戰的存在，中國的U二機如其飛越其它共產政權單位領空，還勉强可說「非法」，國軍飛機在自己國土上飛行，天經地義，就誰亦不能打胡亂說。就連中共，對於國軍U二機這次到大陸偵察，它亦不敢說這有什麼問題。香港的中國人並强調國軍飛機應繼續偵察大陸，不可放鬆。

由於這回的事，使得國軍有了U二機，並以之偵察大陸約兩年於茲的事情公開出來，香港的中國人是最高興的。香港的中國人所不滿的，祇是政府到現在還不會反攻大陸，對中共作最後的一擊而已。蘇俄竟然以飛彈供應中共這回事，香港的中國人認爲，倒是有教訓意義的，應該能教訓一廂情願的誇大中俄共有小紛爭，而遂認爲它們會分裂的那些人，讓他們看看事實畢竟是如何的，從而使他們知道：要打倒俄共帝國，須要認眞的努力，捷徑是不存在的，希望敵人分裂，自我倒斃，更祇是妄人的妄想。（德）

美國加强援柬　泰國大不滿意

（本報曼谷航訊）正在泰國對美國加强軍援柬埔寨有着一肚子氣惱的當口，下月即將接任美國「參謀總長」的泰勒將軍，適逢其會，來到了曼谷。泰勒而且正是訪問了柬埔寨之後來到曼谷的；如何慰平泰國人的氣惱，於是成了他的首要任務。

美國之加强援助柬埔寨，係出於柬埔寨統治者施亞諾的要求，理由據說是因爲泰國與南越時常侵犯柬國的邊境。泰國早就聽到美國可能接受施亞諾要求的風聲了，由內政部長乃巴博出面，曾「警告」美國愼重行事，還說：美國如其以額外軍援給予這個假中立眞親共的施亞諾，泰國被廹可能不能不改變外交政策。

但美國不會理會泰國的「警告」，本月十一日，當美國的額外軍援已經開始運送到柬埔寨之時，才由美駐泰大使楊格面見乃沙立元帥，「通知」美國已做出的決定。楊格解釋說：美國對柬額外軍援，是爲了協助柬國對付共黨滲透的。乃沙立當時如何表示，不得而知，但跟着便由泰國外長乃他納發表聲明，强調美國此舉之「不當」。

泰勒豫定在泰國訪問三天。他到曼谷後，立刻與乃沙立元帥會談。他們當然會談到這件事。此間政界人士的看法，泰勒要使得泰國平下氣來，即使不是絕對做不到的，也將是有着認眞困難的。（樂）

民青兩黨家務糾紛

青年黨現分三派一支流　民社黨的團結在蛻變中

（本報記者台北航訊）在野的民青兩黨，爲什麼不能團結呢？這兩黨今後團結的展望又如何呢？是大家所關心的。因此，本報記者就兩黨有關的「家務」加以報導如下：

有四十年歷史的青年黨，自從創黨人亦是該黨不爭的領袖曾琦於四十年五月間去世後，即發生鬧家務的事件，十年多來，分分合合，擾攘不休。從四十年六四天馬茶室開分裂後，大華新村的王師曾、夏濤聲、王嵐僧等，與新生南路的陳啓天、余家菊等，各樹一幟，分庭抗禮。其間談談鬧鬧，從未間斷。到了四十五年間，大華與新生首次携手合作，訂立團結方案，成立青年黨中央黨務委員會（以下簡稱中團派）於台北市金華街設過渡機構，並言明於四十七年間召開全國代表大會。未幾，原新生南路的陳啓天和余家菊，也因故而破裂，於是余家菊另組青年黨整理委員會，與陳啓天唱對台戲。而「中團」方面，若干人士攻擊領導人言而無信，未履行團結方案所規定於四十七年召開全國代表大會的諾言，黃鳳池等人乃組織青年黨護黨委員會。至此，青年黨變成鼎足而立，三分天下了。

陳啓天等人所領導的黨務委員會，一直以「法統」自居。但若干黨員以爲，團結方案原係「臨時約法」，而非全國代表大會通過的「立法」，不能謂之爲「法統」。即「中團」方面，亦有若干人士主張按照團結方案規定，召開全國代表大會。結果據說因少數人不放鬆既得權益，用拖延手法，一直拖到去年四月間。這時，若干黨員乃倡爲團結運動，發起召開全國代表大會，並經五主席李璜、左舜生、陳啓天、張子柱、李不韙等同意了，全國臨時代表大會亦於去年十月間召開了。

不料，臨全會召開後，復有部份人士中途變卦，致團結工作半途而廢，致團結未成，分裂更甚。但搞臨時全國代表大會（以下簡稱臨全會派）的若干人，再接再厲，努力不懈。在那時曾有人說，臨全會不要三個月，就會自生自滅，外界也將信將疑。後來果然又有另一個「臨全會」出現，係由張國興等所領導的。但這似乎沒有影響到由李不韙等所領導的臨全會派的發展。據說他們實力較强，例如在青年黨籍的國大代表中佔有五十六人，立法委員佔有十人以上，監察委員佔有六人，在中央民意代表中，平均佔百分之八十光景云云。

臨全會派不但沒有在三個月內垮台，相反的，他們在一年中間，已經建立地方組織。比如國民大會和立監兩院，都分別成立特別黨部。另外在地方黨務上亦有進展，如台南市黨部已於今年五月間建築一棟二樓洋房於該市水樂街。青民兩黨地方黨部能自力建屋者，這還是第一個。

現在的青年黨，就分爲三派一支流，三派是：陳啓天領導的「中團」派，余家菊主持的整理委員會（或稱余家菊派），李不韙等的臨全會派。而一支流係張國興等的「臨全會」。後者現已與余家菊派共同發表團結的聲明。在三派一支流中，各派都說自己的勢力最大。

畢竟青年黨會不會團結？答復應該是肯定的。目前就有人正在調解斡旋中。但究竟何時能夠完成團結，就不可知了。

說到是民社黨，按理說，在形式上民社黨已經在今年五月間完成團結工作，李緞派與向構父派都回到該黨總部，並且協議成立第三次全國代表大會籌備會，以及成立過渡機構——由蔣勻田、王世憲、郭虞裳、孫亞夫、向構父、李緞等六人爲召集人會議的召集人，以替代原有的副主席團。

自從召集人會議成立後，三方面重要幹部分任顧問與設計委員。接着，該黨刊物——民主中國半月刊主編楊某也解聘了，另聘向派的余美仁爲該刊社長。但是，民主中國半月刊局部改組後，本月一日出版的一期，就未能按時，原因據說是欠了部份印刷費。

若從該刊近兩期的言論態度來分析，的確使人相信外界傳說團結後的民社黨在蛻變中的話不假。而蔣勻田對外界說：民主中國半月刊這次局部改組的原因，係基於內在的因素多於外在的因素云云。至於該黨原定於今年十二月間召開全國代表大會事，就目前跡象顯示，最低限度是不夠樂觀。

關於向構父派和李緞派，最近都被其原派中的幹部向台北地院告了一狀，報紙上且常有形形色色的攻擊啓事。（褚志）

龍劇轟動歐美實況紀述

（四）共黨感動・改邪歸正

仲偉庭

當龍劇劇終時，團員們均深入觀衆羣中，分發中華民國進步概況資料給觀衆，以親身的體驗，作多方的解說，使他們知道第二次大戰時的中華民國政府，現在還在治理着一千三百萬的人民，和瑞士一樣大面積的領土，也唯有這個政府才是中華民國大陸上六億人民眞正的代表。這也證明五十位堅強的鬥士在北歐尙無外交關係的國家，對於我國與歐洲民間需要的了解上，建立了很大的功勳，在國民外交方面貢獻尤鉅。

龍劇在瑞典首都斯德哥爾摩上演時，芬蘭國會議員，以及前任內閣總理借名流顯要，會分乘專機前來欣賞龍劇，另外也有從丹麥，波蘭等地乘專車前來看龍劇的愛好自由之士約千人左右。瑞典皇家水上救生隊海尼隊長說：「在斯堪的納維亞，我們需要一個偉大的希望，在這裏所看到的一切，確給予我們這一希望。這「龍」之來，將會喚醒了瑞典的獅子」。瑞典輪船公司董事長夏霍爾讚何將軍說：「他是現代最偉大的人物之一，我決採取與何將軍一致的立場，使道德重整運動成為我主命中首要的課題」。歐洲天主教最大的報紙「瓦特蘭」日報的主筆看過龍劇以後說：「當這劇在我們面前展開時，使人深為感動，因為它有一個光明的結局，如衆所週知，道德重整思想型態，是足能導致一個新的和較好的世紀」。

龍劇在挪威的首都奧斯陸公演時，許多流亡挪威的俄羅斯、烏克蘭、匈牙利、波蘭、愛沙尼亞人士都來看龍劇。他們看到劇中的中國被共黨的滲透，青年們被赤化，局勢危急，北平的淪陷，天安門外的鬥爭大會，人民公社的淒凉背景與用人耕犂將人當牛馬般地奴役，場場扣人心弦，處處都是他們的寫照，從他們暴烈的經久不停的掌聲中，從他們激動地含滿了熱淚的眼眶中，也反映出他們國破家亡被放逐的仇恨。因此中國大陸遭受共匪的迫害，台灣是反共前哨，蔣總統領導軍民堅苦的奮鬥，代表着復國建國為自由而戰的希望，這些情形，在挪威人的心目中以及被放逐流亡的俄羅斯、匈牙利、波蘭人民的腦子裏，都留下深刻印象。曾任前國際聯盟最後一任主席及現任挪威國會主席的韓伯祿說：「自由中國的未來，與每一個自由人士的命運，實有着密切的關係。我們在國際聯盟，曾找尋今日對付武裝侵略的答案，失敗了，目前中國的分裂和環繞世界各國的悲劇，都是這一失敗的結果。自由中國現在採取道德重整的思想型態攻勢，是一個新的事實，新的革命思想，出現於國際舞台上，對東方和西方，共黨和非共黨，並無二致。「龍」和道德重整的隊伍，提供歐洲選擇正向我們挑戰，我們應當盡全力以赴之，以求得眞正民主的重生與世界的大團結。我要，是苟且和平與戰爭以外的唯一道路。他們向何將軍和他的隊伍致謝，因為他們在北歐國家所作的一切，使我們對共產黨滲透的危險，提高警覺。我們尤須於現在開始本性的改變，而給予共產主義和唯物主義者有力的答案。我們應及時猛醒，再勿姑息，好像二次世界大戰前一樣的姑息，以免戰爭之再臨，陷人類於萬劫不復的悲劇」。

龍劇在歐洲演出的成功並非偶然得來的，中國工作團每到一地，總是先舉行示威遊行，散發傳單，舉行民衆大會，宣揚道德重整和反共精神，藉此報導自由中國軍事的強大，經濟的繁榮，教育的普及，政治的民主，領袖的英明，華僑擁護熱烈情形，加深國際人士的了解。在丹麥首都哥本哈根演出時，成千成萬的中立或左傾思想的人物，因看了龍劇的情節，獲得共匪猙獰面目的眞象，了解共黨的偽裝，而使他們由中立變為反共。

天南風光

——古晉的吊橋——

朱淵明

各事準備齊全後，一聲號令，兩岸同時動作，一拉一送，一條粗大竹索，自然終於可以拉過河岸的。至於溝通消息，傳達號令，究竟靠什麼呢？古時又無電話之類的交通工具，那就只有靠旗語，或炮聲，以及號角之聲了。

究竟一個索橋，要連貫幾條竹索呢？那就要看橋的交通負担，與夫橋身的寬度了。例如像川西灌縣的那個索橋，使用的竹索，總在十四隻到十八隻左右，因為除了橋梁以外，兩旁還要欄檻，而竹索雖粗，平鋪的距離，也不能太疏啊。竹索鋪排整齊後，再於其上橫擱厚的木板，人畜即可通行了。那些橫擱的厚木板，也要用較細的纜索細綁於橋梁之上，否則不必經過大風，幾搖幾擺，就會飛走的。

那些經過索橋上的人，千萬不可下望，橋的下面，都是懸岩千丈，波濤洶湧，轟隆之聲，如雷貫耳，一不小心，就可暈倒，甚至栽跌橋下，尸骨無存。而橋身因為完全懸空，距離又長，不管有人無人在上行走，它本身都是常常幌動。若果人畜經行其上，等於增加震動力量，則橋身之搖擺更甚。所以，行人經過，必須順其自然之勢，一氣呵成，若中途餒縮，必致進退失據。

說到古晉吊橋，其建造原理，與索橋初無二致，而其完全懸空，也與索橋相同，唯所使用之器材與建造之技術，全屬近代化，較之索橋的古舊形態，自然大大的有異罷了。

古晉吊橋的建立，初非完全為了更利行人交通，而係為了溝通食水過渡。原來古晉當初創設自來水時，附近沒有大量淡水可用，沙撈越河為潮汐所浸，下游自然變成海水，不能食飲。勘察淡水水源，唯有市區西北馬當山上，有一大水湖，水源甚暢，地勢又高，若敷設水管，建瓴而下，更利甚多。（三）

公道篇

林□□

政治的存在價值（二）

政治之理想，自當為民主政治制度之實施。但若教育不普及，智識便為少數人所專有；經濟不均等，財富亦為少數人所壟斷。人類社會在此種「專有」與「壟斷」的情況下，所謂「神聖一票」，可能是「賄賂」「貪污」的本錢；所謂民主政治制度，必然是被利用為「合法欺騙民衆的工具」。所以，即使堅持政治為人生不可少的部門，其對人生發生有利的效用，亦必須以教育、經濟、兩個部門為始基。顯明，政治的存在價值，遠不如一般人所想像之甚。

無可為諱，人類是為自私而存在，最少亦是為其起碼的自由生存條件與幸福生活條件而存在。對於政治、教育、經濟等三個部門來說，人類無必需為政治及其有關的主義思想而生存，但對教育與經濟却有必然的與本能上的需要。因此，共黨所謂「人類為政治的動物」，便是不合事實，是一種強詞奪理別具野心的說法。

政治事實上為一般人誤解為無所不包與無所不能的字眼。果然如此，那末人類社會的經濟、文化、教育、社會等等名詞就不應存在，或僅歸屬於政治部門的一個小組的檔案中。不知政治本身無物，它祇是依恃文化、教育、經濟、社會的因素而存在，當文化、教育、經濟、社會的因素分離，政治就祇留回一個空殼，一個音符，為人類社會無關痛癢的東西。

當然，政治又亦如社會、國家、民族一類「超人」的組織。但當一種政治意識被公認為具有「超人」的力量時，那種政治意識也必然是為多數個人因生存上需要的意識所滙合而成。歷史上沒有一種政治意識，祇基於個人的狂想，而不基於多數個人的意願，可能成為長久統治的工具。因之，政治之超人力量，並不能出於政治的本身，而是出於人類生存生活上需要的賦予。

顯明，自命作為一個偉大政治家，必然已深切了解，他的研究對象，不是黨團的利益，不是政治權術的運用，而是何者為人類生命的必需？與何種政治措施，方符合人類在生存與生活上的要件？而政治家的唯一任務，便祇是如何獻身努力為人類充實靈覺與物質生活而工作。反此，所謂政治便不成為政治；所謂政治家便為騙子利用的冒名而已。

觀念意識的不正確與運用，所造成的災殃比較任何災禍更為鉅大，近數十年間赤禍橫決，幾億中國人被投入煉獄，官僚貪污之風未能澄清，就是此種政治觀念意識混淆不清的結果。

新時代需要新觀念新意識的配合，新風氣才能開創。在此一決堤式的思想時代，尤其對具有古老文化光榮的中國，政治的存在價值，實在太有重估的必要。（本篇完，全篇未完）

瘟君續夢

第六回　烽火照邊陲　同惡難濟　樓船橫塢海　大憝興悲

陳毅說道：「這個問題恐怕很難，伏老是受了印度總統普拉沙德之邀去的，我們怎能阻止。」

毛澤東長吁一口氣：「我們能作什麼呢？受美國的欺侮，算是無可奈何的事，現在連紅頭阿三都鬥不過，這口氣怎能嚥下去。」

活曹操勸道：「大丈夫能屈能伸，主席過去也經過許多艱難局面，總算都撐過來了，現在對付尼赫魯不過是牛刀小試，何必認眞，只由恩來同志出面辦交涉就是了。」

周恩來一聽活曹操把責任推給他，不由得吃了一驚，連忙問道：「林老，尼赫魯回信已經明白表示不肯同我見面，這個交涉還怎麼辦？」

活曹操笑道：「他回信只說目前無暇接待你，並未說永遠不同你晤面，我們大可寫封信請他把日期押後，遲一點不妨，只要有期就成。」

活曹操說到這裏，陳毅突然張下口想說話，趕快又闔上，未曾說出來。却被毛澤東看見了，用手一指：「你有什麼意見。」

陳毅趕快繃着臉說：「報告主席，我沒有意見。」

毛澤東一瞪眼：「胡說，我清清楚楚看見你的嘴張了一下又閉上，到底你心裏想說什麼，趕快坦白說出來。」

陳毅平時雖有急智，當此臨機應變，此時被毛澤東一逼，却張口結舌，說不出話來。

活曹操拈着五色鬍子說道：「主席不必追問了，依我看，大概心裏又想到女人身上，也許把這裏當成了北京飯店都說不定。」大家聽了都笑了起來。

毛澤東一拍桌子：「不成，一定要他說，我倒要看看他心裏想的什麼事。」

陳毅看見到了這種情形，實在不能再含糊了，萬一毛澤東說他腦子裏想反黨，如何得了！於是紅着臉說道：「剛才林老勸周總理再寫信給尼赫魯，我想到好似追女人一樣，第一封信一定沒有回音的，只要寫的多，一封不成又一封，纏急了她一定要回信的。當時我想下總理不妨姑且把尼赫魯當成一個漂亮女孩子，騰出閒空，陪上小心，努力去追，最後必然能達到目的。」

陳毅說過，果然閉口，連劉少奇都撐不住大笑起來。

周恩來笑道：「這個便宜還是讓你撿吧！好在尼赫魯身兼外交部長，和你也算門當戶對，你去追他好了。」

活曹操說道：「笑話歸笑話，我看恩來同志還是繼續給尼赫魯寫信，再去電報給潘自力，要他就近去纏梅農，着梅農就近勸勸尼赫魯，最後他一定會接納會談的。」

彭眞說道：「我想起來還有一步棋，既然伏老去訪問印度，我們何不請伏老就近調處中印爭端。假若伏老到新德里講幾句話，尼赫魯就不敢不聽了。」

活曹操點點頭：「這到是個辦法，最好還是由主席直接給伏老寫封信，比較有力些。」

毛澤東笑道：「林老，有些行情你還不太明白，伏老那有自主權力，我寫信給他沒有用的，還是運用正常的外交方式吧！」（一三七）

憶玉軒雜綴

八閩菓實

余在抗戰初期，奉檄駐閩，執行金融任務，寓居福州城南倉前山之吟梅山館，約有年半。因此飽嘗八閩的菓實，認爲除了北平以外，特產菓實，福建不能不說首屈一指，而獲到大啖大嚼，亦時勢所造福，此蓋倭寇侵掠所驅逆，未始非幸事也。

八閩菓實首數福橘，顏色是大紅，而是歲除春節期間的恩物。兒時在家鄉，即已嚐到，後來在故都亦能購得。此物遠走平津，南達粵港，無非是象徵吉祥，可作供品。除夕之夜，祭祀祖先，中擺天竹素梅，左列水仙，右陳福橘，誠是歲朝瀞供。家家的孩提，無不喜之。福橘個子很大，而皮寬味甘，饒有香氣，水分也多，比之美國柑子爲畧大，剝食極易，初春時節，盛產此物，迄農曆二月始完。

後來福州農民，採取美國橘子的樹苗種植，結成的柑子，與美國運來的毫無異致，皮是橙黃，肉釀亦是甜中帶酸，產量尚不豐，祇可供全省人民享受，這是中國的Sunkist，恐怕其他各省所無，所惜他省未能仿種，否則產量更多。次則由奉化移種水蜜桃，亦竟成功。所產雖不能與奉化完全一樣，但是液多水甜，好在其皮不用刀削，祇用手輕輕剝下，以口啜吸，能一吸而盡，僅餘其核，可口之處，是長江以南所無。其裝貯是用紙盒，每盒十個，每個另用薄紙包好，非常潔淨而衛生，產量多，獲利厚，實可外銷。

其他如龍眼荔枝，要以閩南的莆田仙遊一帶爲獨盛。龍眼大小，畧如乒乓小球，好在皮薄核細每個甜蜜。荔枝亦是實大核小，肉嫩皮厚，味甘而香，顏色鮮紫帶紅，非常好看。此兩物不下嶺南所產，而產量極多，福州人家除生食以外，並以煮粥，是特別精品。至於菜館則以佐菜，廣裕樓的荔枝炒鷄片，聚春園的龍眼煮蚌湯，味美無以復加。福州城西有西禪寺，曾遊其地，寺外的廣大園地，偏植荔枝龍眼，據說是有百株，爲南宋時所種，人行其中，香氣撲鼻，其特別好而大者，在明淸時代，列爲貢品，運往帝京。

另有莆田出品的枇杷，質大如鷄蛋稍小，色是紅的，也是液甜如蜜，閩人多稱爲「大紅袍」。除了江蘇洞庭山的白沙枇杷以外，要算此品爲佳。（未完）

台灣與鄭成功

陳雪英

公元一五五七年，佔據廣東河口一要港，遂名其地爲「澳門」。他們常航海來往台灣海峽，遙望見台灣的山色如畫，讚賞狂呼爲「虛爾摩沙」，蓋讚美爲「美麗之島」的意思，這是歐人發現台灣之始。但我國自尚書所載島夷以迄葡萄牙人發現虛爾摩沙，其間相距凡三千八百餘年。（唯島夷史地學者尚有爭論，還待考究）。台灣古爲先住民「高山族」聚族，散佈居於中央，南北各山脈，及東西海岸的平野，度其原始生活之地。從前中國桀驁之徒，以及倭寇，亦常來與先住民接觸，交易，但未嘗有久居的。

明天啓四年（公元一六二四年），有福建海澄人顏思齊，字振泉，曾旅居日本國，好結交豪傑，謀覆幕府勢力。事洩愴惶，率同志二十八人，逃至台灣，入北港（今雲林西），遂據之。後來又招南安人鄭芝龍，即鄭成功之父，自日本來附。是年，我民族英雄鄭成功正誕生在日本平戶千里濱地方。時中國各地多變亂，民不聊生，閩南饑民聞風來歸的有三千餘人。未幾思齊死，衆擁芝龍爲首領，繼統其衆，屢次率船隊進擾閩、粵沿海，所向披靡，官兵不能禦，輒遣使招撫，芝龍遂降明，而棄台灣。這時其餘黨及數千移民的漢人，尚散居在台南附近。

先是萬曆三十年（公元一六零二年），荷蘭東印度公司遣麻偉郎率艦隊來犯澳門，被明兵與葡萄牙人合力，將其打敗，乃借漢奸李錦等，逃至澎湖據之，旋被明兵逐走。天啓二年（公元一六二二年），復大舉擾澎湖，並築城居之，久留不去。天啓四年（公元一六二四年）正月，福建巡撫南居益，遣總兵俞資皐。（三）

談暢銷

汶津

最近讀到一本「交響樂的故事」，第一章的音樂大事年表中，很別致的把歷年文化、社會各方面的要事也並列出來。其中有一本影響很大的書——希特勒的「我底奮鬥」出版於一九二五年，但「無人予以注意」；一九三三年，它的英譯本問世，「銷路不暢」；一九三九年，「我底奮門」英文全譯本誕生，「銷路有起色」。這是此書的「奮門」簡史。我們由此得到一個結論：即使一本「奇書」，要暢銷也不是一天兩天可以實現的。另外有兩本美國小說，一是一九三六年的「飄」，創了出版界暢銷書新紀錄。一是一九三九年斯坦倍克的「憤怒的葡萄」，也突破暢銷書紀錄；但東聖路易市公立圖書館令焚毀此書；理由不明，究竟奉誰的令也語焉不詳。

其實，許多暢銷書都是禁書。勞倫斯的「查泰萊夫人」便是最好的實例。不過好在天下多的是有志乎「奇文共欣賞」的雅人。早在兩年前，此書的中譯本便以「查夫人」爲簡稱，配上樸素無比的（是一種保護色吧？）的封面，蜂湧般的出現在台北街頭書報攤的顯著位置上。到了目前，我們大概也以文明先進國家自重，所以這書是開了禁，那暢銷的盛況，也不用說了。其實勞侖斯先生的作品雖有「黃」感，却絕不是有意誨淫者可比；那本書裏還有着不少對文明人的說教呢。只怕讀者目迷神眩，見秋毫之末而不察輿薪，錯過了作者心目中的精諦罷了。有一點是可以準信的：它的暢銷，不是大家樂於聽取說教，而是好奇加「過癮」的心情在聯合作祟。

有許多暢銷書是不單靠它的內容的。宣傳技倆比寫作技巧高明的，這年頭比比都是。希特勒的「我的奮鬥」，不管「初出茅廬」時如何不得志，等他成了納粹首領之後，還怕不人手一冊麼？交遊廣闊的人，他的大著一定不會滯銷的，朋友捧場，學生助銷，下屬認購……夠瞧的了！至於書到買主手裏，到底翻上幾頁，拜讀幾行，那已是題外話，善銷書者對此原是不暇顧及的。

前幾年台灣出了一部暢銷小說，前後印了十餘版，數量以萬計，再加翻版者湊熱鬧，原作者爲維護腦汁而戰，弄得四方皆知，盛況有增無已。學生、主婦、先生、小姐，都有不讀此書，枉居寶島之概。而且互相推薦，大力鼓吹，使「藍與黑」大紅大紫起來。最妙的是，書商見機而作，把世界十大小說之一的「紅與黑」亦乘機大量套色印了出來。如果不是我們多心，「藍與黑」的作者原是受了史丹達爾的啓發而有此作的，這樣一來，竟成了喧賓奪主，泊來貨反過來沾國產的光了。

暢銷書不一定是好書，這道理簡單得正如「大人物」不一定不是草包一樣。名人題簽也是有力媒介之一。「世界永沒有戰爭」這部「名著」，便集合了自由中國各界名士的眞跡，結果「讀者的眼睛是雪亮」（何其偶然的被光）終於被圍攻了一番，昨天的名著成了今天的拉圾。回溯到一千多年前，左思寫了一篇三都賦，便曾因爲担心不能暢銷而請大名士皇甫謐爲篇序捧場，終於洛陽紙貴，從他的同聲妒羨不止。可見「暢銷原理」是古今同道的。

暢銷書之外，更有暢銷音樂，暢銷歌曲等。一九三三年華特狄斯耐大通「三小豬」問世，「誰怕那隻大惡狼」插曲便轟動全球。此老的作品到七十年代還是很叫座的。更美妙的一個故事是：奧克拉荷馬州一位律師在一九三五年爲銀行劫犯辯護時，竟在法庭上高歌「甜蜜家庭」一曲。這實不失爲歷史性的鏡頭！而那首歌到今天還是很流行的。至於流行歌曲，不管中、西，只要在大街上走幾步，你的耳朵便被灌得滿滿的了。

說到其他暢銷品，自金華火腿到尼龍絲袜，自太空衣到臭豆腐乾，眞是不勝枚舉。還有口號、標語，也可以加入這聲勢浩大的暢銷行列。我自問才疏學淺，對於個中奧秘恕不能一一奉告了。

海嶠叢談

人鑑（一）

諸葛文侯

「知人則哲」，自古以來就流傳着這句格言，實有顚撲不滅的眞理存焉。無論幹任何一種事業，都需要別人相助爲理，而得人與否，關係事業的成敗利鈍甚鉅。可是，知人的工夫眞是談何容易，其中包涵着學識、智慧、經驗這三大要件，缺一不可。我深感現代政治人物昧於用人之道，因而國事蜩螗，大亂不已，竊願據述一二近代政治名人的知人掌故，以供參考云爾。

曾國藩與王闓運（壬秋），不但是貧賤交深，且有葭莩之誼，當年敦勸國藩出來練團保鄉以抗禦洪楊軍的人，王氏與郭嵩燾實爲主要份子。然國藩深知王氏是個做學問的通儒，却沒有担當國事的才能，終其身對王氏禮遇崇隆，並在生活上接濟稠叠，深情欵欵，但在政治上不曾徇私保薦他幹過一官半職。若以今之顯達人物而論，以曾氏於戡平洪楊之亂以後的政治地位和功勳，要保薦王壬秋作官，表現着「所識窮乏者得我」的人生觀，可說是不費吹灰之力。然曾氏有知人之明，認定王氏決非政治人才，不能把國事當作私人的應酬品，始終不談此道，這種公忠體國的風格，却非今人所能企及的！

至於曾氏對王壬秋的認識力，亦有其獨到的智慧。據故老傳說：當年曾氏領兵駐守江西祁門時，王氏特往祁門相晤，表示請纓志願，要求曾氏給以命令，回湘招募鄉勇一營，參加「討賊」之役。兩人對坐談話間，曾氏聆聽無言，唯頻頻以手指沾茶水在漆桌上劃字若干個，迨談話完畢，曾起身進入內室後，王趨前審視之，乃是劃了幾個「謬」字也！王氏知道從軍無望，心裏大爲沮喪，但未便拂袖還家，仍在祁門小住。繼而前線戰事失利，祁門亦陷於危地，而曾氏誓言死守不別移，且傳令文武幹部，凡欲乞假還鄉者聽便，以後仍可隨時來大營服務云。王氏亦想及早離去的，但以曾經向國藩要求帶兵之故，不得不故作鎭靜。一夕，王在房內看書，曾氏輕步走到王氏的背後站立了一刻鐘，王不覺，亦未翻閱次頁的書，曾即回至辦公室，吩咐會計人員用紅紙包好二百兩銀子，放在自己的辦公桌抽屜內備用。次日王壬秋來告曾氏，謂昨得家書，有要事須歸去處理再來，國藩笑道：「我已替你準備好路費了！」即從抽屜中取出那二百紋銀贈予之。蓋曾氏昨夕看見王氏閱書許久不翻次頁的情形，認定他心不在焉，祇在燈下尋思如何託詞離開險地的方法而已。王壬秋此行未能達到帶兵的願望，而又飽受前線戰敗的恐慌上沽，頗爲於邑，他當時寫了幾首「別祁門軍中諸友」的五言詩，中有「獨慚携短劍，眞爲看山來」之句，可見其所求不遂的牢騷心情了。設使曾氏狃於私誼，眞從王氏回湘招勇成營（當時曾軍是以營爲單位），充任管帶，豈有不誤大事的？後來袁世凱派任王壬秋作國史館長，弄得一塌糊塗，即證明曾氏藻鑑人物，綽有智能也。我們再看王氏的「湘綺樓箋啓」中，亦常有「曾滌丈對闓運虛禮相加」的微詞，更顯示曾國藩鑑別人才的眞知灼見，有足多者！

劉璈抗法前部署

·李仲侯·

岑彥帥部下吳永安等，確能化其所短。但得善將將者，事權歸一，又如吳永安能合老湘營之長以濟之，則彼族固不足平也。況老湘營所長，只憑「實」字做起，並無奇異，盡人可能。祇恐將領於己分應有之長，茫不講求，並極彼短而無之，猥以虛冒疲濫之營，應彼精嚴鰲耐之敵，此中勝負，已不待戰而自明。今各競言海防，抑知所防多非所急，而所急轉非所防，固有言不勝言者。明知要防所需，在在已落後着，既不便罄舍其短，又無憑確用其長，惟嚴定刑賞兩端，可縶短長於一致。凡責在防守者，守能堅，攻能克，則應荷殊恩；守坐失，援坐談，則應正軍法。或失守誤援之人，能一月內將所失所誤者一律克復，方能抵罪，否則仍決以法，斷不容以『帶罪立功，留營効力』等語，援請寬緩。先絕其徼倖嘗試之念，以堅其同仇敵愾之心，庶使人人猛省，有進死，無退生，未有不去虛從實，轉敗爲勝者，所謂置之死地而後生也。他如尋常勝敗，兵家之常，原不在此例。想廟謨勝算，當更有策出萬全矣」。（十五）

自由報

THE FREE NEWS

內僑警台報字第〇三一號內銷證

第二七二期

中華民國僑務委員會頒發
台教新字第三二三號登記證
中華郵政台字第一二八二號執照
登記為第一類新聞紙類
（半週刊每星期三、六出版）
每份港幣壹角
台灣零售價新台幣貳元
社長：雷嘯岑
督印人：黃行審
社址：香港銅鑼灣高士威道二十號四樓
20 CAUSEWAY RD 3RD FL
HONG KONG
TEL. 771726　電報掛號：7191
承印者：田風印刷廠
地址：香港灣仔高士打道一二二號
台灣分社
台北市西寧南路壹壹壹號二樓
電話：三〇三四六
台郵儲金戶九二五五

整飭政治與改進教育

·張義舉·

我政府自遷台以來，各方面都有顯著之進步，有目共睹，不待我們多所論述。唯就某些角度觀察，在政治上還有若干病症，年來且有日趨沉重之勢，舉其重要者有：（一）官僚氣重：機關處理公務，依舊彌漫著推、拖、拉的氣氛，有責任就彼此推諉，有權利就互相爭執。不獨機關與機關如此，就是一機關之內，上級與下級，部門與部門，單位與單位，也常常如此。所以處理業務，往往失卻時效，或敷衍塞責，馬虎了事；因而政績難有進步，結果造成死氣沉沉的現象。（二）貪污橫行：我國自古以農立國，工商落後，致富不易，官吏往往藉職業之便，貪污斂財，所以「升官發財」一句成語，久已流行社會。時至今日，這種卑劣思想仍然存在；一般謀官求職的人，十九還以發財為目的，不惜投下大量資本，貪緣得位，以圖償其所欲。很多官吏們在上台之前，未嘗不冠冕堂皇，發表些「正大」政見；迨一登仕版，便會面目全非，貪污橫行。如此情形，使人民畏之如蛇蠍，鄙之如犬馬，政治效率如何，就不問可知了。（三）人事不臧：中國古時做官，要有靠山背景，不是仗親戚故舊提拔，便是受裙帶牽曳。如今是法治國家，人事法規細密周詳；但是「治法」雖善，也要「治人」來執行。事實上我們的人事法規是否實施？施之是否徹底有效呢？明眼人不難洞悉。姑不論法規訂得如何，但是「選賢任能」，「人盡其材」，「賞罰嚴明」等用人大原則，古今中外都不能變更的。如果講私人派系，或是講利害關係，任何重大原則，也難以遵循；任何良法美意，也將失其作用。那麼「朝多倖進野有遺賢」的怪現象，還能倖免嗎？

以上各種病症，在中國政治上，可以說是其來有自，亦非偶然，不過雖說自古已然，而卻於今為甚罷了。由於以上因素的綜合發展，和激烈演變，形勢且越來越嚴重了！近來政治上竟有所謂「特權階級」的新名詞產生；這一可恥的名詞，不但會腐蝕政治，阻礙政治，簡直連民主法治的精神，都將被其吞噬了，還不值得國人的重視嗎？其實所謂「特權階級」也者，無非是寡廉鮮恥的貪官污吏和投機取巧的政治販子之總稱而已。他們之間，可以互相勾結，狼狽為奸，也可以互相衝突，各顯其醜，在國民的眼中，此乃一邱之貉，無所軒輊也。

近來舉國上下，無不認為政治良窳會影響國家的中興，整飭政治，就是為反攻復國奠定基礎；所以在行政上有澄清吏治的呼聲，在法律上有懲治貪污條例的規定，在輿論上無不予貪污官吏以無情的打擊，在積極方面並鼓勵賢能官吏，以資激勸；乃至民眾機構也有「自清」運動，希望政治清明，國運好轉。以上種種情形，對於國家民族都是有益的，都值得贊美的。不過言者雖然諄諄，而聽者藐藐，法令縱然周詳，究難收到效果，這也無庸諱言。古人說：「國家之敗，由官邪也」。所謂「官邪」，就是做官的思想不正，行為不端，道德敗壞。統觀以上種種病症，無一而非「官邪」的表現。做官必須具備相當資格，照理沒有不受教育或讀書明理的；明明是知識份子，為什麼一做了官，就會有邪念惡行呢？這就不得不令人聯想到教育本質和教育現象，而深覺有研討的必要了。

我國有五千年的歷史文化，是有名的古國，號稱為「禮義之邦」。就憑這「禮義」二字，便可知道這一文化古國是由教育造成的。我國古代教育，本來是和政治合而為一的，就是有德、有學、有才的聖賢君子，纔能負起政治兼教育的重任。到了夏商以後，國家就有學校，但仍然官師不分，由行政官兼辦教育。孔子以天縱之聖，不得官師之位，乃退而刪詩書，訂禮樂，贊周易，作春秋；著作之餘，講學授徒。自此以後，不但官師分立，平民有受教育的機會，連教育的體系、科目、方法，都由孔子一手創造而燦然大備了。孔子的教育思想體系是格物、致知、正心、誠意、修身、齊家、治國、平天下的一貫大道；是由小而大的，由近及遠的，由簡而繁的，由易及難的，也就是循序漸進的。孔子的教育科目分為禮、樂、射、御、書、數六藝，是手腦並用的，文武合一的；培育的人才，略可分為德行、言語、文學、政事四類，也都是國家所必需的。孔子的教育方法是「不憤不啓，不悱不發，舉一隅必以三隅反」，是啓發性的；注重「反省」，學與思並行，是知行合一的。總而言之，孔子的教育思想和方法，確實集古今中外之大成，歷萬古而不磨；稱他為萬世師表，真是當之而無愧！所以兩千多年來，我國有識之士，談教育，無不推崇孔子，起而效法之。

滿清末年，廢科舉興學校，雖然科目不同，形式改變，但教育精神和孔子教義並無牴觸之處。可就「五四」以後，到了大大的不同了！一班偏激分子，大喊「打倒孔家店」，「打倒喫人的禮教」，要將中國線裝書通統扱進毛厠坑裏。共產黨徒更變本加厲，趁火打劫，反對中國一切思想學問，並主張取銷方塊字，另以羅馬符號代替中國文字。企圖徹底毀滅中國文化；於是政治教育形成一大混亂，青年思想乃隨之崩裂，變成錯綜紛歧的現象了。我們回溯已往，在科舉時代士女雖然為功名富貴而求學，但必須「學優」乃仕；而且讀聖賢書，即心儀其人，視聽言動，嚴戒非禮，凡是讀書人，總不該有大逆不道的行為。就在科舉廢除後，學校教育還以德育為首，學生注重修身，有希聖希賢的心理，在行為上不至有越禮犯分的表現。可是近四十年來，青年學子的思想游離不定，精神無所寄託，有的被共產邪說所蠱惑，沉淪孽海，有的為社會惡俗所染污，作歹為非；真正特立獨行之士，抱有救國救民的宏願者，幾如鳳毛麟角，言之真令人痛心！如今世界科學進步，已經達到利用原子能，征服太空的時代了，大家都認為自然科學是萬能的，可以解決人類一切問題，對於人文科學和社會科學都鄙之為「無價值不足道」。近年來投考大學的科系當中，竟有什麼「熱門」「冷門」的名詞出現，未免令人不解！同是救國救民的大道，同是大學必修的課程，為什麼會有「冷」「熱」之分呢？如果說有志青年以經國濟世為心，對於所學科目，就祇有本能和興趣之不同，絕無高低和貴賤的區別。如果說學自然科學將來可以多賺錢，大家便羣趨「熱門」，那和貪污發財的動機又有多大分別呢？現在我國教育的現象，未免太令人失望了！各級學校都以升學或出國為目的；能夠傳授知識，販賣知識，使學生達到升學出國的目的，就算盡了責任。誰要主張四育並重，或強調德育為先，便會被指為「迂腐不識時務」，或被罵為「頑固不通人情」。如此忘本逐末廢根培榦的教育，倘若任其延續下去，不論自然科學如何進步，民主政治如何發展，我們可以斷定政治終難有澄清的希望，邦人君子不會以為這是危言聳聽吧？

有人說，陽明山第二次會談和全國教育會議，有關教育之興革大端，不是刊在報端，正由當局規劃實施了嗎？我們也很了解，關於這些問題，當局確實煞費苦心，同時各專家學者也發表不少高論，討論各案如學制改革，課程調整，考試方法，招生制度，乃至提高師資水準啦，增加修身課程啦，可以說都是極有價值，極可寶貴的意見；我們不但不能妄加批評，而且還要十分欽佩！不過我們必須認清，就是這些議決案，能否徹底實施呢？施之能否收到實效呢？三年制的學生教不好，改為五年制，就能教好了嗎？國語文程度低落，改編課本，就能提高了嗎？師資不良，師範學校升格，就能造好嗎？學生的品格墮落，修身課本，就能陶冶他們了嗎？以上種種，就表面看，好像大有成就，細審實際，似乎還未搔着癢處。詩云：「……故君子以人治人改而止」。辦教育是樹人的工作，負樹人之責者應該是些什麼人？要想達到「改而止」的目的，對於治人的人，必先衡量其品德才學，是否勝任？這是救國家救民族的根本事業，任務神聖，絕不可以濫假！假如換湯不換藥，僅僅在制度辦法上着眼，朝三暮四，終不免玩物喪志，徒勞無益，更不必談什麼整飭政治了。

漫畫天下

共產主義的歷史巨輪

一羣拆台者

讀自由

對颱風的觀感

馮五先生

最近我在台北躬逢颱風來襲，已是第二次了，但所見水災情況，頗不相同。過去遇到的同樣風災，我下榻的台北青年會宿舍門前，尚未見有大水洶湧之象，這次卻水深盈尺，阻斷交通半日之久。據說，這是受着市政建設之害，何以見得呢？

原來台北郊區的中和鄉一帶，地勢低窪，在日治時代，禁止建造屋宇，藉以宣洩市內的洪流，避免水患。自中央政府播遷台北之後，若干來自大陸的人士，不明瞭上述事實，相率在中和鄉租地建屋，鱗次櫛比，蔚成市鎮，寖且修築堤塡，阻塞市內水流的出路，因而偶遇颱風挾大雨來臨，市內乃到處變成澤國了！還有台北的「豫溪路」一帶，原係淡水河流的故道，人們亦自由建築居室於其間，迨大風雨發生，洪水氾濫，新河道宣洩不及，轉向故道奔放，以致釀成莫大的災害。至於木柵鄉的山窩，遍建學校和行政機構，隨時受到山洪勃發的「水淹七軍」之患，更無論矣。

這表現市政當局的顢頇無知，有虧職責。普通民眾不明瞭地理形勢與水災來源，情有可恕。主管機關如果知道某些地區不宜建屋，而不及時制止，便是溺職；知之而熟視無睹，任令「違章建築」，貽害社會大眾，便是失職；二者皆有乖於「管理衆人之事」的為政之道，咎無可辭也。

區區台灣一省的建設情形，竟發生這樣措置乖方的現象，我真懷疑憑着現在這般行政官吏與作風，一旦打回大陸，究有甚末能力以治理偌大的國土和人民？現代的政治是計劃政治，現代的公務人員需要通才與專才分工合作。要求享受民主生活的知識份子，尤須具有守法精神，萬不可利用機會權力，而隨便營私胡搞。從這次颱風的水患情形，即反證我們的政治建設漫無計劃，行政官吏缺乏通才，一般高級知識份子，亦不免有祇顧一時便利，不問後果如何的毛病。即小喻大，對於國家未來的建設前途，實不勝其憂心忡忡之感，不知有關方面人士，於意云何？

英葡南非三國勢成箭垛

聯大將清算殖民主義

但最不容放過俄共帝國

（本報紐約航訊）有充份的跡象顯示，殖民地問題將成爲本屆聯合國大會討論的首要問題。這問題勢必在聯大激起罕見的風波，而產生一種印象：即認爲殖民地問題，特別是殘存的西方殖民問題，是當前世界最重大的問題。這樣一個印象，任何人不能說它是錯誤的，却亦絕非認眞公道，因爲新興的另一形式的殖民統治，俄共對於其歐、亞、美洲附庸單位的殖民統治，比之西方的殖民統治，更加殘酷，却往往而爲大衆所忽畧。

就西方殖民地而言，事實上本屆聯大可以正大堂皇的宣佈，在過去十年間，殖民主義正在迅速地趨向消失。比方在今後數星期內，共有六個新近擺脫殖民統治的新國家，被歡迎加入爲聯合國會員國。這六個國家爲：魯安達、烏隆迪、阿爾及利亞、牙買加、千里達、烏干達。魯安達與烏隆迪在不久前尙是比利時統治下的一個殖民地，在獨立後分別成立爲兩個國家。阿爾及利亞最近擺脫法國統治獲得獨立。另外牙買加等三國，以前都是英國的殖民地。

荷蘭也已放棄了它最後的一個殖民地——西新畿內亞，但可遺憾的，是這地區將交由聯合國治理至明年五月止，然後移交印尼管理，做印尼的殖民地。

英國、葡萄牙及南非聯邦將成爲本屆聯大中受攻擊的主要目標。英國確實曾經一度擁有舉世無匹之龐大帝國。但毫無問題的，自第二次世界大戰結束後的一九四五年以來，已有十五個英國前殖民地建立了自治政府或獲得完全獨立，其中大部份是在英國扶助之下未經流血鬥爭而結束殖民地狀態，這些國家人口數達六億以上。自從聯合國發表宣言呼籲結束殖民地主義以來的二十個月中，在英國扶植下獲得獨立的便有：塞拉熱內窩、英屬喀麥隆、坦喀尼幹、牙買加及千里達，烏干達將在今年十月九日正式獨立。

英國政府係以最開明的措施使其殖民地紛紛獲得獨立的，這些獲得獨立的英國殖民地大部份位於非洲。他們趨向獨立的進度，較當地人民所期望的尤快。

英國處理殖民地問題的態度，較葡萄牙及南非聯邦確實高明得多。

在非洲葡萄牙殖民地——最重要的是安哥拉及莫三鼻給——以及受南非聯邦所控制的西南非洲，反殖民統治的戰士爲爭取自由而流血，但在葡萄牙與南非的高壓下，沒有成功的機會。葡萄牙及南非聯邦甚至都斷然否認聯合國有干涉他們的屬地之權力。葡萄牙更居然威脅要退出聯合國組織。

但不管這兩國的政府是如何死硬，本屆聯大終將討論他們的問題。聯合國的大部份會員國將支持對這兩個國家加以制裁。

聯合國代秘書長宇丹於不久前訪問歐洲時，會說他相信殖民主義正在趨向於死亡。這是事實，也是應該的；但這事實僅僅代表了殘存的老式的西方殖民主義，至於新的俄共帝國式的更加該死的殖民主義，雖然自由人士早就認爲那是最爲暴虐的，却往往被若干人所有意無意的加以忽畧，置而不論。蘇俄這個最無情的殖民統治者，在聯合國，只是在一九五六年匈牙利人民革命被殘忍的加以血腥鎮壓之時，人們才注意到了它，並會經在聯大加以「公審」，祇可憾聯合國未能動它分毫而已。

蘇俄最厲害處，在於它一向聲討殖民主義最爲激烈，作義憤填膺狀，蒙蔽了若干人的眼睛。實則它正是最該清算者之一，不能放過它的。（建）

香港與大陸

「欲加之罪何患無詞」

毛共大規模整歸僑僑屬

罪名包括走稅暴徒阿飛特務等

最輕的罰款重的勞改甚而槍斃

甫自廣東梅縣來港之印尼僑屬陳其昌君向記者稱：毛共政權現正大規模向歸僑僑屬「開刀」，輕則罰款，沒收財產，重則「勞改」「甚而槍斃。

據陳君透露：由於近來大陸各地「國特」和「壞份子」空前活躍，社會秩序異常混亂，毛共政權於是大規模的加以鎮壓。凡言論或行動稍有「越軌」者，皆屬鎮壓對象，不少新回大陸的華僑因未經驗過毛共的各項政治運動，未「領教」過毛共的「只准講好不准講壞」的政策，言行未免放肆一些，故被鎮壓者多爲新近回大陸之華僑和僑屬。

陳君說：毛共加在歸僑和屬僑的罪行有下列三種，每種之處罰輕重不同：

第一種是指爲「走稅」。這種「罪」的受害者最廣，幾乎百分之八十的歸僑和僑屬皆有之。因爲一般華僑和僑屬或多或少有些「南洋貨」，有時自不免會賣一點，甚至送一些給親友，結果便被指爲「黑市」「買賣」，即所謂「走稅」了。這種「罪行」「一般是罰款。罰款的數目是彈性的，完全沒有準則，譬如，賣一部單車值人民幣五百元，若被查悉，則買方的單車要沒收，而賣方所得的五百元亦沒收，另外賣方還要支付進口稅，交易稅，貨物稅，所得稅……（這些稅並不祇以一部單車計，還會把你所有的「南洋貨」亦包括在內），所以，往往賣一部「黑市」單車而要付出一萬幾仟元共幣。許多歸僑和僑屬不但因此而破產，還要被「監視行動」。

第二種是指爲「暴徒」或「阿飛」。此多爲一般回大陸升學之青年僑生。因爲僑生一般思想比較單純，實事求是，對毛共的許多政策和執事者有不滿時，他們便容易衝動和敢於指斥，這樣便被指爲「暴徒」。又有一些衣着較爲「講究」些的，平時梳梳頭髮的，便又被指爲「阿飛」。兩者的處罰方法是「勞改」，「管制生產」，集體鬥爭，思想批判等等。

第三種是被指爲「特務」。這是最嚴重罪行，受罪者亦多係回大陸「升大」的知識青年。因爲他（她）們覺得毛共「統戰部」在海外所作之宣傳與親眼見到的事實相離太遠，覺得自已已受騙上當，希望在海外的親友不要再上當了，故常將自已在大陸所感受到東西向他（她）親友們報告，勸告親友不要再回去受罪。另有許多歸僑青年知識份子，因同是對毛共不滿，有時大家在一起時，不免會對毛共之各種罪行予以批評和指斥，結果這些歸僑青年知識份子便被指爲「文化特務」或「時務」。而這些人一般是被判十年以上徒刑，重的甚至被槍斃。

陳君說：毛共這種「鎮壓」是大規模的，就他所知，在近兩個月來，已有二百名以上的歸僑和僑屬是被指爲有「罪」的，而受到了各種程度的處罰。

另一位由廣州市來港之青年僑生說：廣州市石牌之華僑補習學校，一向比其他學校優待，糧食配給亦多些，政治思想鬥爭亦少些。但最近，毛共忽然捕去三名高中二的同學（二男一女），被捕的罪名是「特務」。其中一名是男的被判處死刑，另二名（一男一女）被判十年徒刑。而凡平時與該三名同學接觸者，都受嚴密監視。該校青年僑生稱：毛共這些行爲，皆是秘密進行的，因爲毛共唯恐一些「壞人」歪曲了事實，加以傳播，影響在海外的華僑對「祖國」的觀感。（徹斯）

古巴華僑煉獄掙扎

熱望推翻古共政權

僑胞在古血淚多也有光榮史蹟

（本報訊）古巴的局勢日益危殆聲中，在古巴的幾萬華僑，最值得我們的繫念。

中國人到古巴，有着一段很不平常的經過。那是當西班牙統治古巴時代，爲了開發這一片「人類眼睛見所未見的美麗土地」，會殲滅了古巴的印第安人，另從非洲運來大批黑奴。不久，由於大英帝國的崛起海上，黑奴來源成問題，中國人便被看重了。

一八四七年（清道光二十七年）六月，有一艘「奧坤陶」號船，載着六百零五個「東方奴隸」，算是最先到古巴的一批中國人。以後，陸續的前往，據一八七三年（清同治十二年）的統計，先後有十二萬多中國人到古巴。

中國人被安排在古巴糖寮、煙地等工作，參加古巴各種工農建設，他們那時的生活情形，據「古巴新記」說：「日未出而起，夜過半而眠。所食粗粟大蕉，所穿短褐不完。稍有違命，輕則拳打脚踢，重則收禁施刑。或私逃隱匿，則置之死地，狠毒苛刻，濯髮難數。」

一八六六年十月十日，古巴國父加羅・馬努愛・紫斯目戴起而反抗西班牙統治，他的呼聲，不僅喚起古巴人民，也激起了在苦難熬煎中的千萬華工的熱烈響應。他們走出農場、蔗園、工廠、煤礦……協助古巴革命軍和西班牙搏鬥，經過了千百次的苦戰，終於贏得了古巴的獨立，華僑亦因而翻了身。

古巴獨立戰爭中，參戰的和犧牲的華僑無從統計，只是留下了許多可歌可泣的故事：有一個商上校，曾經在山得客拉納省，領導六七百名華僑作戰，後來因沒有武器接濟被擒，從容就義。有某上尉，在山地作戰，攻破了該城敵人的主力。還有一路華僑革命軍，由山得客拉納省，戰至東省，一路如入無人之境。又有一個何丹桂，他後來逝世時，古巴人甚至用古巴國旗蓋在他的棺上。

最突出的還有胡德上校，由於他戰績昭著，貢獻特多，按照一九零一年頒佈的古巴憲法第六十五條中的規定，他和多米尼加籍的馬西茂・高邁斯將軍，均享有當選爲古巴共和國總統的資格。

現在古巴的中國人，估計有三萬多人，精確數字則找不到。因爲按照古巴法律，一切在古巴出生的都是古巴公民，僑裔中有不少是具有双重國籍的。

華僑在古巴分佈甚廣，自窮鄉僻壤以至通都大邑均有之，而以哈瓦那爲最多，約有萬餘人；古巴的聖地牙哥次之，有千餘人。

華僑的一般生活，都還過得去。哈瓦那的華人區，位於國會大廈後面之桑哈街、忙利丐街、聖尼高拉街、拉堯街、古乞了街、特拉高奈街和沙暮街一帶。華僑商店，社團和影戲院大都集中在此地。華僑與古巴人有着極密切廣泛的接觸，一般古巴人對於中國人的工作精神，都表示十分欽佩。

三年半前卡斯特羅上台把古巴赤化後，華僑與全體古巴人重墜煉獄，生活一天更困難。他們唯一的希望，只是如何早一些打倒共產政權，使古巴重獲解放。（彼臣）

寶島浮雕

外國訪客坐禁閉

月餅銷路遜去年

△傳爲「國畫天才」的劉熙，獲得特准出國深造的事，曾攪得滿城風雨，把一個監察院秘書長鬧得丟了烏紗帽。現在，「御史」們又提案糾正教育部，說該部處理此案不合規定。此事餘波蕩漾，將來會鬧出一個什麼名堂出來，尚不致臆度，但許多人都以爲，「御史」們這種鐵面無私的爲公精神，值得欽佩。

△每屆佳節新年，即是「紅包攻勢」的時機，警察集體或個別收受紅包不是新聞。如果出了一位廉吏，才是大大的新聞。八月中秋晚間，正是明月當空，人人歡度佳節之際，有小商某某，將紅包送到台北火車站派出所，交與該所巡官孫某。誰知警務處早獲報告，故紅包到手，尚未分紅，便爲警務處派員當場拿獲了。

△台灣現時娛樂場所，是百業中獨秀的一枝，不少人都實行「今朝有酒今朝醉，明日愁來明日憂」。娛樂業之盛，要以「脫衣」舞爲最受人們歡迎，台北市爭相上演脫衣舞，生意鼎盛，爲各業所不及。脫得淨光，一絲不掛；不脫光，觀衆便要退票，以至毆打歌舞團。台上台下，眞夠刺激。此種風氣，無乃太可怕了。

△「王小二過年，一年不如一年」。過節也是如此。窮光棍過節，一節不如一節。今年台灣秋節月餅銷場，只得去年七成，各種秋節禮品，更是慘淡如也，店門冷清清，問津乏人。而因受颱風影響，蔬菜倒是一行獨旺。

△外國訪問客在中國坐禁閉，是破天荒的奇聞。原來法國空軍訪問團九十一人，十日乘機到台訪問，飛機一降落，帶隊的校長羅桂庭少將，向中國空軍松山機場借了一間臨時拘留所，把二名會在香港違犯規定的學員禁閉起來，到十二日離台時始帶走。這二名犯規學員，是在香港報到逾時違反校規，所以被處罰了。這被天荒的奇聞，在台灣是被視作美談在談論的。（匡謬）

龍劇轟動歐美實況紀述（五）

跨海至美·處處熱迎

仲偉庭

丹麥銀行副總裁約彥遜說：「四十年來我從事於丹麥勞工運動，企圖創立一個公正世界，今天更需要『龍』劇所帶來的道德重整思想型態，以建立眞正的世界和平，使每一個人都能自營其平等，自由，富足，幸福的生活。龍劇是描寫中共佔據中國大陸後人民如何遭受說不盡的悲慘與苦難，同時也啓示了今日自由中國的重建，再生與復興的途徑，而且更重要的是這個龍劇給我們啓示了解決這些問題的正確答案」。八位黨齡總和超過一百五十年的前共產黨員，於看戲後上台向觀衆致詞，現身說法，叙述他們因看道德重整的「希望」，「虎」，「龍」等劇而決心脫離共產黨參加道德重整工作。他們說：「龍劇所表現的正是人類今日所渴求的答案」。

自從蘇俄向芬蘭提出談判共同防衛之要求後，北歐國家幾乎都籠罩在恐懼和失敗主義的氣氛中，因此龍劇帶着擊敗共產主義的答案，給予在鐵幕邊緣的這些國家以道德的勇氣，使他們敢爲正義而戰，而不向赫魯雪夫的威脅屈服。從這裏，龍劇就將一股希望的浪潮捲進了鐵幕，使共匪在歐洲做了十幾年的欺騙宣傳，都由龍劇的演出一掃而光。使西方國家進一步認清了共匪的醜惡猙獰的面目。

原來，北歐國家的人民生活水準一直很高，社會的財富分配也比較均匀，這個地區，雖然接近蘇俄，但對共黨的暗中顚覆，毫無警覺性。因爲龍劇在這些國家上演引起共產黨的激烈反對，很多一向接受共產黨宣傳的人，自從看了這個感人至深的龍劇以後，都轉而反對共產主義了。據三月份瑞典的蓋洛普民意調查報告稱，在龍劇未到該國以前，瑞典人民反共的只有百分之五十一，經過龍劇演出後，現已增到百分之八十六。其他如挪威、丹麥、瑞典、西德、瑞士、荷蘭、比利時、盧森堡、芬蘭等國很多中立報紙、電台，也因龍劇的前往公演，使他們由中立變爲反共。我們也可從共產黨這次在芬蘭舉行的世界青年節時，有四千多芬蘭青年舉行示威遊行，向芬蘭總統凱可南抗議，反對共產黨在赫爾辛基舉行那個欺騙人的青年節，美國代表史布雷格指責一九五六年匈牙利革命時，他曾看到蘇俄人用槍射擊匈牙利愛國學生及自由革命的鬥士，以及東德女青年投奔西德駐芬蘭領事館，要求波克斯領事政治庇護，這種種事實，都可證明俄共帝國的附庸國家的青年們，因MRA的龍劇的影響，而覺悟反共，在歐洲掀起了一股强烈的反共浪潮。

龍劇在美國洛杉磯，阿克拉荷馬、德克薩斯、杜爾薩、巴拉等城市演出，在美民間產生了很大的影響。一方面由於龍劇的內容揭發了共匪暴虐，加深了美國人民對於赤色匪徒的認識，另一方面由於中國青年工作團團員的素質優越，表現良好，他們和美國人民廣泛的接觸後已增加了中美友誼，龍劇所到之地，處處受到熱烈的歡迎。各地都有警車開道，市長出迎，高擎我國國旗在各城市中心地區高歌遊行的場面，開創我國歷史的新頁。各地的報紙、廣播、電視，對龍劇都很支持。團員們一直是每日不眠不休，終日辛勞的克苦奔忙，才使龍劇在國際上享有最高的榮譽。

龍劇演員個個都有單獨作戰的經驗，在歐洲因語言關係，全體團員都住在旅館中，到了美國則是分住在美國朋友的家庭中，與美國人在無形中建立了良好的友誼。因此，他們每離開一個地方，男女主人都含着熱淚爲他們送行，中美兩國人民情感的交流，證明出中華兒女們的眞摯熱情，已經贏得美國人民的敬佩與同情。

目前在美國有我們的最好朋友，也有最狠的敵人。例如當年曾受過共產黨利用的一批所謂中國問題專家，就會經和我們作對；自稱自由主義者的左翼份子，他們常常懷着鬼胎，當龍劇在各地上演時，也會用盡方法來抵制和破壞龍劇演出的效果。

天南風光

——古晉的吊橋——

朱淵明

但馬當與市區，爲沙磱越河所隔斷，敷設水管，必須過河，技術上實大有問題。自然，也可將水管埋於河床之下的。但施工艱困，而且功用也只限於引渡食水，未免單純。於是專家建議，創設吊橋。吊橋者，即將兩條大小管，懸空吊起過河，而於水管之上，鋪設橫木，便利行人與車輛交通是也，一舉兩得，眞是濟物利民的傑作！

創設吊橋的技術原理，與索橋大致相同，就是先於河之兩岸，建立據點，以爲橋身的基礎。這建立據點的地方，自然也要選擇河床較狹之處，可是不一定要有岩石的處所，而且總要距馬當與市區不遠之處，不能過於迂迴。如果單就河床寬窄而言，則大鐘樓前面通往總督府的渡口處，河身最窄，然其地爲市區熱鬧衝要之處，施工不便，故選擇在西區沙督路前。先在兩岸打樁，塡石，並鋪上鋼筋，加上碎石與士敏土，而各埋上一龐大的鋼架；鋼架矗立很高，有點像兩座無線電台，以作爲橋梁的支點，即於鋼架的頂端，繫上相當粗大的鋼索拾條，而使之連結兩岸的支點。然後分鋼索爲兩組，每組五條，互相紐纏，分列兩旁，那就是吊橋的橋梁建立起來了。再在橋梁亦即鋼索之上，垂吊許多鋼繩。這鋼繩的距離，都是相等的，每左右兩條鋼繩之下，繫掛一梗鋼條，而置兩隻大水管於鋼條之上再在水管之上橫鋪厚的木板，於是這吊橋就建築成功了。

吊橋橋身並不大寬，除兩岸進出口外，橋面寬度，不過八九英呎左右，人行其上，有點搖擺。車輛只准小型汽車及小型巴士通過。那種巴士，僅能乘載五六人，且係單行線，不能在橋上交叉，故事先必須得管理橋梁者之許可。車輛上橋後，雖開行很慢，也甚搖晃，偶一下望，雖非懸壑千丈，但也距水面很遠，水之流動也甚急。（四）

公道篇

林人公

中國人窮困的癥結（一）

福利經濟學說認爲「個人福利增加，等於社會福利增加」。同樣道理，「個人富有，等於國家富有。」或「個人的困難，亦就是國家的困難」。因爲，國家是爲個人而存在，不是個人爲國家而存在。一個沒有個人的國家，那將不成爲國家。雖然代表超人權威的國家，係超越個人之上，但構成「超人」「權威的條件，仍以多數個人的意志爲基準。因此，個人的需要，也正是國家的需要。

每一個國家有不同的環境，每一個民族也有不同的需要。中華民族急切需要解決的是「負担三代生活」的問題。否則，國家富强，國民道德，貪汚，作僞，犯罪，及許多作奸犯科的問題，都無從求出基本解決的辦法。

我國人的窮困，似乎由來已久，因素雖多，但癥結當在每個人的能力「不能負担三代生活」，而又「被迫不能不負担三代生活」。直至今天爲止，我國的政治家，似乎尙未集中全力爲國人過重的生活担子的問題設法解決。今日中國的是上有父母，不能不供養；下有兒女，不能不教育。中有自已夫妻倆，不能不生活。試問，一個人的正常收入是有限度的，以有限度的收入，如何可以維持變動百端的三代生活的開支？莫謂失業，病痛，意外，即使一生永保平安，永無失業之虞，作爲一個奉公守法正直善良的國民，也是時感捉襟見肘之歎。何況，在現階段的人類，教育程度，與經濟的狀況，人類因生存與生活上需要而自私，是不能避免。中國人年老父母，還不能不依賴古老傳統的「積谷防饑，養兒防老」的一套來維持晚景；年青父母的失業和分娩，還沒有一個完善的社會制度來幫助；兒童的教育亦未能達到全面性的强迫義務教育制。總之，中國人不個個是聖人，也和其他民族的需要並無分別。因此，在職者爲了孝順父母，爲了使自已的妻兒有更好的食衣住和教育，那就不免轉入邪途，用不正當的手段，來攫取較多的金錢，以應付其必需的支出。其不幸失業的，便忿然挺而走險。其不幸意外傷亡或殘疾的，更構成一幅悲慘無告的圖畫。如此這般，顯明，社會犯罪的根源，國家的積弱，經濟的落後，國人的窮困，即使不是由這種制度完全負上責任，也得說應是負上絕大部份的責任。

尤其不幸，我國是以農立國，家長制度仍是普遍地遺留。於是一家的生產中心，每每祇是放在家中一二人的身上。這種担負的後果，顯見亦是構成社會問題來源的中心。

瘟君續夢

第六回： 烽火照邊陲　同惡難濟　樓船横碧海　大憝興悲

活曹操笑道：「那就只有請我們的外交部長與契爾沃年科大使談談了。」

陳毅連忙說道：「我看不如派劉曉直接在莫斯科活動一下，還比較有用些。」

毛澤東雖然不滿意陳毅遇事就推，可是，也曉得派他去同契爾沃年科絕對談不出所以然，只好交給劉曉辦了。

中共與蘇聯的交涉還沒有結果，艾森豪威爾已經到了印度。在艾森豪威爾未到之先，印度政府恐怕左翼人士鬧出事端，特別加以告誡，不料印共也表示熱烈歡迎艾森豪威爾訪問，向政府担保不在美總統留印期間惹出絲毫麻煩。共黨控制下的團體，報紙，也一致表示歡迎態度。艾森豪威爾到達時，新德里人民空城出迎，許多婆羅門敎徒，眼見印度被中共逼迫得岌岌可危時，美總統突然來訪，比較增加十萬軍隊還要有力量。這批人就斷定艾森豪威爾是印度的守護神轉世，許多老年敎徒都跪在路旁頂禮。印度總統普拉沙德率領內閣全體閣員去機場迎接，尼赫魯也堆出和周恩來在一起的笑臉去招呼艾森豪威爾。中共「大使館」本來也收買一些流氓，預備給艾森豪威爾一個難堪，但是看到這個聲勢，誰也不敢動，恐怕一出手就會被人民活活打死。中共「大使」潘自力白花了一筆錢，又多嘔一場氣，因爲所有在新德里的外交使節，只有他一人未被邀請去歡迎美國總統。其餘如蘇聯，波蘭，捷克等國的大使全體出動。

艾森豪威爾在新德里鬧市上，隨時下車與人民握手，在羣衆面前吃小餅，喝涼茶，更引起印度人的好感。許多印度人圍着艾森豪威爾跳舞唱歌，整個新德里充滿歡樂氣氛。尼赫魯戴着小帽，穿着半截長衫，跟在艾森豪威爾後面陪笑。比起歡迎周恩來的笑容，要眞實的多。

在歡迎大會上，尼赫魯致詞說：「當我們艱難的時候，最偉大友邦的總統來訪，對我們來說，是一種天大的福氣。」尼赫魯的話，引起全體出席市民的鼓掌，有許多人感動得下淚。

艾森豪威爾接着致答詞，說道：「我代表美國人民向印度朋友提出一個神聖的諾言，印度的困難就是美國的困難，有人侵略印度就是美國的困難，有人侵略印度就是侵略美國。」

艾森豪威爾的話引起全場歡呼，幾十萬人發出一個聲音，比較一個原子彈還震耳鼓，潘自力躲在「大使」館裏只是捂耳朵。尼赫魯的眼睛本來有個見風流淚的毛病，此時也不住的掏小手絹擦眼。

散會後，尼赫魯回到總理府，又向新聞記者發表了一個重要消息，叙述在空喀山口被俘的印度士兵被中共虐待的情形。尼赫魯說：「根據這次被俘的隊官星氏的報告，他們所受的實在是非人的待遇。他們有三天是被安置睡在冰雪上，沒有絲毫取暖設備。最初兩天不但沒有飯吃，甚至連水都沒得喝。這一串的待遇還不打緊，最重要的是替他們洗腦，要他們承認侵略的罪行。」

尼赫魯正在此時發表了這段談話，算是把中共在印度的信譽連根拔起了。（一三八）

八閩菓實（續）

行銷滬粵，在抗戰時，每簍不過法幣二三元，價廉物美。閩南長泰盛產柚子，一稱文旦，與廣東沙田柚相仿，不過沙田的較乾而味甜，長泰的水分較多，皮亦甚薄，有淡紅色，有白色，遂分香朱之稱，較台省蔴豆所產，有過之而無遜色，江南人多稱為福州文旦。福州西門外尚有檀香橄欖，咬嚼脆嫩，回味雖澀，却有檀香氣味，充滿芬芳。運銷京滬平津，主人用以酒後款客，無不珍視。其蜜餞的味亦甚佳。其他香蕉則有芝蔴點，芒果柿子李子檸檬亦有出產，但不著名。

憶玄軒雜綴

春明憶舊痕

余於民國五年春，偕學長程汝潮入故都，省視先君，遂留居攻讀，迄十八年春，始行南歸，前後約居十三年，故春明舊痕，常縈腦際。舊痕之深刻，殆非數萬言可以畢述，惟心目中最難忘者，莫過於中山公園。此園為一年之中，春夏秋多，無時不往，因每屆一季，有一番清景者。尤其可貴，園中柏樹參天，殆近六七百年之物，據稱尚是金代所植，歷南宋元明清四代，可知其久遠。中山公園之名貴，恐全國任何地區的公園，難以相擬，誠國家之寶也。

中山公園原為歷代之社稷壇，為帝王祭土地五穀神之所在，遺跡仍在園之中央，用白玉石砌成二層方台，周圍短牆，用四色的黃綠赭白琉璃磚瓦所築，古色古香。由壇北進，即是祀拜之殿，與大內宮殿一式，綠色琉瓦，黃色瓷磚，極其肅穆之態。國父逝世，在未移靈雲寺之前，即由鐵獅子胡同出殯來園，安櫬於殿中，每日供民衆禮拜，瞻仰遺容，約有半月之久，前往行禮者，日以萬計，此為該園從未有過之盛況。因此原名中央公園，亦遂改稱，是歷史上有紀念性的創舉。民八，第一次歐戰結束，吾國以參戰之故，列入協約國。政府為雪恥而將東單附近克林德紀念牌坊拆除，改移公園建造「公理戰勝」白磁玉石的象徵自由牌樓，建築非常精緻，牌坊頂層，覆以藍色釉瓦，極為莊嚴大方，夠其堂皇。（未完）

台灣與鄭成功

陳雪英

率兵二千從鎮海進擊，荷蘭敗績，相持八個月，明軍攻破媽宮，擒荷將高文律以下十二人斬之。荷人遂棄澎湖，九月逃至台灣，入台江據一鯤身（今之安平），遂撫新港，蕭壠二社土蕃。於是得寸進尺，再併目加、溜灣、麻豆等社。荷人初誘土蕃奉天主教，先用利誘之，繼則恩威並濟，後又收撫南北諸蕃社，以新港蕃語編教科書及祈禱文，十戒等書，並設學校，及青年訓練所，廣施教化，置官吏以理政務，頗收成效。

西班牙人久垂涎台灣，後來見荷人的佔據台灣南部，遂起忌，乃於天啟六年（公元一六二六年）五月，藉保護商業為名，從呂宋率艦隊來據台灣北部鷄籠（基隆）、淡水兩地，並在該兩地方築城，建教堂，設政府以撫土蕃。這時島之南北，遂為荷、西兩國所分據。當是時，鄭芝龍因剿海寇劉香等，屢建奇功，已升任都督。會閩大旱，芝龍向巡撫熊文燦建議，以海舶徙飢民數萬人至台灣，每人給三金一牛，使墾荒土。荷人利用華人勞工闢拓，漸成邑聚，漳泉之民從之者如歸市，人口增達十萬。荷人在北汕尾（安平之北）設東印度公司商館，任命馬爾珍•孫克為首任太守。崇禎三年（公元一六三〇年）於一鯤身築台城（熱蘭遮城），駐荷兵二千八百名守之，以固海防。崇禎十四年（公元一六四一年），荷太守德拉。載尼士遣兵進攻淡水，不克敗回。翌年九月，荷人乘呂宋南部有事，鷄籠、淡水守備薄弱，再出兵，以荷提督韓得利。克哈羅塞，率三艦北進，西班牙兵不敵，棄城逃去，荷人遂並有鷄、淡之地。西班牙人之佔據北部凡十二年。

（四）

才媛誌

漁翁

女之已嫁曰婦，未嫁者曰女，統稱之為婦女。而女子中有文才者，謂之「才媛」。明初識字婦女，得舉女秀才，萬載縣民敖用敬之妻易淵碧，膺選女秀才於洪武二十六年。南唐書：「武軍節度使盧文進有女美而慧，善屬文，時稱女學士。」三國志：「甄后年九歲，喜書，數用諸兄筆硯，兄謂后「汝用書為學，當作女博士耶？」太平軍佔金陵，開科取士，女子亦得參加，傳善祥被欽點為女狀元。此外，還有「女相如」、「女校書」、「女侍中」，「女尚書」等名稱，不一而足。茲舉歷代女子中而有文才之佼佼者如次：

卓文君：漢臨邛人，卓王孫之女，有文學。司馬相如飲於卓氏，卓文君新寡，適在母家，相如以琴心挑之，文君夜奔相如。在相如未顯達時，設酒肆，令文君當爐。後相如顯達，欲聘茂陵女為妾，文君賦「白頭吟」，乃止。足見其文字感人之深也。

班倢伃：漢成帝宮人，賢才通辯，雅擅詩歌，大幸，為倢伃。成帝欲與同載，倢伃辭之。後趙飛燕得寵，被譖，退侍太后於長信宮，作賦自傷，詞極哀楚，一字一淚，令人不忍卒讀。

班昭：東漢才女，安陵人，字惠姬，一名姬，班彪之女，班固班超之妹，適曹世叔為妻。早寡，博學高才。班固著漢書，「八表」及「天文志」未及竟而卒，和帝詔昭就東觀藏書踵而成之。數召入宮，令皇后諸貴人師事之，號曰大家，世稱「曹大家」。女誡七篇，即其手撰，至今猶膾炙人口。

蔡文姬：東漢時蔡邕之女，名琰，文姬其字也。博學有才，妙辭音律。初適河東衛仲道，夫亡無子，歸寧於家。興平間，天下喪亂，文姬為胡騎所獲，在匈奴十二年，生二子。曹操素與邕善，痛其無嗣，乃遣使者以金璧贖之歸，重嫁董祀。祀為屯田都尉，犯法當死，文姬詣操請救，操允之。因問：「夫人家先多墳籍，猶能憶識之不？」文姬即就所誦憶者繕送四百餘篇，文無遺誤。尤其所作「胡笳十八拍」，傳誦一時。

鄧后：東漢時鄧禹之女孫，和帝后，名綏。姿顏姝麗，雅喜典籍。被選入宮，初為貴人；後立為皇后。和帝崩，殤帝生始百日，迎立之，尊為皇太后，臨朝，多德政。殤帝崩，復定策立安帝，猶臨朝政。尋自入宮披，從曹大家受經書，兼天文算數；又博選諸儒劉珍等，詣東觀讎校傳記。事畢，詔日官近臣，於東觀受讀經傳，以教授宮人，為歷代人君之后中不可多得者。

謝道韞：晉朝謝奕女，謝安從女，王凝之妻也。聰識有才辯，神情散朗，有林下風。家嘗內集，值天雪，叔父安曰：「何所似也？」安兄子朗曰：「撒鹽空中差可擬」。道韞曰：「未若柳絮因風起」。安大悅。凝之弟獻之，嘗與賓客譚議，詞理將屈，道韞遣婢白獻之曰：欲為小郎解圍，乃施青綾步障自蔽，申獻之前議，客不能屈。其擅辭令如此。後遭孫恩之難，聞夫及諸子為賊所害，乃命婢肩輿抽刃出門，亂兵稍至，手殺數人，被虜，恩欽其義烈，釋之。其膽識勇敢，有非鬚眉男子所能幾及。

宣文君：前秦韋逞母宋氏。其家世學周官氏，傳其父業，通周官音義。時苻堅登位，禮樂遺闕，太學比年綴撰，正經粗集；惟周官禮注未有其師。博士盧壺言於堅，謂非逞母不足以授後生；於是就宋氏家立講堂，置生員百二十人，隔絳紗幔而受業，號宋氏為宣文君。自此周官之學，復行於世，時稱韋氏宋母焉。

以上不過略舉漢晉時代之才媛，而唐、宋、元、明、清、以及現代，女子多才多藝者，所見不鮮，限於篇幅，祗好續誌於異日。

海嶠叢談

人鑑（二）

諸葛文侯

湘人陶澍（諡文勤），曾在滿清道光咸豐朝代中，歷專圻大吏之任，是曾國藩、胡林翼、左宗棠等人的先進人物，他對於鑑別人才，尤有精到之處，永留佳話。

胡林翼少年時期放蕩不羈，私生活頗為糜爛，但陶文勤公一見即知其為幹濟之士，特加賞識，以其女妻之。陶氏作兩江總督時，胡林翼到南京結婚的，新婚之夜，胡氏仍在秦淮河畔冶游，深宵始歸，陶夫人聞訊已經大不高興了，陶公却不以為意，且吩咐督署度支員司，「姑少爺」若來支用銀錢，一概照付可也。如是胡氏的「胡調」生活更加肆無忌憚。在當時的社會習俗中，丈母娘對女婿固不便有所管束，即婦女對於丈夫在外面的社交行為，亦不能出面干涉，不似今日的太太們，隨便管制先生的日常生活行為，甚至帶領「娘子軍」大興問罪之師，討伐先生的「外遇」對象，滿不在乎的。當時陶夫人廉得女婿胡君尋花問柳的情況，即對陶公大發牌氣，說是把女兒亂點鴛鴦譜，錯配了一個浪蕩子，勢必誤其終身。陶公夷然道：「這孩子將來一定要担當國家大任的，此時如不讓他玩玩，將來他就無此等尋樂的日子了，何必管他呢！」結果胡林翼於貴州道員任內，躬逢洪楊之亂，奉命到湖北襄贊軍務，雖在壯年時期，因職責繁劇暨政治地位關係，自然沒有涉足歡場的餘暇，且在迭建殊功之後，遽然早逝了！陶公所料，可謂人鑑的極致也矣。

左宗棠未入仕途時，以舉人受聘為湖南醴陵縣的「淥江書院」主講（名曰山長）。某年，兩江總督陶澍由北京覲見皇上後，乞假回湘，遵行必須經過醴陵轉赴安化縣故里。當陶氏未到醴陵之前，地方人士在通衢大道上架設一座歡迎的牌樓，請左山長撰一聯語曰：「春甸語從容，萬里家山，印心室在」；「大江流日夜，八千子弟，翹首公歸」。迨陶來見此聯，深為激賞，上聯「印心室」者，原係陶公在鄉讀書處的榜額也。是夕陶公駐節縣署，會詢問縣令這聯語係何人的手筆？答以淥江書院左山長。陶囑縣令派員持名片赴書院請左山長到縣署一晤，詎遭拒却，且在名片背後（那時通行大紅紙張名片），寫着一行字云：「自古祗有東席拜西席之禮」。陶看了即謂「這是兄弟的不是」，登時親自往書院訪晤左山長，洽談甚歡，即留宿書院內，與左宗棠暢論國計民生問題，認定左氏是個非常的人才，鄭重訂交，相期他日為國宣勞，共建事業。那時的政界人員，是要憑科名等第為進身之階的，左宗棠僅是一名舉人，作縣令還要經過「大挑」纔行，普通只能担任清閒的各縣「教諭」而已。陶公回到兩江總督任內，即在某種特殊工作（如治河等事）完竣後，向朝廷保舉出力人員的專案奏摺中，把左宗棠的名字列入，且敘為成績最優者。後來湘撫駱秉章聘左氏為總文案（即秘書長），權力甚專，旋左氏被總兵樊燮（鄂人樊山增祥之父）控告他違法瀆職，奉旨交湖廣總督嚴訊究辦，經胡林翼緩頰，許其投筆從戎，參加曾國藩的戎幕以自效，其中都是基於陶澍平日對左氏的游揚稱許而然的。

諸葛文侯曰：今之為政者，亦有求才的誠心，可惜缺乏人鑑的智能，他們心目中的人才標準，大都是以巧言令色，到處鑽營，請託者為主要條件，而以善呼「擁護」「打倒」口號為拔擢原則，殊不知真正的幹濟之才，不但恥於奔競，不肯自炫自媒，即用人者如禮貌不周，亦復望望然去之的。若要得到賢才以作輔弼，必須求才者自己有才學，足以藻鑑誰才誰不才的，又益以公忠體國的精神，庶幾近之矣。（完）

劉璈抗法前部署

・李仲侯・

自古用兵，如刑賞不明，鮮有不失敗者，中法戰役，敵窺我之弱，傾其力進犯，全恃我軍用命，殺敵致果。如光緒十年六月十四日法將孤拔率戰艦五，載陸軍三千，翌晨在基隆登陸，提督曹志忠，章高元等所率不滿千人，力戰却敵。八月十三法兵在仙洞上岸，激戰極烈。九月廿日法師大隊登陸滬尾，被提督孫開華擊潰。光緒十一年二月十五孤拔進陷澎湖，副將陳得勝，激勵部曲，誓死抗敵，四面被圍，身中數彈，猶不肯退，每次戰役，無論將弁，袒臂執刀，策馬衝陣，縱橫馳擊，當者辟易，前仆後繼，義無反顧，確能做到「有進死，無退生」，「一人拚命，萬夫難當」之境地，故常以少勝衆，戰無不克。如無刑賞以驅其後，誰願以血肉之軀，去抵擋無情炮火。當日李彤恩謊報滬尾軍情，致劉銘傳在基隆撤兵失地，屢經劉璈參劾，銘傳有意袒護，會具疏互論長短，後由左宗棠據以入告，遂被嚴譴革職，致種下後來銘傳參劾劉璈革職竄逐關外之禍根，亦在所不悔。他無非要貫澈刑賞二字為行軍之命脈，不可或廢，如不因越南華軍叠勝，進迫宣光，清廷有意息兵，孤拔憤而病死澎湖，中法和議告成，全台未遭法兵蹂躪者，亦云幸矣。（完）

內警台報字第〇三一號內銷證

自由報

THE FREE NEWS

第三七二期

中華民國僑務委員會頒發
登記證字第三二三號台
執照號二八二一一第字台政郵華中
類新聞紙第一類登記爲
（本刊每星期三、六出版）
每份港幣壹角
台灣零售價新台幣弍元
社長：雷嘯岑
督印人：黃行富
社址：香港銅鑼灣高士威道二十號四樓
20 CAUSEWAY RD 3RD FL
HONG KONG
TEL. 771726　電報掛號．7191
承印者：田風印刷廠
地址：香港灣仔高士打道一二二號
台灣分社
台北市西寧南路壹叁叁號二樓
電話：三〇三四六
台郵劃撥帳戶九二五二

當前大陸農業問題的觀察

·司徒敏·

大陸經濟問題的關鍵是在農業，本年四月中共舉行第二屆「人代會」第三次會議時，周恩來在其「政府工作報告」中所提出的「國民經濟調整的第十項任務」，即以加强農業，爭取糧食及經濟作物增產爲首要目標。但是當前的事實表明，儘管中共提出許多有關增强農業生產的口號，而事實上，其農業生產的條件毫未改善，原存在的問題亦未解決，因而不僅夏收宣告減產，而秋收亦將普遍歉收。這種黯淡局勢的形成，除基于共黨的政治制度，影响農民生產情緒，及自然災害影响農作物的栽培與生長外，在農業本身來說，還有下列各項問題。

第一，是農業生產資金的問題。任何生產，都需要成本，農業自不例外。過去數年，由于中共片面發展工業，不斷擴大重工業方面的投資，從一九五三年至一九五六年的四年中，共重工業基本建設投資擴大了百分的四百二十五點五，平均每年增加百分之五十一點五。一九五八年預算內的基建投資額又增長百分之七十，五九年和六零年預算項下，又各增加百分二十一。因此擠掉了農業方面的投資，以致農田水利建設，農業機械，化學肥料和農藥等方面，都不能適應農業生產的需要。這是過去三年來大陸穀物連續歉收的一大原因。

但是到現在，中共還沒有認眞解決此項問題，仍然强調農業生產資金要由農民自己籌措，以「自力更生爲主」。如河北遵化閻飄公社七十四個生產隊，其生產資金，百分之六十是靠公社和生產隊本身積累解決，百之三十七靠社員自己解決，只有百分三之是由「人民銀行」貸欵解決。又如湖南邵陽專區武岡縣泉塘公社九個生產隊今年秋收以前共需資金五千六百七十七元，而在七月間它們手頭只有七百三十五元，還缺少資金四千九百四十二元。這缺少之數，中共完全要農民自行設法。這是兩個例子，其它省縣都有相同的情形。但是連年歉收，公粮負担又未能減少，生產隊本身積累困難，勢無法自籌資金。因此，中共又向農民的家庭副業打主意，要若干家庭副業改爲隊辦副業，收入歸公。然此旣嚴重剝削農民收入，影响農民生活，而且收入數字不大，亦難于達到解決生產資金的任務。所以資金問題，是當前大陸農業的第一項難題。

第二，是農業機械和農具問題。共黨會强調農業生產的發展，在于擴大機耕面積，推行農業機械化。並于兩年前喊出「三年小解決，七年中解決，十年大解決」的口號。但到目前不僅沒有達到「小解決」，並且連如何實行農業機械化的方針和方向都未能確定。據中共農村工作部長鄧子恢最近發表的「關于知識青年到農村去的幾個問題」一文所供說：「我國農村使用農業機械目前還很少，在我國的具體情況下，如何發展農業機械化，也還未系統地摸清楚。比如在北方大平原如何用拖拉機？使用那一種型號（大型或中小型）比較合適？水利灌溉使用那一種機器較好？耕作機械化如何從單項作業到聯合作業？在南方水田、梯田，丘陵地是否都適合拖拉機？使用那種型號較爲適宜？農業機器站如何經營管理？社營好還是國營好？這些問題都還沒有解決，也不可能一下子定案」。因此，鄧子恢認爲「這都需要有文化有專門技術知識的人材到農村去進行實地調查研究，作長期的瞭解和實踐，逐步提出各種切實的意見和改進的措施」。這反映出中共的所謂推行農業機械化，還是紙上空談。因而也就難于提高農產。

至于中型農具和小型農具，更存在不少問題。一方面是農具的普遍缺乏，另方面是補充供應的新農具規格的不對路，不合農民需要，致產品無法脫銷。農業生產，需要的中小型農具種類甚多，規格複雜，不同地區，不同季節，不同自然條件，不同作物，對農具種類品格有不同的要求。過去中國農村，都有本地工匠，他們瞭解本地的地形，地質與氣候，所造農具，在長短，大小，輕重，方圓之間，都有一定方寸，農民可以自由選擇，或定購製造，因而根本不發生貨品不對路的問題。而現在中共是集中經營，統一製造，于是生產和供應的農具，都是「清一色」的大路貨，使購置者沒有挑選的餘地。以致農民雖缺乏農具亦不願購買。這一方面使農具問題長期得不到解決，一方面又造成人力、物力、財力的浪費。

第三，是種籽問題。由于連年災荒，粮食作物和經濟作物歉收影响，各地農民沒有預留種子或沒有經過精選，播種時，須向市場購買，或由別省調撥，以致品種混雜，播種後，植株高低不一，成熟有早有晚，使品質發生顯著的退化。據中共山西農業廳種子管理站在山西省的典型調查，其一般作物品種的退化，小麥達百分之二十左右，玉米達百分之四十左右，馬鈴薯達百分之三十左右，棉花百分之三十左右。如「碧螞一號」小麥，原是抗銹病的良種，現在則成爲最易感染銹病的小麥。「金皇后」玉米，原是一種穗大、軸細、粒長的優良品種，現在變成穗小、軸粗、粒短的「二皇后」。又如「岱字十五號」棉花，原是衣分大、纖維長的良種，現在衣分率比過去降低百分之三，絨長也短了二至三毫米。所以種子的缺乏和品種的退化，是當前大陸農業問題的第三項難題。

第四，是農民的生產技術問題，亦即是有經驗的老農逐漸減少，而青年農民不熟悉農業技術，也不願向老農學習，以致耕作退化的問題。

人們知道，農業生產除担，挑等簡單工作是憑氣力外，它如耕、耙、鋤、播等等，須有一定的技術，要有長時期的經驗。而中共自從實行「農業合作化」以及「公社化」以來，一方面鼓勵青年農民反對老年農民的「保守思想」，一方面將一般「生產隊長」或「生產組長」的職務，都派青年農民担任，不尊重老農的技術經驗。同時共黨爲了趕任務，也只問數量，不問質量，要農民做得多，不管做得好與壞。因此農田耕作普遍退化，過去是將死地種成活地，現在則把活地種成死地。熟練農民日漸減少，如山西定襄縣南王公社留暉大隊現有四百二十九個勞動力，懂得耕種的只有一百個，其中夠得上「全把式」的只有五十個，而這些全把式農民的年齡又都在五十以上。所以一般老農耽心，再過若干年，傳統的農業技術，都將會失傳。農業技術的退化，是當前大陸農業減產的另一原因，也是影响今後生產的又一難題。

綜由上述四項以觀，可知大陸農業問題之不簡單，連年的減產，有多方面的因素。因此，即使沒有自然災害，其農業生產已是荊棘滿途，更何況水旱風虫等災害，迄今還在蔓延，則農產自更無法好轉。從基本方面看，中共如不改變現行的政治制度與經濟制度，如不將土地歸還農民，如不放棄對農業的「領導」，如不減輕農村的搜括，則雖然降低工業投資的比例，增加農村勞力，還是絕對不能解決問題的。在農業生產未能恢復發展以前，共工業建設亦等于沙灘上的建築，無法穩固。而工業的落後，又防礙農業的提高。這種互爲因果，互相牽制的惡性循環，是中共所永難消解的死結。

漫畫天下

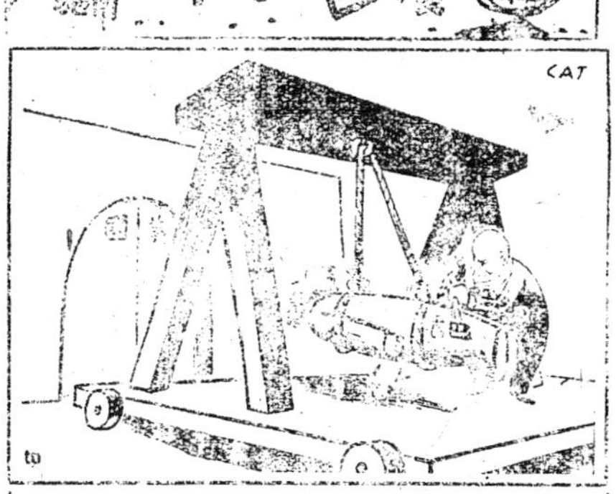

攻門

兩個傀儡輪流玩

自由談

自作自受

馮三先生

據合衆社倫敦電訊：英國對於美國建議共同封鎖古巴輸入戰略物資一事，已表示婉拒，其他歐洲國家亦皆不感興趣。這是當然的趨勢，不足怪也。

美國當局平日以自由世界盟主的地位，對於處理國際問題，口口聲聲說要符合利益，若涉及有不利於美國的事情，或者需要美國出面支持的事情，却以「不單獨行動」的理由，希望別的友邦共同負責應付。利則專諸己，害則加諸人，這種自私自利的「精仔」作風，此人領教多矣，誰肯以笨伯自居，甘作替別人火中取栗的貓腳爪呢？

專就古巴事變而論，當年以全力支持卡斯特羅奪取政權的，就是美國，認爲古巴舊有政府不民主——不符合美式的民主政治，而以好新新鮮的心情，幫助卡斯特羅由美國回去革命，取舊政權而代之。繼因卡氏共產黨員身份暴露，大力反美，甘迺迪總統就職伊始，會策動流亡美國的古巴人回國革命，但革命份子稍遭挫折，美國即袖手旁觀，表示潔身自好的第三者態度。如今古巴變成俄帝力征美洲的軍事基地了，大火延燒到了美國的眉睫，又敎歐美各個自由國家，跟美國合作，實施對古巴的封鎖政策，這是自由世界盟主應有的動作嗎？不管封鎖政策是否有效，這種建議就不免失之無聊，令人齒冷，自作自受，可哂已極！

古巴的變局方興未艾，眼見巴西旦夕可能步古巴的後塵，突變而爲親共反美之邦，其他中南美各個國家的人民，內心裏多蘊藏着反美情緒，風聲所播，將有「草木皆兵」的形勢出現，好戲在後頭，咱們拭目以俟之罷！

我國古先賢哲，留有「殷憂啓聖，多難興邦」這兩句格言，要想改變美國政治人物惰性自私，誤人誤己的觀念與作風，除非古巴的亂事加亟，因而促發中南美各地區的親共反美現象，或許可使美國避免最後的劫運。否則整個自由世界，連同北美洲在內，只好靜待俄帝來遍揷斧頭鐮刀的紅旗，終於無可救藥啊！

在市長任內亂攪一通

蘇玉衡被停職查辦內幕

市公所虧空七百多萬　蘇虧欠公款逾五百萬

（本報記者台北航訊）嘉義縣屬嘉義市市長蘇玉衡，違法失職，廢弛公務案，台灣省政府特電令嘉義縣政府，予以暫行停職，另行遴派幹員代理。至其行政部份，移送公務員懲戒委員會議處，有關刑事部份，則移送嘉義地方法院偵察。現嘉義縣政府已派該縣政府合作室主任林金龍代理嘉義市長職務，並於九月十六日正式到差視事。蘇玉衡的刑責，正由司法機關偵察中。

蘇玉衡被省府下令停職的主要原因之違法失職，廢弛公務，內容甚豐富，比如他對於省衛生處所要求採取的預防副霍亂的措施，未予理會，可是他却報銷了預防副霍亂消毒用具費數十萬元。這筆公款，是他挪用了。又如市公所的人事制度，被他破壞，市公所員工薪水無法發出，水肥無人清理，致使嘉義市「黃禍」氾濫，成爲全省最臭的一個城市等等。

蘇玉衡出任嘉義市長至今二年五月，他是民四十九年四月二十四日當選第五屆民選市長的。據說：蘇玉衡爲了競選市長，在競選的時候，除了時間心力的花費外，並且化了一筆很可觀的錢。這筆錢，大約在百萬元以上，據說是由有關方面私人拿去的。此一說法，經台報紙刊載後，尚未見有關人士的否認。蘇玉衡算是擊敗他的政敵，登上「市長」寶座了，但他這市長的職位，甚於是化了一大筆錢而當選的，所以在當選後，要想辦法撈回來，結果遂有今天的下塲。嘉義市被他攪得財政紊亂，烏烟瘴氣到了公私不分的地步。

該市公所的財政狀況，原本就患有先天的「貧血症」，連員工薪水都不能按時發放，而蘇玉衡又常常做些沒有預算的工程，加上市公所所列之預算收入，大部份係虛列的，以致市公所支付書到期到市庫領錢時，往往而退票。這樣承包工程的商人，拿着市公所的支付書找蘇玉衡「幫忙」，蘇玉衡基於「同情」而「慨然應允」，立即提筆開其私人的支票，支票的「背書人」却又是市公所的大印，如此支付書換支票，結果仍被退票。但據說蘇玉衡一有了錢，亦曾經把支票兌現的。如此日積月累，債越欠越多，造成了外界所說市公所「惡性倒閉」的來由。

除了蘇玉衡自己亂攪一通外，也有一種同情蘇玉衡的傳說，說是市公所的財政收支紊亂，蘇玉衡這主管固然有責任，主計、財政兩個單位的主管亦應負責。因爲財政課長鄭横，原是蘇玉衡在競選時的政敵，當時很想打敗蘇玉衡，但蘇玉衡就任市長後，即邀鄭横出任市公所的財政課長，結果市財政弄得一塌糊塗。有人懷疑，很可能是鄭某有意「攪鬼」，使蘇的「政治生命」壽終正寢。當然這不過是一些臆測的傳說而已，眞相何如，尚待揭曉。

嘉義市公所的財政課長鄭横，在應某方面之邀報告該公所財政狀況時，曾透露該市公所財務虧空達七百多萬元，其中蘇玉衡虧欠公款逾五百萬元，眞夠駭人聽聞。據說這筆錢，將來可能由蘇玉衡的岳父代爲出面清償。

俗語：「禍不單行，福無雙至」。蘇玉衡被省府下令停職的第二天，就被一位婦人向嘉義地檢處按鈴申告他涉嫌詐欺。據說因蘇玉衡向他借了七千元，已半年了，祇拿到一千元，另外三千元支票到期未能兌現。蘇玉衡經已被嘉義地檢處扣押，至其財政課長鄭横則被飭令交保五萬元，隨傳隨到。蘇玉衡這個人，其作風倒是平民化的，沒有一點架子，所以雖然他在任內攪得一塌糊塗，地方上竟還有些人對他的處境表同情的。（健生）

逾期遊客與查稅雙重困擾

旅菲僑社皇皇不安

僑胞苦幹强韌精神值得欽佩
華商總領導人姚廼崑呼聲高

（本報馬尼拉航訊）旅菲「華商總會」是一個規模最大的僑團，於一九五七年成立，在僑領楊啓泰理事長領導之下，對菲島經濟、社會、文教、慈善諸事業，都有很大的貢獻，尤以發動華僑捐贈農村校舍運動一事，意義重大，收效亦甚宏遠。本月十八日舉行第四屆代表大會，來自菲律賓各地區的華商代表三百餘人，於上午九時在「中正中學體育館」行開幕典禮，我國段大使茂瀾，僑委會特派員何宜武皆到會致詞。大會期間共爲三天，因楊理事長啓泰在香港未可來，大會主席即由副理事長蔡孝固担任。段大使致詞頗簡單而快速，有些代表並未聽清楚，且對目前華商所遭遇的困危情形亦未有所指導和慰勉，大家頗感失望。

午後七時半，假「馬尼拉大旅社」舉行盛大的讌會，菲總統馬卡巴加（Macapagal）夫婦，以及各國駐菲島領事，我大使館自段大使夫婦以次的各高級職員，皆應邀參加，本報社長雷嘯岑適旅行此間，亦被邀躬預盛會。席間初由中國國民黨駐菲總支部藝術宣傳隊演奏音樂；繼有女青年僑生六人，又男生一人，扮成「打花鼓」裝束，女生腰繫小鼓，男生作牧童裝，手執小鑼，婆娑舞蹈，鑼鼓雜鳴，頗爲壯觀；再有中正中學男女生八對，着菲律賓服裝，表演菲島土風舞，菲總統夫婦聽着很高興。最後由馬卡巴加總統發表演說，他呼籲華僑與菲政府合作，實現他的「五年經濟計劃」，他再三聲明菲政府歡迎外人投資，絕對保障其合法利益，並歡迎外人來菲島居住。他說菲人的民族性是好客的，中國民族性是誠實的，目前華人在菲島的投資額，佔有菲律賓全國投資總額百分之十七，中菲兩國的經濟關係特別深厚密切，自有切實合作之必要。但對於非法牟利的行爲，必予懲罰，收受賄賂的菲國官吏，亦必嚴加懲處。他演講了四十分鐘，博得聽衆多次的熱烈鼓掌。馬氏年紀不到五十歲，曾受大學教育，做過律師和國會衆議員，他當選總統就任後，立意要均貧富，採取社會主義的經濟措施。他的「五年經濟計劃」原係政策性的行政計劃，按照菲國憲法，應由國會製訂的。然他却反其道而行之，先由政府提出這項計劃交國會決議通過，且聲稱如不照案通過，他亦強制執行，決不妥協，因而國會議員指他違憲獨裁。馬氏過去未作過行政官，缺乏行政經驗，僅憑一股熱情，作急進的社會改革，問題一定很多。例如他最近對華商進行追查納稅與其財產額是否符合一事，弄得華商人人自危，富有者相率將資金別移，另謀出路，即不免操切誤事之弊，結果利多於害也。

華商總會理事長楊啓泰，在華僑中聲望甚高，爲人亦正直無私，不愧爲眞正的僑領。但他業已加入菲籍了，担任華商總會理事長，遇事即不能不站在華僑的利益上，與當地政府折衝爭持，而華商總會的業務又不限於工商一隅，舉凡文教和社會事業皆須過問，因此他的處境頗感尷尬，年來菲政府不斷地採取「一菲化」政策，對華僑諸多不利，他要代表華商說話，菲政府便認爲他不忠於非國，有失歸化的意義。所以，他最近乃避赴香港，表示不願意再幹商總理事長的決心。據說，他曾經主張修改商總的組織章程，限於工商事業方面，把職務範圍縮小，以免牽涉太廣，不易應付。但他的主張未被大家採納，他就堅決讓賢了。新任的理事長人選，現以姚廼崑呼聲最高，大概已成定局，十八日晚間大宴會時，亦是由姚氏代表商總講話的。

現在非政府一面要驅遣所謂逾期遊客華人二千多名出境，同時又對非島華商進行「查稅」工作，以致整個華僑社會皇皇不安，人心浮動。我們政府除對逾期游客問題提出交涉外，關於「查稅」事項，因係別國的內政問題，未便正式過問，然國勢又在迭遭之秋，間接給別國輕視，而華僑的處境苦矣！記者近來隨時跟一般商界僑胞接洽，據他們說，華商遇到困難問題時，總有「人自爲戰」的肆應方法，必不致於一籌莫展的。記者雖欽佩僑胞這種苦幹的強韌精神，却深深地感覺祖國未能盡到護僑的責任，心情十分沉重、徒喚奈何而已。（九月十九日於岷市）

南越確有可能

實行對寮斷交

（本報西貢航訊）此間於二十日盛傳南越當局已決定步中華民國的後塵，實行與變質了的寮國斷絕邦交，消息雖尚苦於無法證實，可能性却不是沒有的。假定南越眞的實行與寮國斷交，意義重大，自不待言。

寮國是在本月初決定與毛共、北越及其他好幾個俄共帝國的嘍囉建交的，消息一發表，台北差不多馬上便主動的與寮國斷絕邦交了。政府此舉，越南僑界咸表擁護，認爲「漢賊不兩立」，我政府非如此做不可。但南越對於寮國與北越建交事的反應，則與我國政府截然不同：南越公然說並不因此準備與寮國斷交；其後不久，又宣佈南越召回駐寮大使會商，該大使且不準備回任，反之今後將僅派代辦主持永珍使館事務，藉示南越對於寮國與北越建交之「事實抗議」。二十日開始，却突然的傳出南越要與寮國斷交的消息來了。

記者爲了此項突如其來的傳說，曾訪問南越政界高階層人士某某，希望能對此消息獲得證實，却未能如願。但這位人士向記者透露如次幾點：

一、南越政府中人，對於中華民國所採行動，確實無比的欽仰，同時亦確實有不少大員主張南越亦對寮國斷交。

二、但南越與中華民國情勢畧有不同，對寮斷交不無困難，其中包括南、北越的分治爲日內瓦協定而來在內。南越固未簽字於該協定，但事實上南越是尊重該協定的，如果與寮國斷交，其意義等於撕毀了那個協定。

三、南越的西方友邦，比如美國，便不願見南越對寮斷交。

這位人士又強調：南越政府當然絕不滿意「兩個越南」。事情究竟如何發展，他不能作更多透露云云。看情勢，南越確實不是不可能也對寮國斷絕邦交的。（訓）

香港與大陸

大陸醫生處方謊而且虐

要病者吃雞蛋豬肉炒飯

飢荒兼藥品奇缺情形太嚴重
長此以往不知道要死多少人

大陸連年飢荒，老百姓人人喫不飽，因此而疾病特多，水腫、夜盲等營養不足的病症，尤其普遍，因之醫生處方笑話百出，竟有：「鷄蛋猪肉炒飯，日服三次，每次一大碗」者，又有「白糖半斤，眉荳一斤」者。病者拿到這些藥方，哭笑不得，因爲大家如有猪肉鷄蛋炒飯可吃，又何至生那些病？

本報記者由梅縣到港的張禮生君對中共短期訓練出來的「醫務工作者」，其中男的女的都有，他們的醫學修養既差，服務精神尤其缺乏，馬虎了事，敷衍塞責，情形極爲嚴重，不知道有多少人給他們害死了。

據張君說：這些由中共短期訓練出來的男女「醫務工作者」給病人看病時，往往祇匆匆一按脈便算了，有時甚至連「匆匆一按脈」的工大都省畧掉，祇是擡頭一望病者，立刻進行處方。他們所開藥方，往往祇是「保喉片」數粒或「APC」兩粒完事。張君說：當然，病人實在太多，「醫務工作者」應接不暇，也是事實，但這些人的醫學修養不夠與服務精神欠缺，就尤其是事實。

上述「鷄蛋猪肉炒飯，日服三次，每次一大碗」及「白糖半斤，眉荳一斤」的藥方，也就是這些「醫務工作者」的手筆。張君說：這兩個「藥方」倒其實不壞，只是大陸老百姓那裏來的這些東西吃？這不是故意開玩笑，服務精神差的證明嗎？

張君還說：營養不足及藥材缺乏，是現時大陸最爲嚴重的事，三四年來，眞不知道因此而死了多少人。死的人裏面，以老幼較多，但青壯亦不在少。他說：有些人本來看不出有什麼病痛，却突然的在勞動時甚至吃飯時，倒在地上，就此不起了。這情形確實嚴重，不少人都耽心自己也會有一天就這樣的突然死去。無疑這都是喫不飽，營養不足的關係。

張君說：國軍如其不早些打回去，照現在大陸的情形發展，畢竟大陸要死掉好多人，想起來就會使人禁不住發抖。

大陸藥品奇缺，醫生無法爲病人對症下藥，病者只有由輕病而重病，終至死掉的情形，一位新近由廣州來港的李倚清君，亦加以證實。李君說：由於中共多年來攪這個運動攪那個運動，破壞了許多藥山；中共更對藥農諸多打擊，如收購公價低微，使藥農不願再種藥材，再加上好幾年來老百姓捱飢抵餓，營養不足，患病的人太多，藥品消耗量龐大，致使大陸而今藥品嚴重的匱乏。其中尤以當歸、黨參、熟地、白芍、川芎、生地、伏苓、白朮……等，最爲缺乏。

李君說：由於藥品缺乏，醫生根本無法給病人開藥方，往往一張對症的處方，八味藥中，有半數買不到，祇好從用不對症的藥材了，這一來，怎能望其醫好病？李君說，由於藥材的缺乏，大陸的醫生也實在難做，病者於是祇能由輕而重，以至死掉。（敬斯）

龍劇轟動歐美實況紀述

（六）收穫完滿·再接再厲

仲偉庭

他們在美國買報紙和電視廣告，替共匪和偽蒙做宣傳，用心十分險惡，但由於中國團員意志的堅定及美國人民對我們熱烈的支持，因此這種詭計毫未得逞。

值此東亞局勢緊張之時，亦極權暴政瀕臨崩潰的前夕，反攻在即，固然要不斷加強我們三軍力量，同時也要加強我們的國際宣傳和心理作戰，促使共匪加速崩潰，以迎接反攻機運的來臨，所以，目前我們不僅要依恃武力以摧毀共匪偽政權，還必須展開革命的新思想攻勢，以超越的MRA意識型態，根本去消滅共產主義的細菌。

蜚聲國際、譽滿歐美的龍劇，一年來在歐美演出一八七場，獲得了極大的成功，許多國家的領袖都曾看過這個話劇，一致認為這一話劇的價值，貴在能將共黨邪說及其欺騙謊言後面的暴政，作赤裸裸的揭露，明白地指出共產集團顛覆滲透自由世界的陰謀。尤其人民公社的悲慘情形，使仍舊享有自由的西方人士，怵目驚心，提高警惕。這是世界上第一個，也是唯一這樣演出的一個劇本，這正是龍劇成功的基本因素。

青年擁有向上的精神，豐富的感情，創造的力量，和高度的熱忱。是發展的動力，也是進步的象徵。中國青年受了卜克曼博士「渴望中國能夠以純潔的生活來挽救國家的危機」之號召影响，因而對意識型態有了認識，接受道德重整思想生活的訓練，產生出龍劇。他們為了堅信三民主義，為了熱愛中華民國，為了自己的責任，和國家的榮譽，才堅決而勇敢地向鐵幕中心進軍，與國際共產黨徒展開日以繼夜的艱苦鬬爭。由歐洲轉向美國，揭發共匪的暴政，喚醒姑息妥協份子的沉夢，報導自由中國的進步與繁榮，加深國際人士對自由中國的認識。他們不僅做了最好的國民外交工作，同時他們的聲勢也震撼了鐵幕，使俄共集團震懾，使赫魯雪夫喪胆。所以去年在莫斯科舉行的第二十二屆國際共黨大會，俄共書記長曾因此呼籲共黨要改守勢為攻勢，加強思想型態的鬬爭。瑞士共黨代表在大會上向俄酋致歉，塔斯社曾用謾罵的方式向龍劇攻擊，東德共黨電台也會不斷的叫囂，說那些給龍劇熱烈影响的羣衆是反動的，是落伍的。凡此都可見龍劇演出的影响之深和它給共黨的打擊之大了。

誠如美國南加州大學校長說：「假如中國多有幾次這樣的龍劇和美國人接觸，以增加他們的瞭解，說不定像這回發表的外交文件，是可以事先避免的」。從以上這些成就看來，證明出他們為國家爭取到了光榮。他們在行動上是絕對誠實，在思想上是絕對純潔的，他們緊密地團結在一起，像一支鋼鐵般的隊伍，堅決而勇敢地向共黨挑戰，向鐵幕挺進，向勝利進軍。他們是反共抗俄的先鋒隊，是第一線的戰鬥英雄，這一年來他們對共黨直接作戰獲得輝煌的勝利，與金門八二三炮戰的勝利可以媲美。

目前龍劇第一階段的工作已經結束，第二階段遠征美國紐約，華盛頓，芝加哥，費城，邁阿美，以及日本，紐西蘭，澳洲，中南美洲，非洲等地的艱巨任務即將開始，希望國內人士多給予鼓勵支持，俾使他們對共黨作艱苦戰鬬，向世界昭告共黨侵畧奴役的陰謀，揭發共匪在中國大陸施行偽善、醜惡、殘忍、毒辣暴政的真面目，使國際人士了解匪偽政權殘民以逞，喪心病狂的傑作——人民公社，和禍國殃民，滅絕人性的種種事實。藉以引起自由世界的醒悟與同情，共同來撲滅這慘無人道的赤禍——共產黨，建立一個和平，康樂的大同世界。

（完）

古晉的吊橋

不過時有小輪及木船行經橋下，無論潮汐漲落，均兩無防碍，也足見橋身懸吊之高了。

橋身長度，估計約有一公里左右，因為河中全無橋墩，單靠兩組鋼索維繫橋身，也就是以許多鋼繩，垂吊兩大水管及管內長流不斷之淡水，以及承架水管之鋼條與夫橫欄管上之厚大木板，這重量自然非同小可，是以兩組大鋼索，均懸成初月朝天形，而懸掛鋼索上之鋼繩，則隨仰月之勢，各有長短，連同兩岸之鋼架，均漆作銀灰色，加上兩岸橋基附近之欄杆，色彩黑白相間，遠遠望去，真有「長橋臥波，未雲何龍！複道行空，不霽何虹！」之概。在南疆古晉這個地方，誠不勝壯觀之至！

但若與我國的古老索橋相比，其代價與功用，真不可同日而語。索橋時代，顯然已經過去，雖然它的建造原理，是值得後人研究的。

古晉自吊橋建成後，市區自來水即無問題，而馬當山也變成了名勝之區，每逢週末，不知多少人前去渡假哩。（完）

天南風光

黃乃裳與新福州——詩巫

朱淵明

沙羅越全邦分為五省，而以第三省之面積為最大。第三省之省會為詩巫，又稱為「新福州」。這名稱是怎樣來的呢？乃是前清庚子年間（公曆一九〇〇年），閩人黃乃裳先生與前越王簽訂之條約中所規定的。關於這一條約的起源和經過，是極有意義與價值的。要明白這事的始末，必須要先了解黃乃裳先生這個人。

黃乃裳字紱丞，福建閩清縣人，少時半耕半讀，十八歲即信基督教而受洗。當時為清同治年間，風氣閉塞，人心昏昧，乃裳既為教徒，詬誶窘辱，遍於鄉閭，處境殊苦。

（一）

中國人窮困的癥結（二）

由於家庭單位須要彼此生活照顧的，都是至親骨肉的父母、兒女、兄弟姊妹，若不使之溫飽豐足，作為家庭的生產中心者，中心是如何的苦惱？今日社會上的有形與無形的層出不窮的犯罪事件，例如不忠、不誠、欺詐、貪污、取巧、盜劫、走私等歹念壞行，便都由此相繼發生。

如果我們的社會可以改進成為：每個年老的父母都得到舒適的供養；教育是義務；醫療，分娩是免費；職業有保障，失業有幫助；而這一切，不是有錢人家的仁慈和唾餘的施捨，乃是每個人應有促進的義務，與當然享受的權利的話，那末，每個家庭的負担者，他們的收入縱然沒有增加，但其必需支出的項目，都經大大減少，甚而已完全除解其不能勝任的負担，也就等於增加了其所需的支出的收入。果然如此，每個人的生活定然愉快，其服務社會的精力，亦由此增大，道德行為也相因提高。則所謂社會問題，必然大大減少，或從此掃除淨盡，亦有可能。

一般計算貧富比例的課題，是着重於人口與糧食的分析，並從各人平均的收入，市場的購買力，生活的指數，來說明生活的比較，和生活的程度。我國人究竟窮困到怎樣的田地，確切統計的數字，自然不易獲得，但年來世界人口數字上昇與死亡的比率，卻可得到由此而例彼的證明。

以香港為例，一九六一年官方統計人口為超過三百二十萬；一九六〇年時童嬰數字估計達一百七十萬；一般生死平均比率是生比死的五倍。從數字推算，香港總人口現時已達四百萬，其中成年人不超過二百四十萬。在此項成年人的數字中，起碼有五分之一是年老父母與廢疾的不能生產者；有三分一是家庭主婦，僅有三分一成為家庭生活的負担者。亦即是說，八十萬人生產的所得，要維持四百萬人的生活，平均一個人的收入要維持五個人生活的支出。就以香港目前的低廉物價計算，一個人的生活，包括起碼的糧食，住屋，交通、醫藥、衣服、教育、娛樂，每月總需一百元港幣的支出。這是說，住在香港的一個中國人的家庭，平均總的收入必需要達到五百元以上方能勉強維持。在一九六〇年時美國「幸福」雜誌有一篇專文，統計香港中國人每人每年平均收入有二百八十美元，伸當時港幣為一千四百八十元，亦即平均每人每月可得一百二十三元港幣。這個收入數字指一般生產者而言，可說大致上是正確，可惜中國人背後所要担負支出的數字，並非為歐美人可能想像，如果用這個數字作為個人生活的單位，尚可勉強應付，但事實上都是用作為家庭生活的單位，平均每人每月二十四元六毛，伸美金僅得四元餘，每人平均祇享有基本生活數字的五分之一，這就不獨難以生活，而且難以長久如此痛苦生存下去。

瘟君續夢

第六回：

烽火照邊陲　同惡難濟
樓船橫碧海　大憝興悲

艾森豪威爾將要離開印度時，劉曉的電報也來了。劉曉先同赫魯曉夫見了面，又同柯茲洛夫商量一下，然後才去拜見伏羅希洛夫，說明毛澤東的意思，請他調停爭端。伏羅希洛夫欣然答應，說道：「我到新德里一定和普拉沙德面談，替你們解決這項困難。」

劉曉一聽伏羅希洛夫要同普拉沙德談，不由得急了，衝口而出說道：「伏老，千萬不要同普拉沙德談中印之爭的問題，他同你一樣，都是不管事的。」

伏羅希洛夫聽了劉曉的話，不由得怔了一下，畧作思索又哈哈大笑起來，劉曉自覺話說的太莽撞了，脖子同臉都脹得通紅。

伏羅希洛夫笑了一陣，說道：「劉曉同志，你的意思我明白了，我到地方一定找尼赫魯談。可是，你知尼赫魯這個人，一向是奉英國為祖師，專講利害現實，不講什麼情面的，我在蘇聯有多重份量，他同你一樣清楚，我的話他能聽進去多少，是頗值得懷疑的。所以我想，還是等我們的真正老板到新德里再解決吧！」伏羅希洛夫說過就向牆上掛的赫魯曉夫三十六寸半身大像指了一指。

劉曉當時大吃一驚，連忙問道：「怎麼？赫老也到新德里訪問嗎？」

伏羅希洛夫趕快擺手，小聲說道：「這是最大秘密，千萬不要講出去，否則我要受批評的。」

劉曉心裏七上八下，回到大使館發了一封急電，報告赫魯曉夫將到印度訪問的事。

毛澤東看了一連搖頭冷笑了好幾聲，大家看見情形不對，沒有一個人敢插嘴。

停了半晌，毛澤東向劉少奇說道：「我真懷疑赫魯曉夫是美帝國主義的特務，你在莫斯科聽到這一類風聲沒有。」

劉少奇不敢接腔也不敢笑，只是木着臉把頭搖了幾搖。

活曹操正色說道：「主席還是少講笑話，商量正事吧！」

毛澤東笑道：「林老，你因為我的話太離奇，就以為我是講笑話，發牢騷，其實我說的到是真話。史大林活着的時候曾經懷疑伏羅希洛夫是英國特務，禁止他參加政治局會議。史大林死後，馬林可夫和赫魯曉夫又說貝利亞是美國特務，在開會時被米高揚拔手槍從後面轟死。可見克里姆林宮根本上就是不乾淨的。」

因為毛澤東說的都是事實，大家雖然不樂意，也沒人敢插嘴。

毛澤東接着說道：「我懷疑赫魯曉夫是美帝特務，有幾個鮮明證據，他上台之後，拉攏狄托打擊阿爾巴尼亞，抬出戈慕卡，整肅貝魯特，這兩年又捧紅頭阿三打我們，越是擁護社會主義最堅定的國家，信仰共產主義最忠實的同志，越是他打擊的對象。試問他究竟是什麼意思？以上是說的對內方面，對外他創立了和平共存政策，結果使西方國家安心去建設，再過幾十年，不用打咱們就被經濟拖垮了。他這種殺人不見血的辦法，真正是在替美國服務，你們以為我應不應該出頭對付他。」

（一三八）

憶玉軒雜綴　・綠琳・

春明憶舊痕（續）

克林德係德國公從，在拳匪肇亂，與日本書記杉山同遇害於東城，八國聯軍進駐故都，克之妻要求建此留念，茲已消滅痕跡，人事滄桑，國恥已泯，可以言快。

入園左轉有長路，其罪南的一邊，徧植牡丹芍藥，春暮時節，羣芳吐蕊，牡芍競艷，余是時每日必往，飽覽秀色。而社稷壇外一對用白石雕刻精細的獅子，雄踞路旁，據傳，是從大名府挖掘所得，運京陳列。再向北迤，則一片茶座，皆用藤椅。南爲春明館，北爲長美軒，除供應清茶及包子小餅，兼製菜肴。春明的爐餅，長美的牛肉麵，皆甚可口。夏日遊人更多，一壺清茗，每人壹角，家庭之中，扶老携幼，來坐半日，既享清風徐來，兼啄清甜點心，所費不過兩元，無怪紛至沓來。春明館中，備有棋盤，可以下象棋，着圍棋，取費甚廉，供不應求。過長美軒北進，約有半里，即爲園之後背，靠近護城河，而毗連紫禁城，河畔植有垂柳，城上角樓在望，樓角懸鐵鈴，風來有時送响。有硃漆小木橋，可通入城，但常禁閉不開，以免嘈雜。

公園東部有來今雨軒，其屋署呈西式格局，軒外砌有圍牆，內植花木，其台比人行道約高二三尺。人坐其中，則較寬敞氣爽。凡西裝革履之士，摩登鮮麗女郎，輒多就此小憩。該軒供應飲食，能有西餐，咖啡牛乳可均備。甚少中菜小吃。故西式宴會，類多在此，凡有所需，可以無缺。繞來今雨軒北行，在社稷壇東之月洞門口，有亭翼立，後堆假山，亭爲六角，畫棟雕梁，四柱均漆硃紅色，萬綠叢中一點紅色，情調別致。再往前進，即是後部，緊靠禁城牆磚，有一座十字形的投壺亭，不及六角之雅。

由春明館穿過假山，向西迤南，有蜿蜒曲折的長廊，下繞清水潺流，則水榭在望。水榭四面有廊，可以通行，榭廊均有欄杆可倚，俯澈水中遊魚，另有金魚塢，飼養各種金魚，彷彿如武林之玉泉一般。榭內各屋均用玻璃窗，由外窺內，纖微均見。其中坐椅，皆是紫檀紅木，非常古雅。間或有風雅之儔，在內俺留拍曲，恆多在月夜，頻添夜景逸興，其樂陶陶。榭旁有溫室，中貯許多花木，盡是名貴之品，入室即有芬香撲鼻，余每去必繞室一匝，儘情聞嗅。池所堆太湖石，異常玲瓏，縐水沖灌，青苔遍生，巍峨氣概，極邱壑之勝。公園布置，極其靜美，一無喧囂之象。睽違舊京，將近卅年，而輒不能忘。未知異日歸去，此古樸清幽之勝境，猶能無恙否也。

花香月上樓小品

蠔仔煎

黃葉村人

蠔，乃海產物，沿海地帶多有，以潮汕漳碼（石碼）較佳。而厦門蠔，尤肥美，鮮甜可口。按：蠔，即本草所載之所謂「牡蠣」，可入藥品。其殼可燒灰，爲建築重要原料之一。

蠔在厦門，爲普通海味，由於値廉而味鮮，故平民、富家，咸喜用作日常便菜，以其作羹，或煎炒、悶煑，皆宜也。

抗戰前在福州，曾一次應日本人邀讌，其肴饌單第一項，爲生食嫩蠔，每客以高脚酒盃，盛生蠔肉少許，浸之以酒，另碟置桔汁、醋、茄醬、酸菜，放叉，客人取叉刺蠔肉，拌汁醬，夾酸菜而食。日人謂之上饌，不自覺其褻酸也。

談到「蠔仔煎」，製之者其始爲潮州人，而非厦門人。不過，蠔仔煎，煎製極簡單，市肆攤販所售者，祗是用鷄蛋、番薯粉拌勻，煎之，起鑊後，配以芫茜便成。故厦製與潮汕，香江以及廣州製，並無異樣。主要在蠔鮮與否，及蠔肉肥或瘦，而不在技術與配料之好壞也。

理由是：主要在管蠔而已。蠔油而肥美，則手術欠佳，亦無大礙。否則，易鴨蛋爲鷄蛋、鴿蛋，易薯粉爲荸薺粉，亦無用也。

一般而言，香江，澳門，廣州、福州、欽廉、瓊崖……都有新鮮而肥美的蠔。不一定要在潮、汕、漳、泉、厦，始能嘗到肥美而又新鮮的蠔。惟有一特別的，是厦門一年三百六十日，經常有蠔，而且鮮美乾淨，不會令你嚼到蠔殼碎。最令人不滿意的，便是在台灣吃蠔仔煎，我在基隆、板橋，先後吃過兩次，既無蠔味，也無蛋味。後來又在松山，到一小食店要蠔仔煎，鑊手沒問清楚，便給我抹上蒜坭醋，一氣之下，算了賬便走，因爲我最厭惡的是蒜坭，化了錢還要帶回滿口臭，太犯不着也。

日本人對於吃，是世界上最劣的一箇。（未完）

孔廟四配

漁翁

據春秋長曆，十月庚子爲二十七日推之，則爲八月二十七日，故孔子家譜及祖庭記，均以夏正八月二十七日爲孔子生日。後因改用陽曆，經專家推算，定國曆九月二十八日，爲孔誕紀念日，並稱曰「教師節」。但我國以農立國，仍多有沿用夏曆慶祝者，原遵古制而合國情也。

今爲孔子誕降二千五百一十三年之辰，各處慶祝聖誕，對孔子思想、學術、教育、政治、及其生平經歷，爲社會賢達所宣揚備盡。而孔廟四配，則鮮有道及者。彼十哲，七十二賢輩，爲孔子衣缽所傳，闡揚其門徒，亦所以表現孔子之偉大。

顏、曾、孔、孟，謂之「四配」。配者，配祀孔子廟也。唐太宗以顏淵配祀孔廟，唐玄宗並祀曾子。及宋神宗，度宗，以孟子，子思，並配祀焉。茲值聖誕，爰將四配畧歷，簡介於下面：

顏回，字子淵，春秋魯人，是「四配」中第一位。少孔子三十歲。祂天資聰睿，問一知十，不遷怒，不貳過，簞食瓢飲，在陋巷而不改其樂，爲孔子最得意之高足弟子，也有稱之爲門生長者。年二十九，髮盡白，三十二而卒。它能做到「克己復禮爲仁」之最高境界工夫。一生追隨孔子，不離左右。孔子「陳蔡之厄」，亦曾參與。以其能繼承孔門道統，故後世尊之爲「復聖」。

曾參，字子輿，春秋武城人，居「四配」第二位，亦爲孔門道統之繼承人。性至孝，爲廿四孝之一。質頗鈍，被師評爲「參也魯」。悟孔子「一貫之道」，嘗曰：「夫子之道，忠恕而已矣」。蓋中心爲忠，如心爲恕，而恕比忠爲尤難，可以終身行之者，其恕乎！大學、孝經兩部修己治人之著作，皆由曾子筆述而成。尤其修養功夫，得力於每日三省其身。因含有「宗法」意義，故以「宗聖」讚美之。

子思，乃孔子之孫，伯魚之子。伯魚早死，而子思年幼，師事曾子，周遊各國，過宋、衛，得時君之尊重。所著「中庸」一書，爲生平最精心之傑作，足以宣揚乃祖之思想。因其能紹述家學，故稱之爲「述聖」，列在四配之第三位。祂享六十二壽，桃李滿門，可謂克繩祖武矣。

孟子，名軻，字子車，戰國鄒人，受學於子思之弟子，著「孟子七篇」。其說尊王賤覇，重仁義，輕功利；在漢唐藝文，並列於子部，宋代始尊爲經，有漢趙岐注，宋孫奭疏，朱熹集注。所謂「民爲貴，社稷次之，君爲輕」，尤開民主制度之先聲。當時政治黑暗，社會動盪，思想紊亂，爲挽救世道人心，環遊列國，宣揚儒學，孔子學說，得到發揚光大。故趙岐稱孟子爲「命世亞聖之大才」。後世者，以孔孟並稱，居亞聖之位，僅次於孔子。雖列「四配」之末，而其名聲較顏、曾、子思爲顯達。今日民主實現，有何莫非孟子之學說，有以啟示之耶？

今孔廟中，東廡配顏子、子思，西配曾子、孟子。孔廟祀典，還有十哲，即：顏淵、閔子騫、冉伯牛、仲弓、宰我、子貢、冉有、季路、子游、子夏。其後顏子配享，升曾子爲十哲，曾子配享，升子張爲十哲，因限於篇幅，畧而不陳。

飛向自由

非紫先生

勇敢的志士劉承司，不堪欺暴政之酷，起義來歸，投奔自由，報效祖國，名震全球。祂在到台灣以後，寫了一本「飛向自由」，是忠實的報告。其中有關大陸的情況，可說慘絕人寰。余以其所告，既是千眞萬確，摘以轉奉海外的僑胞，明瞭大陸同胞所遭遇，已至無可再忍受地步，這是什麼浩劫，要如此毀滅，豈亦天道所賜耶？

「我們的任務，是幫助勞苦大衆積肥，挖地瓜，打掃衛生。當第一次走進公共食堂，大吃一驚。每人發一雙碗筷，堂內無桌無櫈，擺有幾張斷箱破櫃，以代桌櫈，空氣汚濁，一股酸霉撲來。已是冬天，綠頭蒼蠅滿室飛着。開出來的全是地瓜，分兩種，一是熬的地瓜粥，叫液體地瓜。一是磨粉晒乾的地瓜饃，叫固體地瓜。老百姓爲求飽都搶固體地瓜，我們望到又黑又硬又酸的饃，只有喝液體地瓜的份兒。」

「在公社時，看到一個女人綁在樹上，被幹部毒打，原因是她在這裏吃不飽，受不了苦，不請假逃回娘家去。結果被娘家的公社送回來。她成爲社會主義的逃犯，不給飯吃，還要挨毒打，幾時停止，尚無分曉。」

「一位軍官回鄉探親，公社的黨支書記，看到祂手上的錶，就強借去了，結果沒有還。有一次，部隊眷屬有一箱衣物，被公社幹部拿去分了，大家都很氣憤。那時軍民關係，是這樣的。」

「在農村的天災是有的，不是主要。雖然一年中，有的地區，鬧旱災風災虫災，但還不致於到百年未有，主要是人爲的。由於大煉鋼鐵，大躍進，不但人力是空前的浪費，而且使勞動力流入城市，農村只有老弱殘幼。勞而不獲，得非所有，人們的勞作熱情降到冰點，反正幹不幹，一碗糧（雜糧）。長年飢餓，不想幹，也無力去幹。種籽集體化，管理不善，成爲爛了霉了。種下去那有好莊稼。耕具公用，誰也不管，淋在雨裏，銹了爛了。大牲口牛騾等，是公社的，大家不憐恤，任性鞭打，死了牛累了騾，大家還可以分些肉吃。在這無種籽，無耕具，牲口，無肥料，無勞作力，即風調雨順，難免荒草遍野，何況天怒而人怨，有些地方更寸草不生。災荒愈重，飢餓愈甚，連鎖反應，惡性循環，而造成百年未有的災荒。不是天災，而是人禍！」

「車上逃荒的人在訴說：農村飢餓，簡直是非人生活。能有地瓜一類的東西吃，那就是上上的好。我們吃樹皮，吃草根，甚至連觀音土，水溝的綠苔，不管有毒無毒弄來吃，是家常便飯。結果是胃病、肝病、水腫病，到處多是。沒有醫療，事實上也用不到吃藥，有飯吃，就會好。因此由輕病轉爲重病，重病只有死路一條。報紙上天天宣傳：「躍進」，「大豐收」，「戰勝天災」，自我的掩耳盜鈴。」劉君目睹身經，當然不假，決定「飛向自由」則是祂至大的勇氣的表現。

「海嘯樓談薈」續稿未到，暫缺一期。編者。

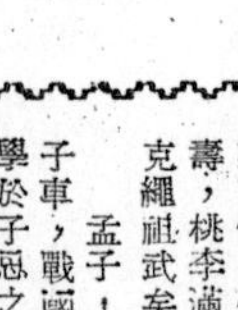

台灣與鄭成功

・陳雪英・

至是島的南北悉歸荷人之手。此時土著順服荷人者，南北有二十八社。永曆四年（公元一六五〇年）荷人又在赤嵌（今之台南市）。築普羅民遮城，（即赤嵌樓址），與熱蘭遮城相犄角，以爲行政中心，於是日趨繁榮。荷人恃着自己組織之固，兵器之銳，對於經商於此的日本人，與生長於此的土著人，皆加以壓迫，且課以重稅。而對華人尤甚，直視同農奴。

華人因不堪受荷人的苛虐，有甲螺郭懷一，憤荷人殘暴，糾合同志，於永曆六年（公元一六五二年）中秋夜，設宴邀請荷蘭官紳、巨商們到其宅暢飲，當燈紅酒綠，興高采烈當兒，伏華人盡殺臨席荷人，並襲擊普羅民遮城，縱火焚市街，將住赤嵌附近的荷人屠戮無餘。旋守一鯤身荷兵聞警來援，且合土蕃丁壯千餘人，擊退華人，在大湖激戰七晝夜，郭懷一被擄殺。是役華人戰死及被誅夷的共七千餘人。事平之後，荷人深恐華僑連威震東南的鄭成功，興師來伐。乃於永曆十一年，即清順治十四年（公元一六五七年）。（五）

內僑警台報字第〇三一號內銷證

自由報

THE FREE NEWS

第二七四期

中華民國僑務委員會登銷
台教新字第三二三號登記證
中華郵政台字第一一二八二號執照
登記爲第一類新聞紙類
（半週刊每星期三、六出版）
每份港幣壹角
台灣零售價新台幣弍元
社長：雷嘯岑
督印人：黃行靈
社址：香港銅鑼灣高士威道二十號四樓
20 CAUSEWAY RD 3RD FL
HONG KONG
TEL. 771726　電報掛號：7191
承印者：田風印刷廠
館址：香港灣仔高士打道二二一號
台灣分社
台北市西寧南路壹壹零號二樓
電話：三〇三四六
台郵儲金戶九二五二

亞洲中立國家質疑

——從美國額外軍援柬埔寨談起——

・林介山・

在東南亞各國中被公認採取較鮮明而堅強反共的政策，而又忠於東約的國家的，泰國可稱爲表表者。美國爲免於東南亞赤化，亦正在泰國駐兵，及在南越訓練游擊抗共。但最使人不可思議，美國最近竟在該等地區決定實行一種「自己打自己」的策略，那就是於九月十日午前，美駐泰大使楊格面謁泰總理乃沙立元帥，告以美政府經已決定對柬埔寨增加軍事援助。

查「柬元首錫漢諾克向美國求取軍援時，其所據之理由，爲受到泰國與越南之威脅，而美國於研究軍援問題時，則謂美國之目的，在於協助柬國抵抗共黨之滲透……即美方軍援柬方之目的，在對付越共；而柬方之目的，則爲對付泰國與越南。」（見曼谷九月十一日泛亞社電）

泰外長乃他納曾爲此發表聲明，指美方此舉將危及泰國與東南亞之安全，且必增加此一地區之緊張局面。

美國不惜開罪最忠實之盟邦泰國，並有意曲解軍援目的，而決心實行扶助柬埔寨，其唯一之幕後理由，就是中立主義那類幻想觀念所促成。

柬國元首錫漢諾克親王，被認爲是一個善變而難於捉摸的人物，他一方是標榜中立政策，一方是聲稱在必要時便和來自北方大國中俄共締結軍事聯盟。且自寮國獲得十四國日內瓦會議保證所謂中立以後，他也要求那十四個國家開國際會議，來保證其本國的獨立和中立。

美國是爲「日內瓦會議」保證中立這種「傑作」對柬國發生幻想麼？或是爲恐懼柬國與中俄共締盟而甘被敲詐？其決於軍援柬國的理由，兩者必得其一。

不論那種理由，兩者都不利於盟邦。即使柬國不立即赤化，但它距離赤化，實在已經不遠了。

所謂中立，在共黨已成爲一項公開的秘密，那祇是在不能直接摧毀對方時而轉採的戰略。當前的一些所謂中立國家，實際的極多事實證明，那祇是「有奶便是娘」，企圖藉此左右逢源來騙錢的傢伙。一般中立國家的立場，其顯著的表現，是有下列三項：

一、不介入東西雙方尖銳爭執的問題，不顧是非曲直，即使違背國際道義，也在所不計。

二、以撮合拉攏美蘇兩國談判爲能事，而不會談判是否有利於人類前途？是否有用？是否合理？

三、以增加擴大中立國家集團力量爲目標，對其隣國有傾向於自由反共國家聯盟的，則施以壓力。

這樣的中立，實在便人啼笑皆非。

依正常國際法所規定的中立國，原是分爲兩類：

一是臨時性的中立，在兩個或兩個以上的國家發生戰事後，一國因不欲捲入戰爭，而宣佈對交戰雙方採取中立。這一種中立是可以隨戰爭之停止，或該國立場中途改變而終止的。美國在兩次大戰之初，均會宣佈中立，其後又改變立場成爲參戰國家，即爲一例。

一是永久性的中立，根據國際條約，永久中立國必須永不介入任何國際戰爭，及不參加任何攻守同盟。瑞士是唯一嚴守永久性中立的國家，她並因聯合國安全理事會規定會員有出兵的義務，而放棄參加爲聯合國會員。第一次大戰前的比利時與盧森堡，原亦均爲永久中立國，但因中立地位爲德國破壞，遂迫得放棄中立立場。在一九五五年對奧和約締結後，奧地利亦成爲永久中立國。但奧國是聯合國的會員，其永久中立的遠景，似已成了問題。

今日如南斯拉夫，印度，埃及，與亞非一些新興獨立國家，年前在狄托策動下，稱爲不結盟的中立國家。此等所謂中立國家，全未依據國際法所規定的中立國的定義，既不是臨時的，亦不是永久的，祇可稱之爲自封的中立國家。

這些自封的中立國家，所表現如上述三項的立場，事實上在當前的國際情勢下，正爲蘇聯的企求，以幫助共赤化世界政畧的不足。因此，凡是不能立即動用武力奪取政權的地區，中俄共必同意組織中立的聯合政府，使滲透勢力成爲合法化，以達成整個顛覆的目的。

亞洲幾個中立國家的印尼，印度，緬甸，寮國，柬埔寨等國，他們對外密切友好的外交關係，都是以共黨國家爲對象，最顯著的是他們都是承認中共政權的國家。其他如參加過萬隆會議的亞非中立國家，及以南斯拉夫爲中心的不結盟國家，在聯合國大會的紀錄中，他們都多是偏向於支持蘇俄提案的票，而直接打擊了國際上的正義行爲。

又在這些亞洲所謂中立的國家內邊，赤色勢力都是日見膨脹而活躍。例如，寮國三頭馬車的聯合政府，赤色佔有三分之二的力量。印尼共黨人數超過四百萬，僅次於中共，爲亞洲共產黨第二大黨。緬甸的所謂中立，是突然宣佈中止與美方訂結多年的富布萊特計劃，但對中共方面，除與之建立外交關係外，並嚴格執行與中共所訂經技協定。尼溫政府的智囊團，多是來自共黨的隱蔽分子，他等擬訂而由政府公佈的社會主義路綫，立即受到緬甸左翼團結陣綫核心的工農黨表示全力擁護。戰時緬甸亦會由緬共運用迂迴戰畧，策動各黨組成所謂「自由大同盟」，結果各黨均被緬共滲透分化，而造成緬甸被全面赤化的危機。印度與中共雖有邊境的糾紛，但歷屆是支持中共進入聯合國最力的國家，印度並是接受美國經援最多的亞洲國家，但我們沒有見到她對自由國家有什麼有利的貢獻，相反，却是用美援購買蘇聯最快速的米格機，歡迎共產國家的交往，借機出兵果阿，撕開僞裝和平的面目，而印共乘時增大勢力，連尼赫魯的國大黨也受到威脅。至於今天要求美國軍援的柬元首錫漢諾克王子，他的兩個兒子，正是送去中共紅都留學，而且他的要求軍援目的，是聲明爲對抗泰國與越南而然的呀！

這些非國際法規定的中立國家，實只是偏面有利於共產集團，與變相赤化手段的一種組織。可惜這類組織對有害於反共自由國家的組織，竟全爲美國一手製造而成，且還不惜開罪最忠實的盟友如泰國，而去大力扶助壯大此類所謂中立國家，以反咬自己，對消軍援反共國家力量，豈不是糊塗，神經，矛盾，不可思議的麼？

法國於奠邊府慘敗，一九五四年日內瓦會議分割了越南以後，東南亞公約才因緊急應付東南亞的危機而組織起來的，公約第四條規定說：「締約每個國家認爲對條約地區任何部份的武裝的威脅，那是對締約國全部領土的威脅。締約國必須按其憲法程序，共同協議對付是項威脅的危機」。檢討此項條文的規定，話是說得好聽，可惜祇是紙上談兵，公約之全沒有成績，就完全造因於美國的徘徊，遲疑，話說的好聽，事做得難看，有以致之。同時亦由於敵友不分，對所謂中立主義發生了幻想，有以致之。美國這回的不理會泰國反對，決定額外軍援柬埔寨者，便是爲此。

九月二十日法新社有報導說：泰總理乃沙立元帥認爲，泰蘇貿易的時機已適宜，並還考慮設立泰蘇文化交流的中心。這消息是表示因美國政策的荒謬，迫使盟邦改變外交政策的警告。這種警告也就是抗議。美國開關赤化東南亞通道的警號。美國一再推行這種自挖坟墓的政策，削弱反共團堵戰線，不知如何可以向自由世界交代？

美國的政策越來越使人担心，爲了人類自由幸福的後代，反共的自由國家，應趕快多向自力更生方面着想，才有助於國運的前途呢！

漫畫天下

到處放火

亂吵一通

自由談

嗚呼哀哉

馬五先生

原來決定要於九月廿九日在美國舉行的東南亞公約理事會議，屆期突然宣告取銷，改爲公約八國外長的非正式集會了。不倫不類，聊以點綴，落寞淒清，搖搖欲墜，可憐尤可嘆也！

依據公約條文，由盟國外長出席的理事會議，常會年開一次，如遇重大事故需要應付時，並開臨時緊急理事會議。但上屆理事會議公決於本年四月召開的本屆理事會議，便開得臨會前夕，加以取銷的怪現象。今回是怪現象的重演了。噫嘻！是誰之過歟？

公約理事會本年四月開不起來，並非爲了公約無大事，可省則省，反之正因爲公約所遭遇的問題重大，內部意見尖銳矛盾，無法協調，所以把它取銷了。此即寮國爲公約宣言要予「保護」的地區之一，泰菲等國老早便主張出兵干涉，但某些國家私心自用，硬不贊成；美國爲了奉行其「不在錯誤的地方，與錯誤的敵人，打錯誤的仗」之謬論，更不惜出爾反爾，始亂之而終棄之，居然出賣反共的寮王室政府，迫其與虎同眠，和寮共組織所謂中立的聯合政府。寮國固從此慘被「埋葬」，而東南亞公約的「紙老虎」本質，亦緣是而戳穿，名存而實亡，不值半文錢矣。

犧牲寮國之爲嚴重錯誤，世所共喻，無待詞費。迺美國甘迺迪政府，猶自飾詞辯解，欺人自欺，誠可哂之極。不特此也，最近在柬埔寨元首施亞諾詭言泰越對其欺凌，屢犯柬邊，致與兩國惡聲相向之際，美國竟爾不顧其忠實友邦泰國的公開而激烈的反對，給予柬埔寨以額外軍援，天下嘩然，親痛仇快！泰國於極度心傷之餘，蘇俄見機而動，以利誘之，遂有泰國離心，開始與俄談判擴大貿易之事出現。而公約理事會遂亦不得不再告擱淺焉。

泰國之事云何，吾未敢必。然若美國此種顢頇胡塗荒謬乖張的行徑不亟悔改，行見有日華盛頓成爲「勞改」場所，固非徒送終東約已耳！嗚呼哀哉！

中華民國五十一年九月二十九日　自由報　星期六　第二版

（　）。（株訪）（綫外）（　）。

行政院陳兼院長日前在立法院答覆質詢時，道出了一項永和築堤的「內幕」。他說：此事當初經農復會及水利局的專家提出十五點理由，認爲永和不宜建堤，建了堤後，水可能向台北倒灌，使台北百餘萬人的生命財產遭受威脅。但是政府禁不起民意代表的要挾，只有建堤。可是事實證明堤建成後，永和的水災不但沒有減輕，反而更爲嚴重。又幸而此次愛美颱風略偏北方而過，否則台北市百多萬市民全都將遭水淹。因此，陳院長希望大家尊重專家的意見，不可因部份人的利益而向政府提出要挾。

從陳院長的這一透露，才知道台北百多萬市民是「叨天之福」，否則這些人難免要大吃苦頭了。人們早已發覺，由於一部份民意代表的無知與亂來，大而國家長遠前途，小而人民切身利益，都被糟蹋了。有的民意代表，居然自視爲「特權階級」，把「民意」忘得乾乾淨淨。這教人怎麼說呢？

看似美談。應為常談
監委出差自掏腰包吃飯
師大不該拒絕榮軍入學

退役軍人田書勳，因在軍事演習中炸傷左下臂而進入榮民之家，但田君苦學向上，在今年大專聯考中，考上了師範大學教育系。乃學校當局以其體格不合，竟不准註冊入學，使他感到困擾萬分。

師大此舉是失當的。如說「四肢不齊」，便不可爲人師表，師大爲何不在招生簡章中特加說明？不規定於先，但苛求於後，說不過去。同時田君左下臂之失去，係因公使然，在他是一個光榮的紀錄，學校卽使預有規定，亦該酌情予以通融，才是正經。如前任台大校長傅斯年，更曾破格准許一個患痲痺病的學生坐輪椅上課。而田君的情形更特別些，何得死拖條文，不顧事實若此？

監察院地方巡迴監察第七組的監察委員陳翰珍、丁俊生偕秘書蕭仲泉，巡察至彰化縣時，縣府接待官員爲表示招待之意，十九日中午特接待他們至中華樓，意欲招待午餐。招待人員爲尊重「御史」的口味，特請指點菜餚，不意兩位監察委員，盡點些青菜豆腐的便宜菜，餐畢要付飯錢時，更出乎接待官員的意外，他們婉拒招待，卽命蕭秘書付欵，接待官員反被招待了。因而傳爲美談。

由於我們一向聽說的是上級向下級要「紅包」，偶然出現一個上級爲下級掏「腰包」的事，便視爲是美談。實際這應該是正常社會的正常現象。所望由於這兩位監委的這一啓示，能對當前的官場發生一點教育作用，把今日的「美談」，普遍的化而爲「常談」，就是百姓之福了。（吳越）

華盛頓乖張舉措的惡果
泰國顯露轉變蹟象
經開始與蘇俄談判擴大貿易
如其不能挽回東南亞公約就完了

（本報曼谷航訊）泰國與蘇俄談判擴大貿易的消息傳出後，已在曼谷政界引起相當的騷動，外交使團間尤其顯得最爲敏感，耳語傳聞，不一而足。雖經泰國第三位强人內政部長乃巴博上將發表聲明，藉圖加以沖淡，亦未能生效。

乃巴博上將的聲明有幾項要點：（一）此舉與美國給予柬埔寨額外軍援無關，所以絕不構成爲泰國對美國的所謂報復。（二）泰國與蘇俄間，本來就有貿易關係存在，只是以往貿易數量不大，且全由泰國商家進行，目前不過打算擴大貿易而已；果眞擴大貿易，泰國政府自然介入。（三）此舉與泰國所奉行的「防共政策」無關，生意是生意，政治是政治，不容混爲一談。此外乃巴博上將更說：西方國家中許多都與蘇俄做生意，好像英國與蘇俄間的貿易數額就很大，大家都不以爲異，但泰國剛着手擴大對蘇俄貿易，便有人心裏不高興起來！

據已公開的消息，泰俄間擴大貿易的談判，係由蘇俄大使館的商務代表與泰國經濟部對外貿易廳在進行的，至於擴大雙方貿易的建議由何方主動？將來可能擴大到何種地步？談判的展望如何等等問題，目前均尙屬秘密。亦就因爲消息封鎖得很緊，外間的揣測就很多，捕風捉影，加鹽加醋，自所難免。亦因而就更使有些國家疑神疑鬼，躭心泰國可能要實行「轉向」了。

說到躭心泰國轉向，有一故事：在本年四五月，當寮共破壞停火協定而連續攻佔寮北軍事重鎭猛新、南塔之時，美國爲了「展示實力」，壓迫寮國三方面成立聯合政府，實行出兵泰國——全數五千人，經兩次撤退後，刻尙有三千二百美軍駐泰。美國當時出兵泰國，公開的理由，固爲協保泰國的安全，但據美國新聞記者後來的「內幕報導」，則說美國實際還有一個未公開的理由，便是躭心泰國會轉向。那報導並說：美國認爲泰國在東南亞處於關鍵性的地位，且爲堅決反共的國家，泰國如其竟不可保，整個東南亞也就再沒有希望。

遺憾的是美國舉措卻很有乖張之處。如最近美國居然接受柬埔寨統治者施亞諾王子的勒索額外軍援這回事，泰國不但事前曾提出警告——有趣的是：出面提出警告的人，也就是乃巴博上將，他說：假如美國竟爾以額外軍援給予事實上專與泰國爲敵的「假中立眞親共」的施亞諾，泰國被迫，將考慮改變政策。乃巴博所說的泰國可能改變的政策，爲既不親共亦不親西方的「唯泰主義」，卽一切以泰國的利益標準。這次泰勒訪泰，曾向乃沙立元帥解釋，說美國給予柬埔寨的額外軍援，意在對付共黨，柬埔寨應該不會拿來對付美國盟邦的泰國與南越。但乃沙立元帥對這種解釋，曾公開表示不同意。

蘇俄這幾年來，確實曾經不斷誘惑泰國，特別是約三年之前，俄駐曼谷大使曾幾度面見乃沙立元帥，不但當時以擴大貿易來誘惑泰國，還曾經以文化交流及以獎學金給予泰國學生等等，却均經泰國拒絕了。如今雙方正式的談判擴大貿易了，曼谷人士以爲，這必然又是蘇俄見機而作，「機」則正是美國的乖張舉措。泰國正開始轉變，看來確屬事實，所不知者是轉變到那一步？又如美國及時努力，不知尙可挽回否？否則泰國如轉爲「唯泰主義」，看來東南亞公約也就完蛋了。（師）

（　）（香港）（與）（大陸）（　）。

一位最近來自廣東海豐縣的青年農村幹部曹英偉君指出：大陸接連幾年嚴重糧荒，皆因那是人禍，毛共所說「自然災害」，祗是騙人的宣傳，但它無論如何騙不了大陸內同胞。

曹君所舉出的造成糧荒的理由，除了最主要的「人民公社」制度，把人民所僅餘的一點東西，包括房屋、農具、家具……等全部拿去之外，要全體農民每天皆須在「公社」裏勞動十二至十六小時，所得的報酬都祗每天四兩米和每月丘錢油，此外全當「餘糧」上繳，人民挨餓，不但不願積極勞動生產，甚而集體怠工，甚而有機會便破壞，糧食焉得而不大大減產？除此外還有：

大陸水利翻成水害
全由毛共胡攪而來
糧荒絕對是人禍而非天荒

（一）毛共亂搞所謂「先進」的「深耕密種」的耕作方法。所謂「深耕」，是把稻田深層而不肥的泥土翻起來，而把表面及淺層肥沃的泥土翻到底下。所謂「密植」，是把從前「蒔田」習慣（卽把秧稻一株株插在田裏）每株橫直間隔爲一英呎光景的規則，改爲橫距兩吋直距四吋，使在同樣面積的土地，種多十倍以上的株數。但兩者都是違背科學的做法，前者把肥土翻到下面瘦土翻到表層，稻禾吸收不到肥料；「密植」則使禾苗失去生長必需有的空間，而擠在一起，無法長大。

另外毛共還把許多僅適合種植經濟作物的旱地，亦强改爲水田，美其名曰「地開田」。這種「地開田」，土質硬，不藏水，是根本不適合水稻生長的。如此乖張的亂搞，糧食怎能不減產？

（二）毛共亂搞水利工程，修築「水庫」，結果水利變成「水害」。造成連年的大水災。每年多季農閒時，毛共便徵召全體民工（包括農民、工人、學生、職工）築建「水庫」，往往在凹形的山窪用泥土橫築成數十公尺高的攔堤，形成三角形的水庫，以之堵藏山水，以備天旱之用。毛共此舉用心未嘗不佳，但亦壞在不懂科學，胡搞一通。是以往往在水庫未見其利之前，已經造成大規模的水災。因爲每當下大雨時，由於山水皆流入水庫，難以容受，勢必溢出，加以攔堤是用泥築的，怎耐得住雨淋和盈滿的水的壓力？於是而便潰堤決攔了，幾十公尺高的攔堤壞了，「水庫」之水山崩地裂的倒向平原，更配合「原身水」，因而造成空前的「水災」，農田亦因而給損毀了。

（三）還有是毛共不斷地把糧食運出國外「支援」這個國家，那個國家，更用大量的糧食和副食品源源運往蘇俄、捷克、波蘭等去換取軍用物資，也是造成大陸饑荒的原因之一。這些數字究有多大，大陸同胞固然不清楚，但相信絕不在少。另外，則是許多共幹的大吃大喝，鋪張浪費，亦多少與糧荒有關係。

據曹君指出：大陸這種糧荒，必然是長期性的，除非毛共徹底放棄它那些不合理的措施，否則絕無好轉的希望。（敬斯）

粵共嚇人兩措施
反映民心極度不安
提早大戒嚴．捉到六特務
嚇人計未售自己先被嚇倒

（本報訊）廣東省毛共新近做了兩件顯然企圖嚇唬人民的事，其一爲提早實施戒嚴，其二爲宣佈捉到了六個「蔣特」。

每年在十月來臨之時，毛共都有宣佈戒嚴這回事。實際，在毛共統治下的大陸，可說無時無刻不在戒嚴，老百姓毫無自由，動輒得咎，抓人、殺人，一任其意。故毛共宣佈戒嚴與不戒嚴，並無多大區別。但毛共現在宣佈戒嚴，與往年確亦有不同之處：其一爲比往年爲提早，其二爲比往年爲嚴厲，號稱「大戒嚴」。

廣東省毛共是九月十五日便宣佈實施大戒嚴的。其「大」首在地區遼闊，自沿海以至內陸，均包括在內，交通要點以及軍事設備地區，還有省會的廣州，自然更加嚴重，經常派兵巡邏看守。又則爲號令嚴厲，無論原來住在省境的同胞，或僑居回省境短期探親的海外同胞，凡有所謂觸犯禁令者，不論任何手續，便加拘捕。

毛共此舉唯一的反映，應該是大陸民心極度不安，蠢蠢欲動，藉此更肆無忌憚的加以血腥鎭壓而已。

毛共欲以此嚇唬人民，其實它是自己首先嚇倒了。毛共宣佈它捉到六個「蔣特」，同樣顯明它是意在嚇人民的。它所宣佈捉到的六人計爲吳伙桂、甘二、葉登、周經偉、陳永[illegible]及劉德佳。其中，吳伙桂據說是九月十二日由香港潛往深圳附近海灘，當場被捕而外，餘五人於何時被捉到的，均含糊了事。而且其中有的（周經偉）據說本年一月便從香港到開平縣的了，假定就爲最近捉到的，則此人活動已逾八個月，亦可以證明毛共的「防諜」工作，效率並不爲佳，所以祗得含糊些了——依據以往紀錄，毛共果眞捉到「蔣特」，那是它可以作爲宣傳資料的，它沒有遲遲始予宣佈的理由。

又毛共所說它捉到的這六個人，除說他們均曾受過特殊訓練，攜有各種不同的裝備，潛往各地進行刺探各種情報甚至散傳單，攪爆破等等鬼話之外，竟連這六個人的年歲亦未公佈，有可能根本只是無中生有，或者這些人本來就是住在廣東省境的，而今只是欲加之罪罷了。（實）

高爾夫球場問題
政院答立委質詢

（本報記者台北航訊）女立委王長慧根據本報所載陽明山與台中豐原撥地闢建高爾夫球場消息，向行政院提出質詢後，行政院經已答復。

行政院係用書面答復王委員的，答復說：「關於報載陽明山牧場管理委員會通過撥地闢建高爾夫球場一事，行政院長獲悉後，於本年七月十九日行政院院會中，指飭有關機關速卽查明糾正在案。嗣接王委員所提書面質詢『陽明山的高爾夫球場能否停止興建』一到院，經再飭台灣省政府復稱：『經本府飭據農林廳，財政廳查明呈復：查邱秀城申請撥借陽明山牧場土地興建高爾夫球場，經陽明山管理局批復：查該牧場地勢高峻，春夏多霧，秋冬多風雨，不宜闢建高爾夫球場，所請撥地闢建球場一節，應毋庸議』」。

至於王委員所詢台灣高爾夫俱樂部出面申請之一千萬元，係由何機關批准一節，行政院的答復說「查無其事，亦未由任何機關批准」云云。

按本報五月五日所刊「備戰反攻鼓吹聲中，高爾夫球場的故事」，爲王委員此項質詢的附件。（健主）

施亞諾威脅斷交聲中　簡介越東邊重鎭朱篤

西貢航訊

東埔寨元首施亞諾迭次威脅將與南越斷交聲中，越東邊境重鎭朱篤，爲各方注意之焦點，玆簡畧介紹其形勝如次：

朱篤郡乃越南最西部之重鎭，原爲一行省，與東川合併後，稱爲安江省，省會設於東川。由朱篤乘車沿湄公河直下東川，全程五十多公里。水陸並進，交通便利，大幫貨物由輪船運載，收費便宜，旅客則皆乘汽車往返。

朱篤形勢雄壯，具有邊防之險要。其地東連東川，西接柬埔寨之茶膠，在靜邊郡横斷之永濟運河，爲柬國界線。朱篤建立在湄公河支流三叉港口之濱，面對新關、安富二大島，環抱着朱篤外圍，浮凸在湄公河之中間。河流被隔分前江與後江二支流，河面寬闊，巨大輪船，上航可達柬埔寨，下航可通西堤六省各地。水道細流縱横，物産豐富。且朱篤背屛邊陲蠻荒地帶，離市區幾公里之大小泰山，連接七山、長山、靜邊、波祝、永通、永加、知尊等地，公路交織，峯巒迭伏，形勢險要，有一夫當關，萬夫莫衛之勢。緣因地理毗連柬埔寨，該地一帶居民，百份之八十皆爲越籍柬裔。水路由永濟河，經靜邊，永通，永加，直通河仙，迪石，富國島等地，陸路在靜邊過永濟河，經柬埔寨國境之茶立，磅止口，蓬大叻，可通河仙。幾年來此段公路交通斷絕，越柬雙方國界線，均設有戍防檢査站。

朱篤轄屬各地出産富庶，實乃魚米之鄉，計有大宗洪水谷，豆類和六畜外，最富盛名的魚脯，新關盛産的絲綢，美德的龍眼和蔬菜，柴當的香粘米，泰山的沙葛和毛菓，永加的草蓆和草包，洪宇、龍平的淡水魚和蝦，還有靜邊的樹糖。本來樹糖是柬國的特産，實不、茶膠的地滿山滿野種植樹糖，頗似柬知省椰子林一般的茂密。因靜邊地理接連的關係，方便移植，可是出産很少。樹糖與甘蔗糖適然不同，樹高數丈，樹幹枝葉很像椰樹，但要經幾年培植後，才有糖汁收穫。每年冬季苗長花蕊時，採糖的人，先用長竹竿架搭樹幹，携帶小刀爬上樹顚，將花蕊剖開一縫，讓汁點滴流下，用繩繫竹筒盛之，每天早晨替換竹筒，取下盛滿的糖汁，加少許石灰，和些植物藥片混入鑊勻，以大鑊蒸煉而成糖。糖塊鮮紅，與甘蔗糖比較各有千秋。糖樹約一個月時間，糖樹液汁乾後，還會結實累累，果實圓形殼硬，較椰子小些，果肉以雪藏之，淸甜爽口，美味淸香。

朱篤商業繁盛，其華裔人數衆多，不亞省會東川。華裔居留朱篤者，人數總共萬餘人，連所屬各地計算在內，潮、客、廣佔多，閩、瓊很少。潮僑多經營七蔴、茶莊、糖菓、布疋、洋什；客僑經營洋什、鑲牙、鑲錶、米較；瓊僑經營木廠、銅鐵、茶樓、食館、醫業，和頗具規模的永豐隆酒公司、中華汽水公司等。

華裔私立學校有潮幫設立之尼山學校，客幫之啓明學校和廣肇之逸山學校，每校人數均有百餘人，校風良好，成績斐然。各校經費方面，除學費收入外，其餘不敷之項，靠各熱心公益的人士捐助支持，出錢出力，負担巴百年樹人大計，數十年於茲，爲華裔造就不少英才，對教育事業提供了不少貢獻。

朱篤華裔組織有僑聯體育會，並以啓明學校體育場爲鍛練場所，每年由華裔主辦之南區西部聯誼杯球賽都有參加，球術雖言平平，但富團結精神。該會聘請有經驗之教練，每於工作之暇，或於假日，晚上，青年們活躍在球場上，來往奔馳，練習球藝，鍛練體魄，蔚成良好風氣。

由朱篤過新關渡彼岸朱江、安富江邊，聚居着數萬越籍馬來人。祂們在何年代落居於斯，無從査考。其風俗習慣，具有傳統性，居住高脚木屋，男的戴無邊絨帽或頭巾，男女一律穿着沙籠圍巾，喜歡吃加哩、羊肉，禁忌猪肉、狗肉等。祂們的生活敦厚樸實，男耕女織，多操畜牧捕魚爲生活，篤信回教。每逢隆重節日，均選派德高望重的縉紳返馬來亞祭祀朝拜祖先。

天南風光

朱淵明

黃乃裳與新福州——詩巫

旋由教會授以「勸士」執照，一面學習傳道，一面由牧師督課新約，舊約，各種教條，五年後遂至福州傳道。隨又遍歷福建各縣，復將舊約譯以榕腔，藉利宣講。繼又作宗教問答百餘冊，後改爲閩省會報，復改爲華美報。又創設英華書院。這就是祂後來辦報紙，辦教育的開始。

這一個受基督教陶鎔的人，到了廿五六歲的時候，閱歷漸多，交遊漸廣，鑒於社會流俗極藐視宗教中少文人學士，與夫上流人材，乃忽勵志讀書，學做八股。到廿九歲時，居然以第二名中了秀才。及至四十六歲甲午科，更以第三十名做了舉人。從此遂另行展開一個局面。

當黃乃裳卅四歲的時候，祂的父親逝世。在那一年的正月初四夜，祂做了一個夢；據祂的七十自叙上說：「夢父病危瀕日卒，匠人治棺於庭，家人集而爲殮，環哭而入棺，厝於廳事畢，雲合雨過，時爲五月廿三日傍晚也。夢境歷歷，無少模糊，醒而憂之，輾轉不寐，乃起燃燈，坐而待旦，定省父親於廈門，無異尋常，心稍安。早膳後，與徐君亮銓同行赴館辦事，途中述所夢以告，且憂形於色。徐君慰我，謂以宗教中人，見理不淸至於如此，亦何異於流俗乎？」到了二月十九，祂父誕辰，全家歡慶，卽日遂病。祂乃告其弟以夢，囑卽辭館侍疾。旋又告其妹以夢，令其歸寧侍疾。延至五月廿二夜半後，其父竟溘然而逝，一切經過，悉與夢符。卽「雲合雨過」，亦不差分毫。這頗有點像林肯被刺前幾月，夢回白宮，至一小室，忽睹多人圍一尸爲之收殮，近前視之，尸卽爲祂本人。翌日告其密友某人，某人記之於日記，後被刺收殮之情境，全與夢合。斯誠不可思議。（二）

公道篇

林公

中國人窮困的癥結（三）

專家會估計亞洲人食糧的熱量要達二千五百個單位，最近美國估計大陸中國人平均可得一千二百個單位；較早有另一篇專文指陳實得四百餘個單位。

中國耕地總面積不過十六億畝，再從各地自由輸入的糧食，赤禍前的中國人，平均每人亦祇得二千個熱量，那時的人口是共有四億餘。現時中國大陸人口達六億餘，中共官方且先後公佈受災失收耕地達百分之六十强。人口增加三分之一，食糧收穫減少百分之六十，平均每人實得五百六十個熱量，加上超過香港二十倍價格的必需品如醫藥衣鞋等，連同初級教育學費（十二元人民幣伸港幣達三十元），統計起來，現時大陸中國人比於一九四九年前的中國人所得的熱量，祇有四分之一，生活水準比較則僅得十分之二。

中國人在大陸未變色之前的糧食已感不足，一般生活都見落後，但現時却還低過當時生活水準的五倍，人民不滿於中共，與當時不滿國府的比較，自然亦是五倍。我國人當前生活的痛苦，與窮困的程度，由此亦可想見。

金陵大學農學院在赤禍前會調査中美兩國農民生活作一比較，其百分比爲：美國農民對食糧佔三九·五；衣服，房租，燃料共佔三二·七；雜項（包括交際，娛樂，教育，旅行）共佔二七·八。中國農民對食糧佔六四·三；衣服，房租，燃料共佔二〇·〇；雜項共佔一五·七。兩者比較，我們的收入大部被迫投向於維持生存的食糧，而衣、住、娛樂是太少，這說明我國人的生活是艱苦而乏味，離開正常需要的生活尙遠。

在一九五〇年前，美國一個自耕農或僱佃戶，祂們的家庭卽已有自來水，浴室，水厠，電燈、煤氣，洗衣機，電話、電熨斗、吸塵機、鋼琴、汽車、溫暖設備，私有住屋，和各種書報的享受。計有電話的約佔百分之六十八，鋼琴的百分之四十六，私家車的百分之七十一，每家平均定閱報刊均在三份以上。這種生活享受，大多數的中國人連想也不敢想，被困在大陸的同胞，祇要能勉强溫飽，已感覺到是天堂。但十二年以後今日的美國，生産技術更是進步，物質豐饒，比前更好，一退一進，中美人民生活是無可比較的了！

中國人最感痛苦而又最爲切身的問題，更是這個「不能不負担三代生活而又無能負担三代生活」的社會問題。我敢於强調，我國雖有光榮悠久的歷史文化，但物質文明至今仍未見有蛻變成就，社會也不能導有什麼進步，更因國人有這個問題的牽累，使人力不能盡用，並減低了生産力，擊不到生活的最低需求。這是中國社會的中心問題，中國政治家必需要努力的目標。

新時代也要新觀點了，讓我們從此能聽到多些有關上述問題的解決辦法，少聽到祇爲黨團利益的辭句與章節罷！

中國人個人被迫不能不負担三代生活，是最不合理的事，是窮困的癥結。這個癥結不能導到妥善的解決，是任何黨團的羞耻，是每個政治家的失敗。這是考驗中國政治家的課題。（本篇完，全篇未完）

虛君續夢

第六回：烽火照邊陲　同惡難濟　樓船横碧海　大憝興悲

劉少奇說道：「在理論上，主席自然比赫老正確得多，這一點赫老自己也是承認的，早幾年『共産黨人』選舉共産主義理論家，史大林第一，主席第二，赫老第三，可見祂對主席的理論修養，是甘拜下風的。祂目前所出的毛病，都是一種原則性的錯誤，但要指祂是美帝特務，大概難以得到兄弟黨的擁護。光是我們自已去對付羅聯，最後恐怕勝利的機會不多。」

毛澤東一聽說赫魯曉夫都佩服祂，好似酷熱之下飲了一杯酸梅湯，涼到心脾，渾身上下都覺得舒服，馬上換了一付笑容，說道：「剛才這個問題，我們暫時放下不談，只要祂以後不這麼亂來，我也就不追究了。不過，目前這個局面應該怎樣應付？祂到新德里去幹什麼？蘇聯到底幫我們還是幫紅頭阿三，我們也應該要赫魯曉夫表明態度。」

毛澤東說過話，又沒人開口，劉少奇看周恩來，周恩來就看陳毅。陳毅知道賴不掉了，硬着頭皮說道：「我們現在追問赫老去新德里的事，在技術上是有點困難的。因爲這個消息是伏老當面告訴劉曉的，蘇聯官方並沒有公開，我們若貿然去問，祂們一定追問消息的來源，最後追到伏老身上，怎麼結局？」

毛澤東聽了點下頭，覺得陳毅的話頗有道理。

活曹操說道：「依我看，這件事也不必緊張，赫老去印度訪問，要到明年初，行前總要宣佈的，劉曉去送行時也可以當面拜託，請祂調解中印糾紛，祂沒有不答應之理。這樣就較比來得自然，免得牽扯到伏老頭上。」

毛澤東想想也只好如此。向陳毅說道：「你回去給劉曉打個電報，就按林老的意思辦。」

十二月底，伏羅希洛夫到了印度，尼赫魯也擺出歡迎艾森豪威爾的架式，舉行一次盛大歡迎，只是市民到的沒有上次五分之一多。伏羅希洛夫同尼赫魯見了面之後，就提到中共與印度的爭執問題，希望尼赫魯能與周恩來見面作一次談判。

尼赫魯一聽到周恩來的名字，差點又把小帽拿下來踏上一遍，一付灰臉，氣得發紫。連聲說道：「我決不跟周恩來談判，我今生都不願再見祂。」

伏羅希洛夫笑道：「總理先生不必發怒，你同周恩來本是老朋友，有什麼誤會可以見面解釋，談判總比僵持下去的好。」

尼赫魯哭喪着臉說道：「主席不知道，我實在被周恩來騙苦了，祂到印度訪問時，跟我稱兄道弟，親熱非常，我養的一頭狗，祂都再三誇讚長的漂亮，在中國找不到，我也會同祂談過邊界問題，祂又一口答應，只要是印度佔領的地方，都歸印度，甚至於未定界，也願意讓給印度，不料言猶在耳，他回去就變了卦。」

伏羅希洛夫笑道：「周恩也不能完全作主，祂也有他的困難。」

尼赫魯說道：「祂出乎反乎不打緊，可把我害苦了，幾乎把我的政府搞垮，說起來我眞想踢祂兩脚。」

伏羅希洛夫詫異道：「何至於如此嚴重？」（一三九）

憶雲軒雜綴

修談西瓜

前記八閩果實，嘗云全國水果，要以故都北平為最。北平的水果有多種，如肥城桃，膠州梨（亦稱萊陽梨），煙台葡萄，深州杏子，煙台蘋果，天津葡萄，天津蘿蔔，德州西瓜，福州橘子，滄州白棗等，其他尚有沙果，拉車小李子，可說是因為京城關係，不遠千里而運來，平民始得享受。現在則是城狐社鼠，民不聊生，更談不到這些美味了。

茲姑談西瓜。德州所產，每個不大，均是白肉為多，皮不厚而味很甜，產量甚豐。民衆均可吃到。在上海多是三白西瓜，皮亦甚薄，有紅白黃三種色的肉，多產自江浙農家。此外尚有馬鈴瓜，則較小而長，猶如枕形，肉多紅黃，皮雖薄而肉不厚，味亦爽口。祇有一種奇瓜，名為[illegible]，其皮是綠的，肉是翠色碧綠，個個甜脆，為全國所稀，為江南特產而具傲色者。

西瓜之最大者，莫如江西萬川產，其瓜特別肥大，有的如巴斗，每個有重至四十餘斤者。如切一瓜，足可供二十人之啖食，瓜半非三五人所能嚼完，味與三白相似，亦尚可口。台灣所產西瓜，以屏東為最佳，完全是皮薄肉厚，脆味多汁。所奇者是因頭氣節關係，冬季亦有瓜可啖，此在國內則處所絕無。余初來台時為民國[illegible]十一月，友朋招宴，飯後得吃西瓜二斤，其味倍覺異常而感舒適。

據友所告，若論最好的西瓜，當推哈密。哈密所產，好在不大，而汁甜味厚肉脆氣香，大概較任何地區所產為勝。前數年有在港帮來者，以價太昂而未嚐之。新疆地區，雖有沙漠阻隔，但其平原所在，水源亦足，所產瓜果，亦應有俱有，如哈密西瓜，庫勒雪梨，善善葡萄，庫車杏乾，伊犂蘋果，是富有發展者皆能生產。

復興劇校赴美

自由中國有兩個訓練平劇的組織，（一）為大鵬劇團國劇班，已畢業了三科。（二）是私立復興戲劇學校，尚未有卒業的（六年制）。五年前，大鵬曾來會遍訪歐洲獻藝，宣揚東方文化，克盡其職，頗得佳譽。後來復興劇校，也分訪菲非，一堂小天涯，更驟異了當地觀衆，極受推稱，譽滿東南亞。此兩股活力，皆未辱使命，為國宣勞，亦無待贅述。（未完）

蠔仔煎（續）

像傘生蠔肉魚[illegible]魚翅宴客，加上所說的，便是一例。時到今日，台灣總算歸還中國了。但由於台灣被侵佔了五十年，老的同胞，生存的已經不多，就算不少也不能做主意買賣了。後一輩的多多少少，免不了要沾染些日本人所稱為「日本料理」的習氣，對於祖國烹飪，有的已經淡忘了，所以，在台灣同胞所經營的食品店或攤、能夠嘗到一味可口的食物，那是不容易的。尤其可笑的，是台胞竟然把蒜頭作味之素、或糖使用。鹹的東西，如粽、如麵等類，入之蒜泥，還可覺得適。可是，若糕餅、花生糖……裏面，也都滲滿了蒜泥，以個人的嗜好為嗜好，這不是只可以自做、自賣、自食嗎？目前在台省有幾百萬的大陸同胞試問那一位會在大陸見過啖過「蒜泥花生糖」，「蒜泥芝麻餅」哩？

花香月上樓小品

閒話少說，回頭再述蠔仔煎。由於蠔是負殼的動物，把牠從殼裏挖出，等於剝去牠的皮，自然不能耐久。尤其暑天，更易易腐爛。因此，要吃蠔仔煎，應在秋末及春天、冬天。吃的時候，要在上午，過午則逐漸變味。雖放冰箱，亦失原味。要吃好的蠔仔煎，往時廈門只有一家，是客到隨挖隨煎的。居停主人，把蠔養在池中以井水拌海水活之，故鮮味異常，價亦倍蓰。戰後重訪，已寔邇人遐矣。

此外，蠔類食品還有「蠔仔粥」、「蠔仔麵」、「蠔仔餅」等等，嘗是本地風光，不能易地享受。至於「蠔仔悶豆豉」，更是平民之家的家常便菜。「此福難消」，只有金馬兩地陣前的同胞和戰士，仍有福享受。擱在台灣內縣的我輩，只好嘗嘗冰凍過，啖而無味的腐蠔吧了。

黃葉村人

辟蠅珠與紅豆

少時，讀書廣州，同學有為蠅虎之戲者。其法：先設捕蠅虎百餘頭，分別畜之，日餵以蒼蠅。（未完）

金錢、人情與尊敬

·羅蘭·

有一次，我家的紗門壞了，一時找不到做零工的木匠，就拜託一位會在隣家幫傭的老吳來幫我釘好。他花了一個多小時，很細緻的完工之後，我拿出二十塊錢來給他，他說什麼也不要，而且面紅耳赤的說，再給就是瞧不起他了。我只好把錢收起來，向他再三稱謝。他抽了一根烟，喝了一杯茶，走了。

這種情形，以前是常見的，我們時常會遇到用錢買不來的人情。

中國人一向不大願意談錢。大多數都覺得談錢有損自己的人格。就如這位「老鄉」，他抽空出來替我修門，在他，這完全是基於「我願意幫你的忙，才來給你修。二十塊錢算什麼？」

這位老鄉並不是念書人，但在所有的中國人中，多少都有這麼一種「輕利重義」的觀念。凡是願意使自己被別人看得起的，就都不願意唯利是圖。我們最認為不划算的事就是被幾文「錢」把人情抹殺。中國的傳統，是寧願你在心裏記住他的好處，而決不把這個好處用任何價錢出賣。

有人認為中國的窮是因為大家太不重視錢，太輕視商業行為所致；而美國之所以富，就在於他們自幼就受鼓勵給人家做事去賺錢。他們賺錢的啓蒙課程不外給爸爸擦擦皮鞋，幫媽媽掃掃院子之類，做完了，找爸爸媽媽張手要工資。單單站在發財致富的觀點來說，完全六親不認，只認金錢，確實容易致富。可是，許多毛病也就出在這個地方。近年台灣人情澆薄，社會勢利，可說完全導因於只認錢不認人的觀念。中國人並非不鼓勵孩子賺錢，而是，賺錢應有賺錢之道，要分清對象，有的人是不可以向他去賺錢的，如親子之間，朋友之間，師生之間，隣里之間……等，也有的東西是不可以出賣的，如人情，如尊嚴，如人格等。

每逢教師節（孔誕）以前，近些年來，許多學校的家長會，就替老師向學生每人收二十元左右的敬師金（或尊師金），這種舉動時常引起社會人士的反對，認為這個辦法不好。而我覺得這個辦法之所以不好，就是不好在把「尊」「敬」與「金錢」拿來放在一起，讓大家不知道究竟「尊敬」二字該值幾何！許多做家長的，因子女衆多，認為每人拿二十塊錢已是太多了，但如果認眞站在尊師重道的觀點，用「尊敬」這兩個神聖莊嚴的字來評價，我們拿十倍百倍於二十元的錢出來奉獻給勞苦功高的老師們，也仍不免要惶恐愧怍，無地自容。試問用這種有限的，人人可以拿來支配的金錢支付給為我們作育英才的師表，與付給我們做工的人工資，看不出有什麼分別。果眞「尊師」可以用二十塊錢了賬的話，可能不久的將來，做子女的可以每年交錢「孝親費」或「孝親金」，就可以[illegible]晨昏定省的[illegible]了。那時，世界上將沒有什麼不可用錢了賬，[illegible]可以「量入為出」，你給多少錢，我付多少心血了。

「金錢」與「尊敬」是很難並存的。當一個人接受了另外一個人的金錢之後，就會減少了對他的敬意。一句俗話，「吃人的嘴短，拿人的手短」。如果在別人家吃了飯（或拿了錢），就沒有了發言權。如果用了別人的錢，就要受牽掣，做不來暢所欲為。有志節的人，輕易不收受別人的餽贈。而「尊敬」二字，也是不輕易用金錢去褻瀆他所認為可敬的人的。（未完）

海嶠叢談

毛澤東之恇怯

諸葛文侯

這是中共頭子毛澤東當年在重慶的恇怯行為，事實確鑿，言之可哂。

民國卅五年日本無條件投降後，美國杜魯門政府堅決主張國共和談，避免中國再起內戰。美大使赫爾利徵得蔣主席同意，親赴延安邀約毛酋來重慶協商，保證其安全無虞，並由美軍飛機負責迎送，以示慎重。

毛與赫爾利大使同達重慶時，飛機在市外白市驛機場降落。當時共黨旅居渝市的重要份子如周恩來等一干人物，以及所謂民主黨派的著名人士如沈鈞儒、黃炎培、馮玉祥、張瀾、章乃器、羅隆基之流，皆傾巢出迎，還有一些好湊熱鬧的人，亦擁赴機場瞻仰毛酋的丰采，場面並不冷落，惟因[illegible]方面祗有張治中，邵力子二人到場而已。毛酋下機後，覩此情形，心裏已不無戒懼之念。

毛酋進城後逕至張治中寓所憩息，時已傍晚，張將毛安頓客室中，自己先登樓換穿常服（他到機場是穿的上將制服），藉便暢談。斯時張宅副官端來蓋碗茶敬客，毛酋狐疑此人或許對他有所異動，馬上站起來接茶，兩手為之震顫，致將碗蓋搖落地下，副官急忙往外面換取茶盤之際，毛酋自覺失態，即拾起那只蓋子向窗外猛力投擲，期泯痕迹，那未看清楚窗上嵌的是晶瑩的玻璃，並非空格，砉然一聲，蓋子撞爛墜地了。張治中在樓上聞聲驚詫，急忙下樓來查看，且問副官「甚末事」？副官不便細述情形，只答以「我不小心，把茶蓋摔到地下了。」張走進客室，還斥責副官作事魯莽，失禮於貴賓哩！毛酋故作鎮靜，亂以他語，這才結束了一幕趣劇，事後該副官對人津津樂道此事，於是笑話遍傳於世了。

司法院副院長覃振（理鳴）是湖南人，毛酋曾經迭次拜訪過他。毛到渝半月之後，覃氏特在私宅招宴毛，時間是午後六時，陪客僅有左舜生，程潛三數人。但他於下午四時即蒞臨覃宅了，毛覃兩人不免話舊一番，毛酋突問道：「覃老，你看我這次可以生還延安否？」態度甚為嚴肅。覃氏笑謂：「潤之你放心罷！蔣先生不是那種人。」毛乃嘿然。這是理鳴先生事後對舜生與我談出的故事，一點不假。後來毛在國民參政會歡迎席上，誓言「和為貴」，高呼「蔣委員長萬歲」「實行三民主義」等口號，都是害怕不復能夠生還延安的恇怯心理表現。他同時又教延安的嘍囉們貼出「反對毛澤東回延安」的標語，用意亦在詐騙蔣主席，讓他脫出虎口。

似此膽小如鼠，怕死貪生的傢伙，實在渺小已極。如今想來：假定當年蔣主席不存偽善仁愛之念，把毛酋及其餘在重慶的共黨首要份子，一網打盡，斬草除根，尤其[illegible]國的責難，但中國五億人民的浩劫可告消弭了！

台灣與鄭成功

·陳雪英·

六月，荷太守揆一遣通事何斌齎思明州饋贈外國珍寶，並求通商，願年進貢餉銀五千兩，箭柸十萬支，硫黃一千担。當時成功方準備北伐，無暇東顧，乃姑許其請。

鄭成功自福建唐王聿鍵被滅之後，其父芝龍早懷異志，後來又經漢奸洪承疇的誘惑，果爾降清。當時成功再三苦勸均不聽。於是父子各行其是。鄭成功意志堅決，單獨倡導拒滿復明運動，以金、廈兩島為根據地，不斷地向閩、浙東南一帶進攻，奉永明王永曆正朔，與滿清兵相抗。計自永曆五年至十年（公元一六五一年至一六五六年），曾和滿清兵苦戰凡數十次，而以海澄一戰，最為悲壯。同時與效忠魯王的張名振，張煌言等相呼應。於永曆十一年（滿順治十四年、公元一六五七年）受永明王封為延平郡王，但不敢襲此封號，仍稱招討大將軍，乃設六官（吏、戶、禮、兵、刑、工）治理政事。（六）

內僑警台報字第〇三一號內銷證

自由報

THE FREE NEWS

第二七五期

中華民國僑務委員會頒發
台執新字第三二三號登記證
中華郵政台字第一二八二號執照
登記為第一類新聞紙類
（半週刊每星期三、六出版）
每份港幣壹角
台灣本售價新台幣弍元
社　長：雷嘯岑
督印人：黃行奮
社址：香港銅鑼灣高士威道二十號四樓
20 CAUSEWAY RD 3RD FL
HONG KONG
TEL. 771726　電報掛號．7191
承印者：田風印刷廠
地址：香港灣仔高士打道二二一號
台灣分社
台北市西寧南路壹壹本號二樓
電話：三〇三四六
台郵撥儲金戶九二五三

毛澤東心理亢進的極限

·方南·

中共在舉行第十三週年僞「國慶」的前夕，開了一次黨的「中全會」，發表了一篇「公報」，給我們看出最主要的一點是：毛澤東心理亢進的程度業已達到了極限。到了今天，我們可以肯定地說：毛朝業已敲起了喪鐘，形勢對自由中國越更有利。

毛澤東雖是「唯物史觀」的信徒，但他一貫是運用「唯心」的魔術以施行宣傳與統戰，藉此起家；更利用符咒式的標語，口號與各式怪誕名詞，配合了恐怖的暴力，藉以欺壓人民，維持其統治地位。

瘋狂行動

毛澤東曾經巧妙地利用羣衆心理，到底卻又蔑視以至完全無視羣衆心理，狂於以往勝利，只憑其個人固執而亢進的心理，秉着「自我成之，自我敗之，亦復何憾」的「英雄觀念」，作出種種瘋狂行動。到了目前這一階段，這個人的心理狀態特別值得我們注意。

梁啓超先生在其晚年所著「中國歷史研究法」一書，對於「史蹟之心的基件」，頗具妙解，其中有一段是這樣寫道：

「所謂大人物者，不問其爲善人惡人，其所作事業爲功爲罪，要之，其人總爲當時此地一社會——最少該社會中有力之階級或黨派——中之能深入社會閫奧而與該社會中人人之心最易互相了解者。如是，故其暗示反射之感應作用，極緊張而迅速。例如曾國藩確能深入咸同間士大夫社會之閫奧，而最適於此輩心理起感應作用；袁世凱確能深入清季官僚武人社會之閫奧，而最適於彼輩心理起感應作用。而其效果收穫之豐嗇，一方面視各該社會憑藉之根柢何如，一方面又視所謂大人物者心理亢進之程度何如。據事實所昭示，曾國藩之收穫，乃遠不逮袁世凱。袁世凱能於革命之後，將其所屬之腐惡垂死的舊社會，擴大之幾於掩覆全國……袁世凱執着力之強，始終以一貫精神，義無反顧，效死以扶植所屬之惡社會，此種積極的心理，殆非曾國藩所能及也。」

接近崩潰

我們試據此以論毛澤東的心理亢進及其執着力，當信他已走上了袁世凱晚年的盡頭處，隨其極度亢進而達到崩潰。

不必諱言，毛澤東能在其席捲大陸以前，能欺騙了許多知識份子和青年人，是在乎能夠抓住當時的羣衆心理而售欺行騙，獲致反射的感應作用。這種作用綿延若干年仍未消失，是靠「在朝」的聲勢與權力來維持，到最近幾年便完全倒轉過來了。他已被全民認作公敵，沒有社會憑藉，只憑個人心理亢進，與着，一意孤行，死執抓着權力不放，抵抗來自四方八面的內外交迫的各種力量。其表現則以這次中共「中央會議」爲極峯。

虛偽粉飾

看這次中共「中央會議」的公報，該注意的幾點是：

一、宣傳經濟情形好轉，農業收成良好，三面紅旗正確。

二、再來一次反對「美帝國主義者」的激烈宣傳。

三、嚴申反對「現代修正主義者」及「大國沙文主義」，爲保衛馬克斯列寧主義的「純潔性」而奮鬥。

四、宣佈增選陸定一，康生，羅瑞卿爲中央書處書記，撤銷黃克誠，譚政的書記職務。

這就是說，毛澤東仍要掛着三面紅旗自我陶醉，用虛偽粉飾的宣傳來遮掩當前仍然加重的經濟危機，既要繼續和赫魯曉夫鬧別扭，又要把仇美宣傳運動再向前推進一步；並且爲了鎮壓兵變，免從民變與兵變連結起來，特把兩個特務頭子放在黨的領導階層上面，要再施行殘酷的大屠殺。

經濟絕症

這四點正是毛澤東心理極度亢進的表徵。他要孤立作戰。他要倚仗特務頭子來作最後的支撐。他要堅持三面紅旗，狂妄地要把經濟絕症用口頭說活回來。

我們切勿以爲大陸今夏的農產收成果眞有了轉機。事實是，有好幾個省份都有了嚴重天災。這除非其他各省都有特別豐收才可彌補。我們既沒看到中共對於若干地區特別豐收大恣吹擂，而幾個省份的災歉則有其不可抹煞的實際報告。據此可以斷定它所謂「好轉」只屬僞裝。

彌縫遮掩

中共幾個月前，廣東人民掀發了暴動潮與逃亡潮，毛澤東已不敢再把各大城市人民的配糧額減少，並曾[illegible]端設法，畧予提高，這是事實。由於公社業已無形解體，各個農民已能在一片「自留地」上爲自己生產一些副食品，這也是事實。這兩個事實，正是毛澤東用來誑講經濟情況「改善」的主要根據。但如他仍堅持三面紅旗，使連上述末後的一點事實，也該取銷才是。

中共內部的爭執和衝突，可由「公社」雖已解體，而「中央」文告必仍堅持「三面紅旗正確」之說一事見之；另一方面，亦可由陳毅曾向美國拋送外交媚眼，而「中央」文告突又大張仇美之說見之。

無可懷疑的：中共內部必有一派當權人物，鑒於崩潰危機迫在眉睫，主張在外交上要緩和對蘇俄的衝突，以至稍稍改變對美國的外交態度，在經濟上也要由急進的公社制度，稍爲暫時退後一步，給農民以一個稍可喘息的空隙。

走向絕谷

這一派人物很可能以周恩來爲首，但他們並不是毛澤東的反叛者，而只是跟在毛澤東後面，替毛澤東鑄成的各種大錯做些彌縫，掩飾，拖緩一下危機的工作。

心理極度亢進的毛澤東正在清算反叛者，鎮壓着其他可能起來的反叛者，對於這一派人物姑且有時暗裏順從，暫爲利用，但到了重要關頭便不會放鬆。這不是狼狽相依的情景，而是毛澤東這個「山大王」仍然拖着大羣嘍囉走向絕谷，誰都不能反抗，誰也沒法從他回轉。

研究毛澤東的心理，讀他歷年所寫的「詩」「詞」，和看他喜歡橫江冬泳的各種事實，都有若干用處。他第一次暴露心理亢進的病徵，是由炮轟金門失敗以後的一篇「著名」文告開始的。諸如土法煉鋼運動，強行公社運動，也只有接近半瘋狂狀態的人才敢決定的。

愈急愈亂

他死要抓住權力不放，把中共僞朝看是他自己憑雙手打來的江山，自從被迫棄政抓黨，心裏又憤又恨，心理亢進的程度隨時日而加增，舉措越乖張，越錯越要固執，迄北平上次舉行「人民代表會」時，連他的一句話也不見諸公報，只由周恩來替他做側面掩護的工作，他內心的苦悶是可想而知的。加倍亢進自爲必然的趨勢。

接着是廣東人民首倡義舉，內外形勢對他越更不利。他着急起來了，突然調集大軍，佈防東南沿海，表面是提防國軍反攻，暗裏是鎮壓內變，尤其是要楷車隊滿防的[illegible]利，鎮壓他所最焦急的兵變。他的每一着棋都是爲了救急救亡而發，而每一措施都會令他的心受到辛辣的刺激。於是，最近由他一手操持的中共「中央全會」宣揚出他的「戰鬥眞貌」，他將以「寧死不屈」的姿態戰鬥至最後一刻。

好的，毛澤東走到這一步正是中國反共志士的福音。我們應該倍加努力去迎接這個有利的新形勢。

漫畫天下

醋風大發

由他指劃

自由談

聯大的無聊把戲

近十餘年來，聯合國每年召開大會時，即表演一幕極其無聊的把戲。先由俄共代表提議取消中華民國的代表權，繼由美國代表予以辯駁，主張將這問題「擱置一年再說」，最後投票通過美方建議如儀。年復一年，串演不已，自去年起，加上一段新的插曲，大家要辯論一番再投票，實際就是炒現飯，瞎胡調而已。

就美俄兩方的胡調心理而言：俄共祗在藉此搗亂國際坫壇，視聯合國爲宣講所，表示國際共黨陣營之團結姿態，根本不希望有甚末收穫的。美國卻想利用這套把戲以進行「一石二鳥」的外交政策。一面暗示毛共，若能跟美國妥協，即隨時可以進入聯合國；一面脅制中華民國政府，遇事必須唯美國馬首是瞻，否則美國對中共進入聯合國問題，更礙難阻擋了。此乃吾國所謂「雞帶有德色」的庸俗意旨，所可道也，言之醜也！

可是，十餘年來咱們就爲着這種胡調的代表權問題，處處遷就別人，卑以自牧。外蒙古要僭入聯合國，我們不得不放棄否決權；某些不成其爲獨立國家的政府，乘人之危，肆行排華政策時，我們顧忌所謂聯大的代表權關係，亦不得不含垢忍辱，犯而不校。我很懷疑咱們這樣重視聯大的席次，究竟對於反共復國前途有什麼重大的裨益呢？

老實說，我們如果光復了大陸，縱使在聯合國沒有席次，那些強權主義者亦必笑臉相迎，要求我們參加的。否則雖然擁有常任理事國的地位，他們亦要七嘴八舌，亂說是非，且當作營私作惡的工具，示威市惠。聯合國成立至今，試問對於國際和平與人道人權等職有何職責，又有什麼建樹可睹嗎？西德並非聯合國的會員，然它對於國際問題的發言權力，殊不下於英法，即知立國之道，貴能自強不息，光靠別人幫忙，絕非上策也。

因此之故，今後的外交政策，似應重新考慮，至少至少亦不宜爲着保持聯合國的席次問題，而在外交上不惜重大犧牲，顧虛名而受實禍，無乃太不值得吧？

馬五先生

（香港與大陸）

毛共一貫視為鞏固統治地位的法寶——「宣傳」、「階級教育」已失靈了，大陸同胞的「思想覺悟」仍很低，資產階級思想和其他「反動」思想仍普遍存在，正嚴重威脅毛共在大陸的統治地位。

剛由廣州來港之華南師院歷史系助教張靜×小姐稱：中共的「宣傳」和「階級教育」「在「解放」戰爭和「解放」初期，確會起着莫可估計的作用，那時一般人都不明共產主義的本質，中了它的宣傳之毒，不少對現實稍有不滿的知識份子，一時唯恐落後的獻身於「共產主義事業」中。然而，十多年鐵的事實證明，所謂共產主義世界樂園，不過是騙人的鬼話，話說得很漂亮，事實做得極骯髒，大家都恨透了毛共。

毛共宣傳教育全部破產

事實畢竟甚於雄辯。已嚴重威脅其統治地位

張小姐說：鑑於上述情況，毛共最近又大規模的對青年軍人，大中學生和「少先隊」展開「階級教育」。在軍隊中展開「訴苦運動」，對國民黨過去的「罪行」加以控訴，企圖激起士兵的「階級仇恨」；對大中學生則進行「革命精神」教育，強調過去「革命先烈」的艱苦奮鬥精神和對革命事業的無限忠貞，使青年學生們忘記目前的艱苦生活，爭取成為一個「又紅又專」的優秀「知識份子」；對「少先隊」則施以奴化教育，要他們盲目地聽從「黨和毛主席」的話。

可是，張小姐說：毛共的宣傳與教育完全失靈了。軍隊中的青年士兵，既不懂得「階級剝削」「階級壓廹」，亦不明瞭要革什麼命，他們的苦確實很多，但他們了解一切的苦都從毛共統治而來，他們參加「解放軍」只是無可奈何的希望不被餓死而已。大中學生亦不瞭解「革命精神」，他們已受夠饑餓的煎熬，看見那些「南洋客」的富裕生活有無限的羨慕，希望變，希望毛共快些被推倒，大家要爭自由，爭生活過得好。至於「少先隊」們，由於他們缺乏家庭教育，品德和學習精神皆普遍下降，習慣於遊蕩，對於一日二餐吃不飽還要整天參加疲乏的勞動的現實最痛恨，毛共的教育對他們再亦不能發生效用。

張小姐說：由於毛共的宣傳、教育之失靈，正根本的動搖了毛共的統治地位。共黨所提出的「號召」，無論說得如何天花亂墜，人們總無動於衷，因為大家已經「領教」過「苦戰三年」、「人民公社」、「一日等於廿年」等的真正滋味了。（敬斯）

香港權威觀察家認為

印邊事態可能「惡化」

但認不會超過邊境事件的格局　否則對中共不利無異自掘坟墓

（本報訊）中共與印度的邊境開槍事件，新近有三項重要發展，香港某權威觀察家語本報記者，強調事態確有趨向「惡化」的可能，言之成理，特加報導如次：

這位權威觀察家所指的三項發展為：

（一）開槍事件有顯著的增加，幾乎是連續不斷的發生；彼此所發彈藥也增加了，彼此還都承認在對壘中有了傷亡。

（二）開槍的地方，已自邊境的西部（新疆與印度接界處），移向邊境的東部（西藏與印度接界處）。這一帶有所謂「麥馬洪線」。且據中共的說法，印度軍居然超越了麥馬洪線，向中共軍挑釁。

（三）雙方對於這些開槍事件的說話，都火氣十足。一如以往，對於這些開槍事件，雙方都互指對方先開槍，雙方都互指對方侵界，雙方且都說不容對方長此做此意存侵略的挑釁事件，用詞遣句，比以往激烈得多。

事件真相畢竟如何呢？這位觀察家認為外界實際上不清楚的。因為，中共說的話，固然不可信其為真；同樣的，尼赫魯印度說的話，究竟代表了幾分事實，也是絕大的疑問。而除了他們彼此的「自說自話」之外，又實在苦於沒有第三方面的消息，可資查證。但祂說：形勢趨於惡化，則就是非常顯明的。好像尼赫魯便已經取消祂原定的往迦納訪問四天的行程，趕回印度了，即算他是「故作驚人之筆」，要之亦代表形勢之非比尋常。

尼赫魯老奸巨猾，城府深沉，他在訪問法國之時對新聞記者說的一番捧蘇俄責中共的話，這位觀察家認為值得注意。尼赫魯說他相信蘇俄是真正希望和平的，而中共則否。尼赫魯說他認為蘇俄確實沒有以侵略行動擴張領土的野心，而中共則否。尼赫魯這些話，其對蘇俄部份，當然胡說八道，莫明其妙，對中共的部份，卻就大有文章。

尼赫魯顯見是藉為蘇俄塗脂抹粉以益顯中共之醜惡猙獰的。他為蘇俄塗脂抹粉，固為極其卑鄙下流的手段，而害莫大焉。但在祂，必然還自以為得計，自以為可以因此多多得到蘇俄的軍火支持，以之打擊中共，使中共出乖露醜。這是真正狐假虎威。祂這樣做，將來首先受其禍害的，可能就是尼赫魯印度自己。尼赫魯要是以為，由於中俄共間現有某種程度的不愉快，蘇俄更會真正的幫他的忙以打擊中共，終有一天會被證明是打錯了主意，難免攪到前門拒狼，後門迎虎的結果。

但由於尼赫魯這做法，這位觀察家認為，卻可以反證一件事：他的提議與中共談判解決糾紛，並沒有多少誠意——尼赫魯建議的談判，既未提地點，亦未提談判代表的等級，原本就祇是一種缺乏內容的宣傳做作。同時亦還可以證明，新近發生的一連串開槍事件，十九係由印度所主動挑起的。尼赫魯顯見認定中共而今內外困難，有打不得之苦，才這樣做的。果真如此的話，這位觀察家說：情勢「惡化」，便確實大有可能。

這位觀察家還指出：就中共所發表的這一連串開槍事件的經過看，中共確實顯得非常之「衰」。它既指那些地方是中國領土，它既指印軍是侵入中國領土開槍尋釁，卻又一味忍讓，連還擊都似乎十分的勉強，太「衰」了！中共自封「政府」，卻於外軍入境之時全無作為，不思盡保土安民之責，太「衰」了！這位觀察家說：東京有揣測中共將對印發動較大規模軍事襲擊以教訓尼赫魯的，他說他亦有同樣的感覺。但他說：當然，即算中共老羞成怒的攪尼赫魯一下，其勢亦是有限度的，即把它限於邊境事件的格局，因為鬧大了對中共實在不利，等於它自掘坟墓。（健）

蘇俄向亞非中南美擴展　美民衆憤慨對古巴軟弱

——華盛頓來鴻——

嘯岑社長先生道右：上週國際貨幣基金與世界銀行等機構在華府開年會。基金總經理兼執委會主席約可伯孫氏報告，謂年來因美政府採取種種經濟上之措施，兼之歐洲各國物價與工資上漲程度超出美國者之上，故美元實力加強，前途較為樂觀，國際金融制度亦不致有重大之變動。銀行總經理勃拉克氏則謂國際貿易障礙之解除，與落後國對外貿易條件應自不利而轉為有利，乃待開發國家經濟克能進步之前提。勃氏指出近六年來，人口衆多之三十四待開發國家對外負債增加至一倍以上，而其出口收入僅增加百分之十五。大會主席埃及學者沙特氏，亦謂待開發國家之人口爆炸，以及內部通貨膨脹，暨對外貿易條件不利，均有賴於先進國家採用開明的貿易政策，以及國際機關之協助，而其先決條件為落後國家本身實行合理之經濟與貨幣政策。總之先進國家情況較為安定，而落後國則問題重重，前途困難正方興未艾也。

今日華爾街日報社論，謂約氏過去之議論既甚為中肯，則其今歲對美元樂觀之意見亦當可憑信。但該報指出今年上半年美國損失黃金八萬二千二百萬元，去歲同期數字僅為三萬一千五百萬元，又本歲美國對外收支不敷額雖較前兩年來者為低，然尚合每歲十五萬萬元之數額，且通貨膨脹亦仍在進行中，故告誡美國人民仍應戒慎從事。至於若干穩健學者則對甘迺迪總統之智囊中屬於凱恩斯派學者，大事批評，而指謂「慶父不去魯難未已」。

關於近月來美蘇局面之日趨緊張，初有自由學者李普曼氏之大放厥詞，謂美國在本世紀因在歐洲暨其他各地干涉，已將美洲門羅主義放棄。伊謂美國如佔領古巴，則蘇聯亦有理由出兵佔領土耳其與伊朗。繼有波爾斯C.B wles承白宮意旨而發表講演，謂佔領古巴為違反道德與不明智之舉，勸告美民衆應信任政府，而繼續忍耐。

今日紐約前鋒報發表芝加哥大學學者戈特溫氏來函，大意謂蘇俄危害其鄰邦之安全，故美國不得不與土伊等國成立協定，而共同設防，但古巴則與蘇俄之安全毫無關係，而該國共產化後對美洲各國將有重大之威脅，美國豈應袖手不問。戈氏又謂：美國既在歐亞等地阻止共產勢力之膨脹，則在美洲更應援用門羅主義，以防阻共產勢力之蔓延。有名專欄女作家希金斯女士亦發表論文，嚴重駁斥波爾斯之議論。希氏引用老外交家摩爾非氏之最近講詞謂，美國過去處處依賴國際集體行動，而失去道義之領導權，反受盡共產與中立國家之欺侮。美國為本身圖存起見，已達到運用實力與蘇俄相週旋之時會。

美國參衆兩院議員接到各地民衆函電甚多，均對古巴事件憤慨逾恒，而指責美政府之軟弱無力。識者謂今冬選舉後共和黨在衆議院之實力當大為增加云。

歐洲近來趨向於第三勢力之形成，戴高樂氏與世仇之德國携手，以及對英國加入共同市場之種種留難，不假以顏色，且積極建造原子武器，使美蘇雙方均有戒心。識者謂蘇俄經濟日益困難，赫魯如不能破壞西歐集團，或將任令東歐衛星國家向西方求將伯之助，而轉向亞非及拉丁美洲進攻，使美國困難增加云云。

以上拉雜的將各方意見報導，備貴報之參考。手此，順頌

著綏

弟顧翊羣拜啓九月廿四日

三進醫院。切去一趾　李萬居天天禱告

（本報記者台北航訊）近年來在政治上和私人事業上連受打擊的省議員李萬居，病魔纏身，於七月底三度住進台北中崙基督教創設的台灣療養院，九月三日經施手術，切去一隻腳趾。

李萬居自從失去公論報之後，負了不少的債，可算是貧病交困。李萬居這次的病源，據診斷是由於右腳中趾硬化，以致肌肉麻痺。他除了腳病之外，還患貧血與心臟病，經常要輸血，還要用氧氣幫助他呼吸。

醫院認為腳病是李萬居的病根，為恐蔓延身體其他部份機能，曾認為必需將右腿鋸掉。李知要鋸掉一條右腿時，非常難過，表示不願意！他說：我是從事政治生活的人，如果少了一條腿，不如乾脆早一點死掉。

醫院負責為他主治的有三個醫生，兩位本國籍的，一位外國籍的；有位醫生主張右腿要齊根鋸掉，一位認為只要從膝部鋸去就可以了，另外一位則主張先切掉硬化了的腳趾，再把右邊的大動脈切開，若能好轉，則可保全右腿，否則，再把右腿鋸斷。結果就是採用了後一意見。該醫院新從美國來一醫生，帶來德國出品的新藥Sebamin，這種藥說是最新的出品，在台灣還無法買到的，這種藥服後，可使心臟冠狀動脈和血管擴大，血管擴大後，血脈自然流通，李萬居的右腿或許可暫時保住。

李萬居動手術後情況良好，無需氧氣的幫助也可呼吸自如了。原來的經常輸血，服用新藥後也暫時停止了。加以他每次輸五〇〇CC的血漿，要費十個小時以上，這一點一滴的慢長痛苦，對於六十三高齡的李萬居，也是夠受的。李萬居現在誠信基督，每天都要禱告。有人說仕途遭挫折，而纏綿病榻的他，已決定把空虛的心獻給上帝了。（吳越）

十一在港冷落甚　居民無一懸污旗

（本報訊）毛共的「十一」國慶，今年在香港實在淒涼之至，全香港包括九龍、新界在內，一共祇三十多面「污腥旗」，聊以點綴，根本已不成一個格局了。

香港今年還作狀在慶祝「十一」的，就僅那幾間親共銀行、親共工會及親共社團與親共報館。普通人家居民，簡直找不到一個懸掛「污腥旗」的。工廠區的荃灣，亦僅零零落落的十幾面「污腥旗」而已。冷落的情形，又創造了新紀錄。

香港中國居民如此冷落毛共偽國慶，絲毫不足為異，因為香港毗連大陸，毛共在大陸的種種暴行，香港居民均瞭如指掌，大家早就把毛共恨透了。

警方仍採取了戒備措施，員警一律取消休假，集中警署待命，後備警隊亦在待命狀態，防暴巡邏隊出街頭。但因為「污腥旗」實在少得可憐，居民行若無事，一如平時，就像根本不知道有所謂毛共偽國慶那樣的，警方的戒備，幾乎可說並不必要。（落）

洩氣的反共措施

大學生的入學保證書

應省吾

友人有子女入大學，來託辦理保證，情形似很嚴重。待展視保證書內容，見所列是：

茲保證〇〇〇係〇〇省〇〇縣人，現年〇〇在貴校〇〇系〇年級肄業，與共匪及其他有違政府政令之不法社團或秘密組織絕無關係，在貴校求學期間不作任何有利於共匪之行爲，本保證人對治安當局願負此項保證之責任。

再看附註：

一、此項保證，須由現任文官荐任職以上人員，中等以上教員或登記合格之商店工廠負責人保證。本校教職員或駐華外交機關中之本國籍職員不得保證。

二、如保證人遷居，應隨時通知本校。

三、保證書填二份，一存本校，一存警備司令部。

四、……

看完了後，思潮翻覆，不能自已。大陸淪陷十餘年，共產暴政已迫使受虐同胞欲與「偕亡」，乃摧毀暴政的希望所寄託的我政府當局，却仍在老路上兜圈子，不禁爲之痛哭流涕者四！

現行教育課程，小學有常識，中學有公民，大學有三民主義外更有俄帝侵華史等，都是對共產邪說加以闢斥，共黨陰謀加以揭發，同時對國策和三民主義予以闡揚。如此的啓迪教訓，當局沒有把握祂的作用，却要仰仗於不是心悅誠服而塡具的無聲無臭的保證書。此可痛哭流涕者一。

或者說，昔日在大陸的教育課程，也有常識，公民和三民主義的課程，而終不免爲共黨所乘，所以非要加緊防範不可。但時至今日，大家對共黨的魔術早經覺醒，今春的大陸逃亡潮已明顯的告訴了世界，我政府也曾高叫「反攻」的口號。乃今日這入學保證的措施，却充分表現了當局的麻木——不了解客觀環境的變化，而仍一味的「畏共」，覺得共黨力量無處不存在。此可痛哭流涕者二。

大家知道，在踏入成熟期的青年，精神充沛而情緒容易衝動。今天他們高高興興的考取大學，乃在沒有進入校門時先得找個長者保證與共黨無關，很自然的在心理上起着兩個作用：（一）政府不信任我們；（二）共產黨究是怎樣的，政府這樣的怕祂？這兩個作用，都是和設施的目的相反。此可痛哭流涕者三。

就事實說：共產黨的席捲大陸，不是工人階級的擁護，更不是農民羣衆的力量，其主要的動力還是吃自己飯，幫人家忙的心理複雜的知識青年；他們有的存有幻想，有的爲了好奇，有的受了野心份子的利用，也有是自尊心受了政府人員的損害和社會現象給他們的不滿（像最近台北市連續發生的文武要員的子弟們持鎗勒贖賭窟，警局却容許保釋，就可作爲事例）。同時，大陸變色前的「奔走和談」以服共黨的聲勢者；「一陣前起義」以敗我軍的士氣者；他們不要說自己曾有人作，還保證過不少人，同時更不斷宣誓過和高喊過千百遍「蔣委員長萬歲」「中國國民黨萬歲」呢！語云：「前事不忘，後事之師」。而今當局仍不求改進而故步自封，這是可痛哭流涕者四。

以今日時代變化之迅速，人民知識之進步，反共措施的決定，端賴知本源，明形勢，而不是閉門造車，迷信符咒所可濟事。改變消極方式，轉爲積極奮鬥，時不我待，希當局有勇氣的抉擇。否則，誤人誤己，個人失敗事小，使國家長期沉淪的罪將永不爲歷史所恕。在反共形勢正最有利於我時期，願當局的急起直追！

入學保證書祇是一個很小的例子，但即小可見大。心所謂危，尤不忍默爾而息！我們在大陸的失敗，原因固不一而足，祇講形式不重實際，顯然便是其中之一。現在却絕對不容許我們再犯這樣的錯誤了。國家到此地步，形勢逼人，我們凡事應該更認眞些，也才可以完成反攻復國的使命。

天南風光

黃乃裳與新福州——詩巫

朱淵明

從他的七十自叙上絕妙的這一段來看，則黃君爲性情中人，毫無疑義。因之他能在矛盾中從多方面發展。他是宗教中人，而復熱心科學。他與康梁有關，而又信仰革命。他曾八次上書，經光緒帝批而未行者三書，行而未實現者一摺；那一摺，說來也怪，竟是請實行簡字。居然吉下翰林院，着閩、粵總督調送粵之王炳耀，廈之盧贛章，福州之力捷三，三人携同所著簡字來京察核云云。蓋均係摺中所列舉者。即此，已可見他思想之一斑。

等到戊戌變起，康梁逃脫，六君子被殺，隨即要追究那些上書變法的人，共有二百餘，黃乃裳乃是第十一名。遂倉皇出京，至天津，乘英輪赴上海，晤李提摩太。李爲英籍牧師，康梁脫禍，亦李在京所設法。李勸其返閩。他返閩後，『嗒然若喪，不知當爲何事，可以少紓利他主義；因決往南洋羣島，覓一地曠人稀之處，可容數百萬人爲業農者，爲桑梓窮無聊賴之同胞闢一生活路徑，不至轉徙而死，且以避女主之淫威，與夫專制之虐毒』。

翌年，往南洋，遍歷英荷各屬覓農地，均以區域狹小，水土頗劣，多不如意。及庚子年（一九〇〇年）往英屬沙羅越，先到古晉及成邦江各地，都覺無可着手。隨即溯拉讓江而上，見江水浩蕩，揣其源流必甚長，又見兩岸蓊林蔚茂，土著不多，且一望平疇，不見有山，輒尊其原野曠邈，土地肥沃；行二百里，抵詩巫，英人設官其間，有漳、泉、潮州、嘉應州商人設店二十餘家，與土著達雅人互相交易。其地出產紅白樹乳，冰片，黃籐，椰子，檳榔，鹿茸，犀角，丁香，豆蔻，胡椒等物，土人雖狀貌獰獰，然性尙質樸，且髮黑膚黃，骨格與漢人相近，絕不同於馬來民族。黃氏很懷疑這一種族的人，或許是在極古的時候，從中國大陸飄流南來的。（三）

公道篇

一個向貧窮挑戰的計劃（一）

林公

所有未開發的貧窮的國家，自然亟需有着一個有效的向貧窮挑戰的計劃，但同時也就面臨一個不易解決的矛盾問題。

無可爲諱，沒有一個有問題的國家，不願意去解決問題。救災救難救貧，是問題中的大問題，且是社會問題的中心，尤其不能不着急的去設法解決。這顯見未能解決問題的國家，幕後必然有着某種困難的阻撓，一種欠缺充份的解決問題的資金的苦衷。

一般國家尋求建設資金的解決辦法，是向着兩條路走：一是取得外援，一是自力更生。但前者每附有條件，即使表面上沒有條件，亦從人戒懼，會可能因此引致國家淪爲他人的附庸，這特別對於一些剛掙脫殖民地統治的新興獨立國家，更是充滿着這些難以完善解釋的陰影；而後者雖話是說得漂亮，但有些國家根本連起碼的開發資金與技術亦都缺乏，那就更遑論提到「一切都靠自己」來解決問題。而且，自有人類歷史以來，人類不在爲善者壓搾下苟延殘喘，便在暴力者鞭撻下掙扎，亦難怪此一代人類要對一切採取重新估價的態度了。

從經濟成爲國家壟斷資本，承認「超人」有絕對權力；或是極經濟成爲個人壟斷資本，承認個人有絕對的自由；那已是有太多的痛苦經驗在告訴我們，兩種都不是救療貧困的優良辦法。我個人研究的心得，贊同在經濟理論上，適宜採用近一二十年興起的福利經濟學說的新觀點，那不是絕公，不是純私，而是公私混合而又是以人類因素爲中心的一種計劃經濟。

福利經濟學基本上是以滿足人類的快樂與慾望爲對象，並別於一般經濟學說，不以研究價值價格數字爲能事，而是注重經濟背面所構成的人類活動諸問題。大概言之，多數個人的獲益，即等於國家社會民族的獲益，而此多數個人獲益的來源，乃由於多數個人無形付出無傷的義務。這在個人並無損失，而在整體則深蒙其利。這種觀點，無疑已不屬於純粹經濟的範疇，是屬於社會政治經濟的綜合體。但這種經濟觀點，不獨對於經濟落後的亞非國家環境較爲有利，即對社會財富未臻公平原則的歐美國家，也有莫大參考的價值。

爲達成這種經濟觀點的目標，基本上就是要擬定一個有效的向貧窮挑戰的計劃，並從此一計劃發展爲永久性的運動。福利經濟既認定『各個人福利的增加，即等於社會全體福利的增加』。那末，如何富裕個人生活，便應爲運動的首要。

寓言續夢

第六回：

烽火照邊陲　同艱難濟

樓船橫碧海　大數興悲

尼赫魯說道：「主席不清楚其中經過，中印之間的領土爭執，已經有半個世紀，爲什麼英國人過去沒有佔領這些未定界，我們獨立後也未採取行動？因爲大家都料到國民黨一定不答應，只好暫拖下去。現在中國換了政府，周恩來又這麼慷慨，得了祂的許可之後，我們就派兵接收了麥馬洪線以南及拉達克東部地區，設官分治，什麼都安排安當，祂突然變了卦，想用兵迫我退出已佔地區，這不是想趕我下台是什麼呢？」

伏羅希洛夫笑道：「總理先生，抱歉的很，你的話我有點聽不懂，邊界爭執原是小事，怎麼會提你下台。」

尼赫魯說道：「主席不明白，我們民主國家，有一項困難，國家政策要受議會的約束，還要受輿論的制裁。平心而論，麥馬洪線以南地區原不是我們的，可是周恩來已經答應讓與，我們也出兵佔領，並且納入東北邊區的行政組織，在印度老百姓看來，已是不折不扣的印度領土，我們若從那裏退却，印度人民一定指我賣國，不問他們用何種方式，一定要想辦法打垮我，說不定我會變成甘地第二，被人暗殺。請主席想一想，周恩來害得我多慘。」

伏羅希洛夫這才聽明白了，當時十分同情尼赫魯的處境，嘆口氣說道：「總理先生，請恕我直言，你未免太相信朋友，所以結果吃了虧。你應該曉得，我們同中國也有邊境糾紛，有的也糾纏百年，可是到了中國共產黨取得了政權，所有問題都解決了，就因爲我們處理的得當。」

尼赫魯苦笑道：「主席閣下，你的話我十分樂意接受，不過你剛才這段話，還是有點問題。我同周恩來只是朋友，你們同周恩來是父子關係，他可以騙我，但是決不敢騙你，當然你們的問題容易解決了。」

伏羅希洛夫搖手說道：「總理先生，你完全誤會了我的意思，而且你也太不了解共產黨，共產黨員那有父子之情？越是親，財物才越要分得眞，我們怎樣處理同中國的領土關係，我現在只舉一個小例子。在黑龍江外面有一個地方，中國人做江東六十四屯，按照條約來說，是屬於中國的，一九零零年八國聯軍事起，帝俄政府乘機派軍隊到那裏把六十四屯兩萬多華人趕到烏蘇里江邊上，全部用斧頭砍死，佔領了這些屯子。蘇聯革命成功後，中國政府曾屢次索還，我們始終不肯交回。可是中國人對這一地區，耿耿難忘，地圖要繪上，學生課本也要敘入，每一個青年學生都曉得俄國強佔了他們的江東六十四屯，你說多麼討厭。」

尼赫魯插嘴說道：「是呀！中國人最莫名其妙的就是這一點，只要是過去屬於他們的領土，他們總不肯讓人。」

伏維希洛夫說道：「一九三八年中國同日本開戰，東北早已淪陷，我們正幫助國民政府抗日，要乘機會解決這項懸案，要駐華大使向國民政府探詢，他們一百個不肯，只好算了。」

尼赫魯笑道：「國民黨就是這點不好，過於固執，空頭人情都不會作，要是換了共產黨，就不成問題了。」（一四零）

復興劇校赴美（續）

去年抄，美國西雅圖來邀，今年博覽會時節，盼望復興各位小弟妹，前往一遊。校長王振祖兄為此籌劃半年，並得新聞局力為贊助，決定十月前往。並順便在美國其他城市，分別訪問表演，俾得多宣揚我國此一的藝術。復興是私人創辦，能夠達到如此成就，吾人當然非常欣慰，祝其一帆風順，聲名洋溢，是意中事，可以預卜也。在未行之前，各報紛載一片頌祝之聲，亦以茲事體大，值得宣揚。

老友費嘯天兄在他們赴美之前，有一點感想。其意與余不謀而合。就是這次復興以整個戲介紹給美洲（全部貂蟬），除有各種片斷的寫意式技藝表演以外，同時有一個完整而連貫的劇情，用以反映我國固有的文化精神。在技藝的表演中，包括艦舞、帶舞、綢舞、劍舞：而三岔口的「摸魚」，兩將軍的「夜戰」，打漁殺家的「躺船」，充份發揮了寫意的，抽象的藝術價值。在歌唱上，避免比較沉悶冗長的大段唱工，而特別注意表演場面的音樂配合，滲合鎖吶、胡琴、三絃、大弧等，平劇和國樂慣用的樂器，因劇情的不同，演唱各種曲牌，竭力減少鑼鼓的過份喧囂，必有相當成功。另外若干陋習，如檢場，飲場等也已有改進。（以前梅蘭芳在美唱汾河灣，為了飲場，引起各報的疑問。）

以往復興去泰赴菲，其收獲美譽，相當可觀。就所得經驗，與交接手續，駕輕就熟，並有海外的華僑同胞，義不容辭的贊助，決可為國增光，尤無疑義。我將在來年春初歡迎君等歸來，其勉之哉。

憶玉軒雜綴　·嫩·

羣儷度曲

近讀瀛海同聲，載有雷孝寬賓華先生大作一絕，詩云：「招邀儔侶共清宵，玉笛動箏寄興遙。綠酒一杯歌一遍，乞將彩筆付來朝。」編者稱其詩調倜儻風流，雅如其人。此詩並有小跋：壬寅七月十七夕，集均默（梁寒老）季遷、超哉、炎之、良濟諸伉儷於余齋（仁愛路三段）。季遷彈箏，炎之擫笛，善鄰（徐夫人）競英，（俞夫人），望之（雷夫人）度曲，越日，均默有詩紀況，奉和一章，藉為季遷返台之紀念。（未完）

辟蠅珠與紅豆（續）

俟其壯大，即取健者二頭，置大玻璃瓶中，聽其相鬥。結果，強者勝，弱者斃。待其噬盡，又另投一「壯虎」，使與勝者鬥。直鬥至最末一頭，是謂「蠅虎之王」。

於是，餓以一兩日，然後取「紅豆」一枚，揭蓋而投諸瓶中。當此之時，蠅虎正如餓虎，目眈眈待蠅而噬。見紅豆投下，以為蠅也，竟搏而咽之，豆鯁喉中，莫能下，遂斃。乃棄蠅虎而取豆，置之玻璃瓶中，蠅不敢下。偶而下，碟中豆輒能轉動驅蠅而追逐之，若有物憑之者。是名：「辟蠅珠」！之者物性相制，理或然歟？

花香月上樓小品　黃葉村人

按：紅豆，廣州、海南島、台南皆有之。馬來亞、星加坡亦多。以廣州所產之橢圓形，帶有墨點者為最佳。粵人名曰：「相思子」。台南及南洋各地所產者，多為扁圓形，以之織珠簾、拖鞋、手袋，婦女多善愛之。文人墨客則取以作案頭清供。歲首，以紅豆種水仙花、白花、綠葉、紅底，映以晶瑩清水，尤為雅觀。

古人之以紅豆名其書齋者，清有錢牧齋之「紅豆山莊」，及袁香亭之「紅豆詞人」。今人以紅豆署筆名者更屈指不盡。余友蘇二庵，書家亦詩家也，名其海外寓樓曰：「紅豆吟窩」。昔人紅豆詩云：「紅豆生南國，春來發幾枝？勸君勤摘取，此物最相思」。已故之台灣詩人林叔臧，作寓公海外時曾寄詩懷舊云：「青松白雪無情物，紅豆春風有所思。六千尺山五年客，朝朝暮暮數歸期。」（叔臧時客瑞士之阿羅沙，山高六千尺，長年有雪云）

談茶之種種

·漁翁·

茶為常綠灌木，高五六尺，秋日開白花，實三角形，其葉可烹為飲料，古謂之苦茶，唐代始以此而充飲。茶產江淮以南諸省，種類不一，製法亦異，大別為紅茶、綠茶兩種。乃我國特產，每年出口數，達百數十萬担，為與外邦貿易之大宗。

郝懿行義疏云：「今茶字古作荼，至唐陸羽著茶經，始減一劃作茶，今則知茶不知荼矣。」按陸羽，竟陵人，原為棄嬰，為人收養，既長，不知所生，取易經自筮，得蹇之漸，爻曰：「鴻漸於陸，其羽可用為儀。」乃以陸為姓，名羽，而以鴻漸字之，性嗜茶，著茶經三篇，言茶之源，茶之法，茶之具，至為詳盡，為茶史第一人。故後人祀之為茶神焉。

我國茶葉之名貴者，如大紅袍，小紅袍，白牡丹等，多產於福建武彝山。鐵觀音產於安溪。紅茶產於安徽祁門。普洱產於雲南。其他產於廣東，湖南所屬之地，亦多可口者。

採茶之時間，可分三次：清明後，谷雨前，謂之頭春茶。立夏為二春。夏至後為三春。頭春茶，香濃味厚。二春茶，香薄味淡。三春茶，雖頗香而味薄。故世人多爭先搶購谷雨前茶也。

採茶者，多以女子為之，清明後，各携筐籃，紛往產茶山區，且歌且採，饒有雅趣。曾見廣州女子採茶而歌曰：「廣州有女多採茶，採茶之戶幾萬家；東家採茶女如玉，西家採茶女如花。」世人每以如花如玉之少女所採之茶葉，為最郁香可口，此乃心理作用，亦愛屋及烏之類耳。

紅樓夢載：一杯品茶，二杯喝茶，三杯牛飲。品茶兩字，用以形容福建人之飲茶，通常以宜興壺泡茶，赭紅色，其容量不過普通玻璃杯五分之一，所泡之茶，濃而香，舉杯如飲酒然。粵之潮州人亦多如之。北方人則不然，不作品茗狀，把杯即喝，有喝至三五杯，或三五碗者。今日香港九龍各茶樓，一壺龍井或普洱，沖之又沖，沖到淡而無味為止，只可以解渴，而失却品茶之神趣。

俗云：「酒逢知己飲，」茶亦何嘗不然？杜小山所謂「寒夜客來茶當酒」，如茶非遇知己，則不知其味，有何神趣之可言！據封氏聞見記：「李季卿宣慰江南，時茶飲初盛行，陸羽來見，既坐，手自烹茶，口通茶名，區分指點，李公心鄙之，茶罷，命奴子取錢三十文酬茶博士。」李不解茶意，以陸為賣茶之人而鄙之，但「茶博士」之名，竟流傳於後世。

滿清乾隆時，有鄭燮板橋者，興化人，舉進士，官知縣，工書畫及詩文，有三絕之稱。鄭解官歸後，嘗以布衣遊山水，而時人不知為一鼎鼎有名之文學家也。一日入某寺，寺內住持老僧，嗜茶，對各色名茶，無不畢備。客至，以三種方式款之；下人等，普通茶；中等人，泡茶；上等人，泡好茶。見鄭衣冠如遊學乞助者，僅呼：「坐」，「茶」，兩字。所云「茶」者，故其徒進普通茶也。寒暄後，知鄭能詩書，非常人可比，乃曰：「請坐」，「泡茶」；即以中等人待之。後經第三者介紹為鄭板橋，該僧忙起立曰，「請上坐」，「泡好茶」；備極殷勤。

在品茗中，僧求鄭一聯。為寺增光，鄭以拋棄紅塵者，還具有勢利眼，即親書一聯以應之：「坐，請坐，請上坐；茶，泡茶，泡好茶」，針對該僧一時三款之言行。該僧雖面紅耳赤，而愛板橋之名與書法，亦謹敬拜受，如獲至寶焉。

我國以茶為飲料，已有一千三百年之歷史，今則日本，印度亦有種之者，其大至尋丈，其出口亦遠逾華茶矣。兩國人民，亦多愛此杯中物。抗戰時，岳陽縣曾以「君山茶」贈我二箱，此茶曾為貢品，出產不多，堪稱珍貴，携歸藏之閣中，未幾，日軍侵我鄉，舍財物不掠，而獨搶茶葉兩箱以去，足見其人嗜之深切也。

海嘯樓談薈

官僚的精采表演（一）

諸葛文侯

現代的中國士大夫，平日無不侈言民主政治，倡導平民生活，而唾棄官僚作風，視為落伍的腐化現象。然一行作吏，每每妄自尊大，不知自居於何等者，所在多有。茲敘述一典型的官僚主義表演，聊供讀者茶餘酒後之談助云爾。

廿餘年前，愚于役南京武漢時，曾與一位從事黨務工作的西洋留學生同志某某多所接觸，見其青年奮發，誠樸平易的開明風度，深為贊佩，樂與結交。洎愚奔馳西南各省迄未回京，某君則循序投身政界，絀紫紓青，迨對日抗戰期間，蜚黃騰達，位列台閣了。民國卅二年冬，愚供職渝市府，忝居局長之位，一日，重慶市自來水公司經理老友黃應乾（曾任立法委員，現在大陸）特來面約宴會，謂同席者僅有上述某某部長暨中央大學教授柳詒徵先生而已。屆時愚先到，旋見某部長施施然挾一隨從蒞臨，我以故人久別重逢，不勝忻慰，急起趨迎為禮，聲言「久違了！」詎彼白眼相加，昂然不答一語，即入據上座，席間彼頻頻與柳先生暢談，却未正視我一眼。我初則詫異，因不料彼已變易常性也；繼乃恍然領悟官僚主義深中於人心，自慚官卑職小，不應妄事高攀，自討沒趣；旋念彼此睽別近十年，或不免相忘矣，果若是，殊不足怪。然我當時亦矜持未向其作寒暄語，席終惆悵而歸，從此即未再與某部長晤面了。

越民卅七年春，第一屆國大代表選舉糾紛問題發作，某部長職責攸關，竟成衆矢之的，應付維艱，鬧劇迭演。維時我受一部分代表之託，偕同同仁五人，應某部長邀赴公廨洽商。當我帶頭行入部長室的天井旁，某從室內躍出，緊握愚手曰：「文候兄，多年不見了！怎末你的頭髮亦已斑白，跟當年咱們在武漢同事兩樣了。時間過的真快，大家都不知老之將至啊！」即延入辦公室，對我獻茶敬烟，親切異常。此時我回憶數年前在重慶宴會中，被他視若路人的情狀，為之啞然失笑，暗忖何前倨而後恭也？思之思之，前倨係其擅作威福之本性所致，後恭乃臨事而懼，深慮我輩對彼有所不利，不得不以假面具相向也。實則我還是我，依然不改常態，彼則能屈能伸，時而大觸狼亢，目無餘子，時而情態卑怯，自甘下流，官僚作風表演若斯，寧非淋漓盡致乎？然而此公傑作孔多，好戲尚不止此也。

台灣與鄭成功

·陳雪英·

當是時，成功擁有兵士十七萬餘，勢極盛。永曆十三年（公元一六五九年），遂興師北伐，水陸並進，攻陷江南等四府，三州二十四縣，。南京守禦雖堅，亦旦夕可破，因清守將梁化鳳詐約投降，竟乘鄭軍之怠，暗穴城反襲，與滿清兵北下援軍夾攻，鄭軍遂敗潰，於永曆十四年（公元一六六〇年）十月還師思明。是年冬，清廷命滿將達素會同總督李率泰精兵十萬，大舉來犯，成功引巨艦，指揮接戰，風吼濤立，一海皆動。滿清兵不習水戰，大敗，首領呂哈喇被俘殺，全師覆滅，僵屍佈海。達素以損兵折將，逃至福州自殺，鄭軍的軍威復振。自是滿清兵不敢再窺金、廈。

清兵敗後，沿海州縣多失。成功因年年苦戰，亦思有以休養將士，再圖後舉。會甲螺何斌晉思明謁成功，並獻台灣輿圖曰：「公何不取台灣？台灣沃野千里，四通外洋，橫絕大海，得其地足以建國，取其財足以餉兵，進戰退守，無踰於此。而番（高山族）受紅夷荷蘭凌侮，每欲反噬久矣，以公威臨之，如狼逐羣羊。」且兼述可取狀態甚悉。成功乃集僚佐議取台灣。宣毅後鎮吳豪，曾至其地，力言港淺，大船難進，且多瘴癘，去必無益。同時張煌言亦遣人謂成功曰：入台灣則中左、廈門、金門兩島不可守，是孤天下之望也。諸將多有難色，獨馬信、楊朝棟力主可取。成功意遂決！永曆十五年（公元一六六一年）三月朔（陽曆三月三十日），成功率戰艦數百，將兵二萬五千，武衛周全斌、何義、陳蟒、提督馬信，領將楊當統船，駐鹿耳門，以牽制荷蘭甲板船的反擊，並防禦北汕尾。是晚，守普羅民遮城的荷兵中隊長貓難實叮，輒發炮轟擊，鄭軍乃圍攻普羅民遮城。初三日，揆一見大軍壓境，令中隊長拔鬼仔，率銃兵數百出戰，被宣毅前鎮督兵一鼓殲滅，拔鬼仔戰歿，餘荷兵潰退。貓難實叮以孤城無援，乃率兵三百餘人出降。令招揆一來降，揆一不從。（七）

內備警台報字第〇三一號內銷證

自由報

THE FREE NEWS

第二七六期

中華民國僑務委員會領佳
台敎新字第三二三號登記證、
中華郵政台字第一二八二號執照
登記為第一類新聞紙類
（半週刊每星期三、六出版）
毎份港幣壹角
台灣零售價新台幣弍元
社長：雷嘯岑
督印人：黃行富
社址：香港銅鑼灣高士威道二十號四樓
20 CAUSEWAY RD 3RD FL
HONG KONG
TEL. 771726　電報掛號‧7181
承印者：田風印刷廠
館址：香港灣仔高士打道二二一號
台灣分社
台北市西寧南路壹壹本號二樓
電話：三〇三四六
台郵撥儲金戶九二五五

古巴危機及美國的應付方策

‧宋文明‧

自本年春天古巴國防部長魯爾‧卡斯特羅訪問莫斯科以後，世人即已感到古巴與俄國關係又有新的進展。自此以後，古巴青年一批批運往俄國接受各種長期訓練，而俄國經援物資及軍火的輸往古巴者，亦日見增加。這種情形直至最近古巴財政部長蓋瓦拉訪問莫斯科，與蘇俄成立新的軍經援助協議，而達到了更高的頂點。單就英國方面的不完全的調查來看，從本年八月一日至九月十三日，運輸到俄國軍經援助物資至古巴的船隻，就有九十七艘之多。那麼把半年多來的整個運輸量合併計算，為數當然很可使人吃驚了。

由於蘇俄對古巴軍經援助的大量增加，及古俄關係日趨密切，連帶也使古巴與美國的互相敵視，美對古巴情勢的恐懼與懷疑，以及許多傳說與謠言，也隨之更加深刻與盛行。在這些傳說與謠言中最惹人注意的說法，一是認為俄國已在古巴建立了飛彈基地，二是謠為俄國已將五千至一萬人的本國軍隊正式開進古巴。這些傳說與謠言在美國流行並加意渲染的結果，在美國內部便產生了一種歇斯特里的情緒，致一般人對古巴情勢的瞭解與估計遠超過了實際的程度。如共和黨參議員普希與米勒，凱亭與司考特等，先後就會提出美國直接對古巴用武，或對古巴加以全面封鎖等建議。所幸甘廼迪總統尚能審諳兵凶戰危之義，沉着應付，否則，一場新的古巴戰爭恐怕又已開始登場。

我非常瞭解今日古巴情勢對美國，及整個拉丁美洲安全上的嚴重性，我也可以想像蘇俄對古巴的實際支持也許比一般新聞報導還要多還要大。但我不能接受蘇俄已在古巴建立飛彈基地及蘇俄部隊開入古境之說法。若說蘇俄要在古巴建立飛彈基地，準備就近攻擊美國，那是完全沒有必要。因蘇俄眞要攻擊美國，它一定會着重使用洲際飛彈，甚至宣傳中的所謂環球飛彈，根本就不需要使用短程飛彈。而且整個古巴完全在美國海空軍威力範圍之下，一旦美國果眞對古巴有所行動，一小時之內就會摧毀古巴境內一切主要基地，試問蘇俄何必作這種不必要的犧牲？至於蘇軍開入古巴一事，同樣也是完全沒有這種必要。因為古巴武裝部隊所需要者，並不是普通人力，而是使用新武器的技術人員，祇要蘇俄提供新武器，並派若干技術專家為之協助訓練，古巴本身就會解決部隊人力問題，根本就勿需蘇俄遣派遠征軍。就以軍事技術人員來說，古巴這兩年來，已遣派大批幹部前往捷克與蘇俄，接受各兵種訓練，已解決了一部份需要，其中尤以空軍為然。所以按照常情判斷，最近蘇俄派往古巴的大批技術人員，除了其中一部份屬於軍事性質，協助古巴建立空防及海防體系以外，其他大部份可能是屬於工農業技術人員，旨在協助古巴儘速改造全面經濟結構，以使古巴渡過經濟危機。因此，對於今日古巴問題，我很同意美國當局的看法，即在軍事上，古巴的一切作法仍着重於防守；而其所加於美國及整個美洲的眞正危機，並不在於軍事，而是在於心理與宣傳，政治與外交方面。換言之，蘇俄對於古巴的目的，並不是要把它造成一個軍事基地，而是要把它造成一個政治與外交的攻擊基地，由此向全美洲實行政治進攻。

由於古巴的威脅，主要在於心理與宣傳，政治與外交，而非在於軍事，所以美國對於古巴若直接採取片面軍事行動，或訴諸全面的封鎖，不僅小題大作，不切實際，而且也在世界其他方面冒很大的危險。對古巴實行全面封鎖的結果，一定會造成戰爭。與其因實行封鎖而終於造成戰爭，還不如直接對古巴採取軍事行動。美國若對古巴採取軍事行動，以美國的強大軍力，其勢必如老鷹攫小雞，雖不一定會很快消滅古巴海空武力，但必可很快摧毀其主要抵抗。可是美國公然以武力擊毀卡斯特羅政權，其影響所及，不僅如鮑爾斯所說，將削弱美國的世界領導地位，損害美國在國際間聲譽及道德號召力量，而且也是冒了極大的危險。這種危險並不在於如赫魯曉夫所作的恫嚇，蘇俄將如何援助古巴，以及將如何引起核子大戰等等，而是在於其他方面。我個人相信，美國若果眞對古巴採取軍事行動，蘇俄除了作激烈的宣傳攻擊之外，絕不會對古巴實行有效的軍事支持，更不會發動核子戰爭。但是在那種情況下蘇俄所將採取的行動，將使整個世界沒有辦法可以對付。一個最大的可能是：美國若對古巴採取軍事行動，蘇俄亦將趁機派兵進入芬蘭，並立即建立一個全面的共產政權，以代替現時的中立政府。在那種情況下，不要說美國沒有辦法可以對付，就是整個聯合國也沒有辦法可以對付。甚至全世界的輿論，也沒有辦法對蘇俄予以道義的譴責。若果眞如此，今後聯合國對任何國家的制裁與譴責，亦均將無法成立。所以美國要對古巴採行軍事行動，其所得與所失，簡直根本不成比例。除非愚不可及，否則，美國實在沒有理由採行這種辦法。

可是，古巴卡斯特羅政權對美洲的威脅，確是一個現實問題，而且亦日益嚴重，那麼美國究應如何應付這一局面？我剛才說過，古巴現時對美洲的威脅，主要在於心理與宣傳，政治與外交方面，因此對於這一威脅的應付辦法，主要亦要從心理與宣傳，政治與外交着手。換言之，美國今天所要做的最主要的工作，一面要積極推行「進步聯盟」計劃，加速拉丁美洲各國的經濟與社會改革，以消除各地人民的不滿現狀心理；一面要使各國人民充分瞭解古巴卡斯特羅政權的眞相，不為卡斯特羅的個人英雄色彩所迷惑，要求它們以各國自己的道路實行建設，而不再對卡斯特羅存有幻想。祇要美國能作到這兩點，拉丁美洲各國的一部份人民即可與古巴逐漸疏遠。祇要拉丁美洲的人民不再重視古巴，消除卡斯特羅對拉丁美洲一部份人民的宣傳作用，則整個美洲即可對古巴實行全面的孤立，並予以集體制裁。果如是，卡斯特羅政權縱使不立即垮台，亦將逐漸重新變質。

話雖如此說，要美國作到上述兩點，亦頗不容易。如「進步聯盟」計劃實行已快兩年，而實際成效却並不顯著。因此今天拉丁美洲各國內部的貧困與不平依然如故，一般人心的不滿現狀亦如故。人民旣是如此，所以政府的作法和政策，自然也受了相當限制。本年初泛美外長會議當通過開除古巴在泛美組織的會籍時，最後仍有六個國家實行棄權。在這六個國家中，包括拉丁美洲的巴西、阿根廷，智利與墨西哥四個大國。本年六月底，甘廼迪總統訪問墨西哥，希望能和墨國取得共同對付古巴的協議，而結果又是落了空。凡此情形，足見今天古巴卡斯特羅政權敢於如此强硬，不祇是由於蘇俄的支持，也是由於泛美組織的不團結。而泛美組織的所以不團結，就是由於拉丁美洲的一部份人民仍對卡斯特羅不斷予以精神上的鼓勵與支持之故。

所以總而言之，古巴卡斯特羅政權的問題，不是一個軍事問題，而是一個政治問題。政治問題祇有靠政治手段來解決，絕不能靠軍事手段來解決。假若不從政治方面設法，徹底消除卡斯特羅政權所以存在的社會基礎，而徒訴諸軍事手段，那麼推翻了古巴的卡斯特羅政權之後，其他拉丁美洲國家又會出現新的卡斯特羅，其為害美洲將仍是一樣。所以今天美國所應特別致力的，不僅是繼續推行「進步聯盟」計劃，而且要加速並擴大這一計劃，使其變成為一個大規模的社會經濟改革運動，集中拉丁美洲朝野力量，共同以赴，則古巴卡斯特羅勢力，最後自將在這一運動中逐漸衰微。

卡斯特羅：「讓魚兒出來運動一下吧！」

老赫的經濟合作把戲

自由談

減少選舉災難

有人說：「民主政治就是浪費政治」，這話一點不錯。因為實行民主政治的主要條件是選舉，而選舉事宜之浪費人力，物力與財力，可謂到處皆然，決無例外的。

美國是世界上最民主的國家，他們辦一次總統選舉，每個競選人所消耗的金錢，動則以千萬為單位，參衆兩院議員和州長的選舉費用，每人亦是以百萬計。這些金錢除却各個政黨預為籌劃一部分之外，多半仰仗工商企業家的贊助。這也就是證明工商業不發達的國家，要攪民主政治不但談何容易，而且結果很糟，後患堪虞！當了選的即利用機會權力扒錢撈本，落選的債台高築，傾家蕩產。及其弊也，政治上貪污盛行，社會上戾氣充溢，遭殃的又是被少數份子挾持強姦而號稱為國家主人翁的人民大衆，眞是寃哉枉也！

談到選舉出來的人才，眞正品學優良，能力高強的人，多數都是貧寒之士，他們無錢可花，自然難以中選。若非教育很普及，一般人民的知識水準甚高，而在投票時又能夠實現自由意志的話，所謂選賢與能，永遠是一句說來好聽的欺人之談而已。

國父孫先生的建國方略注重訓政，實係睿智的政治思想，可以放諸四海而皆準的。凡屬產業貧乏，文化落後的國家，更非經過「訓政」的階段不可。咱們過去在大陸上經過了二十年的訓政生活，然一旦實行憲政，依照憲法辦理選舉之際，尚不免全國騷然，口「悲」載道。美國人每以是否實行「民選政府」為衡量別國政治是民主抑為獨裁的標準，一孔之見，何其陋也！

職是之故，最近台灣省議員主張把任期延長為四年，與各縣市的議員暨行政首長選舉同時辦理，以免浪費人力財力，我認為用意尙佳，值得考慮。事實上，台灣同胞剛從殖民地生活脫出，回到祖國懷抱中，並未經過訓政，即實施普選制，已不無草率之嫌，再要隨時改選代議士和地方行政官吏，其浪費程度，尤為可驚，如能減少一些選舉災難，善莫大焉。至於自治法規的修改問題，輕而易舉，奚足道哉？

馮五先生

黃少谷辭職主要爲健康

繪聲繪影內幕其實無據

下月中旬可能同到台北

（本報記者台北航信）我駐西班牙大使黃少谷，最近呈請辭職，政府在原則上已予認可，但何時見諸明令，尚不可知。黃氏之倦勤原因，決非如外間所傳，他是「憔悴瑪德里」，亦並未以長函請託國內某鉅公代爲請命，他完全是由於健康關係，深感隕越，知難而退。

黃氏以曾任外交部長資格，出使西班牙，當地政府及各國使節，諸加以重視，中西兩國的邦交固然親密無間，而僑務亦甚簡單，但日常的社交活動殊多，未便拒卻，然黃氏的外國語修養不深，精神上已感覺困苦，同時瑪德里的社交活動又每每通宵達旦方休。他經過兩年的夜生活，乃害了失眠症，每夕將近黎明時，以不能入睡之故，只好跑到公園裏去消遣，對外卻不能說是因社交頻繁而失眠，其痛苦可知也。依照現行法令外交官任期屆滿兩年即可調動，他就根據這項法規提出辭呈，最高當局乃認許了。黃氏原係國民黨中央執行委員，本年十一月中旬，國民黨舉行五中全會時，他可能歸國參加，即不再返任所。

他辭卸大使職務後，出處如何，外間揣測甚多，大概以担任行政院政務委員的可能性最大，因原有政委王世杰已接長中央研究院，亦會表示告辭政委兼職了。至於繼黃氏出使西班牙的人選，政治圈裏盛傳內定爲現任僑務委員長周書楷，周氏早想恢復外交界生活，存此機會，當然躍躍欲試。事實上他亦很適宜。不過，西班牙是個堅決反共的國家，外交上不需要多所折衝，當地華僑亦很少，更無僑務可言，有作爲的外交官，必然感覺無用武之地耳。未來的僑務委員長是誰，那就不容易推測了。唯聞當局仍擬物色粵閩籍以外的人士承其乏，但亦有由粵省名人薛岳接替之說。

近日台北報紙對黃少谷辭職事，紛紛發表內幕性的報導文字，繪影繪聲，說他曾有長函向總統府秘書長張岳公陳情訴苦，方得如願以償云云。然據張岳公對人談及，黃氏根本就沒有寫過長信向他訴述此事，如果眞有這種信札，那便是私人間的密函，新聞記者又何以得悉內容呢？這位黨國元老對於報紙上一般所謂內幕新聞，認爲多屬基於生意經的噱頭，不足爲訓的，若因此而損害政府信譽或個人的公務關係，那就更不應該了。（九月卅日競雄）

共黨問題專家的肯定見解

毛酋中風狂走覆亡在即

他發急發橫倒行逆施無可救藥

今之亟務爲國人共起促其速亡

（本報訊）此間一位共黨問題專家，於研究毛共八屆十中全會的「報告」之後，對本報記者表示，他認定毛澤東已完全失卻理性，如中風狂走，居然不惜四面樹敵，四面作戰，欲藉以保全其個人的權位，其結果當然是提早送終秧歌王朝。

這位共黨問題專家所說毛澤東不惜四面作戰，係指（一）對美國作戰，（二）對蘇俄作戰，（三）對毛共黨中比較溫和的份子作戰，以及（四）對全中國的人民作戰。

據這位共黨問題專家分析說：毛共之取得大陸，人人知道美國的錯誤政策是幫了它的忙的，但毛共一朝「開府」，便立刻把美國作爲它的第一號敵人，十三年來一無時無刻不猛烈攻擊「美帝」，從未改變。而且毛共還會經在韓戰中，認眞同美國兵戎相見過來。毛共的堅決與美國爲敵，據這位共黨問題專家說，那是不足爲怪的，因爲毛共既然信奉共產主義，它天然便是自由國家的對頭，而在自由陣營中，以美國爲最強大，依毛共的說法，美國乃是資本主義者，與帝國主義者的代表，毛共當然要以美國爲必需打倒的對象了。這位共黨問題專家的意見，雖然在戰術上，毛澤東如此大鑼大鼓的反美，對它是利是害，不無問題，但在戰略上，它這樣做，卻不能說它有什麼不應該。甚且，它這樣做也是有它的收穫的。最低限度在宣傳上，因其壁壘分明，也很有敢作敢爲的「英雄」氣概，那些曾經吃過舊時的帝國主義者虧的國家和民族，不能說不因而對它寄予幻想，誤認它確實在打抱不平。這樣，毛共便有機會肆其邪說了。

這位共黨問題專家認爲毛澤東的瘋狂反美，對它自己有害也有利，但似乎利多於害。但它的也反蘇俄，便不同了。毛反蘇俄，開始於一九五六年赫魯曉夫鞏固其統治地位之時，六年來雖時張時弛，但其反俄的「氣」，一直存在，而以目前算是其高潮。這位共黨問題專家認爲，毛澤東反俄，不惜與赫魯曉夫爲敵，就它的本錢來說，就是害多於利了。但又認爲，由於美俄均是外邦，特別由於蘇俄的「新帝國主義」的行徑，大陸的同胞，必然對蘇俄大有反感，則毛澤東雖混蛋至極，大陸同胞無不欲得之而甘心，但在大陸同胞心理上，對於毛澤東的反俄，倒也是認爲開心的，所以也並不認爲毛的反蘇俄，是其大錯誤。

這位共黨問題專家以爲，毛澤東的居然與其黨中的較溫和份子爲敵，卻就無論如何是其大錯誤，無異於自掘墳墓。他說：毛的權位，是寄託於它的黨的，它的黨愈健全愈團結便愈有力，毛的權位，便亦愈爲鞏固，而毛如今竟然天奪其魂，在它的黨中自造分裂，甘於與其一部份黨員爲敵，簡直是自壞長城。毛如果鬥輸了，自然完蛋，即使鬥贏了，也勢必削弱了它的黨。如此成敗都是輸，若非失卻理性，何能爲此？

但毛澤東的最嚴重的錯誤，還在於它的竟然怙惡不悛，錯就錯到底的硬要與全中國人民爲敵，不惜與全中國人民作戰。這位共黨問題專家舉「三個紅旗」爲例說：國人皆曰混帳的「三面紅旗」，毛澤東竟死抱住不放，宣稱要其「正確」，宣稱要幹到底。他說：中國歷史上有所謂「暴君」與「獨夫」，而論罪與之深重，確實更無過於毛澤東的了，毛才是罪該萬死的「暴君」與「獨夫」。中國歷代的「暴君」與「獨夫」，無一不失敗於人民之手，毛澤東倒行逆施至於此極，它又安能不被人民埋葬？

依這位共黨問題專家的分析，毛澤東其所以失卻理性，中風狂走如此，是它自己作孽造成的。他是因爲亂搞搞得天怒人怨，動搖了它的黨的地位，於是而發急了，走頭無路之餘，而發橫了，而走上絕路了！這在毛澤東自已及其黨，當然是悲劇，而就中國國家來說，則就太好了！所以，他說：在這個太好的形勢之下，所有愛國的中國同胞，應趁此與起，加倍努力，以推翻毛朝，而措國家於萬世磐石之安。（國）

所謂逾期遊客的因果

菲政府處理頗感窘困

（本報馬尼拉航訊）最近菲律賓政府實行驅遣所謂「逾期游客」一事，鬧得風聲鶴唳，再加以對華僑商家查稅問題，使當地華僑社會大起騷動，其內容並不簡單，玆述其梗概如次：

去年菲政府揭櫫「觀光年」的政治號召，歡迎外人到菲國游歷，因此，有兩千多名中國人，陸續從香港澳門以及星加坡、曼谷各地，浩浩蕩蕩地進入了菲島。這些男男女女人士，十分之三四眞正是旅菲華僑的戚友親屬，在菲律賓的生活有親人照顧，沒有困難，自可長期居留下去。其餘十分之五六，卻係一般冒險家或走國際路線的淘金女郎。所有這些游客，入境時都繳付了保證金每名菲幣一萬元，另外還要每月交納居留費菲幣十元，這筆數字可觀的金錢，當時對菲政府的財政上是頗有裨益的。

這班游客居留菲島近年，流連忘返，樂不思蜀了。其中有的不免爲着生活而幹出非法行爲，如走私，販毒等，有的則以交際花姿態出現，住在豪華的旅館中，招引多財的游蜂浪蝶，買笑尋樂。非政府瞧着這一大羣的不速之客，久久不歸，認爲有碍治安，且恐其成爲眞正的華僑，乃下令逐客。可是，逐客便要將他們的保證金退還之，一口氣拿出兩千萬現金，不無困難；同時這些游客又四向流動藏匿，行跡飄忽，不易捉摸，使移民局大傷腦筋。因此，主管當局乃採取「剝蕉式」的方法，由治安機關調查游客名單，擇其有案可稽的從事非法行爲者，拘捕遞解出境，既是犯法之徒，保證金自可沒收，藉以減少政府的一筆支出。主管當局又表示，凡屬暫時尚待驅押出境的游客，每月居留費將增加到菲幣廿元，這樣既不失其爲新闢的一項財源，又可使游客放心露面，必要時不妨指其有非法行爲而強加遞押出去，妙哉妙哉！

目前已有少數游客以犯罪關係，被拘禁水牢待遣配，亦有臨時逃脫的，非政府當局殊感煩擾。這些人又無法前往台灣，只有向香港或星加坡遣送，因而由馬尼拉赴上述兩地之飛機和輪船座位，皆告客滿，若欲將二千名以上的游客掃數驅出，恐非經過長時間不可，後事爲何，容續報導焉。（九月廿八日亮公寄自岷市）

窮而且小然而頑固

美密州種族歧視

確實是古老傳統

（本報華盛頓航訊）繼三年前的小石城事件之後，密士失必州州立大學，又發生拒絕黑人學生入學的種族歧視事件，釀成死傷近百又好幾百人被捕的軒然大波，連一位前往採訪新聞的英報記者，也活天冤枉的中彈斃命，聯邦政府曾經出動萬數以上的軍隊進行彈壓。姑不問這事件發展如何（編者按：迄至二日的消息，事件業經解決，密州州長班納已終於屈服，那位黑人學生已註冊該校入學上課了），對於美國，總是很丟臉失格的事。

醞成這次事件的黑人學生，名喚傑姆斯・麥拉迪斯，二十九歲。他是美空軍的退伍軍人，服役期中曾兩獲勳章，退伍後進入純爲黑人子弟而設的密州州立傑克遜學院，今年暑假，他要求轉入密州大學，被校當局所拒絕，理由爲保持該校成立迄今百十四年從不收容黑人學生的「純淨傳統」。校當局此一措施，不但獲該州許多白人的喝采，該州州長班納，更居然以「去就」爲賭注，力予支持。那位黑人學生不甘心，向聯邦法院控訴，法院判其獲直，下令密州大學不得拒其入學，因而醞成這次事件。

密士失必州在美國五十州中，是個小州，也是個窮州。該州人口僅二百萬，但黑人就約佔其半，達九十萬人。根據一九五九年的統計，美國國民平均收入爲每年二千一百六十六元，但密州人民的每年平均收入，則僅一千一百六十二元。密州白人的種族歧視，確實是一項古老傳統了，林肯解放黑奴的南北戰爭時代，南部聯盟的總統戴維斯，便是密州人。在這次事件前，美國僅有三州的學校尚保持種族隔離制度，密州此一傳統被打破後，僅餘南卡羅里納和阿拉巴馬兩州了。（敏）

香港與大陸

共區報紙無人要

銷路全靠硬派來

前任「廣州日報」記者、最近逃抵香港的黃××君向記者透露：中共新聞事業搞得一團糟，不管在質和量，組織和制度，生產和分配等各方面都不成話，大陸同胞對於報紙不單沒有「必需」的感覺，還認讀報簡直是一種痛苦的精神虐待。

黃君說：共黨竊據大陸後，所有報紙，全由中共所謂「文教接管委員會」加以接收，被中共所捕殺的新聞從業人員逾一萬名（中共公佈的數字爲五千名）。所有報館，多被封閉，未封閉的統由其各級「黨委會」和「新聞出版署」指揮。報社之社長，總編輯、記者以至印刷工人等，均經過嚴密審查，幾全由其黨團員把持。

黃君說：因爲中共把報紙視爲宣傳工具，要替它的黨服務，報紙於是成了它黨的政策、決議的傳聲筒。中共爲達到宣傳目的，更實行造謠說謊，大陸報紙上所謂集體報導，十九是憑空虛構事實，目的在於藉此迷惑讀者，眞眞假假全無所謂，祇要合於其黨的利益便行。一切新聞，評論注意的祇是政治影響，「立場」，「觀點」「方法」，眞正是一文不值。

黃君說：由於如此，大陸同胞根本就不願訂閱報紙，銷路一落千丈。如「廣州日報」，只有五千份而已。而且其中的大部份還係通過各級黨政組織硬派於「讀報組」，「時事座談會」，和學校機關的。其他如「南方日報」，「羊城晚報」等銷額，亦祇得這點點。黃君說大陸同胞現在都以讀報爲苦事，但爲了共黨各基層皆組織有「讀報組」，迫令每人每晚前往聽讀，還得經常討論學習，故人人提心吊胆，唯恐不愼說錯話，就會被加上各種莫須有的罪名。當然大家還要分担「讀報組」的全部報費。（敬斯）

毛共將葬身饑餓的浪潮

侯夫辰

一、反動統治的最後喪鐘

今年上半年中國大陸饑胞，如潮水一般的冒死衝出鐵幕，奔向香港，這一驚天動地的事實，衝垮了毛共反動統治的大門，亦震醒了世界人士對中共過高的估計，真正為毛共敲響了最後的喪鐘。

紐約先鋒論壇報於六月十八日的專文中正確的指出：毛共政權弱點的最近象徵，便是大批難民的逃亡。在大陸的每一個省區內，這些饑餓的人羣，可能形成爆炸的新因素。又說：如果不發生奇蹟，毛共內部的危機，必將有增無減。美國現在有人主張以餘糧濟助中共，這無異是將毛澤東從自掘的陷阱中拯救出來。

二、人為的空前災荒

中國大陸近年來，災害頻仍，史所未見，究其根源，十九由人為。質言之，即為反動的共產統治之結果。阿根廷的布拉達馬「晨報」於六月二日的專論中客觀的指出：一九五八年，北平施行「人民公社」並嚴禁私有財產與私有農田，致使農業崩潰，形成嚴重饑荒，使農民失卻工作興趣。北平政權將此種情形歸咎於自然災害，事實上，主要的原因是由於毛共政權的不當。

華府郵報於六月二十四日的專論「毛共的大災禍」中亦說：毛共統治者肆意的倒行逆施，致貽今日之患。共黨且剝奪人民的土地，削減人民的工作熱忱，浪費大宗人力，致使農工業並遭失敗。

在那樣連年的饑荒中，毛共政權是堅持其慘無人道的饑餓輸出，據可靠的統計，在去年一年中輸出的糧食竟達一百二十五萬餘噸，其中包括白米、小麥、黃豆及雜糧，而運往蘇俄及附庸國家的糧食，尚未計算在內，古今中外之暴政，今日大陸堪稱集其大成。

三、一個鮮明的對比

紐約世界電訊太陽報於六月二十三日，曾以「一個沒有饑餓的中國」為題，發表專論：在台灣的中國政府，已宣佈無限制收容逃抵港、澳的大陸難民。自由中國的糧食不但可以自給，而且還有餘裕救濟逃出大陸的災民。該文的結論說：自由中國與被共黨統治的中國大陸，所形成的對比，當是舉世有目共睹的事實。

四、客觀的預測

芝加哥日報六月五日在「大陸人民將起革命」的專文中說：「現在中國大陸經濟崩潰，饑荒遍地，足可斷定中國人民希望共黨倒台，七萬難民的逃奔香港，即是明證。該文又指出：中共對付軍隊，做照羅馬的作法，即將南方人派駐北方，北方人派駐南方，以減少鄉親觀念。但在全國普遍不滿毛共的政權下，軍隊又能穩固多久？因毛共士兵多來自鄉間，對家鄉的慘狀必有所聞。該文的結論說：中國歷代凡不能作有效統治者，必被推翻，毛共也將蹈此覆轍。

芝加哥日報於六月九日接着發表了另一篇專論，題為「大陸人民將起抗暴」，該文說：據美國專欄作家艾普的綜合估計，大陸上約有五千萬至八千萬人將要餓死，即使慣於吃苦的中國人，也無法忍受這種自殺式的生活，其後果將極具世界的意義。該文的結論指出：今後一兩年內，中國大陸極可能爆發各種抗暴事件。諸如城市暴動、軍官反正或暗殺等，那時，蔣總統即可率領精兵出擊，祗要能掌握制空權，大陸的情況如此混亂，毛共便無法抵擋。

天南風光

黃乃裳與新福州——詩巫

朱淵明

從詩巫沿江上行二百里，地名加拿逸，英人設有分治所，土著較多，但皆散居，平原之地，至此已盡。再上，則兩岸皆山，又行二百里，地名加帛，亦有英人設的分治所。更上，則沒有了。但潮水尚可上達二百里。黃氏當時考察的結果，認為拉讓江的潮水，可上達八百里，較我國揚子江的潮汐還要長，而鹹水則止於約百里處的民那丹。其江流共長約有一千八百里，恰倍於福建省之閩江，而輪船則可航行八百里，便利則非閩江可比。黃氏又訪問土著，知拉讓江之上游，有山高萬八千尺，山巔終年積雪，融化而入江，故江水頗冷，為南洋所絕無而僅有者。又江流所經，多原始森林，有大達七八人難以合抱的。江雖港汊交錯，然土人善駕小舟，往來交通，無稍阻礙，甚至不知有肩挑之事。

黃氏發現了這一條江流，心中甚喜，乃沿江上下往來，嘗其水土，察其草木，知其地質肥沃，又無虎豹豺狼惡獸害人之物，毒蛇亦甚少，遂在那平原四百里之中心，詩巫上下，流連了十三天，終於決定在詩巫附近新珠山開闢墾場，以實行移民計劃。

恰恰那時沙羅越的拉耶（王）布律克二世在位，領土新近擴大，一片濛昧，頗有建設雄圖，但白人是無法用的，因為他們以優秀種族自居，只能役人，不能受役，偶爾冒險，將以求其大欲，豈肯做這種開天闢地的苦工。而土人則樂天安命，順適自然，都抱着今朝有酒今朝醉的人生觀，又豈能担任這種篳路藍褸的勞動。放眼一觀，只有華人具有這種精神，復有這種智慧，更有刻苦耐勞，勤謹不怠的習慣。那位拉耶二世，正想徵募華工，替他開闢沙邦，以便慢慢走上近代化，為他萬世不拔之基業，而黃乃裳就在此時竟送上門來了。

黃氏乃赴沙羅越首府古晉，請當時古晉華僑甲必丹泉州人王長水做介紹與拉耶布律克二世簽訂條約十七款。（四）

公道篇

林人公

一個向貧窮挑戰的計劃（二）

例如（一）如何使個人有機會發揮其尊嚴獨立的人格？（二）如何使個人早日解除過重的負担？（三）如何使個人有就業的機會與失業的補助？（四）如何使個人獲有義務教育，醫療，及廢疾，年老供養的權利？（五）如何使個人的智能有充份的發展，與對娛樂有充份的享受等等。個人的生病老死，是必然的過程。因此，福利經濟措施的表現，該有一定的一系列的建設，那便是對個人由生到死的必經階段中，確立一種安全的保障。例如分娩（免費留產）；教育（強迫義務）；職業（訓練謀生技能，輔導就業，救助失業）；病痛（免費醫療）；婚姻（儉樸隆重）；年老（建立養老金制度）；死亡（供應墓地祭儀營葬）之類。人生既憂生時的生活，又憂死後無所歸宿。人類之一生憂患乃盡於此。假如人類政治不以此為政事，不以此為致力的對象，則我實不知政治何所用？何所云？

福利經濟觀點，即對此一問題含蓄着一項極深刻的抨擊，與對社會改造途徑的啓示。例如它把討論的重點幾乎完全放在經濟分配不均的畸形經濟制度的題目上，那正是反映有些社會專利事業的收益，不是用回於社會的福利事業上，而是仍被「合法地」為少數富有者壟斷，是極之不合理的。因此，有等地區與其認為是欠缺充份的解決問題的資金，難以完成「自力更生」的理想，莫如認為祗是「未善為利用」人類生產力的潛能，或者，祗是尚未深入徹悟而發生的錯覺。國家既被認為人民所共有，國家財富便當為人民所共享；富裕個人既被認為即富裕社會，利用社會各種收益，運用各種生產潛能，以解決個人的困難，便當為擬訂「向貧窮挑戰的計劃」的最佳資料。本此原則，我以為可以單憑一個『福利獎券建設運動』，來使上述種種理論，漸次見諸實行。

所謂「福利獎券建設運動」就是利用大眾好勝博彩的心理弱點，定期發行福利獎券以為籌募建設基金的手段。此等基金得利用投資於社會公共專利事業，或娛樂事業，或有關大眾生活的合作供應社，或其他保證必然獲利之事業中。此等投資目的，係在運用再生產作用所得的利潤，進行各種預定的建設，依緩急先後的程序，完成各種福利社會的制度，以期人類從此無虞凍餒，得獲真正的民主自由幸福生活的享受。

此種福利獎券，無論在目的、辦法、分配方面比較，自然不同於一般以牟利為目的的彩票。其最特出的地方，就是所謂福利獎券，實際上並無獎券銷出，它祗是一個獎號，一個固定的號數，凡是有生產能力的人，都被配予一個固定的號數，以後即為該生產者的代名，永遠紀錄在這個執行向貧窮挑戰計劃的委員會的人口冊籍中。

各地主持發行福利獎券的委員會，係由各所在地足以代表各階層的公正人士共同組成，而由當地政府協助行事，但不屬於地方政府管理，而直轄於中央政府的監督，有如美國的田納西河谷管理局（TVA）的組織，超然獨立於各地區，為試驗新經濟計劃而工作。

盧君續夢

第六回：烽火照邊陲　同惡難濟　樓船橫碧海　大憝興悲

伏羅希洛夫說道：「國民黨所持的理由是只要不把領土割讓給別的國家，最後總有收回的一日，一旦割讓就完了，所以他們雖然歷盡外侮，卻從未向外國割讓了一寸土地。到了中共革命成功，一九四九年底，毛澤東同周恩來到莫斯科給史大林拜壽，當史大林召宴時，我們全體政治局委員都在場，史大林突然提出江東六十四屯問題。你猜毛澤東怎麼說？」

尼赫魯冷笑道：「他敢說不肯嗎？」

伏羅希洛夫笑道：「毛澤東到是慷慨的很，當時舉起酒杯向史大林說道：『中蘇之間不會再有領土糾紛了，你老何必操這個心，不必說江東六十四屯，就是整個東北，我們也不會同蘇聯爭執的』。但是史大林却不信他的話，一定要中國政府正式辦一次交割手續。」

尼赫魯詫異道：「你們佔領江東六十四屯已經半個世紀，還怎樣交割。」

伏羅希洛夫點頭笑道：「這就是史大林厲害的地方，他當時向毛澤東說道：『江東六十四屯是一塊未定界，究竟應該屬誰，我們同國民黨爭了幾十年也未弄清楚，現在最好舉行一次公民投票，看看人民願意歸屬那邊，就確定是那國的領土』。」

尼赫魯聽了不由得笑起來，接着又長嘆息一聲，說道：「江東六十四屯的華人被你們殺光了，現在的居民自然都是俄國人，這種投票法不是千古奇聞嗎，英法殖民主義者從來也未想到這種絕招，怪不得一九五五年亞非會議時，伊拉克的賈瑪利攻擊共產主義是新殖民主義，看來到是不無道理。」

伏羅希洛夫笑道：「投票的結果，不問可知，從此江東六十四屯也就是蘇聯領土了，不問局勢怎麼變，中國算是爭不回去了。」

尼赫魯笑道：「那到也不見得，國民黨就不會承認。」

伏羅希洛夫說道：「我想你們大可採取這個辦法，凡是和中國爭執的地區，你們就來一次公民投票。」

尼赫魯笑道：「主席沒有向深一層想，我們佔領的地區住的都是藏人，他們雖然反對中共，可是却不肯放棄西藏籍貫，一投票他們一定會要歸屬西藏，到時我不是又落了空。除非中國能准許西藏獨立，我才肯舉行公民投票。」

伏羅希洛夫看看尼赫魯的神氣，覺得這個傢伙比赫魯曉夫還不講理，自知這個調人作不成了，只好順口敷衍道：「我想這些問題並非不能解決，總理先生還是和周恩來當面談談，總可以想出辦法的。」

尼赫魯搖搖頭：「我實在怕見周恩來，他那一身軟功，能哭能笑，見了面就無法擺脫他的糾纏，上了幾次當我真怕了。我寧願這樣僵持下去，橫豎中共也無奈何我，他們真的打過喜馬拉雅山，我不急，我們的舊老板英國同美國就急了，那時候我起身一走，把總理讓給潘特或者那納揚，由他們跟美國合作去對付中共就是了……」

（一四一）

憶玉軒雜綴

羣儷度曲（續）

梁寒操先生詩，亦有小言：孝質、望之兄嫂招飲，溥設紀千彈箏，炎之撫笛，雷王徐俞四夫人唱崑曲，極一時歡樂。孝質索句，成廿八字。詩云：「遊仙好夢信今宵，酒陣驪排俗慮消；箏逸笛悠歌數曲，醰醰回味勝明朝。」據寒老所詠，則王季遷夫人亦能拍曲，事後並知尤善彈箏，是一位精於音樂的夫人，來自海外，實是佳話。

孝質先生主持台糖業務，事甚繁劇，但公餘消遣輒喜度曲，尤善唱小生，音準韻雅，能劇更博。望之夫人亦唱得好，但不常唱。徐夫人張善薌女士，則從炎之兄習曲，幾近卅年，門下桃李，亦有百人。前歲曾彩串刺虎，表情之佳，唱調之響，動作之妙，竟使台灣一般劇團觀之大爲震驚。此戲由徐夫人開觀，以後即常有續演，皆徐氏之弟子也。回想卅年前，梅蘭芳以此劇在美上演，聞動美國朝野，認識東方藝術之高尚，洵可珍視。

俞嫂競英夫人，也已度曲多年，曾唱的不少。同期曲友，常譽爲曲部之梅蘭芳。好在音響字準，板槽不苟，故在同期中大有人間鳳雀之概。她雖是宜興世家，因其寓滬有相當時期，所以唸白能夠清湛。大約在七八年前，於鐵路局禮堂唱遊園，由中廣播音員徐謙小姐配青香，唱得眞是靜雅不俗，而撲蝶的翩翩走步，身上極美。以後這遊園一齣，風起雲湧，唱的極多，始終無有能出其上者，即大鵬的徐露，也未例外，可知其研曲程度之深矣。

王季遷夫人，聞說結褵不久，來自海外，能彈箏。是夕唱長生殿絮閣，據事後所知，也悠揚宛轉，極其有致。所惜王君或將仍返寶坫，否則台北曲壇，將有生力軍參加，當更其燦爛。現在寶島曲音彌滿，到處皆可聞，對於性靈修養，極有助力。探其原始發動此雅趣，則靠徐俞浦李諸君之功，實不可沒。爲寫羣儷度曲，以記本末。

飽聆雜曲

余因民初赴故都，十七年始南歸，久居北方，對於平劇雜曲，極爲嗜好。公餘輒藉以遣悶，而所費極廉，實是平民化。當城南新世界遊藝場開幕，內有雜耍場，聽曲一回，不過茶資二三毫。其時有劉翠仙京韻大鼓，劉走海上而嫁，由良小樓代替，雖是坤角，唱得不壞。另有徐狗子（張宗昌的恩人）雙簧，榮劍塵快書，金萬昌梅花大鼓，何質臣單絃，華子元相聲等。（未完）

康有爲的講學

萬木草堂與天游學院

丘峻

南海康氏，自其始祖建元公，從南雄珠璣巷遷居南海西樵山銀塘鄉的敦仁里，其六世祖涵滄公，樂濟如樓，爲康氏創業之始。嗣後世以儒稱，自九世至有爲一代，凡十三世而爲士。書香門第，屢代簪纓，以歷代之累積，遂從其七檜園澹如樓及魁星閣的藏書，多至數萬卷，可資爲後人研讀之用。家學淵源，影響於有爲者甚大。宦海世家，則初非所以語於康氏者。氏學識淵深，見聞廣博，雖由於其天資穎悟，精力超人，博聞強記，苦慮籌思，而其家藏數萬卷，供其攻研，亦由來有自也。

康氏二十五歲，即開始講學，尙屬鄉間蒙館私塾之類。年登三十，即光緒丁亥十三年，因其家非素豐，而又在在需財，其母乃遣之隻身赴羊城執教，以維家庭經濟。自此，氏常來往於城鄉之間，在鄉居澹如樓，在羊城則必居花地的大通烟雨」，除教課外，潛修佛典。洎乎三十四齡，即光緒辛卯十七年，是年春，舉家遷居羊石惠愛四約之「雲衢書屋」。徇陳千秋（字禮吉，號通甫）梁啓超（字卓如，號任公）之請，始正式設館授徒，初講學於城內的長興里。氏親撰長興學記，作爲辦學規程，以資遵守。

其徒梁啓超復作長興學記表，以紀其事。備言康氏誨人之道，計分大部門：第一爲學綱，內分志于道（內容爲：格物、克己、勵節、愼獨。）據于德（內容爲：主靜出倪、養心不動、變化氣質、檢攝威儀。）依于仁（內容爲：敦行孝弟、崇尙任邺、廣宣敎惠、同體饑溺。）游于藝（內容爲：禮、樂、書、數、圖、槍。）等四綱。第二爲學科，內分義理之學（包涵：孔學、佛學、周秦諸子學、宋明理學、泰西哲學。）考據之學（包涵：中國經學、史學、萬國史學，地理學、數學、格致學。）經世之學（包涵：政治原理學、中國政治沿革得失、萬國政治沿革得失、政治實際應用學、群學。）文章之學（包涵：中國詞章學，外學語言文字學。）等四科。第三爲科外學科，內分演說（每月朔望舉行），劄記（每日課之），體操（間日一次），遊歷（年假行之）四項；前兩項，行之於校內，後兩項，行之於校外。舉凡中國各種經世致用之學，幾無所不包。（一）

重陽節

漁翁

舊歷九月日，古人以日月皆值陽數，因名重陽，遂以爲節。重陽二字，見於屈原楚辭遠遊篇：「集重陽入帝宮兮」。其後魏文帝與鍾繇書：「歲往月來，忽復九月九日，九爲陽數，而日月並應，俗嘉其名，以爲宜於長久，故以宴饗高會。」是重陽之名，由來尙矣。

重陽，又名重九，重九登高，起於齊景公，荊楚歲時記注引續齊諧記：「汝南桓景隨費長房遊學，長房謂之曰：『九月九日，汝南當有大災厄，急令家人縫囊盛茱萸繫臂上，登山飲菊花酒，此禍可避。』景如言，舉家登山，夕還，見雞犬牛羊，一時暴斃。長房聞之曰：『此可代也』。」今世人九日登高飲酒，婦人帶茱萸囊，蓋始於此。」郭元振詩：「辟惡茱萸囊，延年菊花酒」。杜工部詩：「醉把茱萸仔細看」。王右丞詩：「遍插茱萸少一人」。皆本此。

東晉時，桓宣武溫開府荊襄，幕中有參軍孟嘉者，字萬年，江夏人，以文章名。據晉書孟嘉傳：「九月九日，桓溫遊龍山，僚佐畢集，佐吏並著戎服，有風至，吹嘉帽墮落，嘉不之覺，溫命孫盛作文嘲嘉，嘉亦爲文答之，其文甚美。」按龍山在湖北荊州江陵縣西北，有山蜿蜒如龍，故名。此地風景絕勝，桓溫召僚佐而登臨其間，作文酒之會，以度此令節，因孟嘉帽落，而有酬答之作，溫顧而笑之曰：「此眞落帽參軍也」。足見當日盛會之神趣，風雅流傳，千百年下，猶膾炙人口。

崔曙九日登望仙台詩，末云：「且欲近尋彭澤宰，陶然共醉菊花杯。」菊與酒，爲淵明所愛也。值此重陽令節，又追憶彭澤令一故事：「陶潛九日無酒，出籬邊悵望久之，見白衣人至，乃王弘送酒逆也，即便就酌，醉而後歸」。見續晉陽秋。蘇東坡以四時令節，惟清明與重陽，不宜虛度，尤最推崇淵明之高風亮節，故九日閒居，有云：「龍山憶孟子，栗里懷淵明。」所憶孟子者，即落帽參軍之孟嘉也。

古人每有盛會，多在九日舉行，以其天高氣爽，登高望遠，除桓孟二人的龍山外，還有滕王閣之宴會：唐初閻伯嶼爲牧洪都，即今之江西南昌，重修滕王閣，九月九日，大宴賓僚於閣上，先囑其婿吳子章撰序一篇，滿擬於宴會席上，當衆以炫耀其才華。不意王勃因省親過此，亦在被邀之列，當閻請衆賓作序時，王不辭而援筆成章，寫至「落霞與孤鶩齊飛，秋水共長天一色」兩句，閻乃歎曰：「此天才也」。這篇駢文，仍不脫六朝艷麗之筆，但至今猶爲世人口誦心維不已！

筆者客香島，歷十三寒暑，記得去年九日登太平山，成七絕四首云：「白雲紅葉報秋還，[illegible]兩鬢斑。[illegible]登高何處是？暮暮只有太平山。」「人與山兮一樣清，我來山上逐雲行。天風一蕩鶯飄淨，兩岸蘆花照眼明。」「憶昔龍山幾度登，黃花時節在江陵。而今放步尋詩上，望國思家感不勝！」「踏遍孤峯半上浮，此身今得中山頭，事大如天醉亦休。」光陰如流水，忽忽不覺又一年矣。

今逢佳節，依然仍在天涯海角，客裏過重陽，感賦七言一律云：「一年容易又重陽，海角飄零鬢已霜。落帽無心登九嶺，插萸有意望三湘。雁鳴寶劍憑誰舞，鶴骨詩標只自傷。[illegible]烟波垂釣處，歌聲漁笛在滄浪。」[illegible]心不欲登臨，而傷心。只願明年此日能賦歸去來兮，登岳陽山頂，效牧童之歌，泛舟洞庭湖上，作漁父之釣，其快孰爲何如！

海嘯樓談薈

官僚的精采表演（二）

諸葛文侯

某某於罷官之後，際遇不凡，未幾又出任中樞最高決策機關的幕僚長，地位與五院院長相埒。人皆以某某素有官僚作風，驟躋高位，必更驕倨自大，一般同寅咸惴惴不安，深恐不易侍候。繼而某來視事伊始，集合全體僚屬於一堂，詢問工作內容，兼及家庭生活情況，娓娓懇談，親切異常，且當衆聲言：「兄弟才疏學淺，謬膺重寄，力所難勝，唯望同仁隨時指導匡助，俾免隕越，任何一位同志皆可向我貢獻意見，知無不言，言無不盡。決策機關不是衙門，兄弟更非官吏，大家應以革命同志的心情，不分彼此上下，把工作做好，爲第一義。屏除客氣，避免隔閡，這便是兄弟的服務守則，盼同仁共勉之。」如是乎衆皆愉悅興奮，謂某某乃一最具民主風度的開明人物，流言決不可信也。

詎某接事未逾十日，面目突告變化，凡屬組長以次的人員，非奉召不得隨便進入他的辦公室，其他高級同事，因公須面陳請示者，亦得先以電話報告，經核許後，方可來見。至於外來賓客，更須預行登記，聽候通知，蓋完全一派官僚氣概，與其就職之日的言論風度，判若兩人，如是衆皆沮喪失望，然亦吾末如之何也矣！

越兩年，某又奉命出使異域，旋有其舊日僚屬某君，亦簡派爲歐洲使節，道經某某駐在國，特往叩謁，某對之仍不改其老上司的姿態，言談間稱兄道弟，老氣橫秋。繼而某君宦運亨通，忽拜命歸國入閣，且一躍而居於某某的頂頭上司地位了。富貴逼人，時易勢異，最妙是這位新貴人從歐洲歸國就職之際，依舊道經某某駐在國都，旁人皆以爲某處境尷尬而就心，然某泰然不以爲意，先以電報確查新貴過境日期，屆時親赴機場迎迓，見面後，執禮甚恭，出語恭謹，極盡下屬對長官的儀態，從對方爲之蹤踏遜謝不遑，而某形色自若也。

綜觀上述各節情狀，實覷在舞台上做戲的表演技術，尤爲精采，上決非尋常人士所可企及的。我由衷的讚嘆某某這套作官的本領，認爲足以垂範羣倫，嘉惠仕宦之輩。做官本是演戲，要點全在矯揉造作，而對上諂，對下驕，每每假性情，有心仕進者，不爲人，遇事有所不見兒，哪便是不合時宜的時代棄兒。吾國素有「中華官國」之雅號，如某某，趁早另謀職業爲佳。君在中乎？老手某某給不愧爲仕官之斲輪，茲編之作，爲熱中作官者，指示要訣耳。（完）

台灣與鄭成功

·陳雪英·

時荷人尙有甲板船泊港中，防陳澤、陳廣等合攻之，擊沉荷艦一艘，荷有一艘逃去，[illegible]城邊。初五日，[illegible]初七日，結和約[illegible]卻之，顧[illegible]臨[illegible]蘭遮城。城上亦架炮還擊，[illegible]鄭軍退避。荷兵出城奪砲，馬信、劉國軒率弓箭手射之，乃退入城中。成功復令馬信等列營圍困之，並斷其水源，擬俟其自降。

這時各近社土番頭目，俱來迎附。[illegible]宴社[illegible]悉社土官[illegible]附者，並賞賜袍帽。[illegible]十二日，[illegible]目加溜灣、蕭壠[illegible]番男女扶老攜幼，壺漿歡迎，歡聲振野，成功各加以撫慰。這時雖熱蘭遮城未破，但其兵糧已乏，二十二日乃遣楊英同通事何斌查察各社荷人所積粟米六千石，糖三千餘担[illegible]毅後鎮吳豪，虎衛右鎮陳蟒縱部屬搶掠百姓銀兩，及盜匿粟米等[illegible]。（八）

自由報
THE FREE NEWS
內僑警台報字第〇三一號內銷證
第二七七期
中華民國僑務委員會頒發
台教新字第三二三號登記證
中華郵政台字第一一二八二號執照
登記爲第一類新聞紙類
（半週刊每星期三、六出版）
每份港幣壹角
台灣零售價新台幣弍元
社長：雷嘯岑
督印人：黃行鶯
社址：香港銅鑼灣高士威道二十號四樓
20 CAUSEWAY RD 3RD FL
HONG KONG
TEL. 771726　電報掛號：7191
承印者：田風印刷廠
地址：香港灣仔高士打道二二一號
台灣分社
台北市西寧南路壹壹本號二樓
電話：三〇三四六
台郵掛號金戶九二五二

本報啓事： 本報爲慶祝中華民國五十一年國慶，香港區隨報附送國旗一面，敬請讀者注意。

國慶感言

本報同人

今日是中華民國創建第五十一年度的國慶紀念佳節，我們的心情固然歡愉，同時亦很沉重。因爲國運正處在艱困迍邅之中，每一個愛護中華民國的國民，本諸先憂後樂的情操，都感覺別有一番滋味在心頭也。

（一）

首先在直覺上使我們感到莫大刺激的，就是祖國大陸上五億以上的民衆，逢此國慶紀念日，竟不能齊申慶祝，而且過着人間地獄的生活，啼饑號寒，罔知死所。我們隨着中華民國政府播遷到台灣，以及基於反抗暴政，義不帝秦而棲息海外的人士，連同台省同胞，今日雖然熱烈歡祝國慶，及時行樂，但一想到大陸同胞的生活慘狀，捫心自問，於意云何？我們「十年沼吳」的任務尚待完成，然大陸同胞「五月逃亡潮」的悲壯景色，却已身經目覩，夢寐難忘。同是中華民國的炎黃子孫，乃有大部分的人，在奴役勞動的死亡線上，呻吟掙扎，昕夕期待着我們速予拯救，黎民淚盡胡塵裏，東望王師又一年！大家於歡祝國慶之餘，體念中原，誰能免於「饑溺猶己」的意識，而不激發救國救民的良心血性，誓必還我河山，重光祖國的志願嗎？羞惡、是非、惻隱之心，人皆有之，而今而後，我們緬懷國難家仇，凡屬崇尚自由，愛護中華民國而幸告脫出共產政權魔窟的各界同胞，自應齊一意志，集中力量，反共第一，救國至上，把反共救國的利益，置於個人一切利益之上，纔有達到目的的希望。

自古以來，國運的隆替盛衰，原係常事，祇要民族精神不墮落，文化潛力不萎頓，終有復興之日。十九世紀初期的德意志情形，經過拿破崙遠征軍蹂躪摧殘之後，四分五裂，已不成其爲國家，我們中國過去亦曾被異族統治幾次，等於亡了國。但德國的民族精神賴有愛國志士斐奇特一般人的激勵，卓然樹立，國家終告統一復興了。當年斐奇特告德意志國民書所揭示的義理，也就是吾人今日所應信奉的，我們的文化潛力如不萎頓，照樣可以統一復興的。不過，舊時帝國主義者亡人之國，奴人之民，却不汩滅別一民族的文化，而國家觀念亦仍存在。今之國際共產主義者，是要消滅「國家階級」，摧毀別國的文化，征服全球，定於一尊的。因而我們今日所遭遇的國難，其嚴重性百倍於往昔，要想完成反共復國的歷史任務，工作自然艱鉅非常，必須先從振作文化精神做起。我們喪失大陸的原因雖不一，但民族文化精神之墮落空虛，實爲主要因素，試看中華民國開國以來，到大陸淪陷時期的四十年之中，我們的教育方針究竟是以甚麼爲中心呢？初則襲取日本的皮毛，繼而嚮往英美的景色，旋又效法德意的法西斯思想，終乃眩惑於蘇俄馬列主義的邪說異端，然皆畫虎不成，似是而非，徒然把文化思想界弄成混亂喧囂的境況，導致共產主義者乘隙抵巇，施展內部顛覆陰謀，而中華民國危矣！現在大陸上不特見不到「中華民國」這一名詞，中國文字亦正在逐漸消滅的過程中，我們如果再不省悟覺察，急起努力救亡，勢將死無葬身之地。職是之故，吾輩知識份子的責任尤其重大，應以復興文化精神爲急務，放棄過去那套以個人利益爲前提的混亂喧囂思想與作風，在社會上發生領導作用，人人不媿爲中國的斐奇特，而台灣便是中國的普魯士。憑着這種良心來紀念國慶，身體而力行之，國運必卜否去泰來，大陸人民庶可復甦了。

（二）

我們國家剛剛實施民主憲政伊始，即發生神州陸沉之禍，政府播遷台灣，一切政制與人事皆仍舊貫，十年生聚教訓的結果，不能說沒有成績。就政治言：如土地改革之合理措施，實現國父所倡「耕者有其田」的民生主義遺教，使台省民衆生活有顯著的改良進步；如國民教育之普及，雖山地同胞的知識水準，亦得與一般人民看齊；如台灣橫貫公路之開闢，其工程之艱鉅，亘古罕有，其利濟所及，尤爲[illegible]偉，將來在歷史上，亦必留下光榮的紀錄，毫無疑問。就軍事言，如陸海空三軍之革新整訓，蔚成強壯的現代化武力；如退除役軍人之就業安置，各盡所能，增加生產力量，減少社會[illegible]業問題的困擾現象。這些都是有目共覩的事實，值得國人興奮的。可是，有幾點[illegible]時潛在的癥疾，依然如故，在某些地方，甚至更見嚴重，足以抵消上述各項進步[illegible]設而有餘，殊堪憂慮。第一是政風敗壞的現象，愈[illegible]愈下，最大的毛病[illegible]是行政效率之低劣，每每出乎意想以外，大家不負責任，日以開會說話爲能事，輕造[illegible]爲成績，不求有功，但期無過，[illegible]主義」，對於反共復國問題，除却喊口號，貼標語之外，別無所謂了。大家念茲在茲，腐心追求的，就[illegible]

[illegible]利益，擁護[illegible]行爲的必要，政治上即自然而然地產生派系觀念，官官相衞，徇私枉法，所謂行政效率固然談不到，而紀綱亦很難整飭了。按照國家在現階段所處的環境，公務人員應該過着戰時生活，纔可以適合時代需要，像目前這種政風，即令在承平盛世，國事亦非敗壞不可的。憑着這樣的行政機能，一旦政府對大陸實行軍事反攻，誠不知其怎能配合呢？不錯，政府對於儲備戰時的政務人員，早有計畫推[illegible]

看美俄雙方的對抗情形，冷戰局面還要持續下去，世界形勢在最近的將來，不會發生急劇變化。我們的反共復國事宜，固不必寄望於別國拔刀相助，僅可自作決定。惟以現時國際關係之緊密而複雜，即使是僻遠地區，一有戰爭行爲，總不免涉及他國，何況我們是[illegible]

（下轉第二版）

反共復國勝利在望，但我們勿忘當勝利愈接近則困苦艱難愈多，大家必須益加淬礪奮發，向革新動員戰鬥的途徑邁進，爭取勝利的早日來臨。

中華民國五十一年國慶紀念　蔣中正

邪不勝正

廿世紀的新海盜

自由談

民意之一端

馬五先生

最近我由台北乘飛機前往菲律賓遊歷，在飛機上跟一位本國旅客併排而坐，彼此交談之後，知道他是純粹的僑商，住家在馬尼拉[illegible]，設有商業機構，經常往來於菲台之間，係閩籍的林姓華僑。我問他對於祖國的觀感如何？他以激越的詞氣答道：「我是商人，[illegible]商業上的事實體驗而論，政府各機關的行政首長都是好的，此外多屬混蛋！」試問他何所據而云然？他說：「若要列舉各種事實來談，三天三夜亦說不完，總而言之，[illegible]他們決不是人民的公僕，而是對民衆擅作威福，隨意刁難欺壓的兇惡主子！」吾聞其語，嘿然久之，不知用甚麼話來答復他，[illegible]稍爲消解其抑鬱牢騷的心情。

這位僑商的說法，或許不無偏激之處，却不失爲民意表現之一端，言者無罪，聞者足戒。各級政府的公務人員，平日處理政務是否實踐了公正廉明與迅速確實的[illegible]諸良心血性，自我檢討一番纔是。不說別的，連年[illegible]動，許多僑商都把資金轉移集中到香港，經營各項工商企業，却未見大量流入台灣境內。台灣的土地與人口，皆大過香港若干倍，生產資源更非香港所能比擬於萬一，政府復有優待華僑投資的條例，台灣的環境亦很安全，何以僑商竟裹足不前，寧願投資於「一危險地帶」的香港呢？

這其間的原因，有一部分是法令滋彰，諸多挂礙，大部分就是公務人員在執行任務時，沒有盡到爲民衆服務的公僕職責，相反地遇事推拖刁難，罔恤民艱，甚至擅逞權威，不作便民利民之想，因而産生上述那位林姓僑商的惡劣觀感。商人斥資經營企業，志在將本求利，如其困難重重，煩擾多端，自然避之若浼了。政府在法令範圍以內，處處給商民以便利和保障，是藏富於民，民間富庶了，政府還愁財經上無辦法嗎？目前中華民國政府最重大的問題，是在發展工商業，培養經濟力量，否則商人由，[illegible]路遙遙，[illegible]總是受窮[illegible]，取錢的。

港九各界同胞 今日熱慶雙十

節目豐富應有盡有 勢必創出壯觀高潮

（本報訊）港九各界慶祝中華民國五十一年雙十國慶的籌備工作，早如火如荼的進行，節目豐富，應有盡有，經過籌分別加緊佈置，勢必又創出一個熱烈而壯觀的高潮。

港九文化新聞教育影劇界慶祝國慶大會，定十日上午十時在九龍樂宮樓戲院舉行，籌備會經推定林翼中爲大會主席團主席，並推定黃天石講話。

慶祝大會後，有豐富游藝節目，包括舞蹈歌唱等，由各影星，歌星担任表演。

香港自由影人決定舉行慶祝國慶同樂晚會，時間爲十日下午五時，地點爲九龍平安大酒樓，八時聚餐。晚會並有摸彩節目，獎品甚多，人人有獎，每席均設有頭獎一份。

港九各宗親會同鄉會聯合舉行慶祝國慶聚餐會，因人數特別衆多，決定同時分別在港九四家酒家舉行。

此外新界各區社團，學校，紳商等，亦早熱烈展開佈置與籌備工作，計（一）工業區之荃灣各界，假大光明戲院舉行慶祝國慶大會，各廠會後分別聚餐。（二）元朗各界慶祝大會決在龍城酒家舉行，會後有聚餐大會。（三）大埔各界慶祝大會決於四寳酒家舉行，會後有聯歡餐會。（四）沙田各界慶祝大會決假鄭廣記酒家舉行，會後有聚餐大會。（五）粉嶺各界慶祝大會假雲天大茶樓舉行，會後有聚餐聯歡會。（六）長洲各界慶祝大會決假醉月茶樓舉行，晚間有聯合聚餐會。（洪）

大陸天災人禍交相煎逼，逃亡抗暴的現象如火如荼，中共任何倒行逆施的行動，決不能挽救其日暮途窮的厄運。吾人面對此一形勢，大家要抱定雪恥復國之責任，決不後人，加速反攻大陸之行動，義無反顧。我們海內外全體軍民尤須精誠團結，互相策勵，爲實現我們共同理想此神聖使命而奮鬥。

中華民國五十一年國慶　陳誠

暴政與饑餓下難爲君子 大陸偷騙事件多

普通人固偷騙學生教員亦偷騙 梅縣一化學教員騙食物判管制

（香港與大陸）由於大陸大部份人都吃不飽，犯罪事件經常發生，特別是偷騙事件，更爲司空見慣。在大陸暴政下苟延殘喘的各界同胞，許多人都認爲偷騙並非一件可恥的事情了。

據一位新近由梅縣來港的梁X宗石透露：現在大陸的同胞：嚴格講起來，有百份之三四十以上皆「犯」過偷騙罪的，因爲他（她）們都偷竊過「公社」的財物，或者詐騙過毛共的東西，一般青年學生甚而教師，亦莫不皆然。

梁君說：他有一位同宗梁宗仁，現年十六歲，最近就因累犯偷竊案被發覺而被判「管制勞動」。據說，該少年梁宗仁，原係梅縣聯合中學的學生，由於經常拒絕參加學校的「義務勞動」，而被學校開除，回到家裏後，他父母又得終日在「公社」勞動，無法對梁宗仁加以管教，梁宗仁遂實行到處遊蕩，因此在一年來，犯了卅多次偷竊罪。他曾幾次用鐵絲來開過公社「保管室」的鎖匙，不少偷了百多斤米，另又和在田野間偷過三個鴨，並經常走進隣舍的廚房裏偷東西吃。鄉間的人的公意，梁宗仁這少年乃是在共黨社會中染壞的，所以大家並不責怪他。

另一位剛由梅縣來港的學生某君說：最近他們學校舉行一次「宣判會」，被判罪者，中有一位是他的老師，因爲騙取毛共的東西，而被判「農村管制生產」。某君說：這位老師是教化學的，他在一年前，由於糧食的缺乏，見了一個「竅門」，就是毛共對於產婦和患嚴重肺病的人，多少有些「照顧」，只要有醫院和「公社」的證明，便可在市場上得到每月購買一斤豬肉和若干斤糖，米或其他食物的供應，因此，他這位化學先生從親友處搜羅了大批的公社和醫院的舊證明書，用稀硫酸或漂白粉將原來字樣除去，再改寫爲產婦或肺病的證明書，到市場上買這些額外的供應來享受，並且把一部份吃不完的以黑市高價賣給別人。結果在他「犯」第十七次的「罪」時被查悉了，因而除被學校當局開除外，並由學校判以「管制生產」。

某君又說，在他們學校裏，偷竊事件是經常發生的。簡直每天都有人叫飯砵不見了，因爲許多學生中午都在校寄膳，學校規定每人一砵飯的，但有一些吃不飽忍受不了的同學，乘放學人雜時，便把別人的飯偷去吃了。學校當局對這種事無可奈何，一則因爲這種事件發生得太多查無可查，再則即使查了出來，也因爲發生得太多，無法加以懲處。

據某君說：由於偷竊事件很普遍，偷的又曾係飯食等物，所以大家皆不覺得這種行爲是可恥的，這樣你偷我偷，便習以爲常了。（敬斯）

探險太空第一本專書 「格陵征空記」出版

可當小說看可作歷史讀

（本報訊）名記者趙浩生著「格陵征空記」一書，是描寫太空人格陵環繞地球軌跡及其成功歸來經過。本書作者從參觀飛彈發射基地描寫開始，敘述火箭與太空艙等構造及一切設備性能，太空人的選擇和有趣的訓練經過，利用猩猩先向太空探路情況，以及格陵征服太空的驚人成就，由於作者文筆生動而富於感情，本書可作小說看，可作歷史讀，亦爲研究太空科學所不可或少之讀物。作者於寫此書時，搜集資料重達數噸，經精選融會而成，爲全世界第一本記述人類征服太空的專書，現已經新聞天地社出版發行，每本定價港幣一元四角。（帛）

有新的學說認爲 人口問題並不可怕

真正可能把人類毀滅的 還得推共產主義的邪說

（本報紐約航訊）依據聯合國的統計：全世界的人口，現在是暑超過三十億。目前，一秒鐘，有三個嬰兒誕生，全年的誕生數爲九千萬。全年的死亡數則爲四千萬。品迭每年增加人口五千萬，稍微多於法國的人口。不妨說，全世界每年增加一個法國的人口。

實際當然還不祇此數，因爲人口年年在增加中，今年還不僅增加五千萬嬰兒者，明年便不僅此數了。據估計，當本世紀之末，全世界的人口，最低限度將爲現有人口之一倍，即達到六十億的駭人數字了。

從馬爾塞斯的人口論發表以來，他這學說，至今還相當的「統治」着我們這個世界。馬爾塞斯的信徒們中，有的還杞人憂天，說是人口問題是當前人類最嚴重的問題，眞正會毀滅人類的，將是人口的不斷遞增，而並不是愈來愈具毀滅性的戰爭，比方原核大戰。

馬爾塞斯的信徒們說：人口不斷增加，全世界將人滿爲患，到某一階段之後，不但連人類的基本食糧都會成問題，甚至單是食水，也會發生問題，人類終有那麼一天，會因爲食水不足，而大批大批的乾死，釀成無可救藥的大瘟疫，把人類從這個地球上消而滅之。

但現在也有的人口專家，並不像馬爾塞斯信徒們的把這問題看得如是其嚴重。他們甚至以爲人口問題，幾幾乎值不得憂慮。他們以爲，這世界可資發展的地方，還不在其少，「天生天養」，杞人憂天大可不必。這些樂觀論者，並非以「天生天養」一詞去看問題，反之他們係以科學的日新月異去解釋問題的，認爲馬爾塞斯及其信徒們，實在太看輕人類征服大自然的能力了。他們指出：

（一）目前全世界已耕之地，實在還是少數的少數。沙漠變良田，已經是事實而非幻想了。已耕之地的出產，如果利用得宜，生產還可以增加許多倍，即如目前印度人耕種之地，比之日本人，其收成祇是七分之一。目前一條乳牛，每年出牛奶六千磅已是平常得很的事，最大産量的乳牛，已可年産四萬二千九百磅奶。所以，就算二百年之後，全世界人口增加到五百億，食糧亦絕對不會成問題。

（二）至於食水問題，更加不成問題。天然水的保存和利用的技術，正在大大進步之中。把海水變淡水，也已經是完全做得到的，成本方面，目前是每千加侖花美金二元，但相信不消許多時間，其成本可減輕至美金三角。將來當然還可大減。比如大量的利用太陽能去化海水爲淡水，有一天會做到幾乎不要什麼成本。這問題解決了，那裏還來的食水問題？

不特此也，這些人還替將來的人類生活描繪出悠哉游哉的美麗遠景。他們以爲，將來人類將不會有苦役，一切勞動力，將由機器去操作，人類可以工作時間更短，娛樂休閒時間更多，營養更加豐富，醫藥更加進步，壽命活到二百歲成爲非常平凡的事情，那種舒服的樣子，簡直不是我們現在的人類所可形容的。所以，他們認爲人口絕不是會毀滅人類的問題；眞正可能毀滅人類的，還是那些人類蟊賊的暴君，比如共產主義的邪說，便是人類眞正要設法對付的。（良）

國慶感言

（自第一版轉來）

是否盡善，政策是否妥當，法令規章是否繁複，指導援助是否苛擾，投資環境是否方便，企業是否有保障，推進是否確實，這些都需要以事實給他們考驗，增進其信心；尤其是上述政風敗壞情形如不改革，僑資更難望其源源投進台灣來，而經濟事業如其沒有長足的進展，我們就祇有倚使美援過活，不能談自力更生的話。

大陸人民因饑餓，遍災荒而思變甚亟，地動亂不安；海外僑胞亦延頸企望着光復祖國之時日來臨；吾人目前的處境，可謂時危矣！事急矣！值此國慶紀念日，瞻仰國父遺容，憶及他臨終時所發「和平、奮鬥、救中國」的呼聲，證以現實的各種情況，我們的心情特別沉重，不能不訴述胸中的若干感想，以就正於朝野人士，提起大家的警覺，或許不悖於「殷憂啓聖，多難興邦」之義罷！

△宜蘭市民代表會，審查五十一年度第一次追加減預算案時，發覺有一筆龐大的購置費虛列，經過代表們質詢，市長陳朝枝親自解釋其中的苦衷，他坦承的說：這筆購置物品經費確屬虛列，但爲應付工友的退休金，不得不如此作。陳朝枝指出，政府規定工友退休應發給退休金，卻不同意鄉鎮市編列預算，因此，祇好虛列購置費來應付工友退休。又說，這種作法是在得縣府同意之下編列的。代表們於獲悉內情後，亦就同意這筆經費。

（採訪）（綫外）

預算走偏門此風不可長

特權不納稅誠不忍卒想

畏罪自殺公案待澄清

這種日光之下的奇事，也許在行政機關乃屬家常，但究竟還是名正言順的准鄉鎮市編列預算的好。倘反正要開支，也在別項名義下編了預算，何如堂堂正正出之？否則這種走偏門的做法，未始不能更加重行政機關的歪風。

△監察委員劉永濟、王枕華本年例行巡視台北市的日程結束後舉行檢討會中，對台北市應行改善之處，提出七項，第一項就是糾正特權不納稅。據說有若干特殊人士和特殊單位，利用特殊的身份，竟設法不納稅，因而希望市府及稅捐處嚴加糾正。又指出，北市納稅義務人有被重複課稅現象，也希望稅捐處改善。

這是「特權」者特權的新發現，可眞不得了。把「特權」者可以不納稅，而「非特權」者「有被重複課稅現象」加以對照，尤其太不得了。稅捐處那些官吏畢竟所爲何事？知情不知情？不知是瀆職，知呢？一層層想下去，會使人不寒而慄，不忍卒想的！

△今年五月間殺人在逃的疑犯郭惠義，九月卅日被警方捕獲，在派出所內「帶銬逃跑」，次日九時，浮屍淡水河中。家屬說死者曾遭警員毒打，警方說他是畏罪自殺，死者服務的軍方則說，死者前有殺人嫌疑，已經警方移送法院，並且已經過法院傳訊，死者現在既非現行犯，警方再加逮捕，便有不當。經人調停，據說警方願撥付死者家屬九萬元了事。

這公案的經過眞相尚未大白，是是非非還不清楚，但果眞警方一下子大大方方的拿出九萬元給一個「畏罪自殺」的嫌犯家屬，最低限度顯示事不尋常，內有文章。這文章是應該搞清楚的，公案而私了當然不成話說。（吳越）

國父在海外練兵簡述

·學賢·

國父孫中山先生畢生致力於國民革命，他的方法是理論與行動兼顧。在建立革命的軍事力量方面，眾所週知的，黃埔軍官學校，是國父所創設的。其實國父在矢志革命的時候，即已注重革命軍事力量之培養。我們試就國父在海外各地練兵之經過，分述如次。

民前十八年（公元一八九四年），國父創立興中會於檀香山之後，即預備回國發動大舉，當時各同志倡議組織華僑兵操隊，使各同志受軍事訓練，以便回國起義。他們延聘一位曾到過中國充當南洋練兵教習的丹麥人柏先生爲兵操教練，訓練地點則由國父向其母校阿湖高等學校教師芙蘭諦文先生，商借尋眞書院校外操場，每星期操練兩次，係用木槍。參加訓練的有鄧蔭南、夏百子、宋若仁、李杞、侯艾泉、葉桂芳、鄧照、鄧金、杜守傳、許直臣、程震臣、陸燦等，後來他們先後回國，參加起義。乙未廣州之役失敗後，清吏把他們都列入革命黨通緝的名單之中。可見清吏對他們的懼怕了。

民前九年（公元一九零三年），留日私費學生之有志入陸軍初級的振武學校的，被滿清使臣嚴厲禁阻，不能入學，非常失望。興中會同志李自重、黎勇錫等以此向國父求助，國父乃與日本同志武官日野熊藏少佐商設軍事學校，以收容有志青年，作爲興中會特設的軍事教育機關。日野熊藏少佐爲有名的新軍事專家，曾發明日本式的盒子炮及木炮，因與國父互相研究南非洲波亞人戰術，遂成知己。軍事學校設於東京青山，國父聘任日野熊藏爲該校校長，日本陸軍上尉小室健次郎爲助教，均爲義務性質。當時入學的同志有李自重、黎勇錫、胡毅生、桂廷鑾、區金鈞、盧少岐、劉維燾、羅浩、鄭憲成、饒景華、盧牟泰、伍嘉杰、健胥等十四人。開學之前，各生均須在國父前宣讀誓辭，辭曰：「驅除韃虜，恢復中華，創立民國，平均地權。」這是興中會變更誓辭的第一次，也就是同盟會成立時的誓辭。學期規定八個月，學科有普通兵事學，製造盒子炮及各種火藥等門；尤注意波亞式散兵戰法，及以寡敵衆的夜襲法。校章規定嚴守秘密。各同志均各救救向學，開課一月，國父赴美，關於校外事務，托交與馮自由管理。後因各同志發生意見，未能依照原訂計劃訓練完成，中途解散，甚爲可惜。但各同志仍本其所學，對革命的策動和行動有很大的貢獻，例如胡毅生的策動廣東新軍和民軍參加革命，甚著勳勞。又曾參加黃花岡之役，出生入死。這就是革命同志得力於軍事教育的證明。

也許有人要問：同盟會成立以後，國父爲什麼不再在海外繼續設立軍事教育機構呢？國父在遺教中，沒有給我們正面的啓示，但從同盟會加盟的成員中，也許給了我們答覆，那就是在國外研習軍事的留學生和國內新軍，加盟的人數，日見增多，例如今總統蔣公，是在日本振武軍校就讀時加盟的，國父接見了蔣公之後，就稱許蔣公爲革命的優秀人才。既然在國內、外都有軍事上的優秀人才參加革命，那麼，似無繼續設立軍事教育機構的必要。這一推論是否正確，敬就教於國民革命史專家。

天南風光

黃乃裳與新福州——詩巫

朱淵明

條約一開頭，沙羅越政府即承認墾場取名爲「新福州」，並承認黃乃裳爲「新福州」的港主，港主承允第一批即召募男女農人一千名，小童三百名前來；政府則承允這批農民與小童來後，即在拉讓江沿岸之新珠山與黃師來兩處，給與耕地，每一成人給三畝，在二十年之內，完全免稅，二十年以後，可向政府領出地契，每畝每年完稅一角。待這些農人，與英人一例，所墾之地，享有九百九十九年之權利。又凡移民耕地，如政府需要，須出相當價值收回，以償移民之損失。政府並担任修築適宜的大路，道路，與小路，以便利交通。移民的出產品，政府並允盡力設法代爲運輸。政府更允許移民購置鳥槍，保護植物，免受獸害。第一批移民，在兩年內工作成功，則新移民由中國可以再來，政府仍允盡力協助之。而移民對墾場成功，需要發展時，政府亦准其經營商業。

此外，政府並允許對移民先借旅費，成人每名三十元，小童每名十元，總數先定爲三萬元，由邱菽園與林文慶醫師二人爲担保。而林醫師乃黃乃裳之長婿，在星加坡極有地位，自然樂於承担。

這條約是公曆一九零零年簽訂的，是年適爲庚子，中國因拉那氏妄狂昏聵，遭致八國聯軍，打破北京，狼狽逃往西安，經李鴻章折衝，總算在李死後，勉強簽訂了著名的辛丑條約，賠款四萬萬餘兩，喪權辱國，達於極點，才得免於瓜分之禍。但在海外，卻有一個黃乃裳，與外國人簽了一件極平等的條約，不但平等，且甚優越，雖有大小巫之別，然在那個時期內，總算替中國人略吐一口不平之氣，其意義非尋開也！

那約中有一條甚爲奧妙，即第十三條，規定：「政府不准任何人在墾場開賭，或與移民賭博。如政府與承墾人（即移民方面）斟酌可以舉行時，亦只准移民與移民之間爲止，但須經其領袖監視。至於鴉片，不准外人在墾場售賣，但政府得與鴉片包辦人相商，准移民領袖在墾場內售賣之。」

這一條與第九條，均係規定港主之職權，第九條爲：「凡承墾人所享的自由，政府當然承認之，其權限得在所居之處，受理爭界，及平常小事。必要時，由政府委任，其權限亦由政府明定之。」隨由政府明定凡移民違犯民事處罰五元以下罰金之事，均由港主主持之。由港主雖有此權限，總不如前列第十三條所規定含義之微妙。換言之，即港主有開設賭場及售賣鴉片與移民之權力，而政府且已明白允許，訂諸條文矣。如果黃乃裳想到南洋發洋財，即此已足。（五）

公道篇

一個向貧窮挑戰的計劃（三）

林

所有被配給獎號的生產者，是依各人的職業性質，分別隸屬於不同的職業團體。當每經一次攪珠，各生產者每次應繳之票款，其所任事的機構，便由其薪金項下扣除，並彙交其所屬的團體，轉上該執行委員會簽收，以爲某項預定建設的資源。

該委員會用公開攪珠方法，每月開彩三次，以決定誰是得獎者。但得獎者祇准提取獎金百分之二十，其餘定爲強迫性的投資。假定該地區有一百萬個獎號，每票二元，即每次二百萬元，除支外，應有百分之八十投資於預定計劃的生產事業中。此項資金內有百分之三十爲私股，乃由獎金項下轉來；百分之五十爲公股，乃由政府稅及經費項下轉來。每年結算，公股利潤不動，私股利潤得准提支百分之五十，但當福利基金達到充裕階段，私股即漸爲公股股收，該生產事業一俟完全變爲公股時，即爲社會所公有。

每次的各個中獎者，因有百分之八十獎金被扣除爲強迫性的投資，自當爲當然的股東，並得因其工作能力，有優先被任用爲該投資事業的職員之權。

所有投資事業的利潤，乃是指定用爲六種福利基金制度的資源。計（一）老年休養基金；（二）國民教育基金；（三）分娩保養基金；（四）失業補助基金；（五）廢疾救助基金；（六）人才獎勉基金等。因此，所有落獎者亦並等於未落獎，因爲落獎的負担，實際即是計劃之投資與捐款；而踴躍參加獎號攪珠博彩，早日完成各種福利基金制度，亦即早日爲自己解決生活困難，而且，他也總有獲獎機會而一朝名利雙收的。

根據上述的籌募福利建設基金的辦法，如此類推，不斷發展，任何個人問題，社會問題，終會迎刃而解。所謂貧窮一名詞，亦可能因是而成歷史陳跡。這不是一個可能不可能的問題，而是看我們多數的個人，有否這個認識？有否革命性的新觀點？有否大勇創造經濟新境界，決心向貧窮挑戰，創造人生歷史的新紀元。

確認這個福利經濟的指導原則，堅持自力更生的路線，實行這個向貧窮挑戰的計劃，將免徘徊於附庸與貧窮的可悲歧路。

或許有人認爲這是個謬妄的烏托邦；有人會以盲目的「衛道」的觀點，指摘利用獎券建設的計劃，會刺激起人類賭博的劣根性，而引致社會更大的混亂，與人類更大的貧困。我以爲這是不明智的說法，後者且是僞善者假道學的口吻。最少，他們是並未深切認識到當前人類的教育程度，與現階段社會的風氣？或者，他們是有意逃避人類眞正需求的現實。就我所理解，人類對名利欲望的徵逐，是佔了絕大多數，甚而可以說是有生以俱來，人們或多或少都帶上原始獸性的血液，具有惡劣的潛意識，人類社會那種強烈的自私觀念與對名利攫取的不擇手段的現象，就是人類這種劣根性潛意識的表現。

虛君續夢

第六回：

烽火照邊陲　同惡難濟
樓船橫碧海　大憝興悲

伏羅希洛夫一看尼赫魯又施出詭詐手段，雖然明知假的，也頗爲担心，恐怕弄假成眞，將來赫魯曉夫不答應，會把責任推到他的身上。當時略爲考慮一下，說道：「這個問題，我想還是等赫魯曉夫同志來到再說吧！他也許有個處理的辦法。」

伏羅希洛夫回到莫斯科把經過情形告訴赫魯曉夫，老赫也大吃了一驚。轉問伏羅希洛夫這個問題該怎麼處理。

伏羅希洛夫笑道：「外交方面的問題我從來不留意，我看你還是找葛羅米柯來談談吧！」

赫魯曉夫趕快打電話去找葛羅米柯、米高揚、柯茲洛夫、庫滋湼佐夫一批人，大家到齊了之後，赫魯曉夫指指伏羅希洛夫，要他再報告一遍。

伏羅希洛夫只好把同尼赫魯會談的經過，再說一遍，大家聽了都沒有開口。

赫魯曉夫用手一指葛羅米柯，說道：「我想聽聽你的意見。」

葛羅米柯連忙拉拉西裝衣領，端然坐好，說道：「剛才伏老已經說的很明白，尼赫魯的本意是在撒嬌，通以爲只要他拉出美國來，我們就一定害怕，會約束中國，以滿足他的要求。」

赫魯曉夫問道：「假若我們不能滿足他的要求，他會不會眞的倒向美國，公開反共呢？」

葛羅米柯連連搖頭說道：「那是絕對不會的。目前可以肯定的說，只要尼赫魯不死，印度政策是絕對不會變的。他在中立陣營，穩坐頭把交椅，假若倒到西方陣營，第五六把交椅都沒他的份。尤其是美國的政策是恭維中立國，欺負朋友，尼赫魯看得比誰都淸楚，他怎麼肯變。」

伏羅希洛夫插嘴問道：「他會不會一怒之下，把政權交給那納揚，潘特這批反動份子呢？」

葛羅米柯翻個白眼說道：「那會有這樣的事？尼赫魯這個人，一天也放不下權力，不必說首相職務，就連那個外交部長他一直兼了十幾年，都不肯讓人。」

赫魯曉夫鼓掌笑道：「我們外長分析得淸楚極了，尼赫魯想把我當作艾森豪威爾，可以任意敲詐，算是瞎了他的狗眼，眞惱了我，我根本不去新德里了。」

就在這時，米高揚慢吞吞的說道：「我有一點不同的意見，說出來請各位同志研究一下。我覺得印度尼赫魯的政權，對我們幫助之大，是無法計算的。就拿國際鬥爭來說，聯合國成立時，無論什麼問題，我們固定只有五票，投一百次都不會變動，當時美國何等趾高氣揚。自從尼赫魯露出頭角，發明了中立主義，一些亞非落後國家都向他學習，以中立之名，向美國敲詐，偏偏美國人就吃這一套，於是美援用的越多，中立國家也越多，而美國也就越孤立。這些中立國家都從尼赫魯那裏學來的本領，專門拿美國錢，罵美國，在國際場合上和美國爲難，時至今日，美國在聯合國已失去多數票，這一點不能不說是尼赫魯的功勞。」（一四二）

長歌行

為五一年雙十節作　英雅

一解

重陽方過，菊花猶開，籬邊錦繡堆。忽睹青天白日美麗之國旗，隨風飄揚遍九垓，歡聲動地來。報道雙十佳節臨，男女老幼笑口開。紛結綵，試衙拔，長街鑼鼓鏡，獅子上樓台。慶祝節目多姿彩，令人耳目不暇接，心神何其快哉！

二解

歡樂聲中忽想起，中華建國迄今五十一年矣，半世紀來憂患多，不堪回首痛心史！憶昔武昌城，先烈勇舉義，漢皋樹先聲，全民同吐氣，爲時不兼旬，清社遂傾圮。開國紀殊功，馨香綿百禩。創建立宏規，三民申主義，若能早日付實施，何難太平臻郅治？因循竟未行，眞堪懺後死！從茲內憂外患無已時，民力凋殘國淩替，終令大陸錦繡之河山，淪於賣國殃民之赤匪！忽忽十三年，駒光如彈指。中原猶未復，同胞傷憔悴！

三解

西北望神州，慘慘陰雲黑，滿地走豺狼，到處逢鬼蜮，隨路張網羅，邊關固鐵壁。哀哉被困大陸農工商學之同胞，個個遭磨折！財產蕩無存，家庭盡離拆，父子走秦越，夫妻難比翼。鞭韃作馬牛，日夜若煎迫。終歲無小休，無衣復無食。老病誰可依？死作溝中瘠。地獄如有門，寧去且藏匿。嗚呼！舉頭問蒼天，蒼天曷有極！

四解

奴役已難堪，瘟神復屢顧。旱潦迭相尋，曾未間寒暑。可憐億萬人，長年捱凍餒：公社有廚房，久矣火不舉。地上剝樹皮，地下掘鼷鼠，鼠類早絕跡，樹木光如杵；掘有觀音泥，聊以飽其肚。初本骨如柴，頓變腹如鼓；輾轉泥塗中，終入黃泉路！舉目看同胞，十不存三數，僥倖剩殘生，茫茫空四顧。聞說南海隅，有隙可偷渡，千里不辭遙，躑躅蹣跚步。一路盡饑羣，趨趲如蟻赴。攀越梧桐山，嵒巉多險阻，懸崖俯深壑，失足成千古。夫不能顧妻，子莫能扶母。一意向前奔，亦已忘驚怖。望見香爐峯，油然發生喜，重得覩青天，多謝造物主。誰知一隣居，竟爾而舉措，人死不關心，只求固吾圉，眼中惟勢利，道義茫無睹。差人紛出勤，漫山施搜捕。遂逆衆難民，走投悲失所，足纜雖截幕，身復羅網罟！慘酷尤甚者，強遣回頭去！嗚呼噫嘻悲哉！人間竟何世？忍禁血淚下如雨！

五解

赤匪可恨，難胞可哀！救苦救難責莫推！挽狂瀾，轉乾坤，捨我其誰？志須立，心勿灰，頭要抬！有力者出力，有錢者獻錢財，合心合力奮起救國莫徘徊！看旗幟浩蕩向風展，聽戰鼓響，號角吹；樓船橫海，鐵翼排空，勢如閃電聲轟雷；槍上肩，馬啣枚，奮勇直前，誓把強寇摧！且待直搗黃龍府，同舉凱旋杯！

雙十隨筆

楊保山

十月十日武昌起義，一方面顛覆了專制政體，一方面締造了中華民國，我們在這一天來慶祝國慶，因爲其意義深刻。過去我國易朝換代，只是一姓一家之事，而我們這次以全國同胞作主人翁的革命成功，才眞正稱得起是國慶。國慶和每一國民的福祉，是合爲一體的。在五十一年前，此日以前，國民煎熬於暴政之下，如水益深，如火益熱；及至此日以後，則人人都能擺脫帝王專制的壓迫，而開民主自由的新局。似此所謂國慶，其實正是所謂家慶，換言之，也正是所謂「普天同慶」。

武昌首義成功，最主要的原因是士氣旺盛。據首義後清室率兵南下抵擋革命軍的蔭昌於事後閒話「前清」時說：清軍在人數上裝備上實佔絕對優勢，但是這只是外強中乾。當時他統兵南下的旅途中，官兵開小差的就不知有多少，加之革命空氣瀰漫全國，就激還股氣勢，已經使滿清軍心動搖。他曾作此譬說：革命黨人把拳頭當炸彈用，清軍卻餒得像鴨蛋一樣，當然是不必交綏，已定勝負。如今，事隔五十一年，我們正進行着反共復國的殊死戰，我們所憑藉的也正是這個武昌首義建立民國的氣勢，而中共由於饑荒遍地，人民逃亡，軍心渙散，士無鬬志，其失敗心理，正和辛亥革命的清軍一般。因此，我們可以確信反攻必勝，復國必成。

雙十武昌起義那天的午夜，革命同志蔡濟民率領數十名敢死隊隊員進攻湖廣總督署，適天陰微雨，炮隊不易找尋目標，彈多不中。時督署前一居民見狀，激於民族大義，便自告奮勇，放火焚燒自宅，一時光火熊熊，烈焰騰空，督署目標因得暴露，炮隊對着火光瞄準，彈無虛發，督署被擊起火，署內人員亦乘亂逃逸，清督瑞澂狼狽出走。由此可見當時人民對革命行動的同情和支持。

武昌起義後，清軍一千二三百人於農曆八月廿四日進抵漢口江岸車站防守，革命軍即攜野戰炮四門掩護步兵進攻。念七日黎明兩方正式交鋒，當時清軍怕死，大多坐在火車上面放槍，以便打敗仗，可以坐火車逃走。革命軍遂發炮擊火車，第一炮稍遠未中，第二炮稍近亦未中，第三炮正好擊中，把一列火車打得粉碎，清軍傷亡甚夥，餘者即抱頭鼠竄。這一場戰爭看來實令人捧腹。

武昌首義成功，正式宣佈國號爲中華民國後，人人喜稱於色，同時把一切都冠以中華民國四字。當時有民諺云：「中華民國，大家吃的。」中華民國，人人有份的。

「武昌首義當時，「同胞」二字最爲時髦，所謂男同胞女同胞，小孩亦稱小同胞，甚至對於僕役，也一律稱呼爲同胞，受之者引爲光榮。假若有一不這樣稱呼，便等於視對方爲化外民，在當時就是一種莫大的侮辱，等於不承認其爲中華民國的國民，所以那時常有爲爭取這光榮頭銜而不惜大打出手的。

武昌首義時，有一位不爭名不攘利的革命同志，他名叫李賜生，孝感縣人，業於漢口博學書院。他身體結實高大，胆勇過人，屢建殊功。俟革命成功後，他隱居漢口華景街，絕口不談往事，卻令人敬佩他。

作爲一個革命黨人，應具備着高貴的情操，豪俠道義，兼而有之，尤其是在同志之間，更非表現這種精神不可，否則革命事業永無成功之望。

在中華民國創建以前，袁世凱專政稱帝時期，國民黨人從事秘密活動，每於公衆社交場合言談間，祇要說句「國家事怎麼辦」的隱話，在座若有不相識的同黨人士，即知道你是自己的同志，雖患難相救，親近愛護之不違，患難相拯救，疾病相扶持，發於自動，出於至誠。這與普通所謂幫會的情操一樣，是精誠團結，達到共同目的的基本條件。愚生也晚，亦曾親見革命黨人表現這種高貴的情操，地點皆在日本。

革命黨人的情操（一）

諸葛文侯

民國十三年秋間，我在日本讀書，兼任國民黨駐東京支部常委，又奉廣州中央黨部命令，要設法掌握中國留日學生總會，我被各省代表推任該會理事長，當然遇事聲援國民黨，致與絕大多數非國民黨的留日學生衝突鬥爭。那時候在東京的民黨同志不過八十餘人，反對民黨的留日學生卻有七百多人。但民黨有組織，對方乃係烏合之衆，在鬥爭中，我們每能以少許制勝多許，對方羞忿之餘，揚言要以無劣手段對付我，必須痛我一頓。如是，每逢學生會舉行會議時，有河南同志羅日華（善技擊）劉儒九，山西同志喬向恩等，不讓我知道，自動聯袂潛伏於會議場所的附近或樓下，暗中保護我的安全，平日我跟他們殊少私人往來，他們完全是發於同志間的愛護精神。某次學生會開會之日，適逢大雨，這幾位同志都是窮困的自費留學生，連出門的車錢亦沒有，他們就從遠處步行到開會地方來保護我，會議完畢後，我目睹他們鞋襪盡濕，問以來此有甚末事？他們說：「怕你遭敵人毆辱，特地步行到此保護你！」當時我感動得淚珠潸潸然不能自已，迄今猶未忘懷也。另有安徽同志葛曉東（現在台灣），原與我尚不熟識，他跟朋友們賃屋而居，某夕，鄰室有來客和主人談話，指出我的名字大罵國民黨不是，他們起與之抗辯，幾至動武，事後有皖省朋友告訴我，從此我視他爲患難之交，永矢弗諼。

然而，自從民十六年革命成功之後，國民黨人除卻長號同志外，就很少見有這種高貴的情操了。素不相識的本黨人士，每多以有色眼鏡相看待，人形同陌生的路人，有時且彼此加以某派某系的頭銜，樹立着一道森嚴的心理防線，同床異夢，貪影干戈；即舊日熟識的，亦基於現實政治環境的種種關係，僅有客氣的心情流露，而缺乏道義精神表現了。甚而同屬三民主義信徒，竟分化爲某也是「黨」的人，某也是「團」的人，不亦怪哉！古人說：「共患難易，共安樂難」，革命黨人決不應該如此庸俗，祇要恢復高貴的豪俠道義情操，就行了。

遜清宮女　翠雲秘辛

陳澄之

一，清末一美人

陰曆八月十五日中秋佳節，宮裏外出賞明月，慈禧在世，每年中秋登萬壽山，俯臨昆明湖，天上一個月亮，水裏一個月亮。但到了宣統朝，攝政載灃，懦弱無斷，隆裕太后以慈禧第二自居，實則毫不更事，不用說國家大業，沒被沒眼，搞得一團糟，即便宮闈日常生活，也離了祖宗留下來的老譜兒，走了樣子不成體統，老輩子們瞧着很不順眼。

隆裕太后從宣統元年起，就沒有賞過月。她年紀不算大，定不下心來，對默默無言的明月無緣。

宣統三年辛亥中秋之夜，皓月當空，銀光普照；宮中鑼鼓正喧天，滿朝文武王大臣的福晉、側福晉以及格格們，正陪伴着隆裕太后在聽戲。她未必眞的愛戲，就是喜歡熱鬧，學慈禧的樣。

端坐在隆裕太后旁邊的，正是宣統皇帝的生母，光緒的弟媳婦，攝政醇親王載灃的正福晉，二十來歲，天生就嬌媚的艷態，不笑亦嫣然。她倒的的刮刮是個戲迷，最得慈禧的寵愛。

醇親王福晉乃是一手提拔起袁世凱，撲滅康梁保皇勢力，慈禧心腹大學士榮祿的女兒，這位榮府的八姑奶奶，自小在慈禧身邊長大的，其嬌媚任性傲慢風流，早已名滿皇家九城。榮八姑奶奶在她自己的那個時代裏，算得中國第一小美人兒，北宅南相，誰見也憐。

楊小樓的安天會，撩逗得榮八姑奶奶兩隻水汪汪的媚眼，一直釘在舞台上活猴子身上。

安天會一下場，八姑奶奶吸着淡巴菰，對着她的心腹宮女瞅了一眼，那宮女立刻上前伺候。

「翠雲，你彎下腰來聽我說。」八姑奶奶笑盈盈地跟宮女翠雲，咬了半天耳朵。

「是——」那宮女低聲應着，悄悄退下，台上鑼鼓又喧天，又一齣戲登場。

翠雲打發一名伶俐小太監，繞到後台去傳話；她自己卻落落大方出了門，明亮亮月光下，緊着步兒對萬字廊的方向走去，走進花木叢裏，在林外的水邊上站住了腳。

等了不多一會兒，從水堤盡頭傳來一串步聲，逐漸走近。翠雲抬眼一看，正是自己遣去的小太監，率領着卸了裝的優伶楊小樓，肅然前來。他老遠老遠就沖着翠雲打了千。她在夜深的月光下，昂然受禮，連頭都沒有點一點，惟含笑依希。

「楊小樓聽着！福晉讓我傳話給你，如今咱們王爺每晨天不亮就要上朝，要忙到下午才回府邸。你在這個時間裏，儘管到咱們府邸裏去玩。福晉明兒個一天不出門！」她不等待這伶人答腔，轉身就走。

楊伶出了宮，趕車的連忙牽着牲口，上前伺候。走在宮牆外叢林下陰森森的大道上，忽聽得一聲叱叫：「停下車來！」

國慶日感言

梁實秋

辛亥革命時，我十歲，童子何知，但當時對於革命領袖們之嚮往，對於腐敗的清廷則深惡痛絕。翌年正月十二日，袁世凱唆曹錕兵變，平津慘遭刧掠，此爲余身受之第一次打擊。嗣後軍閥戰亂無已時，以迄在動盪不安。北伐成功，統一告成，不旋踵而分裂，國共鬪爭，東北淪陷，華北阽危，終乃引起全面抗戰。八年苦撐之後終獲慘勝，民困未蘇，而江山變色。數十年來在變亂流離中度過，今日偷安海曲，際此國慶良辰，中心慘怛，言何可說！

國家事，人人有分，所謂「天下興亡，匹夫有責」是也。這亦即是近代民主政治的基本觀念。國家弄到如今這樣的支離破碎，不可歸罪於一人一派，凡屬國民人人有責。「立志作大官」固然不是道，「立志作大事」恐怕亦不見得人人有此機會與能力。最好是人人在他本分上盡責，在他的崗位上努力，事無大小，位無貴賤，求其稱職。人人都成爲健全的分子，合起來即是一個健全的社會國家。與其奔走呼號，不如先退而自省，修齊治平，自有其一貫的道理在。

國慶日百感交集，不自淬勵而放言高論，罪過罪過。

自由報

內僑警台報字第〇三一號內銷證

THE FREE NEWS

第二七八期

中華民國僑務委員會頒發
台教新字第三二三號登記證
中華郵政台字第一二八二號執照
登記爲第一類新聞紙類
（半週刊每星期三、六出版）
每份港幣壹角
台灣零售價新台幣弍元
社長：雷嘯岑
督印人：黃行奮
社址：香港銅鑼灣高士威道二十號四樓
20. CAUSEWAY RD. 3RD FL
HONG KONG
TEL. 771726　電報掛號．7191
承印者：田風印刷廠
地址：香港灣仔高士打道一二二號
台灣分社
台北市西寧南路壹壹本號二樓
電話：三〇三四六
台郵劃撥儲金帳戶九二五二

大陸災荒問題的剖析

司徒敏

中共建立僞政權，到現在已有十三週年。這十三年間，它們在大陸不僅造成亘古未有的人爲災害，如「土改」、「鎮壓反革命」、「三反」「五反」、「抗美援朝」、「整風」、「思想改造」、「反右派」、以至「總路線」、「大躍進」、「人民公社」等等，每一個運動，就是一次災害，就對社會發生一次嚴重的破壞。另一方面，由于人爲災害的不停，于是又影響自然災害的擴大。這是大陸經濟衰退的總根源，也是中共內部矛盾與政治危機日漸加深的主要因素。爲瞭解共黨當前的處境及其前途，本文現就自然災害問題作一分析。

無可否認，中國爲自然災害較多的國家，自有史以來，即常發生自然災害。但與今日情形相較，則其嚴重性還超過過去任何朝代。以水災和旱災等主要災情來說，根據各種史籍的紀載：秦漢四百年中，旱災爲八十一次，水災爲七十六次；三國、兩晉二百年中，旱災六十次，水災五十六次；南北朝一百六十九年中，旱災和水災各七十七次；隋唐三百二十八年，旱災一百三十四次，水災一百二十次；五代五十年，旱災二十六次，水災一十一次；兩宋三百二十年，水災一百九十三次，旱災一八二次；元代一百年間，水災九十二次，旱災八十六次；明代二百七十七年，水災一九六次，旱災一七零次；清代二百九十六年，旱災二零一次，水災一八二次。總計自秦漢至清末，二千一百八十年中，共發生旱災一零四三次，水災九七九次，平均每隔兩年零一個多月發生一次旱災，每將隔三年發生一次水災。以上事實，說明中國歷史上的災害雖多，但這些災害是斷續性的，間歇性的，而不是連續性的。這與近年來大陸各省一個災連接着一個災，或同時出現各種災害的情形，有所不同。

近十三年來，大陸除沿海省份的風災，北方和中原地區的寒潮、霜凍，以及各種虫害，每年不斷發生外，就水災來說，黃河、淮河、長江、珠江、松花江、海河等主要流域，幾乎每年分別發生水災一次至三次（春汛、夏汛、秋汛）。因之，自一九五零年至一九六二年上半年，即共發生較大水災六十餘次。其中尤以一九五三年華南地區的大水災，一九五四年湖南、湖北、江西、河南、安徽、江蘇六省的大水災，一九五五年長江、淮河、黃河流域的大水災，一九五六年黃河、淮河、長江、珠江以至閩江的大水災，一九五七年華北、華中、華南地區的水災，一九五八年松江花、遼河、海河的水災，一九六零和六一年華中、華南地區的大水災，以至最近廣東西江、北江和江西贛江的水災，其緊密程度與受災程度，均超過歷史的紀錄。

再自旱災而言，近十三年，大陸發生全國性的春旱、夏旱、秋旱即有二十餘次，數省或一省的地區性的小旱，更多至五十餘次。如再加上風災，霜凍、虫害等等，則一年四季都在災害之中。這是當前大陸災情與歷史上各朝代災情不同的第一點。

其次，從災荒的廣泛性來看：過去中國歷史上的每次災害，受災地區僅一州或數郡，最多不過一省或兩省。據竺可楨在「歷史上氣候的變遷」一文的統計：中國本部十八省，一世紀發生旱災和水災的地區，僅河南、山東兩省；二世紀發生水、旱災的地區，僅山東、河南、江蘇、陝西四省；六世紀僅河南、河北、山西、四川、湖北五省；十三世紀至十九世紀，受災省份雖告增多，但以每百年的時間計算，許多省份發生災害的次數還是很少，或竟沒有受災，例如廣東省在十七世紀和十八世紀兩百年間根本未發生旱災。因此，如以省爲單位來計算，從一世紀至十九世紀一千九百年中，各省受旱次數，最多的如河南、河北兩省也不過一七三次，和一六四次。最少的如廣西、貴州兩省，僅有六次和五次。由此可見在過去長時期中，中國災區的面積並不大，除黃河缺口或改道時會波及數省外，一般水災或旱災面積，不過數縣或數十縣而已。再就民國災荒面積看，民國十七年（一九二八）長江下游的水災和西北數省的旱災，爲當日最大的一次災害，全部受災縣份計二百零三個，但與全國之一千九百三十六個縣比較，僅佔百分之十四。

今天大陸的災害，則多是大面積的，全面性的，受災地區輒達十餘省，甚至有二十餘省，佔大陸省區面積百分之六十或九十以上。以最近四年的旱災來說，一九五九年的大旱，達二十個省區，從遼東半島至四川盆地的河流都乾得斷流。華北和華中農業區的乾旱程度爲七十年來所未有。一九六零年除西藏地區外，其它二十餘省都發生了旱災，僅河北、河南、山東、山西等四省看受災農田，即佔四省總耕地面積百分之六十以上。一九六一年的乾旱也達十餘省，其中如湖北省全省三千萬畝水田即全部受災。一九六二年上半年發生重大旱災的省份，已有廣西、山西、山東、河北、河南、安徽、江蘇、浙江、四川等九省。則今年大陸全面性的災荒業已初步形成。

由于災荒面積的廣泛，大陸歷年受災耕地面積常在數千萬畝以至數億畝。據中共農業部，水利部、內務部等三部先後共同核定的受災耕地面積，一九五零年爲七千五百萬畝，一九五一年爲八千六百萬畝，一九五二年爲六千六百萬畝，一九五三年九千萬畝，一九五四年一億六千萬畝，一九五五年一億一千萬畝，一九五六年二億四千萬畝，一九五七年二億三千萬畝，一九五八年四億六千萬畝，一九五九年六億五千萬畝，一九六零年九億畝。一九六一年的受災面積雖未見宣佈數字，但據各地區零星數字加以估算，則去年的受災可能超出九億畝。大陸現有耕地總面積爲十六億畝，則自一九五八年以來，每年受災耕地佔總耕地面積三分之一至二分之一以上，其在農業上所造成的損失，是不難推算的，這是中共經濟上遭遇重大困難的基本原因。因此，中共今年的最大目的，是希望能有一個中等年景的收成，以穩定連年災荒所形成的不利局面。然就今年的情況看，這個中等年成的願望也已落空。這種廣泛性和大面積的災荒，是當前大陸災荒的另一特點，也是與過去災情不同的第二點。

中國大陸之不斷發生災荒，從一方面說，自是由于自然環境的影響。其一，是雨量分佈的不平衡。中國東南臨太平洋，西南間接臨印度洋，距海近處多爲平原，隨後爲丘陵，爲高原，地勢不齊，水汽的分佈不勻，加以橫行山脈（如喜馬拉雅山）和直角形山脈（如秦嶺，太行山脈）都易阻雨量，所以南方各省雨量有餘，北方諸省雨量不足。其二，因黃河幹流及各支流泥沙沉澱之爲害，故河南、山東、河北等省在旱災之外又常發生水災。這在古代，因科學知識的不足，生產技術的落後，其無法避免小水旱是可以理解的。但是今天，大陸氣候並無特殊變化，而科學知識與生產技術又較前進步，其仍然未能減少災害，並且災害的廣泛性和嚴重性尤超過古代，這就不單是自然因素的問題，而人爲的錯誤，當要負主要責任。

大致說來，目前大陸災荒的嚴重，有下列幾項人爲原因：

一是中共重工輕農政策的錯誤。中國基本上是一農業國，農業經濟爲國民經濟的基礎，農村人口佔總人口百分之八十，因之在工農業的生產建設方面，應保持一定的平衡。但中共自一九五三年實行第一個「五年計劃」以來，即以發展重工業爲中心，資金、勞力均着重用于重工業方面，以致農業機械缺乏，普通農具不足，肥料、農藥等等均不敷需要，降低了農作的抗災能力。（下轉第二版）

漫畫天下

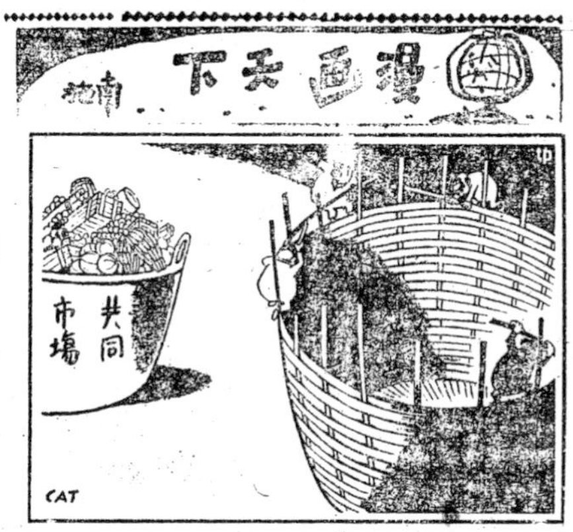

遮羞之法

永遠攪不通的問題

自由讀

無可避免的悲劇

阿爾及利亞人民經過多年來的流血奮鬥，要求獨立自主，剛告達到目的，而內部互相爭奪政權的內亂即繼起了，這眞是悲劇！

凡從殖民地生活中翻身起來的新興獨立國家，總是紛紛擾擾，內亂大作，如東南亞與北非以及中東諸邦，莫不皆然，固不僅阿爾及利亞有然也。此中癥結所在，乃文化落後與產業貧乏問題。由於文化落後，一般知識份子缺少遠大的眼光和抱負，斤斤於一時的個人政治權力之爭，置國家民族利益於次要；由於產業貧乏，一般知識份子相率以搞政治爲營生之路，除此以外，既無生活基礎，亦無職業技能，大家祇好向着政治界亂擠。擠不上去的，深感淪落，隨時興風作浪，惹事生非；擠了上去的，因爲沒有管理衆人之事的素養和經驗，弄得一團糟，又給人以攻擊打倒的口實。如此這般，內亂焉得而不連綿發作乎？

回憶卅餘年以前，我國尚未擺脫國際間不平等條約的鎖鍊，實際還是過着國父所說「次殖民地」生活時，俄共列寧政府曾首先宣告放棄在華特權，而將帝俄租界交還北洋政府官理。民國廿一年我到天津小住，即見舊時的俄租界情形大糟特糟，秩序紊亂，柏油馬路上遍見牲畜糞便，路面到處有窟窿，反觀緊隣的英法租界現象，迥然兩樣。當時我心裏會發生莫大的刺激與感慨，認爲咱們這文化古國的政治人物，實在太低能了，難怪別人瞧不起我們啊！

若以我國的經過情形爲例，戰後諸新興國家之內亂不息，政治不上軌道，毋寧說是當然的結果，毫不奇怪。現在我國人對於自己政府的統治措施，固不滿足，但比較亞非兩大洲那些新興獨立國家的狀況，其進步的程度，至少亦要相差半個世紀。即此可知建設一個現代化的文明國家，條件很多，決不是一蹴可以幾及的。剛果，阿爾及利亞，乃至於東南亞若干新邦的亂象，目前只是開始，好戲還在後頭，夠瞧的呢！

馬五先生

。香港與大陸。

共幹藉購物證貪污發財

無證無票買不到東西

爲了證票時常鬧出命案

大陸同胞要購買任何東西，皆須持有中共「計劃供應」的「證」或「票」，否則無論你有多少錢亦買不到任何東西。因此大家視這些「證」「票」如同生命財產，毛共不但以此爲其有力的統治工具，許多共幹更乘機黑市出賣這些「證」和「票」，大發其橫財。

不久前由廣州來港的大學生黃竹洋君說：廣州現冷落異常，全市只有少數商店營業，皆係由「公私合營」改轉爲「國營」的，其餘原來的舖位皆改爲住家了。

黃君稱：廣州有幾十種「證」和「票」，例如：糧證、油證、副食品證（包括購買鹽、醬、炭等）、糖證、餅證、工業品證（包括購買肥皂、牙膏、拖鞋、絲線、鍋等）、布證、豬肉證、魚證、烟證、糖菓證、購菜證、柴證、火水證、學生用紙證、草紙證……這些「證」中皆寫明只能購買的數量，如糧證寫明每人每月配給的數量是二十斤，油證每人每月供應數量是二兩，菜證每人每日供應半斤等等。其他「證」或「票」皆有數量寫明，祇能少購不能多購。如果把這些「證」「或「票」失掉了，要登報聲明，糧和油兩種證在三個月後可以補發之外，其餘全部在一年內停止供應。所以大家皆視這些「證」和「票」爲生命所寄託的財產。共幹們乘機「刮龍」，看見某些僑屬，缺少「購物證」（以上所說之證和票均爲購物證）等，便暗中向他們出售，價錢極高，如一斤糧票約需二元人民幣，一斤肉證要十元至十二元，一斤油證也需五元至八元。共幹們就憑如此亂搞，可以大發橫財。

另一位來自梅縣的歸僑劉偉志君對本報記者透露：梅縣地區的人民，對於「購物證」更視爲無價之寶，會因此鬧出人命案來。劉君說：他有一位鄰居，是一位小職員，兩個月前因爲遺失一「購物證」，被停糧三個月，（梅縣每人每月只有五錢油）和停購其他一切東西，該小職員因無錢購買「黑市粮」維生，走投無路，結果先把妻子和兩個兒子毒死，然後留下控訴共黨罪惡的遺書，實行自殺了。

劉偉志君還叙述了一幕因一斤糧票死了兩個人的悲慘事件，他說：在梅縣南郊的宮前村，有同是姓黃的兩家鄰居，平時頗有來往，在經濟上常互有幫助。但在去年，因爲一家借了另一家糧票，許久才還，在交割中有一斤的額沒有搞清楚，這兩個鄰居竟發生衝突，持械打鬥，結果當塲兩家各被打死一人。（敬斯）

雙十國慶的前一天

中華書局工友起義紀詳

高高升起國旗同時散發反共標語

香港同胞熱慶國慶創出新里程碑

（本報訊）中華民國五十一年雙十國慶節日，港九三百餘萬同胞，以最熱烈的心情，大舉慶祝，除各界暨各地區同胞均分別舉行慶祝大會、聯歡晚會及聚餐大會外，無論港九暨新界各處，極目所至，彩牌處處，備極壯觀，青天白日滿地紅國旗如海如林，多不勝紀，氣象萬千，橫街小巷，愈貧苦人家，其裝現愈爲熱烈，人人喜氣洋洋，眉目生輝，確實構成大陸淪共十三年來香港同胞最熱烈慶祝雙十國慶的新的里程碑。

在國慶前夕之十月九日，特別值得紀載者，爲被毛共控制已達十三年之中華書局印刷廠，出現工友起義，在座落九龍土瓜灣馬坑涌道該廠址頂樓，昇起青天白日滿地紅的國旗，同時有大量紅、黃、藍及淺綠色的反共標語，自該廠址窗口散發，隨風飄盪，一時途人圍觀，拍手呼好。同日下午二時，該廠起義工友，並假新樂酒店舉行記者招待會，報告起義經過，同時並發表「中華書局全體愛國員工致海外僑胞公開信」，揭露毛共攫得該書局以來種種倒行逆施。

該中華書店香港印刷廠起義工友在該廠址頂樓昇起國旗的時間，爲十月九日上午十一時零兩分鐘，當此輝煌燦爛之青天白日滿地紅國旗升起後，因同時有大量各色標語散落街頭，附近居民立刻發現，紛紛鼓掌叫好。途人圍觀，愈聚愈衆，叫好之聲，此起彼落。該廠中辦事的毛共人員，初尚不覺，有數人伸首出窗，觀看究竟，亦尙莫名其所以然，及後彼輩隨衆仰首而望，始赫然見此高高升起之國旗，彼輩面面相覷，狀極驚愕而尷尬，終由其中一年約五十歲戴有眼鏡之男子，以閃縮形態，將那面國旗卸下。計那面國旗自升起至被卸下，爲時凡十五分鐘。

至當時該廠起義工友所散發的反共標語，均係用各色打字紙油墨鋼版所印製，其長度爲四寸五分，寬度約一寸，標語文字計有「反對一面倒」，「爲發揚光榮傳統奮鬥到底」等等。

當該廠工友起義升起國旗之事件發生，以至被該廠毛共辦事人員發覺後，彼輩曾以電話告知警方，當有警員多人被派臨塲，維持秩序，結果並未發生其他糾紛。

下午二時出面假新樂酒店舉行招待會者，爲該廠工友陳松林，彼爲江蘇南通縣人，四十五歲，係該廠凸版部的高級技工，從事印刷工作已達三十年。他承認升國旗散標語之舉係他領導所爲，並表示即日起，他已投奔自由。

陳松林說：此次起義行動，得該廠員工百分之九十以上的支持，祇以生活關係，許多人都被迫暫時不能露面而已。陳松林在記者會中所發表的「中華書局全體愛國員工致海外僑胞公開信」中說：

「當這個普天同慶偉大節日到來之今天，我們——中華書局一羣愛國員工——要用悲憤的心情與壯烈的行動，表示爭取生存與自由的決心，希望本廠全體同仁暨海外僑胞們伸出正義與同情的援手，來響應與支持我們這一行動。」又說：「中華書局是中國僅有之文化出版企業機構，歷史悠久，我們在廠中服務，多數將畢生精力儘量貢獻，現在眼看着中國文化出版業事被摧殆盡……。」又說：「該廠……現在已面目全非，港廠工人當家，生產躍進，」都「祇是騙人的措詞。」「我們在此十三年時期中，不斷遭受迫害與剝削。那些騎在人民頭上，不知羞恥的『工棍』們，殘害與剝削手段，眞是無所不用其極。」云云。

（又訊）雙十國慶之日，香港水上生活同胞，慶祝國慶的熱烈情況，亦不稍遜於陸上同胞，諸如香港仔，赤柱，銅鑼灣，油蔴地，長沙灣以及長洲，大埔，元洲仔等漁船集中區，均有彩牌出現，國旗尤其衆多、密密麻麻，確是壯觀。（復）

俄共集團間諜『傳奇』

總數五十萬名年花三十億美金

前俄駐美使埓於用間諜費太少

（本報紐約航訊）蘇俄駐聯合國的兩個官員，利用其外交官的身份做掩護幹間諜工作，當塲被破獲後，已經被美國勒令其離境。蘇俄爲了報復，立刻便指美駐俄大使館一位武官做間諜，把他驅逐出境。

由於有蘇俄的這兩間諜被逐之事，在紐約以及特別在聯合國，這幾天來，大家都把蘇俄間諜作爲談話資料，報紙亦繪聲繪色，一時頗有「談諜色變」之勢。實際的情形，亦確實如此。儘管用間用諜，自古已然，任何一個國家，均不能免此，但到底，俄共集團的間諜是太多了，他們無孔不入，使人防不勝防，說可怕是眞可怕，說卑鄙亦確乎卑鄙極了。

俄共爲要赤化整個世界，它們在間諜方面，不但人數衆多，還實在的肯花錢。據英國與美國情報機構的估計，俄共集團散佈在世界各地的間諜，其數字最少有五十萬名，它們每年所花於間諜上的錢，最少達二十億美元——這是一個驚人的數字，但據法國情報機構的估計，更還要多，說它們每年的開支，不會少過三十億美元。

當然，凡此五十萬名間諜，每年開支二十億或三十億美元，都僅僅是估計，眞正的數字，可能還遠比這些估計更要高些。其爲禍之烈，也就可想而知。

據英國所獲情報，僅僅蘇俄一國，它每年（一）所花於世界性的外圍組織，如「國際和平大會」，「國際工會聯合會」的開支，爲五千萬美元；（二）所花於支持各反共非共國家的宣傳活動費用，爲一億一千萬美元；（三）所花於支持各反共非共國家共黨組織的款項，爲二千萬美元；（四）所花於對外國廣播的費用，超過二億美元；（五）所花於電影片的宣傳費用，爲二億美元……等等。這些，還祇是間接的諜報開支，至於花於直接的間諜的經費，就更比這些爲多。

俄共集團派駐在全世界的間諜，係以反共非共國家的各式各樣身份做掩護的，人數視事實需要以及可能搜羅到的「賣命者」爲轉移，其中許多當然是就地取材，比如以美國人在美國爲蘇俄做間諜，以英國人在英國爲蘇俄做間諜之類，另外當然還會以比如法國人在美國爲蘇俄做間諜。至於俄共集團派它們自己國籍的間諜到外國，其數目不會很多，原因是第一易受注意，第二它們還耽心那些派出來的人「變節」，逃奔自由。

英國與美國的情報機構所獲情報，整個俄共集團地區內，共有二十所專門訓練間諜的學校，每年開支估計達一億三千萬美元。它們這些「學校」，訓練對象各各不同，劃分得非常清楚，如（一）俄境塔什干的一所間諜學校，是專門訓練中東地區的間諜的，其「學生」也以該地區的人爲最多。（二）毛共控制的大陸，有好幾所「學校」，專爲訓練派往日本、印尼、印度及中南半島各國的間諜之用，其中有兩間在北平，有三間在雲南及廣西境內。（三）世界性的工人階級間諜的訓練學校，設於匈京布達佩斯。（四）華沙有一所專門訓練亞洲間諜的「學校」。（五）東德有一所「學校」，則專門收容非洲前進青年一所。（六）捷克京城布拉格一所間諜學校，也以訓練非洲人爲主，拉丁美洲人次之，這「學校」的畢業生中之最有名氣的，有幾內亞總統杜利，迦納總統恩克魯瑪以及古巴國防部長羅爾·卡斯特羅。

間諜經費方面，情報說單是蘇俄駐在英國、法國、西德以及美國的四個大使館，便有每年二億美元的特殊經費，可以隨時動用，文還可以增加，增加的數額且可無限大，等於說是多多益善。據華盛頓所獲情報，前任蘇俄駐美大使孟希柯夫之所以被召回去，原因之一便是他在收買間諜方面，放不開手，斤斤計較所使然，看來很有「傳奇」的味道。（貝）

大陸災荒問題的剖析

——自第一版轉來——

二是盲目開荒，造成水土大量流失，加重了災荒的發展。農業生產的先決條件，在于水土保持，而水土保持，又有賴于對森林的保護及二十五度以上坡地之不得開荒。但中共爲擴充旱地面積，不顧地形條件，不計經濟效果，在「與林爭地」、「毀林開荒」的口號下，將不應該開墾的山地，林地，坡地實行開墾，同時在鐵路，公路，渠道，河堤沿線兩邊，以及村邊，屋邊，塘邊，塲邊，田邊，路邊等「十邊」，種植雜粮，以致破壞植被，擴大水土流失，使水旱災易于發生，或使小災變成大災。

三是水利工程的有名無實，對災情不能發生預防作用與控制作用。近十餘年來，中共雖修建不少大型與中小型水利工程，然因設計的不夠標準，材料不足，技術不高，以致一般水庫質量低劣，如一九五九年華南發生水災時，東江流域的中小型水利工程被洪水沖毀的竟達一萬二千多處。又如一九五五年完成的河南白沙水庫，據說是質量較好的一個大型水庫，但近兩年來，該水庫灌渠橋樑損壞了百分之四十，斗門損壞百分之二十，其它設備損壞百分之五十。加之因水土的流失，泥沙的下瀉，水旱的淤積，影響水庫的合理利用。所以也就不能預防水旱災與控制水旱災。

四是農民生產情緒低落的影響，也即是「人民公社」違反農業制度的影響。由于公社生產管理不當，一切皆由黨委書記領導，因而脫離農民，違反正常耕作制度，強迫推行不合土壤特性的技術措施，實行密植，或硬性安排作物面積，以致生產混亂，勞力調配混亂，影響農業生產的進行。同時由于公社的土地過份集中，對生產資料與生活資料過份統制，使農民對土地失去感情，生產情緒低落，普遍怠耕怠收，從而間接促成災荒的發展。

大陸災荒面積，在一九五七年以前最多不過二億餘畝，而自一九五八年以後，突增加到四億餘畝至九億畝。一九五八年是中共開始成立「人民公社」的一年，這反映出災荒面積的逐漸增加，其原因之一，正是農民對公社制度不滿，採取消極態度所產生的結果。

以上概略地說明了中國歷史上的災荒及當前大陸災荒的不同之點。並簡單指出近年來中國大陸之連續發生巨大災害的幾項原因，人爲的因素超過自然的因素，而且從歷史上看，中國過去各朝代的災荒，造成王朝的傾覆，刺激義軍的興起。換言之，災荒爲大變亂和朝代滅亡的根源。而今天中共政權是否可以逃出這種歷史常例，在今後一時期內當可看出一個大概。

中國古代藝術的輝煌成就

·王宇清·

中國是文明古國之一，中國古代藝術的輝煌成就，值得中國人驕傲，這是舉世所公認的。

藝術（Art）一詞所含的範圍很廣，狹義的說，藝術就是美術（Fine Art）——這是屬於感觀的藝術，如繪畫、雕刻、建築等是。其中繪畫一項，在本題內，應包括傳統的毛筆書法，因爲中國書畫同源，書法的體勢千變萬化，有至高的藝術境界。觀於現正風靡世界的現代抽象畫派的許多畫家，免不了還得向中國書法中發掘寶藏，並接受它的影響去充實他們的作品。僅此一點，要說中國的書法不應列入中國的藝術範圍，顯然是不合理的了。

中國繪畫美術的創造，商（元前一七六六——一一二二）、周（元前一一二二——二四九）時代便很可觀。在那時製作的青銅器、玉器、漆器等遺物上，很多鏤繪雲雷鳥獸人物等文飾，充滿醇厚古樸的氣韻。周代已有壁畫；漢代（元前二〇六——西元二二九）以後，經過魏（西元二二〇——二六五）、晉（西元二六五——四二〇）、南北朝（西元四〇二——五八八）以至唐代（西元六一八——九〇七），壁畫尤爲發達。壁畫的題材，多是神話和聖哲偉人的歷史故事以及社會生活狀況。佛教東傳後，佛教生活與思想，又多滲入繪畫的領域。這在後面要說的雕刻、建築亦是如此。

中國繪畫表現絹帛及紙上的，到東晉（西元三一七——四二〇）才顯得興盛起來。

世界馳名的武梁祠和孝山堂石刻畫，是漢代遺物；震鑠全球的敦煌壁畫，是從西晉開始，又經歷代陸續製作而成。如若把大大小小的敦煌壁畫以五公尺高度緊密排列起來，它的長度可達二十五公里，畫面底層經過一代一代粉抹後重疊繪製的作品尚不在內。中國古老繪畫的特徵是全部覆被，不露空白裝面，至東漢（西元二五——二一九）而畫風大變，開始運用輕柔、省略的線條，大膽呈露不加綸飾的畫面，以加強人物的重要性。這是中國繪畫的一大解放。東晉顧愷之常以山水樹木爲畫題，並以作爲人物畫的背景。自此創下中國的山水畫。這一種畫之在西方，要到義大利文藝復興時期纔能見到，拿它和被稱爲歐洲最早風景畫的先驅者作品——佐內（Giorzione）的「山雨欲來」（The Tempest）相較，中國人的作品，要早出一千一百年。及至南北朝時更創立了繪畫「六法」，討論繪畫技巧及遠近深淺的畫理和細部詳略的區別，而且論及繪畫哲學，指導畫家如何接觸和選擇題材的途徑。這種成就，距離西方開始獲知欣賞風景畫的時代早出五百多年。其後歷代畫家又多理論上的補充論列，更爲精闢進步。今天世界上所有的繪畫理論，都不能超出中國這些繪畫理論的圈子。這與「現代畫」要向中國書法去學習，同其不可思議。自唐代以後又經歷代的推演，創立許多新的畫派，都是名家輩出，不勝枚舉。而宋、元、明三代尤有優良成績，常爲今人所嚮往臨摹。

中國的書法，依「六書」之法製造，世俗大分爲眞、草、隸、篆四體。最早是商代刻在龜甲或獸骨上的卜辭文字，稱「甲骨文」。其次是周代鑄在青銅器上的「籀文」，又稱「金文」、「大篆」。秦始皇二十六年（元前二二一）簡化金文而創「秦篆」，又稱「小篆」。以上諸文，通稱「篆」字。秦人又創「隸書」和「楷隸」，作爲篆字應用的輔佐。漢代發明「草書」；魏、晉復由隸書脫胎造成現行的「楷書」和「草」、「楷」複合的「行書」。至此，中國的書法體勢大備。而歷代的書法創作以及書法理論著作，也都是各多鉅製，同垂不朽。（上）

天南風光

朱淵明

黃乃裳與新福州——詩巫

但黃氏爲何等人物！既具宗教精神，又有儒家修養，其所作爲，均以「利他主義」爲前提，且胸懷大計，志在改革，隨處作福國利民之打算，如何肯做這種卑劣的事呢？故墾場開辦四年有餘，黃氏本人往返桑梓及新福州之間，前後三次，招去農民亦達千人以上，卻始終未開賭場，亦無售賣鴉片與移民之事，竟視第十三條之規定爲具文。這一點，到後來居然引起沙朥越當局對黃氏之不滿，認爲有意不與政府合作。在西方拜金主義的人生觀，自然認爲大利所在，誰肯不爲？殊不知東方卻有寧殺身以成仁，及舍身以取義者，何況區區身外之物的金錢呢？故當政府有意要逐黃氏出境，不准其再留墾場時，黃氏遂預將墾場事務託付與美國傳教士富雅各總其成，又分囑其族弟黃詠南、黃其辟及其族侄黃景和，與劉家洙、林炳傳、丁承恩等人，協理場務。而向沙羅越王商議：除他自己虧蝕四萬三千餘元外，請以移民所欠的四萬餘元賬目，抵還王家先後所借之欵項四萬元。亦得王家允許。於是黃氏憤然挈眷而離開新福州之墾場矣。

但黃氏人雖去了，卻是抱憾而行的，爲的是那時墾場現狀，跟祂抱負的初志還距離很遠哩。祂往返故國與新福州前後三次，共得移民一千零七十餘人，後因種種原故，在祂行時，只餘下七百人之譜。祂在紀述癸卯年（一九零三年）那一段，即可明顯看出祂志不止此，祂說：『吾於辛丑多，因勞頓得胃不消化疾，至壬寅尤痛苦……維時責無旁貸，仍須逐日伏孫中山先生「凡人欲爲社會國家謀幸福享樂者，貫志願自始至終，貫徹負悲哀痛苦之責，觀路得馬丁與華盛頓諸人，可爲榜樣。」讚言，[illegible]自己之志願，忍痛治事者二年有餘，滿擬墾事告成，漸底於達，可資徵百萬人爲謀生之樂土。癸卯秋，痛甚，慮去死期不遠，多遺，差幸朗道壯年，天若有心，期藉藐躬分內事；故[illegible]久愁人太滿，遠闢殖民小局，我雖撤手，仍留餘地後來人。」』（六）

論道篇

林

一個向貧窮挑戰的計劃（四）

我們歷代所見到企圖征服世界的狂人；到處可見的唯利是圖的僞善與奴才的嘴臉；深悟到今日在政治上獨裁奴役與民主自由的壁壘；在經濟上資本豪門與貧寒無告的對立；其構成係有因果。「禍福無門，唯人自招」，可惜這還未是智慧者的天下，而是莽夫蠢才奴隸交織的天下，所以在這階段社會的日常生活中，還是以好勝、沽名，逐利的賭博，冒險，附庸風雅爲聰明。這是牢不可破演成風氣的事實，要扭轉這股逆流，開創新風氣，使社會還諸公道。仍應順其勢，乃能移易之。雖然，「魔鬼還之魔鬼，上帝還之上帝」，但若能利用「魔鬼的收入」，以爲「上帝的支出」，也未嘗不算爲過渡的橋樑。這無疑是人類的不健康行爲；但總之人類社會若不推進至教育的世紀，而仍昏沉於這個權力金錢至上的時代裏，這種矛盾怪誕，可以說不能避免。不過，人類的某一種需要，也正是某一種弱點的所在，利用之化爲善意建設的用途，將不獨是順利的方法，且必然收事半功倍之效。假使能將一切壞的變成好，化腐臭爲神奇，我們是沒有理由不去正視它，利用它，倡導它，問題是在我們是否有勇氣撕開僞善的臉孔，自我承認有這種劣根性的潛意識，而研求如何發揮這種內在的生產力潛能，以爲人類自救之道而已！

而且，事實上，利用彩票有計劃地來建設國家，特別用爲社會福利建設的資源，爲救災救難救貧的基金，並不單以未開發區域爲然。所有比較物質文明的國家與地區，以往都曾有利用過的先例：如西班牙，以之爲增加國庫收入的一項方法；比利時興辦彩票有廿五年的歷史，使國庫增加達十六億元之多；瑞典每月開一次獎；法國每周發行一次，至今已有二十七年歷史；挪威與丹麥都用足球爲博彩，其收入是用作發展文教、科學，及增加體育設備；愛爾蘭彩票有三十年歷史，用途是在建醫院及補助紅十字會；澳洲政府發行彩票的目的也是如愛爾蘭；香港馬會彩票部分的用途也很類似，其政府彩票且全部用爲福利基金；美國維琴尼亞公司的拓荒工作，全賴發行彩票的欵項來完成。由此可知，全世界各國，利用彩票爲求取財源的手段，早有歷史可稽。祇不過多是零碎局部，而非如本文所主張的「福利獎券建設辦法」，要全面性的計劃地去運用罷了！

美國紐約也曾有一位衆議員勞奴，公開提議由國家發行彩票，他呼籲國人除下「僞君子的面具」，正視彩票福利社會的意義，他曾提出一句警惕的話是：「發行國家彩票，每個人都贏錢」。這亦正如本文指陳的「獲獎者固然獲獎，落獎的也等如獲獎」，具有同一的意義，

廬君續夢

第六回：烽火照邊陲 同惡難濟　樓船橫碧海 大慈興悲

赫魯曉夫縐着眉頭說道：「你講的都是事實，但和這次事件沒有關係。」

米高揚笑道：「當然有關係，首先要確定一點，就是尼赫魯政權存在對我們絕對有利，我們應該支持祂。」

赫魯曉夫看看大家，笑道：「阿美尼亞的商人，計算機是比較精密些。」

大家都笑起來。

米高揚接着說道：「還有一點，尼赫魯如若在邊境上抵不住中國的壓力，祂可能會被國大黨內部反動份子推倒，或者就被人刺死，梅農到時也必然隨着完蛋，我們多年的心血算是白費，影響所及就不止印度一國了。」

赫魯曉夫聽到這裏又縐起眉頭，葛羅米柯也十分緊張。

米高揚又說道：「到了那個時候，美國及其在亞非地區的夥伴，必然大肆宣傳，祂們只要一句口號就成了，就是：『試看中立者的下場』！從此以後恐怕就沒人敢再談中立了。我們在聯大票數又恢復了以前情況，除去東歐兄弟國家之外，最多再加上一個芬蘭同古巴，其餘的國家誰還敢跟着我們走。」

赫魯曉夫只覺得光頭冒汗，葛羅米柯也目瞪口呆，祂未料到米高揚的外交鬥爭這麼精。

柯茲洛夫接着說道：「據印共總書記高士的秘密報告，這次中印領土之爭，全印度人民都擁護政府的立場，所以印共也不得不跟着一齊搖旗吶喊，否則下屆選舉祂們就完了。」

赫魯曉夫抱着頭沉思一時，說道：「現在這樣決定好了，我去訪問新德里時，要好好安慰尼赫魯一番，同時還要勸祂和周恩來會一次面，解決邊境問題。尼赫魯平時很聽話，這次也許沒問題。」

葛羅米柯笑道：「只要祂肯同周恩來會一次面，問題就能解決七八成，周恩來那張嘴，加上一身做工，死人也能被祂騙的復活，何況尼赫魯的爲人，貪小利，愛戴高帽，碰上周恩來好似愛斯基摩人堆的雪人遇見了太陽，不要半天時間渾身都化了。」

赫魯曉夫說道：「你既然知道周恩來的本領，同祂接觸就要小心。」

葛羅米柯笑道：「我才不怕呢？他無論說什麼，我根本就不裝進腦子，說到最後他問我的意見，我就說呈請領導同志決定，他一點辦法都沒有。」

赫魯曉夫聽到這裏，翹起大姆指連說了幾聲：「要得」！

這時，米高揚忽然想起一件要緊的事，連忙問道：「你到印度去怎樣安慰尼赫魯？」

赫魯曉夫咧開大嘴笑道：「別的有什麼辦法，尼赫魯最愛錢，當然是送錢了。」

米高揚急得「啊呀」一聲，連聲道：「那可使不得，我們那有錢送給別人，今年的收成又壞，我們又要趕製火箭飛彈。我都想和美國談談，能不能借二十億美金給我們，現在你又要送錢給尼赫魯，這筆錢從那裏出。」

赫魯曉夫笑道：「你要我去安慰尼赫魯，現在又說沒有錢，簡直是自相矛盾，沒錢你想辦法就是了。」（一四三）

飽聆雜曲（續）

尤以華子元學譚鑫培、金少山，眞是酷似。南來以後，與雜曲絕緣。迨避赤禍，播遷台灣，則更是徒留夢魂而已。

前年國慶，軍中電台主持人劉先韙兄，特安排播送雜曲三夕，自十月九日起，至十一日止，飽聆各曲。

尤其小黑姑娘與白玉霜，更是不勝記憶。聽小黑民八在上海大世界，看玉霜則爲民廿四漢口天聲舞台，前者逾四十年，後者亦近卅年矣。台灣各電台絕少有雜曲唱片，惟軍中獨擅，堪以稱傲。茲將所播各曲，就記憶所及，錄述存念。

大鼓：劉寶全（京韻）遊武廟，小黑姑娘（京韻）大西廂，金萬昌（梅花）摔鏡架，馬會亭（西河）玲瓏塔，王佩臣（樂亭）獨占花魁。

單絃：何質臣——秋瑾就義。

評戲——蹦蹦戲：白玉霜——珍珠汗衫，劉翠霞——花魁從良。

河北梆子：陳艷濤——大登殿。

河南墜子：姚俊英——許仙遊湖。

蓮花落：于瑞鳳——拷打紅娘。

單人相聲：吉評三——傻子轉文。

太平歌詞：王兆麟——勸八方。

所播各曲，雖未完全將北方民間雜曲包括殆盡，要亦已大有足觀。其中寶全的遊武廟，在故都時每逢友朋慶壽，輒多聽到，聲調神韻，可說精到絕妙。而小黑的大西廂，那宛轉的歌喉，極似寶全，圓潤朗脆，似又勝之。我極願軍台於今年國慶，不妨重來一播，以慰燕趙之將士，藉飽羈旅的散客，心中祇望河山早日光復耳。

憶玉軒雜綴

賞牡丹雅啓

全國的牡丹花，當明清以前，盛稱洛陽爲最多而最好。陳定山兄記上海的法華牡丹，有云相傳西鎮李氏，從洛陽攜歸百多種，植於縱溪園中；迨李氏廢後，花遂分栽，流入周相雲約學圃，哈同花園的靑蓮精舍，漕河涇的曹祠，黃家花園，但以幾叢取勝而已。故言牡丹，當數北平崇效寺爲取奇，花色之豔麗，花氣之淸香，花名之繁多，爲全國冠，蓋自元明淸三代於茲，名傳全國矣。每年花開，該寺住持，必遍發請柬，邀往節賞。其函啓傳是明人手筆，駢四儷六，詞藻斐然可觀。（未完）

翠雲秘辛

遜清宮女　陳澄之

二、昇平署供奉楊小樓

這是皇家宮牆外的僻靜角落裏，有時難免盤查，趕車的鬆下韁來，緩行着應對道：「咱們是內廷昇平署供奉楊小樓楊老板的座車。」

「拿腰牌來驗！」

自從有人埋炸彈，謀刺攝政王以來，九城以內，皇親國戚一提到革命黨人，無不提心吊膽，駭怕得要命；宮內宮外就更加緊戒備，這一向每一道宮門口都盤查得很嚴。

楊小樓這半夜裏，在自家的車廂裏，聽見有人要驗看腰牌，這一下可發了急。

祂這大名鼎鼎武生，向恃慈禧寵愛，出入宮禁，誰敢阻撓，如今慈禧雖已升了仙，隆裕太后以及各王府福晉，側福晉都爭着寵祂。像祂這樣的內廷供奉，那裏用得着隨身佩帶腰牌。但，辛亥這年京城裏，出了不少駭人聽聞的變故，各處警衛森嚴，盤查認眞。

「停下車來！」楊小樓等車子停穩了。親自下車堆着一臉笑，冲着把守宮外大道的小校尉，抱着拳頭一拱手，哈哈地說：「你這位小爺要看腰牌，我楊小樓的腰牌，不是刻在臉上一樣嗎？小爺，我供奉內廷這多年，這夜裏還是頭一次有人要看我的腰牌。」

「楊供奉，你多包涵，如今革命黨鬧得太可怕，提起來誰不駭怕，聽說這九城內外那一行那一業，都有黨人混迹，小角落裏全潛伏着革命份子，小的們警衛這條大道，奉着嚴查來往車輛行人，驗明身份，誰也不得例外，供奉的腰牌沒有帶在身邊，好辦，勞駕跟小的到宮門口去見一見我們管帶，也就算交差了。」

區區宮門口警衛管帶，楊小樓眞不把祂放在眼底，「你在這裏等着，」祂囑咐祂那趕車的說道，「我陪這位小爺到前面宮門口打個轉就來。」祂說着就跟着那校尉走了。

在月光下，穿過叢林，避開趕車的耳目，那個校尉抽出一把雪亮的匕首，在楊小樓眼前，晃了晃。楊伶是舞台上的武生，工架好。看，要是硬來卻是不行的；當即倒抽一口冷氣，嚇得直打抖索，但祂明知這一帶是皇宮禁地，一驚張就同歸於盡，祂那裏捨得死？

「楊供奉，你是漢人，犯得上做滿族的奴隸，永遠抬不起頭來嗎？」

一聽這口氣，楊小樓心裏還有什麼不明白，月光下苦笑着道：「爺，小的是戲子，不入流的可憐虫，爲了混飯，奉召進宮當差。你不信，不妨打聽去，小的只會唱戲。」

「打聽過啦，楊供奉你說的倒是實話，不過誰都知道，供奉跟皇上的媽媽有一腿。」

「這個——」楊伶失口否認其事道：「爺，這謠言怎好胡亂瞎造？要是被人密告了，罪在絕滅九族！」

菊之追比

磊庵

我國習慣，常以花名代表月份，如正月爲梅月，二月爲杏月，三月爲桃月，五月爲榴月，六月爲荷月，八月爲桂月，九月爲菊月；只有無花之月，才稱四月爲淸和，七月爲巧，十月爲小陽，十一月爲多，十二月爲臘。除了官文書外，社會一般的通常記載，書啟往來，多習用之。直到改用陽曆，花名已失去其時間之準確性，此風始告式微。現在又到了菊花盛開時的菊月，雖然客路年年，極「無山種菊」之慨，而撰之「望梅止渴」之義，又安得不有動予衷？

「菊有黃花」，在五代時候，菊花巳尚中央，梁王筠摘園菊：「菊花偏可喜，碧葉媚金英」，鮑昭答休上人菊詩：「金盞覆牙柈」！到了唐初，唐太宗還是說：「細葉彫輕翠，圓花飛碎黃」。餘若陳叔達之「金英」，駱賓王之「金翹」，李嶠之「金精」，席夔之「金蕊」，皆作如是觀。誰知植物之中，本有自爲媒介，自爲交配之一種特性；古有辛夷而無玉蘭，有芍藥而無牡丹，即其一例。所以迨乎中唐，劉禹錫的白菊詩就說：「家家菊盡黃，梁園獨如霜」。白居易席上賦白菊也說：「滿園花菊鬱金黃，中有孤叢色似霜」。顯然祂們還是初見菊花會開白色的，故以驚異之筆調，寫出這些詩句。試觀劉詩下續「瑩淨眞琪樹，分明對玉堂。仙人披雪氅，素女厭紅粧。粉蝶來難見，麻衣拂更香。面風搖羽扇，含露滴瓊漿。高艷遮銀井，繁枝覆象牀。桂叢慚並發，梅蕊妬先芳。一入瑤花詠，從茲播樂章」。菊花要比之「琪樹」「羽扇」「瑤花」，這是史無前例的。

可是它會開白色的，自然也就會開別的顏色；因之在明朝時候，于黃白二色之外，又開出紅色花來。何景明詠汝慶宅紅菊詩：「紅菊開時暮，亭亭冠物華。亦知顏色好，不是艷陽花。羅綺嬌秋月，樓台媚晚霞。淸香如不改，常傍美人家」。固然當時菊花是否還有其他顏色，我手邊沒有可供參考的書籍，無法懸斷；而今日菊花中，牛當牛瓣，面紅背黃的數寸大朵，稱爲「金背大紅」的一種，即傳說是朱明登極之兆；不問此話是否，苟非新奇，諂媚景明又何須故發「淸香」之問，讀其詩者，固不難推理而知也。

且筆者所知，在民國三年歐戰之前，德人在靑島，便用人工交配之法，新出一「滿天星」式菊花甚多，如赭色、杏黃、棗色、梨靑等等，傳遍內地，現在台灣有的滿天星菊花，便是此時流傳而來。而日人于抗戰之先，也在神戶廣事交配，所獲新種，精印樣本，大批向吾國郵售，均爲飛舞大朵，視吾國所有之針，蝟，寶，纓，帶，線，鉤，毛均勝，襯托桂，霓裳，十八瓣亦勝。前讀某報，有人肯定說中國菊花爲一百零八種，誠屬非蛙之見。筆者抱甕五十年，四十歲前，亦嘗種至二千盆，品種之多，每出入于百二、三十種之間，而自知猶未盡其半；因爲它年年交配，年年新生，新陳演變，漫無止境，若以僅見的以爲美備，實與王龍溪所謂：「窮秀才摟家中黃臉婆誇好色」相同。須知菊花初由「餐菊」，當它是可以延年益壽的秘子，栢葉，等許多饒有芳香的植物，而至成爲品種最繁多，顏色最齊全，花期最耐久之一種美術品，其進化之與飛孟晉，實非任何花卉所可望其項背也。

海嶠叢談

革命黨人的情操（二）

諸葛文侯

愚既述過去所見革命黨人對同志表現俠義情操的往事，請再舉例敘述吾黨總理孫公在生之日的同樣偉大精神，俾資後人取鑑焉。

民國九年至十年之間，總理居上海致力於闡揚三民主義，建國方略暨孫文學說等文化思想工作時，常有各省同志向祂自告奮勇，說在某省某地區可以號召民軍起義，乞總理給以名義和活動費，必有成就。迨領得欵項後，多匿居滬上租界內，度其寓公生活，根本就沒有所謂民軍起義那回事。曾有人報告總理是受騙了，祂却說：「只要祂肯來騙我，騙多了總有些慚愧的，十次騙局若有一次是眞的，也就夠本了。我們搞革命，如果連上門行騙的人都沒有，革命怎能成功呢？」

民國十三年春，民黨老同志張溥泉（繼）謝慧生（持）等若干人，以中央委員地位，向總理提出反對容共政策的建議案，總理在廣州召集中央執監委員聯席會議，討論此事，張氏發言最激烈，總理最後中述容共政策實有其時代需要的義理，顧語張氏曰：「讓我試行此策，以觀後效，如失敗可也。」張即席聲明：「謹遵命！自明日起，我暫不過問黨務，免使總理增加煩擾」，旋赴滬隱居，決無違言，這不是崇高的道義精神表現嗎？

民十四年元月，孫公應段祺瑞邀請，北上協商國是，道經日本神戶時，民黨駐東京支部推派我與安徽湯志先，江西張馨蒼等赴神戶歡迎，我們遄往總理駐節的「東方旅館」謁見，總理正在房內跟日本黑龍會首領頭山滿密談，聞有東京本黨同志的代表來到，立即走出房外，跟我們這幾個學生握手，慰勉有加，並指說祂所主張的「國民會議」，就有學生代表在內，希望我們努力促成國民會議實現，親切如父兄對子弟之情。繼而他乘坐日輪「北嶺丸」啓節北上，我們亦在碼頭恭送。當輪船鳴鑼啓椗，跳板正在撤除之際，忽有一華人在遠處奔馳而來，揚聲大呼總理不輟，孫公即命輪船停開架上跳板，等候那位華人上船來，問他有何事情？答言「我是在大坂作理髮師的國民黨員，聽說總理到了神戶，特告假趕來致敬，別無他事。」孫公即與握手接談，淸言娓娓，並不因其係粗人而薄待之，言革命者不應如是耶？

諸葛文侯曰：凡屬政治團體，無論其爲普通性的或革命性的結合，當其失意在野時，尚能保持一種精誠團結，互信互助之氣象，一旦執掌政權，內部即潛滋分化與腐化作用，非復昔日面目了。唯一有效的抗毒防腐劑，就是大家不要汨沒豪俠道義的情操。然而，此非空談所能濟事也，奈何？（完）

台灣與鄭成功

·陳雪英·

五月二日，成功於行轅集文武各官會審吳，陳二犯，吳豪伏罪被誅，陳蟒綑責革職。其時南北各路，鄉歸約束，非設行政區域不可，乃改赤崁地方爲東都，以普羅民遮城改以爲承天府，以楊朝棟爲府尹。置天興縣（今嘉義市），以轄南路，莊之烈爲知縣。改一鯤身爲安平鎮。六月，成功駐承天府，遣發各鎮營歸汛，訂有規約，不許侵擾土著，及其他百姓；劃分地域，分屯各鎮，以文衛，虎衛兩鎮駐北路；新港、中衛、義武、左衛、前鋒、游兵等鎮駐與南路觀音山。從各自力耕自贍，以增糧食，各先發給六個月開墾費，試行寓兵屯田之策。八月，荷蘭國遣克寧克來接替台灣大守揆一之職，克寧克率甲板十隻，將兵七百人，迨至一鯤身海面，見陸上鄭軍旌旗飄揚，港中艨艟縱橫，軍威甚盛，正疑訝間，而鄭軍艦隊驟至，飛射火藥，延燒荷艦。又以砲猛擊，荷兵甲板負創，狼狽望東而逃。既而爪哇援兵繼至，鄭軍予以迎頭痛擊，結果荷艦又被擊沉兩艘，其艦長知不敵，遂引逸兵，並召回雞籠、淡水兩地的戍兵，及載婦孺而逃。唯留丁壯準備死守。同時因援勦後鎮，後衛鎮官兵激變，大壯藩叛，竟衛殺傷左先鋒鎮營楊祖，嗣病死。成功遣兵部事李胤監制各鎮，毋再擾擾土社，並調後衛鎮等移扎南社，事遂平。（九）

內僑警合報字第〇三一號內銷證

自由報

THE FREE NEWS

第二七九期

中華民國僑務委員會所發
台教新字第三二三號登記證
中華郵政台字第一二八二號執照
登記為第一類新聞紙類
（半週刊每星期三、六出版）
每份港幣壹角
台灣零售價新台幣貳元
社　長：雷嘯岑
督印人：黃行富
社址：香港銅鑼灣高士威道二十號四樓
20 CAUSEWAY RD 3RD FL HONG KONG
TEL. 771726　電報掛號 7191
承印者：田風印刷廠
地址：香港灣仔高士打道一二二號
台灣分社
台北市西寧南路壹壹本號二樓
電話：三〇三四六
台郵撥儲金戶九二五五

過雙十、感國事

吳本中

「雙十」是全國誌念日，應當是全民族魂魄振動的日子；這不是一個官式文章，更不是某一階層，甚至某一政府可排導的；這日子，平常固屬可慶，但是一臨國命砧危或人民塗炭時，卻是一個誌痛，誌悲，從全民族揮淚躍起，化悲痛為力量的節期，有起死回生，反亡為興的作用！

「雙十」是世界第一大民族的「國節」。意味着五千年的專制種種流毒，一洗而淨；現時的誤民禍民現象，均將一掃而空；吾們自已是主人翁，要即創造一個聳立世界巍巍峨峨，為六億同胞造福利的富強康樂的中國！

這是世界最大的意志，不可阻撓的。終必成功的。

國旗燦爛，遍山海。中國人的心，永不會死的。這就是鐵證。起來吧！奮鬥！中國的事中國人要動手。中國永遠是中國人自已創造的。

筆者草此文時是星期日，十月十四日，去「雙十」已經過了四天，然而國旗翩翩仍然舉目皆是。直至午後約五鐘許，陣雨倏至，布製旗始漸收回，而紙造者纍纍線上。觸「青天白日」分明，秀色可餐也。寓所可右望鯉魚門，左眺青山嶺，港九情景遠近在目。本年十月一日時僅觀堅道一所學校樓頂懸中共旗，目力所及之處未見另一間人民房巔高掛「五星旗」。十日後，見正在建築中之英，美兩大旗館最高頂端且掛有國旗飄揚，自「六國大酒店地基」，自我寓方向看去，適以香港中環大廈為背景，青天白日滿地紅國旗高懸其上，驟觀之，驚以為自大會堂樓頂掛起，細察之，始知其非也。此二旗入夜更裝有電燈照耀。又持望遠鏡亦可見九龍獅子山巔插有國旗。這個岩石形成之獅首，固不容易爬上，而下來時更危險。筆者深知之，因曾獨自爬過，同路走錯，流沙滑脚，幾滾下深谷，粉身碎骨。足見執旗躍登獅子山頂者之愛國可佩。至若旗海處處，燦爛如錦，更不必贅言矣。

凡此事實之表現，大部係「升斗小民」，亦即我們的親愛，善良同胞，亦可稱無名英雄之赤子，天眞，自然的流露於行動者。亦可以說是：你，我，他，全體中國人的意志象徵。我們應當堅信中國人民的潛勢力是偉大無比的。我們只要採取一種消極的態度，不理，不睬，不動；有所不為，有所不取，就亦可以說一個大帝國傾覆。要緊的，是萬衆一心而已。昔值中國有瓜分之禍，列强各據一勢力範圍，華夏有陸沉之懼，當時有一位法國識者，警告泰西：「中國政府不可怕；中國人民是可怕。」勸勿輕舉妄動。不知，卻惱怒了一個不世出的偉大女藝人，名莎拉．白爾納者，西歐重藝術，她生前備受崇敬，死且國葬。這位美而且才的法女對於我們中國人卻說出一句太不客氣，過於失言的話，她憤然曰：「什麼！中國人因為他們是四萬萬人口，就可以阻礙我們（指歐美人）文明的前進嗎？我自己就可以殺掉他們一二十萬。」筆者讀悉此故事時，是留法青年學生，莎拉則早已由老太婆而壽終矣。不過，經她創建，誌念她的「莎拉，白爾納戲劇院」巍然千古，永存於巴黎一名廣場上。余每路過，憶及她輕視我們中國人的話，心中發生說不出的不痛快感。數年後歸國服務外交部，旋又寓法。該劇院發請帖，余示意非最貴賓席，不就。借機幽默他們一番：你們偉大的莎拉玉手不但未能殺掉半個中國人，現在她的戲院反被一個中國人「佔據」了。一笑。

是的，那位法國人士說對了。中國人是可怕的。在雙十國節可以考證中國人的潛勢力的。不過，不幸的，往往就是中國的政府是不可怕的。外人可以玩弄我們的政府而害及我們中國人全體。滿淸政府是如此；民國成立後，袁世凱政府，北洋的督軍政府等等，何一在外國人面前稍樹威嚴，能教人發怕一怕？甚至於：「寧送外邦，勿予家奴」，可巧言令色以媚外，弗天聽民視以視民！

一個眞正好的，眞正中國人的政府，亦是眞正能强大無比的政府，必定是眞能獲得中國人的心，代行中國人的意志，發揮中國人的力量者。若是稍一有為一人，一家或一黨爭權奪利而忘卻全體中國人的福利者，中國人眼睛是雪亮的，這個人或這政府，必不會眞獲民心，眞得民力，眞正强大的。青天白日滿地紅的三色旗幟，因為是國父孫中山先生有天下為公的氣度，終身熱誠堅忍謀復祖國者所創立，又經過革命烈士血的洗禮，所以我們願以作為中國的象徵而敬愛之。除此旗之外我們也再找不出另外一個標記，可為我民族靈魂所寄託，精神所依靠。這種情形，我們一到外國，更深感覺；身為中國人而久不見自已國家的標記，往往如同稚兒失其母親而茫然無歸者。偶一過自已國家的使館門外仰看國旗飄展，遂不禁眉飛色舞焉。正如此間一位店舖員鄭重而不無莊嚴相告曰：「雙十節掛旗，我們不能不掛國旗！」此明言是為中華民國「國日」而懸旗也。

近代民主自由先進國家的說法，如美，對其國家最可誌念之一日，均曰：Nation日」Day（國日）或譯為「國節」，並無慶字意義加上。美於一七七六年七月四日反對英國統治而宣言獨立，遂為「獨立日」即美國國節。法於一七八九年七月十四日大革命爆發，人民攻破王室監獄巴斯地，定該日為「國節」，平常即稱為「七月十四日」節。昇平之年或勝利之年，慶，當然為主要節目，人民自動歡樂，街上大跳其舞，大唱馬賽進行曲國歌。你縱然不是法國人，無論是黃種或黑人，過街，可能被他們拉去加入跳舞，鬧得不亦樂乎。這當然是慶而且是狂慶。然而在第二次世界大戰時，法國大陸淪陷，法人墮入愁淵，「七月十四日」雖然仍過「國日」，但慶從何來？樂又何得？法人閉門思過，痛中思痛而已，待光復祖國再慶祝，再跳舞吧！

所以，筆者不敏，終不懂：十三年來，我們流亡海外，尤其所謂知識分子，何以必强顏笑顏；逢場作戲，慶一番？樂一次？面對億兆苦難同胞呼天不應，與地不靈，「淚盡胡塵」，「南望王師」十三載而不來，我們文化，教育，戲劇等等各界，以及工會，宗親等等各色社團，筵開遍各大酒店，舞會，表演，歌唱整夜，耗費不貲；是否有深意焉？或係浮淺焉？我們是否可以作一點實在事？舉一例：譬如把酒肉筵席錢，或舖張費，存下來作一種「光復基金」或獎金。可否聲明：「誰能首先返大陸把國旗插在北平天安門上者，就封他為民族英雄。這裏存在銀行有薦獎一萬元待領！」又譬如：「誰能研究出一有系統的最優打倒共黨理論及光復大陸後重建中國的方畧，誰就可獲一顆榮譽金章及二萬元獎金」。十三年了！大家假借「國慶」而吃喝而玩的所用的錢，集合起來，恐怕遠過此數吧？

鄭重組織一個熱烈，悲痛，憤發，偉大的「雙十」集會是點吧！此何時耶？此何地耶？我們悲憤為力猶之不暇，雞鳴起舞，猶恐不遠，又有何心「筵開百席」「明星例座」乎？

漫畫天下

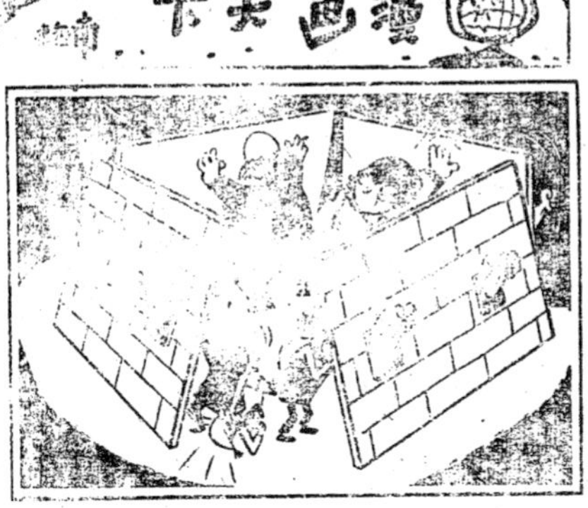

狗咬狗骨

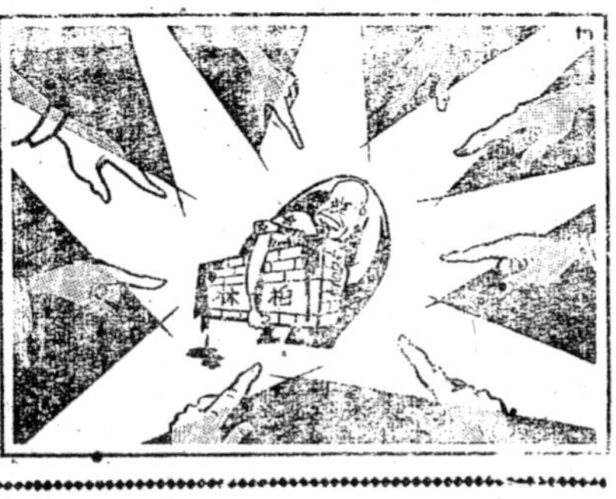

千夫所指

自由談

「玄事兒」

馮王先生

近年來，台灣省民選舉的地方行政官吏，常有鬧出笑劇與醜劇的消息揭露於報紙上，如基隆市長林番王夫人之不時因家庭問題，到市府大鬧特鬧，亦會驚動了地方治安機關和婦女團體，從中調處；如嘉義市長蘇玉衛因貪贓來身司敗，又發生翁婿間詐欺取財兼竊盜罪嫌的訟案。此外的各個地方官吏，在議會裏製造笑料，在公事上搞出驚人的行為者，亦復時有所聞。這可用一句標準地道的北平話來形容它：「玄事兒」！亦可借重吾國大哲學家老聃的名言來批判它：「玄之又玄！」

今人侈談民主政治，卻漠視實行民主政治的必備條件，削足以適履，揠苗以助長，遭殃的是老百姓，失敗的是國家政務，驚虛名而受實禍，其斯之謂歟？

這些地方官吏決非有意要鬧笑話，演醜劇，人之好善，誰不如我？問題在文化素養和政治技術。台省同胞在日治時代，知識分子不許在學校肆習文法政經課程，視息於帝國主義者愚民政策之下垂五十年，今日馳逐於政界的地方官吏，都是日治時代生育培養出來的，一旦獻身政治舞台，他們的唱工荒腔走板，做工茅手茅脚，連票友的本領亦沒有，實為無可奈何之事。至於所謂「官箴」「官常」，更是談何容易，非不為也，是不能也。因此，我對於這些表演笑劇與醜劇的地方官吏，殊不忍加以苛責，且覺得他們的生活很辛苦而可憐呢！

民主政治不是變戲法所能濟事的。國父遺教明白指出縣為自治單位，必須教育普及，交通發達，民衆組織能力充足，而又具有行使政權的技能——如民權初步的訓練等——然後算是完成了地方自治的基本工作，纔實行縣市長民選制。政府對台灣並未注意及此，實然「超越前進」，宜乎大失所望矣。以此例彼，我今日國大代表們要實行創制複決權，自然振振有詞，無可厚非了。顧反對之言盈天下，認為有乖事實，徒滋紛擾，然則在台省何以又不妨躐等實行自治耶？

求治必須有原則，專講手段即將釀成得不償失的後果，謀國者詎可忽乎哉！

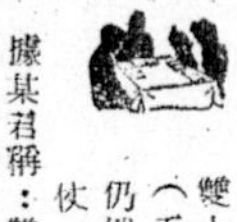

（本報訊）據返自廣州之商人某君告本報記者：雙十國慶之日，毛共廣州當局雖施行特別嚴厲之戒備（毛共於上月中便已提前在粵境施行大戒嚴令），卻仍然出了事情，反共傳單在多處飛舞，並有人燒放炮仗，慶祝雙十國慶。

據某君稱：雙十節自晨至午，廣州市中心區及廣三鐵路車站一帶，曾連續發現大批的反共傳單，此種傳單，上印有全紅雙十及國父遺像以及蔣總統肖像。事發之際，毛共人員手忙腳亂，除不斷將發現的傳單檢去外，其公安人員並進行嚴密而緊張的搜查行人，但未有所獲，因而未聞有人因此被拘捕。

當日午間稍過，廣州市太平南路中段，突起「劈劈拍拍」之聲，途人莫明究竟，多聞聲趨避。事後始知爲有一大包炮仗燃放，顯係慶祝雙十國慶者，但何人燃放此包炮仗，則不得而知。毛共人員聞聲，當趕往現場查究，奔避之路人多有被其截住檢查，並曾經有十餘男女被認爲有嫌疑，竟被帶走，迄十二日尚未釋放，毛共廣州當局亦未見對此有任何說明，但此兩項事件，當日即被傳開，相信廣州市民已無人不知。（家）

雙十節過得頗不寂寞
廣州多處發現反共傳單
澳邊共區連續炸彈案

（本報訊）據澳門消息：雙十國慶紀念日及國慶後一日，澳門隣近由毛共控制之區域，接連發生三項爆炸及開槍駁火事件，計雙十節發生兩次爆炸事件，十一日發生者則爲開槍駁火事件。

雙十國慶節日之凌晨四時十分鐘光景，澳門隣近之共區灣仔，突傳來爆炸聲，頗爲猛烈，所有澳門地區，均可聞及，若干地區且感震動。第二次爆炸聲則發生於國慶日之下午四時稍過不久，其猛烈程度，比之第一次，亦無遜色。且兩次爆炸之處，仍爲共區的灣仔。第二次爆炸後，澳門居民多人曾眼見共軍紛紛出動，狀似異常緊張者然。

據十一日所獲消息，此兩次爆炸，均發生於該地共軍駐紮之地的兵營與炮樓，該炮樓已被炸毀，兵營亦有損傷，傳說共軍因之死傷者不在其少，唯數字無法獲悉。按灣仔爲隣近澳門區域中共軍經常駐兵所在地，其爲數達好幾百名之衆，居然共軍的炮樓與兵營均被爆炸，且均發生於同一天的十二小時之內，實在事不平常，大出澳門居民的意料。

繼此毛共區灣仔兩次猛烈爆炸之後，十一日晨零時三十分左右（即雙十節之夜的十二時半），澳門下環媽閣對面的毛共控制之中山縣五區銀坑，又傳來密集之機關槍聲，間中並有炮聲，連續約達十五分鐘始止。澳門居民多因之驚醒，有人並會出而循聲張望。

據十一日午從自毛共區駛抵澳門的漁船中人獲得之消息，當時係因有若干名反共志士，駕一小艇，駛近銀坑岸邊，但因毛共早有戒備，當該小艇駛距岸邊約一百碼之處，即被共軍於喝問之後，以數挺機關槍集中加以射擊，該小艇立即掉頭回航，共軍於是一面施放照明彈，一面不斷以機槍發射，同時並會開追擊砲轟擊。

另據十一日午後返自澳門媽閣與共區毗連之海面的一艘漁船漁民稱：彼曾在該海面見一小艇，正隨波漂流，艇上並無一人，但見該艇彈痕纍纍，密如蜂巢，在海面載沉載浮。又稱：彼曾見該小艇中尚存留的彈殼不下二三十枚之多，顯示該小艇在遇伏被射擊之時，亦曾開槍還擊共軍。至於該小艇上原有人員的下落，據一般猜想，若非已於駁火中跳海逃生，則可能經已葬身魚腹。（明）

上月底至本月初
毛共在梅縣大整百姓
普遍召開公審式的宣判大會
受害者有的被槍決有的勞改

香港與大陸

九月底至十月初，毛共在梅縣會大規模地鎮壓了一批「壞份子」，受害者總數若干，無法知道，祇知其中一個「宣判大會」，便有近百人被判「勞改」，以及有三個「國特」被判槍決。

據甫由梅縣抵港，即將轉往泰國的鄭通華君說：近來由於反共的標語時常在梅縣出現，有的同胞不小心咒駡共黨被發覺了，毛共爲了壓平這種普遍的反抗暴政的情緒，乃作一次大規模的鎮壓行動。

黃君說：去月（九月）底，毛共在梅縣各地區，同時進行「人民公審」式的「宣判大會」，如「梅縣城鎮宣判大會」，「梅縣城南公社宣判大會」，「梅縣城西公社宣判大會」……等，在集會時，令全部「五類份子」（亦稱「五壞」份子）被押到台下，人民大衆則被命令到場，黃君本人是被命令參加「梅縣城鎮宣判大會」的，「宣判大會」開始，首先由毛共幹部講演目前國際形勢，強調：「東風」如何壓倒「西風」，「社會主義事業」如何在世界各地節節勝利……之後，由「公安」機關首長報告，說是國際上和國內的「敵人」，皆不顧見社會主義的勝利，經常進行破壞，因此，爲維護社會主義事業利益起見，特宣佈一批「壞份子」的罪行，並按情節之輕重，給予判刑。

這次的「宣判大會」，與以往「人民公審」形式一般無二，所不同的，是「人民公審」還安排有羣衆發表意見，並做成決議，「宣判大會」則沒有這一套假戲，直接由共幹宣佈如何處分便算了。在鄭君所參加的那個「宣判大會」中有三人被指爲「國特」份子，判處死刑，另有近百名的「壞份子」，被判處長短期的「勞動改造」。

黃君說：這些被判罪的人，大部份是無辜的青壯年人，他（她）們眞正的「罪」，充其量祇是說了幾句對共黨不滿的話，以及只是寫了幾句反對共黨的標語罷了。有一位被判勞改兩年的張姓青年，於宣判後，曾在大會中大聲喊冤，說祂僅僅有一次在若干人面前說過：「台灣海峽形勢很緊張，國民黨就要反攻了。」的話，而這些話，「幹部」也說過的……但這位張姓青年話未說完時，已被在旁的公安人員一拳擊昏了。還有一位十七歲的青年學生劉創華，祂的被判罪，則是因爲在祂就讀學校的廁所內寫了：「殺絕共黨」等幾個字，而被判刑兩年半。而其餘被判罪者，據鄭君說，大部份是莫須有的。

另一位曾同梅縣省親的李舜蓮女士告訴記者說：十月一日，毛共在梅縣東較場召開各界人士慶祝「國慶」大會時，忽然有人發覺在司令台左方的「體育學院」（前爲學藝中學校）的正門旗竿上，出現了二開大小的青天白日紙質國旗，與會者一時莫名其妙，耳語相告，頗覺驚奇，在前令[illegible]的共幹，隨即命令公安人員進行搜捕該掛旗者，未久，居然被捉住了，原來祇是一名十六歲的學生，而且還是青年團員（又稱共青團員）。該少年學生於被捕後，出乎預料，強硬得很，祂說：「你們要殺便殺吧！我已將我的後果問題考慮了幾次。我這樣做，是因爲胸中的憤怒已忍無可忍了。」這幾句話，從在台上的共幹們感到非常的狼狽，連忙命令公安人員把祂押走，畢竟如何處分了，李女士說大家都不曉得，亦不敢問。（敬斯）

（本報波恩航訊）迅速復興的西德，經濟力量發展驚人，僅就西德對外國的投資論，到一九六一年底爲止，已超過四十一億馬克，其中六零年及六一年更佔半數以上。

經濟復興發展驚人
西德在國外投資逾四十一億馬克

據西德經濟部報告，一九六一年，西德在外國投資總額爲一十三億五千二百九十五萬五千一百馬克，一九六〇年的投資則爲一十億六千九百九十一萬一千一百馬克。由一九五二年至一九六一年十二月三十一日，西德在外國投資，共四十一億零九百五十萬零六百馬克。

西德一九六一年在各洲投資的數目如下：

（一）歐洲　七億一千五百八十萬馬克。

（二）非洲　四千二百萬馬克。

（三）美洲：

北美洲　三億二千三百五十萬馬克。

中美洲　七千七百萬馬克。

南美洲　一億九千一百一十萬馬克。

（四）亞洲　四千五百八十萬馬克。

（五）澳洲　五千四百四十萬馬克。

總共一十三億五千二百九十五萬五千一百馬克。

從一九五二年至一九六一年十二月三十一日，西德在外國投資總值爲四十一億零九百五十萬零六百馬克，計爲：

（一）歐洲　共一十七億四千七百七十萬馬克。

比利時及盧森堡　一億零六百八十萬馬克。

法國　二億零六百八十萬馬克。

意大利　一億三千六百四十萬馬克。（上‧宇）

搖擺投機與自私自利
日本使得『亞盟』走了樣
—擅自更改會議日文名稱　居然不邀琉球參加會議—

（本報東京航訊）本月一日開始在東京舉行的「亞盟」第八屆大會，由於日本人的搖擺性格與自私心理，已經大大的走了樣，並差一點便進一步的從會議變質。

第一個從會議走樣的是名稱問題。會議的名稱應該是「亞洲人民反共聯盟第八屆大會」的，在日文用語上，卻被竄改爲「自由亞洲東京會議」，英文譯名則一仍舊貫。據日本主辦當局的解釋，不用「亞盟」的反共字樣，是爲了適應日本環境的需要，並亦便於爭取廣泛的支持。這乃是他們的光面話。實際上改名係出於日本社會黨的要求，而自民黨亦予同意了，有一個日本專欄作家因此說：「主辦國的日本中心份子，已由極右派轉爲溫和右派」。很有些洋洋自得之意。

雖然祇是日文更改名稱，英文譯語並未更改，但這畢竟是豈有此理的事。「亞盟」堂堂正正，已有八年歷史，現在日本人第一次主辦大會，竟然就連名稱都給改掉，而致面目全非，日本人實無法辭其咎。

事實證明，日本在日文用語上改變亞盟名稱之前，並未取得「亞盟」其他會員單位的同意，這種自我作主，先斬後奏的搞法，亦顯示日本主辦者目中無人，認爲祂們可以自由自在，上下其手。

主辦國的日本擅改會議日文名稱的眞正動機，一般認定這其實爲代表日本政客的搖擺投機的雙重性格，祂們以爲不用「亞盟」正正式式的「反共」字樣，而使用「自由亞洲」，即從不能得到俄共集團的歡心，應亦可減少它們對日本的惡感。但一般又認定，日本人這種想法，其實偷雞不着蝕把米，徒然予人惡劣印象，變成弄巧反拙。

第二個從會議走樣的，是日本居然不會邀請琉球參加會議。琉球是「亞盟」八個原始發起單位之一，前七屆大會，琉球均無役不與，但這次日本卻不會邀請琉球。所以，在這次會議開始之時，中國與南韓，均會爲此向日本提出抗議，指出日本此舉是嚴重的錯誤行徑。

據日本的解釋，不邀請琉球，是爲了（一）琉球刻在美軍政府治下，並非獨立政治單位；（二）日本對琉球擁有剩餘主權，有日本參加，使可以代表琉球了。這解釋的前一項，當然不成理由，如也非獨立政治單位之香港、澳門、北婆等，亦得參加，琉球豈得被拒門外？顯然後一項才是日本的眞實所在。但最低限度在法律上，日本對琉球已經並無主權，所謂「剩餘主權」，僅爲美日之間的私相授受，琉球前途應由琉球人自主決定，日本人豈容繼續在琉球殖民？更何況，琉球乃是「亞盟」原始發起者之一，在「亞盟」而言，琉球資格老過日本多矣，日本早幾年便希望參加「亞盟」，但因南韓力加反對，日本起先只是一個觀察員身份，上年南韓才勉强同意日本加盟的。這次大家給日本面子，由它主辦本屆大會，卻立刻表現其自私自利，拒邀琉球參加了。日本這種舉指，乃是違反亞盟憲章的，將來如何善後，還是問題。

「亞盟」於八年前甫成立時，祇有八個會員單位，以後陸續擴大，到現在已有二十二個會員單位。在東京大會上，還有十餘個單位派觀察員列席會議，確實比從前興旺多了。組織愈大，固然力量愈雄厚，卻同時不免孳生若干問題，即如這次主辦國日本擅改名稱拒邀琉球參加之類。另外，在會員國中已有非洲的剛果與馬拉加西參加，「亞洲人民反共聯盟」這個招牌，是否有擴而大之的必要，俾符實際？倒並非不是問題。（佛）

中國古代藝術的輝煌成就

·王宇清·

現存最古的中國雕刻藝術品，要數商代的玉刻和雕花獸骨。商、周兩代的青銅器又多鏤刻着精美花紋。可謂鬼斧神工，精美無比。秦漢以降的歷代石質木質和陶瓷的雕刻品，更是日積月累，美不勝收。如國立歷史博物館和中央研究院、故宮博物院等，就頗多這種珍貴文物的保藏，令人一見而嘆爲觀止。

中國的建築自成風格，傲視人寰。商、周時代的宮苑設計已是很不平凡。秦始皇建「阿房宮」，「上可坐萬人，下可建五丈旗。」照唐人的描寫，阿房宮的建築更是奇偉絕倫，前後綿延可達三百餘里。再則自周代以次，歷代生人所居的宮室，固然雄偉壯麗，對死人陵墓的經營，又復成爲巨構，無數的墓道、石闕、石雕人馬等，更保存着歷代偉麗的藝術。其中拱形石闕和橋樑，尤其建造精巧，獨導先河。由於佛敎的傳入中國，南北朝、隋、唐佛寺的興建如雨後春筍，類多高大鏤繪。而石窟的開鑿，則奇偉不可一世，敦煌千佛洞和雲岡、龍門等勝地遺蹟，眞是震爍天地，全世馳名。又因佛敎影响，佛塔的建築層起倍出。那種超越的建築藝術，常使今世的中外專家感到驚異和欽佩。比如現存最古老的河南登封縣嵩岳寺塔，建于北魏，有十二角十五層，河南開封佑國寺鐵塔，北宋時琉璃磚造，六角十三層，高三百六十尺。許多西方建築學家對此種建築，無不視爲奇蹟。再如北平的天壇，建於明代，清光緒十五年火災後重修，高達九十九尺，壇內見不到一根柱子，也使所有的西方建築學家驚歎無已。無怪中國每次在海外參加國際博覽會時，所作中國宮苑式的展覽場設計，沒有一次不是吸引了非常廣大的觀衆和讚美，這不是偶然的。

此外，中國在商、周時代已有技巧熟練的合金治鑄和鍍金術（見於青銅器）。更早於商代，已發明養蠶繅絲，而歷代織錦、刺繡、刻絲等、又復日新又新，遂使中國蒙「絲國」的美譽。晉代開始有瓷器，復經歷代演進，至宋、明、清而登峯造極，復使中國有「瓷國」之稱。餘如音樂、戲劇等等方面的成就，亦屬吉光片羽，美不勝收。奈以篇幅所限，無法列舉。總之，中國古代藝術的輝煌成就，足以傲視全球而無愧色。問題是：如今舉世鼎沸，中國的國難未已，凡我黃帝子孫，既要盡力維護保存先民的文化遺產，更要迎頭趕上時代，努力創造新的優良文化，一以不讓古人專美於前，一則好向後世有一點交代，這却是我們這一輩人所當日夕深思苦鬬不敢稍有懈怠的一項重大的問題。（下）

天南風光

黃乃裳與新福州——詩巫

朱淵明

然黃氏之胃疾，後來終於漸愈。他離開墾場，經過美里，汶萊，參觀煤礦及油礦，而感覺「以是知辦礦非有鐵路，無能爲也」。七月初，抵星加坡。他的女婿林文慶醫師，對於他的離開墾場，是頗爲不平的。據博汶來沙羅越的當局，因事赴倫敦經過星加坡時，林醫師曾與之大起交涉，幾至涉訟，旋經人調停，表示仍舊歡迎黃氏回住墾場，方才了事。然黃氏却終於未回，而又另圖發展去了。但其流風遺韻，却迄今猶存，例如以會館而言，到目前爲止，詩巫之福州公會，仍無賭具設備，不似其他公會，多數賴牌局收入，以資維持部份之經常開支；至於雅片，則沙羅越早已懸爲厲禁，即在未禁時期，宗敎徒之吸烟者，亦絕無僅有，者墾場的移民，固絕大多數爲宗敎徒也。

黃氏爲公車上書人物，初與保皇黨人康梁等過爲接近，其嚮往革命，可以說是庚子年於赴沙羅越覓得新福州墾場，轉往星加坡與孫中山先生晤談後，才轉變而確定的。那一次，孫先生是從澳洲來到星加坡，準備與康有爲作一次攤牌式的會談的，蓋是時孫康二人均亡命海外，均爭取華僑之支持與同情，華僑多粵籍中人，孫康二位亦粵人，均各有其影响與號召力，對於改造國事，亦各言之成理，持之有故，孫志在革命，康則一心保皇，倡爲君主立憲。是時英國勢力，如日中天，日本國勢，亦方興未艾，而兩國則均君主立憲之國，故華僑之老成持重者，多傾向於康，而主張就現局改造，如日本之明治維新，那自然是保皇了。

但青年志士，則支持中山先生的革命，以效法美國，而認爲滿人已誤盡國事，幾遭瓜分，非徹底改造不可，聲勢亦極浩大。可是華僑社會之實力，則多在老成人之手，故中山先生之革命運動，進度頗受康梁輩之牽掣，革命黨人遂安排一個兩大領袖的會談，以期打破僵局，俾局勢得以明朗而開展，但結果雖然徒勞，却爭取到一個黃乃裳氏，由虔誠的基督徒，變爲熱心的革命黨。據黃氏「七十自敘」所紀庚子年與孫先生晤談之經過云：（七）

公道篇　林公

一個向貧窮挑戰的計劃（五）

亞非二洲人口佔世界總人口之大半，而貧窮人家，亦大部在此二洲之中。人類禍患的癥結，社會罪惡的根源，均可說大半亦來自貧窮，而中國的貧窮，更純在難於作「三代生活的負担」（詳見拙著「中國人貧困的癥結」）。顯明，社會制度是有了病態，經濟制度是有了病態，企圖保有病態的制度而可使人民獲得生活幸福，那是妄想，不合邏輯。今日舉世認爲危害人類和平幸福安全的是共產主義，如不諱言，共產主義亦祇是病態社會的產物，美國助理國務卿哈里曼最近主張將用於歐洲的馬歇爾計劃所耗用的精力與毅力，同樣用於東南亞，使這一地區免於共黨的威脅。中國外交部發言人孫碧奇評論這個問題時說：「經濟落後，社會不安，乃是共產主義孕育的溫床。所以，阻止共黨滲透顛覆陰謀的最有效辦法，莫過於消滅貧困，促進經濟繁榮，以安定社會秩序」。又說：「共黨今日在西歐一籌莫展，就是因爲西歐戰後在馬歇爾計劃的協助下，經濟趨於繁榮，社會底於安定的原故」（見台北九月十四日中央社電）。

孫氏這段評論，無疑是幫助本文解答「共產主義是病態社會的產物」的不足，且同時還無形爲本文的建議的重要性而作證。不過我仍以爲未足，還要爲孫氏的評論作如下的註脚：

馬歇爾計劃施於西歐而西歐繁榮，馬歇爾計劃施於中國而中國淪於赤獄，前者因是社會已上軌道，故可以爲功；後者政治意識未定型，社會正在變化中，故反以爲罪。馬歇爾計劃無疑是消滅貧困的一項治本的有效方法，但不是一蹴可就，對於現時已在努力擴張滲透顛覆的共黨，我們勢不能不在根治貧困中，亦必須同時作有效的治標的措施，方可消滅赤色毒菌細胞，不使蔓延引致病情惡化。共產主義在病態社會中係已成的產物，不是孕育初期，故馬歇爾計劃施於東南亞一類地區，我以爲祇是一個治本的部分，還欠缺治標的部分，而後可以成爲有效治療的方法。

說到消除貧困，是阻止共黨顛覆的有效方法的理論，已不是什麼創見偉論，且早已成爲常識，但爲什麼理論還總是理論？這個問題就要追回本文開篇那段話，就是沒有國家不願意解決自已的貧窮，但是，經濟來源與解決辦法，却是最棘手的問題，而且對外援戒懼，亦是一個難於抉擇的矛盾。這種矛盾，幾乎是普遍地落在亞非國家的身上，爲消除這種疑慮與矛盾，保證獨立自由自主的權益，所有貧窮的國家，對於本文這個「向貧窮挑戰的計劃」，就有參考採用的必要。（本篇完，全篇未完）

預防反攻與鎮壓抗暴

中共繼續疏遷東南沿海同胞

（本報訊）香港某權威共黨問題專家語本報記者：根據彼個人所獲資料研究分析，中共在東南沿海各省疏遷民衆的工作，迄未停止，相信已有二百萬甚至更多的人，已被中共勒令疏遷遠方。

這位共黨問題專家說：中共此舉的用意，爲預防國軍反攻與鎮壓民衆抗暴兩者的結合，爲一石二鳥，值得重視。並指出：

（一）疏遷地區包括廣東、福建、浙江及江蘇四省。

（二）疏遷對象雖各業兼備，但大率均爲中共認爲「不可靠」的人物。

（三）疏遷的去處，多爲內蒙、新疆、青海、西康等邊遠之地，實際等於充軍或勞改。

（四）疏遷方式，表面爲「志願」「申請」，實際則爲中共所指定，而以命令行之，被疏遷者絕無拒絕或選擇地方的權利。

（五）疏遷的交通工具等，由中共統籌，但待遇至爲苛劣，途中死亡者不在少數。（續）

亂局續夢

第六回：烽火照邊陲　同惡難濟　樓船橫碧海　大慾興悲

赫魯曉夫到印度是十二月十一日，再過三天就是「史毛協定」十周年紀念日，中共通令各級共幹大肆慶祝，整個大陸凡是有人烟地方，都貼出巨額標語：「感謝蘇聯的無私援助」，「中蘇的力量是無敵的」；那知道就在這時，蘇聯對印度眞的開始了無私的援助。

赫魯曉夫到達新德里時，印度要人如總統普拉沙德，副總統拉達克里希南，率尼赫魯，梅農都到機場歡迎，人民也出動幾十萬，印度人都明白，赫魯曉夫的訪問和艾森豪威爾的訪問，價值不相上下，艾森豪威爾好似送了一把利劍給印度，用以對付敵人；赫魯曉夫則似送來一件避彈衣，使敵人不敢妄動。

在尼赫魯來說，當赫魯曉夫未到之前，他已曉得赫魯曉夫此來的用意。當天晚上尼赫魯設宴爲赫魯曉夫洗塵，在座的只有梅農及一名翻譯。

尼赫魯舉杯說道：「總理閣下，正當我們在內憂外患嚴重之秋，你的大駕蒞臨，使我們增加了鬥爭的勇氣和勝利的信心，現在我代表四億人民敬你一杯酒。」尼赫魯說過端起酒杯就飲。

赫魯曉夫打手勢讓尼赫魯坐下，咧着大嘴笑道：「首相，我們是老朋友了，你還跟我來這一套外交辭令幹什麼？今天打開窗子說亮話，你所說的外患，大概是指的我們中間那個鄰居了。」

尼赫魯連連點頭。

赫魯曉夫嘆口氣：「首相先生，你們局外人對於中蘇之間關係有點不太了解，毛澤東近來專門同我鬧蹩扭，我講的話，對他來說，簡直沒有一點約束力。」

尼赫魯笑道：「那也不盡然吧！一九五七年毛澤東在莫斯科向全世界宣佈蘇聯是所有共產國家的頭，蘇共是全世界共產黨的頭，他怎麼敢不聽你的話。」

赫魯曉夫苦笑道：「你那裏知道眞正情況，他那次硬是去行騙，以爲這樣一嚷我就會借錢給他，好似一九四五年他在重慶當衆高呼蔣主席萬歲，用的是一個手法，不過，我沒有蔣先生忠厚，我就是不進他的圈套。」

尼赫魯翻眼看看赫魯曉夫，說道：「總理先生，請原諒我的話超出了範圍，在你們共產世界來說，歷來是定於一尊的，你既然不肯扶植他，就應該打垮他，你留着他同你爭鬥，對你威信是很大損害。」

赫魯曉夫搖搖肥頭，說道：「這些問題我都想到了，我不是沒有辦法對付他，而是不能對付他，收拾他那爛命一條，易過乾一杯伏特加，可是，找不出一個接他手的人，他一倒下去，內部必亂，到時台灣乘機反攻，我怎麼辦！」

尼赫魯點點頭：「這實在是個難題，千萬要防備台灣反攻，國民黨一打回來，我們的邊境問題就更麻煩了。國民黨那有共產黨這種推讓，你估他一寸土地也不成，到時候我們在麥馬洪線以南領土都要退出來，一點討價的餘地也沒有，那才不得了哩！」

赫魯曉夫笑道：「首相先生，你既然明白這一點，就應該對中國讓半步，不要逼得他們無路可走。」（一四四）

賞牡丹雅啓（續）

其啓云：「敝寺花植牡丹，夙稱日下。圖傳紅杏，尤者都中。以故遠近名流，每多駐足。因而各方韻士，咸荷品題。今值時際暮春，節交首夏。纔二十四番之信，嫩蕊將舒。合七十九朶以占，布算殆盡。當此六街塵淨，白紙坊閒步匪遙。矧夫一院香濃，棗花寺遊觀可頹。所企各界善士，敝寺舊交，或載酒呼朋，或搴裳引類，計良辰而指屈，臨芳毂以心傾。在往年花季，頻邀雅集於禪房。洎今歲芳朝，仍冀賁臨於蕭寺。庶幾成知交之韻事，極游賞之大觀已。此啓，崇效寺住持和尙某某。」

憶玄軒雜綴

·城默·

十賢書展

四年前，在台北南海路歷史博物館，舉行首次十賢書展，承陳定山（小蝶）兄貽柬相邀，飽覽諸名家書法，眞草隸篆，琳琅滿目。北市舉行畫展，每年不知若干次，皆係賣品，有高至每幅萬元，而此則爲非賣品，且多是寫字，而非繪畫，亦特緻之一格，極見其淸雅。一年一展，每年必往，今已第四屆矣。今年尤有特別的闡發，因書展而流傳講寫，醞釀成風氣，爲好現象，於是始有書法學會之組織，報名參加，達六七百人，推而廣之，全島將有數千。究竟身是華裔，終不忘本，保存此稀有的文化，爲所當然，爲之大快。要亦十賢書展流風所被，不無有其功績也。

十賢是陳定山，陳子和，丁念先，王壯爲，曾紹杰，李超哉，傅狷夫，張隆延，朱龍菴，丁翼諸君，皆係名家，能寫能畫，而紹杰、壯爲尤能治印。各人書法，絕不相同。丁翼兄更曾有百壽圖之篆，受賞於賈故院長煜如（景德）、蔣經國將軍，爲最年輕的一位書家。寒齋所懸書畫，除念先、壯爲、狷夫、隆延尙未有之，其餘六賢法書，可每晨晤對，常資觀摩，爲陋室之精品，倍致快緒。

古來書家，無慮恒河沙數，言之非萬言可罄。但旅台以後，在八九年前，極少論書，自諸君子竭力提倡，蔚成風氣，使寶島人士知書法之足貴，將來對台灣省文化的貢獻，絕非渺小，日後可知分曉。茲略述此次展覽之突出。大塊文章有曾紹杰的四幅，隸楷草篆，皆五尺屏，與王壯爲的四幅草字，氣地很大，渾脫有神。念先仿鄧完白寫五尺長聯，……滄海日亦城霞之句，結構嚴整，擬其自跋，見自廉惠卿南湖所拓本，故可亂眞。（未完）

遜清宮女　翠雲秘辛

陳澄之

三、醇邸一得軒

「楊小樓！我們爲了推翻滿淸，就不怕敵人滅我們十族。李鴻章生前曾對慈禧說過，革命黨人是殺不盡、滅不絕的！李合肥不同情革命，但他瞭解革命的趨勢！」革命黨人冒充的宮廷禁尉，在這辛亥中秋夜深，磊落大膽地低下聲音說：「想起來楊供奉，儘管跟皇家有着密切的關係，一定還是同情革命的。我們有一件事，非借重供奉不可。」

「爺！你賞識我過了頭，實不相瞞，小的除了會唱戲以外，別的行當一竅不通。」楊伶說着打躬作揖，舞台上那股裝模作樣的英勇威赫豪氣，這夜靜更深不知霧消雲散到那裏去了，悄默聲兒苦着臉問：「那爺，你別瞪眼，你說小的能夠替你効什麼勞？」

那革命黨人說：「我有一件事要拜託你，明兒個你什麼時候，到攝政王府邸裏去呀？」

「這個——」唱武生的楊小樓猛嚥了兩口吐沫，心想：難道深宮裏也有了黨人，怎麼剛才親王府宮女翠雲，跟祂在御園裏的密談，轉眼之間已經到了黨人的耳裏。好快！

「楊供奉，你不必猶豫，我們纔拜託到你，爲了國家，爲了自由，爲了革命，你是中國人，就得出這一份力！而且是舉手之勞的小事，在你不費吹灰之力，可是對革命的貢獻卻非同小可。」那打扮成校尉模樣的革命黨人，作了一揖道：「就此奉託了！」

「爺，請別害我爲難，是什麼事？小的辦得到嗎？」楊小樓向黑暗處張望着。

「你好久沒到攝政王府邸裏去了。從前你每去，總是在王府花園的一得軒，跟八姑奶奶見面。一得軒內書畫琳瑯，寶物無數。八姑奶奶爲什麼每次都約在一得軒晤聚？」

「你你你——」楊小樓的聲音低得不再低，嘶啞地問：「奇怪，你怎麼這樣淸楚的？」

「別打岔，聽我說，一得軒是王府珍貴的場合，亦復是最秘密的地方，除了王爺和福晉，還有二三親信以外，閒雜人等絕對不得走近一得軒。現在卻有一個例外，例外就是你！」

「爺，你大概也瞭解我輩吃梨園行這碗飯，有着身不由已的苦衷，眞是一言難盡。」

「閣下的身不由已，正是報國的大好機會！請你明兒個應約赴一得軒，還手帶出一件東西來。一得軒內珍藏着萬千無價之寶，只要你順手牽拿出一件不值錢的東西。」

「爺，你說來我聽聽，順手牽拿被碰着了就是偷，好險！」

「你這話錯了！楊供奉，你應福晉之召，難不成是堂而皇之明目張膽的嗎？我只不過託你隨手拿出一件極平常的東西，你就推？」

「不敢！請說出什麼東西吧，容小的去試試。」

物極必反

趙匡

「物極必反」的「反」字，是復義，非反對義，是反復之義。是積極義，而非消極義。事物到了一個極限，並不是眞的走投無路，路是我們創造出來的，所以我們要創造新境界。能創造，便會得來一定的成果。

物極必「反」，又有其消極義，如上所說，此「反」正是反對之反，任何事物，走到極端，必有反對的力量起來平衡，而復歸於正。此種反正，在社會生活來說，就是革命。滿淸政府的內政外交，倒行逆施，無不到山窮水盡之地，康梁的改良運動也不能見容了，由是國父起來，領導革命，以順天應人。初時，在革命運動中，稱革命爲起義，爲光復，爲造反，革命一詞，尙未提出。乙未年（一八九五）廣州之役失敗，孫總理、陳少白、鄭弼臣三人自香港東渡日本，舟過神戶時，報紙有稱，總理爲革命黨首領者，總理當時卽指出，革命二字，出於易經湯武革命，順乎天而應乎人一語，認爲意義甚佳。由是，物極必反之「反」，在消極義來說，雖然是反對打倒之義，但仔細看來，消極義是和積極義相始終的。何謂「造反」？何謂「反正」？必有造詣而後能反，必立其正而後能反。何謂革命，國父說：革命包含破壞與建設，破壞是暫時的作用，建設是永恒的事業。人類之所以要革命，是要求進步，建設進步是正途，把障礙物淸除而反歸於正，在新境界上邁步前進，這就是「物極必反」的完全解釋。

目前大陸的革命局勢經已形成，毛共一切倒行逆施，人民已到了忍無可忍的地步，抗暴運動已不斷的起來了，這又是物極必反到消極義的一例。毛共的暴政，必然成爲人民革命運動正途上，所要淸除的最後障礙物。

毛共之所謂唯物辯證法，其實只是認識到物極必反的消極方面，強調矛盾的力量，從而利用矛盾，從互相殘殺，得以從中取利。這也就是毛共之所謂「執中用兩」了。毛共之運用「反」，不是順天理的，不是順人情的。只是奮其私智，妄想以人海力量，征服一切。這根本是非科學的，不人道的。輕視事實，所以非科學。草菅人命，所以不人道。毛共不從生命的觀點而以機械的觀點看宇宙人生，它們以陰謀詭計來代替中庸正道。這種的看法與做法，是禁不起歷史的考驗的。當前大陸的悲慘景象，更是這一結論的最好證明，毋庸贅說了。

我國先賢須悟到物極必反的消極義，叫我們做事情不要走極端，太過份，要留有餘地步。更不能違反天理人情，而任性孌幹。極端到不能忍受時，必有不可抵抗的力量起來，與爾偕亡。毛共暴政，要控制一切，徹底的控制一切，以爲不能反抗。殊不知，竟無力量的力量，就是最大的力量。因爲人民沒有力量來支持你，你必然倒下。不支持就是「反」。故此，暴力利用「物極必反」，而終將埋葬於「物極必反」中。玩火者必死於火。心術不正，就是暴君致命的根源。黑格爾辯證法，有其消極的一面，更有其積極的一面，棄其精華而取其糟粕，終至害人害已，人類的悲劇，孰逾於此！

我們悲憤，但尤需沉着。我們沉着的踏上革命正途，救助苦難中的同胞吧！終有一天，我們海內外全體同胞，結合大陸上反共的同胞，推倒毛共政權，永久同享自由幸福的生活！

海嶠舊談

黨爭醜劇

諸葛文侯

民國十九年汪精衛在北平搞「擴大會議」，聯府稱兵叛亂之際，所有原在平津一帶的中央政府一切機構和事業，皆強制接收，置於僞政權之下。維時北平市黨部委員兼訓練部長吳某，主辦着一所私立大同中學，亦爲汪派——卽所謂改組派——份子許某程某等所垂涎，擬予攘奪。但私立學校並非公家財產，僞政權不便直接處理，許等乃先行遍揭「打倒蔣××走狗吳某」的標語，迫使其離開北平，潛赴天津避難，然後將學校據爲已有，自鳴得意。

吳抵津後，恐及許程等原係北大先後同學，且爲同隸國民黨籍之人，只以黨內小派系在政治上的權利衝突關係，竟不惜反臉無情，演此醜劇，是可忍，孰不可忍？心生一計，吳乃潛至北平東交民巷，寓六國飯店，密召當地的「運輸工會」與「地攤工會」負責人來，囑其糾合所領羣衆，前往該中學校尋釁，務將許某（他自封爲校長）痛打一頓，如受軍警干涉，必設法營救之，決不失信。兩個工會的首腦，因平日迭得市黨部之贊助支持，尤其對吳氏更有好感，馬上發動羣衆數百人，馳往大同中學，四面包圍，切斷電話線，旋入校內尋得許某，羣聲唾罵之後，飽以老拳，並禁止其行動，雖大小便亦不得自由，軟禁達六小時之久，許某告饒乞哀，涕泗橫流不已。繼而程某乘隙爬牆逃出，急向治安機關求救，卽派來大隊武裝警察和憲兵，將羣衆驅散，逮捕首要份子若干人，置之於囚獄。

事後，吳卽叩謁其同鄉人王揖唐，訴述冤抑，乞予護持。王係「安福系」首領，在北洋軍閥政府歷任顯要職位，汪派僞政權對他頗爲重視，亟欲拉攏。王又憐悉吳言，卽以電話逕達當時北平的「國府主席」閻錫山，表示抗議，閻謂本人不知情，似此非法沒收私人學校的行爲，必不允許。他立刻命令北平警備司令部，將警察局在押的工會人物一律釋放，且通令查禁民間藉政治口實而隨意侵佔私人產業的非法舉動，違者嚴究不貸。許程等枉作小人，除實受一頓唾罵毆辱外，毫無所獲也。

諸葛文侯曰：余讀太史公述張耳，陳餘二人兇終隙末史事，不禁感慨系之。後世類此情形者所在多有，此李太白之所以歌猛虎行，劉孝標之所以廣絕交論也。人性本惡，如許程輩何足責乎！

台灣與鄭成功

·陳雪英·

這時已慮外敵，又經大肚番叛變，加以戶官的運糧船兩月不到，又値靑黃不接之際，官兵至食木子充饑，軍中惶惶不安。成功深恐有變，乃遣戶都事楊英等馳往四社買粮，但所購羅的數量，僅足供十日。

當是時，被困孤城的揆一，雖有困獸猶鬭之念，無如糧盡援絕，旋又被鄭軍攻陷城的南隅，已失險要，無所用力。成功又遣從持書勸其投降，其書曰：

「執事率數百之衆，困守城中，何足以抗我軍？而余尤怪執事之不智也！夫天下之人，固不樂死於非命，余數告執事，蓋爲貴國人民之生命，不忍陷之瘡痍爾。今再從從者致意，願執事熟思之！執事倘知不敵，獻城降，則當以誠意相待，否則我軍攻城，而執事始揭白旗，則余亦止戰，以待後命。我軍入城之時，余嚴飭將士，秋毫無犯，一聽貴國人民之去；若有願留者，余亦保護之與華人同。夫戰敗而和，古有明訓；臨時不斷，智者所譏。貴國人民遠渡重洋，經營台島，至勢不得已，自衛之道，固余所壯也。然台灣者，中國之土地，久爲貴國所據。今余既來索地，地當歸我，珍瑤不急之物，聽取而歸。若執事不聽，可揭紅旗請戰，余亦立馬以觀，毋游移而不決也。生死之權，在余掌中，見機而作，不俟終日。惟執事圖之！」

揆一至是遂求降，其條件爲：（一）荷人得携去必需之食糧及彈藥。（二）荷人携一定之金錢而去。（三）荷人得奏樂，携武器而去。（四）交換俘虜。（五）交還所奪前荷人之船舶。（六）荷商會之財產與樂一律讓與國姓爺成功。（七）荷蘭政府之圖書得携往巴達維亞。（十）

內僑警台報字第〇三一號內銷證

自由報

THE FREE NEWS

第二八〇期

中華民國僑務委員會頒發
台教新字第三二三號登記證
中華郵政台字第一二八二號執照
登記爲第一類新聞紙類
（半週刊每星期三、六出版）
每份港幣壹角
台灣零售價新台幣弍元
社長：雷嘯岑
督印人：黃行蜜
社址：香港銅鑼灣高士威道二十號四樓
20 CAUSEWAY RD 3RD FL HONG KONG
TEL. 771726　電報掛號．7191
承印者：四風印刷廠
地址：香港灣仔高士打道二二一號
台灣分社
台北市西寧南路壹叁柒號二樓
電話：三〇三四六
台郵撥儲金戶九二五二

新形勢需要新僑政

林介山

中華民國的創立，華僑建功至偉。在當前的反共形勢，華僑亦佔有極重的份量，如運用得宜，對反攻復國大業，將必然有決定性的影響力。

在反共運動基地的台灣以外，環繞着就是「革命之母」的王國。在這個國度裏，沒有統一的組織，自由至於完全一盤散沙，祇以是非善惡爲衡量，來決定他們的趨向。

「革命之母」的王國，連同香港計算在內，人口亦僅得一千五百萬，但是她的分佈的廣遠，卻是驚人，而因之形成一種國際運動的影響力，確實是不可忽視。她的經濟力，爲被困在大陸的經濟權威馬寅初稱爲「無形出超」的商品；她的資金的運用，雖無正確的統計，但可從下列科目概算出來：那是（一）根據美國加里斯敎授在一九四三年著「東南亞的投資與菲律賓」一文中，對華僑投資部份估計共爲六億四千四百萬美元。以此爲例，按照戰後貨幣發行額及物價指數比較，當前東南亞華僑投資額應增加六倍以上，即合計應爲三十億美元以上。（二）又據雷麥著「中國的外國投資」一書中，從一九一四年至一九三〇年間，華僑滙款歸國平均每年達二億美元。（三）據香港金融權威於一九六一年估計，東南亞各地華僑於近年間流入游資約爲八億港元。（四）印尼於一九六一年七月宣佈沒收黃仲涵公司的全部資產逾四十億盾，黃氏有「糖業大王」之稱，資產遍佈於全世界，四十億盾還祇是黃氏的九牛之一毛。（五）東南亞所有的特產企業如錫、橡膠、米、木材、糖、椰、寶石，甚而各地的零售商，都有華僑經營，佔有莫大的經濟影響力。以上所舉，雖祇以東南亞華僑爲對象，但統計全球華僑的人數及經濟力，東南亞地區卻佔有絕大的百分比。在全球華僑數字的一千五百七十餘萬人中，東南亞連香港在內即佔有一千五百四十餘萬，其餘美洲、歐洲、大洋洲、非洲共計僅爲三十餘萬，故上舉數字，係有代表性。

華僑對於母國的幫助，不獨是「僑滙」一項，而（一）投資祖國建設；（二）爲祖國物產爭取銷場；（三）爲祖國展開國民外交；（四）培育科學技術人材等，亦是極之寶貴的貢獻。所以，世界任何國家，沒有一個不全力展開愛僑、護僑、利僑的工作。這特別對我國當前的困難處境，在合的中華民國政府言，獲得散佈在各國的僑胞的熱烈支援，正是反攻復國力量最大的潛源；在今時大陸的慘況言，僑滙是中共最大的誘惑，如何攫奪華僑經濟，是它的生路之一。顯見，自政府退處台灣以來，大陸固已作天翻地覆的改變，海外華僑社會，亦不免隨而蛻化不斷在改變。因爲，華僑經濟既是中共的命根，中共自必然不惜加厚糖衣，運用最卑鄙的欺騙手段，以討好拉攏華僑，如優待僑眷，照顧僑生，降尊歡迎僑領，津貼僑商，便利僑資等等，以達成其掠奪僑胞經濟的陰謀。此一新形勢的發展，等於是考驗僑務執政者成績的課題。十三年來雖未見反攻大陸實行，但在海外華僑社會的自由與共產之爭，卻一直在進行激烈的巷戰肉搏。此一鬥爭的勝負，表面上似乎無關大體，但在當前雙方的需要上，實際可形成一種左右的力量。不妨嚴重點說，政府失去大陸以後，雙方即轉入海外華僑社會的戰場，展開僑胞之爭，或爲大陸軍事戰鬥的延續。中華民國國號的光輝，至今一樣炫耀四海；自由台灣省今日能雄峙亞洲，使中共顫慄，就是純得中共未能一舉卸尾征服華僑社會的賜予。由此可知，在此種政治環境的新形勢下，如何使僑政配合新形勢的發展，是非常重要的。

華僑社會出現新形勢，除國內政治影響之外，國際政治亦是主要因素。今日華僑的處境，固與辛亥革命時代不同，亦與大陸淪陷前不同。自赤潮淹有中國大陸，國際亦直接間接感受共黨擴張勢力的威脅，而出現了多種異同思想型的國家。除鮮明的反共國家如菲、泰、南越、南韓是同一型；印、緬、印尼、寮、柬又是另一型；英、日、加、星馬等，又是另一型；處在這樣複雜政治環境的華僑，確實極端難做。例如，生活在反共國家裏的華僑，可能被懷疑爲共黨的第五縱隊，反之，卻又可能被懷疑爲國特份子。除此之外，所有新興獨立國家的民族經濟問題，國籍問題，僑敎問題，都是華僑面臨生存生活威脅，不能不作空前歷史改變的準備。在新興國家方面，她們根據出生地關係，希望華僑入籍歸化，消滅「華僑」字眼，稱爲「華人」；並規定華人學校，亦須以當地方言爲標準，從而漸進消滅僑敎，消滅中國人；而華僑經濟，便亦因此完全化爲當地的民族資本。此種新形勢，正如火如荼地在東南亞各國展開，使僑胞們直接遭遇到歷史上空前的困擾；對於如何兼顧到切身生活與獻身愛國的問題，亦正感到空前的矛盾與苦惱。

隨着國際政治環境複雜之後，政府對護僑利僑工作，在極多方面均感困難重重，主要是（一）無外交關係，無從交涉；（二）思想嫌疑影響安全信心；（三）民族經濟問題，難於正面處理等。但這不是就等於說，政府面對這麼多難以令各方滿意的問題，就可以把僑務放棄不管。相反，這正是考驗僑務委員會行政效率的課題，考驗政府是否注意僑務，而推行新僑政，來適應當前的新形勢。

毋庸諱飾，僑務委員會在國內的地位，是一個獨立專門機構，但在對外的關係上，祇屬於外交使節範圍裏的一個部門，外交與僑務雖然分不開，但外交乃專門的國際交涉事務，對於僑重國民外交活動，負責拉攏鄉情關係，僑敎，交流經濟，慰勞，文化等任務的僑政部門，普通職業外交官，是難望勝任愉快的。因此之故，我們常會聽到一般僑胞埋怨我們駐外的使節，如何如何的不愛僑，不便利辦手續，如何如何的官僚氣十足，擺起臭架子；這或是由於外交與僑務工作未嘗劃分性質，又或是對外僑務沒有專責人，遂造成的結果。

一個良好的外交人員，不一定是一個良好的僑務工作人員，並且有很多地區是和我們沒有外交關係的，在此等情形之下，我主張在有外交關係的地區，應由一個合乎當地僑團需要的僑務委員出任總領事館裏的一員領事，並由該領事領導組織地區僑務委員會，聘請當地不同黨派，姓氏，幫籍的僑領出任委員，共同全力推動有關僑務的工作；在沒有外交關係地區，亦委由當地一個德高望重的僑領代辦外交僑務，並逆之依照上述人選分配，組織僑務委員會執行政府不能直接處理的工作。又爲加强此項外交僑政工作的效率，政府外交部，僑務委員會，應每年最少要有一次，各派出專員會同到各地外交僑務機關檢察，並且直接聽取各地僑胞申訴，務使下情上達，整飭吏治，爭取與國，爭取僑民歸心，[illegible]推行新政的標的。

近年間，在華僑社會中有一種現象，使我們直覺到有莫大的諷刺，那便是每年的僑胞慶祝雙十國慶的旗幟，雖然一年比一年多；但從海[illegible]的游資，即不[illegible]量投向台灣[illegible]流入香港。這[illegible]的事[illegible]麼？可以研究[illegible]華僑投資的[illegible]續，[illegible]不[illegible]利的地方。其[illegible]大的華僑社會[illegible]，反攻大多[illegible]爲消費者，雖[illegible]道僑胞都多是知[illegible]進，竟不貴得[illegible]貨，對反攻復[illegible]要作用麼？這[illegible]政府的舉措與[illegible]有錯誤或不徇[illegible]這就是說，在[illegible]下的僑政問題[illegible]要新組織，新[illegible]外，政府財經[illegible]配合，也是決[illegible]因素。政府必[illegible]這問題的重要[illegible]

漫畫天下

鏡子照不出的危機！

救火容易嗎？

自由談

不必多此一舉

馬五先生

據說，立法院修訂懲治貪污條例的程序將告完成了，其中最主要的特點，即較過去的法令更廣泛規定，凡屬從事黨務工作或公營企業人士，皆以公務員論，立法可謂嚴切矣！

法律儘管條嚴周至，政府如其不能大公無私的切實執行，還是白紙黑字而已。何況法律本身亦不可能達到萬無一失的完備程度，狡黠者不難乘隙抵觸，負之以趨，讀讀莊子的「胠篋」篇，即恍然領悟了。在人慾橫流，綱紀敗壞的喪亂時代，專靠法律的力量以求治，那是書生之見，一定會失望的。

試舉一例以明吾說：政府的兵役法何等嚴格，但台灣方面許多文武要人的青年子弟，不是都出洋「溜學」去了嗎？甚至一個在海外幹黨務文化事業的小官僚，也可以將其依法應服兵役的兒子，從台灣溜到異域去冒充僑生！祇有無權無勢的蚩蚩之氓，他們的子弟卻非恪遵功令，屆時應徵入伍接受軍訓不可（我有一堂弟兄，在台大畢業後，即規規矩矩地到軍中受訓如儀）。法令的效能如此這般，縱然在那些條文上雖有刀槍劍戟，又有甚麼用場呢？

咱們遇事好挾洋人的作風以自炫——尤其是對於英國人的所作所爲，樂於仿效，唯有一樁事始終堅持着中國本位，決不西化。例如美國政府的文武官員們，一律不許兼營商業，即或私人所持有的股票，亦須在從政之初，履行出售，又要[illegible]地報告私有財產[illegible]查。英國的官吏生活若有關綽豪奢的現象，政府就要[illegible]查他的薪俸收入是否與其日常耗費相適合？不然，你的錢是那兒來的？這都是防止貪污的優良法制，咱們卻不屑採用了。試看一看於中級官職的公務員，他們人及其家庭中上活[illegible]物力設備，奢侈[illegible]不加究問，社會競羨[illegible]認爲他是幹練之才，[illegible]埒王侯，無可詫異的[illegible]貪污風氣盛行，[illegible]摘不已呼，即[illegible]條嚴懲貪污的法令，[illegible]告天下，或宣揚知，[illegible]了建設廉潔政治的[illegible]際上，法令依然無靈，[illegible]頭臊！

有法而不能切實[illegible]何必多此一舉耶？

文化思想論戰醸成訟案
鄭學稼胡秋原向法院控訴

（本報記者台北航訊）自從胡適之先生去世之前不久，發表了一篇「科學發展所需要的社會改革」講演，指述東方文化沒有科學很基，也缺乏現代的精神文明以來，台灣文壇上卽不斷地出現東西文化論戰文字。到今年四月間，「文星雜志」刊載李敖所寫的「播種者胡適」這篇文章後，繼之卽有鄭學稼所寫「小心求證『播種者胡適』的大胆假設」，前者對胡適表示稱讚，後者則多貶抑，兩文皆載之於「文星」，形成筆戰場面。李敖的戰意高昂，他再寫一篇替文化人看病的大作，把中國近百年來的著名學人，從文化思想上逐一診斷，認爲都是犯了不科學的毛病。如是乎，胡秋原奮起參戰，指述吾國文化界最近二三十年來的東西文化思想爭論，皆不免失之偏蔽，我們應該「超越前進」，這又引起了李敖的反駁，說胡秋原「超越」了幾十年，中國的文化與文明還是落後不長進云云。這樣一來，戰况日見熾烈，站在李敖方面助戰的，又有一位湖北籍的居浩然（居正的兒子），他一馬當先，對其老鄉親胡秋原大事追擊，咄咄逼人，而且戰法亦凌亂，從思想問題扯到語意學和英文程度上面去了。他譏嘲胡氏「自炫淵博」，多是「胡說」，胡當然不服，亦回敬如儀。這些文章依然刊在「文星雜志」中，因而這本雜志的銷路爲之激增不已。

正在劇戰之際，忽然從海角天涯殺出了一個黑旋風李逵，有筆名「孟戈」者由香港寄來一篇文章，題目是「鄭學稼腦袋裏的東西」，是指摘鄭氏批判胡適的文字內容與大陸上毛共丞年「清算胡適思想」的資料相同，而其用語亦無異，認爲台灣有「馬克斯主義細菌」潛伏着。鄭氏見之大爲光火，說是「別人若罵我鄭某不通，皆無所謂，若加我以「馬克斯主義細菌」的頭銜，卽無異於視我爲「共諜」，是可忍，孰不可忍？」他立卽向「文星雜志」主持人提出抗議，要求更正道歉。「文星」的主持人曾託其法律顧問李聲芳從中調解，未獲協議；嗣由立法委員王新衡出面調停，鄭氏答應祗要「文星」把他的更正函在九月號這一期刊出，不另加按語或尾巴，卽願意息事寧人，不再根究。但「文星」的九月號並未照登，延至十月號纔將鄭函刊出，卻附上了一段按語。鄭氏認爲有意玩弄，乃向台北地方法院提出控訴，控告他的一位同鄉老友葉明勳以誹謗罪——因爲葉氏是「文星」的發行人。鄭的訴狀內指「孟戈」乃是「文星」主持人的化名，乃藉以加重被告人的法律責任。本案已於本月九日正式訊問了一堂，胡秋原亦到法庭旁聽的。記者曾告鄭氏：這場官司恐怕不會有結果吧？鄭答道：「只要法院認定我不是共諜，我就算是勝訴了！」究竟法院如何處理此案，且待下回分解。

至於胡秋原的控訴情形更複雜，原來胡氏跟李敖，居浩然在「文星」的戰場上交手了幾回合之後，他就別樹一幟，另開陣地，借用台北一家早巳停刊的「世紀評論」雜志，繼續跟李、居等人酣戰，並斥居等不應該涉及人身攻擊之詞，有乖討論原則，亦損學界尊嚴。而居浩然竟以投書方式，在「文星」攻擊胡氏是曾經參加過「福建人民政府」的閩變份子，是與共匪聯合陣線的反動行爲，非予以揭發不可！這是完全丟開了文化思想論戰的本題，變成攻訐個人陰私的潑婦罵街行爲了。胡秋原豈肯罷休，他馬上寫了一篇「維護討論原則與學界尊嚴」的洋洋大文，印成專冊，四處分送，把居浩然痛罵一頓之外，並且涉及居氏的先人居覺生先生，譏刺多端。胡氏以立法委員身份，亦曾在立法院會中，爲此事向行政當局提出書面質詢，且指摘「文星書店」最近出版的近代史料叢書中，在「中國政黨史」裏面有誣辱現任國家元首之處；在「辛亥春秋」裏面有攻訐革命先烈陳英士的詞句。他又解說當年的「福建人民政府」之役，只是一種政治上的「誤會」，不能稱爲「閩變」，眞可謂之爲「奇事」。這時居浩然還在美國，來不及立刻答辯，乃由戰友李敖出車，在本月（十月號）出版的「文星」中，連寫兩篇反擊胡氏的文章，第一篇題目是「胡秋原的眞面目」，除將胡氏當年參加「閩變」的經過情形敍述之外，還刊出「福建人民政府」成立之日的全體官員照片」，注明「左起後排第五人就是胡秋原」，再又評論胡氏所說閩變是「政治誤會」一語，認爲福同奪取，豈有糾合若干萬軍隊實行叛亂，取消中華民國的國號與國旗，焚毀國父遺像，自設「中華人民政府」，新造國旗，尚可視爲「政治誤會」者乎？第二篇題目「澄清對『人身攻擊』的誤解」，旨在辯解他們提及「閩變」一書係敍事的理由。另外還刊載了當年批評閩變的若干篇文字。戰況發展至此，已無絲毫文化思想論戰的意味，彼此各呈意氣，不顧一切了。胡氏乃在立法院招待新聞記者，聲明不再與對方從事無謂的筆戰，惟有訴之於法律裁判，以明是非。他向台北地方法院控告蕭孟能（文星雜志負責人，因葉明勳已經辭職），李敖，居浩然等以誹謗罪，狀詞亦如其平日爲文章的風格，長篇大論，洋洋灑灑，台北「徵信新聞」曾予專載。本案尚在偵查中，何時開庭，尚不可知，被告方面似乎很安詳，準備吃官司。

台北社會各界人士，對於鄭胡二氏提出控訴的觀感，都認爲不幸事件，且謂鄭胡二人間接幫了「文星雜志」的大忙，無端替「文星」創造聲價，未免不上算呵！（十月十二日競雄）

讀者呼聲

反攻不能再等待了
美國人要等待由他去　我們中國何能再等待

自由報編者先生：

讀貴報八月廿五日、廿九日所刊李仲侯先生「反攻復國不能寄望於大陸人民革命」一文，使我深爲感動。我想凡是逃難在台的，讀到此文，亦莫不有此同慨。反攻大陸之舉，再也不能等待了。等待不是辦法！「遺民淚盡胡塵裏，南望王師又一年。」在大陸遭難的同胞，一年又一年的等待，已待等十三年了，望穿秋水，盼斷歸鴻！逃難來台灣的人，少者已壯，壯者已老，亦不能再等待了！

美國人以提倡等待主義，聞名於世。卅八年，大陸瀕危，政府遷台，美國朋友，乘我之危，發表白皮書，我說中國局面，要等待塵埃落地再說。若不是蔣總統復行視事，人心振奮，嚴重的警告軍民：「退後一步，便無死所」！纔把台局穩定。否則美國朋友，瞧着我們跳海，亦不會援之以手了。

最近美國國防部長麥納馬納在國會作證時，又大發謬論，認爲世局仍然要等待。他說：「我相信從現在算起十年，廿年或卅年內，蘇俄控制世界的努力，勢將歸於失敗」。卅年是多麼久的時間？鐵幕內的人民還能繼續忍受共禍磨折達卅年之久嗎！如果卅年內，共産集團並沒有自動失敗，又怎麼辦？是不是再等待卅年？

等是最危險的思想，是一種十足惰性的表現。它可能把敵人等得壯大了，而把自已等死了，正好符合共匪要「困死台灣」那句口號。我們要嚴正的提出抗議，絕對反對美國的等待主義。美國人要等待讓他去等待，我們中國卻何能等待！

自古越之沼吳，有六千君子兵，銅筋鐵骨，一可敵百。在此內外形勢迫切需要反攻大陸之際，我政府卽不願拼全民族生命，作孤注之一擲，亦應作有限度的反攻。應趕速訓練若干傘兵，隨時，隨地，向大陸發動游擊戰爭。一旦飛將軍從天而降，必能四方響應，蜂起摧毀匪僞政權，達成反攻復國願望。匆此

祗頌

撰安

台北讀者袁世昌拜上

北越共軍留寮不肯撤退
泰國慮憂安全受威脅
不滿美國漠視問題軟弱無力

（本報曼谷航訊）北越共軍違背諾言，不肯撤出寮國之事，經非正式訪問曼谷的寮國聯合政府總理富馬證實後，泰國當局益感憂慮，認爲這情勢已確實威脅泰國的國防安全。曼谷輿論更爲此大聲疾呼，希望自由國家，特別是美國，正視此一嚴重的現實，並採取強有力的行動。

富馬是本月中來到此間的，她在曼谷勾留了四十八小時之後，經於十六日返回永珍。富馬此來，是否一項政治性的安排，目前還摸不清楚，但據說，當他與泰國務院長乃沙立元帥會晤時，確會承認寮境尚有北越共軍未有撤退。至於寮境還有多少北越共軍，據隨同富馬到曼谷的寮右翼代表蘇納尼孔說：至少還有六千，更可能多達九千之衆。蘇納尼孔還表示：仍留寮境的北越共軍如此其多，當然嚴重，而其實更嚴重的，是此事充分證明共方對於「中立」寮國全無誠意。他說：它們不允許國際監督委員會前往寮共控制區視察，北越共軍便可以任意跨境而來，六千與九千，其實都算不了一回事了。

富馬返回永珍之日，也就是東南亞公約軍事委員會在曼谷三天集會開始之時，但顯然的，泰國當局對於東約軍事委員會會議，根本便不對它寄予任何期望。所以如此者，正如出席會議的美國代表——太平洋美軍總司令費爾特所說：這已經構成政治問題，東約軍委會會議無能爲力。但曼谷的輿論仍然提醒出席會議的各國代表，應予密切的注意，研討出有效的軍事行動計劃，藉免臨事周章，無所措手脚。

曼谷輿論對於美國對此情勢所採取對策之軟弱無力，已公開表示失望與不滿。按：對於北越共軍拒不撤退問題，美國的對策，已經做了的，祇是美國務卿魯斯克，曾在紐約與蘇俄外長葛羅米柯晤談，促其壓迫北越撤軍。葛羅米柯則大打太極拳，表示如果眞的寮境尚有北越共軍，蘇俄將勸說其撤退。完全是一派敷衍搪塞之辭。而尤使曼谷輿論失望的，是美國國務院發言人的表示，他說：

如果葛羅米柯說話不算數，美國準備要（一）向英國與蘇俄辦交涉，因爲該兩國是日內瓦會議的共同主席。（二）又如果這樣還不生效，美國將直接向蘇俄總理赫魯曉夫辦交涉——曼谷輿論界很了解，美國所謂直接向赫魯曉夫辦交涉者，係因日內瓦會議協議使寮國「中立」，實際乃是甘迺迪與赫魯曉夫去年六月在維也納會談的決定，故他們認爲，赫魯曉夫當會遵守諾言，壓迫北越撤軍。

此間朝野人士的共同認識是：「中立」寮國根本是騙局，是甘迺迪上了赫魯曉夫的當。並認爲最錯誤的是，美國政府至今尚儼然以爲赫魯曉夫是有誠意要「中立」寮國的，所以寄望於向赫魯曉夫辦交涉。殊不知，以俄爲首的共産集團，那裏會以「中立」寮國爲滿足？要說北越拒絕撤軍之事，蘇聯並不知情，可謂愚昧無知到了極點。此間人士已提出詢問：假定美國同赫魯曉夫辦交涉仍然落空，又將如何？並指出：這情勢很嚴重，愈拖下去便愈增加嚴重性，美國如是其漠視問題，軟弱無力，太可怕了。

曼谷人士對於美國的漠視寮局，反之對於所謂柏林問題表現栖栖皇皇，恍若大禍便要臨頭的形色，認爲不但好笑，簡直就是愚不可及。曼谷人士的一般意見，柏林問題，根本更不可能構成危機，所謂耽心柏林問題出現嚴重危機也者，不啻是美國人自己嚇自己。而因爲美國重歐輕亞的政策不改變，有可能美國還會爲柏林而再在亞洲退讓呢！（俞）

經濟復興發展驚人
西德在國外投資逾四十一億馬克

荷蘭　八千七百五十萬馬克。
丹麥　二千三百一十萬馬克。
英國　五千三百六十萬馬克。
挪威　二千五百一十萬馬克。
奧國　四億零四百一十萬馬克。
葡國　一千零五十萬馬克。
瑞典　六千零三十萬馬克。
瑞士　四億六千六百六十萬馬克。
芬蘭　一千三百七十萬馬克。
希臘　一千六百九十萬馬克。
愛爾蘭　一千六百萬馬克。
西班牙　九千九百萬馬克。
土耳其　二千一百三十萬馬克。

（二）非洲共二億二千一百九十萬馬克，其中最多的爲埃及一千八百五十萬馬克，阿爾及利亞二千五百六十萬馬克，古伊尼亞二千五百二十萬馬克，利比亞三千四百一十萬馬克，及南非聯邦八千零一十萬馬克。

（三）美洲　北美洲共七億九千一百七十萬馬克。其中美國三億三千六百一十萬馬克，加拿大四億五千五百六十萬馬克。中美洲共一億八千九百四十萬馬克。其中最多的爲墨西哥三千七百四十萬馬克，巴拿馬三千三百四十萬馬克。南美洲共九億零九百九十萬馬克。其中最多的爲巴西六億三千九百七十萬馬克，阿根廷一億五千九百七十萬馬克，哥倫比亞三千八百萬馬克，智利二千一百二十萬馬克，及烏拉圭一千三百三十萬馬克。

（四）亞洲共一億五千零四十萬馬克。其中最多的爲印度六千零二十萬馬克，伊朗二千五百七十萬馬克，日本二千七百六十萬馬克及香港二百一十萬馬克。

（五）澳洲九千八百五十萬馬克。（宇・下）

僑胞現階段的新課題

·謝佛巖·

一、我國海外移民的特色

我國在海外移民，歷史悠久，基礎深厚，綜其特色，約有三者：一爲人數衆多。我們在海外擁有一千五百萬的僑胞，這是古往今來，世界各國所沒有的事，值得我們驕傲。二爲和平與自然。我們之向海外移殖，皆出於民間各別的自動，並非政府有計劃的向海外整批移民，其目的非常單純，即爲謀求生活的出路與改善。西方帶有濃厚政治色彩的殖民主義，我們始終未有絲毫的沾染，這亦是我們又一個獨有的特色。三爲刻苦奮鬪，脚踏實地，辛勞創業。我們對所在地的開發、建設與繁榮，具有不朽的貢獻，我們却從未以有功自居，更從未作反客爲主之想，我們始終守賓主之分，與所在地人民親善相處，甚而在嘗受委屈之餘，仍充分表現忍讓的容量。

二、面臨空前的變局

海外僑胞當前所面對的，是一個史所未有的大變局，正處於背腹交迫之狀態。此一困境之産生，其根本禍源，厥由於中國大陸之淪陷於共産國際，更復張其爪牙，企圖驅使我海外僑胞，作爲其赤化世界之工具。其次，則爲二次大戰之後，新興國家，如雨後春筍，且多爲重要僑區，由於其過激的民族主義之願望，錯綜複雜的政治立場，凡此皆使我僑胞處境增加若干困難。

三、海外戰場兩個階段

我們現階段的基本國策是反共復國，當然，僑胞自應在此大前題下，求其密切的配合與最大的發揮。十餘年來，因客觀與主觀環境的發展與需要，僑胞的努力，可以大別爲兩個階段：在自大陸撤退到台灣之初爲第一個階段，在這一階段中，我們在海外各地的僑胞，正面的和毛共作劇烈的鬪爭，包括政治的、經濟的以至文化思想的，由於僑界的協力，無疑的，我們在海外戰場已經擊潰了毛共的進攻。我們在海外戰場第一回合的勝利，當然值得興奮，但是，鬪爭並未結束，正相反的，更猛烈的鬪爭已經來臨，當前的課題，是要充實力量，把握機運，以保證第二回合的勝算。所以我們必須鞏固過去原有的基礎，並作更深入更積極的規劃和努力，在建設性的久遠性的工作上多下工夫，這實在是當前的新方向新課題。

四、海外僑胞新課題

我們無論在僑社的組織方面、文教方面、經濟方面，都要從根研討，策劃將來，按進步的觀點，對陳舊的不適宜的要有澈底革新的決心，迎頭趕上，面對客觀的現實，因時制宜，因地制宜，尋求放射性的多邊性的發展，同時要擴大我們的團結，壯大我們的陣容，遵照國父的遺訓，要自家族鄉士，擴大而爲國族的團結，更要進而「聯合世界上以平等待我之民族共同奮鬥」，使我們在海外奠立永久不拔的磐基，成爲各該僑居地不可或缺的進步的力量，成爲自由世界反共戰線的骨幹，或進步的力量，與民主國家並肩作戰，使毛共政權早日推翻，開創萬世太平的新局面。

天南風光

黃乃裳與新福州

朱淵明　——詩巫

『六月初，孫中山先生由澳洲來星加坡，與康南海商討中國革命事。康以是年二月爲南洋民黨招往，其宗旨在保皇，擁護滿清，以酬其富貴封王之願；而孫志在推倒專制之滿洲政府，以效法美利堅之共和民主爲國，謂我與若合而爲之，事成，任全國人民選舉民主，我與爾皆不必居此位。康聞之，大拂其意。余心嚮往孫君已久，因造其寓，晤談數四，見其人謙冲寧靜，學問淹博，滿懷悲憫，流露於言動舉止之外，且於基督教有深造之功，有堅卓之信，嘗謂「華盛頓乃宗教家，起以十三州拒英，竟令美人脫英羈軛，先生亦同道中人，視華氏爲何如？」余曰：「吾嘗譯美國史，知華氏美之堯舜，而其事難易，更與堯舜懸殊。」孫曰：「美史爲先生手著乎」？曰然。因離座爲揖。遂相與訂交。『臨行之前夕，酒闌，肅然爲余言：「凡人欲爲社會國家謀幸福喜樂者，須志願自始至終貫徹負悲哀痛苦之責，觀路德馬丁與華盛頓諸人，可爲榜樣」。余聆其言，矍然有感曰：「先生之心志，毋亦基督教救世之宗旨乎！」孫垂首曰：「得罪！得罪！」意似爲獎借踰分也者。而余受其言之刺激，覺向所存人羣德之心，畧爲提高，而對於所爲公德事業，亦畧有把握，而信仰於基督者，亦稍有所增益』。

從這一段紀載，我們可以看出黃乃裳氏的爲人：見理是何等明切；從善是何等勇毅！此一轉變，對於他終身事業，具有劃時代的意義。而辛亥革命之成功，實得力於中山先生人格之崇隆，抱負之宏偉，以及學問淹博，態度謙冲，滿懷悲天憫人之旨，隨處流露於無形之中，遂能號召羣衆，吸引志士，其影響所及，迄今弗衰。且國事愈壞，而其光芒亦愈高，誠不禁令人興「高山仰止，景行行止，雖不能至，心嚮往之！」之感也。（八）

公道篇

林人山

聯合國該做些什麼？（一）

第十七屆聯大又已在開會了。由於這個組織會未斷然採取有效的辦法，澈底拒絕中共陰謀奪取中國代表權席位，並對匈牙利革命有所行動，使人越來越對她失去信心，深感她是被野心者利用的工具，而超過被認是執行公道正義的機構。因之，近年越來越多人主張修憲改組，或是另行組織新國際機構代替，包括甚多權威學者專家及有地位的政治家，如前美國總統胡佛，及前中國外交部長王世杰博士等人。

這是爲了什麼？難道國聯結合的經驗，還未足爲世人教訓？還是思想家，學者，科學家，已臨到末路窮途？這個問題是這麼大，似乎不能不要從頭道起——

當前人類世界完全無足以使人有可信賴能獲致和平幸福的條件：從權力政治，軍備競爭，到社會「重金錢輕道義」的風氣，隨處都足以顯示，人類酷劫的一場核子戰爭的爆發，祇是時間上的問題。無論從歷史，從文明的進度，或從眼前的現實來說，直接影響人類的社會制度，如不獲致大家的正視，儘速設法改進到有公道的正途，則這個人類社會，現在或未來，充其量除了或可見到用武力統一的悲慘世界，或無期地保留動亂的艱困局面之外，我們就可以肯定，那些什麼國際烏托邦，什麼和平，什麼幸福的濫觴陳腔，是絕無可能奇蹟地在不以和平爲內容，幸福爲基礎的世界裏兌現的。

任何事有怎樣的「因」便產生怎樣的「果」，事物的成敗，不會無故而來。這個世界有的是欺詐，殘酷，崩壞的造因，自然收穫的是腐爛，悲慘，潰亡的惡果。人類社會追求的是美滿的和平幸福的自由生活，自不能憑空建立起來，其先決條件必須尋求這種建基的所在。因此，致力於一個理想的實現，不獨需要一致的信念，尤需要釐訂一個正確的目標，一個積極的可行的方案——一個爲配合崇高目的有效實施計劃。否則，徒恃什麼神聖的理念，或徒恃盲目的積極的苦幹與蠻幹，到底的精神，而忽畧由教育，財富，社會，政治各種差異所造成的社會病態的補救，那種運動或組織，除了浪費金錢精力外，都必將無可能帶來完美的結果。

今日聯合國的組織，已漸趨於失敗的一途，其成例是最使世人警惕的一面鏡子。且以一直無法解決南極領土紛爭問題爲例：

自一九一八年以來，各國先後提出對南極領土要求的，即有美、英、蘇、法、澳、紐、挪威、智利、阿根廷、日本等國家。同時，正當各國對南極主權相爭未已，太空主權又已發生，甚而已有人準備佔據月球及火星等土地，承購地球以外的權益。

香港與大陸

共幹荒淫無恥　經常強姦婦女

據甫由惠陽縣來港的難胞熊英珍女士說：大陸鄉村共幹荒淫無恥，常藉開會討論問題爲名，實在則一大堆男女共幹在房間裏胡搞一通，他們更時常強姦民間婦女，不少未婚少女因此而懷胎生子。

熊女士說：她們鄉間有一位公社黨支書陳六友，混帳之至，被他所迫姦的良家婦女，已不知有多少？該共幹每看中一婦女時，不管那婦女是否已婚，他都要想方設法弄到手才罷休。熊女士說：該共幹的手段是：「召見」那些婦女，給予「個別談話」，也就在個別談話時，他總用威脅或利誘的方法，使那些婦女接受他的姦污。那些受害的婦女，在他的淫威之下，全無反抗的能力，敢怒不敢言，因爲否則，還可能有橫禍而到自己身上。至於男女共幹，他們對於男女關係，隨便得很，還美其名曰「自由」。善良風俗，給共幹們破壞得不成樣子。（敬斯）

瘟君續夢

第六回：　烽火照邊陲　同惡難濟
　　　　　樓船橫碧海　大憝興悲

尼赫魯愕然道：「我怎樣讓半步，關於邊界問題我連一寸也不能讓啊！」

赫魯曉夫笑道：「我覺得你起碼應同周恩來會一次面，緩和目前的空氣。」

尼赫魯一言不發，表情十分難看。

赫魯曉夫轉換話題問道：「我派來的技術人員幫你們建築鋼廠的，工作情形如何？」

尼赫魯苦笑道：「很好，在比萊鋼廠的貴國工程師，對機械操作似乎生些，不過，我們的工人也都很熟練，大家可以互相交換知識，所以工程師和工人都相處很好。」

赫魯曉夫一張肥臉，有點泛紅。又岔開說道：「剛才閣下所講的內憂外患，外患談清楚了，內憂是什麼呢？」

尼赫魯嘆口氣：「內憂就是貧窮，我們每年人口增加得這麼多，糧食生産總是趕不上，所以許多都吃不飽。這些年來，幸虧美國贈給剩餘農産品，並且借給大量金錢，不然可是眞不得了。」

赫魯曉夫笑道：「贈給剩餘農産品，在我們眞是作不到，因爲我們自已也缺糧，不過，我可以借一筆錢給你們，幫助你渡過難關。」

尼赫魯瞪起一對山貓眼，不知道怎樣答復，恐怕赫魯曉夫有意開玩笑，所以不敢當眞，只是淡淡一笑。

赫魯曉夫說道：「我想借給你們十五億盧布，怎麼運用，請你們的經濟官員擬訂一個計劃，同我方人員作一次詳細研究就成了。」

尼赫魯知道這不是假的了，立時合掌致敬，千恩萬謝。

赫魯曉夫又說道：「我們談談邊界問題，我想你應份接納周恩來的訪問，尋求一個解決辦法。」

尼赫魯縐起眉頭說道：「同他談談未嘗不可，只是我決不能讓一寸土地給他。」

赫魯曉夫笑道：「你要佔中國的土地，就不能拒絕和中國談判，只有經過談判，正式劃定界線，才是永久的。」

尼赫魯想了一下，說道：「我們談判之後，周恩來若不肯承認這幾塊領土歸我們，又怎麼辦呢？」

赫魯曉夫歪頭笑道：「那麼只是等於未談，對你並無損失啊！」

尼赫魯說道：「談到這裏，我有一個要求，到了那時，可能要同中國打一仗，希望蘇聯能賣武器彈藥給我們。」

赫魯曉夫沉吟一時，說道：「可以賣給你們，不過，你們要承認買了武器彈藥是打巴基斯坦的。」

尼赫魯笑道：「當然可以，巴基斯坦也是我們的仇敵，終究是要打上一場的。」

赫魯曉夫在印度逗留一個禮拜，簽訂了十五億盧布貸款協定，遊遍了印度的名勝風景，然後啓程經過緬甸去訪印尼。

中共駐印「大使」潘自力把赫魯曉夫貸款印度情形報告北平，毛澤東聽到這個消息，簡直氣瘋了，馬上傳政治局委員開會，商討對策。

（一四五）

十賢書展（續）

尚有寫佛經一幅，幾如蠅頭小楷，古意盎然。再則此次書聯頗多，爲定山、孑和、狷夫、念先、龍厂諸君，比往年爲特增；以定山向寫條幅，今破例爲之。五君字體，完全各個格局，有靜雅，有雄渾，有清遒，有古樸，悉以紛陳。而超哉的江山如畫，風雨同舟八個字寫四尺聯，筆力挺健，向未見也。

丁翼寫錢慕尹（大鈞）將軍七十壽屏，計十條，字體爲隸書，好在整齊，而極謹嚴，絲毫不苟。此屏爲各位上將中將所贈，設非書展，亦難得見，亦是幸事。壯爲寫五尺中堂，一大壽字，爲草書，在展觀時，旁有兩人，在以手比劃，是如何落筆，如何曲折，約有二三次，終至搖首似不能勝者。壯爲聞之，想亦必爲笑也。今歲欣已觀過，等待明歲再展，是否新正可再作一展，不勝其企望。

憶弦軒雜綴

書法學會

當參觀十賢書展時際，余經南海路國立藝術館，見中國書法學會成立紀念，此會選擇孔聖誕辰，舉行聚會，固頗富意義。到會員約達六百餘人，也可見中國士大夫仍對固有的國粹——毛筆寫字——頗有意力予保持，而希望擴展，免得用夷變夏，甚至後輩將或忘其本，此崇高的主旨，是黃帝子孫不能恝然離棄的責任。

書法學會徵集會員，未滿二月，聞風而來，蔚然成爲强力的組織，宣揚文化，可見人具此心，意志相同，確爲可貴。開會之日，余非會員，無從入席，但旁觀約有一刻時間，見王雲五、黃季陸兩位閣員，均曾相繼演講致詞，大致是望此項運動，推而廣之，徧及全省，甚至永矢勿替，將來反攻回去，推及整個大陸，幸觀厥成。言諄意誠，道出書法學會所負的使命。

假日赴北市美而廉，專訪黛娜，偶與名報人陽明客小談，彼此對於書法學會，有相同的看法。第一點，希望教育部責成高中大學的學子，對於作國文，必須用毛筆繕寫，保持這一點最低用中國筆所在。第二點，書法學會儘量將會員書法，或印成字帖式，力向中大兩部份學府推進，養成他們樂於寫字的風氣，學校方面，責無旁貸，加以協助，可使他們每月少看一場電影，就可買帖書寫，將來事業成功，也能用毛筆寫自已的姓名，不是現在有些企業家，連自已名字多不會寫，豈不笑話？（未完）

遜清宮女　翠雲秘辛

陳澄之

四、歐陽子古劍

「進入一得軒，穿過花廳，進入暖閣，東壁上掛着一張瑤琴……」

「爺說得一點不錯！你也到過一得軒？」楊小樓心裏明白，眼前這革命志士決非等閒之輩，也就肅然地說道：「料來你也必定知道，那張瑤琴是周幽王時，犬戎所進，琴上綴有古玉金紋，奏弄時聲聞九城。如今會得奏弄犬戎瑤琴的，庚子前有一個半人，現在祇剩下半個人，勉強會彈一點點了。」他說到這裏，情有所鍾，神爲之往，倒底是一個優伶。

「久已耳聞，淸宮裏祇有光緒帝的珍妃喜彈犬戎瑤琴，醇親王福晉跟珍妃才學了一半，就鬧義和團。楊供奉，你好幸運呀，福晉會爲你彈弄過那張古琴。」

楊小樓沉吟了半天，這才斜着頸子問：「你讓我偷出這個來嗎？」

「非也，非也！我請你隨手帶出一口破劍。我說的這破劍掛在那張犬戎瑤琴的上首，一伸手就取下來，誰也不會介意。我就是爲拜託此事而來，半夜裏打擾了，乞恕。」

「別忙！你說得好輕鬆，那何嘗是破劍？你恐怕比我還要深知那是一口古劍。」

「不管是怎麼回事，楊供奉，爲了革命，這件事你非替我辦到不可！」

掛在醇親王府邸深處，一得軒暖閣東壁上的寶劍，青魚爲鞘，把嵌碧玉，一經啓視，光鑑毛髮。此劍是歐陽子生前最後鑄成的一口，最爲難得寶貴，乃屬稀世之珍。

歐陽子一生祇鑄成六劍，除了雌雄雙劍、巨闕、靑虹、太阿以外，這最後一口劍原未定名，歐子臨終時，始爲之命名曰湛盧。這湛盧劍與衆不同，劍根上鑄有「天下爲公」四個大篆。當初滿淸聖祖收大小金川，醇親王的高祖隨軍效命，夜間巡邏時，遙見遠處火光燭天，惟恐遇有埋伏，率兵上前一看，見那火光是從一口枯井裏冒出來的。後來就從枯井底下，掘出這口古劍，醇王府視爲傳家之寶，外間關於此劍有着好些傳說。宣統帝入繼之初，湛盧劍曾無故落地出鞘，醇親王載澧這才發現劍根上，還鐫鑄着篆體的「天下爲公」。此劍傳家兩百多年，子孫們就一直沒有留意到那四個字。那古劍若不落地，恐怕一時裏依舊不會發覺這個奇蹟。

楊小樓覺得這件事難辦極了，這時那革命志士送他往停車的大路走時，再三懇切叮囑他道：「剛才你我所談，萬請供奉不要聲張出去。」

「放心好了，我還想活下去哩。不過寶劍得手之後交給誰呢？」

「那你就不用問了，屆時自然有人找你接頭。」

且談風月

漁翁

松間清風，江上明月，每爲騷人墨客吟弄之資料。梁書徐勉傳：「常與門人夜集，客有虞暠求詹事五官，勉正色答云：『今夕止可談風月，不宜及公事。』時人咸服其無私。」後之人，往往於工作之餘，效徐勉之所爲，閒談風月以遣興。

王安石晚樓閒坐詩有云：「清風明月無人管，並作南來一味涼。」王居水上樓合，當晚之時，明月已上，清風徐來，憑欄南向，一味清涼，固人生之一樂也。風與月，旣無人管，人人可得而享受之。因寫風月之神趣：

空氣受熱而漲，過冷而縮，因漲縮而流動爲風。莊子：「大塊噫氣，其名爲風。」以言乘涼，卽論語所謂：「風乎舞雩」。以言教化，卽書所謂：「咸仰朕德，時乃風」。以言歌謠，則詩有國風，古太史陳詩以觀其國之風俗也。

風之方向，分東，南，西，北，以四時配合，則春爲東風，又曰惠風，王羲之文：「天朗氣淸，惠風和暢」，以其風之和緩也。夏爲南風，又名薰風，史記：「南風之薰薰兮，可以解吾民之慍兮」。秋爲金風，又云西風，「西風起兮白雲飛，草木黃落兮雁南歸」。冬爲北風，又稱朔風，唐太宗詩：「代馬依朔吹」是也。

三國志載：「孔明用東風以破曹軍於赤壁」，杜牧詠赤壁：「東風不與周郎便，銅雀春深鎖二喬」。世人認爲孔明之神秘，而今日科學昌明，天文台測量風訊，在數百里以外，已知其向往之處，不差絲毫，由神秘而成爲公開矣。

風能惠人，亦可害人，在海洋一帶，有所謂颶風者，具四方之風也，常以五月六月發，見「南越志」。按凡季候風與貿易風交代之際，欲易其方向，必鼓盪而成颶風，圈大而形圓，旋轉有定向，當之者，屋爲之毀，物爲之殘，而人亦往往被轉入旋渦而致命者，此海上之風災，有甚於水火焉。

月爲人所喜悅，以月象徵女子，象徵溫柔、雅婉、嫵媚，更象徵美麗。在古今詩歌中，往往引用月亮以讚美淑女。因月有關愛情之神話，所謂月下老人，檢視天下婚牘，在「續幽怪錄」中載有唐韋固旅次宋城南店一故事，此老檢婚牘，不在燈光下，又不在太陽下，而偏在月下行之。

相傳月中有嫦娥，爲后羿之妻，后羿求長生不死之藥於西王母，嫦娥竊之以奔月宮。又說月宮有玉兔，常替嫦娥搗鍊丹藥。此外還傳月中有桂，高五百丈，下有一人常砍之，樹創隨合，其人姓吳名剛，西河人，學仙有過，謫令伐樹。李白詩：「欲砍月中桂，持爲寒者薪」。凡此固不經之神話，然亦雋永可喜也。

月以秋季爲最明媚，以其水天一色，光照大千也。古之詩人，愛月，詠月者，委實不少，要以李太白爲最著稱，所賦「將進酒」，有云：「又不見高堂明月悲白髮，朝如青絲暮成雪。人生得意須盡歡，莫使金樽空對月」。及其死也，據傳在采石捉月而自溺，姑無論有無其事，而其愛月之真誠，已流露於字裏行間，凡有所詠，離不開「月」與「酒」也。

可喜，風有送涼，月有盈缺，故風世之短歌云：「世事如風掛短帆，有時可岸有時東。幾回缺月還圓月，被逆清風又北風。人生那有千日好，花木從無百日紅：：」，恰如蘇東坡詞：「人有悲歡離合，月有陰晴圓缺，此事古難全。」只希望：「但願人長久，千里共嬋娟」。

海嘯樓談薈

人間地獄之一景

諸葛文侯

佛家有「入地獄」之說，究竟地獄是何現象，未見說明。近有一燕趙女子自中國大陸上逃亡海隅，投奔台灣與乃父重聚，曾敍述一幕發生在天津的人間慘劇，其情節之凄惋離奇，超出天方夜譚之上，殆卽地獄景況也！

女子姓包，河北人，乃父包新弟，早在台灣某公營企業機構供職。她在大陸時，居住天津，有鄰人某，於隆冬之際，不堪冱寒，曾多方設法，購得舊式坭製煤爐後，連日排隊輪買了幾塊煤球，夜間在室內燃燒取暖，詎其妻竟中煤毒而忽告氣絕了！某遂章向共黨公安機關報告如儀，旋赴壽材店擬購棺殮葬之，然亦須排隊等候輪次，而且未必卽可購得。他每天又非勞動工作不得食，不能爲排隊輪買棺材而曠廢時日，以致貽誤工作，慘受懲處，乃決計將亡妻火葬了事。

依照共黨政令規定，人死火葬時，身上內衣褲鞋襪皆須剝下，易以紙紮衣履，說是避免浪費，否則嚴究，某君的夫人自無例外。可是，某君將亡妻改穿紙衣，送到郊外火葬場付炬時，還是要排隊依次進行，他見火葬場所門前空坪上，臥屍纍纍，明知當日必難輪及亡妻的葬事，祇好將她的屍體挨次安置空坪中，準備明日再來料理，這其間已經過半天多的時間了，不料這位中煤毒而宣告死亡的女眷，由於仰臥空曠之地，臨風吹動數小時，呼吸氣官得以通暢，漸告復甦了！她舉目瞻望自己的前後左右纍係死尸橫陳，大驚躍起，而火葬場執事者瞧着她的動態，指爲「僵屍」作祟，譁然持木棒將她擊倒按住，她大呼「我是活人呀！你們不要誤會」，執事者以其能言，卽詳詢究竟，她一一答復，這纔讓她步行歸家。時已黃昏，她因兩天來未進飲食，饑疲不堪，兩足無力，且行且息，直到深夜纔得到達自己的家門口，拍門呼其夫名。某於夢中聞係亡妻聲音，認爲鬼怪，恐怖不知所措，乃緊閉門內，揚聲哀求夫人恕其未予棺殮之罪，實出無奈，妻在外大聲謂「我不是鬼，你開門就知道啊！」某君仍不敢信，哀告不已。夫妻二人在深宵高聲對話，驚動了左鄰右舍，有人啓窗向外探視，驀見一全身穿着紙衣的人站立門前。喧呼「打鬼」！女告以我是死而復活的某人，決非鬼怪。鄰人聞其聲音與在生之日無異，乃謂：「你如果眞是復活的，應先到派出所報告，請警員同志陪你一道來，庶免疑懼。」女如命，踽踽馳赴派出所，初時警察見着她亦誤認爲鬼物，舉鎗擬擊之，她急忙訴述詳情，然後派人送她回家，經警察叫開某君之門，證明她復活的事實，某君喜極而泣，夫妻抱頭痛哭，這幕慘劇纔告結束了。

諸葛文侯曰：欲知大陸人民生活實況，讀此忍過半矣！

台灣與鄭成功

・陳雪英・

成功允其所請。訂約後，荷人遂獻城降，於十二月朔行受降典禮交割城寨財物等。初三日，荷人搬運其輜重貨物下船，率殘餘荷兵五百餘人，駕甲板船以去。是役圍城九個月，荷兵死一千六百餘人。

荷人自天啓四年至永曆十五年，據台灣凡三十有七年。台灣至是完全歸成功；遂於永曆十五年（公元一六六一年）十二月三日祭告山川神祇，並改熱蘭遮城爲王城，建桔秩門。台灣初定，爲便軍政統一指揮，除留勇衛二鎭守安平，承天之外，分兵駐澎湖，置安撫司守之。餘軍悉令分汛各營，就地墾荒，鼓勵農耕，確立自耕、自給的政策，利用農暇之餘，訓練武事，倣寓兵於農之法。於是來歸的人民日衆。人口既多，住的問題，亟待解決，成功乃命各地官軍民等，編茅燒磚爲屋，集團而聚，劃界立社，於是村社相望，雞犬相聞。凡來台墾殖的，三年之後，始立賦則。對于土番之招撫，則恩威並用，不聽約束者征之，守法者撫之，頗費心力，盡改從前荷人的虐政。令周全斌總督南北，並之烈兼轄南路，祝敬兼轄北路。（十一）

內僑警台報字第〇三一號內銷證

自由報

THE FREE NEWS

第二八一期

中華民國僑務委員會頒發
台校新字第三二三號登記證、
中華郵政台字第一二八二號執照
登記爲第一類新聞紙類
（本週刊每星期三、六出版）
每份港幣壹角
台灣零售價新台幣弍元
社長：雷嘯岑
督印人：黃行憲
社址：香港銅鑼灣高士威道二十號四樓
20 CAUSEWAY RD 3RD FL
HONG KONG
TEL 771726　電報掛號 7191
承印者：四風印刷廠
地址：香港灣仔高士打道二二一號
台灣分社
台北市西寧南路壹壹叁號二樓
電話：三〇三四六
台郵撥儲金戶九二五二

『毒化與腐化』的地下運動

·方南·

由共黨推動的一個「毒化與腐化」運動，已在自由世界內部積極進行中。這是一項值得密切注視與担憂的事實。

據英國的「論題」週刊說：中共正在加強其對自由世界的毒品輸出，以彌補其枯竭的外滙準備金。由雲南省運出的鴉片量業已增加，鴉片是用騾車載往緬甸閃邦，然後從那裏運抵泰國，最後抵達香港，煉成純粹的海洛英，由有組織的走私集團（大多數是海員）運往美國。該週刊又稱：蘇俄亦加強其毒品的輸出，以古柯鹼供應古巴，由那裏全部運入美國的佛羅里達州。據說，美國主管毒品官員正爲共黨存心毒化自由世界而發愁。

這本來不算是「新鮮的新聞」，因爲中共以種毒與販毒爲「國策」，已是「衆所週知」的事實。聯合國對此事的調查與指摘，屢見於有關機構歷年的公佈。但是，很少人注意到「毒化」與「腐化」的聯繫性，因此，對於這一問題的根還未挖得透底。

幾個月前，日本一個民間團體發表一項文件，指出日本花了極大氣力招引外國遊客取得的每年收益，遠比不上染有毒癖的人年中外流的金錢。這項文件還指出：毒品來自共黨國家，而替共黨把毒品帶入日本的人物，却是外國奉有公職的人員，或是有體面的外國商人與遊客。這文件雖未明白指出他們是美國人，但已相當顯明地令人看得出是另一種醜陋的美國人。

無可懷疑的，大量毒品能夠輸入日本，菲律濱和美國，必有一批在地下替他們効勞的人經常負責輸運。此中有些會是海員，航空員，甚至文武官員，也不只是中國人，日本人，菲律濱人，而最主要的還是美國人，因爲他們可以憑身份取得較多的便利。凡稍爲留心讀報的人，年中總會看到若干販毒的新聞，涉及美國的航空員或與軍方有關人員，這些新聞雖只偶露片鱗隻爪，沒有詳細交代，但由此可以判斷：一個經常不息的地下販毒運動，必然存在着，這運動不只要毒化自由世界，尤其要腐化自由世界。

吸毒的人必致喪盡廉恥，道德墮落，無所不爲，這已是人所共知，不必贅說。

毒化即是腐化，當無疑義。但販毒組織的不斷擴大，「腐化」的主要對象當爲若干奉有文武公職，或在交通服務佔有重要地位的人物。到了這種腐化範圍擴展開去，一旦時局有變，國家發至危難之時，由這種人做成的災害怎不可怕？

因此，毒化與腐化是兩環運動。共黨對資本主義國家有一個不變的看法，那就是：在這種「金錢至上」的國度，道德必然是墮落的，人人都是嗜利貪財的，沒錢的必然怨恨，有錢的必然苛鄙，一般都很容易走向腐化之路，只要肯用錢去引誘和收買，必可腐蝕他們的道德基礎，進而在他們內部擊潰他們。

共産黨是不講道德的，只問目的，不擇手段。它種毒與售毒不只爲了救目前之窮，最要還是爲了毒化與腐化自由世界——尤以對美國爲主。

十三年前，本港反共刊物發表過一段消息，說：中共囤存在中山縣等待運出的鴉片烟土，在正式「公文」上寫作「毒化美帝藥膏」，大概那時讀報的人沒有不嗤之以鼻，哂爲荒誕不經的。經過十三年一連串事實證明，我們中國反共作家有責任要向美國人提醒：毒化仍是表皮的創傷，腐化才是內臟的毀蝕。美國人必須留心察看自己的道德基礎是否弊洞百出，尤要深究在那表面繁榮的資本主義社會底層蘊伏着的心理病態。

兩個月前，美國紐約一位律師揭發了一項蘇俄間諜的陰謀。這個蘇俄間諜曾以金錢爲餌，說要幫助他一筆用作競選議員的錢，除了叫他供給情報，還要他在競選成功之後，常常發表主張裁軍及和平的言論。由於這位律師意志並未動搖，結果便揭發了這項陰謀，令到兩個以外交官員身份托庇在聯合國的蘇俄間諜，被美國驅逐出境。像這樣的例子，也可以提供我們一個警惕：共黨是經常對準資本主義國家的心理病態，進行各種方式的「腐化」活動的。

用共黨的眼光看資本主義國家的民主選舉，只是假民主而不是眞民主。資本家的力量每可操縱選舉的。從事競選的任何活動都需要錢，沒有錢而有政治慾望的知識份子常不免因缺乏費用而煩惱。上述蘇聯間諜是根據這一點「心理基礎」去找尋可「受收買的人物的。他們在這次收買出了醜，得到失敗的結果，但我們沒法知道在地下進行的陰暗交易中，有沒有道德墮落的知識份子受了收買。這是「毒化」以外的「腐化」事件，如果他們能有百份之幾的成功，影響當然極爲深遠而可怖。

我們引述這些事例，只想說明一點：共黨對於資本主義國家內部的弱點研究分析，以至把握這些弱點加以利用，決不含糊，實際亦非毫無根據。即以政治競選一事而論，過去會有人說，共和黨的尼克遜所以敵不過民主黨甘迺迪，是因被甘氏家族的錢擊敗的。他沒有本事花許多錢去作競選活動，敗也沒話可說？這種批評曾被視爲偏激之談，但現在共和黨也開始公然以三K爲攻擊的目標了。甘氏家族三兄弟在政治圈的連續跳躍式的勝利，已明白顯示出金錢力量對選舉結果幾乎具有決定的影響。

我們不只要知彼，也要知己。不必諱言，由於美國儼成自由世界的盟主，而每事都只爲本身利益作打算，純以功利主義來作計事決策的指針，每不恤犧牲弱小，悖棄道義，這已被共黨看透其精神上心理上的弱點，從而認定資本主義國家的道德基礎是脆弱的，動搖的。國家如此，個人亦然。據此，他們乃敢傾力進行毒化與腐化的地下運動於自由世界內部，鍥而不舍，無所忌憚。

美國及其他西方國家對抗共黨的着力點，太重在「物力」，忽視了「心力」。他們都是由資本主義而興起的工業國家，對現代科學戰爭的恐怖性具有很清楚的認識。第一次第二次世界大戰都由他們引起的，所以他們在第二次大戰以後都有「畏戰心理」，的確毋怪其然。蘇俄卻恰好把握這種心理，以「解放」爲名，藉打倒「殖民地主義」而發動另一形式的戰爭，從而把西方國家一向所視爲落後地區的農業國家陸續兼併，到現在，西方國家在歐洲縮着西德，在亞洲縮着日本兩個工業基點，而共黨則要囊括廣大的農國，等如大量擴充佔據農村的游擊隊去包圍工業城市。他們嘗嘲笑西方國家農業失敗，經濟困窮，他們恃在心狠手辣，一不怕犧牲人命，二不怕以種毒販毒以救窮以及「毒化，腐化敵人」爲上策。只要西方的資本主義國家永遠是這樣自私自利，道德墮落，精神空虛，徒用「毀滅性的戰爭」去嚇人，反而嚇得自己縮手縮腳，由「畏戰」進而至於不知何以爲戰。那在共黨的如意算盤裏，勝利仍將屬於他們的，決不是自由世界的。

自由世界內部的弱點確是如此，是不是「道德」所能挽救的？本文不擬對此[illegible]討論。這只是就[illegible]淺明的事例，指出一項潛伏的重大危機吧了！

漫画天下　南

多了一件工具

災禍的製造者

自由談

談新聞自律問題

馬五先生

去年八月間，我國海內外文教界人士在台北陽明山舉行座談會之際，新聞從業者一面要求修改出版法，同時強調「新聞自律」運動，主張訂立「自律公約」；今年「九一」記者節，台灣的新聞界在紀念會中，又特別提出「自律」問題，鄭重研討。

早在二十年前，我國新聞界就訂立了「記者守則」十二條，相期共勉，假使大家身體而力行之，政府根本就沒有頒佈出版法之必要了。最近若干年來，新聞界爲着出版法的是非問題，費盡許多唇舌，朝野之間，都感覺有些不愉快。「止謗莫如自修」，我認爲咱們新聞記者不妨反求諸己，先下一番自律的工夫罷！

就自由中國政府所在地——台灣——的新聞寫作現象而論，我覺得政治新聞不免缺欠自由，而社會新聞殊有濫用自由之嫌，然此二者又是互爲因果的。報紙既不能自由紀述政治新聞，就兢兢顧忌，很自然地就向着社會新聞方面發展，以期爭取讀者，因而不免注意到如美國時報老報人奧奇士（Ochs）所揭櫫的信條：「各種適宜於刊載的新聞」（All the news that's fit to print），大家專在聳動聽聞以增加銷路這方面力求表現了。每天的社會新聞版，滿篇刊載着奸盜命拐這類消息，且在文字渲染張揚，唯恐不及詳盡；尤其是對於重大的姦殺或劫殺案件，繪影繪聲，格外描述其經過內容，甚至憑着主觀幻想推測，遽加論斷，這就犯罪心理學和刑事政策的義理看來，間接貽患於社會人羣者，至深且鉅，倘使在香港，報社主持人沒有不受到政府查究懲罰的，然在台灣卻視爲無足輕重之事呢！

奸盜命拐以及色情狂的新聞，非不可刊，但以限於簡要報導性的方法爲上，凡是涉及法律問題的事件，在法院尚未判決以前，新聞記者似不宜加以誰是誰非的評論。去年香港發生所謂「雙黃」案——盜匪擄人勒贖而撕票滅屍——今年纔告破獲，當地報紙紀載稍詳，即有七八家報館受到政府控告，處罰頗重，這並非英政府對殖民地人民的不平等待遇，乃爲英國的一般法令所不許也。

報紙賦有社會教育的職責，要想發抒教育的功能，「自律」運動實屬必要之至。同時，政府對於政治新聞之刊載與評論，亦得放寬尺度，除卻洩漏國家機密，煽動內亂外患的紀載以外，應該廣開言路，百無禁忌，否則誨淫誨盜的黃色新聞，便不容易消弭，而社會人心唯有趨於敗壞之境，吾爲此懼！

（香港與大陸）

大陸上學年畢業的大學和高中學生，十九被下放農村勞動，共幹對他們又全不體恤，因而時常發生事端。

剛由梅縣來港之學生黃滿丁君說：大陸上學年畢業的大專學生，十九未有本行工作安排，連工科的學生，皆由「國務院」統一分配「暫時」回農村生產。而本年度大專學校招生名額，亦大爲減少，約爲高中畢業人數之百分之七左右。黃君所屬的那個梅縣古塘公社（包括田灘湖村、完仔橋村、曹溪村、上坪村、西山村、鐵爐橋等六個村），上學年共有十三名大專畢業生，得到分配本行工作的只有二名，高中畢業生共廿九名，有機會升大專的只有三名，其餘全被下放農村生產。

黃君說：農村生產可慘得很，兩餐吃不飽，每天要參加十四小時以上的苦力勞動，還得常常深夜參加羣衆大會，時事討論會，讀報組，團支部各種會議……因此這些學生受不了這種緊張勞動和精神虐待的生活，有的自殺，有的鬧事，有的逃亡，有的被判罪。

下放農村學生慘不堪言

共幹把他們當農民整

有的自殺有的被判罪

一位名叫黃貴×剛在「唐生鋼鐵學院」畢業的學生，被下放農村生產，他自幼便少在農村居住，完全外行，共幹亦沒有給予照顧，分配任務時，亦與農人同等，他當然無法完成任務，故常遭共幹批評和指斥。初時，他以爲這種生活祇是暫時的，並以爲共幹的苛斥亦祇是私人意氣，不加理睬，並且寫信到「高等教育部」和「國務院」去訴苦，還要求儘快安排本行工作。但他的信皆被退回公社，共幹看到大爲憤怒，要召集羣衆大會「鬥爭」他。他聽到消息，悲憤異常，深知大禍不免，獨自鎖在房中，服下大量的殺虫劑，在房裏高聲大駡共產黨和毛澤東，終至藥性發作，死在房內。

又一位是梅縣華僑中學畢業生張麗珍，她是一九五七年的「歸國僑生」，家裏人全在南洋，她亦被下放農村生產。她妙極了，從不理會共幹所分配的任務，亦不希罕「配給」的糧食，每月叫南洋親人寄付郵包以維生活，經常騎着單車到處遊蕩。共幹對她竟無可奈何。

另據梅縣松口公社逃港的某君說：該公社在九月初曾舉行「宣判大會」，被捕去五名青年，其中有一名大學畢業生和兩名高中畢業生，他們的罪狀是說怪話，造謠惑衆。（敬斯）

尼赫魯等於已向中共宣戰

印邊『大戰』殆難免

印度的籌碼押在中共打不得

中共既捱打又受氣衰之極矣

（本報訊）由於尼赫魯的態度更強硬化，主要是更明朗化，香港某權威觀察家認爲，中共與印度邊境糾紛所釀成的邊境衝突，已有了新的發展，其結果，一場較大規模的武裝角鬥，殆已勢所難免。

這位香港權威觀察家指出，尼赫魯本月十二日宣佈的他已命令印軍把中共部隊「逐出印度東北疆領土」，是前所未見的最強硬最明朗的表示，幾乎已等於尼赫魯向中共「宣戰」了。祂說：在以往，尼赫魯祇是強調增援邊境，強調不容許中共再有「蠶食印度領土」的行爲。在過去的三個月，所有雙方發生過的前哨衝突，尼赫魯都推說係由中共首先發動的，他祇是被動的還擊者。現在卻不然了，尼赫魯公然表示他要「收復失土」了。

這位香港權威觀察家因而特別指出下列各點：

（一）這足以反證：中共所宣佈的印度飛機曾於十月十日晚間及十一日中午兩度飛入西藏境內進行偵察，與印度陸軍會於十月九日及十日，兩度在東北區發動攻勢，首次打死打傷中共官兵十一人，第二次打死打傷中共官兵二十二人，都是實有其事，而非揑造的謊言。

（二）印度飛機兩度飛入西藏，與印度陸軍的兩次陸上進攻，不但都證明這是印方的有計劃行動，還證明尼赫魯的「收復失士」之言，並非空口說白話，他是眞正存心要與中共打一仗的。

（三）尼赫魯在宣佈他命令印軍「收復失士」之時，會說，除非中共部隊「退出印竟」，雙方無可談判云云。可又證明，尼赫魯前此所提建議的談判解決問題，的確並無誠意，而祇是他的緩兵之計。由此亦大概可以證明，以往三個月的迭次前哨衝突，挑釁的一方，顯見是尼赫魯印度，而非中共。中共儼然是一直處於捱打受氣的地位。

這位權威觀察家另外又指出：直至現在，中共還是顯得很軟弱，並儼然意圖避戰求和。他說：第一，中共於捱打受氣之餘，祇注重在文字上做工夫，比如十月十日與十一日兩天之內，它就向印度提出了兩次「最強硬最嚴重的抗議」，另外又祇在宣傳上，一再重複其『三言四句』，指尼赫魯印度是：「假談判，眞入侵，假和緩，眞挑釁」。

第二，中共所宣佈的十月九日及十日兩次戰鬥中，中共官兵被打死傷共三十三人，本來已是歷年無數次邊境衝突中前所未見的大數字，然而，根據尼赫魯的說法，僅僅十日那天的「激戰」，中共便「傷亡近百」。假定尼赫魯並未誇大他的戰果，便說明中共還在以多報少，諱言其重大損失。中共這樣做，豈不證明它企圖大事化小，小事化無麼？

這位權威觀察家進而指出：尼赫魯突然之間對中共強硬至於接近「宣戰」的地步，他所恃的與其說是認爲他已有充分力量對中共打一仗，無寧相信，尼赫魯的籌碼，是着重於放在他肯定中共不能打，有打不得之苦上。尼赫魯必然是以爲，中共在大陸亂搞，搞得天怒人怨，它正遭遇着內部的嚴重困難，實在不敢眞同印度打。因爲，假定中共和印度打起來了，兵連禍接，大陸同胞可能揭竿而起，是其一；國軍可能乘機反攻，是其二；如此，中共不但陷入兩面作戰，甚至是三面作戰，果眞如此，中共那個不得人心的政權，就非被「埋葬」不可了。這樣，尼赫魯還怕中共什麼？

其次，儘管中共與印度的邊境糾紛，所爭的是「中印未定界」，尼赫魯所說中共侵佔印度土地，乃是片面之詞，並不足以代表事實的；但毫無疑問的，由於中共對內奴役同胞，對外它是全無「人緣」，果眞與印度兵戎相見，國際同情將在印度一方，可以希望得到國際援助的，也是印度，而非中共。有此遠景，所以，尼赫魯便不把中共放在眼底了。

還有一點，中印未定界都是高山大嶺，氣候惡劣，人跡罕至之地，那樣的環境，對於戰爭，天然的有了限制，即使大打起來，要亦大不到那裏去。既然只能小打，不能大戰，如果小打而能爭取民心，甚而贏得援助，金銀財帛滾滾而來，老奸巨猾，現實至極的尼赫魯，他又何樂而不爲呢？

這位權威觀察家最後指出：雖然中共確確實實有打不得之苦，中共目前的表現雖然也確確實實是「裏」之極矣，甚至，中共亦確確實實有可能「裏」到底，實行完全不要面孔的棄甲曳兵而逃，退出它自己曾經說過無數遍的那是「中國的領土」去；但當然亦還有若干可能，中共會利用那裏並不能大打的環境，拖一下，撐一下，與尼赫魯糾纏一下，以徐圖觀變。果眞如此，他說：一場較大規模的武裝角鬥，便會演出了。（諾）

香港緝捕『蛇客』

成績好得眞嚇人

個多月查過萬多條船

（本報訊）香港政府對於從水路偷渡而來的大陸避秦同胞，正採取最嚴厲的緝捕行動，負責主持此一行動的官員，對於他們的工作成績，津津樂道，香港中國人聽起來則難免發生慘痛的感慨，卻又實在無能爲力。

香港政府係於本年九月中旬開始此項嚴厲緝捕企圖從水路偷渡而來的大陸同胞的，這些人被加上一個專名詞，叫做「蛇客」。香港爲緝捕這些「蛇客」，成立了一個特別機構，由一位助理警務處長鄧穡主持其事。參加工作的，除警方人員外，有陸軍單位人員，有海軍單位人員，飛機及炮艇等等，均被派用場，足示香港政府對於此一工作的重視程度。

鄧穡助理警務處長，對此一特別機構的工作成績，曾兩度發表報告，首次是九月廿二日，再次是十月十九日。在首次工作報告中，說明該特別機構在九天之內，曾經截查船隻一千三百多艘。再次報告中則說明，該特別機構成立以來一個月多一點，已共截查過一萬一千多艘船隻。確屬洋洋大觀。據說：該特別機構的工作能力，現在已能每天截查七百五十艘船隻。被截查的船隻，「許多會被帶回加以進一步檢驗，有些小艘且被扣留」。

從陸路偷渡而來的大陸同胞，中共是接受遣返的，水路的它們卻不接受。這就是香港要嚴厲緝捕「蛇客」的理由。

香港中國人誠然理解香港的人口已經夠多了，再大量而來，受之不了。所以對於政府的此一措施，並無反對之意。祇是，大陸同胞實在太慘了！他們才諸多冒險而來，以求生存，對於他們的遭遇，中國人總是給予同情的。（棪）

楊森游美的觀感

（本報記者台北航訊）我國軍界耆宿楊子惠（森）將軍最近遊歷美國歸來，記者特赴羅斯福路「民生實業公司」叩訪。這位老將已屆八十高齡，但鬢髮斑黑，容顏紅潤，望之有如五十歲左右。他並無特殊的養生之術，祇是早睡早起，好騎馬、打球、行獵，不吸烟，不飲酒，亦不玩牌，更不嫖賭，這是一般人所不及的，宜其長享遐齡也。他這次到美國的首要任務，是看看他那位留學美國將在大學畢業，且可能考得學位的夫人，順便跟在美國讀書或工作的兒女們見面，藉敘天倫之樂。

他在新大陸客游了三個月，走遍了各大都市，記者問他的感想如何？他笑謂「美國社會生活情況太緊張了！」繼謂他曾經利用社交方法，跟美國各界人士多所接觸，談到中國問題，那些美國的男女朋友們，對中國情形並不切實瞭解，只說是「咱們的兒子和丈夫，不能爲着一塊在地圖上不容易找到的金門小島，就去作戰流血啊！」我（楊將軍自稱）告訴他們以中共的禍害，及其奴役人民的各種情節，他們答道：「我們美國的共產黨就不是那樣兇殘的！」楊將軍認爲美國人由於生活安定繁榮，又講究實驗主義，凡屬不是親身經歷的事情，總以爲別人言過其實的宣傳之詞，天眞夾着主觀的成見，很難聽受別人的意見。目前古巴政府雖然日益赤化，拚命反對美國，但美國人相信匪區的古巴卡斯特洛政府，決不敢興兵攻打美國，讓它開關好了，且覺得這是生活上的一點刺激，蠻有趣的！

楊將軍又指出他目擊美國人好奇特而喜歡刺激的兩項例證：一是紐約某一文化機構有一張古畫公開出售，開始標價爲五十萬元，嗣以搶購者衆，最後漲到兩百萬元，被一財團購去之後，再闢室展覽，門票每張四角，而參觀的人絡繹不絕。二是紐約州長洛克菲勒上次到新幾內亞找尋遇難的兒子，失望歸來時，帶回當地土人製造的男女裸體形像若干個，都是手工業品，男女的生殖器官部份特別顯露。洛克菲勒就在州立博物館內，將這些裸體的東方人模型，闢室陳列，任人參觀，每人收費一元，觀衆每天川流不息，實則那樣的玩藝並沒有甚末意思，然美國人基於好奇的心理，趨之若鶩。

記者問楊將軍在新大陸跟本國的廬公們有無接觸？他笑謂：「廬公很少見到，廬公的後人卻接觸不少，如龍雲，盧漢的兒子都招待過我，他們對我這個老世伯很客氣。尤其龍治舟的媳婦林黛，她剛剛在美國，當龍四少爺招宴時，她亦在座，對我執禮甚恭，態度亦很莊重。我問她：外間傳言你和龍少爺可能回到大陸去，確否？她極力否認有此意念。」後來楊將軍對着盧漢的兒子誇獎林黛是個賢妻良母式的女人，難得之至。盧公子笑說：「林小姐是演電影的名藝人，她在楊老伯跟前，自然要露一手她的技藝啦！」記者聽罷亦爲之大笑。

記者再問楊將軍在紐約會否遇見孔祥熙先生呢？他說孔先生年紀大了，近來很少出外交際應酬，偶爾到紐約的中國銀行走走，上下電梯亦需人扶持，所以未能晤面暢談。不過，楊將軍便談出一項與孔先生有關的軼聞：據楊將軍的一位女兒說，她有五千美元存在美國某銀行被凍結了，曾經拜託孔先生幫忙解凍，孔先生就告訴她：「我自己有一百萬元存款亦被凍結着，如果你能設法解凍，我願以十萬元作酬勞金」云。談罷，記者又是一陣大笑。楊將軍認爲這決非孔氏託詞不幫他女兒的忙，而是言出至誠的老實話，可見別人的國家法令，一律平等待遇，決無例外，若在我國，恐怕不會有此執法如山的情形吧？

最後記者談到我國體育界的情況，詢問楊將軍對於不久將在東京舉行的世運會，咱們是否已在積極準備之中？他慨然答道：「我們一貫的方法是臨時抱佛腳，平日漠不關心，等到事情出現的前夕，纔四處拉選手，臨時湊合，結果是事倍而功半，人力財力消耗忒多，每每得不償失。關於下屆世運會這回事，目前很少人提起，即『中國體育協會』的經費亦很困難，其他可以想見了。」楊將軍好客而又健談，記者打擾了他一小時多的時間，祇好道謝告辭了。（十月十二日蘇雄）

被逐白俄談大陸慘況

本報澳洲航訊

中共正在大規模驅逐白俄出境，在中國大陸的數以萬計的白俄，皆須在獲得通知後四十八小時內離境。第一批自大陸逐出的白俄一千人已於十月初抵達澳洲，被安置在雪梨郊區。他們終於感到自己已不再被人監視。以下是這些白俄對記者所談述的大陸生活情況之一斑。

不相信尚有今日

艾特齊科夫是個白俄農夫，他現在雪梨木材廠工作，一家九口住在有四間房的住宅中，週薪折合三十六美元，他覺得現在的生活簡直與沙皇不相上下。他回憶到在中國大陸的生活，自一九五八年「大躍進」以來，他們家裏的成人每人每天只能獲一斤滲雜質的麵粉和一兩菜油。他的現在懷孕的妻子瓦茜亞，簡直不敢相信自己此生竟然還會有吃飽的日子，她至今還不敢相信今後是否還要靠吃樹皮草根渡日。他們說：在以往四年間，災荒連綿不絕，收成愈來愈少，中共的官員們會一再叫他們吃「營養豐富」的樹皮草根。

同胞生活更凄慘

艾特齊科夫和他的妻子都說：在長期吃草根的地區，都産生一種流傳廣泛的疾病，但沒有知道這種病的名稱是什麼。一經患上這種疾病後，臉部和四肢都不斷腫脹和枯黃，直至死亡時止。艾特齊科夫說：「我們這些白俄，生活比你們中國農民要好得多。自從我們所住的地區建立人民公社後，我們這些白俄還能保留一小塊耕田，一匹馬和一頭牛，而你們中國農民們則被迫放棄一切，甚至炊具也全部歸公。」

他接着說：「在城市以外的地區，能吃得飽的只有中共高級官員，軍人及公安警察。在饑餓逼迫下，曾有一些個別的農民起來反對共幹，但沒有人認為會發生大規模的農民暴動，因為你們那些中國農民的工作實在太繁重了，沒有時間也沒有精力起來反抗。」

壓縮城市人口一例

自從去年多季中共當局決定優先「發展農業（以往為優先發展重工業）」的路線後，各城市的地方當局皆把所謂「臨時戶口」驅出城市，派到農村人民公社工作。而所謂臨時戶口，是指一切在這城市內居留不滿十年的人口。有一位抵澳洲的白俄說：「哈爾濱市的人口，自今年二月份起，由原來的三百五十萬，銳降至七十萬人。被逐出城市的人，只允許攜帶隨身衣物，所有無法攜帶的東西，都必須放棄，而由中共政權沒收。」

在這些白俄難民的眼中，造成中國大陸經濟崩潰的主要罪魁，是那些基層的幹部，他們強制地執行着中共政權的政策，而不理也不明白每一項政策的精神。有一位白俄難民談論他在大陸的感受稱：「地方上的小幹部，都具有獨裁的權力，他們以咬文嚼字的方式執行中共政權的命令，而完全不理此命令是否適合於當地。他們只顧命令的字面意義，而不顧其精神。」

連聖經亦不許携帶

這一千名來到澳洲的難民，大多數來自哈爾濱，其中約半數是在鐵路上工作的員工，另有小半數是農夫，但他們都有一個共同的意見，認為毛澤東政權正在發動對一切「外國鬼子」的仇視運動，包括俄國人在內，不論是白俄或赤俄。（編者按：此一說法，似有偏見）中共當局懷疑一切用外國文字印行的文件，以致這些白俄難民說，[illegible]中國大陸之前，甚至連聖經和公禱文也都須繳給共黨警察。

據他們說，在中國東北一帶的蘇聯店員（赤俄）的處境也並不比白俄好多少。中共最近已禁止了哈爾濱一份俄文共黨報紙之出版，該報是由蘇俄當局主持的。據中共人員說：禁止該報出版的原因是因為這張報紙是「非法出版物」。（陸）

天南風光

朱淵明

黃乃裳與新福州——詩巫

在十九世紀末年，與二十世紀初年，像黃氏那樣，辦理移民農墾於萬里之外，那實在是一件不容易的事；初期招募，自屬阻碍重重，更不免謠謗迭興。雖然那時海外已有不少華僑，但都係私人關係，陸續前往，甚多為饑寒所驅，謀生異域者；亦有鄉里難容，亡走天涯者；更有愚昧無知，被騙作猪仔者，雖然那時海禁不嚴，但遠離鄉國，總為習俗所悲，非萬不得已，誰肯出此？故黃氏於離開星加坡返國時，乃拉同一個同年舉人叫力昌的一起返回厦門，轉往福州暨各縣募得五百餘人，並籌備一切農種與農具，以及銅鐵竹木雜髮諸工匠，與夫中西醫生及傳教師，手續甚煩。

隨由力昌氏帶同六十餘人先往新福州負籌備之責，黃氏率四百餘人續往，分劃地段，安頓農桑，煞費苦心。幸而第一年的收成甚佳，可是種仔都是當地或星加坡買的，由內地攜帶及日本之谷麥，均遷地弗良，可見凡物都要適合水土，不能勉强。

黃氏與力氏，投艱冒險，勞瘁備至，經過一年，始有頭緒。而力昌氏忽病，乃令其返國續招移民，然不幸病歿於厦門，且虧欵四千餘元，移民嘖有煩言，疑竇叢生。黃氏不得已，乃親自返國辦理續招事宜，並送力氏之妻子歸家。後又往福州暨各縣徵集五百餘人，專賃美國商船一隻乘載，船價八千五百元，連同購買藥材農具及全體生活費用，出發時，已需一萬六千元，極費籌劃。後經各方贊助，損得數千元，黃氏之婿林文慶醫生亦捐助二千五百元，始得成行。黃氏經前後三次，共運去一千零七十餘人，據他自己統計，到新福州後，三年之間，病卒者只有三十七人，可知該地水土及氣候之嘉善，甚適於生活。

那時粵東有個舉人叫鄧家讓的，亦是有心人，聽說黃氏移民治墾，頗為歆羨，也前去少羅越，向王家援例請求，獲得詩巫上游十餘里地，隨去粵中招二百餘人前往，專植椒。但那些農人，多因不能耐勞吃苦，或患思鄉病，陸續回國者一百餘人，差不多去了十之七八，那些墾地幾乎無法維持。於是鄧孝廉乃往與黃氏商量，以較厚工值，僱去閩農四十餘人，始克繼續下去。這就是目前詩巫上游有名的廣東芭之緣起，也就是廣東芭範圍內竟有許多福州人的起因。（九）

公道篇

聯合國該做些什麼？（二）

林人山

人類這類紛爭，層出不窮，且亦永無結果，永無已時，並將不因有了聯合國的組織而平息。因為聯合國憲章，並沒有一條規定是「各國領土祇限於現存的疆域（指在簽署憲章時為止），其非為各國主權所有的公海公地，及以新發見的任何土地及空間，均為聯合國所有。」人類各種慾望既無公定的規限，其因各種權益所發生的衝突與紛爭，便為自然的結果，必然的結果。

世事紛爭因素至多，有來自外來壓力，有來自內在的矛盾，但凡事却又有一個癥結，如東南亞、中南美、中東和非洲等地區的禍亂不安之源，大都出於貧窮與文盲二者之未能迅即解决，共黨利用經濟與教育的落後為煽動的資料，使該等地區更難從安定中求進步。亞洲民主政治變質為虛僞賄選制度，亦每多因是而産生。由此可知，一切崇高的理念，不能單憑一個形式的組織，便可以達成。換句話說，任何一個沒有決定力量的組織，在現階段教育程度的人類社會言，無能有助於挽救人類危機的任務，其存在與否，亦是無足輕重。

聯合國所揭櫫的崇高理念是無可懷疑的。但因其缺乏有效的鮮明的一條行進「四海一家」的路標，我們已可以理想得到，其終的亦有如宗教家想望指着高高在上的美麗天堂，空徒使人可望而不可即，漸將失去初期那股擁護的熱望，而趨於癱瘓與解體。

聯合國在開始組織之前，便已埋藏了糾紛和失敗的伏線。當時的創立人是分為截然不同的兩派。美國「星期六晚郵報」編輯比斯曾在所著「聯合國的作用」一文中指出：「他們一派主張建立一個武裝同盟，賦予用武力來維持和平的權力，這同盟遲早終會演變成為一個超國家的世界政府。另一派却以為，這樣的一個烏托邦，非經過很多個世紀不能達成；這派人主張聯合國的主要性質祇是一個會議場所，一切會員國都可以公開提出和辯論他們的分歧意見，同時又可以在私下裏商訂安協辦法或協定，一如普通政客在別的地方的所為」。

結果，當聯合國在一九四五年創立時，憲章規定的就類似摸稜兩可或主張動搖的性質。比如他們規定，「如果聯合國的最强大會員國一致贊同，聯合國就可以自行建置武裝部隊來維持和平；如果最强大的會員國不贊同，這憲章就准許聯合國以充當一個國際辯論會為主要任務。」（同上比斯語）

因此，聯合國可說自始即僅有一個虛渺的崇高原則，並沒有一個堅定不移的神聖目的，自亦由此有意忽畧鮮明而積極的政策。比如是對領土，對種族，對經濟，除了印刊宣言外，就沒有可導致這個世界終有一天能躋於和平，平等，自由，統一的計劃，與顯示有干涉那些違反憲章及宣言的國家的力量。

瘟君續夢

第六回：

烽火照邊陲　同悪難濟
樓船橫碧海　大憝興悲

政治局委員到齊之後，毛澤東指指陳毅，叫他起來報告蘇聯貸欵印度的經過。

陳毅看看劉少奇，鄧小平，怯生生的說道：「今天早晨外交部接到潘自力的報告，赫老訪問印度，和印度簽訂十五億盧布貸欵。」

陳毅剛說到這裏，李富春驚得「唉呀」一聲。

毛澤東瞅着李富春，問道：「你有什麼意見」。

李富春乾咳兩聲，說道：「我沒有別的意見，我只是想到十五億盧布折合美金三億七千五百萬，這筆錢能給我們多好。」

毛澤東聽了這句話再也忍不住了，一拍桌子說道：「只要放着姓毛的不死，我絕不饒赫魯曉夫這頭肥猪，他欺負我太厲害了。上次他來我張口問他借五億美元，他就裝瘋賣魔，一文不借，這次到了印度，一出手就是三億七千五百萬美金，他怎麼對尼赫魯這麼慷慨，是不是因為尼赫魯要和我們打仗。」

大家沒人敢開口，就在此時，「外交部」又送來一封緊急公文，陳毅接過來沒有拆，雙手捧給周恩來。

周恩來說道：「你應該先拆開看一看，竟竟是怎麼回事。」

陳毅苦笑道：「我一看是潘自力打來的電報，就知道沒有好事，何必拆它，乾脆捧給總理算了。」

周恩來不再說話，慢慢拆開電報一看，不由得喜上眉梢。連說：「這眞想不到，尼赫魯約我四月十九日到新德里同他會談。」

毛澤東也覺得奇怪，問道：「尼赫魯怎麼突然忽想通過了。」

陳毅洋洋得意說道：「我都虧總理耐着心多寫幾封信去追，最後他一定會回心轉意的。」

毛澤東一瞪眼，陳毅不敢再說。

劉少奇插嘴說道：「我看大概和赫老這次訪問有關係。」

鄧小平說道：「我的看法也是如此，若是沒有一點代價，赫老那會這樣借錢給尼赫魯。」

毛澤東冷笑一聲：「不過，這個代價實在太高了，我到寧願要三億七千五百萬元美金，假若赫魯曉夫能把這筆錢借給我們，不談也就算了。」

周恩來說道：「尼赫魯邀我到新德里去，當然是談判邊界問題，我們的立場究竟怎樣。」

毛澤東說道：「這件事情，你不同我，我還要問你哩！我們目前和紅頭阿三的爭執，究竟有幾點，什麼是可以讓步的，什麼是不可以讓步的。」

周恩來陪笑說道：「大體可以分成三方面，第一是拉達克邊界的爭執，我們在這裏修了一條新藏公路，這裏是斷斷不能讓步的。第二是東部被印度佔領的麥馬洪線以南領土，這裏地方雖然大，物産也比拉達克豐富，但在暫時來說軍事上價值並不太大，尤其是我們把江心坡劃給緬甸之後。」

「哦——」毛澤東點點頭：「第三方面是什麼呢？」

周恩來偷偷看下劉少奇，悄悄說道：「第三點就是尼赫魯的友誼，我們究竟還需要不需要印度。」（一四六）

書法學會（續）

第三點，各會有員要衛道的精神，捨巳從人，就培養下一代着想。不是心存入會以後，專作自巳展覽的念頭，意義固無所論，不過有公私之分，其偉大與淺識，立可判明。因逢成立，聊抒觀感，以告諸君子。

絕大疑案

陳澄之兄爲台灣有名的作家，十餘年前，初以「白眉」爲筆名，寫短篇小說，清文並茂。竟有讀者誤疑爲女士，遺書談愛，也是趣事。後來以眞名寫清代宮闈說叢，有「御香縹緲錄」，「瀛台泣血記」等五六種，皆長有二十餘萬言。記得泣血記中，載有光緒降生的經過，大畧如下：

當醇親王奕譞，在其福晉將臨蓐的前夕，因其尚未得子，鄭重其事，在祖先堂，大廳堂兩處，均燃點香燭，並叩頭跪拜默祝，坐在廳堂，等候喜訊來報，以疲倦而假寐，忽然入夢，夢見一虬龍，圍繞其院中柏樹上，口吐涎沫，大爲驚異，欲以驅逐，驟然驚醒。宮女們來報，福晉誕生一子，大小平安。醇王心中卻甚詫異，以爲不祥。後來撫養到四歲，亦無啥事，心始稍安。不意事竟發生。

在咸豐逝世，同治接位，也是冲齡踐祚，由慈安慈禧垂簾聽政，開清代未有的惡例。由七歲登極的同治，到了九年，已是十六歲大婚，選定崇綺女兒爲后，鳳秀的女兒爲妃。崇女即孝貞后，在同治死後吞金自殺，爲的是同治害梅毒夭逝，慈禧却咬定是她害死的，節烈少見。同治既逝，議立儲君，須當選溥字輩人物，但是慈禧不放棄政權，在議立時，她說，心目中想立的人，要以祂的父親，是先王同胞兄弟，祂的母親，也是我的同胞妹妹，再視近淺有能比得上祂。此語一出，衆王公親貴，相顧愕然，皆不敢應聲。明知歷史上，尚無太皇太后（祖母）垂簾事，她要抓住政權，已是不言而喻。那時醇親王也已覺得，跪地磕頭，有如搗蒜，請求另選。但禧慈主意堅決，見大家無言，即認爲贊成，下詔昭示以光緒繼同治後爲帝，仍作嗣於咸豐（親祖父），四歲入宮，演成後來殘害德宗之慘劇。澄之兄如此寫法，減爲有力，曲曲將慈禧的心曲傳出（原文甚長近三千字），非常佩服。

奇事來了，近閱今年五月出版，魏仁南先生所寫慈禧太后，長四十萬言，其中第三七節，題爲「樂極生悲，留下孽種」。（未完）

憶玉軒雜綴

·泳秋·

遜清宮女　翠雲秘辛

陳澄之

五、菊冰麟仙酒

楊小樓苦苦地斟酌了一夜，本想次日不到醇王府去，繼而一想，恐怕角裏角落都有革命黨人耳目，若不遵照他們的指點行事，說不定什麼時候會吃着他們的暗虧，還是且到醇王府打個轉兒見機行事。

前清規矩，優伶鼓手下賤人等，概由後門出入王侯府邸，楊伶一到醇邸後門口，早有福晉跟前的小尉把他接了進去。

他進入王府多少次，熟門熟路，走過一得軒，小尉還是把他往深處領，楊伶心裏暗自詫訝，才要探問究竟，遙見福晉的心腹宮女，翠雲，滿面春風迎了上來。

「楊供奉，請隨我來！」翠雲說着一擺手，那小尉立刻止步轉身，退了下去，她接引着楊小樓，往花榭裏走時，嬌笑着說，「供奉來得正是時候，王爺在宮中議事，今天連晚飯都不回邸食用，福晉此刻却恭候著供奉，一塊兒用午膳哩。」

才穿過一條芬芳的花廊，福晉親自迎了出來。「楊郎！快快坐下陪我用膳，我這裏有好酒等你！」

待福晉與楊伶落坐之後，宮娥在他們座前小巧雪白的玉盞裏，才酌滿了酒，就已聞到馥郁芬芳，民間罕有。

「這酒是老佛爺生前御賜的呀！有了年份啦，當初高宗皇帝萬壽，高麗遺使貢壽酒十瓶。此酒爲高麗王妃親手採摘五色菊花，浸在蜂蜜裏蒸了又曬，曬了又蒸，經過好幾年工夫才釀成爲酒。這就是酒經上所載的菊冰麟仙酒，難得之至！」

梨園子弟墨守着祖爺一句古訓：福祿不妨畢至，酒色切忌雙全。美色當前，楊供奉決計涓滴不入。

「這菊冰麟仙酒，老佛爺當初只賜給這麼一瓶，是頂提神的好酒！王爺好幾次想偷了喝，都被我攔住了。楊郎，來，我們嘗嘗，但，頂多喝這麼一小盞。」她不待這戲子答腔，仰着頸子一飲而盡。

那裏曉得就那麼一小盞菊冰麟仙酒，福晉就此昏昏欲睡，非常勉强地支吾着：「翠雲，等一下，把他領到一得軒去坐坐。」

轉眼間，醇親王福晉酒醉如泥，簡直不省人事。

膳畢，翠雲趨前，「楊供奉請去一得軒品茗吧，讓福晉在這裏清靜一下，自會醒來。」

楊小樓心裏一樂，覺得這是千載難逢的好機會。福晉既然自己喝得泥醉，他進入一得軒，要隨手牽什麼羊，就牽什麼羊，翠雲決計想不到他有順手牽羊之心，這就好辦得多了。

他跟着翠雲退出花榭，往一得軒走時，一路上別無閒人，陡然間覺得這宮女的美麗嬌媚，遠在福晉之上，動了非份之想。

在這情勢之下，古劍到手不難，要得風聲毫不走漏，祇有一條萬全途徑，堵住這宮女的嘴！他們並肩兒邁入一得軒圓洞門，楊少樓扯了翠雲一把。

說忙與閒

燕謀

人性好閒而惡忙的話，驟聽之以爲沒有問題，仔細在現實生活中體會一下，就會覺得它似是而實非。尤其步入工業社會之後，好多人確實忙得不可開交，有開不完的會，有見不完的客，有赴不完的宴會，有聽不完的電話，有看不完的公私文牘，從清晨到深夜，除非撒個謊躲起來，休想能得到半日的休停。某市長據說一天要赴宴十五處之多，至於比市長更大的官兒，不消說更忙得不亦樂乎了。一個原應受靈性指揮的人，到此地步，簡直成了一部被動的機器，他的靈性被凍結起來，難得有蘇醒的機會，只剩下軀殼肢體，成年累月做着循環無盡的機械工作。他們之有時也表示一下願卸脫仔肩，應該不是純然的做作了。可是，當祂的差事有一點不穩的風吹草動時，祂便會棲棲皇皇，無所不用其極的奔走營救，以求戀棧這個「忙」的人生。可見這般人之咒罵「忙」，其詞若有憾焉，而其實乃深喜之的。

假如能於山深林密之地，結茅爲居，儲糧爲食，積帛而衣，生活在如此一個環境裏，與人世隔絕，競爭用不着，互助也無須，大可悠閒自在，過着和「忙」完全相反的悠哉游哉歲月，要睡不妨成天的睡，要醒也不妨廿四小時不睡，也不會妨害別人的自由，至於臨清流而賦詩，撫孤松而盤桓，都可隨心之所欲，任興之所至，無往不可的了。可是，從古至今，像這樣的野鶴閒雲，究竟數不出幾個來的。

衣食不周，都成問題的窮光且，要想閒，等於做夢。但等他一朝發跡，席豐履厚之餘，祂却又不再作「閒」想了。說起來豈非怪事？

志士仁人福國利民的成就，說那是他們「忙」的結果，頗近於事實。對於老驥伏櫪之感，人們往往予以欣賞與同情，即以此故。至於整天躲在脂粉隊中，流連酒食徵逐之中，其視天下興亡，比吹皺一池春水還無關緊要，這種人又豈少也哉。

應該說：人是「閒」不得的，但「忙」也得有個分寸。然則甚麼才是理想的生活呢？我想應當是既要「忙」又可「閒」的那一種。過閒而行屍走肉，過忙不免誤己害人。何況不忙不知閒中之趣，不閒亦不知忙中有樂。人能在忙的時候而不忘閒趣，[illegible]，即在人與自然，渾然交融，[illegible]。反之，人在閒的時候，能作忙的準備，夫然後「[illegible]以天下樂以天下」。最低限度，也才像一個人，而非與禽獸無甚區別者流。

今也國難當頭，然而世衰道微極矣！所謂「忙」，是忙在酒食議談，開會應接之上；所謂「閒」，也無非是在酒食議談，混混噩噩的打發日子。太可怕了！這種「閒」，「閒」得笑話，而這種忙，尤其忙得可恥。東晉晚明之世，史實具在，殷鑑昭著，即其例也，你，我，祂，特別是那些在位者，要對得住自己，要對國家民族做得出交待，袞袞諸公啊，快省悟罷！

海嶠雲談會

金九與李承晚（一）

諸葛文侯

韓國革命志士的領袖人物，金九首屈一指，李承晚尚在其次。然金氏於革命成功之初，竟死於非命，李氏因緣時會，後來居上，得嘗革命果實，榮任開國總統多年，有幸有不幸，雖曰天命，豈非人事哉！

金九及其革命同志，始終以我國爲活動場所，現時在韓國嶄露頭角的文武顯要人士，過去多在我國的學校讀書，如現任外交部長崔德新，且係南京某中學的畢業生，此外出身我國中央軍校和大專學校者，更僕難數。金九歷任「朝鮮臨時政府」——設立在中國的革命政府——的首領，聲望甚高，政治抱負非凡，漢文亦有很深的造詣。我政府於對日抗戰前，在廬山海會寺創設文武幹部訓練班，金氏常常應邀担任講座，他曾撰有聯語懸諸禮堂上云：「海立雲垂，衆志成城，相期共飲黃龍酒」；「會盟歃血，馨香祭告，他日齊拜紫金山」。即此可見其學識與氣概了。

一九四五年八月，日本宣告無條件投降後，我政府派飛機，將金九和他的革命幹部同志，送回漢城。維時美俄兩國協定將朝鮮割分爲南北韓，而以三八線爲界，成立了兩個不同制度的政權，金氏大不以爲然，認爲全國必須統一，他曾經親赴北韓訪晤金日成，希望達成統一的目的，俄帝當然不許可，而美國亦反對金氏的主張，同時害怕金氏奄有開國元勳的地位，又是親華派，認爲不適合美國的胃口，乃將流亡在美國的李承晚趕忙送回來，跟金九競爭政治權位。李氏在美軍護持之下，組織政黨，成爲總統候選人，而金氏則堅持其反對兩個韓國的政策，聲明決不競選總統，以示抗議，然大選結果，他的選票與李承晚仍相差無幾也。李氏藉美軍作背景，對於凡從我國回去的朝鮮革命份子，另眼看待，多所猜忌，曾有一批在我國經過訓練的朝鮮青年志士，集體回到祖國時，李氏即將他們先行安置於特定地點，不許與外界接觸，再加訓練改造後，方得恢復自由。金氏恍於環境惡劣，對國事表示消極，閉門謝客，恬然隱居，詎仍不免暗殺之禍，而兇犯竟是他平日的親信同志，可悲亦復可歎！

金氏之被害，究竟是何原因？主使者何人？李承晚政府迄未有所宣佈，至今還是個謎。他死後，若干跟他從事革命多年，而在李總統治下担任要職的人，皆逐漸失勢沒落了，如曾任內閣總理的李範奭，即其最著者。八年前，李氏由美國訪問歸來，道經香港時，我跟他暢談韓國情形，詢以金九先生的死因，他亦含糊其詞，不願多說。政治生活之殘酷無理性，太可怕了！

台灣與鄭成功

·陳雪英·

成功治台主嚴，文武貪汚舞弊的，或徒擾居民者，悉繩之以法。人民作奸犯科者，依法嚴懲。十二月，承天府尹楊朝棟與知縣祝敬，因串通斗給陳伍尅扣軍糧，事發成功收三人按律斬之。諸文武聞之莫不股慄。乃擢鄭省英補承天府尹。省英爲人識嚴能幹，努力闢草萊，興屯聚，犯法雖親故不假。以黃安守安平。成功又令諸鎭將士及各級文職等眷屬，遷移來台。時東荒初闢。初入台的人多不服水土，來者多病，病者多死，又憚法嚴，在內地者因信心不固，多有遲延不行者，亦有因而叛去降清者。馬信慮命令峻嚴，恐生異變，諫成功說以立國之初，宜用寬典。成功答稱：『不然！法貴於嚴，庶無積弊。後之守者，自爲易治。是故子產治鄭，孔明治蜀，莫不用嚴。況台灣新復，非嚴無以統衆，唯在制宜而已。』諸將乃心服。又令省英率何斌、馬信、楊祥、蕭拱宸帶弓手三百人，巡視各地番社，招撫土番，番酋極爲悅服，並領[illegible]南北各地番衆歸誠。成功頗快慰，分賞烟酒布匹等物。各番酋大喜而歸。

永曆十六年（公元一六六二年）正月朔，成功集諸鎭將士，各級文職，在安平鎭遙拜帝座，訓諭曰：『爲政之道，足衣足食而後乃可足兵。今賴皇天之靈，諸將之力，克有茲土，豈敢苟安？然食之者衆，作之者寡，倘一日匱餉，師不宿飽，則難以固邦家。今台灣土厚，泉甘，土壤未闢，當用寓兵於農之法，以謀光復。』（[illegible]）

內僑警台報字第〇三一號內銷證

自由報

THE FREE NEWS

第二八二期

中華民國僑務委員會頒發
台教新字第三二三號登記證
中華郵政台字第一二八二號執照
登記爲第一類新聞紙類
（本週刊每星期三、六出版）
每份港幣壹角
台灣零售價折台幣弍元
社長：雷嘯岑
督印人：黃行靈
社址：香港銅鑼灣高士威道二十號四樓
20 CAUSEWAY RD 3RD FL
HONG KONG
TEL. 771726　電報掛號．7191
承印者：田風印刷廠
地址：香港灣仔高士打道二二一號
台灣分社
台北市西寧南路壹壹零號二樓
電話：三〇三四六
台郵政信箱金戶九二五二

看中共與印度的邊境戰爭

・金達凱・

中共與印度的邊界糾紛，終由冷戰變爲熱戰，由小型的射擊事件演爲較大規模的軍事衝突。據中共和印度雙方發表的消息，從本月二十日起至二十二日爲止的三兩天內，中共軍已在中印邊界東段「麥克馬洪」沿綫奪回了兼則馬尼、扯多、絨不丟、扯果布、克寧乃、日挺布、娘巴、冲昆橋、吉普、日昌、章多、哈東山口等據點，在西段也攻克了印軍佔據的幾個據點。現在沿邊界自東至西一帶，已有六處發生戰事。這六處：一是東北接近緬甸的基比托，二是東綫的朗久，三是藏印和不丹的交界地區，四是南部的班公湖地區，五是中部拉達克的加勒萬河谷，六是西部的奇普恰普河谷。可以說整個中印邊境都已冒出戰火。這個戰火的演變如何，是繼續擴大，抑適可而止，不僅是中共與印度當局的重要抉擇，也是自由世界尤其是亞洲國家所密切注意。本文現就雙方動武的原因及其趨勢，作一初步的分析。

爲瞭解目前中印邊境的衝突，須先說明中共與印度在發動作戰前的態勢。

自本年七月上旬，印度軍隊在新疆的奇普恰普河谷，喀拉喀什河源、加勒萬河谷，和西藏的班公湖、斯潘古爾湖等地區建立據點，並與中共軍隊發生零星衝突以來，雙方即進入備戰狀態。中共方面宣佈採取左列幾項措施：

一、宣佈恢復西段邊界的武裝巡邏，並準備恢復中段和東段邊界的巡邏，宣稱對印軍的襲擊，決予以還擊。

二、發動駐西藏和新疆的共軍部隊，在營地舉行集會，「譴責印度打死打傷共軍官兵的罪行」，並由集會官兵表示「決心化悲憤爲力量，對印度軍隊的攻擊堅決自衛，爲保衛領土而貢獻一切」。以進行政治動員和精神動員。

三、在拉薩召開羣衆追悼大會，由班禪出面指責印度對西藏的侵畧，要求西藏人民「團結起來」，支援共軍保衛領土。

四、加強邊境前沿的軍事力量，西藏和新疆軍區抽調部隊增強「麥克馬洪綫」以北和西段阿克賽欽地區的防務，進行有關作戰的部署。

在另一方面，印度當局也採取幾項相應的備戰措施：

一、宣佈向蘇俄購買米格二十一型戰鬥機。

二、加緊建築北部邊區的戰畧公路。

三、在東方軍區之外，另成立一個野戰軍團，由陸軍參謀長考爾中將兼任新軍團司令，專責執行對共軍的作戰任務。

四、尼赫魯聲明「決不在被迫之下或武力的繼續威脅之下，參加任何談判和討論」。印國防部長梅農更宣稱「決心戰至最後一人」。

在此情況下，中共和印度雖一度在照會上表示願意進行談判，在一九六〇年雙方官員會晤報告的基礎上進一步討論邊界問題，並決定從十月十五日開始，先在北平後在德里輪流討論，但因彼此皆無誠意，積極備戰，使一度鬆弛的局勢又傾趨緊張，並于二十日開始爆發較大規模的衝突，至目前爲止，戰鬥仍在進行中。

從一般情況看來，中共與印度都無正面作戰的必要，現在也不是進行戰爭的時機。然而它們都不顧本身條件，毅然不宜而戰，顯然有其各自的原因。

在中共方面來說，其作戰的決心當然不是爲了邊境。單純是邊境問題，它是可以讓步的，並且爲了某項政治目的，還可以奉送土地。如與緬甸及尼泊爾所簽訂的「邊界條約」之割讓國土，即是一證明。然其對印度的堅持，自與下述因素有關：

第一、爲了鞏固在西藏的控制與統治。自一九五九年西藏發生反共事件以來，達賴及反共藏民大都逃至印度，受印度的政治庇護，並企圖藉印度的力量捲土回來。因此如果中共對印度讓步，則必增長印度的聲勢，增加印度對西藏的潛在影響，從而也影響到共黨對西藏的統治。此其一。

第二、中共爲圖克服內部困難，在黨內和人民間正採行高壓政策，其「十中全會公報」宣佈「階級鬥爭之不可避免」，正是推行高壓政策的說明。爲了與對內的鬥爭相配合，對外亦往往擺出冒險姿態，如參加韓戰時在大陸之展開「鎮反」「肅反」運動，在反右派時，即大舉炮轟金門。都說明共黨對內對外的鬥爭，是互相結合的。因此，對印度的作戰，一方面可轉移國內外視綫，一方面又配合其對修正主義和資本主義的鬥爭。此其二。再加以中印邊界關係西藏和新疆的戰畧聯系，爲其對南亞的戰畧基地，所以也就不願輕予放手。

再自印度方面而言，其與中共的發生領土糾紛，是在一九五九年西藏發生抗暴運動，達賴出走以後。在此以前，中共在阿克賽欽地區及其邊界地區曾進行長時期的勘察與築路活動，印方均未提出異議。又印度與巴基斯坦關于克什米爾之爭，亦未訴諸戰爭，何以近年來突然重視中印邊界，並不惜與其度過「蜜月」的中共兵戎相見呢？這也說明尼赫魯的目的，並不在這些荒漠無人，經濟價值極小的邊境地區。

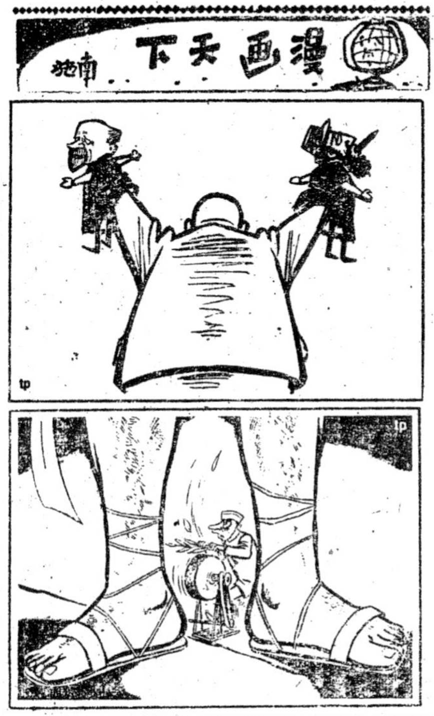

雙鎗並舉

一直發抖

大致說來，印度的造成邊界問題的緊張，其作用有三：一是以國家利益和民族主義情緒來維持國內的團結。印度民族成份複雜，黨派意見紛歧，國大黨要想繼續執掌政權，要想在選舉中操勝券，只有以保護國家利益爲口號，才可籠絡反對黨，才可爭取選民。我們只要一看自邊界問題發生後，人民社會黨即與國大黨團結合作，甚至印度共產黨也站在政府一邊，發表指責中共侵畧的聲明，即可瞭解邊界問題在印度國內政治上所發生的作用。

其次，印度對于喜馬拉雅山區的尼泊爾、不丹、錫金等小國，視爲保護國。而近年來由于中共勢力的滲透，尤其與尼泊爾關係之趨于密切，使印度感到不安。因之爲阻止三小國之投向中共，自需要在它們面前表示決心與實力。所以當這次邊境戰事發生後，印方即要求在不丹境內駐兵，而中共亦隨之向不丹提出對印軍進駐的警告。

此外印度爲爭取西方的援助，尤其是爭取美國的經濟援助，也不得不做出與中共不惜一戰的姿態。

由此可以看出，中共與印度的邊境戰爭，邊境問題只是一種藉口，實際上他們另有各自的作用。這也是雙方無法進行談判的基本原因。

然也因此影響它們眞正作戰的決心，何況彼此都有一定困難，僅就戰場形勢來看，目前雙方都缺少擴大作戰和長期作戰的條件。印度的國防力量並不雄厚，根據年前的資料，印度的正規軍不過三十七萬五千人，另有地方軍三十萬人，又自一九五五年至一九五九年每年訓練國民志願軍十萬人，在總兵力上自較中共劣勢。但是印度可以得到較多的外援，英國已聲明給予軍事援助，必要時美國亦當予以支援。同時印度腹地距邊區較近，兵力集中和運用較易。反之，中共兵力雖佔優勢，但距離後方過遠，運輸補給不易，加以西藏人民對共黨的不滿，以及達賴的號召力量，以都可造成中共在作戰上的困難。因此，除非再有其它因素的刺激，否則邊境戰爭達到一定程度，或中共的進攻達到一定程度後，局勢可能鬆弛下來的。至于和平談判，則不是短時期的事。

自由談

說金錢

自古迄今，人們對於金錢的觀感，發抒了許多議論，其說不一，我最贊同近代人袁簡齋的兩句評判語：「解用何嘗非俊物，不談未必定清流」，可謂平實見道之言。

今之金錢與古之貝殼泉刀同一性質，都是人類爲交換生活物資的一種信用品，它本身沒有甚末價值之可言。它的價值乃奠立在人間的信用上，或迅或落，完全任人擺佈，這便是經濟學家認爲物價永遠是不變性的原理所在也。現代人樂於使用的鈔票，其本質視古時的貝殼價值尤低，一旦喪失了人類對它的信用，即成爲不值半文錢的廢紙了！

人類愛錢的心理，基於交換生活必需品的關係，原屬未可厚非；弄錢的方法不一，手段各異，因而產生貧富有別的現象，亦爲勢所必至，理有固然。所以，人們若以口不談阿堵物爲清高，實係矯情的僞君子，不足爲訓的。問題在弄錢的手段是否正當？用錢的方法是否合理？這就要看你對於錢的基本觀念如何了。如果視之爲生活過程中的信用物，生不帶來，死不帶去的，那就應該把金錢作爲我的使用奴隸，隨意差遣，本其能力所及，求其心安理得，一介不予，或一擲千金，自無不可，即不必安貪不義之財，李太白謂「天生我才必有用，千金散盡還復來」，此物此志也。世之所謂守財奴，都是些無知無識的蠢材，未聞大道，殊不足責。可哂的是那些曾讀聖賢之書，悉爲知識份子的人士，亦見錢眼開，愛錢如命，弄錢不擇手段，貪黷無恥，用錢有如輪血，痛切肌膚。家資本已富存，却逢人哭窮，他寧肯死後讓不肖子孫爲爭奪遺產而大演醜劇，却不願在生前對於公益事宜，稍破慳囊，作些好事。如此的不解用錢之道，眞不知他的生命價值是甚末呢？相反地亦有些讀書人以絕口不談錢爲清高，但又未見其饑寒以死，是則表面雖不談錢，心裏或許愛錢尤甚於常人，其可哂並不亞於一般爲金錢作奴隸的庸夫俗子，清高之謂何，鄙陋而已！

「揮金如土，殺人如蔴」，這是大英雄豪傑的本色，大可崇拜的。只可惜世間少見眞正的英雄豪傑，偶有相似者，亦不過表現一些淺面那句話的軍閥或流寇行爲罷了。但我有一種定識，認爲十分正確，即搞政治的人，如果沾染着愛錢的毛病，他的事業就休想有發展之望，可不戒哉！

馮五先生

香港與大陸

查思想挖根底要交人心

毛共加強控制大專師生

甚至出入校門亦要管束

中共最近對大陸大專學校師生，在思想和行動方面皆加強控制，不僅大規模地進行「革命精神」教育，師生出入校門皆要向負責人報告，並需填寫多張個人履歷表，送往各有關機構審查，以加強瞭解並掌握每一個師生。

據剛從廣州來港的陳宗昌君對記者說：廣州不久前曾大規模地進行「社會主義思想教育運動」，這種運動的重點是放在大專學校的。陳君有一位表弟在廣州師範學院就讀，他的表弟告訴他：該學院曾一度停課，先聽取中共人員的「革命故事報告」，如蘇俄在十月革命後如何艱苦奮鬥；紅軍在二萬五千里「長征」如何「可歌可泣」……；接着便要同學分組討論，重點是（一）什麼是革命的人生觀？（二）過去個人會有那些思想和行爲是違背「革命」的原則的？（三）如何建立革命的人生觀？

每一位同學皆得發言，且要坦白、詳細，絕不能避重就輕。共幹一再強調「不究既往」，意在要每一個同學皆坦白把自己的一切向「組織」交代。

陳君說：共黨除了加強思想教育外，在行動上亦加強管束，每一位師生出入校門皆須向「連長」（即學校班長）報告，說明事由、目的地和所需時間；在這時間內，一定要回來報到，否則便會帶來嚴格的追查和批評。陳君說：「他的表弟有一次曾因排隊搭車而遲了十五分鐘才回到學校，結果被迫在小組會上報告這次外出的詳細經過，並寫「檢討書」，還要保證以後永不再犯這種「錯誤」。

廣東師範最近又要每一個師生填寫履歷表，這本是平常的事，不同的是此次填寫卻比以往的多而且詳。以往只填寫三張，分存於「學生科」、「保衛科」、和系主任處，這次卻要填寫六張，除上述三處需各保存一張外，在「省公安廳」、「市公安廳」、和學校「民兵師部」皆需保存一張。填寫的內容也比以前更詳細，其中有個人履歷，家庭成員，社會關係，曾受何獎懲，過去現在曾參加過何種反動組織，親友中曾任僞職（指大陸赤化前供職政府中人）者的姓名簡歷現在情況，你知道有何反革命組織和活動……等欄，要每人均忠誠老實的填寫，並進行小組討論，鼓勵互相揭發陰私。（徽斯）

天奪其魄致犯此錯誤

印邊之戰不利中共

愈是拖延下去愈對中共不利

和解希望少否則尼赫魯完蛋

（本報訊）香港某權威觀察家，前對本報記者論斷中共與印度難免要在邊境發生較大規模的武裝角鬥之後，如響斯應，現在果然打起來了。爲此，記者將再往訪，請其就此再作進一步的論列，以饗本報讀者。他說：

（一）此事最值得注意的，首先是中共並不爲尼赫魯的一聲吆喝而便棄甲曳兵而逃。他的意見，中共此舉，必然是它認定第一，尼赫魯並無大志，而祇是一味投機，企圖憑一句空言把中共唬退，不費一兵一卒而取得一大片土地。既然尼赫魯並不想同中共大打一場，中共怕些什麼？第二，那地區也是只能小打，不論大戰的，是則它何妨撐一下，拖一下，先與尼赫魯糾纏下去，再徐圖觀變？但他認爲，就中共現時處境而論，他這樣做，其實並不聰明，甚至是犯了很大的錯誤，對中共本身，利少害多。不妨說這是中共作惡多端，天奪其魄，致犯此甚至比投入韓戰更加重大的錯誤。

（二）從二十日晨發生的這場戰事，顯見是中共發動的；但它主要還是一種攻勢防禦，即爲了怕對方打它，乃實行先下手爲強，「俟其半渡而擊之」。而且，五天來的形勢發展，中共也佔上風了。但他說：除非第一，中共有「大志」，乘勝大舉深入，或者第二，勝仗之後立刻談和，凍結糾紛，否則局勢的發展，將愈來愈對中共不利。他認爲，中共必然會不斷的向尼赫魯進行和平攻勢，但看來除非中共果如尼赫魯要求的完全退過所謂麥馬洪綫以北去，雙方能和的機會，很小很小。而假若在中共滿使下和解，尼赫魯的政治生命便完了，權位慾甚爲濃厚的尼赫魯，當不出此下策。

（三）談到蘇俄對於雙方糾紛的處境問題，他同意蘇俄此際確實不免於尷尬，有左右做人難之苦；但他強調：蘇俄不攤牌而已，否則他認爲，最後蘇俄必定祖護中共，而非如西方一般人所想象的它會幫尼赫魯印度去「教訓」中共！對於這點，他說得最爲詳細，他說：

印邊之戰打起來後，感到最尷尬難處的，確無過於克里姆林宮那一小撮人。它們左祖中共固未能，右祖印度亦不可。它們這種左右都做人難的處境，將隨戰事的愈延長而愈增加其尷尬程度。模稜兩可以及假裝大而化之就像根本沒有那麼一回事的沒辦法中的辦法，當然不是眞正有效的辦法，因那絕不是可以持久採用的辦法。

不久之前，赫魯曉夫曾經表示中共與尼赫魯印度的邊境糾紛爭，居然鬧到動用武裝衝突是「很遺憾」的事。就是蘇俄的模稜兩可態度的運用。那時還祇是邊境小衝突，對壘的經常祇得幾十人，最多的時候亦不過幾百人；二十日開始的砍殺，雙方都出動了好幾千人，印度國防部長梅農甚至說中共出動的兵力達兩萬之衆，藉以掩飾印軍之吃敗仗是由於寡衆懸殊，「非戰之罪」。但就是雙方各出動幾千人馬，在那麼一個無法使用大兵團作戰的自然環境之下，是大手筆了，已經遠遠超越一般所謂的邊境衝突的格局了。就蘇俄來說，這情勢對它實在是「加倍遺憾」的事。

迄至印邊之戰已打了五天，蘇俄對於這麼個「大事」還一言不發，連報紙電台均無片語隻字提及。這便是克里姆林宮那一小撮人所從用的假裝看不見的辦法。有可能，在短時期之內，蘇俄還會繼續採取這種其實不是辦法的辦法。但它能夠永遠這樣做嗎？永遠這樣做，不但在天下之人面前顯其醜，更加重要的是：永遠這樣做，將不但不可能兩面討好，還會兩面得罪，得罪尼赫魯印度，也要使中共對它失望。克里姆林宮那一小撮人的處境，它實在是要企圖兩面敷衍的，這是它的上策；退而求其次兩面不得罪，方是它的中策；又其次是一方氣惱，在它是下策了。至若兩面都得罪，那是蘇俄的下下之策，乃是蘇俄自己必然要力避免的。它必然企圖得利。就蘇俄言，它必然企圖使印邊之戰趕快收場，不再打下去。如果能夠從中得中共與印度握手言和，由談判去解決掉邊境糾紛，就更爲理想。克里姆林宮那一小撮人要跳出其尷尬困難的處境，除此之外，亦再無陽關大道。可以相信，蘇俄必然正在爲此大做工夫。

如果印邊之戰拖下去，不必說規模更加擴大了，即如尚在進行中的這一役，雙方各出動好幾千人，蘇俄都不可能永遠保持現在的模稜兩可，假裝看不見的辦法。

即是說：蘇俄最終非攤牌不可的。克里姆林宮那一小撮人將如何攤牌呢？宣佈「中立」？看似辦法，不作左右祖嗎？卻實在不是辦法。「中立」祇能短期間採用，拖久了就不像話，而且還實在是兩面得罪人的。然而蘇聯的最後抉擇將是什麼呢？由於中俄共之間有所謂共產主義的運論與路綫之爭，同時亦由於蘇俄近幾個月來，都在以軍火資給印度，以及由於蘇俄很看重以「中立」爲標榜而其實很有利於蘇俄的赤化全世界的謀略的尼赫魯，在亞非國家還的確有其若干號召力，蘇俄多年來便着實在利用它們，開罪印度，將是克里姆林宮的損失。所以西方若干觀察家，一向便以爲蘇俄是幫尼赫魯印度的；他們甚且進而推測，在將來，蘇俄亦將右祖印度，暗中幫忙以打擊中共。他認爲這實在是皮相之見而已。

這位觀察家強調：蘇俄開罪印度固是它的損失，且同時得罪中共，如果蘇俄爲要討得尼赫魯開心而實行幫尼赫魯以整中共，它的損失將更大，無異是自壞長城，自掘墳墓。所以，假定情勢發展到非要蘇俄攤牌不可的階段，蘇俄最如意的算盤，是拖之不下去，如其情勢必須攤牌，蘇俄將幫的是中共，而非尼赫魯印度。（諸）

國內外情勢發展有利我反攻復國

各方寄望執政黨有所表見

（本報記者台北航訊）定期於十一月十二日舉行的中國國民黨第八屆第五次中央委員全體會議，刻正在緊鑼密鼓的籌備之中：籌備工作中的一部份，已告完成，未完成的一部份亦快就可以完成。

國民黨中全會，雖祇是執政黨一年一度的例行會議，但因執政黨係執政黨，特別因爲現時國內國際局勢的緊迫，如何因勢利導，創開局面，會議所負使命，備極沉重，因而頗爲各方面所矚目。

據此間人士指出：現時國內國際局勢之發展，均極有利於達成我反共抗俄，復國建國之國策，諸如：

（一）毛共倒行逆施，大陸連年饑荒，民心浮動，欲圖逃亡，「五月逃亡潮」便是一大鐵證。

（二）毛共與尼赫魯印度的邊境糾紛惡化，已演成較大規模武裝衝突，該處戰事雖不可能更加擴大，卻亦絕非短時期內所能平息者。

（三）美國對古巴問題，態度已轉趨硬朗，整個國際大局，勢必益見緊張，較大的變故，殆已隨時可以發生。

在凡此背景之下，適逢其會，政策性的國民黨中全會，將於此時召開，其重要性更爲日益顯著。愈顯得此會有必須切實把握此種有利的局勢，從而經營之、擴之、推之、以之、開之、創之，爲其所見，並以切實的行動，而切不可再因循苟且，蹉跎歲月，坐失機會，而至於歷史無所交代，而成爲無可綰贖的國家民族之罪人。（咸）

要到明年四月纔投票
競選台北市省議員
地下活動業經展開

（本報記者台北航訊）第三屆省議員選舉，將在明年四月投票，現在距離投票的日子雖然還在半年以上，但台北市有意問鼎人士，已經展開了「地下活動」。國民黨籍人士，爲爭取黨的提名，已經在做着拜託的工夫；非國民黨籍人士之決定出馬競選的，亦彼此摩拳擦掌，開始在互相搶票了。此一屆由於台北市選民人數和有意競選人士均有增加，以及市選省議員名額因選舉法規修改，由六人減至五人，預料競爭將較歷屆更爲激烈。

黨外人士方面，上次落選的李福春，李連麗卿及宋霖康三人，心猶未死，仍圖力爭。其中李福春的志不祇在省議員，他眞正的目標還在於要登上台北市長的寶座。這次部份省議員醞釀的「延長任期」以便與縣市長選舉合併舉行的運動，沒有成功，正中李福春的心意。他的算盤是：明年競選省議員，如果不幸落選，後年還有一個競選台北市長的機會；如果當選了省議員，後年仍可參加市長競選，這種「坐二望一」的機會，實在求之不得。

打着「坐二望一」算盤的不祇李福春一人，郭國基也動的是這個腦筋。郭國基說：「讓我再做一屆」。他對於參加市長競選的心，也非常堅決，他表示：無論誰出來他都要參加，是高玉樹出馬，他也要跟他打對台。

郭國基雖然雄心萬丈，但他的隱憂卻較別人爲多。他的對頭不是別人，就是他自己的胞弟郭國濟。他們兄弟不和，是自上屆省議員競選時起，郭國濟就放他哥哥的冷箭，印發洋洋數千言的傳單，公開郭「大炮」的罪狀。這次郭國濟更是下定決心，要跟郭國基幹到底。他最近已將戶口，自高雄遷來台北市，準備明年四月，和一般候選人一樣參加登記，也要發表演說，不過，他的演說不是宣傳他的政見，而是專門對付郭國基，以一種自我介紹的方式，報導他們同胞兄弟的關係，致力指責郭國基如何虐待胞弟，欺凌胞弟，結論是勸選民，不要選這種「無情無義」的人。

郭國基除了他胞弟給他的困擾外，在票源方面，也有被分散的可能；那就是在台北縣當選二屆省議員，而被法院判決「當選無效」的蘆洲人李秋遠，已經把戶口遷到了台北市，有再度問鼎省議員的意思。在一般選民看來，李秋遠票來源，與郭國基大致相同，所以在明年四月投票時，李、郭之間如果沒有「協調」，得票就難免分散。

宋霖康是高玉樹旗下的「五虎將」之一，日前向記者表示，他這次一定要出馬競選。宋霖康的勢力區和基本票源所在地，是古亭區，從歷次各種選舉情況看來，宋霖康顯然是一不可忽視的候選人。

女將方面，李連麗卿也有再競選的雄心。她在上次的競選中，成績雖不如理想，但既係初次出馬，能有那樣成績，可算是不錯了，有過一次失敗，多一次競爭的經驗。（上·吳越）

越南芽莊海軍訓練中心

西貢通航

越南中區之芽莊，倚山臨海，具有優異的形勢條件，加上氣候宜人，於是造成越南培植海軍人才的搖籃：海軍訓練中心的所在地。

該中心係在一九五二年成立，目的在替剛建立不久的越南海軍造就士官，下士官及新兵人才。初期，在法國海軍負責該中心組織及訓練工作之下，第一屆有九位士官及五十五位新兵受訓完成。一九五五年十一月七日，法國遠征軍撤退後，該中心由越南海軍接管，成為訓練海軍指揮人才及專門水手的搖籃。一九五七年五月，法國海軍訓練部撤出越南後，訓練工作便落在越南海軍肩上，除了不斷地增設校址、課室及教具之外，並致力於以越語教導，從其成為一間完全採用越語的海軍訓練中心。

在活動成績方面，一屆比一屆良好，尤其是年來採取新的教學方法，從學員們容易理解。

該中心刻下有九百四十一位學員受訓，而士官訓練方面，第十屆有四十七位畢業；自成立迄今，連同上述四十七位，已有二百六十七人受訓完畢，出校服務。另外，由該中心成立迄今為止，專業中等學校十四屆共有五百名下士官畢業，專業初級學校廿五屆共有三千九百五十八名畢業。

該中心包括海軍士官學校，專業中等學校，專業初級學校及新兵學校四部份，茲分別紀述如下：

（一）海軍士官學校：專門培植指揮及機械系海軍士官人才，經過受訓期滿畢業後，各士官可以担任下列的職位：小型戰艦上的看哨組長士官及系長士官，大型戰艦上的當值士官及部系次長士官，大型戰艦上的機械助理士官，及小型戰艦上的機械組長士官。

入學條件：具有越南國籍，年齡自十八歲至廿六歲，健康而體高須在一、五八公尺以上，未犯過案，文憑須具有越南高中一（秀才一）B組（數學組）以上；此外，還須經過一次入學試，考越文、代數、幾何、機械學、三角學、理化、英法文等科目，成績及格者，始獲准正式入學就讀。

訓練課程分三個階段：（一）預備時期，需時十六週。（二）第一年，需時卅週，然後考取准尉資格。（三）第二年，需時四十週，然後考取少尉資格。其科目亦分為三部份：（一）一般軍事訓練，包括步兵，指揮術，心理作戰，體育，急救衛生等訓練，需時六百七十五小時。（二）學科訓練，包括數學，物理，英法文及航海公法等科，須時七百八十一小時。（三）專門技術訓練，包括海軍規則，航海，天文，氣象，導達，發運，登陸行軍，探測、雷達等知識，需時一千八百七十八小時。總而言之，專門訓練佔時達百份之五十六，軍訓佔百份之廿，學科訓練佔百份之廿四。

二、專業中等學校，專門造就專業下士官，其入學條件為須具越南中學第一級文憑，同時須經入學試成績合格始可。其訓練時間為廿週，共分為探測、海炮、機械、電器、無綫電、秘書等班。

三、專業初級學校：專門造就專門技術的水手，凡需新兵學校畢業生，均可入學就讀，每屆需時十八週。目下共有：探路、運輸、海炮、機械、電器、無綫電、秘書、會計、薪俸、招待、雷達、電子、防災、管理等班。

四、新兵學校，為初入海軍青年訓練學校，其入學條件為：具有越南國籍，最低限度為十八歲，體康及品行良好，及學歷在越南第六班以上者。其經過二個月在海軍訓練中心受訓及三個月在滿艦實習後，考試畢業獲准者加入專業初級學校就讀。

天南風光

黃乃裳與新福州——詩巫

朱淵明

黃氏自甲辰年（一九〇四年）離開新福州後，於七月初返抵星加坡，那時黃氏已是正式的革命黨員了，當時早有同志等候在星洲，乃隨同乘輪赴上海。首先還是去訪問祂宗教中的朋友，英國人李提摩太、李思、艾約瑟三位牧師，始知二李已歸國，艾君已歸天，乃為之感喟久之。旋知美國人林樂知在滬，乃拉謝天始任傳譯，晤談歡欢，後以革命事請教於林，林初不肯談，且瞪目視之而笑道：「君為宗教中鉅子，且在薦紳之列，革命是何等事！我身處貴國為客，如何敢隨便談呢」？黃氏說：「貴國華盛頓、顯理、及佛蘭克林諸賢之抗英革命，他們不都是宗教中人，且皆受任於英政府的嗎？」林氏遂笑對黃氏道：「我在中國已五十年，深知滿洲人之腐敗，與政界之齷齪，非以革命掃除，不足以救中國，嘗於四十年所編著之萬國公報中，時露機倪，而華人多不留心。猶憶前歲年李鴻章出使德國，訪俾斯麥時，高談恢復江浙的戰功，不覺眉飛色舞，有自豪之態，詎俾斯麥冷然答道：『傅相之功，高則高矣，然為異種殺同種，奪其國以予之，此歐洲、美洲三尺童子所不為也。』李遭此冷嘲，嗒然若喪，吾故譯德報登載萬國公報中，亦余之心揭以示漢族者。」黃氏經此一談，革命之志益堅，因黃氏中舉赴北京時，曾面謁李鴻章六次，初對之頗存幻想，自聆林氏一席話後，對滿清官吏，放棄希望，後常與林氏來往。及林氏逝世，黃氏還把祂的相片懸於書齋，永為誌念。

黃氏在滬上與陳其美、蔡元培、馬湘伯、林森、宋教仁諸氏交遊，馬湘伯設西餐於徐家滙天主堂請其赴宴，座列五十餘人，因得瞻仰明代從意大利來中國的利馬竇，南懷仁、艾儒畧、及湯若望諸人之遺容，又觀其藏書樓，庋古籍五萬餘卷，多為徐相國光啟所遺留者。徐氏之墳塋亦在其旁。又有一座天文台，均屬古跡，黃氏獲益匪淺。他初意本打算往長江上游一帶，訪諸名流，共謀革命，及抵上海，見所接觸多素所仰慕的人士，遂不再行，勾留四十餘日，乃購關於民族主義書籍四百餘元攜回星加坡，分散所與文遊之朋友。（十）

公道篇

聯合國該做些什麼？（三）

聯合國的最強大會員國就是美蘇。當時羅斯福不想蘇聯置身於這個國際組織以外來破壞世界秩序，對於蘇聯要求控有「最後否決權」作為交換參加聯合國的條件，迫得折衷接受，主張同等賦予安理會五個常任理事國均具有「否決權」。在此同時，聯合國的組織，並未賦予超國家的權力，她要受限於「國家主權觀念」，又受制於「否決權」的束縛，似乎還不會超過一個「國際俱樂部」的組織，不及一個普通的「國際社團」的自由和權力。作為偉大的人類政治家，驚心於國聯潰敗命運的重演，總以為聯合國今後唯一要做的事，就是如何要竭其全力來設法借助聯大，製訂一個限制會員國的公法，和確認一種超國族，超政治主義偏見的思想，繪製一幀追求自由幸福的藍圖，以為補救可能危害聯合國組織的缺點。但可惜以後不見聯合國有這樣的決定，亦不見有人敢保製訂這種強有力的公道法律。至此，我們不能不特別提醒世人，聯合國既不是一個超國家，而僅是依附於其最強大會員國的贊同或不贊同而存在。她的任務之不能執行，原來理念之不能實踐，理至明顯。回想第一次大戰後成立的國際聯盟，早已有了一個如今日聯合國的場所，當時亦沒有共同一致的「社會意識」的維繫，祗有強權政治的對立，如果聯合國不是有別於舊日的國聯，又何貴乎有今日聯合國的建立？人類長久以來相互流血的死結，可說是在於領土、種族、經濟與思想偏見諸問題之中，如果聯合國不積極或漸意作有效的解決與干涉，則聯合國的組織，似屬多餘。

聯合國是一個世界組織，不容有摸稜兩可的決定。我以為（一）如果認為聯合國是四海一家的政府，為人類自由幸福所寄望，她就應該有效地施行為達成這種目標的積極政策；（二）如果認為聯合國祇是為各國和事的緩衝機構，則所有地球上的大小國家，就都當然有權進入聯合國議事廳出席討論世界事務，而不應有會員國與非會員國的分別；（三）如果認為聯合國同時兼顧現實與理想，要想從矛盾統一中過渡到一個世界聯邦政府的組織，祂就應該（1）積極製訂並信守一個共同的「社會意識」，（2）繪製一幀理想國度的藍圖，（3）決定國家行政的標準，（4）因土地人口比例分配投票權，（5）就互通有無及民情地理的因素，促立經濟、社會、政治等各種實驗性質的小聯邦，以為他日過渡結合為一個整體的世界大聯邦政府的張本。

但是，今日聯合國的組織和目的，並不符合上述三者的任何一項：她沒有第（一）項超國家的權力；不是第（二）項自由進出討論的議事廳；不是推行第（三）項兼顧現實與理想的平衡發展的雙軌制。她成立以來的十餘年間的表現，屈服強權，遷就現實的政績，越來越見偏重，離棄理想則越來越是遙遠。雖然因此也有人提出修改聯合國憲章和改組聯合國，但那些修改改組的動機，多數是出於權利爭奪的觀點，其顯著如蘇聯所謂三頭馬車的陰謀之類，極少提案是撫觸到都些實際阻撓人類平等、自由、和平、統一的核心問題。

瘟君續夢

第六回：烽火照邊陲　同舟難濟　神船碧橫海　大慈與悲

毛澤東楞了一下，回頭看看劉少奇，問道：「你的意見怎麼樣？」

劉少奇說道：「我對於那邊的地理形勢，軍事力量都不清楚，不過，就國際方面鬥爭來說，尼赫魯可利用的價值很高，我想暫時還是不得罪他為妙。」

毛澤東點點頭，向周恩來說道：「現在的原則是這樣，我們修了公路的地區絕對不能讓給印度，至於未修公路的地帶就用來交換尼赫魯的友誼好了，橫豎中國地方這麼大，丟一點也無所謂，不必太認眞。」

活曹操連連點頭說道：「主席的度量之大，實非秦皇漢武所及。」

毛澤東苦笑道：「林老，我現在感到中國太大了，實實難下手，假若讓我到柬埔寨、越南去管理國家，我相信我一定能叫人人都有飯吃。」

活曹操笑道：「不僅是國家大，主要還是人太多，假若我們同蘇聯人口差不多，經濟情況就好得多。」

毛澤東一拍大腿，笑道：「林老，可被你說對了，若是我同赫魯曉夫調調位，我可以打賭，早把美國搞垮了。」

毛澤東說到這裏頓了一頓，噴口烟圈，看看大家的臉色，冷笑道：「中國要交給赫魯曉夫，我敢說，撐不到十年他就交還國民黨了。」

毛澤東又扯到赫魯曉夫頭上，大家都不敢開口。停了半晌，周恩來說道：「未去新德里之前，我想到仰光先打個轉，和宇努見見面。」

毛澤東緊起眉頭，問道：「你又去緬甸幹什麼？我們同緬甸的邊界問題不是已經解決了嗎？」

活曹操笑道：「就因為問題解決了，恩來同志才要到緬甸去一趟。」

毛澤東搖搖頭：「這個彎子我還是沒有繞過來，緬甸同印度有什麼關係。」

活曹操笑道：「恩來同志這次去印度鬥尼赫魯，眞算是勢均力敵，勝負之數相差極微，必須把所有可用的籌碼全部放上，宇努新近和我們劃定邊界，得了許多便宜，恩來同志先到緬甸，就可以提醒尼赫魯，中國對緬甸尚能割給大塊土地，何況印度，只要尼赫魯肯談，他總有便宜佔的。」

毛澤東聽到這裏，不由得笑起來，回頭向周恩來問道：「你到緬甸去到底有什麼打算，我倒想聽一聽。」

周恩來笑道：「我的打算被林老說完了，我沒得說了。」

大家又笑起來。

活曹操拈着鬍子正色說道：「恩來同志，你既然到緬甸去，應該不是消極的作個樣子給印度看，大可以從宇努身上打個主意，要他再給尼赫魯[illegible]。」

周恩來[illegible]，說道：「實是，幸虧林老提醒我，宇努同尼赫魯之間的關係[illegible]，尼赫魯要顧及一點的。」

沒有人再說話，就要散會，毛澤東突然問道：「陳毅去不去？」

周恩來說道：「他是外交部長，當然要去。」

（一四七）

絕大疑案（續）

有云：西太后這兩個月來，急得要死，自上元節後，連躺在牀上不起身，榮祿也是過了上元，不敢進宮。並不是給人發覺了秘密，卻是自然在和有情人搗亂，西太后肚裏有了小生命。第三八節爲，「移花接木生孩子」：記到在春天來臨，西太后經常到太平湖醇王府邸，不再回宮裏去，說是妹妹的肚子大了，（事先與福晉商定裝胎）不好常常入宮，不如自己陪伴她。橫直朝政有恭親王奕訢，和東太后主持，要待妹妹分娩，才行回宮。（其實自已的事）——同治十年六月廿五這天，西太后產下來一個男孩子，歡歡紅紅一團肉，簡直似西太后，也似醇福晉。西太后抱着孩子發怔，連說道：你快回房裏躺着吧。一面打發小太監向外報喜，一面安排醇福晉臥蓐。留下了心腹宮人伺候，她便坐轎回宮去了。

據此段記載，稗史雖屬小說家言，但有年月日可考，似乎舅舅和外甥女，誕生了光緒，確有其事，不知魏先生就何嘗根據，而敢大膽寫下了這段秘密？豈不令讀史者，有一些迷離惝怳，而英明的光緒，恐怕還不知道這回事，究屬怎樣？不過有一疑問，如果光緒確是慈禧所生，吾想虎毒不食子，慈禧到後來，何以如此的虐待，滅性的殘害，尤其惲毓鼎崇陵傳信錄，記及光緒自幽瀛台後，每日送給飯食多少，輒由李蓮英支配，總不從飽食。當慈禧病重的最後兩天，竟每日祇送一餐，在光緒臨危的這一天，一餐也未送，餓極，咬身上所穿褂子的銅紐。據宮人事後傳出，光緒穿之袍褂銅紐，悉被咬破，母子殘忍，竟至於斯，其慘眞不忍聞！淸祚之覆亡，宜其三年後卽見，蓋天意如是耳。

憶玉軒雜綴

上海光復與義伶

綺如先生紀民元上海光復的事蹟，達三四千言，極爲詳盡。大家知道上海的光復，重在攻克製造局，取得局後，槍械子彈無缺，才能各路圍攻南京，逐走張勳，而始定都。此戰有關民國肇建；但製造局的攻下，是多賴一般義伶的奮勇襲敵，始克得手，爰予記述，以留眷將來的修史者。

當辛亥九月十三日下午，上海開始光復行動，先由革命軍聯絡巡警佔領了閘北，晚間由小東門大街，經新北門老北門進城，直攻縣署，縣令田寶榮適在署內，順從移交，惟誡禁押人犯，均兇惡之徒，絕對不可放出，以免擾害。

遜清宮女　翠雲秘辛

陳澄之

六、三民在望

「翠雲，聽你口音，瞧你水色，你不是滿洲姑娘，準是江南娃。」

「請供奉說話愼重，我家若不在旗，怎得進宮？家父在江寧綠營當差，我是在南方長大的。」

楊小樓故意地要摸摸翠雲的後腦袋。急得她滿臉通紅，直躲閃，幾乎討饒。

「旗籍男女後腦袋都是平塌塌的，來！讓我摸一下。」

宮女翠雲搶步進入一字軒花廳，力避向這戲子色迷迷的糾纏。

「當眞不肯讓我驗你的後腦袋，也吧，翠雲，乖乖地讓我親個嘴好不好？」

「你們這些比蒼蠅蛆還要討厭的淫伙！」翠雲悄悄地吩咒着，沉思有頃，倒底抬起眼皮兒，直瞅着他，兩眼一霎也不霎。

「好翠雲，祇要你肯讓我香個面孔，你隨便命令我死，我甘願立刻死在你旗袍邊頭，花盆底的高跟鞋下。」

「好一個急色兒！」她譏笑着道：「我倒不盼你死，好不好把你褲腰帶上掛着的一顆閒章，卸下來給我把玩幾天，我就讓你香一下。」

「希奇？」他驚得倒抽一口冷氣，詫訝地問：「我的私事，你怎知道的？」

「欲得人不知，除非己莫爲。那顆前朝先帝佩用的閒章，落在老佛爺太后手裏，小德張太監總管求賜過好幾次，她不肯賜。說也奇怪，卻賞給了你這戲子！」

「你怎知道得這麼淸楚的？」楊伶有點啼笑皆非地問道：「那先帝用過的閒章上，鐫刻着那幾個字？」

宮女嬌笑了一下，從容道出：「這還用問？你以爲天下人都被蒙在鼓裏？那上面刻着三民在望焉！」

「要死要死！」他先是有點慌張，繼而神頭鬼臉指着她說：「哈哈，想起來了，上次來時，我把那閒章一個不小心滾落在地上，你悄悄地拾起來還了我，想不到你注了意。其實，我並不喜歡那塊石頭，你喜歡那麼就送給你，不過，那總不止僅值得香一個面孔吧？」

「呸，你這得隴望蜀的賤伶！且把那閒章解下來；遞給我！」

巴巴結結，謹遵大命。翠雲把光緒生前用過的這顆閒章看了又看，頻頻低誦「三民在望焉」這五個字，而後往懷裏一塞，拔腳就走。

「嘿，還有這樣要賴皮的？」他連忙一個縱身，更出扮演「花果山」的幾下絕着兒，攔住翠雲的去路，低沉地說：「這閒章送你都可以，但說話得當話。你這面孔咱是香定了！」

「嚷什麼，雖不成香個面孔，你也先要到午門外敲大鑼？可惡！」她說到這裏尖聲一笑，「當眞要香？」

「說一不二！」

「那麼，供奉！請隨我到暖閣裏去，我總不能在這花廳上讓你胡鬧。」

他在暖閣裏跟翠雲香面孔的當口，抬眼仰望東壁，嚇得他險些兒咬破她的粉臉。

也論范增

黃葉村人

余讀蘇子瞻范增論，竊有惑焉！蘇子之論范增曰：「增之去，善矣！不去，羽必殺增。獨恨其不早耳！」其言是也。又曰：「增當以何時去？鴻門之會，增勸羽殺沛公，羽不聽，終以此失天下。當於是時去邪？曰否！增之欲殺沛公，人臣之分也。羽之不殺，猶有人君之度也。增曷爲以此去哉？……義帝之立，增爲謀主矣。義帝之存亡，亦增之所與同禍福也。羽之殺卿子冠軍，是弒義帝之兆也。其弒義帝，則疑增之本也。增之去，當於羽殺卿子冠軍時矣。」以余觀之，蘇子此論，於事有距離，於情亦未協也！何以言之？蓋立楚後者，增固爲謀主矣。從而增爲項氏謀，以收天下望，非爲義帝謀也。此其一。項氏之興也，增使策投之，是增之迅也，由項氏，非由義帝也。增曷爲因羽殺卿子冠軍而去項羽？此其二。義帝旣立，增仍依項梁。梁死，依羽。未嘗舍項氏而事義帝，如宋義之被擢以獨當一面也。此其三。史稱：「范增好奇計」。以吾意度之，安陽之役，殺卿子冠軍，奪兵渡河，非增之謀，而誰謀邪？觀項羽將殺宋義，揚言曰：「將戮力而攻秦，久留不行，今歲饑民貧，士卒食芋菽，乃飲酒高會，不引兵渡河，因趙食，與趙並力攻秦。乃曰承其敝！夫以秦之強，暴新造之趙，其勢必舉趙。趙舉而秦強，何敝之承？……」此非羽所能言者，必增之教也。此其四。楚兵破于定陶，項梁歿。立義帝者，項家叔侄也。義帝不于此時，擢羽以爲上將軍以繼項梁？並且親之彭城，並項羽呂臣軍自將之！而後與宋義。羽爲次將，增爲末將，帥以救趙。且宋義何人也？彼又何功于楚也？而謂范增能爲之下乎？欲其不冷謀殺義，又安可得邪？此其五。而蘇子乃謂：增之去羽，當於此時矣。可謂判事不明，審情亦拙矣。

然而，增應以何時去邪？余曰：增當無去羽之理由！縱其必須早去，亦不應于羽殺卿子冠軍時去，已如上述。是故，增不去可已，增欲去，當于鴻門之會，增勸羽殺沛公，而羽不聽時去爲是也。去與羽爭天下者，沛公也。今虎已入牢而復縱之，羽之無從與沛公爭天下也，明矣。增不於此時去，尙待何時乎？不獨此也，增欲殺沛公，而項伯護之，項莊舍之，項羽縱之；環顧項氏，楚未滅，已繫屬沛公矣！增不去，安所歸乎？故吾之論范增之宜去，殆與蘇子所見異也。

……遣沛公入關，不遣項羽，識卿子冠軍於稠人之中，而擢以爲上將；不賢而能如是乎？」可謂：不知義帝，亦不識宋義矣。遑論羽與范增邪？

初，項梁軍敗於定陶，義帝奪項羽，呂臣軍而自將之，可謂有膽識矣。故羽不動！及宋義爲卿子冠軍，羽仍不動！羽性躁，非不而也，蓋增止之也！義帝遣宋義救趙，宋義留安陽不進，羽窺其計措無能，即帳中斬之！此所謂：機不可失，時之已至也，非增教之？而誰教之邪？此亦可證殺卿子冠軍，鉅鹿之戰，破斧沉舟者，增之謀也。增年七十矣；不依項氏以成功名，依義帝以成功名乎？

總而言之：增之不顧雖項氏，亦增羽之不能去范增也。羽之興也，稱增爲亞父，故項伯至親，亦不能擒增而夫之。及漢用陳平計，羽乃稍奪其禮，增遂一怒而去。然觀其瀕去，謂羽曰：「天下事，大定矣！君王自爲之」！其言雖悻悻，未嘗無惓惓之意。然豈非「讓你自己去幹吧！幹不了時，你還是要找我的」！庸詎知一怒之下，氣結於心，疽發於背而死。蘇子曰：「增不去，羽不亡！嗚呼！增亦人傑也哉！」此即與余有同感焉！

海嘯壘談薈

金九與李承晚（二）

諸葛文侯

李承晚爲朝鮮復國的革命運動，亦有其不可磨滅的功績，他的手指卻在革命運動時，被日本帝國主義者於非刑拷掠中，切斷了五支。所以，他作南韓總統後，美國方面勸他跟日本和談建交，他舉其殘缺的手掌說道：「日本人如能還我的手指復原，我便與之結交！」雖係倔強性成，亦難怪他痛定思痛，不能忘懷也。

美經過考察，李氏的跟金九所走的路線不同，因而他對自由中國，雖無惡感，亦無友好的情誼可言，內心深處且有輕蔑的意念。美國當年爲着要抵制金九這派親華人物在政治上得勢，匆促地把李承晚捧出來，期待他感恩圖報，一切聽從美國的意旨行事。殊不知這位個性倔強的基督徒，一朝得志，便要各行其是，並不唯美國的馬首是瞻。美國最喜歡別國搞民主憲政的多黨制，交互執政，他卻隨時壓迫在野黨的活動，實行變相的迪克推多，爲了自己要作終身總統之故，每屆大選之前，就把憲法修改一次，時而規定總統由國會選舉；時又改成全民普選，從心所欲，肆無忌憚。他瞭解美國人的性格，表面上不便干涉別國的內政，僅能間接藉美援的壓力來執行外交政策，但李氏又知道美國亦需要南韓的，乃敢於獨斷獨行，有時候且對美國毫不客氣地加以批評指摘，這是美國最感失望與失悔的事。李氏的奧國太太曾對韓人說過：「李先生年紀已大，爲國家盡力的時日不多了。」這確係道出李氏肺腑之言，可謂知夫莫若婦矣。

最使美國對他大不高興的，就是板門店和談時，他擅自釋放共軍俘虜這回壯舉。幸而那窺戰俘都選擇自由，投奔台灣的中華民國政府，這纔緩和了美國當局的一些怒氣。但從此以後，南韓軍隊的鎗礮與汽油，亦非得到美軍核許，即不能自由取用了。

李氏在其最後一次的總統選舉中，更是表現爲目的不擇手段的作風，他從用軍警力量以干涉選政，在野黨——民主黨——領袖張勉，要想租用一座競選演說的場所，亦不可得，因而引起社會大衆的憤怒，由各級學校員生發難，實行示威暴動，全國騷然，終於迫使李氏在民怨沸騰之下，宣告下野，踉蹌去國，迄今老病侵尋，偃蹇異域，欲求歸正首丘，亦遭國人拒絕，欲世助名，付諸流水，以開國功首而變爲罪魁，豈勝痛惜！

美國初則視李氏爲奇貨，終則棄之如敝屣，趙孟所貴，趙孟能賤，李氏溯往事，不知其亦有悔不當初之感否耶？（完）

台灣與鄭成功

·陳雪英·

賓安請示云：安與諸同僚，願聞開闢創業之道，幸垂明教。成功答曰：「法古者可以制宜，明時者可以圖治，古者量人受田，量地取賦。至商雖變爲井田，亦行九一之法。周代因之，寓兵師徒，里出車馬，兵民無分，及秦始廢井田，後不復故。故兵自爲兵，民自爲農，餉餉轉輸，遂爲國患。

（十三）

內警台報字第〇三一號內銷證

自由報

THE FREE NEWS

第二八三期

中華民國僑務委員會登記證
台教新字第三二三號登記證
中華郵政台字第一二八二號執照
登記爲第一類新聞紙類
（星期三、六出版）
每份港幣壹角
台灣零售價新台幣貳元
社長：雷嘯岑
督印人：黃行靈
社址：香港銅鑼灣高士威道二十號四樓
20 CAUSEWAY RD 3RD FL HONG KONG
TEL. 771726　電報掛號：7191
承印者：田風印刷廠
地址：香港灣仔高士打道一二二號
台灣分社
台北市西寧南路壹壹壹號二樓
電話：三〇三四六
台郵劃撥儲金戶九二五二

論西歐混一與反共

鄭學稼

自神聖羅馬帝國瓦解後，歐洲的民族國家林立。在農業社會，這種情況是適當的。到資本主義發展，工業社會需要原料和市場，林立的民族國家，却成爲歐洲進一步發展的障礙了。怎樣解消那障礙？只有統一。統一，要用武力。因此，爲統一歐洲而使用武力的德意志民族，受了兩次大災難。領受這個教訓，尤其是領受歐洲各國戰爭便宜了披着布爾什維克主義紅袍之俄羅斯民族的教訓，產生歐洲「混一」的觀念。實行這觀念，出現了以法德爲中心的「歐洲共同市場」。

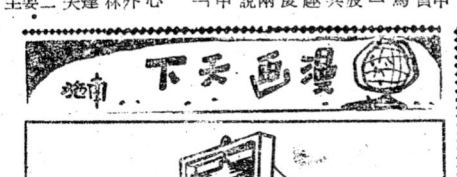

資本主義的發展，要求取消關稅、統一交通、運輸、貨幣和度量衡等等。這些成爲民族國家象徵的權力，變爲拘束資本主義的發展，早在十九世紀，烏托邦社會主義者們已經預言了。馬克思繼承烏托邦社會主義者的思想，其標榜國際主義，理論的根據，是民族國家生產力，已超越民族國家的境界。怎樣使各民族國家消除國界而聯合呢？他預言只有先經過各民族國家內部無產階級成功的革命，因爲，資本主義已使無產階級失去祖國了。馬克思深信他的理論必然實現，提出「全世界無產者聯合起來喲！」以爲第一國際的口號。但是，由一八四八年「共產黨宣言」發表起，到現在已經歷了一百十餘年，每一歷史大事變都證明，民族國家的範疇，未因資本主義的發展而消失；共產黨取得政權的國家，不是宣告民族國家境界的廢除，而是說明它更加鞏固。

因此，有這大矛盾：資本主義生產力，必須消除國界，而任何形式的政權（共產黨的或非共產黨的）卻必須鞏固國界。怎樣解決這矛盾？就事實說來，不是遵從馬克思的預言，而是各按自己的具體歷史條件而進行合併和混一的工作。前一條路，是以莫斯科爲中心的「經濟互助委員會」（後簡稱「西馬」）（CEMA）；後一條路，是以巴黎與波恩爲中心的「歐洲共同市場」。十分有趣的，這兩個社會制度不同的集團，或者更明確地說勢不兩立；未來西歐反共的中心不是美國，而是「歐洲共同市場」。

以莫斯科爲中心的合併東歐衛星國和外蒙的工作，是史達林大帝的理想，由史達林二世——赫魯曉夫實行。蘇共第二十二次大會所標榜的主要方針：「國際社會主義分工」和「專業化」，即是蘇所欲達到合併衛星國目的的手段。因爲，如果各衛星國都遵從分工與專業化的原則，而設造各自的國民經濟，到底無一自足自給，必須互相倚靠和倚賴蘇俄。至于蘇俄，則站在特殊地位，控制高級機械，重要原料，[illegible]「西馬」計劃[illegible]，由於莫斯科掌握各衛星國的經濟，使各衛星國無法脫離蘇俄。經濟控制是政治的前提，[illegible]「西馬」成功，[illegible]

「西馬」，一定會瓦解的。歐洲共同市場呢？

它是用王道手段的結合。讓各國經濟需要而結合。自從西歐六個國家（法、德、意、比、盧、荷）組成共同市場後，自于市場的固定和擴大，關稅的減低，資本的自由移轉，大大提高了生產力。目前，只是初步合作，還沒有達到消除國界的目的，[illegible]如果共同市場不斷發展，[illegible]北大西洋公約[illegible]組織才有靈魂。共同市場的領導中心是法德。這兩「世仇」的民族國家，誰也想不到會在經濟方面有那麼密切的合作。就由于經濟合作的成功，達到政治的合作。九月間戴高樂將軍訪問西德和他與愛登諾發表的「共同聲明」，說明巴黎與波恩已由政治合作轉向軍事合作。合作成功，便可阻止這一共產主義的西向發展。

因此，首先不安的是莫斯科。自今年六月起，赫魯曉夫召開「西馬」十六次會議，強化它的組織和任務，企圖與共同市場作有效的對抗。我們知道：在第二次世界大戰前，東歐各國經濟中心在于西歐工業先進國。第二次世界大戰結束，蘇俄帝國主義用霸道使東歐各國和西歐經濟脫離，這一後果，造成雙方的困難：在西歐，失去工業的市場和原料；在東歐，失去工業品的供應和原料的市場。爲解決東歐的困難，赫魯曉夫強化「西馬」，使東歐的經濟倚賴蘇俄。就目的而言，由于蘇俄工業的相對落後，和蘇俄強化「西馬」的目的在于掠奪衛星國的財富，還不能就改善東歐的人民的生活。可是，東歐的經濟却由之決定地與西歐分離了。

如果沒有共同市場，這一分離可給西歐各國以經濟的災難。共同市場的成立，不僅免除經濟的災難，而且展列好遠景。西歐這一邦聯的建立，俄帝國主義，近數月來不斷宣傳挑撥、[illegible]兩國的邦交；希望英國被共同市場拒絕加入的困境；[illegible]最值得注意的，九月廿八日塔斯社奉蘇維埃政府命令就戴高樂、愛德諾「聯合聲明」[illegible]抗議聲明。它指出：法外長穆爾維里（Couve De Murville）在戴高樂總統訪德前夜，宣稱：就法國而言，『德國的威脅』已代以『俄國的威脅』；和戴氏在西德公言：『法德兩國受蘇聯的直接恐嚇』；均屬無稽之談；眞正目的是恢復第二次大戰前的「反共國際協定」。它又指出：戴高樂宣稱把「由大西洋至烏拉爾」的歐洲組織起來，企圖覆社會主義制度。它還說：巴黎、波恩爲達到此目的，把法國做成爲德國再武裝的基地，並供德軍訓練陸空軍。說到法德的軍事合作，它引戴高樂總統在漢堡軍校關于兩國軍事統一的演詞，等於鼓勵德國軍國主義的復活。僅引前述各點，我們知道：赫魯曉夫們對法德的合作和共同市場的發展，已膽戰心驚了。

共同市場既以王道手段而結合，難免還有內在的難題。蘇俄帝國主義在共同市場還未壯大期間就表示那麼驚惶，是預見到歐洲混一的遠景。歐洲混一是對抗和進攻共產黨政權的前提與保障，這是大家都知道的，[illegible]赫魯曉夫們寢食不安的原因。

在原子時代，擁有原子能原料最多的國家，必有遠大的前途。目前，這樣的國家，只有法國。法國今日擁有原子能原料的優越地位，恰似工業革命前擁有煤鐵的英國。因此，戴高樂將軍力排眾議，放棄非洲殖民地，以全力發展原子工業。如果加上德國的技術和共同市場其他會員國的資本，法國原子工業的發達，必冠全世界。正由于有此前途，法國不怕德國的復興。至於德國，亦知歐洲之混一有利于德國民族之復興，此後歐洲歷史非俾斯麥之鐵與血所能爲力。必須與法合作。法德合作，自由抵抗蘇俄而進至解放東歐。共產主義力量不消滅，整個人類——非僅西歐共同市場六會員國——受它的威脅。

以巴黎與波恩爲中心的新勢力，已出現于西歐，這不特影響世局，對於人類文化也將會有很大影響。法國，是拉丁民族的代表者；德國，是條頓民族的代表者。這兩個民族合起來，[illegible]

[illegible]混一國家，在文化上已足以打敗共產主義，不必說工業的強大力量了。

自由中國在反共抗俄階段，[illegible]學，是當務之急（十、二〇）。

漫畫天下

「中立」滋味

山姆叔叔醒覺了！

自由談

古巴事變的觀感

美國甘迺迪總統爲古巴卡斯特洛政府的赤化威脅，實行對古巴軍事封鎖政策，不惜走到世界大戰的邊緣上，可謂勇矣。但溯往事，亦係自作之孽，於人何尤？

卡斯特洛的前任執政者巴蒂斯塔，當年原是仰仗美國大力扶助，纔從美國的流亡生活中，回去奪得政權的，他奉美國爲恩人，誠心感戴，決無異志。可是，美國當局以其愛好新鮮的天性，指巴氏的政權爲獨裁不民主，又將流亡在美的卡斯特洛捧回古巴去革命，打倒巴氏，取而代之。詎卡氏得勢後，竟投入俄帝懷抱，以怨報德，視美國爲仇敵了！甘迺迪主政伊始，亦曾經鼓勵資助古巴的流亡客，向卡斯特洛政府實行革命，採取軍事行動，却被潛伏在國務院的左傾親共份子，協同甘氏左右的智囊人物，暗中作祟，功敗垂成，使總統先生大丟其臉，啼笑皆非，一時不知如何是好，因循觀望，坐失時機。等到俄帝在古巴建立飛彈基地，方感覺大禍臨門，不惜實施觸發核子大戰的軍事封鎖政策了。

美國人好談實驗主義，強調實證邏學，專憑這套思想以領導自由世界的反共運動，對於別人的意見和主張，皆認爲是有意要拖它下水，或者是教它掮木梢的宣傳作用，決不置信。同時又要別人完全同美式生活看齊，連拉屎撒尿亦得學美國的樣兒，否則便是低能腐敗，差不配接受美援的非民主國家。假使卡斯特洛的赤化行爲，不是產生在美國後門口的古巴，而在亞非地區的話，俄帝雖然建立了若干飛彈基地，且由所在國的反共人士提供眞確情報，指證不虛，然美國當局一定說是「中央情報署並無所聞」，相應不理的。這就是戰後十餘年來，自由世界日蹙國萬里，共禍愈演愈烈的基本因素，事實俱在，毋庸諱言。

幼稚天眞的氣質，加以濃厚的優越感，乃構成現代美國人的個性，他們基於這種意識形態來領導自由世界，跟那狡展兇殘的俄共集團從事鬥爭，焉有不糟糕之理呢？且看這次古巴事變是否使美國大少爺知所警惕，痛改前非。如其事過境遷，故態依然，則自由人類的前途岌岌可危，而美國本身亦將無可救藥，唯有佇候世界末日之降臨而已！

馬五先生

香港與大陸

不久前從梅縣逃來香港的余武×君說：中共每年必有的「冬季建設」工作又臨頭了。今年的「冬季建設」重點是修公路和築水庫，被召參加的包括農民，市民，學生，工人（大部份的工人），商業職員（大陸已無私營商人）。

余君說：「冬季建設」工作是繁重而艱鉅的，尤其自從公社化亦即軍事化以來，實在可怕。「冬季建設」的內容，包括修公路、築水庫、築河堤、修水圳、積肥……等。這些工作，始於旱季（即冬季），終於雨季（即春季）。事前，將全部成員依年齡分組，六十歲以上的一組，十六歲至六十歲的一組，大中學生和小學生又各一組，……然後統由公社分配到各工作單位進行勞動。

余君曾參加好多次「冬季建設」，祂說現在想起來還感到恐懼。余君是梅縣水白鄉人，去年祂被分配到「水利營」工作，一共有四百多人，專門負責修理全縣的水圳。行動是軍事化的，每人皆需攜帶簡單行李，在工作地點食宿。但工地常約一星期便需更換，往往會派到荒山窿地去工作。去年每天工作十四小時，今年增為十五小時，趕任務時還得「夜戰」。勞動是分組的，每組常要「競賽」，儘量的搾取勞力。夜間，如無「夜戰」，經常要開鬥爭大會，對怠工者加以鬥爭。年老體弱的人，往往支持不了，倒斃工地。余君有一位叔父，去年與祂同時分配在「水利營」工作，由於祂叔父的「成份」是「地主」，屬於「五壞份子」之一，在任何更繁重更危險的工作上，皆須「帶頭」。結果祂叔父便因此死在工地。余君的一位鄰里，十六歲孩子叫做余明文的，亦參加水利營，在一夜間的轉調工地時，不小心從山上滾下來，手脚跌斷，不久亦斃命了。

余君說：祂僥倖能逃出大陸，可免於這種可怕的奴役了。前幾天祂接到留在大陸的妻子來信，說她因為有家人逃亡，已被視同「五壞分子」，並經接到通知，參加「冬季建設」，派往梅南區修築公路，每天要工作十五小時。來信說她就心自已熬得過熬不過這種漫長的包括饑餓，寒冷，疾病，和沉重勞動的「冬季建設」。（敬斯）

毛共絕不放過勞力搾取

冬季建設工作繁重艱鉅

一律軍事化老弱無苟免

香港觀察家指出

甘迺迪封鎖古巴之舉與印邊之戰息息相關

局勢雖緊張但大戰打不起來

（本報訊）對於美國突如其來，宣佈封鎖古巴之舉，在香港是給予重大注意的，但卻未曾引起戰爭便要來到的驚慌，股票市場下落得微乎其微，便是一項現實的表現。所以如此之故，是香港人很少有相信赫魯曉夫敢於以強硬對強硬，不惜就此攤牌，實行與美國大打一場。

香港輿論分析，認為美國總統甘迺迪這次突然發奮為雄，對蘇俄舉起「大捧子」，應該並非僅僅為了古巴局勢問題本身，而尚有其他的背景存在。所謂其他背景，包括：

（一）柏林問題。根據甘迺迪的電視廣播，他是十月十六日便遂到蘇俄在古巴建立的短程與中程飛彈基地的可以發射核子彈頭的「這些基地除了是建立一個以西半球為目標的核子攻擊能力之外，不可能更有其他的目的」的，所以，為了美國自身的安全以及西半球的安全，他採取了這項強硬的行動。但如果甘迺迪僅僅為了古巴局勢，他應不會等到一個星期之後，再採取行動。這分明還有其他原因。首先一個原因，分明就是柏林問題。

原來，在十八日，蘇俄外長葛羅米柯到白宮去謁見甘迺迪，進行會談，美國務卿魯斯克亦在座；之後，葛羅米柯又到國務院繼續與魯斯克會談。這兩次會談，一共談了六個半鐘頭。在這次會談之前的消息，會談題目很廣泛，但柏林問題是最突出的一個；其次，推測葛羅米柯會正式提出赫魯曉夫打算於下個月到美國的問題，表面上是出席聯大會議，——他到美國，實際是想同甘迺迪會談。但結果，後者是根本不會提起，前者當然大談特談了，卻顯然談得很不投機，此可於葛羅米柯事後強調蘇俄將與東德片面簽訂和約的恫嚇言論，可以見之。早些時的「空氣」，蘇俄是企圖以緩和它對古巴的經營，去交換美國在柏林問題上讓步的。香港輿論認為確有此可能。但經過那六時半的會談，顯見由於蘇俄在柏林問題上表現得特別囂張，壓力很重，使甘迺迪發覺再不強硬起來，局面將難於收拾，所以便有了封鎖古巴之事。

（二）印邊之戰。香港新生晚報廿五日刊載一篇以「美國封鎖古巴所引致的世界新局勢」為題的長凡四千字的專文，作者署名「古龍」，當然祇是一個筆名；這篇文章，很引起香港人的注意。這文章便指出：除了柏林問題之外，印邊之戰，更可能是促成甘迺迪此舉的特大動力。文章說：

甘迺迪如其僅僅因為蘇俄把古巴建成威脅美國與西半球的核子攻擊基地，便採取此一行動，固然未免小題大做，同時亦顯得領導自由世界的美國過份自私自利，所見者小。又說：如果沒有印邊之戰，即假定甘迺迪僅為了蘇俄在柏林問題上施展的重大壓力而施他封鎖古巴的，而甘迺迪應該於十八日葛羅米柯與他及與魯斯克會談之後，便該採取行動了，而事實上並不然。十八日會談之後，甘迺迪並無動靜，他甚而離開華盛頓，為下月的「中期選舉」替民主黨人助選去了。而二十日晨，中共實發動印邊之戰，消息傳到美國之後，當日下午，甘迺迪便突然的決定返回華府，美副總統詹森也是奉召遠從加州趕回去的，造成了極不平常的「星期天緊張」，使敏感的新聞記者大發電訊，揣測將有「大事」發生。果然，第二天（美國時間十月廿二晚），甘迺迪便在電視廣播合宣佈了這次重大決定。

那篇文章指出：有極大的可能，華盛頓得到了情報，中共發動印邊之戰，有很重要的內幕，諸如中共此舉事前取得莫斯科同意之類，才使得甘迺迪發覺俄共處心積慮的在向世界動手，再不強硬應付是絕不可以了。

文章說：有了封鎖古巴的事件，觀察印邊之戰，應該加入這項因素；否而難免要犯嚴重的錯誤。

香港一般的意見，認為俄共集團其實外強中乾，色厲內荏，它們祇能投機取巧，連哄帶騙的進行赤化全世界的工作。它們絕不敢正門正戶的打大戰，自取滅亡。所以，在此美國實行攤牌，擺出不惜一戰的姿態，而且真正有不惜一戰的準備（如全世界美軍都奉命戒備）之時，俄共集團是必然望而生畏，要設法打退堂鼓的。赫魯曉夫除非發狂，它絕對不會在與美國保持一天廿四小時的高度警覺之下，發動戰爭，自取滅亡。

由於美國此一強而有力的行動，世界局勢相應的緊張一些了，倒是真的。但戰爭的可能性，並不太大。特別是：自由國家愈是強硬，俄共集團必然愈不敢亂來。赫魯曉夫在其祂地方實行反擊的機會，當然並非不存在，祇是它必然不敢做得過火，因為它確實要躭心做得過火會就此帶來戰爭。（際）

要到明年四月纔投票 競選台北市省議員 地下活動業經展開

李連瑞卿這次確乎是想重整旗鼓的，雖然她現在患有肝病在身，目前她的精神都集中在治病上面，但她向記者表示，祇要她的病有起色，她一定要出馬的，除非病一時不能好，才不得不放棄競選。

黨外人士準備出馬的，除上述幾位老將外，新人黃信介和張詩經，也有意插一脚，想以年輕的新人姿態，與「老前輩」們爭一日之雄。其中較值得令人注意的是張詩經；他是現任的市議員，能說會講，有衝勁，肯研究，雖然說是初入議壇，卻已嶄露頭角。記得前一陣子鬧得政壇上滿城風雨的罷免台北市議會副議長周財源案，和罷免黃啓瑞以便改選市長案，張詩經便是其中最主要的搞手。所以，這次他出馬競選，縱然未必立刻便有收穫，但在選民心目中種下一個印象，將來無論是在再下屆的競選上，或市議員競選連任上，在他看來，都是有莫大益處的。

至於國民黨籍人士的競選，因為先要獲黨內提名的關係，現在究竟有多少人在活動提名，一時還沒有可靠的統計，據一位權威人士的透露：已經在為此奔走做工夫的，大約在二十人左右。而在現任省議員中，姚多聲仍將繼續競選，陳愷也有意再度出馬。

國民黨台北市黨部，四個星期以前，曾舉行一個檢討會，檢討國民黨提名獲選的省議員，他們就任以來，對於當初的競選諾言，畢竟做到了什麼程度？檢討結果，將作成具體意見，送請上級黨部，作為下屆提名的參考。據說他們認為，台北市的五位省議員在競選時，曾經當選後要如何為台北市服務，如何向省方爭取地方建設經費，但事實上，除當選後多與台北市脫了節，除歌頌「省政十大進步」之外，兩年多來，沒有替台北市做些甚麼事情。這裏所指除了歌頌「省政十大進步」之外，沒有替台北市做事的人，一般認為是指姚多聲。果其然也，姚多聲如還要出馬競選，要獲黨方提名，就其勢有所不能了。

因為姚多聲有不恰輿情的情事，便觸發另一位江蘇籍人陳大拔競選的雄心。據陳大拔向人表示，這次他「鐵定」要出來參加競選，不管黨提不提名；黨如果不提名，他就是「違紀」也要競選。在國民黨內，「違紀競選」不是沒有先例的，現任省議員黃占岸就是一個例子——他是黨不給他提名，他自己脫黨競選的，而在他當選之後，黨部不但沒有因為黃占岸「違紀競選」而開除他的黨籍，反而認為祂有羣衆有號召力，是一個標準黨員，陳大拔大概就是為了有這個先例可循，所以表現得很積極。有人認為，江蘇籍的姚多聲實然不使人滿意，這個空隙對陳大拔是一個好的機會，因為他如果得江蘇同鄉的支持，登上省議壇寶座，的確是大有可能的。

至於國民黨籍其他有意問鼎人士，當然還多，祇是他們的活動都尚不顯著而已。但在舊人既要奮力保衛既得席次，而新人又紛紛要努力挿進一脚的情形下，選戰必然愈來愈熾烈，可以斷言。（下・吳越）

兩天之內到了百多名 大陸同胞洶湧逃澳 港曾傳逃亡潮將重演

（本報訊）正當香港盛傳有大批大陸同胞聚集中港邊境，「五月逃亡潮」可能重演，而為香港警方所否認之日，澳門消息傳來，又有大批大陸同胞湧到澳門，僅廿五、廿六兩天，便達一百餘人，使澳門警方大大的忙於登記工作。

這百餘名逃到澳門的大陸同胞，係分批而來的，祂們逃亡的方式，有的乘小艇而來，有的游水而來。以籍貫論，中山縣人最多，新會次之，餘為廣州及其祂各縣人士。以職業分，而以農民為最多，其餘為學生、工人等。祂們異口同聲的說，祂們之逃亡，主要係由於饑餓，覺得除了逃出大陸之外，再無別的生活途徑可尋。祂們因此又說：相信還有許許多多的人會跟着逃亡，問題祇在於逃得了還是逃不了，因為逃亡乃是今日大陸同胞人同此心，心同此理的。

廿五日深夜時分，從中山縣斗門乘小艇逃抵澳門的一批十幾個農民，當祂們在澳門西環釣魚台登岸時，由於祂們已經有過兩天兩夜的逃亡日程，曉宿夜行，藉避共方耳目，因而也就餓了兩天兩夜，再加上疲憊勞累，有的在登岸之時，立刻昏倒了。所幸適為一外籍婦女經過發現，她徵得澳門水警的同意，先請祂們在一家飯館飽餐一頓，然後帶往警署，辦理例行手續。

澳門救濟難胞機構，由於這百餘名難胞的到達，又忙碌起來了。如果這些難胞所說還有大批的人要來的話，則現時的忙碌，還只是開始，救濟機構因此已提高警覺，準備隨時為逃來的難胞服務。

香港所盛傳的「五月逃亡潮」將重演，是三天前的事。那時，因為「五月逃亡潮」而擴大的邊境「禁區」，還剛剛縮小至「恢復原狀」，所以甚為人們所矚目。但廿六日，此一傳聞，已為駐屯在邊界的一位高級警官所否認，說是邊界安謐，所傳純屬無稽。

按：三天前的傳聞，不但說有大批大陸同胞聚集中港邊境，伺機偷渡，並說佈防邊界的中共邊防軍，已為此增加崗哨，嚴密把守中，歷歷如繪，若真有其事者然。這謠言於是不脛而走，與印邊之戰及古巴局勢鼎足而三，成為香港居民所深切關懷的大新聞。（威）

過了「歷史上寫上血字的一年」 南越剿共戰局勢扭轉

本報西貢航訊

過去的一年，「是越南歷史上寫上血字的一年」。

這是越南共和國總統吳廷琰本月初在國會中發表的國情咨文的一句警語。另外，吳廷琰在國情咨文中，強調了「戰畧邑」和所謂「人位主義」在剿共戰爭中所發揮的巨大的力量，強調「歷史將永遠記載一九六二年的局勢，是全國人民熱烈抗戰運動勃發的一年，」強調越南戰鬥力已迅速加強，局勢已全面扭轉，政府已取得了主動。

吳廷琰這些話，固不免於有着主觀成份，但對於認識越南局勢，仍不失為大致可取的資料。下面是該項國情咨文的節畧：

歷史將永遠記載一九六二年的局勢，是全國人民熱烈抗戰運動勃發的一年。戰畧邑政策，已在越南歷史上開始了一頁新紀元。愛國心，公民義務及社會責任經已勃發，促使這項運動不斷地高漲。

頒行緊急狀態，動員及集中國家之全力是最近的新事件。在這種戰鬥中，友邦的協助是一種寶貴的鼓勵，但我們必須先依賴自已本身的努力，克服一切困難，一切錯誤與落在我們頭上的命運。

我們無時不耐心地追隨一項共同的目的：在勇敢，具創造性及博愛基礎上建立民主。我們必須恢復每一位公民的整個品格、責任與自由。

人位主義是鬥爭與警覺，要求我們一方面維持各種主要道德的價值，一方面實現歷史性的革命。

明顯地，共匪已利用寮國的變故作為掩護，在寮越兩國綿長的邊界綫自北越假道寮國的領土向中區高原區進行滲透。這些滲透行動是配有新式裝備的越共正規部隊，展開各種破壞攻擊的主要原因。關於這事，越南駐國際監督委會聯絡代表團，業已提出多種具體的證據，使無人能夠懷疑河內共黨，甚至中俄共匪積極參與於破壞我們可愛的祖國的工作。

獲得自由世界各友邦的增強支援，越南民族已英勇地抗拒共匪日益增加的侵畧行動。一九六一年是越南歷史上寫上血字的一年。

余已依照憲法第四十四條所賦予的權力，於一九六一年十月十五日，宣佈在全國領土上頒行緊急狀態。同時代表全民意願的國會，亦依照緊急的手續，通過一項法案，授與總統特別之權限，以頒發安寧所必須之各項條件，及動員全國所有之資源。

余以欣慰的心情來強調指出：全國人民對這些措施所表現的鎮定態度及守紀律的精神業已證明，越南全國的人民已深深地意識到情勢的特別需求，並視這一次戰鬥，為全體愛國越人的一項共同戰鬥，而非只限於政府與軍隊所應單獨負起的責任。

在一項無戰綫的戰鬥中，思想立場比起武器更有決定性的價值。越南的青年男女已立即負起自己的任務，各青年男女已踴躍協同各兄長與破壞農村安寧的共匪進行戰鬥。由目前起，因獲得戰畧邑系統這一革命性之政策的協助，各青年已逐漸能代替軍隊負起固定防守的責任，使軍隊及半軍事力量能有空展開靈活的掃蕩行軍。各軍隊力量，在過去數月中，已獲得改編及特別鞏固與強其戰鬥力。

余敢堅決地說：今日我們已把局勢扭轉，我們已取得主動，連敵人一向認為對彼等有利的雨季亦然。我們在各地接連地發動攻勢，把不安的種子散佈到敵人一向認為「不可侵犯」的各處巢穴，連續消滅敵人各正規單位。

（市）

天南風光

朱淵明

黃乃裳與新福州——詩巫

此後黃氏的事跡還很多，難以盡述，謹節錄一段前國民政府主席林子超先生於黃氏逝世後所作之「亡友黃公紱丞傳畧」，讀之即可見一斑：

「公諱乃裳字紱丞……名其地曰新福州，擇黍、稷、薯、芋之利於種植者以試，先後斥鉅金無算，逾年五載，墾田若千萬畝，成利倍蓰。復遍走婆洲、星洲、潮、漳、滬、廈，揭革命之說，以倡人心。與孫中山先生交尤篤。辛亥義師興，公先至閩部署，事定，兼臨時參議會推公長交通司，兼籌餉局總辦。時滿兵積餉，及償還舊政府，需帑百萬有奇，公為請助南洋僑商，得銀七十餘萬。革命軍起，新福州志士許逸夫者率衆歸，集革命學生隊之滬，翌月共和，衆無所附，陸軍總長黃克強簡其中二百餘人，入南京武備學校。公為募辦閩南染織女校，以容隊中女生，即擢女生詹楨為之長。袁氏當國，公謝所事去，有貽公者，南洋僑商環起而救，脫於獄。公自是里居不復出。……公一試於墾植，再試於政事，而閩清鶴汀，田瑙，前坂諸鄉，田八百畝，無水源可資灌溉，遂倡築陂圳，……而患舒矣。故公每有所建，聞者始詫其創，終而相與嘆其賢，歿而猶惜其才。吁，可傳歟！……公生於清道光二十七年六月，歿時七十有八。……」

至於新福州墾場，迄今歷時已逾六十年（一九六一年詩巫福州公會曾舉行六十週年紀念會），墾場情形，早已多所變遷，很難看到當初開墾的痕跡。農田只剩下少數蔬菜、菓園，其餘均屬鬱鬱蒼蒼，遍地橡樹。偶爾亦有若干胡椒園。

這情況是黃乃裳氏走後，從他的侄兒黃景和於一九〇八年開始的。

（十一）

公道篇

林

聯合國該做些什麼？（四）

例如是阻撓聯合國執行任務，迫使聯合國變質而漸趨於非公道正義機構的（一）否決權問題，（二）國家主權觀念的限制範圍問題，（三）投票權的人口土地比例問題等，從來就未見有代表敢於作有力的提出改善的建議。如果恐懼強權與拜倒惡勢力的風氣，在聯合國內邊亦和在其他社會的表現相同，則聯合國所謂神聖莊嚴的意義，何由確立？聯合國之越來越使人失望這一件殘酷的事實，已註定成為玷污這一代文明人類的紀錄了！

顯見，今日之聯合國，已非單憑利害觀點提出改組，即可以解決，乃係聯合國的地位和作風，必須被重新估價。說清楚一點，今天的聯合國的情勢，正導引人類向一條錯誤的道路走。要糾正這種錯誤，一切要重權觀點，從頭做起。我以為：

一、容許大國控有否決權，是阻撓聯合國執行世界正義和平任務的磐石。大國握有雄厚武力，已足嚇阻一切，若再控有否決權，便如虎添翼，作為阻止公正法制，玩弄法律的工具。並且，人既生而自由平等，國與國間更具同等地位與價值，否決權之存在，便成為侵犯平等權利的合法武器，加深人世間強弱大小觀念的界址。如果否決權一名詞必須保留，那就應該轉移到最弱小的國家手上，以幫助其權力的不足，才是公道的主張。

二、承認國家主權觀念，一概適用於聯合國，就等如承認聯合國是依附於主權國家的一個可有可無的組織。不獨無權威的性能，且因無土地與人民的確認，也就無獨立可行使的主權，並需受制於一般主權國家，至使無能自由進出以執行其應盡的職責。

三、解決各國因領土紛爭及統治權力的問題，是聯合國最棘手最難以處理的問題，除非認定聯合國的組織，係以四海一家為歸宿。如此就可以假定，全球土地都一律屬於聯合國；視現行各國政府，僅為委任統治的組織；在聯合國的憲章裏並作如下的規定：（一）確定各國現行的領土範圍；（二）自後任何新發見的土地，均屬聯合國所有；（三）任何地區發生糾紛，即由聯合國強制接收管理；（四）任何地區有三分二以上之人民簽署同意獻奉該地區與聯合國時，該地區即屬聯合國所有；（五）聯合國製訂各種行政標準，由聯合國任監察人，任何地區如有違犯或不合標準情事，即有被干涉或甚而被接收可能。

四、在土地與人口如此差異鉅大的國際環境中，採用一國一票權，至感不公。美國一億八千餘萬人，整個非洲人口共為一億七千餘萬人，平均起來美國一票尚超過非洲一千餘萬，但美國祇得一票，而非洲可得三十多票；中國人口六億餘，印度人口四億三千餘萬，但冰島僅得十七萬六千人，盧森堡三十一萬四千人，加邦四十四萬人，塞路浦斯五十八萬一千人，茅里塔尼亞七十餘萬人，剛果（法）七十九萬四千五百餘人，中印兩國比起上述這些國家有多至達四萬倍，其土地面積比例，更是無可比較。

瘟君續夢

烽火照邊陲　同惡難濟

樓船碧橫海　大憨興悲

第六回：

毛澤東翻眼看看陳毅，陳毅趕快端然坐好。毛澤東指着他說道：「你這次去緬甸、印度要特別小心，不准亂搞女人，否則回來張茜饒你，我都不饒你。」

陳毅陪笑道：「主席放心吧！我再沒有出息，也不會看上印度女人。」大家都笑起來。

活曹操笑道：「那也不一定，善書者不擇筆，你以為皇帝的三宮六院都是美人嗎？」

陳毅笑道：「林老，你的門檻比我還精，將來分香賣履，又可留一段佳話了。」

陳毅一句話說的活曹操登時變色。毛澤東三國演義是讀熟了的，也覺得陳毅這句玩笑開的實在不大吉利，尤其是活曹操正在病中。當時故意岔開話頭，說道：「現在散會了，你們回去準備起程吧！」

四月十五日周恩來率領陳毅到了仰光，緬甸總理宇努，陸軍參謀長奈溫及文武大員一齊到機場歡迎。這是自從中共把滇緬未定界劃讓給緬甸之後，周恩來、陳毅第一次到緬甸訪問，緬甸的歡迎當然熱烈。

宇努在機場致詞說道：「周恩來總理是我的老大哥，也是緬甸的好朋友。我們緬甸同中國之間，有一段廣大的未定界，英國人治緬時期，屢次向國民黨要求割讓，頑固的國民黨堅決不肯，雖然在他們抗日最艱困的時候，英國人以封鎖滇緬路要脅，他們都不肯退讓。由這一段歷史可以看出國民黨是如何的頑固。到了中國解放，周恩來總理執政之後，把這塊爭執地區就全部交我們管理，最近更簽了條約，全部讓給我們，對於這種無私的友誼，我們實在感激得很。」宇努說過，大家一齊鼓掌。

周恩來十分得意，站在台上說道：「中國同緬甸好似同胞兄弟們，領土劃分好似弟兄分家一樣，誰佔點便宜都沒有關係。尤其是我們中國地方這麼大，割讓給友邦一塊地方有什麼關係。國民黨過去同日本打仗，同英法糾紛，又和蘇聯老大哥作對，都是為了領土。我們決不作這種傻事，四周領土，只要友邦提出意見，一律奉送。我們讓給蘇聯，有人攻擊我們怕蘇聯；可是，我們總不會怕緬甸吧？我們現在對緬甸也割讓了這麼多的領土，放棄了爐房銀鑛的緬甸權，這是過去英國人向國民黨爭不到手的，緬甸不用爭，我們就全部奉送了。這些地方足可看出我們謀求和平的誠意，只要鄰邦的朋友們開口，肯同我們談，任何要求我們都會接受的。」周恩來說又響起一片掌聲。

陳毅接着上台演說，從袋裏掏出一本綫裝書，說道：「我以前有一首詩，是預備特給緬甸朋友的，這首詩是：『我住江之頭，君住江之尾；彼此情無限，共飲一江水。』這首詩的意思是說，我們中國人住在薩爾溫江的頭，緬甸人住在薩爾溫江的尾，大家雖然隔的遠，可是都喝一條江的水，你們說這種關係，多麼親密。」緬甸人聽了又是一齊鼓掌。

周恩來不知陳毅何時作的這首好詩，歪頭瞧着陳毅手裏的書面是「宋詩鈔」。周恩來也不曉得陳毅的詩怎麼印在宋詩鈔上，當時也不便多問，恐怕陳毅笑他外行。不過，陳毅靠這首大作，風頭是出足了。

（一四八）

上海光復與義伶（續）

革命軍佔領縣署後，分兩路進攻製造局，會滬軍營士兵，衝進二門，至內柵，而門盡閉，不得入。局方衛隊且渡排槍抵抗，革命軍敢死隊增至三百餘人，持械銜鋒，前仆後繼，受傷者有三四十人，猶僵持莫得進。

時有新舞台伶人，自組一隊，由夏月恒統帶，潘月樵、夏月珊、毛韻珂等爲助，約有三十餘人，改從局後短牆躍入，連擲炸彈廿餘枚，局內秩序大亂，紛紛逃命，其統領蘇某亦自後門逃走，其餘束手待命，繞至前門，將衛隊繳械，尤予安撫，編入行伍，製造局遂入革命軍掌握之中。事定，派陳漢欽爲總參謀，統率滬軍駐高昌廟，並管理製造局。此後上海設護軍使，即自此始。

月恒本工武生，攻局之役，身手矯捷，擲彈無虛，但亦受傷，遍體血淋，急送仁濟醫院療治，兩週始愈。論者謂上海光復，製造局之爭取關係綦重。攻局首功，悉賴有志義伶之突襲。江南人頗多知此壯舉，有裨於建國。迨後國父自海外返國，途經滬上，嘗召月恒諸人，親加嘉勉，並手書「捨身取義」長匾一方，贈於新舞台，懸掛台上，上海伶界均視爲莫大光榮的褒獎，此亦民國建立的勝跡也。

憶玉軒雜綴　秋翁

浴美施石

在錢塘江的支流，富春江所通的一條內河中，那個地方，鄉人稱之曰「糯米水閘」，其實是「洛美施石」的誤讀。那水閘是在浙江蕭山附近，其留下的特別歷史，是從前吳越之際，西施的入浴處。因此即在河岸上，建造了一座西施廟，香火供奉，多年不絕。

西施本是賣薪女，出身貧賤，當在五六月的夏天炎熱，砍柴完畢，也許就河中洗澡沐浴一番，這是很普通的事兒，不足爲奇。可是，經過范少伯的賞識，以爲沼吳大計，應在她的身上，羅致了她，送入吳宮，艷名乃大噪，爲天下重。她洗浴的地方，後來也就成爲古蹟了。

西施入浴處，爲蕭山臨浦鎮鄉間。從前的會稽郡，是包括諸暨，山陰，蕭山幾縣，所以史上稱她爲會稽人。史所稱西施浣紗，在諸暨苧羅村中，是她的故鄉。因此諸暨人根據這遺蹟，說西施是諸暨縣人。後來清初名儒毛奇齡，引出不少的證據，指西施是蕭山人，曾引起大爭論，到了幾乎要起死人而問之的情態。兩說存疑，蕭山人尚於她入浴處，十分的珍視，亦無足怪矣。

海嶠塵談薈

悼念故人陳芷汀

諸葛文侯

（一）

老友陳芷汀（方）在台北病肺息隱有年矣，時否時愈，厥狀良苦，近忽以去世聞。適我客游寶島，得悉噩耗，不勝悼恒，於其大殮之日，馳赴靈堂弔奠，覩其遺像，猶是當年翩翩然瀟灑出塵之形色，溯迴往事，感愴無量也。

愚與君論交於卅年前，同隨楊暢卿（永泰）先生司筆札之役，時楊先生担任「豫鄂皖三省剿匪總部」秘書長，君典機要，愚係奉總座蔣公電令，由內政部調至剿匪總部服務者，亦隸楊先生麾下，得與君昕夕過從，同寅尙有羅君強，徐道鄰諸人，彼此皆在青年時期，意氣相投，豪情奔放，然對楊先生之才幹學識，無不敬仰推崇，而以君與楊先生之遇合爲論證嚆矢焉。

民國十四年段祺瑞在北京開府執政伊始，會創設所謂「善後會議」，網羅若干政客暨國會議員，研討國事善後方案，分別設置各種委員會，負責進行，楊暢卿先生受任爲「財政委員會」主持人。維時芷汀僑寓京華「江西會館」，賣文營生，曾就國家財政問題，撰文發抒意見，刊諸報章，楊先生覩及，大爲激賞，即向報社探得君之住址，修函約談，挽君相助爲理，倚畀甚殷，從此君與楊先生關係日深，追隨左右十餘年未嘗暌離，寖且成爲楊氏得力幹部矣。

芷汀資質聰穎，筆下超拔不俗，字亦挺秀，實爲不可多得之幕僚人才也。楊先生以秀才出身，肄習法政，敭歷粵省財政廳長，省長暨國會議員諸職位，學識才幹，不同凡響，雖愛才，而於人少所許可，唯對君時加器重，君亦深感知遇，事之特謹，奉職彌忠，昕夕參贊機密，知無不言，言無不盡，頗似昔日薛福成與曾國藩之風義，令人欽羨不置。愚於民國廿一年夏間，始識君於武漢，君一見如故，謬加稱許，楊先生對愚亦另眼看待，勉勵備至。繼而愚與羅君強，以及楊先生所領剿匪總部秘書處之科長人物等，胥陸續脫穎而出，或受命担任各省區行政督察專員，或位居省府委員兼廳長，或超升爲軍事委員長行營第二廳（管理行政事務）廳長，然君仍典守楊氏機要秘書之職位，頗感抑鬱，楊亦深悉其情，但未能須臾離君，故每月按照君所得公俸數額，再如數由私囊倍濟給予，以示優異，而君用世心切，志不在祿也。

民國廿四年愚奉檄入巴蜀，抵成都之日，趨謁楊秘書長於寓邸，楊留餐叙談，君與羅君強亦在座，楊忽笑謂芷汀曰：「你有意要作地方行政官吏，那是一樁苦差事，不信，可問問這位（指我）過來人，即知地方官的生活滋味，是怎樣的不好受啊！」君頷首微笑不答，愚茫然不知所云。旋向同寅探詢內幕，方知君最近曾以母老多病爲詞，向楊先生陳情告辭，俾便還鄉侍母，楊氏認君係取瑟而歌，乃有上述一席話耳。未幾，楊先生約愚與君三人，偕赴「姑姑筵」晚餐，飲罷即在主人黃敬臨書齋休息，楊笑謂愚曰：「你知道嗎？芷汀兄現在的身價比國府林主席還高了！」愚瞠目不能對，楊又謂：「國府主席每月薪俸爲八百元，現在陳秘書兼任的武漢特稅處會計長，月薪即有八百元，豈非高過林主席的收入嗎？人生在社會上活動，不是爲名，便是爲利，我既不能讓芷汀離開左右，向功名之途發展，就應該在利字上給他以相當的滿足，否則太不近人情了。」原來當時康澤主管特稅處，曾電請蔣委員長遴派會計長，楊氏即保芷汀兼承其乏。嗣是君亦不復言去，而楊氏知人善任之風格，殊非流俗所可幾及也。

我發見蜘蛛的秘密

黃葉村人

蜘蛛，是蟲類中之有藝術天才者。只看牠，把一張捕蟲的網，織得像八卦一樣，一絲不亂，便可窺見一斑了。牠不但把那張網織得四平八穩，有角度，有花樣，而且又能夠選擇方向和地利，日間有日間的網，夜裏有夜裏的網。筆者雖非研究蜘蛛的專家，但居然偶然地也發現牠們的秘密，喜出望外。

原來牠們的「網屋」，是活動的。吐之，便立刻美輪美奐；收之，馬上便藏諸腹中，不折不扣。這不是造物者的奇蹟嗎？我的家住在台省的一個窮鄉村。牆邊屋角，種滿了雜樹。每天拂曉，我必定到屋前後，向東吸收空氣。這時我便發現一隻蜘蛛，在樹梢和屋角間一張蛛網內，僕僕風塵，不停地的工作。我以爲牠是在從事「一日之計在于食」哩？誰知一會兒再走出來看，那張網卻沒有了。起初，還以爲是隔鄰老太婆把它挑了，後來一問，不是的。

于是，我便留心察看，原來，此君那時是在「收網」，而不是「張網」啦！牠一路「滴橋抽拐」，把綫吞入肚子裏，不到五分鐘，居然把整張網「席捲腹中」。這不是奇蹟嗎？從此，每天在日落的時候，便跑到屋後去觀察幾分鐘。果然，這纔是牠們出來織網，覓食果腹的時候哩。牠所織的網，並不簡單，下面的幾點可以證明牠的智慧並不遜于人類。

一、牠們所織的網，如果是露天的，一定都是下懸的斜網，使露水雨水，能夠下滴，不致傷網。二、在暗陬張網，必然是面向陽光，因爲蚊蟲飛出，必朝向有光的一面。三、網綫的距離，都有分寸和角度的。同時，用以支挂全網的幾條幹綫，不但平衡力取得均衡，而且較其他分綫爲粗，兼具有彈性、而不易斷的衡激力。四、每一幹綫的總點，都有牠躲藏的崗位，不容易給外敵窺見。五、遇着強敵入網，可能會被掙脫的時候，牠立刻噬敵要害；一面添絲補牢、不使扯斷。

蜘蛛和蜜蜂一樣，是雌性強過雄性的。自顧渺小的雄蜘蛛，遇到了壯健的雌蜘蛛，每每趦趄不前，未拜倒石榴裙下便給牠噬斃了。就是能夠抵得住「老楊林三下斧」的雄蜘蛛也不容易保全性命！原因是：雌蜘蛛最妬，牠不願意把牠的面首，贈給別一同性去享受，所以一定要把雄的殺死。

雌性的蜘蛛，碰到同等壯大的同性時，也是會相鬥的；不過牠們也會自度能力，避免硬碰。到了萬不得已的時候，弱者會是虛劈一刀，乘機而逃的。尤其帶着胎盆的蜘蛛，幾乎橫行蜘蛛所佔有的世界，誰也不敢侵犯牠，不願意碰到牠。但是，蜘蛛也有蜘蛛的敵人：麻雀、大蚱蜢、老鼠、蜈蚣、癩蝦蟆；尤其癩蝦蟆，見到牠，只要張開血盆的口向牠噴風，牠便全身震抖，足軟跌下。據說：牠若不及時走掉，便會腹脹而死的。因爲蜘蛛肚子大，裝不了風，風吹肚子，是會嗚呼哀哉的呢！信不信？由你！

遜清宮女　翠雲秘辛

陳澄之

七、該死的奴才

一得軒暖閣東壁，犬戎瑤琴上首掛着的那口鐫有「天下爲公」的湛盧古劍，此時此刻不知去向！楊供奉的兩眼睜得圓溜溜地發了呆。

「你這人怎麼有點兒魂不守舍的？」宮女翠雲推他一把問道：「你在想什麼？」

「沒有什麼。」他嘴裏這樣說，神色談吐都失了常。

翠雲趁勢兒抽出身來，輕啐了一口，「我知道，你的心不在焉。我知道，你吃着碗裏，瞅着鍋裏；就在這暖閣裏等着吧，我去請福晉來。」她說着就急急忙忙蹓了出去。

直到傍晚時分，楊伶才算離開王府的是非之地。晚上在戲園裏扮戲的當口，他的心裏在打鼓：王府那傳家之寶（天下爲公寶劍），怎麼不翼而飛了的？未克順手拿出那口寶劍，再遇到那位囑託他的革命志士，將如何交代呢？

所幸過了幾天，並沒有人明打明，或者暗地裏，追逼他關於寶劍的事，這才逐漸放下心來。

過了寒露，八月十九、二十，宮裏連演兩天戲，這兩天台上台下就看見隆裕皇太后，瑜太貴妃、瑾太妃，以及各王大臣福晉、側福晉、格格等，而至於命婦貴夫人，無不繞着隆裕，顯得驚惶失色。

台上綠竹絲揚聲中，但聞面無人色的太后，尖着嗓門子頻問：「瑞澂坐鎮在武昌幹些什麼？那該死的奴才怎麼沒有電報來？」

「你請息怒，可能是傳聞失實。」

隨侍在側的醇親王福晉才說到這裏，老邁的慶親王奕劻由皇族顯赫簇擁着進來，首先吩咐台上撤戲。

都有楊小樓的戲碼子。隆裕太后是一個很喜歡生活的女人，宮中在宣統朝，每演戲多半通宵達旦。十九夜裏，楊小樓演罷他的碼子，回想起那天在宮墻外被盤查的尷尬，這夜裏卸了裝，在後台窮泡着等天亮。

譚鑫培的碼子才上場，台下革命黨人在武昌起義得了手。家戲子天亮出宮時，才聽說宮內宮外滿族大員發了急，有若喪家之犬。昇平署傳出話來：這天宮裏的戲全部停演，同時透出消息：武昌革命政府成立了！公推黎元洪出任湖北都督；清廷的總督瑞澂倉卒中越牆而逃，不知下落。革命領袖中山先生已自海外啟程歸國，眼看着清廷大勢已潰！

消息一天比一天惡劣，京城裏一夕數驚，各省紛紛獨立，清廷不准發佈，事實上民間早已傳播開來。過了不多幾天，革命勢力浩大，瀰漫全國，舉世矚目。清廷一面降詔罪己，一面決定起用袁世凱，正在那幾天裏，戲園裏雖沒停演，可是聽戲的少極少極。

在辛亥那年，頭一次下雪的那個夜裏，醇親王府邸的那一輛官車，冒雪直奔伶人楊小樓家，這一下可把楊伶全家嚇得直抖。

台灣與鄭成功

·陳雪英·

故善爲將者，必用屯田之法，如充國之屯羌中，諸葛之屯斜谷，姜維之屯漢中，杜預之屯襄陽，而後戰無乏糧，守無饑色。若夫元代之分地立法，太祖之設衛安軍，乃天下已平，恐儲靡空乏。故爲農者七，爲兵者三，非無故也。今台灣爲新創之地，雖處海濱，安敢忘戰。故行屯田之法，僅留勇衛侍衛，二路以守安平、承天，餘各按人分地，南北墾荒，務使地無曠土，食有餘糧，三年之後，乃予賦稅。農隙之時，訓以武事，俾無廢弛。有事則執戈以戰，無事則負耒而耕，而後爲長治。」諸文武咸服其明見。分五軍駐會文溪之北，以前鋒、後勁、左衛，分駐二層行溪之南，各就地屯兵。（十四）

自由報

內傳警台報字第〇三一號內銷證

THE FREE NEWS

第二八四期

中華民國僑務委員會頒發
台教新字第三二三號登記證
中華郵政台字第一二八二號執照
登記為第一類新聞紙類
（本週刊每星期三、六出版）

每份港幣壹角
台灣本售價新台幣弍元

社　長：雷嘯岑
督印人：黃行宣
社址：香港銅鑼灣高士威道二十號四樓
20. CAUSEWAY RD 3RD FL.
HONG KONG
TEL. 771726　電報掛號．7191
承印者：四風印刷廠
地址：香港灣仔高士打道二二一號

台灣分社
台北市西寧南路壹叁柒號二樓
電話：三〇三四六
台郵撥儲金戶九二五二

如何研究發展行政效能（上）

張善仿

國民革命成功推翻專制皇帝建立民主政體後，開會即行重要，民意機構開會，行政機關也開會；大衙門要開會，小衙門也要開會；立法者要開會，司法的亦要開會，甚至有人會倡導家庭民主開會，軍中民主開會，造飛彈原子彈也來民主開會。會議的頻繁令人嘆為觀止。會議名目繁多，不一而足，會議的規模亦足驚世駭俗。共產黨在大陸上開會開掉了多少人的命，政府在台灣開會枉用多少民脂民膏，只有天曉得！民主潮給與我中華民族者是如此無限的血淚與痛苦，民主方式——會議被如此濫用誤用而不自知，實為大不幸！誠然，經二百多年的政治鬥爭，由無數生命犧牲的血淚培育，始發明民主政治的實施方式——會議與少數服從多數原則，這在民主範疇內是何等莊嚴神聖！

國父孫中山先生特撰著「民權初步」，以教導國民運用之，但也揭櫫權能區分原理及闡明萬能政府之要義；如果研讀民權初步仍訛誤理解為治權初步，而將會議濫用於治權領域，則頗有批評的餘地，也是我們缺乏知識的具體表現。

會議不是研究發展真知卓識的方法。會議既不能否決科學的原則定理，也不能創造發明科學的理論學說，科學已將會議與少數服從多數原則擯棄而一顧。故會議並非在任何領域內均極神聖莊嚴，只有參加會議者表達其主觀意願與抉擇有意義有價值的條件下，始可舉行，非主觀意願與抉擇所可決定者，採行會議表決處理之，則涉遊戲，遂予擯棄。而今行政學術已公認是一門科學，其學術問題應用何獨能藉會議研究發展？通常人們均直觀地認為會議有「集思廣益」宏效，肯定會議的價值，我國政界人士竟然亦未經充分辨析即行接收這種觀念，將會議廣泛應用於行政機關，實為憾事！

會議集思效果實微乎其微，否則即可藉增加開會的頻繁，以擴大會議的規模，果積其些許集思效果，而獲得真知卓識，使行政學術的發展達到時代需要。但此與事實不符，其集思效果乃不言而喻。會議的廣益效果，則不如訓練、電視、廣播、報導等。顯然，會議席上不能作深入而縝密的思考，也不易充分闡述所思所慮。六十人的會議，每人每小時平均僅有一分鐘的發言時間，短暫急促的發言所能剖析論說者十分有限，其餘五十九分鐘在廣益，或受着監視思維，或腦海裏靜如秋水不起一波，並且在會議桌上不能應用儀器工具測定驗證，而難作精確判斷剖析，但已測定驗證者，則不需會議討論表決。故會議的集思廣益效果，實甚低微，殊不宜予重視。

行政機關的會議確有甚多係為協調業務而召開，但健全的行政機構不應有行政不協調的現象發生；行政不協調即行政機構已生故障，無論故障係發生於組織職掌，人事或其他方面，除因意外的災難所造成的偶然不幸外，其上級機關、規劃設計人員及其主官，均難辭其咎。蓋故障叢生問題重重，致需採用一連串亡羊補牢措施者，乃其設計不周，或其主官督導不力，執行職務運用組織的能力不足，所產生的必然結果。現今行政機關內的會議，尚有許多變質為推諉責任的工具，或作為一種聯誼方式，也有些係為濫用民主形式而召開，這些會議固同樣浪費時間與公帑，其價值當更相形低劣，而應積極予以限制。於此應特別說明：民意機構的開會與行政機關的開會，其性質迥異。各級民意機構的會議，目的在行使民權，至於報告質詢等係求了解實情而已，行政官員將實際情況坦誠報告及充分答覆質詢已足，會議席上不需作驗證及研究發展的工作。然民主政治的行政，則應以最經濟最有效最完善的辦法辦理公共事務及衛護國家命脈為其最高原則。故行政機關處處需要真知灼見，時時需要深尋求證，及應用科學方法力謀有所研究發展。而今各階層行政機關頻頻舉行之會議，對此實無能為力，效率低劣，徒耗公帑。所以我們絕不應反對民意機構舉行會議，但堅決主張行政機關應儘量減少會議的舉行，而積極設置健全的機構研究發展行政學術。十餘年的開會確實對行政學術的研究發展發生甚大阻滯作用。迄今在自由中國仍無一個健全而有設備的行政學術研究發展機構，故縱然有發明天才與創造智慧，但是領了新俸回家，在厨房中規劃設計，在枕邊研究發展，如希冀彼等對高速效能的行政學術有所創造發明，實無異於緣木求魚。

開會雖已十餘年，我國行政的實際情況卻與時代需要背道而馳，輿論與民意代表諸公已予以嚴厲指責評議，無需贅言。今對最具行政學術價值的職位分類與績效預算作一簡要評述：這兩種行政措施都有完備的理論，實施均卓著成效的先例，并且由專家搬來我國，又殫精竭慮地開會討論數年，而後擬定辦法，寄望萬無一失，故一般人咸認係進步的施政，而寄予無限希望。但是職位分類辦法至公務職位分類法施行細則，即原形畢露。該法第廿三條「新設機關實施職位分類，其職位調查表應於機關設置六個月內，填送銓敘部或被授權機關辦理。」然一機關之組織編制本應根據職位，工作量與工作速率核定，今規定新設機關實施職位分類可於設置後六個月內填送調查表，而後再分類及規範職位，實已本末倒置。第廿四條「……職位調查之方法如左：（一）填表調查：指分發調查表由職位現任人員填寫，或由其單位主管代填之調查；（二）實地調查：指分類人員與職位現任人員及其單位主管洽談，以及實地查核職位現任人員工作，獲得其職掌事實之調查；（三）其他調查：指向各機關蒐集組織法規，辦事細則，組織系統圖，工作流程圖，職責分配表，工作量表，職員名冊，薪津釐表及其他與職責事實有關資料之調查。」該條文實在的十分荒謬，而且充分顯示職位分類的策劃設計人毫無行政技術常識。例如在台澎地區約有戶政人員四千名，稅務人員四千名，役政人員一千名，如依比例推算，光復大陸後將需戶政稅政人員各二十餘萬，役政人員五萬餘，按照該條文之規定，每人均應填調查表，並需複製多份逐級層轉，這些調查表的處理工作必將十分困擾，且徒勞無益；然基層的戶政稅政役政僅各需十多種周密規劃的職位規範表已足矣。這種規範由各現職人員或其單位主管代填之調查表歸納寫成，則不如應用科學方法研究分析而後寫成的規範，更為完善確實。幸而公務職位分類搞了數年迄未普遍實施，僅先在十餘國營事業機構以漸近方式分四五年逐步施行，還附加「尚須增加盈餘」等四條件始准嘗試，實施之範圍縮至小之又小，可說已是象徵性的了，否則不知將發生幾何困擾，徒耗若干財力人力。

類似的問題亦發生在推行績效預算制度方面。所謂效預算制度，係以各機關的業務及工作計劃為基礎，並根據個別計劃的預定進度及工作量估計成本需要，而匯定預算之制度也。此與現行依各類費用支出性質所編列的歲出預算，顯有不同，其理論亦甚周密完善，某大員曾為這個制度遠涉重洋赴美考察，將其抄搬到台灣來，並設立委員會籌劃經年，指定機關試辦也已年餘。但是這個制度一過大洋即發生變質，一涉及行政技術即根基薄弱。蓋此種制度的基石，係工作衡量；工作衡量的方法與結果如發生問題，則施行此制度休想獲得預期效果。工作衡量的方法有二：（一）動作時間研究法，然所用訓練資料中對此法僅略予敘述，旋即荒謬結論：「此法適用於大量生產之企業，亦即適用於生產型之工作」，並棄之如敝屣不再一顧。

它停止了嗎？

暫避一時

自由談

談國民的等級

馬五先生

有人說，現時的中華民國國民，可分為四等：第一等國民是海外的一班電影明星，她或祂們一到台灣，各界士女歡迎若狂，禮頌不已，連國家元首亦對她或祂們另眼看待，特予優遇，如茶會招待，共同拍照之類；第二等國民是所謂僑領，這些人到了寶島觀光，參加國慶典禮及祝壽時，朝野人士皆視之為「國賓」，優禮有加，祂們如果順便帶些名貴的禁制品，做做單幫生意，也無所謂；第三等國民是台省同胞，在政治上享受地方自治權益，在經濟上獲得異乎尋常的特惠權利，如唐榮公司之專靠國庫開支，即其明證；第四等國民就是那兩百多萬從大陸上播遷入台的蚩蚩之氓了。這些人除卻極少數的特權階級成員外，都是越過越窮困，抬不起頭來的政治難民，為着生活而辛苦掙扎，動則得咎，自傷淪落，自慚形穢。這說法固然是「笑林廣記」性質，但亦有若干妥當性。

最近我發現還有一種特等國民，那就是某些在大陸淪陷前即跑到海外去作寓公，認為「國家事管祂娘」的濶老之流，經過十幾年置亂於不聞的安樂生活之後，閒得無聊，偶爾到台灣蹓躂一下，竟傾動朝野，且受到國家元首屈尊折節，親赴機場迎接的殊榮。咱們想想：自中華民國政府遷到台灣以來，本國國民從海外歸國之際，幾曾見有荷蒙行政元首到機場或碼頭親自迎接過的第二個人嗎？祂當然屬於特等國民無疑也。這位特等國民駕臨台灣之日，台北一家民營報紙更寫文章對祂大捧特捧，說是希望祂長久留在國內，使下一輩的青年瞻仰祂的典範哩！我對某報這種見解並不反對，但仔細思量，如其下一輩的青年大家都仿效祂的「典範」，個個變成特等國民，萬一國家遇着危難，又靠誰來担當救國救民的職責乎？國父孫公的遺教，希望全國同胞個個作「阿斗皇帝」，管理衆人之事，咱們若要實行三民主義，而又盼望下一輩的青年都以特等國民為「典範」，面臨國難，即携其子女玉帛，遠走高飛到異域去作寓公，這是何等危險的事啊！

昔人謂「老成謀國」，又謂「雖無老成人，尚有典型」，這是指那些正色立朝，公忠體國，為國計民生鞠躬盡瘁，死而後已的大政治家而言。尤其是垂範人羣的典型人物，事功德業兼而有之，如國父孫公庶足以當之無愧，凡人豈能語於是耶？所以，一個國家儘管有特等國民或特權階級，然這類人物決非後生之輩所應效法的模範，否則國家前途必不堪問矣！

香港與大陸

以青少年被騙採石油故事
梅縣受騙的便有成千人
以昇學爲誘餌搾取勞力

中共以「大學」或「技術學校」的美麗名詞爲誘餌，騙得大批中學或小學畢了業而無法昇學的青少年，施以短期訓練，然後把祂們集體送往邊疆，敎祂們做開採石油的苦工，待遇有如囚犯。梅縣不少青少年便已經上此圈套，在過着這種比牛馬還不如的生活，有的更因此而賠掉了性命。

一位由廣東梅縣來港的聯合中學高中畢業生張素美小姐對記者說：向來是文化比較發達的梅縣，學生人數還較其他縣份多，但由於中共近幾年來大量壓縮就學名額，許多中小學畢業學生，皆無法昇學，祇能留在農村，參加農業生産的工作。中共的農村幹部對祂們的管制卻極嚴，絕不容祂們遷移戶口。因此，這些青少年的心情有如籠中之鳥，隨時希望逃離農村。去年十月，忽然傳說在新疆、貴州、廣西和江西等省，有大學或什麼技術學校還需要招收大批學生，而且條件不高，亦不講求「政治條件」和考試成績，甚至連「戶籍遷移證」有無皆沒大關係。因此，梅縣的大批中小畢業的青少年，如聞福音，奔走相告，相率選擇「學校」，連戶籍都不要，集體逃去讀書了，實際當然是共幹故意不瞅不睬放過祂們的。

張小姐說：這次「逃亡」的不下一千人之衆。祂有一位鄰居，一九六〇年在梅州中學高中畢業，由於「家庭成份」是地主，無法投考大學，那次聽說有那麼好的昇學機會，當然高興，便選擇了江西的「勞動大學」，同行的還有幾百個同學。祂們首先「逃」抵南昌市，向該「大學」設在南昌市的「新生招待站」報到，受到熱情的招待，該校的中共辦事人員，還向這些青少年介紹學校「遠景」，大家好不興奮。幾天後，這些青少年便被大卡車載運到離南昌市一百多里的山區——「勞動大學」的校址去，那裏是人烟稀少的地方，除了幾間新近架起的木屋外，什麼都沒有。祂們已經發覺不對路，想逃了，但此時要逃談何容易！加以逃了回去也還是在農村吃苦，想來亦無道理。何況該「勞動大學」的領導人警告祂們說：「如果逃走的話，你們是犯雙重逃亡的罪，因爲你們都是沒有遷移戶籍便由農村逃來的，現在再次逃亡，你們應必明白，捉起來該當何罪？『勞改』是起碼的了。」因此，這爲數好幾百的青少年，不得已祇得暫時打消了逃的念頭。這時，祂們每天被命去斬樹抬木，建造學校，開闢荒地，而每天只吃五兩米的伙食，夜裏睡覺卻連板床亦沒有，大家只在地面鋪上一些稻草而已。這樣的苦生活過了個多月，忽然，「大學」接到「上級」通知，要遷校了，說是要遷到「大城市」去，青少年們又一陣興奮，認爲總算不虛此行。一行數百人於是在「大學」負責人的領帶下，坐乘了火車又汽車，終於到達目的地，這才發現原來祂們是再次受騙了，那裏並不是什麼大城市，而是出産石油的柴達木盆地，中共奴工缺乏，是把祂們搞來開採石油的。在那裏，除了大批的「勞改犯」之外，便祇是大批負責監視祂們的共軍了，此外什麼人都看不到。這些青少年學生看到這種情形，無不魂飛天外，有一位女同學且當場便給嚇死了。

張小姐說：她的那位鄰居，在被迫當奴工採石油後，最初還盡量抑制着自己的悲憤，後來捱不過了，聯合起來，先向中共要求改善待遇，或者調換工作地點，繼之並集會抗議中共不擇手段的欺騙行爲。然而因此帶來的，卻是中共的武裝鎮壓，她的那位鄰居也就在那時被共軍槍殺了的！張小姐說：這些事是她的那位鄰居的母親接到由柴達木盆地寄來的信，才知道這些經過，並知道她的兒子慘死了的。這位母親悲痛欲絕，不久便吊頸自殺了，眞慘！（敬斯）

除非中共速打退堂鼓
印邊之戰急遽變質
戰爭擴大勢難避免

（本報訊）據香港某權威觀察家對本報記者談稱：印邊之戰，正急遽的變質之中，戰事擴大，已殆難避免。祂說：唯一可以使印邊之戰不致擴大進行的因素，爲中共師承蘇俄在此次古巴事件的故智，即儘速的打退堂鼓，向尼赫魯大讓步，不惜接受十分屈辱的和平。但祂很懷疑中共能夠轉得過這個彎來，或者說中共未必有此智慧。

這位觀察家指出：姑無論中共十月二十日在「中印未定界」發動全綫進攻之舉，是出於它自己的獨斷獨行，還是事前同蘇俄商量好的或至少是獲得蘇俄默許的，儘管規模未免大了一些，論其性質，卻仍然是邊界之爭的邊境之戰。亦就是說：在當時，無論在中共以及在尼赫魯印度，雙方都缺乏大志，卽並沒有大打的念頭。但現在，情勢在變了，而且變得很快，照此情勢發展下去，如不趕緊和解，而繼續打，那將不再是中共與印度的邊界之爭的邊境之戰，而成爲雙方的一場眞正的角鬥。甚至戰爭的範圍，尚可能將不限於中共與印度，而更加擴而大之。祂說：

在這次戰事初起時，大家都覺得蘇俄處境尷尬，很難於作左右袒。所以然者，係因爲在那時候，一般都認爲蘇俄與此戰並不相干。等到美國突然封鎖古巴，較深一層的看法，便再不能相信蘇俄的確是置身事外的了。但不問其眞相畢竟如何，說在已經顯露出來的事實，蘇俄已經在偏袒中共，支持中共了。至於尼赫魯印度，祂更不孤立，英國聯邦中的好幾國，包較英國，澳洲，加拿大，馬來亞，塞浦路斯，還有美國，已經分明的站在印度的一邊，英國的軍火，已經運到印度了，美國的軍火亦立刻會到，甚至有消息說：美國可能派遣援顧問團到印度。情勢發展到如此地步，雖然大家口裏還說中共與印度在爲邊界之爭作戰，實際，性質已經變了。

對於十月廿四日周恩來建議與尼赫魯印度棄戰言和的問題，這位觀察家的意見，祂是偏重於相信中共是眞的希望同印度就此和解的，同時亦並不完全否定有可能那祇是中共的一種和平攻勢。但祂說：即使中共眞心想和，尼赫魯印度卻斷不會在此時此境便與中共談和。其理由有二：（一）是尼赫魯實在不能和，尤其絕不能在周恩來所提的那種條件之下談和，否則因爲尼赫魯這次的跟斗實在栽得太大，所，祂如果依照周恩來所提條件談和，尼赫魯無異自承失敗，祂就再不能想保持祂的總理位置了。其二是尼赫魯亦不願和，尼赫魯現在已經得到若干反共與非共國家的援助支持，將來還希望得到更多國家的支持，說明只要祂能撐下去，同中共繼續糾纏下去，印度不難在戰爭中轉佔上風，尼赫魯那裏會在這時候同中共談和？

眞的中共與印度的邊境之戰弄到認眞變質與擴大了，對於中共那個天怒人怨的政權，顯見極端不利。這種不利的情勢，中共又何嘗不了解？所以，這位觀察家以爲，中共可能已經很急着起來了，否則它亦快就要着急起來。祇是祂認爲，中共算盤打錯了，它也許是以爲「敎訓」一下尼赫魯又可以很容易把尼赫魯再拉回來控制在握，卻不知這一「敎訓」把尼赫魯弄得太慘，結果「官逼民反」，使尼赫魯傷了心。所以，除非中共能夠趕快對印度作大讓步，不但承認它所一再宣稱爲非法的麥馬洪綫，甚而還要退出麥馬洪綫以北很遠的地區去，使出現尼赫魯印度打敗，而卻能取得一大片土地的「怪事」，是無論如何和不下來的。但祂表示，除此一着，中共再無脫身之計了。返而即使如此加辱，尼赫魯印度接受與否，也還是問題。（倍）

聯合國歷屆投票紀錄
（自第三版轉來）

一九六〇年：贊成中華民國者四十二票，贊成中共僞政權者三十四票，棄權者二十二票。雙方差額八票。計贊成中華民國的百分比爲百分之五十五點三。

一九六一年：贊成中華民國者四十八票，贊成中共僞政權者三十六票，棄權者二十票。雙方差額十二票。計贊成中華民國的百分比爲百分之五十七點一。

一九六二年：贊成中華民國者五十六票，贊成中共僞政權者四十二票，棄權者十二票。雙方差額十四票。計贊成中華民國的百分比爲百分之五十七點一。

觀此，由於贊成中華民國者的百分比正逐漸減小中，說明其確實具有危險性。但因上屆曾有決議，以此爲「重要問題」，須有三分二票數始能取決；中共要取得三分二的贊成票，在可預見的將來，實無可能，故危險性亦不很大。（自）

古巴事件俄國敗仗
只是退卻並非欲和
美不可爲勝利冲昏頭腦

（本報訊）美國封鎖古巴所引致的爆炸性局勢，因爲赫魯曉夫的答應搬走巳經運到古巴的飛彈，急轉直下，大大的緩和了，戰爭危機差不多可以說巳經完全解除了，其發展之速，殊非一般人意料所及。

據此間對共黨問題研究有素的某專家的意見，赫魯曉夫此舉，看似奇怪，但就共黨鬥爭的理論與方法着眼，即毫無出奇之處。祂首先指出赫魯曉夫退卻得如此具快速，顯然是形勢逼得它非如此不可，這可以從事件的經過，讓我們看得清清楚楚。祂說：

蘇俄對於美國突然的採取封鎖古巴的強硬行動，其反應最初是大肆咆哮，不但「嚴重警告」美國將遭遇到最有力的反擊，還放出空氣說蘇俄船隻將不理會封鎖，實行「闖關」。所以一時鶴唳風聲，恍若戰爭已經便要臨頭，紐約與倫敦股票市場便大落特落。實際，果眞俄船跑去闖美國封鎖之關，那是認眞可以引發大事故來的。

但爲時僅僅一天，赫魯曉夫在答覆英國老哲學家羅素的電報中，已經表現了「拉稀」的跡象，不但聲言蘇俄將不爲美國所激動，還主張開高峯會議，解決糾紛。尤其重要的，除了它這項非正式的軟弱表示之外，還下令蘇俄十二隻顯然載有「攻擊性武器」的船隻，掉頭回航，不敢去闖關了。立刻要爆炸的局勢，因而拖延了下來。

之後，聯合國代秘書長宇丹站出來做和事佬，赫魯曉夫立刻滿口答應暫停運武器給古巴兩三星期，但同時亦還裝模做樣，要求美國亦同時停止封鎖古巴兩三星期，以示各退半步，造成和協的氣氛，俾有利於談判之進行。但赫魯曉夫要美國暫停封鎖的建議，給甘迺迪一口回絕了！赫魯曉夫不因此而亦拂袖而去，而繼續接受宇丹的調停，已經確實處於下風，但它那時還居然提出要求，要美國拆除在土耳其的飛彈基地，以交換蘇俄之拆除在古巴的飛彈基地，便仍然是一種討價還價的格局。

認眞說，直到那時爲止，並不能肯定的說蘇俄已經軟了下來的，爲的是它還不會最後攤出牌來，其軟弱表現，未必不是一種「緩兵之計」。

然而，又僅僅只得一兩天工夫，宇丹的居間折衝不過剛剛開頭而已，赫魯曉夫卻又迫不及待的直接致電給甘迺迪，答應下令把巳經運到古巴的蘇俄飛彈，再裝箱運回蘇俄去，而祇要求美國撤銷對古巴的封鎖了。而且莫斯科還把赫的電報廣播出來，俾衆週知。儘管口說無憑，還需有行動表現，纔能算數，但赫魯曉夫巳軟了下來，巳經成了定論與定局，爆炸性的局勢，由是而急轉直下。

這位專家指出：在美國高高舉起的「大棒子」之下，蘇俄最終會低頭認輸，勢所必然，不足爲奇，但它低頭低得如是其快，卻就大大的出於人們始料之所及。祂說：所以如此者，當然並非如赫魯曉夫自己解嘲的「蘇俄存心要和平」，反之是它確實被美國的不惜一戰的決心，尤其是不惜一戰的準備，所嚇倒了。祂估斷：赫魯曉夫必然是得到情報，如果蘇俄再拖延下去，美軍可能就要向古巴動手了——眞到那情況，由於蘇俄不敢就此大戰，它便將面臨更大的窘境，其下台將比今天更要難堪，所以它才如是迫不及待的，表現了甘迺迪調侃它的「政治家丰度」，實行夾起尾巴，告饒請罪，只希望美國把「大棒子」收拾起來。

這位專家說：無論將來局勢怎樣演化，就這次的事論直到此刻的發展，蘇俄是大敗虧輸，亦十分丟臉的。因爲（一）它以往一口否認曾經以「攻擊性武器」運往古巴，現在卻答應把飛彈運走，說明共産黨人口中，全是一派謊言撒天下，這不但丟臉，西洋鏡戳穿了，除非大儍子，今後誰還肯信它們口裏邊說的光面話？（二）赫魯曉夫是慣愛以核彈嚇人的，它且已經因此得到了許多嚇人的果實，但這次，甘迺迪反嚇它一下，它卻立時三刻便服輸了，這對於今後世局，應該也會有着大影響。（三）這說明了一個事實，即唯有強硬，才是對付共産集團之道，才能夠眞正維護世界和平。

但這位專家強調指出：誠然蘇俄已在冷戰的這一役中失敗了，但卻絕不可以誤認蘇俄眞的就此服輸；共産黨人的哲學，在不利的該退卻的時候，便得退卻，雖丟臉亦得退卻。但退卻只是戰術的，而非戰略的，即它們退一步是準備進兩步的張本。其次，赫魯曉夫這一退卻，是爲了救卡斯特羅共産古巴政權的；眞能如此，在它們的哲學看來，還是有收穫的退卻，它們可以隨時在認爲可進攻之時，捲土重來。（敏）

聯合國歷屆投票紀錄
對所謂中國代表權問題

本報資料室

聯合國大會於十月三十日為所謂「中國代表權問題」投票，結果中華民國再打勝仗，聯大否決了蘇俄所提要驅逐我國代表，由中共偽政權取得中國席位的橫蠻無理的建議。

這是蘇俄接連兩屆在聯大提出同樣建議，並接連兩次遭受聯大的否決。這次投票的情形是：投贊成蘇俄橫蠻無理之建議者四十二國，投反對票者五十六國，另棄權者十二國。上屆聯大對同樣性質的蘇俄建議的投票情形則為：贊成票三十六國，反對票四十八國，棄權票二十國。

下列為自一九五〇年迄今十三年來同性質議案在聯合國投票的紀錄。其中一九五〇年的投票，係表決印度所提企圖使中共偽政權取代中華民國代表取得在聯合國中國席位的建議；自一九五一年至一九六〇年的投票，係表決美國所提對此問題暫不討論的建議；一九六一年及本年的投票，則均係表決蘇俄所提驅逐中華民國而以中共偽政權取得中國在聯合國的席位的建議：

一九五〇年：贊成中華民國者三十三票，贊成中共偽政權者十六票，棄權者十票。雙方差額十七票。計贊成中華民國的百分比為百分之六十七點三。

一九五一年：贊成中華民國者三十七票，贊成中共偽政權者十一票，棄權者四票。雙方差額二十六票。計贊成中華民國的百分比為百分之七十七點一。

一九五二年：贊成中華民國者四十二票，贊成中共偽政權者九票，棄權者九票。雙方差額三十一票。計贊成中華民國的百分比為百分之八十二點三。

一九五三年：贊成中華民國者四十四票，贊成中共偽政權者十一票，棄權者二票。雙方差額三十四票。計贊成中華民國的百分比為百分之八十一點五。

一九五四年：贊成中華民國者四十三票，贊成中共偽政權者十一票，棄權者六票。雙方差額三十二票。計贊成中華民國的百分比為百分之七十九點六。

一九五五年，贊成中華民國者四十二票，贊成中共偽政權者十二票，棄權者六票。雙方差額三十票。計贊成中華民國的百分比為百分之七十七點七。

一九五六年：贊成中華民國者四十七票，贊成中共偽政權者二十四票，棄權者八票。雙方差額二十三票。計贊成中華民國的百分比為百分之六十六點二。

一九五七年：贊成中華民國者四十八票，贊成中共偽政權者二十七票，棄權者六票。雙方差額二十一票。計贊成中華民國的百分比為百分之六十四。

一九五八年：贊成中華民國者四十四票，贊成中共偽政權者二十八票，棄權者九票。雙方差額十六票。計贊成中華民國的百分比為百分之六十一點一。

一九五九年：贊成中華民國者四十四票，贊成中共偽政權者二十九票，棄權者九票。雙方差額十五票。計贊成中華民國的百分比為百分之六十點三。（下轉第二版）

天南風光
黃乃裳與新福州——詩巫

朱淵明

黃景和氏（此君現猶健在，年已八十餘歲，但精神健旺，出街下鄉，猶乘坐脚踏車）於是年赴星洲轉往吉隆坡，選回橡樹苗，在其所居三河村，試種三千株。此乃新福州墾場最早的一個橡膠園，迨淵割時，每百斤獲利七百元，時人競稱之為搖錢樹。於是聳動一方，爭相仿效，數年之間，種植不下億萬。胡椒亦時栽時輟，因以致富者大不乏人。尤其在兩次世界大戰中，沙羅越不但是世外桃源，而且是財富淵藪。當第二次大戰後韓戰爆發之際，胡椒價格，每担竟達千元叻幣，橡膠亦曾上升至六七百元。目前雖然較差，但過去所獲，大足以養繁榮，故地價由數百元一伊甲（約合華畝六畝）漲至目前二三萬元一伊甲。目前的新福州，馬路四達，汽車如梭，眞所謂「前人栽樹，後人乘涼」者矣！

說到人口發展的情況，尤其可觀。當黃乃裳氏初到沙羅越擇地時，當地的福州人，可說是絕無僅有，此由黃氏自己的紀錄，從未提及，足資證明。自黃氏親返福州，陸續招募一千零七十餘人前往後，越三年病卒者三十有七，未習操舟，而強為水行，溺死者十有一，不慣拋鄉井，耐勞苦而首歸者百有餘，棄而他往者百三十餘，廣東邑僱去者四十餘。迄黃氏離墾場時，墾場之人口，不滿七百。但自墾務有成，尤其是改種橡膠、胡椒，售價驚人後，鄉人趨趨，不呼而來。數十年之間，福州人不但遍佈沙羅越，且分佈於北婆三邦，在十年前卽一九五零年，詩巫福州公會舉行墾場五十週年紀念會時，有人略作統計，全部已將達五萬人。在一九六一年，六十週年紀念會時，而沙羅越的全部福州人，據云已將達八萬人。如以該邦全部華人作比例，而每三個華人中卽將有一個福州人。嗚呼，盛矣！

雖然距黃氏初志，所差仍遠，然創業之難，作始之艱，非過來人，實不易了解。卽以英人而論，雖統治該邦已達一百二十餘年，但不久殖民主義結束後，儘管市場猶在，外交軍事，仍由其掌握一個時期，可是，剩下的人口，而猶有限，以視福州人，不啻霄壤。然而，沙羅越的福州人，豈不宜為黃乃裳先生範金鑄像，以為紀念，永誌不忘耶！（本篇完，全文未完）

公道篇

林人山

聯合國該做些什麼？（五）

但中印二國藉也和這些國家一樣，亦祇各佔一票；蘇聯的面積稱為世界冠，人口有二億一千餘萬，但這個數字是包括白俄羅斯與烏克蘭的土地與人口在內，使人訝異的白俄羅斯與烏克蘭却各有獨立一票，蘇聯一國便變成獨佔三票。

五、要使人類進於有實質的平等，必須基本摧毀種族歧視的根源，及憑藉聯合國不受國家主權觀念限制，方能做到。例如（一）聯合國可以設立獎勵不同種族雜婚的專責委員會，目的在使人類能漸進消失種族歧視，並使混淆各種種族血統致力於一種新的人種——世界民族的創立；（二）承認無國籍人士為聯合國人，並接受具有充分理由的一切無告者，受政治迫害者，受不人道待遇者的投靠及控訴；（三）建立聯合國護照制度，目的在透過個別主權國家的限制，試行打破移民海禁壁壘，以為輔助促進人類社會對經濟與就業有均等機會的一項基本政策。

今日聯合國的任務祇是辯論，且並非作正常的辯論，乃在相互運用外交權術中作利害的爭鬥。此固無維繫一致的共同意識，且與上述的積極政策背道而馳；全世界那些無告人士，無國籍人士，受到奴役，不人道，失自由的人士，都未因有聯合國而得救，而得到有平等做人的信心；這個世界也不因有聯合國而緩和，而協調，而增加和平幸福和自由，有時反因聯合國的不明確立場，成為紛爭的源泉。由是觀之，聯合國今日，實已名存而實亡，其地位與普通存在於日內瓦的任何國際機構的地位並無分別，其命運與已失敗了的國聯命運也正相同。

有兩個著名國際法學家克拉克及索斯，在所著的「藉世界法律達到世界和平」一書中，建議以一種洛克式的世界性的「社會契約」來改組聯合國。這種超國家型的理想，中外古今的哲人都是一致。但理想實踐的過程，仍受限於自然結合的流向，不能逾份超越程度和共同的需要。在當前這個世界裏是存在着兩種絕對對立的力量，朝着的目標是兩個不同的世界，不是一個世界政府。

並且，在這兩者的幕後，歷史遺留下太多的社會問題，如不先予蕩平，兩種對立意念的距離，更見遙遠。所以，企圖「藉世界法律達到世界和平」的建議，及本文對聯合國假設改組的論述，都是超國際可行的方式。這是說，聯合國是已命定地失敗了，補救崩潰的危機，還需要新理論，新制度，多致力於社會的公道行為，較為切實。

推使人類有眞正自由平等而和平的內容，是需要一個完美的公道社會制度的制訂，和一種包含有和平美德的思想體系的確認，不是國際巨頭們的日夕尋求「權宜應付之計」，而可以有助於這個世界和平的。

一切幻想都歸依幻想，聯合國該做些什麼？可能做到什麼？自由人也要重新打算了！（本篇完，全篇未完）

瘟君續夢

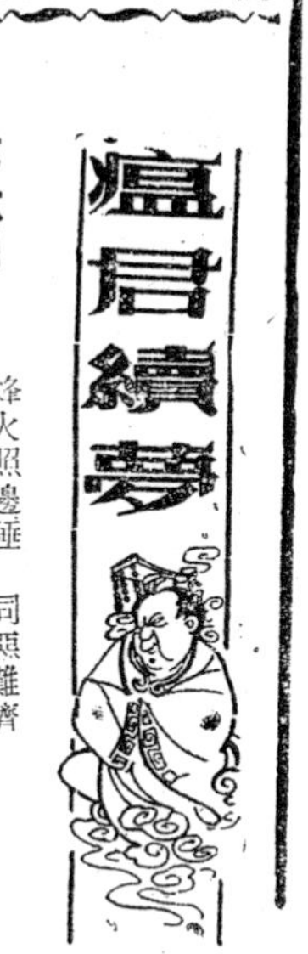

第六回：烽火照邊陲　同惡難濟　樓船碧橫海　大慈興悲

周恩來在緬甸住了三天，十分風光，宇努又以私人名義寫封信給尼赫魯，替周恩來說好話，可是，周恩來到了新德里，情形完全不同了。

飛機到新德里機場剛停定，周恩來從窗口上就看到機場外面有一望無邊的人羣在揮動小旗，心裏十分懷疑，擺手叫陳毅過來，指向窗外說道：「你看，那麼多的人是幹什麼的。」

陳毅笑道：「當然是來歡迎的了。」

這時機門已經打開，周恩來滿懷興奮的站起來，走到梯口向下一望，就發現情形不妙，過去到新德里，候機室內總是擠滿了歡迎人羣，這次清清冷冷只有兩個人，就是尼赫魯和梅農，尼赫魯小帽蓋着眉毛，靠在沙發上左手托着頭，像是要入睡一樣。梅農一臉驚愕之色，左張右望。

周恩來走下了飛機，梅農架着尼赫魯倉皇走出來。陳毅趕過去和梅農握手。周恩來張開兩隻手抱着尼赫魯，把一張白臉伸上去向尼赫魯鬍鬚臉上貼。尼赫魯毫無表情，一句話不講，周恩來沒有辦法，只好自動放手。

出了貴賓室上汽車，周恩來一看是裝了鋼板的避彈汽車，頗為詑異，也不便多問；汽車一駛出機場，外面包圍的印度民衆登時上來，一聲鼓噪，蕃茄、雞蛋、石子一齊飛，只聽到汽車頂上乒乒乓乓。隔着窗門，看見警察正在揮動警棍驅逐市民，再向前面看，有兩個紙紮的毛澤東和周恩來像正在焚燒。周恩來看看尼赫魯，陳毅看看梅農，大家相對苦笑，無話可說。

車子行了一個多鐘頭，在幾百名警察保護下，總算進了新德里。一直開進招待所，尼赫魯開口說道：「總理同志，今天情形實在抱歉的很，請休息一下，晚上再談吧！」

尼赫魯說過帶着梅農回去。這時中共駐印大使潘自力進來了。陳毅看見潘自力，頓時怒火上衝，破口大罵道：「你們大使館的人是不是死光了，怎麼就沒有人去到飛機場照料一下。」

潘自力看看周恩來，戰戰兢兢的說道：「天剛亮大使館就被亂民包圍了，我們一天時間不能出門，館內同志連伙食都斷了，啃了兩餐麪包，直到剛才總理同副總理來到這裏，亂民才散，我就趕快來了。」

周恩來擺手叫潘自力坐下，和顏悅色的問道：「印度亂民的反華行動，據你的看法，是官方策動，還是自己形成。」

潘自力說道：「兩種成份都有，最初是政府煽動的，尼赫魯再三宣稱我們侵佔他們的領土，一些資產階級報紙跟着推波助瀾，到了後來，印度政府也許覺得過火，但是已經控制不住了。」

周恩來問道：「除去報紙上宣傳以外，印度民間有沒有其他的反華行動。」

潘自力說道：「當然有了，半個月以前，鄧納揚召開了一個西藏會議，約請達賴喇嘛派人出席，並在香港邀了幾名反動文化人前來，會議結果當然對我們是不利的。」

（一四九）

傀儡一世

懷玉軒雜綴

近讀易持恆記傀儡皇帝溥儀，文謚冗長，祇言其如何離開天津，去東北，做滿洲國偽皇帝事，在日本無條件投降書公布後，也來一道命令給溥儀，飭其退位，結束偽滿皇朝。溥儀於是在中華民國三十四年八月十八日，召集偽滿文武人員，舉行簡單儀式，宣布偽滿之壽終正寢，君臣如喪家之犬，黯然走出了長春宮。祂總算在日本軍閥支配擺弄之下，竊位做了十三年零五個月的木偶偽帝，結果想逃往日本，以措手不及，被赤俄的優佔軍所拘，解往伯力的巢中寄度活。

溥儀的充傀儡，不僅是偽滿皇朝，從其出世到現在，可說是一生如此。茲分別記之。

當光緒逝世，論繼位之人，以咸豐一支來說，溥字輩人物，儘有年齡較長，而思想較新者。奈以光緒為醇親王後裔，仍在祂家動腦筋，而看中了溥儀，演成同光宣三代，皆是沖齡踐祚。在其就位時，由其父攝政王抱持登極，時年未滿四歲，看見一堆羣臣，乃遂號哭。攝政王撫之曰：「不要怕，不要哭，一會兒就完了」。竟成語讖，此開始充傀儡也。

民國肇建，祂受優待，仍盤踞紫禁城，開始用功讀書了，由太傅陳寶琛教漢文，莊士敦教英文，總應該把腦筋轉換了，可是，民國六年間，又盲從張勳奸謀，演唱復辟醜劇。按理說，討平復辟，早該叫祂出宮去，段祺瑞究竟因曾是勝朝老臣，不肯逼祂走路，這樣又居留宮中七年，這是二次充傀儡。

民十三，馮玉祥叛曹倒戈，抵達北平，看中滿宮內僅存的珠寶，却用新口號剷除遺孽，逼祂出宮。溥儀始從後門逃入醇王府，沾到日人逃到東交民巷，再經化裝，從崇文門水關站上車，逃往日本租界秋山街潛居。這時，祂卻應好好研究學問，而洞澈世界大勢了，乃祂心中猶以為自己是遜帝，繼而且聽從日本軍閥之擺佈，悄悄的從塘沽登輪，溜赴東北。祂那時尚在做夢，想恢復遜清帝統，卒之登位偽滿政權，這是第三次充傀儡了。

祂現在落在毛共手裏，聽任擺佈，毛共像玩猴子一般，時不時發表祂的「新聞」，實在可算是第四次充傀儡。可憐也！

海嶠雲談薈

悼念故人陳芷汀

諸葛文侯

（二）

芷汀才華瞻美，抗節王侯，然對楊暢卿先生事之以師禮，毋怠毋忽，十餘年如一日，楊視君亦若子弟然，誠懇指導，愛惜不違。兩人相知之深，相得之雅，足以風世而勵俗，試述一事實，以概其餘焉。

民國廿四年秋間，今總統蔣公入四川督勦竄擾川黔之共匪，川軍第廿九軍在川北作戰不力，迭次失利後，軍長撤職查辦，由部將某君接替，某係中央軍校出身者，學識智能當勝適任，但部隊素質太差，訓練無素，驟當大敵，仍難表現戰功。蔣公曾手令斥責該軍長，詞頗嚴厲，交由楊秘書長以電報拍發前綫，楊氏將手令文字稍加潤色，意旨不殊而辭氣視原稿和緩，然後通令全軍知照。某軍長見電文末尾註有「秘」字，認係楊氏故意逆其難堪，蓋楊平日處理公務極其認眞不苟，對於有虧職守之文武人員，亦凌厲督察，不稍寬假，坐是每為各方人士所忌憚，致有「委員長易侍候，秘書長難周旋」之流言朋興也。一日，某軍長由前綫至成都，於叩訪芷汀時，言談間提及前項電令，希望楊秘書長今後多加訓導，惠予曲全，遇事稍留餘地云。君知其語意對楊氏頗有誤會，急將原稿檢示之，某見到蔣公手令原文後，悚然謝過曰：「我錯怪好人了！」旋晉謁楊氏，再三稱謝其迴護之德意，謂如非陳秘書面告經過情形，某對委座之嚴切電令，幾乎疑及秘書長，而以怨報德矣！楊否認有此事，畀與攀談安慰，迨某別去，即正色詰責芷汀曰：「機密文件，何以洩漏於外人？」君謂：「祂對暢公很誤會，我不能不以事實相告，消弭其逆臆之錯覺也。」楊氏更怫然語之曰：「讓祂怪我好了。犧牲一個楊暢卿，中國有的就是我這種人才；犧牲了領袖，國家如何得了呢？作幕僚長的職責，遇事必須替長官任勞任怨，有過而加諸自身，有功必歸於長上，非如是，即不配作幕僚長。如君所為，乃係以私害公的庸俗之見，豈可為訓嗎？」君嗒然聽以「我錯了！」楊謂「知過必改，下次不再犯就得了。」後來楊先生曾以此段故事向我閒談一番，我謂：「這等於在學校上了一堂政治哲學課程，獲益匪淺哩」。

自民國廿五年冬楊先生在湖北省主席任內被刺殞命後，君即奉命于役蔣委員長侍從室，助陳布雷先生司理第二組職務，直至對日抗戰結束，憲政實施，今總統蔣公膺選第一屆總統，受命担任總統府秘書處第二局長（管理文書）時，君始終未離開侍從室。卅七年夏，愚晤君話舊於南京，賀其新任第二局長，君笑謂：「我一輩子祇是坐第二號交椅——祂在侍從室是第二組組長——眞奇怪！」是時君有意出為地方疆吏，尤盼能為桑梓——江西——服務，冀得抒其抱負，亦以時局俶擾，終難如願。迨陳布雷逝世，君痛感失去當時在政治上的唯一知己者，意興乃趨消極，日以書畫自娛。卅八年秋間，君僑居香港，賣藝生，時與愚過從談心，不無牢騷，語愚，愚笑解之。

君與愚同庚，但體力遜於愚，且能飲酒，蓋君素性倜儻風流，置身政界卅年，雖名位不足以實得志，然生活享受較愚優裕，攝生之道稍疏，肺疾乘虛而入，遂以不起。前歲愚在台北某醫院遇見君，君為愚狂喜，舉手向愚喃喃作語，而有聲無字，不知所云，愚驚謂「芷汀一病至此耶？」君凄然揮袂搖首，淚承於睫，默默別去，此會竟成永訣，言念故人，豈勝賞瓌之痛耶？（完）

關外四寶

非紫先生

北方有俗諺曰：「關東城有三宗寶，人參貂皮烏拉草。」也有人說，關東的三寶，不是人參貂皮烏拉草，而是「人參貂皮鹿茸角。」兩說各有其是。因為烏拉草到了多天，是成担成細出現在市場上，價錢既特別便宜，好像並無足貴；不過此物性質非常溫暖，特別禦寒的抵抗力極大，用以襯被墊，無論如何的冷，被內生春，毫不覺凍。而天生此物，對於吉黑兩省的居民，賦予享受，如果經過捶敲成為棉軟軟的，配置在靴鞾內，穿在腳上，即呵氣成冰大冷天，出門步行，絲毫不凍，可以步履輕鬆，暖暖然，飄飄然。雖不是極名貴的寶物，但全國其祂地區而無產生此草，不能謂非一寶也。

人參是草本植物，種子下土，三年後才開花結實。葉似掌狀。大家知道祂的莖葉和花實，並不貴重，所貴者是埋在土中的肥大直根，那才是眞正的好東西。人參確為有效的補劑，功能延年益壽，長保健康，並非虛誕。其貴在於產量不多，而採尋又極難，為其主要之因。以生產地區多在深山叢林之間，長大的時期，至少要五年六載，以其性很嬌嫩，倘或踐踏，或烈日多曬，即便枯萎。參農在每年夏末，攜囊入山，涉水越嶺，穿林過野，到處尋覓這小植物，也許深秋出山，並無絕對把握，如能滿載而歸，固可致富，而兩手空空，一無所獲，更是常事。參農在深山尋得參苗，忘記其生長的位置，誤計其長大的年月，等到三四年後，再入山去採，把幸福寄托在將來的收穫，往往而竟落空。採參之難，舉一反三了。

貂皮是以前價格極為昂貴的服飾，做官的如其官階不高不崇，不致御用，其有功勛者，得准賞戴。貂的形狀有如黃鼠狼，長約三尺，全身黑而色多毛，尾極似狐，故女用圍巾，領袖多用此尾。普通衣服，則僅用身上的皮，色較黑而毛略短。色分三種：紫、黑與淡赭，尤以紫貂為貴，淡赭者最差。此物禦寒力特別強，凡過嚴冬，在關外滴水成冰，行人外出，眞有堅冰在鬚之概，但任何流質物件，如用貂皮覆蓋之，絕對不致結冰，其祂皮裘則不多時間便有凝縮之狀了。三十年前的習俗，人們必須享年過六十，方可穿貂，過早不但受不了，而且還有害處。

鹿是關外最繁殖的動物，尤以長白山為更多，亦特別的肥碩，與現在台灣的有異。鹿茸角是滋陰補陽唯一的藥品，非西藥所可比擬。有許多性狂的人，每喜服此，結果氣力太旺，甚至促減壽命。關外的鹿茸，比內地所產，因富禦寒抵抗力，其補劑份量特重，所以絕不可輕易多服。曾有友人多購大為服用，過後即告病故的事情發生，不可不注意。

當然，而今大陸淪陷，河山變色，這些大好東西，人們是可望不可即，祇能形諸夢寐了。

遜清宮女　翠雲秘辛

陳澄之

八、翠雲失蹤了

半夜裏冒雪前來的，是醇親王府邸的一名太監。揚伶跟祂很熟，放心不少，把祂延入上房小書齋，這才虛心下氣低問：「公公怎麼夜行的？」

「目下外面很不安靖，不便喚供奉進府裏去，有一件小事，福晉讓我悄悄地當面問一聲，」那太監說到這裏，從懷裏掏出一張摺疊着的宮箋，展開來遞給主人道：「請過目！」原來是退位詔的初稿。

揚伶看完了，默默地望着貴客，不曉得為什麼讓祂過目。

「供奉可會注意稿末蓋的那顆圖章？」

祂再凝神一看，立刻面無人色。那稿末赫然蓋着光緒帝的那顆閒章「三民在望焉！」

「這草稿不知道是誰放在王爺書房案頭的；料來是聰明的民黨做的手腳。王爺事後跟福晉閒談到這件事，福晉一看到那顆圖章，記得是你佩帶在身上，所以特地打發我來問一聲。」

揚伶混身冰冷，雙手發抖，雖力持鎮靜，但答不上腔來。

「福晉還說啦，叫你別駭怕，朝廷已經降詔罪己，也開放了黨禁。楊供奉，你是革命黨人？」

楊伶的腦袋沒命地搖得活像撥浪鼓。

「這顆圖章你當眞佩帶過？」

「是！」楊伶好容易迸出這麼一句話來：「祇不是小的蓋在這原稿上的。那顆圖章在上次進宮當差之前，我轉送了別人！」

太監追問：「轉送給了誰？」

沉吟再三，祂祇不過是一個戲子，當其時若不說出實話來，就休想在專制的惡勢力下立足。祂說了。

「原來又是翠雲？」

「公公，她怎麼啦？」

「她失蹤好幾天了！」

楊伶猛嚥了一口吐沫，「公公，翠雲會不會是女革命黨？」

太監聳聳肩說：「福晉說在疑心她壓根兒不是滿族旗人，可能是革命女兒冒名頂替入選進宮，而後分發到醇邸當差的。福晉讓我連夜裏來，傳話給供奉：事情儘管如此，還是萬萬聲張不得。革命黨人居然混迹在宮禁府邸之內，這就更足以動搖人心。請供奉心照不宣！」

滿祚奄奄，大勢已去。袁世凱與民軍往復洽商的時候，滿清親貴如載澤、載濤、載洵、善耆、鐵良、良弼這一干人，對共和政體，不但公開反對，還至於組織起什麼宗社黨來。

宗社黨章程在載洵這少不更事的滿洲貴胄之家擬定創立之後，當即一致公推良弼，出任宗社黨黨魁。

這在那些稗年當政，亡國有餘的皇親國戚看來，的確是一件大事。那天晚上就在載洵家的花園裏，與行慶祝歡宴，美姬獻舞，皮簧稱賀，足足地鬧到午夜，黨魁良弼這才半醉半醒回西城紅羅廠寓邸。

進入上房看見姬妾們一個個面無人色，祂自己倒反而嚇得酒醒了一大半。

台灣與鄭成功

·陳雪英·

成功既行分兵屯田，第二步的計劃就是開發物產，建設文化。乃以陳永華為謀士；永華係福建同安人，有臥龍之風，為人淵冲靜穆，果斷，識力過人。又聘羅馬神甫稗庫羅為諮議。成功徇永華的建議，設官職，招賢才，制法律，興教育，開水利，煑海為鹽，種蔗製糖，在短短期間中，開拓各種產業，勵精圖治，上下莫不歡欣鼓舞。而漳泉惠潮各屬之民，聞知紛紛來附。那時已歸化的土番，對于耕種不得其法，乃令各社發農師一名，分給犂耙，耕牛，教習，於是農業驟興，一歲二熟，物產豐盛。政治修明，貨積街衢，道不拾遺，夜不閉戶，民皆稱快，有海濱鄒魯之譽。清廷聞報愈加不安，乃從蘇納海之議，盡徙山東、浙江、福建、廣東沿海居民於內地，立邊界，令寸板毋入海，粒米毋越疆，犯者受連坐處死，以絕接濟。又怒芝龍屢勸成功降清無效，遂斬芝龍，並誅戮鄭氏宗族於燕京，發掘鄭氏祖墳。（十五）

內儒警台報字第〇三一號內銷證

自由報

THE FREE NEWS

第二八五期

中華民國僑務委員會登記證
台教新字第三二三號登記證
中華郵政台字第一二八二號執照
登記為第一類新聞紙類
（半週刊每星期三、六出版）
每份港幣壹角
台灣本省價新台幣貳元
社長：雷嘯岑
督印人：黃行富
社址：香港銅鑼灣高士威道二十號四樓
20 CAUSEWAY RD 3RD FL
HONG KONG
TEL. 771726　電報掛號．7191
承印者：四鳳印刷廠
地址：香港灣仔高士打道一二二號
台灣分社
台北市西寧南路壹壹肆號二樓
電話：三〇三四六
台郵撥儲金戶九二五五

如何研究發展行政效能（下）

張善仿

此方法實係適用於需聘僱衆多人員做同樣操作，且可予分析標準化的工作，對戶政稅政役政等僅台灣地區即需任用數千名公職人員作業的工作十分適用。但大量生產企業中之某項工作，如僅需僱用一兩人辦理，亦不値得應用此種方法研究分析，以厘定其工作時間標準。（二）統計法：「係根據過去經驗或統計結果分析，以厘定其工作時間標準，此法較具彈性，故應用範圍頗廣，尤其適宜於服務型之集體工作，如辦公室之工作」。採用此方法需有較爲優良的過去經驗，如過去是一團糟，統計分析之結果仍是一團糟，厘定的工作時間標準實無價値。其訓練資料中更舉例：「收集一抽屜案卷」，「整理一皮尺案卷」，「審查一皮尺案卷」，「完成一皮尺案卷」等，作爲衡量檔案處理之工作單位，現今仍用這種訓練資料調訓人員試辦績效預算，且藉美鈔力量擬擴大試辦範圍及宣傳效果如何高明呢！

這些就是自由中國最進步的行政措施；如此的行政學術焉能希冀行政效能有所進步？職位分類與績效預算，如辦理確實，運用得宜，確可收到增加行政效率的效果，但有其限度，而不可憑持科學管理專家的招牌，卑視一切。例如將職位分類與績效預算充分應用於手工作業的工廠，雖可增加生產效率，降低生產成本，但不能改變手工生產的本質，不僅不能製造機械生產的產品，亦不能與機械生產競存於世界。故歐美製造業的經理人，雖盡量應用工商管理的新知識，以求降低成本，但絕不會鬆懈新產品新技術方法等的研究發展工作。然自由中國，科學管理像開會熱潮一樣地沖襲着我國行政界，幾非科學管理專家所言所行所倡導者，即無眞理無價値，而予卑視排斥啊！拍胸膛保證多發點國庫裏的鈔票何等慷慨，但正確引導行政學術的研究發展，卻需要眞知灼見眞實的功力。今年元月間，報紙上發表美援政大與密西根大學合作辦理公共行政與企業管理訓練計劃的通訊，閱讀之餘，發生疑點疑問，即致函政大校長劉季洪先生詢問：（一）合作計劃內之研究發展問題，是否將設立一健全的研究實驗部門，以自然科學家所習用的實驗方法，研究我國行政學術？（二）合作計劃[illegible]，是否將用以頂替尚待研究發展的行政學術，而施於政府的行政官員？（三）合作計劃中除圖書資料外，有無儀器設備與技術方面的援助？迄今僅蒙賜函告知俟籌備會成立後，再行答覆。茲特再公開請教負有行政職務的科學管理專家兩個問題：（一）科學管理是否即行政學術？（二）研究發展行政學術，改善我國行政效能，是否需要設備儀器及設立健全的研究發展機構？這個合作辦理的公共行政訓練計劃，令人困惑者尚有教材問題。我們行政機關迄今無完善周密的工作規範，可資彙集以作教材，使人研讀後即可辦理所担任之公務。如無技術性的實用教材，調訓公職人員有何利益？如果係教授科學管理的原理原則，短期內培養不成專家，半瓶醋赤手空拳地設計，或東抄西襲，恐將益增混亂與困擾耳！

戶政爲庶政之本，並且我國同胞無其他執照證件，可以普遍代替國民身份證，證明國民身份，故戶政不能不辦。茲再提出一個戶政方面的問題，藉以探討行政學術的研究方法：「反攻大陸光復沿海埠市後，如動員的戶政人員名額不超過市民人口的萬分之二，即一：五〇〇〇比率，能否三日內換發其市民身份證及建立其市民戶籍登記？」台北市四十九年底統計，辦理經常戶政業務的戶政人員與全市人口的比例是一：二六五八，但於此問題中所述者，顯係創業性工作；創業艱難乃世所共知，並且另有時間及戶政人員與人口比數的限制，故絕非人海行政技術所能濟事，而需要一種高效能行政技術的研究發展。對此問題，課員的胡亂規劃與委員的枕邊設計固不可取，頻頻的開會不能有所發展，談管理的專家亦難估量其可能，摸及其項背。茲因探討這個問題，需用的科學管理知識，所佔比例並不太高，並且科學管理渡洋後即轉化爲議題而殭化死亡，喪失其爲科學的靈魂而無生機，故於遭遇無處可抄，無處可搬，無處可購，無處可偷的情況，即束手無策；藉之處理行政問題則仍需乞靈於會議。

不容諱言，我國的行政學術知識十分貧乏，此行專家會發表「行政上的執行技術，手法甚多，運用之妙，存乎一心」的妙論，已足可證明彼無研究科學的修養與常識，更不諳行政爲何物，而令人噴飯捧腹。並且我國行政界人士對行政問題的研究設計，顯然均不能像科學家與工程師們，掌握着許多資料、數據、理論、公式與儀器工具等作設計工作，來得得心應手必然合轍。過去行政方面曾有許多優良的政策，失敗於執行技術的拙劣。當然因行政技術知識的貧乏，厘定政策亦易謬誤發生問題；就一般情況而論，我們大處着眼厘定之政策尚可，但對小處着手的功夫則缺乏傻勁去幹，故向談管理的專家請教有關人工繕寫技術方面的問題，必然一問三不知，（註：筆者亦不知，唯知行政上應用繕寫技能之處甚多，公家不應等待亦無時間容許等待私人研究之結果來應用），然而，科學卻大多建立在小處着手的精密研究分析基礎上，如我們僅大處着眼，而不去小處着手，實有背棄科學之嫌，則我國的行政學術永無發展充實之望，萬能政府亦必永是理想。故研究發展高效能戶籍行政技術，亦須由小處着手，將其所需用所涉及的一切均予詳盡精密的研究分析，即將其所需之法章規範、工作技能與方法程序，及物料與儀器工具等，均用科學方法做澈底而周密地分析研究發展，任一方面的疏漏，均將影響效能的增進。且在高效能的作業中，任一方面發生「運用之妙，存乎一心」的騷亂，均將導致效能降低。在這個研究發展的過程中，誠然處處需用高度的創造智慧，時時需要精密的心靈，但絕非隨心所欲存乎一心的「心」，而必須格物致知，充分應用儀器設備，如仍舊僅在書卷文案裏滾轉，在枕邊研究發展設計，則終將徒勞無益，虛度寶貴時光。

故此項研究發展工作，必須交由健全的機構承辦，而該機構應列有充足的研究發展預算，購有圖書儀器設備，由所需之各類專門技術人員作業，則可預卜有成。如變態爲具體而微的研究發展小組，亦難產生創造性的成果。概略言之，這種行政效能研究發展機構應包含三個主要研究設計部門：（一）法令規範部門——應任用法政專長人員，整理彙編有關法令規章判例，並撰寫詳細的工作規範、職位說明及辦事細則等。所撰規範應甚充實實用，使担任公職的人員研讀後，即可辦理其職責內的事務。（二）管理分析部門——應任用科學管理專長人員，研究工作技能、表式、程序，方法等，所需的知識資料除由中外科學管理書刊中搜集外，更須能應用工具儀器進行研究分析，腳踏實地作種種測定與統計，而不可重蹈空談管理之覆轍。（三）工具儀器研究發展部門——應任用工程技術人員及科學家，對行政特用工具儀器物料等，作周密的研究發展，以尋求性能品質優良的行政特用器械工具與物料。行政特用器械工具的重要，實堪與軍隊的武器，工廠的設備相比，拙劣與缺乏特用器械工具必限制行政效能的增進；採用不適宜的高價工具，亦將徒滋浪費。但是，我國行政界人士雖甚重視汽車、公館、辦公桌椅、冷氣設備與金筆等，似迄未理解行政特用工具之重要，迄未認識應將研究範圍擴展至行政特用工具與物料。行政官員缺乏行政特用工具觀念，不能了解所需特用工具物料，實與工廠經理人不知應使用何種生產設備，毫無生產常識同樣可恥，不能原宥。

（下轉第二版）

赫酋：「我不過來玩玩罷了！」

這野孩子會聽話嗎？

自由談

反共豈能無原則？

我們反共的目的，是反對那荼毒人類的共產主義及其政治制度，既不是仇視俄國人或其他鐵幕地區的人士，也不是私人跟赫魯曉夫和毛澤東之徒有甚末深仇大恨。這是反共的原則與立場，不能忽略，不可通融的。

這次聯合國大會中，阿爾及利亞總理彭貝拉演說，爲中共張目助勢之後，我國出席代表竟措然附隨着別國代表起立致敬。這便係違背反共原則與喪失自己立場的該死行爲，無論藉口任何理由，皆爲無可饒恕的荒謬舉動，非予以懲處不可的。據咱們那位糊塗代表的解釋，說古巴總統在聯大演說痛斥美國後，美代表史蒂文生亦會隨衆起立致敬，認爲這是一種國際外交上的禮貌問題，其意若曰，美國代表且如此，我們當然可以照樣行事。這可謂放屁放屁，眞正豈有此理！美國當局經常向俄帝要求妥協合作，跟毛共秘密談判和平共存，又隨時稱讚親共媚共的中立國家，難道我們亦可以效法美國的作風不成麼？俄共代表在聯合國每逢我國代表致詞時，即退席表示不屑傾聽，然我們的代表却對於胡說八道的共黨同路人演說，恭聽如儀之不足，繼之以起立致敬，今後還有甚末臉面談反共救國的話呢？

印度尼赫魯指中共進軍所謂「麥馬洪線」爲侵略，這是他承襲大英帝國的衣缽而然，不妨自言自語。但我國始終未曾承認滿英帝國擅自劃定的「麥馬洪線」，原係歷史的事實。可是，在海外代表我國執政黨立言的黨報，亦懵然拾取尼赫魯的牙慧，說毛共進兵麥馬洪線是「侵略」印度，豈非雙料的荒唐言論乎？因反共而不惜出賣領土，甘爲親共的中立主義者幫腔，試問這是甚末原則？又是那種立場呢？——這張黨報亦曾替海外某投共聞人的亡妻出喪而發消息，刊照片，大力捧場，恬不知羞也。

憑着這類莫名其妙的糊塗蟲，在海外從事外交活動與文化宣傳工作，而欲獲致反共救國的功用，誠如孟軻所說：「以若所爲，求若所欲，後必有災」，不知政府當局作何感想？

馮五先生

取決法國第五共和運命

戴高樂過一關　還有一關

前一關易過後一關難過

（本報巴黎航訊）一度爲震撼的古巴局勢，曾經吸引法國人民的充分注視。但即使在那時候，法國人最關心的，還是法國政客們這四年來對戴高樂總統的最大挑戰。在第一個回合中——十月廿八日的公民投票，戴高樂已經打贏了。

戴高樂爲了修改法蘭西第五共和國憲法總統選舉辦法而舉行的公民投票，其獲得勝利，在一般想像之中。這又一度證明：戴高樂在法國人民心目中，其聲望之隆，其所獲擁護之力，確已到了無可選擇的程度，幾乎可說是祂希望什麼，法國人民便給祂什麼，手揮五絃，目送飛鴻，唯戴高樂有之。這情形，在法國歷史上要算得前無古人了，至於是否後無來者，就祇能由事實去加以解答。

在舉行這次公民投票之前，戴高樂曾表示：如果投票的結果不能表現法國人民給祂以確實的信任，祂將自動下野，永不再來。現在法國人民給了祂所希望的竭誠擁護，戴高樂退位之事，當不會出現了。但獲勝公民投票，戴高樂祇是過了法國政客們向祂挑戰的第一關；祂還要過第二關，十一月初分兩次進行的法國國會議員選舉。

第一關是表示戴高樂作爲法國總統的地位，非常鞏固，但要戴高樂今後能夠得心應手的施政，不受法國政客們的掣肘，過第二關是必要的。而第二關卻不如第一關的容易過。

第一關的公民投票，比較簡單，因爲僅是法國人民是否擁戴高樂之爭，憑戴高樂今天的聲望，人們早認定祂過關不難。但第二關，情形要複雜得多，雖然戴高樂無比的聲望能夠相當影響選舉，卻顯然的不能夠決定選舉。那些向戴高樂挑戰的法國政客，眞正能夠威脅戴高樂的，也就在於這次選舉上。

這次向戴高樂大挑戰的法國政客，陣容空前盛大，從極左的法共，到中間的社會黨，到極右的大堆黨派，都團結一致，下了決心要逼走他，上月他們在不信任龐比杜內閣的投票中，表現了史無前例的合作，連擁護戴高樂的「新共和同盟」黨亦有三票倒戈。這情形遂構成了即將來臨的國會選舉是「新共和同盟」鬥所有法國各政黨之局，更嚴重的是：這不是「新共和同盟」與其他各黨的個別競爭，而是與它們的聯合陣綫競爭。在這形勢下，「新共和同盟」要打得勝之鼓，的確甚不容易。

依據戴高樂的計劃，他是要把第五共和國下的法蘭西造成爲一個擁有大權力的總統，在其五年任期之中，因爲總統是法國人民所選舉出來的，總統因爲超黨派，可以少受甚至不受黨爭的影響。經過這次公民投票，在憲法條文上，戴高樂此一理想，已經實現了，但這一憲法條文，能否實際施行於法國，就要決定於十一月初的國會選舉。

如果選舉中唯一擁護戴高樂的政黨「新共和同盟」取得多數席位，萬事大吉，戴高樂在他的剩餘任期中，固然可以爲所欲爲，而且，在那情形下，法國多如牛毛的政黨，也就可能接受現實，實行合併爲兩黨或三黨，一如英美的情形，那麼像過去法蘭西第三共和、第四共和的走馬燈式的「五日京兆」政府局面，很本不會出現了。但如果選舉的結果，竟然是那些政黨的聯合陣綫勝利了，在那情形下，在憲法上，戴高樂的總統地位，固然不成問題，但問題將出在他們會在國會中搗亂，一如上個月倒閣那樣，使戴高樂遇事要看他們的眼色，礙手礙脚。在那形勢下，戴高樂雖然可以再解散國會，但那必需在一年以後，戴高樂的個性受得了嗎？如果戴高樂一怒掛烏紗，他苦心孤詣搞起來的第五共和，可就難望不亦跟着「人亡政息」了。（頡）

香港與大陸

梅縣曾出現反共游擊隊

曾經打開糧倉讓百姓儘量搬糧　卒被共軍圍困有五名義士成仁

據新近由梅縣來港之青年學生鄭榮廣君向記者透露：梅縣本年五月曾出現武裝反共義士，他們曾打開糧倉讓人民取糧，後來共黨迫使人民上山捉他們，這些武裝戰士不忍射殺手無寸鐵的無辜人民，同時鑒於逃遁無路，實行壯烈的自殺了。

鄭君說：今年五月間的一天夜裏，位於梅縣城南郊的「夏萬秋」村，忽然有幾個農民，在挨家挨戶地小聲喊着：「喂，帶籮（裝盛穀物的器具）在萬秋樓有穀分啊！」不久，農民們果然懷着半信半疑的心理，挑着籮，走到往時是戒備森嚴的縣轄糧倉（簡稱縣倉）萬秋樓門坪，鄭君也是參與者之一。他說：那天夜裏集中在縣倉門坪的約有二百農民，微弱的幾枝洋油灯光下，可以看出那四名共軍武裝警衛員和民兵隊長及黨支書記，已被細縛在一起，眼睛被蒙着，嘴裏也被塞着東西。這時有一個陌生人高聲地說：「各位兄弟父老叔婆伯姆，我們是反共的游擊隊員，今天我們特下山捉生這些共匪，並打開縣倉，你們可以盡量去挑穀。但你們一定要好好收藏起來，爲我們還要去別處的，共匪一定會向你們搜查的……」話猶未了，農民們已蜂擁前去挑穀了。如此約半點鐘，那個游擊隊員又大聲地說：「喂，同胞們，你們要迅速的離開這裏了，共軍正趕着來了！」又大聲對那些被縛的共軍和共幹說：「今天我們不殺你們，但警告你們要當心頭顱，如果再妄作妄爲的話，下次到來，一定不會饒你們的。」說完向羣衆揮揮手，沿着大沙河向畲坑方向去了。

鄭君叙述說：這些游擊隊員剛離開不久，槍聲忽然響了，隨即有縣「公安」人員趕到，並命令被鬆了縛的共幹敲打緊急集合的鑼聲。農民深知這編集合是不能缺席的，否則會被加上「反革命」的罪名，因此大部份所謂「民兵」，「戰勤人員」及學生又重新來到廣場，共幹除大聲呵斥外，命令全體人衆立即出發，跟着前往追捍游擊隊。這些被編爲「民兵」「戰勤隊」的農民和學生，不得已，只得跟隨前往。至翌晨，他們趕到梅南的「牛坑」山下，當望見山頂有若干人在行動着，大家知道那些在山頂的人，定然是反共游擊隊員了。

鄭君說：初時，由共幹拿着喊話筒高喊游擊隊員下山投降，還恐嚇他們說已把這山頭重重圍住了，但答覆他的卻是一陣槍響。後來，共幹持着槍，迫令那些農民打先鋒，向山頂包圍上去，山上槍打下來，共幹亦發槍回擊。不久，衝到山腰間，有若干男女中彈倒下去了，隨即引起一陣哀號，有的在呼喊着自已親人的名字，有的卻在呼喊着「不要開槍……」，果然上面槍聲靜下來了。這樣，共幹更兇暴的迫令大家前進，大家亦就不得不前進。就在這人羣將接近山頭的時候，山頂又響起了一次密集的槍聲，之後又沉靜了。鄭君說：這些密集的槍聲，並不是向包圍他們的人羣射來的，而是那些反共義士不忍射殺手無寸鐵的同胞，而實行集體自殺了！他們一共有五個人，全都是廿多歲至三十來歲的青年人。共幹因此很得意，百姓卻無精打彩，萬分難過。

據鄭君說：梅縣出現反共標語已是很平常的事，反共的地下人員，許多固然是農民和學生，亦常常寫標語。自大饑荒後，大家簡直已把中共恨入骨了。（敬斯）

（本報星加坡航訊）政治不上軌道，經濟是無法搞得好的，印尼是一個現成的例子。印尼的米價近來上漲得很厲害，特別是棉蘭，米價之貴，破歷史紀錄，每公斤已超過一百盾——幼米賣到一百十五盾，最便宜的米亦接近一百一十盾。一個月之前的棉蘭米價每公斤還不過六十盾，差不多一漲便是一倍。印尼人有許多現在都在吃雜糧了，情形較好的人家的飯，亦祗三分之一的米，餘三分之二爲番薯，玉蜀黍之類。

印尼經濟一團糟

米價之貴破歷史紀錄　許多人都在吃雜糧了

十年來，印尼物價是直線上升的，如以一九五三年爲基數一零零，各地物價已如下例：

耶加達：一四九四（本年九月統計）。

巨港：二〇二三（本年七月統計）。

棉蘭：一五一八（本年八月統計）。

其餘巴東爲一七〇〇，泗水爲一一五〇，萬隆爲一三五〇，孟加錫一〇五〇，最少亦漲了十倍以上，多的且超過二十倍，如何得了？而凡此統計，起碼都是一個月以前的，目前又漲加不少了，只以缺乏官方數字，無法報導。加以人人明白，官方的統計數字並不可靠的，往往故意造假，欺騙民衆。印尼凡事向共匪國家學習，其統計數字自不例外。（可）

如何研究發展行政效能

（自第一版轉來）

而今時代亟需高效能的行政技術，行政官員如仍等待我國工商界爲謀利而自動研究發展行政特用工具物料，視之爲工商業者可請專利的事，而袖手不問不聞，堪稱無能無知；國外廠商爲我國行政機關自動設計製造行政特用工具物料，則更屬渺茫；故實需政府在這方面多動些腦筋，多用些公帑，起碼應能開列所需料具之希望性能與品質，辦理委託廠商代爲研究設計之事宜。抗戰勝利後，行政效能拙劣，接收工作辦的一團糟，應是血淚教訓。反攻大陸時，如無高效能行政技術的運用，亦必使同胞流更多的血淚，遭受更多的痛苦，而令人憂心忡忡。今後如能設立行政效能研究發展機構，則其工作的起點，不是研究政府組織，行政法，職位分類與績效預算等等，而應先將行政應用的技能程序方法與料具等，依基層政務區分，一一予以科學研究與細密分析，以制定工作規範與改進特用料具設備，而後根據統計資料等推算各級層行政機構之組織編制，始可免除隔靴搔癢違背公理之譏。

這種研究發展機構，必須購置充足的儀器工具，任用專家操作研究，故不宜准許各級機關均設置此種單位，如此不僅可免除人力財力分散與工作重複之弊，且無必要將其分爲中央及省二級，中央級者以研究設計有全國性之政務及中央政府特有之行政問題爲準；省級者隸屬省府，以研究設計省區內特有之政務爲限，是可應付通常需要。中央級行政效能研究發展機構之隸屬，如遵照國父遺教及權能組織與制衡原理，應隸屬立法院；如依照憲法與慣例則應隸屬行政院；但在國外委託商辦者亦有實例，此法可免除許多無益的掣肘與限制，必較經濟，收效較速。

筆者懇誠奉勸愛國之士慷慨資助或投資，研究發展行政特用料具可獲專利，甚至二年內收回所投資金殆可預期。設立此行政效能研究發展機構，如暫將其研究範圍限於高效能戶籍行政技術之尋求，所需費用並不太多；限制各級行政機構，減少開會次數一半，或削減部份鋪張設施所節省之費用，必可足供其一年之需。即使另籌經費，亦不應有甚大困難，其成敗之關鍵唯在愼思與認識耳！

總括前述結論如下：（一）行政機關的會議效果甚低，且非無法避免。限制之手段實甚簡單，即各機關召開會議，其主官需事前詳述必須召開之理由與目的，申報上級核准，及命後必須呈報開會成果。如此，將一些想要開會的意念轉化成文章時，已可濾去一半，會議政治的漩渦亦非無法衝破，使行政學術知識發展充實，並能靈活應用於行政後，這個漩渦將自行平息消滅。今後如仍隨波逐流，則永無止期；如即予硬性阻止，亦將徒增混亂，積極研究行政學術乃爲治本之道。

（二）科學管理與行政學術不能混爲一談。行政管理誠需應用科學管理知識，但應明瞭其增進行政效能之限度，且不可疏失使科學管理喪失其爲科學之靈魂，而貽格格不入殭化變質之譏；更不可抒獨尊心理，阻滯行政學術的研究發展。現今我們實需積極設立健全的行政學術研究發展機構，購存圖書儀器設備，交各類專門技術人員作業，由基層政務着手研究工作，始克有成，以適應時代需要。

（三）戶政爲庶政之本，且其業務單純，優劣易於判斷，先行積極研究發展高效能戶政技術，實爲較易建立之灘頭陣地，證實一切。如此雖然稍嫌偏重於應用，已可爲我國行政學術開創一園地，並可提供一科學研究發展方法，促使我國行政界重視行政特用料具，形成尋求高效能行政技術之欲念，則我國行政學術有所進步已可預卜。筆者見識淺陋，錯訛之處，請賜指教。

（本報訊）澳門消息：十一月四日天氣驟趨寒冷，猛刮北風，的六十四度氣溫之下，中山方面又有老農民攜幼，分乘小船，逃亡抵澳，在本澳黑沙灣登陸，由郊區流亡難胞，因以救濟會給予安置。據他們說，他們逃亡，職業再寫信向澳門親友叫先行返鄉，還表示：常過着吃不飽的生活，最近天來臨，多已完全沒有衣物，共年大寒就到了，禾稻被利用，又不准他們游澳寄塞，今年衣禦人返鄉，情況更加慘了。（靜）

一個西藏人談西藏事

——憂心如焚話『幻燈』——

建　瓴

血淋淋的經驗告訴我們，我們在大陸一敗塗地，並非因毛匪集團裏的分子都是三頭六臂，擁有什麼了不起的實力，而其根本原因，完全是由于我們作繭自縛的內在矛盾所致。大人先生們對這種矛盾的害人不淺，也會說得肝腸寸斷，沉痛不已。

但想不到在已越「十年生聚」的目前，老習慣還是依然故我，似不可移。如本年八月三十一日，在台北某晚報的「新聞幻燈」裏所「幻」關于西藏敵前政治行情的「新聞」之「燈」，就是一個最實在的例證。它眞使我憂心如焚。

某晚報記者所「幻」的這個「燈」，並未說明其來源和根據。但就中央社的重視此一「幻燈」，將它加以轉發，教香港報紙列爲第一條新聞的形勢觀之，則如此「幻燈」所發表的這個「新聞」，不僅事出有因，抑且具有權威性。

爲了表示其權威性，該「幻燈」首先以政治學上的公式，給西藏人創制了一個「貴族院」的新名詞；並加上註解說，這「貴族院的貴族」，即「相當於內閣閣員」。它更進一步證實：「這些貴族在西藏的聲望和勢力很大，自唐朝以迄於今，他們都是在西藏負着宗教及政治上的實際責任，……他們的話，在西藏是很有影響力的。」

儘管政治是最現實的東西，但貴族政治的時代早已過去了。西藏的「貴族政治」，在毛澤東帝國秉承布爾塞維克的故智，來發展「人造革命」的情勢下，已面臨嚴重而深刻的歷史考驗和劃時代的結局。因此我不懂這個「幻燈」之所以熱中于「貴族」，並盡情強調其聲望、勢力及影響力的「很大」，究竟爲了政治上什麼作用？

我以爲「前貴族院的貴族」，自唐代至今，就在西藏政教上負了實際責任，中間沒有發生過一點變化的此一說法，還不夠強調的味兒，應當說從開天闢地到現在，他們就統治了西藏。這樣豈不是更正統化，更聳人聽聞了嗎？

西藏方面的反共人士即將來台要求政府積極支援，是促進反共團結的現象。所以該「幻燈」所披露的這個「消息」，必使渴望統一反共陣綫，戮力同心，爲拯救大陸同胞而戰的人們，感到振奮。可是該「幻燈」說：「那將來台的西藏貴族，他們一直反對流亡政府，他們也是主張西藏自治和自覺（決），反對西藏脫離政府的懷抱。」

據該「幻燈」透露，西藏反共人士，特別是即將赴台的人士，「一直反對」西藏流亡政府的理由有二：一爲因嘉樂頓珠（達賴次兄）「私心自用」，將西藏的公函擅自運往美國去做「鼓動西藏『獨立』之活動」；一爲因嘉樂頓珠在西藏並未作過官，但自達賴喇嘛到印度以來，他成了「舉足輕重的紅人。」

無疑的，這兩個「一直反對」的理由，不但對嘉樂頓珠是一項屬于戰術性的直接轟炸，同時它對堅決反共的達賴喇嘛，也構成了一種屬于戰略性的間接攻擊。

但據「幻燈」說：「嘉樂頓珠年前有代表達賴到台灣來的意思，但是他卻提出了一個現在不能辦到的條件：允許西藏獨立，不在這個原則之下，他不來台灣」。又說：「嘉樂頓珠日前也有一封信給此間，表示仍希望能到這兒來一趟，但是他開出的條件，還是要政府答應西藏獨立、這個條件政府是不能接受的」。至于「影響力很大的貴族」的赴台，據「幻燈」透露「確實行期，還沒有定出來，但總是在最近，不會太遠的。」——可是迄今尙無消息，

毫無疑問：這個「幻燈」不但具有它自以爲是的充分的權威性，而且它活像是在代表政府發表「政治公報」。中央社的所以要重視它，大概就是爲了這個緣故吧？

在敵前西藏政治行情裏所存有這「一直反對」的內涵和外延，要不是這個「幻燈」給「幻」了出來，我們從那裏去知道？看這個「幻燈」，我的感覺是：就像看「分屍幻燈」一樣，不禁毛骨悚然！（上）

天南風光

——沙羅越的歷史——

朱淵明

沙羅越爲北婆羅洲之一部，在北婆三邦中是最大的一邦，其土地面積約四萬七千五百平方英里，差不多與馬來亞聯邦現在之領土面積相若。但在整個婆羅洲說來，沙邦不過約佔全島面積六分之一，而北婆三邦，又只佔全島面積約四分之一；南婆羅洲之面積，則佔全島四分之三強，因整個婆羅洲之總面積，共爲二八七・四三三平方英里也。

但據地質學家與考古學家的意見，都認爲在最古的時期，婆羅洲同印尼的爪哇，原是相連在一起的。就是蘇門答臘這一隻火腿形的長島，也是與婆羅洲相連的。甚至在更古的時期，連馬來亞與婆羅洲也是不分的。等於說：都是亞洲大陸的一部份。那自然不知是幾百萬年或幾千萬年以前的事了。

在公元一九五六年，沙羅越政府，曾做過實地考古的工作，想把史前石器時代的沙邦歷史考證一番，初步工作，就是發掘第四省的尼亞洞。那個洞，離尼亞河有一英里，在下諸蘇比斯石灰石山中，只要走近洞口一看，就可發現那地方曾經住過人類，而地下必然有遺物埋藏。這個洞，是非常的大，又高朗，又廣闊，而且比其他的洞光亮得多。因爲洞口光亮，所以蝙蝠及海燕，就不常在那裏停留。既無蝙蝠，所以沒有鳥糞積下；既無海燕，所以沒有燕窩集結；因爲它們都是喜歡在暗洞裏爲家的。沙羅越其他的洞，不下三十多個，都因有燕窩及鳥糞，就常常有人去摘取與挑動，遂不免破壞了古代的遺蹟，以致難以考察。

尼亞洞口，非常的乾燥，而且還有極特別之處；就是那些石灰石洞壁上，有些像冷氣裝備一樣的作用。據在那裏工作的人說：在掘土的時候，不但無熱帶氣候的困累，且會感到涼爽，因之工作甚爲愉快。也可能就是因爲尼亞洞這種特點，才會使古代的遺物保存得較爲完善，而與別處斷續發現的不同。

（壹）

新唯美觀的公道社會（一）

整個世界面目在變，整部世界歷史在變，王朝在變，殖民地在變，氣候亦在變，變，變，變，而且變得厲害；難道社會制度不變，傳統風氣不變，還可在這個大時代，新形勢下站得穩？

聯合國在研究變，各國基金會在研究變，除了研究應付共黨正面挑戰的巨大鬥爭之外，我們不能不沉痛地正視造成今日這個巨變的因果。

一句話，社會病態太多，加上魔星的挑撥，如不加速作正常的改變，魔星就爲你作痛苦的改變。

利用病態是魔星的唯一武器。病態遍佈社會，魔星的陰影也就籠罩人世間。惟有舉高公道的火炬，陰影才會全部消滅。

最近特別多的熱心者要重整思想的理論體系，來使更有效的對抗魔星的陰影。但談什麼？研究什麼？我還是最尊崇大詩人惠特曼那句話：「離開人，萬般都無足貴。」讓我就以人的價值，來執行人的權利，談談我所想望的社會。

首先，我以爲要有一種正確的人生觀的建立，才是一個正確的社會的建立道路。

古老的舊道德藩籬已被衝破，新道德的標準還未見確認，人類社會的公共行爲，就無所依歸，天下之亂便如禽獸。

當前這個人類社會的眞空，惟有促進一種「新唯美的人生觀」，才能塡補。

我以爲，有樂觀的思想，才有樂觀的人生；有和平的思想，才有和平的世界；要想享受香甜的蛋糕，也需先有鮮美的雞蛋；人們若吞下毒藥，亦必然會接受死亡。這些完全不是什麼深奧的道理，這祇是極之平凡的常識。

「新唯美人生觀」就是從平凡的事物中，求出來的平凡道理，沒有什麼新奇的內容，如果說有，那也祇是人類追求合理生活的需求，享受的慾望，理想的鵠的。

「沒有希望，沒有明天」。這句話亦早已成爲通俗的語言。人類文明的延續，歷史的創造，生命的光輝，都因有這一句最通俗的語言所鼓舞。

「新唯美觀」就是人生鼓舞的原泉，一種從人性的本能所發掘出來的道路，使迷途的人生，淸楚前途和目標。

瀛君續夢

烽火照邊陲　同惡難濟

樓船礙橫海　大憝興戎

第六回：

周恩來問道：「依你的看法，我們這次和印度談判，他們最低的立場是什麼」？

潘自力苦笑道：「尼赫魯的立場只有一個，凡是他們認爲是印度的領土，我們都該退出，包括新藏公路經過拉達克的一段。」

周恩來道：「那這就未免强人所難了。我們死了兩萬多囚犯才修通的新藏公路，怎會輕易交給印度，尼赫魯眞要這樣作，就只有破裂了。」

第二天，尼赫魯請周恩來吃飯，飯後就開始談判，中共方面是周恩來，陳毅，潘自力，印度方面是尼赫魯，梅農及尼赫魯的女兒——國大黨主席英格拉・甘地夫人。

周恩來滿面堆歡，向尼赫魯說道：「親愛的首相先生，我們兩國竟然發生了邊界事件，實在是極不幸的事，無論如何我們這次要作一徹底解決，就算中國吃點虧也沒有關係，橫豎又不是割讓給英國，美國。我們自己人沒有商議不好的事。」

尼赫魯瞪着一對山蟹眼，木然沒有表情，等到周恩來說過之後，緩緩說道：「中印之間本沒有邊境糾紛，只是貴國一聲不響把公路修到我國境內，又不准我們軍隊去巡邏，才發生衝突。只要總理先生下一個命令給貴國邊防部隊，把我們的領土退還給我們，什麼事都沒有了。」

周恩來陪笑說道：「首相先生，我們還是要從長談談，在這段，新藏公路也許有一部份經過拉達克的邊界，那是勘測路綫時發生錯誤，決不是有心侵佔印度領土。本來這在兩個友好國家，應該不會引起誤會的。例如印度自一九五一年就佔領了麥馬洪綫以南九萬方哩中國土地，中國政府從來也未提過抗議。」

周恩來還想向下說，英格拉・甘地夫人突然插口說道：「總理先生，你的話我們有點不大明白，麥馬洪綫是中印分界綫，麥馬洪綫以南自然是印度的領土，你怎麼說成是侵佔中國的。」

陳毅一看甘地夫人開口，馬上當仁不讓，搶先說道：「小姐，麥馬洪綫是英國人留下的禍根，中國歷屆政府都未承認過。但是，因爲印軍已經佔領了這個地區，我們仍然尊重它，所以我軍從來也未越過麥馬洪綫。」陳毅說時，眉開眼笑，手舞足蹈，頭幾乎伸到甘地夫人胸前，後腦上剩了幾根頭髮，擦的香噴噴地只向甘地夫人鼻孔裏鑽。

英格拉・甘地夫人眼角也不看陳毅，冷冷說道：「關於麥馬洪綫，國民黨政府眞的未曾承認過。」

陳毅不等英格拉・甘地夫人向下說，連忙搶着說道：「我們也未承認過。」

英格拉・甘地夫人冷笑道：「我們佔領了麥馬洪綫以南九萬方哩地區，設官分治，安卡收稅，你們未曾提過一紙抗議，可見你們是默認了。」

陳毅看看周恩來，四目相視，無話可說。

尼赫魯接着說道：「不僅是默認，一九五五年總理先生來訪時，當面承認了麥馬洪綫爲兩國分界綫，我們都有證據。」（一五〇）

琵琶記作者

憶玉軒雜綴

藝專國劇科畢業的小名旦宋丹昂，其尊人從余所議，仍飭在淡江文理學院攻讀，課餘偶或演出，劇藝頗精進。近閱其在報章發表琵琶記的評介，長近八九千字，論得頭頭是道，想是在學院修中國文學，很有心得，故而獲得覺生獎學金。她在評介文中所說琵琶記是元末高明所寫，爲一部不朽的劇本。高明是浙江溫州人，溫州在南宋是南戲寫作和演出的中心，因此南戲當時稱爲「永嘉雜劇」。如此寫出，也許丹姪尙未完全明瞭，此記作者尙有曲折。

長洲吳瞿安梅，爲五十年來有名研究南曲的大家，民初在故都，極負盛譽；抗戰時在昆明西南聯大執敎，桃李滿業。祂曾寫一本關於崑曲的名著，曰：「顧曲塵談」，卅年前，由商務印書館出版。祂在談曲一篇，將所有南北曲作家，言之詳盡，對琵琶記有一段記述：

『琵琶記明人以爲高拭所作，非高明撰，可見明人僅論文字，不論詞采掌故也。按堯山堂外記，謂作琵琶記乃高拭，其字則誠。朱竹垞靜志居詩話引之。而復云涵虛子曲譜，有高拭而無高明，則蔣氏之言，或有所據。王元美「藝苑卮言」，亦云南曲高拭則誠，遂掩前後，是明人均以則誠爲拭也。不知高明乃字則誠，高拭別字則成，或與誠字形旣相似，而聲又相同，且同爲永嘉人，所以貽誤至今。則誠六七歲時，卽穎異不凡。鄰有尙書某，緋袍出送客，則誠適自塾師處歸，時穿綠衣。尙書戲謔之曰：「出水蛙兒穿綠襖，美目盼兮」。則誠應聲曰：「落湯蝦子着紅衫，鞠躬如也。」尙書大驚異，稱爲奇童。惜乎則誠在至正五年，張士堅榜中第，授處州錄事，辟丞相椽。明太祖聞其名，閱其琵琶詞而善之，欲召至金陵，以老病辭，尋卒。』

談聯

中國的文學深奧，淵博，非西洋文學所可擬。而文學之中，分出詩詞歌賦以及散文說部，種類亦較西洋文學爲多姿多采。再有一種製聯，能在數十字或十餘字，七八字，把所懷的意思，表達出來，更是神妙；現在時代日新，或認爲此已無足稱道，可是逢到喜慶婚喪，沒有這聯句，就不能生趣，徒然幛子花圈，其表達也極微，祇是喜哀一點意思，余以爲差得遠了。（未完）

遜清宮女　翠雲秘辛

陳澄之

九、眞正英雄也

清廷軍諮使，新任宗社黨黨魁良弼，醉醺醺地忙問姬妾，怎麼一個個都嚇得人不像人，鬼不像鬼的？

「請到書房裏來看！」

不知道那裏飛來一口寶劍，沒有了鞘兒，平放在祂的書桌當中，下面壓着一封書札。

良弼仗着酒性，拿起那口寒光逼人的寶劍，仔細端詳，看到劍根上有字，高聲朗讀了出來：

——天下爲公！

他默默地放下那口劍，抽出那封書札來閱看：

——汝若不及早放棄倒行、逆施之反革命活動，如組織宗社黨等情，日內必斃，請自斟奪！

良弼看畢這警告，酒全醒了，反轉身來就又出門，連夜直奔肅王府，召集滿清反對共和的大小親貴，密切討論了整整一天工夫，放棄宗社黨組織，何異乎促滿室早亡？

「你的胆子也太小了，」載洵鼓勵祂道：「做大事的人，接到封把恐嚇信，那値得大驚小怪？」

大家都認爲這話有理，良弼也就硬朗起來，不再駭怕。

這天，良弼在軍諮使署兵勇的嚴密戒衞下，同到西城紅羅廠自家門前，才下車，就聽見門上聽差走近稟達：奉天輔武堂監督崇恭拜謁。

聽差的話猶未說完，客人提着一隻包袱來到良弼跟前。

「昨夜裏我們翠雲女同志送達的一書一劍，你旣已見到，還頑强地不聽勸告？」祂說時包袱內已在冒烟。

「你是什麼人？」

「我是革命黨彭家珍！」

「祂不是崇恭！快抓人……」

良弼的話還沒有脫完，包袱裏轟然一聲，彭家珍被炸破了頭，立刻死去。良弼的左腿被炸得飛上了天！

兩小時後，甦醒過來，良弼一把緊抓住祂母親的手，緊咬着牙，忍着劇痛。

「昨天那位送寶劍和書札來的女人，你們可會有人遇見她？」

圍立在榻前的女眷，無不搖頭，誰也沒有遇見那個女志士。

「黨人出入我們親貴宅邸，如置身在無人之境，清朝不亡，是無天理！」

良弼重傷，又拖延了兩天，臨終時，頻頻自言自語：「殺我者，眞英雄也！」

從此滿洲親貴，人人自危，再也不敢有人胆敢公然反對共和了。

隆裕太后和攝政王召開了好幾次御前會議，會來議去，親貴們始終爲了自家旣得權勢，一直拿不定主意，各有各的私見，拖而宕之，不切實際，這可氣惱了一個人！

這天又在御前會議，外面呈上來一份急電，隆裕太后命令攝政王當衆朗讀，其中有句：

——……人民心理傾向共和，應請渙汗大號，立定共和政體，以安大局而奠羣生。……如各親貴尙懷疑懼，或以共和爲不利，(段)祺瑞當帶全隊入京，與各親貴剖陳利害！」

此電一到，大局急轉直下。

葉醉白畫馬歌

——爲葉將軍第二次畫展作

易大德

曾聞葉公畫龍非眞龍，眞龍見之爲歛容，今看葉侯畫馬殊眞馬，眞馬對之轉粗野。乃知方家體物重精神，君更得吉自先人，眞馬眞龍奚足貴，貴求美善配其眞。我識君在君馬後，因馬爲介成君友，今年新馬又登場，豈得旁觀袖其手？君馬古今信無過，恨不能邀杜老歌，揮毫妄作丹青引，才薄將奈君馬何！曹霸眞龍嗟喪失，韓幹畫肉工部惜，文敏徒饒蕭散趣，郎君（世寧）巧運中西筆。近世劉（海粟）徐（悲鴻）務獷粗，幾令神貌兩模糊，天馬神龍何處有，悵望千秋一嘻吁！天爲藝壇生醉白，能於畫苑創新格，人間幾見眞乘黃，寤寐求之今始得。葉侯畫馬表其忠，險夷生死與人同，大漠揚蹏摧蠢幕，沙場振鬣挾霜風。葉侯畫馬尙其志，雄傑都含飛動意，炎驥遙馳千里心，神駒直踏兩京地。葉侯畫馬奇其姿，矯若游龍悍若熊，橫跨天岸騰雲際，不同鞍馬立丹墀。葉侯畫馬森其骨，足勁瞳高肆奚兀，掉首千金作長鳴，凜然大節羞動閥。葉侯畫馬明其倫，一馬孤標二馬親，君馬倡行亞馬屆，母馬仁慈子馬馴。我爲君畫會三記，茲役適與昔年異，無軸不臻美善眞，無匹不見仁勇智。千二百年此奇觀，異軍突起邁曹韓，畫中寧止抒情性，要瀝義胆披忠肝。邦人容有存觀望，覽君之馬心爲壯；邦人客有嘆途窮，覽君之馬氣爲雄；邦人客有安南命，覽君之馬飭爲勁。王師還戍十三年，未許長屯滄海邊，倘得有此騰驤三萬匹，以獻元戎掃幽燕，料應所向必無前！

編者附註：葉醉白將軍曾在大陸久歷戎行，迭經戎陣，唯賦性恬淡，嚼然有所不爲。自大陸淪陷後，逃離入台，釋甲息機，而以繪事自娛，尤嗜畫馬，落筆超凡拔俗。年前美國駐華大使館新聞處，曾將葉氏畫馬，搜集刊印成冊，宣揚中外。最近在台美軍顧問團團長之女公子戴倫小姐，將拜葉氏門下習畫。易大德先生此篇之作，洵非過譽，然非將軍之志也。

海嶠圖談薈

偶憶羅君強（一）

諸葛文侯

我在悼念故人陳芷汀的文字中，曾提到羅君強其人，他跟我共事有日，又是同鄉，彼此相處亦不壞，不妨順便談談。

民國十六年國民革命軍下長江，進入華北後，國府奠都南京，中央軍官學校率先在金陵成立，周佛海受任軍校政治總教官，繼兼長革命軍總部政訓處，佈置伊始，亟需人相助爲理。時羅君強以上海大夏大學學生，用世心切，馳赴南京投効，然苦無路請纓，一夕至某旅社訪友，瞥見旅客名牌上有周佛海，知其爲湘人，卽投刺晉謁，周與晤談，悉爲高級知識青年，正合需要，乃挽其參加政訓處籌備工作，職司文書，寖受周氏賞識，成爲親信幹部。然羅急求仕進，而周此時無能爲力。民國廿一年夏，楊暢卿（永泰）拜命爲「豫鄂皖三省勦匪總部」秘書長，佛海推薦羅君強於楊氏，楊與周交誼滋厚，乃委羅以秘書職務，我跟君強相識共事，卽在此時。

君強爲人熱中功名富貴，而賦性陰鷙不測，遇事爲目的不擇手段，罔顧一切。民國廿四年他隨楊秘書長入川，鬱鬱不得志，會對我大發牢騷。楊知其小有才，但慮其修養不夠，尙待陶冶，未予拔擢，君強乃向周佛海陳情，周曾函楊秘書長爲之說項，迨重慶行營設立，楊自兼行營第二廳廳長，而以君強爲副。楊曾私語愚曰：「你這位老鄉自命不凡，我怕他將來要闖禍啊！」證以日後羅的行爲，暢卿先生確有知人之明。

對日抗戰軍興，中央政府移入渝州，軍委會隨亦遷至巴蜀，原有的「重慶行營」撤消，君強奉命轉任行政院參事。

在行營未撤消之前，君強已同至南京，於「七七」事變發生後，助周佛海創設「藝文社」，担任總幹事，藝文社的職責爲文化統戰工作，經費出自國庫。中樞由南京播遷武漢時期，君強專司藝文社職務，生活尙優裕，燕居多暇，會於社交場中，結識一粤籍孔姓女郎，終且訂盟白首，正式同居，然竟以此招禍，挺而走險，投奔汪政權去者。

原來這孔女士是一位交際花，在武漢時多識文武顯要人員，自與羅君強同居後，洗盡鉛華，謝絕應酬，而使若干拜倒石榴裙下者大感失望。旋武漢撤守，她隨羅赴重慶，卜居「至聖宮」之張氏別墅中。君强以政院參事位高而職閒，不時携同新歡徜徉舞榭餐室間，樂也融融，詎遭妒者嫉視，造作蜚語入告，謂行政院參事羅某行爲不檢，昕夕携帶不良少女，出入茶樓酒館，恣意揮霍，有悖領袖所倡導的戰時生活，荒廢職守。院長聞之震怒，卽明令予以撤職查辦的處分。斯時周佛海業已出走，君強內心頗不自安，忽聞此嚴譴，更感前途凶多吉少，如是表面故示鎭靜，暗中決計離川，要往香港追隨舊居停了。

台灣與鄭成功

·陳雪英·

清廷誅戮鄭氏宗族的消息報到台灣，成功聞報，痛哭，命諸鎭守喪孝，誓復明室，驅除韃虜，以雪深仇。當是時，菲律濱華僑因久受西班牙人的壓迫，聞成功開闢台灣，皆很興奮，乃遣人至台灣謁成功，請乘勝進攻呂宋，以爲策應。成功乃先遣李科羅赴馬尼拉，說呂宋總督入貢爲名，暗中刺探情況。而華人妄先舉事，竟遭西班牙之慘戮，或逃入山爲土番殺害，或駕船逃入台灣中途遇風葬身於波濤，死者不計其數。

又有明兵部司務林英變服爲僧，逃入台，報告緬人執永明王獻吳三桂，且云帝已被害。成功聞此慘變，萬分痛切。旣痛君父之慘遭誅戮，且恨西班牙人屠殺華僑，又傷沿海居民之受凌辱壓迫，漢奸之威嚇同胞，而爲之悲憤交集。永曆十六年（公元一六六二年）夏五月朔，初成功因感染風寒，疑係惡性瘧疾，但每日猶强登將台，持遠望鏡窺海。

（十六）

安平古堡

·燕謀·

安平古堡，在台南西郊安平區安平港北首。堡本爲荷人熱蘭遮城。明萬曆末，荷人據台，在一鯤身海岸，卽現之安平，築一炮台以備防禦。崇禎三年至十三年間，復築內外城廓，稱「熱蘭遮城」。城基方廣二百七十六丈六尺，高凡三丈有奇，分兩層，各立雉堞，釘以鐵甲，瞭台星佈，凌空縹緲，遍置機弩炮位、螺梯氣洞，或實或虛，難以迹求。城堞磚砌，層疊悉以糖水糯汁搗蠣灰黏合，堅不可劈。荷人卽據此制覇東洋貿易。因係荷人所建，故又名「紅毛城」。明永曆十五年鄭延平郡王克赤嵌樓後，卽圍此城，七閱月，荷人終不敵，請降。鄭氏克此城，居之，因又名「王城」。今日的古堡之上，建有西式平房一幢及一灯塔，鐵殼其外，髹漆爲白色，頂作圓形，高一丈七尺。晚間灯光每四秒亮閃一次，光芒射港口十哩之外。堡前有石碑一基，鑄有「安平古堡」四個大字，筆跡渾厚雄勁，爲遊人攝影之背景。堡之右側並列古炮三尊，銅鏽斑斕，古意蒼然，與鐵塔相映爭輝。

內僑警台報字第〇三一號內銷證

自由報

THE FREE NEWS

第二八六期

中華民國僑務委員會頒發台教新字第三二三號登記證
中華郵政台字第一二八二號執照登記為第一類新聞紙類
（半週刊每星期三、六出版）
每份港幣壹角
台灣零售價新台幣弍元
社長：雷嘯岑
督印人：黃行審
社址：香港銅鑼灣高士威道二十號四樓
20. CAUSEWAY RD 3RD FL HONG KONG
TEL. 771726 電報掛號：7191
承印者：田風印刷廠
地址：香港灣仔高士打道一二二號
台灣分社
台北市西寧南路壹壹零號二樓
電話：三〇三四六
台郵撥儲金戶九二五二

從這次代表權表決看問題

・宋文明・

本屆聯大中的中國代表權問題，經過一個多星期的辯論與四十多個國家發言後，已於十月三十日舉行表決。由於本屆聯大對此問題所接獲的提案，除了蘇俄所提驅逐中華民國代表而代以中共一案外，別無其他議案，所以這次的表決，也沒有去年那樣複雜。在這次表決中，計贊同蘇俄這一提案者有四十二票，反對者有五十六票，棄權者有十二票。贊同與反對兩者的差數達十四票，這比去年十二票的差數還多出兩票，顯已看出蘇俄與中共又遭受了一次打擊。

去年聯大對蘇俄同一提案的表決，計贊同者三十六票（原棄權一票後來又聲明改為贊同，本應照三十七票計算，但世人仍從前者），反對者四十八票，棄權者二十票（或十九票）。因此本年對此問題的新的表決，贊同蘇俄提案者較上屆淨增六票，反對蘇俄提案而繼續支持中華民國者，較上屆淨增八票。新增支持蘇俄提案的這些國家，一部份是本年剛獲獨立的非洲新國蒲隆迪，阿爾及利亞，及烏干達三國。除此之外，還有坦干尼卡，突尼西亞和賽國等，也改變了過去的棄權或反對態度而改投贊同票。至於反對蘇俄這一提案而支持中華民國的這些新增票子，主要是來自於非洲法語集團國家。在這一個十二國集團中，去年有七國曾對蘇俄提案實行棄權，而在這次表決中，它們都改投了反對票。這七票再加上剛果（利城），盧安達，牙買加，及葉門（代表皇室舊政府）票子，使支持中華民國的票子遂淨增了八票之多。這也看出這次表決中雙方票數的所以發生變化，以及中華民國多數的所以稍有增加，完全是由於非洲國家態度明朗以及法語集團各國全體支持中華民國的結果。假若非洲法語集團各國和去年一樣，有一半以上國家繼續實行棄權，那麼本年代表權問題的表決，又將是另外一回事。

現在由於本屆聯大對中國代表權問題作了這一多數決定，所以除非時局發生重大意外，在最近將來，這一問題將不至再行提出。但在這次表決與辯論中，我們却已發現若干新的問題。這些新的問題對於中華民國的整個外交，以及對代表權問題的本身，自然是具有重大影響。這些新的問題主要者為：

首先，由這一提案的表決可看出某些國家對中共態度的逐漸轉變。在這次表決中，有些外電非常注意英國，巴基斯坦及瑞典這些國家的支持蘇俄提案。其實這些國家早於上屆大會已經改變態度，公開支持蘇俄提案，這次繼續支持，自不足為異。衣索西亞和塞拉勒窩兩國雖至今仍未承認中共，但這兩國亦於去年支持過蘇俄提案，所以本年的表現亦在意料之中。坦干尼卡，阿爾及利亞，及烏干達三國，均已承認中共，尤其阿爾及利亞已與中共建交者達數年之久，所以它們的支持蘇俄提案，也沒有特殊意義。至於賽國，它已正式承認中共，並與中華民國斷絕外交關係，所以改變態度支持蘇案，亦屬勢所當然。在這一轉變中最值得重視的，我覺得是屬於蒲隆迪與突尼西亞兩國。蒲隆迪原屬非洲比到時託管地之一，於本年七月與盧安達分離而另行建國以來，與我一直保持良好友誼。時至最近，蒲隆迪不但沒有承認中共，而且在補行獨立典禮中曾予中華民國的特使以特殊榮譽，因此現在蒲迪隆突在中國代表權問題中支持蘇俄提案，頗有點出人意料。再說突尼西亞，它過去在國際外交場合一直採取溫和穩健立場，尤其對中國代表權一事，從不作偏袒表示。而現在竟改變過去棄權態度，正式支持蘇俄提案，便表示突國的整個外交立場已有變更。因此從這次表決看今後我們對非洲的外交，便知對於衣索西亞與塞拉勒窩兩國，我們根本沒有爭取建交的希望；而更糟的，蒲隆迪與突尼西亞兩國，很有可能在最近將來，就要轉而承認中共。對此一點，我們自必須予以注意。

其次，從這次表決及辯論可看出「兩個中國」暗流的繼續滋長。這種「兩個中國」的暗流，主要見之於：（一）在這一表決前的最後一分鐘，非洲有些國家會計劃實行「兩個中國」辦法，即一面允許中共入會，另一面仍繼續支持中華民國的代表權。祇以沒有國家願公開首倡此議，提出這一計劃，遂作罷論。（二）紐西蘭代表考奈爾在聯大演講，堅決表示反對蘇俄提案時曾謂：「聯合國在表決可否允許中共入會前，必須考慮到中華民國的代表權」。（三）非洲國家稍前在聯大發表一般性政策演講時，屬於非馬聯盟（亦即這次全部支持中華民國的非洲法語集團）的塞內革爾，上窩爾塔與中非共和國三者，都會表明它們贊同中共與中華民國代表同時留於聯合國之內。（四）英國代表於投票支持蘇俄提案以後，會聲明：「我們雖與印度持同一見解，認中共政權為代表中國的合法政府，但我們必須申明有關台灣主權問題，並不因此已獲解決」。（五）馬來亞代表在解釋其何以棄權時說：「我們絕不能支持一個忽視台灣人民對維持它們不同的政治單位與存在而加以自由選擇的決議」。（六）烏干達總理奧勃特在解釋該國的投票決定時說：「我們願見中共加入聯合國，但這是否意味應該排除中華民國，仍在考慮中」。

以上這些例證已充分表明，聯合國許多會員國對這次蘇俄提案的投票支持或反對，在實際上仍有相當的保留。換言之，投票支持這一蘇俄提案者，並不表示它們一定反對中華民國在聯合國內繼續保有代表權；而投票反對這一蘇俄提案者，也並不表示它們堅決反對中共進入聯合國。假若在本屆聯大正如去年一樣，出現一項對蘇俄建議的修正案，暗示允許中共入會而不同時排擠中華民國代表，或另外提出一項類似「兩個中國」的方案，以混淆視聽，那麼這次的聯大表決結果，又將有了新花樣。當然就是有了這種修正提案，對本屆代表權的表決也不會發至重大差異，因祇要中共本身及其密切支持者不接受「兩個中國」方案，這種折衷建議在目下就沒有獲得通過的可能。不過當聯合國內部這種妥協氣氛愈來愈濃厚，「兩個中國」之說愈來愈高漲時，中國代表權勢將又要面臨一種新的壓力。所以由這次表決看問題，今後有關代表權的鬥爭，一面要應付來自中共的正面攻擊，另一面亦要應付這種折衷派的側面威脅。對於後者的應付，也許要比應付前者還要困難。

總之，由這次對代表權的表決中，我們可以清楚看出兩點，即一，非洲國家對自由中國在聯合國地位具有特殊重要作用；二，「兩個中國」暗流仍在日益擴張。換言之，非洲已成了中華民國繼續保障聯合國代表權的真正關鍵所在。假若我們能使非洲現有這些國家繼續保持對中華民國的支持，並不斷爭取別的國家加入這種支持之列，則中華民國在聯合國的代表權，將永遠不會有問題。反之，若非洲國家的態度發生變化，支持者逐漸減少，反對者逐漸增加，則代表權危機終將一日要到來。不過在這種危機中最值得顧慮的，尚不是某些非洲國家突改變態度，由反對中共入會而改為支持中共入會，而是在於大多數的非洲國家逐漸轉而傾向於一種「兩個中國」的作法。在這種作法下，它們聲明仍支持中華民國的會籍，但亦贊同中共進入聯合國。若一旦大多數的非洲國家採此態度，則這種作法亦有被聯大所接受的很大可能。由於今日非洲這種趨向似正越來越大，代表權所面臨的這種危機實際也正在增長，所以今後中華民國對非洲的外交，不應單純只要求非洲國家支持我們的代表權，而更應該要求它們支持我們的完整的代表權。

五原則惹來的麻煩

放的是牠收的是牠

自由談

改革政風的要着

報載：我國行政院為革新庶政，增進行政效能，已擬訂改革計劃，將告實施，其要點在摒除「口號」與「形式主義」。依邏輯推論，這證明舊有的政風是犯了「口號」與形式主義」的毛病，因而非革新不可，區區亦有同感焉。

為政之道而祇是喊口號，弄形式，此乃導源於官僚主義；而官僚主義之構成，是由於權責不分；權責不分的癥結，在乎輕法治而重人治，一切制度，皆係具文。即如現時各機關熱烈研討着革新政風問題，亦端是為要響應總統最近所號召的「革新，動員，戰鬥」運動。然則假使總統沒有這種號召，大家就依猶吾大夫崔子，而以喊口號，弄形式為能事了！從這種角度設想，我對於目前各方面夸夸其談的革新運動，很抱歉，實不敢相信其結果又與喊口號，弄形式有以異乎？

如其大家真有滌蕩舊習的意志與決心，我希望至少能實現一種新作風，即少開那些無聊的會議。行政機關開會的作用，原在詢謀協議，解決問題，然今之會議性質，多見其為推卸責任，延誤時機，使問題趨於複雜化，或者藉會議來製造檔案，表現成績，完全是一種混混主義，無補於國計民生也。姑舉一例以為佐證：一張在海外刊行的報紙，向政府申請登記時，需要兩個以上的機關會商決定；登記之後若要內銷，更須經由六個機關開會通過纔行。國家設官分職，各有專司，幹嗎這樣東扯西拉，弄成蜘蛛網式的章法，平添許多不必要的會議呢？夷考會議頻繁的所以然，一為法令滋章，權責混淆，動則藉着「有關機關」這句術語來胡扯，大家樂得不負責任；二為閒得無聊，拿開會來打發辦公時間，裝成工作緊張的樣兒，像煞有介事。

簡化法令，集中職權，實行分層負責，減少不必要的會議，然後繼之以明辨功過，厲行賞罰。非如此，要想改革「口號」與「形式主義」的政風，戛戛乎其難哉！

馬五先生

香港與大陸

近幾年來被中共騙回大陸的僑生，由於發覺受騙，倘緒非常惡劣，絕大部份都要求回返僑居地，中共則不擇手段的加以制止。

一位原係僑居印尼曾就讀廣州市華僑補習學校大學先修班的謝雪玲小姐說：由於在大陸讀不到書，經常都是「政治學習」，更可怕的是「義務勞動」，僑生絕大部份皆已發覺上了中共的大當，都想重返僑居地。謝小姐說：她所讀的班級共有四十八位僑生，在今年暑假，申請出國的，便有廿九位同學，但能夠得到批准的，祇有三位。

她說：中共對僑生的申請出國，不像前幾年容易批准了。過去中共是出「照顧」僑生，在糧食供應和申請出國皆有些優待方便等等，是爲了希望藉此取得華僑好感的，現在不單對那些「不夠條件」的人的申請很本不受理，而且對那些「具備出國條件」的僑生，亦不擇手段的加以阻攔。

僑生申請出國要過六關

層層限制·處處刁難
被批駁者還要受打擊

謝小姐說，僑生申請出國要經過下列的關：首先是要向班主任報告，這是第一關。第一關過了，是向學校「保衛科」取得一份「申請表」，要詳細填寫，內容不單包括個人思想情況，簡歷和社交，連家人的思想簡歷和社交皆需填寫，是第二關。表填好後，由班「團支部」開會審核，後再呈交學校「人事科」審查之，若果發覺所填與前存之「檔案表」有所不符，立即便被拒絕，是第三關與第四關。接着是被學校「行政人員」召見，盤問，勸告，恫嚇，是第五關。這關過了，「人事科」便轉呈「保衛科」，再經過嚴密審查，認爲是沒有任何政治問題，而且認爲如不批准將有極不利影響時，才有機會批准，是第六關。有過這六關需歷時好幾個月。謝小姐自認她的申請終於獲准，實屬「幸運」之至。

又據來自暨南大學的學生黃漢X君稱：大陸學校當局，有意地對那些申請出國而沒有批准的學生加以打擊，鄙視，給祂（她）們套上「資本主義思想」的帽子，目的是「警告」「僑生們最好不要申請出國」。祂有一位中文系二年級的同學劉某，曾申請來港被批准，結果學校「大字報」一評祂爲「資產階級崇拜者」，同學們因此亦不敢接近祂了，連祂從前的「愛人」亦與祂脫離了，他受此打擊，痛苦異常，乃服下大批「阿士不羅」一藥片，企圖自殺，幸及早發覺，未致一命嗚呼。（敬斯）

蘇俄實際介入印戰 重施故技偽裝旁觀

狡詐毒辣圖藉此上下其手

（本報訊）對於急遽變化中的印邊之戰，西方國家竟一直以爲蘇俄係置身事外的，香港某共黨問題專家力指其非，強調蘇俄事實上已經在幫中共整印度了。祂說：如果西方國家對此竟然認識不清楚，便是低能，如果了解此項事實而故意諱言之，更是心存疑懼，欺人自欺，兩者都屬有害而無益。

這位共黨問題專家指出：十月二十日印邊之戰爆發之頃，大家以爲蘇俄處境尷尬，左祖右祖都不無困難，在當時看來也好像是有「根據」的，第一項根據爲中俄共雖係屬「同根生」的「同命鳥」，雙方還有着同盟條約存在，但兩者的關係近年並非水乳交融，所謂對共產主義的理論與策略之爭，就時常都不缺乏頗爲熱烈而精采的表演，西方國家的某些人物，還會因此發出「有識見的預測」，說是總有那麼一天，蘇俄會爲了它自己的安全，轉而與西方國家結盟，以對付控制着世界最多人口的中共政權。此項「預測」，並有着「歷史的依據」，即所謂「黃禍」是也。

第二項根據爲尼赫魯十多年來標榜中立，卻處處於爲俄共集團張目，此於克里姆林宮赤化世界的謀略中，因其在「不結盟國家」裏面擁有儼然領袖的地位，聲勢浩大，蘇俄對於這個投效而來的「義勇軍式的打手」，十分需要，且亦曾經儘可能予以拉攏與運用，對於俄共集團利益而言，今後也還需要尼赫魯這樣的角色，赫魯曉夫是不願得罪尼赫魯的，否則把尼赫魯逼反了，將由正數變爲負數，加非俄共集團之福。在以往中共與尼赫魯印度的若干次邊境衝突中，蘇俄曾經以直昇機之類供應印度，且曾經答應了要以米格廿一型機供應印度，隱然是幫尼赫魯整中共的格局。印邊之戰擴大了，蘇俄豈不有左右做人難之苦？

有了這些「根據」，再加上蘇俄於十月二十日中共發動全面攻勢後接連五天不聲不響，連印邊之戰的消息亦不予發佈的事實，便益覺這種看法的信而有徵。這位共黨問題專家說：實際上這些所謂「根據」，全是禁不起考驗的幻想，蘇俄先幾天的不聲不響的「事實」，亦僅僅爲煙幕彈性的「做作」，從十月廿五日蘇俄響應周恩來所提對印談和建議開始，它馬腳開始露了出來。而三天之後，蘇聯的高級軍事人員，一方面說在此時會蘇俄的米格機不可能賣給印度，另方面表示蘇俄軍火仍然「正常的」供應中共，蘇俄的向背，更是擺得明明白白了，它已再無所謂處境尷尬那麼一回事。

這位共黨問題專家指出：這倒是真的，蘇俄至今不會正式宣佈它站在中共一邊打印度的。同時這亦是真的，蘇俄至今還不斷的表示希望中共與尼赫魯印度早日和解，如蘇俄公然在聯合國提出這樣的建議，以及赫魯曉夫不斷寫信給尼赫魯勸和之類。他說：甚至還可以推測，蘇俄極其可能永遠既不宣佈支持中共，還永遠倡言雙方應該和解。但這祇是蘇俄的狡猾詐欺之運用，卻完全無礙於它的實際上在支持中共以打印度。蘇俄實際祇是僞裝中立而已。

他說：十二年前發生的韓戰，打了兩三年之久，蘇俄在表面上，不亦一直是「置身事外」的？蘇俄果真是未嘗捲入韓戰的漩渦嗎？事實終歸是事實，這事實亦早已爲天下之人所共識共認。

他說：以韓戰的往事爲例，蘇俄對於眼前的印邊之戰，僞裝「中立」，其用意何在？亦就清清楚楚了。他說這是共產集團赤化世界的厲害之着，進攻退守，運用自如。西方國家在韓戰已自願上當一次，難道還準備讓歷史重演？（信）

南越剿共戰的苦惱

共黨游擊隊愈剿愈多
寮國是一個最大漏洞

（本報西貢航訊）雨季來臨，剿共戰「凍結」下來，已好幾天未聽到較大規模的「圍剿」消息，雖然官方並未正式宣佈雨季停攻，況實卻是無庸否認的，有些報刊還已經發爲議論，說是給予共黨游擊隊喘息機會，難免不是一大失策。

無論越南與美國的文武官員，他們不談剿共戰則已，談起來總是滿意於一年來的成就，而又對未來寄予最樂觀的展望，顯示祂們是充滿了勝利信心。他們的這些話大都是有相當根據的，在他們的地位，當然也就祇能這麼說。實際呢？沒有這麼簡單的。

比方一項誰也否認不了的事實：經過一年來的大力圍剿之後，共黨游擊隊固然受創深鉅，但論它們的實力，卻是比之一年前增多了，而不是減少了。官方如今總是拒絕說明共黨游擊隊的數字，這顯見是聰明的辦法；據非官方的估計，共黨游擊隊目前可能已達三萬之數，去年此時則祇得一萬八千名。

愈剿愈多的原因有兩個：（一）共黨游擊隊力能就地取材，裹脅青壯，補充不成問題。（二）從北越而來的胡志明部隊，源源不絕，頗有要多少來多少的樣子。它們的來路，仍然是：十七度分界線，從海上伺機滲入，假道柬埔與寮國而來；此中特別以寮國那一條路，是最大的漏洞，僅僅在寮國聯合政府成立以後進入南越的北越共軍，一般估計便接近萬人之數；它們都是胡志明政權的正規部隊，儼然已成在南越到處作亂的共黨游擊隊的主力。

在西貢的美國官員，當寮國聯合政府成立之初，曾經爲美國的「遏和」寮局，做過動人的辯解，說正是爲了南越而那樣做的。祂們以爲，寮國成立了中立的聯合政府，便可以堵塞北越共軍經過寮國，進入南越了。此一解釋，也許說的是真心話，即美國本來是如此在打算盤的，雖然如此，事實卻證明，那祇是如意算盤，並不會打響。也所以，美國官員們現在已不再彈此調了。

南越剿共戰的最大問題，亦就在於北越共軍可以源源不絕的來到，因而形成愈剿愈多的格局。充分顯示，這是一個長期的戰爭，消耗量大，不但結束遙遙無期，還可能是永遠也得不到勝利之局。（覺）

台灣新聞點滴

本報記者台北航訊

▲台灣最近發現了兩個廉潔的警察官吏：一個巡官拒受五萬元賄賂，得到上峯記大功一次的報酬；一個管理人事的中級幹部卻收五百元紅包，得到上峯頒給一千元獎金。後者是一個剛從警官學校畢業出來的見習人員，祂不願意被派到市縣的警務機關服役，而希望派赴港口碼頭去工作，原因是在港口稽查那些出入旅客，頗有意外之財可得，所以祂要送紅包給那主管人事的官吏，拜託拜託。初出學校即已精通貪污之道，這類的「新人」若不予以根本淘汰，還有甚麼「革新」「動員」「戰鬥」之可言？拒賄的官員不立予擢升，而僅僅記功給獎，那是不能發生激勵作用，轉移惡劣政風的。

▲據說，台灣某大醫院中，有一個早已康健如常的「病人」，祂以醫院爲旅館，繼續住在院內八年了，始終不肯出院，也沒人強令祂搬出去。原因是祂揚言握有該院醫生非法瀆職的材料和證據（屬於接受病人賕金之類），若教他出院，祂就要公開檢舉，院方有所忌憚，只好故作痴聾，反正浪費的是公帑，何必多惹麻煩呢！

▲高雄市長陳啓川在街上被「丘八哥」毆辱一頓之後，中央大員，省府主席和秘書長，主管單位的最高首長等，紛紛向受害人慰問備至，同時出動憲兵警察，嚴緝兇犯歸案究辦。這樣的法治精神，殊堪敬佩。假使被毆打的是個普通老百姓，各位文武大員亦有如此的作風，那就是十足的民主法治現象，英美各國不能專美於前，而「中華官國」的惡名即可滌除了，善哉善哉！

▲台省的林務局，一向是個多財的「膏腴之地」，做局長的莫不令人極端羨慕，認爲置身於金窟之中，富可立致也。然現任局長陶公乃以該局本年度虧債一千餘萬元而辭職了。台灣烟酒公賣局更是人們公認的肥水機關，據說近來亦以借債繳納稅欵渡日了。這是政治清明的結果呢？抑是政令失效的現象？撲朔迷離，莫可究詰，不亦怪哉！

▲國立政治大學當初貿然設在台北郊區的山窩裏，而每年都有洪水之災，以今年這次颱風中，受禍尤烈，政府擬請專家設計，要使該校今後免除水患，似乎不易辦得妥善之策，因而有人說該校校長劉季洪的大名不無因果關係，這叫作「主意不好怨櫃台」，何足爲訓耶？（競雄）

美竟承認麥馬洪線 香港華人引為笑談

（本報訊）美國公然聲明承認「麥馬洪綫」爲中印兩國邊界綫之事，香港的中國人引爲笑談，認爲美國實在犯了嚴重的錯誤，非但無補實際，抑且徒滋紛擾，莫名其妙。

由於中共亂國禍民，香港的中國人對之厭惡至極，固不待言。香港的中國人對於中共目前在中印邊境的搞法，亦全不同情，尤其絕不相信中共所說它是在爲保衛國境而戰的一片鬼話。但同時，由於那地方實在是「中印未定界」，故對於尼赫魯印度所宣傳的它正受着中共之侵略云云，香港的中國人亦感到不知所云，十分的可笑。

尼赫魯印度十餘年來，表面標榜中立而實際媚共袒共的諸般卑鄙齷齪的行徑，香港的中國人印象惡劣，認其爲小人之尤，並認爲除非尼赫魯知過能改，澈底糾正其以往的錯誤政策，其爲禍於非共反共世界者，方興未艾，尚不知將伊於胡底。當前的印邊之戰，則無非鬼打鬼而已。

「中印未定界」爲歷史懸案，將來是應予合理解決的。所謂「麥馬洪綫」，中國政府從未承認，當然非法。且中國人並不承認中共僞政權，尼赫魯如果以中共僞政權爲對手以圖解決邊界問題，是根本就錯認對象，不能算數。中國人所不承認的「麥馬洪綫」，美國有何權利有何資格加以承認？太豈有此理了！（維）

一個西藏人談西藏事

—憂心如焚話「幻燈」—

建領

我認為，在謀求團結一切反共力量，構成反共統一陣綫，在蔣總統領導之下，為拯救大陸同胞而戰的今天，像這「新聞幻燈」裏所「幻」的事，正是敵人希望我們要做的事。「戰勝敵人的基本條件，首先是決不做敵人所希望的事」。我不相信我們的政府會做敵人所希望的事。但是，在以私心和利心來代替了公心和義心的情況之下，我們會在不知不覺之中做出敵人所希望的事。

總統說：「凡是一個國家，一個民族，或是一個社會，無論你怎樣制止共黨的滲透，只要你自己內部有了矛盾，被祂利用，或是留下了一點空隙，使祂在你的中間，能夠製造矛盾供祂利用，其結果，祂就能在你中間煽起鬥爭，並且祂利用這一鬥爭，不僅控制那被鬥爭的一方，並且控制那鬥爭的一方。這就是共黨『獲得同盟者』的方法。」（見「蘇俄在中國」補編四章一節）

從這具有權威性的「新聞幻燈」裏，我們已很清晰地看到，敵前的西藏政治行情，存在有非常嚴重的內在矛盾；它似乎是企圖以煽起鬥爭的方法，來尋求「同盟」。但我不知道是誰在控制着這鬥爭的雙方，敵乎？我乎？這祇有從「幻燈」的來源和根據處，才能找出答覆，不是假新聞自由之名，可以隨便臆說的。

雖然「新聞自由」是二次大戰後為民主國家所重視的一項自由，但民主如英國的政府官吏，卻指責英國報紙是「世界上最無恥，最劣等」的報紙。美國的一位報紙編輯曾說，在祂廿年來的編輯經驗中，因新聞而招致的事件，約百分之五十，是錯在祂們自已。

誠然「廣開言路」的新聞自由是天經地義的，干涉「言論和發表的自由」，是有百害而無一利。但是，如果發表的自由達到如斯「幻燈」式的程度時，這就大有問題了。因為它不僅有妨害祂人名譽之嫌，且有企圖破壞反共藏人團結之嫌。

一九五〇年十月四日，杜魯門總統向美國新聞界發表一項聲明，以釋其前些時所頒佈有關新聞和國家安全的命令。據祂指出：美國的國防秘密有百分之九十五是被報紙和雜誌發表，所以祂不能不加以制止。當時就有記者請祂舉出實例，祂立即指出幸福雜誌，因該雜誌曾將美國所有原子能工廠所在地及其地圖加以發表。杜魯門認為這是太不應該的事。

無論任何民主自由的國家，都有它不便公開的秘密。政府與敵前及敵後反共藏人的關係，當然不會視為足與原子能工廠或軍事要塞的關係相比；但在現實情況之下，它是否可以如該「幻燈」的侃侃而談，且肆無忌憚，似乎大有研究的必要。我認為這個「幻燈」是一種特製的「文審情報」；同時也是企圖以煽起鬥爭的方法，來獲求「同盟」的一項善策良謀！

這並非危言聳聽，而實在是這個「幻燈」的宣傳太可怕了。我想，這個「幻燈」，對台北的當事機關，一定帶來了一些或多或少的困擾。但反共藏人的團結，以及我們為反共而謀求統一陣綫的原則和方針，決不致因而受到無謂的影響。（下）

天南風光

—沙羅越的歷史—

朱淵明

發掘分兩處進行，一處是在洞口外面開掘，雖然是洞口的外面有充足的光綫，但仍然可以不受到風吹雨打。在洞裏開掘的情形，似乎只是石器時代的一處墓塲，有些骨骼，相當完整，但體格小，比起現在居住在尼亞週圍人民的體格要小許多。在尸體上或旁邊，放有石器，石具，包括一些製造美觀和磨光的石斧及手斧。在骨骼的頭部，常放有粗製的瓷器。有些發現的瓷器，比現在巴萊的達雅人，和加拉帛高原的土人，以及其他偏僻的土人所製造的瓷器還要好。而且有三種顏色的瓷器。這種情形，大足以表示古時該處土人原有一種較進步的手藝存在，而不幸在後來失傳了。因為這種手藝瓷器，到現在為止，還沒有在東南亞任何石器時代人民的遺物中發現過。

在洞口向外發掘的情形，是掘下五六尺深，就發現千年以前的遺物，骨骼中有野牛，猴子，人猿，蛇，河龜，各種鹿類，鳥類，蝙蝠，魚類，和螺類。取火用具，已經在食物遺物中發見，但那裏沒有人類骨骼，用具也只是很簡單的石器。下一步工作，就是再往下開掘，假如幸運的話，很可能發見一百萬年以前婆羅洲人類的化石。

在開掘尼亞洞以前，沙羅越博物學院曾經從一九五二年起，即在沙羅越河口上的三角洲地帶，從事於石器時代以後的考古工作，雖然進行得很慢，但卻很有成績。在山都望招待所東邊半英里的丹章直各地方，開掘了一處大約一千年以前的礦場，在那裏發現了一些很精緻的中國唐朝（公元六一八——九〇六）石器和瓷器。同時在那海灣的另一邊丹章古堡，發見了一處「貧民的」墓塲，從那裏面掘出了很多印度式的陶器，和中國唐朝的石器，瓷器，以及古代的小珠，金器，和一個大約公元六二五年的錢幣。

這些發現的結果，已經很詳細的在沙羅越博物院雜誌上（每年出版兩期）報導過。（二）

公道篇

林公

新唯美觀的公道社會（二）

英國王爾德會被文學界譽為唯美主義的代表，但這派所代表的僅係世紀末的頹廢的思潮。祂們以為，現時的社會是沒有趣味的，醜惡的，不愉快的；於是祂們從文學的領域裏開創了一個新境界，來作為揚棄這個世界的手段，那就是，在祂們的作品裏，要求各人放任其嗜好，獵取新刺激，盡量發洩情慾，瘋狂享樂，和過份的美。

毋庸諱言，人類不論何種國族，語言，膚色，貧富，亦都同一帶來原始放縱的血液，自私的傳統，天賦愛美的本能，盡情享受的慾望。但人之要求有所限制，猶之乎交通之需要交通燈，星球之有軌道一樣，是在求有常軌的發展，避免非理性的放任，致使「自由」誤解為獸性破壞的名詞。雖然，「唯美」是人類本能的天性，但像王爾德的唯美主義那股頹喪消極的思潮，祇堪滯留人類於獸性色情的孤島，觸發人類原始的惡性潛意識，與無限的自私的享受。這種世紀末的哀愁，使人充滿着消沉悲觀，不獨沒有「美」可言，無助於人世間的憂患，且將使這原已醜惡的社會更是醜惡。其實，人們如果沒有面對現實的勇氣，弄淸今日禍患的因果，用積極而活潑的思想，代替消極而頹靡的思想；用有意義的享受，替代無聊的享受；人們高雅生存的空間，已越來越見狹隘，遑論人世間的眞「美」了！

法國羅曼羅蘭的新理想主義，不管祂是如何被偏激者利用與曲解而玷污，但祂的積極肯定人生，愛，生命，努力為中心的新理想，確然在十九世紀佔有偉大啟示的地位。本文所說到的「新唯美人生觀」，以其說是胚胎於唯美主義，勿寧說是胚胎於「新理想主義」還較貼切。因為新唯美觀祇係以「美」為面，事實卻以「新理想」為質。具體表現於人類社會方面的，係有如下一個公道社會的描述：

在這個社會裏，我們可看到人生的美善，看到美麗的遠景，看到物質為人類公平地享受；看到每一處住宅都像花圃，每個人的裝扮是這麼光鮮，每座建築物是這麼藝術，每條鄉村是這麼明媚，每個市鎮有如一幅圖案；看到各個臉孔都浮現和善的微笑，交接是這麼坦誠，到處傳來歡樂的歌聲，但這決不是慾肉追求的淫靡，因為放浪無恥不是「美」。

讓我們想想：沒有健康的人，會是美麼？骯髒的木屋，市鎮街道不整潔，會是美麼？人們臉有菜色，衣服襤褸，會是美麼？人們日夜辛勞，疲倦憔悴，不容片時休息，會是美麼？人類整天愁眉苦臉，唉聲嘆氣，會是美麼？人們沒有高尚娛樂，迷溺於污穢的賭窟，曲膝於臭味的烟床，會是美麼？還有，人與人間，沒有一點溫情，祇相互在冷酷地，在瞪視着，或奸笑陰險地，在鈎心鬥角，又會是美麼？

這種新唯美觀的公道社會，承認人類平等是天賦，愛好自由是本能，祇要順應其天賦與本能，就其後天差異而發展，人類的生產力創造力的潛能，必有可驚駭的發揮的。人類既創造無盡的物質，亦當盡情地享受，沒人願意為生產而生產，也不願意受限於為生產而消費。惟有為消費而生產，生產力才能永恒保持，人類才保證不致被奴役。

盧君續夢

第六回：烽火照邊陲　同熙難濟　樓船碧橫海　大慾興悲

周恩來一聽尼赫魯說有證據，吃驚不小，連忙分辯道：「我從來也未承認過麥馬洪綫，首相有什麼證據，我到希望看看。」

尼赫魯向門口的侍役打個手勢，不大時間，印度外交部次長梅農夫人，挾着一個公事夾走進來呈給尼赫魯。

周恩來還不知道是怎麼回事，陳毅分外緊張，把墨晶眼鏡取下來擦擦又戴上。

尼赫魯打開公事夾，取出一份文件，遞給周恩來，說道：「這是我們上次談話的記錄，請總理先生過目。」

周恩來笑道：「首相先生，我同你談話幾時說過英文。」

尼赫魯說道：「英文當然不是閣下說的，而是根據翻譯的話紀錄下來的。」

周恩來大笑道：「翻譯的話如何能作準，尤其是中文翻成英文，時常就把原意翻走了。」

英迪拉．甘地剛想開口，陳毅搶着說道：「小姐，你不懂中文，不知道漢譯英之困難。例如我向你說 I love you 在中文上解釋只是我很喜歡你，也可以譯成我十分尊敬你。但在英文上就是直接求愛的表示，若被甘地先生聽見了，也許會打我一頓呢？」

陳毅說過，英迪拉．甘地登時氣得掃帚眉倒豎，鴿蛋眼圓睜，就要發脾氣。

梅農一看情形不對，連忙插嘴說道：「現在問題是上次兩位總理的談話紀錄要不要再宣讀一遍。」

周恩來說道：「不必了，我們還是直接談現實問題吧！」

尼赫魯說道：「談現實問題有一個前提，東段你必須承認麥馬洪綫是兩國無可改變的邊界，西段要承認阿克賽欽區屬於我們。」

周恩來苦笑道：「東西段邊界綫我們都承認了，請問還談判什麼呢？」

英迪拉．甘地接口說道：「這只是原則，細節要談的還很多哩！首先你們軍隊定期退出上述地區，然後交換劃界公文，豎立界樁，都需要仔細研究一下。」

周恩來看看尼赫魯，突然面色變得很嚴肅的說道：「好吧！你們的條件我全承認了，你也應當承認新藏公路沿綫屬於中國吧！」

尼赫魯說道：「那不成，阿克賽欽區一段還是屬於印度。」

周恩來嘆口氣說道：「親愛的首相先生，你這就未免強人所難了，我們忍受了這麼大的犧牲，一點代價沒有，我回去怎麼交待。」

尼赫魯說道：「我只能讓步一點，將來我們決不破壞新藏公路，只要你們不運軍用品，我們也不攔阻行車，這樣總理先生可以滿意了吧！」

陳毅笑道：「首相先生，東段我們承認麥馬洪綫就是了，西段你能不能再讓一步呢？」

尼赫魯搖搖頭：「我再讓半步，即無死所，能讓的我都讓過了。」

陳毅看看梅農，梅農聳聳肩膀苦笑一下。

周恩來說道：「這個問題現在既難一時談出眉目，我建議由兩國外交部派出低級官員，切實研究一下邊界情況，再談如何？」

尼赫魯曉得周恩來藉此下台，也就順水推舟說道：「可以，就這樣辦好了。」（一五一）

談聯（續）

以往的名家製聯，實在不少。僅就清代而談，要以湘鄉祖國曾國藩，揚州才子方爾謙（地山）爲最擅，寥寥幾字，寫出心曲，比寫一篇文章爲難。記得先伯岳夏頌椒先生，曾代胡伯午輓李秀山（純）一聯，即非常貼切。聯云：「山左憶夷吾，袞帶當鋼羊僕射」；（指李爲江蘇江西督軍）「大江流日夜，靴刀竟出李臨淮。」（指李自戕）雖非極品，已算言簡意賅之作。

聯的聯類極多，結婚慶壽，哀輓贈友，店肆戲台，迎春賀節，無往不是，範圍極廣也。

故都圓明園戲台，有過二聯。其一：「是耶非耶？其信然耶」？「秦歟漢歟？將近代歟？」其二：「堯舜生，湯武淨，五霸七雄丑末耳，伊尹太公，可算一雙要手，其餘拜相封侯，不過搖旗吶喊稱奴婢；」「四書白，六經引，諸子百家科諢也，杜甫李白，會唱幾句亂談，此外咬文嚼字，大都沿街乞食鬧蓮花。」

憶玄軒雜綴

丹徒張文貞玉書爲故都廣和樓寫一聯，聯云：「學君臣，學父子，學夫婦，學朋友，彙千古忠孝節義，細細看來，漫道逢場作戲；」「或富貴，或貧賤，或喜怒，或哀樂，將一時離合悲歡，重重演出，管教拍案稱奇。」

吳梅村爲故都三慶園撰聯，文曰：「大千秋色在眉頭，看遍翠暖珠香，重遊瞻部；」「十萬春花如夢裏，記得丁歌田舞，曾睡崑崙。」

有嘲報館編輯一聯：「五花八門，好戲看遍南腔北調；」「三長二短，標題做到東亞西歐。」

重慶土地祠有聯極趣，句云：「講自由，講戀愛，我倆朝夕並坐，從不偷偷摸摸，使個鬼臉；」「要徵收，要陳報，你怕將來革命，趕快恭恭敬敬，獻上豬頭。」

或云，清有兩秀才，彼此相遇，約定製聯以定高下。甲：「五行金木水火土」；乙：「三位公侯伯子男」。甲：「冰冷酒一點二點三點」；乙：「丁香草百頭千頭萬頭」。甲：「海晏河清，王有四方當作國」；乙：「天寒地凍，水無一點不成冰」。甲以無法取勝，始作罵語云：「醜陋不堪，細審原是西邊鬼」；乙漫云：「囚首垢面，乍睹幾疑口中人」。雖是遊戲，卻尚工整。（未完）

十、大中華民國

——古之君天下者，重在保全民命，不忍以養人者害人。現在新定國體，無非欲先弭大亂，期保乂安；若拂逆多數之民心，重啓無窮之戰禍，則大局決裂，殘殺相尋，勢必演成種族之慘劇，將至九廟震驚，兆民荼毒，後禍何忍復言？兩害相權，取其輕者，正朝廷審時觀變，恫瘝吾民之苦衷。凡爾京外臣民，務當善體此意，爲全局熟權利害，勿得挾虛憍之意氣，逞偏激之空言，致國與民，兩受其禍。着民政部，步軍統領，姜桂題，馮國璋等，嚴密防範，剴切開導，俾皆曉然於朝廷應天順人，大公無私之意。至國家設官分職，以爲民極；內列閣府部院，外建督撫司道，所以康保羣黎，非爲一人一家而設，爾京外大小各官，均宜慨念時艱，慎恭職守，應即責成各長官，敦切誡勸，毋曠官守，用副夙昔愛撫庶民之至意。……總期仍合漢滿蒙回藏五族，完全領土，爲一大中華民國。予（隆裕太后自稱）與皇帝得以退處寬閒，優游歲月，長受國民之優禮，親見郅治之告成，豈不懿歟？

遜清宮女　翠雲秘辛

陳澄之

整整五十一年前，前清宣統三年辛亥陰曆八月十九日、陽曆十月十日，武昌起義，爰定共和，創造民國，直到宣統三年陰曆十二月二十五日（即中華民國元年二月十二日）清隆裕太后率宣統帝下詔退位，自是清祚告終，乃永爲中華民國！

後來有一天，遜清醇親王福晉，榮家八姑奶奶，在天津寓所裏，收拾舊時箱篋，收拾出隆裕太后率宣統退位詔書的最初一草稿，大吃一驚，發現那稿末蓋着「三民在望焉」的圖章，就好奇地找來親王，問他究竟是怎麼回事？

「你問我？」載灃嘻笑着說：「我還要向你打聽哩。這一份退位詔初稿，還在良弼遇害之前，就在我的寫桌上放着了。內容跟南方最初提出的條款，不相上下，當時人心惶惶，我也就沒有聲張，免得節外生枝。哦，我們那口滿廣古劍，後來可會從良弼家收了回來？」

「軍諮使的一條命，直接間接毀在那口劍上，這幾年來，我想來想去，始終覺得不便啓口。要不你自己去要！」

「唉，我又何嘗要那口劍，不過問問吧了。」載灃沉吟了一下笑着說：「這一顆光緒帝的閒章恐怕再也收不回了吧！」

「雖收不回」，榮家八姑奶奶很感慨地說：「總在人間！」

夫妻倆對坐有頃，載灃嗽了一聲，直瞪着蒼白憔悴了的髮妻。

「爲什麼這樣瞅着我？又憶起來什麼往事，要找詞兒挖苦我？」

「哦——」他輕鬆地舒了一口氣，問道：「你可曉得，翠雲究竟是不是旗人？」

「希奇，你問我，我去問誰？嗯，恐怕她猶在人間哩。」

（完）

談靈魂

漁翁

魂，人之精神也。魄，人之軀體也。易：「遊魂爲變」。禮：「體魄則降」。左傳：「人生始化曰魄。既生魄，陽曰魂，」疏：「附形之靈爲魄，附氣之神爲魂」。此魂魄之最早見於古籍者。

哲學家謂體魄及精神之用以外，別有精神之實體在，是謂靈魂說。持此說者，於心身之關係，採二元論，而於精神之體用關係，則採實體論。故靈魂較軀體爲尤寶貴，人生之不可須與離也。

我國有儒，釋，道三教，泰半重視於儒教，釋次之，道又次之。蓋儒家重精神，司馬遷曰：「人固有一死，死或重於泰山，或輕於鴻毛」。重於泰山者，即精神不死，流芳百世。反之則輕於鴻毛，其生其滅，等同草芥。

釋家所謂成佛超凡，俗稱「菩薩」，其義爲覺。一曰自覺，謂自悟本性；二曰覺他，謂說法度人；三曰覺行圓滿，即其靈魂之所在。反之，則有地獄，如炎火寒冰刀山劍樹等，以分別人之善惡。

道家以運氣煉丹爲主旨，古云：「王子去求仙，丹成上九天，山中方七日，世上幾千年」。所以用辟穀修養之法，而達成長生不老，飄然而登仙；如張果老，呂純陽，鐵拐李，何仙姑……等，相傳其靈魂歷千秋萬歲兮而不磨滅。

西方國家，奉行天主教，基督教，較我國人信仰儒，釋，道者爲尤力。信天主者，得長生，信基督者，得永生，不重全體，而重靈魂，曰魂歸天國，曰與主同在。反之，亦信地獄，獄中有火，焚燒罪人，及不信教者。

據上所云，宗教家以魂重於魄，而世人往往以軀體爲貴，謂長生不死，事不可能，成仙成佛，亦屬幻想，魂歸天國，又係未來不可必者，祇求解決衣，食，住，行四大需要，過那優越生活，以不虛度一生爲已足。

有一傳教士爲測驗世人心理，對靈魂是否重視？乃不惜奔走各地，以探其究竟。一日，進入通都大市，見熙來攘往，忙個不了，該傳教士以人生最需要者相問，皆答曰：爲着「金錢」兩字；有了金錢，則衣，食，住，行皆可解決。又行至鄉村中，見農人在畎畝中，耕耘不息，汗流浹背，乃申前義而問之，答曰：爲着一日兩餐之「糧食」，有了糧食，便可生存下去。

該教士以金錢與糧食，均爲人生軀體之所必需，但無一人注視於靈魂方面。於是又往許多學校裏，見莘莘學子，弦誦不息，從容向人生最需要，世界最寶貴者爲何？衆口一聲以「光陰」兩字應之：「古人有言：『一寸光陰一寸金，寸金難買寸光陰』，故以光陰爲最寶貴，吾人孜孜不輟者，皆以此耳。」最後又踏入娛樂場合，來往者絡繹，以同樣之意徵問，皆曰：「人生在世，最好高壽，不過百年，祇好隨遇而安，及時行樂，故需要的，快樂也。」

這傳教者最後乃舉行一次佈道大會，強調從肉上的曰肉，從靈上的曰靈，人們最大的需要是重生，世界上最寶貴的是靈魂。又說信主得永生，可與主同在云云。

然乎？果不然乎？但靈魂之說，果有待有心人進一步之探究。

海嶠墨談

偶憶羅君強（二）

諸葛文侯

君強決計離渝之前，曾約愚與陳芷汀等三數老友至其寓所晚餐，孔氏婦招待殷勤，親制核桃以饗來賓。羅表示擬赴香港料理「藝文社」未了事宜，愚漫應之。餐後愚遲遲方辭出，羅送至大門外併立電桿下，天色黝然無月光，愚謂：「我看閣下此行將不復返矣。爲我寄語佛海，吾儕政治主張雖不同，但私交如故，它日若相見，願彼此無相忘，共各勉旃！」羅答「一定將你的話帶到」，珍重握別。

羅隨周佛海到南京參加汪政權後，即與我音信隔絕，僅在報紙上知其挾佛海之勢，蜚黃騰達，貴爲安徽省長了。迨對日抗戰結束，政府還都南京，羅與周初由戴雨農以飛機送至重慶，潛居磁器口，繼回南京束身司敗，羅判處無期徒刑，與周氏同囚老虎橋監獄中。卅七年春間，我丐周妻楊淑慧引導，赴監獄探訪佛海，暢談逾久，當時我詢君強所在，周態度淡漠謂「他在隔壁已決人犯的號內」，別無他語；旋往探問羅，亦無一言道及周，我心裏頗感詫異。前兩年在香港看到金雄白君所寫「汪政權之開塲與收塲」一書，纔知道羅對周在汪政權末期即萌貳心，不再事以長上之禮，且有背畔行爲了。這話我很相信。因羅的政治野心極強烈，而又缺乏道義情操，試看他一再結婚離婚——據說那位患難夫妻的孔氏女人，後來亦告仳離了——即知其賦性何如矣。古之執政者，用人以其平日操守德行爲衡標準，今之執政者效法曹阿瞞，昌言不過問私生活，宜乎禍亂不息，貪污之風盛行也，豈勝浩歎！

假使羅當年在重慶不受撤職查辦之厄，且如其他留渝的汪派份子一樣，因利乘便，得以倖進，我敢斷言他必然矢誠矢信，擁護中央到底。蓋其心目中祇有功名富貴，別無所謂是非，楊暢卿先生曾預言羅將來要闖禍，即基於此。周佛海對人雖有恢閎氣概，信任不疑，一往脩深，却沒有藻鑑時識，惡惡而不能去，我從學生時代即識周，自信對其性情頗有深刻的瞭解，羅之以怨報德，並非意外。

大陸淪陷之際，羅君強與楊惺華等由南京老虎橋移囚上海提籃橋監獄中，毛共竊據上海後，羅在獄中裏同諸囚犯，倡組「新人隊」，自任隊長，竭力表示前進，冀邀毛共青睞，脫出縲絏，終告徒勞，然亦未遭毛共之復判槍決，尚算幸運也已。我政府當年訊處羅氏叛國罪行時，會據皖人證明羅在安徽偽省長任內，有廉幹而不貪殘的事實，因此貸其一死。我也相信皖人所證言者，不虛，由於羅的政治慾望大，並不以省長的地位爲滿足，羽毛未豐時，不好名以積累政治資本，也。若平心論斷，羅君強之才幹，也賢於張治中，邵力子遠矣。（完）

台灣與鄭成功

·陳雪英·

至初八日病勢轉篤，仍力支持起床，戴冠帶，拜讀太祖聖訓，命左右進酒，支持飲罷，嘆曰：「吾有何面目見先帝於地下！」以兩手掩面而逝。計成功自海上倡義[illegible]十七載，志未酬而身遽歿，享年三十九歲。[illegible]誠爲漢民族之大損失。[illegible]世子鄭經留守東寧，聞耗，[illegible]嗣位[illegible]。[illegible]路安撫司馮錫範爲侍衛，[illegible]政。[illegible]風習。土番向化，設教堂，崇儒教，[illegible]金廈兩島。[illegible]康熙十二年（公元一六七三年）適值清三藩之亂，經自率兵攻克閩，廣諸州縣。至永曆三十四年（公元一六八〇年）方自思明撤退台灣，以憂鬱成疾，乃委政於長子克壍。時陳永華已去世，而經亦於翌年正月二十八日病歿，享年四十。

經歿後，馮錫範于永曆三十五年二月，謀殺克壍，而立嫡子克塽，時年僅十二歲；任劉國軒總督守澎湖，而大政均握于馮錫範一人之手。永曆三十七年（清康熙二十二年，公元一六八三年）六月，清廷命施琅率水師自銅山進攻澎湖。二十二日相遇激戰，鄭軍精銳盡喪，國軒逃歸，澎湖遂失。國軒見大勢已去，無奈乃勸克塽降，克塽遂于永曆三十七年七月遣使議降，而於八月十八日正式降清。台灣自成功開創以還，凡三世歷二十三年，至是明朔遂亡矣。（完）

內僑警台報字第〇三一號內銷證

自由報

THE FREE NEWS

第二八七期

中華民國僑務委員會頒發
台教新字第三二三號登記證
中華郵政台字第一二八二號執照
登記爲第一類新聞紙類
（半週刊每星期三、六出版）
每份港幣壹角
台灣零售價新台幣貳元
社長：雷嘯岑
督印人：黃行騫
社址：香港銅鑼灣高士威道二十號四樓
20 CAUSEWAY RD 3RD FL.
HONG KONG
TEL. 771726　電報掛號．7191
承印者：四風印刷廠
地址：香港灣仔高士打道二二一號
台灣分社
台北市西寧南路壹壹柒號二樓
電話：三〇三四六
台郵掛號金戶九二五二

論學者和政治家應具的風度

——一個有關國家民族興衰存亡的問題

黃少游

人類社會之所以不斷的有進步和發展，就是靠有學問和政治；而其他動物社會之所以沒有進步和發展，也就是由於牠們沒有學問和政治。我想，凡是研究人類歷史和文化者，莫不承認。

學問與政治自某一方面言，它是人類社會獨特的產物或獨有的創造品；同時，另自某一方面言，它乃是人類智慧和理性的發揮與發揚。

荀子說：「人力不若牛，走不若馬，而牛馬爲用，何也？曰人能羣，彼不能羣。」亞里士多德說：「人是政治的動物。」孔子說：「我非生而知之者，學而知之也。好古敏而求之。」莊子說：「吾生有涯，而知無涯。」斯多葛說：「人類具有理性與合羣之特性，同時富有情感與進取性，人類單憑理性尚不足以發現是非善惡，必輔之以其他特性，始足以解釋各種現象。」但什麼是人類的特性呢？赫胥黎說的好，他說：「人類之特性在能運用概念思想並特別側重理智目的及價值。有謂宇宙間其他生物容或有理智目的或希望，但迄今尚未發現；人類思想及人格最爲特殊，爲宇宙最崇高之生物。」此與吾國「人爲萬物之靈」之說不謀而合。由此可知，人類與禽獸差別之所在，或人類社會與動物社會進步與不進步及發展與不發展之由來。

學問是什麼？簡單的說就是「知識與經驗的累積」，詳細的說就是「如何生活有可能，有價值，有意義，及如何改進吾人和整個人類社會生活各種知識和藝術的綜合」。因而，在人類知識領域上，有科學，哲學和藝術的發生；在學人（者）方面而有科學家，哲學家和藝術家底出現。

現今所謂「學者」，就是從前所謂「文人」或「儒者」。從前所謂「儒者」與現今「學人」或「學者」，名異而實同。如楊雄說：「通天地人曰儒」。所謂通「天」「地」「人」之「儒」，也就是現今稱謂的科學家，哲學家和藝術家。楊雄又說：「如用眞儒，無敵於天下。」關此，有二問題：第一，儒有眞儒與假儒之分。但什麼是眞儒？什麼是假儒？拿當今的話來說：什麼是眞學者？什麼是假學者？我們拿孔子的話來說：「君子儒」就是眞學者，「小人儒」就是假學者。所謂君子儒是在人格上有君子風度的眞學者，所謂小人儒是在人格上具有小人色彩的假學者。如孔子所說的：「言僞而辯，行僻而堅，順非而澤，記醜而博」。及王陽明所說的：「記誦之廣，適以長其傲也。知識之多，適以行其惡也。聞見之博，適以肆其辯也。辭章之富，適以飾其僞也。其名稱借號，未嘗不曰：吾欲以共成天下之務，而其誠實意之所在，以爲不如是，則不足以濟其私而滿其欲也。」底這一類的學人或學者，就是假學者或僞學者及小人儒。這是爲禍國家甚於洪水猛獸而應爲國人所共棄的。此理司馬光說的最明白，他說：「苟不得賢人君子而與之，與其小人，不若得愚人。愚者雖欲爲不善，智不能周，力不能勝，譬之乳狗搏人，人得而制之。」至若眞學者如顏習齋所說的：「立言但論是非，不論異同。是，則一二人之見不可易也；非，則雖千萬人所同，不隨聲也。豈惟千萬人，雖百千年同迷之局，我輩亦當以先覺覺後覺，不必附和雷同也。」底這一種學者，以及心地光明，謙冲爲懷，尊重眞理，接受批評，不黨同伐異，例如孔子，他說：「三人行必有我師焉，擇其善者而從之，其不善者而改之。」孟子，他說：「盡信書不如無書，紂之不善不如是之甚矣。」荀子，他說：「有人道我善者，是吾賊也；道我惡者，是吾師也。」曹植，他說：「世人之著述不能無病，僕常好人譏彈其文，有不善者，應時改定。」如顧炎武，他說：「學究天人，確乎不拔，吾不如王寅旭。讀書爲己，探賾洞微，吾不如楊雪臣。獨精三禮，卓然經師，吾不如張稷若。蕭然物外，自得天機，吾不如傅青主。堅苦力學，無師而成，吾不李中孚。險阻備嘗，與時屈伸，吾不如路安卿。博聞強記，羣書之府，吾不如吳任臣。文章爾雅，宅心和厚，吾不如朱錫鬯。好學不倦，篤於友朋，吾不如王山史。精心六書，信而好古，吾不如張力臣。」如汪鈍翁，他說：「當世可師之人，其德學修明者曰顧亭林炎武，李天生因篤；其內行淳備者曰魏環極象樞，梁曰緝熙。」以上這些學者或聖賢，確爲當今所少見。不是文人相輕，立異鳴高，就是黨同伐異，所以今日學風敗壞，國家生機危急，不可究紀，良有矣也。

第二，何以用眞儒可以無敵於天下？司馬光說：「才德全盡，謂之聖人。才德兼亡，謂之愚人。德勝才謂之君子，才勝德謂之小人」。眞儒就是聖人或賢人，焉有不無敵於天下及「爲天地立心，爲生民立命，爲往聖繼絕學，爲萬世開太平」之理。關此，吾人可以藉我國大史學家王國維論文學家（實應包括整個文人）之價值語中得一佐證，如氏說：「生百政治家，不如生一大文學家。何則，政治家與國民以物質上之利益，而文學家則與人精神上之利益。夫精神之與物質，二者孰重？物質上之利益，一時的也；精神上之利益，永久的也。前人政治上所經營者，後人得一旦而壞之；至古今之大著，苟其著述一日在，則其遺澤且及於千百世而不泯。故希臘之有鄙謨爾也，意大利之有但丁也，英吉利之有莎士比亞也，德意志之有歌德也，皆其國人人之所尸而祝之，社而稷之者也。而政治家無與焉！」故學者，眞正之學者，實爲國家精神之軍鎖及靈魂，盛衰存亡所繫，否則，國家實徒存軀殼，豈有倖存之理。興念及此，不寒而慄！

次關於政治。政治是什麼？簡單的說，就是：「管理」。或者可說，就是「治國經邦」的事。詳細的說，就是：「管理衆人之事」的一些事。人類社會之所以較其他動物社會有進步，發達與發展，要皆賴有此。再什麼是政治家？所謂政治家，簡單的說，就是忠心耿耿，光明磊落，爲國家爲民族底利益和幸福而從事於政治活動或政治事業者。所以，他既不是縱橫闔捭，翻雲覆雨，不問是非，唯利是圖底政客；也不是專門以陞官發財，或個人榮華富貴而罔知國家利益爲職志底官僚。所以他有他之所以爲政治家底風度，即有所爲或有所不爲底風度。拿現代語來說，就是他有政治情操，抱負，理想或主義，同時他一切底活動都是以此爲圭臬。至於植黨營私和棧戀權位，這些都是他有所不爲的。反之，對於自用或用人之道，也都是一秉謙冲，至誠和至公，即以國事和人才爲重的。例如「桓公自莒返於齊，使鮑叔牙爲相，鮑叔牙辭，荐管仲爲代，並告桓公曰：臣之所以不如管夷吾者五：寬惠愛民，臣不如也；治國不失柄，臣不如也；忠信可結諸侯，臣不如也；制禮義可法四方，臣不如此也；介冑執枹，立於軍門，使百姓皆加勇，臣不如也。桓公因重鮑叔之請，遂親迎管仲於郊，任爲齊相。管仲相三月，請與桓公論百官，公曰諾。管仲曰：升降揖讓進退嫻習，臣不如隰朋；請立以爲大行。闢土聚粟，盡地之利，臣不如寧戚；請立以爲司田。平原廣牧，車不結轍，士不旋踵，鼓之而三軍之士視死如歸，臣不如王子城父，請立以爲大司馬。決獄折中，不殺無辜，不誣無罪，臣不如賓胥無；請立以爲大理。進諫必忠，不避死亡，不接富貴，臣不如東郭牙；請立爲大諫之官。」桓公盡納其請，故齊國從此賢者在位，能者在職，九合諸侯，一匡天下了。

（下轉第二版）

漫畫天下　南施

不聽話的畜牲

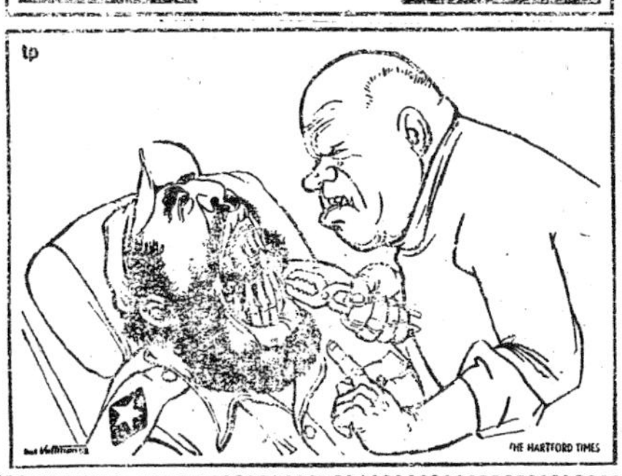

還是把這些壞牙拔掉吧！

自由談

大事不能含糊

我外交部發言人近日聲稱：美國務院表示承認印度之所謂「麥馬洪綫」爲中印國境界綫一事，我政府已向美方提出嚴正的抗議云。這是應的有外交動作，差強人意。

所謂麥馬洪綫也者，原係當年英帝國統治印度時自由捏造的，中華民國政府始終否認在案，美國憑何資格，據何理由，而悍然干預別國的領土主權問題，難道今日還是十八．九世紀那種帝國主義者橫行霸道的時代嗎？

不特此也，所謂「台灣地位尚待國際決定」的邪說詖詞，近來又有某一英國人曉曉譁咋着。二次大戰期間，中美英三國行政首長聯名簽署的「開羅會議」宣言，明明規定台灣交還中華民國，那還有甚末「尚待國際決定」的屁話可談呢？可見帝國主義的幽靈潛附着今日一二擁有原核子武器國家的身上，大有僵屍復活之勢，然他們口口聲聲教別人爲爭取獨立自由而聽受他們的領導，可哂孰甚，可鄙又孰甚哉！

對於國際上某些無關宏旨的閒言閒語，原可置之不理的，但涉及國本與國格問題的惡意論調，却不可唾面自乾，默爾而息。像上述所謂「台灣地位尚待國際決定」之說，我們就萬萬不能忍受，政府當局必須予以嚴正的駁斥，否則等於默認別人的意見了，其將何以立國乎？

國際間的強權主義者，總是駱駝型的性質——持重不背輕——怕強硬，欺軟弱的。近十餘年來，我們政府當局對於國際強權主義者，一貫採取含垢忍辱，犯而不校的態度，我總覺得未免過於妄自菲薄。咱們爲着反共救國事業，固然需要友邦的同情應援，但他們又何嘗不需要中國人在亞洲擋住共產惡魔的擴張爪牙呢？中華民國如果不存在了，他們豈能免於共產極權侵略的災禍，而依然享受其安全繁榮生活麼？呂端大事不糊塗，今後國際間凡有損害我們國本，國格與民族自尊心的任何言論，都應該嚴斥其謬妄，無所瞻徇，纔是謀國之道。

馮五先生

香港與大陸

中共最近在梅縣召集歸僑和僑屬會議，宣佈施行新的「優待僑滙」的措施，並號召他們盡量寫信給海外親屬，要大家多寄錢回國「投資建設」。

甫由廣東梅縣來港之僑屬李偉章君說：梅縣共幹在過去兩個月來，會多次召開歸僑和僑屬代表大會，先由共幹表揚模範僑屬和歸僑，闡述海外僑胞對「新民主主義革命」和「社會主義革命」，皆有不可磨滅的豐功偉蹟，然後強調要保持過去之優良傳統，繼續協助祖國「進行共產主義建設」。會議會有分組討論，商討的是「爭取僑滙」的計劃。李君說：在分組討論中，「積極份子」提出要每個僑屬，每月最少寫三封信給海外親友，報導祖國多年來的「輝煌成就」，以及歸僑和僑屬在國內如何幸福地生活；尤其是要說明投資祖國建設之「私公好處」等等。

在會議期間，中國人民銀行梅縣分行向各代表大派「通知書」，要他們分派所在僑屬。該項通知書的內容即是號召全體僑屬寫信到海外，囑勿再寄糧包等回國，而改將寄糧包的錢滙回，說是滙錢不但可以得到同數量的糧食和其他物品，另還有好處可得。比如在香港寄回港幣二百三十四元（即折合人民幣一百元），該等「僑滙單」便可以分配購買白米八十市斤，布十五尺，油四斤，糖三斤，猪肉四斤及一部份工業品，這些東西的價錢為：米港幣一百一十六元，布四十五元，油十八元，糖十元，猪肉十八元，工業品廿多元，合共恰為港幣二百三十多元，即人民幣一百元。但滙錢回大陸購買上列數量東西則為：米人民幣廿元，布十三元，油八元，糖二元，猪肉五元，工業品六元，合僅為人民幣五十四元。因而說，由香港寄一百元人民幣回去與由香港寄回折合一百元人民幣的物資回去，前者不單可以同樣得到相等數量之物資，而且多得人民幣四十六元，又省去許多的麻煩和手續云云。

李君來港後，發覺中共所列香港物價報了大數，那些東西在香港，還值不得一百元港幣。在大陸的歸僑和僑屬雖對此不得清楚，但因為他們嘗過「僑滙單」的苦楚：分配購買的東西，購買時要排隊，往往還買不到，大家都不感興趣了。至於投資建設的鬼話，更根本莫人肯再上當。（敬斯）

亂報香港物價以欺僑屬
毛共拼命騙取僑胞滙款
遙想僑胞滙款投資建設

台政治圈與廣大社會矚目下屆省議長位子

現任黃朝琴似未打銷競選念頭

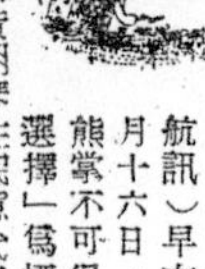

（本報記者熊徵宇台中航訊）早在近五個月前的六月十六日，本報曾以「魚與熊掌不可得兼，黃朝琴面臨選擇」為標題，報導分析省議會議長黃朝琴在民意代表不能兼任公營事業理監事的情況下，二者必棄其一，並且就政治行情的趨勢觀測，下屆（第三屆）的省議會議長，由現任的副議長謝東閔出任的可能性甚大。

我在六月十六日的報導內，對黃謝兩人，做過很詳盡的分析；但是在這下屆省議員開始展開黨內提名的時候，卻有一種不平凡的跡象顯示，即黃議長似乎並未打銷提名競選的念頭。這雖然還沒有引起社會的注意，政治圈子的人，却都非常注目，喁喁交語，但以黨內提名的開始，還只有五、六天，（十一月一日執政黨接受黨內登記）所以許多人，都在觀望黃氏的態度，比如在中央方面或某種集會上堅決宣佈祂下屆絕不競選。然有些人認為，祂若果有此決心，在十一日初就會有所表示，便於別人的安排；黃氏也像別人一樣，在存觀望心理，揣摩中央的意向，如仍屬意於祂，當然「服從」，否則亦可以堂而皇之的說：「我早就表示不想幹了」。

政治地位和財富是容易腐化人的，做了十六年省議長的黃朝琴，聲名不在政治上的任何建樹，也不在社會福利事業上，而在台灣其他方面。黃氏流露其對省議會的留戀心情，始於半個月前，由台南縣三十一位鄉鎮長在該縣風景區關子嶺舉行的聯誼會議，促請出生該縣的黃朝琴再度競選。聽說，縣議會也打算在舉行會議時，做成提案，擴大選民的印象。這些做法，別人都知道了，不能說黃氏完全不知情。但由於祂沒有表示任何意見，就令人意味到是無可無不可了。

正因如此，台南縣方面的政治人物就傳出許多不利於黃氏的說法，這類是非之見，記者不願談它。只是要說明台南的政治圈裏的人，上一屆（第二屆）省議員競選時，在黨內登記的人物，有：縣議會議長廖乾定，副議長楊登英，和縣議員陳華宗、莊錦傳、李丙丁、呂廷福等十幾位，也是鑑於黃朝琴不競選才登記的，祂們都想走進省議會。

而這回，黃氏不表示任何態度，使祂們不知如何是好：假如佈署迎來，懼黃出馬，勢不可當；要是不佈署，又怕臨時措手不及，失去機會。這是台南政治圈子裏目前最大的困擾！就省議會方面說，有人早就在副議長的座位上作籌劃，如若黃仍出馬，一定蟬聯，蓋其財力無人可及。如是，謝東閔當然仍坐副席，別人就只有「望席興嘆」了！數年的安排和想望，只能流一把冷汗。

果如是，以省議會派系之參與夙怨之深，第三屆的省議會就休想一心一德的做出什麼事來，只有因循如昔的「多責政府」的交情，多作各人的打算」，暮氣沉沉地再混三年。

可是，從今年初秋起，執政的國民黨就在展開黨內的革新運動，具有鼎然貫澈的決心迎接反攻戰鬥。十月份以來，朝野間紛紛擬訂「革新動員戰鬥公約」以戒除不良舊習，改造社會風氣，一致動員效忠國家，策進參加反共戰鬥，完成中興大業，為主要精神與實踐方向。這一匡正人心積極備戰的運動，正在社會各階層普遍推行時際，例如台灣省黨部主委的易人，更表現了政府革新的決心。而若果，使足以影響動員全省民心的省議會竟於因循之境，則對國家，對社會，對法治的前途，都不是福祉，而是障礙與停滯！

人們不能肯定的說台南縣三十一位鄉鎮長的聯誼會是黃朝琴策勵的，但也沒有人肯予否定；可以斷言的，是這個往年都不會有的行動，對社會和政府是一種試探，是一種先聲。

省議員改選，是明年四月間的事，距現在還有五個多月的時間，但以各地有意競選的人和黨內提名的開始，可以說近在眼前，台灣全省民主堡壘上的第一把交椅，竟究是誰坐呢？這是台灣政治圈子裏和廣大社會所矚目的，我只能盡一份報人的責任，平平實實的寫這篇報導。但願明年春天的第三屆省議會，能隨着革新運動呈現「匡正人心」的動員，戰鬥精神！

南越「戰畧邑」完成三千多個
年底將逾四千個

（本報西貢航訊）南越勦共戰中被視為一大重要武器之「戰畧邑」，迄至本年十月初，已完成三千零七十四個，另有二千六百七十九個亦快將完成。迄至該時為止，在戰畧邑中得安寧保護的越南民衆，已達七百二十六萬七千五百十七名；至本年底，可陸續完成一千二百個戰畧邑（屆時的速率平均每月完成六百個戰畧邑），屆時獲得安寧保護的民衆可超過九百萬，為全人口三分之二。

南越當局強調戰畧邑已發揮如次的輝皇作用：

（一）粉碎共黨游擊隊以往「退却時化整為零，進攻時快如閃電」的行踪飄忽，難以捉摸的戰術。

（二）以往剿共戰是「無明顯戰綫」的戰爭，有了戰畧邑之後，憑一個或多個戰畧邑的聯防，迫使共黨游擊隊必須在一個「一定的戰綫上」進行戰鬥。

（三）南越官軍以往祗能被動的迎戰，現在則能採取主動，找共黨游擊隊的主力打，予以進剿。

（四）以上三者是軍事的作用，另外戰畧邑還有其他作用，因為它「是發揮政治社會革命的中心，而這些革命，是經濟革命的一種不可或缺基礎。在政治方面，由於戰畧邑的設立，社會安寧得以恢復，再由於檢查及詳細的分析，共黨份子可一目瞭然，所以在戰畧邑中得以實施民主的法治制度」。（超）

論學者和政治家應具的風度

（自第一版轉來）

如「諸葛亮之為相國也，撫百姓，字儀軌，約官職，從權制，開誠心，布公道。盡忠益時者，雖讎必賞；犯法怠慢者，雖親必罰。服罪輸情，雖重必釋；游辭巧飾者，雖輕必戮……循名責實，虛偽不齒……」惟諸葛責任心重，自信太過，不知分工分權，故不但「宮中府中，俱為一體」，而且一切大權集中一身，未如管仲之用賢，雖然巴郡太守楊顒曾經諫阻說道：「為治有體，上下不可相侵……一旦盡欲以身親其役，不復付任，勞其體力，為此碎務，形疲神困，終無一成。故丙吉不問橫道死人，而憂牛喘；陳平不肯知錢穀之數，云自有主者；彼誠達於立分之體也。今明公為治，乃躬校簿書，流汗終日，不亦勞乎？」但不為亮所納，故雖「鞠躬盡瘁，死而後已。」始終未能統一中原，不無遺憾；但為國忠忱，故不失為一大政治家，而出師表之動人與驚天地而泣鬼神，蓋有由也。又如周公輔成王而周室王，伊尹去夏入殷，殷王而夏亡，管仲去魯入齊，而魯弱齊強；李斯入秦，佐秦滅六國而定天下；凡此種種，可知政治家之風度如何及對於國家興亡盛衰，其間關係又如何之重要。故「得人者昌，失人者亡」，（按此所謂「人」當指一國之政治家而言）實為千古不滅之論。

吾國現當反共復國與建國之時期，真正之學者與政治家，實萬分需要。惜現在學風政風，為學閥與政客所破壞已達極點，自不可能培養真正之學者與政治家，復不能使真正之學者與政治家抬頭與出現。所以，今日吾國在學術與教育方面水準日漸低落，在政治與政風方面也江河日下。雖然我政府最高當局提倡「革新」，而其所以無大實際成效者，乃因今日整個學界與政界，多為學閥學棍及政客官僚勢力所壟斷，所操縱，所把持，他們大有「非我族類，其心必異」之概，故真正之學者與政治家，在如此情況及大環境之下，退避三舍之不暇，遑論對國家有提供智慧發展抱負之機會！所以，論者謂今日台灣為「文化沙漠」，為「學術的真空」，為「政治的垃圾」或「政治的糞缸」，言之雖不免過火，但我們聞之實足以資警惕！

現在國際風雲日緊，來日大難，方興未艾，作者愛國心切，憂心如焚，現在我有一個宏願，就是希望現在在學界（即文化學術及教育方面）及政界負責或工作者，勿為「權力中毒」，勿為「權利薰心」，本着人類所具有的良知及自己的品格和風骨，為國家為民族大發慈悲心（一）真正做一個學者，（就是我們從前所謂的聖賢，如孔孟或九流百家中之諸學者）表現一種崇高的風度與作為（如為天地立心，為生民立命，為往聖繼絕學，為萬世開太平。）而不要做學閥學棍，欺名盜世，迷戀現有的權位，做學界中永久的罪人。（二）真正做一個政治家，以周公，孔子，伊尹，管仲，商鞅為最高的模範，去切實學習學習，去表現政治家光明磊落，為國家為民族圖進步謀發展底一種風度及大公無私，唯才是用，實現政治抱負底一些作為，而不要做政客官僚和黨棍，私心自用，利用權勢，排斥異己，壓制人才，阻撓國家進步，作為千秋萬世的民族罪人。

若果作者以上的宏願和希望能夠實現，則我們中華民國或民族是永遠有光輝的前途的

最后，作者拿荀子幾句話，作本文的結束，荀子說：「口能言之，身能行之，國寶也。口不能言，身能行之，國器也。口能言之，身不能行，國用也。口言善，身行惡，國妖也。治國者，敬其寶，愛其器，任其用，除其妖。」

古巴事件勢將馬虎收場

（上接第三版）

設到此刻，顯見聯合國要到古巴去當督拆不蘇俄飛彈基地與搬走，蘇俄飛彈已經是做的勝利（卡斯特羅），他的「獨立自主性」可以藉此騙古巴人民，顯示了古巴全搬走的。除了方便之至的事？也才有。亦就因為蘇聯安排這一安排為軍事監查國，由聯合國人員到古巴的事，船運不了古巴，徹底的目的是赫魯曉夫飛到四十個飛彈，四十個數字，於美國在閩海會點出俄運到古巴的飛彈是四十個，於四十個的數字靠得住，無問題，也就的迭犯錯誤，即使明知這數字有問題，也就祇好馬馬虎虎，由它去了。

看來，經過點數之後，差不多亦就是美國撤銷古巴封鎖之時了。如此收場，靠得個什麼呢？難道真的如有些人所說：甘迺迪封鎖古巴祗是為美國「中期選舉」替民主黨拉票子的？（民）

由於美國迭犯錯誤
古巴事件將勢馬虎收場

言　中

古巴事件的發展，不但愈來愈表現拖泥帶水，不乾不淨，甚而就從美國海軍查點從古巴開出的蘇俄船隻所載走的飛彈徽目之事以觀，簡直就是虛應故事，勢必要馬馬虎虎的收場了。這發展是接近於笑話的。對美國及對整個自由世界，是很不利的。

問題其所以有這些接近於笑話的發展，原因不祗一端；追本溯源，主要的，係由於美國首先犯了虎頭蛇尾的錯誤，繼之美國連在處理的技術上亦犯了錯誤，而蘇俄卻就利用了美國的錯誤，實行搪塞拖延，其結果，雷聲大而雨點小固不用談，拖泥帶水，不乾不淨以至於虛應故事，馬虎了結，就並不是出奇的現象了。

美國以驚天動地的大力氣封鎖古巴，但卻虎頭蛇尾，僅僅以蘇俄搬走已經運到古巴的「攻擊性武器」，特別是起初僅僅以蘇俄搬走飛彈為滿足，而貿然答允保證不侵犯古巴，已經犯了最基本最重大的錯誤，同時又在處理技術上犯了讓古巴可以講話的錯誤——一切拖泥帶水不乾不淨以及虛應故事的發展，都是由此而來的。

美國只注意拆遷在古巴的蘇俄飛彈而便為卡斯特羅共產古巴政權寫「保票」，與美國以雷霆萬鈞之勢出而封鎖古巴，大大的不相稱，也顯得美國那項舉動，難逃「小題大做」之譏。而亦為就了美國虎頭蛇尾，說明即使在此一役中，美國算是勝到的一方，蘇俄是失敗的一方，但其勝其敗，實在小之又小，蘇俄所受到的打擊，充其量亦只是偏重於「聲望」上的。而聲望之為物，西方國家把它看得很重要，至於共產國家，它們是不大在乎這些的。他們注重的只是實際，比如它們因此卻能保全了古巴共產政權。在此役中，衡情度勢，美國原是可以打一大勝仗的，卻胡裏糊塗的把它交臂失之了，非常的可惜。

美國在大原則上既然犯了錯誤，收穫不大，理所當然。但如其美國不跟着再在處理技術上也犯錯誤，則此役雖僅為小勝，要亦可以勝得漂漂亮亮。現在卻不然，也是很可惜的。

在當日，假使美國非堅持要卡斯特羅下台不可，蘇俄其勢亦祗有屈服，那便是大勝仗了。即使美國祗以小勝為滿足，但卻能一切責成蘇俄，實行只以蘇俄為對手，而決不讓卡斯特羅對解決問題有發言權，則必然亦能一切順利，問題便可以迎刃而解。美國准許卡斯特羅講話，等於自討麻煩，節外生枝，問題焉得而不弄到今日的拖泥帶水，不乾不淨，以至虛應故事，馬虎下台？

在目前，固然還沒有真憑實據，讓我們肯定蘇俄一開始便有利用卡斯特羅出而阻撓美俄協議的陰謀，到但了卡斯特羅站出來刁難，美國不會立即加以嚇止之後，誰都便有理由可以斷定，蘇俄立刻便尋瑕抵隙，把美國的錯誤加以運用，而實行在那裏同古巴唱起雙簧來了。聯合國代秘書長宇丹訪問古巴兩天空手而回，便是為此。米高揚到古巴這麼些天還不能「說服」卡斯特羅，當然亦是為此。實際，米高揚到古巴已不在「說服」卡斯特羅，而是只在於如何把這齣雙簧戲表演得有聲有色而已。

（下轉第二版）

天南風光
——沙羅越的歷史——

朱淵明

從這些發見中，可以證明一千多年以前，當中國的隋唐時代，中國人與這裏已有很密切的貿易接觸和居住（或許只是季節性的）現在還很難查出，千年以前那些中國商人到這裏來所要找尋的是什麼？但是沙羅越的考古家卻認定，中國自古以來，即重視犀牛角，象牙，燕窩，樹脂和香料，而這裏除了這些東西外，還有黃金和寶石，也是華人所珍視的。一九四〇年以前，華人曾在沙羅越以西的「三發」地方，掘出過美麗的金銀佛像，更曾在佛像裏面發現到一塊樹葉，上面誌有古老的馬來文字，研究的結果，認為可能是七世紀的遺物。

因之，他們推斷，早期的沙羅越，有一段時間，是在詩里維查耶海上帝國統治下，那是以南部蘇門答臘為中心的印度佛教勢力，直到十二世紀結束。詩里維查耶大約是在一世紀後受馬查巴希還羅和興都—爪哇帝國的攻擊而覆亡，於是婆羅洲就在馬查巴西的勢力範圍下。馬查巴西帝國，則是在十五世紀受回教國家所滅亡。

馬查巴西帝國滅亡後，沙羅越即成為婆羅乃（即汶萊）馬來蘇丹的領土。在早期的一張東印度的地圖上，才第一次看到沙羅越的名稱，那時候沙羅越只是同名稱的沙羅越河上的一處地名；而古晉的名稱，則根本尚未產生。

以上都是沙羅越博物學院的考古家與歷史家所考查或推斷出來的一鱗半爪史料。雖然大致有點瓜葛，但卻忽畧了旁證，尤其忽畧了中國與整個婆羅洲及其附近領域之關係的歷史資料與文獻，以致難作有系統的敘述；或許也是有意抹煞的罷？

按照中國正史所載，遠在西曆二世紀的時候，即與南洋有交通往還。據後漢書順帝本紀上說：「永建六年十二月日南徼外葉調遣使貢獻。」葉調國，就是現在爪哇的耶加達，（葉調乃中國音譯的耶加達）永建是東漢順帝的年號。永建六年即為西曆一三一年，距今有一千八百多年。中國對於藩屬的朝貢，向來是有朝必有撫，有貢必有賜，這是中國的傳統文化精神所在，蓋係依遵「禮尚往來」之古義也。

（三）

公道篇
林人山

新唯美觀的公道社會（三）

可以這麼說，這種新唯美觀，基本上是反對任何以自苦為極樂的說法，尤其反對共黨以奴役人類搾取勞力為生產手段一類的主義。無疑，當一國的經濟未見富裕時，很需國民節約來解決，正如個人經濟未到收支平衡時，亟需節抑個人的享受慾來維持；但節儉祗是人類應付經濟病態的手段，不是人生所希望的目的。社會經濟最要在講求生產力增强及公平分配，不在消極的節約節儉問題，在均富的經濟制度言，節儉行為可能不被認為是美德，反有形成凍結經濟，加强社會不均的弊害。

人類曾用血、用痛苦寫成歷史，一直在呼籲社會要有公道。中外古今的聖哲，雖遙隔海天，生於不同的國度，世紀，和時代，但都有同一的心聲，著如孔學的禮運大同篇，栢拉圖的理想國，基督教運動的目標等等。在基督徒的心目中，上帝最初創造人類，曾賦予最純潔的心腸，且無分出彼此，誰是主人？誰是奴隸？上帝創造萬物，賜人類以智慧，從此科學昌明，萬物興盛，但祗公道地每人分予一份，沒有決定誰貧誰富？在上帝的國度裏，正是人們夢裏追求的天堂，那是沒有凍餒，沒有憂愁，到處都是花圃，到處都聽到笑聲的地方。可是，在今天這個世界，實在令人憎恨，人們以欺騙稱作聰明，以詭辯稱作真理，以殺人稱作進步，富貴有了因襲，貧窮有了世家，一切是作偽、失了真誠，一切是偏重、失了完全。看到血的恐怖，怎能視作秋天楓葉的點綴？以偽善為臉孔，以醜惡為心腸，以殘暴為手段，怎能視作為一種「美」？「新唯美人生觀」，正是向着這種違反「美」偽裝「美」的革命的一種人生觀。

天是這麼高，地是這麼潤，海是這麼深，但人類生命是這麼短促，形體是這麼細小，他憑什麼力量，來作頂天立地的事？來作永世不朽的事？人類終究不是一堆無自覺性的物質，也絕不是一具普通機器。機器或好比人類的生理部分，但它卻沒有人類那種神奇的心理部分。人類的微妙靈覺與意志，並非唯物主義可能完善解釋。人類有創造生產的潛能，但也有享受的慾望；祂要有滿足的現狀，又要有希望的明天；祂要珍惜性命，但又可犧牲性命。大概以言，一個懂得生命意義的人，才懂得珍惜生命；懂得珍惜生命，才懂得愛；懂得愛，才懂得自由；懂得自由，才懂得唯美觀的真價值。於是，一個形體細小的人，就可憑藉這股不可思議的精神力量，建立頂天立地和永世不朽的事。

當前的紛亂世界，確實使人嘆氣。世紀末的消沉氣息，逃避現實的思想，難怪蔓延滋長。但逃避絕不會解決困難，惟敢面對現實，創造向好變動的新形勢，才是明智的辦法。

盧君續夢

第六回：
烽火照邊陲　同熙難濟
樓船碧橫海　大慈興悲

周恩來在印度呆不下去，第二天就動身去尼泊爾，走的時候避免發生事端，悄悄坐了一部裝甲汽車仍由尼赫魯和梅農伴送到機場，不料新聞記者耳朵更長，貴賓室已擠滿了印度及西方記者，周恩來一看躲也躲不掉，只好硬着頭皮舉行一次記者招待會。

首先由印度斯坦時報記者拉查出馬問道：「總理先生此次到新德里和尼赫魯首相會面，對於邊界問題，是否已得到解決。」

周恩來搖搖頭：「沒有徹底解決，只是談了一般性的原則，交由低級官員去研究。」

拉查冷笑道：「根據印度官方紀錄，總理先生上次來新德里，實承認了麥馬洪綫，何以以後又反悔呢？」

周恩來笑道：「這恐怕是一個誤會，我是說中國絕對尊重麥馬洪綫，我們決不派兵越過此線，不料翻譯成英文，變成了我承認麥馬洪線，真是太可笑了。」

拉查還不放鬆，繼續追問道：「就我所知，總理先生上次到新德里時，也曾帶有翻譯。既然是印度譯員譯錯，貴方譯員何以不加改正呢？」

周恩來未開口，陳毅搶着說道：「英文辭句並不固定，有些字可以這樣解也可以那樣解，所以訂條約都以法文為準，就算總理當時真是這樣說的，也不能作為根據，因為總理並未在上面簽字。」

法新社記者一聽陳毅談到法文，引起了興趣，搶着問道：「我聽說部長閣下曾在法國讀書，法文想必精通，就麥馬洪線來說，在法文上應該用什麼字眼比較合適。」

陳毅不料法新社記者跟他談起法文，怔了一下，厚着臉皮說道：「我在法國讀書只學會兩個法文字，就是咖啡和女人，每天在林蔭大道的露天咖啡館喝一杯咖啡，看看過往的漂亮女人，有時她們要是看上我，我只要打個手勢就成了，其他的法文字我都不會，學了也沒有用處。」

陳毅說過，全體記者鬨然笑起來，周恩來氣的翻白眼，這時飛機已到了開行時間，陳毅就乘大家一笑之間，宣佈結束記者招待會，和周恩來走上飛機。

飛機開向加德滿都時，周恩來心裏七上八下，陳毅卻得意洋洋，不時從袋裏掏出一些裸體照片欣賞。

周恩來問道：「我們這次到加德滿都，會不會再碰上新德里這樣情況。」

陳毅搖頭道：「絕對不會，我們同尼泊爾沒有絲毫爭執，上次尼泊爾首相柯伊。拉納到北京來，我們曾經答應把藏尼未定界劃給他們，又給與大批貸款，尼泊爾沒有反對我們之理。」

說着話，飛機已到了加德滿都上空，周恩來伸頭向下看，飛機場並沒有多少人，心裏稍覺寬慰。飛機停定之後，柯伊・拉納率領外交部長趕來歡迎，周恩來一看站在飛機場外面人羣，有的打小旗歡迎，也有的舉起標語反對，不過都不夠熱烈，知道不會滋生事端，頓時提起精神，扮出迷人的笑容，去和柯伊・拉納握手。

（一五二）

談聯（續）

春聯之製，傳說始於明太祖在除夕傳旨，凡公卿大夫士庶的家門上，須貼春聯一副。是夜，太祖微行，以觀笑樂。走到一家屠宰之家，始知尚未請人代書，太祖乃爲其書之。句云：「雙手劈開生死路；一刀割斷是非根」。明日復往，不見張貼，詢其故，屠主答曰：知是御筆，已懸中堂，燃香以作獻歲之瑞。太祖大喜，賞銀十兩而去。此是逸話。

官場現形記載：有一烏姓都統，逢人喜自稱老子，有人以聯嘲之，句云：「鼠無大小皆稱老，龜有雌雄總姓烏。」

北平陶然亭的定名，取自白居易詩：「更待菊黃家釀熟，與君一醉一陶然」。其亭懸聯云：「窗前綠樹分禪榻；城外青山到酒杯。」句淺洒脫。

西湖某酒家，在內飲酒，常有賣花姑娘，秀色可餐。某名士爲撰一聯：「沽酒客來風亦醉；賣花人去路還香。」觸景生情，很妙。

永城某酒肆有聯，繪聲繪色，句云：「入座三杯醉者也；出門一拱歪之乎。」恰好。

西安某酒店綴聯於酒帘上，書云：「劉伶借問誰家好；李白還言此處佳。」亦頗別緻。

福州某小酒店懸聯，頗雋永，句云：「鐵漢三杯軟腳；金剛一盞搖頭。」

懷玉軒雜綴

漢奸陳羣在廣東任商務處長，曾爲某君證婚，某君因訂婚後即同居，結婚時新娘已腹大便便，此現象混普遍，當時則難觀也。陳即出聯云：「是時髦生意，變方何妨先行交易；」俄頃，有某文士對曰：「因註冊商標，今日不過擇吉開張」。衆賓嘩然。

林琴南寓居故都永光寺西街，著書自遣，其門首懸聯云：「胸中已無少年事；門外常有長者車」。道出其心曲以明其志也。

國父薨逝，在中山公園設奠，佳聯多不勝紀，中有一聯上下十四字耳，極坦白，句云：「百戰相依惟一李」；（烈鈞）「一生事業誤三陳」。（炯明獨秀炳焜）。言之有物，歷史可覆按也。

碧雲懷古

故都西山碧雲寺，不特風景絕優，且具歷史上永久不可磨滅的古跡，昭示史冊。因在民國十三年春，國父孫中山薨逝北平，自鐵獅子胡同移靈中山公園，供民衆弔祭。半月後，舉殯碧雲寺。（未完）

康有爲的講學
萬木草堂與天游學院

丘峻

而外國哲學，科學，史學，語言，文字，政治沿革，和演說，遊歷，以及體操，槍法等，亦列爲必修科目。於以知康氏教育之主旨，係以孔學，佛學，宋明學爲體，以史學，西學爲用。康之『與諸子日夕講業，大發求仁之義，而講中外之故，救中國之法』的這一實行，蓋所以激厲氣節，鼓舞忠貞，養成明辨精神，發揚仁義精髓，用廣泛方法以獲取知識。非有心人別有懷抱者哉？

至其學校制度，則康氏自任總教授兼總監督，而立學生中若干人（少則一二人，多則三人至六人）爲學長，分任助教，襄理各科：一、博文科學長，主助教授及分校功課；二、約禮科學長，主勸勉品行及糾檢威儀；三、干城科學長，主督率體操。另派一學生專司圖書，儀器室管理之責，名曰書器科監督。

康氏博通古今，才華橫溢，胆識過人，各方慕名來學者多志士。其及門弟子，除陳千秋，梁啟超外，徐勤（君勉）首先入學。韓文舉（樹園），梁朝杰（伯偶），曹泰（著偉），王覺任（鏡如），麥孟華（孺博），陳藝甚，鄺希固等，亦均先後求教。翌年，移講於衛邊街的鄺家祠，受教者漸多。陳大嶺（介叔）等，即於此時入學。此一時期，以陳千秋充學長。龍澤厚（積之）以知縣引見，道過粵亦來學，旋亦充學長焉。隨後再遷講於廣州府學宮（簡稱廣府學宮）的仰高祠，正名「萬木草堂」。來學者益衆，咸稱康氏爲「南海先生」。當「萬木草堂」初開時，從學者有歐榘甲（雲樵），陳榮袞（子褒），黎祖健（硯詒），容伯森（任秋），梁啟勳（仲策），梁啟麒（仲鱗），梁啟田（君力），張祖貽（伯蔭），林纘統（承先），葉覺邁（湘南），陳繼儼（儀侃），羅孝高，梁鸞瑜，曹宏道等，約四五十人。陳千秋，梁啟超二人爲學長。往後，麥仲華（曼殊），曹碩（仲儼），林奎（慧儒），盧湘父，陳默菴，鄧元翊，鄧仲果，韓雲台等，又相繼進校。此外未能查悉姓名者尚多，皆當代傑出之士，可謂極一時之盛。張學璟（智若）等，而更後矣。伍憲子（名莊），陳煥章（垂遠），張伯禎（字子幹，號篁溪），杜星巢，吳功甫等，而爲其拜門弟子。

康門實際教學，係依照上述科目課程而行，日夕除與諸生講論中國所固有之道，德，仁，義的精義外，並兼授佛學，西洋哲學，科學，及政治，社會，史，地等學，與夫體操，槍法諸技術，以研求拯民救國之法，富強康樂之道。便中，康氏且將自己之大同理想概要，亦一併闡明。此康氏利用教學的機會，透過教授的方法，運用巧妙的配合，於無形中宣傳中國必須變法維新之理論的實行。（二）

偷閒之遊

羅蘭

現代人多病在一個「忙」字，並非人們眞有那麼多的事情要忙，而是現代的生活把我們捲入「忙」的漩渦中，不由自主的不得不跟着洶湧的人潮旋轉起伏，因而我們雖置身於這豐富多彩的世界，卻如跟着大隊遊山，匆匆忙忙走馬觀花的趕路，形體固十分勞煩，內心卻一無所獲。因此，如何捕捉一點不受干擾不受羈絆的屬於自己的時間，做一做自己的主人，是要得緊的。因爲只有在自己做司機，想走就走，想停就停的時刻，才能隨心所欲的攝拾到人生旅途中那些值得嘗味，或值得珍寶的東西。

古人欣賞「偷得浮生半日閒」的樂趣，而這「半日閒」的偷得卻需要一些當機立斷的果敢，要能毅然擺脫那已經陷入固定輪廻的日常瑣事，揮刀斬斷那些牽絲攀籐，永遠沒完沒了的俗務，騰身出來，毫無牽掛，瀟瀟灑灑。即使只有半日，也可以滌淨塵慮，使精神煥然一新。

這種「偷閒之遊」容或被人目爲行爲怪誕，可是，當你能享受別人所享受不到的悠哉遊哉之樂的時候，別人的大驚小怪又算得了什麼呢？

既然此種閒暇需要「偷」得，則不能早定計劃，亦無須預約遊伴，最好是臨時一看，天氣相宜，或春暖，或秋涼，或微曇，或雨後，而湊巧這時又可以擺脫有關家屬或上司的牽絆，身體康健，袋中恰有餘錢，即可毅然成行。你到達公路車站，任意選擇一條遠近相宜，乘客稀少的路綫，即可買票登車，揀一靠窗座位坐定。車開之後，憑窗遠眺，天光雲影，遠山近樹即可像弧形全景大銀幕般一路展開，任你觀賞。此時絕不必再顧到公文案牘，也不必再分心柴米油鹽，更可對人事恩怨淡焉忘懷。自己隨心所欲，任靈感飄往何方，盡情領略大自然的寧靜悠閒；這時，你與自然方始眞能合而爲一，你才能享受到返樸歸眞之樂。

遊的眞正佳境是隨遇而安。因爲既云遊，則到處都是欣賞的對象，原不必一定要到達某處之後，再鄭重其事的去觀賞。我嘗由隆田至台南遊赤嵌樓，抵步之後，發見赤嵌樓原不過一航髒雜亂的處所，毫無雅趣可尋。和沿途那綿綿阡陌，密密蔗田，亭亭椰樹，以及藍天白雲，小橋流水相比，實不可同日而語。故此，當你偷閒半日之際，只要乘長途車，至適當地點做一往返，在目的地下車之後，如景物尚可，固不妨暑做逗留，隨意觀賞一二，萬一該地無甚佳處，則回程時間一到，即可登車賦歸。此時或正麗日當空，陽光燦爛，或已暮靄沉沉，晚霞似錦，原野景色，比之來時自然又另有一番值得觀賞之處。待你遊罷歸來，帶回滿懷詩意和煥然一新的精神，這時再用開朗的胸襟，豁達的態度，來看你周遭的人和事，以博大對渺小，以優容對擾攘，以曠達對沾滯，以灑脫對沉迷，定覺心情恬淡寧貼，與未去之前迥然不同。

人生原只是我們在漫漫不可捉摸的永恆中的一段旅程。我們既有機會來到這多彩多姿的人世間，也正應如一個內行的旅行家，不只是要跋山涉水，走完我們的旅程，而且更要懂得欣賞留連，當走時走，當停時停。走時是爲趕往另一佳境，停時是爲領略把玩。「閒」並不樂，懂得忙裏偷閒而又能善用其「閒」，始爲至樂。

民國著名疑獄之一（一）

諸葛文侯

海嶠雜談

中華民國元年八月十五日夜間，總統袁世凱密令北京「軍警執法處」總長陸建章，捕殺辛亥武昌起義有功之軍官張振武（曾任鄂軍都督府軍務司副司長）方維（湖北將校團團長）二人，既未經過軍法審判，亦不宣佈犯罪證據，僅加以「密謀叛亂，破壞共和」這類籠統罪名，羌無故實。當時曾激起參議院全體議員憤慨質詢，南京留守黃克強亦致電袁總統表示抗議，南方其他各省革命黨人尤譁然指摘，釀成很大的政治風潮。但袁氏始終諱言案情內容，祇對着參議員只說是「此次罪案係武昌所定，既關係武昌安危，即不能不照黎副總統來電辦理」云云（見黃遠生所寫張振武案始末記）。此案眞象究竟如何，迄今莫名其妙，北京總統府與武昌都督府應該藏有檔案可稽，何以袁死黎去之後竟無人發現呢？唯一解釋就是黎元洪早已將牠湮滅了。大概後來黎氏去鄂赴京時，曾將武昌所存本案的檔卷攜走，袁死又由黎繼任總統，自容易將中樞庋藏此一冤獄的案卷一律銷燬，冀掩慚德，免留罵名於後世也。

袁世凱於就任臨時總統後，對南方革命黨人竭力拊循勞徠，特別籠絡，他對張振武不但毫無恩怨，而且曾經指名電邀黎元洪，邀請張氏及其他十餘名文武人士來京任事，原電有：「聞劉公，張振武，葉於蘭，阮毓崧，蔡濟民，楊玉如，石志泉，羅傑，哈漢章，楊時傑，李基鴻，魯魚，彭方傅，黎澍等十四人；才識優良，功獻卓著，統祈轉告諸君，聯袂來京，共謀民國進行之法」等語（見袁大總統書牘）。袁對於方維，更不悉其爲何許人也，當然無所謂私人仇隙。張振武曾經應召入京，與鄂籍革命黨人孫武，蔣翊武等同受袁氏優遇，他被殺是在第二次到北京的時候。張於元年八月上旬帶同家眷和隨員卅人（武昌起義時，首先放鎗之熊秉坤亦在其列），浩浩蕩蕩再度前往北京，準備久住首都了。八月十四日他在京大宴同盟會共和黨知名人士，即席演說主張調和黨見；十五日夜間，又聯同旅京湖北諸將校招宴北方軍官，如姜桂題，段芝貴等人皆在座。詎是夕十時宴畢歸寓之際，即被捕至軍警執法處，立予槍殺了！

袁世凱之殘殺張振武，方維，是應黎元洪的要求，毫無疑問，而張振武等二次晉京，原係國會參議員劉成禺到武昌敦促，且向黎氏拍胸担保今後大家和好相安，決無他慮，黎張二人當時握手話別，頗爲親切。顧黎氏於張等到達北京未及旬日，即於八月十三日密電袁總統請予捕殺之，袁初猶懷疑不決，曾復電詢黎「前電是否眞確」，黎於十五日再電申前請繼續執行的。究竟黎氏必置張，方等於死地的原因何在，這就值得研究了。（以上均見黃遠生遺著通信稿）

趙威后論

·黃葉村人·

國策：齊王使使者問趙威后。書未發，后問使者曰：「歲無恙邪？民無恙邪？王亦無恙邪？」使者不悅！謂后先賤而後尊也。后曰：「不然！苟無歲，何有民？苟無民，何有君？吾不可舍本而問末耳！」

余觀威后之答齊使者，可謂義正詞嚴矣！繼又問：「齊有處士鍾離子，無恙邪？是助王養其民者也！何以至今不業也？葉陽子，無恙乎？是助王息其民者也！何以至今不業也？北宮之女，嬰兒子，至老不嫁，以養父母，是率民而出於孝情者也！胡爲至今不朝也？於陵子仲尚存乎？……此率民而出于無用者也！何爲至今不殺乎？」之數問者，對齊國之朝野人事，又何其明且察也？即使求諸六國，賢如信陵，熟知趙國事者，亦未若威后知齊之詳備也。然則，威后之爲人，不獨賢明而已，抑亦奇矣！

然余又讀國策：「觸讋說趙太后。」則威后又何愚且暗也？國策曰：「趙太后（即威后）新用事，秦急攻之。趙求救齊，齊曰：『必以長安君（威后少子）爲質，兵乃出。』太后不肯！大臣強諫。太后謂左右：『有復言令長安君爲質者，老婦必唾其面！』」（未完）

花香月上樓小品

內僑警台報字第〇三一號內銷證

自由報

THE FREE NEWS

第二八八期

中華民國僑務委員會頒發
台教新字第三二三號登記證、
中華郵政台字第一二八二號執照
登記爲第一類新聞紙類
（半週刊每星期三、六出版）
每份港幣壹角
台灣零售價新台幣弍元
社長：雷嘯岑
督印人：黃行蜜
社址：香港銅鑼灣高士威道二十號四樓
20 CAUSEWAY RD 3RD FL
HONG KONG
TEL. 771726　電報掛號：7191
承印者：田風印刷廠
地址：香港灣仔高士打道一二二號
台灣分社
台北市西寧南路臺灣本號二樓
電話：三〇三四六
台郵劃撥儲金戶九二五二

欣聞國民黨革新之議

徐復觀

一

最近報紙上，時時透露出國民黨將以八屆五中全會（十一月十二日開幕），爲中心，展開一革新運動。因爲大家的命運，直接間接皆掌握在國民黨手中，所以凡是求自由生存的人們，不僅正期待着國民黨的革新，並且應當助成國民黨的革新。因此，我願對此講幾句話。

國民黨首先應面對現實，把爲什麼在來台澈底改造以後的黨，又要提出「革新」兩字，原因所在，想一個清楚明白。台灣從前年下年起，在輿論上已經非常地安靜，所以輿論不是促成革新運動的原因。這一年來，雖然有人把國民黨得以生存、發展的要素之一的文化氣氛，可以說完全繳了械，但作爲一個握有現政權的政黨，常常只顧到現實，而不能考慮到文化，這也是事勢使然。所以在這一年來的文化繳械工作中，其主力，都是信奉三民主義的國民黨員，所以文化問題，也決不會引起革新運動。國民黨之所以在非常安靜的情形下，重提革新口號，一定有其更現實的原因。國民黨所看出的原因是什麼，局外人無從懸揣。即令局十人提出若干非革新不可的問題，也未必爲國民黨的領導人士所見相同，並且容易發生誤會。因此，我在這裏，很懇切地向國民黨的人士提出：把你們爲什麼要革新的問題，澈底看穿想透，有時是站在黨的立場來看，來想，有時則須站在社會，站在人民，站在世界大勢等等立場來看來想。在這種看穿想透中，才能明確把握到革新的對象。僅憑一種濛朧的感覺，不能眞正確定革新的對象。假使連革新的對象都弄不清楚，還革新些什麼呢？

二

從報紙上斷片的消息看，好像這次革新，爲求其可坐而言，即起而行的實際有效起見，要先從細微末節的地方下手，以懲過去徒託空言之弊，可謂用心良苦。但總裁蔣公過去會提倡大學，中庸之道，現在聽說又在提倡大學，中庸。我的愚妄之見，希望國民黨人士，能從大學中庸裏面，眞切地得出若干革新的啓示。我在此處謹提出兩點作參考。

第一，大學列出了三綱領，八條目之後，便說「物有本末，事有終始；知所先後，則近道矣」；又說「所謂知本，此謂知之至也」。「知本」，本先而末後，才是治國平天下的基本原則。大學以修身爲本，這在今日或許有不少的人覺得迂濶而遠於事情。但在政治的現實中，依然可以找得出何者是本，何者是末。因爲用最平實的話說，「本」即是「要點」，「重點」。中國有一個傳統的觀點：「本可以貫末，末不能透本」；這實是古今中外的通義。作事不能掌握住「本」，這不是「知之不至」，便是「意之不誠」。方孝孺的「深慮論四」，談政治的因革損益，也即是談政治革新，裏面有一句話，我覺得很有「靈性」，他說：「以私意爲治天下者，懲其末而不究其本者也」。這句話，意義深遠，希望由每一個人自己去想，而不必待我來發揮。

第二，中庸上「誠者物之終始，不誠無物」的話，亦是非常有「靈性」的話。學生不是誠意讀書，讀書便讀不好；工商業者不是誠意去經營事業，他所經營的，遲早會垮台；這都不是「不誠無物」的顯證嗎？負政治責任的人，不誠心作事，便一事無成。不誠心對人，便無人可任。尤其是對人之誠，乃爲對事之誠的基本。許多人在事情上玩把戲，他主要是認爲人皆可欺，故放膽從而欺之。而對人之誠，是以人民爲對象，是以社會爲對象。權謀術數，可以對付眞正的敵人，但不可以對付朋友，更不可以對付人民社會。在權謀術數中討利益的人，到頭必被揭穿，而使自己的利益歸於「無物」。縱使在整個的權謀術數系統中，個別的權謀術數，有時受到鼓勵，保障，而不會被揭穿，但由此積累下去，在歷史洪流中必定有算總賬之一日。所以歷史上可以把個別的寃仇，在「侯門深似海」的形勢之下淹沒掉，但集體的寃仇，決不會淹沒掉；於是由不誠所得的利益，畢竟會完全落空。「不誠無物」四個字，這是孔門超過一切宗敎的天堂地獄之說，對人類所作的血的敎訓。

三

非常遺憾的是：上面兩點，依然是原則性的。並且這種原則性的啓示，應用到政治上，便牽涉到義利公私之辨。中國歷史中沒有出現民主制度，但三千年來，卻一貫的強調了義利公私之辨，這是直通於民生政治的精神，而爲維繫民族生存於不墜的大關鍵所在。國民黨假定願接受上面大學中庸的啓示，亦即是接受蔣總裁的啓示，則領導階層人士，首先便須在義利公私之間，作一大決斷。這一決斷，是觀念上的，也是事實上的。我在這裏願提出一實際的問題，即是國民黨人士，對國民黨以外的人士而言，必須在各種選舉中，承認並鼓勵合理地競爭；保障並尊重合理地競爭的結果。這是義與公的起碼表現。在旁觀者的眼睛裏看來，一位非國民黨人當選了某一職位，尤其是當選了行政職位以後，假定不斷地受到國民黨員所不會受到的困擾，社會上便以爲國民黨是用這種方法，使黨外人士再不敢輕於嘗試。這不僅會積累社會的輕視，憤恨；也會使國民黨所掌握的政權，一天一天的失掉了必不可少的威信。而且由這種壞風氣，壞心理的浸透，也會壞了國民黨的品格，使國民黨永無革新之日。我的現實經驗，在家庭嬌養慣了的孩子，只有信任嚴師去管敎。在政治溫室中嬌養慣了的集團，只有在合理競爭中，才可以把它敎好。某一在野黨的高年領袖，會不止一次的和我說：「這些東西（他們的同志），既無資義，又無幹勁；假定國民黨眞正把政權交到他們手上，那眞不曉得壞到怎樣的地步」。這是自肺腑中流出的千眞萬確的話。所以我從來就未想到其他黨派起而執政，會比國民黨更好。但國民黨假定自身也感到非革新不可，則台灣的縣市長，縱有一半落在黨外人士之手，而這些黨外人士縣市長，既能得到合理的幫助，又受到龐大勢力的監督，使他們只能向好處做，不敢向壞處做，則豈僅可以促進台灣政治的大進步；並且使國民黨的黨員置身於這一社會地嚴師之下，感到非好好地幹，便要被社會淘汰，大家自然而然的非奮發有爲不可，國民黨便眞會革新，國民黨的政權會更趨鞏固起來了。

大力製造分裂

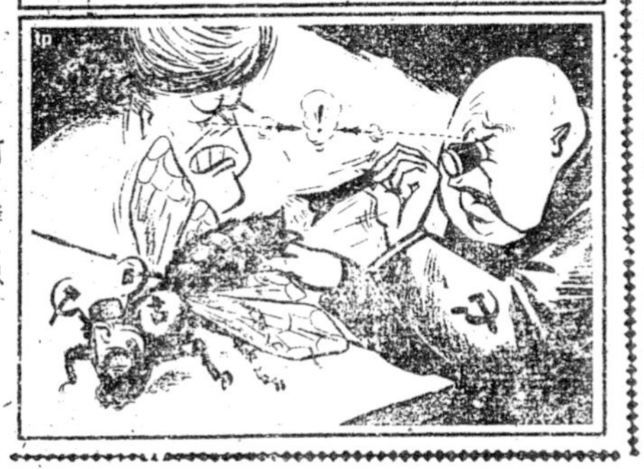
可憐虫

國民黨在反攻救國的現階段中，必須義不容辭的担負着歷史任務，以期完成使命，光復中原，這是海內外人士所公認的事實，任何其他的黨派，皆在相忍爲國的大前提之下，亦不會發生爭奪統治權的念頭，國民黨如要實行革新，目前可說是千載一時的大好機會。國民黨五中全會通過的「光復大陸指導綱領」，與論上都是正確的，宣傳上亦爲人所共喻，問題祇在「指導」的方法如何，換言之，即如何能夠發揮預期的效果，這關鍵就看國民黨本身是否眞能革新作風，引起海內外人民的熱烈擁護，而各盡所能，共赴一的。例如「團結反共力量」這回事，誰也不會反對的，但這句口號已經喊了十幾年了，究竟一切反共力量切實團結了沒有呢？其所以未能團結的原因何在，這亦唯有訴諸執政黨的指導方法，才可以得到正確的答案。「行有不慊於心，則反求諸己」，我希望國民黨人在領導反共復國的工作中，遇事能有「反求諸己」的誠心與雅量，庶幾乎可使革新運動不致重蹈口號與形式主義的覆轍，而動員、戰鬥的效用，即可實現了。

自由談

活該

印度妄人尼赫魯，日前對外訴說中共是披着共產主義外衣的法西斯帝國主義者。這表現他的知識並不優於一個高中學生程度，可憐亦復可哂。

共產主義者一貫地公開宣言要征服全球人類，實行共產生活，強調「工人無祖國」之說，否定國家階級的存在，決無妥協餘地。然如尼赫魯的語意，乃認爲眞正的共產主義者必不向外擴張侵畧，是與法西斯主義或帝國主義有別的，這不是笑話嗎？他充此愚昧之見，以爲印度祗要對美俄兩大鬥爭集團表示中立，採取兩面人作風，便可告高枕無憂，因而他在國際間隨時搔首弄姿，陰陽怪氣，企圖投機取巧，於中取利。如今換了毛共一支掌摑，才認識自己一向所稱讚巴結的「和平共存」主義者，亦是法西斯侵畧集團的一員，悔之晚矣！

我們如其將尼氏最近十餘年間爲毛共作倀助勢的言行，搜集記錄起來，配以他現時對毛共的認識論，不但是敎人見着啼笑皆非，亦且令人想起就要作嘔，覺得他今日的處境實屬自作自受，活該活該。

記得十年前，正是尼氏大力爲毛共幫兇逢惡的時候，我曾經在報上寫社評提示了一項預言道：「總有一天，我們可以聽到尼赫魯站在喜馬拉亞山的高峯上，向着自由世界發出SOS慘呼之聲」，現在不幸而言中，他的呼聲果然開始發作了。若不是因爲氣候關係，印度與西藏邊區一帶雪掩冰封，不便作戰的話，毛共的魔掌可能已伸入印度境內，使尼氏狂呼救命而不已哩！還有英國的政客們，平時一聞毛共對台灣海峽有進犯的動態，隔海放射幾炮，即主張把金門馬祖交給毛共，以保和平，說毛共是「亞洲狄托」，非跟它妥協不可。但對毛共進軍「麥馬洪線」這種危害和平的行爲，卻義憤塡膺，要以飛機大炮援助尼赫魯政府作戰，並不怕引起世界大戰了，寧非咄咄怪事乎？

我們固然與毛共是漢賊不兩立，然對於素來認賊作父，賣友求榮的印度妄人尼赫魯之被賊反噬，似乎沒有憐憫同情的必要。個人之間的恩怨可以不問，國家的恩怨卻必須分明，對尼氏如此，對其他自私自利，蔑視正義公道的強權主義者亦應該如此也。

馮正先生

香港新聞界最震動新聞
傳聞政府擬提高保證金
僉認因噎廢食萬萬不可行

（本報訊）傳聞中的香港政府將提高新聞紙的保證金（即所謂登記費）之事，雖然至今尙祇是傳聞，却已成了香港新聞界的最大新聞，危疑震撼，談虎色變，有岌岌不可終日之勢。

傳聞中的此一消息說：香港政府準備向立法局提出修正案，把新聞紙保證金大大提高，畢竟將由現在的一萬元提高多少雖尙未最後決定，但據說有可能增加十倍，即提高至十萬元。消息又說：香港政府其所以有此意思者，係鑒於：

第一，以目前香港的經濟情況衡量，非有十萬元以上的資本，不足以言經營新聞事業，所以要提高其保證金。

第二，有的報刊因刊登違例文字被政府檢舉控告而被法院裁決罰欵時，其罰金往往而超過現有的一萬元保證金的數額，至於有「案底」的，更當然不止此數，所以要提高其保證金。

第三，爲了提高香港報刊的水準並維護社會善良風氣，有提高保證金以「寓禁於嚇」的必要。

這三者，當然都是可以「言之成理」的，其中特別是第三項，不能不承認其爲香港的「時弊」之一，香港有若干報刊，確實不夠水準，又有若干報刊，確實不免於着重刊登黃色文字，藉廣招徠，誨淫誨盜，對社會善良風氣有所破壞。但香港新聞界一般的意見，這亦並不能構成政府必須提高新聞紙保證金的充分的理由，否則便是犯了因噎廢食的錯誤，至於因此帶來的惡劣影響，尤其嚴重，爲政者不可不察。香港新聞界一般的意見，最主要者計有下列四點：

（一）對於促進香港文化教育的進步發展與促進香港社會繁榮向上而言，報刊無疑是一項主力，不想要香港文化教育繼續進步發展與不想要香港社會繼續繁榮向上而已，否則，香港政府應該致力的，是扶持香港報刊，而非摧殘香港報刊。香港政府果眞大大的提高新聞紙保證金，其結果必然是而且亦祇能是摧殘香港報刊。

（二）香港報刊中，誠然有不夠水準，與刊登黃色文字而致有妨害於社會善良風氣的，但那畢竟是少數。政府何能以偏概全，因欲制裁少數不良的報刊，而致摧殘及於多數並非不良的報刊？且制裁少數不良的報刊，另有其道，嚴刑峻罰如增加罰鍰甚至勒令屢犯不悛者停刊，均屬有效的途徑；提高保證金的辦法是最壞的，因爲那結果乃不是良莠不分，玉石俱焚。

（三）妨害香港社會善良風氣的事物多矣！如五步一樓十步一閣的麻雀館，如數目以百爲計的下流舞苑舞廳，如花樣翻新居然到處高掛招牌的淫窟之招待所，如禍患深巨不可嚮邇的製毒販毒機關，如爲非作歹罪惡淵藪的黑社會組織……等等，均其害者，它們的毒性之普遍深遠，少數黃色報刊與之相比，（黃色報刊之危害社會，因其必需透過文字的媒介，天然的有了限制）何止小巫之於大巫？香港政府何能明察秋毫而不見薪輿，祇注意拍蒼蠅而不更注意打老虎？

（四）中國人的傳統，有興趣於辦報辦刊物者，都是屬於「士」的階層，這些讀書人，實際亦都是些衣食不周的窮人，不像歐美國家人士之把攬新聞事業作爲一種可以發達致富的生意去經營，能有若大的資本，而長袖善舞，而無往不利。中國人辦報刊的，但以興趣爲主，尤其十九是小本經營，果眞把保證金大大提高，一般估計，香港現有報刊之尙能不關門者，將不會超過百分之二十。此一結果之嚴重性，（因此將有多少人直接間接失業餓飯）香港政府不能不考慮到，故除非事先作了適當的出路安排，此舉危險性甚大，斷斷行不得。（伊）

較以往各次更加嚴厲
毛共又在廣州壓縮人口
盲流者要趕四年前落籍者亦要趕
毛共同時並在農村加強戶籍管制

香港與大陸

粵共最近更加強戶籍的管制，其辦法，一面在大城市如廣州實行壓縮人口，驅趕「盲流者」回鄉生產，一面在農村中，對於戶籍的管制，亦比以往更加嚴格，如果外出住宿親友家或家中有親友留宿，皆需向當地共幹報告，否則便有被指爲「壞份子」或「包庇壞份子」之虞。

據甫抵港之廣州市文昌路鄉約街居民王其良君向記者透露：廣州市最近又來一次壓縮人口，這次的行動，比之以往各次，更來得突然，亦顯見更加嚴格。這次被壓縮對象除「盲目流入城市者」外，還有一九五九年度以後遷入廣州已經取得戶籍的市民。

王君稱：廣州市各「派出所」之「專區同志」，最近紛紛召集居民大會，在大會中，由派出所之負責人報告，說是目前在廣州的「盲流者」（即盲目流入廣州者），起碼有什萬人。另外在廣州還有留在家裏而有勞動力未嘗貢獻出來的人，多達數十萬人。指責這些人不單沒有參與「社會主義建設」，而且還直接間接阻碍「社會主義建設」，說這些人對城市之經濟和治安，皆有着極壞的影響。因此強調必須使這些人回到工作崗位，亦即是回到農村去參加生產工作。

王君說：「派出所」的負責人這些話，實際就是無可商量的命令，被指摘的人，除了服從，便無路可走。共幹在會中，還當衆宣佈了如次的嚴格措施：（一）所有「盲流者」皆須立即到所住地方之「派出所」登記，並交出原籍「公社」證明書，或「臨時戶籍證明書」。（二）凡供宿購予「盲流者」的人家，亦需到派出所登記，並提出保證，在特定時間之內，那些留住的人，一定返回原籍，在此前並保證其不作任何「法律保證」。（三）那些一九五九年後到廣州的居民，亦需重新登記，已獲戶籍的，重予檢查，登記時，要填寫其詳細的社會關係和經濟來源等，再經過「專區同志」等審查，准許居留的，始得居留，否則與「盲流者」同等待遇，即亦驅其參加生產工作。

王君說：中共採取這種行動之後，廣州市民無不誠惶誠恐，那些被迫的人，更如大禍臨頭，因爲他們不回再無可能繼在廣州居留下去，他們更耽心，將來回到原籍之後，難免會被加上「逃亡份子」的罪名，或最低限度會被加上「逃避勞動」和「享樂主義者」等等大帽子，那便有大大苦頭好受了。

又據來港之梅縣人士稱：梅縣各鄉亦正加強戶籍管制，出外必須向大隊部請准，而到鄉外住宿，亦須向住宿地幹部報告，如果需要留客，亦須先向幹部請准，始可寫表報告，否則便有被指爲「壞份子」或「包庇壞份子」之虞。

李君說：他堂兄某有一位表弟，往時亦常在隣居住，但在本月某日，他表弟又來他家住宿，並未經過「公社」批准，結果被共幹查悉，把他表弟抓到「公社」，查出他表弟是自白，幸而「鄉」人來向他「保釋」，所以從輕發落，扣留了二天外，還在「鄉」大會上加以「警告」完事。（敬斯）

宣佈緊急狀態的：
錫金古稱哲孟雄
係我西藏一部份

（本報資料室）因印邊之戰「安全受到威脅」，而於十一月十三日宣佈全國處於緊急狀態的錫金，是喜馬拉亞山一個蕞爾小國，領土祇有三千平方哩，人口亦僅得十五萬，還比不上我國一縣小縣，甚至有些鎮都要比它像樣子。

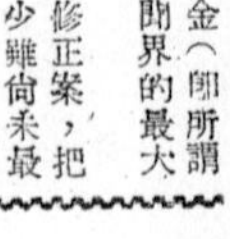

這個在我國古籍上稱之爲哲孟雄的小國錫金，它的四周是中國、不丹、尼泊爾與印度。它三面環山，東邊和北邊是喜馬拉亞山，西邊是著名的大吉嶺與金城章伽峯，後者爲世界第二高峯，拔海二萬八千二百二十五呎，僅次於額非爾士峯；祇有南面有平原，與印度接壤。

錫金是一個名義上的君主立憲國，民選的議會有立法權，議會的執行委會等於內閣，情形頗彷彿英國的制度。祇是英國的國王是虛君，爲國家的元首與象徵，錫金王則不然，還擁有頗大的權力，可以直接發號司令。錫金現王叫柴喜納葛爾。

錫金本來是我國西藏的一部份，（錫金人亦是黃皮膚的中國人，篤信佛教。）清光緒十六年纔被英國攘奪，成了英國的保護國，而脫離了我國。一九四七年印度從英國手裏獲得獨立後，印度接受了英國交下來的「遺產」，錫金於是成了印度的保護國。錫金一切落後，皇宮亦不過是兩層樓的建築物，其外型很有些像中國的普通廟宇。

土地既小，人口又少的錫金，並沒有軍隊的組織，它的國防是由保護主印度負責的——這很有趣，曾經做過人家三四百年殖民地的印度，它自身獨立之後，尼赫魯裝模做樣，作狀民主自由，對外標榜和平中立，但它却掉過頭來做了人家的殖民主。不但錫金可算是印度的殖民地，另一小國不丹，實際上亦是印度的殖民地。亞洲國家而今公然擁有殖民地的，亦就祇有尼赫魯印度了。

早幾年曾有消息說：中共陰謀在搞一個「喜馬拉亞聯邦」，包括錫金，不丹、尼泊爾甚至包括印度若干小民族領地在內。果有其事的話，當然是共產主義亡人之國的一套把戲。尼赫魯印度其所以同中共而今攪得儼然不共戴天，中共此一「喜馬拉亞聯邦」陰謀，可能亦有若干關係。（漢）

美益介入南越剿共戰
駐越美軍達萬二千名
北越共軍源源而來是最大問題

（本報西貢航訊）美國對東南亞的政戰兩略，據說是必須確保南越，這是西貢一般人都願意給予肯定的。美國人甚至宣稱：他們其所以冒天下之大不韙以逼成寮國中立，亦是爲了要確保南越而然；這一點，西貢的有識之士，則最多祇承認美國人或許有此好心腸，却認定他們的作法却犯了大錯誤，所以收到的乃是相反的效果。

這裏且報導一些美國對於確保越南的努力，這包括下列：

（一）逐漸增強越南駐留美軍，無論在官兵人數方面，武器方面，都要較越共游擊隊佔壓倒的優勢。（駐南越美軍現達一萬二千名）

（二）使南越政府軍裝備達到現代化水準。同時施以嚴格游擊戰訓練。

（三）對潛伏在南越境內的共黨游擊隊，展開全面徹底圍剿。

（四）強化「戰略邑」的防衛實力，無論在工事建設，農民自衛訓練上，都必須使之日趨高度化。

（五）協助南越政府改善農村經濟，使農民生活普遍提高。

按南越政府進行農民的自衛組織，是自一九六〇年四月開始的。最初設「集體農莊」，每一「集體農莊」人口平均爲二千名，規模相當龐大。可是由於其他條件未能配合，農民集中起來後，一旦受到越共游擊隊的攻擊，反而造成更多數字犧牲，受害程度較從前的分散尤爲嚴重。因此南越政府從一九六一年便停止執行農民集中計劃。但自本年以來，在美國的協助下，南越又將農民重行編組，施以軍事訓練，配給防衛武器，使農民也具有對共黨游擊隊的戰鬥力量。這亦就「戰略邑」！

南越這種「戰略邑」，周圍挖掘深溝，然後再架設鐵絲網與鹿柴，使每一「戰略邑」皆成爲戰鬥據點。駐南越美軍協防司令部爲強化農民們的戰鬥力，除發給武器外，同時又改善「戰略邑」的通訊設施。假如某一「戰略邑」遭到共黨游擊隊的襲擊，美軍與南越政府軍便能立即乘直升機應援。目前南越境內的「戰略邑」已有三千多個，均和美軍司令部直接有通訊聯繫。一般農民本身的警衛力已達到相當水準。

此外，美軍爲防止「戰略邑」內有潛伏的共產黨徒從中煽動破壞，乃努力使農村經濟向上發展，定出十一項提高農民生活計劃，其中最主要的幾項：獎成由農民出身的官吏，改善農村衛生，擴充小學教育，普遍裝置收音機，建設農村與都市間的交通網，擴大發放農民貸款。

以上這些政略與戰略互相配合的一種新措施的確相當收效，但是否即此便可打敗共黨游擊隊，把它殲滅掉呢？西貢的有識之士，大有懷疑，主要理由爲北越共軍還能夠源源而來。

針對南越政府與美國這些努力，共黨游擊隊的應付策界，則有下列的五項：

（一）盡最大努力，必須奪取南部產米地帶。

（二）爭取受南越政府壓制的高台教與和好教殘餘份子，要他們受其利用。

（三）向農民灌輸最後的勝利必然屬於越共游擊隊，以增強農民對游擊隊的信念，同時以最殘暴方法對付那些「死硬分子」，使農民不敢不任其擺佈。

（四）普遍宣傳吳廷琰政府不受民衆歡迎，說其聲望日漸降低。

（五）盡一切努力以阻止南越參加東南亞公約。（銳）

從古巴事件的發展證明
西方對共產世界近無知

——鄧華陽——

從這次古巴事件的發展，相當清楚的顯示，西方國家實在至今還不認識瞭解共產世界畢竟是怎麼一回事。就連那些以研究共黨問題爲職業被目爲「專家」的人，亦不例外。

好像由於俄共中央委員會本月十九日要舉行會議了，西方國家已開始在揣測：赫魯曉夫在古巴事件上的臨陣退卻，將面臨考驗。甚至有就心赫魯曉夫的高高在上的統治地位，會受到強有力的挑戰，而被削弱，甚而可能被迫垮台者。危言聳聽，異想天開，充分暴露其無識無知。所以如此者，主要由於他們先有一項成見，根深蒂固，牢不可破，永遠戴着一付有色眼鏡去看問題。他們的成見中最突出的一個，便是把西方國家的一套政治現象，移用於共產世界。其次他們還有一個最致命的錯覺，即是認定共產世界有兩派：一是史達林派，另一是反史達林派，兩派尖銳衝突，不共戴天，並認爲赫魯曉夫無疑問的是反史派的代表。

把西方國家的一套政治現象移用於共產世界，固然牛頭不對馬嘴，格格不入，永遠不能眞實瞭解它們；而把所謂史派與反史派錯誤的嚴格劃分，認爲係絕對無可踰越的鴻溝，實在只是西方國家自作多情的謬妄表現。尤其因爲西方國家把赫魯曉夫許爲反史派代表的結果，有意無意的自已造成一個虛假的有百害而無一利的幻象，即誤認赫魯曉夫是力主「和平共存」的，不顧意打仗的。此亦所以，西方國家人士，不論在朝的在野的，近年來總是提心吊胆，生怕赫魯曉夫一旦不能保持權位，認爲那樣一來，世界和平便不可能維繫了。把和平的維繫寄託於俄共「沙皇」赫魯曉夫身上，其極端危險性自不待言。

即如這次古巴事件，赫魯曉夫於危疑震撼的局面之下，突然退却，戰爭避免了。他的退却，固然似乎證明他確實是個「和平共存」者；但，以快動作把飛彈運去古巴在古巴建立基地的人，又是誰呢？赫魯曉夫眞的是「和平共存」者，眞的是不願打仗的人，他便不應該先把那些儼然是攻擊性的武器運到古巴去了，豈不是明明白白的邏輯？這足見，赫魯曉夫這次臨陣而退，只是因爲他發覺到這個時候打起來俄共集團將拾不到便宜而已。反之，在他認定形勢有利，已經可打之時，他便會毫不遲疑的以史派份子的姿態出現了。

共產主義天然會產生獨裁者。赫魯曉夫今天已經羽毛豐滿，在俄共唯我獨尊，朕即國家，完全無用懷疑。他的大獨裁者的地位，當然建立於他在俄共黨中無可抗禦的狐羣狗黨的擁護上，也所以他纔能夠一手決定把飛彈運去古巴，在發覺形勢不利的時候，他又能夠一手決定把飛彈拆遷運回蘇俄。事實證明，赫魯曉夫的決定，在俄共[illegible]集團，便成了金科玉律，誰也不能加以變更。至於中共與卡斯特羅的唱反調，正確的解釋，應該說乃是商量好了的雙簧把戲，因爲他們這些反調實際是幫了蘇俄的忙，使赫魯曉夫可以用之爲擋箭牌，以抗禦美國的壓力。是則俄共中央委員會集會，又如何會使得赫魯曉夫的在古巴事件上退却而受到考驗，以至危及其統治地位呢？

再者，西方國家之所以有這些莫名其妙的幻想[illegible]的揣測，其出發點無疑係認爲赫魯曉夫在古巴事件上是打了大敗仗。[illegible]是錯誤。赫魯曉夫這次充其量只是暫受頓挫，誰誇大一點，可稱之爲敗仗，卻絕不是什麼大敗仗。共產黨人是講究辯證的，它們的鬥爭手法，亦有所謂「退一步，進兩步」[illegible]。以當時的情勢論，赫魯曉夫能夠及時退卻，雖說他是打了勝仗可也！他的地位怎會成問題？

天南風光
——沙羅越的歷史——

朱淵明

當葉調國朝貢之前，必與中國已有交通，否則他如何會知道有這樣的一個大國呢？而交通的關鍵，必屬漢人先往南洋，這只要從交通技術與文化水準，即可斷定。從中國往爪哇的耶加達，有兩條航線，一條是經過菲律賓的蘇祿羣島南下，由孟加錫海峽往西航即達爪哇海而抵耶加達。另一條是由中國出發即偏西南行，經過南中國海再南下，即抵耶加達。這兩條航線，都須經由婆羅洲大島，前者須繞婆羅洲之北，東，南三面，後者則須繞過婆羅洲之北，西兩面。以千多年以前的航海技術及設備而言，絕無不靠婆羅洲的海岸，以補充飲水，購買食物之理。則漢人之足跡，早已達婆羅洲，當屬毫無疑義，不過因爲該島文化低落，少有文獻可資稽考，故只好從掘出之古物上推斷罷了。而爪哇之耶加達，似較婆羅洲開化爲早，耶加達既已向中國朝貢，則婆羅洲必亦受中國文物風化之影響無疑。

假定沙羅越的考古家與歷史家肯費心一點的話，也許在較近一點的歷史中很可以查出若干有關婆羅洲的，尤其是北婆羅洲及西婆羅洲一帶的有關文獻。不過在此筆者需要很鄭重的說明一句：就是本文雖然是談的沙羅越歷史，但沙羅越本身的正式歷史，不過一百二十多年。溯至沙羅越這個名稱的出現，恐怕還不過兩百年。所以沙羅越過去的歷史，是難以孤立產生，也就無法單獨敘述。因之不談則已，一談就必須牽連到整個婆羅洲，以及其附近領域，尤其是爪哇，蘇門答臘，蘇祿島，以及占城（即今日越南中部一帶）與馬來亞等處了。

在中國歷史文獻中的「渤泥國」（或渤泥），即指的是北婆羅洲及西婆羅洲一帶的一個國家，首先見於唐末樊綽所撰的「蠻書」。宋時，婆羅洲全島，似以在今日北婆一帶之渤泥國勢力爲最大，宋趙汝适的「諸蕃志」載稱：（四）

公道篇
林□□

新唯美觀的公道社會（四）

無疑，此一大變動的時代，我們號稱是科學的世紀，在本世紀裏，科學家們正像魔術般變化出千百萬種的物質，且已由地球研究，發展到太空以外的星球。但這從人生的現實方面說，未是代表人類智慧的光榮，反而是此一時代的大諷刺。不是麼？雖說科學是發展到登峯造極的階段，但連人類最感切望的而又最不能不謀取的生活所需，今天仍是未能普遍地滿足；專家也早已公認，人類的膚色，語言，體質，智慧之有差異，係因生存異同的區域，氣候，環境而來，尤其是智慧遺傳方面，每一代的不公道的社會制度，成爲另一代先天遺傳的酵素，一代一代的累積，構成人類的資質漸見距離。但可憐，今天我們看到的，優越感仍是如此的普遍，主人與奴隸的分界，種族歧視的偏見，階級的對敵，殖民主的奸詐，統治者的獨裁，還不是全無進步地，像中古時代一樣存在麼？雖說今日我們是處於科學的世紀，雖然是擁有無比威力的原子彈，氫彈，和鈷彈了，但這些算得什麼？人類連起碼的生活也成了問題，這種所謂偉大的科學文明，不知如何乃可自圓其說？

存在於人類社會的任何科目，都視其服務人生的程度以決定其價值。不管有人如何迷信科學世紀的偉大，但從今日的不公道社會看，最少是證明社會服務這一科目是最失敗的。紙幣是因人的享受而決定其信用；政治是因人的需要而決定其地位；科學的價值也就不能離開這個決定的法則。事實上，當人類已死亡了，世界已毀滅了，一切也就完了，談什麼前景，也祇是一個的幻泡。因此，最基本的，最偉大的，其實還是切實關係人生的社會制度的公道不公道的問題，其餘都是自我陶醉的廢話。

「美的人生」就是「公道」。惟社會有公道，「人生」才產生「美」。「美」碰到那種「銅臭徵逐」和「暴力血腥」就嘔心。「美的人生」是要人從力的世界和煩囂的市巢中脫出來，回復已衝昏的靈覺，漫步於大自然的曠野中，領略純眞的美的境界。

培養人們有追求純眞的美的固執，會導致社會出現一種新的精神力量。「新唯美觀」的精神，就以純眞的美爲界，才不落於肉慾卑鄙的俗套，注重外表美與內在美，兼顧本標，不失中道，此一「美」所以稱爲「公道」。

人類不是爲政治主義而生存，也不是爲個人權力的擁護而生存，人類其實僅爲其個人的尊嚴，自由，幸福的「美的生活」的追求而生存。人類這種需要，並無分出彼此，階級，國族，教育，黨派，和財富，凡屬人類，就有此一需要。若政治經濟上不迎合此種需要；社會制度上不符合此種需要；則顯然是階段的巨變；縱然已是死人無數，但還祇是開端。惟有直待到這個悽慘的變，驚醒世人迷夢，清楚人性是人類世界中唯有一的靈魂，[illegible]「公道」的迷途呢！（本篇完・全篇未完）

瘟君續夢

第六回：烽火照邊陲　同惡難濟　樓船碧橫海　大憝興悲

汽車緩緩向城裏開行時，周恩來問道：「我幾時晉見國王陛下呢？」

柯伊・拉納苦笑道：「國王今晨乘飛機去了日本。」

周恩來哦了一聲，曉得其中又有文章，就不再開口。

陳毅不知就裏，還追問道：「我們這次來貴國訪問，就是想和國王陛下談談，去日本若沒有急事，何不等我們一天？」

柯伊・拉納無法答覆，只有苦笑。

到了加德滿都，街上有一羣西藏人舉起標語示威，用漢字寫着「周恩來滾回去」。

柯伊・拉納十分抱歉的說道：「我已下命令驅散這批人，使貴賓受驚，眞眞對不住。」

陳毅笑道：「這不算一回事，在新德里臭雞蛋，爛番茄我們都見過了。」

柯伊・拉納笑起來，周恩來狠狠地瞪了他一眼。

周恩來同柯伊・拉納作了一次長談，除去商量在北平決定的把藏尼未定界土地劃讓給尼泊爾的交割手續外，臨時又答應替尼泊爾修一條公路，可從加德滿都通到拉薩。

第二天，周恩來又舉行一次記者招待會。尼泊爾的記者已經聽到中共割地修路的消息，都很高興，當周恩來陳毅一進來，一齊鼓掌歡迎。

記者招待會開始，記者們詢問周恩來在新德里和尼赫魯會談情形。

周恩來說道：「這個問題因爲雙方距離太遠，所以未談出結果，但是，也決不致引起戰爭，拖延一個時間總是有辦法解決的。」

尼泊爾記者問道：「貴國同印度的爭執只是領土問題，你們何妨讓一步，把未定界劃給印度算了。」

周恩來說道：「事情本來可以商量，只是我們退讓十步，尼赫魯連一步也不肯讓，就把問題弄僵了。」

陳毅插嘴說道：「在這個世界，大國不能欺負小國，小國也不能欺負大國。我們對尼泊爾，緬甸都割讓了大塊土地，對印度我們就無法這樣作，因爲它有心欺負我們。」

尼泊爾記者拿出一張印度剛出版的報紙，登載尼赫魯送走周恩來後，在機場對記者大罵中共侵略的消息。周恩來只是搖頭嘆氣。

陳毅憤憤說道：「尼赫魯還容易講話，他那位女公子眞難鬥，不瞞諸位說，我對付女人最有辦法，可是遇到她也一籌莫展，因爲這個女人不解風情。」

一句話引起鬨然大笑，柯伊・拉納恐怕引起重大糾紛，連忙說道：「陳外長愛說笑話，大家不可當眞，任何報紙都不准刊登這個消息，否則引起國際交涉，就由這個報紙負責。」

周恩來一行在加德滿都停了兩日，回來時本擬乘機直飛北平，周恩來臨時忽然變了主意，要到昆明停一下，去視察雲南黨政情況。由昆明又到了成都，一混就混了兩個禮拜。這時北平又發生了重大事件，毛澤東派了一架飛機來接，要他同陳毅趕快回去。（一五三）

憶玉軒雜綴

碧雲懷古（續）

在山寺巔中的石龕暫厝，有四大總司令在寺公祭的盛況，到十八年，始奉安南京紫金山麓。故有挽聯云：「骨瘞紫金山，魂栖碧雲寺」，蓋紀實也。

碧雲寺在京西玉泉山脚下，一片青翠叢山中，遠望有一座美麗的石塔，這是寺內的金剛寶座塔。在民十五以前，尙無長途汽車可通，往寺游覽，多半是乘驟騎馬。那時中法大學附中建立在此，余曾因送表弟持新入學，騎驟前往，約走五小時半，始抵達山下的一條石子路，再步行到寺門前。那時正在秋初，攜帶徐行，看到沿途山景，清芬撲鼻，雖滿疲乏，但覺心曠神怡，胸襟舒適。

從寺門遙望，得見此寺殿堂，就山勢的高低，層層排列，古色古香。山門外有一條碧溪，環繞全寺，水流潺潺，非常幽靜。此寺建築在元代，約六七百年，到清乾隆年間在西跨院建一座五百羅漢堂，仿杭州淨慈寺式樣。寺後建金剛寶座塔，塔高九丈餘，全用漢白玉石所砌成。共分三層，下兩層有石級可上，其頂層有佛龕，龕內有石雕的佛像，雕刻之精細，疑鬼斧神工，精美絕倫。塔上周圍皆是玉石欄杆，憑欄遠眺，西山全景，悉收眼底。塔內埋有國父的衣冠，因此定名曰孫中山先生衣冠塚，偉人名山，同垂不朽。

入寺山門，有哼哈兩塑像，雕塑很精。過鐘樓鼓樓，為四大天王殿，持有琵琶大傘，毗牙瞪眼，猙獰彪悍，孩提望之生畏。中座有很大的彌勒佛，皆明代的作物。殿後正院有大水池，清澈見底，池內蓄金魚數十尾，形式是龍腦，鳳毛，鼓眼，大肚各種，悠遊自得。

院內古樹沿多，有婆羅樹，白皮松，銀杏，桂花，及兩座古石幢。正殿有釋迦牟尼佛像，壁上有玄奘西天取經的泥塑。東跨院是行宮院，後有風景清雅的水泉院，水從石縫流出，淅瀝可聽。院中有形狀特致的三代樹，奇特的三仙洞，後有三座磚牌坊，兩座圓形碑亭。最後柏樹林湧出寶塔，西跨院為羅漢堂，共五百零八座，各態不同，院殿高樑間，有濟公塑像，這吃肉喝酒的和尙，竟高踞樑上，也很別緻。

此寺在明代，有太監于經和亂國的魏忠賢，動了奇想，先後在此大事建築，目的為死後葬此，山清水秀，可傳千古。尤其魏忠賢竟明目張膽，指為生壙，乃罪遭流徙，被誅在曠野。

康有為的講學

萬木草堂與天游學院

丘峨

是故康氏每一論及問題，必援引古今中外，縱討其原委得失，快人快語，淋漓盡致！「每論及國事杌隉，民生憔悴，外侮憑陵，輒慷慨欷歔，或至流涕」，而康氏無時不懷救民，報國之心可知矣。又學生須各置一箚記簿，每日記其所學，所見，及讀書心得，以自課，月終而繳呈康氏評閱。此外，同門每月舉行演講會兩次，各將讀書心得摘要講述，以相交換，並資練習，為他日用。是則康氏之開設「萬木草堂」，名為講學，實際是一個維新人物的訓練養成所。康氏於此曾費一番心血，頭尾七八年間，能訓練養成出一批維新人物，苦心成果，亦足自慰矣！此種教育設施，在當年中國係屬創舉；故中國之廢除科舉制度，倡行學校教育，應推康氏為首選。

一時粵省縉紳大吏，暨省名流，感於康氏之學殖淹博，議論縱橫，胆識豪邁，語震古今，咸來聽講，樂與交遊，遂使康氏聲譽之隆，並世無雙！自古，盛名之下，謗亦隨之，於是給事中余聯沅（晉珊）乃於光緒甲午二十年七月間劾氏為：「惑世誣民，非聖無法，同少正卯，聖世不容，請焚新學偽經考，而禁粵士從學」！幸因梁啟超在京之策動，而得友好李鴻章（少荃），沈曾植（子培），盛昱（字百熙），又字伯羲），黃紹箕（仲弢），文廷式（字道希，亦字道溪，號芸閣）等，急電粵學使徐琪（花農）營救；張謇（季直）訓走請翁同龢（叔平）設法疏解；曾廣鈞（重伯）亦奔走各方，為之關說。適李鴻章胞兄瀚章（筱荃）為兩廣總督，因乃弟之關照，遂令自行焚燬而罷。康氏以粵垣謗議不可開，旋於八月間，游羅浮。閏月歸，復授徒。不久又游桂林講學，為時雖暫，而從遊者相繼而來，如湯叡（覺頓），龍煥綸（伯純），梁秋水等，即氏此時所收之弟子也。時王覺任已兼作助教，是以校務、課業，悉交彼暫代焉。

時人梁鼎芬（一作鼎棻，字星海），康氏友也，見其際遇，感慨系之以詩：「牛女星辰夜有光，樵山瑞氣鬱蒼蒼。九流浩浩誰源派？萬木森森一草堂。尙有聖賢尊北海；更無三顧起南陽！廣州學府宮前路，憔悴行吟太可傷！」蓋譽其人亦所以惋其遇也。迨萬言書上（光緒十七年，第一次，康氏個人上書，五千餘言。光緒十九年，第二次，與各省舉人一千三百餘人，公車上書，一萬四千餘言。書由康氏起草，凡一晝二夜而成，文不加點，世稱萬言書。）朝野震動！惟書上，不得達，乃與朝士之明達時務者，議創強學會，發行報刊，倡言變法，鼓吹改革。樹大招風，名大招忌，實世態之常，康氏以是更名滿天下。何況言及宮廷，康氏又寧能免？忠而見謗，是亦可嘆也已！（三）

諧聯紀趣

漁翁

諧者，諧也，以言相戲也。晉書顧愷之傳：「愷之好諧謔，人多愛狎之。」唐書陸長源傳：「好諧易，無威儀，而清白自將。」後之人，不僅在言語上，互相諧謔，且見之於筆墨間，時將目所見，耳所聞之諧聯數則，寫在下面，以為茶餘酒後消遣之一助。

曾國藩與左宗棠為同鄉，政見頗有不合，相遇於朝，曾出對曰：「季子敢言高，與吾意見大相左；」左不即不離而應之曰：「藩臣終誤國，問他經濟又何曾？」均以姓名相對，瀟洒自然。

王闓運，字壬秋，博學強識，詩文瑰麗，早歲舉於鄉，但不得志於禮闈。張之洞憐其佗傺，為言於朝，得列名翰苑，因引為知交。一日，與張放步郊野，見有人挖溝渠，乃以「挖臭溝」三字命對，王曰：「張香濤」，香濤乃張之別甫，張不介意，且大笑焉。

袁項城當選總統，延王壬秋為國史館館長，王壬秋贈之以聯云：「國猶是也，民猶是也；總而言之，統而言之。」項城明知戲謔，亦不以為忤。

王壬秋晚年喪偶，與傭婦周媽形影相隨，儼同夫婦。周媽亦湘潭人，居七里瀨，與王之湘綺樓，相距數十里。王卒，周媽悲泣不已。某名士撰諧聯登報云：「繼齋後，為百世師，賢士竟如何，祇怕周公來問禮；登湘綺樓，望七里瀨，佳人猶宛在，不隨王子去求仙。」典故貼切，讀者為之捧腹。

諧聯之多，要以梁宣林為最著稱，有聯話之專輯，膾炙人口。所載有一老叟攜[illegible]

海嶠麈談

民國著名疑獄之一（二）

諸葛文俟

黎元洪以平庸資質，因緣時會，被迫出而勉強綰領辛亥武昌起義革命之役，儌幸成功，一躍而為開國元勳，躋居高位。一般真正的革命志士，心目中對黎並不怎樣尊崇愛戴，稱之為「黎菩薩」；同時這些在革命戰役中曾經流過血汗的幹部人員——尤其是軍人們——多屬血氣方剛之輩，自恃汗馬功勞，不可一世，在政治上隨時表現着「拔劍擊柱」的氣概，咄咄逼人，稍不如意，每有越軌言行，動則予黎氏以難堪。這種情形，當年在湖北是隨有儘有的，而張振武、方維二人殆亦未能免俗，他們在鄂省軍界中又擁有潛勢力，尤遭黎氏忌憚，此為張方與黎氏交惡成仇的基本因素。南北統一後，張振武由鄂省都督府軍務司副司長，降居督府顧問閒職，方維亦解除了軍職，他們心懷怨望，就糾合軍中同志，組織「將校團」，方維担任團長，揚言要從事「二次革命」，志在黎氏，使黎感到莫大的威脅，這更增加元洪因自衛而亟思剷除異己的決心。但他不敢亦不能直接下手，以防招致意外的禍患，祇好忍隱周旋，靜待時機之一法。

袁世凱受孫大總統禪讓，取得元首地位後，初時對南方革命黨人雖不能不採取懷柔政策，然內心對黨人固無好感，繼見革命人士在北京黨派林立，嘵嘵膠擾諸情狀，加以臨時參議院為着內閣總理唐紹儀辭職問題，處處跟他作對不合作，江西都督李烈鈞曾電詰袁氏「迫走」唐總理。當唐氏去職，內閣改組，袁提出新閣員六名，咨請參議院同意時，乃予以全體否決，袁氏曾憤然通電全國謂：「此六人者，或久歷外邦，或有功民國，或學有專長，或富有經驗，縱不能全予同意，亦何至無一可用之才」？（見袁致各省宣告參議院否決閣員電文）袁此時對於革命黨人業已滋着憎惡的意念。他調知黎元洪在南中亦與黨人不相投洽，即乘機施展縱橫捭闔技倆，對黎氏竭智殫精，多方勾結，意在利用黎氏以對制黨人，實行其製造矛盾與利用矛盾的策略。適逢張，方不得志於鄂省，聯袂北上活動，元洪乃以借刀殺人之計，再三秘密要求袁氏為他剷除這兩個當前的政敵，袁自然樂得藉此見好示惠，以資結托，且可提着元洪這種「小辮子」，作為日後挾持玩弄的有利工具，冀圖公私兩便之舉。袁於殘殺張方後，宣稱「不能不照黎副總統來電辦理」，表示跟自己無關，即使元洪無法再與黨人妥協，唯有一面倒向袁氏懷抱中，甘作鷹犬了。所以，後來江西都督李烈鈞於民國二年七月在湖口發難討袁之際，黎元洪事前通電表示反對，臨時派兵助袁進攻；李等二次革命失敗後，黎又首先通電主張修改約法，最後且領銜請求袁氏解散國會哩！

張振武與方維的性命，是基於上述各種因素而寃枉斷送掉的。至於二人的罪行，事後袁氏曾將元洪密電所據列的說法，揭露了一部分，但與其派赴參議院報告案情的陸軍總長段祺瑞之言，不相符合，一種倉皇失措，欲蓋彌彰的情節，顯而易見也。

趙威后論

·黃葉村人·

於是，左師觸讋請見，先言其他，太后顏少霽。左師繼為其子請入衛，徐及之常事，然後言曰：「今媪尊長安君之位，封以膏腴之地，而不及今令有功於國，一旦山陵崩，長安君何以自託於趙也？」太后曰：「諾！」遂遣長安君。齊兵亦出救趙。向使左師不婉諷，亦如趙大臣之強諫，則太后必固執己見，齊師仍不出也！豈非前後如兩人耶？又何賢明之有耶？

余曰：非也！凡人，責人則明，責己則暗。此常情也。諺云：「公生明，私蔽明。」向使齊請質，非太后之親，而又非所愛者，則無不可也。一有私愛參錯其間，則何以異哉？則趙太后之與鄭武姜，又何以異哉？幸而有觸讋之諷，聽而能悟。如趙太后者，仍不失為賢明之后，女中之傑也。（完）

[illegible]

內僑警台報字第〇三一一號內銷證

自由報

THE FREE NEWS

第二八九期

中華民國僑務委員會頒發
台教新字第三二三號登記證
中華郵政台字第一二八二號執照
登記爲第一類新聞紙類
（半週刊每星期三、六出版）
每份港幣壹角
台灣零售價新台幣弍元
社長：雷嘯岑
督印人：黃行憲
社址：香港銅鑼灣高士威道二十號四樓
20 CAUSEWAY RD 3RD FL.
HONG KONG
TEL. 771726　電報掛號．7191
承印者：田風印刷廠
地址：香港灣仔高士打道二二一號
台灣分社
台北市西寧南路九巷本號二樓
電話：三〇三四六
台郵劃撥儲金戶九二五二

中國的學者與國命

風雨如晦，鷄鳴不已，這是中國傳統文化思想對學者殷殷期許之言。巴斯德日夜不離實驗室；普法戰爭後，法國復興因而可以立待，此西歐科學救國之鐵證。吾儕今日又如何？原子能時代，吾人尚能以『學而優則仕』的心情，專爲個人利祿打算，崇拜權威，渾忘國家民族的利害乎？

吳本中

「儒者」，「士大夫」，「文人」，「學者」或「智識分子」等種種名詞，在中國獨成社會一部分特殊羣衆，與他國不同，歷數千年而不替，其影響於我民族命運，社會結構，文化演進，國家興亡者，豈淺鮮哉！泰西之漢學家嘗研究之，其所用譯詞，所得結論，吾人雖不必全予以首肯，然山之石可以攻玉，按「友直，友諒，友多聞」之義，其所以「益」吾人者，焉可不「聞過則喜」「聞善則拜」乎？

這個中國幾千年社會組成重要細胞，「儒者」，稱之爲：「讀書人」，「士」或其他等名辭均無關重要，因其本質則一；而其與泰西文名辭自拉丁文，法文而來之Intelligentsia（知識分子，有智慧者或有學問者）固適乎有別也。這「士」在中國歷來是「不得了」的人物，他們高高在上，居農，工，商之首。「騎在人民頭上」，可以「四體不勤，五穀不分。」他們有傀儡性；說好聽一點，就是：「士爲知己者死，女爲悅己者容」。如果當權者，有勢力者，深知其志在飛黃騰達，又不無才學，能官而官之，當然「人各爲其主」，鞠躬盡瘁，死而後已！其實，他們的處境與命運，非如此亦不可能。祇要有祿可干，有爵可榮，就是有乳便是娘，凡是被僱傭者，大都如此。爲主人者即以兩種秘訣驅使他們，即[illegible]之以利，持之以威[illegible]。他們亦有互相排[illegible]性，所謂「文人相輕」，「文人無行」之[illegible]，史籍上比比皆是。且有許多事實可資印證。至於博學於文，行己有恥，像禮記「儒行」一篇所稱述的士君子，並不是沒有，但如鳳毛麟角，而且不容易見用於世。外人論中國人如一盤散沙，粒粒堅強，卻無鋼骨水泥以築成一座世界最美麗偉大的巨廈，其然其不然乎？

「他山之石可以攻玉」，「聞過則喜」是我們負責復興中華者的應有態度。

識者謂日本明治維新時代的匡國人材，以一區區藩邸所出者，亦足誇耀世界。而中國如蟻聚蜂擁，四萬萬人民之衆，兩世紀來，僅僅出了一位孫中山，而孫博士在中國國內社會乃是一個「斷根者」。他早期治西學，於一八八七年在英殖民地香港開始學西醫，即以改造國家爲己任，結納志士，奔走四方，初則向政府當道陳述政見，主張維新，纔乃流離海外，積極[illegible]從事於革命運動。迨民國創立後，他被困在中國舊社會根深蒂固，奸狡陰詐之袁世凱所欺弄，迨至爲出身草莽，僅識之無之軍閥們挾持阻撓，未能親自造成一富強康樂的中國，雖「積四十年之經驗」，亦齎志以歿了！這不但是我們眞正爲「士」者的悲哀，亦是作爲一個世界最大民族的中國人民全體的悲劇，孰謂我們每一個中國人不關係全國的命運呢？「國者人之集，人者心之器」。我們中國不好，就是我們自己不好，尤其是我們身爲知識分子者太不爭氣，今後大家要把這個責任負起來！我們大多數的士大夫，如其都有「富貴不能淫，貧賤不能移，威武不能屈」的人生觀，像袁世凱以及一般軍閥官僚，即不致盜竊國柄，貽禍國家；如其都有「見義勇爲」，「嫉惡如仇」，「實事求是」的情操，而政風何致如今日之窳敗不堪，世俗何致頹劣至此哉！天天講「民主」，而我們從未想自己去做主人，始終離不了傀儡性，仍如數千年來之封建專制時代，寄望於「明主」蒞政，有聞者不得不賢，有能者不得不官」，讓統治階級主宰我們自己的命運，而我們號稱爲「國家主人翁」者反而無所以自主，這不是反主爲奴，自甘墮落嗎？

我們要負起責任，中國的命運，是中國人自已做主人造成的。

法蘭西民族小於我中華民族十數倍，土地亦僅止於我一大行省，然能經過兩次世界大戰在其土地上之蹂躪，人才輩出，復興迅速，今猶巍然屹立，對全球有舉足輕重之勢，誰能對戴高樂不賣帳？可是我們要知道他的發言權是建立在法國人身上，他每次採取重大措施時，必訴之於全民意見，而以公正，簡明又省事的方法取決於法國人。所以，法國命運是法國人自己作主的，法國的知識分子決不隨便向戴高樂總統干祿乞憐，有如我國士大夫之以傀儡自居，如法國著名政治家克里孟梭，白里安等人，在政治上雖然「位極人臣」，但一生不接受任何勳章或國家特典。克氏以「勝利之父」豐功偉烈全世景仰，然遺囑特別載明不受國葬。他活到八十八歲，不曾做過一次壽，法國人亦從未注意於這種無關宏旨的虛文縟禮；實際上，克氏事功彪炳爲千古不朽之人，亦無須人們給他助長威望了。

再以一位科學家爲例：巴斯德當然是最高知識分子。他不但是法國的一代科學大師而且是世界上科學發展轉捩點的偉人。在世界第一次大戰前，法國人會選舉誰是他們國家近代最偉大的人物，巴斯德得票最多，拿破崙且屈居下位了！國人只知巴氏是發明治瘋狗病的人，但不甚熟悉他的科學報國爲復興法國的「功臣」。巴氏生於一八二二年，享壽七十三歲，普法戰爭時，巴氏年值四十八，他的愛國熱誠，可謂灌注在他的化驗室中，宵旰勤勞，孜孜不息，他的科學成就，如發酵菌之應用，蠶虫病之防疫，人與防畜傳染病之設防等等，使法國的農產豐收，牲畜繁盛，國富民安，戰禍損失，轉瞬即告復元，對德賠欵先期交付，德兵須早退出，竟令德國鐵血宰相俾斯麥大爲驚異，出乎預料，而毛奇將軍亦徒呼負負耳。筆者在巴黎時，每過巴斯德學院輒不禁感慨系之，念自己國家知識分子之志趣與法人所作所爲的迥不相侔，深深地頓悟到國運攸關，相形見絀。巴斯德第一次獲好瘋狗咬傷之阿爾昆斯鄉下（Alsace）學童，後即爲巴斯德學院的職員，專司門禁。前幾年方去世。筆者經過時每不覺深頭伸首，一觀此足資敬佩的閽人哩！

回憶少小負笈巴黎時，法人見我國軍閥橫行，禍國內戰，連年遺種最不名譽事，嘗憤而鼓勵我曰：「這些什麼東西！你們將來學成回國，把他們都收拾了！」前幾年旅居英國，兩年暑期，承友人介紹寄寓英南部海濱風景區，主人係與邱吉爾同庚，爲一生盡力於青年會事業之退休者。他的友好自然是英國的政會人物或知識分子。他常見筆者而退已室，面對大西洋而深思，茶點時下樓共敘，渠向衆友指余笑曰：「不要怪他孤獨，他要想有何方法把毛澤東趕出北京！」此言一出，幾令余手持茶杯落地，既驚且愧也。凡此種種，足證外人亦對我們中國知識分子的責任如何重視，而期望亦極殷切，固非對一二人而已。然而我們處在現階段這種危急存亡之秋的中國知識份子，還能不以天下爲己任，洗心革面，而依然自甘傀儡，但事追逐個人利益，崇拜權威，縉營狗苟以終其生乎？

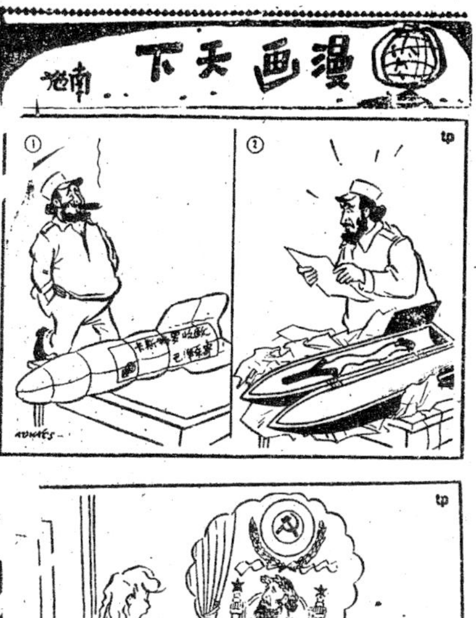

毛澤東說：「大力支持古巴」

「醒來吧！美洲獨裁者之夢！」

自由談

談忠佞

馬五先生

魏徵對唐太宗說：「願陛下使臣爲良臣，不使臣爲忠臣」、此忠言也。他是以「致君於堯舜」的心情，希望領袖隨時聽取幹部諤諤的見解，創進福國利民的績業，成爲歷史上的聖主明君，所謂忠言逆耳利於行也。

宇文士及從唐太宗游覽園林，聞太宗讚賞某樹佳美，亦隨聲稱贊不已，此佞言也。他是以阿諛取容的心情，企圖討得主子歡心，以獵取個人的富貴利祿而已，所謂巧言令色鮮矣仁也。

唐太宗對於前者的說法，誠意傾聽採納，身體而力行之；對於後者，當場指斥其爲佞人，說是「魏徵常勸我遠佞人，不知佞人爲誰，今乃信然」。此其所以能夠創出「貞觀之治」，垂範後世，成爲歷史上的偉大人物也。

忠臣的言行，是發於良心血性之自然而然，決不矯揉造作，隨時在表面上裝出忠貞份子的色相以相炫耀，如文天祥，史可法等人，他們在生之日，何曾對人流露過要作烈士的意願呢？唯有佞倖之徒，纔專門以阿諛逢迎，巧言令色爲立身行己的不二法門，恨不得要在額角上鐫出「忠貞」字樣作標誌，一旦面臨危難環境，即不妨隨風轉舵，媚事新主了。如張治中當年在大陸所表現的忠貞色相，可謂冠絕群倫矣，然而結果如何，大家都知道的！又如汪記政權中的顯貴葉蓬，當年他提倡人們在集會時，凡說及「委員長」三字，大家就得起立致敬，其忠貞程度，可謂雙料貨了。於國難來臨，他竟爭先走進了叛國之途，這亦是世人周知的事。

政治上多有忠臣在朝，而社會上一切智勇辯力之士，得以際遇明君盛世爲莫大幸運，相率草茅忌舊而樂爲之用，人才自然輩出，政事必卜進步。若佞人充斥，則一般具有忠肝義胆的人士，羞與爲伍，有所不爲，即使偶爾從政，終必孤掌難鳴，不合時宜，落得焦頭爛額的下場，其餘鐘鳴鼎食之輩，盡是些奴才，奴才政治的後果，那有不糟糕之理？

人類的知識雖已進步到原子能時代，但忠佞的義理永遠如一，任何唯心唯物或唯生論的辯證方面，亦不能予以否定的。我希望講求政治革新運動者，對此知所注意乃可！

〔香港與大陸〕

無書可讀・苦海無邊
僑生無不希望逃出大陸
有的判勞改有的墮落了

受騙回大陸升學的海外僑生，大都無書可讀，直言賈禍，或則消極墮落，淪為阿飛，或則被中共抓去「勞改」，無論男女都希望能夠逃出生天。

甫自廣洲「華僑新村」來港的僑屬張太透露：她有一位堂弟，原居印尼耶加達，家資富有，從小性格好動，深受父母疼愛，因受了中共的宣傳，於一九六〇年返回廣州，並在華僑新村買下一層樓，準備安心讀書，結果書未讀到，卻做了勞改犯。

張太說：她這堂弟之落得如此下場，中共要負責任的。原來她堂弟到廣州後，中共知道他是富家子弟，在他身上打主意，除分發他進入在廣州的暨南大學讀書外，學校中的中共幹和中共廣州僑委會幹部，經常「拜訪」他，攀他，目的要他「動員」海外親人投資「社會主義建設」，中共會無故「表揚」他，學校給他記大功，揚言選他為「模範」上北京見「毛主席」。他因此很積極，認為很榮耀，故他父親寄回一萬元人民幣，用他自己的名字，投資到「海外華僑墾殖農場」去。但他是年青心直口快的人，當看見不順眼的事情時，便不假思索，大聲批評。有一次學校高義務勞動，他不但拒不參加，還與「團支書」一吵架，並把「團支書」也打傷了，但中共為了要利用他，未予任何處罰，只是和他「個別談話」了事。這樣他更有恃無恐，遇事批評如故，並又公然在課室裏將一個黨員講師侮辱之餘，打至重傷，終至被判了「勞改」。至於他所買的房屋和投的資，因他是勞改犯，當然沒有了。

另據一位姓李的僑生對記者稱：他有一位胞妹，亦於一九六〇年初帶了八千元人民幣及大批食物回廣州，被分配到廣州石牌之「華僑補習學校」讀初中三，由於該校居住環境極壞，更不習慣學校經常搞的「義務勞動」，不久便自行退學閒居，因無人管束，「經常」聚集和她一樣的男女僑生，在家裏開「派對」，開狂歡會，搞得烏烟瘴氣，不到一年的時間，便把帶回的八千元人民幣和大批食物灑光了。最近還和一個飛子通姦，懷了胎，李君說：家裏的人知道這情況後，氣得要死，深悔當時上了共黨的宣傳之當，把她送回大陸去，曾多次設法想把她弄出來都不成功。

李君還說，在一九六〇年間，他亦有幾位原在印尼的同學，返回大陸讀大學，有些在北平，有些在廣州，但這一年多來，他經常接到他（她）們的來信，言詞間無限痛苦後悔莫及，並要李君打聽「黑市」來港的路線，說是準備冒險逃亡。（敬斯）

台北競選省議員新發展
李秋遠腳踏兩頭船縣市皆可競選
呂錦花放棄張彩鳳乘機問鼎北市

（本報記者台北航訊）明年四月第三屆省議員選舉，台北市競選人的態勢，除本報前兩期已有分析外，現在又有新的情況發展，正為政壇人士注視中。

原籍台北縣的李秋遠，已將戶籍遷來台北市大同區，準備在台北市參加競選，最近忽有「李秋遠禮讓郭國基」的話傳出，有的雜誌竟信以為眞，據以報導，但經本報記者深入透視，此不過係李秋遠要的噱頭，絕非就是他要退出選舉。

根據新修正的選舉法規，台北市明年四月可以選出五位省議員，較第二屆少了一人，由六人變為五人，在這五位議員當中，還要除去一位婦女保障名額，剩下來的只有四個位子供黨內黨外的男士競爭了。台北市是中樞所在地，機關林立，國民黨勢力雄厚，票源又較易控制，所以黨外人的競爭要想獲勝，相當的困難。國民黨所控制不到的選票，則由於競選的人多，票又分散了，同時，李秋遠在台北市沒有羣眾基礎，他原本想爭取的一些游離同情票，又與郭國基衝突，算來算去，他在台北市的競選，勝算不大，因此；才有在台北市選讓給郭國基的宣傳。認眞說來，由於李秋遠在台北市根本就少有票源，所謂禮讓給郭國基不過是一個「空頭人情」罷了！

相反的，李秋遠在台北縣卻有着不可忽視的基礎，第二屆他是台北縣巳經當選了的省議員，後來打選舉官司被判「當選無效」，由張彩鳳遞補了去。李秋遠很能利用羣眾心理，現在還是在他用的名片上，印着「台灣省議會議員」的頭銜，不過在旁邊加寫了一行小字「當選無效」，這一手為他爭得很多的同情。同時，到目前為止，台北縣還沒有一個黨外人士出來競選，而且他的勁敵張彩鳳，明年四月又準備要到台北市來競選，因而，李秋遠如果回到台北縣競選，可以說有百分之八九十的把握。

台北縣的張彩鳳，明年要到台北市參加競選的消息，到現在都還沒有公開，任何報紙雜誌都沒有一家探到這個消息。原來她的決定到台北市競選，又與呂錦花的不競選連任有連帶的關係。

這兩天台北市有一家報紙透露呂錦花仍將競選連任的消息，但據本報記者獲得的消息，與此恰巧相反，呂錦花已無意再做議員了。原因是呂錦花主持台灣省養女保護會多年來，表現和成就都很好，「養女之母」的稱號，並不是浪得虛名。可是從她進入議壇之後，在省議會卻是碌碌無所表現，反而因為議會開會佔去了她很多時間，使她對養女會的照顧顯得有些疏忽了，弄得兩面不討好。呂錦花自已對保護養女會這種保障人權，造福國家社會的實際工作，興趣很大，所以她積極放棄省議員的職務。

由於呂錦花不想連任，台北市婦女保障名額便出了缺，想鑽營這個缺的人，自然很多，台北縣的張彩鳳也就動上了這個腦筋。張彩鳳在台北縣是遞補李秋遠遺缺的現任議員，當然已有了競選的經驗，同時她父親張群傳又是台北市議會現任議長，對她的競選運動，當然大有幫助，所以，她決定趁機而入臺北市來。張彩鳳到臺北市，對李連麗卿來說，是一個威脅，雖然她們在私交還有同窗之誼，可是在選戰當然誰亦不讓誰。李秋遠對於張彩鳳到臺北市當然感到高興的。迄至目前為止，張彩鳳擬到臺北市競選的消息，恐怕要以本報為第一家透露。

李秋遠到現在戶籍還在臺北市，他打着一個巧妙到極點的算盤。因為根據新修正的選舉法規，戶籍在寄籍地六個月以上，有選舉權被選舉權，但在本籍也有選舉權。臺北市算是李秋遠的寄籍，臺北縣是李秋遠的本籍，兩地他都有被選舉權。到時候再看風色，那裏選相宜就在那裏競選，反正決不會落空。況在就斷定李秋遠絕對退出臺北市競選，雖還嫌武斷，但根據事實情況分析，他還是以回臺北縣去競選的可能性大得多。

將在臺北市競選的黨外人士，郭國基不消說一定出馬的，張詩經有問鼎之心，亦確實是實，黃信介則傳說不準備競選了，卻未必可靠，虛虛實實還得讓時間去加以證明。至於執政黨人士，需經過黨內提名的一關，在公佈名單前，暫不談它。（吳越・十一・十四）

英國亦宣佈恢復核試
星輿論認為意義嚴重

（本報星加坡航訊）美國與蘇俄剛宣佈結束一連串的核子試爆之後，英國又突然的宣佈決定於短期內恢復核爆這項事，星加坡輿論認為是特別具有嚴重意義的。

英首相麥美倫說：英國對於蘇俄決定深感遺憾，但為了英國的安全和自由世界的利益，迫不得已，不得不然。這些話，星加坡輿論看大概可算的；但強調，此舉的嚴重意義，亦就在於所謂「迫不得已，不得不然」，所將帶來的惡性循環所給人類生存的絕大威脅。

在「核子俱樂部」三個正式會員中，英國一向被認為最沉得住氣的。在去年九月，當蘇俄甘冒天下之大不韙，違反停試的「君子協定」之後，美國差不多立刻便宣告跟進，亦實行核子試爆了，雖然在當時，英國曾宣佈過同情美國亦進行核爆的苦衷——這苦衷也便是如今麥美倫所說的「迫不得已，不得不然」，但英國自身，到底不會因此亦進行核子試爆。現在英國卻亦要恢復核爆了，所以星加坡輿論便認為嚴重了。

星加坡輿論認為：英國宣佈決定恢復核爆，首先一個嚴重意義，便是停試的宣告絕望，杳不可測。去年九月蘇俄破壞了停試之後，它自己已經進行過兩次連串試爆，每一次都係試爆核子彈或核子裝置幾十個。美國則進行過一次連串試爆。對於停試問題，在這年多來，便因為蘇俄與美國先後恢復核爆，英美俄三國所舉行的停試談判，亦特別顯得緊張熱烈，煞像煞有介事。在談判中，美國在英國的支持下，曾經一再提出被目為遷就蘇俄的建議，計為：

（一）由於蘇俄一直反對西方國家人員進入俄境監督檢查，美國提議監督檢查人員全由中立國人士擔任，且並不首先在俄境設立監督檢查站，而僅在發現有違約之嫌時，始入境進行檢查的條件下，立刻簽訂全面停試的協定。但此一建議被蘇俄拒絕了，理由為蘇俄絕不允許任何人前往俄境去做「軍事間諜」，雖中立國人士亦然。

（二）由於蘇俄根本拒絕入境檢查，美國又在英國支持之下提出建議：首先立刻簽訂地面的、海底的與高空的禁止核爆的協定，然後進一步再商談禁止在地下進行的核爆；理由是上述那三種核爆，雖不進入任何國家境內，亦可以探測出來，地下的核爆則尚不能有有效的探測，所以暫不列入。但美國此一建議，仍然為蘇俄所拒絕。蘇俄的拒絕理由，十分冠冕堂皇，說是它要的是全面禁試，而非局部禁試。

禁試談判之所以至今一無所成，正與裁軍談判開了幾百千次會議仍然談不攏一樣，關鍵在於自由國家主張必須有監督檢查，以免受騙，蘇俄則始終反對監督檢查，而徒然高唱「澈底、全面、乾淨」的裁軍與禁試。那一方確有誠意，那一方只是話說得好聽，一望而知，無待詞費。

星加坡輿論認為：英國宣佈決定恢復核爆的另一個嚴重意義，便是蘇俄因此必然更要進行核爆，繼之美國其勢亦非繼續進行核爆不可。亦即是說「核子俱樂部」的三個正式會員國，都拚命的攪核爆，「轟」「轟」之聲到處可聞，輻射塵大量增加，密佈於天空、海底與地面。如此的核子競爭繼續下去，終難免有一天會帶給人類一場毀滅性的原核大戰，絕非聳人聽聞之談。且即算是居然能夠只試爆而不眞打，單是輻射塵無限量的增加之結果所給予人類生存的威脅，也就足以令人不忍卒想，不寒而慄。（學）

麥馬洪綫與麥馬洪
——本報資料室

印邊之戰的表面理由為「麥馬洪線」。產生麥馬洪線的西姆拉與新德里會議，中國代表擅在劃界的草約上簽字，當時北洋政府立予呵責，並聲明草約無效；以後的國民政府，中華民國政府亦未加承認；甚至連如今竊據大陸有素的中共偽政權，亦不予承認，當然非法。

中印邊界從未劃清（習慣用語為「未定界」），是一個歷史懸案。雖未正式劃界，但傳統界線是有的，這傳統線與非法的麥馬洪線間的相距甚大，在傳統上有五萬方哩的中國土地是被活生生給劃出去了。原來，當民國成立之後，當時的西藏統治者十三世達賴喇嘛，在當時的印度殖民主英國包藏禍心的慫恿下，企圖脫幅而去，北洋政府興兵聲討（主其事者為川督尹昌衡與滇督蔡鍔），節節勝仗，直逼首府拉薩，英國眼看大事不妙，以調解為名，主催會議，民國二年（一九一三年）先在印度西姆拉開會，出席者有中國，中國的西藏地方及英國的代表——中國代表為西藏宣撫使陳貽範，西藏地方代表為倫興夏托拉，英國代表即為麥馬洪（此君當時系在英國的印度殖民政府專辦外交的人員，有實權之為印度外交部長者），英國有意在使西藏獨立自主地位，中國不答應，無結果而散。次年（民國三年，公元一九一四年）三月，續在新德里開會，英方代表提出劃界草約，即所謂「麥馬洪線」，並多方恫嚇，陳貽範不堪壓迫，於四月廿七日經事前聲明非經中國政府批准不算數後，未奉命令擅簽字於草約。英國現在某些國家胡糊塗的支持的麥馬洪線，其根據便是這個未經中國政府批准的草約。

麥馬洪其人，生於一八六二年十一月廿八日，是一個典型的殖民主義人物。他出身桑赫斯特軍校，廿一歲時正式服務英國陸軍，派在印度的英國總督府服務。其後於一九〇一年出任俾路支稅收兼司法專員，十年後的一九一一年到一九一四年，在印度的英國總督府主管外交事宜，故得為出席西姆拉及新德里會議的英國代表，並提出劃界草約。以後此君又做過英國駐埃及首任高級專員（時埃為英保護國），又做過第一次大戰後中東和會英國代表，後此幹些什麼不清楚了。一九四八年出版的大英百科全書，有其小傳，但祇有生年而無卒年（其時如尚生存，已八十六歲了），近年出版的大英百科全書，不知何故，他的小傳已被劃去了。此君大概已死，否則到本月廿八日他已是百歲高齡；又否則當此「麥馬洪線」大出風頭之時，他不會不是「新聞人物」。（豫）

如果印邊之戰再打下去 中立主義將徹底破產

——林英——

不管尼赫魯仍然裝模做樣的在爲他那已破産了的「不加盟」政策，亦就是所謂「中立」主義辯護，但是，假如印邊之戰繼續的打下去，尼赫魯又希望印軍能夠逐漸阻擋住中共軍的橫衝直闖的話，他倚賴於英美等西方國家的支援，便會愈來愈大，他的「不加盟」政策，便會愈來愈被現實所否定。此一情勢，對於今後世界大局，可能出現劃時代的意義。

由於中共正不惜忍受最不體面的屈辱以求取得瓦全的談和，印邊之戰是否再打下去，是很大的問題。但果眞和的希望不存在了，非打下去不可了，另一個問題，是中共會不會再取攻勢？這在現在，也是難以遽下論斷的。祇是，爲了不和是尼赫魯印度的決定，當然的邏輯，印度軍隊是不會停止不攻擊的。印軍果眞進攻，就又難以希望中共軍祇是在那裏等着捱打，而不相機進行反擊。

當前的現實，中共與印度雙方軍事力量是大大不平衡的。以現刻的印軍力量，它根本不足以同中共軍對壘。是則除了大大的倚賴英美等西方國家的支援之外，尼赫魯印度實在無力把戰爭打下去。美國會經透次聲明，它的軍援印度，絕對沒有要尼赫魯印度放棄「不加盟」政策的意思。但這當然是「官腔」，目的祇在配合尼赫魯至今還不肯承認他的以往政策的根本錯誤。而設使戰爭果眞繼續打下去，要尼赫魯永遠對已經破産了的「不加盟」政策抱殘守闕下去，難以想像。

且到了那時候，尼赫魯卽使口頭上不放棄「不加盟」政策，實際祇是欺人自欺之談。

尼赫魯實際亦已經發覺他的「不加盟」政策是錯誤的了，他最近曾經在國會中說：「我們和現實世界失去接觸。我們曾經生活在自我假設的氣氛裏面，現在我們已經擺脫那種氣氛」。這些話儘管稍嫌隱晦，其意義實在是明白的。尼赫魯其所以還在爲他的「不加盟」政策辯解，主要只爲了他一時轉不過這個彎來，卽他還不肯向印度人民坦白承認他以前的政策，太過荒唐。

另外，西方國家有人猜想：尼赫魯其所以還不肯徹底倒向西方，是因爲他還對蘇俄存有幻想。尼赫魯雖會着實的表示不滿意於蘇俄原來答應出售給印度的米格廿一型機遲遲不來，據最新的消息，經尼赫魯竭力爭取的結果，蘇俄又答應要給他這種飛機了。在尼赫魯，這是種政治運用，企圖藉此以顯示他的「得道多助」是一面，企圖藉此把中共顯得更孤立，又是一面。但尼赫魯何嘗不明白，果眞再打下去，他要想蘇俄會以大批軍火供給他，根本做不到。（新任印度國防部長查文便承認那是幻想）蘇俄現在的又答應對印供給米格廿一型機，顯見只是姿態，何時供應？供應多少？在在無把握。實際可以肯定：要蘇俄幫尼赫魯對付中共，絕對沒有這個可能。尼赫魯今天的做作，無非顯示其老奸巨猾取巧投機的妄人身份。

這已經是非常之明白的，中共在印邊的攪法，與所謂邊境之爭，完全不相干。也所以，印邊之戰不但使得尼赫魯的「不加盟」政策破産，同時亦粉碎了所謂「和平共存五原則」。尼赫魯以及若干「中立」國家，現在必然已經發覺，要與共産政權「和平共存」，唯一的條件是你本身具有不可侮的實力，能夠嚇止住它，否則你就休想和它「共存」。這意義既現實又淸楚，尼赫魯便已經膺受了血淋淋的慘痛敎訓。所以，印邊之戰果眞再打下去，不但尼赫魯印度非倚賴西方國家予它最大支持而逐漸的倒向西方不可，那些以往對俄共集團存有幻想的「中立」國家，將都因此大夢初醒，而發覺到要生存下去便非與自由國家[illegible]不可。屆時世界形勢便會起着頗大的變化，而非復今天的樣子了。

道德篇 林

但願「以孔爲師」（一）

一般人都誤認「道德」敎育，係與「科學」敎育爲對立的科目。不知任何科目都以道德爲中心，任何科目都離不開道德，離開道德卽失去該科目的敎育意義。例如體育有體育的道德，醫生要有醫德，商人要有商德，個人有個人的道德，社會有社會的道德，科學亦自然離不開道德。科學家若是沒有道德，那就全無足貴，不管他所發現的是怎麼樣了不起的東西。

道德是人性的產品，代表人生的至善，是一種人生藝術。人類社會不容沒有人性；離開人性，那還算得什麼「人類社會」？也就因此人類不能離開道德，道德被認爲百業之首，百科之首，人生基礎的必修科目，便有絕對的理由。

道德既是一種人生藝術，並可用有效的方法，及實施的程序來表達，例如孔學的正心、誠意、修身、齊家、治國、平天下的倫理道德的邏輯，無疑便成爲人生的科學，但這種科學的方法，祇是方法而已，表達的技巧而已，並不是善的人生境界！

孔子以「仁」爲總攝諸德之首，確認「仁」爲道德的靈魂。天地不仁，以萬物爲芻狗。爲政不仁，則萬民顚連於溝壑。不管人們把道德作如何的解釋，對「道德與科學」有如何的爭論，但若社會離開「仁」，則所謂物質文明，還有什麼意義？人生若缺乏「仁」，其存在又還有什麼意義？

孔子道德文章蓋世，惟「重道而不重文」，近世敎育似未深味及此。五四運動的新穎，並未虔誠的以新觀點光揚此種「放之則彌六合，卷之則退藏於密」（中庸）的達道，且毀決獸性的防隄，冲殘代表人性的道德，其皮相淺薄，不深研領悟孔子大道的妙諦，識者早知此非爲人類幸福的佳兆。今日我國大陸遭遇不幸的惡果，除政治理由之外，敎育思想的失敗，也不能謂爲全無影响。

國家盛衰，係與社會風氣息息攸關。說到敎育，自不能忽略這位萬世師表的孔子的敎育精神，目的，與方法。假若文化敎育工作者能「以孔爲師」，今日我國的境遇，社會的風氣，執政的人才，相信可有另一番新氣象。

「以孔爲師」的敎育，究對現社會有怎樣的裨益？且聽在下道來：

一般人都誤以爲，孔子所歡喜的學生，必然是沉靜聽敎的學生。但恰正相反，孔子所寄予希望的對象，却是那些有問題的學童。好像當孔子被困在陳國絕糧時，他不期然懷念故鄉，但他所懷念的不是故鄉的溫飽幸福生活，而是他認爲很難敎導的一班狂簡小子。書中說：「子在陳，曰：歸與！歸與！吾黨之小子狂簡，斐然成章，不知所以裁之。」爲什麼孔子要懷念這類有問題的狂簡小子，因爲「子曰：不得中行而與之，必也狂狷乎！狂者進取，狷者有所不爲也。」原來孔子以爲，對於理想中的進退有度，各方都具有條件的青年，事實上不可得，惟能求其次的一類具有狂狷個性之士

天南風光

——沙羅越的歷史——

朱淵明

「渤泥（Borneo）在泉之東南，去闍婆四十五日程，去三佛齊四十日程，去占城與麻逸，各三十日程，皆以順風爲則。其國以板爲城，城中居民萬餘人，所統十四州。王居覆以貝多葉，民舍覆以草。王之服色，畧仿中國。若裸體跣足、則臂佩金圈，手帶金鍊，以布纏身。……地方熱。國人宴會，鳴鼓，吹笛，擊鉢、歌舞爲樂。無器皿，以竹編貝多葉爲器，食畢則棄之。……太平興國二年（西曆九七七），遣使蒲亞利等貢腦子，瑇瑁，象牙，檀香，其表緘封數重，紙類木皮而薄，瑩滑色微綠，長數尺，博寸餘，卷之僅可盈握，其字細小，橫讀之，譯以華言云：渤泥國王「向打」稽首拜皇帝萬歲萬歲萬萬歲。又言每年修貢，易飄泊占城，乞詔占城今後勿留。館其使於禮賓院，優遣之。元豐五年（西曆一〇八二）又遣使來貢。……」

又宋史卷四八九渤泥傳載稱：

「渤泥國（Borneo）在西南大海中……前代未嘗朝貢，故史籍不載。太平興國二年（西曆九七七），其王向打，遣使施弩，副使蒲亞里，判官哥心等，賚表貢大片龍腦一家底，第二等八家底，第三等十一家底，米龍腦二十家底，蒼龍腦二十家底。凡一家底並二十兩。龍腦版五，玳瑁殼一百，檀香三橛，象牙六株。表云：

「渤泥國王向打，稽首拜皇帝萬歲萬歲萬萬歲。願皇帝萬歲萬萬歲壽。今遣使進貢。向打聞有朝廷，無路得到，昨有商人蒲盧歇，船泊水口，差人迎到州，言自中國來，比詣闍婆國，遇猛風，破其船，不得去。此時聞自中國來，國人皆大喜，卽造船舶，令蒲盧歇導達入朝貢。每年修貢，慮風吹至占城界，望皇帝詔占城，令有向打船到，不要留。臣本國別無異物，乞皇帝勿怪。」」（五）

瀛台續夢

第六回：　烽火照邊陲　同舟難濟　樓船碧橫海　大慾興悲

周恩來回到北平才曉得是爲了高峯會議流産的事。高峯會議定於一九六〇年五月四日在瑞士日內瓦舉行，毛澤東因爲自己未能參加，恨透了赫魯曉夫。本來毛澤東想勾結蘇斯洛夫及克里姆林宮尙存的史大林派人物，乘機推翻赫魯曉夫統治。當時曾把劉曉找同來諮詢，劉曉表示沒有用處，赫魯曉夫地位已經穩固，不易動搖。

毛澤東聽了劉曉的話，不信邪的脾氣又犯了，歪頭說道：「史大林死後，馬倫可夫一夜之間組成政府，誰不說他的地位已經穩固，何以只有一年時間就被推翻了呢？」

劉曉陪笑說道：「現在的局勢和那個時候，客觀條件各不相同，馬倫可夫政權既得不到軍人擁護，又未能控制中委會，所以被布赫集團輕易推翻，今天赫魯曉夫由書記處出身，整個黨務機構都在他手中，軍人又擁護他，少數的反對份子沒有可能推翻他的。」

毛澤東沉吟一下，問道：「依你看，將來有沒有此種可能性呢？」

劉曉笑道：「那就除非他內政外交遭到重大挫折之後，軍人不滿，幹部離心，也許還有一線可能。」

劉曉第二日就飛回莫斯科去了，不到半月時間，高峯會議竟然流産了。毛澤東得到消息，一則一喜，一則一懼，喜的是赫魯曉夫的夢境破碎了，對他的聲望是一個嚴重打擊，懼的是美國既有U二機去偵察蘇聯，偵察了幾年才失事，蘇聯的防空網如此嚴密，尙且無奈U二機何，自已統治下的中國大陸簡直是一個不設防地帶，中國政府要是向美國借或買到幾架U二機，什麼秘密臺北都知道了。毛澤東想了一夜，不知道應該採取什麼立場，就催周恩來趕快回來，商量應付之策。

周恩來回到北平，毛澤東就召集了一個政治局會議，研究高峯會議破裂後的形勢。

首先由陳毅報告高峯會議破裂的經過。毛澤東問道：「這次高峯會議破裂，會不會影响赫魯曉夫的地位呢？」

沒人敢開口，停了一時，毛澤東又說道：「據劉曉告訴我，如若內政外交受到挫折，赫魯曉夫就會被反對份子推翻，我想這次大概差不多了。」

大家互相望了一眼，還是沒人開口。

毛澤東着着周恩來說道：「你以爲我們是不是可以用點壓力，促使赫魯曉夫早日垮臺。」

周恩來登時打個冷戰，連忙說道：「請主席考慮一下，這可不是鬧着玩的，我們不是南斯拉夫和阿爾巴尼亞，蘇聯鞭長莫及，我們若同蘇聯徹底鬧翻，一定要吃大虧的。」

毛澤東看見周恩來的一付窘像，又覺得好笑。回頭向劉少奇說道：「依你看，赫魯曉夫會不會垮臺。」

劉少奇搖搖頭：「我看不會，這次蘇聯打下U二機，赫老在日內瓦當面指責艾森豪威爾，只能增加他的聲望，怎會因此垮臺。」

鄧小平說道：「依我看，我們應該發表一篇聲明，指責美帝侵略，擁護蘇聯的立場，才可以促進雙方關係，此時萬不能再鬧分裂了。」

（一五四）

憶玉軒雜綴

「七光無量壽」

在每年的七月七日，吾人已默默地，無聲無臭渡過，回憶廿五年前，正掀起蘆溝橋侵略戰爭，到了二十年前，又悍然有太平洋大戰，這戰爭的罪犯，是東條英機，武滕章，板垣征四郎，廣田弘毅，松井石根，土肥原賢二，木村兵太郎。是被麥帥在民國卅六年十二月二十三日，將此甲級戰犯於巢鴨監獄，執行絞刑，隨即押送橫濱久保山火葬場，放進了電化爐，分別焚化，安置在七個編號的黑色鐵箱中，後來將此骨灰，揚棄在太平洋中。但是日本人士，在每年六月三十日，在三河灣國立公園下幡豆町三之根山，熱烈祭祀這殉國七士墓。這墓中骨灰，從何而來，據日本產生時事新聞週刊的報道：

當東條英機的辯護律師三文字正平，自判決日起，即秘密注視與安排，如何取得這七人的骨灰。後來知道送久保山火葬，三文字即與久保山興禪寺住持市川伊雄法師商定，如何取灰。由市川與火葬場長飛田，秘密商可，才發現盟軍發表裝灰的小黑鐵盒容積量有有限，祇放一半，其餘一半，用士敏土製方型骨灰箱盛着，埋於火葬場附近的公衆墓地。經過瞭解，三文字與市川，邀同飛田三人，決定在廿五日深夜，以最迅速的手法，將骨灰盜取出來，作爲陣亡的姪子三文字正輔骨灰名義，寄放興禪寺靈堂裏。

民國四十七年六月，長野縣上水內郡蘋果園主人前島照定，與前皇族本久邇宮兩人，在三文字的安排下，決定爲此七個甲級戰犯建墓立碑，前往興禪寺，將骨灰迎往長野縣的蘋果園裏。由本久邇宮親書：七光無量壽之墓。七光無量壽，是行刑前，花山信勝敎戒師，爲他們所贈的共同法名。在四十九年六月，再經林逸郎，三文字正平發起，擇定幡長町三之根山，建立了殉國七士之墓，每年必祭。

產生時事新聞週刊，揭露這公案，才知當年傳說，骨灰揚棄太平洋中，現已證實，並不是全部，尚有半份秘密埋葬在地下，至今已移墓合葬，儼然殉國的烈士，受人膜拜。這種公然的崇祀，也可以透澈日本軍國主義的靈魂，依稀猶存。如此轟烈的哀榮，記述及此，不勝其慨歎矣。

康有爲的講學

萬木草堂與天游學院

丘　峻

康氏自變政失敗，出亡十六年歸來，從民國九年起，即居於上海愚園路一七二號的「游存廬」。降及民十四年冬季，氏以年登六八，來日無多，「萬木草堂」諸生已先後凋零，所餘無幾，必須乘時再造成一班人才，以爲後繼，方不負此一生。當時，康夫人梁氏，因恐康氏精力不繼，曾力加反對，無效。康氏固執己見，一意孤行，遂將其「游存廬」右首樓房撥出，作爲作育人才之所，名爲「天游學院」：蓋取其詩「避地避人天與游」之意。此乃康氏繼粵「萬木草堂」而爲其在滬講學之所，亦即氏一生最後講學之地。樓雖不大，而其上下亦可容納數十人。初因經濟關係，祇以自製之長茶几爲桌，長板架作櫈，非常簡陋。後改購花旗椅數十，每打價三十餘銀圓，設備稍佳。復建搭棚廠一座，供員生住宿之用。嗣後尙陸續有所改進，規模漸趨完備。

當其開學之始，學生均酌收學費。後有些學生常以路遠，接濟不及，則不單學費無法按時征收，寖且反而供給其所需膳宿矣。

時康氏精神已大不如前，雖隔日授課（講經）一次，亦必於講授前服用「蘇合丸」，方能濟事。越年夏，氏往西北，作數月游，課務交由龍澤厚代投，外如門人阮鑑光（字紫陽，順德人，母日籍，生長於日本，爲日本橫濱大同學校畢業生，復從康氏遊者。對日抗戰勝利後，居滬，窮極。有日高官某，於歸國前，將金銀財物盡送彼處，竟却而不受，亦異人矣！）、張漢文，均兼授日文。其有學有專長的學生，亦兼教各種學科。此與「萬木草堂」時代學長之分助教授，又屬書院制中新舊合璧之別開生面者矣。

至於此一階段所收學生，由三十餘歲以至五十餘歲不等，所謂有心向道，來者不拒。及民十六年春，康氏移居青島，學生四散，學院遂亦無形解體矣。

現在，廣州「萬木草堂」的學生，固已去世殆盡，即上海「天游學院」的學生，所可得而知者，亦僅有張漢文，（台灣新竹人，因痛憤日人之統治，潛回內地，名化林奄方，入天游學院，就學於康氏。氏現居新竹，經營果園生產事業。）蔣貴麟（現工作於台北，公餘之暇，正趕編其師康氏年譜）二人在台，各有專業；陳某則陷匪區，行蹤莫悉而已。至於交付大同書稿於中華書局承印出版之天游後期學生錢定安氏，聞尙生存，但亦不知所往云。（完）

由虎談起

周燕謀

今年壬寅屬虎年，虎爲百獸之王，性猛。狀如貓而巨，身長可五六尺，毛色鮮黃，而間黑色斑紋，兇殘猛悍，食獸噬人。中國大陸南北均產虎，凡屬山地，無論寒熱，多有此物。產於滿洲者，毛密而厚，其皮可作坐褥，骨可作藥酒。中國古代，以龍喻君，以虎喻臣，是以詩云「矯矯虎臣」是也。虎之猛在於口，因其口內有尖銳的鐐牙，其爪亦犀利，以武强悍。漢光武以銚期拜爲虎牙大將軍。莊子：「料虎頭，編虎鬚，幾不免虎口哉！」史記：「足下起糾合之衆，收散亂之兵，不滿萬人，欲以逕入强秦，此所謂探虎口也。」人們之遭遇大難而不死者，謂之「虎口餘生」。任邱邊長白掘李自成祖墓，自叙其事之險，便曰「虎口餘生」。又曹子清演爲填詞五十餘齣，極言其虎口之不可近，萬一遇此危險得而避免，亦僥倖中之虎口餘生耳。

然人有冒險犯難以求事功之成就者，多抱「不入虎穴焉得虎子」之精神，此誠所謂「明知山有虎，偏往虎山行」者也。漢書班超傳：「班超使西域，鄯善王廣奉詔，禮敬甚厚。後復疏懈，超曰：『此必有北使來』，乃謂其將士曰：『不入虎穴，焉得虎子』？是夜用火攻虜營，斬其使，而一鼓殄滅之。」此種大無畏的冒險性行動，確屬勇者的搏虎精神，其典故至今猶膾炙人口。

虎性兇殘，不可向邇，但亦有遇虎而慶獲生還者，宋有朱泰者，家貧，百里鬻薪養母，虎負之去，朱厲聲曰：「食我不足惜，但母無託耳。」虎遂棄泰於地。里人以爲孝感，醵金遺之，目爲「虎殘」。事見於宋史。云孝感者美其事耳，此亦可遇而不可求者也。當然這乃是不折不扣的「虎口餘生」。

虎雖可畏，然不可縱，縱則貽患無窮，噬臍莫及。『史記：漢王欲西歸，張良曰：『今漢天下，有其大半，楚兵饑疲，今之而不伐，是養虎而貽患也。』楚項羽猛如虎狼，但已疲憊，乘其疲而殺之則易，假以休養生息，天下誰屬，誠未易知。此猶如容共而任其坐大，貽患滔天，至今爲極。然而共產黨徒之兇殘，固尤甚於虎也。禮弓：「孔子適齊，過泰山，有婦人哭於墓，使子路問之，答曰：『昔者吾舅死於虎，吾夫又死焉，今吾子又死焉！』子路問曰：『何爲不去也？』婦曰：『無苛政』。子路以告，孔子曰：『小子識之，苛政猛於虎也！』虎雖殘人，有時尚有虎口餘生，而苛政則無法逃避，所以這婦人以國無苛政，寧死於虎口而不顧他徙。今日毛共幫之暴政，生民塗炭，百姓願與偕亡，蓋即爲猛於虎者也。吾民何辜，爲此不禁其髮指矣！何日王師抱「不入虎穴焉得虎子」之精神，出而拯同胞於水火，企予望之矣！

花香月上樓小品

海嶠譚薈

民國著名疑獄之一（三）

諸葛文侯

張振武，方維被殺消息發布後（民元八月十五夜執行的），臨時參議院議員聞之大譁，指政府非法濫殺開國志士，於八月十九日開會提出質問，要求正式答復。袁總統第一次答辯書於廿日送到參議院，說是「此事關係重大，其所牽涉之人，及所牽涉之事，非僅關湖北治亂，實關全國之安危，且係軍事機密」云云，議員們指其詞意閃爍糊塗，大不滿意，即要求陸軍總長於次日出席答復。

廿一日陸軍總長段祺瑞原擬携同政府第二次答辯書出席參議院備質詢，臨時又不去，改派法制局長施愚到院宣讀政府文書，大意謂：「前咨商令黎副總統擇其可發表者發表之，今黎電未到，縱令國務員出席，其所能發表者，不過如前咨所云。本大總統爲尊重立法機關，不敢敷衍搪塞起見，仍候黎副總統電文到後，再行答復」。議員們更激昂，當場對施愚痛罵一番後，主張提出彈劾案。袁氏視此情形，急欲緩和各方反感，乃於是日下午，特約鄂籍議員劉成禺，鄭萬瞻等人到總統府談話，告以「張，方此次罪案係武昌所定，既關係武昌安危，即不能不照黎副總統來電辦理」。這與袁氏兩次對參議院正式答辯的話，前後矛盾，議員們當然表示異議，非澈究不可！

越日，陸軍總長段祺瑞被迫出席參議院作答，他根據黎元洪的來電擇要報告，但謂「黎來電說，尚有詳細報告書，如諸君對於此案猶未十分滿意，到時再行鈔送查閱，亦無不可。惟此外尚有一二關係軍事秘密者，現在未便悉予宣佈」。這依然是一派敷衍搪塞之詞，不能自圓其說，而所謂黎氏的「詳細報告書」，亦始終未見宣示。

至於黎元洪來電內容，據袁氏所宣佈的，一爲八月九日的密電——即要求殺張，方的密電——說是「近更蠱惑軍士，勾結土匪，破壞共和，昌謀不軌」，完全是恍惚迷離之詞，羌無故實。迫張，方被殺，風潮鬧大了，參議院窮究不已，輿論界大加抨擊，袁世凱受迫而教黎報告詳情，乃於廿日續電云：「近令逆黨方維，勾結已開革之管帶李忠義，及已正法之祝制六等，分設機關，密謀起事，伊（指張振武）爲原動，大衆皆知」。廿三日又以「武昌將校黎本唐」名義來電云：「七次蠢動，造端宏大，祝制六之名冊，滕亞剛之供詞，王金標之罪狀，石龍川，梅占鰲之人證，證據確鑿，衆所共指。」查張，方二人是八月初旬離鄂北上的，他們果有「破壞共和，昌謀不軌」，「分設機關，密謀起事」的行爲，黎元洪何不予以究處，而讓其率同隨員數十人，晉京活動呢？即黎本唐當中所指述的事情，即令屬實，亦係湖北地方事件，元洪身爲副總統兼鄂省都督，職所在，儘可依法澈究；尚必鬼鬼祟祟，幹此借刀殺人的勾當呢？

孔明借箭

·黃葉村人·

三國演義一書，雖係依據陳壽之「三國志」而作，然因小說家言，不免多所穿插渲染，或移花接木，致而顛倒事實，不可不察。例如孔明借箭一事，乃係掠取孫權之美，完全與事實相悖。然而，小說言之，戲劇因之，天下之大，有幾人讀史？而看戲觀小說者，則屈指難數，此則有心維護史實者，所不可不知者也。

按：三國志吳志孫權傳云：「十八年（建安）正月，曹公攻濡須，權與相距月餘。曹公望權軍，歎其齊肅，乃退。」注引吳歷云：「曹公出濡須，作油船夜渡洲上，權數挑戰，公堅守不出。權乃自來，乘輕船從濡須口入公軍，諸將欲擊之，公勅軍中，皆精嚴弓弩，不得妄發！」但魏略云：「權乘大船來觀軍，公使弓弩亂發，箭著其船，船偏重，將覆。權因迴船，復以一面受箭，箭均船平，乃返」。

余觀二書各異其說，不知孰是？然以意度之，二書似皆各有根據。或者權先乘大船來，公使弓弩亂發，事後知中計，而權又再來，乃嚴勅弓弩，不得妄發也。果如所料者，而吳歷與魏略所載，各爲一事，否則決不致一時之事，而相反如是也。

至于孫權之意，原非「借箭」，而實爲「觀軍」或挑戰，因船著箭偏重，一時計上心來，乘機迴船，使兩面平均，滿載而返。此所謂「偶然的機會」，非有計畫之擄獲也。不料竟爲小說家所盜取，慷他人之慨，張冠而李戴。

又按：三國演義之陳宮，舍曹操而不殺！（平劇演爲捉放曹）以及關羽之「華容道」，「秉燭避嫌」，「斬文醜」，孔明之「空城計」嚇退司馬懿，皆非事實，余曾爲文，一一正之，登南洋各報。今事過境遷，手邊亦缺參考書籍，故僅就記憶能及，記此一事如右。又赤壁之戰，在建安十三年，而濡須之役，則在十八年，兩者距離五、六年，亦不能混爲一談也。

內僑管台報字第〇三一號內銷證

自由報
THE FREE NEWS

第二九〇期

中華民國僑務委員會頒發
台技新字第三二三號登記證
中華郵政台字第一二八二號執照
登記為第一類新聞紙類
（半週刊每星期三、六出版）
每份港幣壹角
台灣零售價新台幣貳元
社長：雷嘯岑
督印人：黃行憲
社址：香港銅鑼灣高士威道二十號四樓
20 CAUSEWAY RD 3RD FL
HONG KONG
TEL. 771726　電報掛號：7191
承印者：田氏印刷廠
地址：香港灣仔高士打道二二一號
台灣分社
台北市西寧南路金臺李號二樓
電話：三〇三四六
台郵撥站金戶九二五二

從長遠的觀點看「印度之戰」

·方南·

「印度之戰」如照現狀發展下去，對自由世界是不利的。自由世界如能把握契機，善為運用，形勢會倒轉為對共產集團有害。但是，整個形勢目前正被共產黨如意操縱和運用中，而在自由世界握有領導力量的西方國家仍舊麻木不仁，未曾從長遠的觀點看出「印度之戰」的真正背景。因此，我們在此時的看法是：共產黨在「印度之戰」佔有較大的勝算。

首先，我們要指出兩點：

一、印度總理尼赫魯惹來這場大禍，「不度德，不量力」這六個字便是真正的禍胎。因為「不度德」，他才想做亞洲盟主，用盡了各種卑鄙方法去替他自己製造地位。因為「不量力」，他才會企圖實現他的「印度大帝國」計劃，和中共在西藏問題上造成尖銳的衝突。

尼赫魯對西藏是有野心的。中共進兵西藏以後，和印度暗裏鬥爭的事實並未為世人所知，正因雙方心裏各自有數，所以鬧到最後便免不了爆發一場戰爭。這該認作是「印度之戰」的主要因素。

二、中共當年進兵西藏的動機，當然是為了對付印度。這是共產集團具有深遠作用的一着毒棋，絕不等閒，假如不然，毛澤東幹嗎要勞師及遠，自惹麻煩？我們既然掌握到這一點，便可清清楚楚地看出：由「西藏之戰」到「印度之戰」原是循序發展的，絲毫不足驚異的。目前「印度之戰」只是一個開端，好戲還在後頭，中間雖有談談打打諸種花樣搬演出來，歸根到底不離一句話：共產黨必要進一步赤化整個印度。

我們必需看清「印度之戰」的本質，這是共產黨主動地挑起的戰爭。它和中共所宣傳的為「保疆愛國」而戰，和尼赫魯仍強調的為保衛民族而戰，事實並不符合。尼赫魯諱言「為反共而戰」，除了保持那塊殘破的面皮，留戀着中立的招牌，主要還是死舐着蘇俄的迷魂湯不肯放棄。這正是毛澤東暗叫高興的一回事。中共拿「保疆愛國」做宣傳是放烟幕彈的手法，而尼赫魯卻完全配合了它，更使自由世界淺視的觀察家看這是兩個「民族主義者」的衝突，忘記了這在事實上是共產黨為赤化印度而進行的戰爭。

尼赫魯不只失敗在軍事，單就上述事例看來，失敗在心理與戰略，失敗在對整個形勢的判斷，乃至名不正，言不順，乃至敵友混淆，進退失據，那才是最可哀的無可挽救的失敗。

中共在軍事上第一回合佔得壓倒優勢以後，立即擺出「和平攻勢」。國際的「和平掮客」當然要活動一下的，尼赫魯在勢窮力蹙之形勢下，也不免有所動心的，但這與整個形勢的必然趨向無關。

我們要向下述兩點着眼去研究：

一、中共宣戰機構發表了一篇雜萬字的長文，痛抨「尼赫魯哲學」的狠毒之後，才認真在軍事上大舉進攻。那是有決心幹掉尼赫魯的明顯表現。那篇「絕交文章」是尼赫魯受不了的，很可能出自毛澤東的手筆，把他和尼赫魯的多年來暗鬥的心底秘密全揭出來了。等於撻尼赫魯之面於全世界人士之前。尼赫魯必已看到毛澤東的「大作」，縱圖屈辱以求城下之盟，他還能向印度全國人民交代些什麼？

二、尼赫魯原以為抓着中共的經濟弱點，和毛澤東在內部統治的危機，不妨向中共硬碰一下。卻不知毛澤東弱在心臟，卻強在延伸向外的爪牙，毛澤東正在需要向外立威以轉移國內視線，這便恰好造成了尼赫魯吃悶棍的機會，只一下便打得頭暈眼花了。現在尼赫魯已喊出「長期戰爭」的口號，所可恃而戰的是：國內被他曾經大力鼓勵起來的民氣；國外的經濟援助和軍火援助。他能夠在民氣沸騰當中接受屈辱的和平，自食前言，丟盡面子麼？事到如今，他大概也着實下不了台，他也要說「勝也罷，敗也罷，只要不和他講和」（蔣百里先生名句）吧！

當然，在尼赫魯本身說來，當前之局是戰難和亦難。他雖有外援可恃，民氣可用，但怎樣才可以迅速把有效地「戰鬥力」組織起來呢？他有這種信心和這種把握麼？「長期抗戰」談何容易？我們中國人曾有這一經驗，是「長期抗戰」的先知先覺和實行者，今天試就印度的全盤力量作一估計，替尼赫魯借箸代籌，怕也要說上幾百個「難」字啊！可是，要和嗎？為尼赫魯本身計，他得提防熾熱的民氣會一下變成怒火，把他燒至體無完膚，就此完蛋呢！

據此以看尼赫魯的「應變策略」，大概還是拿定中共還不至於放馬急攻的一點，對外多騙一些軍火物資，對內安撫正在鼓譟叫囂的人民，對中共是口硬心軟可談而談，純以爭取時間，渡過當前危機為目的。除此以外，怕他再沒有什麼路子可走了。

說到中共方面，毛澤東目前要打這個仗，當有兩個作用。對內是表現威風，轉移心理，對外是造成「印度之戰」的第一步勝利，穩佔戰略據點，掌握着隨時可對印度再施壓力的優勢，完成了「幹掉尼赫魯」的戰略部署。同時，也可向赫魯曉夫顯點顏色，吐一口氣。

所以，毛澤東在痛斥「尼赫魯哲學」而又打了一場勝仗之後，忽又向印度表示可和可戰的姿態，自是應有之舉。因為這不是他可以揮軍直下印度平原的時候，他不能把風箏放得太遠，他還要考慮到自己的「後顧之憂」。據此，我們決不要相信那些鬼話，說是中共受了蘇俄的壓力而願與印度和解。事實是，毛澤東正在充份利用業已造成的優勢，叫尼赫魯在他預設的圈套裏面打滾。

理由很簡單，只要戰爭的威脅始終壓在印度的背脊上，印度內部必定越窮越亂。只要尼赫魯沒法解脫由他自己一手造成的死結，共產集團便可假手於印度內部的力量幹掉尼赫魯。只要尼赫魯被幹掉，國大黨必由此分裂，不再成為印度的領導中心。只要印度原有的領導中心崩潰，大亂的形勢必然出現，反共的力量決不容易就此冒頭而出，於是最終便會由印共起而主宰一切了。這是共產集團在進行「印度之戰」所作的深謀估計。毛澤東懂得，赫魯曉夫尤其懂得。

當年毛澤東下令進軍西藏，是一個長遠計劃的開始。照理說，赫魯曉夫對這一計劃必是知情者和同謀者。為了赤化印度的長遠利益，他幹嗎要站在印度那一邊去？不管怎樣，只要印度真的全面赤化了，那便是蘇俄的最大勝利。赫魯曉夫打的長遠算盤正是如此。到了印度赤化成功時，他只要一舉收拾了毛澤東，誰還憂愁印度不是蘇俄的囊中物？目前，赫魯曉夫最是風涼不過。他看着毛澤東消耗實力，替他掀開「印度之戰」的序幕，由他慢慢去摘取最後的果實。依赫魯曉夫的一貫作風來說，他如不暗中引導雙方走向「長期戰爭」的路上走，才是可怪得很呢！赤色帝國主義的大陰謀家最愛使用這種策略，前例具在，何消細說？

唯其如此，自由世界便必需立刻動腦筋，同時亦必需立刻行動去加以應付。因為誠如上文所說，這是一項契機，能把握住它，便會使原來不利於自由世界者，轉而不利於共產集團。做法之一，便是絕對不要同它講和，首先吸住它，拖住它，消耗它，使它疲於奔命，使它欲罷不能，然後再放手由中華民國大舉進行登陸作戰。可以相信，果眞國軍踏上大陸了，中共便非垮不可了。而中共垮了，蘇俄勢孤力單，也就容易收拾了。

漫畫天下

多行不義的結果

「中立」朋友那裏去了！

自由談

可憂慮的趨勢

馬五先生

報載：我國執政黨最近發覺在台灣從事黨務工作人員之中，有犯貪污罪行者，業已依法究處。愚聞之，始而欣然嘉許革新運動之必有成效，繼而驀然深憂國家前途之隱患堪虞也。

有政治生活即難免有貪污情事，古今一例，中外皆然。美國人常常指摘我國政府「貪污低能」，且見之於外交文書，試問他們的公職人員，又何嘗沒有同樣行為呢？我對於貪官污吏之發生，並不覺得驚異，祇看政府是否本諸法律之前，人人平等的精神，一律依法懲處，決不瞻徇假借？現在執政黨毅然懲究黨務工作人員的貪瀆份子，議親議貴，樹之風聲，乃係殊堪贊佩的事。

可是，回想過去咱們在大陸時期的情形，凡是作官的，幹公營或國營企業的人，都不免有貪污行為，但辦理黨務的，上自中央，下及縣黨部，大家皆能潔身自好，很少受賄扒錢的現象，還保持着一些革命黨人的情操。詎料國難來臨，黨務人員隨着政府播遷到台灣之後，竟有迥異尋常的貪瀆墮落情形出現，這表示國家最高決策機關已潛滋了腐化性能，有如一棵大樹的根柢生了毛病，又如一部龐大機器的發動機生了銹，這是多麼可慮可怕的趨勢啊！

夷考黨務人員貪污之所由來，固以地方官吏和民意代表選舉提名辦法為厲之階，而各級黨部兼行政事務和一切社會事業皆要過問干預，亦係一大因素。懲前毖後，對於黨務工作的範圍及其份際，似應重新研討，妥予規定，過去黨務人員見官高一級，每事必過問的畸形狀況，即非整飭糾正不可。至於怎樣懲處那些貪污不肖份子，實係次要問題。若不正本清源，澈除病根，雖日殺千百個貪污之徒，亦是枉然的！

這是革新運動的契機，我希望因此而使大家特別警覺，對於革新方法能從大處深處設想，實事求是，不復流於形式主義，國家前途，實利賴之。

中華民國五十一年十一月廿四日　自由報　星期六　第二版

（香港與大陸）

廣東興梅地區中共的黨機構，最近曾召開公社和生產大隊的幹部會議，商討如何「挖掘」公社的「潛力」，提高生產力，並決繼續發揚社員之儉樸精神，籌措資金，為明年春季大生產作好準備。

據一位曾回梅縣探親剛回香港的張女士向記者稱：近幾天來，中共梅縣縣黨委召開各公社和各生產大隊幹部會議，歷時兩天。張女士的丈夫從前是一位商人，公私合營後便被遣返農村生產，這次亦以生產隊長身份參加了會議。她的丈夫對她說：這次會議和從前一樣，首先由黨委書記報告國際和國內形勢，指出「東風」如何壓倒「西風」，「帝國主義」如何作垂死掙扎……繼之宣讀部長報告，目前公社存在之問題和未來美好遠景等等，接着便分組進行討論，其主要內容為：（一）如何教育社員繼續發揚儉樸精神，省吃儉用，把省下來的糧食和資金投資於公社生產；（二）如何挖掘公社潛力，提高社員生產力，（三）如何準備明年春季的大生產——包括積肥，選種等。

會議是假・欽定是真
毛共續迫農民餓肚賣命
不少婦女聞訊哭起來

張女士的丈夫還對她說：這次大會雖經分組討論，但最後卻由縣黨委會宣佈「會議決議」，作為今後數月的工作方針。會議決定要繼續教育社員，節約糧食，要求各公社酌量保存一定的機動糧（由農民口糧中抽出），以之換取化學肥料和優良種籽，作為明年春季耕種的投資。繼續挖掘公社的潛力，要求公社幹部加強提高社員生產情緒，和合理的管理方法。規定今年冬季，各生產大隊要作好冬季積肥工作，每畝田要一百担塘泥（水塘底撈起來的黑泥）和草皮（枯草）拾担，作為基肥。

張女士的丈夫對她說：這些決議並不是他們討論的結果，其實是那幾個縣黨委會的共幹決定的。而這些決定實際上就是叮囑公社幹部，繼續在農村實行餓肚子，留住糧食，並且要公社幹部再加強對農民監督，提高勞動強度，即要農民多賣氣力。

張女士說：當那些幹部回到生產隊稍為向一些農民傳達這次會議的決定時，農民嘩然，大表不滿，有不少婦女更當場痛哭起來。（敬斯）

盛傳中俄共正鬧分裂說
香港某觀察家力斥其非
強調根據表象判斷的嚴重危險性

（本報訊）中俄共正鬧分裂之說，近半個月來喧騰報章，滔滔者天下皆是，倒海排山，勢不可當。不但西方國家的那些所謂共黨問題專家也者作如是觀，如是言，連西方若干高官大員，亦不免推波助瀾，頗有姑妄信之之概，甚而在香港的中國人士裏面，竟亦未能免俗，很不缺乏隨而如是云云的，衆口爍金，囂囂其詞，洵歟盛哉。

且還不止此，居然連「英國與蘇俄正合力對付中共」的妙論，雖西方國家的「專家」亦還不會胆大妄為若此者，香港的中國人，却有公然如是道之於口，筆之於文的了，尤其令人為之「丈二金剛，摸不着頭腦」。

但中俄共果真正鬧分裂？它們怎樣鬧法？它們又為什麼要鬧分裂？本報記者曾以此三個問題，提詢於此間某不願露名的權威觀察家。他表示這是三個很扼要的問題，並指出其中第一個問題只是一種假設，第二個問題得舉出事實，第三個問題最為重要，是尋根究底的工夫，需要理智（必需撇開感情），不能單看表象（必需多用腦筋），更還要以現實驗之證之，否則便難免上當，不知不覺的犯了輕率的毛病，形成自欺欺人。

他說：顯然的，許多人非常起勁的倡說中俄共正鬧着分裂，並不能說他們全無「事實」可以列舉得出來的，比如（一）對於古巴事件問題，自從赫魯曉夫在美國的實力與決心面前臨陣退縮之後，中共差不多立刻便怒形於色，大吵大鬧，既指桑罵槐的痛斥「現代修正主義」，又冷言冷語的一再說是「慕尼黑事件」重演，又力捧卡斯特羅，說他勇敢，許之為偉大，強調要給它一切的支持，要做它的後盾，的確儼然是在那裏鼓勵他反抗赫魯曉夫的犧牲了它，出賣了它。

（二）在保加利亞共黨全國大會上，中共的代表伍修權發表演說，大大的為阿爾巴尼亞所受到俄共東歐諸附庸單位的冷視而敵視，大抱不平，另外又會強調馬列主義的鬥爭性與不妥協性。阿共與俄共已經對罵了兩年以上，同期中，阿共因為得到中共的「饑餓援助」、感恩圖報，經常捧中共捧上天。伍修權在那樣的場合說那麼些話，皮裏陽秋，項莊舞劍，因而被認為是故意同俄共下不去。加之以中共駐東歐各蘇俄附庸單位的大使亦先後被召回，中俄共分裂的揣測於是更加盛行於世，好像確鑿有據。

（三）至於印邊之戰，蘇聯高聲叫和之不足，最近還對尼赫魯表示，從前答應過又縮了手的售給印度米格廿一型機，又決定要交貨了；不但交貨，且還要在印度設廠，就地製造了。這豈不是正面的同中共翻臉，要分裂了？他指出英俄合力對付中共的說法既是由是而興，同時中俄共將於何時斷交的紛紛揣測，亦是由是而起的。

但他說：凡此三者，「事實」好像是「事實」，卻亦不能不承認它都是一些「表象」。表象絕不等於便是事實。表象還很可能是假象。共產黨人最慣於為目的不擇手段，最了解兵不厭詐。我們誠然不可以武斷的說這些是它們的苦肉計，是雙簧，是把戲，卻也不應該天真而幼稚的把這些表象一律視作寶貝材料，[illegible]童叟無欺？這些表象[illegible]不缺乏實在的內容，[illegible]仍然是中俄共間的主要[illegible]，口舌之爭而已，何能[illegible]據以判斷中俄共正鬧分裂？

加之，以目前較為突出的古巴事件和印邊之戰而論，[illegible]古巴事件的兩造[illegible]，中俄共[illegible]，蘇俄[illegible]飛機[illegible]。

[illegible]他強調：表象不能不加證明，辨別[illegible]。[illegible]中俄共[illegible]分析[illegible]，才不會誤入歧途[illegible]。[illegible]三個不同[illegible]家說中俄共[illegible]他們所爭的只是[illegible]，主義它們不容許分裂[illegible]。（一）中俄共間的爭論，[illegible]它們所用何等手段[illegible]，（二）[illegible]（三）它們[illegible]從中不會[illegible]領袖[illegible]分裂。[illegible]眼中的[illegible]需要[illegible]事[illegible]同歸於盡[illegible]的鬧分裂？它們何能分裂？（威）

尼赫魯印度軍力有多大
（上接第三版）

一九五八年，更從大事擴增，首向英國豪克公司購入一批時速七三〇哩的獵戶式噴射戰鬥機。繼與英國布利斯托航空公司協議，協助「奧都斯坦」飛機廠製造時速七二五哩的蚊式戰鬥機。轟炸機方面，而以英製坎培拉B——六轟炸機（時速五五〇哩，飛行半徑三千哩）代替活塞式的「解放」機。一九六〇年，更從英國購入新的「長矛式」雙座噴射戰鬥機（時速千哩，能裝飛彈）。

雖然印度究竟擁有各式飛機若干架不很明瞭，以其所擁有飛機性能言，倒亦相當犀利。蚊式與獵戶式（平均時速七三〇哩）足與中共的米格十七（平均時速七〇〇哩）米格十九（七五〇哩）頡頏，「長矛」式祇足與米格廿一一見高下（中共可能還未有）。至於英式「坎培拉B六」，而是針對中共的米格十七和「伊留辛廿八」而設計，且在埃及戰役中有過大敗納撒的俄式空軍光榮戰史。按：伊留辛廿八時速六百哩，雖比坎培拉式稍快，但其續航半徑只有二千哩，為坎培拉式的續航力三分之二。而且中共目前大部轟炸機均為活塞式的TU一二，伊留辛式並不太多。加以備多力分，中共還有後顧之憂。

印度的海軍不多，在這場戰爭中，海軍亦派不上用場，茲不贅。

當然，以總軍事力量而論，尼赫魯印度無論如何比不上中共，加以它一如中共之備多力分，印度有約二十萬部隊，此刻還被放在克什米爾去提防巴基斯坦，幾等於投閒置散。尼赫魯為此，已通過英美，向巴基斯坦做工夫，希望巴能抽調出來，應付中共軍。（備）

由政治行情看省議長人選
其為現任內政部長連震東乎

（本報記者熊微宇台中航訊）由於國民黨在舉行五中全會的前夕，宣佈台灣省黨部主任委員上官業佑去職（此一消息本報曾於宣佈之前週即有所透露），使正在各縣市進行黨內提名的省議員候選人，都有強烈的感應，認為自從革新動員戰鬥運動推行以來，對於台灣省黨政人事的安排，將有不平常的動向。

於是，正在舉行二屆六次大會的省議員們，也各人都在心理上有深遠的「政治」準備，有一些人，可能因為在財力和選民基礎上不大有把握而放棄下屆競選的打算，有的可能轉向一年後的縣市長競選而放棄省議員的準備。比如彰化縣的蘇振輝，台中縣的蔡鴻文，以及台中市的徐灶生，都有放棄省議員等待縣市長選舉的籌劃。

以記者在省議會跑新聞六年來的體認，就七十三位省議員中各自的背境與勢力而言，覺得下一屆仍將出馬的省議員，可能只有一半。這種趨勢，一方面是基於議員本身在省議會的表現；一方面，是各縣市新人才的崛起，客觀形勢使然。就民主精神與新陳代謝而言，未始不是進步現象。

而同時，由於中央對省級政治具有革新的跡象，省議長的人選，也許有破除現狀的安排，而不拘於傳統的常軌。

就中央，省級與地方的情形來看，若果說要找一位在能力學識和在中央省級與地方三者之間，具有「協調」能力而受信賴的人，那該是現任內政部長的連震東。

記者這「大胆假設」，來自十三年採訪本省新聞所體認與中央當局的「革新」趨勢。

連震東曾任省議會秘書長，和台灣省政府的民政廳長，在內政部長任內，也有三年多了，五十來歲的人，大可為非常時期的省議長。以他的政治地位的遷升來說，中央對他自有認識；就全省與情來說，民政廳長的任內受過考驗，在台灣各地方的政治圈子內，有其聲望；上上下下，都能「協調」。

而同時，這回代理省黨部主委的薛人仰，就是連的老搭擋。光復初期，十六年前，連震東担任台北縣長的時候，薛人仰是他的民政科長。然後，繼連震東又做省議會秘書長。連任內政部長，薛隨之調為內政部常務次長。如今，薛人仰代理省黨部主委，可見中央對連震東在內政部的作為有個怎樣的看法。雖然薛人仰有他自己的才幹，但在政治關係上，他倆從無間隔，總在一起。雖然不能認為因為薛人仰代理省黨部主委就肯定連震東下來當議長，但是也不能否定這是政治上的一種契機。

連震東與薛人仰，都被中央重視是沒有疑問的，都會付予重大責任是必然的。因之，在省議會方面，若果黃朝琴不做或不能做了，此職自是重大，環顧台灣省內國民黨的人才，能像連震東合理想的，可以說很少。在目前，是可以這樣說的。

但是如果連震東出長省議會成為事實，副議長人選自然也不比以往。因為謝東閔如不能「正位」，就可能不會再「一副」。現在省議會衆目所矚的只有兩人，一是許金德；一是李建和。

許李二人，都是國民黨省委。許在省議會担任黨團書記很多年，所經營的事業，除台灣工礦公司外，在其他的董事長還有三個之多，在他的意向上是省議長，而非副席。李建和是台灣有名的煤礦大王，財力比許金德大，人望也不差，目前在省議會揚言，將以四百萬化在競選第二把「交椅」。如果這樣，許金德可能招架不了。將是一場激戰。

但是也許因為他們屢兵，黨方面所取捨，而在新人內另闢途徑。總而言之，這還是個問題。自有一番折衝，如果中央方面具有新猷，可能提出一位黨外的議員担任副議長，藉以加強團結發揮全民的力量。但若果自由投票，許金德是鬥不過李建和的。

省議會的選舉雖然是明年四月的事，但是黨內提名人選早已開始，對於下屆省議長的人選，該也必然已有了初步的安排，這是台灣政治上的一件大事，也是台灣在野人士所注目的。這篇報導，如果距離目前的政治行情不太遠的話，下屆的省議長該是連震東，而黃朝琴或有可能出掌內政部。

印邊之戰和戰交響聲中
尼赫魯印度軍力有多大

本報資料室

印邊之戰第二階段揭幕後，雖然不一定就如尼赫魯所說的中共與印度的「全面戰」已經開始，但和的機會非唾手可得，應屬事實。這裏就搜集得到的資料，檢閱一下尼赫魯印度的現有兵力，藉爲讀者之一助。

先看印度的陸軍——一九五七年時期，印度的常備兵只擁有七個現代化的步兵師，一個坦克師，十餘個獨立炮兵部隊與機械化部隊，總兵力約達三十萬。一九五七年後，尤其是西藏事變後，印度實行擴軍，估計除正規軍（國防部隊）已增至五十萬之外，各土邦尚可隨時提供二十萬常備軍（全部英式訓練，英式裝備）。另外在一九五八年已訓練成功五十萬「國民義勇軍」。至一九六〇年底，更增至二百萬人。印度全數兵力，如果以之對付來自北面的中共部隊，（估計現時集結西藏的，不會超過卅萬，基於運輸補給困難的理由，中共亦不易增派更多軍隊自西藏入印的，至少目前的情勢仍然如此。）是未必一定處於下風的；至少在數量上，還可較中共畧佔優勢。問題只是印軍能打不能打。

印度陸軍的配屬，大致分爲三個兵團。（第一線經常保持三個軍團，每一軍團包括兩個至三個步兵師，一個獨立坦克師及其它部隊。）「東方集團軍」由索拉特將軍指揮，（曾率印軍第十九旅參加韓戰）集中東北邊區（麥馬洪線以南）。「西方集團軍」由索比爾中將指揮，集結於阿拉達克與旁遮普省。目前與中共在東西兩線對壘的，大致亦爲此兩個集團軍。至於「中央集團軍」，則由蒂瑪雅將軍率領，配置於新德里，阿格拉及普爾地區鐵道沿線，據說是最精銳的部隊。西藏事變之後，這支印軍更迅速增加了重炮，裝甲部隊，山地，工兵部隊，及大量的直升機隊。

再看印度空軍——空軍方面，印度的實力亦並不太弱。遠在西藏事變以前，印度即能自己生產飛機（一九五五年），其中在南部班加羅里的「興都斯坦飛機製造廠」，一九五六起且能生產時速五百哩的「吸血鬼」式噴射戰鬥機。此外並擁有法國（馬色爾公司）出產的「烏拉甘」噴射戰鬥機（時速六〇二哩）。轟炸機方面，而有英式「解放者」輕轟炸機。（下轉第二版右下角）

天南風光

——沙羅越的歷史——

朱淵明

於是宋眞宗詔館其使於禮賓院，優賜以遣之。「元豐五年（西曆一〇八二年）二月，其王錫理麻喏，復遣使貢方物，其使乞從泉州乘海船歸國，從之。」

在中國元朝的時候（西曆一二七七——一三六七年，）渤泥仍爲南洋大國，諸書所記，多作浡泥，或作勃泥。據永樂大典中所引元人撰著的南海志附載諸蕃國，稱渤泥爲「東洋佛泥國」，謂其所管，有「小東洋，麻里蘆，麻葉，美昆，蒲端，蘇錄，沙胡重，啞陳，麻拿囉奴，文杜陵」。「麻里蘆」即汪大淵島夷志畧所云之「麻里嚕」，或指呂宋本島之POLILLO。「麻葉」，即諸蕃志所云之「麻逸」，乃MAIT之對音，即今菲律賓島之MINDORO島之舊名。「蘇錄」即島夷志畧所云之「蘇祿」，亦即今蘇祿羣島（Sulu Island）之本名。是當中國元朝的時候，凡今日之北婆羅洲以及今日菲律賓羣島之一部份，皆爲渤泥國之勢力範圍。

元世祖遣史弼等征爪哇，大軍嘗經北婆羅洲之勾欄山（Galam）以及西婆羅洲之假里馬答（Karimata），這在元史一百六十二史弼傳中有明白記載的。馮承鈞編著之「中國南洋交通史」，亦說明勾欄山即今日北婆羅洲之Galam山。

至明代，渤泥與中國的關係，日益密切。洪武三年，（西曆一三七〇年）其王馬合謨沙，遣使奉表箋朝貢。永樂三年（西曆一四〇五年），其王麻那惹加那乃，復遣使入貢，明廷封之爲王，賜印誥，敕符，勘合。其王遂浮海率妻及子遐旺入朝。旋其王於六年十一月，病卒於會同館，上輟朝三日，遣官賜賻，東宮及各親王均遣祭，命工部具棺槨明器，葬於南京安德門外之石子岡，並封其子遐旺爲王。明史卷三百二十五外國傳六，曾記述其事。明實錄永樂六年八、九月條，記之尤詳。現南京中華門外聚寶山麓，還有麻那惹加那乃的墓墳遺址，俗呼爲馬回回墳，馬回回墳之馬字，當即麻那惹加那乃的麻字之轉音也。（六）

心道篇

但願「以孔爲師」（二）

林[illegible]

具有狂狷氣質的學童，在一般人的心目中，認爲是有問題的。因爲所謂狂狷，是一種不受人隨意擺佈，而是有獨特個性，有志氣，有理想，有主張，自尊心大而流於倔強驕傲的人。這種倔强個性的學生，因是充滿着自覺，聰敏的資質，因亦常常對周遭的事物有不愜意的直覺，連同也不盡然滿意於老師的教導。因此這班狂狷，在課堂裏常是最不聽話的學生，尤其不服氣教師在當着同學面前訓斥他們，損毁他們的自尊心。所以，教師如不懂得要用另一種手法來教導這類狂狷小子，教師與學生之間，就會鬧出不必要的事故來。

爲什麼孔子却偏愛於這類不蔑尊重老師的狂狷們？原來他以爲這樣有個性有自尊心的學生，才是有出息的青年，才是國家未來的眞正的棟樑。狂狷的資質充滿着高傲的骨氣，他對自己所學的不滿，對教師所教的不滿，因而刺激教師直覺到「教而後知困」的意義，從而好好地培植這些「學而後知不足」的青年，而終收到「教學相長」的效果。

孔子致力教育的目的，是要藉教育來培養大丈夫的人才。孔門大學的德育目標，認爲大丈夫的條件，必須是「富貴不能淫，貧賤不能移，威武不能屈」。狂狷的個性，就是隱然潛伏有大丈夫條件的基礎，如經善導，是可以成爲國家社會最優秀的幹才的。

這是孔子懷念故鄉那班狂簡小子的理由。他之所以懷念，就是孔子周遊列國所遇到的人物，都不是人才，尤其少有大丈夫那類氣魄的人物，而惕然興起育才之心，於是想到狂狷的身上去。

一個具有充份育才條件的教師，一個眞正爲教育而教育的老師，他並不厭棄那類狂狷學生，惟庸俗的教師，才覺得難於應付。

在學校裏有另一種很會奉承教師，巴結教師的學生，而且亦是小有聰明的傢伙，可惜的是不誠，狡詐，和狂狷型學生常處於相反的地位。孔子稱這類學生是鄉愿，德之賊，小滑頭，不會是成材的人物。孟子解釋這種小滑頭的作風，行爲，和前途說：「非之無可舉也，刺之無可刺也；同乎流俗，合乎汚世；居之似忠信，行之似廉潔；衆皆悅之，自以爲是，而不可以入堯舜之道。」

孟子這一小段描寫，活是當世僞善者的造型。可憐這類貌似忠誠，心實險詐，反以能欺騙爲聰明的人，却「衆皆悅之」。這樣敗壞風氣的社會，焉不使孔子亦在陳國沒飯吃？

這類滑頭青年，自小在學校已表演個性無遺，他們很會處世，很會適應環境，擅長拍馬吹牛。因爲有奉承巴結的心術，他們在學校裏的操行，往往被列爲甲等，出到社會裏，因能活躍多方而名成利就；可惜的他們在深心裏自知，始終不是可以「入堯舜之道」的正人君子，而是百分之百爲孔子圈點爲「德之賊」的小人物。

作者與編者

編者先生大鑒：貴報二八八期刊出拙文「欣聞國民黨革新之議」，至深感謝。惟其中除稍有錯字外，最後談到國民黨五中全會「光復大陸指導綱領」一段，原非拙文所有，實有掠美之嫌。且若因此而使讀者誤會愚在字裏行間，重視這麼會談之類，尤與私心刺謬，因愚平日從未對此類問題費過半絲半毫思考也。敬乞將此函刊出，是所感幸。專頌撰安

徐復觀敬上十一月十九日

編者按：本報刊載徐先生大作之際，以原稿係用十行紙繕寫的，每行字數不一，而排印時間又迫促，乃未及細計字數，即付梓人矣。迨排版完畢，版面最後尚有一大塊空白餘地，既未便聽其開天窗，而本報第一版文字，素來只刊論評材料，不雜載其他作品。迫不得已，臨時由編者續寫最後那段詞句，藉資補白。茲承徐先生來函辯明，殊深歉悚，特將經過事實叙述，希望徐先生暨讀者諒察之。

瘟君續夢

第六回： 烽火照邊陲，同惡難濟　樓船碧橫海，大憝興悲

毛澤東一看反赫計劃，無人贊成，也就冷下來。活曹操拘病來開會，上氣不接下氣說道：「我們目前對蘇聯的態度萬不能公開決裂，眞是撕破臉，吃虧的一定是我們。但是也不必絕對一致，時常有些小問題，對於世界革命的戰畧運用上還是有好處的。」

毛澤東說道：「林老的話很有道理，赫魯曉夫這次碰了這個釘子，也許可以得到教訓，今後不再熱心和帝國主義打交道了。」

會議結束後，毛澤東在北平又呆膩了，到處亂跑，第一站先到武漢。這時天氣春夏之交，不寒不冷，毛澤東在武漢一下就住幾個星期，每天東跑西跑，遊遍名勝地，十分樂意暢懷，有時高興了就謅幾句歪詩，背兩首千家詩，白香詞譜，倒也自得其樂。

就在這時，南美洲來了一批客人，其中有失意政客，左傾記者，還有一批免費旅行的遊客。這批人到了北平，見不到毛澤東，猶如到了北海公園未見到那頭大狗熊一樣，總覺得是一個缺憾，當時就趕到武漢去。

雙方面一接談不免就扯到高峯會議問題上。毛澤東頓時忘其所以，搖頭幌腦說道：「高峯會議的垮台，我在半年前就算定了，基本上說，開會就是多此一舉。不過，有的人對此存有幻想，不肯聽我勸告，有什麼辦法呢？」

毛澤東這段談話發表後，四方報紙都刊載出來，證明中共與蘇聯有了歧見。赫魯曉夫正因爲高峯會議失敗，無精打采回到莫斯科，一肚皮惡氣未出。一看到報紙上消息，毛澤東對着拉丁美洲客人挖苦他，頓時惱了。當時把葛羅米柯找來，要他當面問劉曉，毛澤東說的「有的人對此存有幻想」，到底是影射的誰。

葛羅米柯回到外交部，打電話把劉曉召來。見了面葛羅米柯劈頭就問：「大使同志，毛澤東同志在武漢對着拉丁美洲外賓，挖苦赫老，你知不知道。」

劉曉紅着臉說道：「西方報紙刊出這項消息，我想一定不眞實，若非文字譯錯了，就是西方記者造謠。」

葛羅米柯嘆口氣說道：「其實毛澤東同志藉這個題目挖苦赫老，情理上是說不過去的。赫老本來打算第一個階段會談成功，就提議邀請毛澤東同志出席，不料一開始就弄僵了，攪得不歡而散，對蘇聯固然不好看，對中國又何嘗不是一個損失。」

劉曉不明白葛羅米柯到底是什麼意思，追問道：「部長同志的意思以爲應該怎樣辦？」

葛羅米柯說道：「我覺得毛澤東同志應該打個電報安慰赫老一番，今後中蘇兩國更應該加緊團結在一起，弄僵了兩邊都不相宜。」

劉曉唯唯連聲，回到大使館打了一個冗長電報，把赫魯曉夫的態度，葛羅米柯的談話都報回去，最後並委婉說出，請毛澤東去電報解釋一下。

毛澤東看過之後，一連冷笑幾聲，親自擬個電報給赫魯曉夫，說明他所罵的狄托，因爲狄托是修正主義者，一心要同帝國主義和解。與赫老無干，請勿誤會。（一五五）

圓明舊景

圓明園原是北平郊外最富麗堂皇的名勝，不幸在遜清咸豐庚申爲英法聯軍所燬，竟戳擊此園，舉而火焚，縱其士兵恣意劫掠，朋分珍寶，遂使無辜園林，成爲一片焦土，可稱浩劫。究竟該園內部景物如何，比較可信，有王湘綺之圓明園詞，陳文波之圓明園殘燬考，蔡申之圓明園回憶，雖敘事瑣碎，但加剪裁，百年湮沒之跡，亦可藉此而重彰鱗爪。

園之外景，有三山，是甕山玉泉山香山。其羽翼有三園，是靜宜靜明暢春。其景物沿革，可查之劉侗著「帝京景物畧」，乾隆御定之「日下舊聞考」。靜宜園在香山，靜明園在玉泉山，淸漪園在甕山。其建築均在圓明園之前。淸華園本爲明季武淸侯之李園，與當時鄰近萬鍾勺園齊名，世有勺園不俗，李園不酸之譽。康熙就淸華園故址，建暢春園後稱淸漪園，以奉其母；又在暢春園北，築圓明園以賜雍正，故圓明園實爲雍正藩邸之賜園。在雍正三年，曾經拓葺，有世宗自製圓明園記可證。庚申之役，受害者計有四園，卽圓明靜宜靜明淸漪是也。

憶玉軒雜綴

·林熙·

該園建於康熙四十八年，周圍約十八英里，自建造以迄焚燬，共計一百五十一年，上承金元明三代外景之蘊積，下襲康雍乾三世內景之經營，而後成其偉麗雅邃之致。三山三園之於圓明，有鼎峙綠葉之妙，失此周遭形勝，圓明無以見其崇閎，自無以顯其衆園之園的地位。園中一石一木之佈置，一樓一泉之設計，皆經過南北名匠之精思，與意大利法蘭西教士學人鉅製，故就藝術立場來說，不僅足以爲中國園藝學之代表作，抑爲東西文化交流之薈萃。

園居聽政，始自康熙，踵於雍正，盛於乾隆。當乾隆在位，初春駐園，孟冬還宮，歲以爲常。因園居之時期較長，遂增樓榭以娛遊幸，添殿閣以納臣工，土木丹青，卽以俱興。宮檔覆按，知園內安佑宮始築，歷時四年。長春宮建造，更有廿載。而長春園，獅子林，昆明湖，文源閣，安瀾園，惠園，如園諸勝，爲乾隆一代所興建。長春園圖案，採及羅馬式之建築，其西洋樓台之法，更採及巴黎之凡爾賽宮。獅子林採自吳中袁氏之涉園，昆明湖而仿西湖概景，文源閣採自寧波范氏之天一閣，惠園採自無錫惠山秦氏之寄暢園。（未完）

南宋偏安有人才

——楔子

李仲侯

近人論史，以爲中國五千年歷史上的全盛時期，是三代漢唐，夏殷兩周，爲歷朝的黃金時代，爲後人最所推重；後乎此的宋元明淸，一方面部族間的衝突劇烈，另一方面當國者雖亦頗知戒愼，而積重難返，故亦不免中衰，乃至掙扎以求偏安，固無從與言中興了。

但歷史上的中興或偏安，都是人文學術進退演變的一大轉捩點，而其關鍵，而全視人才之盛衰消長爲轉移。如少康之中興，非僅以少康爲令主之故，其同族斟鄩等，因覆亡而思所復國，其姻親有關的異族，如有鬲，有虞，有仍亦思自救而共同奮鬥，再以遺臣靡，以及季杼，大彭，昆吾等，均獻身於中興復國事功；盡其最大的努力，促成中興偉業。

至周宣王的中興，自可與夏少康的中興媲美，因爲盛代的中興令主，都是經過先人失國後，再把國家救了回來，不但都做到「還我河山」的目的，而且復國後都做得有聲有色，如命尹吉甫伐玁狁，至於太原；命韓侯奄有北國，因以其伯；命方叔南征荊蠻，克壯其猷；命申伯于邑于謝，式是南邦；命召穆公伐淮夷，宣王親征徐戎，命仲山甫城彼東方，式是百辟；這些都是些豪傑賢俊之士，賴之以成中興大業。

漢光武中興漢室，人才尤爲炳蔚，如鄧禹，寇恂，馮異，賈復，耿弇，王霸，祭遵，李忠，耿純，朱祜，景丹，劉隆，李通，卓茂，竇融，馬援，來歙，郭涼等，這些人不但武功卓著，而且經術深純，皆有儒者氣象；光武中興的開國，在用兵平亂期間，便已得到一般讀書人中的豪傑之士，完全合作，故易成其中興之功。

唐憲宗的中興，所資惟賢，如陸贄十八第進士，中博學宏詞，忠言救失，皆本仁義，可爲後世法。杜黃裳擢進士第，以賢良方正，對策第一，承旨爲翰林學士時，引李絳，崔羣與同列，及爲相，又推韋貫之，裴度，李夷簡，其餘量材賦職，皆協人望，於是百度皆理，朝無倖人。其他如白居易，元稹等，都是著名文學侍從之臣。（一）

譚食狗

周燕謀

動物之中與人類最密切，接觸最早的，恐莫過於狗了。上古之世，咱們的老祖宗還過着最原始的生活時，因爲要依靠打獵來獲取食物，便有豢養狗的需要了，它的作用，主要是幫助獵狩動物，守夜（看守所居之洞穴而已）應只屬次要，把它作爲食物，更是次要之次要了。古人有「雞犬之聲相聞，民至老死不相往來」的描寫，可證明狗與人的關係，甚至比人與人的關係，還要密切。

因爲狗與人類有如此悠久而密切的關係，在中國文字裏面，從「犬」取義的字，便多得不可勝計，諸如「狠」，犬鬥聲也；「狀」，犬形也；「突」，犬從穴中暫出也；「獎」，嗾犬厲之也；「戾」，犬出戶下，身曲戾也；「狎」，犬可習也；「獲」，獵可獲也；「猛」，建犬也；「獵」，取逐禽獸也；「犯」，犬侵人也；「狡」，少犬也；「獷」，犬獷獷不可附也，又犬猛惡不可近也；等等。

關於食狗之事，爾雅一書有明白的記載，且就說得頭頭是道。郝懿行的「爾雅義疏」，其「狗屬」之下注云：「釋文引字林云：狗，家禽也。「說卦」傳艮爲狗。「大戴禮」云：狗三月而生。「秋歲」犬人疏：犬有三種，一曰田犬，二曰吠犬，三曰食犬。此篇所釋，三犬備矣。

可知在我們中國，狗有三種，第三種是供人們大嚼的「食犬」；至於「田犬」是供獵狩的，「吠犬」是供守門戶的。那末我們中國人已有兩三千年食狗的經驗了。古人還不僅以狗爲通常的食物，還用牠來祀祭祖宗神靈。試看一看「說文」那個「獻」字：「宗廟犬名羹獻，尤肥者以獻之」。宰了肥犬去拜拜祖先這個「禮」，當然是爲了人們早就把犬作爲食物所使然。

中國食狗既有這樣長的歷史，也說明把狗宰而食之，愈古遠愈普遍，愈古遠愈是家常便菜。不特此也，也許由於食狗經驗累積，發現了狗對人還是優良的補品，研究醫藥的人，便得出了狗的單方來了。名醫李時珍的「本草綱目」，他把狗肉，狗血，狗乳，狗腦，狗蹄，狗涎，狗胆，狗肝，狗皮，狗鞭和狗齒，狗毛，狗頭，狗屎，都分別用來治病，幾乎狗的全身無不有治病的功效。李時珍還特別說到狗肉治病的功用呢，他說道：

「安五臟，補絕氣，輕身益氣。宜腎，補胃氣，壯陽道，暖腰膝，益氣力。補五勞七傷，益陽事。補血脈，厚腸胃，實下焦，塡精髓。」又說：「和五味煮，空心食之。凡食犬不可去血，否則力效不益人」云云。

可見食狗肉是對人大有裨益的。況在中國人食狗的已不多了，且多屬於犯禁的事。前幾年香港英報有人投函，支持「遠東經濟評論」的主張「食狗合法化」。那個論者還引英國一家權威的醫學雜誌，說狗肉可以療治肺結核，腳氣，癱瘓等病，其實，與李時珍所說的相比，差得遠了。

海嶠舊談薈

民國著名疑獄之一（四）

諸葛文侯

前述袁世凱揭露的黎元洪與黎本唐先後電報中，其所指張振武，方維二人罪行，一則曰「蠱惑軍士，勾結土匪」，「分設機關，密謀起事」；一則曰「祝制六之名冊，滕亞剛之供詞，王金標之罪狀，石龍川梅占鰲之人證，證據確鑿，衆所共睹」。果若是，袁氏縱然不視爲地方事件，將張，方二人解交鄂省都督依法訊辦，而託詞爲「非僅關湖北治亂，實關全國之安危，且係軍事機密」，認爲可由中央政府究處，亦應組織軍法會審，按律定讞，宣佈犯罪事實，纔是法治之道。詎袁黎狼狽爲奸，悍然殘害革命有功的志士，無論從那方面講，都是違法的行爲。

所以，南京留守黃興當時亦表異議，他致電袁世凱指出「黎副總統原電述張方罪狀，語極含混。凡有法律之國，無論何級長官，均不能於法外擅爲生殺。今不經裁判，竟將創造共和有功之人，立予槍斃，人權國法，破壞俱盡！」袁氏曾覆電辯護，誘稱黎元洪早已經過軍法會議，決定處張方以死刑，但因在鄂不敢執行，乃密電中央予以逮捕正法等語（以上見袁大總統書牘彙編），這更是不合法理與事實的笑話了。

由於黃興爲張、方死事鳴不平，袁氏害怕南中的革命黨人發生事變，民衆亦不直其所爲，竟嗾使其爪牙散佈流言，說張振武等密圖殺害黎元洪，實行二次革命，黃興亦與同謀，且將此項謠言刊載於京滬報紙上，藉以中傷黃氏，淆惑視聽。黃氏卽於八月廿七日致電袁總統詰問道：

興前因病赴西湖療養，今晚返滬，始見孫中山先生自津來電，謂頃見一總統府秘書云，張振武被執時，在張處搜得一書，係與黃興者，內容有云，託殺黎元洪事，已佈置周妥等語；今日又閱滬報文匯報譯載北京專電云，此間謠傳張振武謀二次革命，黃興實與同謀，故不來京云云。閱此兩電，不勝駭異。張案鄂京尚未盡情宣佈，讀漾電（按係袁氏於殺張方後，答復黃克強的電文。）亦云張案情重大，牽涉尤多，今京滬各報忽擬議及與，若不將張案明白宣佈，則此案終屬曖昧，無以釋中外之疑。務請大總統勿徇勿隱，澈底查辦。如果與張案有涉，甘受法庭裁判，如或由小人從中揑誣入罪，亦請按反坐律究辦，庶全國人民得受治於法律之下，鄙人幸甚，大局幸甚！」

這是一種義正詞嚴的要求，袁氏無從閃爍推宕，但案情又不能公開宣佈，以防激起全國人的憤怒，他在作賊心虛的情況之下，乃發出一道通電，替黃克強辯誣，將黃氏大大地恭維了一番。

水仙花

·黃葉村人·

水仙花，産于閩南龍溪縣之圓山鄉圓山。爲全世界獨一無二之中華民國名貴特産。圓山，距漳州市區約五里，卽歷史上有名之木棉庵附近。木棉庵者，宋鄭虎臣殺「蟋蟀宰相」賈似道之處也。

圓山，四面皆圓，狀若僧披袈裟，故稱圓山。亦有稱爲袈裟山者。尤異者，産花之地，在圓山之南面，其餘三面，祗東面有少許，西北兩面，皆不能種，卽種，亦不生。花時，南面山下，玉立亭亭，萬花如海，五里皆香，瑤台仙境不啻也。

水仙花，有「雙瓣」，「單瓣」兩種。粵人名曰：「雙托」，「單托」。雙托者，曰「銀盞花」。單托者，曰「金盞花」，銀盞，花色白，而香味輕淸，類廣州之「素馨花」。金盞，花色深黃，鬚有紅點，香味較濃郁。所謂金盞，銀盞，則以花形，象小酒盞也。

本來，水仙花玉潔冰淸，花繁葉秀，應順其自然，花葉兼賞爲佳。無如世俗好奇，拗花削葉，以人工雕琢爲蟹爪形。美觀則美觀矣，其奈轉傷元氣何？余少作有詠單瓣水仙花云：「亭亭怯立奈寒何？莫教風前受折磨；水石分明鋪薄絮，琉璃燈下煖迴波。」蓋水仙花畏寒，懼風，如非泥縛者，須用薄棉鋪香石子上護根，夜間置琉璃燈旁煖之，皆種花之常識也。

又詠雙瓣蟹爪水仙，其一云：「種玉鋪沙水石淸，銀杯雙托識嘉名；朝來喜見花爭放，八面玲瓏妙手成。」其二：「同色同香勝素馨，春來何處不關情；忌量借爾壺中隱，卻恐春寒夢不成。」（一）

花香月上樓小品

移寓安瀾橋有懷

李仲侯

宅傍中砂古戰場，依然湖上舊風光。
樓連海氣琴書潤，枕繞潮聲客夢涼。
一自黃巾遍區夏，便從征戰老台陽。
遙天極目瀟湘遠，何處白雲是故鄉。

內僑警台報字第〇三二一號內銷證

自由報

THE FREE NEWS

第二九一期

中華民國僑務委員會領發
台教新字第三二三號登記證：
中華郵政台字第一二八二號執照
登記爲第一類新聞紙類
（本週刊每星期三、六出版）
每份港幣壹角
台灣本售價新台幣弍元
社長：雷嘯岑
督印人：黃行實
社址：香港銅鑼灣高士威道二十號四樓
20 CAUSEWAY RD 3RD FL
HONG KONG
TEL. 771726　電報掛號．7191
承印者：田風印刷廠
地址：香港灣仔高士打道二二一號
台灣分社
台北市西寧南路壹壹柒號二樓
電話：三〇三四六
台郵撥儲金戶九二五二

革新政治的有效方法

自從蔣總統最近對國事發出「革新，動員，戰鬥」的號召之後，黨政機關相率翕然景從，熱烈將事，分別就其職務範圍，擬訂革新計劃，期在必行。表面看來，今後的政治現象將可煥然一新，與民更始，進而適應「動員，戰鬥」的要求了。其然，豈其然乎？我個人認爲絕對不是那麼回事！充其量，不過搞些皮毛工作，寫些應景文章，聊以塞責，表示响應了總統的號召而已，事實上不會產生奇蹟的。何以見得呢？因爲大家祗是注意於枝節問題，並未從根本上着想，有如一部龐大而生了銹的舊機器，光是更換幾顆螺絲釘，擦些機械油，掃掃積存的灰塵，它的生產能量，決無增進之可能也。若要徹底革新，非以斷腕去蠹的勇氣，從制度，法令，人事這幾方面下手不可。

制度問題

談到政治制度問題，人們一定認爲茲事體大，不能隨便改革，原因是受着憲法的拘束，談何容易！實則現行這部東拼西湊的憲法，施行了十餘年的結果，不特在非常時期窒碍孔多，無裨實際，即在承平時代亦扞格難行，應予修改的。世界上任何國家的憲法，都基於現實要求，經過若干次修訂，甚至重新創造，藉符國情，咱們的憲法爲甚末就不能修改呢？有人說，中華民國政府是依憲法而產生的，如其把現行憲法修改了，政府體制當然隨之變化，在國際上將發生承認問題，似非謀國之道。然則大韓民國的舊憲法早已廢棄，新憲法迄未頒佈，南韓軍政府何以又未聞國際間發生過承認問題呢？修憲乃是一種內政工作，與別國不相干，一個政府是否受到國際間的尊重，完全繫於國力和執政者的信譽，決非一部憲法所能俾致的。今日我們不談政治革新便罷，否則修憲實爲無可避免的先決條件。不說別的，只就中央各級民意代表而言，大家已經服務十四年了，青年人變成了老翁，老年人陸續凋零，假使再過十年還未回到大陸，實行改選的話，試問將何以善其後？事實上，現行憲法的機能，由於實際困難原因，十之七八已經消失，或僵化了，軀殼儼然，生命却已趨於萎縮狀態，及時修訂，不亦宜乎！

如果認爲修憲工作太艱鉅，不能掉以輕心，草率從事，那末，至少亦應該設法改選中央各級民意代表，人數不必如憲法規定的滿額，而某些只是裝點門面，無事可做的「院」「部」「會」之類的行政機構，亦不妨暫行停設。至於因此而陷於失業境遇的人員，凡是有一技之長的，政府自應分別照顧，責無旁貸。總之：憲法是國家庶政的總發動機，它本身的機能既已萎縮僵化，若不加以修整，則庶政皆受其影响，欲作重要改革，即涉及違憲之嫌，雖有賢智幹練，勇於負責的公務員，亦將顧忌多端，束手無策，當然的結果，上焉者祗能作枝節的革新，下焉者即抱定多一事不如少一事的作官主義。僅憑枝節革新工夫，而欲達成「動員，戰鬥」目的，這不是「豚蹄篝車」的擬願嗎？

其次，一種制度創建後，即應發揮它的應有作用，纔是行政的正大軌範。然現行制度每有與其職權不相統屬的情況，例如海外書刊進口銷售一事，按照現行制度原係屬於台灣省新聞處主管的業務。可是，事實上不但省新聞處不能作主審核決定，即行政院新聞局或內政部，也沒有這種權力。名爲分層負責，實則分層而不負責，或負責而不分層，制度虛有其表，權責混淆不清，這從那兒去動員，又憑甚末力量來戰鬥呢？

李槃

法令問題

我國現有的法令，一方面是多如牛毛，一方面是不切實際。憲政實施十幾年了，而舊有訓政時期，勘匪階段，以及抗日時期所頒訂的一切法令，毫無分別，一例援用。這些法令的內容，或是不合憲政精神，或是不適時代需要，甚至於尚有極不合理的惡法存在，政府早就應該通盤籌劃，逐一檢討審核，分別決定存廢或修正之，交由立法機關決議施行，才是求治的正當措施，然始終無暇及此。行政院雖設有「法制整理委員會」之類的機構，亦未見有根本整理的辦法出現，依然是在枝節問題上兜圈子，殊令人大惑不解。此外還有各個機關胡亂制定的單行法規，其種類之多，可謂洋洋大觀。這類單行法規，因係屬於「處務規程」的性質，並不需要經過立法程序，只向上級主管機關備案就行了。然其直接影响人民之權利義務，關係公務人員之功過賞罰，固與一般法令無異也。

法令滋彰的弊害，自政府播遷到台灣以來，尤爲顯著，而且視爲義所應爾，毫不足怪。例如一個工商業者，要在台灣創辦企業，即須通過四五道大衙門纔可望得到許可，核許與辦之後，更有若干的小衙門從旁管制干擾。他們都是「依法」不得不過問的，誰也不能指其爲非法。又如海外的一張報紙要進入台灣發行，從申請「登記」到「內銷」，非經過七道衙門的同意不可，而這些衙門盡係依照現行法令以行使職權的「有關機關」，你能怪它多事嗎？兩年前，筆者曾聞一位部長級的政務官說過一段法令爲害的故事：他爲着行政上的必要，令調某一附屬機關主持人員回部服務，然該員抗不奉命，引用公務人員保障法規爲護符，而乞援於銓叙機織，「依法」給他保障，結果部長的行政命令竟告無效。法令滋彰之弊害，乃若是其可驚也！今天各機關皇皇然在這種牛毛般的法令籠罩之下，修言革新，勢必到處牽絓，窒碍重重，革既不能，新於何有呢？

這些亂七八糟的法規，以最近十餘年來在台灣製造的爲最多，如果不將它摧陷廓清，而以簡化手續，集中職權爲基準，另行分別擬訂實施，則所謂革新政治云云，又是喊喊口號而已。

人事問題

人事問題的話，說來很長，也很微妙，但與人事制度息息相關，互爲因果的。現時政府是否有一套人事制度，我不清楚，我所習聞習見的，只是各機關通行的「人事凍結令」，一般在位的公務人員成了終身職，除非闖出大亂子，即使尸位素餐，亦就毫無所謂。政治上沒有新陳代謝作用，公務員吏無退休的法令限制，因而大家抱着保守主義，實行不負責，不多事的服務方針，政治上乃如一池死水，連波紋亦引不起了！至於高級官吏——即一般政務官，選來選去，總是那些在大陸時期就紓青拖紫的一羣「老吏」，這些袞袞諸公如其都是當代不可多得的賢豪，大陸就不應該淪陷吧？

現階段國家所需要的政治人才，是勇於負責，敢作敢爲，不慣敷衍，不肯偷惰的賦有良心血性之士，決非唯唯諾諾，如脂如韋，而以開會爲服務之本，請示爲負責之本的官僚人物所能勝任。可是，由於人事制度之未能確立，加以人事凍結令之實施，上上下下皆以保持現狀，得過且過爲得計，除却最高當局以外，誰也不敢負責——也不能負責。人事進退的情形如此，所謂政治革新云云，試問從何說起？至於動員戰鬥，更是神話了！

結論

基於上述三大問題，可見現行的政治制度殊不健全，諸多病態；法令規章過於繁複委瑣，利少弊多；人事進退沒有一定軌則可尋，亦缺乏新陳代謝作用。若不從這三點根本問題着想，實行革新，僅就枝節事項而爲之，成效如何，不問可知。論其目的，不外乎對蔣總統表示忠誠之意，朦騙一時，迨時間稍長，總統不再提及這回事情，大家即如釋重負，我行我素，如是而已！如是如已！

漫畫天下

南桁

騎牆派的下場

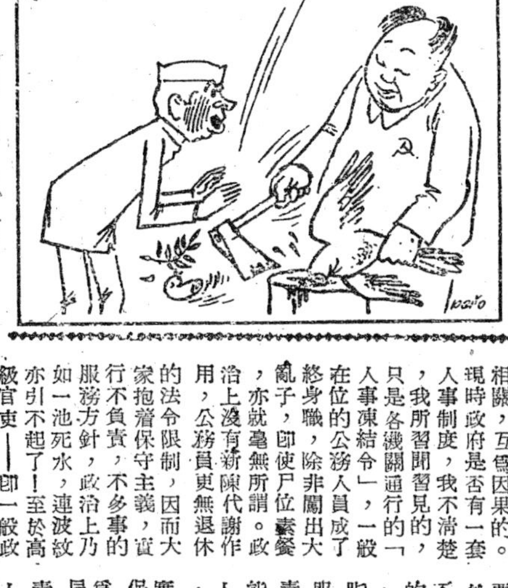

養肥便殺

談自由

談議會政治

凡在別國具有良好效用的法制規章，若在咱們國內照樣施行，準是利少而害多，爲世詬病，可謂咄咄怪事也。

譬如歐美各國通行的議會制度，我國如法泡製，實施幾十年了，成效若何，大家有目共覩，不言而喻。最普遍的現象就是一般代議士不守份際，瞎吵瞎鬧，甚至當塲鬥毆，恬不知恥。吵鬧原係議會中的常態，不足爲病，但須言之有物，持之有故，一是皆以福國利民爲本，且應謹遵職責範圍，表現賢達風度，決不宜信口開河，任意胡來，而託詞於「對外不負責任」，否則成了大街上的鬧子館，議會云乎哉？可是，在我國的議會裏，只見着越是胡亂喧囂，不知所云的角色，風頭亦就十足，而一般眞有學識見解的人，却緘口無言，退避三舍，適如市面上劣幣驅逐良幣的情況，太可怕了！

不久以前，台灣方面有一法學團體提出意見，認爲民意代表在議會中行使質詢權，不能漫無標準，任情恣肆。這說法是合理的。議員對行政官吏的質詢事項，祗能以政策爲限度，此外即不在質詢之列。如果漫無標準的隨便究問指摘，好像惡姑婆對小媳婦的態度，擅作威福，濫權越職，法官對犯人且不應該如此，民意代表對於國家的命官，豈可若是耶？曾記對日抗戰時期，有一位國民參政員（姑隱其名）在傅斯年寓所閒談，偶見傅氏書桌上置有行政院孔院長的請客帖，即悻悻然說道：「他不請我，好，明天在參政會見罷！」意思就是要在會議席上對孔氏大加質詢一番，藉以洩憤報怨焉。這樣的民意代表，你能希望他發揮議會制度的良好效用嗎？

爲保持議會制度的信譽，發揮其優良作用起見，我認爲議會本身應有「懲戒委員會」之組織，實行自清自制；同時，行政長官對於議員們越出職責範圍以外的質詢指摘，即語以「與政策無關，恕不答復」。如此這般，議會政治的前途，乃可望產生光明景色了。

馮子先生

香港與大陸

梅縣中小學生慘受折磨

農忙放假驅落農村勞動

紛紛病倒甚至因而死亡

廣東梅縣地區，所有的中小學校，最近皆因為農忙時期「放假」，把學生驅往農村勞動，除每天要做十四五小時的體力勞動外，還要做宣傳工作，以鼓勵農民積極生產，結果許多學生都病倒下來，並有因此被折磨死了的。

據回梅縣探親甫返香港的張女士說：近些天來，梅縣地區正忙於秋收，所有的中小學校於是宣佈半個月的「農忙假」。要學生們各回原屬農村生產大隊，參加秋收等工作。

張女士說：中共這次要學生回鄉勞動，名堂又有所改變，從前，要學生參加勞動，是統由學校當局率領，集體參加公社的勞動的，這次則改為學校宣佈「放假」，要學生回家勞動，並每人發給好幾張「鑑定表」，要學生交給生產大隊，公社黨組織，由該等共幹填寫學生在「假期」間的表現，換言之，是要農村共幹監督學生勞動。「鑑定表」列有下列各欄：有無參加生產？出工時日若干？工作態度如何？有無參加社會主義的宣傳？工作效果如何……等。

張女士說：因為有「鑑定表」揑在共黨手裏，這些學生（包括十歲以下的小孩子）卻就苦了，實際就成了他們的催命符。他們被驅迫每天工作十四五小時，另外還要做宣傳工作，要他們鼓勵農民積極生產」。他們不能偷懶，亦不敢偷懶，因為否則「鑑定書」內考語將會決定他們長遠的命運，也許成了他們永遠也洗不掉的「劣跡」，就像「五害」份子那樣，要吃最大的苦，「權利」可享受不到。

張女士說：就由於這種沉重的勞動，和精神上的負担，又加以幾年來的營養不良，體格很差，許多學生皆支持不住，紛紛病倒，也有的更因之死掉。張女士有一位鄉親張靈珠，在鄉今中學讀高中二，這次也參加生產大隊的勞動，由於連續多天的緊張農事工作和宣傳工作，原來已弱不禁風的她，一天正當在田間工作之際，支持不住，暈倒地上；一起工作的農民和學生等，一時手足無措，無能施救，約一個鐘頭後，才有人找到「保健員」一救，但其時張靈珠已奄一息，到了「保健員」一胡亂，他代她針了一針，結果還是無法救轉，這位學生，不久也就一命嗚呼了。

張女士說，鄉裏人都認為中共太不人道了，把那些十幾歲以至八九歲的中小學生，驅迫來幹沉重的工作，同時不給予足夠的飲食，他們怎麼受得了呢？尤其那些共幹，對學生全不體恤，經常責罵他們，病了的還說人家詐病，最引起鄉裏人的反感。（敬斯）

台省府改組來蹤去跡

主要由於革新運動走馬換將

省級黨政易人確屬面目一新

（本報記者台北航訊）台灣省政府改組，周至柔去職轉任總統府秘書長，由原任警備總司令黃杰繼任主席。

周至柔做台灣省政府主席，五年多了。期中，曾經有過好幾次傳說他要離開省府，特別以去年底的一段時間，傳聞最盛，差一點便成事實。但以往的幾次傳說周至柔要離開台省府，與這次最不同之處，是傳說他將另有高就（出任行政院長），而非如這一次的把他安排去做總統府的參軍長——一般認為的閒差事，雖然論地位，倒亦頗為崇高。

在台灣政壇，周至柔這些年來，聲勢赫赫，的確不同凡響。周至柔自軍入政，嶄露頭角，除了他個人的能耐之外，他老上司副總統陳誠的提攜，自亦關係重大。大家都知道的，陳誠左右有兩個最得力的幹部，其一為已經去世的羅卓英，另一便是周至柔。據說，羅卓英因為陳副總統特別需要他在身旁運籌帷幄，除一度出任廣東省政府主席之外，幾乎都與陳副總統在一起；周至柔則早在二十年前，便出任空總（最初稱航空委員會），到台灣後又曾出任最高軍職的參謀總長，國防委員會秘書長，然後才又担任方面之寄的台灣省政府主席。

周至柔為人頗幹練，亦圓通，據說，他出任台省主席，除了陳副總統的關係之外，還得力於蔣經國先生的推荐，亦足見其八面玲瓏。以往好幾次傳說他可能繼任行政院長者，便亦因為他關係好，能力亦強，資望亦夠，各方都能夠肆應裕如。這次周至柔從台省主席下台之頭，不明真相者，既說他失歡於陳副總統，又說這是蔣經國先生的傍利，其實都是捕風捉影的無稽之談。

周至柔這次的下台，固然可以勉強說是「失勢」，但其實最重要的原因，應該說，祇是中樞的走馬換將而已。周至柔果其「失勢」，亦將斷不會是暫時的。他祇失歡於陳副總統，他同蔣經國先生本沒有什麼衝突之處。許多人都認為，他還會起來的，他甚至將來頗有可能出任「相國」的高位。

原來，這次台灣省政府的改組，係出於中樞的全面性的調整省級人事。不但省政府而已，在此次執政黨中全會前夕，省黨部的領導人便已經更動了（上官業佑去職，由薛人仰繼之）還有定於明年四月改選的省議會，以目前的趨勢看，省議長亦將不會再是黃朝琴。這是執政黨「革新」運動所帶來的台灣省黨、政、民意機構內徹底調整，周至柔的下台，祗為其中的一環，與其本身的功過，關係不大。

當然提到執政黨「革新」運動與省級人事的變遷，自亦非完全不問功過之係，因為既言「革新」，總有其應「革」與應「新」之處，而應「革」應「新」內造成，豈能與原來的負責人全無糾葛？別的不論，在周至柔主台灣省政內五年餘期內，大家都可以看得到的：（一）貪污風氣瀰漫島中，各業各界都變說化種容羣之馬，所謂「詩攏」也，「特惠」也，「紅包」也，「五害」「六害」也，皆為人所詬病，而前任台北市長黃啟瑞的牽涉於爾大集體貪污案件，尤為其中最突出的。（二）各級選舉不滿人意，被一般指出的有黨的提名人選有問題；競選者花費太多，落選的固然債台高築，因而破產者固不乏人，獲選者上了台後，自然要設法弄錢，連本帶利，愈多愈佳的問題。（三）社會奢靡風盛，大喝大吃，酒地花天，幾乎忘去了現在還是「戰時」，臥薪嘗胆，無忘在莒等等早被一般人拋在九霄雲外去了。

上述這些現象，固然不能說某一個人應負責，但亦不能說在黨、在政、在民意機構的負責人，絕對可以推卸說他完全沒有責任，最低限度沒有能夠切實的有效防止這些不好的現象發生的責任，是得負起來的。中樞攬「革新」是為此，省級機構人事的全面調整，便亦為此。

繼任台省府主席的黃杰，黃埔第一期出身，自從以「海上蘇武」的姿態自越南率領幾萬國軍回到台灣後，一直官運亨通，曾任[illegible]總司令及台灣警備總司令等要職。他是著名的「儒將」，能詩善字，與文化人的關係頗好，文人的氣息亦極宜。黃杰的出風頭，遠在七七事變前做師長駐兵華北之時，當時的「中央軍」有兩個師遠成北國，為日本軍閥所深忌，其中一師便是黃杰，另一師則是現今息隱香港的關麟徵。

台灣政壇人士早認為，黃杰總有一天會做參謀總長的。如今參謀總長雖未到手，卻做了此刻台灣最實際的職位之省主席了。黃杰出任台灣省主席，更是一點都不出人意料。以往歷次傳說周至柔離開台省府，繼任人選總說是他，有時還有「陪客」如彭孟緝等，有時更公然「獨一無二」。黃氏做事，謹守慎為，以不會出亂子著稱，蔣總統對他，非常信任，他亦確實的忠黨愛國並忠於領袖，絕不妄作主張。他對人謙謙其德，若有不勝，周至柔近年便不免給人批評為有些恃才傲物了。（文）

中俄共合謀赤化印度

（本報訊）印邊之戰和戰交響聲中，據香港某權威觀察家對本報記者稱：當前一項最突出的問題，厥為「中共對印度野心畢竟有多大」？他說印邊之戰的發展，主要的即將以此問題為轉移。他又說：要深討此項問題，其實還應該擴而大之，即要問「共產集團對印度的野心有多大」？

但這位觀察家首先指出：中共的野心亦祇是決定今後印邊之戰發展的一項較為突出的因素，而並非因素的全部。因為戰爭是雙方面的，中共祇是其中一方，另一方也還要看印度的態度如何？後者同樣亦可以決定戰爭的發展。另外，國際形勢對於印邊之戰的發展，當然亦自有其影響力，慢慢的還有可能從影響力量一變而為決定性的力量。

他說：從上月二十日中共全面進攻揭開印邊之戰的第一階段開始，中共便苦巴巴的擺出一付「被侮辱與被損害者」狀，不但力辯它心存和平，還宣傳它是迫不得已在為「保衛國土」而戰，其意若云：它是被侵畧者，它亦是愛國者。他說：中共的凡此表示，有的有根據，有的則胡說八道。有根據的部份為尼赫魯印度確實霸佔了一大片中國土地（其中有的是屬於歷史的「遺產」，也許不能全怪尼赫魯印度，但有的則是尼赫魯印度的新猷，它確實需要負起責任）。但中共說它心存和平，以及貌為愛國者，卻就完全是騙人之詞。一切共產黨徒都絕非「愛國者」。除非它們已經把全世界都赤化了，一切共產黨徒都絕不會「心存和平」。

他說：要瞭對中共的野心，一方面固然要注意中共的處境，另方面還必需不忘記它是共產黨徒的這一本質。祇看一面而不計算到另一方面，都不能掌握到真實情況，並且還會犯大錯誤。

問題祇是它們能否以戰爭手段達成目的。能則必然打下去，否則相機罷手，待機再舉，或繼之以別的手段。

以中共目前所遭遇的內外處境，特別是大陸經濟接近破產，民不聊生，人人願與偕亡的困難處境，確實，它沒有在此時對外用兵的理由。同時驟於中印邊境的地形與氣候，中共即使要對外用兵，它居然不在別的地方打，而與尼赫魯印度打，雖以說它是做了聰明的選擇。但，如果我們能夠把握到中共是共產黨徒的此一本質，我們便不會有這些疑問了。

另外還有一點，也是使全世界的人士很多都不免犯錯誤的，是中俄共之間存在着對於共產主義的理論與策畧之爭的「表象」，因而大家便愈來愈不明白中共為什麼要同尼赫魯印度作戰？這其實同樣是犯了錯誤，即不會把握到中俄共同為共產黨徒的錯誤。甚至有的人，特別是所謂共黨問題專家者，更居然以為「美俄正合力對付中共」的荒謬絕倫的論調。

這位觀察家強調必需認識下列兩項特別重要的原則：（一）中俄共間的理論與策畧之爭，即使不是雙簧把戲，充其量亦祇是理論與策畧的口舌之爭而已，對於它們同為共產黨徒的本質並不改變，尤其對於它們的共同利益，絕無改變。（二）尼赫魯印度這十多年來的荒謬政策，固然很有利於俄共集團赤化世界，中俄共都曾經盡量加以濫用，但如果它們發現尼赫魯已再無利用價值，特別是如果它們發現尼赫魯與它們之間某一份子有了利益衝突，它們將棄尼赫魯如敝屣，不惜給予打擊。一般以為蘇俄會幫尼赫魯對付中共，祂指出乃是根本錯誤的。他簡直不妨認為中俄共在合謀赤化印度。

也因此，他說：要探討中共對尼赫魯印度的野心，實在應該站在整個共產集團對印度的野心的基礎上去探討才對。就此而論，應該說：它們的野心是大的，因為它們的目的是在於赤化印度。

他說：現在的問題，祇是它們能否用戰爭的手段把印度收入版圖。答案如為肯定的？印邊之戰一定打下去；否則它們會設法收手，實行適可而止。而這所謂適可而止，並非祇是它們畧有得便罷手之謂，並還包括在形勢不利之時，雖畧為吃虧，它們也會罷手，待有利的時間再動手，或者以戰爭以外的其他手段去動手。他特別指出：蘇俄至今總為不介入戰爭，正是預留退步，以便將來視實際情況，上下其手。（威）

為防備國軍活動　共軍大批增防　港澳邊沿海岸

（本報訊）十一名「神秘軍人」被香港遣送台灣的同一天，消息傳來，中共軍已大批增防港邊的三灶島，及澳門附近的共區沿海一帶，包括唐家灣、香洲、南水、北水、馬騮洲、虹洲等地。增防三灶島的共軍超過二千人，增加澳門附近沿海共區的共軍，亦超過二千人。顯然，中共軍之增防這些地方，目的在於防備國軍特務部隊的襲擊與登陸活動。

個多月前，香港警方在偏僻離島「火頭盆」所拘獲的十一名穿中共制服的「神秘軍人」林志明等，經過嚴密偵詢後，於十一月十九日遞解出境，乘四川輪遣送台灣。這些「神秘軍人」，據說是國軍的特務部隊，他們曾以「火頭盆」島為進攻退守的基地，不時向共區沿海活動，包括傳遞消息，接濟游擊隊軍火及實行突擊等。他們之穿上共軍制服，係為了活動時掩人耳目，使中共不及防備的。

這些「神秘軍人」利用香港偏僻的離島「火頭盆」為共地活動之事，個多月前為香港警方所查悉，除拘獲林志明等十一人外，又曾在該島起出若干犀利的武器，及諜報人員所使用的僅得手錶大小的發訊機等。據消息：此種「神秘軍人」之漏網者，達好幾十名，香港警方尚在繼續加以緝緝中。又據消息：香港警方在對那十一名「神秘軍人」的偵詢中，對國軍此種特務部隊的活動情況，已有若干了解，且曾傳說牽涉頗廣。但因香港警方對此拒絕公開，詳細的情形，無法獲悉。（流）

尼赫魯不分良莠亂抓人
在苦難中的旅印僑胞

本報資料室

電訊報導：尼赫魯印度當局，已在大吉嶺，阿薩密，西孟加拉等地拘捕華僑，且良莠不分，親共份子固不免，大多數反共僑胞亦被拘，甚至若干已擁有印度籍的華裔，亦逃不脫囹圄之災。吾僑何辜，竟罹此劫！茲介紹旅印僑胞情況如次：

旅印華僑，初期人數並不太多，民國二十年前後，約爲八千三百人。至民二十五年，由於交通進步，入口容易，始增至一萬四千餘人，多數集中於孟加拉省之加爾各答，孟買，阿薩密省，大吉嶺，葛倫堡等地區。迄民國三十九年（一九五〇）初，印度承認中共時，據印度官方發表的公報（華僑登記證），約爲二萬三千人左右。（旅印西藏人則爲二萬人左右，至一九五九年西藏事件發生後，藏胞逃印人數激增，到此時期，約達三萬五千人左右，另外尚有少許來自新疆的維吾爾族哈薩克族人。）

以上述發生進行逮捕地區的華僑人數而言，其分佈情況是：

大吉嶺：六千一百五十八人，（漢族一五八人，藏族六千人。）阿薩密：一萬三千九百八十人，（漢族九八〇人，藏族一萬三千人。）孟加拉：一七七四〇人，（漢族一五七四〇人，藏族二千人。）

旅印華僑之中，又以廣東人爲數最多，約佔百分之八十，此外尙有湖北人（百分之九），山東人（百分之八）。粵籍華僑又以廣東梅縣籍的客家人爲最多。

漢族僑胞的職業，大體爲從事製革，製鞋，木廠，木工，雜貨，鑲牙，餐館，洗染，理髮，製紙花等業，其中又以製革製鞋業最盛，約佔百分之四十八，除了供應印度之外，且運銷中東，歐洲等地。而中國餐館（客家菜）亦深受印人及外籍人士之歡迎。製革業多集中於塔壩，且曾一度組織聯營機構，後以其中成員一批投共，爲反共僑胞所不滿，遂告解體。（因該機構原有中國銀行及交通銀行投資，後來兩行投共，遂爲共方控制，反共僑商不甘受中共支配，紛紛退出，遂於四十三年解體。）

旅印華僑，一向愛國，抗戰時期，積極購買公債，支援入緬印遠征軍，固然不遺餘力，大陸陷共之後，雖然印度承認中共，使僑胞處境困難，然而反共意志卻不會動搖。中共派駐印度使領人員抵達印度之後，雖曾不斷以各種利誘威逼方式，圖使僑胞歸其控制，然而除極少數之外，均不會爲其所動。除上述嚴拒共黨糖彈攻勢的塔壩製革業外，其他如各大社團，均能各本良知，堅定反共立場。以下爲旅印重要僑團概況：（一）加爾各答中國街僑團聯合書，爲各僑團的聯合團體，成立於三十九年，由余緒賢任常務理事，旋於民國四十五年被逐返合，改由譚銳燊繼任。該會原定每年終召開代表大會，改選理事，爲了防止中共滲透，自民國四十年起，已暫停改選。

（二）義興會館，爲洪門組織，曾一度爲中共滲透，旋於民國四十三年由甄明潤整頓會務，舉辦會員總登記，清除附共份子：（三）塔壩華僑聯合會，創辦於三十年前，爲該地最大僑團，中共時圖滲透，但該會領導人陳贊新不爲所動。（四）印度中華總商會，設在加爾各答，現有會員二百七十餘人，會長朱楚波，副會長四人，（五）福利互助社，爲一反共極堅決的社團。因身受加城中共領館之迫害，起而結合以謀對抗的組織，其社員多爲製革廠家及工人，由張啓華負責，附共份子時以暗殺威脅社員，但該社未稍動搖。（六）嘉應會館，爲粵省梅縣五華興寧等縣僑胞於民前四年組成，會館設於加城及孟買兩地，加城會館並設有最完善之梅光中學，此外尙有培梅及建國學校，均設加城及塔壩，課本悉由台北供應。中共使領人員數度驅使暴徒對該等學校施以武力威脅，企圖迫使懸掛共旗，迄未得逞。（七）報紙方面有印度日報，亦爲反共僑胞所創辦，十餘年來，迭遭中共打擊，但至今屹立如故，且爲印度銷路最廣的僑報。民國四十年十月八日，該報曾爲中共驅使之暴徒闖入搗毀，發行人廖宗崖亦被毆傷。

天南風光
——沙羅越的歷史——

朱淵明

遐旺既繼承爲渤泥王後，永樂六年十二月丁丑，遣中官張謙，行人周航，護送嗣渤泥國王遐旺等還國。賜遐旺金鑲玉帶一，金百兩，銀三千兩，及錢鈔、錦綺、紗羅、衾、帳、幔、器皿。王母，王叔以下各有賜。當麻那惹加那乃來朝的時候，會言：蒙朝廷厚恩封爵，國之境土，皆屬職方，而國有後山，乞表爲一國之鎮。至是其嗣王遐旺於臨回國前，又以爲請，成祖遂封其山爲「長寧鎮國」之山，命張謙等即其地樹碑，上親製文曰：

「上天佑啓我國家百世無窮之基，誕命朕太祖高皇帝，全撫天下。……仁聲義聞，薄極照臨，四方萬國，奔走臣服。……乃者渤泥國王麻那惹加那乃，誠敬之至，知所尊崇，率其眷屬陪臣，不遠數萬里，浮海來朝。……自古遐遠之國，奉若天道，仰望聲教，身至闕庭，蓋有之矣。至於舉妻子兄弟親戚陪臣頓首稱臣妾於階陛之下者，惟渤泥王一人而已。西南諸番國長，未有如王之賢者也。……茲特賜王國中之山，爲長寧鎮國之山，賜文刻石，以著王休，於昭萬年，其永無斁。系之以詩曰：炎海之墟，渤泥所處。煦仁漸義，有順無迕。愷悌賢王，惟化之慕。……西南蕃長，疇與王賢。矗矗高山，以鎮王國。刊文於石，懋昭王德。王德克昭，王國攸寧。於斯萬年，仰我大明。」

永樂八年九月巳卯，中官張謙，行人周航，使渤泥國還。其王遐旺，遣其叔蔓的里哈盧等百八十人偕來貢方物，謝恩。賜文綺襲衣鈔幣有差。

永樂九年正月癸巳，中官張謙等賚敕使渤泥國，賜其王遐旺錦綺紗羅綵絹百二十匹。並賜其頭目有差。

永樂十年八月，渤泥國王遐旺，偕其母妻等來朝，已至福建，命郎中高謙，行人柳昌往勞宴之。九月，遐旺入朝，貢方物，自王以下皆賜襲衣，命禮部宴之。戊申，宴渤泥國王等於奉天門。庚戌，賜渤泥國王遐旺等宴。（七）

弦道篇
但願「以孔爲師」（三）

在學校裏又有另一種的唯唯諾諾，像是書獃子的學生，他們的個性，沒有鄉愿的滑頭，也沒有狂狷的骨氣直爽，而是智慧有欠，缺乏判斷能力，不論老師教什麼，他們祇是默然接受，既不懷疑，也無辯難，如果教育的目的，在製造大量奴才，而不是人才，則鄉愿和愚獃的學生，不妨說是最好的學生了。

當然，有一種內向性的學生，雖然默默接師講授，但並不一定是愚魯學生。在孔子的學生中，顏回便是一個例子。顏回天資聰慧，聞一而知十，他的「不違如愚」，不是眞「愚」，而是「大智若愚」的「愚」。孔子雖不喜歡其他的唯唯諾諾，沒有個性，默然接受的學生，但他獨對顏回例外，且曾因此整天特別爲顏回講學。不過，由於顏回始終沒有半句質疑問難，因而亦覺失望，而有「子曰：回也，非助我者也，於吾言無所不說。」

在作爲培育人才的教育中，一個完全聽話而沒有質疑問難的學習精神的學生，也不是個好學生，孔子連對顏回的態度也感失望，其他更可想而知了。

孔子對師道極端尊嚴，教學嚴格，誠懇，而具無比的寬容雅量。在孔門的紀錄中，對粗野的子路，與懶散無禮的宰我，均祇見殷殷告誡而寬恕之，獨對浮滑虛僞斂財之投機政客冉求，作最嚴厲無情的開除學籍的懲罰。翻觀孔門學生紀錄，逐出師門的亦唯此冉求一人。

冉求，如以現在香港社會風氣，教育現象來觀，應是最有成就，光榮母校的學生。但不幸列入爲教育而教育的萬世師表的孔老夫子的門牆，卻以有這樣不擇手段去求名刮利的學生爲恥辱，而開除其學籍，不屑認之爲聖徒。

究竟冉求犯了什麼大過失，使到此一代大聖人如此震怒，全不恕宥？原來冉求憑着他一身奴才解數，不知如何與當時魯國的大貴族大軍閥季氏勾結起來，而當起財政局長，與之狼狽爲奸，貪污斂財。並且冉求還幫助季氏計劃吞併魯國鄰近一個叫做顓臾的小邦。這種對內官僚貪污腐化，對外侵略擴張，正爲孔子一生深切痛恨，所以才對冉求絕不饒恕。孔子公佈冉求的罪狀說：『季氏富於周公，而求也爲之聚斂而附益之。子曰：非吾徒也！小子鳴鼓而攻之，可也！』

孔子之下決心開除冉求學籍，不是突然一怒的衝動行爲，而是冉求的所作所爲實在太壞，終令他忍無可忍的結果。在論語有一章提及冉求那種善於巴結投機的鄙劣行爲說：『子華使於齊，冉子爲其母請粟，子曰：與之釜。請益，曰：與之庾。冉子與之粟五秉。子曰：赤之適齊也，乘肥馬，衣輕裘。吾聞之也，君子周急不繼富。』

瘟君續夢

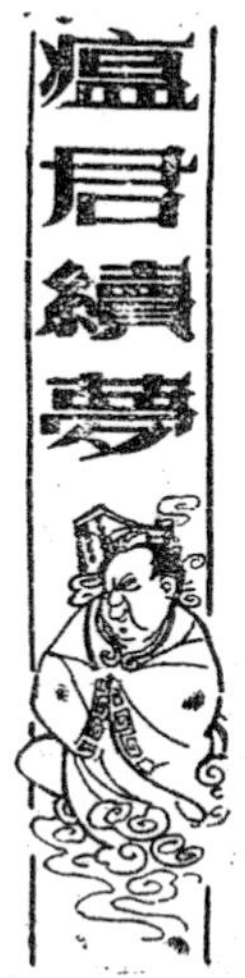

第六回：烽火照邊陲　同惡難濟　樓船碧橫海　大慈興悲

這眞是不解釋還好，一解釋毛病更大，狄托並未去日內瓦開高峯會議，怎麼能駡到狄托頭上。赫魯曉夫當時冷笑幾聲，把電報鎖在私人機密保險箱裏，回頭向葛羅米柯說道：「慢慢地的再說吧！史大林沒有整死我，我不會垮在毛澤東手上的。」

蘇京事情未了，活曹操的病又重了。活曹操一年以來，病症時輕時重，始終未能痊癒，最近因爲受到內外刺激，眼見毛澤東的江山危在旦夕，憂慮過多，夜間不能入睡，日積月累，病況日漸沉重，不過還是掙扎着起床，遇着重要會議也扶病參加。到了五月中，活曹操一早起身坐在靠椅上閉目養神，突然手一軟，杯子掉在地上，登時昏過去。王小姐慌了手脚，趕快叫進幾名保育員，把活曹操扶起來，掐着人中，灌進一些薑湯，停了幾分鐘，才悠悠醒來。王小姐打個電話給人民醫院，派來一輛首長專用救護車，把活曹操送進醫院。醫生經過一番仔細檢查，打了幾針，活曹操又昏昏沉沉睡去。

活曹操進了醫院不到一個鐘頭，毛澤東就來了。先把人民醫院首席醫生傳來問道：「林老的病是怎樣得的。」

首席醫生姓王，是我國留學生，年齡很輕，因爲成份好，出身正，所以很快就被提升到第一個位置，不過醫道卻與地位不能成正比例了。

王醫生被毛澤東一問，登時張口結舌，停了一時，勉强支吾道：「我是學外科的，林老的病屬內科醫生，我不清楚，要找他們來問一問。」

毛澤東一瞪眼：「究竟林老的病由誰負責診治，趕快找來我有話問他。」

王醫生如飛跑出去，幾分鐘帶了一位五十多歲醫生進來，看見毛澤東趕快鞠躬爲禮。

毛澤東啣着紙烟，歪着頭，端詳一下，問道：「你姓什麼？曾經在什麼地方學醫。」

醫生低着頭，小心說道：「我姓黃，過去在協和醫學院畢業，到德國柏林大學專攻醫科，回國後就在協和醫院服務，前年調到人民醫院。」

毛澤東皺着眉頭向王醫生說道：「他的一生都是在資本主義環境裏成長，你把他調到人民醫院來替首長看病，靠得住嗎？」

王醫生說道：「主席請放心，許多首長的病都是經他診好的，像林彪元帥，粟裕大將。李富春同志更是日日要來找他診治。」

毛澤東面色比較和緩些，向黃醫生說道：「你看林老的病究竟是怎麼回事。」

黃醫生戰戰兢兢說道：「年老體衰，稍受一點刺激，就會病倒，這是生理上的自然現象，並沒有什麼特殊原因。」

毛澤東一拍桌子：「胡說！黨內五老，以林老最年輕，徐老比他大十歲，怎麼別人沒有病倒，先輪到他。」

黃醫生硬着頭皮說道：「各人身體秉賦不同，生活方式也不同，有的人清心寡慾，飲食起居都有節制，自然壽命就長些。」

（一五六）

圓明舊景（續）

如園採自江寧藩司之瞻園，惟安瀾園則仿熱河行宮式。其時物阜民豐，四方寧謐，竭中外南北之奇，供帝王園囿之欲。故乾隆自製圓明後記有云，後世子孫，不必舍此，重費民力，再創苑囿。其滿懷之情，可證斯園之盛。嘉慶繼位，將莊敬公主之含暉園，與成親王之聯暉園，悉併入圓明園，園址益廓，並就兩園之地，加建萬春園，以供後代母后起居之所。此圓明舊景之大畧也。

懷玉軒雜錄

讀交大十年憶舊

偶在書攤瀏覽，發見台北新近有一種刊物，名曰「傳記文學」，是不尋常的東西，執筆者皆是民國以來著名的人物，有的是自傳，有的則傳他人。前任立法院長劉建羣，現在教育部長黃季陸兩位，都在寫作。交通界前輩凌鴻勛先生，寫其在交通大學十年，由在校讀書，而至充教授，任校長，源源本本，娓娓道來。尤其五卅慘案之時，北伐成功之時，他處理校務的煞費苦心，故未釀風潮，其毅力甚可佩，亦因而為交大奠定良好的基礎，為國家造成不少優秀的人才。

現在台北的太保太妹充塞，而且到處橫行，造成許多糾紛和事件，其中却多是名門子弟，當局迄無妥善的處置。看凌先生這篇文章，當初考取交大，連到上海註冊的交通費（輪船票）亦無法籌措，係出於他母親的借貸。到校以後，因為英文稍差，先插入附中四年級試讀。他這種艱苦精神，與學校如何培養學生的事蹟，較之今日的不合規定無法上課又何如？他寫他在校的光景說：

那時學校管理甚嚴，全體學生都是住校，如到上海市區必須請假。學校有一位監學（等於訓導長）陸規亮先生，管理甚為認眞，對於新來的附中學生，不必說更特別嚴格。我的箱匣和抽屜，必定時給他檢查。我在廣州中學的筆記成績，和所繪的地圖，多給他發現了，因此對我注意，曾詳細盤問我。第一學期結束，我以附中學生列入品學兼優的名單內，由唐文治監督用大字的告示宣佈。這名單多數當然是專科學生，至於附中，不過二三人而已。

我個人讀書的時候，大致也如此。就感覺台灣的學生，其造成太保太妹的主要原因，病在多數的通學。（未完）

南宋偏安有人才
——楔子
李仲侯

在中國大一統的歷史上，南宋偏安之局，算是延續得最久。自西歷一一二七年，宋徽欽二帝被金人擄去，徽宗之子康王，即位南京，偏安之局，至此開始，至一二七六年，即宋恭帝德祐二年，元將伯顏入臨安，俘帝歸元都，元世祖即位於燕京，宋祚告終。這個偏定的小朝廷，國祚延綿，竟達一百四十九年之久，經過高宗，孝宗，光宗，理宗，度宗，恭帝六朝，其中高宗，光宗，理宗享位都在卅年以上。吾人讀史，竊怪南宋偏促一隅，强寇壓境，無日不在流離戰亂之中，國內民窮財盡，土寇蠭起，僅存此殘山賸水，內既無法安定，外更無力攘禦，實國已不國，其中如建炎三年金兀朮大兵陷臨安，追高宗，幾被俘，後來金亮弒主自立，觀兵江上，揚鞭顧盼，欲立馬吳山第一峯，這些驚險場面，居然亦能苦撐渡過，誠有若歷史上的奇蹟者。

但讀李綱，宗澤，張浚，趙鼎，韓世忠，岳飛諸人傳記，又知宋室南渡偏安局面之仍能持續延長，並非偶然——在南渡初期，有這班忠肝義胆之士，掀天揭地之才，出將入相，為國柱石，用能舉國上下，造成一種敵愾同仇的風氣，漢賊不兩立，王業不偏安，人同此志，死生勿渝，故能與金兵屢敗屢戰，士氣常新。如果金人不是半途遇着另一個蒙古强敵崛起，於一二三四年亡國，又無秦檜，韓侂胄諸奸賣國求和，金之不被宋人破滅者幾希，復國中興，事勢可期，歷史必須改寫，決不致結果演成亡國悲劇，蓋可信也。

史贊：「高宗恭儉仁厚，以之繼體守文則有餘，以之撥亂反正則非其才也。況時危勢迫，兵弱財匱，而事之難處，又有甚於傲君者乎？君子於此，蓋亦有憫高宗之心，而重傷其所遭之不幸也。然當其初立，四方勤王之師，內相李綱，外相宗澤，天下之事，宜非不可為者。顧乃播遷窮僻，重以苗劉羣盜之亂，權宜立國，確乎難哉。其始惑於汪黃，其終制於奸檜，恬墮猥懦，坐失事機，甚而趙鼎，張浚，相繼竄逐，岳飛父子，竟死於大功垂成之秋，一時有志之士，為之扼腕切齒！帝方偷安忍恥，匿怨忘親，率不免於末世之誚，悲夫！」這段議論，確能深刻描寫出高宗一生之得失，對於李綱，宗澤，張浚，岳飛諸人，未能盡用其才，致令以竄以去以死，尤三致歎惜。而高宗在位卅二年，偷安苟且，一事無成，中興大業，從此一蹶難振矣。現時政府播遷台海，時光荏苒，倏忽十三年，偏安局面，如論土地人民雖與南宋迥然不同，然朝野上下，果能臥薪嘗胆，志在復仇復國，則與南宋時之君臣，原無二致，當代在朝袞袞諸公，豈竟無南宋臣僚之忠憫義憤者乎？爰將李綱，宗澤，張浚，趙鼎，韓世忠，岳飛諸人之志節行事，畧著於篇，以資矜式。（二）

談中國文化
漁翁

我國文化一脈相傳，由堯，舜，禹，湯，文，武，周公，以至孔子，為文化發展最盛與形成時期，在孔子以前二千五百年的我國文化，孔子集其大成；在孔子以後二千五百年的文化，是以孔子為中心。柳詒徵著中國文化史說：「孔子者，中國文化之中心也。無孔子，則無中國文化。自孔子以前數千年之文化，賴孔子而傳；自孔子以後數千年之文化，賴孔子而開」。孔子以後的歷代，自帝王以至庶民，莫不尊崇繼往開來之孔聖，即遼，金，元，清以異族入主華夏，亦不改其舊，經之營之，朝斯夕斯，優良的傳統文化，賴以保存。時至今日，更應加以發揚光大，才是全體人類之福祉所寄託。

孔子生於戰國擾攘時代，他矚目時艱，以世風日靡，乃一車兩馬，周遊列國，以孝，弟，忠，信，禮，義，廉，恥的八德，藉以挽救叔季的人心，老而歸魯，居於杏壇，刪詩書，制禮樂，作春秋，尤其「春秋作而亂臣賊子懼」，其影響之深遠，蓋可想見。

我國的文化，不僅是中華的國粹，因其博大精微，有益世道，寖且為世界各國有識之士所推重備至。歐美聞人學者，如德人普希禮說：「孔子集羣聖之大成，不惟深入中國之人心，亦且於世界大有功能」。美人李佳白說：「孔教為人類共通之原理，不但中國當行，外國亦復當行。」英人莊士頓說：「中國人苟不崇敬孔子，或不誦習其經典，則中國之禍害，甚恐有莫大危險。」便可見一斑。但我們中國人倒反而慢慢的不加敬重，更或則棄如敝屣，斯可異矣。

我國文化的優良傳統，不妨以大學上之三綱八目為其代表。所謂「在明明德，在新民，在止於至善」。謂之三綱。明德，是修已，新民，是治人，換言之，即做人做事臻於至善之境。「格物，致知，誠意，正心，修身，齊家，治國，平天下，」謂之八目。在八目中，以修身為中心點，格，致，誠，正，為修身而設，齊治平，為修身的推行，很自然的由一個人之修身做起，以達成齊家，治國，平天下之宏旨。

孟子所說：格物是去其心之不正，以全其本體之正。致知，即心之本體良知，則意誠善去惡。處處良而無邪惡之方寸間，而心正者。人心正，綱立，義理明辨，教化行，皆以義為利，利為利，化爭禮讓，仁民愛何等雍容郅治？以之與浩劫馬列主義比，直是天堂與地獄了。理想生活，難道不應如是？

今日科學昌明，世界各國都在厚生，從事核子研究，而出現了原子彈，輕氣彈，火箭，以至太空探討等，都不是壞事。但卻壞在心靈，紛擾不知其極。毛病就出在文化上。所以如何發揚光大博大精微有益世道的中國文化，是當今全世界最根本的急要之圖，我們中國人所負使命，尤其重大，亦義不容辭。

海嶠雜談

民國著名疑獄之一（五）
諸葛文侯

袁世凱接到黃克强要求宣佈張、方案詳情的電報後，深感棘手，因為案情實在不能公佈，而黃氏又以無端被牽涉張，方疑獄中，自有堅强的理由要求公開本案內容，以明是非。袁氏迫不獲已，乃通電上海交涉使暨各報館為黃氏辯誣，其電文云：

克强先生奔走國事逾十年，共和告成，亟謀統一，取消留守，功成身退，日夜望中央政府臻於鞏固，使中華民國不復動搖，其光明磊落，一片血誠，中外咸知，人天同感。乃一般幸災樂禍之徒，以挑撥惡感為長技，甚至謂張振武被執時，在張處搜得一書，係與克强先生者，憑空捏造，毫無風影，詆蠛英豪，敗壞民國，殊堪髮指。近聞上海文匯報轉載北京電云，此間謠傳張振武二次革命，黃某實與同謀等語，係屬全無影响，損人名譽，淆惑是非，應囑亟加更正，並由陳交涉使根究來由，呈請核辦，以彰中外之公道，而破讒、構之詭謀。

袁氏即藉此搪塞黃克强的要求，而不再提公佈張、方案情的話了。同時旅居北京的鄂籍著名人物，如劉成禺，鄭萬瞻等，原來都是義憤填膺，為張、方深抱不平的，漸漸地亦告軟化了。只有總統府顧問孫武（堯卿），自張、方案發生後，即再三向袁世凱請辭顧問之職，表示抗議的意思而已。

張振武，方維之被殺，為黎元洪與革命黨人勢不兩立，由暗鬥而明爭的行動表示，袁世凱即乘機加以利用，作為他在南方抗禦民黨勢力的大好工具，而其最大目的，則在掌握湖北這塊衝要地區，以便經營南方各省，鞏固其統治權位。由於張振武案而激起革命黨人對袁氏疑忌携貳的心情，加之以民國二年初春國會議員選舉結果，民黨佔有絕大多數議席，這一方面固然增益了革命黨人從事政治鬥爭的勇氣。同時即使袁氏痛感不安，竟不惜採取暗殺宋教仁的卑劣手段了。宋案既發之後，袁氏決計與革命黨決裂，因而引起以江西為首倡的二次革命之役，黎元洪祗好聽從袁氏擺佈，助桀為虐。迨二次革命失敗，袁氏乃將元洪誘迫至北京，解除了他的武裝，另派段祺瑞帶兵入鄂坐鎮，很順便地攫得了居全國中心的戰畧重鎮，從而收拾西南，把民黨勢力根本予以剷除。假使黎元洪不因私人權利之爭，暗藉袁世凱的魔力來殘殺異已，而能以超然立場調護於南北新舊勢力對立之間，則宋教仁案可以不發生，二次革命之役亦可望消弭，黎氏的地位與威望必告安定崇隆，第二任總統更非他莫屬，且不致如日後被北洋軍閥玩弄欺凌的可憐相了。

傳曰：「其始也簡，將畢也鉅」，黎元洪以一念之私借刀殺人，致釀成以後全國十餘年來的大動亂。追原禍始，元洪實不能辭其責，依歷史的眼光來論斷，他對於中華民國是功小而罪大的！（完）

水仙花
·黃葉村人·

世界植物，只有水仙花，夠得上稱之為有香有色，有骨氣，唯一無雙的獨有產物。她可以給任何人欣賞，萬里相愛如一家，但你不能强她「落地生根」，佔為已有！美國人能使人親兩寶（日月），探金星，却不能使水仙花移植美國，一如在圓山之活色生香也。

「一領袈裟億萬年，天教佛護萬花田；何時遂我還山願，願作花農不羨仙。」這首詩，是憶念圓山和希望必有一天，重登圓山，一嘗願作花農之宿願也。

粵俗，每于除夕歲朝，以水仙、牡丹、吊鐘、桃花、芍藥，卜其一年之運氣。尤以水仙花卜，最為普遍。蓋水仙花一顆，所值只港幣一元幾角，不似其他如牡丹，吊鐘之類，動輒一百幾十元一株或一盆，而且非有高樓大厦，名瓷雅缶，即不易于安插也。其實，花自花，命自命，花不欺人，人乃自欺耳。

水仙花種，狀如洋葱頭，植之以泥，花葉豐腴，子密而香亦厚，以土肥根固也。發之以水、石、或沙，則花臞，葉薄，香亦淡遠，得氣淸也。惟一特質，是不能離水。（二）

內僑警台報字第〇三一號內銷證

自由報

THE FREE NEWS

第二九二期

中華民國僑務委員會銷發

台教新字第三二三號登記證

中華郵政台字第一二八二號執照

登記為第一類新聞紙類

（半週刊每星期三、六出版）

每份港幣壹角

台灣零售價新台幣弍元

社長：雷嘯岑

督印人：黃行靈

社址：香港銅鑼灣高士威道二十號四樓

20 CAUSEWAY RD 3RD FL HONG KONG

TEL. 771726　電報掛號 7191

承印者：田風印刷廠

地址：香港灣仔高士打道二一二號

台灣分社

台北市西寧南路壹壹壹號二樓

電話：三〇三四六

台郵劃撥儲金帳戶九二五二

中共宣佈對印停戰的因素

·金達凱·

中共于藏印邊境打下華朗和彭迪拉兩重要戰畧據點後，正可乘勝進窺阿薩密平原，直逼印軍總部駐地狄斯浦之際，却突然宣佈自動停戰，並準備于本月一日將前線部隊撤至「麥馬洪線」以北二十公里，放棄業已到手的塔灣，西山口、彭迪拉和華朗沿線的土地。這自出乎一般人的意料之外，因此，對于中共此項舉動，有許多不同的看法，西方觀察家認爲中共受了蘇俄的壓力，印度當局認爲係共軍的緩兵之計，港台人士則認爲中共因本身困難，無法再打下去。這些看法，自都有若干理由，然尙缺乏具體的論據，本文僅就此畧加分析。

首先，就所謂蘇俄的壓力而言。無可否認，蘇俄與中共的對外政策有一定程度的分歧，這以古巴問題表現得最爲尖銳。其次蘇俄也自不希望中共與印度的糾紛擴大，以致迫使印度放棄「中立」政策，即放棄所謂「不結盟」政策，而投入西方的懷抱。但是赫魯曉夫自無壓迫毛澤東以幫助尼赫魯之理。第一，到今天爲止，蘇俄與中共的關係到底密切過與印度的關係，這可從這次藏印邊境戰爭中共打的是蘇俄的軍火，而印度打的則是西方的軍火可以證明。第二、如果蘇俄要中共在藏印邊境問題上吃虧太大，則不僅是中共的挫折，也是整個共產集團的挫折；不僅中共在新疆與西藏的戰畧交通受到威脅，而蘇俄與中共的戰畧交通及其通向南亞的跳板也受到威脅。如果赫魯曉夫不考慮這些問題，壓迫中共片面讓步，則他不配做共產集團的領袖，而且也必爲毛澤東所拒絕。所以蘇俄所表示的態度，只是希望印度接受中共本年十月二十四日所提的「三項建議」，換言之，要印度接受中共的條件舉行和談，而不支持印度所堅持要中共軍撤至本年九月八日以前的界線的要求。這說明蘇俄的立場，基本上還是站在中共一邊，最低是不作左右袒，而不是壓迫中共以遷就印度。因之所謂蘇俄壓迫中共停火之說，顯然是西方人士的推想。

其次，這次中共的停火，也不似緩兵之計。不錯，過去中共在國內戰爭或是在韓戰中，都會採取一「談談打打」和「打打談談」的方法，以鬆弛對方的戰意，掩護自己的行動。但以往的有關和談，都是在戰場上受到挫折，在不利的情勢下提出來的，藉使自己得到喘息休整的機會，以便捲土重來。而這次中共則在戰場上取得重大勝利，擊潰了印軍防禦力量，直逼阿薩密平原的有利條件之下宣佈停火，並準備撤兵，顯然就不是緩兵之計。至于說中共沒有力量，不能繼續打下去，在現階段來看，也非的論。以當前情況而言，中共的兵員、裝備、將領指揮能力以至戰術與耐戰等方面，都勝印度一籌，若不顧一切，決心打下去，還是可以取得一些局部的勝利。

然則中共何以如此急切求和呢？這要從幾方面來說。

第一，中共沒有與印度進行全面作戰的決心，也沒有長期作戰的準備，其處理藏印邊界問題的基本方針，和談的方案超過作戰的方案。這一個月來的作戰，基本上還是爲了和，是壓迫印度進行和平談判。所以自十月二十日發生較大規模衝突後，二十四日即提出三項和談建議，隨即由周恩來寫信尼赫魯要求和談，並分函阿聯、印尼、高棉、加納、幾內亞、馬里，摩洛哥、錫蘭、緬甸、阿爾及利亞、阿富汗等國政府，要求進行調解。十一月二十一日又進一步宣佈自動停火，並聲明將于十二月一日開始撤至「麥馬洪線」以北。這表明中共在戰術上雖是主攻，而在政畧上則是主守的。

大體言之，中共的對外政策，有三條路線，一是不妥協的堅決鬥爭的路線，這主要以美國爲對象；二是積極支持的路線，這主要以古巴，阿爾及利亞等準共產國家爲對象；三是以爭取爲目標的路線，這主要是以印度，印尼，緬甸等亞非中立國家爲對象。在這三種路線中，其對外擴張的途徑，常是以滲透顚覆爲主要手段，其目的，是在有關國家內推翻反共的親西方的政權，扶植親共的反西方的政權，以擴大共產主義的國際運動，而不在乎一些無關重要的領土。甚至爲爭取某個中立國家，還不惜奉送若干土地，以滿足其需要。例如一九六〇年與緬甸簽訂「邊界條約」時，即放棄滇邊大塊土地，同意撤銷緬甸對屬于中國的南碗三角地區所保持的永租關係。對尼泊爾的「邊界條約」也作類似讓步，甚至與巴基斯坦的邊界談判，也有讓步的打算。中共的這種爲圖建立關係，以便將對方拖入共黨懷抱而不惜將若干土地作爲「交好」手段的手法，與一般舊式殖民主義者只注重爭取領土而不知爭取人心的情形，在策畧上有根本的不同。

在此意義下，中共一開始就有意承認爲過去英國片面製訂而爲中國政府所一向拒絕的「麥馬洪線」。一九六〇年四月周恩來與尼赫魯在新德里會談時，即表示如果印方不堅持拉達克地區之一萬五千方哩土地，則中共將不要求麥馬洪線以南的三萬六千方哩地帶。假使不是尼赫魯旣要東段的「麥馬洪線」，又要西段的拉達克區，毫不讓步的話，則今日在東線發生戰鬥的地區，中共早已正式割讓予印人了。又假若不是西段拉達克地區，築有由新疆通往西藏的公路，關係中共西北和西南的戰畧交通的話，則西段邊界，中共同樣可以割讓。目前周恩來解釋中共所提的「雙方實際控制線」的含義說：「這不是以目前雙方武裝部隊的實際接觸線爲基礎，而是以一九五九年十一月七日以前的實際控制線爲基礎。具體地說，它在東段大體上同所謂麥馬洪線一致，在西段和中段，大體上同傳統習慣線一致」。因而中共軍隊「將從目前在麥馬洪線以南的駐地，撤回到麥馬洪線以北，並且從這條線再後撤二十公里」。由此可以看出，中共業已變相承認「麥馬洪線」爲「合法」的界線。

其所以甘心預備承認「麥馬洪線」，說明中共還要爭取印度。也可以說，在中共的眼光中，尼赫魯以「中立」姿態，在國際間替共黨搖旗吶喊，在聯合國替中共活動同意票，其利用價值比藏邊的幾塊荒山野嶺重要得多。這也是中共沒有與印度決心作戰的主要原因，旣無作戰的決心，則自然有停火的一着。這是一。

第二、中共當前的大敵，是自由中國。其軍事上的主要警戒方向，是東南沿海。因此，其兵力的配置；後勤工作的準備，都以國軍爲目標。而自藏印邊境戰爭發生後，不得不在西藏和新疆集結大量兵力，這就影响在東南沿海的防禦力量，增加了國軍的反攻機會；並且因藏印邊境交通困難，糧食和作戰物資供應不易，大兵團亦難于長駐這些不毛之地。尤以冬季業巳屆臨，「千里冰封，萬里雪飄」，如不主動後退，難免不重蹈拿破崙征俄失敗的覆轍，這是二。

第三、就中共對印度作戰的方面來看，自邊境戰爭發生後，印度向各方面要求經濟援助與軍事援助，已宣佈並實行援助印度者，巳有美、英、法、加拿大等國，它們除輸送軍事裝備，以加強印軍作戰力量外，英美兩國且有出兵參戰之勢。英參謀總長赫爾和美國攻擊部隊總司令亞當斯均到達印度與印當局會商。局勢發展下去，則與中共作戰的，將不僅是印度，而可能導致西方各國的聯合作戰，成爲另一型態的韓戰。韓戰期間，中共背後還有一個共產集團在支持，並有北韓做伙伴。而藏印戰爭中，中共則是一個孤軍。如繼續下去，不僅中共軍在戰塲上的優勢無法保持，並且有陷入戰爭泥沼的危險。爲避免泥足日深，自不得不宣佈停火，班師後退，以保持戰畧上的主動。這是三。

第四、蘇俄在古巴問題的讓步，在加勒比海的退却，使東西對峙形勢發生重要的變化，這變化的特點，是蘇俄實行戰畧撤退，亦即整個共產集團的戰畧撤退。中共儘管反對蘇俄的這個決策，但在大前提上仍不得不與蘇俄同進退。因之不得不在遠東方面，亦即在印邊方面，實行撤退，以與蘇俄的總方針相配合。這是四。

不過至目前爲止，印度雖亦停戰，但對中共的撤兵建議，尙無具體的反應。並因美英援助的加強，使他們逐漸恢復和提高作戰的勇氣，大規模戰鬥可能再度發生。因此，戰爭能否眞正停止，中共能否達到「和平談判」的目的，其主動還操在印度，而不在中共。

尼赫魯怎辦？

「象」日無救？

自由談

宣傳技術觀

馬五先生

第一次世界大戰時期，英國泰晤士報主持人哈姆斯渥斯（Harmsworth）即後日號稱北巖爵士者，用德文刊行一張戰地報紙，名曰「秋葉」，而以德皇威廉二世的玉照作封面，專是送投前線德奧士兵閱覽的。內容强調愛國主義，決不指責德奧政府當局，只隨時在後方寄來的通信文字中，叙述柏林與維也納的大商人如何發國難財，生活如何奢侈等情形，又撰刊一些在前方被英法聯軍俘虜去的德奧士兵通信，說他們在敵方的集中營內並未受到虐待云云。因此而使前線的德奧軍隊逐漸發生反戰思想，終於敗績乞降了。這就是今之所謂宣傳戰，又叫作心理作戰。所以，當年德國人檢討戰役經過，認爲他們是失敗在宣傳戰上，與軍事無涉。

最近十餘年來，台灣不斷宣揚政治反攻與心理作戰之說，但對於大陸方面歷次空投的傳單文告，千篇一律，純粹是官式作品，這也罷了。曾有由大陸上逃出來的知識份子，寫出專書報導共黨及其青年團在大陸上殘賊人民的事實，原係一種客觀作品，具有很重大的宣傳價值。詎料台灣方面竟將原書中的「中共」與「團部」等詞句，一律改爲「共匪」或「匪黨」「匪團」，然後准其出版，這不啻將原書的宣傳價值，在讀者面前大大地打了折扣，其笨可哂。不特此也，今秋「亞洲反共聯盟」會議在日本舉行時，因爲日方將英文名稱改寫爲「爭取自由聯盟」——未用「反共」字樣，據說是爲着向工商界籌募開會經費的關係使然——但我方却因此提出嚴重抗議。反共與爭取自由的意義有何分別，似此膠柱鼓瑟式的宣傳技術，若謂可以獲致心戰的效用，那眞是不可思議的奇蹟了！

原子時代的宣傳戰，其所需要的智識學問比五十年前高深得多，技能更複雜艱鉅特甚，像台灣方面歷年表現出來的反共宣傳戰術，至少跟時代距離五十年以上，如不及時改善，未免浪費人力物力與財力，太可惜啊！

（香港與大陸）

秋收期間，中共十分緊張，如臨大敵，派出大批共幹下鄉，一則監督農民賣命，再則防範農民偷盜糧食，動不動便實行鬥爭那些「落後」的農民。

據上月返潮州探親甫回香港的蔡老先生透露：本年秋收期中，潮州縣委會曾動員了千名各級共幹到農村，一直到秋收工作完竣爲止。蔡老先生有一位女兒，是在潮州百貨公司裏當營業股長的，這次也被「動員」下鄉。據他女兒說，大批的幹部派往農村時，縣委書記曾交代四項任務：一、監視農村共幹和農民，提高勞動積極性，加速完成秋收，並準備明年春耕工作。二、防止農民在秋收混亂期間盜竊糧食。三、教育農民，從保持和發揚以往的儉樸精神。四、監視農村中「五壞」份子，予以打擊。

秋收期間　毛共如臨大敵

派出大批幹部落鄉監視　動不動開大會鬥爭農民

蔡老先生說，派往他家鄉所屬的生產大隊有三名共幹，他們整天和農村共幹一起鬼混。他有一位鄉鄰，名叫蔡秋生，係今年高中畢業生，一天，當收割時，他到相隔半里遠的廁所大便，可來時湊巧那些共幹巡視到那裏，見他由廁邊而來，當衆大聲呵斥蔡秋生，說他不積極勞動，罵他是「二流子」……蔡秋生對這種無理的呵斥理直氣壯地可駁了幾句，這樣一來，更加了不得了，所有共幹都大罵他，指他爲壞份子，揚言要懲罰他。當晚果然召開了臨時生產大隊全體隊員大會，蔡秋生被民兵押在台下，由共幹宣佈說蔡秋生是一個思想反動的人，不單自己不努力生產，而且有意破壞「黨」的領導威信（指當衆可駁共幹呵斥事）。又說他經常說怪話，罵領導，罵共產黨……之後，一些由共幹須先安排好的份子，紛紛上台指斥蔡秋生，說他如何不積極勞動，如何罵共幹，如何對黨和政府領導不滿……等等。最後由共幹宣佈決定，說是依據羣衆的檢舉和意見，判處蔡秋生兩年的勞動改造。同時並宣讀若干「落後」農民姓名，警告他們，若不覺悟，將會與蔡秋生同樣受到懲罰。氣氛非常嚴重，一般農民都不敢講話。（敬斯）

無視歷史・信口雌黃

尼赫魯竟誣中國人侵略　港輿論實行鳴鼓而攻之

（本報訊）尼赫魯於接受英國電視訪問時，居然無視歷史，信口雌黃，竟誣蔑中國人是侵略的民族，香港輿論特感忿怒，實行羣起鳴鼓而攻之。

對於中共與尼赫魯印度之間的那一場戰爭，香港輿論固然一直不同情中共的搞法，因爲大家絕不相信中共所說的它是在爲「保衞國土」而戰（中共而今於戰勝攻克之餘，片面宣言停火，撤兵，不惜割棄五萬方哩中國土地與尼赫魯印度談和，便證明它所說「保衞國土」爲一片謊言），但同時，由於尼赫魯這些年來，標榜中立而其實媚共視共的種種卑鄙齷齪的行爲，香港輿論印象深刻，認其爲無恥之尤的政治騙子，對他今天的遭遇，亦不願輕易付予憐憫心情，認爲這不過是惡有惡報的鬼打鬼而已。

當然，設使尼赫魯知過能改，回頭是岸，情形並非絕對不能改變的。問題便亦在於尼赫魯畢竟投機成性，他的表現竟是絲毫沒有悔禍的樣子。而這次尼赫魯在解釋他與中共之戰的起因時，竟一則說這是起於「古老奇特的行動」，再則說「中國人一向想在他們有足夠力量時便向外擴張」。如此胡說八道，香港輿論便再亦按捺不住，而要向他開炮了。

香港輿論首先指出：中國立國五千年，固確實很不缺乏強盛之時，但卻極少有過對外侵略擴張的紀錄。即如中國之於印度，在以往歷史上，幾曾見有戰爭發生過？尼赫魯睜眼說白話，其情無可恕，其心尤可誅。

香港輿論又指出：尼赫魯之所以誣蔑中國人是侵界的民族者，他的用意，無非在於第一，爲他自己這十多年來的荒唐政策文過飾非，第二，藉此坐實他這次是「被侮辱與損害者」；但實則，尼赫魯固然無恥的在歷史面前扯了謊，同時亦說明，他直到現在，還完全沒有改塗易轍，向印度國民悔過自新之意。這樣的情形，對尼赫魯自身固是悲劇，對於印度這個國家，更是悲劇——其禍事正方興未艾。

香港輿論並進一步的指出：中國人性好和平，中國的傳統文化，亦是寬厚和平的文化，眞正的中國人，絕不會向外侵略（當然亦不容許別人侵略中國）。共產黨徒可就不同了。中國的共產黨徒，因其信奉的是馬列主義，他們實際上已不能算是中國人，他們也天地是侵略的。尼赫魯對此，應該不會無所知，但他今天的表現，卻顯示他確實全無所知，或者所知亦極其有限。尼赫魯不走正道，既不了解眞正的中國人與共產黨徒的隔別，還要文過飾非，現在胡亂誣托中國人爲侵略的民族，他個人心勞日拙事小，可憐在他領導之下的印度亦難免被因此葬送，這便不是小事了。（民）

香港本屆工展　場面勝過往年

（本報訊）中華廠商聯合會主辦的第二十屆香港工業出品展覽會，經於十一月二十七日開幕，地點在夏慤道。會期自該日起直至明年元月四日止，一連三十九天。

本屆工展會場全面積達二十萬平方呎，爲歷屆之冠。攤位總計九百四十八個之多，其中包括普通攤位六百二十六個，陳列攤位一百零四個，機器原料陳列六個，有關民衆教育及康樂福利性質的攤位二十個，特大攤位二十個，攤位王一個。陳列攤位每個面積四十方呎，普通攤位每個面積五十方呎，二十個特大攤位的面積共達等於普通攤位一百八十二個那麼大，而攤位王的面積更等於四十個普通攤位那麼大。

本屆工展總計參展的廠商凡二百二十九個單位。

工展會爲增加遊客興趣及加强大衆對本港工業的認識起見，將陸續舉辦：（一）徵文比賽，（二）攝影比賽，（三）插花比賽，（四）服裝比賽，（五）工業電影，（六）入場觀衆幸運獎，（七）歌星演唱，（八）攤位裝飾陳列比賽，（九）新出品或改良品的展出，及（十）聖誕與新年特別節目等，均將在展覽期內分別舉行。至於歷屆均舉行的工展小姐選舉，則決定不予舉辦，但將另設[illegible]，由各會員廠家或外商代理等分別將各種出品的製造過程，或新型機械的作業效果，或人工裝配貨品的技巧等，在會場內表演，俾增進觀衆對工業的知識與興趣。

本屆工展會場建築與佈置，自十月十五日開工，直至開幕之日爲止，計達四十二日，動用人力約一千五百名，耗費超過二百萬，相當藝術化，足稱美侖美奐。

本屆工展受邀觀展的外地工商社團，計有中華民國、英、美、法、荷、德、加、日、菲、泰、比、寮、馬、韓、印、澳、巴、中南美洲各國等，凡六十多個團體。中華民國工商觀展團經於開幕之前一日到達，爲所有來賓之觀展團體單位之最捷足先登者。（進）

台灣省府改組外記

本報台中記者熊徵宇

一、黑馬

台灣省政府的改組和省黨部改組一樣，令人感到有點突然。

省黨部的改組正是第三屆省議員候選人在登記、執政黨準備黨內提名的當口；省政府的改組也恰巧是省議會要質詢的時候。而同時，由薛人仰接省黨部，黃杰繼周至柔，也不是大家想得到的，都可以說是跑出了「黑馬」。

省政府改組的傳說，前兩年時常有人提及，近年一直茫無消息，只是大家猜想到執政黨開過中全會以後，可能有個變動，繼任省政府主席的人，揣測紛紜，迨二十一日執政黨中央常務委員會宣佈通過周至柔主席的辭呈後，提名現任警備總司令黃杰將軍承其乏了。

消息於二十二日見報，大家都有些驚訝，認爲周先生前幾天在省議會報告施政的時候，充分說明了他對今後省政的抱負，何以突然辭職？今天我才聽到台北方面的消息，說周至柔也是上星期六才知道。那麼「辭呈」想是前五六天提到中央的。

於是有人體會到周至柔離開省政府的時間上，可能是他認爲倉促的。

二、如火投冰

省政府改組的消息，見諸二十一日的晚報，跑省政的同業們，當然不放鬆這件大事，於是各報同業，連忙搜集周至柔就任五年零三個多月來的政績，撰寫特稿，表示讚揚，有幾位熱情的同業，把稿寄社以後，趕省府下班以前，由台中跑到中興新村去看他，意在惜別，順便聽一點消息，比如他的出處，或者說幾句什麼話。

意外的，這位素來不大和記者打交道的主席先生，精神一貫，閉門不納，搞得那幾位同業「如火投冰」！可以說是一項歷史性的插曲。

三、作風新穎

周至柔的個性就是淸潔的，若果他沒有這份性格，可能也克服不了他在五年多任期內的許多困難。

他逐年推行的十九點經濟建設計劃，和各種地方建設的次第完成，促進了台灣的經濟發展與法治精神的正確原則。在行政上有不少革新的建樹。他在任內治事的認眞負責與發現在興利除弊上的確有作法，都是大家所知道的。他在建立制度的精神上，與政治法規的方面，增強人們對於省政的信賴，因爲他所創闢的施政和提出來的信念，都有進步的意義。例如各項建設基金的創立和促進農業商業化的揭櫫，農地重劃的舉辦，以及發揮經濟特性口號的提倡，都有新穎的意義。

尤其是，他一就任即整頓疏濬初期的混亂局面，和八七水災的重建工作，都是大家一致讚揚的。

大家都說他作風很新，想把事做好。雖然在嚴格的標準上還有很多值得批評的處所。

四、宋承緒

一個領導者的成就，當然也得力於輔佐。值得讚揚的是朝夕不離周至柔的主任秘書宋承諸。省府所有的各種經濟建設計劃，都出自他的初步擬訂；今年春天，由於兼任經濟動員委員會的副秘書長，經向中央提出了全國經濟動員的綱領和方案，大家都知道。周至柔所有的施政報告，以及每年度的施政指導綱要，都是他一手包辦。而且歷次省議會省議員們的總質詢，也是由他依照議員們的發言條件寫答覆，然後交給周主席依次備詢。

八七水災時，他是執行秘書。但是他最怕見報，總是對同業拜托，別寫他的名字。我今天寫，無意於在心對朋友不忠，也不是爲他宣揚，而是一寫到周至柔就想到他，這位沉默的行政工作者給人的印象太深；我希望大家也都說：但願新主席黃杰也帶這樣的一位主秘來上任。

五、海上蘇武

正在開會的省議員們，一見到發表黃杰主持省政的新聞，都紛紛在省議會談論他在越南三年半的艱苦，佩服他不屈的「海上蘇武」！省議員們都知道他是由百戰名將到警備總司令，說是到台灣任警備總司令以後，對台灣的瞭解，自有建樹。

這些來自全省的民意代表，對於曾任湖南省主席的黃杰將軍，已經有了初步信賴，但願他在省政領導上給省民更多的信心，和反攻前夕的台灣一負起重大責任！（五一、十一、二十三、凌晨三時）

訂正

上期本報第二版台灣通訊「台灣省府改組來蹤去跡」報導中第二行「轉任總統府參軍長」，「參軍長」誤植「秘書」。合函訂正。

堅決反共贏得五十國承認
越南國際地位益鞏固

——本報西貢通訊——

越南共和國於一九五四年獲得獨立，至今爲時八年。期中，雖因共産集團不斷威脅越南生存，且至今越南尚須在國內致其全力以對付獲有國際支持之越共游擊隊的恐怖破壞行爲，而越南共和國的國際地位，已獲得實際的提高與鞏固，而贏得許多自由國家的尊重。

越南共和國之所以能獲如此鞏固的國際地位，係由於其外交政策的正確，因而得道多助。越南共和國對外交政策，係根據於已經寫入憲法的四大原則，是即（一）保衛國家主權，（二）尊重民族自決精神，（三）保衛自由及和平，與（四）與在聯合國憲章下的自由國家合作。

越南對歐美各大强國，係以絕對平等不卑不亢的精神，與之保持密切聯繫的，這些國家，且已經給予並正在給予越南共和國經濟的與軍事的援助。對於初獲獨立一如越南的許多亞非國家，越南共和國亦竭力與之保持友好的關係。此外越南共和國堅持絕對反共的主張，此因全世界的共産黨人，無論其屬於任何國家者，它們都摧殘個人自由與民族的國家的自由，它們施行的爲絕對的暴政，它們是新的但更其毒辣殘酷的殖民主義者，越南共和國自不願與之共戴天日。

越南共和國堅信凡此外交政策是絕對正確的，因之，直至目前，越南共和國已獲得全世界五十個自由國家之法律上的承認，另尚有十餘自由國家，則或者事實上承認越南共和國，或則雖未正式承認越南共和國而卻互派代表，領事駐在，或則與越南共和國保有商業關係，並獲得關稅優惠之待遇。

已正式承認越南共和國之五十個自由國家，計爲：

美國	一九五五年十月廿六日
法國	同上
英國	同上
澳國	同上
紐西蘭國	同上
泰國	同上
日本	同上
意大利	同上
中華民國	同年十月廿七日
大韓民國	同上
荷蘭	同年十一月一日
菲律賓	同年十一月二日
西班牙	同年十一月三日
古巴	同上
海地	同年十一月四日
玻利維亞	同年十一月六日
厄瓜多爾	同上
巴西	同年十一月八日
里比利亞	同上
尼加拉瓜	同年十一月十日
智利	同上
希臘	
盧森堡	同年十一月十一日
阿根廷	同年十一月十二日
哥斯達黎加	同年十一月十三日
加拿大	同年十一月十四日
寮國	同年十一月十五日
土耳其	同年十一月十八日
比利時	同年十一月廿二日
奧地利	同年十一月廿三日
德國	同年十二月五日
梵蒂岡教廷	同年十二月九日
洪都拉斯	同年十二月十二日
南非	同年十二月十四日
委內瑞拉	同年十二月十五日
危地馬拉	同上
哥倫比亞	一九五六年元月六日
蘇丹	同年二月十五日
約旦	同年二月廿一日
葡萄牙	同年五月廿四日
丹麥	一九五七年三月一日
黎巴嫩	同年三月十五日
瑞士	一九五八年四月一日
瑞典	同年七月三日
多明尼加	一九六〇年元月一日
薩爾瓦多	同年元月廿九日
伊索匹亞	同年九月十七日
墨西哥	一九六一年十月廿五日
伊朗	一九六二年五月三十日
挪威	同年六月十五日

事實上已承認越南共和國者有三國，它們均贊成越南加入聯合國的，爲：

愛爾蘭　秘魯　烏拉圭

未正式承認越南共和國，但與越南有商業關係，並獲得關稅優惠之三國計爲：

芬蘭	一九五六年十二月十一日
巴基斯坦	一九五八年五月十二日
阿拉伯聯邦	一九六〇年三月廿八日

未正式承認越南共和國，但互設代表、領事、或總領事者五國，計爲：

柬浦寨　印度　印尼　巴拿馬　緬甸

（榮）

天南風光

——沙羅越的歷史——

朱淵明

其後，永樂十三年，十五年，十六年，十九年，各年遐旺均曾遣使入貢，事均見「成祖實錄」及「明史」。那時明室與渤泥之關係，至爲密切，凡華人至其國者，皆被敬愛，直與中國藩屬無異。其國仍統十四州，除菲律賓羣島如蘇祿島等地，及今日英屬北婆羅洲全部外，印尼所屬之西婆羅洲，如三發，喃吧哇，坤甸等地，與夫稱爲朱葛喇或諸葛担籃之蘇邢丹邢，當亦在被統轄之內。這些都可在明史六，渤泥傳，及陳倫炯所撰「海國聞見錄」中，找到根據。而成祖所封之「長寧鎮國」高山，似即爲所謂息力大山之一部份，以息力大山，即爲今日北婆羅州的杜松人所云之Snabalu，其意義係指寡婦，也就是今日北婆有名的「中國寡婦山」。

這寡婦山是有一個很動人的故事的，頗與中國之望夫石的故事相類。大畧是說當三保太監下南洋的時候，有一個中國兵士因病留在渤泥，爲當地土人的少女留養調攝，愈後，因感生情，即與該少女婚居。後來大軍回航，該兵士亦隨之歸國，臨行，其妻堅邀其重返，兵士亦誓言必返，且云北風起時，當即爲我重返之日。其妻信之，每遇北風飛揚，即登此高山向北遙望，一次，二次，以至無數次，均失望而回，最後竟一登不返。於是該處土人均呼此山爲「中國寡婦山」，以作慘痛之紀念云。

明成祖遣鄭和七下南洋，骨子裏雖然是追尋建文帝踪跡，而其動機也許多少受了渤泥國王遣使入貢以及親身來朝的影響，遂想探察海外的雄圖。至於造成現今北婆著名的「中國寡婦山」是鄭和的部下，一個兵士，也有可能，因隨同鄭和下南洋的那位費信所撰之「星槎勝覽」，即載有「渤泥國」，及「假里馬打」，與交欄山等地。「假里馬打」，即元史中所云之「假里馬答」，亦即今婆羅洲西部海上之Karimatu。「交欄山」即汪大淵的「島夷志畧」所云之「勾欄山」，亦即今日西婆羅洲西南角上之Galam。（八）

心道篇

林公

但願「以孔爲師」（四）

子華是孔子學生之一，又名公西赤，因有機會出使齊國，赤本是沒有錢，行裝豐盈，乘肥馬，衣輕裘，使人羨慕。惟冉求以爲有了學長在外交官，正好乘機巴結，藉爲結黨營私鋪路。於是他竟造子華借谷孝母的事實，勸老師設法給他家一筆津貼，孔子向來祇幫助一些眞正貧苦的學生，所以便祇勉强答應給六斗四升（釜），冉求雖再請增加數量，也祇多給二斗四升（庾），於是這位因巴結而充濶的仁兄冉求，恐慷他人之慨的計劃失敗，影响了他巴結的前途，便咬定牙根自己開倉送子華家五百多担（秉）。這種僞善勸徵給孔子當面叱責，因此對他越來越討厭，終至羞辱孔門神聖學風，而後有開除冉求學籍的決。

冉求因擅鑽營巴結，貴爲政治紅員，有財有勢有面子有地位，在現社會一般所謂師長所謂學校的眼中，正是引以爲榮，請求冉求這位校友「恩准」把他的肖像大大地放大，掛在校長室裏或校務處的當眼處，以示「這樣偉大」的人物也是出身於該校的。可惜冉求出生太早，且錯投在萬世師表的孔門之下，於是不獨未視冉求這類不擇手段的人物爲偉大，且視爲僞善的害羣之馬的小人，應爲正義公道的社會，與所有正人君子所唾棄壞東西。

孔子之道，以忠恕爲第一，絕不會對人趕盡殺絕不留餘地。看其對宰我與子路一類學生的寬容大量，亦可反映到冉求的敗行，必然是要不得至於全無可饒恕的地步。

儒家是最講究禮法莊嚴，遵守校規的。宰我在當時孔子的學生中，是一個懶散近乎不知所謂的學生，他有一次竟居然在校裏打盹，爲孔子碰到，但祇受到老師口頭的懲斥。又有一次，宰我連對儒家極端重視的「守三年之喪」的教條亦懷疑起來，並且還當着夫子質疑論辯：「宰我問：三年之喪，期已久矣。君子三年不爲禮，禮必壞；三年不爲樂，樂必崩。舊穀既沒，新穀既升，鑽燧改火，期可已矣。子曰：食夫稻，衣夫錦，於女安乎？曰：安。女安則爲之！夫君子之居喪，食旨不甘，聞樂不樂，居處不安，故不爲也。今女安，則爲之！宰我出。子曰：予之不仁也！子生三年，然後免於父母之懷。夫三年之喪，天下之通喪也。予也！有三年之愛於其父母乎！」這段論辯可說是夠激烈。宰我衝動地當着孔老夫子質詢，認爲三年應改爲一年已足，且還敢說即在居喪時食肉穿錦亦不會心裏難過。這在當時是完全忽畧道德倫操的大逆不道的說話，但孔子仍不以此開除宰我，亦祇口頭對他訓誡罷了。

瘟君續夢

第六回：烽火照邊陲　同惡難濟　樓船碧橫海　大慾興悲

毛澤東聽懂了黃醫生的話，不由得一驚，越想越不是味道，一連噴了兩口煙圈，說道：「你用心診治，若能把林老的病診好，我可以提拔你入黨。」

黃醫生說道：「多謝主席，任何一個病人交我診治，我總要想盡方法醫好，何況林老是黨的領導人，地位這樣重要。」

毛澤東笑道：「你明白這一點就好了，祝你好運，能完成黨所交給你的任務。」

黃醫生在醫院黨支書安排下，謝絕了所有病人，全力替活曹操診治。過了一個星期，較有起色，已能吃稀飯，看報紙，只是元氣太弱，說話仍然上氣不接下氣。

活曹操一病倒，中共黨內頭目，除去毛澤東之外，可以說是皆大歡喜，其中最高興的要算是劉伯承和董必武。劉伯承平昔以小諸葛自命，可是每次鬥爭都敗在活曹操手上。尤其是朱德競選主席那一次，獨眼龍以爲必操勝算，那知道被活曹操施出縱橫捭闔手法，拉攏劉少奇和毛澤東復和，唱出湖南人團結一致的口號，硬把朱德打垮，結果分到一個牛頭不對馬嘴的人代常委會委員長的職務，大權操於彭眞之手，永遠作一名傀儡。獨眼龍眞是恨透了活曹操。

至於董必武與活曹操之間，一直鬥爭了幾十年，老狐狸當然更不是對手，每次都屈處下風，老狐狸只有日日求神許願，求活曹操死在他的前邊，假若他要先死，說不定活曹操會揑造許多事實，在黨內來一次鞭屍運動。

獨眼龍摸清了底牌，就跑到董必武家中搗鬼，兩人閉着門商談了兩個鐘頭，分手時，老狐狸拍着獨眼龍的肩膀說道：「三國演義上諸葛亮三氣周瑜，我們現在是演小諸葛氣死活曹操了。」

獨眼龍吃了一驚，趕快打手勢叫他揩嘴，自己鑽進汽車一直溜回家去。

當天下午，老狐狸睡足午覺，帶着兩籃水果，直奔「人民醫院」去探視活曹操，護士一見董「副主席」來了，不敢攔阻，任由他進去。活曹操正在閉眼養神，聽見腳步聲，睜眼一看是老狐狸，連忙伸手讓坐。

老狐狸坐下嘆口氣，說道：「林老，人生修短眞是難說，你比我還小一歲，想不到竟先我而去。」

活曹操精神雖然不好，神志還清楚，心想你那是來探病，簡直是來送葬，也就反脣相稽道：「董老放心吧！我大概死不了。因爲有人日夜希望我死，我就偏不死，留着氣他們。」

老狐狸笑道：「黨內同志都願林老早日痊癒，眞正作其他希望的，恐怕還是你身邊的人。」

活曹操登時睜開眼睛說道：「你這話是什麼意思」。

老狐狸連忙改口說道：「林老不要多心，我只是一種揣測」。

活曹操說道：「你旣然說出這句話，一定有所聞，我們幾十年老同志，你無論如何要告訴我。」

老狐狸裝着很爲難的態度說道：「有人最近常常看見王小姐同人去看電影，逛百貨公司，不過我並不相信，林老也不要介意。」（一五七）

讀交大十年憶舊（續）

一到下課，坐火車回去，有的帶着書包，就去看電影，在研究電影內容如何學習。有朋友告訴我，他親眼看到在西門電影院散後，有一對青年男女，相携同入旅社，這是什麼會事！

我的揣見，教育部應當每年提撥各學校建造宿舍的基金，或則准各學校向銀行低利貸款，建造宿舍，以容納非當地學生的住宿，不准通學，都是住校。晚間上自修兩小時，課餘活動，限制只准在校內。如此應可轉移風氣，多造就些優秀人才。要知日治時代，為何各校沒有很多宿舍，是怕你們有民族思想，容易團結起來！現在情勢大異，應當照大陸各學校去辦。

憶玉軒雜綴

士心馨如展畫

四十六年，香港中國文化協會舉行港九青年畫展，結果吳門周士心，以意境高遠，筆力蒼勁，『鄉思圖』得首名金牌獎，譽滿海隅。該圖有蜀郡名畫家張大千，為題「扁舟小棹，便有湖山之思，北望吳中，黯然而已」。又以「觀物之生」題所作「春滿垂堂」的工筆牡丹通景屏，共四幅，每幅高約五尺，長近八尺，滿紙錦繡，粉色花卉，碧綠枝葉，工筆不拘，幾疑為明清的作品。因周君來台展畫，此幅特懸中山堂會室，鮮艷奪目，台灣的畫家，尚未有此作物。

周君為周亦鹿先生哲嗣，畢業於蘇州美專。亦鹿是江南名畫家，學有淵源，早歲在吳門海上飽覽名家手跡，藝更大進。其畫法源出江南畫派，在傳統上再加提高充實，風格遂清新而雅，富有書卷氣派，蔚然成家。夫人陸馨如女士，工人物，其筆意近於唐宋的寫法，類如敦煌壁畫，而飛天為獨勝，夫婦同擅，亦是佳話。

士心馨如伉儷，心嚮祖國，今年六月首途來台，余未知之。高華兄自天母寄書，謂大可一觀，遂遄赴飽覽，共展一三〇幅，十分之七，均為花卉，更以牡丹為最精。除「春滿垂堂」外，尚有「百花爭妍圖」，是將春暮各花齊放，一例寫出，極其紛陳。曾送東京展出，得日本畫府感謝狀，是揚名於東瀛久矣。

南宋偏安有人才——李綱

李仲侯

李綱字伯紀，邵武人，祖先居無錫，父夔終龍圖閣侍制。綱登政和二年進士第。積官至監察御史兼權殿中侍御史。宋徽宗宣和七年，金太宗晟以阿木班貝勒舍齊領都元帥，駐金人首都會寧，以節制諸路兵馬；而以尼瑪哈為左副元帥，自雲中趨太原。達賚為六部路都統，多昂摩為南京路都統，劉彥宗為漢軍都統，幹喇布率多昂摩彥宗兩軍。戰事自平州入燕山，尼瑪哈出師攻下朔代，進圍太原，知府張孝純力守，太原終不下。幹喇布入檀薊，郭藥師以燕山叛降金，金盡取燕山州縣，即以藥師為嚮導，領軍深入，破濬相二州。時宋方遣梁方平帥衛士守黎陽河北岸，兵警日亟，徽宗大懼，詔四方勤王，一面議避敵之計，一面命皇太子為開封牧，令侍從各具所見以聞。當時綱上疏獻五策，並語所善友人給事中吳敏曰：「建牧之議，豈非欲委以留守之任乎？且敵猖獗，如此，非傳以位號，不足以招徠天下豪傑；東宮恭儉之德，聞於天下，以守宗社可也。公以獻納論思為職，何不為上極言之」！敏曰「監國可乎」？綱曰：「肅宗靈武之事，不建號不足以復邦；而建號之議，不出於明皇，後世惜之。主上聰明仁恕，萬一能行，將見金人悔禍，宗社底寧，天下受其賜」！翌日敏請對，備言其故，並言李綱之論，亦與臣同。有旨召綱入議，綱刺臂血上疏云：

『皇太子監國，典禮之常也。今大敵入攻，安危存亡在呼吸間，猶守常禮可乎？名分不正而當大權，何以號召天下，期成功於萬一哉？若假皇太子以位號，為陛下守宗社，收將士心，以死捍敵、天下可保』！

疏上，徽宗內禪之議乃決，亟傳位於皇太子桓，是為欽宗。尊徽宗為教主道君太上皇帝。

欽宗即位後，綱又上封事云：

（三）

說謊

汶津

說謊的人常常像補破衣一樣。這裏有一個破洞，便設法剪下另一角落的布塊來縫上去；接着又得對付那被剪破的角落，於是東也一個補釘，西也一個裂痕。弄到最後，口若懸河的人也難免技窮了。

許多女孩子比男子更把說謊看得尋常無奇。她們甚至會把說謊當作呼吸一樣，而且還覺得那是一種「好玩」的遊戲。也許因為她們沒有男孩子那麼會「吹」，這算是一種公平的補償吧。有一種說謊原是無邪而純眞的，大有「無為而為」的精神，我們竟也不妨把它們當作藝術品那麼欣賞了。

可是誰也不會為自己的謊話忐忑不安？誰也都難免受過別人的謊話的傷害。有人說，自稱一生沒有說過謊的人，實在是世間最大的謊話家。

唯一的例外該是啞巴。但啞巴也會用表情，用手勢來「說」謊呢。

有些謊是非說不可的。面子問題，家醜不可外揚，與人為善等等，都是上好的理由。說謊的時候，如果心裏竟一味為別人着想，那即使不是可嘉，至少也是可恕的了。別人染了絕症，你忍心拿誠實之道一以貫之麼？你可得裝出輕鬆的表情，滿不在乎的說：「放心啦，再休息一兩個星期就好了。那時我們又可以去玩一趟日月潭了。」不，你不是在痴人說夢，你只是想給病人一份額外（那是上帝所不會頒賜的）的希望，讓他最後一小段生涯能在愉快的氣氛中渡過。早熟的孩子會為行為不檢的雙親隱諱，聽他們編一套一戳就破的謊言，你心裏該是什麼滋味——可笑？可疼？

另一些謊言可比印第安人的羽剪還要毒。一句謊可以毀一個人。最近上演的「雙姝怨」中，那個女孩的一番耳語，不是殺死了她的一位老師嗎？有時社會對謠言不但不制裁，反而「義無反顧」的作它的後盾。唉，以身殉誠的人們，天堂的門是為你們而開的！

父母常是不自覺的說謊啟蒙師。做孩子的，遲早總會發現他所崇拜的大人說了騙人的話。為什麼？孩子不能知道太多啊。而且，大頭鬼或老虎常會使孫子「乖」下來，於是偷懶的成人們便習慣於隨口嚇唬了。七世紀前，歐洲人吃了蒙古軍的敗仗，就已經開始用「拔都」來嚇孩子了。到明天，我們該又要用「氫彈來了！」哄下一代了吧。

有些老牌的說謊專家，硬是火候到了家，說謊時話不但面不改色，抑且理直氣壯。到頭來，恐怕連他自己也分不清楚那句是眞，那句是假了。為了某種不軌的行動，或者奇特的癖好，有人一身而擁數名，忽而李四趙五，忽而阿狗阿貓，另加威廉，法蘭克，使人搞不清他葫蘆裏賣些什麼藥（也許只是空空如也）。我常懷疑這樣的豪傑人物是否能記住自己的「原始芳名」。

說謊是天下最流行的一種法術，政治家是不能不說的；從商的人眞要誠實到底，只怕餓肚有份；醫生登大廣告的時候，也不便太君子作風。但誰都可以說謊，從事新聞事業的，獻身文學、藝術的，便絕對沒有說謊的權利。這該是文明社會中最後的保留。不然的話，鹿馬、黑白的分辨，都會變成了多餘的了。

「晉容劫」中兒女對母親的謊，是人間至情的映現；「七俠五義」中智化的謊，是非凡機智的表演。人類說謊的歷史也許不會比語言萌生的時間短，可是，說謊固然比母雞下蛋容易得多，多試一次卻難免會使靈魂中多一叢陰影呢。

海嘯樓談薈

周佛海好色軼聞（一）

諸葛文侯

政治人物因女人問題而敗壞聲名，影響事業，甚至釀成重大的禍害者，古今來往往有之。我所認識的朋友中，即有幾個名人都是為女色所累，終身無以自拔，而以周佛海為首屈一指也。

佛海一生不沾染烟酒牌賭這類不良嗜好，惟好色成癖耳。他在對日抗戰期間，忽然跟汪精衛一道赴上海搞「和平運動」的原始動機，即係女人問題。蓋佛海平日自命為經世之幹，熱中仕進，但以其沉湎女色之故，頗遭物議，最高當局殊不以為然，有時且加訓誡，冀其悛悔自律焉。無如寡人有疾，本性難移，因此，他雖然久居君側，勞績亦不少，然在政治上頗不得意，最後曾任黨的中央宣傳部長，亦是代理名義，他抑鬱失望，乃挺而走險，別謀發展途徑了。他這種隱衷，非跟他相處甚久，無話不談的貧賤之交，是不容易瞭解的。後來他在汪政權之中，雖顯赫一時，權勢張甚，而隨時鬧着桃色事件，家庭糾紛迭起，良有以也。所以，佛海若不是因女色關係而在政治上失意，我敢說他就決不會走到汪政權的圈子裏去。

「食色，性也」，男人愛好女色，本係常情，固不足病，要在守份際，有節制而已。佛海之妻楊淑慧，原為吾湘旅滬富商之女，畢業於上海徐家匯「啓明女子學校」。民國十年中國共產黨創立時，周氏自日本回國參加，在上海識楊女士，互相愛慕，誓共白首（周在鄉間已娶婦），然楊父不之許，並禁其女與周往還，淑慧曾斷髮明志，非嫁周不可，父仍堅拒之，女乃於黑夜踰牆私奔，隨周赴日本渡其貧困生活。周肄業日本帝國大學，係官費生，然以一名官費供應兩人生活之資，自甚拮据，而家裏一貧如洗，無從接濟。如是，楊氏每日提菜籃至日本屠宰場，斥日幣四角，購得豬蹄若干枚（日本人不食此物，作為家畜飼料，故售價極廉。）歸而剔去皮毛，連同白米煮成一鍋濃粥性的飯菜雜會品，再投入鹽味，可供一天食糧之需。如此情形，周楊尤稱患難夫妻，愛情應卜永固，而佛海對楊氏亦並無厭棄意念，唯遇及其他女人輒喜親近，幾乎不擇嬙妍。楊氏平日雖防閑管制殊嚴，無奈周仍肆行「走私」不已，楊於憤怒之餘，每當着至親好友之前，大聲叱責其夫曰：「周佛海，你記不記得當年我每天為你熬豬脚稀飯的事情呢？」周即低首無語，苦笑而已。

楊淑慧係烈性婦女，亦甚能幹，佛海除却二色這項行為以外，舉凡治家理財，以及接待賓客等事務，皆唯婦命是從。顧楊氏仍對周之好色一事，防範特嚴，因此勃谿時起，笑話亦多，試舉一二例證，藉資談助焉。

花香月上樓小品

水仙花

·黃葉村人·

泥種者，固須時時洒水，以沙石水養者，亦須時時換新水。水寒，則和之以煖水，然後注之。最好，石子上鋪薄棉以護根，則色香活潑，百無一失矣。

水仙花，產于漳州，而遠銷歐、美及南洋各島，以香港為集散中心。粵港澳（門）花農之來港購花頭也，例在秋間，其試驗花是單托，抑係雙托？則以刀切開花頭，視花心黃色者，為單托；白色者，為雙托。更上乘者，則以手量，斷其輕重，以目視，察其皮色之厚薄即知之而不必切驗也。

抗戰前，登圓山頂，觀其形勢，而悟種花之法。蓋水仙花長于冬，而發于春，山之正面向南，北風吹不到，東西風則斜掠而過，無傷大雅，此其一。花植南面，多春有太陽，適合于水仙畏寒喜煖，此其二。東西北三面，地勢較高，惟南面較低，山泉匯流而集于南，清澈如鏡，土肥而不濁，流暢而源不竭，此其三。而其最大之原因，乃地利使之然，非人力所能致也。

栽在香江，取宜興方筒（用以插種「懸崖」者），種水仙，使根直下而不蟠。並于正午始曬之；日稍昃，則放置陰地。比及花開，則朶朶向天，宛若金盞承露。又以宜興日字盆，種金盞，而曲其根使向外。日初上，則面東而晒。日將下，則面西而晒。夜間，則以微弱之燈火，置花之前面。比開，則朶朶傾向正面，無一朶仰或俯，或左右視者。衆以為奇，而不知其中奧妙，即精于栽培之花農，詢其道理安在？亦瞠目而結舌也。（完）

中華民國五十一年十二月五日　　自由報　　星期三　第一版

自由報

THE FREE NEWS

內僑督台報字第〇三一號內銷證

第二九三期

中華民國僑務委員會登記證

僑教新字第三二三號登記證

中華郵政台字第一二六二號執照

登記為第一類新聞紙類

（半週刊逢星期三、六出版）

每份港幣壹角

台灣零售價新台幣弍元

社長：雷嘯岑

督印人：黃行寬

社址：香港銅鑼灣高士威道二十號四樓

20 CAUSEWAY RD 3RD FL HONG KONG

TEL. 771726　電報掛號：7191

承印者：四風印刷廠

地址：香港灣仔高士打道一二二號

台灣分社

台北市西寧南路金臺大樓二樓

電話：三〇三四六

台郵掛號金戶二九二五

檢討當前的經濟與外交措施

・雷嘯岑・

中華民國政府撤出大陸，遷移到台灣來已經十餘年了。中國歷史上曾有「十年生聚教訓」即苦復興國家的事實，現在時代雖然不同，內外的情勢和環境亦迥不相侔，但其明恥教戰，自強不息的規律固無二致，歷史事實絕對可以重現的。顧何以我們經過了十年以上的生聚教訓，又面臨着若干有利的時機，而反攻復國的行動，尚在逡巡徘徊之中呢？這問題決不能歸諉於國際局勢之制約，實係我們自己的努力不夠，尤其是經濟和外交方面諸多失策，因而構成了目前這種俯仰由人的被動地位。咱們再不能自我陶醉於苟安一隅的現狀之下，以為光復中原總然有待，而台灣這塊根據地總是安全的，大可居易以俟命。果若是，不特當國者對歷史責任沒法交代，即吾儕日日昌言反共救國的知識份子，亦將給後代子孫以無窮的詛咒譴責。所以我要不辭謭陋，不避譏評地本其良知所及，對於當前的經濟和外交措施，陳述一些卑之無甚高論。

經濟問題

台灣的物產相當豐裕，人口逾一千萬，地理環境亦甚優越，視歐洲那些中等國家的生存能力，並無遜色。假使政府遷移台省伊始，即基於自力更生的遠大計畫，有正確的經濟政策，認清目標，從事經濟發展，則經過十幾年的工夫以後，何致於依然非完全倚賴友邦的經援不可呢？台灣原是島國，跟丹麥的情形差不多，就工商企業建設條件而言，祇能置重點於輕工業方面，而且要以加工精製，獎勵輸出為第一義。至於重工業，由於條件不夠——缺乏煤鐵及高度的科技人才——卻不宜好高騖遠，隨便嘗試的。可是，我們在這十餘年來的經濟建設情形，乃表現着漫無計畫的混象，輕重工業樣樣都在搞辦，而樣樣多不切實際。以言輕工業：生產是無政府狀態，產品又不夠國際標準，成本更高過別人，絕對沒有能在國際市場上可以跟別人競爭的資格，即談不到獎勵輸出以爭取外滙入超的話。結果是平時已感到生產過剩，一旦遇着外在的打擊，馬上就愴愴然不可終日，唯有乞援於國庫斥資維持之一法，況時台灣銀行為救援一般工廠厄運所投下的資金，只是紡織與鋼鐵業兩項，為數即已可驚，然其人自為政，毫無改進振作的本質自若也。尤其是那兩個屬於重工業範圍的鋼鐵工廠，創辦時就是靠着政府的特惠援助，現在還是靠國庫支持，動則以倒閉作要挾，不特對於國家經濟並無裨益，而且成了國庫的吸血蟲，貽患不知伊於胡底。台灣根本不產鐵砂，亦無焦煤可資煉鋼之用，幹嗎要搞這種有害無益的重工業呢？至於真正適合於台灣經濟發展條件的產品加工這項企業，迄今未聞創進，不亦怪哉！

島國的經濟潛能是以生產品輸出為主體，即須注重航運能力之培養，這是常識。然而近十餘年來，我們對於此道乃漫不經心，國營航業既因各種關係未能積極創建，民營航業亦任其自生自滅，少所扶植。十二年前，四川民生實業公司的八艘新輪逃避共禍泊在香港時，因為加拿大借款造船費二十萬美元無法應付，加政府揚言扣留這些輪船，我政府不予應援，終於接受共匪的誘惑，全部駛回內地，成為敵人的航運力量了。假使政府移到台灣即注意培植航業，今日擁有相當可觀的商船隊，這對於工商業方面固屬裨助良多，一旦國軍要反攻大陸，亦就不必完全仰賴友邦來供給運輸工具，而處處受到別人的支配限制了。

台灣的勞動力代價並不高過日本，且較香港為低，生產技術亦不落伍，而工商業產品的成本卻特別高昂，因而既不能在國際市場上競爭銷路，即在國內亦難以生存，前些年曾有人在台灣設廠製造熱水瓶，即以其成本高於舶來品之故，終告虧折倒閉，區區熱水瓶這類簡易的輕工業，竟被舶來品壓制不能存在，其他的工商業可以相見，尚何自力更生的經濟機能可言呢？生產品成本過高的最大原因，就是捐稅繁重，加之以法令滋彰，多所周折苛擾，業務費的支出甚鉅，當然產生不出價廉物美的奇蹟。工商業者要向外國購進一部生產機器，從申請外滙到運來台灣經過海關檢驗完稅，再取得主管機關的核許裝置等等手續，若花費一年的工夫能夠辦妥，已算是幸運了。商人將本求利，經營企業，乃有這麼多的煩擾上身，誰願意花錢自尋苦惱呢？這就是政府經常號召華僑歸國投資創辦工商企業，而連年來東南亞各地區的僑資皆集中香港，很少流入台灣的癥結所在也。談到台灣現行的課稅問題，始終採取貨物稅制，讓它轉嫁於消費者，削弱購買力，而不實施直接稅，殊令人莫測高深，國家征稅不教有錢人出錢，卻使一般勞苦大衆間接替富有者分担義務，這是民生主義的經濟政策嗎？

十年生聚的經濟策畧是這末一套，即沒有自給自足的可能，只好仰仗友邦的經援來過活。「需者事之賊也」，我們國家的經濟命脈，捏在別人手裏，自難怪我們舉辦一項「國防捐」，亦要引起別人的驚詫詰詢哩！

外交問題

我國近十幾年來的外交工作，完全致力於聯合國的代表權這椿事情，而將其他許多重要問題都擱置了。實則聯合國成立至今，始終是國際鬧劇場，對於維護世界和平，發揚正義公道的應有職責，並無績業表現，祗見一二強權國家，藉着聯合國的席位作為對俄共集團進行姑息妥協勾當的工具而已。如果在韓戰前夕，毛共接受了美國的親善友誼，我們的席位早已喪失；即使毛共在韓戰後，不以「美帝」為死敵，而能在「華沙談判」中跟美國成立不以武力進攻台灣海峽的祕密協定，毛共亦已闖進聯合國了。這說明我國代表權之變質與否，關鍵並不在每年一次的聯大辯論與投票表決的形式上，我們竭智殫精，斤斤於是，似乎大可不必。何況這世界還是強權主義作祟，奄有力量的國家，雖未列席於聯合國，照樣地在國際間保持着發言權，而受到重視，西德便是一大例證。至於一般新興的弱小國家，多屬以強權國家的意旨為轉移，沒有一定主張的，國家，我們固然不妨爭取，却不必視為外交上的首要課題。要緊的還是一般的外交活動方針，權衡利害，知所抉擇，這需要有劃時代的策略和適材適任的外交官，像目前的情形即不足以語此。

現階段的國際形勢，重心繫於美英法與西德諸國，關於外[illegible]英美的外交戰略是歐洲第一，作用在避免熱戰，持續冷戰，以待俄共集團內部發生突變，冀收漁人之利。這形勢跟我們的反共復國運動不相吻合，若欲轉換這種趨勢，而需要有非常的外交策略和人才，因地因時因人而制[illegible]

[illegible]在朝的官員，肯上掛[illegible]

結語

[illegible]

早知如此何必當初

毛酋：「要一換一塊新的嗎？」

自由談

最近投奔自由世界的毛共特工幹部趙福，在美國參議院作證，指述毛共極害怕台灣的國軍反攻，因為大陸人民痛恨共產暴政已極，一旦國軍實行反攻，人民即將羣起響應，打擊共匪的。這種事實，過去不但是中華民國政府當局和海內外的反共人士，迭有說明，且有正確的情報可證，而今年五月間大陸人民的逃亡潮，更是很真實的反映現象。

可是，美國人一貫地認為國軍反攻大陸是「夢想」，說大陸人民歡迎國軍是一種「神話」。現在毛共的高級特工人員亦指證我們過去所說的情形不虛，誠不知美國那些議員先生和一般政客們作何感想，是「有晒表情」呢？抑是自作聰明，剛愎到底？

美國人於意云何

幼稚淺薄而又具有強烈之優越感的美國人，遇事自以為是，決不相信別人的話，像趙福這種證言，他們亦可以說是「我們的中共情報局並未接有這樣報告」，但對於美國所謂「遠東問題專家」一瞎三話四的言論主張，卻視同瓌寶圭臬，資為擬訂外交政策的根據了。當毛共竊據大陸之初，美國國務卿艾契遜，總統杜魯門，曾經公開指稱毛共是與蘇俄無關的土地改良主義者，而副總統華萊士且致函毛澤東，自認與毛會是農家子弟的同路人，可謂醜態百出。近兩年來，美國的政客們又有驚人的「高見」發表，說是蘇俄將與美國攜手合作，協力抗禦中共的侵畧擴張。這些却不算是神話了！

總之：美國人自命是上帝特別創造的超等智慧子孫，富於想像力，他們可以無中生有，使用想當然的幻覺來教別人承認是事實，而指別人所說的實情為「夢想」，為「神話」。他雖然因此搞出丟人失格的事情（如對古巴流亡人士進攻卡斯特洛之役），貽笑全球，亦無所謂。憑着這種以幻覺為真實的人物來領導自由人類，跟那以唯物辯證法則為行動標準的俄共集團從事冷戰鬥爭，除非是上帝幫忙，教共黨人士一律發狂，自由人類要想取得最後勝利，而不訴之於戰爭手段，那真是不可想像的事，憂乎其難哉！

馬五先生

（香港與大陸）

穗盲流收容所死亡枕藉

苦工再加上飢寒交迫 居然一天死到八個人

中共設在廣州市華僑新村的「收容所」，以往便因爲設備與待遇均壞，死在裏面的「被收容者」很多很多，近些日氣候轉寒，更加死亡枕藉，居然一天死到七八個人。

甫自廣州來港的僑屬張太，她就住在華僑新村，對那「收容所」的種切，不但耳聞甚多，且親眼看到的東西亦不少。他說：近些天來，隨時可見從收容所用担架或獨輪車載運着屍體，送到小北鐵路背後的山坵埋葬。該「收容所」四周有鐵絲網圍住，並有武裝共警不斷巡邏。裏面的「被收容者」，皆係「盲流」到廣州未取得戶籍的人，其中男女老幼俱備，以農民爲最多，其餘學生、教員，商店職員等亦有之。

據張太說，前幾天晚上，有一名老婦人由該「收容所」冒死逃到她家裏，哭哭啼啼地要求她給些食物和幾塊錢，她眼看那老婦人實在淒慘，途給了她所要求的東西，另還給了她一件破舊的棉襖，那老婦人千恩萬謝走了。她說：但不知她眞能逃出虎口否？

那老婦人告訴張太說：她是肇慶縣人，由於在農村長期挨餓，每天只吃三四兩米，加以數月前接到香港親人來信，說到了廣州便容易逃往香港，遂於十月初攜帶她十歲的孫兒，由鄉到穗，住在大東門她胞妹家中。但不幾天，便被檢查戶籍的公安人員抓到該「收容所」。又說：那「收容所」裏，簡直就是地獄，每天只吃三兩紅米，別說餓，連蓆都沒有。「收容所」只有三棟矮屋和一棟木棚，但卻收容了千多人，白天固然要做苦工，晚上卻沒有睡覺的地方，又只是大家蹲在一起，互相依偎着過夜，又苦又饑又凍，呼天不應，叫地無靈。那些看守的共幹，更兇神惡煞，經常打人。她說：就是在前幾天，一個廿多歲的教員，由於餓得實在支持不住了，到厨房偷了一碗稀粥，正在吃的時候，被共幹發現了，立刻用煤剷子當頭打去，該青年教員被擊中要害，當卽昏倒地上，不多時就死掉了。

那老婦人說：該「收容所」人多地小，裏面非常骯髒，到處皆是屎尿，烏蠅蚊子成羣結隊，因而病人經常有一兩百名，根本沒有醫藥照顧，老婦人的孫兒在入「收容所」不久後，就是因爲染上痢吐病，眼巴巴地看着孩子越病越重，終至一命嗚呼了的。而近些日來，爲了氣候寒凍，死者更多，少的時候有二三人，曾有一天竟死了八個人之多。死後被運走前，衣服都給剝去，就像死了個畜生的樣子。（敬斯）

省以下公務員多不合格 工作情緒亦普遍甚低落

縣市鄉鎮財政問題大建設無從談起

——監察院巡察報告分析之二——

（本報記者張健生台北航訊）一年一度的監察院總檢討會，中央和地方巡迴監察各組報告業已告一段落，從十一月廿日開始，正式開始進入檢討政治設施了。記者爲了使讀者瞭解監察院巡察些什麼？報告些什麼？因此作有系統的分析，將「報告」中的問題報導出來；「報告」內容豐富而充實，從中可以看出問題的核心所在。

先從地方說起。

台省地方政府的公務員，共十六萬七千五百七十七人，佔現有公務員總人數的五分之四，但其中經考試及格的公務員，不過百分之十三點九四。可見，考試制度未注意推行。而公營事業方面，如經濟，農林畜牧，漁業和水利等事業人員，仍未按照「國營事業管理法」規定實施，實與憲法八十五條規定不合。監委們希望行政院注意這件事，應會同考試院擬定辦法，加以澈底「革新」，使入事制度納入常軌。

地方政府公務員雖有如許多，但工作情緒低落，葉時修委員的報告中便說：他們在巡察台南縣市時，因爲沒有巡察日程表，各級政府不知他們究竟在什麼時候會到，因此看到很多的特殊情形。有一次，他們在下班前到某一機關巡查，結果沒有看到一個職員，只有一個工友穿了短褲，拖着木屐在那裏，問他人到那裏去了？說是下班了。但還未到下班的時間。第二天，該機關首長很不好意思，跑到葉委員等住處道歉。還有一個機關，葉委員去的時候，比上班時間稍微遲一點，到那裏，主管的人一個沒有到，小職員們忙着打電話，到處找主管。

監委們認爲一般機關公務員都是如此，而他們工作情緒低落的原因，第一、待遇微薄，大家幹不起勁。第二、工作分配不勻，有的忙得很，有的無事做。第三、主管監督不週。他們曾到許多機關去，首長一天到晚在台北，看不到人。

縣市鄉鎮財政問題大，縣市經費除教育達到規定外，其餘大部份化於用人行政，各項建設均未能按照規定平均發展。由於財政成問題，各縣市多向省政府要求補助，有補助超過百分之五十者，如新竹，苗栗兩縣的補助，達總預算百分之六十以上。因此，縣市政府在推行法令和政策方面，很受到影響。按照省令規定，縣市預算要在每年六月底以前編竣，送縣市議會完成立法程序，報省核准，從七月一日開始新會計年度。然而事實上，沒有一個縣市的預算是在六月前完成立法手續的，有的縣市總要九、十月間始經議會通過。其原因，基於縣市政府的預算要靠省方的補助，而鄉鎮公所的財政是靠縣市或省府的補助，所以在省方補助數字未確定前，縣市政府無法提出施政計劃而編列預算，縣市鄉鎮地方預算當然都無法按期成立。

縣市或省補助鄉鎮的經費，以人口、面積的大小和村里多少爲補助的標準。此一標準，不見得公平；因爲有些鄉鎮的人口和面積相等，但土地生產並不相等，所以不公平。監委們希望重新製訂補助辦法。鄉鎮財政困難的一個實例，如新竹縣關西鎮公所的辦公廳，被法院查封拍賣了，原因是：在三年前，關西鎮爲了試辦免試升學而蓋了一座中學，但因經費沒有着落，所以欠下營造商一百多萬元，債權人要不到錢，乃向法院起訴「清償債務」，案經法院宣判關西鎮公所敗訴，該公所仍無錢償還，法院只有依法執行拍賣該公所辦公廳。

另外地方派系鬥爭厲害，也影響到地方建設。

國府目前可走的兩條路

（自第三版轉來）

今年雙十節總統文告中所提出的約章十條，其第五條言，「依循憲法規範，賦予人民宗教信仰，學術研究，集會結社，居住遷徙充份自由」云云；這不但全然排除了人民自由最基本的「言論自由」，更且倒因爲果地指稱這些自由是國家憲法所「賦予」。殊不知人的自由平等是先天固有的。民主國家的構成法——憲法，就是本着這自由平等的原則爲前提而訂立的。憲法及政府之所以產生及成立，毋寧卽在保障（而非賦予）人民的天賦自由。當國者如不先弄清楚這些基本概念，一切政治設施便無從談起。因此，我們可以問一句：台北的國府是否仍稱爲中華民國的政府。這是今日當局所急須澄清，而爲召開國是會議的先決條件，因爲中國人今日所欲救的國，乃是中華民國及其全民族，而非某一集團或個人也。

以上所言，第一條路是實行發動反攻；第二條路是激底實施民主以謀團結。任走一條，卽可爲另一條的相資相濟。倘若台北立卽軍事出動，則海外的每一個中華兒女，必卽對政府渙然冰釋，不問一切，不顧一切，而爲國家効命，相率來歸。倘若先爲民主改革，收拾人心，誠信相孚，大家團結如鐵，則反攻復國亦卽指日可期。所以這相輔相成的兩條路，實卽是國府目前應走的唯一生路。舍此以外，只有等死！喊口號，打空氣炮，完全於事無濟。孤臣孽子之言，繼之以淚與血，知我罪我，所不計也。

麥美倫攬高峯會談經緯

圖以外交行動鞏固政治地位

（本報倫敦航訊）據英首相麥美倫將於十二月十五日訪問巴黎與法總統戴高樂會談的公報發表之後，麥美倫與美總統甘迺迪會談的時間，地點，亦經在兩國首都同時宣佈，時間爲十二月十九日至廿一日，地點爲巴哈馬羣島。

倫敦政壇人士無不明瞭，麥戴會談與麥甘會談，都是出於麥美倫的主動。會前有過傳說：麥美倫於與甘迺迪會談之前，還要與西德總理阿登諾會談一番的，如今因時間迫促，安排不無困難，可能性恐已不大。

麥美倫主動的攬這些高階層會談，是很容易理解的。這因爲在西方四強的當政者中，由於古巴事件，甘迺迪的聲望頗有增加，甘迺迪美國「期中選舉」，民主黨便因此而獲得輝煌的勝利。戴高樂在法國而今的聲望之隆盛，更確確實實打破了法國歷史的紀錄，雖百多年前的拿破崙與兩次大戰的「老虎總理」克里蒙梭，亦相形見絀，頗有不如。至於阿登諾，雖曾有「自由社會黨」退出政府威脅的麻煩，卻亦已經由史特勞斯辭去國防部長而宣告消弭了。麥美倫的地位，卻很顯得有些搖搖欲墜的樣子。麥美倫主動的發起與戴高樂，甘迺迪會談，並可能與阿登諾會談，固然是外交行動，卻顯見有藉此以鞏固其在英國統治地位的用意——保守黨在下院，而今仍然有壓倒性多處，這成就且是麥美倫領導的，但爲了財政緊縮政策的不得人心，加以參加共同市場問題英國反對者大有人在，麥美倫的聲望乃有自最高潮跌降爲最低潮的苦境，他不能不急謀努力，以圖挽狂瀾於既倒。表面上，麥美倫訪美重要過於訪法，實際則未必然。英國今天的第一大事，無過於加入共同市場問題，麥美倫早經押他的政治生命，孤注一擲的放在這問題上。事實也確乎如此，如果能夠得到較佳條件讓英國加入共同市場，保守黨固有希望挽回頹勢，麥美倫的領導地位，亦可能從動搖而轉爲鞏固堅強。但要英國取得這種條件，戴高樂卻掌握了這把鎖匙，戴不賣賬，前途便很黯淡了。所以戴麥之會儘管接觸的方面甚廣，而英國加入共同市場問題，應爲「戴肉」所在，麥美倫尤其必然要對此盡其最大的努力。

歐洲觀察家近來不斷揣測，經過古巴事件之後，蘇俄的外交動向如何？他們很注意巴黎會的裁軍談判以及柏林問題，認爲從這些將可以相當顯示出蘇俄的實向。這些問題，麥戴當然亦會談到的。但在這些問題上，戴高樂一向不感興趣，他認爲根本無可談，談亦是徒費唇舌，勞而無功。法國到現在便仍然拒絕參加裁軍談判，便可見之。而相反的，此間許多人都相信，有一項問題，應爲麥戴同感興趣的，這便是甘迺迪處理古巴事件的手法問題。

美國這次對於古巴事件，是獨斷獨行的，事前未經與它的任何盟邦商量，英法等國都只是在甘迺迪宣佈封鎖古巴的行動前兩小時獲得「通知」而已。此種做法，美國的歐洲盟邦，多不高興，尤其是麥美倫據說很不高興。有理由可以相信，麥美倫此番主動的與戴、甘會談，且可能於與甘迺迪會談之前先與阿登諾會晤，這乃是一項主要問題。

據說麥美倫是希望得到法國與西德的支持，以增強其地位，去與甘迺迪見面，而企圖說服甘迺迪：今後遇到如此重大舉措，應先行進行商量，再做決定。因爲在英國看來，這不但是面子問題，這還是牽涉到和平與戰爭的問題，所以麥美倫非爭取發言權不可。（業）

胃潰瘍宿疾突發 左舜生在美入醫院

病因起於激辯中國問題之餘 飲了一杯酒吃了些冷藏食品

（本報訊）現在美國作客之青年黨領導階層人物左舜生，最近以胃潰瘍宿疾突發，進哈佛大學醫院治療。據悉病勢雖已和緩，但潰瘍仍需檢查，是否將須施行手術，尚待化驗決定。

左氏舊病發作的原因，是他應哈佛大學教授們邀約，赴該校舉行遠東問題座談會時，當場有一位曾在中國呆過，號稱爲「遠東問題專家」的費正清其人者，提出「兩個中國」的主張，大放厥詞，左氏卽席加以反駁，彼此激辯了許久，費正清指其爲「精神勝利主義者」，是「阿Q精神」。左更不服，不覺動了一些肝火，因爲他平日遇事是容易衝動的。座談會散後，卽舉行雞尾酒會，表示歡迎左氏之意，他懷着一肚子的不愉快心情，勉強參加，乃借酒澆愁，飲了一小杯白蘭地，又吃些冷藏食品，這都是胃病的人所禁忌的。雞尾酒會完畢回至寓所時，便就吐嘔大作，胃痛不已，幸而青年黨元老余家菊之公子余傳韜亦在場，余君是哈佛大學院的工作人員，馬上將左氏送往醫院治療，終使病狀不再惡化。按該院規定，每天住院費卽需美金四十元，左氏是窮書生，也負不了這筆醫藥費，旋經哥倫比亞大學遠東問題研究所與哈佛大學當局商洽，由該兩大學斥資支付左的醫藥費用。但左氏以七十老人，抱病異域，不無寂寞之感，急歸的意念油然興起，他原定在美國居留三個月後，再到日本東京停三個月，現在打算病癒後便回港了。港方的左氏友好，卻希望他乘此有人代付醫藥費的機會，不妨在美國多住些時日，把胃潰瘍根本割治之，然後言旋。本報當社長亦同意此說，曾專函左氏問候，並提示此項主張，勸他不必急於出院云。（凌霄）

國府目前可走的兩條路

·謝扶雅·

中華民國政府播遷寶島，十三年來，在軍事，經濟，社會，教育各方面，似乎都有很大的進步，惟獨國家的主要關鍵——政治，却始終未能允孚衆望，未能本着民意切實做去，以致上下內外，未能團結一致，而治權圈子愈縮愈小，遂無法展開全民族一心一德復國中興的大場面；這就不得不像目前這樣倡促於苟且偏安之局了。無疑地，我國既稱「民國」，政治一切措施，自必以「民意」爲歸，而今日的民意，顯然一致要求立即實行反攻大陸，尤其是，自本年五月以來，國內四面八方逃奔洶湧的饑民狂流，抗暴之火遍起，正是再好不過的裏應外合時機。筆者從留美學人及華僑的觀點和期望，並爲響應年來香港文化界的呼聲，屢次不一次地籲請國府當局實行揮師西指，良以國際上「兩個中國」的論調，始終蜚短流長，我們若不奮勇打破現實，勢必由久困一隅的「中華民國」輾轉演變爲「台灣共和國」，隨而大陸六億同胞，將永爲俄帝控制下中共極權的奴隸和芻狗。

固然，近年國府屢在宣稱反攻復國，三令五申的文告，逢時逢節的講辭，無不明言反攻在即；還特別聲明，政府出兵反攻，全然爲中國內政的事，絕不受中美協防條約的拘束。但如我們的推測無誤，台灣似乎專在等待大陸上正規軍隊大舉起義之後，始「以旅號，械彈，裝備，糧食，優先支援」（引雙十節總統文告中語）。這只可說是「外應裏合」，而不是「裏應外合」。綜合最近逃亡至港的人們各種報導，我們斷定大陸上不可能有如昔時陳涉吳廣「揭竿」方式的起義，而必待外力的首先攻入，然後才能「裏應」。換言之，國府必須採取主動，先派傘兵部隊分別降落適當地區，與一羣饑民及民兵結合，以游擊方式掌握若干據點，憑「游」與「滾」，愈滾愈大，庶可由「點」而「線」，這時，方能希望有中共正規軍響應反正，與我隊伍滙爲一流，造成壯大的聲勢。於是力謀打通某個海口，與我沿海登陸大軍相集合，而確立中華民國在大陸一部的政權，並大量輸入美國救濟的糧食和武器。這樣進展，則在一兩年內，可望把北平暴權完全推倒，使整個神州得見青天白日之重光。這是國府可走而亦應走的一條路。

但若台北眞的不能於目下立即出師，客觀的條件雖已具備，而主觀的條件確有尚未充足之處，則當局必須從速加緊準備這些主觀條件，此無它，即創進「向心力」而已。中國人民今日殆無不以國府之反攻爲徒託空言；「自古皆有死，民無信不立」。政府確已空唱反攻十多年了，而迄無兌現的作爲。在上者一旦失信於人，則人自皆「望望然去之」。現在不但全球多數華僑心中對國府不諒解，海外一般反共人士對國府不滿意，在野各黨派對執政黨有怨言，即國民黨內部亦有對當道不大了解的。而台灣政風之萎靡泄沓，特權階級之橫行，社會戾氣張布，各方怨歎沸騰，都在造成極大的「離心力」。雖當局最近又宣佈厲行革新運動，但在政府自甘偏安而又信望日墮之下，誠欲能發揚蹈厲，喚回國魂，收拾人心，鼓舞民氣，則必須飛速召集多年來再三宣傳的國是會議，如抗日前夕之由廬山會議進而產生參政會那樣，聚海外精萃於一堂，並招徠流亡在外，尤其旅美的幾千飽學之士，注入新血液於寶島，激發蓬勃的朝氣，使台灣眞成爲東亞的西德。這是國府可走的第二條路。

當然，政府如欲邀集海外反共人士開國是會議，必先做出幾件取信於人的事，如釋放政治犯，開放黨禁，絕對言論出版自由。尤其是最後一項，爲民國主權在民的基本保障，必須十足實踐，不容有絲毫假借，而以任何題目剝削人民講話及批評政府的自由。如最近竟籠統地以「言論不妥，違反法令」等名義，禁止海外某一刊物進口，即是不民主的行爲。

（下轉第二版）

天南風光

——沙羅越的歷史——

朱淵明

鄭和所統率的龐大艦隊，其主力部份雖未必曾親至渤泥，但其分支部隊，必曾到達，故費信乃爲之著錄。而渤泥當時與明廷關係，既密切有如上述，乃鄭和反過境不入，其原因亦可於情理中推測得之：蓋鄭和之南下目的，既另有所在，而其附帶使命，自不免有宣揚國威，懾服遠人之用意；渤泥業已臣服，且恭順不違，自不在鄭和目標範圍之內。

舊時中國的藩屬政策，與近代西方的殖民主義，迥然不同。中國對藩屬的要求，主要的是奉正朔，貢方物。蓋在於精神上之羈縻與維繫。例如上文所舉，渤泥國之朝貢以及明廷之賞賜與招待，及護送等，兩兩對比，在物質上說來，絕對是虧賠的，即鄭和七下南洋之所費，使明廷「庫爲之空」。故成祖一死，立即停止。而近代的西方殖民主義，則是絕對符合「生意經」的。甚至在殖民的原始階段，不僅是剝削，逕直是劫掠。這就是中西文化最大的分異之點。也就是因這種文化精神，自渤泥來朝，鄭和南下之後，南洋各國，既欽服中國文物之美，更歆慕中國富强之盛，於是華人在南洋之地位日高，而華人之雄傑，遂間有關居其地而稱霸的。

例如明萬曆初年，有一個福建人名林道乾的，率衆至渤泥西北邊地居住，渤泥王妻以女，即劃其所屬地，由林治理，道乾遂立國，而名所居港曰「道乾港」，儼然是個小王庭，相傳現沙羅越的「一變峯黎」，即爲林道乾所部徒衆的遺裔，雖然已與土著同化，但尚多林姓之人。而羅芳伯之事業則在西婆羅洲的坤甸（Po tiana k）尤爲不可抹煞的史實。坤甸現雖屬於印尼，但與沙羅越相距匪遙，由古晉的石隆門，翻越一山，即可遙遙在望。坤甸舊產金，石隆門亦產金。昔時若干淘金公司，兩地即以此爲兩邦的交易中心。坤甸的歷史直接間接，自然與沙羅越的歷史，都有若干關係。（九）

論道篇（四）

但願「以孔爲師」

孔子的另一個學生子路，最是敢於直言論辯的人。並且，他每次和老師論辯，有時簡直達到目無尊長的程度。有一次他懷疑「子見南子」是走內線，使老師發誓來證明他的懷疑的錯誤。又有一次，子路介紹同學子羔往大軍閥季氏的領土那個費縣去當縣長。孔子當然不高興，認爲這會害了子羔的眞正前途，但子路却說出一番讀書與生活的實踐的大道理，把孔老夫子駁得啞口無言，書中記載說：「子路使子羔爲費宰。子曰：賊夫人之子！子路曰：有民人焉，有社稷焉，何必讀書，然後爲學？子曰：是故惡夫佞者！」再有一次，由於子路並不深切了解孔子的「正名」道理，竟放肆到輕率地當面指老師爲迂腐不通，這如果孔子眞的是一個腐儒，或者如現社會的那些全沒師表祇知爲錢而教書的教師，必然認爲侮辱而斥退之，但孔子不如此做，他還懇切地把「正名」的眞正原理分析給子路聽，希望他明白「正名」的在人生與處事的立場的重要性。當時，他們師徒倆的論辯是這樣的：

「子路曰：衞君待子而爲政，子將奚先？子曰：必也，正名乎！子路曰：有是哉？子之迂也！奚其正？子曰：野哉！由也。君子於其所不知，蓋闕如也。名不正，則言不順；言不順，則事不成；事不成，則禮樂不興；禮樂不興，則刑罰不中；刑罰不中，則民無所措手足。故君子名之必可言也，言之必可行也。君子於其言，無所苟而已矣。」

子路之粗野，確使老師難受。惟教育在使人成爲大丈夫，雖粗率如由（子路），愚直若宰我，孔子還是恕過而誘導之。因粗野愚直，並不是壞心眼；如冉求之僞善，則人格墮落已至不可救藥的地步，且壞德危及社會他人。粗野愚直仍可爲君子，獨僞善者比於無賴小人更汚劣，故孔子恕子路宰我，而不赦冉求，開教育與小人不兩立的風氣。由此，我們亦可知教育的嚴肅，教育的神聖任務，作爲一個良知良能的教師，我們若能懷念孔子對教育抱負的偉大心志，勉能向此一萬世師表學習萬一，對當前充滿着敗壞風氣逆流的人類社會，實有莫大裨益與影響的。

雖然，在這個「好人難做」的世紀裏，比於孔子當時那種「吾道不行，乘桴浮於海」的懷才莫遇的現象，有過之而無不及的今日，究有幾個所謂教育家，敢於向孔老夫子仰視？記得宋人有一首諷刺牢騷詩這麼說「孔子之文滿天下，孔子之道滿天下，得其文者公卿徒，得其道者爲餓夫！」孔子雖以道爲重，而不以文爲重，但又誰願棄達官貴人的公卿徒而不爲，而甘就餓夫呢？孔門教育要培育有大丈夫志的學生，特別對我國這樣困難的環境，自然極端需要，正如明末黃道周上思宗疏有說：「以利祿餋士，則所象者必嗜利之臣；以箠楚驅人，則就驅者必駑駘之骨。」這段至理名言，今日讀之，徒令人更多感歎！

（本篇完，全篇未完）

……工展花絮……

麵包大王何智煌

振興糖菓餅乾公司，其出品之糖菓餅乾麵包譽滿港九，該公司總經理何智煌之公子何景常，在英國卡迪夫食物工藝學院就讀，參加威爾卡迪夫舉行的週年麵包，餅乾及糖菓展覽會比賽中，再度獲得冠軍獎。何景常君少年英俊，叠獲獎品三次，揚威英倫，爲我華僑增光。該公司本年參加工展會，攤位設於第八街，裝璜美觀，展覽期間特價優待。（坤）

大同實業出品靚

工展會裏第二街頭，有間大同實業社，專門製造毛刷、棕刷、地墊、地蓆，花式多，大小尺寸，樣樣俱備。你要棕質、麻質、草質講一聲，攤位先生馬上給你參觀，價錢平，質素好，務使遊客滿意。該社爲工業家林載斌氏經營，歷屆工展會均有參加。（坤）

葉中生設計了得

大會「陳列室」在「工程部建設部長」葉中生君設計，並親自監督着「高價建裝飾公司」全體員工，建造成超時代的攤位，深獲中西人士好評。

第十一街「三興廠」，門市部在潘永强君處理下，對應付顧客與參展者，招待十分得體，深受各界歡迎。（白）

陳斗藥局生意好

第一街「權記食品廠」攤位內，食物琳瑯滿目，且有「播音明星」劉一帆與一羣小姐們宣揚該廠精品，使遊客們駐足光顧，生意十分好，或謂皆「超仔」有「緯頭」之功也。

同街「陳斗藥局」的攤位，正中掛着師傅與謝潔玉大國手的大相，更有大膏藥爲商標，四個男女職員坐鎮其中，遊客均慕名到購跌打丸，風濕藥膏等爲數頗多。（白）

……工展花絮……

「瘟君續夢」續稿未到，暫停一期。

士心馨如畫展（續）

此次展出，在人物方面，盡是馨如夫人作品，有摹敦煌飛天，共十七幅，所繪美人姿態不同，另呈一種風格。其餘尙有白描仕女，吳子深題跋。太眞像，西施像，仕女簪花，皆易君左題；眞所謂畫好題好，牡丹綠葉。

士心工於花卉，以牡丹稱，尙有秋圃金英四幅，全係畫菊，玫瑰四色，分紅黃黑紫，亦前此所未見者。他又能翎毛蟲獸，皆栩栩如生，如秋芙水禽，秋圃鳴禽，秋芙翠雀，紅葉鵪鴿，貓蝶嬉趣，菊蟹墨蝦，繡球黃蜂，金魚自樂，蘿蟹雙蹊，紅薇雙雀，紅樹墨猿，黑貓背面，蒼松孔雀。而玫瑰彩蝶，係與張大千合作，吳子深跋記，就所編列，可云洋洋大觀。台北畫家以花卉翎毛蟲獸來展，猶無如許之多也。

余與周犢伉儷固未相識，因高華兄之介，始得一瞻畫色，玆兩位早已返港，就腦際所記及，畧抒觀感，不知士心馨如其亦有意示及下走否？

憶玉軒雜綴

機不可失

此往事也。陳伯南將軍，而今墓木已拱，安眠在台灣北投山麓，其陵園亦氣象森森。不知在廿六年前，陳將軍却以此「機不可失」四字而斷送其政治地位。玆就所聞，畧爲記述，藉明衛者之言之大不可信也。

廣州爲革命的策源地，民國以來，護法討袁，北伐平亂，皆以此爲起點。在民國廿五年前夕，陳濟棠任廣東省政府主席，以西南執行部胡漢民先生逝世，遂獨攬政權，軍政盡在掌握，不落聽從中央命令，無異南天王朝。且以動員抗日爲詞，與桂系聯合，企圖採取行動，以謀北進衡陽長沙，問鼎江右。在事將決未定之前，乃從術士之言，扶乩以卜，得語曰：機不可失。於是氣爲之壯，劍拔弩張，形成山雨欲來風滿樓之態。

不意事經揭開，首先所部空軍，由黃光銳率隊北投中央，降落南昌，通電遵從中央政府指揮，此所謂機已盡失，而非機不可失也。未幾，余漢謀自大庾回師，李漢魂在汕頭掛印，兩君對外宣言，與黃光銳通電畧同，陳氏見肘腋生變，始悔孟浪，邀集林雲陔、劉紀文何犖李揚敬林翼中等，會議於梅花村三二號官邸，終於陳將軍下野離穗赴港，幾乎從此一蹶不振矣。（未完）

南宋偏安有人才

——李綱

李仲侯

『方今中國勢弱，君子道消，法度紀綱，蕩然無存。陛下履位之初，當上應天心，下順人欲，攘除外患，使中國之勢尊；誅鋤內奸，使君子之道長；以副道君皇帝付託之意！』欽宗得疏，即日召對延和殿，謂綱曰：朕頃在東宮，見卿論水災疏，今尙能背誦。李鄴使金，議割地；綱奏祖宗疆土，當以死守，不可以尺寸與人。欽宗嘉納，除兵部侍郎。未久以吳敏爲行營副使，綱爲參謀官。明年，梁方平之師潰於黎陽，金兵遂渡河而下破濬州。欽宗下詔親征，以蔡攸爲太上皇帝行宮使，奉上皇東奔往鎭江。百官在京朝者多聞風潛逃，宰執義請上暫避敵鋒，綱曰：「道君皇帝挈宗社以投委陛下，委而去之，可乎」？上默然。太宰白時中謂都城不可守；綱曰：「天下城池，豈有如都城者？且宗廟社稷萬民百官所在，捨此將欲何之」！上顧宰執曰：「策將安出」？綱進曰：「今日之計，當整頓軍馬，固結民心，相與堅守以待勤王之師。」上問誰可將者？綱曰：「朝廷以高爵厚祿崇養大臣，蓋將用之於有事之日，白時中，李邦彥等雖未必知兵，然藉其位號，撫將士以抗敵鋒，乃其職也」。時中忿然作色曰：李綱莫能將兵出戰否？綱曰：「陛下不以臣庸懦，儻使治兵，願以死報」！乃以綱爲尙書右丞。宰執白時中，獨堅持避敵之議，旋奉旨，以綱爲東京留守，綱乃上疏力陳所以不可去之意，疏云：『明皇遭關失守，即時幸蜀，宗廟朝廷，毀於賊手。范祖禹以其失在於不能堅守以待援。今四方之兵，不日雲集，陛下奈何輕舉以蹈明皇之覆轍乎』？上得疏，頗感悟。時幹喇布直抵汴城，擄李鄴南下，（今河南祥符縣西北）以威脅之，欽宗復謀諸羣臣，惟李綱主戰，李邦彥則主和，乃遣使往金營議和。時金已知宋京內有備，徽宗既內禪，無必取宋心，乃姑許宋和議之請求，而爲五事之揭商如左：

一、宋輸金金五百萬兩，銀五千萬兩，牛馬萬頭，表緞百萬匹（此作賠款）。

二、事金帝爲伯父，宋帝自爲姪（此爲降尊）。

（四）

黎編明史序

袁晴暉

余友黎子俊君，民初研習史學於北京大學，畢業以後，從事教育事業。生平博覽羣書，手不釋卷。特立獨行，公正不倚。近年鑑於時事日非，風俗日殆，因於執教之餘，閉戶著書，意欲闡揚國史，發揮民族固有道德，以期對於時俗有所匡正。所著宋史、元史均已刊行，現又以明史問世。讀其書，宛如置身明代，瞭然於當日社會文物；敘述翔實，立論精聲，不同凡響；且於民族精神，文化傳統，固有道德，更有獨特不凡之闡揚與發揮。觀其對於明太祖、明成祖、明思宗、熊廷弼、袁崇煥、史可法、鄭成功、瞿式耜、張煌言諸人之倍意敘述，嚴正批評，足見其是非明辨，寫作認眞；以之與流水帳式之歷史，歪曲史實之謬書相較，眞不可同日而語。斯誠不可多得之史作也。玆承不棄，索序於余。自維生平讀書，不求甚解；復以從政多年，學殖荒落；即偶有所作，亦爲鄙野之言，非廟堂之器。序書史籍，原不敢應命。惟念余與黎君同時肄業北大，窗誼情深；數十年來，又相知最稔；既承厚託，不敢過却，謹勉書鄙見，聊以報命。

竊思史者，人類社會之鏡也。人而無鏡，不知已貌；人類社會而無鏡，不知其得失。縱觀古今社會；國家之所以衰亡，個人道德之所以墮落，往往由於不以歷史爲鑑，不知接受歷史教訓所致耳。是以人應以史爲鑑，庶能辨別是非，不致邪惡乖謬；國應以史爲鑑，庶能明辨忠奸，不致禍國罔民。末世社會，不信鏡之人多矣；故行爲非義，舉措乖張者，觸目皆是。居嘗讀史，觀歷朝興廢，感慨萬端。尤其讀中國史，見其治少亂多，益增感慨。在中國史中，每當衰亂之世，必爲君子道消，小人道長，讒人高張，忠良寃屈；而當國者，又必多爲不信鏡與不信史之人。其禍國殃民，莫此爲甚。於是，終致民族蒙污，貽羞青史。每念及此，不禁爲之掩卷三嘆也！──語有之曰：「以銅爲鑑，可以正衣冠；以古爲鑑，可以知興替。」其不以歷史爲鑑者，則必難免於敗亡。後之視今，猶今之視昔，可不愼乎？抑尤有言者，凡一國之歷史，即爲其國家民族之紀錄；已往編史者，必須將其祖先往昔之文化演進，明白示人，然後讀史者，對於國家民族已往之所有，方能了解其先民奮勉之努力，以發揚光大其國族之文化；同時，並可藉以知其國家民族進化之正確方向，以作民族之指針，而不致走入歧途。是故，寫國史者，固應富於國家民族思想，而尤應有公正不偏之態度，方足以達成任務。苟缺乏國家民族意識，或態度未能公正不偏，則其所寫之歷史，亦將如塵垢之鏡，不足以正衣冠，知容貌矣。如此，則非徒無益於國家社會，而反適足以害之，實爲智者所不取，不可不愼也。

黎君之書，對於民族正義之精神，尤能發揚；及於公正不偏之義，尤可貴，俱得之。著者能於字裏行間，顯露民族之精神，以喚起國家民族思想，讀者讀之，則於晚近世風日下，澆漓不堪，是非不分，善惡莫辨，所在多有；歪曲歷史，以媚世俗者，尤不乏人；著者之作，必足以醫世俗，正人心矣。

海嘯樓談薈

周佛海好色軼聞（二）

諸葛文侯

民國十七、八年間，周氏攜同家小在南京工作，卜居於明故宮地段某一菜園傍之古老宅第中，四面空曠，別無人家，門前有古樹參差林立，距市街頗遠，市民傳說係鬼宅，無人敢問津，故租金極廉，周謂「我不怕鬼」，即僦居之。時周氏兒女均幼，以交通不便，上學困難，曾僱用一家庭女教師，亦寄宿周宅樓上。不久，周與女教師私通矣。一夕深更時分，周乘其妻正在睡夢中，潛赴樓上女教師室尋歡後，竟酣臥榻上未起，既而楊淑慧忽醒，不見周，知其必在女教師房中，急起登樓，破門而入，大聲叫罵，周驚慌間，因電燈未開，誤將女教師之長褲穿着下樓，同到自己臥室內，楊氏踹足掩至，罵不絕口，周無詞以對，垂首作忸怩狀，楊氏舉目望見周所着女教師褲子，爲之哭笑不得，大聲叱斥道：「看你這副鬼樣子，把女人的褲子穿上，眞不要臉！」周俯視果然，連呼「有鬼」不置，楊謂「這不是死鬼，乃是活鬼呀！」不覺失笑，一幕趣劇纔告結束。數日後，我赴周宅訪晤佛海時，彼曾將此段趣事合盤托出，並告以女教師已自動辭職去矣。

民國十九年秋間，中原大戰完結之後，顧祝同（雪軒）在上海先施公司大旅館訂一長期房間，備友好隨時行樂，周佛海常是座上客。一日晨間，周託詞公幹，由南京乘特快火車至滬，逕赴先施公司大旅館，方招一麗人喁喁談情中，楊淑慧亦手一旅行袋接踵而至，叩門詢「佛海到來沒有？」她是由南京坐飛機趕來者，故與周同時到達。周聞其妻聲音，佛然飛步走出旅館，趨馬路上呼乘汽車赴北火車站，擬購票回京，而楊氏亦僱車馳至，隨周同行，周忿甚，折往飛機場，楊氏仍亦步亦趨，跟踪追擊，周怒謂：「你要逼死人嗎？」一夫婦二人有若捉迷藏然，追來追去，旋顧雪軒聞訊，囑「伴友」嚴惠如前來排解，幸未決裂。

佛海在汪政權時代，顯赫地位僅次於汪，然其好色之性不改，桃色糾紛時起，金雄白君於其所著「汪政權之開塲與收塲」一書中，紀述甚詳，茲不贅。周當年代表汪政權赴日本談判時，亦不減其癖好，曾戀一日本女子，且育一女兒，現年已逾二十，正在橫濱國立音樂學院肄業，名「金田和子」，而面目酷似周，自幼即由周之日本好友岡田右衣代爲撫育招呼。周當年曾語友人：「我太太拚命地防制我搞女人，那有甚末用呢？我在日本不但有外室，且生了小孩，她就始終不知道！」最近友人金雄白君游日本，曾請岡田介訪「和子」，證明其容貌確似佛海，但彼迄仍不知其爲炎黃血胤也。佛海以心臟病勃發，瘐死南京監獄之際，曾引起其他病痛，嗆呼竟日不息，乃其好色關係所致，良堪慨歎。（完）

康有為的命名

·丘峻·

古語云，「壞鬼書生多名字」，自未必盡然。康有爲爲書生多名者之一：說他狂，或有之；說他壞，則未也。

康氏名有爲，又名祖詒，字廣廈，號長素，別號更生，更號更甡，復號更甦，別署西樵山人，晚署游存叟，又稱天游化人。氏之名，前後共有十個，誠可謂書生之多名者矣。惟人之多名，本屬尋常無足輕重之事；獨於康氏，則頻惹是非，幾羅罪咎焉。

康氏名號雖多，而爲人所攻擊者，則僅「有爲」一名，「長素」一號而已。

康氏天資穎悟，胆識超常，自視極高，自命不凡，既然眼高於頂，目無餘子，遂招人之忌怨，而朝野爲之側目，不知不覺成爲衆矢之的，成爲人所環攻的對象。氏既名「有爲」，又號「長素」，因謂其自命爲「王者之師」，自視爲「聖吾徒也」，狂妄放誕，莫此爲甚。是非既起，讒謗自來，而「有爲」，「長素」之被攻訐，無足異矣。

人謂其自命「有爲」者，乃「欲有所爲而爲之」之意，甚至謂其寓「富有」，「貴爲」之義，一若其當年在長江一帶所發行之「富有」「貴爲」的票布者然。即所謂「富有四海」，「貴爲天子」，帝王思想是也。至于「長素」，則「目無孔聖，長於素王」之謂。觀於葉德輝「其自稱長素，僭擬素王，欲奪尼山一席」之語，章炳麟「帝王思想，人人可懷，尙無足異，獨怪其自號長素，居然以素王自居，爲可駁耳」之言，連同以上諸說，類皆穿鑿傅會，跡近羅織，則「欲加之罪，何患無詞」，於茲益信。（一）

自由報

內僑警台報字第〇三一號內銷證

THE FREE NEWS

第二九四期

中華民國僑務委員會頒發登記證

台教新字第三二三號登記證

中華郵政台字第一二八二號執照登記為第一類新聞紙類

（每星期三、六出版）

每份港幣壹角

台灣零售價新台幣弍元

社長：雷嘯岑

督印人：黃行憲

社址：香港銅鑼灣高士威道二十號四樓

20. CAUSEWAY RD 3RD FL HONG KONG

TEL. 771726　電報掛號・7191

承印者：四風印刷廠

地址：香港灣仔高士打道一二二號

台灣分社

台北市西寧南路壹壹本號二樓

電話：三〇三四六

台郵撥儲金戶九二五五

全球僑領應即負起歷史任務

・林介山・

當前華僑面臨兩大困難問題，一是有家歸不得；一是在海外受到排擠。或說，華僑多已改變了國籍，他們稱作入籍華人，不稱華僑，且以海外為家鄉；他們也和當地人搞得不錯，不見得受到欺侮排擠；因此這所謂兩大困難的問題，似未有足夠的理由成立吧。

但是，君不見，美國黑人豈不是美籍？猶太人豈不已早取得各國的國籍？東南亞各國的華僑，豈不亦多已入了當地的國籍？但為什麼他們還受到歧視？職業與讀書，不容自由選擇與經營？這顯見不是什麼國籍不國籍的問題，而是膚色民族不同的問題，尤其關係於該僑民有否祖國與祖國是否強盛統一的問題。

一部份取得當地國籍而又是有錢的「華人」，以為已永遠得有安全的保障，並無知地在嘴角裏掛上「在商言商」的招牌，來作為逃避國事問題的擋箭牌。但事實上這個「自我陶醉」的迷夢，一瞬就已給殘酷無情的事實粉碎。君不見，東南亞國家不知有多少富有的華僑，甚而還多是有權勢的僑領，不是一樣成為不受歡迎的人物？不是被取消當地國籍，凍結或沒收其財産，一樣被拘押出境？

西諺有句話說得好：「世界上沒有任何的地方，比較自己的鄉園更溫暖」。你可以像遊子般浪迹天涯，生活四海，但不可以沒有你自己的一個家。

華僑很像是被迫四處跑的浪子，我們可以不提到各國排華，虐待「賣猪仔」，那些傷感情的血淚資料，但我們却不能不警惕到我們華僑（一）若是成為亡國之奴；（二）若是不團結統一救國家；（三）若誤以為入了他國國籍即有永遠的安全保障；我看有日華僑比以往那段被排斥「賣猪仔」的日子過得更慘。

事實上，當前整部人類歷史正在明顯地被革命撼動，全球的殖民地都向着獨立之途行進，非洲被分成三十幾個國家，東南亞各國都有着他們自己的民族經濟政策，要想全球華僑在這樣全球的搖蕩中，不受到困擾，迫害，而又沒有一個強大的自由統一的祖國為後盾，以為辦一個入籍形式，就說「在商言商」，就可以太平無事，那簡直是幻想。

僑民和祖國絕對分不開，安則共安，危則共危，歷史上沒有亡國的僑民，可以在海外安全的。東南亞各國在第二次大戰後已取得獨立國家的地位了，但為什麼華僑在該方面發生最多事之秋，祗在近十年間，而不在戰後那幾年間？原因很簡單，那時大陸是有一個自由統一強大的中華民國在。

提起我中華民國，可說是由華僑一手締造，在創建民國之前，大陸是清廷的勢力，所以孫中山先生的革命運動的中心，是建基在海外華僑的身上，正和今天的形勢差不多，除了一個台灣仍為國府控制外，整個大陸是為中共勢力佔有，所以當前的反共建國的大責重任，也無形建基在海外華僑的身上。

華僑在辛亥革命之役，贏得「革命之母」的名譽。博得這個光榮並不是倖致，更不是每年返國觀光，和幾個行政首長拍拍照便可以獲得。辛亥革命成功以後，革命組織仍普遍存在各地，如致公堂，興中會，中和堂，及民憲黨等。這些老僑團勢力，現時在海外仍是佔有重大的份量，所以除非不談反共復國則已，否則，這四個組織的僑領，應首先被爭取，亦首先受考驗，考驗他們是否有智慧有勇氣，來保有他們組織上傳統的光榮，和考驗他們能否把「革命之母」的精神，更發揚光大。

華僑救國總會似未能完善地發動各華僑團體一致參與反共救國的行列，尤其是那些有不同派系的僑團；理由仍是很簡單，就是組織上未能滿足各大僑團的領袖慾；意志上未能適合他們理想的需要。但為了反攻大陸這個大問題，相互間如何委曲求全，是應要首先被考慮的。我以為要改進這個問題，辦法可分由三方面進行：

第一，以爭取上述四個老革命僑團的團結為運動中心。政府以絕對委曲求全的忍讓精神，在各僑地成立聯誼會，並有計劃地聘請不同黨派之學者專家巡會演講，使其無形化敵為友，互愛互助，以謀團結統一，共為反共復國而努力。

第二，僑務委員會委聘該等有勢力之僑團領袖為僑委，並予以專責慰僑工作，使有資格巡廻視察各地僑情，藉資聯絡交換。中心工作在推進新辛亥革命運動，並憑「理性的說服方法」，使不同黨派的意見，能一致認識中國社會不容共産主義存在的理由。此等慰僑專員，事前取得反攻大陸設計委員會之支持與合作，獲授以反攻建國的藍圖，使充實其運動之資料。

第三，仍以上述四大僑團為運動中心，在各僑地發動「支援反攻大陸小組」；並由中心組織擴大外圍發展，與全體僑胞採取一致行動。在國府方面，應邀請四大僑團在台北成立一個「全球僑胞支援反攻大陸委員會」，使海外各僑地的「支援小組」統一在該會的支配下，以發揮更高的效能。

我強調以爭取上述的四大僑團合作，為解決復國，解決華僑兩大困難問題的中心，理由是有兩個：（一）是從國府僑政的工作重點，應要重權，並須明令與黨組織有關係的僑團，不要與不同政見之其他自由僑團採取敵對的態度。

這幾年僑胞返國訪問或觀光的，已是不少，但若把爭取華僑的成份，注意到多方面，尤其要普及到不同政見的僑團，並把大部的僑務用費和時間，用在上述的辦法中，我以為今後僑政必會一新耳目，而裨益於反攻大陸問題的，亦必然會更大。

其次，海外不同政見的僑團，尤其是興中會源流的與致公堂系的，似乎是積不相能。而他們相互間的所謂紛爭，又不外出於私人的意氣，或一種不必要的成見，但因此影響到團結，影響到反攻復國的運動，實係愚蠢與不值。

（二）是使有勢力的僑團領袖，知所警惕。華僑若是沒有一個強大自由統一的祖國為後盾，他們的所謂安全保障絕不可靠。

在一般的華僑社裏，無疑也受到一些沒有健全思想的份子影響，他們多是一些「外國奴才型」，他們見美國不贊同「反攻大陸」的行動，便宣傳不支援國府；他們見美國某些政要主張「兩個中國」的鬼話，便聲明中華民國無望。這種人的口吻與態度，完全不是中國人，可惜一般的華僑，竟不知這種不健全的思想，會産生出賣國家民族與華僑利益的無限惡果。

但是，作為一個華僑領袖，他不應是這麼淺薄與無知，他有責任，領導僑胞向着正確的道路行進。當前的時代，無論有怎麼多的漂亮的理論，仍是重視權勢，實力，國家，民族的世界；因此，惟有我們大家致力於民族自，才可保證在這樣的一種時代，不會跑錯路子。

國家的歷史已在變動，華僑的歷史也正在變動中，是變動到好還是變壞？就看當前的僑領們，有怎樣的智慧和能力，來負起這個責無旁貸的歷史任務。

我為此公開籲請全球僑領正視這個問題，特別籲請上列的四大僑團的領袖們，應站在新的時代前面，放棄那已死去的歷史成見，來共同負起完成這個新的歷史任務。在政府方面，正當行政人事革新，我願以本文，作為對僑政的期許。

前車之鑑

他得到了什麼？

自由談

革命與法治

最近南韓的一家報紙刊出消息，說該國現在的軍政府將頒佈民主憲法，採取兩院議會制，而於來年八月實行還政於民，成立文治政府云云。軍政府當局指為造謠生事，逮捕了記者數人，聲稱予以嚴辦。西德國防部因為一家雜誌登載有關軍事機密消息，下令拘捕記者，乃引起莫大的政治風波，參加愛特諸爾聯合內閣的自由民主黨指為非法濫權，要求國防部長史特羅斯引咎辭職，否則該黨即退出內閣，而愛特諸爾總理祗好讓史氏掛冠，以息政潮焉。

這是東方與西方國家執政者，處理同樣問題的兩種不同作風，表現着東西文化精神之差別甚大。依照常理觀察，前者只是對於政治建設的一種推測，無論確否，皆係報紙應有的文章，既無誹謗意義，即說不上犯罪的行為；後者涉及了洩漏軍事機密問題，當局應該要追究的。然而結果竟大異其趣，這就值得注意了。

西德國防部長所以要去職的原因，並非他對於保護國家軍事機密這項職責有甚末不妥，而是他不應該逕自拘捕記者，違背了法治主義，愛國不以其道，瀆職不守法律，這是不足為訓的。南韓的軍政之治，口含天憲，朕即國家，生殺予奪，任意行事，當局者縱然槍斃那幾個記者，民衆亦敢怒而不敢言，捐起「革命」招牌，愛怎樣幹，就怎樣幹。如果說東西文化思想不能相提併論，這便是很顯著的例證。

西方文明講究人權，東方文明尊崇官權，若從這種觀點以研究人類生活的合理軌範，我却是無條件的贊成全盤西化，而不敢高談甚末「超越前進」之類的大話了。革命行為原係出於不忍人之心，被為不得已之舉。革命英雄們就應該以身作則，珍視人權，明法講理，否則你自己又變成了別人的革命對象，如此革來革去，蝸爭蠻觸，以暴易暴，民不聊生矣。嗟乎！革命革命，天下許多罪惡，皆假汝之名義以行，吁可慨也！

馬五先生

台灣社會問題情形嚴重

兇殺案多。以倒閉逃稅

監察院巡察報告分析之二。

（本報記者張健生台北航訊）監察院總檢討會提及台灣社會問題，認爲情形殊嚴重，兇殺案多是其一，工商界以倒閉規避欠稅，又是其一。

監委侯天民舉了一個例子來說明社會問題的嚴重性，他指出兇殺非法案件中，十之七八都是神經不正常的人做的。如北投就發生這樣的事情：一個醫生和兩個護士在橋邊談天，另有一個人經過那裏，目睹一個男的和兩個女人在談話，心中就起無名之火，把男的（醫生）推到河裏摔死後卽哈哈大笑。過了一個禮拜，有一個路人，被一個素不相識的人用刀子殺死，他殺人後也是哈哈大笑。這兩個案子發生後，警方頗感棘手，乃從神經病患者中調查後，後來才破案，兇手原是神經病患者。而爲何有這麼多神經病患者？

工商界常用倒閉的方法來規避欠稅問題。據指出違章商人於被稅捐處查獲漏稅時，常自動停止營業或將所有財產移轉，俟案件終結時，已無財產可供法院財務法庭執行。因此，監院主張將「繳清稅款」列爲公職候選人登記要件之一，以期改革不良風氣。

兵役制度問題。本省兵役制度已上軌道，惟縣市政府執行時仍有滯礙難行之處，有的是技術問題，有的是法令問題，有的是配合問題。

監委段克昌指出：司法機關不能配合役政，凡是妨害兵役案件，移送法院偵辦時，往往處有期徒刑二月，或易科罰金或緩刑，甚至有不起訴處分者，或起訴而宣判無罪者。因爲法官僅憑役男（被告）片面之詞而認其非故意，但因此乃出現逃避兵役大漏洞。又認爲現行體位區分標準不切實際，因爲標準過低而彈性又大，以致縣市政府將役男征集入營交接時，若干單位對乙等以上體位者拒絕接受。此不僅影響役男情緒，而且影響政府威信。其次是複檢費用應由政府負担，而不應由役男自負。

本省在颱風季節，總有若干縣市老百姓受害，監委們認爲政府補助災民的補助費不切實際，必須加以改善。比如災民的房屋被颱風吹倒，其中全倒的房屋政府只補助四百元，而半倒的只二百元，未免太象徵性了。他們建議政府，對被颱風吹倒房屋的災民，要切實查勘，以人口多寡而決定代爲興建足以敷用而又可以防止颱風的水泥屋；至於建築費，可以仿照興建國民住宅貸款的辦法，向銀行貸款，分十年攤還。這樣不但一勞永逸，而且可以減少政府爲此支出的補助費，並眞正使人民減少財產上的損害。

穗梅各地出現反共組織

名堂甚夥成員多為青年

被騙僑生亦有單獨的反共組織

香港與大陸

大陸各地出現許多反共地下組織，名堂甚多，參加的成員多爲青年男女，連被騙返大陸升學的僑生，亦單獨的有了反共地下組織。

據甫自廣州市來港的一位僑生李××君透露：近幾年來，由東南亞各地被中共騙回不少僑生，但他（她）們絕大部份都沒有得到適當的安排，吃盡苦頭，受盡磨折之餘，欲申請離開大陸返回僑居地又不可得，乃一不做二不休，秘密組織反共團體，實行與共黨不共天日，要革共黨之命來了。

這些僑生回到大陸後，所見所聞以及所身受到的種種苦難，使他們發覺到共黨原來是那麼可惡的東西，深悔當日受騙之愚蠢，却已經來不及了。他們不但討厭「義務勞動」，最受不了的還是「政治學習」的精神折磨，因而大多數均首先採取消極抵抗，藉故離開學校，寧願閒居，慢慢由於志同道合的人多了，於是組織起反共團體來。

李××君原居住在廣州市東山，他說：他鄰居是前年由印尼返大陸讀書的兩兄妹，他們同被分配到廣州石牌的「華僑補習學校」讀高中，但不到一年，他們兄妹對共黨「政治學習」感到受不了，先後藉「病」休學，在外閒居。但採取像他兄妹行動的僑生多的是，彼此來往久了，大家的感受相同，同病相憐，日積月累，互傾積愫，怨氣難消，更加以目睹大陸百姓的悲慘生活，愛國救民之志油然而生，結果便走上組織團結，以行動反共的路上去。

李××君與該兄妹不但是同鄉，且係世交，故他對該反共組織情況甚爲明白。據說那團體名爲「華僑自由會」，單在廣州一地，便有會員數十人，他們的組織系統頗爲嚴密，分設主席，副主席，秘書，人事，財務，紀律等部。凡入會者，必須有兩名正式會員介紹，並填寫詳細履歷表，（其中特別注重曾受共黨任何迫害一欄）並經全體職員大會討論通過，方成爲候補會員，候補期一個月得爲正式會員。

該會的最高綱領：團結散處海內外華僑，配合全世界反共政黨，抗拒國內外共產主義。另有最低綱領：揭露共黨的宣傳欺騙技倆，控訴共黨多年來滔天罪行，使海內外同胞看清共黨殘暴欺騙之本質。該會之一切開支，皆由各僑生自動捐獻。

另據一位月前曾返梅縣探親的周老先生對本報記者說：梅縣地區，現隨處皆有反共地下人員的活動，他們經常的張貼反共標語，並實行襲擊共幹。位於梅縣北部的「梅州中學」，一天早上，忽然發現大批反共標語和傳單，內容是號召全體師生參加反共行列，指陳共黨的罪行，強調反共革命時機成熟，其署名是「反共青年自由黨」。事後梅縣「公安局」派出數十名公安人員到該校，進行嚴密搜查。結果是毫無所得。

又據：在梅縣南口墟之宮前村，一天晚上，有兩名青年聲言是「縣委會」派來的代表，邀該村之黨支書同往縣委會開會。該黨支書不虞有詐，便與同行。但第二天早上，人們却在山頭上發現該黨支書的尸體，屍旁發現一張示告，其大意是：查黃××是南口墟宮前村共黨支書，一貫魚肉人民，壓迫百姓，並不擇手段抽殺同志，罪大惡極，今爲得民意，給予判處死刑。署名是「反共救國團」。

周老先生又稱：據他在梅縣居留期間所見所聞，現刻大陸同胞每月所獲配糧，較之五月逃亡潮以前，雖然確實有了增加，但所增無幾，大家仍然絕對的不夠吃。同時在勞動方面，中共却就以增加了配給爲藉口，對農民勞動時的監視，比前更爲嚴厲，怠工偷懶的機會，較之以往，要少得多，因之農民大衆對於中共，更加恨在心裏。這些農民同胞中的青年，有的參加了反共團體，有的雖比較膽子細，不敢參加，但對於那些反共組織的活動，總儘可能的給予方便與協助，此亦所以那些反動組織的行動，已有越來越見壯大氣宏的趨勢。

周老先生說：他這次同去梅縣，凡是見到他的人，總悄悄問他國軍反攻的消息。他說就憑這一點，就不難想像大家心裏在打些什麼主意。（敬斯）

在美講學完竣返港之前

左舜生將過台小住數日

據說擬釐訂一個團結救亡方案

（本報記者台北航訊）青年黨領袖左舜生，於九月十五日自香港飛往紐約，應哥倫比亞大學之聘講學，本報記者頃獲自美國傳來最新消息，左舜生於上（十一）月十八日因胃潰瘍症復發，住入醫院，或將施行手術，切除部份胃壁。

又據左舜生在美摯友周謙冲寫給台灣青年黨部的信中透露：左舜生已決定在美工作結束後，於經日返港前，一定要回台小住數日，一面與在台老友暢談，一面來台擬定一個團結救亡方案，庶幾不辜負此行。

左舜生赴美之初，卽寄居於周謙冲府上，稍後始遷入城內，周君曾爲我駐聯合國代表團顧問，同時也爲青年黨資深黨員，與左氏之交誼素篤。

左舜生在美與我留美人士，如潘公展，陳立夫等常相過從，潘陳二氏曾特設宴歡迎左氏；此外如四四座談會、政大校友會等，都爲左氏舉辦過歡迎宴會。駐美大使蔣廷黻博士，也定於十二月二十三日在華府雙橡園大使官邸以午宴款待左舜生。

左舜生在美工作忙碌，應酬也多，生活顯得有些緊張，但在胃疾發作前，一般健康情況都很好。他每天到哥大東亞學院去，供研究生及博士候選人的諮詢問難。最近有一位在哥大修博士學位的美國人，博士論文爲「康有爲之研究」，有疑問纏處，久不能解決，爲時十年，今與左氏暢談數度，卽迎刃而解，其博士論文，不久卽可提出，全院師生聞訊，皆大歡喜。

復興劇校在紐約上演，左氏於十一月十二日晚前往觀賞，頗爲讚譽。次日曾去牙科醫院拔牙。

左舜生在美國，對於文化教育機構，特別感到興趣。上（十一）月十四日曾由何淬廉教授陪往參觀普林斯登大學外交圖書館（紀念校友杜爾斯者）及中文圖書館。十五日由哥大東亞學院院長韋慕庭教授與何淬廉教授陪同飛往波士頓，應哈佛大學激請研究問題，卒致胃疾復作。（編者按：其患病經過請參閱上期本報）。

十二月份左氏在美活動日程，已有了大致安排，如其胃疾治療情形良好，或不致影響既定日程。十二月初，左氏預定往遊世界聞名之匹茲堡鋼鐵城及文化機關。二十三日清晨赴華府應蔣大使午宴，下午去國會，國家美術博物院，國會圖書館，政府印書局，財政部印鈔局等處參觀。二十四日晨將去參拜青年黨故主席曾琦之墓獻花，願老友以在天之靈啟示，痛下決心，竭盡一切努力，恢復該黨大團結，以促進全國大團結，爲反共復國之張本。聖誕節，左氏將與其公子及自其他各州趕來之友人，在紐約周謙冲寓所共渡。

左舜生在美除在哥大講學外，對外甚少公開演講，惟應我在美學界之邀，曾於十一月九日晚九時，假座華美協進社主講「近五十年國共兩黨及其他黨派對中國政治失敗的總檢討」，發爲精闢演說，到會聽講者不下二百人，講畢又答覆聽衆若干人之詢問。

左氏檢討的結論認爲：中國大陸淪陷於共黨極權者之手，誠爲中國人民之不幸，但祇須愛好自由民主之中國人民，團結一致，力促中華民國政府，從政治上向現代民主政治之道路前進，並在政治與經濟設施更求猛進，則政治反攻與經濟反攻成功之日，卽大陸國土重光之時。（吳越）

工展熱鬧破紀錄

一天觀衆十萬餘

（本報訊）第二十屆工展開幕以來，其熱鬧得未曾有，每天入場觀衆，均比上屆同期增加，二日入場人數更達一十萬零五千二百六十三人，突破過去十九屆工展每天入場者的最高紀錄（第一至第十九屆的每天最高紀錄爲七萬五千餘人）。

▲工展主辦之服裝表演，定期於本月十二日下午七時作第一次之演出，至（四日）爲止，報名參加者計有：伊人恤製衣廠，東興隆機器廠，淘化大同有限公司，鼎大金屬製品廠，余均益食品廠，美安製衣廠，香港味力廠，寶源貿業公司，大時膠廠，光施化粧品廠，大中華公司，南華膠廠，梁蘇記鞋廠，東藝明膠廠，東民膠廠，中南布廠，利民膠廠，寶富油廠，標記行食品廠，虎標永安堂，鱷魚恤有限公司，和興白花油藥廠，南順刀嘜生油廠，南利源酒庄，聯合第一通南株式會社等二十四家。

▲工展會舉辦攝影比賽，已獲得洋行及廠家熱心贊助，捷成洋行爲響應此項比賽起見，特訂定辦法，凡拍友用矮克發菲林及放大紙參加工展會各組攝影比賽，獲得冠軍加獎港幣二百元，亞軍加獎一百元，季軍加獎伍拾元，優異者每名加獎一十元。又中華漆廠目前增撥一千元，作攝影比賽均攝得門標荷花牌彩色油漆繪爲對象之優勝者爲獎金，入選冠軍獎金五百元，亞軍三百元，季軍二百元。

▲工展攤位裝飾比賽揭曉，位于小廣場的鼎大金屬製品廠有限公司榮獲冠軍，位于第十街、十一街間的鱷魚恤衫廠榮獲亞軍，季軍共有三名，計爲小廣場的香港淘化大同有限公司，位于大廣場的嶄永福藥廠和位于第五、六街間的嘉頓有限公司。（白）

突擊隊活躍粵邊

炸毀陸豐金礦場

（本報訊）數月來活躍於粵海邊之國軍突擊隊，牛刀小試，迭奏膚功。本月初又作一次順利的突擊，一舉炸毀陸豐縣「八一金礦場」的發電機，使毛共蒙受損失。突擊隊事後全體平安歸來。

該「八一金礦場」位於陸豐縣甲子鎮，據云每日可產金砂五千兩，工人以勞改犯爲主，總數爲五百餘人。礦場附近有大批共軍把守，頗稱嚴密。國軍突擊隊因佈置周密，且獲得「內應」，用能履險如夷，一擊而中。按國軍突擊隊係以粵海小島嶼爲基地者。（且）

印巴關係緩和打擊了中共

本報喀拉蚩航訊

經過英國聯邦關係大臣桑德斯與美國助理國務卿哈里曼的奔走撮合，緊張的巴基斯坦與印度關係，已宣告緩和，兩國且將進而試行解決問題（主要爲對克什米爾之爭），棄嫌修好。此一發展，對中共大爲不利。

中共與印度爆發了邊境之戰後，尼赫魯印度立刻獲得西方國家，特別是英國與美國的大力支援。英美此項行動，被一般反共國家認爲「義」所應爾，但卻實在的惱怒了巴基斯坦，舉國譁然，朝野反對，巴基斯坦議員以及報紙甚且有激烈到主張退出東南亞公約與中央公約的。

英美支援尼赫魯印度以抵抗中共，在所有反共國家中，固祇有巴基斯坦站出來氣勢洶洶的反對，在所謂中立國家裏面，雖然亦有認爲英美不應該火上添油的，比如迦納，但言辭亦要較巴基斯坦溫和得多；甚至共産集團國家的反應，亦比不上巴基斯坦來得激烈——當然，這祇是暫時的，而且祇是表象，戰事如果再打下去，情形必然會變。

巴基斯坦反對英美大力給予尼赫魯印度支援，主要由於巴印之間爲了克什米爾問題結下深沉的仇恨，巴人對尼赫魯，看透了，亦恨透了。巴基斯坦總統阿猶布罕，便指尼赫魯對於印邊之戰是故意誇大其詞，目的在於騙取英美的金錢與軍火。又指出：尼赫魯騙得英美的軍火後，他未必是眞的以之與中共作戰，反之極可能拿這些軍火來對付巴基斯坦。

直到目前的印邊之戰，根據尼赫魯印度最近的公報，印軍的損失祇得兩千人光景，其中有約半數是成了中共的俘虜，死的最多亦不過千人上下，這與從前尼赫魯印度所不斷宣稱的「傷亡慘重」，確實不符，證明尼赫魯以前確實不免於張大其詞。尼赫魯誇張他與中共進行的戰爭之激烈程度以及誇張印軍傷亡，其目的確有騙取援助之嫌，雖然他是否有心於騙到軍火後對付巴基斯坦，不得而知，巴基斯坦卻儘有存此一疑慮的充分理由。

原來，在印巴對克什米爾的紛爭上，尼赫魯恃「大」凌人，蠻不講理，他不但欺壓巴基斯坦，並完全不賣聯合國的賬。聯合國有好幾次對克什米爾問題的決議，巴基斯坦一願意接受，尼赫魯硬不理睬，其中最突出的一項決議爲由聯合國監督在克什米爾舉行公民投票，以決定克什米爾究竟願併入印度，抑是願意併入巴基斯坦，尼赫魯亦加以拒絕。

印巴爭克什米爾雖屬是從一九四七年英國退出印度，印巴分別獨立成爲兩個國家之後便發生的，至今已達十五年。雙方曾爲此兵戎相見，但由於印度比巴基斯坦大，且尼赫魯先下手爲強，最早派兵進佔克什米爾，到巴基斯坦跟着出兵，克境大部份地方已給印度佔去了；官司打到聯合國，尼赫魯不遵守裁判，我行我素，巴基斯坦對他確實是傷透了心。

堅決反共的巴基斯坦，就由於克什米爾問題厭恨尼赫魯的帝國主義作風，中共乃乘機加以利用，誘惑巴基斯坦和它談判劃界，巴基斯坦接受了。最近且有消息，中共提議與巴基斯坦訂友好不侵犯條約，巴基斯坦亦趨向接受。果眞中共與巴基斯坦劃界成功，因爲那地區正鄰近拉達克區，情勢將更複雜，坦，亦將更不利於印度。而果眞中共與巴基斯坦訂立友好不侵犯條約，尼赫魯印度固然形單勢孤，巴基斯坦是否尚能留在東南亞公約與中央公約，都並非不是問題。

現在印巴關係和緩後，果能進而棄嫌修好，中共便再無乘瑕抵隙的機會了。（黎）

天南風光

——沙羅越的歷史——

朱淵明

近人羅香林氏，在其所著「西婆羅洲羅芳伯等所建共和國考」一書中，有詳明敘述，旁徵博引，史料均確鑿有據。據查：

羅芳伯爲廣東嘉應州（即今梅縣）石扇堡人，生於清乾隆三年（西曆一七三八），及長，虎頭燕頷，隆準方口，雖長不逾五尺，而性好讀書，氣量寬宏，喜怒不形於色。更喜交遊，愛結納，慷慨任俠，爲衆所信服。嘉應州處韓江上游，當閩，贛，粵交通要衝，沿江而下，即是潮洲，汕頭，出海極便。自宋明以來，即以文物殷盛著稱，明清兩代，出國發展者，人材尤衆。芳伯斯時業儒未成，遂之廣州，經虎門出海，遊南洋，而止於西婆羅洲之坤甸，時爲乾隆三十七年，（西曆一七七二），芳伯年卅四。初以教讀兼採金爲業，且爲採金公司所推重，稱之曰：「羅大哥」。又據葉詳雲所述「蘭芳公司歷代年冊」謂：『時坤甸初開，有「聚勝公司」，「四大家圍」。羅大哥初到坤甸之日，聚勝公司及四大家圍皆器重之，有羅方口之稱焉。由坤甸而上，有東萬律，相傳是「福老」（所指潮汕人）州府，開金湖者多潮陽，揭陽人。由東萬律上十里許，有茅恩山、豬打崖、坤日、龍岡，沙拉蠻等處，開金湖者亦潮、揭二陽人居多。明黃亭處，開金湖者多大埔，公州人。有劉乾相者，同堂子弟，有五百餘人，自立爲大哥，爲當時最強盛者。由東萬律下戲里，爲山心，開金湖者是大埔縣人，董其事者爲張阿才。至於嘉應州屬人，惠、潮屬人，亦多雜處其間。

『是時坤甸埠頭，潮州屬人多不守國法，好以强欺弱。嘉應州屬人，往往被其凌虐。羅大哥目擊時艱，深爲扼腕，思欲激集同鄉，進據一方者久之。旣而有同心者一百八人，乃由勿黎裏港口，而上至老新港起岸，到山心金湖，已黎明矣。董事張阿才，率工人方在金湖，忽見羅大哥等衆，蜂擁而來，遂倉皇奔走。羅大哥即招安撫慰，視同兄弟，即据其金湖之屋，築柵垣，徐圖左右。自是聲威日振，雄據一方，四方來歸者衆。遂創建「東萬律蘭芳公司」總廳；廳之左右，起民房，造店舖，居然市井閭閻矣。』（十）

公道篇

林

讀報有感隨筆四則（一）

一、官僚、好好先生、黃老術

作爲一個自由中國人，聞道國府革新政治，用新人，行新政，要使人不鼓掌稱慶，亦不可得。

談到政治，我們熱望見到的，是有創造力而不流於淺薄的政治家，出來秉政。有創造力的，便是活躍而不沉滯；不流於淺薄，便是敦厚；惟有這兩者兼具的人，才能担當得起當前時代的風雨。

中國人傳統的「做官」觀念，好官型都是具有敦厚性格的人。所謂敦厚，外表上似乎和「好好先生」分不開，不幸，中國歷史上不知有幾多官僚是由「好好先生」造成。古來「做官」的風氣，多受做好官的感染，因而好好先生的忠厚外貌，在「做官」的一門職業裏，便成爲必修的課程。可惜「好好先生」，其實祇是不辨是非曲直，不負責任，諉過，取巧，投機的別名，所以敦厚而不以創造力爲界，就不足以表現其人的才能，那是不能稱得上是一個「好官」。相反，這正是官僚的特徵。

談到「好好先生」，也常會聯想起我國一個古老的哲學——被人錯覺爲教人圓滑處世的黃老術。黃老術被捲入官僚、好好先生的漩渦中，成爲三位一體，那是很冤枉的。

以下，我是用另一種筆調，來談談這個問題：

朋友問於我：「爲什兄台凡事總不答應爲領導人？總是退居幕後，或僅是次要地位？總以『不敢爲天下先』爲推搪之詞」？

我答：「不敢爲天下先，實爲天下先。事之成功，係經無數失敗之累積，非不想「先」也，實無「先」之把握耳！一使我退，讓人先去碰釘子，一使「好先」者高興，以我爲知己；一決自己減少失敗機會，俟機而後「先」之；實我自私也，非偉大也。故先發者實落後，後發之我反先至，『以退爲進』之術耳！豈眞不敢爲天下先乎？有所謀而已矣！」

說完，相互作不自然之哈哈，不知是甜？是苦？是誠？是奸也！

有蒼蠅焉，企圖登堂入室，惟阻於窗之玻璃，以透視目的地可望而不可即，乃大急，不惜沒頭沒腦地猛向玻璃瞎撞瞎闖，其「有進無退」的行爲，使人可感，亦復可笑，若非有人推開窗門之奇跡機會，其終必失敗也無疑。

登堂入室之道，非祇一途也，假蒼蠅能退而求其次，雖迂迴曲折，時間較多，但成功可期也。故「退」比「進」更爲先，明乎退之道，享用不盡也。

退之妙用，諸葛孔明可稱深得三昧。觀其高臥隆中，三退以避劉皇叔，卒以此得劉備言聽計從。劉備亦懂得退之妙用的人，爲激發孔明的忠誠，使阿斗未來地位獲有保障，遂於臨危時向孔明托孤遺囑說：「可輔則輔之，不可輔則取而代之」。話來感動，意味深長，終使孔明「鞠躬盡瘁，死而後已！」

以退爲進之妙用，傳自黃老之術。孔明秉承劉備歷代祖先一脉，上溯劉邦朝代，當清楚張良功成身退，得免韓彭俎醢之悲那件史實。雖無事實足以證明，孔明亦嘗研黃老術，但張良韓信諸葛可比較，深爲臥龍居士警惕，則無疑義也。

瘟君續夢

第六回：烽火照邊陲　同惡難濟　樓船碧横海　大慾興悲

活曹操用手連連拍桌，氣喘吁吁的說道：「一定是眞的，這個賤人每天上午來打個轉，下午就不來了，原來是同野男人玩去了，我一定不饒他。」

董必武勸道：「林老，何必太認眞，到了我們這個年紀，有個年輕愛人，也只有睜個眼閉個眼算了。」

活曹操氣呼呼的說道：「那樣不成，要我作睜眼烏龜是作不到的。」

兩人正在談論，王小姐挽着一個藤籃裏放着香稻米煑的稀飯，活曹操愛吃的小菜。一件件擺在病榻前邊的小矮几上，老狐狸看見活曹操一對眼，圓鼓鼓地瞅着王小姐，知道馬上就有麻煩，連忙起身告辭。

老狐狸走出來輕輕把房門帶上，就要舉步，忽然一隻鞋帶開了，連忙蹲在地下扣鞋帶，一隻鞋帶未扣好，聽到病房內發出響音，先是活曹操叱罵聲，王小姐的哭聲，接着就是摔茶杯聲，亂成一團，不大時間王小姐拉開門哭着跑出來，喊道：「大家快來呀！林老昏過去了。」

許多護士，醫生一齊往房裏跑，老狐狸乘機溜了。

當天下午就接到書記處通知，林伯渠同志已於五月二十九日下午逝世。

不大時間，獨眼龍就跑來了，進門連說：「恭喜，恭喜。活曹操這回眞的變成死曹操了。」

老狐狸笑道：「他怎麼死得這樣快？」

獨眼龍笑道：「他本來已是風中之燭，經你一激，無巧不巧，王小姐正是這時趕到，他一時肝火上升，抓住王小姐就打，最後剩下的那一口氣出盡了，人也就完了。」

老狐狸笑道：「老歪大概要去哭一場；還有下文沒有，我也不敢出門，因爲我是最後與他見面的人，恐怕老歪會把責任放在我頭上。」

獨眼龍笑道：「責任到沒有放在你身上，找到了兩個替死鬼」。

老狐狸霍地一驚，站起來問道：「他找誰作替死鬼？」

獨眼龍擺手說道：「不干我們的事，第一個替死鬼是王小姐，老歪指他氣死了活曹操。」

老狐狸點點頭：「其實冤枉，不過也還能沾上邊；另外一個替死鬼是誰呢」？

獨眼龍嘆口氣：「另外一個就更冤枉了，老歪指黃醫生謀害了林老。」

老狐狸以前害幾次病都是黃醫生治好的，一聽說毛澤東指黃醫生謀害活曹操，也不由得吃了一驚，連忙問道：「黃醫生怎麼會謀害病人，老歪不是瘋了嗎？」

獨眼龍冷笑道：「老歪瘋了幾年了，也不是剛剛瘋的，不過這次眞眞離譜太甚。目前人民醫院只有這一個有本領的醫生，這次被老歪整了，以後我們再害病，想找個醫生看病都難了。」

老狐狸連嘆幾口氣，問道：「老歪怎麼能扯到黃醫生頭上，他有什麼證據。」

獨眼龍斜着單眼說道：「董老，你怎一時的胡塗起來，日丹諾夫的例子你不記得了嗎？」（一五八）

機不可失（續）

陳氏此舉之不戰而潰，除大原則的人心向背外，故戴雨農將軍的「深入虎穴」，亦功不可沒。當南天醞釀起事之際，戴氏未經請命，隻身化裝赴穗，冒險訪黃光銳於其司令部，閉門密談（並有丁紀徐在座），曉黃光銳以國家利害，卒使粵空軍從命。戴氏三日後回到南京總部報告經過，最困難者，是裝隊請求發餉五百萬（約等十個月俸給），總部曾顧慮款撥而隊不歸，如何處置？戴氏毅然答允負全部責任，然後佈置其步驟，而再度回粵，結果款撥之第三日，粵空軍即全隊北歸矣。戴氏此舉經過，確有間不容髮之危機在焉，然其履險如夷，卒獲凱旋，斯爲難得。

憶玉軒雜綴

四庫的浩劫

宋元明清四代，有兩位帝君，愛好文學，督刻兩部偉著，是永樂大典與四庫全書。在中國文化上是偉大而難能的產物，就近代來說，確是國家之粹。永樂大典在國內恐已所存極尠，不意四庫全書，爲時不過一百七十六年，也幾蕩然無存，不勝浩歎。至於如何浩劫，如何類別，如何存放，全書的卷數，爰就名家記述，作一概括說明，以示讀者。

編印：此書由一代文臣協辦大學士紀曉嵐總編纂，集聚翰林院學士近五十人，分別蒐輯。自乾隆三十五年開始，到四十七年告成，歷時十有二年。全用人手抄寫，動員千人，始告竣事。共鈔成三千四百六十種，計有七萬九千三百三十九卷，裝訂爲六千七百五十二函。其每部卷面，皆有區別，經部全用綠絹，史部用紅絹，子部用藍絹，集部用灰絹，檢視非常利便。原本有前後兩頁，首頁上蓋有「古稀天子之寶」，陰文方印。末頁蓋有「乾隆御覽之寶」。此爲兩寶也。從此絹面原鈔本看去，光澤發亮，瑰麗色古，字體工楷，可知其如何的名貴。

儲藏：四庫之稱，原爲經史子集而分類，在最初祇鈔四部，分存各處，其名「文淵閣」在故宮，「文源閣」在圓明園，「文津閣」在熱河行宮，「文溯閣」在瀋陽行宮。後因未送江南，而江浙爲文人薈萃之區，續鈔三部分送，並再設三閣，計「文瀾閣」在杭州聖因寺，「文淙閣」在鎮江金山寺，「文滙閣」在揚州大觀堂。此四庫七閣之所藏，遂成爲海內僅有之七部孤本矣。當時未開木雕，增添印刷，此爲一大的失算。要知千百年後，決計無法保存完整，蓋中間不免有變亂也。（未完）

南宋偏安有人才——李綱

李仲侯

三、歸燕雲之人之逃亡在漢者（此猶返俘）。

四、割中山太原河間三鎮之地與金（此爲割地）。

五、宋以宰相親王出質於金（此爲和議之担保品）。

金人這次入寇，本分兩路，而斡喇布獨能懸軍深入，一無阻絕，視尼瑪哈之頓兵不能即下者，其功相差甚大。斡喇布之能神速深入，全係郭藥師嚮導之功致之，及抵汴所擬條款，亦一一出自藥師之手，藥師之禍宋大矣！和議既開，李綱獨極力主戰，而李邦彥則勸順從金議，乃括借都城金銀，得金廿萬兩，銀四百萬兩，而民間已空，急致書稱：「伯大金國皇帝」，「姪大宋皇帝」。如金幣，割地，遣質，使盟一一如金言，並以張邦昌爲計議使，奉康王構（欽宗之弟），往金軍爲質以求成。事將定矣，而宋室內部諸臣和戰不一致，加以种師道率師入救，上見軍勢轉盛，又復改和議爲戰謀，於是外之則使議約以求好於金，內之則又調兵遣將，謀一戰以洩忿。上旣和戰無把握，而諸臣所持意見遂萬萬無可調和，朝廷日輸金幣於金，徵終不足，金兵亦終不肯去，如此大宗債欵日日被索，宋已蕭然無生意，而時日漸多，四方勤王之師至此亦漸集。

欽宗爲窮所逼，駐守京城，本早無固志，惟因李綱堅持，備軍求戰，心胆稍壯。先是徽宗南渡走鎮江時，欽宗即欲偕行，賴李綱牽裾泣拜，以死邀之，上顧謂綱曰：「朕今爲卿留，治兵禦敵之事，專責之卿，勿令有疏虞」。綱惶恐受命。未幾，復決意南狩，綱趨朝，則禁衛擐甲乘輿已駕矣，綱急呼禁衛曰：「汝等願守宗社乎？願從幸乎」？皆曰：「願死守！」綱入見曰：「陛下已許臣留，復戒行，何也？今六軍父母妻子皆在都城，願以死守，萬一中道散歸，陛下孰與爲衛？敵兵已逼，知乘輿未遠，以健馬疾追，何以禦之？」上感悟，遂命輟行。綱傳旨語左右曰：「敢復有言去者斬」！禁衛皆拜，呼萬歲。六軍聞之，無不感泣流涕。

欽宗命綱爲親征行營使，以便宜從事。綱治守戰之具，不數日而畢。敵兵攻城，綱身督戰，募壯士縋城而下，斬酋長十餘人，斬其衆數千人。這一仗得勝後，金人知有備，又聞徽宗已內禪南遷，金人乃許遣大臣至軍中議和。（五）

沉思片羽

汶津

有時我們忽然浮起「神」的概念，下一剎那我們又忘了神；有時最凡俗的人也會情不自禁的作着哲學的思索，但不能有更完足的發展。許多事物只是萌了芽，它們不繼續成長。我們困擾自己，正如蠶以繭自縛。愛爾克推多斯說得好：「擾亂和驚恐了人的，不是事物而是他自己對事物的意見和幻想。」盧梭甚至從另一個立場上發言：「一個思想的人是一個敗壞了的動物。」

我們眞是「敗壞」了的嗎？一些情感上的波瀾，會沖毀我們生命的堤岸嗎？每個人都受着上帝或世界的考驗。在苦、樂、甜、酸之間，人總會意識到自己是孤獨而又有所倚恃的。怎樣調整區區的我和整個人類間的距離？你自己去孜孜的尋求答案吧。

我們由母親的子宮投奔到芸芸大千世界來，說是機遇，不如說是負有一種不可知的使命。「世故明白的與人相處從不提自己的事，只關心別人的長處，到處受人歡迎。」這話的是不錯。但如果有一天那一份「世故」的表演遭人揭穿了，而發現他原是最自私、最不能「忘我」的，這不會讓人啼笑皆非麼？有些人沉默終日，好像峙拒着世間的一切光影遇合，但內心深處，他們也許正是最關切人羣的休戚的。

希特勒當年想做一個藝術家，但因爲成績不佳，考不上藝術學院，後來受了偶然的激勵志願從軍，卻被他混入政壇，大搞黨派，甚至挺而走險，提高自己的身價，結果是多少蒼生受了空前大劫！尤其是那五百多萬以各種方式被迫離世的猶太人。思考這樣的問題該有多難啊。

一位歐洲留學生告訴我：他去過西德，並覺得德人相當可愛，他們年輕，他們已忘去二次大戰的噩夢，一切從新做起，——不論物質上或精神上。獨裁者已經是一個歷史的記號，沒有類似的思想再起伏地擾人了。我不禁祝福那個民族。人類必然學會遺忘一切不愉快和不人道的往事，但人不能忘記自己的問題，也無須忘記。他應該和那些問題相遇，並沉着地逼視它們。要讓自己的生活中沒有可憾的空白，自己的良心中沒有裂痕。這樣的人，才能眞正體察到：問心無愧才是人生最大的幸福。不會自己追求這種心境的，永遠不會懂得那眞正的義諦何在。

人們生而有淚，就如大自然的雲，雨一樣。但眞正的淚，只顧爲受感動而流，不是爲失敗。對於失敗，我們應有更透闢的見解。那不是擁有和落空之間的問題，那是基於方寸之地的奧秘。你的失敗，只有你自己能予以宣佈，承担。如果你拒絕，你便永遠不是失敗者。人都有一死，那麼死亡並非一種失敗；有時更是勝利。文天祥和「雙城記」中的薛德尼·卡登，都是成功的赴死者。人都非萬能，那麼未完成的「故事」也不妨以輕鬆的心情把它記入日記。人的失敗只有一種——良心的失踪或靈魂的癱瘓。沒有一個良醫能解救它，除了常年爲影子陪伴的自己。

喬治桑給福祿拜爾的一封書信中說：「至於我自己，只要一息尚存，我就要向上攀登，不是爲了去強求和肯定某一處的淨土，而只是爲唯一的快樂」：「人類畢竟不很高貴，他們和猿猴非常相似：最低限度，我們要竭盡全力，作到我們能力所能及的最高標準。」她說受着自我願望的鼓舞，每天要爬上一級「階梯」：「一旦你登上了梯子，你將迅速的上升，逐漸進入生命裏最有利的階段：老年。到那個時候，藝術將以最柔和的姿態出現。」她更責備對方不該像「一個擁有巨富，卻依靠優美辭句爲活的乞丐。」不讚許他蘊藏自己情感於作品之外的觀念。可惜福祿拜爾後來只有五年的壽命，沒有多受這位長友的影響。但先哲的話語本身，往往就是一宗「巨富」，而且那是沒有獨佔性的！

海嶠雜談

談章太炎（一）

諸葛文侯

餘杭章炳麟（太炎）在辛亥武昌起義之前，爲同盟會有力的幹部人物，文名噪震中外。迨中華民國成立，乃與民黨立異，寖成水火，原因安在，至今尚不明白。近讀「戴天仇文集」，中有攻擊章氏的短文兩則：一指章爲「枝迎南北鳥，葉送往來風」的「水性楊花之人妖」；一斥章在北京因不得共和黨首領地位，竟擬以暗殺手段對付該黨理事，又謂章曾在總統府以手鎗擊唐紹儀云云，這些文字都發表在民國元二年間的上海「民立報」。戴章原是同盟會老同志，且爲「民報」最得力的宣傳健將，然革命甫告成功，竟有此凶終隙末的現象，而戴氏自從二次革命失敗後，一直到他據政府高位以迄死國之日，卅餘年來卻未聞其對章太炎再有不滿的表示，殊令人大惑不解也。

章太炎的本質，跟吾湘王闓運同一類型，都是讀書有得的學問之士，決非政治中人，胡漢民先生晚年且自認爲不宜搞政治，章氏殆有甚焉。然章乃好用其所短，又自負對革命有功，於民國創建初期，熱中仕進，始與浙人陶成章等藉「光復會」大事活動，旋陶氏被暗殺殞命，而南京臨時政府亦未借重章氏，孫大總統僅聘他作顧問，他不滿意，洎是即與民黨脫離關係，將「光復會」改爲「中華民國聯合會」，自任首領，轉而赴武昌捧黎元洪，黎對他禮貌有加，虛與委蛇，他就深感知遇，稱許黎元洪爲「方面大耳」的領袖人物，可見其書生結習之甚！

民國元二年之交，章氏與南通張謇組織的「預備立憲公會」聯絡，合併「中華民國聯合會」，新組「統一黨」，在北京跟其他各黨派角逐於政壇上，竭力擁護袁世凱，反對國民黨，袁總統乃給了他一個「東三省籌邊使」的官位，他根本不是這種材料，雖然領到一筆經費，到東北去走了一趟，不但一事無成，且跟總統府秘書張一麐鬧別扭，大罵張氏不懂。回到北京時，因國民黨在國會兩院佔着絕對多數的議席，各個小黨派紛紛合併，擬與國民黨抗衡，章氏的「統一黨」即跟五個小黨合流，成立「共和黨」，但他未佔得領導地位，隨又宣告退出，依然扯着「統一黨」的旗號，攻訐共和黨幹部甚烈，這就是戴天仇以「民立報」指斥章氏擬以暗殺手段對付共和黨理事之所由來。戴謂：「夫統一黨之分子旣公意合併，章炳麟若不願，出黨可矣，而竟欲以此種殘忍手段爲破壞之舉，無法無天，至此極矣！吾非共和黨人，然殊爲共和黨不平。吾爲中國人，中國人而有章炳麟之逆賊，而無人誅之，又爲中國人羞」。像這樣激烈的言論，如果羌無故實，戴氏當不至此，章氏亦就不會唾面自乾，毫無反響的。

康有爲的命名

·丘峻·

其實，康名「有爲」之義，照一般解釋，不外「有所作爲」，或「有作有爲」，或「有爲有守」，本屬平常，無足怪異。充其量不過解釋爲孟子所謂「舍我其誰」，所謂「有爲者亦若是」，所謂「人皆可以爲堯舜，亦爲之而已矣」這一類的涵義。而況康氏「有爲」之名，係屬氏之「兄弟輩名」，非有他也。當氏誕生之時，其祖贊修公方爲欽州學正，得報喜甚，即賦七言一律：「久切孫謀望眼穿，震雷未發巽風先；漫將瓊瓦猜三索，忽報桑孤畫一乾。宦海孤燈官獨冷，書香再世汝應延；可憐大母纔朝露，空話含飴樹九泉！」並錫名「有欽」，藉留紀念。但其書信到家之日，其伯祖國熹公已爲之命名「有爲」矣。其是弟名「有溥」，字廣仁，號幼博，爲戊戌六君子之一。其同祖弟，則一名「有銘」，字廣新，號仲廉；一名「有霈」，字廣澤，號季雨。可見康氏「有爲」之名，確屬「輩分稱謂」，了無疑義。（二）

內僑警台報字第〇三一號內銷證

自由報

THE FREE NEWS

第二九五期

中華民國僑務委員會頒發
台教字第三二三號登記證
中華郵政台字第一二八二號執照
登記為第一類新聞紙類
（每星期三、六出版）
每份港幣壹角
台灣零售價新台幣貳元
社長：雷嘯岑
督印人：黃行富
社址：香港銅鑼灣高士威道二十號四樓
20. CAUSEWAY RD 3RD FL.
HONG KONG
TEL. 771726　電報掛號．7191
承印者：田風印刷廠
地址：香港灣仔高士打道二二一號
台灣分社
台北市西寧南路壹壹壹號二樓
電話：三〇三四六
台郵撥帳戶九二五二

共產集團的內部矛盾

·高瞻遠·

最近一個月來，共產集團的爭吵，已逐漸公開，過去只是中共罵南斯拉夫，蘇聯罵阿爾巴尼亞，雖然都是指桑罵槐，但在表面上尚留有餘地。而且只是單線對罵，其他共黨國家都在保持緘默。

從保加利亞共黨大會開始，歐洲各國共黨和中共的關係已趨於破裂邊緣。保共全國大會於十一月五日召開，中共派伍修權為代表團長出席，保共第一書記日夫科夫在大會上激烈指責阿爾巴尼亞已放棄馬列主義方針，對保加利亞採取敵視政策。並指責阿爾巴尼亞破壞與所有共黨及工人黨所能接納的合作。

日夫科夫發言後，十一月八日臨到伍修權發言，在大會上反對日夫科夫對阿爾巴尼亞的抨擊是單方面的，不公正的。伍修權接着又罵南斯拉夫為現代修正主義者，語句中實在是罵的蘇聯同赫魯曉夫，當時激起保共及出席的東歐共黨的憤怒，埋下以後到處碰壁的種子。

此次保共大會將獨攬保共黨政大權將及十年，史大林的「寵兒」契爾文科夫開除黨籍，總理猶哥夫逐出中委會，免去總理職務。從這裏可以看出，赫魯曉夫已決心徹底排除東歐各國史大林派，中共政策恰在維護史大林及其黨徒的正統地位，雙方之爭執，必然會將東歐共黨國家捲入漩渦。

保共大會之後，接着是匈共及捷共大會，其中以捷共與中共關係最為惡劣。據倫敦「金融時報」十一月十七日消息，捷克已停止以軍火及拖拉機運往中共，捷克留在中國大陸之技術人員與家屬三千人亦將返國。捷克技術人員是繼蘇聯撤退「專家」之後到大陸的，捷克專家撤退之後，中共再想向共黨集團取得同樣援助都很困難。

捷克不僅撤退專家，據東京十一月二十六日泛亞社消息，捷克並且驅逐四十三名中共學生出境，其中一名首領且已被捕。此種行動，無疑是「史無前例」的。

捷共大會上，為了阿爾巴尼亞問題，伍修權又受到圍剿，捷克共黨第一書記兼總統諾沃提尼，捷共書記兼總理西羅基，均對阿爾巴尼亞提出抨擊，言外之意，任何人都可以看出是針對中共。

在保、匈、捷各國共黨大會上，中共雖然與各國共黨發生舌戰，但仍然留有餘地，尚未公開，到了義共大會就不同了。義共首領正式提出中共抨擊，這是一個新的開端。再發展下去，相信赫、毛對罵之日，已不在遠。

此次義共第十屆全國代表大會，蘇聯代表團長是公認為現階段赫魯曉夫第一繼承人，蘇共中委會書記柯茲洛夫，南斯拉夫代表團長是南共中委，南斯拉夫農業部長柯利西夫斯基，其他各國共產黨也都派了第一級的幹部率領代表團參加，只有中共派出的代表團長是候補中委趙毅敏。

趙毅敏是一九五八年中共八大二次會議選出的候補中委，在中共黨內一貫從事青年工作，地位相當重要，比起一些倒霉的中央委員，權力要大得多。不過，在國際上卻非知名人物，中共這次派他去任代表團長，可能會使義共誤會，中共有意看不起義共，否則何以會派出這樣一個名不見經傳，地位只是候補中委的趙毅敏任代表團長。

因為中共派出的代表團長份量太輕，義共也一改常態，把中共名次排在第七。自從毛澤東竊據中國大陸以來，中共在任何共產國際會議時，席次都是排在第二位，這次是真真走了下坡。

趙毅敏於十二月四日發言，一開頭就是攻擊狄托，替阿爾巴尼亞辯護，首先招致了義共的反感。義共總書記陶格里亞蒂發表談話，指責毛澤東硬說帝國主義是紙老虎，一碰就碎，是絕對的錯誤。甚至說中共的看法是「無理而荒唐」。十二月五日，義共書記處書記巴基塔，更面對中共代表團說，他的黨「一致的譴責你們不公正的立場。」像這種對中共公開抨擊，巴基塔無疑是第一人。十二月六日南共代表團長又在大會上發言，指責中共對南斯拉夫發表的「誹謗性的聲明」。當時各國共黨代表對南共立場均表示支持。趙毅敏知道南共代表團長發表演說，是日避不出席，兩名代表團員則用報紙掩面，以示抗議。

義共是歐洲鐵幕之外最大共黨，極盛時期黨員將及四百萬，二次大戰後，史大林重組歐洲九國共黨情報局時，除去已取得政權的七國共黨，另外就特准法，義共黨加入，也就因為他們的勢力過於強大，隨時有奪取政權的機會。

赫魯曉夫鞭屍史大林時，全世界共黨（包括中共在內），只有陶格里亞蒂曾經批評赫魯曉夫的作法並不完全正確，義共並公開聲明仍支持史大林的某些觀點。

就對南斯拉夫的立場來說，義共的立場也和中共有相通之處，可是這次公開和中共鬧翻的竟是義共，確有些出乎意外。

推究中共在國際所以孤立的原因，大體不外兩點：第一是觀點的歧異，中共直到今天仍然抱着馬列教條，堅信大戰不可避免，對於堅持和平共存的赫魯曉夫，稱之為「現代修正主義者」。這一種態度，無疑是犯了共產集團的大忌。就現階段來說，熱心打三次大戰的共產黨，大概只有中共。在歐洲尤其是近年來高度繁榮的義大利，人民確實厭棄戰爭的宣傳。義共的力量是靠選票得來的，自不能不顧及選民的意見。何況義共近年黨員銳減，國會席次亦較前減少。加之與義共合作已十五年的社會黨，近來已向右轉，在和范法尼總理領導的基督教民主黨商討訂立共同施政綱領，作為合作的條件。在此種情況下，義共自然反對中共的強硬路線。

第二是領導權的爭奪。中共近年來在共產國際的縱橫捭闔，確實有意與蘇聯爭領導權，最低限度劃定彼此領導的勢力範圍。一九五八年以前，蘇聯也有意劃出一部份共黨交中共領導，當時可以看出的計有韓共，越共，日共及印尼、印度的共產黨。從一九六〇年以來，中共情況江河日下，蘇聯態度也大為轉變，想乘機收回全世界共黨領導權，迫使中共跨於一般附庸地位，同時也要求世界各國共黨表明態度，最近兩月來歐洲各國共黨紛紛召開大會，又千篇一律的指責阿爾巴尼亞，即是在向蘇聯效忠。中共處此情況下，無疑成了被抨擊的對象。

我們可以想見，中共若不能在國際共產黨之間改善其本身地位，不久將來，可能陷入阿爾巴尼亞同一命運，為全世界共黨所共棄。

又據外電傳出，狄托此次訪問蘇聯，可能與赫魯曉夫商量併吞阿爾巴尼亞，此項消息乍聽似乎離奇，但亦不能完全否定其可能性。據吉拉斯回憶錄，二次大戰後史太林確實同意南斯拉夫併吞阿爾巴尼亞，以後因為俄南交惡，未成事實。今日情形恰好相反，俄南已重修舊好，阿爾巴尼亞已成為蘇聯的精神負担。赫魯曉夫為了樹立在共黨集團的威信，必然要對阿爾巴尼亞採取行動，以前的內部顛覆政策已經失敗，繼之而來的只有從外面攻破，但蘇聯與阿爾巴尼亞並不接壤，必須假手狄托。如此項陰謀能達成協議，狄托可以利用邊境糾紛或派遣南境阿人，組成流亡政府向地亞那進軍；到時中共鞭長莫及，又將如何支持霍查及謝胡，將成為毛澤東一項重大難題。

漫畫天下

赫酋：「再試試這條路。」

赫酋：「老友有好吃的快點拿來吧！」

自由談

貪污與政制

馮王先生

俄共頭子赫魯歇夫最近指摘蘇俄行政人員普遍貪污，認為是社會主義國家可恥的現象，非切實整飭不可。這是倒果為因的說法，不通之至。

任何一種政治制度的國家，都不免有貪官污吏發生，但其貪污程度卻是隨着一項定律而發展的，即政治上越是專制獨裁的國家，貪污行為亦就更為普遍而厲害，反之而否。這道理也很簡明，凡屬實行專制獨裁的政府，由於內部常有權力鬥爭的情況潛在着，用人必須講派系，只注重個人的利害關係，而置國家利益於次要。同時又不許輿論界有言論自由權力，可以隨便批評官吏的過失。這樣就自然而然地構成上下的情形壅塞不通，有事則官官相衛，不使洩露，說是「家醜不好外揚」。平日各級行政官吏所作的報告，莫不盡善盡美，既有統計數字可憑——實係偽造的，又有五顏六色的圖表可證——更係自欺欺人的玩藝。而其唯一目的，就在朦騙統治者。萬一這些黑幕被那最高當局發覺了，追究起來，各級官吏都牽涉在內，查不勝查，辦不勝辦，再念及這些官吏原是自己的忠貞幹部，何忍以一眚而斬斷他們的政治生命呢？最後祗有裝馬虎，不了了之。所以俄酋赫魯歇夫儘管聲色俱厲地痛罵貪官污吏，結果還是雷聲大，雨點小，專制獨裁政治的先天本質如此，雖有英雄豪傑之才智，亦復無可奈何也。

若在民主政治社會中，情形就兩樣了。輿論界憑着言論自由的職權，隨時可以揭發一般官吏的貪污瀆職行為，言者無罪，聞者足戒，在民眾監視之下，誰亦不能不有所顧忌，無形中即可消弭若干的貪污事情；而統治當局藉着這些廣大的義務情報人員作耳目，自可獲致政治清明的效用，詎不懿歟！

因此，光是為着建設廉潔政府，咱們亦非大力反共以爭取自由生活不可。蓋古今來的專制獨裁政治，固無過於共產社會，而其貪污情形亦特甚也。赫魯歇夫不瞭解這種因果關係，曉曉譁咋，徒見其心勞日拙而已。

中共竟騙青年學生當兵

假工廠等名義大量招收

梅縣被騙的便逾三百人

（香港與大陸）

中共最近在梅縣地區，假借各工廠及公路局的名義招收大量在學或失業的中學程度青年，名爲分配工作，實而把他們騙往廣州施以軍事訓練，撥充「解放軍」。

甫自梅縣來港的僑屬張鳳×小姐向記者透露：近個多月來，曾有公路局及兩間工廠派員到梅縣半公開的招收「學員」，資格是在學的中學生和中學畢業後失學的十八歲至廿五歲的青年。學習的地點在廣州，期滿分派工作。

張小姐說：由於那些在學的中學生一般都厭惡勞動教育和政治教育，同時又羨慕「工人老大哥」，至於那些留在農村的失學青年，更不願放棄如此好機會，所以紛紛報名參加應徵。他們絕未想到那竟是騙局。

張小姐說：去月初，有掛名爲「廣州鋼鐵廠」的代表到梅縣招收「學員」時，條件卽如上述，手續更極其簡單，祗要原就讀學校或者有公社證明，甚而只要兩個「黨員」的「證明」，便可應徵。張小姐的一位表兄原就讀於梅州中學高中三，也因爲希望做「工人老大哥」，遂棄學應徵。應徵者一批一批地被被送往廣州，起初眞的到了廣州市河南的「廣州鋼鐵廠」，但祗是參觀了幾天，便把他們弄到沙河郊區去，至此便完全失去了行動的自由，每天皆從事政治學習和軍事操練。據宣佈是因爲工廠臨時壓縮，不能容納這樣多人，加之爲了印度侵畧中國，有加強國防力量的必要，所以決定給他們參加國防軍的光榮機會。那些青年至此才明白是怎麼一回事，但有口難言；何況已經是個「軍人」了，必需服從命令，全無商量的餘地。

張小姐這次來港時，因爲經過廣州市，會親到沙河探訪她的表哥，好不容易經過塡表，查問等手續後，才見到她表哥，她表哥和她談話時，神情抑鬱，低聲告訴了她上述經過，幾次都要哭出聲來了。據她表哥告訴她，到梅縣招收「學員」的，共有三個單位，一是「廣州鋼鐵廠」，一是「廣州機械廠」，另外是「廣東公路局」，一共招了三百多人。這些人現在都在同一地方受訓當兵。還說聽聞別的地方亦有同樣情事，但因未在同地受訓，不知究竟確實不確實。（敬斯）

印邊之戰一項插曲　哥倫坡會議是政治猴子戲

蘇俄幕後拉綫・六國前台表演

會議一波三折・效果勢必不佳

（本報哥倫坡航訊）十二月十日要在此間開鑼的六中立國會議，一開始便有傳說這是蘇俄所導演出來的政治猴子戲，到現在，這項傳說越來越盛，相信它的人越來越多。果眞這傳說有根據的話，出名義主催這次會議的錫蘭女總理班達蘭勒克夫人，祗是奉命辦事的傀儡而已。

不問這會議的來歷究竟如何，從開始醞釀直到現刻，阻障重重，幾經掙扎，已非復本來面目。此間人士因而亦不再對它加以重視。這會議在籌備期間所遭遇到的困難，已經有下述三件：

其一，會議本來是定於本月一日開幕的，却因爲「技術上的錯誤」，延期到本月十日才舉行，前兩天且傳說十日亦還未必開得起來，最新的消息則是如期粉墨登場已沒有問題。什麼「技術上的錯誤」呢？說法不一，官方的解說爲過份倉卒，預期參加的人分不開身來，好像柬埔寨的元首施亞諾其時要到印尼作官式訪問。

其二，會議本來是決定爲「高階層」級的，現在已確知阿聯的納薩決定不來，祗他的總理沙巴里爲代表；而因爲納薩不參加，印尼的蘇加諾亦不肯紆尊降貴，可能由他的外長蘇班德里奧來應卯；迦納的恩克魯瑪大概亦不會自己來；甚至緬甸的軍人統治者宇溫，他曾答應一定出席的，是否會臨時「勒馬」，改以次一級人物參加，亦不得而知；賸下來的所謂「高階層」人物，就只有柬埔寨的施亞諾與東道主班達蘭勒克夫人，頗有些不倫不類固不用談，聲勢上已經大打折扣，也是事實。

其三，會議本來的目的是「調停」中共與尼赫魯印度糾紛的，現在發覺「調停」不容易做好，爲的是「調停」固然不免要接觸到曲直是非，尤其最低限度要有一整套方案拿出來。這方案便很難搞。上上的方案是使得雙方滿意，這是不可能的；次之爲滿足一方而委屈另一方，再次之爲雙方都不滿意；兩面開罪失了意義，卽使祗開罪一方亦顯非與會國家之所願爲。此所以，會議目的據說已決定降低爲「勸和」了。卽敦勸雙方再不要打，坐下來談。

哥倫坡一般的看法：中共與尼赫魯印度早已沒有了戰鬥行爲，加以地理與氣候的因素限制，雙方邊境重巖疊嶂，雪地冰天，氣溫經常在零下二十度光景，有的地區且達零下四十度，要打仗，時別是要打較大規模的仗，必須等待三四個月以後。所以，這會議旣祗希望雙方不打，最低限度暫時不會成爲問題。但如要雙方坐下來談，可就大有困難了。而要雙方用談判的方式解決問題，更是難上加難。

表面上，中共與尼赫魯印度，都甚爲重視哥倫坡會議，比如它們都派出副外長級人物出作「說客」，分別的與六國「高階層」會晤之類。實際却未必其然。中共與尼赫魯印度，必然都十分了解這會議的來歷，對這會議的分兩掂得淸淸楚楚，此間大多數人士的意見，認爲雙方都只是在假戲眞做而已。雙方的目的，祗在於（一）拉攏，（二）示好，（三）强調各自的委屈，關逆會議有利於己方，開逆所謂「利」者僅僅限於宣傳上的亦然。

哥倫坡政壇人士，可以說沒有一個人是眞正看好這個會議的，甚至包括主催這個會議的班達蘭勒克夫人在內。

爲什麼哥倫坡盛傳這會議是蘇俄所暗中導演的呢？對於蘇俄在印邊之戰的眞正立場如何，此間許多人都感到懷疑，確爲事實；但對於蘇俄已發現這場仗打不下去，却少有人加以懷疑。而更其人人都相同的意見，爲蘇俄十分憂慮印邊之戰已驚醒了中立主義者的迷夢，這是很不利於蘇俄推銷它的共產主義的。此間人士以爲，蘇俄之導演哥倫坡會議，它最主要的企圖，**便**是藉此替中立主義者虛張聲勢，使得中國家者還可以苟延殘喘下去，繼續的供其利用；至於這會議能否眞的有助於中共與尼赫魯印度糾紛的和解，倘在次要。能？固佳，不能？亦無妨。

說到被蘇俄像要猴子一樣指逆來開會的這六國，它們固然都或多或少的發覺了中立主義已經接近於破產，但它們又實實在在的還十分迷戀中立主義的骸骨，已不得還能繼續欺人自欺下去，而使它們得以繼續的在國際上扮二流子，出野風頭，尤其重要的是得以繼續被兩集團所看重，成爲爭取的對象，左右開弓，兩面伸手。在這些「國際政治騙徒」者心目中，這次的哥倫坡會議，對它們而言，其重要性無異於起死回生的還魂湯，當然願喝。卽是說，它們雖確實祗是蘇俄手中的猴子，却也是甘心情願的被牽出來做這麼一次表演的猴子，蘇俄有它們的算盤，它們亦有它們的算盤。但現實如鐵，形勢比人強，這場政治猴子戲的演出效果，無論如何難期佳妙，當爲定局。（濟）

印邊之戰將不宣而和

香港某觀察家如此看法

（本報訊）香港某權威觀察家對本報記者談稱：印邊之戰打起來時是「不宣而戰」，依據現刻的發展形勢以觀，將來很有可能會走向「不宣而和」。

這位觀察家首先指出：這次短命的印邊之戰，對中共固然是一場失敗，對尼赫魯印度，同樣也是一場失敗。他說：中共於戰勝攻克之餘，居然片面自動的宣言停火，撤兵，而且一撤便撤得很遠，事實上承認了非法的「麥馬洪線」，把邊境東段五萬方哩土地拱手送人，是中共的最大失敗；因爲它一舉把它從前喊得很高聲的「保衛國土」而戰的鬼話，完全自我否決了。同時，中共詭稱它這樣做是表示其「和平的誠意」，當然亦是騙不到人的鬼話；他說：中共果眞愛好和平，它根本便不應該發動那兩次全面攻勢。事實俱在，中共要掩飾是無論如何亦掩飾不了的。

他說：中共以大舉進攻開始，而以割地求和繼之，淸楚的顯示：它從前的打，與「保衛國土」無干係，現在的割地求和，同樣亦與「和平的誠意」無干係。說得更明白：中共的打是爲了共產國際而打；現在的求和，亦祗是礙於它打不下去，所以不能不求和，雖葬送國土，肩上賣國的臭名，他亦滿不在乎。這眞是十足的共產黨徒的作風。

談到尼赫魯印度的失敗，這位觀察家指出：這主要是尼赫魯投機取巧招搖撞騙的中立主義或稱不結盟政策的失敗。他說：不問事件將來如何演變，但短命的印邊之戰，已逼得尼赫魯大丟其臉，總是事實。尼赫魯這個政治老油條，他在印度這十五年的統治，名爲推行民主的社會主義政策，實際他在印度，乃是一個不折不扣的大獨裁者，印度國大黨人中，不滿意於他的獨裁的人，便不在少數。其次，尼赫魯口稱和平，中立，像煞有介事，而其實，其人完全是一派帝國主義作風，他在克什米爾問題上固然欺壓巴基斯坦，對於葡屬果阿，亦不惜動刀動槍，卽以中印邊界而論，他亦是蠶食鯨吞的手段都用齊了，他才是眞正的侵畧者。當然，尼赫魯的最大罪惡，還在於以投機取巧爲骨幹的搞什麼中立主義或稱不結盟政策。它這些年來，的確藉此不但陰陽怪氣的出足了野風頭，還的確藉此招搖撞騙，得利不在其少；但它這種主義或政策，其實是最短視的，害了印度，亦害了世界，中共一舉手便逼得它的原形畢露，趕快向英美慘聲呼救了。這位觀察家說：不要看尼赫魯現在還開口不離中立，閉口不忘不結盟，它的這種不切實際的政策，已經全部破產，是千眞萬確的事實，他承認不承認都改變不了這個事實。

這位觀察家進而指出：就由於尼赫魯投機取巧的性格，以及它這次實在過於丟臉，它實在有下不來台之苦，所以，儘管中共願意割地求和，條件對印度好得不能再好，但尼赫魯必然還不滿足，印度今天的民氣，亦不能讓它就此滿足。它必然還想多得好處，藉以掩飾其以往政策之失敗。但，事實上，尼赫魯印度能打嗎？當然不能。尼赫魯現在的作法，儼然是不卽不離，旣不接受中共的求和條件，却亦不明白拒絕，讓中共自動撤了兵再說。他說：他的看法，卽使中共把兵撤到所謂一九五九年十一月七日線上，使尼赫魯印度戰敗而得五萬方哩土地，它可能永遠不和中共談和，但亦無能力出兵爭它所開口要的土地，雙方對峙從而形成一「不宣而和」之局。當然，「不宣而和」並非穩定之和，却到底是和。（委）

工展節目不斷推出

徵文攝影表演服裝

（本報訊）第二十屆工展會徵文比賽，十二月九日開始收卷，直到十二月二十日始截止收卷。徵文比賽係分三組舉行，各組題目如次：

（一）專題組：「英國參加共同市場對香港工業影響之我見。」

（二）普通組：「香港工業與居民關係。」

（三）學生組：「遊二十屆香港工展後記。」

依據所訂比賽辦法，將每組選取最優者三篇，分爲冠、亞、季軍；而如佳作特多時，尙得酌增優良獎若干名。入選者除由工展會致送紀念品外，並請熱心廠商捐贈獎品。徵文比賽定明年一月二日揭曉，四日在工展會場內頒獎。

▲工展會審查部審定新出品及改良品，除日前公佈審定新出品廿四項，改良品卅六項外，茲經審查委員會第四次會議，繼續鑑定新出品二項，改良品三家五項，如下：

甲、新出品：（一）樂士實業公司之「暦膏」，（二）光宇製造廠之「算尺」。

乙、改良品：（一）香港錶帶製造廠之「編織尼龍錶帶」。（二）振生廠之膠線編織之「人力車」「御園燈」「鳥宮車」。（三）樂士實業公司之「女庄墨水筆」「炮彈型墨水筆」。

▲工展會舉辦之「專題攝影」，首次原定十二月十二日舉行，繼改爲十三日（星期四）下午七時至九時。工展會並經僑商參加服裝表演之小姐爲拍攝對象。此次參加服裝表演者，據工展會統計，年紀最輕的是東興隆東主陳典的男女公子，他們分別以「消防小姐」及「消防少爺」姿態出現。

▲工展會每逢星期一至星期五日上午，均定爲免費招待學校員生參觀之期。據工展會統計所示，截至十二月九日止，兩週內被接待到會參觀之學校共十八單位，員生共二千三百七十五人。（白）

目前對大陸宣傳之我見

·唐昌晉·

今日處在反攻前夕，吾人對大陸宣傳最要緊的一着，我以爲，是先要洗刷大陸同胞所受到的共匪對我不利之宣傳毒素，進而促從大陸同胞熱烈地歡迎我們重上大陸。要做到這點，應向他們肯定地表示：我們反攻的目的，只在摧毀共匪的軍事力量，打倒共匪的奴役統治。至於以後政治與經濟方面應如何改革，將徹底遵循民主的途徑，在不違背三民主義原則下，讓大陸同胞自己來作主。

這就是說：將來反攻復國後，政治幹部，絕對就地取材，即由當地人民推選公正反共人士來負責地方行政；經濟方面，當地人民認爲怎樣辦最有利，就怎樣辦，不一定要求各地一致。在台灣所施行的地方自治和耕者有其田政策，當可供今後重建大陸參攷。（鄉村建設可付託農復會專家辦，他們在台的表現太好了）。這樣一來，大陸同胞對我們可能懷有的一切疑懼，終必冰釋；共匪的陰謀詭計必不得逞。

我這種主張，可能有人提出異議，但在美蘇終歸妥協的今日，（赫魔對古巴事件不僅無條件就範，且公開表示蘇俄是屬于西方的，並讚揚甘迺迪封鎖古巴之斷然處置是百分之百正確的。）要自力復國，似乎非此不足以掃除反攻過程中可能遭遇的種種障礙。

我們的反攻須與大陸同胞的抗暴密切配合。在發動反攻之先，應透過廣播指導大陸同胞如何破壞倉庫橋樑，如何打游擊戰。必要時可空投武器（如手槍手榴彈），並指導其從用方法。

今年雙十節，總統號召匪軍官兵起義的四項原則和十條約章，以及以前所昭示過的六大自由和三大保證，可在播送音樂節目的同時，每次摘要插播兩三句，反覆播送，自然能收到鼓勵匪軍起義的預期效果。自由中國進步實況的報導，當亦可增強大陸同胞對我的嚮往之心，但以不過份渲染爲原則。

天南風光

——沙羅越的歷史——

朱淵明

是羅芳伯在東萬律所創設之蘭芳公司，實際上乃係奪佔大埔人張阿才等之「山心」金湖改組而成的。好在他們都是客家人，故雖奪佔，而於原有的主持人衆，仍加「招安撫慰，視同兄弟」，於是張阿才也就改任爲蘭芳公司的「山心」財庫，旋並曾由芳伯「令山心財庫張阿才，先帶兵丁，前往高坪以下開仗。」張阿才居然做了開國功臣，還替羅芳伯開疆拓土哩。

但芳伯雖因同鄉受欺，義憤填膺，遂聯絡同志一百零八人，有若梁山泊好漢一般；然坤甸究竟不是絕對無政府的地方，何以他竟敢恃衆侵奪，而人莫之敢抗呢？殆亦事前曾與坤甸蘇丹有接洽，或曾許以優厚條件，而得到蘇丹之允可的。蓋當地凡採金者，例須先得蘇丹同意，而每年復須如納稅式的提出若干報酬與蘇丹。不過，那個時候的坤甸蘇丹，可能闇弱無力，故桀傲之士，遂多任意胡來，而芳伯以智識份子，復具智謀，遂能先與蘇丹洽妥，得其支持，而後乃以武力貫徹其志願。這在溫雄飛氏所撰「南洋華僑通史」卷下魁傑章「羅芳伯傳」中，即可得到證明。傳中有云：

「惟時有一部份華人，先散處於『笏黎裏』，『米倉下』，『松柏港』一帶，芳伯欲引爲同志，厚增勢力；殊若輩性桀黠，暴戾恣睢，日以凌虐同種爲事。芳伯乃陰結蘇丹，以威嚇之，若輩稍震懼。」

還有一點，也可證明，據「蘭芳公司歷代年冊」另一條說：

「羅大哥初得東萬律之時，上下坤甸，俱由「老新港」，「笏黎裏」來往。時「高坪」以下，「沙壩闌」港口等處，皆「嘮子」所居，由「邦居蘭從打」創王府於此，故唐人不敢經此來往；因思此港路不通，上下較遠，不若打通此港路，方爲便捷。於是令山心財庫張阿才，先帶兵丁，前往高坪以下開仗，羅大哥引兵接仗。老蘇丹亦令「邦黎廝財廝」，「黃伯鱗雞亞濫」，帶兵助戰。嘮子不見兵革，勢如破竹。「邦居蘭從打」遂退「上萬那」，而「沙壩闌」港口一帶耆平，至今嘮子港之名仍存，王府之基址猶在」云。

（十一）

心道篇

林公

讀報有感隨筆四則（二）

黃老之術，有人認爲是「黃」帝與「老」子的合稱；有人以爲是「老」子與「黃」石公的合稱。由於歷史上人物擅長黃老術的張良與曹參，均同出於黃石公神話傳說的時代，故多認爲後者較爲正確。

黃老之術是一種微妙的處世哲學，是以退爲進，以後爲先，以守爲攻，以柔制剛，以消極爲積極的一種應付人與事的巧妙手段，有人亦視之爲一種政治之藝術，認爲善用之可以安邦定國，明哲保身；不善用之，便成爲僞善者的武器，官僚滑頭者的工具，不辨是非善惡的庸俗的所謂好好先生的造型的資料。

黃老傳說，有如神龍之見首不見尾的神秘。老子交下世上一部五千言的道德經，便騎牛過函谷關不知所終。黃石公在橋上從張良拾鞋，並在地上授書子房後，便也從此沒了下文。至張良恭受黃石公傳授天書的內容如何？故事傳說沒有交代，所以所謂黃老之術，就祇以老子的道德經爲標準。事實上，隨後魏晉時代一時風盛的玄學清談，不過是莊老的無爲學說。因此，黃老之術，實亦是莊老的無爲哲學乎？

代表黃老術的最高原則，亦見諸於老子的道德經，例如（一）「知其雄，守其雌，爲天下谿；知其白，守其黑，爲天下則；知其榮，守其辱，爲天下谷」。（二）「上善若水，水善利萬物而不爭，故天下莫能以之爭。」（三）「爲而不有，長而不宰，成功而不居。」（四）「後其身而身先，外其身而身存」。（五）「將欲取之，必先予之；將欲翕之，必故張之」。

張良之潔身而退，就是依據上述第三項「成功而不居」的原則。張良原與蕭何、韓信同爲漢室三傑，獨張良始終爲劉邦尊重，視爲老師。張良策劃軍事政治，輔助劉邦滅秦楚定天下，但他並不以此自傲。到大功告成，人皆爭功的時候，惟張良默無一言，漢高祖擬封他三萬戶，並公開讚揚他「運籌帷幄之中，決勝千里之外，子房之功也。」但張良均謙辭，且終隱退，得以明哲保身。比於因功高而召殺身之禍的韓信，確是高明十倍。

又傳說當時有膠西蓋公其人者，亦精於黃老之學，齊相國曹參向之請教治國之道，得聆「清靜無爲而民自興」方法，曹參以此治理齊國九年，雖表面上不見有什麼政績與革新建設，但任內人民安居樂業，均稱曹參爲良相。

其後曹參繼蕭何爲漢相國，任內三年，博有「蕭規曹隨」」清譽。原來他完全依照蕭何的舊制行事，但用人則改用少說話的忠厚長者，而把好名多事的官吏罷免。他的待人接物的手法，完全是一個糊塗好好先生的作風，例如，有人擬對他有所陳說，他便請你喝酒喝到醉的程度，使你自我放棄說話的機會。又隣於相府後園，有一羣官吏醉後亂叫亂嚷，侍從厭之，請曹參阻止，但他不以此樹敵，且亦在後園擺酒痛飲，與隣居官舍狂歌應和，反而從此一團和氣，自非其侍從所能料及的。

小說名曰心鎖

招來是是非非

（本報記者張健生台北航訊）最近，有一位新潮派的女作家，寫了部長篇小說，名曰「心鎖」，已出單行本。竟招惹起了一些是是非非的波瀾來。

有人指摘這本小說失之於「黃」而稱之曰「脫褲子」文學，倒亦罷了。更有人公開的在報上發表文章加以抨擊，也是無傷大雅，因爲仁者見仁，智者見智，事極平常，各人都有發表其意見的自由，不但無可厚非，抑爲很好現象。糟的是居然有人本「文如其人」之義，竟主張開除作者中國文藝協會會員資格。且傳說文協的理監事們，正在醞釀要建議官府查禁「心鎖」了。

許多人都覺得「心鎖」這本小說，在描寫性的方面，作者的確大胆些。這雖未必是值得鼓勵的，若夫因此而實行給予打擊，豈非過份了乎？「文如其人」云云的誅心之論，亦似乎以少用爲佳，因爲說不定還犯了誹謗罪呢。好在已有人在抱不平的大呼「請勿動手」了。且看後事之如何！

瘟君續夢

第六回：

烽火照邊陲　同熙難濟

樓船碧橫海　大憝興悲

老狐狸長嘆口氣：「說到日丹諾夫事件，要算是史大林一生最缺德的一次，日丹諾夫在害病死了；史大林處死了幾名醫生，說是這些醫生害死了日丹諾夫。可是到了一九五六年赫魯曉夫發表清算史大林的演說時，原來是史大林自己把日丹諾夫害死的。」

獨眼龍笑道：「將來我們清算老歪時，也許有人會指出老歪害死活曹操呢？」

老狐狸不由得大笑起來。

活曹操死後，毛澤東多日不歡，想作兩首挽活曹操的詩，想來想去又湊不成篇，只好算了。不過，心裏總是放不下，過了兩天，忽然異想天開，把陳伯達和譚震林找來問道：「古代大臣死了，皇帝都賜予一個謚號，目前還能不能應用呢？」

陳伯達搖搖頭：「謚法是專制時代產物，有皇帝才能有謚號，目前已經沒有皇帝，自然也就沒有謚號，似乎不必研究了。」

毛澤東說道：「像林老這樣有大功於黨的人，一旦死了什麼名義都沒有，未免太寃枉了。」

譚震林笑道：「主席一定要給林老一個謚號，不如去找溥儀商量，他是皇帝，可以賜謚的。」

毛澤東一瞪眼：「不要胡說，我們是談正經事。」

陳伯達說道：「談正經就不講謚號，那個太舊了。我們就追封林老是中國人民的兒子，也可以了」。

毛澤東皺着眉道：「這叫什麼玩意，不追封還好些。我還有一個辦法就是給林老建一處專祠。」

陳伯達說道：「北京人民大會堂傍邊就是烈士祠，把林老的牌位送進去就成了。」

毛澤東搖搖頭：「不是這個意思，我打算替林老在湖南建一所專祠。」

譚震林說道：「這個計劃容易辦，咱們湖南長沙有許多祠堂，早都把牌位燒掉了，現在只要把林老的牌位安進去就好了。」

毛澤東說道：「一九五八年八月林老勸我攻金門，可惜那次未能攻下，不然就把金門島改爲伯渠島多好。」

陳伯達笑道：「金門島終究是會解放的，到時再改也不遲，主席何必心急。」

毛澤東苦笑道：「事情也不能太樂觀，過去我們以爲台灣海峽有美國第七艦隊作梗，攻不過去。上次打金門到不干美國的事，結果還是白費精神，現在打恐怕更難了。」

譚震林說道：「想打金門一定要製造一個新鮮藉口，像這樣盲目的隔日打炮，實在沒有名堂，徒亂軍心。」

正說到這裏，周恩來同陳毅神色倉皇的走進來，手裏拿着一封電報。

毛澤東一看就知道沒有好事，還假作鎮靜的問道：「有什麼好消息，是不是美國同蘇聯打起來了。」

周恩來苦笑道：「美國同蘇聯並未打起來，艾森豪威爾最近要到台灣訪問，對我們來說比美蘇打起仗來還要重要。」（一五九）

四庫的浩刧（續）

洗劫：全書完全分藏以後，首先遭劫，是文瀾文淙文滙三閣，因洪楊之亂，江浙無一完土，而亂兵不知其寶貴，任意搗毁焚掠，結果幾至蕩然，僅有散佚殘闕，無完好如初者。次則文源閣，因英法聯軍入寇，將圓明園付之一炬，珠寶被掠已空，書籍何辜成灰燼。文溯閣本幸無恙，但九一八事變，日人竟將之全部運往日本，成爲他們的瓌寶。而文津閣的藏書，也已不在熱河，如何失去，是下落不明。碩果僅存祇文淵閣一部，曹錕任大總統時，會計劃出售，彌補庫收，爲各方所知，力加反對而止。在民國十九年上海商務印書館一度擬加翻印，以文淵閣藏書爲藍本，正在進行印刷，不料一二八變起，該館閘北廠房，中彈甚多，禍起倉卒，悉燬於火，該書是否在劫，想王雲五先生必知其詳。上海掃葉山房會有目錄出售，共計一百七十冊，爲石印小字，計其字數，當在十萬以上。由此可知，四庫實有如浩瀚無涯的海洋，爲學術之至寶也。

憶雨軒雜綴

音韻講疏

師範大學中國文學系，有一位名教授汪薇史先生，講授元曲。其研究元曲之深湛，雖未邁越長洲吳瞿安梅，但亦庶幾近之矣。前歲，遂寧韓鏡塘兄，斥資擬影印「蓬瀛曲集」，由薇史先生爲其審訂，就各種曲譜，選出每齣之精采者，得四十餘折，加註工尺，及拍子，氣口，用照相版影印，分訂正續兩編，每編計廿餘齣，裝成四冊，以白色中國紙印成，極古雅大方。且概用毛筆鈔寫，由焦承允郁元英兩兄任之，夏煥新任校對，集五君之力，始告成事。自遷台以來，爲第一部印出之精緻曲譜，有助於發揚者不少。

韓君寫闡古發幽，曲集印後，復以餘力印「中原音韻講疏」。此書爲元高安周德清（挺齋）所輯，所謂抗心希古，固誠爲通碩之所趨，而刻徵調宮，更需恳協律之末事。薇史在篇首列有例言：

挺齋原書輾轉傳刻，不免脫誤。茲用至正及萬歷兩本，相互校讎，其確畫脫誤者，爲之補足。其義正而形譌者，爲之校勘。其分韻誤刻者，爲之訂正。至失收與弗收之字，未得堅據可考者，均謹從闕如舊。

中原音韻，分目十九，以六部收音，是其大較。至若各韻啓口收字，雖間或收音部類相同，其實仍互具區辨。茲悉按各韻出字收音上獨有之差別。（未完）

南宋偏安有人才
——李綱

李仲侯

李綱請行，上遣李棁，李綱反對曰：「安危在此一舉，臣恐李棁怯懦而誤國事」。上不聽，竟使棁往，棁至金營惶恐，一語不敢發，遂允許其前所舉之五款。

李綱對和款，極力反對，謂所需金幣，竭天下且不足，況都城乎？三鎮國之屏蔽，割之何以立國？至於遣質，則宰相當往，親王不當往。若遣辯士姑與之議，所以可不可者，宿留數日，大兵四集，彼孤軍深入，雖不得所欲，亦將速歸；此時而與之盟，則不敢輕中國而和可久也。宰執議不合，綱不能奪，求去，上慰諭曰：「卿第出治兵，此事當徐議之」。綱退則與金盟之誓書已發矣。

迨种師道，姚平仲，由涇原褒風引大兵入援，綱奏言：「金人無厭，勢必用師，彼兵號稱六萬，而吾勤王之師集城下者已廿餘萬，當以計取，可以必勝」。上深以爲然，約日舉事。姚平仲者有勇無謀，急於要功，先期率萬人夜斫敵營，欲生擒斡離不及取康王以歸。李綱事前不知，夜半，中使傳旨諭綱曰：「姚平仲已舉事，卿速援之。」綱率諸將且出封丘門與金人戰於幕天坡，以神臂弓射金人，却之。平仲竟以襲敵營不克，懼誅亡去。金使來責難，宰相李邦彥語之曰：用兵乃李綱，姚平仲，非朝廷意。由是李綱遂得罪罷兵，以蔡懋代之。

宋季秕政之多，爲祖宗以來所未有，可是民氣伸張，遇有大奸大惡或無道擾民之事，太學生及老百姓皆得聚衆上書請願。自金師日偪，花石綱，供奉局種種之濫弊，於是始罷。太學生陳東等伏闕上書，乞誅蔡京，童貫，王黼，梁師成，李彥，朱勔六賊，以謝天下。欽宗因誅彥，竄勔、黼等殺之，師成，童貫，蔡京父子，亦前後誅竄。然金已深入，迨不能救也。當金兵圍城之日，因李綱堅決主戰，受主和分子李邦彥之排擠，無罪被黜，臨陣換將，民情大憤，於是太學生陳東等，詣闕上書，明綱無罪，軍民不期而集者數十萬人，呼聲動天地，患不得報，至殺內侍。帝亟召綱，綱入見，泣拜請死；帝亦泣，命綱復爲尚書右丞，充京城四壁守禦使。始金人迫城者，蔡懋禁不得輒施矢石，將士積憤。至是綱下令，能殺敵者厚賞，衆無不奮躍。

先是宋康王構質金營，爲金所忌，易以康王樞（欽宗之弟）。以金人慮三鎮之有變易也，復申之以御書。斡喇哈見宋事已就，而久頓適以召禍，乃即以宋之詔書爲割三鎮之信符，不俟金幣數足而決志退兵。時綱已知樞密院事，金兵撤退時，奏請如澶淵故事，遣兵護送；且戒諸將，可擊則擊之。乃以兵十萬，分道並進。將士皆受命踴躍以行。（六）

唐初四傑

漁翁

漢初有三傑：蕭何，張良，韓信。唐初有四傑：王勃，楊炯，盧照鄰，駱賓王。前者爲智勇之士，後者爲文詞作家，才能不殊，流芳來葉，一一自足千秋。

唐開國時之文風，仍不脫富貴華麗之氣息，王楊盧駱，皆仰承六朝之遺風，摛藻含華，即物成詠，以雕琢之四六駢文，炫耀一時。至其在詩詞作風上，亦表現濃厚浪漫之情趣。此「唐初四傑」之大概也。茲將四傑畧歷，介紹於下面。

王勃，字子安，龍門人，隋文中子王通之諸孫。六歲善文詞。父爲交趾令，勃往省視，路過南昌，得參與「都督閻公」宴會於滕王閣上，並爲之作序，當寫至：「落霞與孤鶩齊飛，秋水共長天一色」時，閻歎曰：「此眞天才也」。勃每爲文，初不精思，先磨墨數升，即引被覆面而臥，及寤，援筆成篇，不易一字，時人稱爲「腹稿」。其他五言七言詩，亦眞實自然，有王績之家風。但最爲艷稱者，仍屬「滕王閣賦」一篇駢文，千古傳誦，至今不替。

揚炯，華陰人。中童子科，授校書郎，後官盈川令。有文集行世。炯恃才傲物，自謂過於王勃，但集中文多而詩少。常日張說云：「盈川文如懸河，酌之不竭，優於盧而不減於王。恥居王後，信然；愧在盧前，謙也」。至若論詩，炯忝居四傑之末座矣。

盧照鄰，字昇之，范陽人。官至新都尉。後得疾，手足攣廢，因居具茨山下，著五悲釋疾諸篇。在釋疾文序中，有曰：「余羸臥不起，行已十年，宛轉匡床，婆娑小室，寸步千里，咫尺山河……」最後又作：「歲將暮兮歡不再，時已晚兮憂來多」之哀歌，與屈原之「懷沙」，如出一轍。雖文章詩歌，不在王駱下，而貧病交迫，爲四傑中最苦之一人。

駱賓王，義烏人。七歲能賦詩，工文章。武后時，以言事得罪，投徐敬業幕府，徐舉兵，爲草「討武氏檄」，敬業敗，賓王亡命，不知所終！駱此文與「滕王閣序」，同一駢體，而尤豪邁英俊之氣，殆過之。駱之五言小詩，允稱佳作，如易水送人：「此地別燕丹，壯士髮衝冠；昔時人已沒，今日水猶寒」。寥寥二十字，足表現懷古傷時之强烈感喟！

四傑均不永年，且有死於非命者，亦異數矣。王勃因渡海水溺驚悸而死，年二十九耳。駱賓王因政治失敗而逃亡，據說僅活到三十餘歲。盧照鄰因苦於病，自沉潁水以歿，年方四十。楊炯雖獲善終，亦不過五十而已。使天假四傑以年，其於我們文學者，當貢獻更豐碩，可慨也。

後之評四傑者，如杜甫云：「王楊盧駱當時體，輕薄爲文哂未休。爾曹身與名俱滅，不廢江河萬古流」。到杜甫時，四傑之作風，已不如前日之草偃風行。又韓詩雍云：「王勃高華，楊炯雄厚，照鄰清藻，賓王坦易，子安其最傑乎！調入初唐，時帶六朝錦色」。所論誠然。

海嶠舊談薈

談章太炎（二）

諸葛文侯

太炎於袁世凱就任臨時總統後，雖因勢忠袁氏而巧得「東三省籌邊使」名位，旋以無事可爲，卸職回京，且舉其統一黨併入共和黨，又以未獲躋入領導階層而宣告脫離，潔然南下，奔走於黎元洪之門，此民元冬間事也。這時候，他對袁世凱已因失望而怨望，袁對他亦有憎惡之心，認爲他不配搞政治，沒有甚末利用價值，祇以其具有文名，表面上未加唾棄而已。

民國二年春間，宋教仁被刺案發生，南中形勢騷然；繼而袁世凱向五國銀行團大借欵消息傳佈，全國輿論大嘩。太炎在報紙上迭發議論，不直袁氏所爲，他曾致書袁氏，譏其「爲宵人所誤」，而規箴以「保全倡義之元勳，倚任武昌（按係指黎元洪）之夾輔，何不樂爲」？這是袁所不願聞的。未幾，以李協和爲首倡的討袁軍興，初時聲勢浩大，章氏在上海亦發表宣言抨擊袁氏，袁吏不憚，而思有以懲之。迨討袁軍失敗，章在上海抑鬱無聊，適北京共和黨招邀章氏北上，他以爲又有仕進的機會了，乃於民國二年冬間如約入京，即被袁氏派警監視，不許自由行動，另由京師總檢察廳起訴章氏以內亂罪嫌，正式傳訊，他抗傳不到，且上書袁世凱表示憤懣之意，又要求袁氏撥欵廿萬元給他創辦「考文苑」，袁不理。時黎元洪已離鄂晉京，章於民國三年正月致函黎，辭稱將冒死出京南下，不願再留首都，黎向袁爲章氏緩頰，請予寬假，袁謂考文苑無辦理之必要，如章氏欲居此名義，可月給乾薪五百元。然章不同意，堅持必須辦事，拒擁虛名，終不諧。如是，章狂態大發，於一月三日逕行出京赴津，當然被禁制不能行。他憤極，亦不再回原往之共和黨本部，潛居小旅館中，隨即演出一場大鬧總統府的怪劇，而章氏乃被囚禁於北京龍泉寺了！

章於民國三年一月七日上午十一時，足穿官靴一隻，手持團扇一柄，柄下繫以政府頒給他的勳章，駕車直赴總統府，投名刺請謁袁總統，閣者辭以總統在會客，無暇接見，章坐候良久，何客？仍未聞傳呼進謁。章再詢尚有何客？答以向次長瑞璟（工商部次長），章大怒道：「向瑞璟是個小孩子，總統且可會，何以不會我？」乃指名要會秘書張一麐，亦遭婉拒，章更憤，喧罵不已。袁氏聞之，命侍中兵弁將章護送至附近禁衛軍教練處，安爲欵待，然後囑軍政執法處總辦陸建章轉送至龍泉寺幽禁，飲食起居皆優渥，唯不得外出。章在寺中佯狂忒甚，逢人亂罵。袁克文奉父命親送錦衾給章，章隔窗覩是克文送來者，即以香烟頭燒毀錦衾洩忿，繼且絕食誓死。袁氏仍無動於中，聽其所爲。這幕怪劇，當時喧騰全國，而「章瘋子」的名稱，亦從此卓著了。

康有爲的命名

·丘峻·

「長素」一號，則據康氏本人嘗謂，「思入無方，行必素位，弱不好弄，長實素心，生平最愛用素之義，故以長素自號」。及氏潛修佛典，冥心孤往，恍悟衆生同源，萬物一體，於是戒殺素食，修養魂氣之靈，求達證聖之境。其說若信，則康氏之號，乃「長（平聲）素」而非「長（上聲）素」也，明甚。

逮「新學僞經考」面世，此「思想界之一大颶風」，轟動士林，譽毀不一。開明之士，咸表欽佩，備致推崇，頑固之徒，則認爲非聖叛道，有甚於洪水猛獸。給事中余聯沅竟劾康氏爲：「惑世誣民，非聖無法，同少正卯，聖世不容。請焚新學僞經考，而禁粵士從學！」此固由於其名與號之引伸，而聯結於其著作的結果。時李鴻章胞兄瀚章總督兩廣，奉旨交廣東學使徐琪查辦。幸獲李鴻章翁同龢等爲之營救，而得徐學使覆奏：「長素之號，乃取文選陶徵士誄『弱不好弄，長實素心』之意，非謂長於素王，其徒亦無超回軼賜等號」云云，爲之辯解。卒奉總督令自焚「新學僞經考」作罷。

康氏向極自負，目中無人，及至名滿天下，震動朝野，譽之者固多，毀之者亦衆，名盛謗滋，自古已然。俗語云，「不怕生壞命，最怕安壞名」；又謂「男怕改錯名，女怕換錯姓」。可見個人名字關係之大。名號牽累，再於康氏亦云。（三）

內僑警合報字第〇三一號內銷證

自由報

THE FREE NEWS

第二九六期

中華民國僑務委員會登記證台僑新字第三二三號
中華郵政台字第一二八二號執照
登記爲第一類新聞紙類
（半週刊每星期三、六出版）
每份港幣壹角
台灣零售價新台幣貳元
社長：雷嘯岑
督印人：黃行寬
社址：香港銅鑼灣高士威道二十號四樓
20 CAUSEWAY RD 3RD FL HONG KONG
TEL. 771726　電報掛號 7191
承印者：田風印刷廠
地址：香港灣仔高士打道一二二號
台灣分社
台北市西寧南路壹壹叁號二樓
電話：三〇三四六
台郵劃撥儲金戶九二五二

論國民外交之道

吳本中

凡是一個中國人，一步跨出國門，他的一舉一動，一顰一笑，就是代表六億中國人全體的動作。他應深深認識到兩點：（1）他是中國的主人，要自尊自重，威儀不忒；（2）他是中國的自已大使，要對國家民族有代表性，宣揚性，保護性及洽談性。現在世界早已不是「宮庭外交」乃是「民衆外交」時代了。

遠者不談，譬如十七、十八、最晚到十九世紀之初，君主專政，人民是「臣子」，外交大事是君王的特權。所派出的使節，「欽差大臣」，是直接代表一個「稱孤道寡」者的尊嚴。這位大使人物，眞是「了不起」，養尊處優，高車駟馬，館邸盛會，則香檳酒如泉湧；遠道來儀，則禮炮十九响。皇室御車相迎，王公鞠躬有禮。他享有特權，優待，身體有不可侵犯性，行動有司法豁免權。他爲執行使命，可逕造皇宮晉謁駐在國帝王；他的財勢可賄賂公卿；他的交遊可與後庭嬪妃撕混，法文原意所稱「女客廳」升交，（Boudoir Diplomacy中文譯成「宮庭」外交）者，良有以也！

然而，世界進化，民權發展，外交自然亦隨之而演進。一國既然非一家一姓之所得而私者；主權在民，利益歸民，輿論由民；則官式外交，雖形式猶在，虛文末節尙存，然其實質已變，性格不同矣。所謂「職業外交家」，昔日固有意義，今則索然寡味矣。

我們若深細研究近世外交之演進，可謂現在已由「議會外交」（Parliamentary diplomacy）而昂然進入「民衆外交」（英文可稱Mass diplomacy）時代。國人常曰：「國民外交」，既已用慣此名詞，吾亦無間然。但應知「國民」二字是英，法文：Citizen，不甚妥確，西文此字無連用於「外交」一詞者。用「民衆」二字則範圍廣而適合，又換之中，西文均通矣。民衆外交的意思應當是言：全體人民大衆在一個民主自由國家，任何一位，均有外交主動力與外交運用的手段，以及在國外隨時隨地展開外交技術的意思。無論他們是單獨的，集體的，個人自覺自動的，或團體的行動，均無不可。他們的最高目的應當是使外國人士，由於我們自己作媒介，對於我們的國家民族變成知己者。同情我們民族的苦衷與期望，我們民族的文化特點與優點，以及全民族性格，習俗的長處，固應教他們瞭解，可是我們的短處亦不必掩藏。虛僞造作，是不會獲人同情的。

我們心中可能蘊鬱一個政治目標，但最好，還是少露鋒芒爲妙。若拍案使氣，高喊反共八股，或用什麼「匪」，「僞」等字樣，人家恐將敬鬼神而遠之矣。因爲人家的心理與想法可能與我們不同。善於外交者必彬彬君子，循循善誘，先掌握着對方心理，始有功效可言。世人以爲復興德意志之鐵血宰相俾士麥，縱橫歐洲外交舞台，剛強無與比倫。豈知他在大敗[illegible]決大國之法蘭西後，對投降國使節談判時，竟有一段「濶情」故事：法國使臣一日與俾士麥爭論和約條欵，悲憤自已祖國之恥辱，情不自禁的大發脾氣，神經緊張，幾到決裂邊緣。俾氏態度安詳，徐徐取烟，欲敬這法使，是說「讓他的悶氣亦如香烟繚繞空而去！」法國歷史上有一位大外交家，名聲赫赫，國人稍習西洋史者必知之，他的性名是泰勒隆，在一八一四——一八一五年的維也納大會上，他代表戰敗的法國而能大出風頭，縱橫捭闔周旋於盛氣凌人的諸赫赫帝王諸相之間，而儼然以主要角色自居，有一句幽默的名言，他對後進外交家勸告很難譯成確切的國語，其意思是：「喂！你們年青小夥子，辦外交，可千萬不要太熱心呀！」（法文原句精神十足，但甚簡單：Surtout, pas Trop de zèle !」）。今日我們的一般紆青紈紫者流，對內固可處處表示忠貞，張脈僨興，以大罵共匪爲前提；然對外想獲友邦同情，即需要有樸實說理，以收潛移默化之功，喊口號決無用處，如泰勒隆所云：「喂！不要表示太熱心呀！」這就是要做好『國民外交』，須考慮現時環境而配合之一個要訣。

筆者忽憶二十年前在法國有一位「法國姪女」，認我爲「中國伯伯」。她稚年即熟識我夫婦倆，她的父母對這位獨生孩子固視爲掌上珠，她的眞伯伯——她母的兄——是獨身不結婚的一位醫學博士，兼開大藥房在巴黎，亦認她如已出。家境富裕。他們三層樓的住宅，建於有林泉之勝的巴黎西區，與顧大使少川當時私産花園別墅同一地帶。前幾年我寓英倫，耶誕及新年假期，被邀至法度節，她已經結婚了，她的丈夫自然尙未見過我這位「中國伯伯」，他是一位日報主人且兼政客，自然對遠東情形多少有些瞭解。不似我這位「法國姪女」是藝術學院畢業生，祇知專心戲劇，而不識千萬里外的亞東風雲也。他聽說有一位「中國伯伯」涖臨，馬上問她：「你的中國伯伯，是從那個中國來的？」

這一問，把我那位法國姪女問得目瞪口呆，無以爲答！經我引東德，西德爲傍例，並舉中國與德國不同各點，及中國最終必仍爲有中國性的中國，莫斯科「舶來品」制度，必不成功等等說法，使他們大感興趣。她並警告其夫說：『你要注意你報紙的立場與對政府的發言！吳伯伯說的話總是對的。記得日本攻中國時，日本那樣強，我們法國人都担憂，那時吳伯伯堅信最終勝利必屬中國，並說有「三位將軍」能打倒日本：一「時間」，二「空間」，三「人力」是也。拿破崙之強被俄國兩個「將軍」擊敗：一是白袍將軍（雪），二是紅袍將軍（火）。中國有三位將軍，當然更要打勝。現在對中國自己國內的事，吳伯伯當然更是判斷無誤。我們外人知道什麼呢！』這個結論既然由她說出，筆者即不欲再談中國事矣，坐汽車到他們凡爾賽的雅潔花園洋房過年好了。又憶前數年自敦倫返港，上船行裝甫卸，即到頭等餐廳先問明我的席位排在何處，蓋在月餘航海中，既乘英船，要與英國人混在一起，有接觸，有來往，始能有外交也。主理者以圖示，告已排好與香港政府教育司兩華籍高級官等同桌。其意固甚善也。余終改在全爲英籍人士之桌，且須著禮服之第二班晚餐者。舉凡他們的活動，余均欲參加，諸如游泳，日光浴，打球，跳舞，晚會等等。同餐桌者，常有人特購名酒一瓶請客，余雖不喜酒，亦選法國特品回敬他們。他們謝我，有人誤喊：「共産中國萬歲！」這不要怪他，他是很誠實善忘的。因爲在他的腦筋中，「中國人」就是中國大陸上的中國人，而大陸是共産制度，爲的要尊重這位中國人，乃不覺有此表情了。猶如我們唱出「英皇陛下的不列顚」歌詞一樣情形，縱然我們不是君主生活，他原意本是要恭敬我而討好的。他是英國在印度一個大茶葉公司的老板，不會喜歡共産黨的。我個人的政治信仰他那能知道呢！我當時聽罷，內心雖不舒服，亦不顯諸聲色，但鄭重而幽默的說：「我是屬於五千年文化的中國，孔夫子的中國。」—「不要以爲我是共黨，要共你們的産呀！」—他們六七人爲之大笑，亦就立刻都明白了。假使當時我奮臂疾言厲色地跟他們辯論，結果是大煞風景，於事無濟。所謂「國民外交」之道，不應如是耶？

國民外交的基本觀念，亦即處世哲學之應用，必也知已知彼，因時因地因人而異其趣。要對某一國家進行國民外交，從事這項工作的人，最低限度亦須對該國實在情形有所瞭解的，更須懂得該國的文字語言，纔有用武之地。否則一舉一動都是官式或公化式，情形隔膜。

（下轉第三版）

赫魯馴獸表演之一

赫魯馴獸表演之二

自由談

聯想之談

馬五先生

美國國務院顧問艾契遜最近發表演說，認爲英國在國際上已失去扮演主要角色的條件了。此言登時引起英方人士的憤怒，而美總統甘迺迪亦再三表示遺憾，聲稱這是艾契遜個人的言論，決非政府的意思。英國議員之群起反感，美國當道之表示歉意，都是應該的，吾無間言。

可是，我因此而聯想到過去美國政治人物——尤其是民主黨的政客們——公開指說中華民國政府爲「貪污低能」，又說咱們反攻復國的主張是「夢想」、「神話」。若論中美兩國的交誼，跟英美殊無二致，而中華民國之盛衰存亡，其關係於自由世界前途之重大，似乎亦不亞於英國吧？然美國一般政治人物，乃隨時對咱們這個友邦發出公然侮辱的批評，並且形之於外交書上（如甘迺迪政府印行的「中美外交關係文件」，即其一例）。對於這些侮辱性的評判，我政府當局雖然涵養功夫甚深，不似英首相麥米倫之撐不住氣，反唇相稽。但咱們新聞記者曾經不斷地發出抗議之聲，何以美國總統及其僚屬們，就未聞有一人表示過歉仄之意，而昂然以大好佬自居，滿不在乎呢？

如此看來，這世界既無所謂正義公道，亦沒有甚末邦交厚薄之可言，完全是講勢利——而且是專講眼前的利害得失關係。像咱們中國傳統文化思想上最注重的「躬自厚而薄責於人」、「己所不欲，勿施於人」這種道義精神，絕對不存在的。即如我政府當局對於美國一般政客們，口沒遮攔，隨時說些侮蔑中國的言論主張，而一貫採取唾面自乾的態度，實在太那個了。譬如美國政客譏評我們反攻大陸是「夢想」、「神話」，我們就可以告訴他：「你們如其只是從用一點點經援，專教我們替美國看守着台灣這個西太平洋上的外圍國防據點，那我們就沒有這個義務。不是基於互助互惠的平等原則之下的援助，中國人並不稀罕這種嗟來食。一切聽從尊便可也。」

自侮而後人侮之。我贊許英國當局對艾契遜言論之憤怒表情，同時希望咱們的執政者爲維持國格與民族自尊心起見，對於美國政客們侮辱中國人的言詞，不要再緘默爲上。

中央財政不合情理現象

無法律根據制度嫌紊亂

・監察院巡察報告分析之三・

（本報記者張健生台北航訊）前兩篇通訊，記者所分析監察院巡察報告者爲臺省地方若干問題及建議，這篇的題材限於監委們對中央財政上認爲不合理的若干現象。

監委張幹中說：金融檢查工作，理應是歸財政部辦理的，現在財政部這個職權賦予中央銀行，這是沒有法律根據的。因此主張加以檢討。他說：

目前山臺灣的保險事業很發達，但沒有一個保險制度，如果說有的話，也只有規定資本額在一千五百萬元以上方准許開業。因此臺灣的保險業已變質爲地下錢莊了。而財政部也將保險業監理工作的職權，委託中信局代理。中信局接受後，另外設立一個監理會，規定所有保險業要向中信局投再保險；而此一規定，係以行憲前國民政府的法律爲依據。至於保險業將來究應如何監理，如何規定資本額等法令，迄今尚付缺如。保險業者爲了貪圖保險費，發展業務，並不投再保險。業者爲了互相競爭，而有額外保險超額保險之情事。比方一幢價值二十萬元的房屋，卻投了三十萬元的保險。這種超額保險，如由監理機關訂辦法嚴加管理的話，當然是不許可的。

國營的雍興公司附設之織布廠出租時，董事長和總經理事前都不知道其事。據監委們說，完全是許協理和俞國華二人做的。按照規定，國營事業出租應事先送呈財政部核准，審計部備案，但俞國華並未這樣做；等到審計部提出糾正時，他才找律師研究，如何答復審計部。而該織布廠價值二千萬元，出租時，僅找二個普通保人，（一家是資本二萬元，一家是三萬元的商人而已。出租後，該廠的水電費仍由雍興公司負擔。其次，該布廠所用的紗，由雍興公司供應，而雍興所收到的是三四十天期票，出布後，將布交與雍興，換回期票。換句話說，該布廠不須本錢而做生意。因爲它所用的紗，要等到加工織成布之後，再賣出去，才付紗錢，這樣須時約二個月，而每月用紗八百萬件，值新臺幣八百萬元，以兩月利息計（若以一分息計，共十六萬元），足抵其每月十二萬五千的元租金有餘。

雍興公司織布廠出租爲民營後，每匹布的工本，已由公營時的六十八元，降低爲三十五元，而一切人員的開支照舊，不但未減少員工，反而增加若干監理人員的開支。監委問許協理這是什麼原因？他也說不出理由來。

時常突擊檢查戶口如臨大敵
毛共在廣州大舉胡亂抓人

雖不相干的風景照片亦會引來禍事
被抓走後從此如石沉大海無影無蹤

（香港與大陸）

中共的公安人員，最近在廣州時常大批出動，突擊檢查戶口，如臨大敵，緊張萬狀。沒有戶籍的黑戶固然被它們抓走，如在你住的地方發現一些被認爲有「問題」的東西，比方甚至是全不相干的風景照片，意在留個紀念的，同樣亦會被它們抓走。被抓走的人則從此如石沉大海，不知其下落。

這是剛來自廣州的朱老太太對本報記者透露的。

朱老太太說：檢查戶口在廣州固然是家常便飯，但以往的檢查，較爲馬虎，通常祇是要戶主把全戶人叫出來，再核對一下「戶口冊」的姓名，便算了事。近些時來卻不同了，不單檢查的次數增加了，而且要戶主帶他們巡視住宅各處，同時還要戶主打開箱櫃，進行搜查，若搜查出一點點它們認爲有問題的東西，立刻抓人；至於沒有戶籍的黑戶，就是那些「盲流」到廣州者，當然被抓。因此弄得人心皇皇不安。

朱老太太說不出已有多少人被抓，但相信一定不少。她是住在永漢南路高第街的，她舉例說：上月底的一天晚上，人們正打算睡覺的時候，忽有大批公安人員由高第街的大小橫巷湧來，包圍着高第街中的一座兩層樓住宅，情勢緊張，如臨大敵，結果眞就被它們抓去了兩個男子和一個女人。她說：因爲該兩層樓住宅與她住家相隔不遠，所以她看得很清楚，被抓去的三個人，她亦認識。她表示，據她所知，那三個人，絕對不是什麼「壞人」。其中一個男子姓李，原是在一家修理單車店裏工作的，後來因爲身體有病，辭了工作，靠着香港的哥哥接濟而生活。女的則是這李姓男子的妻子，一向在家裏做家務。女的父母均在香港，她早就想來港，二年來曾申請來港達十一次之多，但每次皆被拒絕。她說，也因此，那女的在言語方面確會對派出所的共幹講些閒話，如說它們不公平辦事之類，如此而已。至於另一男子，則是該李姓男子的哥哥，是不久前由港返廣州探親，打算在廣州結婚的。朱老太太說，這樣的三男女突然被捕去了，使附近的街坊，都實在感到驚奇，因爲都覺得他們實在沒有被抓的理由。而他們三人被抓以後，也從此無消息，誰亦不知其命運如何。

另據一位上月曾回廣州探親前天才返港的張太說：她是上月初和她一位同鄉張春×回廣州探親的，曾約定同去同回，但是她在回港前去找張春×時，始知張春×已被逮捕了。據張春×在穗的家人對她說：有一晚，忽然來了幾位公安人員，說是來檢查戶口的，因知張春×是由港回去的，所以對他的檢查特別的嚴，既要他填表說明在港的職業，親友等社會關係，並檢視他的各種證件，這都不成問題；但後來因爲看到張春×有幾張在廣州留攝的照片，其中一張是站在中山公園山頂照的，而後面的背景卻是白雲山機場，這就被認爲嚴重！結果把他抓去了。究竟捉到那裏去了？判了什麼罪？如何處置的？他在廣州的親人也無從探悉。張太自己，這次回廣州住了半個月，曾經被查問了十多次口供，幸而她早有準備，每次的對答都沒有出入，她說：否則恐怕我也不能再回香港來了。

記者曾叩詢朱老太太及張太，中共在廣州如是緊張的檢查戶口，動不動便抓人，是不是與這些日子來廣九鐵路沿線及沿海各地區時常發生突擊與爆炸事件有關係？她們說不曉得，並說：她們在廣州時由於報紙不會登載，根本就不知道曾經發生過那些事件。（敬斯）

狄托與赫酋打得火熱
証明美援南政策破產

（本報訊）狄托訪俄，赫魯曉夫與之作格外親熱狀，中共則乘時猛烈攻擊「現代修正主義」，指名道姓罵的是狄托，實則含沙射影，皮裏陽秋，連赫魯曉夫亦罵進去了。西方觀察家更進一步指出：中共所要攻擊的，與其說是狄托，無寧相信其爲赫魯曉夫。

香港某國際問題專家對本報記者稱：西方觀察家此種說法，固不能謂爲全無根據，但他們僅看到問題的一面，而且是不值得重視的一面，反之，他們都忽略了眞正重要的一面，這就是美國這些年來援助共黨南斯拉夫，不但做了「寃大頭」，認眞言之，簡直是愚不可及的資敵行爲。

這位國際問題專家說：中俄共間有所謂對共產主義「理論與策略」之爭的「家務事」，已經存在了幾年，並非新鮮玩意兒。而它們這種「家務事」，充其量亦不過是「兄弟鬩牆」，爭意氣，爭財產，最甚者不過於爭做家長而已，實在沒有什麼眞正嚴重的意味，有如某些共黨問題專家也者所一廂情願的設想出來的「內鬨」，「分裂」以至於「自潰」等等。

他說：西方國家的「家務事」少了嗎？以往的不必說，即以古巴事件爲例，美總統甘迺迪這次處理古巴事件，獨斷獨行，事前完全不曾諮詢（更不必談商量）過它的任何盟友，雖「血濃於水」的英國，也僅是甘迺迪電視宣佈封鎖古巴的行動之前兩小時，始得到美國的「通知」——中華民國是在一小時前得到通知的。美國的歐洲盟邦，對甘迺迪此舉，都不大高興。本月十九，二十兩天甘迺迪與麥美倫在巴哈瑪羣島的會談，麥便準備向甘力爭，今後遇到如此大事，英國應於事前有「發言權」。雖然如此，在古巴事件緊張期內，所有美國的盟友，便無不堅定的支持美國的作爲，而絕無異言。

而以印邊之戰爲例。中共兩次採取全面攻勢，它事前是否徵得蘇俄的點頭與鼓勵，至今有着兩極端的推測，言人人殊，莫衷一是。但事實卻充分顯示，在印邊之戰的緊要關頭，蘇俄是站在中共一面的；好像它既做好做歹的勸告尼赫魯印度接受中共的談和條件，又還說「麥馬洪線」乃是非法的東西，另外，對於原來答允賣給印度的米格廿一飛機，卻一再拖延，不肯交貨，直到現在亦還未曾交貨。這說明，即使中共打尼赫魯印度純粹出於它的不受節制的獨斷獨行；但既經打了起來，蘇俄便亦事實上給予充分支持。現在印邊之戰和緩了，走向「不宣而和」了，蘇俄的東歐附庸國，也纔放出些輕描淡寫的「馬後炮」，表示不很同意中共的做法。這與麥美倫準備向甘迺迪爭「發言權」，亦庶幾近似。

這位國際問題觀察家指出：美國這十幾年來，把狄托視作寶貝，金錢軍火滾滾送去之餘，儘管狄托南國至今陰陽怪氣的自稱「中立國」，宣揚其「不結盟」政策，但（一）南斯拉夫之爲共產國家如故也；（二）這些年裏面，即以南國在聯合國的投票紀錄以觀，它還不是事事時時與美國作對？現在，狄托與赫魯曉夫進一步的打得火熱一團，公開宣佈雙方政策無大差異，西方人士卻不以爲怪，偏偏祇在注意中俄共的「家務事」，津津樂道，一臉孔的得意忘形，這不是捨本逐末是什麼呢？狄托的表現，豈但是證明美國這些年來的援助南斯拉夫，是一種「寃大頭」行徑，實際還是「資敵」的愚蠢行爲！（聖）

戰鬥中成長的越南國軍

·西貢通航·

越南共和軍隊在過去八年中，以軍人革命精神堅決的克復了各方面困難，而成爲一枝力量雄厚裝備優良的軍隊，軍種兵種日見進步，在各個戰場上獲致輝煌的戰果。湄朗、補足、同桀、民進十八、民進廿七等勝利戰役，及最近平西戰役之勝利，已從北越共產黨徒大起憂慮。

除收穫了保衞國土人民生命財產的成果外，越南共和軍隊並扶助民衆實現戰略邑的國策，以備同時消滅三種敵人：共產，離間及緩進。

越南地勢山林險阻，最適於游擊戰的施行，是故，陸軍仍是一枝主要力量。現時越南共和國陸軍已組成大單位軍團級，並展開多次聯合部隊性質的大規模行軍，以步兵爲主，其餘的兵種爲輔。

（一）工兵——工兵於一九五五年八月成立，直至目前已充份裝備，這一兵種之專門技術，對安定國家已發揮顯著力量。過去數年中在各次進行消滅共匪的行軍中，工兵聯團功勞極大，當進行戰鬥時表現得非常善戰，當進行建設時則發揮其輝煌的專門技能，在過去八年中他們曾修築將近二千公里陸路及三百公里橋樑，由此便可證明了。

（二）炮兵——炮兵對掩護各個前綫屯兵處極具效力，在參加各次大規模行軍，其正確的射擊技術已證明其能力之雄渾。然而炮兵亦未以顯赫的戰功自豪，現仍經常盡力訓練專門人員，藉高等的技術與越南共和軍隊中其他兵種看齊。

（三）裝甲兵——越南共和軍隊裝甲兵已組成多個中團，過去數年中曾在各個戰場上立下若多功勞，自泥沼地帶至山地，裝甲兵團都可大派用場，表現得非常得力，越過所有障礙，裝甲兵團曾轟烈地進入烏明，水草平原D字戰區各個越共巢穴。現在，裝甲兵團已達到長成階段，可能組成師團級兵團，最近此一兵種又獲增加一批最利害「M·一一三」型戰車裝備。（上）

天南風光

——沙羅越的歷史——

朱淵明

蘇丹既允助戰，自然是允分許可羅大哥之行動的。不過其武力不足，故只能「助戰」罷了。至於所謂「嘮子」，乃是達雅克人之通俗稱呼，現在沙羅越的海達雅族及陸達雅族，以及南婆羅洲與西婆羅洲之達雅克人均屬之。他們到是整個婆羅洲的眞正土人。其他，無論是馬來人，華人，印度人，以及西洋人，均係外來民族。就是現在統治沙羅越的英國人，也不能不承認這一歷史的事實。故婆羅洲雖然分割爲若干邦區，但整個達雅克民族，在血緣關係及生活方式，大體上還是差不多的。

當時「邦居蘭使打」被羅芳伯打敗退往「上萬那」後，與萬那王合，故「新港」等處嘮子，又不安定，時常騷動。羅芳伯乃再起兵攻打新港。據「年冊」上說：

『我公司築寨六處，將「邦居蘭使打」之寨，困在核心，相持有九月之久。羅大哥令掘地而攻「使打」之寨。掘至柵邊，柵柱抵塞，乃鋸其柱脚，嘮子知覺，故「使打」宵遁。羅大哥揮兵直上「三叭」（Sambas）——亦書作三發——地方。「萬那」王與「沙壩達」王，膽破心寒，有朝不保夕之狀，特請坤甸蘇丹，到其處說和立約，以三叭（三發）爲界。羅大哥亦姑念窮寇莫追，即允諾和約，以「三叭」爲界，蘇丹用竹劈開刻字，插地爲界。年久竹滅，但至今掘地之孔猶存焉。羅大哥攻打新港之時，苦心竭力，辛苦備嘗。嘗曰：「新港，銀坑也，銀坑開，東萬律不患貧矣』。

此處所謂以「三叭」爲界之「三叭」（Sambas）就是現在屬於印尼的「三發」。由三發，渡過三發河，再翻越一山，就是沙羅越的石隆門。也就是古晉附近的名勝之區。斯處蘊藏金礦甚富，歷來都有許多採金公司。目前仍繼續開掘；有一個金礦，經開採後，已變成一個很深很大的湖，而今湖水漣漪，碧綠可愛，石隆門鎮上之自來水，即該之爲源。（十二）

公道篇

讀報有感隨筆四則（三）

由獲有黃老涵養工夫而保高位，或避過險阻的，歷史不絕其人。可惜多未善用而流爲邪道，如曹參憑之嬉笑以建立德政者，絕少。五代之馮道，在當天地閉，賢人隱的時代，亦憑黃老術第三項原則之「長而不宰」的妙訣，得以歷事四主，周旋於各專橫的暴君前而保其相國地位。但用他的無爲與甘爲奴才傀儡，交換來高官厚祿，却並不是黃老術的本義。「以退爲進」雖爲黃老術的最高法則，但本旨則在善用避凶，就正辟邪。曹參之正，馮道之邪，「以退爲進」之黃老術，於此又獲得進一解。

二、被拒絕鼓掌的「虧本教育」

香港是一個著名的商港，包括教育在內，一切都是以做生意爲目的。不管有多少人爲着「金錢至上」，「財迷心竅」的理由，或者說，是對自己的地位有利的理由，甘願不講良心，說「教育」一項，並不如此，特別那些已形成爲一種教育集團的人，或那些參與爲教科書集團的人，或一些已擁有金飯碗的教師集團的人。但事實最是無情，因爲學校亦需要領取營業牌照，申請建校的第一要件是註冊爲有限公司的法團，所以學校如不稱爲學店，那可說近乎不合法定。

香港的教育行政經費，每年都有增加，據報載多年來教育經費數字超過一億元，收入則不及五分之一，以最近一年爲例，在一億七千餘萬的支出中，收入不及四千五百萬。這在生意的立場，確實是一項最大虧本的生意。因此有人便以之爲振振有詞的口實，說這種虧本生意，是「爲教育而教育」的有力證明。

在香港雖得看到爲教育而虧本的數字，雖得聽到「虧本教育」一名詞。照理，香港這個「虧本教育」的課題，應獲得多數人的熱烈鼓掌才是，可惜多數人並未直覺「領到過」這個虧本的盛情，而且追算下去，也實在有被拒絕鼓掌的理由。

香法對教育作如此龐大數字的投資，而且實際以不牟利爲目的，自然希望教育迅能普及，提高香港社會文化水準。並且，我們亦無需作進一步的解釋，說「教育的任務，是以改造人爲對象」，因爲這祗是很普通顯淺的常識。因此，那個投資於教育的數字，就必須是爲所有學齡兒童學齡青年的學位而用，並爲所有學童所有青年的良好教導而用。依據這個對象，我們的教育急務，不在於皇皇的學府，而在於多建較簡的學府，以從大家有書讀；不在於極端提高待遇特殊給予那些受訓的新教師，而在從所有有經驗的教師，在師道的尊嚴下，能安於教育的工作；不在於什麼教育建設的漂亮話，而僅在於立即完成「義務強迫教育制」。

論國民外交之道

（自第一版轉來）

大家談些外交詞令的空話，敷衍應酬而已，那又何需乎國民外交呢？就反共問題而言，我們是堅決的反共者，別人雖同樣具有反共意志，但因其外交政策關係，不便把「反共」口號掛在唇邊，我們搞國民外交，即須審情度勢，知所肆應，而不宜專憑主觀的願望，希望別人亦向我看齊，形成僵化態度，那必然是格格不相入的。譬如我們對英法德日各國人士談爭取自由生活的道理，他們必表同情，若硬以「反共」字樣爲號召，別人的環境不同，心情兩樣，而反應即各殊了。實則「爭取自由」與「反對共產暴政」的意義，並無二致，何必膠柱鼓瑟呢？

既言「國民外交」，即與官式外交是殊途而同歸的工作，最忌諱以在朝的官員，率領幾個只會說些洋話，而對該國一切情況茫然無所知的人物，有如集體旅游者，祗跟別國的官員來往應酬，就算是盡了國民外交之能事，這是毫無用處的。我們在歐美社會中，常見有別國人以新聞記者或工商業者的姿態，到處活躍，表面絕無政治色彩，實則他們都負有「國民外交」的使命。我們總是教一般善於喊「反共」口號的官員，出國去作國民外交活動，或者寄望於赴英美參加所謂「選美」玩藝的女孩兒，担負國民外交職責，寧非笑話嗎？

總之，我們不談國民外交便罷。否則從方法到人選，皆非大大的更張不可，說來話長，希望大家愼思明辨而篤行之，庶乎有焉！

瘟君續夢

第六回：烽火照邊陲　同惡難濟　樓船碧橫海　大慾興悲

毛澤東登時跳起來，罵道：「艾森豪威爾敢到臺灣，不怕我對付他。」

聽說毛澤東要對付艾森豪威爾，四個人交換個眼色，沒有開口。

毛澤東看着陳毅說道：「艾森豪威爾是從美國直飛臺灣。」

陳毅搖搖頭：「不是的，他是從菲律賓過來的。」

毛澤東笑道：「這就容易了，上次日本發動反美示威，嚇得岸信介政府不敢接待艾森豪威爾，他訪日之行也就吹了。這次我們大可鼓勵菲律賓照來一次，使他不敢到菲律賓，臺灣自然就去不成了。」

陳毅陪笑道：「菲律賓政府最反動，和美國關係最好，我們怎能命令他們反美。」

毛澤東一瞪眼：「岸信介政府還不是同樣的反動，日本怎麼發動了大規模的示威遊行。」

陳毅看看周恩來正在閉目養神，只好硬着頭皮說道：「日本國內進步力量很大，還有許多職業示威者，只要我們肯花錢，什麼事都容易辦。菲律賓是個澈底反動國家，共產黨早被宣佈爲非法政黨，其他進步黨派都不敢公開活動，找誰來發動示威呢？」

毛澤東縐着眉頭想了一下，忽然說道：「有辦法了，上次李維漢告訴我，菲律賓有個進步華文報紙，社長叫做什麼什麼成的，思想很前進，可以讓李維漢去封信，要他想辦法，發動一次示威，阻止艾森豪威爾訪問。」

陳毅不敢開口，到是陳伯達看見越說越不像話，插嘴說道：「據我所知，進步華僑在菲律賓力量很小，靠他們去阻止艾森豪威爾訪問，成功希望很微。主席還是另打主意吧！」

毛澤東說道：「軟的不行，只有硬來了，我們出動空軍在南中國領空飛行，艾森豪威爾坐飛機來，我們就攔空揍他。另外出動華南，華東兩個艦隊，派蕭勁光率領在十二哩的領海上巡邏，艾森豪威爾坐軍艦來，我們就迎頭痛擊，誰叫他侵犯中國的領海。」

毛澤東說的興高采烈，周恩來始終未睜眼，陳毅却忍不住了，「噗哧」一聲笑起來。

毛澤東一指：「你笑什麼，是不是笑我吹牛。」

陳毅趕快收起笑容說道：「我絕對沒有這個意思，我只是想起我們的華東艦隊那些炮划子，同美國的航空母艦，主力艦一比，好似小孩子玩的汽船一樣，硬碰也就給他們碰碎了。」

毛澤東楞了下，點着一枝紙烟，也學周恩來在閉目沉思。

譚震林說道：「派飛機攔截的事，也要愼重考慮，記得幾年前擊落國泰航空班機時，我們兩架正在邊境巡邏的飛機，被美帝國主義飛機遇上，一分鐘不到，兩架飛機都被擊落了。就空軍來說，我們實在較美帝國主義差的太遠。」

毛澤東張開眼笑道：「你怎麼這樣傻，美帝國主義是紙老虎，我們只要擺出不惜一戰的態勢，他們就知難而退，艾森豪威爾也就不敢到臺灣訪問了。」

（一六〇）

音韻講疏（續）

中原音韻，音主中州，疏義所及，概以中州音爲準。顧所謂中原或中州者，雖係北音，實與時下燕薊之音有別。尤幸毋以時下注音國語相纏。論中原正音，須符切韻準則，泥古昧今，固難通達；舍中驚外，亦將扣盤捫燭。

薇史之言殆透澈已盡。按挺齋此輯，爲青原蕭存存托友張漢英來問，以其說間作詞之法；挺齋以爲欲作樂府，必正言語，欲正言語，必宗中原之音，遂分平聲陰陽，及撮其三聲同音，兼以入聲派入三聲，如鞞字次本聲後葺成一帙，分爲十九，名之曰中原音韻。茲由薇史在數百年後，爲之講疏，研曲者其有承矣。

憶玉軒雜綴之二

大釗罪咎

大陸的赤禍，在民國十年卽已開始，共黨徒衆潛伏國內各都市，到處活動，其目的多是誘若入彀，一沾上身，永難自拔，必至喪失生命，才告結束。南北兩地，各有一吸收青年的引導人，北有李大釗，南是陳獨秀，分在平滬兩地，遙爲響應，青年學子墜其彀中，不知凡幾。

民十三，張作霖踞故都，自攝大元帥權，知共黨煽動知識份子，從學生着手，乃秘密下令，逮捕首領李大釗，及脅從之徒，一夜之間，所獲黨人不下一百三十餘人，組織特別法庭，予以審問，悉皆招認活動不諱。案結，交京師監獄執行絞刑。

行刑之日，將一千人犯由獄中提出，問明姓名籍貫年齡職業，依次走入刑場上絞具，前者絞畢拖出，再及其次，陸續去絞。當已受刑之屍身，從未受刑者身旁拉過去，據獄中執行人事後相告，其中有年青之學生，不過十七八歲，約有廿餘人，看見行將及已，不禁悔恨萬狀，淚珠迸流，有如泉湧。蓋其內心萬分懺悔，不該貪圖微利，爲人收買。回想別父母，背鄉井，來此就學，現在學業未成，竟爾喪生異鄉，在此生死關頭，不免念及父母養育之恩，以及倚閭望歸，何苦到此田地。因是拉入行刑時，有已泣不成聲，暈絕不堪步履者。大釗中風狂走，雖其最後亦上絞合，自蹈其禍，但其最百身莫贖之罪咎，端在害死無辜青年，馴至今日整個大陸數億同胞俱受其禍，輾轉呻吟於無情的人間赤色煉獄之中，哀哉！

南宋偏安有人才
——李綱

李仲侯

、金將尼瑪哈攻太原，謀破諸縣，獨城中以張孝純固守不下。及聞斡喇布議和，亦遣從來求賂，宋廷不與；乃分兵趨汴，進屯澤州而自還雲中。繼而太原守將折可求，劉光世軍潰敗，平陽義兵亦叛，導金人入南北關取隆德府，至是遂攻高平。宰相吳敏李綱請遣城下兵追敵，恐倉卒無措，急徵追兵還。諸將已追及令人於邢趙間，遽得還師之令，無不扼腕痛哭。及綱力爭復追，而將士解體矣！

宋初振於斡喇布之軍，故事事悉如金所求，及汴金解圍，欽宗亦知和議之必不可成，遂盡罷去原主和議之臣，而保守太原，河間、中山三鎭，嚮不與敵。於是命种師道駐滑州，姚古判兵援太原，師中援中山河間。斡喇布行至中山河間，兩鎭皆固守不下，師中且進兵以備之，斡喇哈遂出境，宋急遣從迎上皇歸，汴京解嚴。

初徽宗南幸，被童貫、高俅等扈從所挾制。迎歸時，議遣聶山爲發運使往圖之，綱曰：「使山所圖果成，震驚太上，此變在陛下。萬一不果，此數人挾太上於東南，求劍南一道，陛下將何以處之？莫欲罷山之行，請於太上，去此數人，自可不勞而定」。上從其言。

徽宗還次南都，以書問改革政事之故，且召吳敏，李綱。或慮太上意有不測，綱請行，曰：「此無他，不過欲知朝廷事耳」。綱至，具道皇帝聖孝思慕欲以天下養之意，請陛下早還京師。徽宗泣數行下，問：「卿頃以何故去」？綱對曰：「臣昨任左史，以狂妄論列水災，業恩寬斧鉞之誅。然臣當時所言，以謂天地之變，各有類應，正爲今日攻圍之兆。夫災異變故，譬猶一人之身，病在五臟，則發於氣色，形於脈息，善醫者能知之；所以聖人觀變於天地，而修在我者，故能弭治保邦而無危亂之變」。徽宗稱善。又詢近日都城攻圍守禦次第，語漸浹洽；徽宗因及行宮上遞角等事，曰當時恐金人知行宮所在，非有他也。綱奏：方艱危時，兩宮隔絕，朝廷應副行宮亦豈能無不至者，在聖度燭之耳！且言皇帝仁孝，惟恐有一不當太上皇帝意者，每得詰問之詔，輒憂懼不食，臣竊譬之：家長出而強寇至，子弟之任家事者，不得不從宜措置，家長者但當以其能保田園之計而慰勞之。苟誅及其細故，則爲子弟者何所逃其責哉？皇帝傳位之初，陛下巡幸，適當大敵入攻，爲宗社計，庶事不得不小有所改革。陛下回鑾，臣謂宜有以大慰安皇帝之心，勿問細故可也。

（七）

新詞彙集解

悠悠生

常常聽到社會上流傳着若干政治性的新詞彙，殊堪激嘆。不揣譾陋，試作集解，以供讀者糾正。

「除良安暴」

對於馴良安份，不肯犯上作亂的羣衆或部屬，視爲無足重輕的庸夫俗子，稍不順眼，卽不惜予以打擊芟除；對於搗亂成性，隨時搞風搞雨，暮四朝三，表示反動言行的暴徒式人物，卻不惜百般撫慰，力求妥協，要錢就給錢，要官就加官，拉攏唯恐不及。這叫作除良安暴。

「黨異伐同」

對於志同道合的朋友，基於私人派系的成見，排擠傾軋，無所不用其極，平日對上峯縱然百分之百的忠誠不貳，只要有人揑造一些口實是非，打上一次小報告，卽認爲大逆不道，痛加撻伐；而素來站在敵對仇視立場，或以「第三勢力」和「社會賢達」姿態，極盡指斥謾罵之能事的異已者，只要在某種場合，表現妥協姿態，說出一二句中聽的言詞，就如獲至寶，引爲生死患難之交，忘記過去的一切。這叫作黨異伐同。

「勵精圖亂」

具有濃厚的事業心，懷着安邦定國的雄圖，宵旰憂勤，精力交瘁。但處事不得其道，用人不得其法，冥行暗索，不獲要領，結果是勞而無功，勤而寡益，求治愈切，而天下愈亂，終致折鼎覆餗，莫名其妙。這叫作勵精圖亂。

「發憤為雌」

「衝冠一怒爲紅顏」，這是爲着女人而拚命從事戰爭的備形，有史爲證的。此外用人行政，亦是太座至上，裙帶第一，妻黨滿佈要津，血緣支配政事，只要搭通了裙帶關係，紆青綰紫，從心所欲，胡行妄爲，毫無所謂，縱然闖下滔天大禍，亦可化險爲夷。這叫作發憤爲雌。

「破格用己」

只要是自己的私人，無所謂資歷，亦不必問出身，學識才能，更不足道。馬弁可以作將軍，司書不妨躋卿貳；還有戚誼、族誼、學誼、鄉誼、寅誼、世誼，以至金蘭之誼，無一而非「所識窮乏者得我」的儘先破格錄用者。至於一般的智勇辯力之士，憑着人事法規的限制，嚴格甄別，決不隨便任用，以杜倖進之路。這叫作破格用己。

海嶠叢談

談章太炎（三）

諸葛文侯

章氏在北京被軟禁了半年以上，所謂「孫文皇帝有高台」的仿唐詩，卽是此時寫出來的。袁世凱將國民黨勢力剷除殆盡之後，經黎元洪從中斡旋乞情，保證他嗣後不作政治活動，亦不再以文字譏刺袁政權，這纔恢復了自由，回到浙江家鄉，閉門息養，對國事很少發表議論，卽在洪憲帝制運動之際，他亦默然無聲，若依他的思想與個性而論，殊出意外，這證明袁世凱釋放他的時候，確係附有條件也。

袁氏既殂，黎元洪正位總統，章會通電擁黎，久蟄思動。大概元洪亦認定這位「章瘋子」不宜搞政治，從未加以一官半職，充其量接濟他的生活費用而已。然章氏仍不甘寂寞，當南北連年紛爭，政局俶擾不寧，西南湘滇黔各省倡言聯省自治時期，章又爲唐繼堯，趙恒惕等實力派助勢，贊成聯省自治之說。民國十年湖南省政府舉行縣長考試，趙省長特聘請章氏爲總主考，禮遇崇隆，得未曾有。章入湘主試，第一場所出試題爲「區田考」，數百名應試者，十九皆不知題義云何，相予譁然曳白，結果只錄取了八名未來的縣太爺。迨章氏離湘回滬之日，湘省府特致程儀八百元，派員賫送章之寓所，該員爲取信於長官，並邀會計手續起見，依例乞給收據，章聞之大怒，卽將八百元鈔票從窗口擲出，飛散地下，大罵「混蛋」不止，可見他對世故人情，完全不通竅。假使袁世凱或黎元洪，當年眞給他以正式的官職，不知其將要弄出若干怪事，鬧成幾許笑話哪！吾湘學人王闓運，當曾國藩領兵在江西祁門對太平軍作戰時，亦會親赴軍門，向國藩自告奮勇，願回湘招募一營兵力，統帶到前敵効馳驅，國藩笑謝之；王又向咸豐帝的軍機大臣肅順，自薦爲出使英國大臣，肅亦婉卻。後來袁世凱敎王氏作了一次國史館長，卽搞得一榻胡塗，終於將史館印信交給門人楊度保存，悄然攜其周媽出京南下，不復回頭了。章、王都是食古不化的書呆子，絕對不宜涉足仕途的。但章比王更熱中，所以他栽的跟斗亦就特別多。

章氏在辛亥年以前，一度受知於湖廣總督張之洞，應邀赴鄂，與張談論經學，頗爲投契。嗣章於對人謾罵康有爲的言論中，說康氏若想作皇帝倒沒有甚末，他竟想作教主，則荒謬已極云云。梁鼎芬舉以愬之張督，張亦駭然，祇好送盤川請他走路了。世人多以章氏爲現代的國學大師，又常從事革命運動，政府當年若聘任他主纂國史，允稱適才適事，其[illegible]性堅強，遇事專憑主觀論斷，他若修纂民國史，對孫先生必多微詞，而對黎元洪阿好溢美，信史之謂何呢？

章氏晚年講學蘇州，不問政事，可謂正業也矣。惜乎天不慭遺，未臻耆頤而下世，實爲中國文化上的一大損失；他自己亦不無遺恨吧？章有三女，長適龔，自經死，次未詳，三女現從投共份子章士釗司鈔胥之役，年亦逾五十矣。（完）

康有為的命名

丘峻

康氏命名之有實大意義者，尙有二三，茲一併記之如下。

康氏一生講學之地有二：前爲廣州之「萬木草堂」；後爲上海之「天游學院」，吾已記之。「萬木草堂」之義何取乎？自古道：「獨力難支，衆擎易舉。」又曰：「獨木不成林，衆志可成城。」又云：「大廈將傾，獨木安能支撐？」國家危亡，豈一人之力所能挽救？康氏滿目時艱，痛國亡之無日，急起圖存，望羣策與羣力，似此培養人才，實爲當務之急。培養人才，則愈多愈好，一人計短，萬人計長，將無往而不利。「作此也簡，將畢也鉅」，行見『萬木森森，百果具繁，左揜右擁，大嚼橫吞，其安能不別良楛，察宜否，審方製藥以饋於我四萬萬同胞哉！方病之殷，當羣醫雜沓之時，我國民分甘而同味焉！其可以起死回生，補精益氣以延年增壽乎？吾謂之然；人其不然耶？』此乃康氏「歐洲十一國遊記」之序文，實不啻爲其萬木草堂選景的寫照。原萬木草堂之創立與命名，竟在斯手！

（四）

寒夜讀古人思親憶子諸什感而不寐

夏日晴

眞箇衾如鐵，居然氣不屛；
和衣連夜起，引領望春還。
骨肉誰能割？亂離自長姦！
歌謠徵世變，里巷弗容刪。

內僑警台報字第〇三一號內銷證
自由報
THE FREE NEWS
第二九七期
中華民國僑務委員會頒發
台社僑字第三二三號登記證
中華郵政台字第一二八二號執照
登記爲第一類新聞紙類
（半週刊每星期三・六出版）
每份港幣壹角
台灣零售價新台幣貳元
社長：雷嘯岑
督印人：黃行賓
社址：香港銅鑼灣高士威道二十號四樓
20 CAUSEWAY RD 3RD FL
HONG KONG
TEL. 771726　電報掛號．7191
承印者：田風印刷廠
總社：香港灣仔高士打道一二二號
台灣分社
台北市西寧南路壹壹壹號二樓
電話：三〇三四六
台郵撥儲金戶九二五五號

由布哈林等恢復名譽說起

·鄭學稼·

對中國二十年代青年思想有影響的俄國共產黨人，筆者認爲是：哲學家傑波林，經濟學家盧彬，共產主義理論家布哈林和拉狄克。

在這四個人中，命運最好的是傑波林。他只受斯大林的公開斥責而沒有受迫害，到晚年還保有科學院院士的身分。盧彬被捕後會被特務押往「孫大」上課，最後「失踪」，據說充軍和死於西伯利亞，罪名是孟什維克。布哈林和拉狄克，是莫斯科大冤獄的主角，前者承認反斯大林而不承認「賣國」，後者和斯大林的特務合作演出大慘殺案。結果布哈林被槍決，拉狄克判徒刑。據當時傳出的消息，徒刑中的拉狄克仍舊爲「消息報」寫斯大林所要寫的文章，約在納粹德軍進攻俄國時「死亡」。前月莫斯科廣播說：布哈林和拉狄克都恢復了名譽，他倆的家屬已領到撫恤金。

拉狄克對中國青年的影響，是一部「中國革命運動史」。就目前我們的文化水準說來，那不算是一本「名作」，在二十年代末和三十年代初，它的方法論卻影響了許多人；無需說，在「孫大」讀書的共產黨人或非共產黨人更早地受它的影響。此外，拉狄克之有名，爲着他是「孫大」的首任校長，和他在西方是布爾什維克的大政論家。筆者在「斯大林眞傳」中曾花些篇幅寫拉狄克的悲劇！

盧彬的生史，對當日青年是不大明白的。可是他的「經濟思想史」（有陶達與李麥麥——筆名沈韻琴兩譯本），「西方經濟學家學說的批判」（？）（嚴靈峯譯），和「論李嘉圖和一般古典學派經濟學說之基本特點」（林一新譯），對我國當日的經濟學研究者發生頗大的作用。可惜，自該兩書出版後，斯大林整肅盧彬，中國共產黨人或他們的同路人馬上接受斯大林御用學者拉皮達斯的著作。在初期，拉氏的著作中，還批評盧彬（當然是歪曲的），後來到三十年代，不提盧彬，因此，中國共產黨人或左傾青年大多數不知道盧彬的思想。筆者約在一九三〇年以「先讀爲快」的心情，讀過友人翻譯的盧彬著「勞動價值說概論」。這本三十萬字大作，本來預定由神州國光社出版，後來連原稿都失落了。讀了那本書，筆者乃能夠無多大困難地了解「資本論」的第一卷第一編；十年後，完全明白盧彬的主要論點，源自費爾希丁的「龐巴衛克是馬克思批評家」。盧彬的抽象勞動論，是十九世紀末和二十世紀初德國社會民主黨人的觀點，它雖然言之成理，可是與馬克思的辯證唯物主義頗有矛盾。一九四八年六月筆者遊東京時，曾和小泉信三博士討論這一學說，十分驚訝的却是他說日本人都不知道盧彬的著作。一九五九年，筆者讀英國米克（R. L. Meek）著「勞動價值說之研究」，感到這位格拉斯哥大學政治經濟學講師，雖然以保衛馬克思主義自命，而對於馬氏的價值論却是昇堂而未入室。可是，似米克的著作，美國經濟學家是寫不出來的。

本文的目的是說布哈林。他生於一八八九年，也就是十月革命成功時，他只有二十九歲。他的廣博知識，他對西方文化約了解，他對馬克思主義文獻約熟悉，使列寧承認他是布黨最年輕和最優秀的理論家。他在當時俄國青年中的威望，不亞于列寧和托洛茨基。他在布黨中央的地位，由布列斯托和約爭論時，他是列寧的堅定反對者一事，證明是不亞於列寧。二十九歲人，在布黨中有上述的記錄，眞是罕有的。自布列斯托和約訂立後，他以「左派共產黨人」領袖與列寧鬥爭，到鬥爭失敗，他似失去戰鬥意志，先跟列寧走，後跟斯大林走。儘管他繼季諾維也夫担任第三國際主席，和在布黨政治局中是右派反對派之一領袖，而他却不敢堅定地與斯大林鬥爭。到右派反對派失敗，他任眞理報編輯，倫生地寫「斯大林主義的哲學」和起草「斯大林的憲法」，而被恭維者斯大林對他的報酬，却是前述一九三八年大審判結果的一顆子彈。

布哈林最著名的著作，是和普列奧布拉秦斯基合作的，出版于一九二二年的「共產主義ABC」，中譯本出版于一九二六年一月。最先出版者是「响導」，後來改了書名，會躲過檢查官吏的眼睛而在上海各書店中發行。這部深入淺出的書，對中共初期黨員的影響，只有李季的「馬克思傳」上卷可以對比。史諾在「西行漫記」中如此地記載彭德懷的傾向共產主義：「布哈林的『共產主義ABC』對於他好像是『第一本提出了一個切實而合理的社會及國家形式的書』。」大家都知道：彭德懷不是純粹知識分子。那時的左傾學生受「共產主義ABC」影響，即此可以概見。

布哈林第二部中譯的著作是「歷史唯物論」。它有三個譯本，據筆者記憶所及，許楚生（德珩）和彭述之皆是譯者，彭的譯本是直譯自俄文，許是譯自法文。這本書，給當年共產黨人或左傾青年以明確的馬克思主義社會學。大概到了三十年代中葉，由於布哈林的失勢和被殺，該書被官方和中共同時禁止。因此，在對日抗戰時期和抗戰後加入共產黨的人，連經濟史觀和唯物史觀都不能分別，卻大言不慚地吹他自己的「博學」。

布哈林第三部中譯的著作是「有閒階級經濟學」。它的譯者劉曼，可能是根據日、英文轉譯的。這部書，給當日流行之奧大利學派以很大的打擊，使大學生走向馬克思主義。

布哈林還有別的著作，筆者不再引述。前引三部書，給中共訓練了許多幹部和吸引許多知識分子傾向共產主義。布哈林著作有一特點：深入淺出，博引羣書，和對西方各種思想的深刻了解。他使着自己的作品，獲得本國許多的擁護者，在其他國家也有廣大的讀者。

爲什麼「十月革命」會產生那麼多的思想家和理論家呢？貝爾查也夫會指出一點：在十月革命之前，沙俄已開始文藝復興，布爾什維克建立政權，卻摧殘了俄國文藝復興的發展。這些話是可信的，但應補充一點：在十月革命政權成立初期，未曾阻礙文藝復興，阻礙甚至摧殘它的，該在列寧將死前和死後。當革命成功，許多馬克思主義者（按「列寧主義」一語，當列寧生時是罵列寧的，到列寧死後，季諾維也夫和斯大林用「列寧主義」反對異己），由西歐回來，各自發表自己的意見，那眞是百家爭鳴的時代。在那時代，除了傑波林，盧彬，布哈林，還有二十年代中國知識分子熟悉的歷史家波柯洛夫斯基。波氏的主要著作，很少中文譯本，但有幾部英文本和日文本。

這些老馬克思主義者，長年亡命西歐，吸收西歐各國馬克思主義者的思想。俄國人，在拿破崙王朝前，是法國文化的讚者，到後來轉而接受德國文化。德國人乃成爲俄國人的主人和教師。在俄國文學中所描寫的英雄性格，實是德國人。譬如「尤金．奧尼庚」的林斯基，留學德國，讚美康德，後日充當似席勒和歌德的詩人。十九世紀末，左傾和右傾的人，都是受德國文化的影響者。就由上述的原因，俄國馬克思主義者比其他國家的同志，更了解黑格爾，費爾巴黑，馬克思，考茨基，費爾希丁，梅林等人士。十月革命後，那些人們返俄，發揮馬克思主義，因此，那時期的著作多是馬克思主義史中有智慧的作品；可是，十年後，它被列寧主義和斯大林主義所吞沒。知道這一點的人，就容易明白何以斯大林時代各國共產黨——尤其中共黨員——的特長是特務，是以發揮特務的手段而生活，一切作品少有知識可言的所以然了。

馬克思主義到今日還能存在的是什麼，是一個謎題：它的辯證唯物論，難與當代物理學相和諧；它的勞動價值論，不合生產自動化的時代；它的社會學——歷史唯物論，不能說明落後國家可以首先發生蘇維埃；它的政治學——無產階級專政，實是新階級對無產階級專政。可是，在它的文獻史中，却留下本文所說的布哈林等的著作。這些著作會影響一個世代青年的思想，到最後呢？他們或和布哈林等一樣受共產黨政權的整肅，或者他們的思想被共產黨政權斥爲異端。就爲這個原因，在今日中共領導層中見不到布哈林一流思想的影子；彭德懷勇敢地批評毛澤東的人民公社，也許是由於他的思想中留有布哈林的分泌因素。當布哈林等人恢復名譽的目前，回顧他們對初期中國共產主義運動的影響，并非沒有意義的事吧！

行不通

沒奈何

自由談

談好諛惡直

好諛惡直，人情大抵皆然，此乃人類與生俱來的天性，不僅是政治人物有這種毛病而已。貴在隨時能警惕此病，力加尅制，而使幸小人即無從干祿作祟，政治庶有清明之望。

史稱唐太宗李世民能納諫容諍，故其治績特優，垂範於後世。然他亦會嫉忿魏徵面折廷爭，給他難堪，而有「撲殺此獠」的意念，幸夫人長孫后婉詞解譬，他亦猛省自律，終告釋然。可見居政治高位者欲除「好諛惡直」的痰疾，殊不容易，非有大智大勇的精神，又濟之以學識修養，曷克臻此！

不過，在一切阿諛逢迎的氣氛中，一些肉麻當有趣，故作忠貞的詞色，憑直覺的常識判斷，亦可知其爲詐僞之徒，大可辨別而拒却之，實非難事。譬如：見着長官言事而表示不敢就坐，雖坐亦只僅及半臀，或不擇時地而睛呼「萬歲」之聲，或無論在任何場合，皆將「擁護領袖」這句口號掛在唇邊，乃至於對長官夫人亦大呼「萬歲」等等做作，受之者亦覺齒冷難耐，以其逾越了禮節的尺度，古人所謂「禮踰分，則僞也」。若視這類人士爲忠貞幹練之才，必然小人道長，君子道消，僉壬盡列廟堂，而國危矣！

實則凡屬謇謇諤諤，面折廷爭的人，內心上都是極端忠誠，唯恐其不得「致君於堯舜」，故爾殫精竭慮，披瀝所見，以供採擇，其言縱有不當，亦不失爲參考資料。這猶之乎私人朋友相處，能夠當面勸善規過者，即係發於愛護的心情，恨鐵不成鋼也。如其好歹皆表示不屑過問，那就是由失望而絕望，連普通友誼亦消變了。

政治上若盛行好諛惡直之風，社會上即多見其爲置理亂於不聞的消沉狀態，眞正有爲有守之士，相率以明哲保身，莫談國事爲生存原則，只有一般唯貪得個人利慾是務，而以阿諛倖進爲能事的僉壬們，得其所哉。這些淺明的道理，人人皆能知能言，然一旦設身處地，却明知而故犯之，其故安在？我認爲讀書不讀書的關係最大，此外即很難尋出正確的解答了。

馮正先生

香港與大陸

中共最近又在興梅地區，大規模地強迫農民進行築水庫和修水圳之工作，被征集的農民須攜帶行李在工地上住宿。有不少老弱由於支持不住，紛紛病倒，甚而暴死荒野。

據甫由梅縣來港之僑屬劉太向記者透露：中共每年例行之興修水利工程，秋收後又開始了。劉太的家隸屬於梅縣丙村公社，一月前，該公社共幹曾召集全體社員開會，主要用意在動員全體社員投入冬季水利建設。

劉太說：梅縣地區今年冬季要新建二座大型水庫和十多座小型水庫，並要修整十多座大小水庫，共需挖掘土方爲五千多萬立方米，任務甚爲繁重。廿天前，中共梅縣縣委會要每一個公社撥出完額勞動力去參加此項水利建設，劉太所屬之生產大隊一共有九十多戶人家，但卻要分派一百名勞動力前往參加，由於名額多，不能討價還價，故有不少老弱亦被派去了。劉太有一位堂兄劉仁×也是被派參加修水利工作者之一，於半個月前便被驅往六十多里外的艾子坪山地修水庫。

荒山野嶺。日日夜夜
冬季水利工作慘不堪言
傷病纍纍。命案頻頻

這個水庫計劃蓄水量四千一百萬立方米，要挖土方一百多萬立方米。參加此項工作的有數千人之多。

劉太的堂兄劉仁×最近曾來信告訴她說：他們每天由早上五時做到晚上七時，共爲十四小時之工作，有時還得開會或夜戰。共幹採用競賽的方式，以生產大隊爲單位，在放工時即派專人負責統計，再加以評比；若連續三次評爲落後者，則全隊成員處罰夜戰，一直到趕上「先進」爲止。劉仁×所屬生產大隊就曾因爲落後而被強迫夜戰，他（她）們挑泥要走得快，坭担又要裝滿，而晚上工作沒有燈光，苦不堪言，病者不計其數，往往更鬧出命案。

來信說：像十二月六日由於天色漆黑，若干生產大隊偏於那時被罰夜戰，大家已做了一整天的工，疲乏之極，表示支持不住，但共幹不答應，祇好賣命做下去，卻終於出了事：一個壯年農民，他被派用獨輪木車運坭土的，在中途支持不住了，幾百斤的坭車，便連人帶車由山坡滑下，直衝山下的人羣，結果當場便死了兩人，傷了三人。

劉太亦曾親自參加過冬季修水利的工作的，她說：住在山間，十多天不洗臉是尋常事，長時間苦工，筋疲力竭，又凍又餓，眞不是人的生活。（敬斯）

政治猴子戲傳來內幕
尼赫魯心狠手辣拒絕和談
哥倫坡六中立國咸表不滿
認其祇顧自已得利「害人不淺」

（本報哥倫坡航訊）在此間舉行的六中立國會議，揭幕之日，即本月十日，尼赫魯便在印度國會聲言拒絕以中共所提出的條件談和，他說印度準備作戰五年甚至更長久，以爭取最後勝利，並強調印度必定能夠取得最後勝利。

這當然還不是尼赫魯印度對中共所提割地求和建議的正式答覆——正式的答覆必需是白紙落黑字，以照會方式致予中共，纔能算數。但鑒於尼赫魯的話說得那麼肯定，印度國會且通過一項決議，表示擁護尼赫魯政府的政策，則在將來它給予中共的正式答覆，其勢必不會改變這個決定。

尼赫魯的這項表示，於當晚傳抵此間，許多人都大感興趣，急欲知道參加六中立國會議的代表們意見如何？這會議到底還要開下去？抑是趁此收拾鑼鼓，一鬨而散？確實，假使這會議眞是爲了要勸使中共與尼赫魯印度棄戰言和的，尼赫魯這表示無異於向會議迎頭潑出一盆冷水：這會議實在已沒有開下去的必要，否則開下去亦無非白開，徒然的勞「官」傷財，無補於事。

但因爲出席會議的六國代表，都守口如瓶，不肯講話，人們祇能從他們那種慘些些而倘貌爲興冲冲的表情，去理解他們畢竟想些什麼。十一日的會是繼續開了，當然十二日還會繼續的開，以實踐三天會期的原定計劃。祇是，早在會議開鑼之前，大家就認定它僅爲一齣政治猴子戲，其用意僅在虛張聲勢，欲藉以欺人自欺，表示中立或稱不結盟主義者，倘未屆臨末日，還可以騙人亦騙自已下去。他們的目的既然在此不在彼，會議開下去自屬當然，儘管其絕不會有什麼收穫，可不言而喻。

而正由於六中立國會議目的在於挽救他們那個「主義」之免於死亡，此間人士的意見，尼赫魯的那麼一項表示，更確實給予這會議甚沉重的打擊。因爲，講中立，講不結盟，尼赫魯是始作俑者，資格最老。現在，尼赫魯卻事實上已棄中立，不結盟如敝屣了。這說明，這「主義」不但已走下坡路，正式宣告壽終正寢，亦已爲期不在遠矣。

此間人士認爲：尼赫魯居然大講硬話，宣稱不接受中共割地求和的條件，要長期作戰，爭取最後勝利，其情固壯，而其心則可誅。尼赫魯統治印度十五年，其作風可以「損人利已取巧投機」八字概之。他當年的標榜中立，不結盟，固係爲了損人利已取巧投機；他如今已事實上仍棄了中立，不結盟，卻仍然開口不忘中立，閉口不忘不結盟，便仍是爲了損人利已取巧投機；在印邊之戰上，尼赫魯印度打敗仗反而可得中印邊境東段中國土地五萬方哩，已開歷史未有之先例，固然這是中共的不成材有以使然，乃尼赫魯猶以爲未足，還要爭邊境西段之地，說是非如此決不談和，雖因此送終中立，不結盟亦無所顧惜者。（關於這一點，應予大書特書的：據傳說會議六國代表曾爲之大搖其頭，頗有「尼赫魯害人不淺」之意），分明便是他認定中共不敢打，不能久打，故而貪得無饜，要詐騙勒索更多的中國土地，仍然還是損人利已取巧投機的作風之應用。

由於尼赫魯有了此一表示，此間人士的目光，已轉而注意中共的反應：中共將何以爲計呢？還是繼續的片面停火？片面撤兵？甚至進一步的滿足尼赫魯的要求，再多割讓中國土地，藉以苟延殘喘其政權？（濟、十二月十一日夜）

工展會慶祝耶誕
普遍響應特價週

（本報訊）香港第二十屆工業展覽會爲迎接耶穌聖誕佳節，與廣大觀衆同伸慶祝，曾組慶祝聖誕小組，商酌進行，該組經初步研議，決定特製高達十二呎的巨型立體聖誕老人一個，及高達二十呎的聖誕樹數株，將分設於大門樓及場內「愛園」，同時全場燈飾由光明燈泡廠全部報効，另由大會徵集部徵得各糖菓餅乾廠號捐出大批糖菓餅乾。屆時且將由大會首腦扮演聖誕老人，將糖菓及首輪影院戲票分派與場內小童。

▲又大會各攤位爲響應宣傳部發動的「聖誕特價週」，參展者先後紛紛響應，有低至五折者，最少亦達九五折。識價買平貨，此其時矣。

▲工展會第二次服裝表演，定十九日星（期三）下午七時舉行，二次服裝表演舉行前，將由大會名譽會長余達之、徐季良、朱石麟致詞。爲使更多觀衆獲得欣賞，這次工字型表演天橋將比前次伸前四尺，同時後台亦加濶。

▲工展會舉辦幸運日，十七日爲第三次。凡購預售票或循輪旋機入場的遊客，均獲一幸運號碼，十五名幸運兒中，首、二、三名各獎大昌洋行倫天樂送出的飛達錶一隻。東藝塑膠廠加贈首名藝術宮燈一對。如幸運號碼背後印有南順公司廣告者，又可獲得南順公司加送首、二、三名金鍊一條、禮物一份。

此次幸運日，由廠商會某會董送出港九首輪戲院戲票一批，大會決定在幸運日抽獎時加抽幸運號碼五十個。

▲工展會第一街寶富油廠攤位所出售之三馬牌神效甘活油，原價每瓶五毫，即日起降價爲二毫。據該廠主人稱，此舉係基於「濟世活人」之宗旨。（白）

黃杰上任十天來

—本報台中記者熊徵宇—

一、制度化

台灣省政府新任主席黃杰，就職以來，今朝十天，若要論其新猷，當然太早，但是從他這幾天的言行裏，也就可以體會到這位省政主持者的原則和方向。

他在首次記者招待會和第一次主持的省府委員會議席上，先後表示，今後的省政工作，重心在於繼續執行前主席周至柔任內尚在執行的，各項經濟建設與地方建設的計劃。他提出「用人唯才」的原則，說要切實建立人事制度。

他一再表示，他絕對不下條子派任一人，寧可一個人情不講，得罪全部的人，而不爲一個人請破壞制度，浪費職位。他要人事處擬訂辦法，使各單位人事對流，使人盡其才，學以致用。

他強調施政要制度化，公文的處理要依照程序，并提高效率。

他說：希望今後各廳處多以電話協調，不要完全依靠公文週轉。凡屬附屬單位的公文，一定要送主管廳處核辦。而呈送主席的公文，一定要先送秘書長核辦。而呈送主席的公文，一定要先送秘書長核辦。他個人，決不逕行批示。

他認爲省政上各種工作的基本精神，在於「節用愛民」；主張提高員工福利。

有些人，不過認爲他這些觀念和主張，不過是一般官場的常談，不過是一些事務上的強調，而對省的政務，缺之高遠的籌劃，是沒有遠景的「家務事」。

但我覺得，這些都不失其爲針對積弊的做法，對於省政的影響角度很寬，也很廣泛，是可以立竿見影的，若能完全做到，也要有持久的魄力，在革新庶政和整飭政風上，都具有重大的意義。

二、麻將

黃杰這幾天都坐鎮中興新村，住在台灣銀行中興新村的招待所。他曾「緩步當車」的由招待所徒步到省府大樓辦公室，看過福利社經常放映的末場電影，一切都是輕從簡樸，非常安詳。所以在氣氛上，使員工們覺得寧靜，不認爲新主席來，在他們的職位和生活方式上有什麼變化。只是有人說，黃杰對麻將沒有興趣，可能要禁止員工們搓。這使大家有點發慌，因爲二千多戶的員工家裏，起碼有五百桌麻將，每逢週末禮拜和假日，都得上場，如果嚴加取締，這五百桌的「散兵遊勇」就六神無主了。

中興新村，離南投縣城不近，距台中市更遠，而來回的車費，足夠一天的菜錢。要是不准搓小麻將，他們就走投無路了。

這幾天，麻將還是在搓，只是桌子上的布鋪厚了一些，不像往日在人行道上就聽得到「劈拍」和叫「臘子」的聲音了。

三、痛快

這兩天，還有個傳說，說是黃杰認爲員工們的生活太清苦，打算每一職員加發福利金二百元，工友折半，在本薪外加發一百。

這消息，引起每個辦公室的鼓舞；對於員工的情緒，等於打了一針，果如是行，都會興奮。這比任何改策綱領的反映都快。

十二月八日是星期六，黃杰對員工們宣佈了第一道命令：每逢週末下午，廳處自由辦公。這道命令，引起中下級職員和工友們的鼓掌。因爲省府自從由台北疏遷到中興新村以來，各廳處的首長和多數科室單位的主管，都是星期五的下午便溜回台北去了，只有股長以下的職員們守着辦公室；而星期六的下午不上班，仍屬曠職。

黃杰明令自由辦公，是一種公平的做法，實際上，中興新村週末的辦公情形，等於是零，索性自由，反而痛快。他們寧可輪流值日，大家放心去玩。

四、觀光

黃杰對於員工福利非常重視，責成前任交通處長現任省政府委員的譚嶽泉負責去搞，並且指示財政廳支援經費。

他希望辦福利的單位，在舊曆年關裏，能有廉價物品供應同仁。

這位新任的省主席，要有關單位把中興新村的環境衛生搞好，然後推展全省。他已通飭各廳處，遴選儀表端正，能通台語和英語的大專畢業生，担任導遊人員，在中興新村設置觀光導遊機構，配合觀光事業。

「事事請示」，是黃杰反對的。他要各廳處依照「分層負責區分表」與有關規定，各就本身職權範圍裏謀求解決。尤忌拖延與敷衍。

他宣佈，明年春天開始，到各縣市去看看。

五、要大肩力

黃杰上任十天來，提出的主張和策劃，都是從基本上做起的，重制度，講效率，腳踏實地的先解決必需性的問題。我想在他分別聽取了各單位的主管人員報告業務情況以後，在政務上也會有切實的主張，和辦法。台灣省政，要興革者多，尤其是各廳處所屬的業務和法令上，有很多人爲和積弊的問題，都需要有大的腕力和一些創造性的精神，去打破因循與傳統，糾正那些積弊。才能拓展省政的前途，才能使「以農業支持工業，以工業發展農業」，謀求全面經濟發展，進入工業社會的基本國策。才能配合備戰反攻的要求。以一省的土地，應全國的要求，台灣省政的負荷是沉重的。但願這位六十初度的四星上將，以其大的肩力，給省政帶來更多的革新！（十二月十日）

戰鬥中成長的越南國軍

·西貢通航·

（四）輜重兵——越南共和軍隊之輜重兵團是運輸小團，組織包括有多個大隊及分隊，由於有充份的運輸裝備，加以各輜重兵幹部富有胆量及經驗，因此都能迅速爲各個戰場負責補給達到美滿結果。每年輜重兵所運輸物料超過三十萬噸，行程達數百萬公里。此外，軍用火車部門從事運輸軍隊，武器，軍用品等事宜，亦出了相當力量。

（五）傳訊兵——越南共和軍隊傳訊兵種從事搜索敵方秘密電碼及迅速發佈軍事消息，協助友軍造成主動優勢。現在傳訊兵種已有百份之九十獲最新機械裝備，以適用每一戰場上需要。去年傳訊系統已在各個戰略邑中設立，對殲擴越共之游擊戰術頗著效能。

（六）傘兵——降傘兵種是越南共和軍隊之優秀兵種之一，降傘戰士在各個戰場上衝鋒陷陣，越共部隊每發現紅帽軍人莫不驚恐非常。由於屢獲戰功，因此降傘兵團獲命名爲百戰百勝軍隊。

（七）別動軍——這枝軍隊雖屬新成立，但是由於所立戰功顯赫而告噪名，這一兵種在戰場上是具突擊或伏擊的特別才能的。由於接受特別訓練，在兵士及幹部都有忍受艱苦之精神，因此，別動軍兵種在進行游擊戰或遭遇戰中，均有出色表現。

越南空軍經過八年改進，已長成爲聯合飛行國大單位，去年，越南空軍在各次進行消滅領士上越共之各個機構據點時，其優良技能已獲顯著證明，尤其是在廣南、廣義，崑嵩等地轟炸越共基地時，曾消毀敵方數百間屋及數十個武器倉庫。

在平定行軍之「鳳凰飛」「直昇空運」各次戰役中，空軍已將越共行伍擊潰，敵方遭到慘重失敗。現在，越南空軍仍經常增强改進，並建設最新噴射機場，使成爲東南亞第一級機場。

越南海軍之組織分爲：「海上」「內河」及「衝鋒團」。關於戰鬥方面，在特殊的越南戰場上，海軍在每一環境中，自細小涌流至巨大江河都能表現其有效能力。越南有二千公里長的海岸，南區的各個沼澤地帶都在其保障下獲得安寧，這是海軍所得功勞的一項具體憑證。

屬於海軍的海軍陸戰隊亦是以勇敢著名，它曾與降傘部隊，別動軍，互相配合，消滅不少越共主力單位。現在越南海軍已收穫甚多輝煌成績，將來定可成爲世界海軍會員之一。

越南共和軍隊之一項最大的勝利是軍役及後備軍人入伍運動獲得良好反應，熱烈參加，報到比率已增至百分之八十五，使兵源從此不愁或缺。

八年來，越南共和軍隊已進步到長成地位，這是操場上之努力及經過多次大規模行軍，尤其是每次戰役都得到輝煌勝利有以致之。打敗越共，替民衆帶來安寧與秩序，在八年經驗及雄厚裝備下，越南共和軍隊已獲得充份信心。（下）

天南風光

——沙羅越的歷史——

朱淵明

當時羅芳伯若果再前進一步，可能會越過「三發」，而將石隆門的礦區攘奪置於蘭芳公司之下的。幸而嘮子們見機，與之講和，遂爾停止擴展。然而嘮子生存之區，是沒有什麼疆域的，焉知當時退處「三發」以東的嘮子，不逐漸移徙至石隆門，乃至古晋一帶呢？這種民族與部落內遷徙，在歷史上乃係常事，因之也可能影响到沙羅越以及印尼的歷史過程。而況在羅芳伯建國以前，西婆羅洲坤甸一帶，原是在北婆羅洲「渤泥」王朝所隸屬的十四州以內的。

例如在西曆一八五七年，英人「布律克」已統治沙羅越期間，在「石隆門」開金礦的華工，竟然聚集一千餘人，乘夜從石隆門（距古晋只廿二哩）突襲古晋「布律克」的王府，致布律克倉皇泅水而逃。後經平定，將變亂之華工，聚殲於石隆門的一個山洞中，到現在該洞還是鬼氣森森，無人敢進去，人們都稱之爲「鬼洞」。而那些變亂的華工，多是客家人，並且多是從西婆羅州之「坤甸」及「三發」來的。那時距羅芳伯在坤甸開基創業的時間已八十年，蘭芳公司雖猶存在，但已徒擁虛名，實際受荷蘭人控制，自然難以有爲。於是採金工人，紛紛越山而至石隆門，及至人多勢盛，遂爾演成變亂，這焉知不是受了羅芳伯故事的影响呢？

再說，羅芳伯當時所創的基業，實較現在沙羅越所有的領士爲大，依照地圖所繪，兩相比較，即可明悉。

沙羅越現時之領士，爲四萬七千五百平方英里，而羅芳伯所統領的，北起「三發」（Sambas）南至「加巴士柯」（Kapuas），東以加巴士河上游的「新董」（Sitang）爲界，西至於海。其面積當在五萬平方英里以上。

據羅香林氏「西婆洲羅芳伯等所建共和國考」一卌八頁所述：（十三）

心道篇

林人公

讀報有感隨筆四則（四）

但很不幸，龐大無比的教育行政經費雖已完全用去，而一九六二年要完成的「小學義務教育」的諾言卻沒有兌現。且自此「借題」一拖，那些「民選」議員並不見爲「民」而「非議」，這大概是大家都「心知肚明」，「錢」既然已完全化掉在那些「皇皇校舍」和一些年青，活潑，天真，時髦的新教師的待遇之上，那還怎能使「多數的失學兒童」有學位，有書讀呢？但這麼一來，所謂「斷本教育」的斷本，便斷本得很不值。這是說，「錢」是化在不正確的對象的身上，多數市民的子弟因爲失去義務教育的機會，甚而用錢取得一個學位亦不可得，他們對這樣的「斷本生意」，自然沒有鼓掌的興趣。

再說，不獨是傳言，而且是有目共睹，香港自有所謂檢定的甲級教師待遇，與私校教師待遇的分別以來，一些攀龍附鳳而獲升級的教師，他們便以請宴示威，藉以表示他們從此脫離「窮根」，表示他們從此和私校的教師階級不同；有些自此由五仙一毛的麻雀，改打五毛一元，或一元二元；有些自此賭馬亦更是活躍，對馬經研究的經驗，比他們所担任的課程更勝十倍；有些常常留連於小舞廳，或經常留連於夜總會……這些，是「斷本教育」用錯對象的說明。

可憐失學的孩子，徘徊於皇皇學府的大門前，看到那些穿着漂亮，打扮時髦，出入馬場，在酒館留連打麻雀的教師們，怎不羨慕？怎不急於求入學讀書，也好早些畢業，得有這樣的「優差」？可憐老教師，失去證件的有經驗教師，他有一個甲級教師待遇的學生，他卻沒有當一名教師的資格，他祇躲在陰暗處，爲那些好收入的教師改卷。至那個好收入的教師呢？改卷「闊人」，老子有的是錢，節目多的是，那有時間呢？

很不幸，這並不是有教育成績的社會，這祇是教育的羞恥。而尤不幸，這樣的「教育成績」，是由「斷本教育」的「斷本」所造成，人們怎能爲這樣的「斷本」而鼓掌呢？

三、這是個沒有教育的時代

在地球上看到的太陽祇有一個，月亮也祇有一個，而且從來都沒有變，永遠都是老樣子。外國的月亮，決不會比中國的圓，除非你的心理不正常，生理有了變態。但是，人類就不祇一個，因爲太多，而且年代越長，數目也隨而升高得更多，那就不比太陽和月亮一樣，永遠是老樣子，而是不斷變，太多變。地球上的國界如是，國家的名稱如是，一族如是，甚而在同等的職業圈亦是如是。

現在就讓我以末句爲例，看看這個世界是變動得如何之淒厲悲慘。

瀛君續夢

烽火照邊陲　同囂難濟
樓船碧橫海　大憝興悲

第六回：

陳伯達說道：「我想主席下命令時，最好帶點伸縮性，加若敵人軍力強大，我空軍千萬不要出動，以免吃虧。」

毛澤東想了一時，回頭向陳毅說道：「你是實際帶兵打過仗的，你對目前局勢的看法怎麼樣，我們用什麼辦法來對付艾森豪威爾。」

陳毅陪笑說道：「我雖曾經帶兵，但是那時的形勢和現在不同，過去的戰術目前已不適用，加上我這幾年從不問軍旅之事，對於軍事完全隔絕了。好比一個舞女嫁人多年，三步四步的跳法都忘光了，現在問她扭腰舞怎樣跳，她那裏說得出。」

陳毅只顧自己說的高興，毛澤東已經聽不下去了。回頭向周恩來說道：「就政治觀點來看，你以爲艾森豪威爾去台灣，對於我們會有什麼壞的影响。」

周恩來說道：「影响可是多了，我們多年來就致力挑撥國民黨同美國的關係，雖然沒有顯著成效，我們仍然向這一目標去努力，現在經艾森豪威爾訪問台灣之後，這一個計劃是徹底失敗了。另一方面國內的反動派及未經改造好的地主階級，聽到美國總統到了台灣，必然又加强造謠活動，也將增加對內困難。」

毛澤東想了一時，說道：「目前唯一可行的辦法只有從軍事方面着眼，我們若能在艾森豪威爾訪問台灣期間把金門攻下來，就可以扭轉劣勢了。」

一聽說毛澤東要攻金門，四個人互相看了一眼都不出聲。停了幾分鐘，周恩來站起來說道：「國務院還有幾種要公待辦，主席沒有什麼事吩咐，我就回去了。」

毛澤東點點頭。陳伯達和譚震林也都說有事要回去，陳毅也趕快站住來。毛澤東一擺手：「你們三位回去好了，陳毅同志不要走，我有事同你商量。」

陳毅嚇了一跳，只好坐下。等到三人走出去之後，毛澤東說道：「你不要儘是油腔滑調，你講一句實話，到底金門目前打得打不得。」

陳毅陪笑說道：「我一開口，主席又說我講話不老實，目前的軍事情況我一點都不知，究竟敵人有多大兵力，我們的力量能打多久，這不是紙上作戰，只要有人就成了。主席怎麼不找林彪，羅瑞卿幾個人談談。」

毛澤東想想也對，按鈴叫田家英打電話去找林彪，羅瑞卿，蕭勁光，劉亞樓。不到二十分鐘都來了。

陳毅先開口說道：「主席，這是軍事會議，我不方便參加，讓我回去好吧！」

毛澤東一瞪眼：「是不是又約了女人在北京飯店等你。」

陳毅不敢再開口，只好又坐下。

毛澤東轉過臉向林彪說道：「艾森豪威爾最近要到台灣訪問，這是找上門來欺負我們，若不給他個顏色看看，美國以後更看不起我們了」。

林彪問道：「主席打算這樣辦」。

毛澤東看看蕭勁光同劉亞樓說道：「我想派出海空軍先在南中國海面及天空巡邏，遇到艾森豪威爾，只要一進中國領海同領空，迎頭就打，你們覺得怎麼樣。」

（一六一）

朋友們

·汶津·

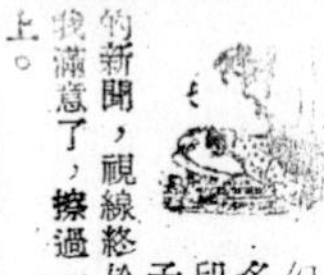

轉出巷子，在閱報欄前勾留了三分鐘，許多熟悉的名詞又闖進腦海——古巴、印度、麥克米洪線……我燕子掠水似地溜過那些大標題的新聞，視線終於落在氣候欄上：「曇」。我滿意了，擦過一個穿長袍的人，走到大街上。

是一個十足的陰天。「曇」？氣象所有意給人一線希望吧？正如他和法國大使館的領事先生打交道一樣。「他們辦事，就像咱中國人！」他無可奈何地說。我忽然又想起那位比利時留學生說的：「比利時的建築就像台灣的一樣——沒有風格。」我們三個都朗笑起來：原來世界上有那麼多的事物是彼此雷同的啊。

我上了公共汽車，坐在兩個女孩子中間。原可以側頭欣賞她們的髮型的，但我却決心正襟危坐一直到下車，因爲這是一個陰鬱的日子，不是宜於欣賞美麗的事物的日子。我翻開手上的書，扉頁上的日期告訴我：此書已陪伴我五年之久。那時我還是一個Freshman，對一切都感到無比的「新鮮」。現在我是更成熟了，對世界也知道得更多。而這本書還是依然故我。

「我一早起來就料到你會來。」他開門迎我，接過那本裝幀樸素的書。

「心靈感應吧。」我笑着走上樓梯。「你的簽證呢？」

他攤攤雙手。「一度我眞不想走了。昨天收到一位同學來信，說巴黎的女孩子眞美，還有……總之，那還是我該去的地方。」

「我不懂你怎麼會有那種想法？該做的事總得做，再等也不過一兩個月罷了。那邊學校會再來信證明吧？」我推開他寢室的門，他跟着我進去，好像我才是這屋子的主人。

「誰知道！你不是不知道法國人……」

我做了一個手勢截斷他。我又想到那位比利時朋友——當然他是熟悉法國的，而且自己就是十足法國風的。

「昨晚史又來了，在這裏看畫冊，十一點多才走。」

「我正想着他。」我幾乎笑出聲來，眞有心靈感應這回事嗎？也許是在軍中受訓的時候培養出來的吧。

「記得去年此刻，我們朝朝夕夕在幹校的操場上抬槓嗎？」（～上）

南宋偏安有人才

——李綱

李仲侯

徽宗感悟，出玉帶金魚象簡賜綱曰：「行宮人得卿來皆喜，以此示朕意。卿可便服之。」且曰：「卿輔助皇帝，扞守宗社，有大功。若能調和父子間，使無疑沮，當遂書青史，垂名萬世」。綱感泣再拜。

綱具道太上意，宰執進迎奉太上儀注，耿南仲議，欲屏太上左右，車駕乃進。綱言「如此是示以疑也。天下之理，誠與疑，明與闇而已。自誠明而推之，可至於堯舜；自疑闇而推之，其患有不可勝疑者。耿南仲不以堯舜之道輔陛下，乃闇而多疑。」南仲怫然曰：「臣適見左司諫陳公輔，乃爲李綱結士民伏闕者，乞下御史置對。」上愕然，綱曰：「臣與南仲所論，國事也。南仲乃爲此言，臣何敢復有所辯？願以公輔事下吏，臣得乞身待罪」。

章十餘上。手詔諭意曰：「乃者敵在近郊，士庶伏闕，一朝倉卒，衆數十萬，忠憤所激，不謀同時，此豈人力也哉？不悅者造言，致卿不自安，朕深諒卿，不足介懷。巨敵方退，正賴卿協濟艱難，宜勉爲朕留。」綱不得已就職，上備邊禦敵八事。

時北兵已去，太上還宮，上下恬然，置邊事於不問。綱獨以爲憂，與同知樞密院事許翰議調防秋之兵，吳敏乞置詳議司，檢詳法制，以革弊政。詔以綱爲提舉官，南仲阻止之。綱奏邊患方棘，調度不給，宜稍抑冒濫，以足國用。謂如節度至遙郎刺史，本以待勛臣，今皆以戚里恩澤得之。堂吏轉官，止於正郎，崇觀間始轉至中奉大夫。今宜皆復舊制。執政揭其奏通衢，以綱得士民心，欲因此離之。會守禦司奏補副尉二人，御批有「大臣專權，浸不可長」一語。綱奏頃得旨給空名告勅，以便宜行事，二人有勞當補官，故具奏聞。乃蒙上旨，非專權也。其立朝不避強禦，大抵如斯。

斡喇布雖去，而太原圍仍久不解，乃詔種師中姚古進軍太原。師中敗死，古軍亦潰，師道亦以病乞歸，非綱不可。上以綱爲河東北宣撫使。綱言：「臣書生，實不知兵，在圍城中不得已爲陛下料理兵事。今使爲大帥，恐誤國事」。因拜辭不許，退而移疾，乞致仕，章十餘上不允。台諫言綱不可去朝廷。上以爲大臣游說，斥之。或謂綱曰：「公知所以遣行之意乎？此非爲邊事，欲緣此以去公，則都人無辭耳。公堅臥不起，讒者益肆，上怒且不測，奈何？」許翰書「杜郵」二字遺綱，綱徨恐受命。上手書裴度傳以賜綱。綱言吳元濟區區以環蔡之地抗唐室，與金人強弱固不相侔，而臣曾不足以望裴度萬分之一。然寇攘外患可以掃除，小人在朝蠹害難去，使朝廷既正，君子道長，則所以捍禦外患者有不難也。（八）

閒話垂釣

漁翁

釣者，以鈎取魚也，戴表元詩：「還有魚兒上釣來」。古代賢逸之士，往往藉垂釣以鳴高，玆舉歷代之犖犖著者，寫在下面。

爲人間所共知者，莫如姜太公與嚴子陵，一則爲文王所徵辟，載在後車，一則不事光武，高尙其志，雖出處不同，而各有千秋。

姜太公望，名尙，釣於「磻溪」，又曰「渭水」，在陝西寶雞縣東南，源出南山，北入於渭。溪中有泉曰「玆泉」，相傳遇文王處，亦即呂氏春秋所謂太公釣於玆泉也。離陝垣五十里爲古咸陽，所遺「咸陽古渡」之秦碑，今尙存。河彼岸爲「姜太公釣魚台」，古人有「晚霞抹古渡，河浪撲漁舟」句，足爲此地寫照。

東漢嚴光，本姓莊，避明帝諱，改姓嚴。字子陵。釣於富春山下，地在今浙江桐廬縣西，前臨富春江。江側有灘，曰「嚴陵灘」，爲嚴游釣處，佳麗明媚，風景絕勝。山邊有石，平臨水上，可坐十餘人，名「嚴子陵釣台」。遊人留題者多，就中有不署名之五言一絕云：「吾愛嚴子陵，人愛漢光武；子陵有釣台，光武無寸土」。

其次寄情於烟波江上者，也委實不少。春秋時，伍員遇一漁者，竟問姓氏，漁父曰：「子爲蘆中人，吾爲漁丈人，何姓氏爲？」這漁者連姓名都不願示人，對功名富貴，當更視如流水浮雲矣。

六朝時，王弘之釣於虞江，江邊有三石頭，爲王垂綸處，不識者向其買魚，答曰：「非賣品」；到夕陽將下，携魚入城，踏經親友門前，各放一二尾而去。

南史載：潯陽太守孫緬，在江邊見一漁父，垂綸長嘯，甚異之！問「有魚賣否？」漁父笑而答曰：「其釣非釣，寧賣魚者乎？」乃鼓棹而去。這漁父對當地太守，不假顏色，足見傲骨嶙峋之一斑。

蔡京在撫州任刺史時，誤捕「放生池下之釣者，那釣者在法案前，不卑不亢地吟道：「抛却長竿卷却絲，手攜簑笠獻新詩；臨川太守清如鏡，不是漁人下釣時。」蔡京聞之，知其非普通漁人，乃笑而釋之，並表示歎意。

又夷堅志載：有卓彥恭者，夜過洞庭湖，見一小舟中人有魚賣否？，舟，問答道：「魚沒有了，詩則有之。」卓彥聞之，大喜曰；「詩比魚還好，願聞其詩」。那舟中人便隨聲吟道：「八十滄洲一老翁，蘆花江上水連空；世間多少乘除事，良夜月明收釣筒」。此蓋與孫緬太守所遇「其釣非釣」之漁父，同爲志在邱壑之隱士也。

古之詩人詠垂釣者多，而以柳宗元一首「漁翁」古風，最爲膾炙人口，在寥寥四十二言中，把江上景色，釣者心情，盡流露於字裏行間。此外，六朝詩人謝宗可云：「掣斷春回江上烟波夢」。宋朝詩人戴復古云：「詩思浮沉檣影裏，夢魂搖拽櫓聲中」。唐朝詩聖杜工部也有：「江湖滿地一漁翁」，「稚子敲針作釣鈎」等句，在異地吟哦中，還離不開一「釣」字。

筆者，幼年好釣，所居有一小池，水清無魚，嘗垂綸其間，雖無所獲，而足以怡神。年居而立，有述懷詩，末云：「十年計算歸田後，清水池塘一釣竿」。因名其所築爲「漁園」，而以漁園主人自署，並撰一聯：「漁父忘機甘避世，園林有趣寄容身。」迨入香島，已逾知非之年，鬢髮白，而又以「漁翁」自號焉。所寫「漁父吟」，以「而今長作釣魚人，富貴榮華我不欲」作結，非故事鳴高，我行我素而已。

藝壇談薈

章行嚴的家庭

諸葛文侯

投共文人章行嚴（士釗），年已八旬開外，蟄居北平爲秧歌王朝作詞臣，派充「文史館」副館長，據聞近年來章發憤著書，撰有「柳文研究」約五十萬言，不久將可出版。彼一生寢饋柳文，頗有心得，所著內容必不膚淺，殆可斷言。行嚴與章太炎，張溥泉（繼）三人，少時締結金蘭之誼，故其文字中常有「吾兄太炎」語句，唯對張大哥則不作此類稱謂耳。

章妻吳弱男，爲浙江名門之女，與其妹吳亞男曾留學外洋，能作英語，少艾時風姿綽約，延譽當代。辛亥大革命以前，吳氏姐妹在日本東京，亦嘗奔走於國父孫公之門，彼此用英語暢論國事，絮絮不休，當時隨孫公服務之粵籍革命黨人鄧慕韓頗厭惡之，每持其巨形手錶，入告孫公以開會時間已到，旨在逐客，而二吳即不得不興辭道別。老黨人馮自由所著「革命逸史」中，亦紀有此事，謂鄧慕韓以大金錶嚇退小金錶，蓋吳姊晚間皆繫有新式小形手錶，頗示炫耀也。

章吳結褵於清末，入民國後，章以在革命陣營中，頭角崢嶸，文名藉甚，旋膺國會議員，馳騁政壇數十年，歇歷顯位，因而時有外遇，中年以後，夫婦情感已不若往時之燕婉無間。吳氏生有三子，長名「可」，現年已六十，猶是鰥居，其餘二子皆早亡，次子頗聰慧，行嚴特加鍾愛，少壯即以肺疾死，而其致死之由，又以母教因素爲多，殊堪詫異。

據章可語人：彼弟兄在幼年時，母氏期待兒曹皆作神童，啓蒙識字後，即由家庭教師強授高深之知識學問，硬性灌輸，不問稚子能否接受，雖損害幼年人之心身健康，不顧也。四十年前，章氏所刊「甲寅雜志」中，常有大兒章可之文章發表，殆亦吳弱男之閫令所使然。弱男中年後以夫妻之愛既衰，乃移其生趣於母子間，形成變態心理，禁諸兒與異性接觸，飲食起居必唯母命是承，制約特嚴。次子原任職國家銀行，對日抗戰時在香港服務，母氏命其回滬奉菽水之歡，不敢不從，抑鬱佗傺，終以肺疾夭折，章行嚴在重慶聞訊大慟而已。長子章可壯年猶未成家，隨侍父側，乃父嘗託友輩爲之介紹女伴，但章可提出擇婦條件二項：一須能作古文成篇，二須善治肴饌。現代婦女自鮮合格者。彼嘗於長老朋儕前，批評乃父從事革命之非，謂中國動亂不歇，皆父輩倡言革命之過，狀類神經分裂症，似與母教不無關係。然章可之中國文亦欠通，彼在重慶時曾致書長輩，謂乃父對其弟死去「甚憂」云，即爲不通之證。吳弱男平日管束其夫之私生活行動甚力，尤惡行嚴有外遇，年屆五旬，而妒性加故。唯在上海時對於杜月笙爲行嚴撮合某女子，則不敢登門興問罪之師，蓋有所忌憚也。現長子可仍隨乃父伴食北京，弱男常居滬上，渡其寂寞之晚境。

諸葛文侯曰：杜月笙氏在生時，曾謂任何英雄豪傑，若遇及妻不賢，子不孝之家庭環境，即爲之束手無策矣。旨哉言乎！（完）

有爲的命名

·丘峻·

次言「天游學院」。自戊戌變法失敗，戮棄市，對於康梁，則詔令皇皇，通緝四方，到處搜捕，甚至可以就地正法，故須避地；而緹騎四出，分投踩緝，四面楚歌，草木皆兵，則尤須避人。康氏逃離京師，到處躲避，冀免於難，容圖再舉。人生至此，既須避地，尤須避人，獨可與游者，其惟天乎！氏詩有「避地避人天與游」之句，此豈非「天游學院」之名之所由來耶？氏以望七高齡，猶復設院講學，作育人才，具見雄心如昔，彌足珍貴！

康氏痛感國內既無立足可能，迺乘桴浮海，浮離鄉井，漫游世界，考察各國，希望採取別人的長處，攝吸人家的優點，儲作將來再行用世時之借鏡，或供國人研究與作事之參考。（五）

內警台報字第〇三二一號內銷證

自由報

THE FREE NEWS

第二九八期

中華民國僑務委員會登記證僑報字第三二三號
中華郵政台字第一二八二號執照登記為第一類新聞紙類
（本週刊每星期三、六出版）
每份港幣壹角
台灣零售價新台幣貳元
社長：雷嘯岑
督印人：黃行寶
社址：香港銅鑼灣高士威道二十號四樓
20 CAUSEWAY RD 3RD FL HONG KONG
TEL. 771726　電報掛號：7191
承印者：田風印刷廠
地址：香港灣仔高士打道一二二號
台灣分社
台北市西寧南路壹壹柒號二樓
電話：六四三〇三三
台郵撥儲金戶九二五二

從婆羅乃之變看南亞情勢

・宋文明・

本月八日，英屬北婆羅洲三邦中之一的婆羅乃，突然發生了一項羣衆性的民族革命運動（或謂叛亂）。緊接着這一事件的發生，領導這一事件的婆羅乃人民黨領袖阿薩哈立，就在馬尼拉宣布了「北婆羅洲聯邦」的誕生，進而組織革命臨時政府，自任總理，並向聯合國秘書長宇丹發出呼籲，要求予以必要支持。但不到五天功夫，在英國陸海空軍的全力進擊下，這一組織的主要抵抗力量就已宣告瓦解。這種突如其來的落幕，正如它的突如其來的上演一樣，都是帶有十足的戲劇性。雖然在最近二十年來，我已看到過不少這種戲劇，但從沒有一個事件給我留下這樣多的疑難。

據阿薩哈立本人所說，參與這一事件者共達兩萬人，英方說只有兩千人。我從各種情況作估計，這一人數當在三千左右。三千人絕不是一個很小的數目，而且各人執有武器，聚集一處，目標當然更大。那麼，現在我們就不禁要問：何以在這一事件發生之前，任何方面都未得到絲毫跡象？不僅沒有事先獲知這一事件的任何警告，而且連任何重大不安的報導都未有過，試問這種原因究竟何在？接着我們亦要問：這樣多的武器彈藥究由何來？幕後支持者究屬何方？既然具有這樣龐大的力量和有計劃的行動，何以又如此很快失敗？尤其使人不解者，英軍既迅速敉平了此一事件，瓦解了人民黨的主要抵抗，何以未予它們以重大傷亡及捕獲大批俘虜？這一切問題，自有待未來事實一一加以解答。

不論如何，這一事件與擬議中的馬來西亞聯邦運動具有相當關係。當去年五月底馬來總理拉曼首次提出這一聯邦建議後不久，我們就看到婆羅乃人民黨領袖阿薩哈立，立即聯合北婆羅及沙拉瓦克（即沙羅越）的政黨領袖，發出了對這一建議的反對。從此之後，馬來總理拉曼及星島總理李光耀等，雖僕僕英倫道上，積極推動馬來西亞聯邦運動，可是婆羅乃始終對此不感興趣。甚至本年八月初馬總理拉曼與英首相麥米倫獲致這一聯邦的最後協議，而婆羅乃亦照樣處於局外。當然在此我應該指出，婆羅乃的蘇丹賽福丁，比較傾向於這一聯邦建議的。所以當本年九月二十七日婆羅乃政府代表團結束馬來亞兩日談判，最後發表聲明時，婆羅乃實際上已接受了參加這一聯邦的原則。可是婆羅乃政府的這種行動，不僅沒有轉變當地人民黨的觀點，反而加深了該黨與蘇丹間的裂痕。這次事件自然是受了這種情勢的影響。

由於這一事件與馬來西亞聯邦有關，所以這一事件發生之後，婆羅乃未來參加馬來西亞聯邦的前途，便受到了損害。這種損害可從兩方面來說：即第一，馬來總理拉曼和婆羅乃蘇丹賽福丁今後必須要用極大的努力，才能證明當地人民中的大多數支持這一聯邦。第二，縱使婆羅乃最後順利參加了聯邦，而這次事件所造成的傷痕，將不容易消除。不過婆羅乃問題對馬來西亞聯邦，並不是一個決定性因素。即使婆羅乃不參加馬來西亞聯邦，這一聯邦亦可照樣組成。如本年八月英馬兩國協議，就沒有把婆羅乃暫時擺在聯邦計劃之內。它們的希望是：祇要這一聯邦宣告成功，婆羅乃於經過一段猶豫時間之後，亦將會終於加入這一聯邦。所以就馬來西亞聯邦前途看，這次事件雖將影響婆羅乃在此方面的努力，但將不是一個太嚴重的打擊。

可是我們必須要注意的，這次事件所反映出的婆羅乃的問題，並不僅是應否參加馬來西亞聯邦一項而已。除了反對參加馬來西亞聯邦，它們在這次事件中所提出的主要目標，乃是婆羅乃的獨立及北婆羅洲三邦的實行統一。換言之，這次事件已明白指出了一項事實，即今日北婆羅洲三邦的根本要求，並不是要依附於任何其他勢力，而是要作它們自己的主人。對於婆羅乃一邦的要求獨立而言，不論英國或馬來西亞聯邦，都還可以忍受。可是要使三邦實行聯合，而又完全脫離英國控制的，那將是一件極嚴重的事情。在那種情形下，馬來西亞聯邦將根本沒有成立的可能，即使屆時它們仍願與馬來亞等共組聯邦，而馬來亞是否願意如此，亦頗成疑問。所以這次婆羅乃事件所提出的警告，不祇針對擬議中的馬來西亞聯邦，而且也針對其他更重要的方面。

正由於今日英屬北婆羅洲三邦的民族運動，已指明要求完全獨立及三邦的共同聯合，所以這一情勢已使東南亞的國際關係更趨於複雜。例如菲律賓過去由於對北婆羅洲存有領土慾望，所以便反對馬來亞總理拉曼所發動的聯邦運動。由於反對這一聯邦運動，所以也頗同情這次婆羅乃事件。可是菲律賓的同情，僅至於利用這一力量，從事反對和阻止馬來西亞聯邦運動為止。假若超過了這一限度，而使婆羅乃及其他兩邦由此獲得完全獨立，並促成它們所謂的共同聯合，那絕不是菲律賓所願見的。同樣的情形，亦表現於印尼方面。印尼在這次事件中所担任的角色，實比菲律賓更重要，甚至可能完全由於印尼一手所導演。但印尼對這一地區的要求，亦僅止於破壞馬來西亞聯邦，以為日後它在本區的發展保持機會。若超過了這一要求，使三邦立即獨立而又聯合，造成一種不易控制的局面，那亦不是印尼的本意。所以今日菲律賓與印尼兩國的對待英屬北婆三邦，便是在希望中保持同情，在同情中又含有一種恐懼。這種矛盾情況，也許可以部份解釋這次婆羅乃事件何以虎頭蛇尾，而匆匆告一結束。

不過，我們要估計一種民族運動的力量，絕不能單從表面上去看。雖然在表面上這次行動的主要抵抗已被擊潰，但這種力量的本身，絕不會就此結束。在過去，我們從未想到在婆羅乃竟有這樣大的反抗勢力，也未料到它們的獨立運動已到如此成熟程度。它們過去既然有這樣強大的潛勢力和活動範圍，誰也不會料定日後它們能作什麼。所以在我看來，這次婆羅乃事件，只是這種運動的第一回合，是一種初出茅廬的嘗試行動、從這次行動之後，未來一定還會發生更多的行動，直至它們完全實現其目標為止。

過去我原是非常贊同馬來西亞聯邦運動的，因為經過這種聯邦運動，英屬北婆羅三邦將可很快獲得獨立。可是看了這次婆羅乃事件，發現它們竟有一個相當強大的民族運動，我覺得聯邦一事就應再作審慎考慮。至少，也要給這三個地區的人民一次實行自決與表示意見的機會。

假若再讓我們從歷史眼光來看問題，繼這次婆羅乃事件，英屬北婆羅洲三邦的終將趨於獨立，恐將只是時間問題。因此，為了要防止這一地區情勢的繼續惡化與國際紛爭，英國應立即籌劃，定期舉行一次公民投票，讓它們就組織馬來西亞聯邦或三邦實行聯合獨立兩者作一選擇。假若實行這種自決投票的結果，多數人民選擇與馬來亞星島共組馬來西亞聯邦，那麼將不僅一舉可解決聯邦問題，而且也將以此作武器，澈底粉碎菲律賓與印尼兩國的領土要求。假若實行這種自決投票的結果，多數人民選擇了三邦自行聯合獨立的道路，英國就應從此放棄馬來西亞聯邦計劃，允許它們在大英聯邦內實行完全獨立。若不此之圖，讓這一不穩定的現狀繼續延長下去，那麼其結果除了將招來一連串的國際紛爭，使英國與馬來亞與菲、印等互相不和以外，並將迫使這些地區的民族領袖在無路可走之中，勢必向共黨伸手求救。

漫畫天下

南施

剖開來還像什麼？

墜靴不顧？

自由談

『非議會的言詞』

馬五先生

報載：台灣某一民意代表機關，最近有人提議要實行「議員在議會發言，對外不負責任」的憲政原則，主張函請司法機關注意及此，對於控告議員以誹謗罪的訟案，不應隨便受理。這意見當然不無理由，因為現行憲法上就有此項明文規定，誰曰不宜！

不過，所謂「對外不負責任」云云，也不是漫無標準的信口開河之談，英國議會中即有「非議會的言詞」（Unparliamentary language）這項戒條。議員在議會發言的目標，不外是質詢行政官吏的政策如何，審議行政措施及其預算，彈劾行政官吏的非法瀆職行為等等。對於這些問題行使發言權，自須言之成理，持之有故，決不能瞎三話四，隨便胡來的。尤其是涉及官吏貪污瀆職問題的言論，不能藉着「對外不負責任」的護符，毫無故實的亂說一陣，至於關係私人名譽與人格問題的話語，更不宜放言無忌，逞快一時。凡是談到官吏貪污瀆職的話，即須繼之以調查彈劾的行動，不應該變了就算數，因為這是犯罪與否的問題。台灣發生向法院控告議員誹謗名譽的案件，即源於此。

議員對行政官吏行使質詢權，亦祇能限於政策之利弊得失問題。毛舉細故，喋喋不休，或藉題發揮，冀洩私忿，或節外生枝，濫逞權威，甚至為着個人的利害關係，而以質詢權為達成私慾的工具，皆是不足為訓的。這些雖然對外可以不負責任，但應屬於「非議會的言詞」之列，具有責任觀念和正義感的議員，決不屑為也。

議員在議會發言，對外應該不負責任，否則隨時皆有「唯口興戎」之懼，豈不糟糕嗎？問題是議會有一定的職責，發言有一定的標準，議員們遇事可以暢所欲言，同時亦須循守矩範，言必有中。非如此，即不足以發揚民主憲政的精神，而無愧於民意代表的崇高任務。

今昔解放軍不可同日語

共軍士兵大多痛恨毛共

國軍回大陸共軍必倒戈

香港與大陸

甫自廣東惠陽縣逃亡抵港的一位中學教師劉清╳君向記者透露：大陸人民反對共黨的情緒，正越來越見高漲，就連共黨所視爲命根子的「解放軍」，亦多數對共黨的統治不滿意，若果國軍實行反攻大陸的話，那些「解放軍」必然會倒轉槍頭，起義來歸，參加國軍的行列，去眞正解放大陸的同胞。

劉清╳君對記者强調：十多年前的「解放軍」，和現在的「解放軍」，是完全不同的了。十多年前的「解放軍」，他們是受到共黨的政治宣傳所麻醉，眞正認爲參軍是爲了「革命」，是爲大衆爭取自由和幸福的生活的，所以他們多是自覺自動的去參加「解放軍」的；現在的「解放軍」卻不然，他們中絕大部份是被迫「參軍」的，內中僅少數算是甘心情願，但其目的亦祇是貪圖部隊的待遇比較能得到溫飽，他們中實在極少是具有一點中共所要求的「革命意識」之「思想基礎」的，反之，他們都是有正義感的青年，他們身經目睹中共這些年來所幹的一切暴政，包括「鐵血政策」和「饑餓政策」，內心裏卻恨極了共黨。

劉清╳君有一位堂弟，原就讀於惠陽一中的高中二，在六〇年被迫參軍，並被編入運輸大隊；不久前，曾因出差，順道回家小住了兩天，他曾對劉清╳君透露了許多關於「解放軍」的內幕。

他堂弟對他說：渠所在的運輸連的成員，有百分之九十以上的人，是對共黨不滿的，其中又有半數以上，非但不滿，簡直是恨透了共黨，隨時都可起義反共的。據劉君的堂弟的分析，現在的「解放軍」之所以仇恨共黨，主要的原因爲下列幾項：

（一）他們都已明白，當「解放軍」絕不是什麼光榮的革命崗位，如中共所宣傳的「爭取大多數人的幸福生活之類，相反的，十幾年來在中共統治下，大家的實際生活感受，大家都已明白共黨是什麼東西了，中共的殘暴統治，已使大陸上每一個人，不但均需加倍勞苦，且加倍勞苦之餘，仍然得不到最低限度的溫飽，而還受到各種精神上的折磨與迫害，暗無天日，大家都感到透不過氣來。這一切現實，使他們再不相信共黨的任何甜言蜜語了。不相信中共的結果，自然便是恨中共。

（二）一般年青的「解放軍」一人，他們大都本來是正在學校肄業的中學生，他們完全是在「服從國家的分配」的命令之下被迫「參軍」的。他們原來的志願，乃是首先能夠好好地讀書求智，其次學成後有一份安定的工作，以及常年與家人生活在一起。結果他們卻一個個被迫放下書本，離鄉背井，當起兵來。而兵的生活，所謂「軍人生活」，豈是好受的？如是，在想及自己前途，想及遠隔的親人的悲慘生活之時，他們怎不仇恨共黨呢？

（三）一般年紀較大的中下級的幹部，這些士級幹部以及尉級的幹部，爲了他們的婚姻問題未能合理解決，很不滿意。這些人裏面，有不少是三四十歲的王老五，他們都迫切的希望能夠結婚，成家立業，但「上級」卻不給他們滿足，尤其不答允他們回家，怕他們一去不復返。這樣，他們替中共打了這麼久的天下，到頭來，連要一個家室亦不得，他們怎會滿意？

另外，當了「解放軍」後，生活更加不自由，「上級領導」的吹毛求疵，千篇一律的「政治課」，自欺欺人，話說得最好聽，事做得最下流，最殘暴，全無半點人性等等，亦都是造成他們痛恨共黨的原因。

據劉清╳君對記者說，他的堂弟認爲：如果在台灣的國軍眞的踏上大陸，實行反攻了，「解放軍」中的兵士以及下級幹部，必然會伺機武裝起義，投向國軍的。（敬斯）

省議員慨乎言之

台灣八大「歪風」猖獗

說是政治風氣與社會風氣 比本省光復初期糟得多了

（本報記者熊徵宇台中航訊）台灣省議會的議員們，對於近年來政治風氣和社會風氣的敗壞，痛加指斥，認爲比本省光復之初糟得多了。

各議員民政質詢時，以台北籍的陳愷說得最爲具體，他說：社會風氣和政治風氣敗壞的情形，可以綜合爲八大「歪風」。

第一爲「奢侈之風」。他說：「我們並非工業國家，而是生產落後的國家，但我們上自政府官吏，下至人民大衆都在追求最高的享受，這與光復之初及在大陸抗戰時的生活氣氛完全二樣。」

第二是「紅包之風」，常常看到這裏要送紅包，那裏也要送紅包，而且犯案下台的縣市長，無一不是爲紅包。第三爲「奉迎之風」，各地方機關，遇到上級機關或立監委員到各地去巡視調查，下面就逢迎得不得了，乃在達到某種目的。

陳愷說：第四是「報復之風」，如仇殺，路害等種種報復。第五爲「虛僞之風」，在今天，到處都看到欺騙敲詐，比如僞藥，僞鈔票，假烟酒，都是你欺我，我欺你。第六是「色情之風」，到處是黃色雜誌，裸體照片，色情小說和脫衣舞，而私娼和茶室女郎和黑色咖啡館之多，更是目不暇給。

陳愷說：第七爲「頹唐之風」，人心萎靡，不求長進。第八是「賭博之風」。由於這八大歪風猖獗，以致社會與政治風氣大大敗壞。

他要求有關各廳處制定有效辦法，以身作則，行不言之教。

（本報記者熊徵宇台北市訊）台北市議員黃信介，在不久前，出席台北市議會，因爲指責市公車處稽查員吳國君行爲不檢，被吳控訴，地方法院判以誹謗罪，處罰金一百銀元。這案件，當時曾爲全省各報熱門新聞，有幾家民營報，認爲內政部引用訓政時期的法令約束行憲後議員的職權是不對的，而且，台灣省各縣市議會組織規程第十六條亦有明文規定：「議員在議會發言，對外不負責任」。

這件冷落了一些時的案子，這兩天又在省議會掀起高潮，質詢民政的組內組外議員們，曾就此一「議員在議會以內所爲之言論與表決對外不負責任」的法定立場紛紛發言引申。

咸認我國憲法和台灣省地方自治法規，都有民意代表在民意機關以內所爲之言論與表決，對外不負責任之明文規定，是爲維護言論自由之堤防，朝野各方不容破壞。民意代表係代表人民監督政府，在議會內行使質詢及議事之權，如不能暢所欲言而有所忌憚，則何由表達民意？如果這道堤防有了缺口，議員在議會以內發言對外要負責任，則在廿世紀的現代看來，這個議會就不能算是民主議會，而沒有民主議會的國家，就不能算是眞正民主的國家。黃信介案，是箝制言論自由的做法，是不民主的云云。

於是由於紛紛的責難形成臨時動議的提案，由蔡文玉、陳重光，張富，郭歧，林王紫燕等議員聯名簽署，要求司法機關尊重法律，維持此項豁免權，俾彰民主政治。

此一提案理由中舉出，本省省縣議會議員之產生，均屬直接民選，其職權皆爲正式議會所應具者，迥異於抗戰期中之參議會僅屬諮詢機關，而在本質上亦顯有不同；省政府咨經內政部之行政解釋，認爲得適用司法院「解字第三七三五號」之解釋，是否有效，顯有疑問。

而本省各級民意代表機關，現有自律組織，且於法律豁免之外，尚有輿論制裁與下屆選民之罷捨，並非毫無顧忌。同時本省推行地方自治爲時尚短，在政治上應採輔導重於懲罰政策，用彰民主精神。且法治爲民主實質，具有表裏關係，苟民意代表未受此項合法之保障，將無以互彰效用。

這件提案的決議，是請省政府轉呈中央採納。下文如何？會有答案。

工展會聖誕節目多 淘大再次表演烹飪

（本報訊）工展會爲熱慶聖誕節，決定由廿一日起至廿四日止，每晚六時半至七時半，向貧童之友會及小童群益會各兒童派發糖菓餅乾；又由工展會正副會長扮演聖誕老人，在大門內票房附近，派發禮物；聖誕節之晚，則邀請話劇隊到會場表演話劇，及邀請歌詩班到會場唱詩。

▲工展會首創之塑膠花插花比賽，於十二月廿一日上午在會場舉行，由大會聘請李秀康，傳式如等担任評判。又工展會第二次服裝表演，於十九日晚間在會場舉行，因第一次表演時之丁字形表演台擴展爲工字形表演台，故更加吸引觀衆，座位全告爆棚，嘉賓席上亦坐滿海外各地來港觀展的代表團團員，氣氛熱烈，皆大歡喜。

▲淘化大同有限公司在工展會之烹飪表演，本月十一日會舉行一次，二十日下午捲土重來，由有三十年入厨經驗之名厨陳榮毛主理表演，果然不同凡響，備獲遊客好評。該公司各種優秀出品亦因而更深入人心。

▲星光製刷廠出名之紅A牌牙刷，品質優良，欵式繁多，均美觀而耐用，用能風行各地，到處歡迎。據調查所得，紅A牌牙刷本銷與外銷，均逐年遞增，今年本銷較去年增加百分之四十，外銷更增加百分之五十。星光廠創立至今達十餘年，設備完善，遐邇知名，歷屆工展均會參加，本屆工展之特大攤位，即爲該廠者，足見其不同凡響。

▲本港素負時譽之振興糖菓餅乾公司，爲工商業鉅子何智煒所經營的企業之一，以其出品之菓餡餅餌，包羅萬有，並皆出色，在食品業中，素負聲譽。該公司爲更改良出品，增加生產，以應海內外廣大客戶需求，特不惜重貲，向西德名廠永興隆購得最新型自動製餅機一座，經已安装竣事，開始試製，新品問世，爲期在邇。該公司會參加歷屆工展，今年攤位在第八街，生意滔滔，呈供不應求之勢。（白）

立法院的「家務事」

—本報台北記者張健生

最近，立法院經常鬧家務，先有所謂自清運動，繼之，則有財政委員會報名之怪現象，接着有學籍女立委黃佩蘭自殺案，以及謠言滿天飛的眞假立委詐財案；日前立法院內部開勤員月會，有人公開指摘事務人員食器事件；今（十四）日又有便衣人員自稱警衛盤問記者，辱罵某報記者不是記者而是流氓的糾紛。這一連串事件，已成爲街談巷議的閒話，有人幽默地的說：立法院的大門對着台大醫院的太平間，風水上有了問題。

立委們經常運用憲法所賦予的質詢權，糾正政風，質詢政府官吏時，說得有聲有色，理直氣壯，老百姓聽了稱快不已。殊料，自己「家裏」出了皮漏後，卻又關起門來說，儼然怕給新聞記者知道傳播開來，讓老百姓明瞭箇中眞情。但，這又豈是容易做得密不透風的？進一步，應該這樣做嗎？

現在聽說立法院對事務人員有沒有貪污的事情，擱置一邊不問不聞，更談不到依法嚴辦，反而在追查各報記者的新聞來源，要查是誰將動員月會的「家務」洩露的。立法院行政當局會集合全體員工，告誡不得再談這件家醜，更不能與新聞記者打交道。因此，立法院內的氣氛，不似過去那樣和諧，許多平常見面的熟面孔，看到記者都掉頭不顧。這種情形，是立法院從來沒有的。

人們必須追問：立法院事務人員，到底有沒有舞弊情事？例如黃國樑等指出；前任秘書長陳開泗家裏有一位工友，早已隨陳離職而不在立法院，也沒有繼續支領薪水，但他的薪水一直沒有停過，照發不誤。到底誰領的呢？立法院當局沒有明白交代。據該院新聞室發佈消息說，尹秘書長在立法院秘密會中報告稱：「本院陳前秘書長開泗之工友所領上（五十）年六七兩月份薪餉，據主管人員報稱，已繳回國庫。」（十二月十二日台北各報）翌日，（即十三日）尹秘書長在致各報的「來函」中又說：「前秘書長之工友已隨陳氏辭退，外傳假借該工友名義支領上年六、七月份薪餉事，與陳前秘書長及該工友無關。」那末，與誰有關呢？「已繳回國庫」就沒有事了嗎？是誰領的這筆錢？一也：憑什麼領這筆錢？二也；領錢的人繳回國庫就沒有了行政上的和刑事上的責任嗎？三也。假如答覆是否定的，那末，刑法上的竊盜罪僞造文書罪都得抹去了。今後小偷犯案事發退回贓物，便可援例不接受法院的科刑了。

問題必須有明白的合法的交代，否則，已身不正，焉能正人？今後立法院將何指摘政府官員貪贓枉法？更有何面目與國人相見！目前立法院在防「記」的工作上，確做得徹底而嚴密，如某晚報記者受到警告，某報記者挨罵之類，好像千不是，萬不是，祇有記者「該殺」「該死」，因爲不是記者「多事」，立法院的「家務事」是不會外揚的。

越南推行的營田計劃

·西貢通航·

越南是一個以農業爲經濟基礎之國家。因此，每一個有關農業之計劃，均以增加農產品生產及擴大耕作地區至最大水準爲目的；而營田工程，也是一個以改善農民生活爲目的的重要計劃。

爲了促進這項工作，使其達到美滿的結果，一九五七年的四月廿三日，即開始了大量移居到各營田地點去，第一個營田地點也就在該天成立。

五年來，全國已成立了一七三個營田地點，集中了二三一，四三一名農民，而在這些地點中，有六十二處已經完全變成地方化了。

這些時間以來，各營田地點之農民已開發了一零五、三二四畝田地，其中六零、六二八畝是以機器開墾的。七四、五零零畝耕作地中有三六、五一零畝的稻田，一一、六七二畝耕種其他副產品，六、零七一畝芋蔴，一八、六六二畝樹膠，及一、五八四畝生菓。

爲了使耕作有更佳之收穫，政府已分發給各農民極多輕便的農具，各種肥田料，各類種子，各種殺虫藥物，以及耕牛，猪種，鷄鴨家禽，以能繼續開發經營開發地方。

各農民所獲分配，除了各日用品之外，有輕農具三三三、三一七件，肥田料一一、二零二、六七六基羅，殺虫藥三三、零六三基羅，DDT八、二四三基羅，種子三、二八八、三四二基羅，樹膠種子四二、〇〇〇、〇〇〇株。

耕種方面，各農民獲分配八、九四六頭耕牛。另外一四、五〇四隻猪種，九七、六三〇隻鷄鴨也獲發給以促進畜農。上面是從經濟方面政府予以補助者，從社會福利上，則各地農民獲得足夠之照顧，現在各營田地點也建築了一七零所醫院，五零二所學校，具有二四、八四三學生，二四六個醫護站，及留產院。又建築及修築了一、一一九公里公路，二四三公里堤岸，八、七四三尺水閘，開了二二七、六八四尺運河，修築一九七、九五〇尺水流。此外，各地農民又以機器開鑿了六百四十三個水井，人工開鑿的有八、一八一個。在每市鎮及地點設立新聞處，建設墟市，集中買賣。

總之，爲給各移民者得到經濟上之自給自足之前是先提高各地農民生活水準，故政府已努力於建設各項福利事業，保衛農民健康，及其他各方面之福利條件，使鄉村人民追上城市人民之享受。除此，每月各流動衛生隊也時時到來探查各農民之健康情形。

由於移民們之努力及政府之扶助，從下面各收穫之數字來看，可以發現營田政策已躍進了一大步。

一九六一年中農產品總收穫爲三七、〇〇〇噸，分爲：

——穀粒二六、〇七〇噸。

——玉蜀黍、豆類及蕃薯七、四九九噸

——基納蔴四、零四三噸。

——烟葉一〇一噸。

——棉花三三噸。

——蔴繩二六噸。

大規模之營田計劃，五年來已使二三、〇〇〇農民得到溫飽之生活。四三、九五二個家庭轉爲豐足，以及東南區及中區高原之荒地變成繁盛富庶之農村。對於土地之考察研究，是設立營田地點之計劃重要工作。首先，各農業專員到各地點作全面考察，選擇，因此由南區之泥濘地帶至中區之一六九個良好的地點中，已集中了二三一、四二一人。

在這樣之成就下，試再以土地的考察工作來畧作研究，俾明白對設立營田工作有所認識。

考察土地是一項極困難之工作，因爲在考察期中，時常會走到泥濘地帶，蚊虫極多，在高原上，交通成問題，而對測量土地以及研究水土，往往也是十分麻煩的。故各技術專家可以完成如上各項工作，也是經過克服了很多困難才能達成的。

天南風光

——沙羅越的歷史——

朱淵明

『時芳伯有勇將吳元盛，嘉應州嵩嶺鄉人，身材偉岸，膂力絕殊。初於坤甸相連之「喃吧哇」擇衆採金，芳伯招之結義。初助芳伯擊敗「米倉下」，「松柏港」諸敵，復與土人頻年交戰，迭奏膚功，數年間佐芳伯勘定「萬喇」，「萬諸居」，「斯芳坪」，「無名港」，「滑棟」，「高車」等地。旋受任爲總兵；循「加巴士河」略定「上侯」，「新董」等地。時隸蘭芳公司統屬者，已有衆三四萬人，益以連年所降服之土人二十餘萬，坤甸蘇丹知勢力不敵，遂亦降身聽治。芳伯乃爲擴充公司，建立自治政府，定國號曰「蘭芳大總制」。其所以不僅稱公司，而並曰大總制者，是時除公司所營之採金業外，已涉有關於土地與人民之主權及政務也。又以「東萬律」可耕，可冶，可工，可商，乃定爲首府。所部各員與民衆，咸請上尊號。芳伯謙遜未遑，以此來僥倖得片地於海外，皆衆同志協謀發展之功，若擁王號自尊，是私之也，非己志所願；顧無名號，又不足以處理庶政，乃由各代表決議稱「大唐」總長，建元「芳蘭」。時爲清乾隆四十二年，即西元一七七七年，距芳伯初從海出國僅六年耳。其領地與實力，且高出坤甸蘇丹焉。而歐人移殖北美諸民衆亦於是時推「華盛頓」爲統帥，謀獨立自主，至一七八七年通過美洲合衆國憲法，越二年，選舉華盛頓爲總統，與「蘭芳大總制」同爲共和國創舉』。

實際上，據故老相傳：羅芳伯旣開國建元，對華人雖稱「大唐總長」，對土人仍復稱王，這大概是因土人只知道尊王的緣故。照芳伯的抱負，還想擴充疆土，歸附祖國的。據「蘭芳公司歷代年冊」上說：「羅大哥初意，欲平定海疆，合爲一屬，每歲朝貢本朝，如安南，暹羅，稱外藩焉。奈有志未展，王業僅得偏安，雖曰人事，豈非天哉。」

羅芳伯在位十九年，薨於乾隆六十年農曆乙卯，即西曆一七九五年。（十四）

公道篇

讀報有感隨筆四則（五）

我幸而住的是一座有着花圃的小洋房。有着一位文雅朋友常喜來和我下棋爲樂。尤其在暑假期間，我們就更多常在一起，因爲那位棋伴原是靠粉筆來飽肚的原故。

話得要介紹清楚，我是居有芳鄰，那是有琴音，有天鵝絨帷幕飄蕩，有小洋台和花圃的人家，還有一位千嬌百美的小姐，經常在穿插的裝飾。我這個自命爲瀟洒的人，很多時就給她的偶然的媚眼，引得「小鹿兒」亂撞。

我那位棋伴和我的志趣雖然是大致相同，但在外表上卻比較我隨便。可以這麼說，他是近乎不篇幅的，而文章道德均爲人欽佩的一位名士。

他高瘦個子，喜歡穿長衫，看來像玉樹臨風的雅士，但也活像一枝竹的酸丁，這和鄰居那位飛女型服裝的小姐，由於各別偶然在花圃出現，顯得是多麼的突出。

記得有一次，大概是星期日的一個黃昏時候，我正和他臨窗下棋，門外忽傳來汽車的馬達聲，隨着有嘻哈的男女笑聲，我們隨聲臨窗下望，看到芳鄰那位穿着肉感誘人的牛女小姐正在下車，隨着一羣英武式的青年牧牛郎（指扮相裝束言），也正由車裏搬出餐具什物等，大概她們是旅行野餐歸來。就一瞬眼，他們都沒入鄰居去了。不過，不久，忽見隣居的那掛在窗檻的天鵝絨帷幕，突然向外飛舞，隨着透出狂風騷雨式的琴音，那是用重手法彈出的阿飛舞曲。

『青春啊，青春啊，多使人羨慕！』我望着棋友說。祗見他，擺出一副很不屑的神態，搖搖頭，沒有作聲，眼睛投下棋子，像是要一下將死我的樣子。但是，當他拿起那隻馬，並沒有放下棋盆來將我，卻握在手裏問我：「你以爲他們究是什麼人？」我說：「他們都是現任的教師，是爲人師表的老師，每個人都有七百元以上收入的人。」「什麼？」我那朋友一聽到便氣到面孔發青，「這些就是爲人師表的老師？」他這麼一嚷不打緊，但可憐棋盆落索，棋子散得滿地，累得我連忙俯首拾過不停。

『朋友，你氣什麼？你覺得奇怪麼？眞是個酸丁，生錯了時代。我有一位做「校長」的朋友，他說，在香港開學店做生意是應該的，是合法的，因爲學校也要領營業牌照。他又主張並同情那些教科書每學期要改版一次，因爲如此可以多做些生意。何妨，香港是商港呀！朋友，作爲一個「校長」的偉論竟是如此，教師去開房打牌，去開舞廳，去扮起牛裝阿飛，又有什麼奇事？這是個沒有教育的時代呀！』

我的棋伴無言，惟苦笑地拿起他的酒杯。我也舉起杯子，因爲我同情他的激憤，以他的文章道德，一個如此負責任，品學兼優的好教師，每月的收入，竟還不到二百五十元！

盧君續夢

第六回：烽火照邊陲　同惡難濟
樓船碧墳海　大憝興悲

蕭勁光說道：「打仗當然沒有問題，不過，海軍方面主席最好派蘇振華同志帶隊，因爲我一出海就暈船，嘔吐的不得了，不但不能指揮作戰，還要別人伺候我。」

毛澤東緊眉說道：「你過了半輩子水上生活，怎麼到今天還會暈船。」

蕭勁光說道：「主席不清楚，坐軍艦過海同在咱們家鄉擺渡不同，記得我年輕在家擺渡時，鑽到河底下停上一袋烟時候都沒問題，坐這種炮划子一出海就頭暈，稍微遇點風浪，登時就嘔吐，我也練習了幾次，每次都是一樣，因此我也死了心了。」

毛澤東看看劉亞樓，問道：「空軍方面的情況怎麼樣，能不能和美帝國主義拚一場。」

劉亞樓搖搖頭：「很難，光從飛機性能上來說吧！我們常用的只是米格十五，有少數的米格十七。蘇聯經常用的是米格十九，最佳性能的飛機米格二十一型亦開始應用。美國方面的飛機是針對米格二十一型製造的，我們的米格十五及米格十七，一遇上美國的軍刀一〇四型飛機，連還手的力量都沒有。」

毛澤東問道：「蘇聯旣然有這樣好的性能飛機，我們怎不要求援助，就是用錢買也可以。」

劉亞樓嘆口氣：「請求許多次，蘇聯國防部都是以國防機密爲理由，始終不肯讓幾架給我們。」

毛澤東又想罵赫魯曉夫。陳毅從中打圓場，問道：「主席的意思是想讓艾森豪威爾難堪，還是要置之於死地。」

毛澤東說道：「能整死他最好了，不能整死使他丟人也是好的。」

陳毅笑道：「要他丟人容易的很，就當艾森豪威爾到達台灣時，我們就發動一項攻勢，若能把沿海島嶼攻下一二個，艾森豪威爾就沒有面子了。」

陳毅說到這裏，林彪不由抬頭看看他。暗想你出這樣怪主意，分明是要害我。眞要攻金門，馬祖一定把你拉進來，大家都倒霉。

毛澤東聽了陳毅的話，大不以爲然，說道：「攻沿海島嶼也不容易，一九五八年砲轟金門一場，到今天我們所受的損失還未挽救過來，那能再去打金門。」

陳毅說道：「我的意思是不妨擺出打的姿式，能攻下來更好，攻不下來也製造緊張，使艾森豪威爾在台灣坐不安穩，一定要提早走路。」

毛澤東想了一時，頓時醒悟，一拍大腿跳起來說道：「你跟我幾十年只見你出這一次好主意，就這樣辦！林彪同志回到國防部下個命令，把重炮多運幾尊到廈門，炮彈更要充份準備好，就在艾森豪威爾到台灣的這一天，我們就加緊炮轟金門，若能乘勢攻下最好，不然也嚇下艾森豪威爾，要他知道姓毛的不好欺負。」

林彪不好說什麼，只有連聲應是。毛澤東又向蕭勁光同劉亞樓說道：「你們也作個準備，假若艾森豪威爾帶的護衛力量不大，我們就迎頭痛擊，大不了只是世界大戰，對我們只有好處。」

（一六二）

朋友們

·汶津·

他笑了，笑得很好看，是能讓女孩子傾倒的那種笑。「有一次幾乎真吵起來了。那時我們到底談些什麼呀？」

「誰知道！」我學他的口吻。

桌上打開着一具打字機，他把許多信封都用法文打上自己的姓名，地址。「無聊吧？」他好像在悶打字機。

「等待是一件最煎熬人的事，你不是不知道。」

「我知道！」我說得那麼肯定，正像前兩個月我剛要從澎湖退役回來之際，氣象所報告強烈颱風的消息一樣。於是船在馬公港裏將休，我在小村子裏納悶，傍晚的時候，跑到海邊上向澎湖的落日揮別。五天之後，我總算上了甲板。回想起來，那五大多麼長啊。我反覆的讀着一本古詩選，可是始終咀嚼不出什麼滋味似的。

「站在那兒發楞！老毛病。」他好像有意等我的回想告一段落，才把嘲謔的話潑向我。這也許正是前天我奉送給他的。

鐘微微敲了一响，是九點半了。「我得趕去上課了。」他不說什麼，隨手在我背上敲了一下，也像那鐘擺一樣，全然無意識地。

「對了，先向你預約：到了巴黎，如果有那個妞兒入了你的畫，可別忘了寄給我一幅。」

「到巴黎只怕要餓肚子呢。史說那兒謀生不容易。」

「船到橋頭自然直！」我一面踏出房間，一面高聲的說。大概連天花板也聽清楚了。「有空打電話給我吧。」

我向服務台換了兩枚輔幣，向電話室走去。一共四間公用電話，都有了主顧。我在玻璃門外面徘徊，欣賞他們的姿態。一位青年男子正談得起勁，左手插腰，不可一世的樣子；一位少女邊說邊笑，忽然又把嗓門提高了一音階，聲音從門縫裏溜進我的耳門。另一對中年夫婦則在進行一次接力通話。如果拍台北風光的影片，準不能漏掉這些精彩的鏡頭。

我撥了他的號碼。「今天上午弄妥了。那個傢伙用一枝原子筆簽了字，並且說：現在搭飛機去還不遲。那神色真氣人！」我不會向他說「恭喜」的，他也知道，那是太不必要了。為了自己安逸，留在這裏較更好些。為了一種理想，沒有別人能為他添加些甚麼。（中）

南宋偏安有人才

——李綱

李仲侯

因書裴度論元稹魏洪簡章疏要語以進。上優詔答之。於例，宣撫使得統制外屯諸將，而是時諸將大抵承受御畫，事皆專達，進退自如。臨行，所集之兵僅萬二千人，諸事未辦，綱乞展行期。御批以為遷延拒命。綱上疏明其所以未可行者，且曰：「陛下前以臣為專權，今以臣為拒命；方以大帥解重圍，而以專權、拒命之人為之，無乃不可乎？願乞骸骨，解樞筦之任。」上促召數四曰：卿為朕巡邊，便可還朝。綱曰：「臣之行，無復還之理。昔范仲淹以參政出撫西州，過鄭州見呂夷簡，夷簡曰：「參政豈可復還」？其後果然。今臣以愚直不容於朝，使既行之後，進而死敵，臣之願也。萬一朝廷執議不堅，臣當求去。陛下宜察孤忠，以全君臣之義」。上為之感動。及陛辭，言唐恪聶山之奸，任之不已，終必誤國。進至河陽，望拜諸陵，復上奏曰：「臣總師出鞏洛，欽拜陵寢，潸然出涕。惟祖宗創業守成垂二百年以至陛下，丁艱難之秋，強敵內侮，中國勢弱，此誠陛下嘗膽思報，勵精求治之日。願深考祖宗之法，一一推行之，進君子，退小人，益固邦交，以圖中興！上以慰安九廟之靈，下為億兆蒼生之所依賴，天下幸甚」！

行次懷州，有詔罷減所起兵，綱奏曰：「太原之圍未解，河東之勢甚危，秋高馬肥，敵必深入，宗社安危，殆未可知。使防秋之師果能足用，可保無敵騎渡河之警。況臣出使未幾，朝廷盡改前詔，所結之兵盡罷減之。今河東河北日告危急，未有一人一騎以副其求，甫集之兵，又皆散遣，臣誠不足以任此！且以兵法勒諸路起兵，而以寸紙罷之，臣恐後時有所號召，無復應者矣」！疏上不報。於是宣撫使徒有節制之名，多不遵命。劉鞈屯遼州，又違命先進，為金所敗，詔復以种師道為宣撫使巡邊，召綱還。（九）

小報告及其他

匡謬

用人不以才而以私，是官僚政治的通病。官僚政治又差不多便是極權政治的另一名稱，於是而小報告大行其道焉。小報告滿天飛的政治，又當然貪污之風蓬蓬勃勃了。

以私的關係獲得一官半職者流，往往一望而知，雖然他們有時亦未嘗不打算隱藏本身之來歷，但卻又常常更高興於有意或無意中，唯恐別人看不到他們的狐狸尾巴，表示他是「跟上的人」，可以氣勢囂張，可以傲視儕輩。此其結果，尸位素餐是最起碼的了，他們的「公事」，於是而無非為「某日我為大少爺買了一件他很喜歡的玩具」；「某次為夫人辦事獲得嘉獎」，「某次為小姐買了電影票」。至偶而一件屬於他官職範圍內的事待他辦時，他會一「推」了之，或者一「拖」一年半載，或者敷衍塞責，了事大吉。更進一步，他們便以打小報告為工作了。

當然，人莫不有其劣根性的，對於逆耳之言，多是充耳不聞，不願聽，尤其不肯聽。何如阿諛之詞，由一個奴顏婢膝之人，娓娓道來，聽得心神舒泰？以唐太宗與魏徵君臣之相得如魚水，太宗還難忍盛怒罵道：「朕誓殺此田舍翁」。倘非長孫皇后及時朝服稱賀，藉頌乇以進諫，田舍翁或將大倒其霉頭。至於倘使長孫皇后是個壞女人，乘機利用「枕邊細語」，來個火上加油，加以煽惑挑撥的話，至今為人所羨稱「貞觀之治」，便得要重寫了。

用人之道，除「惟才」之外，還有誠信亦要得緊。上下間無隔閡，唯公唯敬，披腹推心，在下者固必竭智盡力，把事情辦好，在上者雖垂拱而治可矣。反之，如總是懷疑部下心懷叵測，則防閒惟恐不週，信任惟恐太過，其終也，將再無可信任之人，而唯「奴才們」的「小報告」是可信任的寶貝了，事情焉得而不糟？

曹孟德喜以權術馭下，即貼身近侍者亦難為信任，如孔融使氣之書生，禰衡、楊修等，固皆不免，曾為其出過死力之荀彧，僅因一言之忤，也不肯放過。但他的權術，卻使真正同其奸詐狠辣之司馬仲達，提高警覺，既逃避其誅殺，最後還得以輕移魏祚。此一面歷史鏡子，二千年了，惜乎肯一照這面鏡子的人，還是不多。

唐太宗就心徐勣功高望重，未必肯乖乖的聽他兒子驅使，乃於死前，特下「外放」，並密囑其子：「徐勣若遲延怨望，立即除之。」以徐勣之才智，焉能不明其中意，於是他連家也不回，即刻就道。待到興廢后冊立武則天時，徐勣也來一下權術報之：「此陛下家事，何預羣臣」。因為他不肯說話，遂使武后得勢，而李家天下握於女人之手，而有殘殺唐宗室殆盡之禍。推究因果，太宗當負其責的。

武后既篡唐，恐天下心不安，就派了些親信特務，專伺察羣臣動靜，如在御史台裏稱「御史裏行」。若像伙，當然以打「小報告」為能事，以打「小報告」邀寵圖功。故事：有一令史突過一羣御史行列，御史怒，將杖之；令史先責驕曰：「汝使藝可知，精神鈍，何物蠢畜，敢於御史裏行！」這諧而虐的笑話，罵了打「小報告」者事小，最要的是它指出這種政治的烏黑一團，斯為可怕。而武則天，還是一個頗能納逆耳之言以求治的人呢！

我的學生生活

雷嘯岑

人類在生活過程中，對於過去的事情每多懷戀，對未來常懷希望，而對現在卻不免忽略。這是普遍的心理現象，人皆有之，我亦自然未能免俗。及其老也，回憶少壯時期的若干前塵往事，如夢如烟，可啼可笑，然而悔之晚矣！生平行能無似，不配寫自傳以告子孫，但想起學生時代的生活，頗有意義，值得談談。

（一）小學時期

我生長在一個舊社會所謂「耕讀傳家」的偏僻農村裏，祖父是秀才，善作駢體文，父親和伯叔輩都致力於科甲制藝，各有功名。我七歲纔啓蒙識字，讀的書本既不是三字經，亦不是「子曰」一類的書籍，開始是讀「孝經」，繼之即讀「爾雅」，然後再讀「春秋」一註疏，「書經」「周禮」，「毛詩」小序，「日知錄」，直到十三歲——清宣統一年——進縣立高等小學堂的時候，對於上述曾經讀過的書，除了「毛詩」小序容易領悟，「日知錄」是故事式讀物，稍有瞭解外，其餘一概不知所云。最好笑是教我讀「爾雅」和「周禮」的兩位冬烘先生，他們在給我點書之際，不斷地翻查字典，手忙脚亂，弄得滿頭大汗，苦不堪言，教授法更談不上了——他們自己根本就未曾讀過這類的書呀！

清末廢除科舉後，各州縣初設學校，學生年齡極不一致，我就讀的縣立高等小學同學中，十之八九都在廿歲左右，我最幼。他們多屬參加過秀才考試的「童生」資格，國文已有相當的根柢，每逢星期六規定作文一篇，題目不外是經史子集，他們在講堂上搖頭幌腦，一揮而就。我呢，根本未曾學寫過文章，不知文章為何，每次作文，總是望着天花板發楞兩小時後，含淚交白卷而出。那位姓李名廷杰的國文老師，眞不愧為循循善誘的施教者，他瞧着我這種情形，於某次作文時，乃特別為我另擬一題，叫作「下雨記」，我還是莫名其妙，無從下筆。如是乎，他站立在我的座位前面，細聲問我以下雨前後的景象是怎樣的？我舉其所知以對，他說：「這便是文章材料啊！你寫下就行了。」我不覺大喜答曰：「這樣就是寫文章嗎？我明白了。」馬上寫成四五百字的一篇「下雨記」送給先生，為全班中交卷最早者。

李先生接着看了兩行，向我點頭笑笑，從此我纔懂得作文之道。過了一學期，李老師出了一道作文題目「論淝水之戰」，我寫成約莫八百字的文章交去，晚上李老師喚我到他的房間內，先問：「這文章是你作的嗎？」答曰然，「那末你背誦原文給我聽聽。」他說，我如命復誦一遍；他再教我逐句解釋其意義，然後和顏悅色地說道：「你進步很快，今後好好用功罷！」原來他懷疑文章不是我自己作的，所以要當面考驗一下，以明虛實。

那時的學校裏並無圖書設備，只有一份「長沙日報」，社論都是批評時事的文言文，我喜歡閱讀它，認為很合胃口的，就鈔錄在本子上，隨時諷誦摹仿，洋洋自得。我從家裏把父親購存的「西堂雜組」帶到學校，却不愛其駢儷六朝華麗詞句，却不甚明白其內意義，晚上常在自修室內高聲朗誦之。某夕，我正在大聲誦讀着「傷秦娥之玉，偷韓壽之香」這兩句尤佳的文章，被站立在窗外查齋的「監學」胡先生（他是一位秀才）聽到了，他立刻走進來怒斥道：「小小年紀的孩子，就讀這類猥褻文章，豈有此理！」說着把我那本書拿去，報告校長和國文老師，要加我以記過的處分。國文老師李先生不同意，認定我必然不懂得這兩句文字的典故，只是隨便讀讀而已（實在我不懂得的）。他和校長二人叫我去詢問一番，然後教訓我對於不懂得意義的文章，不要亂讀。我當時感到苦悶，覺得讀古書亦有罪過，不亦怪哉！（一）

康有為的命名

·丘峻·

計前後「出亡十六年，三周大地，遊遍四洲，經三十一國，行六十萬里」，縱日夜提心吊膽，防人暗算，而人生處此，亦誠可謂壯遊矣！且得天眷，幸此身之尚存，帶命歸來，吾壯心其未灰，此又氏之所引為自慰者也。歸國伊始，即定居上海愚園路之一七二號，顏曰「游存廬」。「神游天外此身存」，此「游存廬」與「游存叟」之所以得名者矣。

說到「想入諸天化人也，時從碧落如螺髻」的境界，其為「天游化人」乎？康氏於不得志之餘，殆亦想入非非矣！

最後，還帶述一宗趣事，想亦可聊供了解康氏為人之一助歟？康氏於家人，除前述外，無所懼，獨於梁隨覺夫人則為例外。梁氏原為有為第二妻，上有大婦，下有小妾，正處夾縫中人，以致受人閒氣最多。然梁氏生性謙和，素不與人爭，橫逆之來，亦從不與較，氣無所出，而常向康氏發洩。康氏心裏明白，亦從不之怒，且常笑曰：「怕掉你了！怕掉你了！」不特出之於口，而且筆之於紙，常書中堂，條幅與之，賜名曰「震畏」，亦可哂也！至謂「康家以後全靠你」一詞，則至今殆成讖語矣。（完）

內償警台報字第〇三一號內銷證

自由報

THE FREE NEWS

第二九九期

中華民國僑務委員會頒發
台港字第三二三號登記證
中華郵政台字第一二八二號執照
登記爲第一類新聞紙類
（本週刊每星期三、六出版）
每份港幣壹角
台灣零售價新台幣貳元
社長　雷嘯岑
督印人：黃行寬
社址：香港銅鑼灣高士威道二十號四樓
20 CAUSEWAY RD 3RD FL. HONG KONG
TEL. 771726　電報掛號 7191
承印者：田風印刷廠
地址：香港灣仔高士打道二二一號
台灣分社
台北市西寧南路壹壹壹本號二樓
電話：三〇三四六
台郵撥儲金戶九二五二

政治革新之我見

張義舉

邇來台灣各地倡言革新、動員、戰鬥，聲應氣求，盛極一時，足徵國人對於中興大業，同具熱忱，眞值得萬分慶幸！唯欲動員有效，戰鬥成功，端賴革新之徹底；如不能眞正革新，則動員戰鬥盡屬空言。我政府自遷台以來，軍事經濟皆有輝煌成就，不必多所闡述；如今急需革新者，厥爲政治。用敢不揣譾陋，謹就政治革新，畧抒一得之見。譬如以小石子投入大海，如能激起微波，亦所幸也。

一、革新之目的何在？

國人對於政治革新，見仁見智，看法容有不同；但革新的目的在掃除舊惡習，創造新局面，這是大家共同的希望，無可懷疑的。過去政治上有何缺點，有目共覩，有耳共聞，吾人不願多作消極的抨擊；唯其積弊所由生，厥惟人事一端，不可不十分重視！

我國是民主法治的國家，有人以爲祗須有完善之法律，作治國之準繩，即可躋於富強康樂之域；殊不知徒善固不足以爲政，而徒法也不足以自行。自古聖賢治國，無不以人法並重，此理淺明，無待多述。今日台灣法令之繁，可說多如牛毛；立法院終年忙於立法，大小機關，各機構，各部門，又不斷擬訂單行法，臨時法，特別法等等，種類繁多，幾乎不可勝數。試問各級人員眞能奉公守法的，究有幾人？甚至立法人員，司法官吏，其本身能否守法？祗須看看報紙所載司法官司，政治官司，貪污違法案件，就可思過半矣。

我們確認有「治法」者，必須要有「治人」！照現在的人事情形看來，賢者難於在位，能者難於在職；縱有良法美意，至多也不過唱唱高調，裝裝門面而已，對於國家民族，究竟有何裨益？古人說：「國家之敗，由官邪也。」我們不談政治革新則已，要談政治革新，直截了當地說，必須先從革新人事着手，掃蕩邪風，纔能奏效。

二、爲政何在多言？

台灣省政府新主席黃杰氏到任之後，揭櫫施政方針，一則曰：「崇法務實節用愛民」，再則曰：「人盡其材材盡其用」；先後總共十六個大字，簡單扼要，實在可圈可點！古人說：「爲政不在多言」，該做的事，責任所在，不容推諉，縱然艱難困苦，也要勉力幹下去，還有什麼空話可說呢？

我國官場中有一種積習，就是所謂「新官上任三把火」，凡是「差不多」的主官，接事之初，照例要發表什麼「大政方針」，「工作計劃」；而且要做一兩件令人注意的事，對屬下示威，對人民市惠。但是過了一個時期，那些方針計劃，往往會變成具文，束之高閣。假如是些來頭不正，動機不良的歪官，日久天長，便會原形畢露，貪污違法了。也許當初他的調子唱得愈高，做得也愈壞；官腔打得愈漂亮，他的政績也愈糟糕。好在多數人民已「司空見慣」，不以爲奇，惟有以冷眼靜觀其變化而已。至於民意代表，對於官場行情，更爲熟悉，在新官大做其官樣文章時，並不表示任何態度，一旦抓住機會，便毫不留情地予以迎頭痛擊。所以在民意機構開會時，常對行政首長施以「審判式」的質詢，把那些官僚們攻擊得體無完膚；甚則由此而掀起政治風潮，鬧得天翻地覆，鷄犬不寧；這實在非人民之福，爲任何人所不歡迎的。

大凡好說漂亮話的官員，其內心往往蘊藏着某種作用，一且戳穿了，眞是一文不值！其實政治並沒什麼奧妙，祗要說實話，做實事，就是成功的秘訣；能確實做到黃杰主席那十六個字就夠了。各級政府假如眞能使「人盡其材材盡其用」，不但一切貪污無能現象，可以一掃而空，而且憑各人的學識、經驗、才能，可以發揮極大的效率；再加以主政者本着「崇法務實節用愛民」的精神，篤實踐履，以身作則，那輝煌的政績，必可立而待；這不就是徹底的革新麼？何須今天擬一方案，明天訂一計劃；甚則組織什麼「委員會」，成立什麼「小組」，議論紛紜，徒滋擾攘呢？

三、安得賢才而舉之？

「選賢與能」四個字，早已成爲政治上的口頭禪，但何謂賢能？怎樣選舉？似乎倒被大多數人所忽畧了。何以言之？先說民選地方官以及民意代表，試問自提名以至當選，除了金錢、勢力、人情、面子以外，會有幾人注意他們是否賢能的呢？再談人事行政，目前主管機關津津樂道的兩大政策，一爲「新陳代謝」，一爲「職位分類」；表面看來，似乎條條有道，頗合科學原則，究其實際，對於人事革新，則毫不相干。要曉得政治敗壞，由於官邪；官邪則由於人事不合理。舉例言之：大小官員，多由鑽營奔競而得，以人事背景作階梯，此其一。圈子越劃越小，遂使才門緊閉，賢路壅塞；故朝多倖進，野有遺賢，此其二。尸位者多，稱職者少，結果造成庸人誤國現象，此其三。君子道消，小人道長；「小人喻於利」，故不免貪污橫行，此其四。今後如不能打破人事圈子，讓賢能出頭，肅清小人，使政風清淨，所謂新陳代謝，也不過「以暴易暴不知其非」；所謂職位分類，也不過「尸位素餐各得其所」而已，有何政策之可言？

居今日而言人事革新，不是什麼修訂人事法規，改進人事管理辦法等等問題，而是要當道擴大胸襟，改善作風，必須做到「其心休休焉，其如有容焉；人之有技，若己有之，人之彥聖，其心好之。」並且還能有一種担當，就是「見賢而必能舉，舉而必能先；見不善而必能去，去而必能遠。」爲政治造成蓬勃嶄新的氣象，纔不愧爲今之大丈夫。我敢斷言，凡是有道德，有學識，有才能的人，必不肯向人低頭，街求祿位；而善鑽能謀無孔不入之徒，絕非善類！政府今後如能徹底杜絕鑽營奔競之風，純以考選薦舉爲掄才之道，創造新風氣，培植新生機，庶乎有以慰國人喁喁之望焉。

四、試舉掄才辦法

現在謹就管見所及，畧舉掄才辦法數點，以供當道之參考。（一）國家考試制度，本爲選拔人才而建立，各項考試及格人員，雖不能全部錄用，至少也要嚴加考核，擇其尤者而用之；一以發揚五權憲法之精神，再以昭大信於國人，絕不可使他們置之閒散！（二）過去在大陸經甄審銓敘合格之行政人員，且有豐富之經驗，忠貞廉潔之事蹟者，來台以後，因爲人浮於事，政府無法安插，特舉辦「候用登記」，以安其心；詎登記以後，竟然「候而不用」，難道這一大批候用人員之中，全無廉能之士嗎？政府何妨作細密之調查，以作選才之參考呢？（三）「十室之邑必有忠信」，「十步之內必有芳草」，我國自古以來，任何角落，都會發現奇才異能之士；政府應普令各機關，各團體、各學校，凡有特殊人才，或賢能君子，必須向上級薦舉；報而匿才不報者罰，報而不實者亦罰。如此，則眞才可得，並可望野無遺賢矣。（四）政黨提名參加競選，必須愼擇極優秀之黨員，任用行政幹部，也必須小心選拔，不可有絲毫情面或派系作用，始可取信於民。

以上四點，自問卑之無甚高論；但既曰「務實」，就不願多唱高調。筆者不才，亦不過說幾句老實話，聊盡匹夫之責而已。

台生產投資正疲退下來
糧產趕不上人口增加
監察院巡察報告分析之四。

（本報記者台北航訊）台灣經建事業發展情形是海外內國人所關注的，因此，記者現就經濟加速現狀，生產事實投資及監察院建議改善的意見等，加以報導。

政府為了發展經濟事業，提高生產率，以養增加國民所得和增加國民就業，推行有計劃的經濟建設，目前已進入了第三期經建計劃的第二年了。本期計劃投資總共五百億零一千九百萬元，其中農工部份的投資為三百十二億八千萬元，佔總投資額百分之六十一，足見其為經濟建設之重點所在。

經濟部給監察院的五十年度資本品收入數字是：九千六百九十六萬美元，而外貿會的數字則為八千六百多萬美元，兩個數字不相符，因其包括很廣，至今少有人能夠瞭解其真相畢竟如何。而更值得重視的，是經長楊繼曾對監委們說的，現在投資的形勢，已經疲退下來了。

楊繼曾根據外貿會提供的數字，指出五十一年一月至八月，要比去年（五十年）同時期的投資數字，減少達百分之五點九。疲退的原因，據認為（一）投資利潤不夠高，尤其自國防特捐徵以來，對外資與僑資的影響很大。（二）「戰時氣氛太濃」，我們天天在這裏要反攻，外人不願來投資。（三）同時投資環境不夠好，如免稅不切實際，如國內市場利息高於投資利息，如股票市場因缺乏企業大衆化而不易繁榮等，而表現得很現實的是金融機關儲蓄存款，卻有六十億元以上，足見大家不願投資了。

至於國民就業情形，去年國民就業原計劃為增加九萬五千人，事實上僅增加八萬五千人。據說便是由於投資的疲退關係，影響就業計劃的不能達成目標。

去年的貿易差額為一億美元左右，計出口數額為二億一千四百零四萬美元，進口方面政府外匯部份有一億一千八百八十多萬美元，其他部份有二億多美元。但好在進口多為資本設備及農工原料等。

關於農業方面，因為人口的繼續大增而使問題走向嚴重。監委于鎮洲指出：去年出口的米只值一千一百萬美元，但進口米值一千零七十萬美元，另麥子和麵粉值一千九百萬美元，合計兩千，九百七十萬美元；差額達一千八百多萬美元。足見糧食并不夠吃，主管糧政者痴人說夢要不得！

第三期四年經建計劃，其中最重要者是投資問題，如果投資不足，這個計劃是不能成功的。故監委于鎮洲希望，行政院切實加以檢討，諸如投資環境和出入境等手續，有沒有簡化？法令規章是不是苛繁？不加改進長此下去是不行的。（健生十二月二日）

硬要從乾竹桿裏榨出油來
毛共大肆搜刮農業副產品
農村共幹上下其手乘機舞弊自肥

（香港與大陸）

中共又在農村大肆「搜購」農業副產品，舉凡猪、羊、鷄、鴨、綠荳、芋頭、薯干、大菜（製鹹菜）、鹹菜（製梅菜干者）……均在收購之列。規定的「任務數」偏高，非完成不可，否則便被扣除所配食糧，又還有其他罪受。

甫自梅縣來港的潘老先生向記者透露：梅縣地區各公社，最近曾分別召開社員大會，討論如何用實際行動支援「祖國」社會主義建設。

潘老先生是屬梅縣南口公社，宮前生產大隊的，上月底，彼所屬之生產隊，曾召集全體社員大會，先由公社黨支書報告目前「祖國」社會建設事業如何進步迅速，工業和農業的生產指標如何行將超過英美兩國……並希望農民能繼續發揚忘我的革命精神為「共產主義事業奮鬥」。繼之由宣傳部長演講，說是目前大家的「幸福」生活，是由「解放軍」日以繼夜地辛勞保衛着，亦是工人老大哥的支援，更主要是「黨」的「正確」領導所致……所以希望人家發揚愛國主義精神，把家中收藏的「多餘」的副食品，賣給國家，藉此一則把死寶變為活寶，二則支援了國防建設和工業建設。隨後便宣讀四條討論提綱：（一）近年來「祖國」有那些輝煌的成就？（二）「祖國」為什麼能得到這些成就？（三）我對這次政府收購「多餘」副產品的認識？（四）我打算如何完成這次「收購」的任務？

潘老先生說：中共上列四條提綱，指定要社員們討論，輪流發言，前三條大體祗是重複黨支書和宣傳部長的演講，第四條則是實際的東西。結果收購是按勞動力多寡而定，潘老先生一家有六人，除了他和一個孫女不是主要勞動力外，其餘都是，所以收購的「任務數」很高：他家除了一條生猪被收購外，還要鷄五隻，鷄蛋三十只，芋頭廿斤，鹹菜一百弍拾斤等。這些數字實在太高了，潘老先生家裏所有的鷄、鷄蛋、鹹菜等，均沒有這麼多，但誰敢反對？因為在大會討論時，曾有如不完成「任務數」，要扣除配糧并要受到公社的批判鬥爭的決議。

潘老先生說：這次「收購」，共幹又大發其財，有些共幹故意高派「任務數」，特別是僑屬，明知他們無法完成，便暗中教人向他們兜售所分派的東西，以衣服或猪油等交換。共幹所賣副食品是由民間搜購而來的，他們只是把那些東西「借用」一下，然後再把收購數字少報，結果，他們就大刮其龍了。（敬斯）

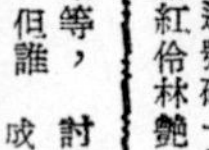

工展聖誕氣氛濃
徵詩文聯佳作多

（本報訊）耶穌聖誕佳節告臨，工展會除各攤位大多舉行「聖誕特價」外，並於場內外添設聖誕節色彩，高達二十呎之立體聖誕老人矗立大門前，笑口常開，歡迎嘉賓。場內聖誕歌聲悠揚。大會各辦公廳均佈滿聖誕景色。

大會堂招待小童肇益會的貧童，每人派糖菓玩具一包，同時大會門券部亦於每日下午七時起，將糖菓包派發入場參觀之小童。由大會首腦扮演之聖誕老人，則由下午七時半起，在場內各街道分派糖菓或玩具。

△工展徵文、徵詩、徵聯已先後截止收卷，計文共三百餘篇，聯一千五百餘比，詩六百餘首。連日整理密封完畢，分別送評判員評選。此次應徵者甚為踴躍，其中佳作甚多，琳瑯滿目。各評判員將一一審閱，各給分數，另定日期召集各評判員，分別開評判會議，然後公佈姓名，另定日期頒獎。

大會為各項比賽向各廠及攤位徵集獎品，除已發表者外，續有中溪織造廠捐出童衣四十四件，利工民織造廠捐金鹿牌背心六件。

△工展會廿四日舉行第四次遊客幸運日，凡循旋轉機及購預售票入場之觀衆，均獲派幸運號碼一個，廿五日下午七時，請紅伶林艷、陳好逑、張英才抽獎。幸運號碼共十五個，首、二、三名獎大昌洋行倫天樂送出之發達牌手錶一個，名貴禮物一份，四至十五名可獲首輪戲院戲票一張，禮物一份。幸運號碼背面印有南順公司廣告者，首、二、三名該公司加贈金牌一面，出品八款，四至十五名加贈出品七款。又大會額外抽出五十個號碼，中獎者贈戲票二張。

△寮國工商界觀展團一行十餘人，廿三日由團長梁標華率領參觀工展。大會首腦接待略進茶點後，陪同參觀攤位，曾特在香港機械鑽井公司攤位與該公司總經理鍾興仁合照留念。（白）

理論與策略之爭純屬鬼話
中俄共實乃是一丘之貉
它們目標同達成目標的手段亦同

（本報訊）中俄共對共產主義的「理論與策略」之爭，其激烈的程度竟至於互指為「反革命」——赫魯曉夫給中共戴上「托派」的帽子，中共則指俄共為「現代修正主義」，兩者都是很嚴重的罪狀——確屬駭人聽聞。但據此間某研究共黨問題有素的人士語本報記者，這些都不過是它們的口舌之爭與文字遊戲，並非意味中俄共有什麼實質的不同。若論實質，中俄共乃是一邱之貉，全無所謂不同之處。

他說：像中俄共眼前的「理論與策略」的分歧，在共產黨歷史上，亦已數見不鮮：從第一國際到第三國際，便是這種理論與策略之爭；列寧在生之日，俄共內部便有此種「理論與策略」之爭；列寧死後，史達林削平羣雄，定於一尊，史便是假口於這種所謂「理論與策略」之爭；甚至一九四八年史達林把狄托南斯拉夫趕出歐共情報局，表面亦還是為了這種「理論與策略」之爭。所以，中俄共如今鬧得似乎很嚴重的爭論，其實並不是什麼新鮮的玩藝。

他強調共產主義天然就是一種鬥爭的「哲學」，它們的鬥爭，特別表現於個人的權位上面，所謂「理論與策略」云者，都祗是為了個人及以個人為中心的權位之爭。從第一國際到第三國際固然是這麼一回事，史達林趕走托洛斯基，槍斃布哈林等所造成的三十年代大屠殺，亦僅僅是這麼一回事，十四年前狄托的被逐以至於別樹一幟，其內幕亦是這麼一回事。以今日中俄共的分歧而論，赫魯曉夫以往稱中共為「教條主義」，為「史派份子」，現在稱中共為「托派份子」，中共則先指赫魯曉夫為「修正主義」，後來又指為「現代修正主義」，實在，互相都祗是玩弄名詞，真正的內幕，亦無非是權位之爭那麼一回事。

以赫魯曉夫為首的俄共，幾年來高唱「和平共存」與「戰爭並非不可避免」論，它們攻擊中共的，就是說中共反對「和平共存」，主張冒險鬥爭，認為戰爭無可避免。但就以眼前的古巴事件而論，甘迺迪實行攤牌，不惜一戰，赫魯曉夫立刻打退堂鼓，從古巴撤走飛彈與可載原核武器的轟炸機，固然避免了戰爭，很像是赫魯曉夫真的奉行「和平共存」外交的樣子。但，中共已指出：是誰把飛彈、轟炸機等送去古巴，以至迫使美國攤牌的呢？這不說明，赫魯曉夫口頭上的「和平共存」，祗是騙人的把戲嗎？

再以印邊之戰為例，中共兩次在印邊發動全面攻勢，固然亦好像中共不惜冒險鬥爭，儼然是正統共產主義者的作法，但是中共於戰勝攻克之餘，卻又片面的主動停火，片面的主動撤兵，且撤兵撤得很遠，不惜把邊境東段一向屬於中國的五萬方哩土地拱手奉送給尼赫魯印度以乞求和平了。它這一「退卻」，比之赫魯曉夫在古巴事件上的「慕尼黑」行為，有過之而無不及。是則中共的「現代修正主義」，比赫魯曉夫更進一步，它有什麼資格責罵赫魯曉夫「出賣無產階級的利益」？

從這兩項現實例證，足見中俄共間目前鬧得針鋒相對其勢洶洶的「理論與策略」的分歧，僅僅是表面工夫！它們實際上因為同屬共產主義者，不但最後要赤化全世界的目標是相同的，即使在達成此種狂妄目標的手段上，其實亦並無不同之處。他說：西方國家由於中俄共有此表面分歧，而沾沾自喜，而一心以為「機會」來了，證明西方國家完全不認識共產黨是什麼東西！中俄共實在乃是一邱之貉，它們誰在這場分歧中戰勝，對於自由世界，其結果無有不同。所以自由世界要保衛世界和平與安全，除了消滅共產主義之外，實在別無捷徑。（清）

鱷魚恤有限公司
建職工福利大廈

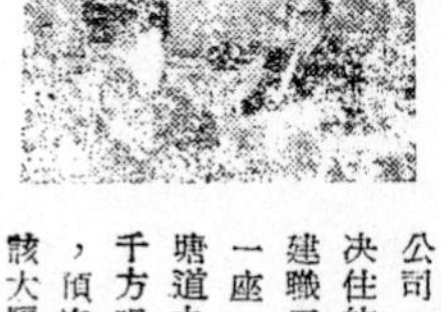

本港鱷魚恤有限公司，為協助員工解決住的問題，即將興建職工福利中心大廈一座，地點在九龍官塘道之北，面積約七千方呎，樓高十二層，預定明年底落成。該大廈將以五層樓供單身職工居住，四層樓供有家屬之職工居住，另三層闢為膳堂、禮堂、娛樂廳、閱覽室等。該大廈設計宏偉而壯觀，空氣調節，自動電梯，及其他衛生設備等；凡該公司織備員工，均有申請入住資格，租金力求廉宜，預算僅及每一員工薪金的百分之十為標準，誠屬難能可貴。據該公司主人陳俊先生稱：彼於五年前便向政府申請此一地皮，為辦理各項手續及設計圖則等，始見告竣事，甚感快慰。由此亦足見其深謀遠慮與及大魄力之一斑。而鱷魚恤之業務鼎盛，廣受歡迎，誠其來有自也。

英國保守黨政治大低潮

○本報倫敦航訊○

英國保守黨岌岌可危的政治地位，不但麥美倫着急，連大西洋對岸的美國當道，亦為之憂心忡忡，暗地裏兩手揑一把汗。

倫敦所有的政治觀察家都大概同意，除非麥美倫保守黨政府有一項值得歌頌的政績出現，予選民以新的刺激，否則，下屆大選的勝利者，將屬工黨而非保守黨。這些政治觀察家又說：保守黨政治行情的唯一轉機，將是英國能於明年夏天之前，以夠理想的條件，完成談判，參加歐洲共同市場。如其談判根本失敗，或者即使是拖延莫決，保守黨的機會便宣告消失了，一切努力，都難免徒勞無功。

保守黨的政治行情低落，誠然表現於本年陸續舉行的十七個地區的下院補缺選舉，既喪失了若干席位，得能倖保不失的席位的多數票，亦慘跌到可驚的數字。七月間，麥美倫大動刀兵的改組政府，欲以「新面目」挽回頹勢，到頭來亦收效不大，甚至不如意之事尚滾滾而來，包括：

（一）舉行地下核爆的聲明引起反感，反對黨抓着它做為題目，攻擊政府增加國際緊張的局勢。

（二）有一個女公務員被發現是蘇俄間諜，相當喪失政府的威信。

（三）失業者在增加中，十一月的數字達五十四萬四千人，佔全國勞工總額的百分之二點四，成為二十二年來失業最多的一個十一月份。顯示多季的失業情形可能更加嚴重。這一點，對保守黨所加的傷害，最為沉重。

（四）偏偏「天矢飛彈」的問題又在此時發生——這是英國能否保有自己的「核子嚇阻武力」的命根子所在。美國突然要在這時候毀約，英國朝野大嘩；竟有認為華盛頓此舉「心肝別具」，故意要「貶英國為第二等國家」者。此事已成為麥、甘巴哈瑪會談的凸出題目，倫敦多數人士表示悲觀，認為麥美倫僅有極其微末的機會可以說服甘迺迪改變放棄發展「天矢飛彈」的那個決定。果其然也，對保守黨政府，自亦構成了「不信任」。

當然，下院補缺選舉并非就是將來大選的正確反映。好像一九五八年二月，保守黨政府既於下院補缺選舉中大敗虧輸，該年的英國經濟情況又惡劣，失業問題備極嚴重，當時大家曾經認定，在一九五九年的大選，將不再是保守黨的天下了。豈知就在那一年過後，麥美倫一方面使英國經濟大大好轉，另方面他建議來一次東西高峯會談，把自己扮成個「和事佬」的樣子，結果那次大選，麥美倫竟獲得壓倒性的勝仗，既造成保守黨連勝三選的局面，更差一點便使得工黨從茲沒落，有如昔日自由黨一蹶不起那樣。

不管遭遇怎麼樣的困境，保守黨仍在極力掙扎中。麥美倫的翻身王牌，確實亦是放在努力使英國能夠參加共同市場之上，大有成敗得失，在此一舉之勢。但，倫敦人士明瞭，這問題困難重重，麥美倫據說亦自覺他好像被綁着一隻手在和人打鬥，真要替英國爭取到合乎理想的條件參加共同市場，談何容易。對此問題，工黨領袖蓋斯基爾，以往是擺出一付騎牆態度的，新近却儼然偏向於反對參加了。這，也許正好給麥美倫保守黨一個機會。許多人都同意：麥美倫政府所押的共同市場這一寶，如其中了，保守黨是大概必能翻身的。

正亦由於蓋斯基爾那一立場，太西洋彼岸的美國當局，據說頗耽心於下屆大選工黨獲勝，將使英國既自外於歐洲，復鬆弛「血濃於水」的英美同盟，而使英國成為一個「中立國」。那樣一來，世局平衡難免失墜，美國將不知道怎麼辦的好了！但奇怪的是，美國居然在此時而有「天矢飛彈」的變卦，這畢竟又該要怎麼解釋？

（仲敏）

天南風光

——沙羅越的歷史——

朱淵明

芳伯在世時，嘗因為受人拐騙，幾致敗事，乃鄭重宣佈說：「蘭芳公司大哥，應由嘉應州人接任，副頭人，應由大埔縣人接任。此兩處永為定規。至於各處頭人，尾哥老大，不拘本州，各縣人氏，俱可擇賢而任。」及芳伯易簀時，眾人詢以繼統之事。芳伯曰：「吾儕飄泊海外，得有今日，皆眾兄弟之賜。吾安敢以土地自私？應擇賢任之。」眾問何人？則曰：「江戊伯可。」於是眾即舉戊伯繼為總長，並葬芳伯於東萬律總廳之後山。

自羅芳伯以後，凡傳總長五人，至劉二合為總長時，乃受荷蘭人之欺，國土日削，復接受荷蘭人所封「甲太」之名義，漸不能獨立自主。其後，再傳五世，至光緒十年，即西曆一八八四年，乃為荷蘭人所併，而系統以絕。自建號至國滅，凡歷一百零八年。羅芳伯以結合一百零八人起家，而其基業，亦傳世一百零八年，這一百零八的數字，與芳伯相始終，倒也是一件很巧合的事哩。

羅芳伯當日於建國時，曾於東萬律首府市門，懸置巨匾，額曰：「蘭芳大總制」。並刻有巨形之印信，為總廳發佈文件示信之用，文曰「蘭芳公司」。印信為正方形，長寬各有四英寸，朱文，字體在楷隸之間，甚為古拙；歷代相傳，視為鴻寶。至西曆一八八四年，東方律及總廳，為荷蘭人強力佔據，乃將牌匾與印信等，悉為收繳，存於「吧達維亞」（BATAVIA）博物院內，也就是現今藏在「耶加達」（DJAKARTA）博物院的古物。華人遊印尼者，尚可見及，當不勝感慨系之也！而羅芳伯的墳墓，現仍赫然存在於東萬律，在其前的墓石上書刻之文曰：「皇清威明德創芳柏羅先生墓」。

（十五）

文道篇

林人

讀報有感隨筆四則（六）

四、社會壞風氣誰負責？

人人皆說這個社會風氣敗壞得很。老人們搖頭擺腦地說：『世風日下，人心不古。』連最善刮龍的校長也認為過份，因為他的乖學生，許多是阿飛，在校裏攪得兇；在校外的表演，任何最小的一件，都可使該校的女生在未開始說之前，便已臉紅。但是，這個社會壞風氣，究竟誰負責呢？是家長？是老師？是校長，是報紙？是政府？追究起這種責任，似乎沒有一個不是關懷青年，教導青年，希望青年好的。那麼，應該負責的却祇是社會自己？阿飛自己？於是十目所視，千夫所指，大家都在歎息地說：『社會真太墮落了，風氣太敗壞了！』或者大聲地斥罵着：『你這混蛋的阿飛，害人的阿飛。』

可惜，「社會」祇是一個名詞，沒有人的集合，根本不成為「社會」，「社會」何由墮落呢？墮落的祇是「人」。

阿飛的成因，可能是由於家庭沒有教育；可能是學校造成；可能由於色情文化影響；可能是教育制度有問題；那麼，阿飛就並不是「害人的」阿飛，而給上述這些害了，變成阿飛。阿飛是「被害者」。

誰負責？我認為主要是行政當局，其他都是次要。

例如，文憑主義，已成為「合法的欺騙」的手段。政府，教育，社會以文憑為用人的標準，於是文憑便成為吃香的東西。於是有些所謂專上學院，為爭取學生起見，便「特准」新生入讀半年或一年，即「恩准」畢業，准予戴上四方帽，自封「學士」，作變相式的出賣文憑。社會既以擁有學士銜或什麼銜，照個戴上四方帽的相片，而以為榮的風氣，那末便不應全怪那種「淺薄的虛榮的」學生，也不應全怪那種專做「合法欺騙」的生意的書院老板。要怪就祇好怪文憑太給人誘惑！

文憑主義，是誰有權去決定它的價值的呢？是行政當局，其他都沒有這份權力。

文憑主義並不是代表人才，而是向人才挑戰的制度。文憑主義的結果，使不學無術者成為教育家；不懂教書的成為教師；祇懂賺錢不懂教育為何物的成為大名鼎鼎的校長……這樣的人，怎能使社會有教育呢？

教育尚且如此，筆者對其他已無言可說。

改造社會的壞風氣，不是罵阿飛便可改造得了；正如反貪污，祇拍下兩個蒼蠅，連老虎的毛也不敢摸，也是反不了。並且，這個社會的「風氣」，是由一個最不孝的人，當起孝順父母運動大會的主席，是非常普遍的，有人敢於談「公道話」麼？除了傻瓜！（完）

瀛台續夢

第六回：

烽火照邊陲　同熙難齊

樓船碧橫海　大慈興悲

林彪回到「國防部」，把總軍械部部長王樹聲找來，將毛澤東砲轟金門的決定告訴他。王樹聲嘆口氣：「林總，這樣攪法真是和自己過不去，一顆砲彈從蘇聯買來要合美金一百元，怎麼能隨便在金門放着玩　使這套的把戲去嚇艾森豪威爾，簡直是天大的笑話，也許他以為我們放禮砲歡迎呢？」

林彪笑道：「現在還是少說話多作事吧！不看彭總同黃克誠同志嗎？」

王樹聲不敢多說，自去準備。

就當艾森豪威爾尚未到台北，中共也來了一位貴賓，英國的蒙哥馬利元帥。蒙哥馬利是二次大戰時英國最高統帥，也曾在北非立過戰功，以後英美合組解放歐洲遠征軍，由艾森豪威爾出任總司令，下轄兩個兵團，一是蒙哥馬利統率的英軍，一是布萊德雷統率的美軍，戰爭期間，蒙哥馬利就和艾森豪威爾不睦，他眼中根本看不起艾森豪威爾。不過，當時還都以大局為重，彼之有軍紀維繫，所以還未出大毛病。到了二次大戰後，艾森豪威爾當了總統，布萊德雷也當了美國參謀首長聯席會議主席，只有蒙哥馬利憔悴倫敦，無事可作，心理上就發生怨懟，一股牢騷之氣要發洩，於是寫了一部回憶錄，把艾森豪威爾同布萊德雷罵得一文不值，其中有些地方太過火，誰看了也不能相信。回憶錄出版之後，銷路並不好，英國人也覺得這位老元帥神經已有問題，平日一般朋友都抱着敬而遠之的心理，朋友於是更少，日子過得更寂寞，就想作一件震驚世界的事情，使世人對他刮目相看。二次大戰後，蒙哥馬利曾訪問過蘇聯，和史太林作過長談，不過那時他還是英帝國參謀總長，說話還要謹慎，所以未鬧出笑話。

蒙哥馬利最近在極度寂寞心情下，又打算訪問鐵幕國家，這次他不打算訪問蘇聯，想換一換口味去中共區看看。四月初，蒙哥馬利向英國外交部申請護照時，高峯會議尚未開，英國當局也希望他到北平去探探行情，所以很快就批准了。但是中共對於他的入境請求却一直擱下來。一九五九年美國前任紐約州長哈里曼曾要求去大陸訪問，被中共拒絕。因為自一九五八年大躍進，人民公社以來，大陸是民窮財盡，百業凋零，稍微有點常識的人，一眼就看得出，所以中共對西方國家的訪客，尤其是作過大事的，更是避之若浼。

不料國際形勢突然變化，高峯會議流產，艾森豪威爾將要訪問台灣，毛澤東在心驚意亂之際突然想起蒙哥馬利，準備批准蒙哥馬利到共區訪問。周恩來，陳毅都以為是妙策。

陳毅說道：「蒙哥馬利與艾森豪威爾，地位功業都相等，請來蒙哥馬利，就可以祇銷艾森豪威爾去台灣，這真是好棋，主席的意見實在永遠正確。」

周恩來說道：「我只担心我們的情況真不能看，假若蒙哥馬利回去之後，把我們說得一團糟，就變成弄巧反拙了。」

陳毅笑道：「這還不容易，他來了，特別以招待，吃喝玩要，臨走時還送禮，他走了再去說壞話，那簡直不是人了。」

（一六三）

電話裏靜了好幾秒鐘，我說：「還能在一起半個多月！」

他「嗯」了一聲。

電話掛斷了，車站上的播音器裏喚出「往高雄方面的列車就要開了……」我不禁有些悵惘。一個小學童迎面奔跑過來，我來不及閃開，他便撞在我懷裏。

朋友們

·汶津·

在那隻爲風雨剝蝕的公用信箱裏，我掘得寶藏似的發現一封來自新大陸的郵簡。「……昨晚在電視裏看甘迺迪總統演說，播完後電台放出美國國歌，銀幕上映出美國的風土人物，可以立刻感覺到那種高漲的愛國熱情，有男孩立即起立致敬，說：美國在召喚我！使我的家國之思油然而生。可惜這一腔愛國熱誠，無處可傾訴呀。」這位好友的感觸，橫越過太平洋，傳染給我；而另一位友人即將越過印度洋，也許就在一個多月之後，他會聽到法國的國歌……

我幾乎想放棄一個女孩子的約會，來寫一封很長很長的回信，報導這些日子來，在故國所發生的種種。很轉念之間，我又惘然了：什麼才是值得告訴的？

昨天我爲學生們上了嚴肅的一課，也爲自己上了一課。今天又遇到了很多的事，也有說不完的感慨。陽光終於閃現了，雖然氣象台還是猶豫不決。我也猶豫起來了——該向她說一個輕鬆的笑話，還是一則時代的寓言？她一定更喜歡前者，而我卻偏愛後者。人，永遠是生活在矛盾裏的麼？

還是一樣的，我們在公園裏散步，談天，我告訴她我所想的，所冀望的。更告訴她那位異國友人說的：

「我喜歡中國的女孩子。」

「爲什麼？」她也像那天我問他一樣的問我。

「因爲她們脾氣強。」

她的笑聲正好應和了我那天的笑聲。

「我告訴他，『脾氣强』在中文裏有不好的意思；我想他的意思是中國女孩子有個性。他把個性兩個字寫下來，揣摩了半天，才算表示會意了。」

「看來你倒是一位好老師嘛。」她譏弄我。

「可惜你沒見過他那副尊容！頷下蓄着鬚，讓人猜不準他的年齡；永遠是心在不焉的神色。他還說會算命呢，另一位朋友說他純粹是調皮搗蛋——法國人的作風！」

「法國？那是一個快樂的民族！」她若有所思地說。

第二天我把這句話告訴他，他同意地頷首，說：「我就要去一個快樂的國家了！」

我還是沒有向他道賀，即使帶着玩笑口吻的也沒有。（下）

南宋偏安有人才
——李綱

李仲俠

而諸將分道出師，俱爲金師所扼，不能達太原。汾晉澤絳諸州之民，紛紛渡河，南行避難。於是金人復有南侵之舉，而靖康之禍成。原來金師自宋京退兵後，朝廷上下，苟安恬嬉，不復以邊防爲務，當朝祇有李綱一人，獨引爲憂，上備邊禦敵之策，不見聽用，每有謀議，輒爲耿南仲諸人所阻，甚至請棄三鎮以餌金人。綱雖忠勇，如寡小何！蓋彼時廟廊之相，方鎮之將，大抵皆出童、蔡、王、梁之門，鮮有足繫國人之望者；兼之宋室在外交上的基本政策亦多錯誤，宋初以聯遼不成而敗，後仍不悟，尚以遼爲可恃。先是肅王樞質金，金使蕭仲恭亦爲宋所留，逾月不遣，其副將趙倫懼不得歸，乃紿館伴邢倞曰：「金有耶律伊都者，夙恨於金，可結之以圖斡喇布及尼瑪哈」。執政以仲恭伊都皆遼貴戚舊臣，用事於金者，信之，乃以蠟書命仲恭致之伊都，使爲內應。仲恭還見斡喇布，即以蠟書獻之，斡喇布以聞。麟府帥可求又嘗遼梁王雅里在西夏之北，欲折宋報金，朝廷信之，致書雅里，爲尼瑪哈所得，尼瑪哈亦以聞。此宋外交政策失敗，引致邊患之又一原因也。（十）

談象

燕謀

中國古代也是產象的地區之一，中國人知道有象，爲時甚早，根據甲骨文的記載和近代殷墟出土的遺物看來，至少是在西元前十五至十二世紀的殷代，黃河流域是有象的，甲骨文裏的「爲」字，從又從象，象以手牽象之形，故爲字乃從手牽象的會意字。羅振玉「殷墟書契考釋」亦云：「意古者役象以助勞，其事尚或在服牛乘馬以前」？又卜辭田獵有獲象之語。「呂氏春秋」亦云：「商人服象，爲虐於東夷，周公遂之，至於江南。」都是殷代有象之確證。

雖然殷周之際，河南北方地區逐漸寒冷，因不適宜於象的生存，而新興的周人又以武力向東壓迫中原的殷人，殷人原爲服象的民族，遂有一部分人率象南遷。所以象在黃河流域逐漸罕見，但在長江流域則日漸增多。詩經魯頌泮水三篇云：「憬彼淮夷，來獻其琛，元龜象齒，大賂南金。」國語魯語也說：「巴浦之犀、犛、兕、象，其可盡乎？」巴是巴州，即今重慶一帶；浦即浦州，即今四川東部的萬縣。山海經海內南經也說：「巴蛇吞象，三歲而出其骨。」又中山經：「岷山，江水出焉，……大獸多犀、象，多夔牛。」左思「蜀都賦」說：「拔象齒，戾犀角」。可見漢代巴蜀確產象，古代象牙國內使用也早。即今所謂象牙筷子，史記宋世家說：「紂始爲象箸，箕子歎曰：「彼爲象箸，必爲玉杯，爲杯，則必思遠方珍怪之物而御之矣。」韓非子喻老篇也說：「昔者紂爲象箸而箕子怖。」又說：「箕子見象箸以知天下之禍。」據「補龜策列傳」說：「紂爲象廊，自言巧於天，名爲象廊，又有象牀，將犀玉之器。」象箸的使用到了周代，更見普遍。詩經「君子偕老」篇說：「玉之瑱也，象之揥也。」又詩經魏風葛屨篇：「好人提提，宛然左辟，佩其象揥，維是褊心，是以爲刺。」所謂「揥」，即是古代貴婦人頭上的飾品之一，用以摘髮。小雅采綠篇鄭玄注云：「禮，婦人在夫家……」象揥已是當時普遍的女人飾物。次，還有象弭，周禮官司云：「象弭，以象飾弭」。或曰以象骨飾尊。孫詒讓注云：象尊，以象骨飾之。又云：諸侯飾口以象，天子飾以玉。上列數種都是周代用象骨製做的器物。可見到了戰國，象骨做成所謂藝術品已普遍了。古代除了使用象骨製作藝術品之外，還有用之於戰爭者。左傳定公四年：鍼尹固與王同舟，王使執燧象以奔吳師。燧即是火，以火繫象尾，象因痛而直衝敵陣，此所謂「奔」也。這種戰術，是齊人田單以火牛陣大破燕軍的藍本。到了光武中興，漢室又有過一次象戰。「孔白六帖」云：「王莽與世祖戰昆陽，驅象戰。」此後以降，在中國的歷史上，便沒有象戰的記載。可見因爲大陸氣候轉冷的關係，象在中國慢慢的看不到了。

我的學生生活

雷嘯岑

當年我的縣城內——湖南嘉禾縣——沒有書店，每學期專靠從外縣來販賣書籍文具的行商，到學校推銷一次。其次，有一個商人附帶着販賣「中國魂」（康有爲撰）和「飲冰室文抄」（內容就是梁啓超在日本刊行的「新民叢報」）兩種小冊子，售價每冊一毫，我以其便宜，每樣買了一冊，在校內隨時閱覽，且因其文義淺明，甚爲欣賞。迨看過一遍之後，知道中國將要被洋人瓜分了（中國魂專講此事），而滿清朝廷又腐敗不堪（新民叢報的言論），心理上頗爲刺激而衝動，乃將這兩本小冊子送給同學們看，卻不明白這是當時政府認爲大逆不道的禁書，即被「監學」先生發覺了！這次闖下的禍事不小，校長亦担當不起這種責任，他就向縣令兼監督如實報告。縣官魯澤，山東人，是個進士出身，人很誠實厚道，他聞之亦大驚，立刻召見在縣城內充任本縣自治研究所所長的我那位三叔父（秉之），商量如何處理，三叔說是童子無知，誤購亂黨的宣傳品，情有可原，乞予從輕發落。結果由縣太爺下命令，記我大過一次，並限制我在本學期內，星期日亦不許走出校外，形同禁閉。這是宣統三年上期的事，未幾，三叔父亦辭職前往東三省去了。我對於記過處分倒無所謂，唯對星期日不許我走出校外這一點，大爲氣憤，然敢怒不敢言，只是在心理上潛存着一道深鉅的創痕，不易磨滅，而對現實環境頗懷反感。這就是我後來在中學時喜歡寫文字向報紙投稿，譏刺時事；進入大學即投隸國民黨，從事革命運動的心理因素。幼年時期的教育關係，可謂重大也矣！

辛亥年秋季開學不久，武昌革命軍起，湖南接踵響應，吾邑革命黨人李國柱歸自日本，在本縣進行排滿運動，迫使縣令滿人鍾麟全家自殺殉難，人心爲之大震，學校的教職員驚惶四散，學生家長亦紛紛召喚子弟回家，學校乃無形停閉了。父親和兩位嫡親的叔叔三人，原在東三省宦游，是年十二月間，他們都馳歸鄉里了。父親即在家裏督教我讀書作文習字，每天排定功課，督教甚嚴——他是廩貢生出身，在東三省作法官有年。某日，他看見我寫的正楷大字中，把「萬」字寫成「方」字，大怒，當場呵斥後，還打了我一支耳光。三叔父在旁表示抗議，認爲寫成「方」字亦非大錯，現在國家都講革命了，雕蟲小技之學，何必如此食古不化呢？他要求我父親，每天讓他來督教我。三叔原是科甲中人，但他的思想很前進，跟我父親那種道貌岸然的理學氣質大不相同。如是，他每天除却正課以外，對我閒談武昌革命軍的一些故事，尤其對於他過武漢時所見漢口被北軍砲火燬成一片焦土的情形，敍述特詳。當時我年幼，固然不明瞭「革命」二字作何解釋，只喜歡聽故事，但心裏頗不以北軍砲燬漢口民居爲然——後來纔知三叔父在東三省已秘密加入了革命黨了！

這樣在家裏自修了兩個月，中華民國政府已告成立，我們縣立高等小學校即奉令再行開學，校址亦遷移到縣城中一個市集旁的寺廟中，新任的縣長（當時叫作知事）係臨時是湖北人（姓陳，名字忘記了），一派酸溜溜地舊科甲人物那種氣味，初次到學校來視察，即要考試我們這羣小學生作文一篇，名曰「觀風」，題目記得是「業精於勤荒於嬉說」，我所作的全篇文章不到一千字，放榜出來，居然名列第一，祖父母和三叔父大爲高興，叫我回家去嘉獎備至，三叔父且對我父說道：「這孩子將來可以繼承我的志事」。父親怫然答曰：「如果像你這樣的話，充其量是個搗亂份子而已！」這因爲父親知道三叔加入了革命黨，但又不敢明說，恐怕祖父母聞之驚懼，而父親和三叔父二人的個性完全兩樣——一個拘謹，一個開闊，所以彼此的觀念格格不相入。民國二年春二月，父親和三叔聯袂赴長沙，三叔極力主張帶同我到省城投考中學，父親認爲小學畢業文憑尚未獲得，不妨等候數月，再出就外傳，三叔就說：「如果沒有小學文憑就進不了中學，一切由我負責可也。」父親纔就不堅持原意，允許我到長沙求學了。（二）

內僑警台報字第〇三一一號內銷證

自由報

THE FREE NEWS

第三〇〇期

中華民國僑務委員會頒行
台教新字第三二三號登記證
中華郵政台字第一二八二號執照
登記為第一類新聞紙類
（本週刊每星期三、六出版）
每份港幣壹角
台灣零售價新台幣弍元
社長：雷嘯岑
督印人：黃行富
社址：香港銅鑼灣高士威道二十號四樓
20 CAUSEWAY RD 3RD FL
HONG KONG
TEL. 771726　電報掛號．7191
承印者：田風印刷廠
館址：香港灣仔高士打道一二二號
台灣分社
台北市西寧南路壹壹本號二樓
電話：六四三〇三三
台郵總館金戶九二五二

蘇俄在『退却中』的幾點勝利

·方南·

自從「古巴事件」爆發以後，蘇俄是在「退却」中，直至這幾天，美國一部分記者已相信蘇俄確開始在冷戰方面採取守勢。（見美聯社電訊）。筆者的意見是：共產黨每在機巧的退却中爭取到某種被人看輕的重要勝利。目前蘇俄也剛好辦到這一點。

蘇俄被迫退却是事實，它不能不退却的主要原因有兩點：

一、它在古巴撤退飛彈是一種非常損失面子的行動。如只作一點的退而不僞裝成全面的退，決不能達到迷蒙美國的一個主要目的。

二、中共剛在這時候鬧別扭，攻擊它在古巴的丟臉事件，使它必須小心應付，先要「安內」然後「攘外」。

基此，蘇俄是要在困難而尷尬的處境中巧妙地退却，一面是眞實的非退不可，一面却要加上僞裝，求攫取某種必要到手的實際勝利。

它在這一戲劇化行動中，當以從新拉攏南斯拉夫，恭請狄托重遊莫斯科的一幕表演最爲精彩。

它邀狄托到莫斯科的作用有二：一是利用狄托打擊毛澤東，縫合了共產帝國在東歐的一線裂痕，以抵消亞洲出現的新裂痕。二是透過狄托去博取美國人的信賴，認爲它已被迫走上眞正謀求「和平共存」的路線，採取狄托的觀點和做法。

它這一着表現得相當高明。我們固可指出：蘇俄也在「重歐輕亞」，但必須從它的策略底層看出它在亞洲的另一收穫。

首先我們應該看清楚，蘇俄並未在古巴完全失敗。

它如給美國把古巴這個據點，澈底消滅了，那才是無可挽救的失敗。但事實並未如此。反之，它已令到美國放棄了對古巴的進攻，由得它保留這一據點作無限期的使用。這便是「敗中求勝」很了不起的成就。

我認爲這是蘇俄在退却中的一項重大勝利。而另一勝利便是令到美國人再在腦海裏泛起了和平幻想，相信莫斯科的好戰狂熱確實遠遜北平。

本來，美國人在「古巴事件」所受的教訓實在極爲嚴重，但曾幾何時，連甘迺迪總統在電視答問中所作的鮮明表示，也認定中共爲患之重，過於蘇俄，還有一般輿論也以蘇俄被迫取守勢而沾沾自喜了。這一點，正是蘇俄應該引爲深喜的一項大勝利。它可因此而取消了「美國乘勢反攻」的顧慮。這時蘇俄確立的戰畧應該是：切實穩定古巴現有的局勢，再在拉丁美洲創造第二個古巴。我相信蘇俄正在這樣做。好在後者只從地下進行便成，一次失敗還可再來一次，一則給美國的刺激不會太大，二則表面不致牽涉到蘇俄本身。只要再有一個赤色政權在拉丁美洲建立起來，蘇俄便可跳過這一次失敗達到另一級的勝利，絕不是美國的「核彈」所能嚇倒的了。

在亞洲方面，蘇俄對印度與印尼所已達成的勝利，確實值得注意。

印尼早已變成蘇俄手上的一隻重要棋子。最近北婆羅洲爆發了「婆羅乃事變」的幕後策動者便是它。這棋子，很可能被蘇俄繼續使用，作出諸般巧妙花樣。

印度雖已受到中共十分猛烈的打擊，但尼赫魯仍然深深戀惓着蘇俄的迷人笑臉。尼赫魯這一錯誤的認識，最後必將引導印度陷入全盤赤化的慘境。這一點，筆者早經在本報撰文指出，到這幾天，可由新德里傳來的消息看得更加明顯了。

據泛亞社新德里廿六日電：此間一部份觀察敏銳的英方人士認爲：印總理尼赫魯在中（共）印邊界戰事初起時感激西方協助的熱烈情緒，正似烟消雲散中。倫敦「星期電訊報」駐印特派員史蒂芬，巴烈以開門見山的筆法寫道：「值茲中共軍隊後撤，戰火復燃的可能性已告減退之際，印度總理正在重蹈舊路。在印總理眼中，以及在印度執政黨左翼議員與梅農派眼中，拯救印度於危險者實爲俄人，因蘇俄曾停止以羅馬尼亞的汽油與捷克的軍火供應北平。至於英美，只是手持火棒乘虛而入，以巴基斯坦之同謀者身份，就喀什米爾問題進行勒索而已。」

這一個電訊提供我們以確切的證明，蘇俄不只有力量操縱印尼，也有辦法愚弄印度。這兩個在東南亞人口最多與幅員最廣的國家都受着赫魯曉夫的欺騙與驅使，如果我們過於看重中共與蘇俄之間的裂痕，認定蘇俄必將在亞洲失勢，那種判斷恐怕是錯得太利害了。

筆者的個人判斷是：蘇俄與中共均視赤化印度爲其共同的最大利益。目前，中共業已佔領了「世界屋脊」的戰畧要衝，取得高屋建瓴之勢，俯瞰印度平原，掌握着「可戰可和」的機運，對尼赫魯政權施行不斷的壓迫與摧擊，同時打擊東南亞各小國坑共的精神與意志。蘇俄却致力於暗中扶植印共，陽向尼赫魯討好而陰作拆台工作。這兩者是在相反中獲得相成的實效，最後吃虧與吃苦的當然是尼赫魯。

蘇俄打的是長遠算盤，把中共此時對外擴展的任何勝利都看作是他自己的全盤勝利中之一部份。到了它有辦法把毛澤東從中共內部趕下台時，配合了印度全盤赤化的豐盛戰果，便會使它把握着最有利的形勢去和西方國家作最後的鬥爭了。

「羅馬不是一天造成的。」蘇俄在進進退退之間很有耐性與信心進行建立它的「新羅馬」。此時它的「重歐輕亞」手法僅屬「陰謀」的偶然浮露吧了！我們切莫輕估它在印度與印尼所已獲致的成就與勝利。

如上所說種種，絕非「長他人志氣，滅自己威風」，旨在給美國人近似「熱昏了」的頭腦以一服有用的藥劑，使他們看清敵人在退却中想的是什麼？說的是什麼？和業已得到了些什麼？

我們是亞洲人，當然看重亞洲事。當中共正與蘇俄鬧分裂，我們能看到自由世界有什麼新的部署與動作來適應這個變局麼？方今印尼如此，印度如此，安定的馬來亞也受到「婆羅乃事變」的影响而變得騷然不寧了。最堅强的反共國家能作些什麼？南越仍在苦戰中，菲律賓却同情於婆羅乃的「革命份子」。寮共給泰國的威脅只有增加而毫無減少，日本當局一面用口頭抨擊「中立」，一面在事實上與中共大做生意。這是利用當前變局以扭轉乾坤的應有現象麼？

遠溯源頭，弊在美國仍不想動。它自己對古巴問題的看法仍然有些糢糊不清，還能望它鳥瞰全局，對準蘇俄此時的最大弱點，給以致命的一擊嗎？

歸根說一句，打倒毛澤東與消滅中共政權終竟是我們自己的責任。另一方面我們也應該隨時提給盟邦合理的忠告，免得盟邦實際已被置身熊熊大火之上尚漠然不覺，甚而尚飄飄然誤以爲可獲旦夕苟安！

漫畫天下

一幅要倒的牆

一條分裂的牛

自由談

表揚好人好事

台灣每年舉行一次旌表好人好事的曠典，受褒揚者十九都是社會各界的所謂「升斗小民」；間有公職人員，亦係地位極卑微的，如去年「八、七」水災時，某縣的警士捨身救人之類。他們發於自然情操，求其心之所安，見義勇爲，冒險犯難，絕無絲毫弋譽沽名的意念存焉。「仗義每聞屠狗輩，負心多是讀書人」，世衰俗薄，信有徵也。

一方面稱讚好人好事，同時就應該唾棄壞人壞事，庶足以激勵人心，知恥向上，培育純良的民德，蔚成一代風氣，古人所謂「教化大行」之說，此物此志也。今世壞人之尤者，不是穿窬胠篋之徒，亦非流氓太保之輩，而係滿口道德仁義，滿懷奸詐險狠，乃至於渾身忠貞模樣，實際有奶便是娘的所謂知識份子——尤其是鐘鳴鼎食，隨時向人說教訓話的一般士大夫之流。這類人，薄具知識，適所以濟其奸；小忠小信，僅足以售其惡；作下壞事，還要以天下第一好人自居，理由多端，夸夸炫耀；長官許爲幹練之才，輿論無從加以批評。因而是非混淆，善惡莫辨，社會人士眼明心亮，只好太息長歎，引爲深憂，而天下乃爲之大亂不已。

「教化」的功用，貴乎潛移默運，轉捩於無形，而具有社會領導地位的士大夫，必須以身作則，有所不爲，樹之楷模，衆生景仰，夫然後克收化民成俗之效。光是表揚升斗小民的好人好事，而坐視大奸大惡的士大夫無所不爲，罔知顧忌，甚且蜚黃騰達，儼然當代英豪。這就是衰世的象徵，不足爲訓的。

官吏貪污，總不能說這是好人好事吧？如果表揚在路上拾金不昧的老百姓，而使遇事向人民要索紅包的不肖官吏，逍遙法外，這項表揚好人好事的工作，便成了自我諷刺的一幅漫畫！即此一端，可知移風易俗的義理所在，本末有自，不可不察也。察之之道無他，究心政理，善用政術，如是而已。

馬五先生

粵沿海反共武裝益活躍

農村共幹多予暗中協助

石岐兩公路橋樑被爆炸

（本報訊）本月廿五日，續有中山農民同胞十二人，逃亡抵達澳門，業經我救濟機構予以登記，并予以臨時緊急救濟。據他們說：最近中山縣的反共武裝份子，活動甚力，如本月廿二日及廿三日，便曾先後爆炸石岐近郊兩座公路橋樑，使毛共爲之手忙脚亂，驚惶萬狀。

他們說：廿二日被反共武裝份子爆炸的是石岐通往瓏都的公路上接近大涌地方的一座橋樑；廿三日被反共武裝份子爆炸的，則爲石岐通往港口的鳳鳴公路上的一座橋樑。又說：前者被爆炸毀壞的程度較爲輕微，後者却頗爲嚴重，全座橋都被炸塌了。

爆炸案發生後，毛共除就地督促民衆日夜趕修外，并在石岐採取戒嚴措施，如臨大敵。在三鄉地方的毛共「公安部隊」，還嚴密檢查往來石岐與澳門間的旅客，宣稱要捉拿「國特份子」。記者按：近幾個月來，澳門附近共區所發生的爆炸事件，先後已達十餘起，但遠至石岐者，以往尚未之前聞。

另據鄰近香港屬於「大鵬灣人民公社」運輸機動輪的某君，於本月廿四日奉命載運農產品抵港後對本報記者透露：沿海一帶的毛共民兵，由於毛共不斷有征調訓練之事，大起恐慌，乃紛紛暗中與反共武裝份子聯絡，協助并導引反共武裝份子進行活動。他說：反共武裝份子的行動甚爲「文明」，比如他們會乘夜活捉到一些農村公社共幹，但幷不以殘酷手段對付他們，反之予以溫言勸告，促其改邪歸正，或則直接協助武裝份子行動，或者因環境上的困難未便出頭者，對於反共武裝份子行動可採取睜一隻眼閉一隻眼的不聞不理態度，俾得將功贖罪。某君說：那些曾被捉住的共幹，因獲死裏逃生關係，對於反共武裝份子所交待的任務，多能圓滿達成。

某君還向本報記者透露鮎海鄉人民公社民兵隊長朱水牛率領十幾個民兵起義投奔反共武裝組織的故事。他說：朱水牛的起義，是因爲他曾經在晚間帶引反共武裝份子進入該鄉，召集民衆進行宣傳，民衆曾予反共武裝份子熱烈歡待，該公社社長共幹鄒定嘉事後申斥朱水牛，認其行爲不當，恫嚇將向「上級」報告，朱水牛爲先發制人計，當晚乃率同民兵十五人，闖入鄒之家中，將其全家十數口殺死，然後帶隊投奔反共武裝組織。（春）

身歷其境者的控訴

勞改場直是人間地獄

長年的飢餓疾病苦工猶其餘事

最大威脅爲生命隨時可被幹掉

（香港與大陸）

大陸的「勞改」犯過着的是如何悲慘的生活呢？這裏是曾經被「勞改」四年半，最近才由梅縣逃來香港的劉恩榮君的現身說法，眞是一字一淚。他說他居然不會死在那裏面，實在要算是奇蹟了。

劉君說：大陸同胞這幾年固然過的是非常淒慘的生活，但「勞改」犯更慘，簡直就是活地獄，絕不是人的待遇。他說「勞改」犯經常的被迫做苦工不必說，經常與饑餓、寒冷、疾病結着不解緣亦不必說，更慘的是生命隨時都受着威脅，誰都不知道何時會被幹掉。

劉君受「勞改」的地方是廣東省第一監獄，設於梅縣城的北郊，那地方方圓兩平方里大小，周圍是一道十餘公尺高的圍牆和一層鐵絲網，并有起碼一團之衆的共軍在四周設哨戒備着。裏面有數幢特別設計的平房，都設有二道僅能通過一人的小門，屋頂上有四個可以俯瞰全房的哨亭，人們被抓進去，實際便少有能夠活着出來的，逃亡更絕對不可能。

劉君是一九五七年因被評爲「歷史反革命」份子而被抓送到那裏去的。那裏面除了一小部份「反革命」份子以外，絕大部份是由外省押來的「政治犯」，任何一個犯人，一經被送進去，便得把全部行李交出，連身上穿的衣服（包括內衣褲）都得除下，換上一套印着：「第一監獄犯人」字樣的囚衣。然後便被編隊從事「勞改」。

劉君說：這些勞改犯每天由早上五時至下午五時都得在監獄以外的農場或礦場工作，下午五時以後還另要在監獄的圍牆內從事兩小時的工作，接着就是兩小時的「思想檢查」，甚至要把自己一天來「不正確」的思想統統說出來。另外，每週進行一次「總結」，每月進行一次「鑑定」，表現「好的」給予表揚，表現不好的便被加長刑期。

劉君說：「勞改」犯每天緊張辛苦的十四小時勞動和二小時的精神磨折之餘，所得僅爲兩餐吃不飽的囚飯，吃的多是雜粮，如粟、蕃薯、芋頭之類。醫藥照顧根本不必談。最大威脅是生命的毫無保障，隨時都有被槍殺的可能。劉君說：有一次他們在荒山勞動（勞動時犯人是不得交談的，每一組犯人（十餘人）都有一條長繩縛在右腿，聯在一起，非有命令不得解除），那天他們正在工作之際，忽然有一名犯人被蛇咬住脚跟，那犯人便蹲下身去與蛇搏鬥，同組有幾個犯人前往幫忙；這情形被站在數十公尺遠的共幹看見了，誤以爲他們是企圖逃走，不經查問便立即開槍射擊，登時就射殺四個犯人。又有一次，有個華僑，不知犯了何罪，被押到該處，共幹亦照樣要他把全部物件交出來，但那「不懂規距」的華僑表示反對，聲稱要「上訴」，這樣便惱怒了看守的共幹，立刻便開槍把他打死。共幹後來竟說那華僑是「不服從命令」，是「企圖造反」。

據劉君說：在那監獄裏面是絕不能病的，因爲病了祇給你僅有幾個藥丸如消炎片給你吃，根本不問其是否對症之藥。且即使病了，除非起身不得，你還是要被迫勞動。但是劉君說：在那種情況下，要不病又那裏做得到？實際上，在那裏面的犯人，沒有一個不是形銷骨立的病人，因而致死者天天都有兩三個。

劉君說不出那在監獄裏的四年多，「勞改」犯究竟死了若干，他說實在無法統計。他祇知道他那中隊百多人便死了六十多位，約一半光景。他竟能未死在那裏面，勞改期滿平安出獄，而且終於能逃出大陸來，他說是太僥倖了。（敬沂）

港督參觀工展會

頻讚港產品進步

（本報訊）本屆工展開幕時，原定請由港督柏立基爵士主持揭幕，繼因港督因事返英，改請輔政司白嘉時主持。港督回任後，特於廿七日蒞臨工展會參觀，由大會各首腦陪同巡視全場一週，港督頻頻稱道本港工業產品日新又新，更有進步。

△工展會宣傳部主辦服裝表演，於廿八日下午七時作第三次演出，亦爲最後一次表演，由大會名譽會長余達之、徐季良、朱石麟、黃克競、許岳、溫達明，董之英、鄭光，會長黃篤修，副會長林根成、尹致中、蔡章閣等蒞場主持演出儀式，演出完畢後隨即在表演台分贈紀念金章給予參加演出之廠號代表小姐。

△工展會爲響應「貧童幸福週」，特定廿七、廿八兩日分別招待小童六千名，計廿七日上午十時招待貧童之友會及小童羣益會小童各一千五百名，由嘉頓公司在會場攤位派送每名禮品一包，梁新記牙刷廠及香港梁蘇記遮廠，分別在各該攤位派送小童禮品各五百份。廿八日上午，又招待貧童之友會及小童羣益會小童各一千五百名，由嘉頓公司攤位派送每名小童禮品一份，其他攤位亦有禮物贈送。

▲工展會主辦塑膠花插花比賽，業經評定各組優勝者如下：

線條組——冠軍聯大塑膠廠，亞軍大中實業公司，季軍振生五金機器廠，優異獎義生實業公司。

日本式組——冠軍裕順製造廠，亞軍裕順製造廠，季軍虎標永安堂，優異獎永和實業公司，特別獎義生實業公司。

小型組——冠軍永和實業公司，亞軍裕順製造廠，季軍鱷魚恤公司，優異獎民生塑膠廠，特別獎大中實業公司。

大堆頭組——冠軍榮記蔴雀塑膠廠，亞軍利民膠廠，季軍裕順製造廠，優異獎裕順製造廠，特別獎淘大公司。

大會于廿七日下午八時在大禮台頒獎，由名譽會長許岳主持。（白）

聯合國人權會議中

有關我國一段故事

（本報記者台北航訊）正當我們以全力注視聯合國外交工作的時候，外交部的一時疏忽，幾使我在聯合國人權委員會議中使人誤解；由於主其事的機關和參加會議的人員唯恐此事傳出，遭到輿論責備，於是除參加會議的人向中央有關方面報告過外，對外就從沒有透露，故雖然事隔數月，向以觸覺敏銳著稱的新聞界，都被蒙在鼓中，成爲一條漏網新聞。本報記者日前始獲悉箇中原委。

本年三月十九日至四月十四日在紐約聯合國總部舉行聯合國人權委員會第十八屆會議，共歷時四週，由我代表鄭寶南，曹保頤，顧問張希哲出席。四月十日至十二日上午舉行七三二至七三五次會議，議程討論新聞自由問題及「不受無故逮捕、拘禁、及放逐權利」問題，討論四國小組委員會提出之研究報告；在研究報告中，關於我國保障人權之事實與資料，並無列入，因此勢將予人誤會我國爲不尊重人權之國家。幸而我國出席人權委員會代表團顧問立法委員張希哲，於未出國前，曾請制訂冤獄賠償法之起草人及提議人立法委員袁良驊供給資料，張委員將資料携交我聯合國代表團，迨於發覺研究報告中無我國資料後，我代表團乃及時將我國四十八年六月十一日公佈之冤獄賠償法，提送聯合國秘書處，聯合國秘書處始將中華民國之冤獄賠償制度，摘要編入研究報告的修正本中。

「不受無故拘禁，逮捕放逐權利」問題，是有關人權保障最具體而重要的問題之一，人權委會在一九五六年舉行第十二屆會議時，便推選智利、挪威、巴基斯坦和非律賓四國組成小組委員會，對這個問題加以研究，並起草基本原則。後來由於人權委員會委員改選，這個小組委員會亦隨之數度改選，一九五七年選出阿根廷和錫蘭代替了智利和巴基斯坦，一九五九年選出比利時代替挪威，一九六〇年選出巴基斯坦代替錫蘭，一九六一年選出荷蘭代替比利時。經過幾年的研討，於去年初完成了一篇內容相當豐富的研究報告，並附基本原則草案四十一條，由聯合國秘書長分送各國政府請予批評。嗣後四國委員會復參照各國所提意見，將報告書修正，提出本次會議討論。

四國小組委員會研究報告，旣由聯合國秘書處分送各國政府批評，我國外交部當然也會收到一份，於發現其中並無我國有關人權保障之事實及資料時，如能立即將冤獄賠償法提送，供其於修正時編入，提本次會議討論就好了。或者謂：我國法律譯本，當時尚未完成，故未被四國小組委員會搜羅採入。其實，外交部是該在那時將冤獄賠償法先行譯送的，可能該部當時疏忽了。現在雖得補行列入，可是討論到這個草案時，距離閉會時間只有一兩天，根本沒有時間討論，祇匆匆忙忙的通過了一項決議：將「不受無故逮捕及拘禁的基本原則」草案分送聯合國會員國及各專門機構，請會員國在一九六二年十一月卅日以前提出批評意見，由秘書處將各國意見整理後提出下屆會議審議。如此一來，我國對於人權設有專法保障之良法美意，因無發言機會發揮，便不易爲各國所了解。

此外，人權委員會前曾決議，請各國設置全國性的人權保護委員會，此在已設立之二十餘國中，其構成員之資格，並不一致，有由有名望之人士組織的，有由律師公會推舉若干律師組織的，有由社會團體之法人組織的，都有可觀成績。我國因無人權保護會之設，外交部以台灣有養女保護會之設是爲保護人權之工作，於是將發女保護會提出視同人權保護會。但因台灣省發女保護會並非全國性，資料也不充實，而保護人權工作又僅限於養女，因此，人權委員會於三月二十日至二十六日舉行七〇三次至七〇九次會議，檢討聯合國關於人權方面諮詢性服務計劃實施情形，及諸各會員國國內人權諮詢機構設置情形和工作概況時，我國僅被摘要編入報告中。

聯合國會員國有一百餘國，設有人權保護委員會之國家，不過二十餘國，可見並非未設人權保護委員會之國家，便無人權保障之事實，其倡議此一組織，意在對人權保障之重視而已。我國已有冤獄賠償法，可謂十足有人權保障之明證，如能認真執行，人權保障即能收得實效，至於是否還必須另設一個人權保護委員會，便不關重要了。（吳越）

一頁珍貴的歷史文獻

墨索里尼的最後哀鳴。說希特勒不懂得地中海

指納粹德國買假情報。慨嘆義大利人沒有個性

·封雄譯·

這是一篇近代史上很奇怪而寶貴的談話紀錄，一九四五年七月義大利法西斯政權崩潰，墨索里尼頹然下台，他卸下一切職務，被送到麗薩島暫避，八月六日又從麗薩移到薩底尼亞，兩次担任「護送」職務的人都是前義大利海軍情報局局長毛基瑞大將，在艦上，墨索里尼把他滿腹牢騷與隱情向毛基瑞傾訴一番，後來毛基瑞加入「愛國軍人抗敵先鋒隊」對德作戰，遇見「生活」週刊記者，於是把這篇稀世的對話錄轉述出來，刊於生活週刊。由這篇談話可以看出軸心國脆弱的內殼，可以看出狂徒最後的懺悔，更可以看出幾次「希墨歷史會晤」幕後的醜態，這是一頁法西斯義大利悲劇的附錄，其中的善惡是非自然要請讀者去體會。——編者

墨索里尼從羅馬出亡赴麗薩島（義南一島，羅馬帝國時代的監獄地）途中說：「德國人從來沒有明瞭地中海的重要性，從來沒有！我曾經在戰爭發生之初便告訴他們要先佔領埃及；其後我們便可把中東和歐州東部連起來。他們已經叨天之福而於很短期間把法軍擊潰，他們作什麼來着？他們竟和俄國鬧起火來！

「還有，在政治戰爭上得勝而締了同盟（指蘇德同盟）之後，那是當着英國而搶來的，英國為了防止那個同盟曾經監視了五個月之久。可是他們總覺得俄國是西方文明一個嚴重的危險，我曾經盡力向希特勒說那是毫不合理的觀察，和那些什麼「新秩序」一樣的是毫無意義的話。希特勒不明瞭史大林曾清除布爾希維克主義者，像那第一流人物卡米諸夫，所謂眞大炮的那位，都不免被殺。那就是史大林已完全放棄世界革命的觀念。可是你告訴希特勒也沒有用，他偏要堅持他的舊信念。

「我是首先承認蘇維埃聯邦的，我曾請李維諾夫到羅馬來，我們簽訂了一個親善協定。

「德國人總以為他們在幾個月之內便可以把俄國幹掉，他們實在是着魔似的受了俄國人的騙，假如希特勒不說得天花亂墜證明如何有把握，天曉得我會相信那套。

「有人把一份俄國的動員計劃要賣給德國情報局，那是一份極完善而詳細的文件，極微細的項目都列在上面——周密得使德國人都不敢相信那是眞的，可是他們到底買下了。

「俄國人自有辦法使德國人更加重的相信那份秘密文件是眞的，他們把那些奉命到德國出賣文件的人都抓起來鎗斃掉。等德國人聽到了這個消息，果然深信所得到的文件是眞的，於是便針對那個文件行事。可是那文件完全是假的，譬如上面寫明五十個騎兵團，而實際上該是五十個裝甲兵團，其他的以此類推。

「我曾苦勸希特勒與俄國講和，最後我還告訴他應該不惜任何代價去作，退還所佔領的地方，甚至連烏克蘭都不要。我告訴他自從一九四二年六月一日開始，我們就失敗了，並且說明一個國家開始作戰時如失敗，整個戰爭一定失敗。

「我又盡力附和他的迷信，想從迷信上說服他，我提醒他：一九四一年的最初會戰就沒有成功，於是我又要他回想那第一個可怕的冬天，我更指明他那次史太林格勒的慘敗，可是一點也沒有用，一點也沒有用！（上）

華盛頓來鴻（上）

古巴事件尚有下文　美左傾政客趨沒落

顧翊羣

嘯岑社長先生道右：近二月世界發生重大事件多起，諒均在執事洞見之中。茲將鄙見臚陳如下，以備參考：

一、十月廿二日甘迺迪總統對古巴事件之重大決定，可以證明甘氏雖經驗不足，然屆要緊關頭時，尚能不受週圍左派學者之影響，而為其國家民族之前途着想，作一良心上之決定。甘氏左右之主和論者，多為主張實驗主義（或實效論）者，謂對付共黨的進攻，祗能逐步作試驗式之應付，以觀察其結果，而永不採取準備決裂之步驟。然此次蘇俄派遣大批武裝部隊（據聞將及二萬人之多）秘密在古巴登陸，並裝置中程火箭，將美國東部各大城市均置於其射程之內，終迫使甘氏不能不當下的作一道德的決定。此可見人事上之措施，終不能免於作「不成功便成仁」之當機立斷。蘇俄此次雖經知難而退，但其基本政策並未改變，所派遣之部隊，現仍留古巴，故此後危機仍當接踵而來也。

二、史蒂文生事件之發生，不問其動機如何與責任誰屬，足以證明左派學者之希圖與蘇妥協者之逐漸失勢。此事之關鍵人物彭戴M. Bundy，原為共和黨人，曾代杜威氏草擬競選講詞，在第二次大戰時，為曾任國務卿而當時任陸軍部長史汀生氏之助手。史氏一貫的主張不承認偽滿洲國，及逝世後，彭氏主編其回憶錄。彭氏與甘氏之友誼僅發生於近數年，其任職於白宮之動機在於救國。識者謂彭氏終將出任國務卿，而繼續執行史汀生，杜勒斯等對侵略者之強硬政策。

三、美國首席大法官華倫氏近發表重要講演，謂美國犯罪案件日益增加，且各大企業秘密協定產品價格，以謀過份利得，學生與工會等視欺騙為無關宏旨，凡此種種，不勝憂慮。華氏主張在自由職業中，加一項倫理顧問，俾企業與團體等可於法律顧問之外，再諮詢倫理顧問，方作最後之決定。伊之主張蓋有鑒於目前種種不良現象，已非法律所能糾正，而有賴於道德，亦即中國儒家所謂「禮禁未然之前」較優於「法禁已然之後」之意。但倫理學者不僅為專家而更屬通才，豈能與律師工程師等同在大企業與工會等團體中，受「大亨」等之頤指氣使？弟以為美國之進步教育哲學必需有所轉變，使社會上領導人物多為有氣節者，而不為適應社會 The socially well adjusted 之組織人 the organization man，然後風氣方可丕變，此等倫理顧問自可不需要。目前哥倫比亞大學教育學院院長費雪博士已將教育方針與課程改變。加州新教育局局長在上月之選舉中，以反對進步教育為競選主題，獲得大多數選民之贊助而當選。此種趨勢，可見一斑。

四、甘總統昨日在電視中對全國作二年來施政報告，關於對付國際共產侵略之態度雖不能盡滿人意大體上尚算允當。伊所指出中共政權對世界和平之威脅較蘇俄為巨之說法，使吾人一則以懼一則以喜。懼者目前美國左派學者與歐洲及英國若干人士正在隱約的鼓吹「黃禍」之說，謂美國蘇俄與其他白種人應聯合起來以應付有色人種（主要者為中共）對世界之威脅。此種荒謬言論，我國學者應撰文駁斥。喜者蘇共與中共裂痕較為明顯化後，甘氏於世局重行嚴重時，終將同意我國部隊向大陸反攻，并允接濟軍實與糧食，以爭取先手也。

天南風光

——沙羅越的歷史——

朱淵明

在第二次世界大戰後，墓經重修，墓前樹立三角形石表，正面上書：「羅公芳柏之墓」。——此處羅芳伯的「伯」字，先後均寫為「柏」字，是蓋有故，說詳於後——下端方形石板上，三面均刻「羅公史畧」：其文曰：「羅公芳柏，廣東省梅縣石扇堡人，壬午歲誕生，即西曆一千七百三十八年。壬寅歲即西曆一千七百五十八年，自中國南來婆羅洲之東萬律；其時邊陲不寧，蠻夷兇悍，芳柏率征越十載，八荒賓服，四夷來王，定鼎東萬律，創[illegible]蘭芳公司基業，在位十九年，己卯歲，即西曆一千七百九十五年，羅公逝世，享壽五十八歲。繼位者為江戊伯，瀾四伯，朱插伯，歷三傳，時和年豐，稱盛世焉。其後，政務日非，嗣任劉台二，受職甲太，歷五易，以迄劉𡎺，於甲申之役而終。計傳十世，為時一百有八載也。李開亮，賀榮輝，房榮棠，同謹誌。』此石表隸書，刻製頗為工整，但文字誇誕不倫，而復簡畧無次，於芳伯出國年齡，據其所記，僅得廿歲，似有錯誤。而又未述明重修墓基，以及樹立墓表之緣起與經過。更未註明修墓，樹表，刻石之年月，殊令人無法獲得具體之印證，甚屬遺憾。

然其所記羅芳「伯」之名，仍書為芳「柏」。蓋芳伯，原名是叫芳「柏」的。他還有兩個弟弟，一個名葵柏，一個名台柏，仍留原籍。為什麼後來各種紀載多把芳「柏」改為芳「伯」呢？這是因為客家及潮汕與夫漳泉一帶的人，都以「伯」為尊稱之故。（十五）

瘟君續夢

第六回　烽火照邊陲　同惡難濟　樓船碧橫海　大慾興悲

周恩來說道：「問題倒不是這麼簡單，我們也要佈置一點東西讓他看看。」

蒙哥馬利到北平時，毛澤東正在上海，當由周恩來，陳毅負責招待。蒙哥馬利聽說周恩來是一位「將軍」，陳毅是名「元帥」，以為遇到了同行，就大談軍事理論及戰鬥經驗，周恩來同陳毅莫名其妙，無法插嘴。蒙哥馬利談了一段二次大戰的回憶之後，轉過來問陳毅軍事方面的心得。

陳毅搔搔禿頭說道：「打仗要分游擊戰與陣地戰兩種，游擊戰的要訣是『敵進我退，敵住我擾，敵退我追，敵疲我打。』這是毛主席發明的游擊戰十六字眞言。」

蒙哥馬利瞇着眼笑道：「這倒新鮮，任何戰史上都未記載過。可是，我還有點不明白，你們部隊行軍是步行還是汽車載運。」

陳毅說道：「當然是步行，打游擊那有用汽車的。」

蒙哥馬利說道：「這樣說法，問題就來了，近代戰爭已經是純機械化的立體戰爭，步兵遇上機械化部隊，他追，你跑不掉，他退，你也追不上，更談不上什麼擾和打了。所以我看你們這一套大概是有點過時了。」

陳毅還不服，强辯道：「我在井岡山打游擊時，根據毛澤東思想寫過幾首詞，專談游擊戰的原理，其中有這麼幾句：『打仗事，穩坐釣魚台，你要打時我不打，你不打時我偏來，乖乖聽安排。』我們當時在江西能站住脚，就是靠這種打法。」

蒙哥馬利笑道：「你這套戰術在韓國戰場上似乎沒有用過，是不是因為太落伍了。」

陳毅說道：「抗美援朝是陣地戰，我們另有一套打法。美國出動一個師，我們就調去一個兵團，以衆暴寡，結果把美國打敗了。」

蒙哥馬利聽到最後，不由得哈哈大笑，笑了一陣忽然問道：「我聽說你們打仗善用人海戰術，閣下剛才談的是不是人海戰術。」

陳毅笑道：「也可以這麼說，不過，人海戰術的本義被國民黨及美帝曲解了，他們說解放軍打仗專門用人換子彈，叫做人海戰術。其實人海戰術的本義是指揮千軍萬馬一齊向前奔，好似大海的潮水一樣，必然會淹沒了敵人。」

蒙哥馬利說道：「二次大戰後我同艾森豪威爾會見了蘇聯的朱可夫元帥，當時談到攻柏林我們所以遲到，是因為德軍地雷埋得太多，光是掃雷工作就阻延了一個禮拜，朱可夫聽了十分詫異，他說：『地雷那用專門去掃，只要派一師人走一趟，所有地雷都掃清了。』我同艾森豪威爾聽得目瞪口呆，現在想起來，大概也就是人海戰術了。」

陳毅洋洋得意的點下頭。

蒙哥馬利說道：「不過，朱可夫那套辦法現在已不適用，美國製造的原子大砲，一發砲彈可以毀滅一個師，你眞有潮水這麼多的部隊，也不夠幾發炮彈打的。」

周恩來知道蒙哥馬利這個人，除去軍事外，什麼都不懂，陳毅偏偏和他談軍事，正是自找麻煩，就想辦法把話岔開，恰好蒙哥馬利提到艾森豪威爾，觸動周恩來的靈感。（一六四）

中華民國五十一年十二月二十九日　自由報　星期六　第四版

孤獨與羣居

汶津

孤獨往往是一種酵素。孤獨中有詩源，有畫泉。孤獨時可以悟道。那是一種修養，一種境界。有人不耐孤寂，那或許是出於天性，但更可能是由於氣質的欠缺涵泳。年輕人多半不能欣賞孤獨的意趣，因爲「成長」必須有羣體作它的背景。但眞能領略孤獨的三昧的人，卻也是最能享受世界的。顏子居陋巷，生活物質條件雖差，但心靈中卻有不可言喻的自我充實，因此連不輕易許人的孔子也異常賞識這位年輕的學生。

孤獨可以醞釀許多在塵囂中所不能明澈的東西，這就難怪久困都市的人要艷羨鄉居之樂了。德國哲人康德所以能完成他那幾部體大思精的鉅著，也必是深受孤獨之賜吧？許多思想家竟和出家人一樣，不論婚娶，並不是他們否定了人間的生趣，或有意背叛世人的常態，而只是爲了完成一種獨特的心靈境界，不得不有所抉擇，有所揚棄罷了。

眞正孤獨的時候，也是你最敏感，最聰穎的片刻。你的五官無比的淸晰，聽到以前沒有聽到過的聲籟，見到你所未見的現象和光色，許多難題豁然而解，許多發明也都成於孤獨時的觸機。甚至可以說，內外如一的孤獨使凡人脫胎換骨。

但孤獨絕不是孤癖。孤癖是有意避人，是無情，冷漠的極端表現，孤獨是一已的興味，孤癖則含有對於羣體抗逆的意義。孤獨如無翼而翔，無所待，也無所執着，孤癖則如發動馬達馳向荒野。孤癖者表面上處處自顯高傲不羣，實際上他靈魂的深處是寂寞而痛苦的，那往往是一種拘執的習慣所造成的。

因而孤獨不必與羣居相背馳，在羣居生活中，也照樣可以得到孤獨的「自趣」。陶淵明的「結廬在人境，而無車馬喧」便是一例，而「心遠地自偏」不正是一種使人企慕的意境？如能把得失之心看得恬淡了，（雖然不一定要像莊子所主張的那樣完全破除得失之見），處已也好，處羣也好，處處都可得到無窮逸趣。你可能不願「爲天下先」，起來領導羣衆，但你至少可以順應世界，與人無爭。（上）

南宋偏安有人才

——李綱

李仲侯

金太宗晟欲再乘宋隙，用兵中原，於是以尼瑪哈爲左副元帥，發雲中；斡喇哈爲右副元帥，發保州；分道而南。尼瑪哈急攻太原，張孝純力竭不能支，城遂破。斡喇哈亦破眞定。金兵日偪，李綱自由前線召還朝廷後，還觀文殿學士知揚州，綱具奏辭免。未幾，以綱專主戰議，喪師費財，落職，提舉亳州明道宮，責授保定軍節度副使，建昌軍安置，再謫江寧。不久仲師道亦死，耿南仲唐恪執政，專主和議，罷西南勤王之師，且欲割棄三鎮以保汴京，而金兵進不已。尼瑪哈自太原趨汴，所至破滅，遂渡大河之險，得洛陽鄭州，不復以三鎮爲言，但云欲盡得兩河，請劃河以爲界。斡喇布兵又渡河偪磁州，亦遣使來議，以劃兩河爲言。於是三鎮割地之議，一變而爲兩河割地之議，外患日深，而宋室危矣。

斡喇布自眞定趨汴不過廿日，尼瑪哈遂自河陽來會，共偪京城。京中守兵僅七萬，出外召援，又阻金不果。金兵日夜攻城，肆擄掠，有卒郭京者，自云能用六甲法，生擒兩金將，朝廷賜之金帛數萬，使自募兵。京盡令守禦人下城，自坐城樓上，出兵挑戰，金兵鼓噪而進，京兵敗死。京曰：須自下作法，因引餘兵遁去。金兵登城，宋兵披靡大潰，京師遂陷。實則金人之意，並不在下京師，特重師相脅以得地而已。及攄城，故遂亦宜言議和退師，惟欲邀上皇至金營議其事。欽宗不可，願自往。於是車駕始出詣金營，奉表請降，獻兩河地。金人更索金一千萬錠，銀二千萬錠，帛一千萬匹，欽宗還大括民財，不能如數。金人索益急，且再邀欽宗至其營。明年爲欽宗在位之二年，車駕復出，遂爲金人所留，不復能還宮。尼瑪哈等遂有劫欽宗而去之心矣。

自此次金兵大舉再至，欽宗始悟和議之非，復除李綱爲資政殿大學士領開封府事。綱行次長沙，被命即率湖湘之師入援，未至而都城失守。先是康王至金營，爲金人所憚，求肅王代之。至是康王開大元帥府，承制復綱故官，且貽書曰：「方今生民之命，急於倒垂，諒非不世之材，何以協濟事功。閣下學窮天人，忠貫金石，當投袂而起，以副蒼生之望」！高宗即位，拜尙書右僕射兼中書侍郎，促赴闕。中丞顏岐奏曰：「張邦昌爲金人所喜，雖已爲三公郡王，宜更加同平章事，增重其禮。李綱爲金人所惡，雖已命相，宜及未至罷之」。章五上，上曰，如「朕之立，恐亦非金人所喜。」岐語塞而退。岐猶遣人封其章示綱，覬以阻其來。（十二）

打腔官兒

斷橋

無論大大小小的官兒，每逢登壇演講，（往往總是在什麼紀念日）而對着萬千羣衆，他們就會大聲疾呼：我們紀念××日，不忘復國！我們一致擁護領袖，反共抗俄！我們要打回大陸！……。

此種官腔兒在台灣已喊了十幾年啦，不信可翻報紙爲證，你如不能在某種集會中得聆諸如此類官腔兒，那才是怪事。至於官腔兒雖種類繁多，不可究詰，依個人的統計，要以上面那幾句，最爲普遍，可視之爲今日官腔的精華或代表作了。

此種官腔兒，雖是打給老百姓聽的，但亦可收効忠之副作用（其實即打官腔人之眞正目的），且報紙爭載，毋庸上陳情表，不需要散發告民衆書矣。況且不露痕跡，確是高明之至。故此種官腔兒，可名之曰冲天式，以其能上達天聽而又能播之四方也。

同僚之間，同一小組（時下盛行小組政治）而不屬同一機關，或業務有關之機關，則皆奉行諉過爭功之做官秘訣。在那場合中，腔官兒是甲打給乙，乙打給丙，丙再轉打給甲。推來轉去，徒見「公文旅行」，「相應函達」，無非欲置別人於泥途，直是玩弄官腔兒技巧的好手段，不知何人發明，然而確實大家一部學會了這一套，一面是會議開之不完，事情卻是未辦。這般的官腔兒，可稱之以名之，可稱之爲踢皮球式，因爲踢公事當皮球，故此互相派司，無異於打幾圈衞生麻將之有益健康焉。

凡是長字輩的官兒，就作弄是一個最起碼的股長吧，一都備有資格被起而孔眼皮兒往上翻着幾句官腔兒給下屬聽。這時間不外是：「怎麼搞的嘛？」「這樣馬虎還成？」「以後要注意呀！」等等。

這種官腔兒，看似稀鬆平常，然而就因爲是出諸於官的嘴裏，聽進下屬的耳朵裏，而有如迅雷。[illegible]

兒一番，事情便會辦好之議，實際上就是兒者無非顯示其高高在上耳。據說長字輩的官兒，就全靠這幾句官腔兒，以顯示其威風。這種官腔兒，第[illegible]下才能適用，第二必須在辦公室裏才合體統；但不可當着有外客在前之時打，[illegible]最好是在外客面前[illegible]眞弄大。[illegible]若然這就該列入「第三一二」。但不論如何，此種官腔兒，可稱之爲落地式，以其自上而下，如一塊石頭落地之[illegible]也。[illegible]大概上三類可以包括之。孟老夫子曰：「上下交征利，而國危矣！」然而上下交「爭」打官腔，這情形如之何如之何！

我的學生生活

雷嘯岑

（二）中學時期

民國二年二月間，我跟隨父親到了長沙，即由住家在長沙的先叔祖父筱秋公（他是譚延闓都督的老友），寫信給當時省立高級中學——後來改爲第一中學——校長符定一，讓我免考入學，編列在「法文補習班」，每天專習法文四小時，經過三個月補習後，再併入正科的班次（該校分設英、德、法文各班）；法文教員黃康年很賞識我，只補習了兩個月，便教我提前升入了正科；日後的改組派份子郭春濤——學名叫做「名忠」——即是同班學友，且同在一間自修室內。

既而湖南省立第一師範成立，登報招生，學生免收學費，且由公家供給制服與課本等。我自忖家寒，乃化名「雷劍」先行報名投考，然後告訴父親，他亦贊成。榜發，我以第一名錄取了，父親很高興，旋即帶我赴該校辦理入學手續。不料我是穿着省立高級中學制服去的，當場被執事者發覺了，認爲我是「跨學」份子，不許我入學，還說要通知省立高中的符校長，對我加以懲罰。父親大怒，跟那執事人員吵鬧理論，聲言「我馬上去找譚組安都督，問問他是否有這種教育法規」？那人聽着我父親很神氣地說要找譚都督，好像在政治上頗有苗頭的樣兒，即改口說道：「照本校的規定是不行的，不過，你的子弟被錄取在第一名，姑准通融辦理可也」。如是，我進入了第一師範，同班同學計有五十名左右，毛澤東便是其中的一個。我在一師讀了一個多月書，叔祖父知道我改換了學校，大不贊成，他對我父說：「小小年紀就學師範，將來畢業之後，祗是作個小學教員而已，有甚末出息呢？」他主張下學期還是教我回到省立高級中學的好，父親只得遵命辦理。

這時候，湖南的報紙上爲着宋教仁在上海被刺殞命這椿事情，經常表示反對袁世凱的言論，氣氛甚爲激昂。長沙有家「民國日報」，是國民黨創辦的，反袁的態度尤其猛烈，我在學校天天看這張報紙，心理上亦莫名其妙的對袁氏大起反感。當時第一師範的功課亦頗輕鬆，只注重國文，歷史，修身這幾項課程，我對這些功課自信有把握，加以下學期又要轉回到省立高中去，更懶得用心勤學了。乃以「野鶴山人」的筆名，向「民國日報」投稿，反對袁世凱，稿件居然刊登出來，心裏十分得意。

是年八月下旬，我同到省立高中——這時已改名爲第一中學——但不願再習法文，自請降下一班，改習英文，仍從第一學期讀起，同班學友中，有現在台灣的國大代表向大藩，暨在大陸以教書爲業的周谷城（原名周學超）。此時剛是南方革命黨討袁之役失敗後，黎元洪在湖北替袁世凱作爪牙，芟夷民黨勢力，長沙的輿論對黎氏很不滿意，我也不自知其所以然地表示共鳴，曾用眞姓名寫一短評投諸「民國日報」，大罵黎元洪。父親看到了，馬上喚我到三叔父寓所（三叔當選省議員了），一面痛斥我胡鬧，同時起身要打我，三叔攔阻道：「這有甚末不得了，何必如此大驚小怪呢？」兄弟二人吵將起來，我乘機溜走，祇聽到父親說：「將來你叔侄二人，非弄出大禍事不可啦！」（三）

憶玉軒雜綴

·秋塵·

寂寞朱淑貞

宋女詞人朱淑貞，才女而嫁與市井，抑鬱無趣，寂寞以終，其爲時代的悲劇耶！

淑貞是南宋時錢塘人，幼聰慧，善讀書，工詩詞，風流蘊藉，自號幽棲居士。蚤歲，其父母失愼，不爲擇良配，嫁與市井，作詩多首，她丈夫不能酬唱，痛苦萬狀，終告分居，獨住西子湖上，作中有黃花，詞意堅決，有「寧可抱香枝上老，不隨黃葉舞秋風」之言。朱詩詞中多有身世之歎，部分且流露纏綿的戀情，寫得相當坦率。茲分別記之：

「愁懷」是她說明婚姻不如意者，有云：「鷗鷺鴛鴦作一池，須知羽翼不相宜。東君不與花爲主，何似休生連理枝。滿眼春光色色新，花紅柳綠總關情。欲將鬱結心頭事，付與黃鸝叫幾聲。」

「湖上」爲不能酬和的寫眞，有云：「帆高風順疾如飛，天闊波平遠又低。山色水光隨地改，共誰裁剪入新詩？對景如何遣懷，與誰江上共詩裁？日長景好題難盡，每自臨風愧乏才。」

在她分居以後，身心比較自由，會寫「元夜」詩云：「火燭銀花觸目紅，揭天鼓吹鬧東風。新歡入手愁忙裏，舊事驚心憶夢中。但願暫隨人繾綣，不妨常在月朦朧。賞燈那得工夫醉，未必明年此會同！」

（未完）

史地傳記類　PC0279

自由人（十一）

編　　者 / 陳正茂
責任編輯 / 邵亢虎
圖文排版 / 彭君浩
封面設計 / 陳佩蓉

法律顧問 / 毛國樑　律師
印製經銷 / 秀威資訊科技股份有限公司
114台北市內湖區瑞光路76巷65號1樓
電話：+886-2-2796-3638　傳真：+886-2-2796-1377
http://www.showwe.com.tw
劃撥帳號 / 19563868　戶名：秀威資訊科技股份有限公司
讀者服務信箱：service@showwe.com.tw
展售門市 / 國家書店（松江門市）
104台北市中山區松江路209號1樓
電話：+886-2-2518-0207　傳真：+886-2-2518-0778
網路訂購 / 秀威網路書店：http://www.bodbooks.com.tw
國家網路書店：http://www.govbooks.com.tw

2012年12月復刻版
定價：2500元

國家圖書館出版品預行編目

自由人 / 陳正茂編. -- 一版. -- 臺北市 : 秀威資訊科技,
2012. 12-
冊 ; 公分. -- (史地傳記類)
BOD版
ISBN 978-986-326-020-2(第1冊 : 精裝). --
ISBN 978-986-326-016-5(第2冊 : 精裝). --
ISBN 978-986-326-017-2(第3冊 : 精裝). --
ISBN 978-986-326-018-9(第4冊 : 精裝). --
ISBN 978-986-326-019-6(第5冊 : 精裝). --
ISBN 978-986-326-022-6(第6冊 : 精裝). --
ISBN 978-986-326-023-3(第7冊 : 精裝). --
ISBN 978-986-326-024-0(第8冊 : 精裝). --
ISBN 978-986-326-025-7(第9冊 : 精裝). --
ISBN 978-986-326-026-4(第10冊 : 精裝). --
ISBN 978-986-326-034-9(第11冊 : 精裝). --
ISBN 978-986-326-035-6(第12冊 : 精裝). --
ISBN 978-986-326-036-3(第13冊 : 精裝). --
ISBN 978-986-326-037-0(第14冊 : 精裝). --
ISBN 978-986-326-038-7(第15冊 : 精裝). --
ISBN 978-986-326-039-4(第16冊 : 精裝). --
ISBN 978-986-326-040-0(第17冊 : 精裝). --
ISBN 978-986-326-041-7(第18冊 : 精裝). --
ISBN 978-986-326-042-4(第19冊 : 精裝). --
ISBN 978-986-326-043-1(第20冊 : 精裝). --

1. 報紙 2. 香港特別行政區

059.92 101021409

讀者回函卡

感謝您購買本書，為提升服務品質，請填妥以下資料，將讀者回函卡直接寄回或傳真本公司，收到您的寶貴意見後，我們會收藏記錄及檢討，謝謝！

如您需要了解本公司最新出版書目、購書優惠或企劃活動，歡迎您上網查詢或下載相關資料：http:// www.showwe.com.tw

您購買的書名：________________________________

出生日期：________年________月________日

學歷：□高中（含）以下　□大專　□研究所（含）以上

職業：□製造業　□金融業　□資訊業　□軍警　□傳播業　□自由業

□服務業　□公務員　□教職　□學生　□家管　□其它______

購書地點：□網路書店　□實體書店　□書展　□郵購　□贈閱　□其他

您從何得知本書的消息？

□網路書店　□實體書店　□網路搜尋　□電子報　□書訊　□雜誌

□傳播媒體　□親友推薦　□網站推薦　□部落格　□其他__________

您對本書的評價：（請填代號　1.非常滿意　2.滿意　3.尚可　4.再改進）

封面設計____　版面編排____　內容____　文／譯筆____　價格____

讀完書後您覺得：

□很有收穫　□有收穫　□收穫不多　□沒收穫

對我們的建議：________________________________

____

____

____

請貼
郵票

11466
台北市内湖區瑞光路 76 巷 65 號 1 樓
秀威資訊科技股份有限公司 收
BOD 數位出版事業部

....

（請沿線對折寄回，謝謝！）

姓　　名：＿＿＿＿＿＿＿＿　年齡：＿＿＿＿　性別：□女　□男

郵遞區號：□□□□□

地　　址：＿＿＿＿＿＿＿＿＿＿＿＿＿＿＿＿＿＿＿＿

聯絡電話：(日)＿＿＿＿＿＿＿＿＿＿　(夜)＿＿＿＿＿＿＿＿＿＿

E-mail：＿＿＿＿＿＿＿＿＿＿＿＿＿＿＿＿＿＿＿＿